IBDV26067

D1481181

COLLINS

SŁOWNIK
ANGIELSKO-POLSKI

ENGLISH-POLISH
DICTIONARY

COLLINS

ENGLISH-POLISH DICTIONARY

EDITOR-IN-CHIEF
PROFESSOR JACEK FISIAK

POLSKA OFICYNA WYDAWNICZA

COLLINS

SŁOWNIK
ANGIELSKO-POLSKI

pod redakcją
PROF. DR. HAB. JACKA FISIAKA

POLSKA OFICYNA WYDAWNICZA

REDAKTOR NACZELNY
JACEK FISIAK

ZASTĘPCA REDAKTORA NACZELNEGO
I NADZÓR INFORMATYCZNY
MICHAŁ JANKOWSKI

REDAKTOR CZĘŚCI ANGIELSKO-POLSKIEJ
ARLETA ADAMSKA-SAŁACIAK

REDAKTOR CZĘŚCI POLSKO-ANGIELSKIEJ
MARIUSZ IDZIKOWSKI

ZESPÓŁ LEKSYKOGRAFÓW
Marek Daroszewski • Przemysław Kaszubski • Janusz Kaźmierczak •
Agnieszka Kiełkiewicz-Janowiak • Tadeusz W. Lange • Robert Lew • Tomasz Lisowski •
Magdalena Małaczyńska • Agnieszka Mielczarek • Danuta Romanowska • Liliana Sikorska •
Grzegorz Skommer • Jacek Witkoś

KONSULTANCI
Ewa Dąbrowska • Alex Earle • Karol Janicki • Graham Knox-Crawford • Martin Parker •
Magdalena Pieczka • Tadeusz Piotrowski • Geoffrey Shaw • Tadeusz Zgółka

PRZEDSTAWICIELE WYDAWNICTWA COLLINS
Horst Kopleck (co-ordinator)
Jeremy Butterfield (project manager)

PROJEKT OKŁADKI
Marek Zadworny

REDAKTOR TECHNICZNY
Roman Bryl

ISBN 83-7066-661-2

Polska Oficyna Wydawnicza „BGW", Warszawa 1996
Wydanie I

SKŁAD
MOTIVEX

ŁAMANIE i DIAPOZYTYWY
cMOe

SPIS TREŚCI

CONTENTS

WSTĘP

Cieszymy się, że wybraliście Państwo słownik wydany przez BGW na licencji Collinsa – renomowanego wydawcy brytyjskiego. Mamy nadzieję, że polubicie go i będziecie się nim chętnie posługiwać w domu, na wakacjach i w pracy.

We wstępie znajdziecie Państwo szereg wskazówek wyjaśniających, jak najlepiej wykorzystać słownik – nie tylko jako listę wyrazów, ale również jako zbiór informacji zawartych w każdym artykule hasłowym. Pomoże to Państwu w czytaniu i rozumieniu współczesnych tekstów angielskich, a także ułatwi porozumiewanie się w tym języku.

Słownik zaczyna się od listy skrótów używanych w części angielsko-polskiej, po której następuje krótki opis wymowy angielskiej i polskiej. Następnie zamieszczone są listy angielskich czasowników nieregularnych, liczebników oraz wyrażeń używanych do podawania czasu. Część polsko-angielską słownika poprzedza lista używanych w niej skrótów oraz informacje o sposobie podawania informacji gramatycznych dotyczących języka polskiego. Na końcu słownika znajduje się krótki przewodnik po gramatyce polskiej oraz tabele z odmianą słów nieregularnych.

INTRODUCTION

We are delighted that you have decided to use the Collins BGW English-Polish Polish-English Dictionary and hope that you will enjoy it and benefit from using it at home, on holiday or at work.
This introduction gives you a few tips on how to get the most out of your dictionary – not simply from its comprehensive wordlist but also from the information provided in each entry. This will help you to read and understand modern Polish, as well as communicate and express yourself in the language.
The Collins BGW English-Polish Polish-English Dictionary begins by listing the abbreviations used in the English-Polish part of the dictionary, followed by guides to English and Polish pronunciation. Next come English irregular verbs, plus numbers and expressions using time and date. The Polish-English part of the dictionary begins by listing the abbreviations used in it and a style and layout section for that part of the dictionary. At the very back of the Polish-English part you will find a brief guide to Polish grammar and tables with irregularly declined and conjugated words.

JAK KORZYSTAĆ ZE SŁOWNIKA

Wyrazy hasłowe

Wyraz hasłowy to wyraz, pod którym zamieszczony jest artykuł hasłowy. Wyrazy hasłowe są uporządkowane alfabetycznie i wyróżnione **wytłuszczonym drukiem**. Mogą one być częścią zwrotu lub wyrazu złożonego. U góry każdej strony umieszczono pierwszy i ostatni wyraz hasłowy występujący na danej stronie.

Znaczenia

Znaczenia wyrazów hasłowych wydrukowane są zwykłą czcionką. Te, które oddzielone są przecinkiem, mogą najczęściej być używane wymiennie. Znaczenia oddzielone średnikiem nie są wymienne. Różnice znaczeń zaznaczone są zazwyczaj przez *kwalifikatory znaczeniowe* (zob. niżej) umieszczone w nawiasach i wydrukowane kursywą.

Nie zawsze istnieje w jednym z języków ekwiwalent znaczeniowy terminu występującego w drugim. Kiedy np. wyraz angielski określa przedmiot lub instytucję nie istniejącą w Polsce, słownik podaje albo przybliżony odpowiednik poprzedzony symbolem ≈, jeśli w języku polskim takowy występuje, albo opis danego przedmiotu czy instytucji, jeśli brak ekwiwalentu w polszczyźnie.

Kwalifikatory

Kwalifikator to informacja w języku hasła umieszczona w nawiasach i wydrukowana kursywą. Ułatwia ona wybranie odpowiedniego znaczenia wyrazu hasłowego w zależności od kontekstu, w którym wyraz ów występuje lub podaje jego synonim. Potoczne użycie wyrazów zaznaczone jest przy pomocy skrótu *inf* bezpośrednio po wyrazie hasłowym. Znaczenia polskie i angielskie wyrazów hasłowych są również odpowiednikami stylistycznymi, np. wulgarne wyrazy angielskie mają wulgarne odpowiedniki polskie. Aby uniknąć drastycznych nieporozumień wynikających z używania nieodpowiedniego tłumaczenia, wyrazy obraźliwe i wulgarne oznaczone są skrótem *inf!*.

Wymowa

W części angielsko-polskiej słownika po wyrazie hasłowym podana jest wymowa w transkrypcji fonetycznej. Jeśli w pozycji wyrazu hasłowego znajduje się zestawienie lub zwrot składający się z dwóch lub więcej wyrazów, wymowy ich należy szukać tam, gdzie występują jako wyrazy hasłowe. Np. w przypadku **bank rate** wymowa jest zamieszczona w odpowiednich miejscach przy **bank** i **rate**. Lista symboli fonetycznych znajduje się na stronach VII – III.

W części polsko-angielskiej słownik nie podaje wymowy. Informacje na temat reguł wymowy polskiej umieszczone są na stronach VIII – X.

Słowa kluczowe

Nowością w naszym słowniku jest szczególne potraktowanie tzw. słów kluczowych zarówno w części polskiej, jak i angielskiej. *Słowa kluczowe* to wyrazy o wielu znaczeniach i szerokim zakresie użycia. Po raz pierwszy w słowniku zostały one wyraźnie wyróżnione (w specjalnej ramce z nagłówkiem *KEYWORD* lub *SŁOWO KLUCZOWE*), aby ułatwić użytkownikowi ich czynne i bierne opanowanie.

Skróty i nazwy własne

Akronimy i inne skróty oraz nazwy własne zostały w słowniku potraktowane jako wyrazy hasłowe i umieszczone w porządku alfabetycznym.

Użycie *or/lub*, ukośnej kreski (/) i nawiasów

Wyrazy *or* w części angielsko-polskiej i *lub* w części polsko-angielskiej używane są między wymiennymi (synonimicznymi) znaczeniami wyrazu hasłowego lub zwrotu występującego pod hasłem. Ukośna kreska (/) oddziela różne znaczenia, niesynonimiczne i niewymienne. Nawiasy okrągłe oznaczają elementy, które można opuścić.

Amerykanizmy

Warianty pisowni amerykańskiej w tych samych wyrazach znajdują się po wyrazie hasłowym, np. **colour**, *(US)* **color**. W wyrazach odległych alfabetycznie warianty amerykańskie podane są samodzielnie według porządku alfabetycznego. Podobnie w przypadku różnych form wyrazowych, np. wyrazy *trousers* i *pants* występują oddzielnie.

Polskie czasowniki zwrotne

Polskie czasowniki zwrotne nie są wyróżnione w słowniku jako osobne hasła. Należy ich szukać pod formami niezwrotnymi, np. **myć się** umieszczono pod hasłem **myć**, które jest wyrazem hasłowym.

Using the dictionary

Headwords

The headword is the word you look up in a dictionary. Headwords are listed in alphabetical order, and printed in **bold type** so that they stand out on the page. Each headword may contain other references such as phrases and compounds. The two headwords appearing at the top of each page indicate the first and last word dealt with on the page in question.

Translations

The translations of the headword are printed in ordinary roman type. As a rule, translations separated by a comma can be regarded as interchangeable for the meaning indicated. Translations separated by a semi-colon are not interchangeable, though the different meaning splits are generally marked by an indicator (see below).

It is not always possible to give an exact translation equivalent, for instance when the English word denotes an object or institution which does not exist or exists in a different form in Polish. If an approximate equivalent exists, it is given preceded by ≈. If there is no cultural equivalent a *gloss* is given to explain the source item.

Indicators

An *indicator* is a piece of information in the source language about the usage of the headword to guide you to the most appropriate translation. Indicators give some idea of the contexts in which the headword might appear, or they provide synonyms for the headword. They are printed in italic type and shown in brackets.

Colloquial and informal language in the dictionary is marked at the headword. You should assume that the translation will match the source language in register, and rude or offensive translations are also marked with (*inf!*).

Pronunciation

On the English-Polish side of the dictionary you will find the phonetic spelling of the word in square brackets after the headword. Where the entry is composed of two or more unhyphenated words, each of which is given elsewhere in the dictionary, you will find the pronunciation of each word in its alphabetical position. A list of symbols is given on pages VII – VIII.

On the Polish-English side the pronunciation of Polish headwords is not provided. Information on Polish pronunciation is given on pages VIII – X.

Keywords

In this dictionary we have given special status to "key" English and Polish words. As these words can be grammatically complex and often have many different usages, they have been given special attention in the dictionary, and are labelled *KEYWORD* and *SŁOWO KLUCZOWE*.

Abbreviations and proper names

Abbreviations, acronyms and proper names have been included in the word list in alphabetical order.

Use of *or/lub*, oblique and brackets

The words "or" on the English-Polish side and "lub" on the Polish-English side are used between interchangeable parts of a translation or source phrase. The oblique (/) is used between non-interchangeable alternatives in the translation of source phrase. Round brackets are used to show optional parts of the translation or source phrase.

American variants

American spelling variants are generally shown at the British headword, eg. **colour,** *(US)* **color** and also as a separate entry if they are not alphabetically adjacent to the British form. Variant forms are generally shown as headwords in their own right, eg. **trousers/pants,** unless the British and American forms are alphabetically adjacent in which case the American form is only shown separately if phonetics are required.

Polish reflexive verbs.

Polish reflexive verbs, eg. **myć się** are listed under the basic verb **myć.**

STYLE AND LAYOUT OF THE DICTIONARY
ENGLISH-POLISH

Gender

The gender of Polish nouns given as translations is always shown in the dictionary.
Nouns which have a common gender, eg. *sierota* are labelled *m/f.*
Indeclinable nouns are labelled with gender followed by the abbreviation *inv.*
Where the feminine form of a masculine noun is also given a translation, and the gender of the masculine noun is shown according to the guidelines given above, the gender of the feminine is shown as follows: *nauczyciel(ka) m(f).* Plural noun translations are always labelled with the abbreviation *pl,* eg. *wakacje pl.*

Feminine forms

The following conventions are used in this dictionary to show feminine forms of masculine nouns:
– If the feminine ending adds on to the masculine form, the feminine ending is bracketed, eg. *nauczyciel(ka).*
– If the feminine ending substitutes part of the masculine form, the last common letter of the masculine and feminine form is shown before the feminine ending, preceded by a dash and enclosed in brackets, eg. *mieszkaniec (-nka).*
– If the feminine form is given in full it appears next to the masculine form and is separated by an oblique (/), eg. *Czech/Czeszka.*

Adjectives

Polish translations of adjectives are always given in the masculine.

Verbs

In translation of the headword, imperfective and perfective aspects are shown in full where they both apply, eg. **beat** bić (zbić *perf*). If only one aspect is shown, it means that only one aspect works for this sense.

In infinitive phrases, if the two aspects apply they are shown and labelled, eg. **to buy sth** kupować (kupić *perf*) coś.

Where the English phrase contains the past tense of a verb in the 1st person singular, the Polish translation gives either the masculine or the feminine form, eg. **I did** 'zrobiłem'/**I sang** 'śpiewałam'.

SKRÓTY UŻYWANE W SŁOWNIKU ANGIELSKO-POLSKIM
ABBREVIATIONS USED IN THE ENGLISH-POLISH DICTIONARY

skrót	*abbr*	abbreviation
biernik	*acc*	accusative
przymiotnik	*adj*	adjective
administracja	*ADMIN*	administration
przysłówek	*adv*	adverb

rolnictwo	**AGR**	agriculture
anatomia	**ANAT**	anatomy
architektura	**ARCHIT**	architecture
astronomia	**ASTRON**	astronomy
motoryzacja	**AUT**	automobiles
lotnictwo	**AVIAT**	aviation
biologia	**BIO**	biology
botanika	**BOT**	botany
angielszczyzna brytyjska	**BRIT**	British English
chemia	**CHEM**	chemistry
handel	**COMM**	commerce
stopień wyższy	**comp**	cpmparative
informatyka i komputery	**COMPUT**	computer
spójnik	**conj**	conjunction
budownictwo	**CONSTR**	construction
kulinarny	**CULIN**	culinary
celownik	**dat**	dative
odmienny	**decl**	declinable
rodzajnik określony	**def. art**	definite article
zdrobnienie	**dimin**	diminutive
ekonomia	**ECON**	economics
elektronika,elektryczność	**ELEC**	electronics, electricity
szczególnie	**esp**	especially
itd	**etc**	et cetera
wykrzyknik	**excl**	exclamation
żeński	**f**	feminine
przenośny	**fig**	figurative
finanse	**FIN**	finance
dopełniacz	**gen**	genitive
geografia	**GEOG**	geography
geologia	**GEOL**	geology
geometria	**GEOM**	geometry
bezosobowy	**impers**	impersonal
czasownik niedokonany	**imperf**	imperfective verb
rodzajnik nieokreślony	**indef art**	indefinite article
potoczny	**inf**	informal
obraźliwy, wulgarny	**inf!**	offensive
bezokolicznik	**infin**	infinitive
narzędnik	**instr**	instrumental
niezmienny	**inv**	invariable
nieregularny	**irreg**	irregular
prawo	**JUR**	law
językoznawstwo	**LING**	linguistics
miejscownik	**loc**	locative
męski	**m**	masculine
matematyka	**MATH**	mathematics
medycyna	**MED**	medicine
meteorologia	**METEOR**	meteorology
wojskowość	**MIL**	military
muzyka	**MUS**	music
mitologia	**MYTH**	mythology,
rzeczownik	**n**	noun
żegluga	**NAUT**	nautical
mianownik	**nom**	nominative
rzeczownik w liczbie mnogiej	**npl**	plural noun
liczebnik	**num**	numeral
siebie, się	**o.s.**	oneself

parlament	**PARL**	parliament
dopełniacz cząstkowy	**part**	partitive
pejoratywny	**pej**	pejorative
czasownik dokonany	**perf**	perfective verb
·fotografia	**PHOT**	photography
fizyka	**PHYS**	physics
fizjologia	**PHYSIOL**	physiology
liczba mnoga	**pl**	plural
polityka	**POL**	politics
nie występuje bezpośrednio przed rzeczownikiem	**post**	postpositive (does not immediately precede a noun)
imiesłów bierny	**pp**	past participle
przyimek	**prep**	preposition
zaimek	**pron**	pronoun
psychologia	**PSYCH**	psychology
czas przeszły	**pt**	past tense
kolej	**RAIL**	railways
religia	**REL**	religion
ktoś	**sb**	somebody
szkoła	**SCOL**	school
coś	**sth**	something
stopień najwyższy	**superl**	superlative
technika i technologia	**TECH**	technology
telekomunikacja	**TEL**	telecommunication
teatr	**THEAT**	theatre
telewizja	**TV**	television
poligrafia	**TYP**	printing
uniwersytet	**UNIV**	university
angielszczyzna amerykańska	**US**	American English
zwykle	**usu**	usually
czasownik	**vb**	verb
czasownik nieprzechodni	**vi**	intransitive verb
męskoosobowy	**vir**	virile
czasownik nierozdzielny	**vt fus**	inseparable verb
czasownik przechodni	**vt**	transitive verb
zoologia	**ZOOL**	zoology
znak zastrzeżony	®	registered trademark
poprzedza odpowiednik kulturowy	≈	introduces a cultural equivalent
zmiana osoby mówiącej	–	change of speaker

WYMOWA ANGIELSKA

Samogłoski i dyftongi

Symbol fonetyczny	**Przykład angielski**	**Przybliżony odpowiednik polski lub opis**
[ɑ:]	p<u>ar</u>t, f<u>a</u>ther	t<u>a</u>ta
[ʌ]	b<u>u</u>t, c<u>o</u>me	<u>a</u>gresja
[æ]	m<u>a</u>n, c<u>a</u>t	bardzo otwarte „e"
[ɛ]	dr<u>e</u>ss, <u>e</u>gg	b<u>e</u>z
[ə]	fath<u>er</u>, <u>a</u>go	samogłoska centralna nieakcentowana
[ə:]	b<u>ir</u>d, h<u>ear</u>d	samogłoska centralna długa
[ɪ]	<u>i</u>t, b<u>i</u>g	samogłoska podobna do polskiej „y"
[i:]	t<u>ea</u>, s<u>ea</u>	k<u>ij</u>, p<u>ij</u>

[ɔ]	h<u>o</u>t, w<u>a</u>sh	p<u>o</u>d
[ɔ:]	s<u>aw</u>, <u>all</u>	długie „o"
[u]	p<u>u</u>t, b<u>oo</u>k	b<u>u</u>t
[u:]	t<u>oo</u>, y<u>ou</u>	długie „u"
[ɑɪ]	fl<u>y</u>, h<u>igh</u>	kr<u>aj</u>
[au]	h<u>ow</u>, h<u>ouse</u>	mi<u>ał</u>, mi<u>au</u>
[eɪ]	d<u>ay</u>, ob<u>ey</u>	kl<u>ej</u>
[ɪə]	h<u>ear</u>, h<u>ere</u>	kombinacja [i] i centralnej samogłoski [~]
[ɛə]	th<u>ere</u>, b<u>ear</u>	kombinacja [e] i [ə]
[əu]	g<u>o</u>, n<u>o</u>te	kombinacja [ɔ:] i [u]
[ɔɪ]	b<u>oy</u>, <u>oil</u>	<u>oj</u>
[uə]	p<u>oor</u>, s<u>ure</u>	kombinacja [u] i [ə]

Spółgłoski

Symbol fonetyczny	Przykład angielski	Przybliżony odpowiednik polski lub opis
[b]	<u>b</u>ut	<u>b</u>ut
[d]	men<u>d</u>e<u>d</u>	<u>d</u>om, bie<u>d</u>a
[g]	<u>g</u>o, bi<u>g</u>	<u>g</u>óra, bie<u>g</u>ać
[dʒ]	<u>g</u>in, ju<u>dg</u>e	<u>dż</u>em
[ŋ]	si<u>ng</u>	ba<u>ng</u>! w wymowie, gdzie nie słychać „g"
[h]	<u>h</u>ouse, <u>h</u>e	słabsze polskie „ch"
[j]	<u>y</u>oung	<u>j</u>est
[k]	<u>c</u>ome, ro<u>ck</u>	<u>k</u>amień, bo<u>k</u>
[r]	<u>r</u>ed, t<u>r</u>ead	t<u>r</u>ące „r" nieprzerywane
[s]	<u>s</u>and, <u>c</u>ity	<u>s</u>ad, ry<u>s</u>a
[z]	ro<u>s</u>e, <u>z</u>ebra	ba<u>z</u>a, <u>z</u>ebra
[ʃ]	<u>sh</u>e, ma<u>ch</u>ine	<u>sz</u>yna, ma<u>sz</u>erować
[tʃ]	<u>ch</u>in, ri<u>ch</u>	<u>cz</u>yn, ry<u>cz</u>eć
[v]	<u>v</u>alley	<u>w</u>ał
[w]	<u>w</u>ater, <u>wh</u>ich	<u>ł</u>otr
[ʒ]	vi<u>s</u>ion	wa<u>ż</u>ny
[θ]	<u>th</u>ink	wymawia się jak „s" z językiem między zębami
[ð]	<u>th</u>is	wymawia się jak „z" z językiem między zębami
[f]	<u>f</u>ace	<u>f</u>akt
[l]	<u>l</u>ake	<u>l</u>ekcja
[m]	<u>m</u>ust	<u>m</u>usieć
[n]	<u>n</u>ut	<u>n</u>uta
[p]	<u>p</u>at, po<u>p</u>	<u>p</u>apka
[t]	<u>t</u>ake, ha<u>t</u>	<u>t</u>ak, ka<u>t</u>

POLISH PRONUNCIATION

Vowels

1. Polish vowels are inherently short, whereas in English some vowels are inherently long (eg. b<u>ea</u>t) while others are inherently short (eg. b<u>i</u>t). Polish stressed vowels, however, tend to be slightly longer than unstressed ones.

2. Polish, unlike English, has two nasal vowels, ie. [õ] and [ẽ], as in d<u>ą</u>ć and g<u>ę</u>ś. In informal speech ą is pronounced [õ] only before [s z ʃ ʒ ɕ ʑ f v h], eg. d<u>ą</u>s, br<u>ą</u>zowy, g<u>ą</u>szcz, d<u>ą</u>żyć, si<u>ą</u>ść, s<u>ą</u> źli, s<u>ą</u> filmy, w<u>ą</u>wóz, w<u>ą</u>chać. [õ] changes into [on] in front of [t d ts dz tʃ dʒ], eg. k<u>ą</u>t, m<u>ą</u>dry, tr<u>ą</u>cać, ż<u>ą</u>dza, p<u>ą</u>czek, m<u>ą</u>drze. ą is pronounced [oŋ] before [k g], eg. b<u>ą</u>k, dr<u>ą</u>gi. [õ] changes into [om] before [p b], eg. k<u>ą</u>pać, tr<u>ą</u>ba. [ẽ], like [õ], is pronounced in informal speech before [s z ʃ ʒ ɕ ʑ], eg. k<u>ę</u>s, wi<u>ę</u>zy, w<u>ę</u>szyć, wyt<u>ę</u>żyć, g<u>ę</u>ś, wi<u>ę</u>zi. [ẽ] changes into [en] in front of [t d ts t, dz], eg. p<u>ę</u>tla, gaw<u>ę</u>da,

ręce, ręcznik, pędzel. [ẽ] changes into [eɲ] before [k g], eg. lęk, tęgi and into [em] before [p b], eg. tępy, bęben. In word-final position [ẽ] appears as [e], eg. chcę, wezmę.

3. Polish has no diphthongs.

Consonants

1. Polish has palatal and palatalized consonants. ń, as in koń, is a palatal nasal consonant. 'Hard' consonants [p b k g m l f v] have 'soft' or 'palatalised' counterparts which are indicated by the 'softening' vowel letter **i**, eg. piegi, bieg, kiedy, Gienia, miał, liana, fiasko, wiedzieć. The 'soft' consonants are pronunced like their 'hard' counterparts with simultaneous [j] as in the English word yet.

2. There are seven pairs of voiced and voiceless consonants:

voiced: b d g v z ʒ ʑ

voiceless: p t k f s ʃ ɕ

a) At the end of a word a voiced consonant is replaced by the corresponding voiceless consonant, eg. *gen pl* budˍ [but] (cf *nom sg* budˍa [buda]).

b) When a voiced consonant occurs before a voiceless consonant it is replaced by the corresponding voiceless consonant, eg. kłódˍka [kwutka], z katalogu [skatalogu] (cf z góry [zgurɪ]).

3. The consonants [p t k], eg. pod [pot], tak [tak], kot [kot] are pronounced without the slight puff of air which follows them in English before stressed vowels.

The pronunciation of vowels

Symbol	Spelling	Polish example	English example/explanation
[a]	a	kat	pronounced like the beginning of diphthong in 'eye'
[i]	i	nit	neat
[ɪ]	y	byt	bit
[e]	e	ten	ten
[o]	o	kot	caught (but shorter)
[u]	u	but	boot
[ẽ]	ę	węch	*see note 2 under Vowels*
[õ]	ą	wąs	*see note 2 under Vowels*

The pronunciation of consonants

Symbol	Spelling	Polish example	English example/explanation
[b]	b	byk	bit
[b′]	bi	biały	*see note 1 under Consonants*
[p]	p, b	pas, chleb	put
[p′]	pi	piasek	*see note 1 under Consonants*
[d]	d	dom	day
[t]	t, d	ton, pod	tone (*see note 3 under Consonants*)
[g]	g	góra	go
[g′]	gi	biegiem	*see note 1 under Consonants*
[k]	k, g	kot, róg	cat (*see note 3 under Consonants*
[k′]	ki	kiedy	*see note 1 under Consonants*
[v]	w	woda	vat
[v′]	wi	wiadro	*see note 1 under Consonants*
[f]	f, w	fala, rów	foam
[f′]	fi	fiasko	*see note 1 under Consonants*
[s]	s, z	sól, raz	sea
[z]	z	za	zebra
[ʃ]	sz, ż, rz	szum, już, malarz	shall
[ʒ]	ż, rz	żuk, rzecz	measure

[ɕ]	si, ś, ź	się, wieś, wieź	pronounced 'softer' than English [ʃ]
[ʑ]	zi, ź	zima, kuźnia	pronounced 'softer' than English [ʒ]
[ts]	c, dz	cegła, widz	tsetse
[dz]	dz	sadza	Leeds, adze
[tʃ]	cz, dż	czy, gwiżdż	cheap
[dʒ]	dż, drz	dżem	jam
[tɕ]	ci, ć, dź	cichy, śmierć, jedź	pronounced 'softer' than [tʃ] as in *cheese*
[dʑ]	dzi, dź	dzień, dźwięk	pronounced 'softer' than [dʒ] as in *gene*
[r]	r	rok, bór	pronounced like rolled Scots "r" in all positions
[l]	l	lato	like
[m]	m	mama	mother
[n]	n	noga	nook
[ɲ]	ni, ń	nie, pień	'soft' n
[w]	ł	łódź	wood
[j]	j	jak	yet

Angielskie czasowniki nieregularne

present	pt	pp
arise	arose	arisen
awake	awoke	awoken
be (am, is, are; being)	was, were	been
bear	bore	born(e)
beet	beat	beaten
become	became	become
befall	befell	befallen
begin	began	begun
behold	beheld	beheld
bend	bent	bent
beset	beset	beset
bet	bet, betted	bet, betted
bid *(at auction, cards)*	bid	bid
bid *(say)*	bade	bidden
bind	bound	bound
bite	bit	bitten
bleed	bled	bled
blow	blew	blown
break	broke	broken
breed	bred	bred
bring	brought	brought
build	built	built
burn	burnt, burned	burnt, burned
burst	burst	burst
buy	bought	bought
can	could	(been able)
cast	cast	cast
catch	caught	caught
choose	chose	chosen
cling	clung	clung
come	came	come
cost	cost	cost
cost *(work out price of)*	costed	costed
creep	crept	crept

cut	cut	cut
deal	dealt	dealt
dig	dug	dug
do (*3rd person: he/she/it does*)	did	done
draw	drew	drawn
dream	dreamed, dreamt	dreamed, dreamt
drink	drank	drunk
drive	drove	driven
dwell	dwelt	dwelt
eat	ate	eaten
fall	fell	fallen
feed	fed	fed
feel	felt	felt
fight	fought	fought
find	found	found
flee	fled	fled
fling	flung	flung
fly (flies)	flew	flown
forbid	forbad(e)	forbidden
foresst	forecast	forecast
forget	forgot	forgotten
forgive	forgave	forgiven
forsake	forsook	forsaken
freeze	froze	frozen
get	got	got, (*US*) gotten
give	gave	given
go (goes)	went	gone
grind	ground	ground
grow	grew	grown
hang	hung	hung
hang (*execute*)	hanged	hanged
have (has; having)	had	had
hear	heard	heard
hide	hid	hidden
hit	hit	hit
hold	held	held
hurt	hurt	hurt
keep	kept	kept
kneel	knelt, kneeled	knelt, kneeled
know	knew	known
lay	laid	laid
lead	led	led
lean	leant, leaned	leant, leaned
leep	leapt, leaped	leapt, leaped
learn	learnt, learned	learnt, learned
leave	left	left
lend	lent	lent
let	let	let
lie (lying)	lay	lain
light	lit, lighted	lit, lighted
lose	lost	lost
make	made	made
may	might	–
meen	meant	meant
meet	met	met
mistske	mistook	mistaken

mow	mowed	mown, mowed
must	(had to)	(had to)
pay	paid	paid
put	put	put
quit	quit, quitted	quit, quitted
reed	read	read
rid	rid	rid
ride	rode	ridden
ring	rang	rung
rise	rose	risen
run	ran	run
saw	sawed	sawed, sawn
say	said	said
see	saw	seen
seek	sought	sought
sell	sold	sold
send	sent	sent
set	set	set
sew	sewed	sewn
shake	shook	shaken
shall	should	–
shear	sheared	shorn, sheared
shed	shed	shed
shine	shone	shone
shoot	shot	shot
show	showed	shown
shrink	shrank	shrunk
shut	shut	shut
sing	sang	sung
sink	sank	sunk
sit	sat	sat
sley	slew	slain
sleep	slept	slept
slide	slid	slid
sling	slung	slung
slit	slit	slit
smell	smelt, smelled	smelt, smelled
sow	sowed	sown, sowed
speak	spoke	spoken
speed	sped, speeded	sped, speeded
spell	spelt, spelled	spelt, spelled
spend	spent	spent
spill	spilt, spilled	spilt, spilled
spin	spun	spun
spit	spat	spat
spoil	spoiled, spoilt	spoiled, spoilt
spread	spread	spread
spring	sprang	sprung
stand	stood	stood
steal	stole	stolen
stick	stuck	stuck
sting	stung	stung
stink	stank	stunk
stride	strode	stridden
strike	struck	struck
strive	strove	striven
swear	swore	sworn

sweep	swept	swept
swell	swelled	swollen, swelled
swim	swam	swum
swing	swung	swung
take	took	taken
teach	taught	taught
tear	tore	torn
tell	told	told
think	thought	thought
throw	threw	thrown
thrust	thrust	thrust
tread	trod	trodden
wake	woke, waked	woken, waked
wear	wore	worn
weave	wove	woven
weave *(wind)*	weaved	weaved
wed	wedded, wed	wedded, wed
weep	wept	wept
win	won	won
wind	wound	wound
wring	wrung	wrung
write	wrote	written

LICZBY • NUMBERS

LICZEBNIKI GŁÓWNE

CARDINAL NUMBERS

jeden	**1**	one
dwa	**2**	two
trzy	**3**	three
cztery	**4**	four
pięć	**5**	five
sześć	**6**	six
siedem	**7**	seven
osiem	**8**	eight
dziewięć	**9**	nine
dziesięć	**10**	ten
jedenaście	**11**	eleven
dwanaście	**12**	twelve
trzynaście	**13**	thirteen
czternaście	**14**	fourteen
piętnaście	**15**	fifteen
szesnaście	**16**	sixteen
siedemnaście	**17**	seventeen
osiemnaście	**18**	eighteen
dziewiętnaście	**19**	nineteen
dwadzieścia	**20**	twenty
dwadzieścia jeden	**21**	twenty-one
dwadzieścia dwa	**22**	twenty-two
trzydzieści	**30**	thirty
czterdzieści	**40**	forty
pięćdziesiąt	**50**	fifty
sześćdziesiąt	**60**	sixty
siedemdziesiąt	**70**	seventy
osiemdziesiąt	**80**	eighty
dziewięćdziesiąt	**90**	ninety
sto	**100**	a hundred
sto jeden	**101**	a hundred and one

dwieście	**200**	two hundred
trzysta	**300**	three hundred
czterysta	**400**	four hundred
pięćset	**500**	five hundred
tysiąc	**1000**	a thousand
milion	**1000000**	a million

LICZEBNIKI ZBIOROWE		COLLECTIVE NUMERALS
dwoje	2	two
troje	3	three
czworo	4	four
pięcioro	5	five
sześcioro	6	six
siedmioro	7	seven

LICZEBNIKI PORZĄDKOWE		ORDINAL NUMBERS	
1.	pierwszy	1st	first
2.	drugi	2nd	second
3.	trzeci	3rd	third
4.	czwarty	4th	fourth
5.	piąty	5th	fifth
6.	szósty	6th	sixth
7.	siódmy	7th	seventh
8.	ósmy	8th	eighth
9.	dziewiąty	9th	ninth
10.	dziesiąty	10th	tenth
11.	jedenasty	11th	eleventh
12.	dwunasty	12th	twelfth
13.	trzynasty	13th	thirteenth
14.	czternasty	14th	fourteenth
15.	piętnasty	15th	fifteenth
16.	szesnasty	16th	sixteenth
17.	siedemnasty	17th	seventeenth
18.	osiemnasty	18th	eighteenth
19.	dziewiętnasty	19th	nineteenth
20.	dwudziesty	20th	twentieth
21.	dwudziesty pierwszy	21st	twenty-first
30.	trzydziesty	30th	thirtieth
40.	czterdziesty	40th	fortieth
50.	pięćdziesiąty	50th	fiftieth
60.	sześćdziesiąty	60th	sixtieth
70.	siedemdziesiąty	70th	seventieth
80.	osiemdziesiąty	80th	eightieth
90.	dziewięćdziesiąty	90th	ninetieth
100.	setny	100th	one hundredth
101.	sto pierwszy	101st	one hundred-and-first
1.000.	tysiączny	1 000th	thousandth
1.000.000.	milionowy	1 000 000th	millionth

UŁAMKI			FRACTIONS	
pół, połowa	1/2		a half	1/2
jedna trzecia	1/3		a third	1/3
jedna czwarta	1/4		a quarter	1/4
jedna piąta	1/5		a fifth	1/5
trzy czwarte	3/4		three quarters	3/4
dwie trzecie	2/3		two thirds	2/3
półtora	1 1/2		one and a half	1 1/2

pięć dziesiątych	0,5	(nought) point five	0·5
trzy przecinek cztery	3,4	three point four	3·4
sześć przecinek osiemdziesiąt dziewięć	6,89	six point eight nine	6·89
dziesięć procent	10%	ten per cent	10%
sto procent	100%	a hundred per cent	100%

TIME AND DATE • CZAS I DATY

TIME

What time is it?

It is *or* it's 5 o'clock.

CZAS

Która (jest) godzina?

Jest (godzina) piąta.

00.00	midnight	północ
01.00	one o'clock (in the morning), 1 am	pierwsza (w nocy)
01.05	five (minutes) past one	pięć (minut) po (godzinie) pierwszej
01.10	ten (minutes) past one	dziesięć minut) po pierwszej)
01.15	a quarter past one, fifteen minutes past one, one fifteen	kwadrans lub piętnaście po pierwszej
01.20	twenty-five (minutes) past two	dwadzieścia pięć po drugiej
01.30	half (past) one, one thirty	pół do drugiej, pierwsza trzydzieści
01.35	twenty-five (minutes) to two, one thirty-five	pięć po (w)pół do drugiej, pierwsza trzydzieści pięć
01.40	twenty (minutes) to two, one forty	za dwadzieścia (minut) druga, pierwsza czterdzieści
01.45	a quarter to two, fifteen minutes to two, one forty-five	za kwadrans druga, za piętnaście druga, pierwsza czterdzieści pięć
01.50	ten minutes to two, one fifty	za dziesięć druga, pierwsza pięćdziesiąt
12.00	twelve (o'clock) noon, midday	dwunasta (w południe)
12.30	half (past) twelve *or* twelve thirty (in the afternoon), 12.30pm	pół do pierwszej, dwunasta trzydzieści
14.00	two o'clock (in the afternoon), 2pm	druga (po południu), czternasta
19.00	7 o'clock (in the evening), 7pm	siódma (wieczorem), dziewiętnasta

At what time?

At ... (o'clock).

at 7 (o'clock)
at midnight
at dawn, at nightfall
at dusk, at sunrise
at sunset

in *or* within twenty minutes
in an hour, in an hour's time, in an hour from now
in the next twenty minutes

ten minutes ago
two hours ago

half an hour
a quarter of an hour

O której godzinie?

O (godzinie) +*gen.*

o (godzinie) siódmej
o północy
o zmierzchu
o świcie
o zachodzie słońca

za dwadzieścia minut
(od teraz) za godzinę

w ciągu dwudziestu minut

dziesięć minut temu
dwie godziny temu

pół godziny
kwadrans, piętnaście minut

an hour and a half	półtorej godziny
every hour, on the hour	co godzinę, o pełnej godzinie
hourly	co godzinę

DATE | DATY

today	dzisiaj, dziś
tomorrow	jutro
the day after tomorrow	pojutrze
yesterday	wczoraj
the day before yesterday	przedwczoraj
the day before	w przeddzień
the day after	dzień po
in the morning	rano
in the evening	wieczorem
this morning	dziś rano
tonight, this evening	dziś wieczorem
this afternoon	dziś po południu
yesterday morning	wczoraj rano
last night, yesterday	wczoraj wieczorem
evening tomorrow morning	jutro rano
tomorrow evening	jutro wieczorem
on Saturday night	w sobotę wieczorem
on Sunday morning	w sobotę rano
he's coming on Thursday	on przyjdzie w czwartek
on Saturdays	w soboty, w sobotę
every Saturday	w każdą sobotę, co sobotę
last Saturday	w ostatnią sobotę
next Saturday	w następną sobotę
a week on Saturday	od tej soboty za tydzień
two weeks on Saturday	od tej soboty za dwa tygodnie
from Monday to Saturday	od poniedziałku do soboty
every day	codziennie, co dzień
once a week	raz w tygodniu
twice a week	dwa razy w tygodniu
once a month	raz w miesiącu
a week or seven days ago	tydzień temu
two weeks or a fortnight ago	dwa tygodnie temu
last year	w zeszłym roku
in two days' time	za dwa dni
in seven days or one week or a week	za tydzień
in a fortnight or two weeks	za dwa tygodnie
next month	w przyszłym miesiącu
next year	w przyszłym roku
what is today's date?, what date is it today?	który dzisiaj jest?
the first/1st October 1995	pierwszego lub 1. października 1995 r.
I was born on the 5th of June 1981	urodziłem się piątego czerwca 1981 r.
in 1995	w 1995 r.
nineteen (hundred and) ninety-five	tysiąc dziewięćset dziewięćdziesiąt pięć
44 B.C.	44 p.n.e.
14 A.D.	14 n.e.
in the 19th century	w XIX wieku
in the (nineteen) thirties, in the 1930s	w latach trzydziestych, w latach 30.
once upon a time	pewnego razu
a long, long time ago	dawno, dawno temu

A,a

A¹, a [eɪ] *n* (*letter*) A *nt*, a *nt*; (*SCOL*) ≈
bardzo dobry *m*; **A for Andrew,** *(US)* **A for
Able** ≈ A jak Adam; **A road** (*BRIT*) ≈ droga
główna; **A shares** (*BRIT: STOCK
EXCHANGE*) akcje klasy A.

A² [eɪ] *n* (*MUS*) A *nt*, a *nt*.

─────── KEYWORD ───────

a [ə] (*przed samogłoską lub niemym h:* **an**) *indef
art* **1**: **a book/girl** książka/dziewczyna; **an
apple** jabłko; **he's a doctor** on jest lekarzem.
2 (*some*): **there's a Mr Cox on the phone**
dzwoni jakiś pan Cox; **a woman I know**
pewna moja znajoma. **3** (*one*) **a year ago**
rok temu; **a hundred/thousand pounds**
sto/tysiąc funtów. **4** (*in expressing ratios*) na
+*acc*; **three a day/week** trzy na dzień/tydzień;
10 km an hour 10 km na godzinę. **5** (*in
expressing prices*) za +*acc*; **30p a kilo** (po)
30 pensów za kilogram.

---

a. *abbr* = **acre.**

AA *n abbr* (*BRIT*: = *Automobile Association*) ≈
PZM(ot) *m*; (*US*: = *Associate in/of Arts*)
stopień naukowy; (= *Alcoholics Anonymous*)
Anonimowi Alkoholicy *vir pl*, AA; (=
anti-aircraft) plot.

AAA *n abbr* (= *American Automobile
Association*) ≈ PZM(ot) *m*; (*BRIT*: = *Amateur
Athletics Association*) ≈ PZLA *nt*.

A & R (*MUS*) *n abbr* (= *artists and
repertoire*): **A & R person** *łowca talentów.*

AAUP *n abbr* (= *American Association of
University Professors*).

AB *abbr* (*BRIT*) = **able-bodied seaman;**
(*CANADA*: = *Alberta*).

abaci ['æbəsaɪ] *npl of* **abacus.**

aback [ə'bæk] *adv*: **to be taken aback** być
zaskoczonym.

abacus ['æbəkəs] (*pl* **abaci**) *n* liczydło *nt*,
abakus *m*.

abandon [ə'bændən] *vt* (*person*) porzucać
(porzucić *perf*), opuszczać (opuścić *perf*); (*car*)
porzucać (porzucić *perf*); (*search, research*)
zaprzestawać (zaprzestać *perf*) +*gen*; (*idea*)
rezygnować (zrezygnować *perf*) z +*gen* ♦ *n*:

with abandon bez opamiętania; **with joyous
abandon** w radosnym uniesieniu; **to abandon
ship** opuszczać (opuścić *perf*) statek.

abandoned [ə'bændənd] *adj* (*child*) porzucony;
(*house*) opuszczony; (*laugh*) niepohamowany.

abase [ə'beɪs] *vt*: **to abase o.s.** poniżać się
(poniżyć się *perf*), upokarzać się (upokorzyć się
perf).

abashed [ə'bæʃt] *adj* speszony.

abate [ə'beɪt] *vi* słabnąć (osłabnąć *perf*).

abatement [ə'beɪtmənt] *n*: **noise abatement
society** towarzystwo *nt* do walki z hałasem.

abattoir ['æbətwɑ:*] *n* rzeźnia *f*.

abbey ['æbɪ] *n* opactwo *nt*.

abbot ['æbət] *n* opat *m*.

abbreviate [ə'bri:vɪeɪt] *vt* (*word, essay*)
skracać (skrócić *perf*).

abbreviation [əbri:vɪ'eɪʃən] *n* skrót *m*.

ABC *n abbr* (= *American Broadcasting
Company*).

abdicate ['æbdɪkeɪt] *vt* zrzekać się (zrzec się
perf) +*gen* ♦ *vi* abdykować (abdykować *perf*).

abdication [æbdɪ'keɪʃən] *n* (*of right*) zrzeczenie
się *nt*, wyrzeczenie się *nt*; (*of responsibility*)
zrzeczenie się *nt*; (*monarch's*) abdykacja *f*.

abdomen ['æbdəmɛn] *n* brzuch *m*.

abdominal [æb'dɔmɪnl] *adj* brzuszny.

abduct [æb'dʌkt] *vt* porywać (porwać *perf*),
uprowadzać (uprowadzić *perf*).

abduction [æb'dʌkʃən] *n* porwanie *nt*,
uprowadzenie *nt*.

Aberdonian [æbə'dəunɪən] *adj dotyczący
Aberdeen* ♦ *n* mieszkaniec (-nka) *m(f)*
Aberdeen.

aberration [æbə'reɪʃən] *n* odchylenie *nt*,
aberracja *f*; **in a moment of mental aberration**
w chwili zachwiania równowagi umysłowej.

abet [ə'bɛt] *vt see* **aid.**

abeyance [ə'beɪəns] *n*: **in abeyance** w
zawieszeniu.

abhor [əb'hɔ:*] *vt* brzydzić się +*instr*,
odczuwać wstręt *or* odrazę do +*gen*.

abhorrent [əb'hɔrənt] *adj* odrażający.

abide [ə'baɪd] *vt*: **I can't abide it/him** nie mogę
tego/go znieść.

►abide by *vt fus* przestrzegać +*gen*.

ability [ə'bɪlɪtɪ] *n* umiejętność *f*, zdolność *f*; **to the best of my ability** najlepiej jak potrafię.

abject ['æbdʒɛkt] *adj* (*poverty*) skrajny; (*apology etc*) uniżony; (*coward*) nędzny.

ablaze [ə'bleɪz] *adj* w płomieniach *post*; **ablaze with light** rozświetlony.

able ['eɪbl] *adj* zdolny; **to be able to do sth** (*capable*) umieć coś (z)robić; (*succeed*) móc coś zrobić, zdołać (*perf*) coś zrobić.

able-bodied ['eɪbl'bɔdɪd] *adj* zdrowy, krzepki; **able-bodied seaman** (*BRIT*) starszy marynarz.

ablutions [ə'blu:ʃənz] (*fml*) *npl* ablucje *pl*.

ably ['eɪblɪ] *adv* umiejętnie, zręcznie.

ABM *n abbr* (= *anti-ballistic missile*).

abnormal [æb'nɔ:ml] *adj* nienormalny, anormalny.

abnormality [æbnɔ:'mælɪtɪ] *n* (*condition*) nienormalność *f*, (*instance*) nieprawidłowość *f*, anomalia *f*.

aboard [ə'bɔ:d] *prep* (*NAUT, AVIAT*) na pokładzie +*gen*; (*train, bus*) w +*loc* ♦ *adv* na pokładzie.

abode [ə'bəud] (*JUR*) *n*: **of no fixed abode** bez stałego miejsca zamieszkania.

abolish [ə'bɔlɪʃ] *vt* (*system*) obalać (obalić *perf*); (*practice*) znosić (znieść *perf*).

abolition [æbə'lɪʃən] *n* obalenie *nt*, zniesienie *nt*.

abominable [ə'bɔmɪnəbl] *adj* wstrętny, odrażający.

abominably [ə'bɔmɪnəblɪ] *adv* wstrętnie, odrażająco.

aborigine [æbə'rɪdʒɪnɪ] *n* aborygen(ka) *m(f)*, tubylec *m*.

abort [ə'bɔ:t] *vt* (*foetus*) usuwać (usunąć *perf*); (*activity*) przerywać (przerwać *perf*); (*plan*) zaniechać (*perf*) +*gen*; (*COMPUT*) przerywać (przerwać *perf*) (*zadanie, wykonywanie programu*).

abortion [ə'bɔ:ʃən] *n* aborcja *f*, przerywanie *nt* ciąży; **to have an abortion** przerywać (przerwać *perf*) ciążę, poddawać się (poddać się *perf*) zabiegowi przerwania ciąży.

abortive [ə'bɔ:tɪv] *adj* nieudany, poroniony.

abound [ə'baund] *vi* (*be plentiful*) mnożyć się; (*possess in large numbers*): **to abound in** *or* **with** obfitować w +*acc*.

─────── KEYWORD ───────

about [ə'baut] *adv* **1** (*approximately*) około +*gen*; **about a hundred/thousand** około stu/tysiąca; **at about 2 o'clock** około (godziny) drugiej; **I've just about finished** prawie skończyłem. **2** (*referring to place*) dookoła; **to leave things lying about** zostawiać (zostawić *perf*) wszystko porozrzucane dookoła; **to run about** biegać dookoła. **3**: **to be about to do sth** mieć właśnie coś zrobić; **he was about to leave** właśnie miał wyjść ♦ *prep* **1** (*relating to*) o +*loc*; **we talked about it** rozmawialiśmy o tym; **what** *or* **how about going out tonight?**

(a) może byśmy gdzieś wyszli (dziś) wieczorem? **2** (*referring to place*) po +*loc*; **to walk about the town** spacerować po mieście.

about-face [ə'baut'feɪs] *n* (*MIL*) w tył zwrot *m*; (*fig*) zwrot *m* o 180 stopni, wolta *f*.

about-turn [ə'baut'tə:n] *n* = **about-face**.

above [ə'bʌv] *adv* (*higher up, overhead*) u góry, (po)wyżej; (*greater, more*) powyżej, więcej ♦ *prep* (*higher than*) nad +*instr*, ponad +*instr*; (*greater than, more than*) ponad +*acc*, powyżej +*gen*; **costing above 10 pounds** w cenie powyżej 10 funtów; **mentioned above** wyżej wspomniany *or* wzmiankowany; **he's not above a bit of blackmail** byłby zdolny posunąć się do drobnego szantażu; **above all** przede wszystkim, nade wszystko.

above board *adj* jawny, uczciwy.

abrasion [ə'breɪʒən] *n* (*on skin*) otarcie *nt*.

abrasive [ə'breɪzɪv] *adj* (*substance*) ścierny; (*fig: person, manner*) irytujący.

abreast [ə'brɛst] *adv* ramię przy ramieniu, obok siebie; **three abreast** trójkami; **to keep abreast of** (*fig: news etc*) nadążać za +*instr*, być na bieżąco z +*instr*.

abridge [ə'brɪdʒ] *vt* (*novel etc*) skracać (skrócić *perf*).

abroad [ə'brɔ:d] *adv* (*be*) za granicą; (*go*) za granicę; **there is a rumour abroad that ...** (*fig*) krążą plotki, że... .

abrupt [ə'brʌpt] *adj* (*action, ending*) nagły; (*person, behaviour*) obcesowy.

abruptly [ə'brʌptlɪ] *adv* (*leave, end*) nagle; (*speak*) szorstko, oschle.

abscess ['æbsɪs] *n* ropień *m*, wrzód *m*.

abscond [əb'skɔnd] *vi*: **to abscond with** (*money*) zbiegać (zbiec *perf*) z +*instr*; **to abscond (from)** (*prison*) zbiegać (zbiec *perf*) (z +*gen*), uciekać (uciec *perf*) (z +*gen*); (*school*) uciekać (uciec *perf*) (z +*gen*).

abseil ['æbseɪl] *vi* spuszczać się (spuścić się *perf*) po linie.

absence ['æbsəns] *n* (*of person*) nieobecność *f*, brak *m*; (*of thing*) brak *m*; **in the absence of** (*person*) pod nieobecność +*gen*; (*thing*) wobec braku +*gen*.

absent [*adj* 'æbsənt, *vb* æb'sɛnt] *adj* nieobecny ♦ *vt*: **to absent o.s. from** (*school*) być nieobecnym w +*loc*; (*meeting*) być nieobecnym na +*loc*; **to be absent without leave** (*MIL*) przebywać na samowolnym oddaleniu.

absentee [æbsən'ti:] *n* nieobecny (-na) *m(f)*.

absenteeism [æbsən'ti:ɪzəm] *n* absencja *f*.

absent-minded ['æbsənt'maɪndɪd] *adj* roztargniony.

absent-mindedness ['æbsənt'maɪndɪdnɪs] *n* roztargnienie *nt*.

absolute ['æbsəlu:t] *adj* absolutny.

absolutely [ˈæbsəˈluːtlɪ] *adv* (*totally*) absolutnie, całkowicie; (*certainly*) oczywiście.

absolution [ˌæbsəˈluːʃən] *n* rozgrzeszenie *nt*.

absolve [əbˈzɔlv] *vt*: **to absolve sb (from)** (*blame, sin*) odpuszczać (odpuścić *perf*) komuś (+*acc*); (*responsibility*) zwalniać (zwolnić *perf*) kogoś (od +*gen*).

absorb [əbˈzɔːb] *vt* (*liquid*) wchłaniać (wchłonąć *perf*), absorbować (zaabsorbować *perf*); (*light*) pochłaniać (pochłonąć *perf*), absorbować (zaabsorbować *perf*); (*group, business*) wchłaniać (wchłonąć *perf*); (*changes, effects*) dostosowywać się (dostosować się *perf*) do +*gen*; (*information*) przyswajać (przyswoić *perf*) sobie; **to be absorbed in a book** być pochłoniętym lekturą.

absorbent [əbˈzɔːbənt] *adj* chłonny, wchłaniający.

absorbent cotton (*US*) *n* wata *f*.

absorbing [əbˈzɔːbɪŋ] *adj* (*task, work*) absorbujący; (*book, film*) zajmujący.

absorption [əbˈsɔːpʃən] *n* (*of liquid*) absorpcja *f*, wchłanianie *nt*; (*of light*) absorpcja *f*, pochłanianie *nt*; (*assimilation*) asymilacja *f*; (*interest*) zainteresowanie *nt*, zaangażowanie *nt*.

abstain [əbˈsteɪn] *vi* (*in vote*) wstrzymywać się (wstrzymać się *perf*); **to abstain from** powstrzymywać się (powstrzymać się *perf*) od +*gen*.

abstemious [əbˈstiːmɪəs] *adj* wstrzemięźliwy.

abstention [əbˈstɛnʃən] *n* (*action*) wstrzymanie *nt* się od głosu; (*result*) głos *m* wstrzymujący się.

abstinence [ˈæbstɪnəns] *n* wstrzemięźliwość *f*, abstynencja *f*.

abstract [*adj, n* ˈæbstrækt, *vb* æbˈstrækt] *adj* abstrakcyjny ♦ *n* abstrakt *m*, wyciąg *m* ♦ *vt*: **to abstract sth (from)** wyławiać (wyłowić *perf*) coś (z +*gen*), wychwytywać (wychwycić *perf*) coś (z +*gen*).

abstruse [æbˈstruːs] *adj* zawiły.

absurd [əbˈsəːd] *adj* absurdalny.

absurdity [əbˈsəːdɪtɪ] *n* absurdalność *f*, absurd *m*.

ABTA [ˈæbtə] *n abbr* (= Association of British Travel Agents).

Abu Dhabi [ˈæbuːˈdɑːbɪ] *n* Abu Zabi *nt inv*.

abundance [əˈbʌndəns] *n* liczebność *f*, obfitość *f*; **an abundance of** mnóstwo +*gen*; **in abundance** pod dostatkiem.

abundant [əˈbʌndənt] *adj* obfity.

abundantly [əˈbʌndəntlɪ] *adv* (*grow etc*) obficie; (*clear*) zupełnie.

abuse [*n* əˈbjuːs, *vb* əˈbjuːz] *n* (*insults*) obelgi *pl*, przekleństwa *pl*; (*ill-treatment*) maltretowanie *nt*, znęcanie się *nt*; (*of power, drugs*) nadużywanie *nt* ♦ *vt* (*insult*) obrażać (obrazić *perf*), lżyć (zelżyć *perf*); (*ill-treat*) maltretować, znęcać się nad +*instr*; (*misuse*) nadużywać (nadużyć *perf*) +*gen*; **open to abuse** podatny na nadużycia.

abusive [əˈbjuːsɪv] *adj* obelżywy, obraźliwy.

abysmal [əˈbɪzməl] *adj* (*performance*) fatalny; (*failure*) sromotny; (*conditions, wages*) beznadziejny.

abysmally [əˈbɪzməlɪ] *adv* sromotnie.

abyss [əˈbɪs] *n* przepaść *f*, głębia *f*; (*fig*) przepaść *f*, otchłań *f*.

AC *abbr* = **alternating current**; (*US*: = **athletic club**) KS *m*, = Klub Sportowy.

a/c (*BANKING etc*) *abbr* = **account**; (= **account current**) rachunek *m* bieżący.

academic [ˌækəˈdɛmɪk] *adj* (*child*) dobrze się uczący; (*system, standard*) akademicki; (*book*) naukowy; (*pej: issue, discussion*) akademicki, jałowy ♦ *n* naukowiec *m*.

academic year *n* rok *m* akademicki.

academy [əˈkædəmɪ] *n* akademia *f*; **academy of music** akademia muzyczna; **military/naval academy** akademia wojskowa/marynarki wojennej.

ACAS [ˈeɪkæs] (*BRIT*) *n abbr* (= Advisory, Conciliation and Arbitration Service) *rządowa komisja pojednawcza i rozjemcza występująca w sporach dotyczących pracy.*

accede [ækˈsiːd] *vi*: **to accede to** przystawać (przystać *perf*) na +*acc*.

accelerate [ækˈsɛləreɪt] *vt* przyspieszać (przyspieszyć *perf*) ♦ *vi* (*AUT*) przyspieszać (przyspieszyć *perf*).

acceleration [ækˌsɛləˈreɪʃən] *n* przyspieszenie *nt*.

accelerator [ækˈsɛləreɪtə*] *n* pedał *m* przyspieszenia *or* gazu.

accent [ˈæksɛnt] *n* akcent *m*; (*fig*) nacisk *m*, akcent *m*; **to speak with an Irish accent** mówić z irlandzkim akcentem; **he has a strong accent** mówi z silnym akcentem.

accentuate [ækˈsɛntjueɪt] *vt* akcentować (zaakcentować *perf*).

accept [əkˈsɛpt] *vt* (*gift, invitation*) przyjmować (przyjąć *perf*); (*proposal*) przyjmować (przyjąć *perf*), akceptować (zaakceptować *perf*); (*fact, situation*) przyjmować (przyjąć *perf*) do wiadomości, godzić się (pogodzić się *perf*) z +*instr*; (*responsibility, blame*) brać (wziąć *perf*) na siebie.

acceptable [əkˈsɛptəbl] *adj* do przyjęcia *post*.

acceptance [əkˈsɛptəns] *n* przyjęcie *nt*, akceptacja *f*; **to meet with general acceptance** spotykać się (spotkać się *perf*) z ogólną aprobatą.

access [ˈæksɛs] *n* (*to building, room*) dojście *nt*; (*to information, papers*) dostęp *m* ♦ *vt* (*COMPUT*) uzyskiwać (uzyskać *perf*) dostęp do +*gen*; **this door gives access to...** te drzwi prowadzą do +*gen*; **to have access to** (*child etc*) mieć możliwość kontaktów z +*instr*; (*information, library*) mieć dostęp do +*gen*; **the burglars gained access through a window** włamywacze dostali się (do środka) przez okno.

accessible [æk'sɛsəbl] *adj* (*place, goods*)
dostępny; (*person*) osiągalny; (*knowledge, art*)
przystępny.

accession [æk'sɛʃən] *n* wstąpienie *nt* na tron,
objęcie *nt* tronu.

accessory [æk'sɛsərɪ] *n* (*AUT, COMM*)
wyposażenie *nt*, akcesoria *pl*; (*DRESS*)
dodatek *m*; (*JUR*): **accessory to** współsprawca
(-czyni) *m(f)* +*gen*; **toilet accessories** (*BRIT*)
przybory toaletowe.

access road *n* droga *f* dojazdowa.

access time (*COMPUT*) *n* czas *m* dostępu.

accident ['æksɪdənt] *n* (*chance event*)
przypadek *m*; (*mishap, disaster*) wypadek *m*;
to meet with *or* **to have an accident** ulegać
(ulec *perf*) wypadkowi, mieć wypadek;
accidents at work wypadki przy pracy; **by
accident** (*unintentionally*) niechcący, przez
przypadek; (*by chance*) przez przypadek,
przypadkiem.

accidental [æksɪ'dɛntl] *adj* przypadkowy.

accidentally [æksɪ'dɛntəlɪ] *adv* przypadkowo,
przypadkiem.

accident insurance *n* ubezpieczenie *nt* od
następstw wypadku.

accident-prone ['æksɪdənt'prəun] *adj* podatny
na wypadki.

acclaim [ə'kleɪm] *n* uznanie *nt* ♦ *vt* darzyć
uznaniem; **to be acclaimed for one's
achievements** wzbudzać uznanie swoimi
osiągnięciami.

acclamation [æklə'meɪʃən] *n* aklamacja *f*,
aplauz *m*.

acclimate [ə'klaɪmət] (*US*) *vt* = **acclimatize**.

acclimatize (*US* **acclimate**) [ə'klaɪmətaɪz] *vt*:
to become acclimatized (to) przyzwyczaić się
(*perf*) (do +*gen*).

accolade ['ækəleɪd] *n* pochwała *f*, wyraz *m*
uznania.

accommodate [ə'kɔmədeɪt] *vt* (*provide with
lodging*) kwaterować (zakwaterować *perf*); (*put
up*) przenocowywać (przenocować *perf*);
(*oblige*) iść (pójść *perf*) na rękę +*dat*; (*car,
hotel etc*) mieścić (zmieścić *perf*), pomieścić
(*perf*); **to accommodate o.s. to sth**
przystosowywać się (przystosować się *perf*)
do czegoś.

accommodating [ə'kɔmədeɪtɪŋ] *adj* uczynny,
życzliwy.

accommodation [əkɔmə'deɪʃən] *n*
zakwaterowanie *nt*, mieszkanie *nt*;
accommodations (*US*) *npl* noclegi *pl*,
zakwaterowanie *nt*; **he's found
accommodation** znalazł zakwaterowanie *or*
mieszkanie; **"accommodation to let"**
„mieszkanie do wynajęcia"; **they have
accommodation for 500** dysponują 500
miejscami; **the hall has seating
accommodation for 600** (*BRIT*) sala ma 600
miejsc siedzących.

accompaniment [ə'kʌmpənɪmənt] *n*
akompaniament *m*.

accompanist [ə'kʌmpənɪst] *n* akompaniator(ka)
m(f).

accompany [ə'kʌmpənɪ] *vt* (*escort, go along
with*) towarzyszyć +*dat*; (*MUS*) akompaniować
+*dat*, towarzyszyć +*dat*.

accomplice [ə'kʌmplɪs] *n* wspólnik (-iczka)
m(f), współwinny (-na) *m(f)*.

accomplish [ə'kʌmplɪʃ] *vt* (*goal*) osiągać
(osiągnąć *perf*); (*task*) realizować (zrealizować
perf); **how did she accomplish so much so
quickly?** w jaki sposób udało jej się tyle
dokonać w tak krótkim czasie?

accomplished [ə'kʌmplɪʃt] *adj* znakomity.

accomplishment [ə'kʌmplɪʃmənt] *n*
(*completion*) ukończenie *nt*; (*bringing about*)
dokonanie *nt*; (*achievement*) osiągnięcie *nt*;
(*skill*) umiejętności *pl*; **accomplishments** *npl*
umiejętności *pl*.

accord [ə'kɔːd] *n* porozumienie *nt*, uzgodnienie
nt ♦ *vt*: **to accord sb sth/sth to sb** obdarzać
(obdarzyć *perf*) kogoś czymś, przyznawać
(przyznać *perf*) komuś coś; **of his own
accord** z własnej woli *or* inicjatywy; **with
one accord** jak jeden mąż; **to be in accord**
być w zgodzie.

accordance [ə'kɔːdəns] *n*: **in accordance with**
w zgodzie *or* zgodnie z +*instr*.

according [ə'kɔːdɪŋ]: **according to** *prep*
według +*gen*; **according to plan** zgodnie z
planem.

accordingly [ə'kɔːdɪŋlɪ] *adv* (*appropriately*)
stosownie, odpowiednio; (*as a result*) w
związku z tym.

accordion [ə'kɔːdɪən] *n* akordeon *m*.

accost [ə'kɔst] *vt* zaczepiać (zaczepić *perf*).

account [ə'kaunt] *n* (*COMM: bill*) rachunek *m*;
(*: also*: **monthly account**) rachunek *m*
kredytowy; (*in bank*) konto *nt*, rachunek *m*;
(*report*) relacja *f*, sprawozdanie *nt*; **accounts**
npl (*COMM*) rozliczenie *nt*; (*BOOK-KEEPING*)
księgi *pl* (rachunkowe); **"account payee only"**
(*BRIT*) „na rachunek odbiorcy"; **to keep an
account of** prowadzić zapis +*gen*; **to bring** *or*
call sb to account for sth pociągać
(pociągnąć *perf*) kogoś do odpowiedzialności
za coś; **by all accounts** podobno; **of no
account** bez znaczenia; **to pay 10 pounds on
account** wpłacać (wpłacić *perf*) 10 funtów
zaliczki; **to buy sth on account** kupować
(kupić *perf*) coś na kredyt; **on no account**
pod żadnym pozorem; **on account of** z
uwagi *or* ze względu na +*acc*; **to take into
account, take account of** brać (wziąć *perf*)
pod uwagę +*acc*.

▸**account for** *vt fus* (*explain*) wyjaśniać
(wyjaśnić *perf*); (*represent*) stanowić +*acc*; **all
the children were accounted for** żadnego z
dzieci nie brakowało; **four people are still**

not accounted for los czterech osób ciągle nie jest znany.

accountability [ə'kauntə'bılıtı] *n* odpowiedzialność *f*.

accountable [ə'kauntəbl] *adj*: **to be accountable (to)** odpowiadać (przed +*instr*).

accountancy [ə'kauntənsı] *n* księgowość *f*.

accountant [ə'kauntənt] *n* księgowy (-wa) *m(f)*.

accounting [ə'kauntıŋ] *n* księgowość *f*, rachunkowość *f*.

accounting period *n* okres *m* rozliczeniowy.

account number *n* numer *m* konta *or* rachunku.

account payable *n* rachunek *m* „wierzyciele".

account receivable *n* rachunek *m* „dłużnicy".

accredited [ə'kredıtıd] *adj* akredytowany.

accretion [ə'kri:ʃən] *n* narastanie *nt*, nawarstwianie się *nt*.

accrue [ə'kru:] *vi* gromadzić się (nagromadzić się *perf*), narastać (narosnąć *perf*); **to accrue to** przysługiwać +*dat*.

accrued interest *n* narosłe odsetki *pl*.

accumulate [ə'kju:mjuleıt] *vt* gromadzić (nagromadzić *perf*) ♦ *vi* gromadzić się (nagromadzić się *perf*).

accumulation [əkju:mju'leıʃən] *n* nagromadzenie *nt*.

accuracy ['ækjurəsı] *n* precyzja *f*, dokładność *f*.

accurate ['ækjurıt] *adj* (*description, account*) dokładny, wierny; (*person, device*) dokładny; (*weapon, aim*) precyzyjny.

accurately ['ækjurıtlı] *adv* (*report, answer etc*) dokładnie, ściśle; (*shoot*) celnie.

accusation [ækju'zeıʃən] *n* (*act*) oskarżenie *nt*; (*instance*) zarzut *m*.

accusative [ə'kju:zətıv] (*LING*) *n* biernik *m*.

accuse [ə'kju:z] *vt*: **to accuse sb of** (*crime*) oskarżać (oskarżyć *perf*) kogoś o +*acc*; (*incompetence*) zarzucać (zarzucić *perf*) komuś +*acc*.

accused [ə'kju:zd] *n*: **the accused** oskarżony (-na) *m(f)*.

accustom [ə'kʌstəm] *vt* przyzwyczajać (przyzwyczaić *perf*); **to accustom o.s. to sth** przyzwyczajać się (przyzwyczaić się *perf*) do czegoś.

accustomed [ə'kʌstəmd] *adj* zwykły, charakterystyczny; **accustomed to** przyzwyczajony *or* przywykły do +*gen*.

AC/DC *abbr* (= *alternating current/direct current*) prąd *m* stały/prąd *m* zmienny.

ACE [eıs] *n abbr* (= *American Council on Education*).

ace [eıs] *n* (*CARDS*) as *m*; (*TENNIS*) as *m* serwisowy.

acerbic [ə'sə:bık] *adj* zgryźliwy, cierpki.

acetate ['æsıteıt] *n* włókno *nt* celulozowe.

ache [eık] *n* ból *m* ♦ *vi*: **my head aches** boli mnie głowa; **I've got stomach ache** *or* **a stomach ache** boli mnie brzuch; **I'm aching**

all over jestem cały obolały; **she was aching for a cigarette** marzyła o papierosie; **I was aching to tell you all my news** nie mogłam się doczekać, kiedy ci wszystko opowiem.

achieve [ə'tʃi:v] *vt* (*aim, result*) osiągać (osiągnąć *perf*); (*victory, success*) odnosić (odnieść *perf*).

achievement [ə'tʃi:vmənt] *n* osiągnięcie *nt*.

acid ['æsıd] *adj* (*CHEM*) kwaśny, kwasowy; (*taste*) kwaśny, kwaskowy ♦ *n* (*CHEM*) kwas *m*; (*inf*) LSD *nt inv*.

acidity [ə'sıdıtı] (*CHEM*) *n* kwasowość *f*.

acid rain *n* kwaśny deszcz *m*.

acid test *n* (*CHEM*) próba *f* kwasowa; (*fig*) próba *f* ogniowa.

acknowledge [ək'nɔlıdʒ] *vt* (*letter etc*) potwierdzać (potwierdzić *perf*) odbiór +*gen*; (*fact*) przyznawać (przyznać *perf*); (*situation*) uznawać (uznać *perf*); (*person*) zwracać (zwrócić *perf*) uwagę na +*acc*.

acknowledgement [ək'nɔlıdʒmənt] *n* (*of letter etc*) potwierdzenie *nt* odbioru; **acknowledgements** *npl* (*in book*) podziękowania *pl*.

ACLU *n abbr* (= *American Civil Liberties Union*).

acme ['ækmı] *n* szczyt *m*.

acne ['æknı] *n* trądzik *m*.

acorn ['eıkɔ:n] *n* żołądź *f*.

acoustic [ə'ku:stık] *adj* akustyczny.

acoustic coupler (*COMPUT*) *n* sprzęg *m* akustyczny.

acoustics [ə'ku:stıks] *n* (*science*) akustyka *f* ♦ *npl* (*of hall, room*) akustyka *f*.

acquaint [ə'kweınt] *vt*: **to acquaint sb with sth** zapoznawać (zapoznać *perf*) kogoś z czymś, zaznajamiać (zaznajomić *perf*) kogoś z czymś; **to be acquainted with** znać +*acc*.

acquaintance [ə'kweıntəns] *n* (*person*) znajomy (-ma) *m(f)*; (*with person, subject*) znajomość *f*; **to make sb's acquaintance** zawierać (zawrzeć *perf*) z kimś znajomość.

acquiesce [ækwı'es] *vi*: **to acquiesce (to)** przystawać (przystać *perf*) (na +*acc*).

acquire [ə'kwaıə*] *vt* (*obtain, buy*) nabywać (nabyć *perf*); (*develop: interest*) rozwijać (rozwinąć *perf*); (*learn: skill*) posiadać (posiąść *perf*), nabywać (nabyć *perf*).

acquired [ə'kwaıəd] *adj* nabyty, zdobyty; **whisky is an acquired taste** do whisky trzeba się przyzwyczaić.

acquisition [ækwı'zıʃən] *n* (*of property, goods, skill*) nabywanie *nt*, nabycie *nt*; (*of language*) przyswajanie *nt* (sobie); (*purchase*) nabytek *m*.

acquisitive [ə'kwızıtıv] *adj* zachłanny.

acquit [ə'kwıt] *vt* uniewinniać (uniewinnić *perf*); **to acquit o.s. well** dobrze się spisać (*perf*).

acquittal [ə'kwıtl] *n* uniewinnienie *nt*.

acre ['eıkə*] *n* akr *m*.

acreage ['eıkərıdʒ] *n* areał *m*.

acrid ['ækrɪd] *adj* (*smell, smoke*) ostry,
gryzący; (*fig: remark*) uszczypliwy.
acrimonious [ækrɪ'məunɪəs] *adj* zjadliwy.
acrimony ['ækrɪmənɪ] *n* zjadliwość *f*.
acrobat ['ækrəbæt] *n* akrobata (-tka) *m(f)*.
acrobatic [ækrə'bætɪk] *adj* akrobatyczny.
acrobatics [ækrə'bætɪks] *npl* akrobacje *pl*.
acronym ['ækrənɪm] *n* akronim *m*.
Acropolis [ə'krɔpəlɪs] *n*: **the Acropolis**
Akropol *m*.
across [ə'krɔs] *prep* w poprzek +*gen*; (*on the
other side of*) po drugiej stronie +*gen* ♦ *adv*:
two kilometers across o szerokości dwóch
kilometrów; **to walk across (the road)**
przechodzić (przejść *perf*) przez ulicę; **to take
sb across the road** przeprowadzać
(przeprowadzić *perf*) kogoś przez ulicę; **a
road across the wood** droga przez las; **the
lake is 12 km across** jezioro ma 12 km
szerokości; **to run across** przebiegać
(przebiec *perf*); **they came across by plane**
przylecieli samolotem; **across from**
naprzeciw(ko) +*gen*; **to get sth across (to sb)**
uświadamiać (uświadomić *perf*) coś (komuś),
wyjaśniać (wyjaśnić *perf*) coś (komuś).
acrylic [ə'krɪlɪk] *adj* akrylowy ♦ *n* akryl *m*;
acrylics *npl*: **he paints in acrylics** maluje
farbami akrylowymi.
ACT *n abbr* (= *American College Test*)
standardowy test dla kandydatów na studia.
act [ækt] *n* (*action, document, part of play*) akt
m; (*deed*) czyn *m*, postępek *m*; (*of performer*)
numer *m*; (*JUR*) ustawa *f* ♦ *vi* (*do sth, take
action, have effect*) działać; (*behave*)
zachowywać się (zachować się *perf*); (*in play,
film*) grać (zagrać *perf*); (*pretend*) grać ♦ *vt*
(*THEAT*) grać (zagrać *perf*); (*fig*) odgrywać
(odegrać *perf*); **it's only an act** to tylko poza;
act of God (*JUR*) klęska żywiołowa; (*fig*) siła
wyższa; **in the act of** w trakcie +*gen*; **to
catch sb in the act** łapać (złapać *perf*) kogoś
na gorącym uczynku; **to act the fool** (*BRIT*)
udawać głupiego; **to act as** występować
(wystąpić *perf*) w roli +*gen or* jako +*nom*; **it
acts as a deterrent** to działa odstraszająco;
**acting in my capacity as chairman, I wish to
...** (występując) jako przewodniczący,
chciałbym ... .
►**act on** *vt fus* (*produce effect*) działać
(podziałać *perf*) na +*instr*; (*behave according
to*) postępować (postąpić *perf*) zgodnie z
+*instr*.
►**act out** *vt* (*event*) odgrywać (odegrać *perf*);
(*fantasies*) urzeczywistniać (urzeczywistnić
perf).
acting ['æktɪŋ] *adj* (*director etc*) pełniący
obowiązki ♦ *n* (*profession*) aktorstwo *nt*;
(*activity*) gra *f*.
action ['ækʃən] *n* (*things happening*) akcja *f*;
(*deed*) czyn *m*; (*of device, force, chemical*)

działanie *nt*; (*movement*) ruch *m*; (*MIL*)
działania *pl*; (*JUR*) powództwo *nt*; **to bring
an action against sb** (*JUR*) wnosić (wnieść
perf) powództwo przeciw(ko) komuś; **killed in
action** (*MIL*) poległy na polu chwały; **out of
action** (*person*) wyłączony z gry; (*machine*)
niesprawny; **to take action** podejmować
(podjąć *perf*) działanie; **to put a plan into
action** wprowadzać (wprowadzić *perf*) plan w
życie.
action replay *n* powtórka *f* (w zwolnionym
tempie).
activate ['æktɪveɪt] *vt* (*mechanism*) uruchamiać
(uruchomić *perf*); (*CHEM, PHYSICS*)
wzbudzać (wzbudzić *perf*).
active ['æktɪv] *adj* (*person, life*) aktywny;
(*volcano*) czynny; **to play an active part in**
odgrywać (odegrać *perf*) czynną rolę w +*loc*.
active duty (*US: MIL*) *n* służba *f* czynna.
actively ['æktɪvlɪ] *adv* (*be involved, participate*)
czynnie, aktywnie; (*discourage*) usilnie.
active partner *n* (*COMM*) wspólnik *m*
rzeczywisty.
active service (*BRIT: MIL*) *n* służba *f* liniowa.
activist ['æktɪvɪst] *n* aktywista (-tka) *m(f)*.
activity [æk'tɪvɪtɪ] *n* (*being active*) działalność
f; (*action*) działanie *nt*; (*pastime, pursuit*)
zajęcie *nt*.
actor ['æktə*] *n* aktor *m*.
actress ['æktrɪs] *n* aktorka *f*.
actual ['æktjuəl] *adj* (*real*) rzeczywisty,
faktyczny; (*expressing emphasis*): **the actual
ceremony starts at 10** sama uroczystość
zaczyna się o 10.
actually ['æktjuəlɪ] *adv* (*really*) w
rzeczywistości; (*in fact*) właściwie.
actuary ['æktjuərɪ] *n* rachmistrz *m*
ubezpieczeniowy.
actuate ['æktjueɪt] (*TECH*) *vt* uruchamiać
(uruchomić *perf*).
acuity [ə'kju:ɪtɪ] (*fml*) *n* ostrość *f*.
acumen ['ækjumən] *n* przenikliwość *f*;
business acumen żyłka do interesu.
acupuncture ['ækjupʌŋktʃə*] *n* akupunktura *f*.
acute [ə'kju:t] *adj* (*illness, angle*) ostry; (*pain*)
ostry, przenikliwy; (*anxiety*) silny; (*mind,
person, observer*) przenikliwy; (*LING: accent*)
akutowy.
AD *adv abbr* (= *Anno Domini*) (*in contrast to
BC*) n.e.; (*in religious texts etc.*) A.D., R.P.,
= roku Pańskiego;
♦ *n abbr* (*US: MIL*) = **active duty**.
ad [æd] (*inf*) *n abbr* = **advertisement** ogł.
adage ['ædɪdʒ] *n* porzekadło *nt*.
adamant ['ædəmənt] *adj* nieugięty,
niewzruszony.
Adam's apple ['ædəmz-] *n* jabłko *nt* Adama.
adapt [ə'dæpt] *vt* adaptować (zaadaptować
perf); **to adapt sth to** przystosowywać
(przystosować *perf*) coś do +*gen* ♦ *vi*: **to**

adapt (to) przystosowywać się (przystosować się *perf*) (do +*gen*).
adaptability [ədæptə'bɪlɪtɪ] *n* zdolności *pl* przystosowawcze.
adaptable [ə'dæptəbl] *adj* (*person*) łatwo się przystosowujący; (*device*) dający się przystosować.
adaptation [ædæp'teɪʃən] *n* (*of story, novel*) adaptacja *f*; (*of machine, equipment*) przystosowanie *nt*.
adapter [ə'dæptə*] *n* (*ELEC*) trójnik *m*.
adaptor [ə'dæptə*] *n* = **adapter**.
ADC *n abbr* (*MIL*) = **aide-de-camp**; (*US*: = *Aid to Dependent Children*) *pomoc finansowa dla rodzin o niskich dochodach.*
add [æd] *vt* dodawać (dodać *perf*) ♦ *vi*: **to add to** powiększać (powiększyć *perf*) +*acc*.
►**add on** *vt* dodawać (dodać *perf*).
►**add up** *vt* dodawać (dodać *perf*) ♦ *vi*: **it doesn't add up** (*fig*) to się nie zgadza; **it doesn't add up to much** (*fig*) to nie robi większego wrażenia.
addenda [ə'dɛndə] *npl of* **addendum**.
addendum [ə'dɛndəm] (*pl* **addenda**) *n* (*in book*) addenda *pl*; (*document*) załącznik *m*.
adder ['ædə*] *n* żmija *f*.
addict ['ædɪkt] *n* osoba *f* uzależniona; (*also*: **drug addict**) narkoman(ka) *m(f)*; (*devotee*) entuzjasta (-tka) *m(f)*.
addicted [ə'dɪktɪd] *adj*: **to be addicted to** być uzależnionym od +*gen*; (*fig*) nie móc żyć bez +*gen*.
addiction [ə'dɪkʃən] *n* uzależnienie *nt*; **drug addiction** narkomania.
addictive [ə'dɪktɪv] *adj* (*drug*) uzależniający; (*activity*) wciągający.
adding machine ['ædɪŋ-] *n* maszyna *f* sumująca.
Addis Ababa ['ædɪs'æbəbə] *n* Addis Abeba *f*.
addition [ə'dɪʃən] *n* (*adding*) dodanie *nt*; (*thing added*) dodatek *m*; (*MATH*) dodawanie *nt*; **in addition** w dodatku, na dodatek; **in addition to** oprócz +*gen*.
additional [ə'dɪʃənl] *adj* dodatkowy.
additive ['ædɪtɪv] *n* dodatek *m* (*konserwujący, barwiący itp*).
addled ['ædld] *adj* (*BRIT*) *adj* (*egg*) zepsuty; **his brain is addled** w głowie mu się pomieszało.
address [ə'drɛs] *n* (*postal*) adres *m*; (*speech*) przemówienie *nt*, mowa *f* ♦ *vt* (*letter, parcel*) adresować (zaadresować *perf*); (*meeting, rally*) przemawiać (przemówić *perf*) do +*gen*; (*person*) zwracać się (zwrócić się *perf*) do +*gen*; **to address (o.s. to) a problem** zajmować się (zająć się *perf*) problemem; **form of address** forma zwracania się; **what form of address do you use for ...?** jak należy zwracać się do +*gen*?; **absolute/relative**

address (*COMPUT*) adres bezwzględny/względny.
Aden ['eɪdən] *n*: **Gulf of Aden** Zatoka *f* Adeńska.
adenoids ['ædɪnɔɪdz] *npl* trzeci migdałek *m*.
adept ['ædɛpt] *adj*: **adept at** biegły w +*loc*.
adequacy ['ædɪkwəsɪ] *n* (*quantitative*) dostateczność *f*; (*qualitative*) właściwość *f*, odpowiedniość *f*.
adequate ['ædɪkwɪt] *adj* (*amount*) wystarczający, dostateczny; (*response*) właściwy, zadowalający.
adequately ['ædɪkwɪtlɪ] *adv* właściwie.
adhere [əd'hɪə*] *vi*: **to adhere to** przylegać (przylgnąć *perf*) do +*gen*; (*fig: rule, decision*) stosować się (zastosować się *perf*) do +*gen*; (: *opinion, belief*) obstawać przy +*loc*.
adhesion [əd'hi:ʒən] *n* przyleganie *nt*.
adhesive [əd'hi:zɪv] *n* klej *m* ♦ *adj* (*sticky*) klejący się; (*gummed*) klejący.
adhesive tape *n* (*BRIT*) taśma *f* klejąca; (*US: MED*) plaster *m*, przylepiec *m*.
ad hoc [æd'hɔk] *adj* ad hoc ♦ *adv* ad hoc.
ad infinitum ['ædɪnfɪ'naɪtəm] *adv* w nieskończoność.
adjacent [ə'dʒeɪsənt] *adj* (*room etc*) przyległy, sąsiedni; **adjacent to** przylegający do +*gen*, sąsiadujący z +*instr*.
adjective ['ædʒɛktɪv.] *n* przymiotnik *m*.
adjoining [ə'dʒɔɪnɪŋ] *adj* (*room*) przyległy, sąsiedni; (*table*) sąsiedni ♦ *prep* obok +*gen*.
adjourn [ə'dʒə:n] *vt* odraczać (odroczyć *perf*) ♦ *vi* (*meeting, trial*) zostawać (zostać *perf*) odroczonym; **they adjourned the meeting till the following week** odroczyli zebranie do następnego tygodnia; **they adjourned to the pub** (*BRIT: fml*) udali się do pubu.
adjournment [ə'dʒə:nmənt] *n* (*period*) przerwa *f* w obradach.
Adjt. (*MIL*) *abbr* = **adjutant**.
adjudicate [ə'dʒu:dɪkeɪt] *vt* (*contest*) rozstrzygać (rozstrzygnąć *perf*); (*claim, dispute*) rozsądzać (rozsądzić *perf*) ♦ *vi* orzekać (orzec *perf*).
adjudication [ədʒu:dɪ'keɪʃən] *n* (*JUR*) orzeczenie *nt*; **the matter is under adjudication** sprawa jest rozpatrywana.
adjudicator [ə'dʒu:dɪkeɪtə*] *n* sędzia *m*.
adjust [ə'dʒʌst] *vt* (*approach*) modyfikować (zmodyfikować *perf*); (*clothing*) poprawiać (poprawić *perf*); (*machine, device*) regulować (podregulować *perf*) ♦ *vi*: **to adjust (to)** przystosowywać się (przystosować się *perf*) (do +*gen*).
adjustable [ə'dʒʌstəbl] *adj* regulowany.
adjuster [ə'dʒʌstə*] *n see* **loss**.
adjustment [ə'dʒʌstmənt] *n* (*of machine, prices, wages*) regulacja *f*; (*of person*) przystosowanie się *nt*.

adjutant ['ædʒətənt] *n* (*MIL*) *oficer zajmujący się sprawami administracyjnymi.*

ad-lib [æd'lɪb] *vi* improwizować (zaimprowizować *perf*) ♦ *vt* improwizować (zaimprowizować *perf*) ♦ *adv*: **ad lib** (*speak*) bez przygotowania.

adman ['ædmæn] (*inf*) *n* autor *m* reklam.

admin ['ædmɪn] (*inf*) *n abbr* = **administration**.

administer [əd'mɪnɪstə*] *vt* (*country, department*) administrować +*instr*; (*justice, punishment*) wymierzać (wymierzyć *perf*); (*test*) przeprowadzać (przeprowadzić *perf*); (*MED*: *drug*) podawać (podać *perf*).

administration [ədmɪnɪs'treɪʃən] *n* administracja *f*; **the Administration** (*US*) rząd; **the Clinton Administration** administracja Clintona.

administrative [əd'mɪnɪstrətɪv] *adj* administracyjny.

administrator [əd'mɪnɪstreɪtə*] *n* administrator(ka) *m(f)*.

admirable ['ædmərəbl] *adj* godny podziwu.

admiral ['ædmərəl] *n* admirał *m*.

Admiralty ['ædmərəltɪ] *n*: **the Admiralty** Admiralicja *f*.

admiration [ædmə'reɪʃən] *n* podziw *m*; **to have great admiration for sth/sb** mieć wiele podziwu dla czegoś/kogoś.

admire [əd'maɪə*] *vt* podziwiać.

admirer [əd'maɪərə*] *n* (*suitor*) wielbiciel *m*; (*fan*) wielbiciel(ka) *m(f)*.

admission [əd'mɪʃən] *n* (*admittance*) przyjęcie *nt*; (*to exhibition, night club*) wstęp *m*; (*entry fee*) opłata *f* za wstęp; (*confession*) przyznanie się *nt*; **"admission free"**, **"free admission"** „wstęp wolny"; **by his own admission** jak sam przyznaje.

admit [əd'mɪt] *vt* (*confess, accept*) przyznawać się (przyznać się *perf*) do +*gen*; (*permit to enter*) wpuszczać (wpuścić *perf*); (*to club, organization, hospital*) przyjmować (przyjąć *perf*); **"children not admitted"** „(wstęp) tylko dla dorosłych"; **this ticket admits two** to bilet wstępu dla dwóch osób; **I must admit that ...** muszę przyznać, że ... .

►**admit of** *vt fus* (*interpretation etc*) dopuszczać (dopuścić *perf*) +*acc*.

►**admit to** *vt fus* (*murder etc*) przyznawać się (przyznać się *perf*) do +*gen*.

admittance [əd'mɪtəns] *n* wstęp *m*; **"no admittance"** „wstęp wzbroniony".

admittedly [əd'mɪtɪdlɪ] *adv* trzeba przyznać, co prawda.

admonish [əd'mɒnɪʃ] *vt* upominać (upomnieć *perf*).

ad nauseam [æd'nɔːsɪæm] *adv* do znudzenia.

ado [ə'duː] *n*: **without (any) more ado** bez dalszych wstępów.

adolescence [ædəu'lɛsns] *n* okres *m* dojrzewania.

adolescent [ædəu'lɛsnt] *adj* młodociany ♦ *n* nastolatek (-tka) *m(f)*.

adopt [ə'dɒpt] *vt* (*child*) adoptować (zaadoptować *perf*); (*position, attitude*) przyjmować (przyjąć *perf*); (*course of action, method*) obierać (obrać *perf*); (*tone etc*) przybierać (przybrać *perf*); **the party adopted him as its candidate** partia wybrała go na swojego kandydata.

adopted [ə'dɒptɪd] *adj* (*child*) adoptowany.

adoption [ə'dɒpʃən] *n* (*of child*) adopcja *f*; (*of position, attitude*) przyjęcie *nt*; (*of course of action, method*) obranie *nt*; (*POL: of candidate*) wybór *m*.

adoptive [ə'dɒptɪv] *adj* przybrany.

adorable [ə'dɔːrəbl] *adj* (*child, kitten*) rozkoszny.

adoration [ædə'reɪʃən] *n* uwielbienie *nt*.

adore [ə'dɔː*] *vt* uwielbiać; **the audience will adore the film** publiczność będzie filmem zachwycona.

adoringly [ə'dɔːrɪŋlɪ] *adv* z uwielbieniem.

adorn [ə'dɔːn] *vt* zdobić, przyozdabiać (przyozdobić *perf*).

adornment [ə'dɔːnmənt] *n* (*act*) zdobienie *nt*; (*decoration*) ozdoba *f*.

ADP *n abbr* = **automatic data processing**.

adrenalin [ə'drɛnəlɪn] *n* adrenalina *f*; **to get the adrenalin going** podnosić (podnieść *perf*) ciśnienie.

Adriatic [eɪdrɪ'ætɪk] *n*: **the Adriatic (Sea)** Adriatyk *m*, Morze *nt* Adriatyckie.

adrift [ə'drɪft] *adj*: **to be adrift** (*NAUT*) dryfować; **to be** *or* **feel adrift** (*fig*) być *or* czuć się zagubionym; **to come adrift** (*rope, fastening*) poluzowywać się (poluzować się *perf*); **our plans have gone adrift** nasze plany wzięły w łeb.

adroit [ə'drɔɪt] *adj* zręczny, sprytny.

adroitly [ə'drɔɪtlɪ] *adv* zręcznie, sprytnie.

ADT (*US*) *abbr* (= *Atlantic Daylight Time*).

adult ['ædʌlt] *n* (*person*) dorosły *m*; (*animal, insect*) dorosły osobnik *m* ♦ *adj* (*grown-up*) dorosły; (*for adults*) dla dorosłych *post*.

adult education *n* kształcenie *nt* dorosłych.

adulterate [ə'dʌltəreɪt] *vt* fałszować (sfałszować *perf*), podrabiać (podrobić *perf*).

adultery [ə'dʌltərɪ] *n* cudzołóstwo *nt*.

adulthood ['ædʌlthud] *n* dorosłość *f*.

advance [əd'vɑːns] *n* (*movement*) posuwanie się *nt*; (*progress*) postęp *m*; (*money*) zaliczka *f* ♦ *adj* wcześniejszy, uprzedni ♦ *vt* (*money*) wypłacać (wypłacić *perf*) z góry *or* awansem; (*theory*) wysuwać (wysunąć *perf*) ♦ *vi* (*move forward*) posuwać się (posunąć się *perf*); (*make progress*) czynić (poczynić *perf*) postępy; **to make advances (to sb)** podejmować (podjąć *perf*) próby zbliżenia (z kimś); (*amorously*) zalecać się (do kogoś); **in advance** (*arrive, notify*) z wyprzedzeniem; (*pay*) z góry; **to give sb advance notice**

dawać (dać *perf*) komuś wypowiedzenie z wyprzedzeniem.

advanced [əd'vɑːnst] *adj* (*studies*) wyższy; (*course*) dla zaawansowanych *post*; (*country, child*) rozwinięty; **advanced in years** w podeszłym wieku.

advancement [əd'vɑːnsmənt] *n* (*furtherance*) wspieranie *nt*; (*in job*) awans *m*.

advantage [əd'vɑːntɪdʒ] *n* (*benefit*) korzyść *f*; (*beneficial feature*) zaleta *f*, dobra strona *f*; (*supremacy, point in tennis*) przewaga *f*; **to take advantage of** (*person*) wykorzystywać (wykorzystać *perf*) +*acc*; (*opportunity*) korzystać (skorzystać *perf*) z +*gen*; **it's to our advantage to start learning Spanish** będzie dla nas korzystne, jeśli zaczniemy się uczyć hiszpańskiego.

advantageous [ædvən'teɪdʒəs] *adj*: **advantageous (to)** korzystny (dla +*gen*).

advent ['ædvənt] *n* (*of era*) nastanie *nt*, nadejście *nt*; (*of innovation*) pojawienie się *nt*; (*REL*): **Advent** adwent *m*.

Advent calendar *n* kalendarz *m* adwentowy.

adventure [əd'vɛntʃə*] *n* przygoda *f*.

adventurous [əd'vɛntʃərəs] *adj* (*person*) odważny; (*action*) ryzykowny; (*life, journey*) pełen przygód.

adverb ['ædvəːb] *n* przysłówek *m*.

adversary ['ædvəsərɪ] *n* przeciwnik (-iczka) *m(f)*.

adverse ['ædvəːs] *adj* niesprzyjający, niekorzystny; **adverse to** wrogi +*dat*; **in adverse circumstances** w niesprzyjających okolicznościach.

adversity [əd'vəːsɪtɪ] *n* przeciwności *pl* (losu).

advert ['ædvəːt] (*BRIT*) *n abbr* = **advertisement**.

advertise ['ædvətaɪz] *vi* reklamować się (zareklamować się *perf*) ♦ *vt* reklamować (zareklamować *perf*); **to advertise for** poszukiwać +*gen* (*przez ogłoszenie*).

advertisement [əd'vəːtɪsmənt] *n* (*for product*) reklama *f*; (*about job, accomodation etc*) ogłoszenie *nt*, anons *m*.

advertiser ['ædvətaɪzə*] *n* reklamujący (-ca) *m(f)*, ogłaszający (-ca) *m(f)*.

advertising ['ædvətaɪzɪŋ] *n* reklama *f*.

advertising agency *n* agencja *f* reklamowa.

advertising campaign *n* kampania *f* reklamowa.

advice [əd'vaɪs] *n* (*counsel*) rada *f*; (: *doctor's, lawyer's etc*) porada *f*; (*notification*) zawiadomienie *nt*; **a piece of advice** rada; **to ask sb for advice** prosić (poprosić *perf*) kogoś o radę; **to take legal advice** zasięgać (zasięgnąć *perf*) porady prawnej.

advice note (*BRIT*) *n* awizo *nt*.

advisable [əd'vaɪzəbl] *adj* wskazany.

advise [əd'vaɪz] *vt* (*person*) radzić (poradzić *perf*) +*dat*; (*company*) doradzać (doradzić *perf*) +*dat*; **to advise sb of sth** powiadamiać (powiadomić *perf*) kogoś o czymś; **to advise**

sb against sth/doing sth odradzać (odradzić *perf*) komuś coś/zrobienie czegoś; **you would be well-/ill-advised to go** dobrze/źle byś zrobił, gdybyś pojechał.

advisedly [əd'vaɪzɪdlɪ] *adv* celowo, rozmyślnie.

adviser [əd'vaɪzə*] *n* doradca (-czyni) *m(f)*.

advisor [əd'vaɪzə*] *n* = **adviser**.

advisory [əd'vaɪzərɪ] *adj* doradczy; **in an advisory capacity** w funkcji doradcy.

advocate [*vb* 'ædvəkeɪt, *n* 'ædvəkɪt] *vt* (*support*) popierać (poprzeć *perf*); (*recommend*) zalecać (zalecić *perf*) ♦ *n* (*JUR*) adwokat(ka) *m(f)*; (*supporter*) zwolennik (-iczka) *m(f)*, orędownik (-iczka) *m(f)*.

advt. *abbr* = **advertisement** ogł.

AEA (*BRIT*) *n abbr* (= *Atomic Energy Authority*) urząd sprawujący kontrolę nad wykorzystaniem energii atomowej.

AEC (*US*) *n abbr* (= *Atomic Energy Commission*) komisja sprawująca kontrolę nad wykorzystaniem energii atomowej.

Aegean [iː'dʒiːən] *n*: **the Aegean (Sea)** Morze *nt* Egejskie.

aegis ['iːdʒɪs] *n*: **under the aegis of** pod egidą +*gen*.

aeon ['iːən] *n* wiek *m*.

aerial ['ɛərɪəl] *n* antena *f* ♦ *adj* lotniczy.

aero... ['ɛərəu] *pref* aero... .

aerobatics ['ɛərəu'bætɪks] *npl* akrobatyka *f* lotnicza.

aerobics [ɛə'rəubɪks] *n* aerobik *m*.

aerodrome ['ɛərədrəum] (*BRIT*) *n* lotnisko *nt*.

aerodynamic ['ɛərəudaɪ'næmɪk] *adj* aerodynamiczny.

aeronautics [ɛərə'nɔːtɪks] *n* aeronautyka *f*.

aeroplane ['ɛərəpleɪn] (*BRIT*) *n* samolot *m*.

aerosol ['ɛərəsɔl] *n* aerozol *m*.

aerospace industry ['ɛərəuspeɪs-] *n* przemysł *m* aerokosmiczny.

aesthetic [iːs'θɛtɪk] *adj* estetyczny.

aesthetically [iːs'θɛtɪklɪ] *adv* estetycznie.

AEEU (*BRIT*) *n abbr* (= *Amalgamated Engineering and Electrical Union*).

afar [ə'fɑː*] *adv*: **from afar** z oddali.

AFB (*US*) *n abbr* (= *Air Force Base*).

AFDC (*US*) *n abbr* (= *Aid to Families with Dependent Children*) pomoc finansowa dla rodzin o niskich dochodach.

affable ['æfəbl] *adj* przyjemny, przyjazny.

affair [ə'fɛə*] *n* sprawa *f*; (*also*: **love affair**) romans *m*; **affairs** *npl* sprawy *pl*.

affect [ə'fɛkt] *vt* (*influence*) wpływać (wpłynąć *perf*) na +*acc*; (*afflict*) atakować (zaatakować *perf*); (*move deeply*) wzruszać (wzruszyć *perf*); (*concern*) dotyczyć +*gen*; (*feign*) udawać (udać *perf*).

affectation [æfɛk'teɪʃən] *n* poza *f*.

affected [ə'fɛktɪd] *adj* sztuczny, afektowany.

affection [ə'fɛkʃən] *n* uczucie *nt*.

affectionate [ə'fɛkʃənɪt] *adj* czuły.

affectionately [ə'fɛkʃənɪtlɪ] *adv* czule.

affidavit [æfɪ'deɪvɪt] *(JUR)* *n* (pisemne) oświadczenie *nt* pod przysięgą.

affiliated [ə'fɪlɪeɪtɪd] *adj* stowarzyszony.

affinity [ə'fɪnɪtɪ] *n*: **to have an affinity with/for** darzyć sympatią +*acc*, odczuwać więź z +*instr*; **to have an affinity with** zdradzać podobieństwo do +*gen*.

affirm [ə'fə:m] *vt* stwierdzać (stwierdzić *perf*).

affirmation [æfə'meɪʃən] *n* *(of fact)* stwierdzenie *nt*; *(of belief)* afirmacja *f*.

affirmative [ə'fə:mətɪv] *adj* *(statement)* twierdzący; *(nod, gesture)* potakujący ♦ *n*: **in the affirmative** twierdząco.

affix [ə'fɪks] *vt* *(stamp)* naklejać (nakleić *perf*).

afflict [ə'flɪkt] *vt* dotykać (dotknąć *perf*).

affliction [ə'flɪkʃən] *n* nieszczęście *nt*; *(physical)* przypadłość *f*.

affluence ['æfluəns] *n* dostatek *m*.

affluent ['æfluənt] *adj* dostatni; **the affluent society** społeczeństwo dobrobytu.

afford [ə'fɔ:d] *vt* pozwalać (pozwolić *perf*) sobie na +*acc*; *(provide)* udzielać (udzielić *perf*) +*gen*; **can we afford a car?** czy stać nas na samochód?; **I can't afford the time** nie mam (na to) czasu.

affray [ə'freɪ] *(BRIT: JUR)* *n* zakłócenie *nt* spokoju publicznego.

affront [ə'frʌnt] *n* zniewaga *f*, afront *m*.

affronted [ə'frʌntɪd] *adj* urażony.

Afghan ['æfgæn] *adj* afgański ♦ *n* Afgańczyk (-anka) *m(f)*.

Afghanistan [æf'gænɪstæn] *n* Afganistan *m*.

afield [ə'fi:ld] *adv*: **far afield** daleko; **from far afield** z daleka.

AFL-CIO *n abbr* (= *American Federation of Labor and Congress of Industrial Organizations) amerykańska federacja związków zawodowych.

afloat [ə'fləut] *adv* na wodzie, na powierzchni (wody) ♦ *adj* unoszący się na wodzie; **to stay afloat** pozostawać (pozostać *perf*) wypłacalnym; **to get a business afloat** uruchamiać (uruchomić *perf*) interes.

afoot [ə'fut] *adv*: **there is something afoot** coś się święci.

aforementioned [ə'fɔ:mɛnʃənd] *adj* wyżej wymieniony *or* wspomniany.

aforesaid [ə'fɔ:sɛd] *adj* = **aforementioned**.

afraid [ə'freɪd] *adj* przestraszony; **to be afraid of** bać się +*gen*; **to be afraid to** bać się +*infin*; **she was afraid of offending anyone** bała się, że kogoś obrazi; **I am afraid that ...** obawiam się, że ...; **I am afraid so/not** obawiam się, że tak/nie.

afresh [ə'frɛʃ] *adv* od nowa.

Africa ['æfrɪkə] *n* Afryka *f*.

African ['æfrɪkən] *adj* afrykański ♦ *n* Afrykańczyk (-anka) *m(f)*.

Afrikaans [æfrɪ'kɑ:ns] *n* (język *m*) afrikaans *or* afrykańsko-burski.

Afrikaner [æfrɪ'kɑ:nə*] *n* Afrikaner(ka) *m(f)*.

Afro-American ['æfrəuə'mɛrɪkən] *adj* afroamerykański.

AFT *(US)* *n abbr* (= *American Federation of Teachers).*

aft [ɑ:ft] *adv* *(on ship: sit)* na rufie; *(: go)* ku rufie; *(on plane: sit)* z tyłu; *(: go)* ku tyłowi.

after ['ɑ:ftə*] *prep* *(of time)* po +*loc*; *(of place, order)* po +*loc*, za +*instr*; *(artist, writer)* w stylu +*gen* ♦ *adv* potem, później ♦ *conj* po tym, jak, gdy; **after dinner** po obiedzie; **the day after tomorrow** pojutrze; **what/who are you after?** na co/kogo polujesz? *(inf)*; **the police are after him** ściga go policja; **after he left** po jego wyjeździe; **to name sb after sb** dawać (dać *perf*) komuś imię po kimś; **it's twenty after eight** *(US)* jest dwadzieścia po ósmej; **to ask after sb** pytać o kogoś; **after all** *(it must be remembered that)* przecież, w końcu; *(in spite of everything)* mimo wszystko; **after you!** proszę bardzo! *(przepuszczając kogoś w drzwiach).*

aftercare ['ɑ:ftəkɛə*] *(BRIT)* *n* opieka *f* pooperacyjna *or* nad rekonwalescentem.

after-effects ['ɑ:ftərɪfɛkts] *npl* następstwa *pl*.

afterlife ['ɑ:ftəlaɪf] *n* życie *nt* pozagrobowe.

aftermath ['ɑ:ftəmɑ:θ] *n* następstwa *pl*, pokłosie *nt* *(lit)*; **in the aftermath of** w następstwie +*gen*.

afternoon ['ɑ:ftə'nu:n] *n* popołudnie *nt*; **good afternoon!** *(hello)* dzień dobry!; *(goodbye)* do widzenia!

afters ['ɑ:ftəz] *(inf)* *n* deser *m*.

after-sales service [ɑ:ftə'seɪlz-] *(BRIT: COMM)* *n* serwis *m*.

after-shave (lotion) ['ɑ:ftəʃeɪv-] *n* płyn *m* po goleniu.

aftershock ['ɑ:ftəʃɔk] *n* trzęsienie *nt* następcze.

afterthought ['ɑ:ftəθɔ:t] *n*: **as an afterthought** machinalnie; **I had an afterthought** nasunęła mi się refleksja.

afterwards *(US afterward)* ['ɑ:ftəwədz] *adv* później, potem.

again [ə'gɛn] *adv* *(once more, on another occasion)* znowu, znów, ponownie *(fml)*; *(one more time)* jeszcze raz; **not ... again** już ... (nigdy) nie; **never again** nigdy więcej; **to begin again** zaczynać (zacząć *perf*) od nowa; **he's opened it again** znowu to otworzył; **again and again, time and again** wielokrotnie, ciągle; **now and again** od czasu do czasu.

against [ə'gɛnst] *prep* *(lean, rub)* o +*acc*; *(fight)* z +*instr*; *(in opposition to)* przeciw(ko) +*dat*; *(in relation to)* w stosunku do +*gen*; **to press sth against sth** przyciskać (przycisnąć *perf*) coś do czegoś; **against a blue background** na niebieskim tle; **(as) against** w porównaniu z +*instr*.

age [eidʒ] *n* wiek *m* ♦ *vi* starzeć się (zestarzeć się *perf or* postarzeć się *perf*) ♦ *vt* postarzać (postarzyć *perf*); **what age is he?** ile on ma lat?; **he is 20 years of age** ma dwadzieścia lat; **under age** nieletni, niepełnoletni; **to come of age** osiągać (osiągnąć *perf*) pełnoletniość; **it's been ages since we last saw each other** nie widzieliśmy się całe wieki.

aged¹ ['eidʒd] *adj*: **aged 10** w wieku lat dziesięciu; **Bill Ash, aged 62, ...** Bill Ash, lat 62, ...

aged² ['eidʒid] *npl*: **the aged** osoby *pl* w podeszłym wieku.

age group *n* grupa *f* wiekowa; **the 40 to 50 age group** osoby w wieku od 40 do 50 lat.

ageless ['eidʒlis] *adj* (*never growing old*) wiecznie młody; (*timeless*) wieczny.

age limit *n* ograniczenie *nt or* limit *m* wieku.

agency ['eidʒənsi] *n* (*COMM*) agencja *f*, (*government body*) urząd *m*, biuro *nt*; **through** *or* **by the agency of** za pośrednictwem +*gen*.

agenda [ə'dʒendə] *n* porządek *m* dzienny; **on the agenda** w programie.

agent ['eidʒənt] *n* (*person*) agent(ka) *m(f)*; (*CHEM*) środek *m*; (*fig*) czynnik *m*.

aggravate ['ægrəveit] *vt* (*worsen*) pogarszać (pogorszyć *perf*); (*annoy*) denerwować (zdenerwować *perf*).

aggravating ['ægrəveitiŋ] *adj* denerwujący.

aggravation [ægrə'veifən] *n* zdenerwowanie *nt*.

aggregate ['ægrigit] *n* suma *f* ♦ *vt* sumować (zsumować *perf*).

aggression [ə'grefən] *n* agresja *f*.

aggressive [ə'gresiv] *adj* agresywny.

aggressiveness [ə'gresivnis] *n* agresywność *f*.

aggrieved [ə'gri:vd] *adj* dotknięty.

aghast [ə'gɑ:st] *adj* przerażony; **to be aghast at sth** być przerażonym czymś.

agile ['ædʒail] *adj* (*physically*) zwinny; (*mentally*) sprawny.

agitate ['ædʒiteit] *vt* (*person*) poruszać (poruszyć *perf*); (*liquid*) wstrząsać (wstrząsnąć *perf*) +*instr* ♦ *vi*: **to agitate for/against** agitować za +*instr*/przeciw +*dat*.

agitated ['ædʒiteitid] *adj* poruszony.

agitator ['ædʒiteitə*] *n* agitator(ka) *m(f)*.

AGM *n abbr* (= *annual general meeting*) WZA *nt inv*.

agnostic [æg'nɔstik] *n* agnostyk (-yczka) *m(f)*.

ago [ə'gəu] *adv*: **2 days ago** dwa dni temu; **not long ago** niedawno; **as long ago as 1960** już w roku 1960; **how long ago?** jak dawno temu?

agog [ə'gɔg] *adj* przejęty, podniecony; **she was all agog** była bardzo przejęta.

agonize ['ægənaiz] *vi*: **he agonized over the problem** zadręczał się tym problemem.

agonizing ['ægənaiziŋ] *adj* (*pain*) dręczący; (*cry*) rozdzierający; (*decision*) bolesny; (*wait*) męczący.

agony ['ægəni] *n* (*pain*) (dotkliwy) ból *m*; (*torment*) udręka *f*, męczarnia *f*; **to be in agony** cierpieć katusze.

agony aunt *n* redaktorka rubryki porad osobistych dla czytelników.

agony column *n* rubryka porad osobistych dla czytelników.

agree [ə'gri:] *vt* (*price, date*) uzgadniać (uzgodnić *perf*) ♦ *vi* zgadzać się (zgodzić się *perf*); (*LING*) zgadzać się; **to agree with** (*person*) zgadzać się (zgodzić się *perf*) z +*instr*, (*food*) służyć +*dat*; (*statements etc*) pokrywać się (pokryć się *perf*) z +*instr*; **to agree to sth/to do sth** zgadzać się (zgodzić się *perf*) na coś/zrobić coś; **to agree on sth** uzgadniać (uzgodnić *perf*) coś; **to agree that** przyznawać (przyznać *perf*), że; **garlic doesn't agree with me** czosnek mi nie służy; **it was agreed that ...** uzgodniono, że ...; **they agreed on this** zgodzili się co do tego; **they agreed on going** uzgodnili, że pojadą.

agreeable [ə'gri:əbl] *adj* (*pleasant*) miły; (*willing*) skłonny; **are you agreeable to this?** odpowiada ci to?

agreed [ə'gri:d] *adj* uzgodniony; **to be agreed** zgadzać się.

agreement [ə'gri:mənt] *n* (*consent*) zgoda *f*, (*contract*) porozumienie *nt*; **to be in agreement with sb** zgadzać się (zgodzić się *perf*) z kimś; **by mutual agreement** za obopólną zgodą.

agricultural [ægri'kʌltfərəl] *adj* rolniczy.

agriculture ['ægrikʌltfə*] *n* rolnictwo.

aground [ə'graund] (*NAUT*) *adv*: **to run aground** osiadać (osiąść *perf*) na mieliźnie.

ahead [ə'hed] *adv* (*of place*) z przodu; (*of time*) z wyprzedzeniem, naprzód; (*into the future*) naprzód, do przodu; **ahead of** przed +*instr*; **ahead of schedule** przed terminem; **a year ahead** z rocznym wyprzedzeniem, na rok naprzód; **go right** *or* **straight ahead** proszę iść prosto przed siebie; **go ahead!** (*fig*) proszę (bardzo)!; **they were (right) ahead of us** byli (tuż) przed nami; **we are a good ten years ahead of you** wyprzedzamy was o dobre dziesięć lat.

AI *n abbr* (= *Amnesty International*); (*COMPUT*) = ~~artificial intelligence~~.

AIB (*BRIT*) *n abbr* (= *Accident Investigation Bureau*).

AID *n abbr* (= *artificial insemination by donor*) sztuczne zapłodnienie *nt* nasieniem dawcy; (*US*: = *Agency for International Development*).

aid [eid] *n* pomoc *f* ♦ *vt* pomagać (pomóc *perf*) +*dat*, wspomagać (wspomóc *perf*); **with the aid of** (*thing*) za pomocą +*gen*; (*person*) przy pomocy +*gen*; **in aid of** na rzecz +*gen*; **to aid and abet** (*JUR*) udzielać (udzielić *perf*) pomocy w dokonaniu przestępstwa; *see also* **hearing**.

aide [eɪd] (*POL, MIL*) *n* doradca (-czyni) *m(f)*.

aide-de-camp ['eɪddə'kɔŋ] (*MIL*) *n* adiutant(ka) *m(f)*.

AIDS [eɪdz] *n abbr* (= *acquired immune deficiency syndrome*) AIDS *m inv*.

AIH *n abbr* (= *artificial insemination by husband*) sztuczne zapłodnienie *nt* nasieniem męża.

ailing ['eɪlɪŋ] *adj* (*person*) niedomagający; (*industry*) borykający się z trudnościami; (*economy*) kulejący.

ailment ['eɪlmənt] *n* dolegliwość *f*.

aim [eɪm] *vt*: **to aim sth (at)** (*gun*) celować (wycelować *perf*) z +*gen* (do +*gen*); (*camera*) kierować (skierować *perf*) +*acc* (na +*acc*); (*blow*) mierzyć (wymierzyć *perf*) +*acc* (w +*acc*); (*remark*) kierować (skierować *perf*) +*acc* (pod adresem +*gen*) ♦ *vi* celować (wycelować *perf*), mierzyć (wymierzyć *perf*) ♦ *n* cel *m*; (*skill*) celność *f*; **to aim at** (*with weapon*) celować (wycelować *perf*) w +*acc*; (*objective*) dążyć do +*gen*; **to aim to do sth** zamierzać coś zrobić.

aimless ['eɪmlɪs] *adj* (*activity*) bezcelowy; (*person*) pozbawiony celu.

aimlessly ['eɪmlɪslɪ] *adv* bez celu.

ain't [eɪnt] (*inf*) = **am not**; (*inf*) = **aren't**; (*inf*) = **isn't**.

air [εə*] *n* powietrze *nt*; (*aria*) aria *f*; (*tune*) melodia *f*; (*mood*) atmosfera *f*; (*appearance*) wygląd *m* ♦ *vt* (*room*) przewietrzać (przewietrzyć *perf*), wietrzyć (wywietrzyć *perf*); (*views*) głosić, wygłaszać; (*grievances*) wylewać ♦ *cpd* (*currents, attack etc*) powietrzny; **to throw sth into the air** podrzucić (*perf*) coś do góry; **by air** drogą lotniczą, samolotem; **to be on the air** (*RADIO, TV: programme*) być na antenie, być nadawanym; (: *station*) nadawać.

airbag ['εəbæg] *n* (*in car*) poduszka *f* powietrzna.

air base *n* baza *f* lotnicza.

airbed ['εəbɛd] (*BRIT*) *n* materac *m* nadmuchiwany.

airborne ['εəbɔːn] *adj* (*attack etc*) lotniczy; (*plane*) lecący; (*troops*) powietrznodesantowy; (*particles*) zawieszony w powietrzu; **as soon as the plane was airborne** zaraz po starcie samolotu.

air cargo *n* ładunek *m* lotniczy.

air-conditioned ['εəkən'dɪʃənd] *adj* klimatyzowany.

air conditioning *n* klimatyzacja *f*.

air-cooled ['εəkuːld] *adj* (*engine*) chłodzony powietrzem.

aircraft ['εəkrɑːft] *n inv* samolot *m*.

aircraft carrier *n* lotniskowiec *m*.

air cushion *n* poduszka *f* pneumatyczna.

airfield ['εəfiːld] *n* lotnisko *nt*.

Air Force *n* siły *pl* powietrzne.

air freight *n* fracht *m* lotniczy.

air freshener *n* odświeżacz *m* powietrza.

airgun ['εəgʌn] *n* wiatrówka *f*.

air hostess (*BRIT*) *n* stewardessa *f*.

airily ['εərɪlɪ] *adv* beztrosko.

airing ['εərɪŋ] *n*: **to give an airing to** wietrzyć (przewietrzyć *perf*) +*acc*; (*fig: ideas, views etc*) omawiać (omówić *perf*).

air letter (*BRIT*) *n* list *m* lotniczy.

airlift ['εəlɪft] *n* most *m* powietrzny ♦ *vt* transportować (przetransportować *perf*) drogą lotniczą.

airline ['εəlaɪn] *n* linia *f* lotnicza.

airliner ['εəlaɪnə*] *n* samolot *m* pasażerski.

airlock ['εəlɔk] *n* (*in spacecraft*) śluza *f* powietrzna.

airmail ['εəmeɪl] *n*: **by airmail** pocztą lotniczą.

air mattress *n* materac *m* nadmuchiwany.

airplane ['εəpleɪn] (*US*) *n* samolot *m*.

airport ['εəpɔːt] *n* lotnisko *nt*, port *m* lotniczy.

air raid *n* nalot *m*.

airsick ['εəsɪk] *adj*: **to be airsick** mieć mdłości (*podczas lotu samolotem*).

airspace ['εəspeɪs] *n* obszar *m* powietrzny.

airstrip ['εəstrɪp] *n* pas *m* startowy (*prowizoryczny*).

air terminal *n* terminal *m* (*lotniska*).

airtight ['εətaɪt] *adj* szczelny (*nie przepuszczający powietrza*).

air-traffic control ['εətræfɪk-] *n* kontrola *f* ruchu lotniczego.

air-traffic controller ['εətræfɪk-] *n* kontroler(ka) *m(f)* ruchu lotniczego.

airway ['εəweɪ] *n* trasa *f* lotnicza.

airy ['εərɪ] *adj* (*building*) przestronny, przewiewny; (*manner*) beztroski.

aisle [aɪl] *n* (*of church*) nawa *f* boczna; (*of theatre, in plane*) przejście *nt*.

ajar [ə'dʒɑː*] *adj* (*door*) uchylony.

AK (*US: POST*) *abbr* (= *Alaska*).

a.k.a. *abbr* (= *also known as*) alias, v., = vel.

akin [ə'kɪn] *adj*: **akin to** pokrewny +*dat*, przypominający +*acc*.

AL (*US: POST*) *abbr* (= *Alabama*).

ALA *n abbr* (= *American Library Association*).

alabaster ['æləbɑːstə*] *n* alabaster *m*.

à la carte [ɑːlɑː'kɑːt] *adv* à la carte.

alacrity [ə'lækrɪtɪ] *n* ochota *f*; **with alacrity** z ochotą.

alarm [ə'lɑːm] *n* (*anxiety*) zaniepokojenie *nt*, niepokój *m*; (*in bank etc*) alarm *m*, system *m* alarmowy ♦ *vt* niepokoić (zaniepokoić *perf*).

alarm call *n* budzenie *nt* (*telefoniczne*).

alarm clock *n* budzik *m*.

alarming [ə'lɑːmɪŋ] *adj* (*worrying*) niepokojący; (*frightening*) zastraszający, zatrważający.

alarmist [ə'lɑːmɪst] *n* panikarz (-rka) *m(f)*.

alas [ə'læs] *excl* niestety.

Alaska [ə'læskə] *n* Alaska *f*.

Albania [æl'beɪnɪə] *n* Albania *f*.
Albanian [æl'beɪnɪən] *adj* albański ♦ *n* (*LING*)
(język *m*) albański; (*person*) Albańczyk
(-anka) *m(f)*.
albeit [ɔ:l'bi:ɪt] *conj* aczkolwiek.
album ['ælbəm] *n* album *m*.
albumen ['ælbjumɪn] *n* białko *nt*.
alchemy ['ælkɪmɪ] *n* alchemia *f*.
alcohol ['ælkəhɔl] *n* alkohol *m*.
alcohol-free ['ælkəhɔl'fri:] *adj* bezalkoholowy.
alcoholic [ælkə'hɔlɪk] *adj* alkoholowy ♦ *n*
alkoholik (-iczka) *m(f)*.
alcoholism ['ælkəhɔlɪzəm] *n* alkoholizm *m*.
alcove ['ælkəuv] *n* wnęka *f*.
Ald. *abbr* = **alderman**.
alderman ['ɔ:ldəmən] (*irreg like* **man**) *n* ≈
radny *m*.
ale [eɪl] *n* rodzaj piwa angielskiego.
alert [ə'lə:t] *adj* czujny ♦ *n* stan *m* pogotowia
or gotowości ♦ *vt* alarmować (zaalarmować
perf); **to alert sb (to sth)** uświadamiać
(uświadomić *perf*) komuś (coś); **to alert sb to
the dangers of sth** ostrzegać (ostrzec *perf*)
kogoś przed niebezpieczeństwami czegoś; **to
be on the alert** być w pogotowiu; **alert to
danger** świadomy niebezpieczeństwa.
Aleutian Islands [ə'lu:ʃən-] *npl* Aleuty *pl*.
Alexandria [ælɪg'zɑ:ndrɪə] *n* Aleksandria *f*.
alfresco [æl'freskəu] *adj* na świeżym
powietrzu (*o posiłku*) ♦ *adv* na świeżym
powietrzu (*spożywać posiłek*).
algebra ['ældʒɪbrə] *n* algebra *f*.
Algeria [æl'dʒɪərɪə] *n* Algieria *f*, Algier *m*
(*dawna nazwa państwa*).
Algerian [æl'dʒɪərɪən] *adj* algierski ♦ *n*
Algierczyk (-rka) *m(f)*.
Algiers [æl'dʒɪəz] *n* Algier *m* (*miasto*).
algorithm ['ælgərɪðəm] *n* algorytm *m*.
alias ['eɪlɪəs] *prep* inaczej, alias ♦ *n* pseudonim
m.
alibi ['ælɪbaɪ] *n* alibi *nt inv*.
alien ['eɪlɪən] *n* (*foreigner*) cudzoziemiec
(-mka) *m(f)*; (*extraterrestrial*) istota *f*
pozaziemska ♦ *adj*: **alien (to)** obcy (+*dat*).
alienate ['eɪlɪəneɪt] *vt* zrażać (zrazić *perf*).
alienation [eɪlɪə'neɪʃən] *n* wyobcowanie *nt*,
alienacja *f*.
alight [ə'laɪt] *adj* płonący, zapalony; (*fig*)
płomienny ♦ *adv* w płomieniach ♦ *vi* (*bird*)
usiąść (*perf*); (*passenger*) wysiadać (wysiąść
perf).
align [ə'laɪn] *vt* ustawiać (ustawić *perf*).
alignment [ə'laɪnmənt] *n* ustawienie *nt*; **it's
out of alignment (with)** to jest źle ustawione
(względem +*gen*).
alike [ə'laɪk] *adj* podobny ♦ *adv* (*similarly*)
podobnie, jednakowo; (*equally*) jednakowo,
tak ..., jak i; **they all look alike** oni wszyscy
są do siebie podobni; **winter and summer
alike** tak zimą, jak i latem.

alimony ['ælɪmənɪ] *n* alimenty *pl*.
alive [ə'laɪv] *adj* (*living*) żywy; (*lively*) pełen
życia; **the theatre is very much alive** teatr
ma się bardzo dobrze; **to keep sb alive**
utrzymywać (utrzymać *perf*) kogoś przy
życiu; **to be alive with** być wypełnionym
+*instr*; **alive to** świadomy +*gen*.
alkali ['ælkəlaɪ] *n* (*CHEM*) zasada *f*.
alkaline ['ælkəlaɪn] *adj* zasadowy, alkaliczny.

┌─────────────── *KEYWORD* ───────────────┐

all [ɔ:l] *adj* (*with sing*) cały; (*with pl*) wszystkie
(+*nvir*), wszyscy (+*vir*); **all the food** całe
jedzenie; **all day** cały dzień; **all night** całą
noc; **all the books** wszystkie książki; **all men
are equal** wszyscy ludzie są równi; **all five
came** przyszła cała piątka ♦ *pron* **1** (*sg*)
wszystko *nt*; (*pl*) wszystkie *nvir pl*, wszyscy
vir pl; **I ate it all, I ate all of it** zjadłem (to)
wszystko; **is that all?** czy to (już) wszystko?;
all of us went wszyscy poszliśmy; **we all sat
down** wszyscy usiedliśmy. **2: above all** nade
wszystko, przede wszystkim; **after all**
przecież, w końcu; **all in all** w sumie,
ogółem ♦ *adv* zupełnie; **all alone** zupełnie
sam; **it's not as hard as all that** to nie jest
aż takie trudne; **all the more/the better** tym
więcej/lepiej; **all but** (*all except for*) wszyscy
z wyjątkiem *or* oprócz +*gen*; (*almost*) już
prawie; **all but the strongest** wszyscy z
wyjątkiem najsilniejszych; **I had all but
finished** już prawie skończyłam; **what's the
score? – 2 all** jaki jest wynik? – dwa – dwa.

└───┘

allay [ə'leɪ] *vt* rozpraszać (rozproszyć *perf*).
all clear *n* koniec *m* niebezpieczeństwa
(*odwołanie alarmu*); (*fig*) pozwolenie *nt*.
allegation [ælɪ'geɪʃən] *n* zarzut *m*.
allege [ə'ledʒ] *vt* utrzymywać; **he is alleged to
have said** miał rzekomo powiedzieć.
alleged [ə'ledʒd] *adj* rzekomy.
allegedly [ə'ledʒɪdlɪ] *adv* rzekomo.
allegiance [ə'li:dʒəns] *n* lojalność *f*.
allegory ['ælɪgərɪ] *n* alegoria *f*.
all-embracing ['ɔ:lɪm'breɪsɪŋ] *adj*
wszechogarniający.
allergic [ə'lə:dʒɪk] *adj* alergiczny; **allergic to**
uczulony na +*acc*.
allergy ['ælədʒɪ] *n* alergia *f*, uczulenie *nt*.
alleviate [ə'li:vɪeɪt] *vt* łagodzić (złagodzić *perf*).
alley ['ælɪ] *n* aleja *f*.
alliance [ə'laɪəns] *n* przymierze *nt*, sojusz *m*.
allied ['ælaɪd] *adj* (*POL, MIL*) sprzymierzony,
sojuszniczy; (*related*) pokrewny.
alligator ['ælɪgeɪtə*] *n* aligator *m*.
all-important ['ɔ:lɪm'pɔ:tnt] *adj* bardzo ważny.
all-in ['ɔ:lɪn] (*BRIT*) *adj* (*cost etc*) łączny ♦
adv łącznie, ogółem.
all-in wrestling *n* zapasy *pl* w stylu wolnym.

alliteration [əlɪtə'reɪʃən] *n* aliteracja *f*.

all-night ['ɔːl'naɪt] *adj* (*café*) czynny całą noc; (*party*) całonocny.

allocate ['æləkeɪt] *vt* przydzielać (przydzielić *perf*).

allocation [æləu'keɪʃən] *n* przydział *m*.

allot [ə'lɔt] *vt*: **to allot (to)** przyznawać (przyznać *perf*) (na +*acc*), przydzielać (przydzielić *perf*) (na +*acc*); **in the alloted time** w wyznaczonym czasie.

allotment [ə'lɔtmənt] *n* (*garden*) działka *f*; (*share*) przydział *m*.

all-out ['ɔːlaut] *adj* (*effort*) zdecydowany; (*dedication*) całkowity; (*strike*) powszechny ♦ *adv*. **all out** wszelkimi środkami, na całego (*inf*); **to go all out for it** z całych sił do czegoś dążyć.

allow [ə'lau] *vt* (*behaviour*) pozwalać (pozwolić *perf*) na +*acc*; (*sum*) przeznaczać (przeznaczyć *perf*); (*claim, goal*) uznawać (uznać *perf*); **to allow that ...** przyznawać (przyznać *perf*), że ...; **to allow sb to do sth** pozwalać (pozwolić *perf*) komuś coś zrobić; **he is allowed to ...** wolno mu +*infin*; **smoking is not allowed** nie wolno palić.

▶**allow for** *vt fus* uwzględniać (uwzględnić *perf*) +*acc*.

allowance [ə'lauəns] *n* (*travelling etc*) dieta *f*; (*welfare payment*) zasiłek *m*; (*pocket money*) kieszonkowe *nt*; (*TAX*) ulga *f*; **fuel allowance** dodatek paliwowy; **to make allowances for** brać (wziąć *perf*) poprawkę na +*acc*.

alloy ['ælɔɪ] *n* stop *m*.

: **all right** *adv* (*well*) w porządku, dobrze; (*correctly*) dobrze, prawidłowo; (*as answer*) dobrze.

all-rounder [ɔːl'raundə*] *n* osoba *f* wszechstronna; **to be a good all-rounder** być bardzo wszechstronnym.

allspice ['ɔːlspaɪs] *n* piment *m*, ziele *nt* angielskie.

all-time ['ɔːl'taɪm] *adj*: **an all-time record** rekord *m* wszechczasów; **an all-time high** najwyższy z dotychczas zanotowanych poziomów.

allude [ə'luːd] *vi*: **to allude to** robić (zrobić *perf*) aluzję do +*gen*.

alluring [ə'ljuərɪŋ] *adj* ponętny.

allusion [ə'luːʒən] *n* aluzja *f*.

alluvium [ə'luːvɪəm] *n* osady *pl* rzeczne.

ally [*n* 'ælaɪ, *vb* ə'laɪ] *n* (*friend*) sprzymierzeniec *m*; (*POL, MIL*) sojusznik *m* ♦ *vt*: **to ally o.s. with** sprzymierzać się (sprzymierzyć *perf* się) z +*instr*.

almighty [ɔːl'maɪtɪ] *adj* (*omnipotent*) wszechmogący, wszechmocny; (*tremendous*) ogromny.

almond ['ɑːmənd] *n* (*fruit*) migdał *m*; (*tree*) migdałowiec *m*.

almost ['ɔːlməust] *adv* prawie; **he almost fell** o mało nie upadł; **almost certainly** prawie na pewno.

alms [ɑːmz] *npl* jałmużna *f*.

aloft [ə'lɔft] *adv* (*carry*) w górę; (*hold*) w górze.

alone [ə'ləun] *adj* sam ♦ *adv* samotnie; **to leave sb alone** zostawiać (zostawić *perf*) kogoś w spokoju, dawać (dać *perf*) komuś spokój; **to leave sth alone** nie ruszać czegoś; **let alone ...** nie mówiąc (już) o +*loc*.

along [ə'lɔŋ] *prep* wzdłuż +*gen* ♦ *adv*: **is he coming along with us?** czy on idzie z nami?; **to drive along a street** jechać ulicą; **he was limping along** posuwał się kulejąc; **along with** razem z +*instr*, wraz z +*instr*; **all along** od samego początku, przez cały czas.

alongside [ə'lɔŋ'saɪd] *prep* (*beside*) obok +*gen*; (*together with*) wraz z +*instr* ♦ *adv* obok; **we brought our boat alongside the pier** przybiliśmy do nabrzeża.

aloof [ə'luːf] *adj* powściągliwy ♦ *adv*: **to stay** *or* **keep aloof from** trzymać się z dala od +*gen*.

aloofness [ə'luːfnɪs] *n* powściągliwość *f*, rezerwa *f*.

aloud [ə'laud] *adv* (*not quietly*) głośno; (*out loud*) na głos.

alphabet ['ælfəbet] *n* alfabet *m*, abecadło *nt*.

alphabetical [ælfə'betɪkl] *adj* alfabetyczny; **in alphabetical order** w kolejności alfabetycznej.

alphanumeric ['ælfənjuː'merɪk] *adj* alfanumeryczny.

alpine ['ælpaɪn] *adj* alpejski.

Alps [ælps] *npl*: **the Alps** Alpy *pl*.

already [ɔːl'redɪ] *adv* już.

alright ['ɔːl'raɪt] *adv* = **all right**.

Alsace ['ælsæs] *n* Alzacja *f*.

Alsatian [æl'seɪʃən] (*BRIT*) *n* owczarek *m* alzacki *or* niemiecki, wilczur *m*.

also ['ɔːlsəu] *adv* też, także, również; **and also** a także, jak również; **Also, ...** Poza tym ... .

altar ['ɔltə*] *n* ołtarz *m*.

alter ['ɔltə*] *vt* zmieniać (zmienić *perf*); (*clothes*) przerabiać (przerobić *perf*) ♦ *vi* zmieniać się (zmienić się *perf*).

alteration [ɔltə'reɪʃən] *n* (*to plans*) zmiana *f*; (*to clothes*) przeróbka *f*; (*to building*) przebudowa *f*; **alterations** *npl* przeróbki *pl*.

alternate [*adj* ɔl'təːnɪt, *vb* 'ɔltəːneɪt] *adj* (*processes, events*) naprzemienny; (*US: alternative: plans*) zastępczy, alternatywny ♦ *vi*: **to alternate (with)** występować na przemian (z +*instr*); **on alternate days** co drugi dzień.

alternately [ɔl'təːnɪtlɪ] *adv* na przemian, kolejno.

alternating current ['ɔltəːneɪtɪŋ-] *n* prąd *m* zmienny.

alternative [ɔl'təːnətɪv] *adj* alternatywny ♦ *n* alternatywa *f*.

alternative energy *n* energia *f* ze źródeł niekonwencjonalnych.

alternatively [ɔl'tə:nətɪvlɪ] *adv*: **alternatively one could ...** ewentualnie można by... .

alternative medicine *n* medycyna *f* alternatywna *or* niekonwencjonalna.

alternative society *n*: **the alternative society** społeczeństwo *nt* alternatywne.

alternator ['ɔltə:neɪtə*] (*AUT*) *n* alternator *m*.

although [ɔ:l'ðəu] *conj* chociaż *or* choć, mimo że.

altitude ['æltɪtju:d] *n* wysokość *f*.

alto ['æltəu] *n* alt *m*.

altogether [ɔ:ltə'gɛðə*] *adv* (*completely*) całkowicie, zupełnie; (*on the whole*) ogólnie biorąc, generalnie; **how much is that altogether?** ile to będzie razem?; **not altogether true** niezupełnie prawdziwy.

altruistic [æltru'ɪstɪk] *adj* altruistyczny.

aluminium [ælju'mɪnɪəm] (*US* **aluminum**) [[ ]] *n* aluminium *nt*, glin *m*.

always ['ɔ:lweɪz] *adv* zawsze.

Alzheimer's disease ['æltshaɪməz-] *n* choroba *f* Alzheimera.

AM *abbr* (= *amplitude modulation*) AM.

am [æm] *vb see* **be**.

a.m. *adv abbr* (= *ante meridiem*) przed południem.

AMA *n abbr* (= *American Medical Association*).

amalgam [ə'mælgəm] *n* połączenie *nt*, amalgamat *m*.

amalgamate [ə'mælgəmeɪt] *vi* (*companies etc*) łączyć się (połączyć się *perf*); **to amalgamate with** łączyć się (połączyć się *perf*) z +*instr*.

amalgamation [əmælgə'meɪʃən] *n* połączenie *nt*.

amass [ə'mæs] *vt* gromadzić (zgromadzić *perf*).

amateur ['æmətə*] *n* amator(ka) *m(f)* ♦ *adj* amatorski; **amateur dramatics** teatr amatorski.

amateurish ['æmətərɪʃ] (*pej*) *adj* amatorski.

amaze [ə'meɪz] *vt* zdumiewać (zdumieć *perf*); **to be amazed (at)** być zdumionym (+*instr*).

amazement [ə'meɪzmənt] *n* zdumienie *nt*.

amazing [ə'meɪzɪŋ] *adj* zdumiewający, niesamowity; (*bargain, offer*) fantastyczny.

amazingly [ə'meɪzɪŋlɪ] *adv* niesamowicie.

Amazon ['æməzən] *n* Amazonka *f*; **the Amazon basin** dorzecze Amazonki; **the Amazon jungle** dżungla amazońska.

Amazonian [æmə'zəunɪən] *adj* amazoński.

ambassador [æm'bæsədə*] *n* ambasador *m*.

amber ['æmbə*] *n* (*substance*) bursztyn *m*; (*BRIT: AUT*) żółte światło *nt*.

ambidextrous [æmbɪ'dɛkstrəs] *adj* oburęczny.

ambience ['æmbɪəns] *n* atmosfera *f*.

ambiguity [æmbɪ'gjuɪtɪ] *n* dwuznaczność *f*, niejasność *f*.

ambiguous [æm'bɪgjuəs] *adj* dwuznaczny, niejasny.

ambition [æm'bɪʃən] *n* ambicja *f*, aspiracja *f*; **to achieve one's ambition** zrealizować (*perf*) swoje dążenia.

ambitious [æm'bɪʃəs] *adj* ambitny.

ambivalent [æm'bɪvələnt] *adj* ambiwalentny.

amble ['æmbl] *vi* iść powoli.

ambulance ['æmbjuləns] *n* karetka *f*.

ambulanceman ['æmbjulənsmən] (*irreg like* **man**) *n* sanitariusz *m*.

ambush ['æmbuʃ] *n* zasadzka *f*, pułapka *f* ♦ *vt* (*MIL etc*) wciągać (wciągnąć *perf*) w zasadzkę.

ameba [ə'mi:bə] (*US*) *n* = **amoeba**.

ameliorate [ə'mi:lɪəreɪt] *vt* poprawiać (poprawić *perf*).

amen ['ɑ:mɛn] *excl* amen.

amenable [ə'mi:nəbl] *adj* (*person*) otwarty na sugestie; **amenable to** (*flattery*) podatny na +*acc*; (*advice*) otwarty na +*acc*.

amend [ə'mɛnd] *vt* wnosić (wnieść *perf*) poprawki do +*gen* ♦ *n*: **to make amends for sth** naprawić (*perf*) coś.

amendment [ə'mɛndmənt] *n* poprawka *f*.

amenities [ə'mi:nɪtɪz] *npl* wygody *pl*, udogodnienia *pl*.

amenity [ə'mi:nɪtɪ] *n* udogodnienie *nt*.

America [ə'mɛrɪkə] *n* Ameryka *f*.

American [ə'mɛrɪkən] *adj* amerykański ♦ *n* Amerykanin (-anka) *m(f)*.

americanize [ə'mɛrɪkənaɪz] *vt* amerykanizować (zamerykanizować *perf*).

amethyst ['æmɪθɪst] *n* ametyst *m*.

Amex ['æmɛks] *n abbr* (= *American Stock Exchange*).

amiable ['eɪmɪəbl] *adj* miły, uprzejmy.

amicable ['æmɪkəbl] *adj* (*relationship*) przyjazny, przyjacielski; (*settlement*) polubowny.

amid(st) [ə'mɪd(st)] *prep* wśród +*gen*.

amiss [ə'mɪs] *adj*: **there's something amiss** coś jest nie w porządku ♦ *adv* **to take sth amiss** poczuć się (*perf*) czymś urażonym.

ammeter ['æmɪtə*] *n* amperomierz *m*.

ammo ['æməu] (*inf*) *n abbr* = **ammunition**.

ammonia [ə'məunɪə] *n* amoniak *m*.

ammunition [æmju'nɪʃən] *n* amunicja *f*; (*fig*) broń *f*.

ammunition dump *n* (polowy) skład *m* amunicji.

amnesia [æm'ni:zɪə] *n* amnezja *f*.

amnesty ['æmnɪstɪ] *n* amnestia *f*; **to grant an amnesty to** udzielać (udzielić *perf*) amnestii +*dat*.

amoeba [ə'mi:bə] (*US* **ameba**) *n* ameba *f*.

amok [ə'mɔk] *adv*: **to run amok** dostawać (dostać *perf*) amoku.

among(st) [ə'mʌŋ(st)] *prep* (po)między +*instr*, wśród +*gen*.

amoral [æ'mɔrəl] *adj* amoralny.

amorous ['æmərəs] *adj* (*feelings*) miłosny; (*person*) kochliwy.

amorphous [ə'mɔ:fəs] *adj* (*cloud*) bezkształtny; (*organization, novel*) pozbawiony wyraźnej struktury.

amortization [əmɔ:taɪ'zeɪʃən] (*COMM*) *n* amortyzacja *f*.

amount [ə'maunt] n (of food, work etc) ilość f; (of money) suma f, kwota f ♦ vi: **to amount to** (total) wynosić (wynieść perf) +acc; (be same as) sprowadzać się (sprowadzić się perf) do +gen; **this amounts to a refusal** to jest równoznaczne z odmową; **the total amount** (of money) całkowita kwota.

amp(ère) ['æmp(ɛə*)] n amper m; **a 13 amp plug** wtyczka na 13 amperów.

ampersand ['æmpəsænd] n znak & oznaczający „i".

amphibian [æm'fɪbɪən] n płaz m.

amphibious [æm'fɪbɪəs] adj (animal) ziemnowodny; (vehicle) wodno-lądowy.

amphitheatre ['æmfɪθɪətə*] (US **amphitheater**) n amfiteatr m.

ample ['æmpl] adj (large) pokaźny; (enough) obfity; **this is ample** jest tego aż nadto; **to have ample time/room** mieć pod dostatkiem czasu/miejsca.

amplifier ['æmplɪfaɪə*] n wzmacniacz m.

amplify ['æmplɪfaɪ] vt wzmacniać (wzmocnić perf).

amply ['æmplɪ] adv wystarczająco.

ampoule ['æmpuːl] (US **ampule**) n ampułka f.

amputate ['æmpjuteɪt] vt amputować (amputować perf).

amputation [æmpju'teɪʃən] n amputacja f.

Amsterdam ['æmstədæm] n Amsterdam m.

amt abbr = **amount**.

amuck [ə'mʌk] adv = **amok**.

amuse [ə'mjuːz] vt (entertain) bawić (rozbawić perf), śmieszyć (rozśmieszyć perf); (distract) zabawiać (zabawić perf); **to amuse o.s. with sth/by doing sth** bawić się czymś/robieniem czegoś; **to be amused at** bawić się (ubawić się perf) +instr; **he was not amused** nie (roz)bawiło go to.

amusement [ə'mjuːzmənt] n (mirth) radość f; (pleasure) zabawa f, wesołość f; (pastime) rozrywka f; **much to my amusement** ku memu rozbawieniu.

amusement arcade n salon m gier automatycznych.

amusing [ə'mjuːzɪŋ] adj zabawny.

an [æn, ən] indef art see **a**.

ANA n abbr (= American Newspaper Association); (= American Nurses Association).

anachronism [ə'nækrənɪzəm] n anachronizm m, przeżytek m.

anaemia [ə'niːmɪə] (US **anemia**) n anemia f, niedokrwistość f.

anaemic [ə'niːmɪk] (US **anemic**) adj anemiczny.

anaesthetic [ænɪs'θɛtɪk] (anesthetic: US) n środek m znieczulający; **under anaesthetic** pod narkozą, w znieczuleniu; **local/general anaesthetic** znieczulenie miejscowe/ogólne.

anaesthetist [æ'niːsθɪtɪst] n anestezjolog m.

anagram ['ænəgræm] n anagram m.

analgesic [ænæl'dʒiːsɪk] adj przeciwbólowy ♦ n środek m przeciwbólowy.

analog(ue) ['ænəlɔg] adj analogowy.

analogy [ə'nælədʒɪ] n analogia f; **to draw an analogy between** przeprowadzać (przeprowadzić perf) analogię pomiędzy +instr; **by analogy** przez analogię.

analyse ['ænəlaɪz] (US **analyze**) vt (situation, statistics) analizować (przeanalizować perf); (CHEM, MED) wykonywać (wykonać perf) analizę +gen; (PSYCH) poddawać (poddać perf) psychoanalizie.

analyses [ə'næləsiːz] npl of **analysis**.

analysis [ə'næləsɪs] (pl **analyses**) n analiza f; (PSYCH) psychoanaliza f; **in the last** or **final analysis** w ostatecznym rozrachunku.

analyst ['ænəlɪst] n (political etc) ekspert m, analityk m; (PSYCH) psychoanalityk m.

analytic(al) [ænə'lɪtɪk(l)] adj analityczny.

analyze ['ænəlaɪz] (US) vt = **analyse**.

anarchist ['ænəkɪst] n anarchista (-tka) m(f) ♦ adj anarchistyczny.

anarchy ['ænəkɪ] n anarchia f.

anathema [ə'næθɪmə] n: **that is anathema to him** on tego nienawidzi.

anatomical [ænə'tɔmɪkl] adj anatomiczny.

anatomy [ə'nætəmɪ] n anatomia f.

ANC n abbr (= African National Congress) Afrykański Kongres m Narodowy.

ancestor ['ænsɪstə*] n przodek m.

ancestral [æn'sɛstrəl] adj rodowy.

ancestry ['ænsɪstrɪ] n pochodzenie nt, rodowód m.

anchor ['æŋkə*] n kotwica f ♦ vi rzucać (rzucić perf) kotwicę, zakotwiczać (zakotwiczyć perf) ♦ vt (fig) przywiązywać (przywiązać perf); **to anchor sth to** przymocowywać (przymocować perf) coś do +gen; **to weigh anchor** podnosić (podnieść perf) kotwicę.

anchorage ['æŋkərɪdʒ] n miejsce nt (za)kotwiczenia.

anchovy ['æntʃəvɪ] n anchois nt inv.

ancient ['eɪnʃənt] adj (civilization etc) starożytny; (person, car) wiekowy.

ancient monument n zabytek m historyczny.

ancillary [æn'sɪlərɪ] adj pomocniczy.

and [ænd] conj i; **and so on** i tak dalej; **try and come** spróbuj przyjść; **her marks are getting better and better** jej oceny są coraz lepsze.

Andes ['ændiːz] npl: **the Andes** Andy pl.

Andorra [æn'dɔːrə] n Andora f.

anecdote ['ænɪkdəut] n anegdota f.

anemia etc (US) = **anaemia** etc.

anemic [ə'niːmɪk] adj = **anaemic**.

anemone [ə'nɛmənɪ] n anemon m, zawilec m.

anesthetic etc [ænɪs'θɛtɪk] (US) = **anaesthetic** etc.

anew [ə'njuː] adv na nowo, od nowa.

angel ['eɪndʒəl] *n* anioł *m*.

angelic [æn'dʒelɪk] *adj* anielski.

anger ['æŋgə*] *n* gniew *m*, złość *f* ♦ *vt* gniewać (rozgniewać *perf*), złościć (rozzłościć *perf*).

angina [æn'dʒaɪnə] *n* dusznica *f* bolesna.

angle ['æŋgl] *n* (*MATH*) kąt *m*; (*corner*) róg *m*, narożnik *m*; (*viewpoint*) strona *f* ♦ *vi*: **to angle for** przymawiać się (przymówić się *perf*) o +*acc* ♦ *vt*: **to angle sth towards/to** (*aim*) kierować (skierować *perf*) coś do +*gen*.

angler ['æŋglə*] *n* wędkarz (-arka) *m(f)*.

Anglican ['æŋglɪkən] *adj* anglikański ♦ *n* anglikanin (-nka) *m(f)*.

anglicize ['æŋglɪsaɪz] *vt* anglizować (zanglizować *perf*).

angling ['æŋglɪŋ] *n* wędkarstwo *nt*.

Anglo- ['æŋgləu] *pref* anglo-, angielsko-.

Anglo-French ['æŋgləu'frentʃ] *adj* (*LING*) anglofrancuski; (*relations*) angielsko-francuski.

Anglo-Saxon ['æŋgləu'sæksən] *adj* anglosaski ♦ *n* Anglosas(ka) *m(f)*.

Angola [æŋ'gəulə] *n* Angola *f*.

Angolan [æŋ'gəulən] *adj* angolski ♦ *n* Angolczyk (-lka) *m(f)*.

angrily ['æŋgrɪlɪ] *adv* gniewnie, w złości.

angry ['æŋgrɪ] *adj* (*person*) zły, rozgniewany; (*response, letter*) gniewny; (*fig: wound, rash*) zaogniony; **to be angry with sb/at sth** złościć się na kogoś/o coś; **to get angry** rozgniewać się (*perf*), rozzłościć się (*perf*); **to make sb angry** rozzłościć (*perf*) kogoś, rozgniewać (*perf*) kogoś.

anguish ['æŋgwɪʃ] *n* cierpienie *nt*.

angular ['æŋgjulə*] *adj* kanciasty.

animal ['ænɪməl] *n* zwierzę *nt*; (*pej: person*) bydlę *nt* (*pej*) ♦ *adj* zwierzęcy.

animal rights [-raɪts] *npl* prawa *pl* zwierząt.

animate [*adj* 'ænɪmɪt, *vb* 'ænɪmeɪt] *adj* ożywiony ♦ *vt* ożywiać (ożywić *perf*).

animated ['ænɪmeɪtɪd] *adj* (*conversation*) ożywiony; (*FILM*) animowany.

animosity [ænɪ'mɔsɪtɪ] *n* animozja *f*, niechęć *f*.

aniseed ['ænɪsi:d] *n* anyż *m*.

Ankara ['æŋkərə] *n* Ankara *f*.

ankle ['æŋkl] (*ANAT*) *n* kostka *f*.

ankle sock *n* skarpetka *f* do kostki.

annex [*n* 'æneks, *vb* ə'neks] *n* (*BRIT* **annexe**) przybudówka *f*, (nowe) skrzydło *nt* ♦ *vt* anektować (zaanektować *perf*), zajmować (zająć *perf*).

annexation [ænek'seɪʃən] *n* aneksja *f*, zajęcie *nt*.

annihilate [ə'naɪəleɪt] *vt* unicestwiać (unicestwić *perf*).

anniversary [ænɪ'və:sərɪ] *n* rocznica *f*.

Anno Domini ['ænəu'dɔmɪnaɪ] *adv* roku Pańskiego, ≈ naszej ery.

annotate ['ænəuteɪt] *vt* robić (zrobić *perf*) przypisy do +*gen*.

announce [ə'nauns] *vt* ogłaszać (ogłosić *perf*);

he announced that he wasn't going oświadczył, że nie pojedzie.

announcement [ə'naunsmənt] *n* (*public declaration*) oświadczenie *nt*; (*in newspaper etc*) ogłoszenie *nt*; (*at airport, radio*) komunikat *m*, zapowiedź *f*; **I'd like to make an announcement** chciałabym coś ogłosić.

announcer [ə'naunsə*] (*RADIO, TV*) *n* spiker(ka) *m(f)*.

annoy [ə'nɔɪ] *vt* irytować (zirytować *perf*), drażnić (rozdrażnić *perf*); **to be annoyed (at sth/with sb)** być zdenerwowanym (czymś/na kogoś); **don't get annoyed!** nie irytuj się!

annoyance [ə'nɔɪəns] *n* irytacja *f*.

annoying [ə'nɔɪɪŋ] *adj* irytujący.

annual ['ænjuəl] *adj* (*meeting*) doroczny; (*income, rate*) roczny ♦ *n* (*BOT*) roślina *f* jednoroczna; (*book*) rocznik *m*.

annual general meeting (*BRIT*) *n* doroczne walne zgromadzenie *nt*.

annually ['ænjuəlɪ] *adv* (*once a year*) co rok(u), corocznie, dorocznie; (*during a year*) rocznie.

annual report *n* sprawozdanie *nt* roczne.

annuity [ə'nju:ɪtɪ] *n* opłata *f or* rata *f* roczna; **life annuity** renta dożywotnia.

annul [ə'nʌl] *vt* (*contract*) unieważniać (unieważnić *perf*), anulować (anulować *perf*); (*law*) znosić (znieść *perf*).

annulment [ə'nʌlmənt] *n* (*of contract*) unieważnienie *nt*; (*of law*) zniesienie *nt*.

annum ['ænəm] *n see* **per**.

Annunciation [ənʌnsɪ'eɪʃən] *n* Zwiastowanie *nt*.

anode ['ænəud] *n* anoda *f*.

anoint [ə'nɔɪnt] *vt* namaszczać (namaścić *perf*).

anomalous [ə'nɔmələs] *adj* nieprawidłowy, nieregularny.

anomaly [ə'nɔməlɪ] *n* anomalia *f*, nieprawidłowość *f*.

anon. [ə'nɔn] *abbr* = **anonymous** anonim., anon.

anonymity [ænə'nɪmɪtɪ] *n* anonimowość *f*.

anonymous [ə'nɔnɪməs] *adj* (*letter, gift*) anonimowy; (*place*) bezimienny; **to remain anonymous** zachowywać (zachować *perf*) anonimowość.

anorak ['ænəræk] *n* anorak *m* (*ciepła kurtka przeciwdeszczowa z kapturem*).

anorexia [ænə'reksɪə] *n* anoreksja *f*, jadłowstręt *m* psychiczny.

another [ə'nʌðə*] *adj* inny ♦ *pron* (*one more*) następny, drugi; (*a different one*) inny, drugi; **another drink?** (czy) wypijesz jeszcze jednego?; **in another 5 years** za następne pięć lat; *see also* **one**.

ANSI [eɪenes'aɪ] *n abbr* (= *American National Standards Institute*) urząd *normalizacyjny*.

answer ['ɑ:nsə*] *n* (*to question, letter*) odpowiedź *f*; (*to problem*) rozwiązanie *nt* ♦ *vi* odpowiadać (odpowiedzieć *perf*); (*TEL*) podnosić (podnieść *perf*) słuchawkę, odbierać

(odebrać *perf*) (telefon) ♦ *vt* (*letter, question*)
odpowiadać (odpowiedzieć *perf*) na +*acc*;
(*problem*) rozwiązywać (rozwiązać *perf*);
(*prayer*) wysłuchiwać (wysłuchać *perf*) +*gen*;
in answer to your letter w odpowiedzi na
Pana/Pani list; **to answer the phone** odbierać
(odebrać *perf*) telefon; **to answer the bell** *or*
the door otworzyć *(perf)* drzwi.

►**answer back** *vi* odpyskowywać (odpyskować
perf) (*inf*).

►**answer for** *vt fus* (*person etc*) ręczyć
(poręczyć *perf*) za +*acc*; (*one's actions*)
odpowiadać (odpowiedzieć *perf*) za +*acc*.

►**answer to** *vt fus* (*description*) odpowiadać +*dat*.

answerable ['ɑ:nsərəbl] *adj*: **answerable to sb
for sth** odpowiedzialny przed kimś za coś; **I
am answerable to no-one** nie odpowiadam
przed nikim.

answering machine ['ɑ:nsərɪŋ-] *n*
automatyczna sekretarka *f*.

ant [ænt] *n* mrówka *f*.

ANTA *n abbr* (= *American National Theater
and Academy*).

antagonism [æn'tægənɪzəm] *n* wrogość *f*,
antagonizm *m*.

antagonist [æn'tægənɪst] *n* przeciwnik (-iczka)
m(f), antagonista (-tka) *m(f)*.

antagonistic [æntægə'nɪstɪk] *adj* wrogi,
antagonistyczny.

antagonize [æn'tægənaɪz] *vt* zrażać (zrazić
perf) sobie.

Antarctic [ænt'ɑ:ktɪk] *n*: **the Antarctic**
Antarktyka *f*.

Antarctica [ænt'ɑ:ktɪkə] *n* Antarktyda *f*.

Antarctic Circle *n*: **the Antarctic Circle** koło
nt podbiegunowe południowe.

Antarctic Ocean *n*: **the Antarctic Ocean** *wody
antarktyczne*.

ante ['æntɪ] *n*: **to up the ante** (*fig*) podnosić
(podnieść *perf*) stawkę.

ante... ['æntɪ] *pref* przed... .

anteater ['ænti:tə*] *n* mrówkojad *m*.

antecedent [æntɪ'si:dənt] *n* poprzednik (-iczka)
m(f).

antechamber ['æntɪtʃeɪmbə*] *n* przedsionek *m*.

antelope ['æntɪləup] *n* antylopa *f*.

antenatal ['æntɪ'neɪtl] *adj* przedporodowy.

antenatal clinic *n* klinika *f* przedporodowa.

antenna [æn'tɛnə] (*pl* **antennae**) *n* (*of insect*)
czułek *m*; (*RADIO, TV*) antena *f*.

anteroom ['æntɪrum] *n* przedpokój *m*,
poczekalnia *f*.

anthem ['ænθəm] *n*: **national anthem** hymn *m*
państwowy.

ant-hill ['ænthɪl] *n* mrowisko *nt*.

anthology [æn'θɔlədʒɪ] *n* antologia *f*.

anthropologist [ænθrə'pɔlədʒɪst] *n* antropolog *m*.

anthropology [ænθrə'pɔlədʒɪ] *n* antropologia *f*.

anti... ['æntɪ] *pref* przeciw..., anty... .

anti-aircraft ['æntɪ'ɛəkrɑ:ft] *adj* przeciwlotniczy.

anti-aircraft defence *n* obrona *f*
przeciwlotnicza.

antiballistic ['æntɪbə'lɪstɪk] *adj*
przeciwbalistyczny.

antibiotic ['æntɪbaɪ'ɔtɪk] *n* antybiotyk *m*.

antibody ['æntɪbɔdɪ] *n* przeciwciało *nt*.

anticipate [æn'tɪsɪpeɪt] *vt* (*foresee*)
przewidywać (przewidzieć *perf*); (*look forward
to*) czekać na +*acc*; (*do first*) antycypować;
this is worse than I anticipated jest gorzej,
niż przewidywałem; **as anticipated** zgodnie z
przewidywaniami.

anticipation [æntɪsɪ'peɪʃən] *n* (*expectation*)
przewidywanie *nt*; (*eagerness*) niecierpliwość
f; **thanking you in anticipation** z góry dziękuję.

anticlimax ['æntɪ'klaɪmæks] *n* zawód *m*,
rozczarowanie *nt*.

anticlockwise ['æntɪ'klɔkwaɪz] (*BRIT*) *adv*
odwrotnie do ruchu wskazówek zegara.

antics ['æntɪks] *npl* (*of animal, child*)
błazeństwa *pl*, figle *pl*; (*of politicians etc*)
wyskoki *pl*.

anticyclone ['æntɪ'saɪkləun] *n* wyż *m*, układ *m*
wysokiego ciśnienia.

antidote ['æntɪdəut] *n* (*MED*) antidotum *nt*,
odtrutka *f*; (*fig*) antidotum *nt*.

antifreeze ['æntɪfri:z] (*AUT*) *n* płyn *m* nie
zamarzający.

antihistamine ['æntɪ'hɪstəmɪn] *n* środek *m*
antyhistaminowy.

Antilles [æn'tɪli:z] *npl*: **the Antilles** Antyle *pl*.

antipathy [æn'tɪpəθɪ] *n* antypatia *f*.

Antipodean [æntɪpə'di:ən] *adj* dotyczący
Australii i Nowej Zelandii.

Antipodes [æn'tɪpədi:z] *npl*: **the Antipodes**
antypody *pl*.

antiquarian [æntɪ'kwɛərɪən] *adj*: **antiquarian
bookshop** antykwariat *m* ♦ *n* antykwariusz *m*.

antiquated ['æntɪkweɪtɪd] *adj* przestarzały,
staroświecki.

antique [æn'ti:k] *n* antyk *m* ♦ *adj* zabytkowy.

antique dealer *n* antykwariusz *m*.

antique shop *n* sklep *m* z antykami,
antykwariat *m*.

antiquity [æn'tɪkwɪtɪ] *n* starożytność *f*.

anti-Semitic ['æntɪsɪ'mɪtɪk] *adj* antysemicki.

anti-Semitism ['æntɪ'sɛmɪtɪzəm] *n*
antysemityzm *m*.

antiseptic [æntɪ'sɛptɪk] *n* środek *m* odkażający
or bakteriobójczy ♦ *adj* bakteriobójczy,
antyseptyczny.

antisocial ['æntɪ'səuʃəl] *adj* aspołeczny.

antitank ['æntɪ'tæŋk] *adj* (*ditch*)
przeciwczołgowy; (*rocket*) przeciwpancerny.

antitheses [æn'tɪθɪsi:z] *npl of* **antithesis**.

antithesis [æn'tɪθɪsɪs] (*pl* **antitheses**) *n*
przeciwieństwo *nt*, antyteza *f*.

antitrust ['æntɪ'trʌst] (*US*) *adj*: **antitrust
legislation** ustawodawstwo *nt* przeciwtrustowe.

antlers ['æntləz] *npl* rogi *pl* (*zwierzyny płowej*).

Antwerp ['æntwə:p] *n* Antwerpia *f*.

anus ['eɪnəs] *n* odbyt *m*.

anvil ['ænvɪl] *n* kowadło *nt*.

anxiety [æŋ'zaɪətɪ] *n* (*concern*) niepokój *m*, obawa *f*; (*MED*) lęk *m*; **anxiety to do sth** pragnienie uczynienia czegoś; **the anxiety not to offend** obawa, żeby nikogo nie urazić.

anxious ['æŋkʃəs] *adj* (*worried*) zaniepokojony; (*worrying*) niepokojący; **she is anxious to go abroad** zależy jej na wyjeździe za granicę; **he is anxious that we should meet** zależy mu na tym, żebyśmy się spotkali; **I'm very anxious about you** bardzo się o ciebie martwię.

anxiously ['æŋkʃəslɪ] *adv* z troską, z obawą.

┌─────────── *KEYWORD* ───────────┐

any ['enɪ] *adj* **1** (*in questions etc*) jakiś, trochę +*gen*; **are there any tickets left?** czy zostały jakieś bilety?; **have you any sugar?** masz trochę cukru? **2** (*with negative*) żaden, ani trochę +*gen*; **I haven't any money/books** nie mam (żadnych) pieniędzy/książek; **they haven't any free time** nie mają (ani trochę) wolnego czasu. **3** (*no matter which*): **any excuse will do** każda wymówka będzie dobra; **ask any teacher** zapytaj jakiegokolwiek *or* któregokolwiek nauczyciela. **4**: **in any case** w każdym razie; **any day now** lada dzień; **at any moment** lada chwila *or* moment, w każdej chwili; **at any rate** w każdym razie; **any time** (*at any moment*) lada chwila *or* moment; (*whenever*) zawsze gdy ♦ *pron* **1** (*in questions etc*): **I collect stamps; have you got any?** zbieram znaczki – masz jakieś?; **can any of you sing?** czy któreś z was umie śpiewać?; **there's some cake left; do you want any?** zostało trochę ciasta – chcesz trochę? **2** (*with negative*): **I haven't any (of them)** nie mam ani jednego (z nich); **he's trying to lose weight, but so far hasn't lost any** stara się schudnąć, ale jak dotąd nie schudł ani trochę. **3** (*no matter which one(s)*) jakikolwiek, którykolwiek; **take any of them** weź którykolwiek z nich ♦ *adv* **1** (*in questions etc*) trochę; **are you feeling any better?** czy czujesz się (choć) trochę lepiej? **2** (*with negative*) już; **I can't hear him any more** nie słyszę go już; **don't wait any longer** nie czekaj (już) dłużej.

anybody ['enɪbɔdɪ] = **anyone**.

┌─────────── *KEYWORD* ───────────┐

anyhow ['enɪhau] *adv* **1** (*at any rate*) i tak, tak czy owak; **I shall go anyhow** i tak pójdę. **2** (*haphazard*) byle jak, jak(kolwiek); **do it anyhow you like** zrób to, jak(kolwiek)

chcesz; **she leaves things just anyhow** zostawia wszystko byle jak.

┌─────────── *KEYWORD* ───────────┐

anyone ['enɪwʌn] *pron* **1** (*in questions etc*) ktoś *m*, ktokolwiek *m*; **can you see anyone?** widzisz kogoś?; **if anyone should ask ...** gdyby ktoś *or* ktokolwiek pytał, ... **2** (*with negative*) nikt *m*; **I can't see anyone** nikogo nie widzę. **3** (*no matter who*) każdy *m*, ktokolwiek *m*; **I could teach anyone to do it** każdego umiałabym tego nauczyć; **anyone could have done it** mógł to zrobić każdy *or* ktokolwiek.

anyplace ['enɪpleɪs] (*US*) *adv* = **anywhere**.

┌─────────── *KEYWORD* ───────────┐

anything ['enɪθɪŋ] *pron* **1** (*in questions etc*) coś *nt*, cokolwiek *nt*; **can you see anything?** widzisz coś?; **if anything happens to me ...** jeśli coś *or* cokolwiek mi się stanie, ... **2** (*with negative*) nic *nt*; **I can't see anything** nic nie widzę. **3** (*no matter what*) co(kolwiek) *nt*, wszystko *nt*; **you can say anything you like** możesz mówić co(kolwiek) chcesz; **he'll eat anything** on wszystko zje.

┌─────────── *KEYWORD* ───────────┐

anyway ['enɪweɪ] *adv* **1** (*at any rate*) i tak, tak czy owak; **I shall go anyway** i tak pójdę. **2** (*besides*) w każdym razie, (a) poza tym, (a) tak w ogóle; **anyway, I'll let you know** w każdym razie dam ci znać; **anyway, I couldn't come even if I wanted to** (a) poza tym, nie mógłbym przyjść, nawet gdybym chciał; **why are you phoning, anyway?** a tak w ogóle, dlaczego dzwonisz?

┌─────────── *KEYWORD* ───────────┐

anywhere ['enɪwɛə*] *adv* **1** (*in questions*) gdzieś; **can you see him anywhere?** widzisz go gdzieś?; **are you going anywhere?** wychodzisz gdzieś? **2** (*with negative*) nigdzie; **I can't see him anywhere** nigdzie go nie widzę. **3** (*no matter where*) gdziekolwiek; **anywhere in the world** gdziekolwiek na świecie.

Anzac ['ænzæk] *n abbr* (= *Australia-New Zealand Army Corps*).

apace [ə'peɪs] *adv*: **negotiations were**

continuing **apace** negocjacje toczyły się w szybkim tempie.

apart [ə'pɑ:t] *adv* (*situate*) z dala, oddzielnie; (*move*) od siebie; (*aside*) osobno, na uboczu, z dala; **10 miles apart** w odległości 10 mil od siebie; **a long way apart** daleko od siebie; **they are living apart** mieszkają oddzielnie; **with one's legs apart** w rozkroku; **to take sth apart** rozbierać (rozebrać *perf*) coś na części; **apart from** (*excepting*) z wyjątkiem +*gen*, oprócz +*gen*; (*in addition to*) oprócz +*gen*, poza +*instr*.

apartheid [ə'pɑ:teɪt] *n* apartheid *m*.

apartment [ə'pɑ:tmənt] *n* (*US*) mieszkanie *nt*; (*in palace etc*) apartament *m*.

apartment building (*US*) *n* blok *m* mieszkalny.

apathetic [æpə'θεtɪk] *adj* apatyczny.

apathy ['æpəθɪ] *n* apatia *f*.

APB (*US*) *n abbr* (= *all points bulletin*) rysopis przestępcy rozsyłany do wszystkich posterunków policji.

ape [eɪp] *n* małpa *f* człekokształtna ♦ *vt* małpować (zmałpować *perf*).

Apennines ['æpənaɪnz] *npl:* **the Apennines** Apeniny *pl*.

aperitif [ə'pεrɪti:f] *n* aperitif *m*.

aperture ['æpətʃuə*] *n* otwór *m*, szczelina *f*; (*PHOT*) przysłona *f*.

APEX ['eɪpεks] (*AVIAT, RAIL*) *n abbr* (= *advance passenger excursion*) APEX *m inv*.

apex ['eɪpεks] *n* (*of triangle etc*) wierzchołek *m*; (*fig*) szczyt *m*.

aphid ['æfɪd] *n* mszyca *f*.

aphorism ['æfərɪzəm] *n* aforyzm *m*.

aphrodisiac [æfrəu'dɪzɪæk] *adj* pobudzający seksualnie ♦ *n* afrodyzjak *m*.

API *n abbr* (= *American Press Institute*).

apiece [ə'pi:s] *adv* (*per thing*) za sztukę, sztuka; (*per person*) na osobę, na głowę.

aplomb [ə'plɔm] *n* opanowanie *nt*, pewność *f* siebie.

APO (*US*) *n abbr* (= *Army Post Office*).

apocalypse [ə'pɔkəlɪps] *n* apokalipsa *f*.

apolitical [eɪpə'lɪtɪkl] *adj* apolityczny.

apologetic [əpɔlə'dʒεtɪk] *adj* (*person*) skruszony; (*tone, letter*) przepraszający; **to be apologetic about ...** przepraszać za +*acc*.

apologize [ə'pɔlədʒaɪz] *vi:* **to apologize (for sth to sb)** przepraszać (przeprosić *perf*) (kogoś za coś).

apology [ə'pɔlədʒɪ] *n* przeprosiny *pl*; **to send one's apologies** przepraszać (przeprosić *perf*) (*za niemożność przybycia*); **please accept my apologies** proszę o wybaczenie.

apoplectic [æpə'plεktɪk] *adj* (*MED*) apoplektyczny; (*fig*): **apoplectic with rage** wściekły do granic wytrzymałości.

apoplexy ['æpəplεksɪ] *n* udar *m* mózgowy, apopleksja *f*.

apostle [ə'pɔsl] *n* apostoł *m*.

apostrophe [ə'pɔstrəfɪ] *n* apostrof *m*.

appal [ə'pɔ:l] *vt* bulwersować (zbulwersować *perf*).

Appalachian Mountains [æpə'leɪʃən-] *npl:* **the Appalachian Mountains** Appalachy *pl*.

appalling [ə'pɔ:lɪŋ] *adj* (*destruction etc*) przerażający; (*ignorance etc*) niebywały; **she's an appalling cook** ona fatalnie gotuje.

apparatus [æpə'reɪtəs] *n* (*equipment*) aparatura *f*, przyrządy *pl*; (: *in gymnasium*) przyrządy *pl*; (*of organization*) aparat *m*.

apparel [ə'pærl] *n* strój *m*, szata *f* (*fml*).

apparent [ə'pærənt] *adj* (*seeming*) pozorny; (*obvious*) widoczny, oczywisty; **it is apparent that ...** jest oczywiste, że ... .

apparently [ə'pærəntlɪ] *adv* najwidoczniej, najwyraźniej.

apparition [æpə'rɪʃən] *n* zjawa *f*.

appeal [ə'pi:l] *vi* (*JUR*) wnosić (wnieść *perf*) apelację, odwoływać się (odwołać się *perf*) ♦ *n* (*JUR*) apelacja *f*, odwołanie *nt*; (*request*) apel *m*; (*charm*) urok *m*, powab *m*; **to appeal (to sb) for** apelować (zaapelować *perf*) (do kogoś) o +*acc*; **to appeal to** podobać się (spodobać się *perf*) +*dat*; **to appeal to sb for mercy** prosić (poprosić *perf*) kogoś o łaskę; **it doesn't appeal to me** to do mnie nie przemawia; **right of appeal** (*JUR*) prawo do odwołania; **on appeal** (*JUR*) przy apelacji w sądzie wyższej instancji.

appealing [ə'pi:lɪŋ] *adj* (*attractive*) pociągający; (*pleading*) błagalny.

appear [ə'pɪə*] *vi* (*come into view*) pojawiać się (pojawić się *perf*), zjawiać się (zjawić się *perf*); (*JUR*) stawiać się (stawić się *perf*); (*be published*) ukazywać się (ukazać się *perf*) (*drukiem*); (*seem*) wydawać się (wydać się *perf*); **to appear on TV/in "Hamlet"** występować (wystąpić *perf*) w telewizji/w „Hamlecie"; **it would appear that ...** wydawałoby się, że ... .

appearance [ə'pɪərəns] *n* (*arrival*) pojawienie się *nt*; (*look*) wygląd *m*; (*in public*) wystąpienie *nt*; **to put in** *or* **make an appearance** pokazywać się (pokazać się *perf*); **in order of appearance** (*THEAT*) w kolejności pojawiania się na scenie; **to keep up appearances** zachowywać (zachować *perf*) pozory; **to all appearances** na pozór.

appease [ə'pi:z] *vt* (*pacify*) uspokajać (uspokoić *perf*); (*satisfy*) zaspokajać (zaspokoić *perf*).

appeasement [ə'pi:zmənt] (*POL*) *n* polityka *f* łagodzenia *or* uspokajania.

append [ə'pεnd] (*COMPUT*) *vt* dołączać (dołączyć *perf*).

appendage [ə'pεndɪdʒ] *n* dodatek *m*.

appendices [ə'pεndɪsi:z] *npl of* **appendix**.

appendicitis [əpɛndɪˈsaɪtɪs] n zapalenie nt
wyrostka robaczkowego.
appendix [əˈpɛndɪks] (pl **appendices**) n
(ANAT) wyrostek m robaczkowy; (to
publication) dodatek m; **to have one's
appendix out** mieć wycięty wyrostek.
appetite [ˈæpɪtaɪt] n apetyt m; (fig) chętka f;
that walk has given me an appetite od tego
spaceru nabrałem apetytu.
appetizer [ˈæpɪtaɪzə*] n (food) przystawka f,
zakąska f; (drink) aperitif m.
appetizing [ˈæpɪtaɪzɪŋ] adj smakowity,
apetyczny.
applaud [əˈplɔːd] vi bić brawo, klaskać ♦ vt
(actor etc) oklaskiwać; (action, attitude)
pochwalać (pochwalić perf); (decision,
initiative) przyklaskiwać (przyklasnąć perf) +dat.
applause [əˈplɔːz] n (clapping) oklaski pl;
(praise) aplauz m.
apple [ˈæpl] n jabłko nt; **she is the apple of
his eye** ona jest jego oczkiem w głowie.
apple tree n jabłoń f.
apple turnover n ciastko nt z jabłkami.
appliance [əˈplaɪəns] n (electrical, gas etc)
urządzenie nt.
applicable [əˈplɪkəbl] adj: **applicable (to)**
odpowiedni (do +gen), mający zastosowanie
(w +loc); **if applicable** w stosownych
przypadkach.
applicant [ˈæplɪkənt] n kandydat(ka) m(f).
application [æplɪˈkeɪʃən] n (for job) podanie
nt; (for grant) podanie nt, wniosek m; (of
rules, theory) zastosowanie nt; (of cream)
nałożenie nt; (of compress) przyłożenie nt; (of
paint) położenie nt; (hard work) pilność f; **on
application** na życzenie.
application form n formularz m podania or
wniosku.
application program (COMPUT) n program
m użytkowy.
applications package (COMPUT) n pakiet m
programów użytkowych.
applied [əˈplaɪd] adj (science, art) stosowany.
apply [əˈplaɪ] vt (put on) nakładać (nałożyć
perf); (put into practice) stosować (zastosować
perf) ♦ vi (be applicable) stosować się, mieć
zastosowanie; (ask) składać (złożyć perf)
podanie or wniosek, zgłaszać się (zgłosić się
perf); **to apply to** mieć zastosowanie do +gen;
to apply for ubiegać się o +acc; **to apply the
brakes** użyć hamulca; **to apply o.s. to**
przykładać się (przyłożyć się perf) do +gen.
appoint [əˈpɔɪnt] vt (to post) mianować; (date,
place) wyznaczać (wyznaczyć perf).
appointed [əˈpɔɪntɪd] adj: **at the appointed
time** o wyznaczonym czasie.
appointee [əpɔɪnˈtiː] n osoba f wyznaczona or
mianowana.
appointment [əˈpɔɪntmənt] n (of person)
mianowanie nt; (post) stanowisko nt;
(arranged meeting: with client) spotkanie nt;
(: with doctor, hairdresser) wizyta f; **to make
an appointment (with sb)** ustalać (ustalić perf)
termin spotkania (z kimś), umawiać się
(umówić się perf) (z kimś); **by appointment**
po wcześniejszym uzgodnieniu terminu.
apportion [əˈpɔːʃən] vt (blame) rozkładać
(rozłożyć perf); (praise) rozdzielać (rozdzielić
perf); **to apportion sth to sb** przydzielać
(przydzielić perf) coś komuś.
appraisal [əˈpreɪzl] n (of situation, market) ocena
f; (of damage) oszacowanie nt, wycena f.
appraise [əˈpreɪz] vt (situation etc) oceniać
(ocenić perf); (value) szacować (oszacować
perf), wyceniać (wycenić perf).
appreciable [əˈpriːʃəbl] adj znaczny, znaczący.
appreciate [əˈpriːʃɪeɪt] vt (like) doceniać, cenić
sobie; (be grateful for) być wdzięcznym za
+acc, doceniać (docenić perf); (be aware of)
rozumieć ♦ vi (COMM) zyskiwać (zyskać perf)
na wartości; **I appreciate your help** jestem ci
wdzięczny za pomoc.
appreciation [əpriːʃɪˈeɪʃən] n (enjoyment)
uznanie nt; (COMM) wzrost m wartości;
(understanding) zrozumienie nt, świadomość f;
(gratitude) wdzięczność f.
appreciative [əˈpriːʃɪətɪv] adj (person)
wdzięczny; (audience, comment) pełen uznania;
to be appreciative of sth doceniać coś.
apprehend [æprɪˈhɛnd] vt (arrest) zatrzymywać
(zatrzymać perf), ująć (perf); (understand)
pojmować (pojąć perf).
apprehension [æprɪˈhɛnʃən] n (fear) obawa f;
(of criminal) ujęcie nt, zatrzymanie nt.
apprehensive [æprɪˈhɛnsɪv] adj pełen obawy;
to be apprehensive about sth obawiać się
czegoś.
apprentice [əˈprɛntɪs] n (carpenter etc)
uczeń/uczennica m/f, terminator m ♦ vt: **to be
apprenticed to sb** terminować u kogoś.
apprenticeship [əˈprɛntɪsʃɪp] n (for trade)
nauka f rzemiosła, praktyka f (zawodowa);
(fig) praktyka f; **to serve one's apprenticeship**
odbywać (odbyć perf) praktykę, terminować.
appro. [ˈæprəʊ] (BRIT: inf. COMM) abbr (=
approval): **on appro.** na próbę.
approach [əˈprəʊtʃ] vi nadchodzić (nadejść
perf) ♦ vt (place) zbliżać się (zbliżyć się perf)
do +gen; (person, problem) podchodzić
(podejść perf) do +gen; (ask, apply to)
zwracać się (zwrócić się perf) do +gen ♦ n
(of person) nadejście nt; (proposal)
propozycja f, oferta f; (access, path) droga f,
dojście nt; (to problem) podejście nt; **to
approach sb about sth** zwracać się (zwrócić
się perf) do kogoś o coś.
approachable [əˈprəʊtʃəbl] adj (person)
przystępny; (place) dostępny.
approach road n droga f dojazdowa, podjazd m.
approbation [æprəˈbeɪʃən] n aprobata f.

appropriate [adj ə'prəupriit, vb ə'prəuprieit]
adj (remark etc) stosowny, właściwy; (tool)
odpowiedni ♦ vt przywłaszczać
(przywłaszczyć perf) sobie; **it would not be
appropriate for me to comment** nie chciałbym
się wypowiadać.

appropriately [ə'prəupriitli] adv odpowiednio,
właściwie.

appropriation [əprəupri'eiʃən] (COMM) n
asygnowanie nt.

approval [ə'pru:vəl] n (approbation) aprobata f;
(permission) zgoda f; **to meet with sb's
approval** spotykać się (spotkać się perf) z
czyjąś aprobatą; **on ten days approval**
(COMM) z możliwością zwrotu w ciągu
dziesięciu dni.

approve [ə'pru:v] vt zatwierdzać (zatwierdzić
perf).

▸**approve of** vt fus (person, thing)
akceptować; (behaviour) pochwalać.

approved school [ə'pru:vd-] (BRIT) n ≈
zakład m poprawczy.

approvingly [ə'pru:viŋli] adv z aprobatą.

approx. abbr = **approximately** ok.

approximate [adj ə'prɔksimit, vb ə'prɔksimeit]
adj przybliżony ♦ vi: **to approximate to** (in
quality, nature) być zbliżonym do +gen; (in
cost) wynosić (wynieść perf) blisko +acc.

approximately [ə'prɔksimitli] adv około, w
przybliżeniu.

approximation [ə'prɔksi'meiʃən] n przybliżenie
nt.

APR n abbr (= annual percentage rate)
oprocentowanie nt w skali roku.

Apr. abbr = **April** kwiec.

apricot ['eiprikɔt] n morela f.

April ['eiprəl] n kwiecień m; **April fool!** prima
aprilis!; see also **July**.

April Fool's Day n prima aprilis m.

apron ['eiprən] n (clothing) fartuch m,
fartuszek m; (AVIAT) płyta f lotniska.

apse [æps] (ARCHIT) n apsyda f.

APT (BRIT) n abbr (= advanced passenger
train) szybki pociąg pasażerski.

apt [æpt] adj (comment etc) trafny; (person)
uzdolniony; **to be apt to do sth** mieć
tendencję do robienia czegoś.

Apt. abbr = **apartment** m.

aptitude ['æptitju:d] n uzdolnienie nt.

aptitude test n test m zdolności.

aptly ['æptli] adv trafnie.

aqualung ['ækwəlʌŋ] n akwalung m.

aquarium [ə'kwɛəriəm] n (fish tank) akwarium
nt; (building) oceanarium nt.

Aquarius [ə'kwɛəriəs] n Wodnik m; **to be
Aquarius** być spod znaku Wodnika.

aquatic [ə'kwætik] adj wodny.

aqueduct ['ækwidʌkt] n akwedukt m.

AR (US: POST) abbr (= Arkansas).

ARA (BRIT) n abbr (= Associate of the Royal
Academy).

Arab ['ærəb] adj arabski ♦ n Arab(ka) m(f).

Arabia [ə'reibiə] n Arabia f.

Arabian [ə'reibiən] adj (GEOG) arabski.

Arabian Desert n: **the Arabian Desert**
Pustynia f Arabska.

Arabian Sea n: **the Arabian Sea** Morze nt
Arabskie.

Arabic ['ærəbik] adj (language, numerals)
arabski ♦ n (język m) arabski.

arable ['ærəbl] adj uprawny, orny.

ARAM (BRIT) n abbr (= Associate of the
Royal Academy of Music).

arbiter ['ɑ:bitə*] n arbiter m, rozjemca m.

arbitrary ['ɑ:bitrəri] adj (attack) przypadkowy;
(decision) arbitralny.

arbitrate ['ɑ:bitreit] vi pełnić rolę arbitra or
rozjemcy, rozstrzygać spory.

arbitration [ɑ:bi'treiʃən] n arbitraż m; **the
dispute went to arbitration** spór skierowano
do arbitrażu.

arbitrator ['ɑ:bitreitə*] n rozjemca (-czyni) m(f).

ARC n abbr (= American Red Cross) ≈ PCK
nt inv.

arc [ɑ:k] n łuk m.

arcade [ɑ:'keid] n (covered passageway)
arkada f; (shopping mall) pasaż m handlowy.

arch [ɑ:tʃ] n (ARCHIT) łuk m, sklepienie nt
łukowe; (: of bridge) przęsło nt; (of foot)
podbicie nt ♦ vt wyginać (wygiąć perf) w łuk
♦ adj figlarny, łobuzerski ♦ pref arcy... .

archaeological [ɑ:kiə'lɔdʒikl] adj
archeologiczny.

archaeologist [ɑ:ki'ɔlədʒist] n archeolog m.

archaeology [ɑ:ki'ɔlədʒi] n archeologia f.

archaic [ɑ:'keiik] adj archaiczny.

archangel ['ɑ:keindʒəl] n archanioł m.

archbishop [ɑ:tʃ'biʃəp] n arcybiskup m.

arch-enemy ['ɑ:tʃ'enəmi] n zaciekły wróg m.

archeology etc (US) = **archaeology** etc.

archery ['ɑ:tʃəri] n łucznictwo nt.

archetypal ['ɑ:kitaipəl] adj archetypowy.

archetype ['ɑ:kitaip] n archetyp m.

archipelago [ɑ:ki'peligəu] n archipelag m.

architect ['ɑ:kitɛkt] n architekt m.

architectural [ɑ:ki'tɛktʃərəl] adj
architektoniczny.

architecture ['ɑ:kitɛktʃə*] n architektura f.

archive file (COMPUT) n plik m
zarchiwizowany.

archives ['ɑ:kaivz] npl archiwa pl, archiwum nt.

archivist ['ɑ:kivist] n archiwista (-tka) m(f).

archway ['ɑ:tʃwei] (ARCHIT) n sklepione
przejście nt.

ARCM (BRIT) n abbr (= Associate of the
Royal College of Music).

Arctic ['ɑ:ktik] adj arktyczny ♦ n: **the Arctic**
Arktyka f.

Arctic Circle *n*: the Arctic Circle koło *nt* podbiegunowe północne.

Arctic Ocean *n*: the Arctic Ocean Morze *nt* Arktyczne.

ARD (*US*: *MED*) *n abbr* (= *acute respiratory disease*).

ardent ['ɑːdənt] *adj* (*admirer*) gorliwy, żarliwy; (*discussion*) ożywiony.

ardour (*US* **ardor**) ['ɑːdə*] *n* zapał *m*.

arduous ['ɑːdjuəs] *adj* żmudny.

are [ɑː*] *vb see* be.

area ['ɛərɪə] *n* (*region, zone*) obszar *m*, rejon *m*; (*MATH*) pole *nt* (powierzchni), powierzchnia *f*; (*part*) miejsce *nt*; (*of knowledge etc*) dziedzina *f*; **in the London area** w rejonie Londynu.

area code (*TEL*) *n* (numer) kierunkowy *m*.

arena [ə'riːnə] *n* arena *f*, (*fig*) płaszczyzna *f*, niwa *f*.

aren't [ɑːnt] = **are not**.

Argentina [ɑːdʒən'tiːnə] *n* Argentyna *f*.

Argentinian [ɑːdʒən'tɪnɪən] *adj* argentyński ♦ *n* Argentyńczyk (-tynka) *m(f)*.

arguable ['ɑːgjuəbl] *adj* dyskusyjny; **it is arguable whether ... or not** jest kwestią do dyskusji, czy ..., czy nie; **it is arguable that ...** jest do wykazania, że ... .

arguably ['ɑːgjuəblɪ] *adv* prawdopodobnie, być może; **it is arguably ...** jest to, być może, ...

argue ['ɑːgjuː] *vi* (*quarrel*) kłócić się, sprzeczać się; (*reason*) argumentować ♦ *vt* roztrząsać; **to argue that ...** utrzymywać, że ...; **to argue about sth** (*quarrel*) sprzeczać się na temat czegoś; (*debate*) dyskutować o czymś; **to argue for/against sth** przedstawiać (przedstawić *perf*) argumenty za czymś/przeciw(ko) czemuś.

argument ['ɑːgjumənt] *n* (*reason*) argument *m*; (*reasoning*) rozumowanie *nt*; (*quarrel*) kłótnia *f*, sprzeczka *f*; (*debate*) dyskusja *f*; **argument for/against** argument za +*instr*/przeciw +*dat*.

argumentative [ɑːgjuː'mɛntətɪv] *adj* kłótliwy.

aria ['ɑːrɪə] *n* aria *f*.

ARIBA (*BRIT*) *n abbr* (= *Associate of the Royal Institue of British Architects*).

arid ['ærɪd] *adj* suchy, jałowy.

aridity [ə'rɪdɪtɪ] *n* suchość *f*, jałowość *f*.

Aries ['ɛərɪz] *n* Baran *m*; **to be Aries** być spod znaku Barana.

arise [ə'raɪz] (*pt* **arose**, *pp* **arisen**) *vi* powstawać (powstać *perf*), pojawiać się (pojawić się *perf*); **to arise from** brać się (wziąć się *perf*) z +*gen*; **should the need arise** w razie potrzeby.

arisen [ə'rɪzn] *pp of* **arise**.

aristocracy [ærɪs'tɔkrəsɪ] *n* arystokracja *f*.

aristocrat ['ærɪstəkræt] *n* arystokrata (-tka) *m(f)*.

aristocratic [ærɪstə'krætɪk] *adj* arystokratyczny.

arithmetic [ə'rɪθmətɪk] *n* (*MATH*) arytmetyka *f*; (*calculation*) obliczenia *pl*, rachunki *pl*.

arithmetical [ærɪθ'mɛtɪkl] *adj* rachunkowy, arytmetyczny.

ark [ɑːk] *n*: **Noah's Ark** arka *f* Noego.

arm [ɑːm] *n* (*ANAT*) ręka *f*, ramię *nt*; (*of jacket*) rękaw *m*; (*of chair*) poręcz *f*; (*of organization etc*) ramię *nt* ♦ *vt* zbroić, uzbrajać (uzbroić *perf*); **arms** *npl* (*MIL*) broń *f*; **arm in arm** pod rękę.

armaments ['ɑːməmənts] *npl* zbrojenia *pl*.

armband ['ɑːmbænd] *n* opaska *f* (*na ramię*).

armchair ['ɑːmtʃɛə*] *n* fotel *m*.

armed [ɑːmd] *adj* (*soldier*) uzbrojony; (*conflict, action*) zbrojny; **the armed forces** siły zbrojne.

armed robbery *n* rabunek *m* z bronią w ręku.

Armenia [ɑː'miːnɪə] *n* Armenia *f*.

Armenian [ɑː'miːnɪən] *adj* ormiański, armeński ♦ *n* (*person*) Ormianin (-anka) *m(f)*, Armeńczyk (-enka) *m(f)*; (*LING*) (język *m*) ormiański.

armful ['ɑːmful] *n* naręcze *nt*.

armistice ['ɑːmɪstɪs] *n* zawieszenie *nt* broni.

armour (*US* **armor**) ['ɑːmə*] *n* (*of knight*) zbroja *f*, (*also*: **armour-plating**) opancerzenie *nt*; (*tanks*) oddziały *pl* pancerne.

armoured car ['ɑːməd-] *n* samochód *m* opancerzony.

armoury ['ɑːmərɪ] *n* arsenał *m*.

armpit ['ɑːmpɪt] *n* pacha *f*.

armrest ['ɑːmrɛst] *n* podłokietnik *m*.

arms control [ɑːmz-] *n* kontrola *f* zbrojeń.

arms race [ɑːmz-] *n*: **the arms race** wyścig *m* zbrojeń.

army ['ɑːmɪ] *n* (*MIL*) wojsko *nt*; (*: unit*) armia *f*, (*fig*) armia *f*.

aroma [ə'rəumə] *n* aromat *m*.

aromatic [ærə'mætɪk] *adj* aromatyczny.

arose [ə'rəuz] *pt of* **arise**.

around [ə'raund] *adv* (*about*) dookoła; (*in the area*) w okolicy ♦ *prep* (*encircling*) wokół *or* dookoła +*gen*; (*near*) koło +*gen*; (*fig: about, roughly*) około +*gen*; **is he around?** czy on tu (gdzieś) jest?; **around 5 o'clock** (o)koło piątej.

arouse [ə'rauz] *vt* (*from sleep*) budzić (obudzić *perf*); (*sexually*) pobudzać (pobudzić *perf*); (*interest, passion*) rozbudzać (rozbudzić *perf*), wzbudzać (wzbudzić *perf*).

arpeggio [ɑː'pɛdʒɪəu] *n* arpeggio *nt*.

arrange [ə'reɪndʒ] *vt* (*meeting, tour*) organizować (zorganizować *perf*); (*cards, papers*) układać (ułożyć *perf*); (*glasses, furniture*) ustawiać (ustawić *perf*); (*sth with/for sb*) załatwiać (załatwić *perf*); (*MUS*) aranżować (zaaranżować *perf*) ♦ *vi*: **we have arranged for a car to pick you up** załatwiliśmy, że podjedzie po ciebie samochód; **it was arranged that ...** ustalono, że ...; **they've arranged to meet her in the pub** umówili się (, że spotkają się) z nią w pubie.

arrangement [ə'reɪndʒmənt] *n* (*agreement*)
umowa *f*; (*order, layout*) układ *m*; (*MUS*)
aranżacja *f*; **arrangements** *npl* (*plans*)
ustalenia *pl*; (*preparations*) przygotowania *pl*;
to come to an arrangement with sb
dochodzić (dojść *perf*) z kimś do
porozumienia; **home deliveries by
arrangement** możliwa dostawa do domu; **I'll
make arrangements for you to be met**
załatwię, żeby ktoś po ciebie wyszedł.

array [ə'reɪ] *n* (*MATH*) macierz *f*, matryca *f*;
(*COMPUT*) tablica *f*; (*MIL*) szyk *m*; **an array
of** wachlarz +*gen*.

arrears [ə'rɪəz] *npl* zaległości *pl* płatnicze; **to
be in arrears with one's rent** zalegać z
czynszem.

arrest [ə'rɛst] *vt* (*criminal*) aresztować
(zaaresztować *perf*); (*sb's attention*) przykuwać
(przykuć *perf*) ♦ *n* aresztowanie *nt*; **you're
under arrest** jest Pan aresztowany.

arresting [ə'rɛstɪŋ] *adj* (*fig: beauty etc*)
uderzający.

arrival [ə'raɪvl] *n* (*of person*) przybycie *nt*; (*of
train, car*) przyjazd *m*; (*of plane*) przylot *m*;
(*fig: of invention etc*) nadejście *nt*; **new arrival**
(*at college, work*) nowy (-wa) *m(f)*; (*baby*)
nowo narodzone dziecko; **congratulations on
the new arrival** gratulacje z okazji
powiększenia rodziny.

arrive [ə'raɪv] *vi* (*person*) przybywać (przybyć
perf); (*moment, news, letter*) nadchodzić
(nadejść *perf*); (*baby*) przychodzić (przyjść
perf) na świat.

►**arrive at** *vt fus* (*fig: conclusion, agreement*)
dochodzić (dojść *perf*) do +*gen*.

arrogance ['ærəgəns] *n* arogancja *f*.

arrogant ['ærəgənt] *adj* arogancki.

arrow ['ærəu] *n* (*weapon*) strzała *f*; (*sign*)
strzałka *f*.

arse [ɑːs] (*BRIT: inf!*) *n* dupa *f* (*inf!*).

arsenal ['ɑːsɪnl] *n* arsenał *m*.

arsenic ['ɑːsnɪk] *n* arszenik *m*.

arson ['ɑːsn] *n* podpalenie *nt*.

art [ɑːt] *n* sztuka *f*; **arts** *npl* (*SCOL*) nauki *pl*
humanistyczne; **work of art** dzieło sztuki.

artefact ['ɑːtɪfækt] *n* wytwór *m* człowieka.

arterial [ɑː'tɪərɪəl] *adj* (*ANAT*) tętniczy; (*road*)
przelotowy.

artery ['ɑːtərɪ] *n* (*MED*) tętnica *f*; (*fig: road*)
arteria *f*.

artful ['ɑːtful] *adj* chytry, przebiegły.

art gallery *n* galeria *f* sztuki.

arthritic [ɑː'θrɪtɪk] *adj* (*pain*) artretyczny;
(*person*): **to be arthritic** mieć artretyzm.

arthritis [ɑː'θraɪtɪs] *n* zapalenie *nt* stawów,
artretyzm *m*.

artichoke ['ɑːtɪtʃəuk] *n* (*also*: **globe artichoke**)
karczoch *m*; (*also*: **Jerusalem artichoke**)
topinambur *m*.

article ['ɑːtɪkl] *n* artykuł *m*; (*LING*) przedimek

m, rodzajnik *m*; **articles** (*BRIT*) *npl* (*JUR*)
aplikacja *f*; **article of clothing** część garderoby.

articles of association (*COMM*) *npl* statut *m*
spółki.

articulate [*adj* ɑː'tɪkjulɪt, *vb* ɑː'tɪkjuleɪt] *adj*
(*speech*) wyraźny; (*sth said or written*)
zrozumiały, jasny; (*person*) elokwentny,
wymowny ♦ *vt* wyrażać (wyrazić *perf*) ♦ *vi*:
to articulate well/badly mówić
wyraźnie/niewyraźnie.

articulated lorry (*BRIT*) *n* ciężarówka *f*
przegubowa *or* naczepowa.

artifice ['ɑːtɪfɪs] *n* (*trick*) podstęp *m*; (*skill*)
przebiegłość *f*.

artificial [ɑːtɪ'fɪʃəl] *adj* sztuczny.

artificial insemination [-ɪnsɛmɪ'neɪʃən] *n*
sztuczne zapłodnienie *nt*, inseminacja *f*.

artificial intelligence *n* sztuczna inteligencja *f*.

artificial respiration *n* sztuczne oddychanie *nt*.

artillery [ɑː'tɪlərɪ] *n* artyleria *f*.

artisan ['ɑːtɪzæn] *n* rzemieślnik *m*.

artist ['ɑːtɪst] *n* artysta (-tka) *m(f)*.

artistic [ɑː'tɪstɪk] *adj* artystyczny; **she's very
artistic** (*creative*) jest bardzo uzdolniona
artystycznie; (*appreciative*) jest wielką
miłośniczką sztuki.

artistry ['ɑːtɪstrɪ] *n* artyzm *m*.

artless ['ɑːtlɪs] *adj* pozbawiony sztuczności.

art school *n* ≈ akademia *f* sztuk pięknych.

ARV (*BIBLE*) *n abbr* (= *American Revised
Version*) amerykańskie tłumaczenie Biblii.

AS (*US*) *n abbr* (= *Associate in/of Science*)
stopień naukowy ♦ *abbr* (*POST*: = *American
Samoa*).

┌─────── *KEYWORD* ───────┐

as [æz, əz] *conj* **1** (*referring to time*) kiedy,
gdy; **he came in as I was leaving** wszedł,
kiedy *or* gdy wychodziłem; **as the years
went by** w miarę upływu lat; **as from
tomorrow** (począwszy) od jutra. **2** (*in
comparisons*): **as big as me** taki duży jak ja;
twice as big as you dwa razy większy od
ciebie; **she has as much money as I** ma tyle
(samo) pieniędzy co ja; **as much as 200
pounds** aż 200 funtów; **as soon as you have
finished** jak tylko skończysz. **3** (*since,
because*) ponieważ; **he left early as he had
to be home by ten** wyszedł wcześnie,
ponieważ miał być w domu przed dziesiątą;
as you can't come I'll go without you skoro
nie możesz iść, pójdę bez ciebie. **4** (*referring
to manner, way*) (tak) jak; **do as you wish**
rób, jak chcesz; **as she said** (tak,) jak
powiedziała; **he gave it to me as a present**
dał mi to w prezencie. **5** (*in the capacity of*)
jako; **he works as a driver** pracuje jako
kierowca. **6** (*concerning*): **as for *or* to that**
co do tego, jeśli o to idzie. **7**: **as if *or*
though** jak gdyby, jakby; **he looked as if he**

was ill wyglądał, jakby był chory; *see also* **long, such, well.**

ASA *n abbr* (= *American Standards Association*) urząd normalizacyjny.

a.s.a.p. *adv abbr* (= *as soon as possible*) jak najszybciej.

asbestos [æz'bɛstəs] *n* azbest *m*.

ascend [ə'sɛnd] *vt* (*hill*) wspinać się (wspiąć się *perf*) na *+acc*; (*stairs*) wspinać się (wspiąć się *perf*) po *+instr*; (*throne*) wstępować (wstąpić *perf*) na *+acc* ♦ *vi* (*path, stairs*) piąć się; (*person: on foot*) wspinać się (wspiąć się *perf*); (: *in lift*) wjeżdżać (wjechać *perf*).

ascendancy [ə'sɛndənsɪ] *n*: **ascendancy (over sb)** dominacja *f or* panowanie *nt* (nad kimś).

ascendant [ə'sɛndənt] *n*: **to be in the ascendant** dominować.

ascension [ə'sɛnʃən] (*REL*) *n*: **the Ascension** Wniebowstąpienie *nt*.

Ascension Island *n* Wyspa *f* Wniebowstąpienia.

ascent [ə'sɛnt] *n* (*slope*) wzniesienie *nt*; (*climb*) wspinaczka *f*.

ascertain [æsə'teɪn] *vt* (*details, facts*) ustalać (ustalić *perf*).

ascetic [ə'sɛtɪk] *adj* ascetyczny.

asceticism [ə'sɛtɪsɪzəm] *n* asceza *f*.

ASCII ['æski:] (*COMPUT*) *n abbr* (= *American Standard Code for Inforamtion Interchange*) (kod *m*) ASCII.

ascribe [ə'skraɪb] *vt*: **to ascribe sth to** przypisywać (przypisać *perf*) coś *+dat*.

ASCU (*US*) *n abbr* (= *Association of State Colleges and Universities*).

ASEAN ['æsɪæn] *n abbr* (= *Association of South-East Asian Nations*) ASEAN *m*.

ASH [æʃ] (*BRIT*) *n abbr* (= *Action on Smoking and Health*) stowarzyszenie antynikotynowe.

ash [æʃ] *n* (*of fire*) popiół *m*; (*tree, wood*) jesion *m*.

ashamed [ə'ʃeɪmd] *adj* zawstydzony; **to be ashamed of/to do sth** wstydzić się *+gen*/coś zrobić; **I'm ashamed of myself for having done that** wstyd mi *or* wstydzę się, że to zrobiłam.

'A' shares (*BRIT*) *npl* akcje *pl* klasy A.

ashen ['æʃən] *adj* śmiertelnie blady.

ashore [ə'ʃɔ:*] *adv* (*swim*) do brzegu; (*go*) na brzeg; (*be*) na brzegu.

ashtray ['æʃtreɪ] *n* popielniczka *f*.

Ash Wednesday *n* środa *f* popielcowa, Popielec *m*.

Asia ['eɪʃə] *n* Azja *f*.

Asia Minor *n* Azja *f* Mniejsza.

Asian ['eɪʃən] *adj* azjatycki ♦ *n* Azjata (-tka) *m(f)*.

Asiatic [eɪsɪ'ætɪk] *adj* azjatycki.

aside [ə'saɪd] *adv* na bok ♦ *n* (*incidental remark*) uwaga *f* na marginesie; (*THEAT*)

uwaga *f* na stronie (*skierowana do publiczności*); **to brush objections aside** przechodzić (przejść *perf*) do porządku dziennego nad zastrzeżeniami.

aside from *prep* oprócz *+gen*, poza *+instr*.

ask [ɑ:sk] *vt* (*question*) zadawać (zadać *perf*); (*invite*) zapraszać (zaprosić *perf*); **to ask sb sth/to do sth** prosić (poprosić *perf*) kogoś o coś/, żeby coś zrobił; **to ask sb about sth** pytać (zapytać *perf or* spytać *perf*) kogoś o coś; **to ask sb the time** pytać (zapytać *perf*) kogoś o godzinę; **to ask about the price** pytać (zapytać *perf*) o cenę; **to ask sb out to dinner** zapraszać (zaprosić *perf*) kogoś do restauracji.

▸**ask after** *vt fus*: **she asked after you** pytała o ciebie, pytała, co u ciebie (słychać).

▸**ask for** *vt fus* prosić (poprosić *perf*) o *+acc*; **it's just asking for trouble/it** to się może źle skończyć; **he asked for it!** sam się o to prosił!

askance [ə'skɑ:ns] *adv*: **to look askance at sb/sth** spoglądać (spojrzeć *perf*) na kogoś/coś z ukosa.

askew [ə'skju:] *adv*: **his tie was askew** miał przekrzywiony krawat.

asking price ['ɑ:skɪŋ-] *n*: **the asking price** cena *f* ofertowa.

asleep [ə'sli:p] *adj* śpiący, pogrążony we śnie; **to be asleep** spać; **to fall asleep** zasypiać (zasnąć *perf*).

ASLEF ['æzlɛf] (*BRIT*) *n abbr* (= *Associated Society of Locomotive Engineers and Firemen*) związek zawodowy kolejarzy.

asp [æsp] *n* osika *f*.

asparagus [əs'pærəgəs] *n* szparag *m*.

asparagus tips *npl* główki *pl* szparagów.

ASPCA *n abbr* (= *American Society for the Prevention of Cruelty to Animals*).

aspect ['æspɛkt] *n* aspekt *m*; **to take on a new/different aspect** nabierać (nabrać *perf*) nowego/innego zabarwienia; **a room with a south-west aspect** pokój z widokiem na południowy zachód.

aspersions [əs'pə:ʃənz] *npl*: **to cast aspersions on** rzucać oszczerstwa na *+acc*.

asphalt ['æsfælt] *n* asfalt *m*.

asphyxiate [æs'fɪksɪeɪt] *vt*: **to be asphyxiated** (*choke*) dusić się; (*die*) udusić się (*perf*).

asphyxiation [æsfɪksɪ'eɪʃən] *n* uduszenie *nt*.

aspirate ['æspəreɪt] (*LING*) *vt* aspirować, wymawiać (wymówić *perf*) z przydechem ♦ *n* aspirata *f*, głoska *f* przydechowa.

aspirations [æspə'reɪʃənz] *npl* aspiracje *pl*.

aspire [əs'paɪə*] *vi*: **to aspire to** aspirować do *+gen*.

aspirin ['æsprɪn] *n* aspiryna *f*.

ass [æs] *n* (*lit, fig*) osioł *m*; (*US: inf!*) dupa *f* (*inf!*).

assail [ə'seɪl] *vt* (*gwałtownie*) napadać (napaść

perf) na +*acc*; **she was assailed by doubts** nękały ją wątpliwości.

assailant [ə'seɪlənt] *n* napastnik (-iczka) *m(f)*.

assassin [ə'sæsɪn] *n* (*killer*) zabójca (-czyni) *m(f)*; (*one who attempts to kill*) zamachowiec *m*.

assassinate [ə'sæsɪneɪt] *vt* zabijać (zabić *perf*) (*w drodze zamachu*).

assassination [əsæsɪ'neɪʃən] *n* zabójstwo *nt* (*w drodze zamachu*).

assault [ə'sɔːlt] *n* (*JUR*) napad *m*, atak *m*; (*MIL*) atak *m*; (*fig*): **an assault on** (*sb's beliefs, attitudes*) (gwałtowne) przeciwstawienie się *nt*; ♦ *vt* atakować (zaatakować *perf*), napadać (napaść *perf*); (*sexually*) gwałcić (zgwałcić *perf*); **assault and battery** (*JUR*) napaść z pobiciem, czynna napaść.

assemble [ə'sɛmbl] *vt* gromadzić, zgromadzać (zgromadzić *perf*); (*TECH*) montować (zmontować *perf*) ♦ *vi* zbierać się (zebrać się *perf*), zgromadzać się (zgromadzić się *perf*).

assembly [ə'sɛmblɪ] *n* (*meeting, institution*) zgromadzenie *nt*; (*construction*) montaż *m*.

assembly language (*COMPUT*) *n* asembler *m*.

assembly line *n* linia *f* montażowa.

assent [ə'sɛnt] *n* zgoda *f*, aprobata *f* ♦ *vi*: **to assent (to)** godzić się (zgodzić się *perf*) (na +*acc*); **to give one's assent** wyrażać (wyrazić *perf*) (swoją) zgodę *or* aprobatę.

assert [ə'sɔːt] *vt* (*opinion*) wyrażać (wyrazić *perf*) zdecydowanie; (*innocence*) zapewniać (zapewnić *perf*) o +*loc*; (*authority*) zaznaczać (zaznaczyć *perf*), podkreślać (podkreślić *perf*); **to assert o.s.** zaznaczać (zaznaczyć *perf*) swój autorytet.

assertion [ə'sɔːʃən] *n* twierdzenie *nt*.

assertive [ə'sɔːtɪv] *adj* stanowczy; (*PSYCH*) asertywny.

assess [ə'sɛs] *vt* (*situation, abilities, students*) oceniać (ocenić *perf*); (*tax*) naliczać (naliczyć *perf*), obliczać (obliczyć *perf*); (*damages, value*) szacować (oszacować *perf*).

assessment [ə'sɛsmənt] *n* (*of situation, abilities*) ocena *f*; (*of tax*) naliczenie *nt*, obliczenie *nt*; (*of damage, value*) oszacowanie *nt*; (*SCOL*) ocena *f* (postępów).

assessor [ə'sɛsə*] (*JUR*) *n* rzeczoznawca *m*, biegły *m*.

asset ['æsɛt] *n* (*quality*) zaleta *f*; (*person*) cenny nabytek *m*; **assets** *npl* (*property, funds*) wkłady *pl* kapitałowe; (*COMM*) aktywa *pl*.

asset-stripping ['æsɛt'strɪpɪŋ] (*COMM*) *n* wykup *m* majątku przedsiębiorstwa.

assiduous [ə'sɪdjuəs] *adj* gorliwy.

assign [ə'saɪn] *vt*: **to assign (to)** (*task, resources*) przydzielać (przydzielić *perf*) (+*dat*); (*person*) przydzielać (przydzielić *perf*) (do +*gen*), wyznaczać (wyznaczyć *perf*) (do +*gen*); (*cause, meaning*) przypisywać (przypisać *perf*) (+*dat*).

assignment [ə'saɪnmənt] *n* (*task*) zadanie *nt*;

(*appointment*) wyznaczenie *nt*, przydzielenie *nt*; **heavy reading assignments** (*SCOL*) duża liczba lektur obowiązkowych.

assimilate [ə'sɪmɪleɪt] *vt* (*learn*) przyswajać (przyswoić *perf*) sobie; (*absorb*) wchłaniać (wchłonąć *perf*).

assimilation [əsɪmɪ'leɪʃən] *n* (*of ideas: by people*) przyswajanie *nt* (sobie); (: *in industry etc*) wdrażanie *nt*; (*of immigrants*) asymilacja *f*.

assist [ə'sɪst] *vt* pomagać (pomóc *perf*) +*dat*.

assistance [ə'sɪstəns] *n* pomoc *f*.

assistant [ə'sɪstənt] *n* pomocnik (-ica) *m(f)*; (*BRIT: also*: **shop assistant**) sprzedawca (-czyni) *m(f)*.

assistant manager *n* ≈ zastępca (-czyni) *m(f)* dyrektora.

assistant professor (*US*) *n* ≈ docent *m*.

assizes [ə'saɪzɪz] (*BRIT*) *npl* wyjazdowe sesje sądu.

associate [*n, adj* ə'səuʃɪt, *vb* ə'səuʃɪeɪt] *n* wspólnik (-iczka) *m(f)* ♦ *vt* kojarzyć (skojarzyć *perf*) ♦ *vi*: **to associate with sb** zadawać się z kimś ♦ *adj*: **associate director** zastępca *m* dyrektora; **associate member** członek korespondent; **associate director** zastępca dyrektora; **associate professor** (*US*) ≈ profesor nadzwyczajny.

associated company [ə'səuʃɪeɪtɪd-] *n* przedsiębiorstwo *nt* zrzeszone.

association [əsəusɪ'eɪʃən] *n* (*group*) stowarzyszenie *nt*, zrzeszenie *nt*; (*involvement, link*) związek *m*; (*PSYCH*) skojarzenie *nt*; **in association with** wspólnie z +*instr*.

association football *n* piłka *f* nożna, futbol *m*.

assorted [ə'sɔːtɪd] *adj* mieszany; **in assorted sizes** w różnych rozmiarach.

assortment [ə'sɔːtmənt] *n* asortyment *m*.

Asst. *abbr* = **assistant** asyst.

assuage [ə'sweɪdʒ] *vt* (*grief, pain*) łagodzić (złagodzić *perf*); (*thirst, appetite*) zaspokajać (zaspokoić *perf*).

assume [ə'sjuːm] *vt* (*suppose*) zakładać (założyć *perf*); (*responsibilities etc*) brać (wziąć *perf*) (na siebie); (*appearance, name*) przybierać (przybrać *perf*).

assumed name [ə'sjuːmd-] *n* przybrane nazwisko *nt*.

assumption [ə'sʌmpʃən] *n* (*supposition*) założenie *nt*; (*of power etc*) przejęcie *nt*; **on the assumption that** zakładając, że.

assurance [ə'ʃuərəns] *n* (*promise*) zapewnienie *nt*; (*confidence*) przekonanie *nt*; (*insurance*) ubezpieczenie *nt* (*zwłaszcza na życie*); **I can give you no assurances** nie mogę ci dać żadnej gwarancji.

assure [ə'ʃuə*] *vt* zapewniać (zapewnić *perf*).

AST (*US*) *abbr* (= *Atlantic Standard Time*).

asterisk ['æstərɪsk] *n* gwiazdka *f*, odsyłacz *m*.

astern [ə'stəːn] (*NAUT*) *adv* na rufie.

asteroid ['æstərɔɪd] *n* asteroida *f*.

asthma ['æsmə] *n* astma *f*.
asthmatic [æs'mætɪk] *adj* astmatyczny ♦ *n* astmatyk (-yczka) *m(f)*.
astigmatism [ə'stɪgmətɪzəm] *n* astygmatyzm *m*.
astir [ə'stə:*] *adv* na nogach.
astonish [ə'stɔnɪʃ] *vt* zdumiewać (zdumieć *perf*), zadziwiać (zadziwić *perf*); **she was astonished to hear that** zdumiała się, słysząc to.
astonishing [ə'stɔnɪʃɪŋ] *adj* zdumiewający, zadziwiający; **I find it astonishing that ...** uważam za zdumiewające, że ... .
astonishingly [ə'stɔnɪʃɪŋlɪ] *adv* zdumiewająco.
astonishment [ə'stɔnɪʃmənt] *n* zdumienie *nt*; **to my astonishment** ku memu zdumieniu.
astound [ə'staund] *vt* zdumiewać (zdumieć *perf*).
astounded [ə'staundɪd] *adj* zdumiony.
astounding [ə'staundɪŋ] *adj* zdumiewający.
astray [ə'streɪ] *adv*. **to go astray** zawieruszyć się *(perf)*; **to lead astray** zwodzić (zwieść *perf*) (na manowce).
astride [ə'straɪd] *prep* okrakiem na +*loc*.
astringent [əs'trɪndʒənt] *adj* ściągający; *(fig: remark etc)* uszczypliwy ♦ *n* tonik *m (kosmetyczny)*.
astrologer [əs'trɔlədʒə*] *n* astrolog *m*.
astrology [əs'trɔlədʒɪ] *n* astrologia *f*.
astronaut ['æstrənɔ:t] *n* astronauta (-tka) *m(f)*, kosmonauta (-tka) *m(f)*.
astronomer [əs'trɔnəmə*] *n* astronom *m*.
astronomical [æstrə'nɔmɪkl] *adj* (*telescope, price*) astronomiczny; (*odds*) ogromny.
astronomy [əs'trɔnəmɪ] *n* astronomia *f*.
astrophysics ['æstrəu'fɪzɪks] *n* astrofizyka *f*.
astute [əs'tju:t] *adj* przebiegły.
asunder [ə'sʌndə*] *adv*. **to tear asunder** rozdzierać (rozedrzeć *perf*) na kawałki.
ASV (*BIBLE*) *n abbr* (= *American Standard Version*) *amerykańskie tłumaczenie Biblii*.
asylum [ə'saɪləm] *n* (*refuge*) azyl *m*; (*hospital*) szpital *m* psychiatryczny; **to seek (political) asylum** ubiegać się o azyl (polityczny).
asymmetrical [eɪsɪ'mɛtrɪkl] *adj* asymetryczny.

┌──────── *KEYWORD* ────────┐

at [æt] *prep* **1** (*referring to position, place*): **at the table** przy stole; **at home/school** w domu/szkole; **at the top** na górze; **at my parents' (house)** u (moich) rodziców. **2** (*referring to direction*): **to look at sth** patrzeć (popatrzeć *perf*) na coś; **to throw sth at sb** rzucać (rzucić *perf*) czymś w kogoś. **3** (*referring to time*): **at 4 o'clock** o (godzinie) czwartej; **at night** w nocy; **at Christmas** na Boże Narodzenie; **at times** czasami, czasem. **4** (*referring to rates*) po +*acc*; **at 2 pounds a kilo** po 2 funty za kilogram; **two at a time** po dwa na raz. **5** (*referring to speed*) z prędkością +*gen*; **at 50 km/h** z prędkością 50 km na godzinę. **6** (*referring to activity*): **to be at work** pracować; **to play at cowboys** bawić

się w kowbojów; **to be good at sth** być dobrym w czymś. **7** (*referring to cause*): **shocked/surprised/annoyed at sth** wstrząśnięty/zdziwiony/rozdrażniony czymś; **at his command** na jego polecenie. **8**: **not at all** (*in answer to question*) wcale nie; (*in answer to thanks*) nie ma za co; **I'm not at all tired** nie jestem wcale zmęczony; **anything at all will do** może być obojętnie co.

└────────────────────┘

ate [eɪt] *pt of* **eat**.
atheism ['eɪθɪɪzəm] *n* ateizm *m*.
atheist ['eɪθɪɪst] *n* ateista (-tka) *m(f)*.
Athenian [ə'θi:nɪən] *adj* ateński ♦ *n* Ateńczyk/Atenka *m/f*.
Athens ['æθɪnz] *n* Ateny *pl*.
athlete ['æθli:t] *n* (*man*) sportowiec *m*, sportsmen *m*; (*woman*) sportsmenka *f*.
athletic [æθ'lɛtɪk] *adj* (*tradition, excellence*) sportowy; (*person*) wysportowany; (*build*) atletyczny.
athletics [æθ'lɛtɪks] *n* lekkoatletyka *f*.
Atlantic [ət'læntɪk] *adj* atlantycki ♦ *n*: **the Atlantic (Ocean)** Atlantyk *m*, Ocean *m* Atlantycki.
atlas ['ætləs] *n* atlas *m*.
Atlas Mountains *npl*: **the Atlas Mountains** góry *pl* Atlas.
ATM *abbr* (= *Automated Telling Machine*) bankomat *m*.
atmosphere ['ætməsfɪə*] *n* (*of planet, place*) atmosfera *f*; (*air*) powietrze *nt*.
atmospheric [ætməs'fɛrɪk] *adj* atmosferyczny.
atmospherics [ætməs'fɛrɪks] (*RADIO*) *npl* zakłócenia *pl* atmosferyczne.
atoll ['ætɔl] *n* atol *m*.
atom ['ætəm] *n* atom *m*.
atomic [ə'tɔmɪk] *adj* atomowy.
atom(ic) bomb *n* bomba *f* atomowa.
atomizer ['ætəmaɪzə*] *n* rozpylacz *m*.
atone [ə'təun] *vi*: **to atone for** odpokutowywać (odpokutować *perf*) za +*acc*.
atonement [ə'təunmənt] *n* zadośćuczynienie *nt*.
ATP *n abbr* (= *Association of Tennis Professionals*).
atrocious [ə'trəuʃəs] *adj* okropny.
atrocity [ə'trɔsɪtɪ] *n* okrucieństwo *nt*.
atrophy ['ætrəfɪ] *n* atrofia *f*, zanik *m* ♦ *vt* powodować (spowodować *perf*) atrofię *or* zanik +*gen* ♦ *vi* zanikać (zaniknąć *perf*), ulegać (ulec *perf*) atrofii.
attach [ə'tætʃ] *vt* (*fasten, join*) przymocowywać (przymocować *perf*), przytwierdzać (przytwierdzić *perf*); (*document*) załączać (załączyć *perf*); (*employee, troops*) przyłączać (przyłączyć *perf*); (*importance etc*) przywiązywać (przywiązać *perf*); **to be attached to sb/sth** (*like*) być przywiązanym

do kogoś/czegoś; **the attached letter**
załączony list.
attaché [ə'tæʃeɪ] *n* attaché *m*.
attaché case *n* aktówka *f*.
attachment [ə'tætʃmənt] *n* (*tool*) nasadka *f*,
końcówka *f*; (*feeling*): **attachment (to sb)**
przywiązanie *nt* (do kogoś).
attack [ə'tæk] *vt* (*MIL*) atakować (zaatakować
perf); (*assault*) atakować (zaatakować *perf*),
napadać (napaść *perf*); (*criticize*) atakować
(zaatakować *perf*), napadać (napaść *perf*) na;
(*tackle*) zabierać się (zabrać się *perf*) do +*gen*
♦ *n* (*MIL*) atak *m*; (*on sb's life*) napad *m*,
napaść *f*; (*fig: criticism*) atak *m*, napaść *f*; (*of
illness*) napad *m*, atak *m*; **heart attack** atak
serca, zawał.
attacker [ə'tækə*] *n* napastnik (-iczka) *m(f)*.
attain [ə'teɪn] *vt* osiągać (osiągnąć *perf*);
(*ambition*) zaspokajać (zaspokoić *perf*).
attainments [ə'teɪnmənts] *npl* osiągnięcia *pl*.
attempt [ə'tɛmpt] *n* próba *f* ♦ *vt*: **to attempt
sth/to** próbować (spróbować *perf*) +*gen/+infin*;
to make an attempt on sb's life dokonywać
(dokonać *perf*) zamachu na czyjeś życie; **he
made no attempt to help** nawet nie próbował
pomóc.
attempted [ə'tɛmptɪd] *adj* niedoszły; **he had
been charged with attempted murder** został
oskarżony o usiłowanie morderstwa.
attend [ə'tend] *vt* (*school, church*) uczęszczać do
+*gen*; (*lectures, course*) uczęszczać na +*acc*;
(*patient*) zajmować się (zająć się *perf*) +*instr*;
(*meeting*) brać (wziąć *perf*) udział w +*loc*.
▸**attend to** *vt fus* zajmować się (zająć się
perf) +*instr*; (*customer*) obsługiwać (obsłużyć
perf) +*acc*.
attendance [ə'tendəns] *n* (*presence*) obecność
f; (*people present*) frekwencja *f*.
attendant [ə'tendənt] *n* pomocnik (-ica) *m(f)*; (*in
garage, museum etc*) osoba *f* z obsługi ♦ *adj*:
...and its attendant dangers/risks ...i związane z
tym niebezpieczeństwa *pl*/ryzyko *nt*.
attention [ə'tenʃən] *n* (*concentration*) uwaga *f*;
(*MED*) pomoc *f* (medyczna) ♦ *excl* (*MIL*)
baczność; **for the attention of** (*ADMIN*) do
wiadomości +*gen*; **it has come to my
attention that** zwróciło moją uwagę, że; **to
draw sb's attention to sth** zwracać (zwrócić
perf) czyjąś uwagę na coś; **to stand to/at
attention** (*MIL*) stawać (stanąć *perf*)/stać na
baczność.
attentive [ə'tentɪv] *adj* (*intent*) uważny;
(*solicitous*) troskliwy; (*kind*) usłużny.
attentively [ə'tentɪvlɪ] *adv* uważnie.
attenuate [ə'tenjueɪt] *vt* osłabiać (osłabić *perf*)
♦ *vi* słabnąć (osłabnąć *perf*).
attest [ə'test] *vi*: **to attest to** (*demonstrate*)
potwierdzać (potwierdzić *perf*) +*acc*; (*JUR*)
(*confirm*) świadczyć (poświadczyć *perf*) o +*loc*.
attic [ˈætɪk] *n* strych *m*.

attire [ə'taɪə*] *n* strój *m*.
attitude [ˈætɪtjuːd] *n* (*posture, behaviour*)
postawa *f*; (*view*): **attitude (to)** pogląd *m* (na
+*acc*), stosunek *m* (do +*gen*); **her arms flung
out in an attitude of surrender** rozpostarła
ramiona w geście rezygnacji.
attorney [ə'tɜːnɪ] *n* (*US*) pełnomocnik *m*;
power of attorney pełnomocnictwo.
Attorney General *n* (*BRIT*) *minister
sprawiedliwości i doradca prawny rządu i
Korony*; (*US*) *minister sprawiedliwości i
prokurator generalny*.
attract [ə'trækt] *vt* (*people, attention*)
przyciągać (przyciągnąć *perf*); (*support,
publicity*) zyskiwać (zyskać *perf*); (*interest*)
wzbudzać (wzbudzić *perf*); (*appeal to*)
pociągać.
attraction [ə'trækʃən] *n* (*appeal*) powab *m*,
urok *m*; (*usu pl: amusements*) atrakcja *f*;
(*PHYS*) przyciąganie *nt*; (*fig: towards sb, sth*)
pociąg *m*.
attractive [ə'træktɪv] *adj* atrakcyjny.
attribute [*n* ˈætrɪbjuːt, *vb* ə'trɪbjuːt] *n* atrybut
m ♦ *vt*: **to attribute sth to** przypisywać
(przypisać *perf*) coś +*dat*.
attrition [ə'trɪʃən] *n*: **war of attrition** wojna *f*
na wyczerpanie.
Atty. Gen. *abbr* = **Attorney General**.
ATV *n abbr* (= *all terrain vehicle*) pojazd *m*
terenowy.
aubergine [ˈəubəʒiːn] *n* (*vegetable*) bakłażan
m, oberżyna *f*; (*colour*) (kolor *m*)
ciemnofioletowy, ciemny fiolet *m*.
auburn [ˈɔːbən] *adj* kasztanowaty,
rudawobrązowy.
auction [ˈɔːkʃən] *n* licytacja *f*, aukcja *f* ♦ *vt*
sprzedawać (sprzedać *perf*) na licytacji *or*
aukcji.
auctioneer [ɔːkʃə'nɪə*] *n* licytator(ka) *m(f)*.
auction room *n* sala *f* aukcyjna.
audacious [ɔː'deɪʃəs] *adj* śmiały, zuchwały (*pej*).
audacity [ɔː'dæsɪtɪ] *n* (*boldness, daring*)
śmiałość *f*; (*impudence*) zuchwałość *f*,
bezczelność *f*; **to have the audacity to do sth**
mieć czelność coś (z)robić.
audible [ˈɔːdɪbl] *adj* słyszalny.
audience [ˈɔːdɪəns] *n* (*in theatre etc*)
publiczność *f*, widownia *f*; (*RADIO*) słuchacze
pl; (*TV*) widzowie *pl*; (*with queen etc*)
audiencja *f*; **to reach a wide audience**
docierać (dotrzeć *perf*) do szerokiej rzeszy
odbiorców.
audio-typist [ˈɔːdɪəu'taɪpɪst] *n maszynistka
spisująca teksty z magnetofonu*.
audio-visual [ˈɔːdɪəu'vɪzjuəl] *adj* audiowizualny.
audio-visual aid *n* pomoc *f* audiowizualna.
audit [ˈɔːdɪt] (*COMM*) *vt* rewidować
(zrewidować *perf*), sprawdzać (sprawdzić *perf*)
♦ *n* rewizja *f* ksiąg (rachunkowych).
audition [ɔː'dɪʃən] *n* przesłuchanie *nt* (do roli)

♦ *vi*: **to audition (for)** mieć przesłuchanie (do +*gen*).

auditor ['ɔːdɪtə*] *n* rewident *m* księgowy.

auditorium [ɔːdɪ'tɔːrɪəm] *n* (*building*) audytorium *nt*; (*audience area*) widownia *f*.

Aug. *abbr* = **August** sierp.

augment [ɔːg'mɛnt] *vt* powiększać (powiększyć *perf*), zwiększać (zwiększyć *perf*).

augur ['ɔːgə*] *vi*: **it augurs well (for)** to dobrze wróży (+*dat*).

August ['ɔːgəst] *n* sierpień *m*; *see also* **July.**

august [ɔː'gʌst] *adj* (*figure, building*) majestatyczny; (*gathering*) dostojny.

aunt [ɑːnt] *n* ciotka *f*; (*affectionately*) ciocia *f*.

auntie (*also spelled* **aunty**) ['ɑːntɪ] *n dimin of* **aunt** ciocia *f*; (*jocularly, ironically*) cioteczka *f*, ciotunia *f*.

au pair ['əu'pɛə*] *n* (*also*: **au pair girl**) *młoda cudzoziemka mieszkająca okresowo u rodziny i pomagająca w domu w zamian za wyżywienie i kieszonkowe.*

aura ['ɔːrə] *n* (*fig*) atmosfera *f*.

auspices ['ɔːspɪsɪz] *npl*: **under the auspices of** pod auspicjami +*gen*.

auspicious [ɔːs'pɪʃəs] *adj* pomyślny.

austere [ɔs'tɪə*] *adj* (*room, person, manner*) surowy; (*lifestyle*) prosty, skromny.

austerity [ɔs'tɛrɪtɪ] *n* surowość *f*, prostota *f*; (*ECON*) trudności *pl* gospodarcze.

Australasia [ɔːstrə'leɪzɪə] *n* Australazja *f*.

Australasian [ɔːstrə'leɪzɪən] *adj* australazjatycki.

Australia [ɔs'treɪlɪə] *n* Australia *f*.

Australian [ɔs'treɪlɪən] *adj* australijski **♦** *n* Australijczyk (-jka) *m(f)*.

Austria ['ɔstrɪə] *n* Austria *f*.

Austrian ['ɔstrɪən] *adj* austriacki **♦** *n* Austriak (-aczka) *m(f)*.

AUT (*BRIT*) *n abbr* (= *Association of University Teachers*).

authentic [ɔː'θɛntɪk] *adj* autentyczny.

authenticate [ɔː'θɛntɪkeɪt] *vt* (*painting*) ustalać (ustalić *perf*) autorstwo +*gen*; (*document, story*) poświadczać (poświadczyć *perf*).

authenticity [ɔːθɛn'tɪsɪtɪ] *n* autentyczność *f*.

author ['ɔːθə*] *n* autor(ka) *m(f)*; (*profession*) pisarz (-arka) *m(f)*.

authoritarian [ɔːθɔrɪ'tɛərɪən] *adj* (*attitudes, conduct*) władczy, apodyktyczny; (*government, rule*) autorytarny.

authoritative [ɔː'θɔrɪtətɪv] *adj* (*person, manner*) autorytatywny; (*source, account*) miarodajny, wiarygodny; (*study, treatise*) miarodajny.

authority [ɔː'θɔrɪtɪ] *n* (*power*) władza *f*; (*expert*) autorytet *m*; (*government body*) administracja *f*; (*official permission*) pozwolenie *nt*; **the authorities** *npl* władze *pl*; **to have the authority to do sth** być władnym coś zrobić.

authorization [ɔː ?14MP9machinalnie odruchowo.

automatic data processing *n* automatyczne przetwarzanie *nt* danych.

automation [ɔːtə'meɪʃən] *n* automatyzacja *f*.

automaton [ɔː'tɔmətən] (*pl* **automata**) *n* automat *m*, robot *m*.

automobile ['ɔːtəməbiːl] (*US*) *n* samochód *m*.

autonomous [ɔː'tɔnəməs] *adj* (*region, area*) autonomiczny; (*organization, person*) niezależny.

autonomy [ɔː'tɔnəmɪ] *n* (*of country*) autonomia *f*; (*of organization, person*) niezależność *f*.

autopsy ['ɔːtɔpsɪ] *n* (*post-mortem*) sekcja *f* zwłok.

autumn ['ɔːtəm] *n* jesień; **in autumn** jesienią, na jesieni.

auxiliary [ɔːg'zɪlɪərɪ] *adj* pomocniczy **♦** *n* pomocnik (-ica) *m(f)*.

AV *n abbr* (*BIBLE*: = *Authorized Version*) *angielskie tłumaczenie Biblii z roku 1611* **♦** *abbr* = **audiovisual.**

Av. *abbr* = **avenue** al.

avail [ə'veɪl] *vt*: **to avail o.s. of** korzystać (skorzystać *perf*) z +*gen* **♦** *n*: **to no avail** daremnie, na próżno.

availability [əveɪlə'bɪlɪtɪ] *n* (*of goods, information*) dostępność *f*; (*of staff*) osiągalność *f*.

available [ə'veɪləbl] *adj* (*article, service, information*) dostępny; (*person, time*) wolny; **every available means** wszelkie dostępne środki; **is the manager available?** czy dyrektor jest wolny?; **to make sth available to sb** udostępniać (udostępnić *perf*) coś komuś.

avalanche ['ævəlɑːnʃ] *n* (*lit, fig*) lawina *f*.

avant-garde ['ævãŋ'gɑːd] *adj* awangardowy.

avarice ['ævərɪs] *n* skąpstwo *nt*.

avaricious [ævə'rɪʃəs] *adj* skąpy.

avdp. *abbr* (= *avoirdupois*) *angielski system wagowy.*

Ave. *abbr* = **avenue** al.

avenge [ə'vɛndʒ] *vt* mścić (pomścić *perf*).

avenue ['ævənjuː] *n* aleja *f*; (*fig*) możliwość *f*.

average ['ævərɪdʒ] *n* średnia *f* **♦** *adj* (*mean*) średni, przeciętny; (*ordinary*) przeciętny **♦** *vt* osiągać (osiągnąć *perf*) średnio; **on average** średnio, przeciętnie; **above/below (the) average** powyżej/poniżej średniej.

►average out *vi*: **to average out at** wynosić (wynieść *perf*) średnio +*acc*.

averse [ə'vəːs] *adj*: **to be averse to sth/doing sth** być przeciwnym *or* niechętnym czemuś/robieniu czegoś; **I wouldn't be averse to** nie miałbym nic przeciwko +*dat*.

aversion [ə'vəːʃən] *n* niechęć *f*, awersja *f*; **to have an aversion to sb/sth** mieć awersję do kogoś/czegoś.

avert [ə'vəːt] *vt* (*accident, war*) unikać

(uniknąć *perf*) +*gen*; (*one's eyes*) odwracać (odwrócić *perf*).

aviary ['eɪvɪərɪ] *n* ptaszarnia *f*.

aviation [eɪvɪ'eɪʃən] *n* lotnictwo *nt*.

avid ['ævɪd] *adj* gorliwy; **avid for** spragniony +*gen*.

avidly ['ævɪdlɪ] *adv* gorliwie.

avocado [ævə'kɑːdəu] *n* (*BRIT*: *also*: **avocado pear**) awokado *nt inv*.

avoid [ə'vɔɪd] *vt* unikać (uniknąć *perf*) +*gen*; (*obstacle*) omijać (ominąć *perf*); **to avoid doing sth** unikać (uniknąć *perf*) (z)robienia czegoś.

avoidable [ə'vɔɪdəbl] *adj* do uniknięcia *post*.

avoidance [ə'vɔɪdəns] *n* unikanie *nt*; (*of tax*) uchylanie się *nt*.

avowed [ə'vaud] *adj* (*feminist etc*) zaprzysięgły; (*aim*) obrany.

AVP (*US*) *n abbr* (= *assistant vice-president*).

avuncular [ə'vʌŋkjulə*] *adj* (*genial*) dobroduszny; (*fatherly*) ojcowski.

AWACS ['eɪwæks] *n abbr* (= *airborne warning and control system*) (system *m*) AWACS.

await [ə'weɪt] *vt* oczekiwać na +*acc*; **awaiting attention/delivery** (*COMM*) do załatwienia/dostarczenia; **long awaited** długo oczekiwany.

awake [ə'weɪk] (*pt* **awoke**, *pp* **awoken** *or* **awakened**) *adj*: **to be awake** nie spać ♦ *vt* budzić (obudzić *perf*) ♦ *vi* budzić się (obudzić się *perf*); **he was still awake** jeszcze nie spał; **to be awake to** być świadomym +*gen*, zdawać sobie sprawę z +*gen*.

awakening [ə'weɪknɪŋ] *n* (*of emotion*) przebudzenie *nt*; (*of interest*) rozbudzenie *nt*.

award [ə'wɔːd] *n* (*prize*) nagroda *f*; (*damages*) odszkodowanie *nt* ♦ *vt* (*prize*) przyznawać (przyznać *perf*); (*damages*) zasądzać (zasądzić *perf*).

aware [ə'wɛə*] *adj*: **aware (of)** (*conscious*) świadomy (+*gen*); (*informed*) zorientowany (w +*loc*); **to become aware of/that** uświadamiać (uświadomić *perf*) sobie +*acc*/, że; **politically/socially aware** świadomy politycznie/społecznie; **I am fully aware that** zdaję sobie w pełni sprawę *or* jestem w pełni świadomy, że.

awareness [ə'wɛənɪs] *n* świadomość *f*; **to develop people's awareness of** rozwijać (rozwinąć *perf*) wśród ludzi świadomość +*gen*.

awash [ə'wɔʃ] *adj* zalany; (*fig*): **awash with** zalany +*instr*.

away [ə'weɪ] *adv* (*be situated*) z dala, daleko; (*not present*): **to be away** być nieobecnym; (*move*) *często tłumaczy się za pomocą przedrostka od...*; **he walked away slowly** odszedł powoli; **two kilometres away from** w odległości dwóch kilometrów od +*gen*; **two hours away by car** dwie godziny jazdy samochodem; **the exam is two weeks away**

do egzaminu (po)zostały dwa tygodnie; **he's away for a week** nie będzie go przez tydzień, wyjechał na tydzień; **she's away in Milan** wyjechała do Mediolanu; **to take away** (*remove*) zabierać (zabrać *perf*); (*subtract*) odejmować (odjąć *perf*); **to work/pedal** *etc* **away** zawzięcie pracować/pedałować *etc*; **to fade/wither away** (*colour*) blaknąć (wyblaknąć *perf*); (*enthusiasm, light*) wygasać (wygasnąć *perf*); (*sound*) cichnąć (ucichnąć *perf*).

away game *n* mecz *m* wyjazdowy *or* na wyjeździe.

awe [ɔː] *n* respekt *m*; **to be in awe of** czuć respekt przed +*instr*.

awe-inspiring ['ɔːɪnspaɪərɪŋ] *adj* budzący respekt.

awesome ['ɔːsəm] *adj* = **awe-inspiring**.

awestruck ['ɔːstrʌk] *adj* pełen respektu.

awful ['ɔːfəl] *adj* straszny, okropny; **an awful lot (of)** strasznie dużo (+*gen*).

awfully ['ɔːfəlɪ] *adv* strasznie, okropnie.

awhile [ə'waɪl] *adv* (przez) chwilę.

awkward ['ɔːkwəd] *adj* (*person, movement, situation*) niezręczny; (*tool, machine*) niewygodny.

awkwardness ['ɔːkwədnɪs] *n* niezręczność *f*.

awl [ɔːl] *n* szydło *nt*.

awning ['ɔːnɪŋ] *n* (*of tent, caravan*) daszek *m* płócienny; (*of shop, hotel*) markiza *f*.

awoke [ə'wəuk] *pt of* **awake**.

awoken [ə'wəukən] *pp of* **awake**.

AWOL ['eɪwɔl] (*MIL*) *abbr* (= *absent without leave*) nieobecny nieusprawiedliwiony.

awry [ə'raɪ] *adv*: **to be awry** (*clothes*) być w nieładzie; **to go awry** (*plan*) nie powieść się (*perf*).

axe (*US* **ax**) [æks] *n* siekiera *f*, topór *m* ♦ *vt* robić (zrobić *perf*) cięcia w +*loc*; **to have an axe to grind** (*fig*) kierować się własnym interesem.

axes[1] ['æksɪz] *npl of* **ax(e)**.

axes[2] ['æksiːz] *npl of* **axis**.

axiom ['æksɪəm] *n* aksjomat *m*.

axiomatic [æksɪəu'mætɪk] *adj* aksjomatyczny.

axis ['æksɪs] (*pl* **axes**) *n* oś *f*.

axle ['æksl] (*AUT*) *n* (*also*: **axle-tree**) oś *f*.

aye [aɪ] *excl* tak ♦ *n*: **the ayes** głosy *pl* za.

AYH *n abbr* (= *American Youth Hostels*).

AZ (*US*: *POST*) *abbr* (= *Arizona*).

azalea [ə'zeɪlɪə] *n* azalia *f*, różanecznik *m*.

Azores [ə'zɔːz] *npl*: **the Azores** Azory *pl*.

Aztec ['æztɛk] *n* Aztek (-eczka) *m(f)* ♦ *adj*: **Aztec civilization/art** cywilizacja *f*/sztuka *f* Azteków.

AZT *n abbr* (= *azidothymidine*) AZT *m inv*.

azure ['eɪʒə*] *adj* lazurowy.

B,b

B¹, b [biː] *n* (*letter*) B *nt*, b *nt*; (*SCOL*) ≈
dobry *m*; **B for Benjamin,** (*US*) **B for Baker** ≈
B jak Barbara; **B road** (*BRIT*) droga
drugorzędna.
B² [biː] *n* (*MUS*) H *nt*, h *nt*.
b. *abbr* = **born** ur.
BA *n abbr* (= Bachelor of Arts) stopień
naukowy; (= British Academy).
babble ['bæbl] *vi* (*person: confusedly*)
bełkotać; (: *thoughtlessly, continuously*)
paplać; (*baby*) gaworzyć; (*brook*) szemrać ♦
n: **a babble of voices** gwar *m*.
baboon [bə'buːn] *n* pawian *m*.
baby ['beɪbɪ] *n* (*infant*) niemowlę *nt*;
(: *affectionately*) dzidziuś *m*; (*US: inf: darling*)
kochanie *nt*; **baby girl** dziewczynka; **baby boy**
chłopczyk; **we're going to have a baby**
będziemy mieli dziecko; **listen, baby** słuchaj,
kochanie *or* dziecinko.
baby carriage (*US*) *n* wózek *m* dziecięcy.
baby grand *n* (*also*: **baby grand piano**)
fortepian *m* salonowy.
babyhood ['beɪbɪhud] *n* niemowlęctwo *nt*.
babyish ['beɪbɪɪʃ] *adj* dziecinny.
baby-minder ['beɪbɪmaɪndə*] (*BRIT*) *n*
opiekunka *f* do dziecka (*zajmująca się nim we
własnym domu*).
baby-sit ['beɪbɪsɪt] *vi* pilnować (popilnować
perf) dziecka *or* dzieci.
baby-sitter ['beɪbɪsɪtə*] *n* osoba *f* do
pilnowania dziecka *or* dzieci, baby sitter *m*.
bachelor ['bætʃələ*] *n* kawaler *m*; **Bachelor of
Arts/Science** *posiadacz stopnia naukowego
odpowiadającego licencjatowi w dziedzinie
nauk humanistycznych/ścisłych*; **Bachelor of
Arts/Science degree** *stopień naukowy
odpowiadający licencjatowi w dziedzinie nauk
humanistycznych/ścisłych*.
bachelorhood ['bætʃələhud] *n* stan *m*
kawalerski.
bachelor party (*US*) *n* wieczór *m* kawalerski.
back [bæk] *n* (*of person*) plecy *pl*; (*of animal*)
grzbiet *m*; (*of house, car, shirt*) tył *m*; (*of
hand*) wierzch *m*; (*of chair*) oparcie *nt*;
(*FOOTBALL*) obrońca *m* ♦ *vt* (*candidate*)
popierać (poprzeć *perf*); (*financially*)
sponsorować; (*horse*) obstawiać (obstawić
perf); (*car*) cofać (cofnąć *perf*) ♦ *vi* (*also*:
back up) cofać się (cofnąć się *perf*) ♦ *cpd*
(*payment, rent*) zaległy; (*seat, wheels*) tylny;
(*garden*) za domem *post*; (*room*) od podwórza
post ♦ *adv* do tyłu; **he's back** wrócił; **throw
the ball back** odrzuć piłkę; **they ran back**
pobiegli z powrotem; **back to front** (*wear*)
tył(em) na przód; (*know*) na wylot; **an index**

at the back of the book indeks na końcu *or*
z tyłu książki; **pin the list on the back of
the larder door** powieś listę na wewnętrznej
stronie drzwi spiżarni; **to break the back of
a job** (*BRIT*) wychodzić (wyjść *perf*) na
prostą; **to have one's back to the wall** (*fig*)
być przypartym do muru; **to take a back
seat** (*fig*) usuwać się (usunąć się *perf*) na
drugi plan; **can I have them back?** czy mogę
je dostać z powrotem?
▸**back down** *vi* wycofywać się (wycofać się
perf).
▸**back on to** *vt fus*: **the house backs on to
the golf course** tył budynku wychodzi na
pole golfowe.
▸**back out** *vi* wycofywać się (wycofać się *perf*).
▸**back up** *vt* (*support*) popierać (poprzeć *perf*);
(*COMPUT*) robić (zrobić *perf*) (zapasową)
kopię +*gen*.
backache ['bækeɪk] *n* ból *m* pleców *or* krzyża.
backbencher ['bæk'bentʃə*] (*BRIT*) *n* członek
*brytyjskiego Parlamentu nie pełniący ważnej
funkcji w rządzie ani w partii opozycyjnej i
w związku z tym zasiadający w tylnych
ławach Izby Gmin*.
backbiting ['bækbaɪtɪŋ] *n* obgadywanie *nt* (za
plecami).
backbone ['bækbəun] *n* kręgosłup *m*; (*fig*)
odwaga *f*, siła *f* charakteru; **he's the
backbone of the organization** jest filarem
organizacji.
backchat ['bæktʃæt] (*BRIT: inf*) *n* pyskowanie
nt (*inf*).
backcloth ['bækklɔθ] (*BRIT*) *n* (*THEAT*) kulisa
f (*usu pl*); (*fig*) tło *nt*.
backcomb ['bækkəum] (*BRIT* **back-comb**) *vt*
tapirować (utapirować *perf*).
backdate [bæk'deɪt] *vt* antydatować.
backdrop ['bækdrɔp] *n* = **backcloth**.
backer ['bækə*] *n* stronnik (-iczka) *m(f)*,
zwolennik (-iczka) *m(f)*; (*financial*) sponsor(ka)
m(f).
backfire [bæk'faɪə*] *vi* (*AUT*) strzelać (strzelić
perf); (*plans*) odnosić (odnieść *perf*) odwrotny
skutek.
backgammon ['bækgæmən] *n* trik-trak *m*.
background ['bækgraund] *n* (*lit, fig*) tło *nt*; (*of
person: origins*) pochodzenie *nt*;
(: *educational*) wykształcenie *nt*; **he's from a
working class background** pochodzi z rodziny
robotniczej; **my primary background is in
marketing** mam doświadczenie głównie w
marketingu; **we looked closely into her
background** zbadaliśmy dokładnie jej
przeszłość; **against a background of** na tle
+*gen*; **background reading (on)** dodatkowa
lektura (na temat +*gen*); **background music**
muzyka w tle.
backhand ['bækhænd] (*TENNIS etc*) *n*
bekhend *m*.

backhanded ['bæk'hændɪd] *adj*
(*fig: compliment*) dwuznaczny.

backhander ['bæk'hændə*] (*BRIT: inf*) *n*
łapówka *f*, wziątka *f* (*inf*).

backing ['bækɪŋ] *n* (*support*) poparcie *nt*;
(: *COMM*) sponsorowanie *nt*; (*layer*) podklejka
f; (*MUS*) akompaniament *m*.

backlash ['bæklæʃ] *n* (*fig*) (gwałtowna) reakcja
f (*atakująca określony trend, ideologię itp*).

backlog ['bæklɔg] *n*: **backlog of work**
zaległości *pl* w pracy.

back number *n* (*of magazine etc*) stary
numer *m*.

backpack ['bækpæk] *n* plecak *m*.

backpacker ['bækpækə*] *n* turysta (-tka) *m(f)*
pieszy (-sza) *m(f)*.

back pay *n* zaległa wypłata *f*.

backpedal ['bækpɛdl] *vi* (*fig*) wycofywać się
(wycofać się *perf*).

backside ['bæksaɪd] (*inf*) *n* tyłek *m* (*inf*).

backslash ['bækslæʃ] *n* ukośnik *m* wsteczny.

backslide ['bækslaɪd] *vi* powracać (powrócić
perf) na złą drogę.

backspace ['bækspeɪs] *vi* (*in typing*) cofać się
(cofnąć się *perf*) (*za pomocą cofacza*).

backstage [bæk'steɪdʒ] *adv* (*be*) za kulisami;
(*go*) za kulisy.

back-street ['bækstri:t] *n* uliczka *f* (*w uboższej
części miasta*) ♦ *cpd*: **backstreet abortion**
pokątna aborcja *f*.

backstroke ['bækstrəuk] *n* styl *m* grzbietowy.

backtrack ['bæktræk] *vi* (*fig*) wycofywać się
(wycofać się *perf*).

backup ['bækʌp] *adj* (*staff, services*)
pomocniczy; (*COMPUT*) zapasowy ♦ *n*
(*people, machines*) zaplecze *nt*; (*also*: **backup
file**) zbiór *m* zapasowy *or* rezerwowy, kopia *f*
zapasowa zbioru.

backward ['bækwəd] *adj* (*movement*) do tyłu
post; (*pej: country, person*) zacofany; (*fig*): **a
backward step** krok *m* wstecz.

backwards ['bækwədz] *adv* (*move, go*) do
tyłu; (*fall*) na plecy; (*walk*) tyłem; (*fig*)
wstecz; **backwards and forwards** tam i z
powrotem; **to know sth backwards** *or* (*US*)
backwards and forwards znać coś na wylot.

backwater ['bækwɔ:tə*] *n* (*fig*) zaścianek *m*.

backyard [bæk'jɑ:d] *n* podwórko *nt* (*za domem*).

bacon ['beɪkən] *n* bekon *m*.

bacteria [bæk'tɪərɪə] *npl* bakterie *pl*.

bacteriology [bæktɪərɪ'ɔlədʒɪ] *n* bakteriologia *f*.

bad [bæd] *adj* zły; (*naughty*) niedobry,
niegrzeczny; (*poor: work, health etc*) słaby;
(*mistake, accident, injury*) poważny; **he has a
bad back** ma chory kręgosłup; **to go bad**
(*meat*) psuć się (zepsuć się *perf*); (*milk*)
kwaśnieć (skwaśnieć *perf*); **I feel very bad
about it** czuję się podle z tego powodu; **in
bad faith** w złej wierze; **to be bad for**

szkodzić +*dat*; **he's bad at maths** jest słaby z
matematyki; **not bad** nieźle.

bad debt *n* nieściągalna należność *f*.

bade [bæd] *pt of* **bid**.

badge [bædʒ] *n* odznaka *f*; (*with name,
function*) plakietka *f*; (*stick-on*) naklejka *f*;
(*sew-on*) naszywka *f*; (*fig*) oznaka *f*.

badger ['bædʒə*] *n* borsuk *m* ♦ *vt* wiercić
dziurę w brzuchu +*dat*.

badly ['bædlɪ] *adv* źle; **badly wounded**
poważnie ranny; **he needs the money badly**
bardzo potrzebuje tych pieniędzy; **things are
going badly** sprawy idą źle; **they are badly
off (for money)** źle im się powodzi.

bad-mannered ['bæd'mænəd] *adj* źle
wychowany.

badminton ['bædmɪntən] *n* badminton *m*,
kometka *f*.

bad-tempered ['bæd'tɛmpəd] *adj*: **to be
bad-tempered** (*by nature*) mieć nieprzyjemne
or przykre usposobienie; (*on one occasion*)
być w złym humorze.

baffle ['bæfl] *vt* (*puzzle*) zdumiewać (zdumieć
perf), wprawiać (wprawić *perf*) w zdumienie;
(*confuse*) wprawiać (wprawić *perf*) w
zakłopotanie.

baffling ['bæflɪŋ] *adj*: **I find his behaviour
baffling** jego zachowanie zdumiewa mnie; **a
baffling problem** kłopotliwy problem.

bag [bæg] *n* (*large*) torba *f*; (*small*) torebka *f*;
(*also*: **handbag**) (damska) torebka *f*; (*satchel*)
tornister *m*; (*suitcase*) walizka *f*; (*pej: woman*)
babsztyl *m* (*pej*); **bags of** (*inf*) (cała) masa
+*gen* (*inf*); **to pack one's bags** pakować
(spakować *perf*) manatki; **bags under the
eyes** worki pod oczami ♦ *vt* (*animal, bird*)
upolować (*perf*).

bagful ['bægful] *n* (pełna) torba *f*.

baggage ['bægɪdʒ] *n* bagaż *m*.

baggage car (*US*) *n* wagon *m* bagażowy.

baggage claim *n* (*at airport*) odbiór *m* bagażu.

baggy ['bægɪ] *adj* workowaty.

Baghdad [bæg'dæd] *n* Bagdad *m*.

bagpipes ['bægpaɪps] *npl* dudy *pl*.

bag-snatcher ['bægsnætʃə*] (*BRIT*) *n*
złodziej(ka) *m(f)* torebek.

Bahamas [bə'hɑ:məz] *npl*: **the Bahamas**
Wyspy *pl* Bahama.

Bahrain [bɑ:'reɪn] *n* Bahrajn *m*.

bail [beɪl] *n* (*JUR: payment*) kaucja *f*;
(: *release*) zwolnienie *nt* za kaucją; **to grant
bail (to sb)** wyrażać (wyrazić *perf*) zgodę na
zwolnienie (kogoś) za kaucją; **he was
released on bail** został zwolniony za kaucją ♦
vi (*also*: **bail out: on boat**) wybierać (wybrać
perf) wodę; *see also* **bale**.

▶**bail out** *vt* (*prisoner*) wpłacać (wpłacić *perf*)
kaucję za +*acc*; (*friend, firm*) poratować (*perf*)
(finansowo).

bailiff ['beɪlɪf] *n* (*BRIT: of estate*) zarządca *m*;

(JUR: BRIT) ≈ komornik *m*; (: *esp US*) *niski rangą urzędnik sądowy pełniący funkcję gońca, który zajmuje się więźniami i pilnuje porządku.*

bait [beɪt] *n* przynęta *f* ♦ *vt* (*tease*) drażnić; **to bait a hook** zakładać (założyć *perf*) przynętę na haczyk.

bake [beɪk] *vt* (*CULIN*) piec (upiec *perf*); (*TECH*) wypalać (wypalić *perf*) ♦ *vi* (*bread etc*) piec się; (*person*) piec.

baked beans [beɪkt-] *npl fasola z puszki w sosie pomidorowym.*

baker ['beɪkə*] *n* piekarz *m*.

baker's dozen *n* trzynaście *num*.

bakery ['beɪkərɪ] *n* piekarnia *f*.

baking ['beɪkɪŋ] *n* (*act*) pieczenie *nt*; (*food*) wypieki *pl* ♦ *adj* (*inf*) (bardzo) gorący; **a baking hot day** upalny *or* skwarny dzień.

baking powder *n* proszek *m* do pieczenia.

baking tin *n* (*for cake*) forma *f* do pieczenia; (*for meat*) brytfanna *f*.

baking tray *n* blacha *f* do pieczenia.

balaclava [bælə'klɑ:və] *n* (*also:* **balaclava helmet**) kominiarka *f*.

balance ['bæləns] *n* (*equilibrium*) równowaga *f*; (*of account: sum*) stan *m* konta; (: *remainder*) saldo *nt* rachunku; (*scales*) waga *f* ♦ *vt* (*budget*) bilansować (zbilansować *perf*); (*account*) zamykać (zamknąć *perf*); (*pros and cons*) rozważać (rozważyć *perf*); (*make equal, compensate*) równoważyć (zrównoważyć *perf*) ♦ *vi* balansować, utrzymywać równowagę; **on balance** po (głębszym) namyśle; **balance of trade/payments** bilans handlowy/płatniczy; **balance carried forward** (*COMM*) kwota do przeniesienia; **balance brought forward** (*COMM*) kwota z przeniesienia; **to balance the books** (*COMM*) zamykać (zamknąć *perf*) księgi; **an ashtray was balanced on the arm of the chair** na poręczy fotela stała popielniczka.

balanced ['bælənst] *adj* (*report, account*) wyważony; (*personality*) zrównoważony; (*diet*) pełnowartościowy.

balance sheet *n* zestawienie *nt* bilansowe.

balcony ['bælkənɪ] *n* balkon *m*.

bald [bɔ:ld] *adj* (*person, head, tyre*) łysy; (*lie*) jawny; (*question*) bezceremonialny, bez ogródek *post*.

baldness ['bɔ:ldnɪs] *n* łysina *f*.

bale [beɪl] *n* bela *f*.

►**bale out** *vi* (*of a plane*) wyskakiwać (wyskoczyć *perf*) ze spadochronem ♦ *vt* (*water*) wybierać (wybrać *perf*); (*boat*) wybierać (wybrać *perf*) wodę z +*gen*.

Balearic Islands [bælɪ'ærɪk-] *npl*: **the Balearic Islands** Baleary *pl*.

baleful ['beɪlful] *adj* (*glance*) złowrogi; (*influence*) zły.

balk [bɔ:k] *vi*: **to balk (at)** (*person*) wzdragać

się (przed +*instr*); (*horse*) zatrzymywać się (zatrzymać się *perf*) (przed +*instr*).

Balkan ['bɔ:lkən] *adj* bałkański ♦ *n*: **the Balkans** Bałkany *pl*.

ball [bɔ:l] *n* (*for football, tennis*) piłka *f*; (*of wool, string*) kłębek *m*; (*dance*) bal *m*; **to set the ball rolling** (*fig*) puszczać (puścić *perf*) mechanizm w ruch; **to play ball (with sb)** (*fig*) współpracować (z kimś); **to be on the ball** (*fig: competent*) znać się na rzeczy; (*alert*) mieć oczy otwarte; **the ball is in your court** (*fig*) teraz twój ruch.

ballad ['bæləd] *n* ballada *f*.

ballast ['bæləst] *n* balast *m*.

ball bearings *npl* łożysko *nt* kulkowe.

ballcock ['bɔ:lkɔk] *n* zawór *m* kulowy.

ballerina [bælə'ri:nə] *n* balerina *f*.

ballet ['bæleɪ] *n* balet *m*.

ballet dancer *n* (*male*) tancerz *m* baletowy; (*female*) tancerka *f* baletowa, baletnica *f*.

ballistic [bə'lɪstɪk] *adj* balistyczny.

ballistic missile *n* pocisk *m* balistyczny.

ballistics [bə'lɪstɪks] *n* balistyka *f*.

balloon [bə'lu:n] *n* (*child's*) balon *m*, balonik *m*; (*hot air balloon*) balon *m*; (*in comic strip*) dymek *m*.

balloonist [bə'lu:nɪst] *n* pilot(ka) *m(f)* balonowy (-wa), baloniarz *m*.

ballot ['bælət] *n* tajne głosowanie *nt*.

ballot box *n* urna *f* wyborcza; (*fig*) wybory *pl*.

ballot paper *n* kartka *f* do głosowania.

ballpark ['bɔ:lpɑ:k] (*US*) *n* boisko *nt* baseballowe.

ballpark figure (*US: inf*) *n* orientacyjna liczba *f*.

ballpoint (pen) ['bɔ:lpɔɪnt(-)] *n* długopis *m*.

ballroom ['bɔ:lrum] *n* sala *f* balowa.

balls [bɔ:lz] (*inf!: testicles*) *npl* jaja *pl* (*inf!*).

balm [bɑ:m] *n* balsam *m*.

balmy ['bɑ:mɪ] *adj* balsamiczny; (*BRIT: inf*) = **barmy**.

BALPA ['bælpə] *n abbr* (= *British Airline Pilots' Association*) *związek zawodowy pilotów.*

balsam ['bɔ:lsəm] *n* balsam *m*.

balsa (wood) ['bɔ:lsə-] *n* balsa *f*.

Baltic ['bɔ:ltɪk] *n*: **the Baltic (Sea)** Bałtyk *m*, Morze *nt* Bałtyckie.

balustrade [bæləs'treɪd] *n* balustrada *f*.

bamboo [bæm'bu:] *n* bambus *m*.

bamboozle [bæm'bu:zl] (*inf*) *vt*: **to bamboozle sb into sth** wrabiać (wrobić *perf*) kogoś w coś (*inf*).

ban [bæn] *n* zakaz *m* ♦ *vt* zakazywać (zakazać *perf*) +*gen*; **he was banned from driving** (*BRIT*) odebrano mu prawo jazdy.

banal [bə'nɑ:l] *adj* banalny.

banana [bə'nɑ:nə] *n* banan *m*.

band [bænd] *n* (*group*) banda *f* (*pej*), grupa *f*; (*rock*) grupa *f*, zespół *m*; (*jazz, military etc*) orkiestra *f*; (*strip, stripe*) pasek *m*, wstążka *f*;

(*range*) przedział *m*; (: *of frequency*) pasmo
nt, zakres *m*.

►**band together** *vi* skrzykiwać się (skrzyknąć
się *perf*).

bandage ['bændɪdʒ] *n* bandaż *m* ♦ *vt* (*wound,
leg*) bandażować (zabandażować *perf*);
(*person*) opatrywać (opatrzyć *perf*).

bandaid ['bændeɪd] ® (*US*) *n* plaster *m*.

bandit ['bændɪt] *n* bandyta *m*.

bandstand ['bændstænd] *n* estrada *f*.

bandwagon ['bændwægən] *n*: **to jump on the
bandwagon** (*fig*) przyłączać się (przyłączyć
się *perf*) do większości.

bandy ['bændɪ] *vt* (*jokes, ideas*) wymieniać
(wymienić *perf*); (*insults*) obrzucać się +*instr*.

►**bandy about** *vt* szafować +*instr*.

bandy-legged ['bændɪ'legɪd] *adj* krzywonogi.

bane [beɪn] *n*: **it/he is the bane of my life**
to/on jest zmorą mojego życia.

bang [bæŋ] *n* (*of door*) trzaśnięcie *nt*, trzask
m; (*of gun, exhaust*) huk *m*, wystrzał *m*;
(*blow*) uderzenie *nt*, walnięcie *nt* ♦ *vt* (*door*)
trzaskać (trzasnąć *perf*) +*instr*; (*one's head
etc*) uderzać (uderzyć *perf*) +*instr*, walić
(walnąć *perf*) +*instr* ♦ *vi* (*door*) trzaskać
(trzasnąć *perf*); (*fireworks*) strzelać (strzelić
perf) ♦ *adv*: **to be bang on time** (*BRIT*: *inf*)
być co do minuty; **to bang at the door** walić
w drzwi; **to bang into sth** wpaść (*perf*) na
coś; **bang! bang! you're dead!** pif-paf! nie
żyjesz!

banger ['bæŋə*] (*BRIT*: *inf*) *n* (*car*) gruchot *m*;
(*sausage*) kiełbaska *f*; (*firework*) petarda *f*.

Bangkok [bæŋ'kɔk] *n* Bangkok *m*.

Bangladesh [bæŋglə'deʃ] *n* Bangladesz *m*.

bangle ['bæŋgl] *n* bransoletka *f*.

bangs [bæŋz] (*US*) *npl* grzywka *f*.

banish ['bænɪʃ] *vt* wygnać (*perf*), skazywać
(skazać *perf*) na banicję *or* wygnanie.

banister(s) ['bænɪstə(z)] *n(pl)* poręcz *f*,
balustrada *f*.

banjo ['bændʒəu] (*pl* **banjoes** *or* **banjos**) *n*
bandżo *nt inv*, banjo *nt inv*.

bank [bæŋk] *n* bank *m*; (*of river, lake*) brzeg
m; (*of earth*) skarpa *f*, nasyp *m*; (*of switches*)
rząd *m* ♦ *vi* (*AVIAT*) przechylać się
(przechylić się *perf*); (*COMM*): **they bank with
Pitt's** mają konto w Pitt's.

►**bank on** *vt fus* liczyć na +*acc*.

bank account *n* konto *nt* bankowe.

bank card *n* karta *f* bankowa.

bank charges (*BRIT*) *npl* koszty *pl* bankowe.

bank draft *n* przekaz *m* bankowy.

banker ['bæŋkə*] *n* bankier *m*.

banker's card (*BRIT*) *n* = **bank card**.

banker's order (*BRIT*) *n* polecenie *nt*
wypłaty, przekaz *m* bankowy.

bank giro *n* rozliczenie *nt* bezgotówkowe,
żyro *nt*.

bank holiday (*BRIT*) *n jeden z ustawowo

ustalonych dni, w które nieczynne są banki i
wiele innych instytucji.*

banking ['bæŋkɪŋ] *n* bankowość *f*.

banking hours *npl* godziny *pl* otwarcia banku.

bank loan *n* pożyczka *f* bankowa.

bank manager *n* dyrektor *m* banku.

banknote ['bæŋknəut] *n* banknot *m*.

bank rate *n* stopa *f* procentowa od pożyczki
bankowej.

bankrupt ['bæŋkrʌpt] *adj* niewypłacalny ♦ *n*
bankrut *m*; **to go bankrupt** bankrutować
(zbankrutować *perf*); **to be bankrupt** być w
stanie bankructwa, być bankrutem.

bankruptcy ['bæŋkrʌptsɪ] *n* (*COMM*)
bankructwo *nt*, upadłość *f*; (*fig*) upadek *m*,
ruina *f*.

bank statement *n* wyciąg *m* z konta.

banner ['bænə*] *n* (*for decoration, advertising*)
transparent *m*; (*in demonstration*) sztandar *m*,
transparent *m*.

banner headline *n* całostronicowy tytuł *m*.

bannister(s) ['bænɪstə(z)] *n(pl)* = **banister(s)**.

banns [bænz] *npl* zapowiedzi *pl*.

banquet ['bæŋkwɪt] *n* bankiet *m*.

bantamweight ['bæntəmweɪt] *n* waga *f*
kogucia.

banter ['bæntə*] *n* żarty *pl*, przekomarzanie się *nt*.

BAOR *n abbr* (= *British Army of the Rhine*).

baptism ['bæptɪzəm] *n* chrzest *m*, chrzciny *pl*.

Baptist ['bæptɪst] *n* baptysta (-tka) *m(f)*.

baptize [bæp'taɪz] *vt* chrzcić (ochrzcić *perf*).

bar [bɑ:*] *n* (*place for drinking*) bar *m*;
(*counter*) kontuar *m*; (*of metal etc*) sztaba *f*;
(*on window etc*) krata *f*; (*of soap*) kostka *f*;
(*of chocolate*) tabliczka *f*; (*obstacle*)
przeszkoda *f*; (*prohibition*) zakaz *m*; (*MUS*)
takt *m* ♦ *vt* (*way, road*) zagradzać (zagrodzić
perf); (*door, window*) barykadować
(zabarykadować *perf*), ryglować (zaryglować
perf); (*person*) odmawiać (odmówić *perf*)
wstępu +*dat*; (*activity*) zabraniać (zabronić
perf) +*gen*, zakazywać (zakazać *perf*) +*gen*;
behind bars za kratkami; **the Bar** (*JUR*)
adwokatura; **bar none** bez wyjątku.

Barbados [bɑ:'beɪdɔs] *n* Barbados *m*.

barbaric [bɑ:'bærɪk] *adj* barbarzyński.

barbarous ['bɑ:bərəs] *adj* barbarzyński.

barbecue ['bɑ:bɪkju:] *n* (*cooking device*) grill
m (*ogrodowy*); (*meal, party*) przyjęcie *nt* z
grillem.

barbed wire ['bɑ:bd-] *n* drut *m* kolczasty.

barber ['bɑ:bə*] *n* fryzjer *m* męski.

barbiturate [bɑ:'bɪtjurɪt] *n* barbituran *m*.

Barcelona [bɑ:sə'ləunə] *n* Barcelona *f*.

bar chart *n* wykres *m* słupkowy, histogram *m*.

bar code *n* (*on goods*) kod *m* kreskowy *or*
paskowy.

bare [bɛə*] *adj* (*body, trees, countryside*) nagi;
(*feet*) bosy; (*minimum*) absolutny;
(*necessities*) podstawowy ♦ *vt* obnażać

(obnażyć *perf*); **the bare essentials** najpotrzebniejsze rzeczy; **to bare one's soul** odsłaniać (odsłonić *perf*) duszę.

bareback ['bɛəbæk] *adv*: **to ride bareback** jechać na oklep.

barefaced ['bɛəfeɪst] *adj* bezczelny, bezwstydny.

barefoot ['bɛəfut] *adj* bosy ♦ *adv* boso, na bosaka.

bareheaded [bɛə'hɛdɪd] *adj* z gołą głową *post*, bez nakrycia głowy *post* ♦ *adv* z gołą głową, bez nakrycia głowy.

barely ['bɛəlɪ] *adv* ledwo, ledwie.

Barents Sea ['bærənts-] *n*: **the Barents Sea** Morze *nt* Barentsa.

bargain ['bɑːgɪn] *n* (*deal, agreement*) umowa *f*, transakcja *f*; (*good buy*) okazja *f* ♦ *vi* (*negotiate*): **to bargain (with sb)** negocjować (z kimś); (*haggle*) targować się; **to drive a hard bargain** twardo walczyć o swoje; **into the bargain** w dodatku, na dodatek.

►**bargain for** *vt fus*: **he got more than he bargained for** tego się nie spodziewał.

bargaining ['bɑːgənɪŋ] *n* negocjacje *pl*.

barge [bɑːdʒ] *n* barka *f*.

►**barge in** *vi* (*enter*) włazić (wleźć *perf*) (*inf*), pakować się (wpakować się *perf*) (*inf*); (*interrupt*) wtrącać się (wtrącić się *perf*).

►**barge into** *vt fus* (*room*) włazić (wleźć *perf*) do +*gen* (*inf*); (*person*) wpadać (wpaść *perf*) na +*acc*.

bargepole ['bɑːdʒpəul] *n*: **I wouldn't touch it with a bargepole** (*fig*) nie chcę mieć z tym nic wspólnego, brzydzę się tym.

baritone ['bærɪtəun] *n* baryton *m*.

barium meal ['bɛərɪəm-] *n* papka *f* barytowa (*podawana przy prześwietleniach przewodu pokarmowego*).

bark [bɑːk] *n* (*of tree*) kora *f*; (*of dog*) szczekanie *nt* ♦ *vi* szczekać (szczeknąć *perf* or zaszczekać *perf*); **she's barking up the wrong tree** (*fig*) w ten sposób nic nie wskóra.

barley ['bɑːlɪ] *n* jęczmień *m*.

barley sugar *n twardy cukierek z parzonego cukru.*

barmaid ['bɑːmeɪd] *n* barmanka *f*.

barman ['bɑːmən] (*irreg like* **man**) *n* barman *m*.

barmy ['bɑːmɪ] (*BRIT: inf*) *adj* kopnięty (*inf*), stuknięty (*inf*).

barn [bɑːn] *n* stodoła *f*.

barnacle ['bɑːnəkl] *n* pąkla *f* (*gatunek skorupiaka wodnego*).

barometer [bə'rɔmɪtə*] *n* barometr *m*.

baron ['bærən] *n* (*nobleman*) baron *m*; (*businessman*) magnat *m*.

baroness ['bærənɪs] *n* baronowa *f*.

baronet ['bærənɪt] *n* baronet *m*.

barracks ['bærəks] *npl* koszary *pl*.

barrage ['bærɑːʒ] *n* (*MIL*) ogień *m* zaporowy; (*dam*) zapora *f*; (*fig: of criticism, questions*) fala *f*.

barrel ['bærəl] *n* (*of wine, beer*) beczka *f*, beczułka *f*; (*of oil*) baryłka *f*; (*of gun*) lufa *f*.

barrel organ *n* katarynka *f*.

barren ['bærən] *adj* jałowy.

barricade [bærɪ'keɪd] *n* barykada *f* ♦ *vt* barykadować (zabarykadować *perf*); **to barricade o.s. (in)** zabarykadować się (*perf*).

barrier ['bærɪə*] *n* (*at frontier*) szlaban *m*, rogatka *f*; (*at entrance*) bramka *f*; (*BRIT: also*: **crash barrier**) barierka *f*; (*fig: to progress, communication etc*) bariera *f*, przeszkoda *f*.

barrier cream (*BRIT*) *n* krem *m* ochronny.

barring ['bɑːrɪŋ] *prep* wyjąwszy +*acc*, o ile nie będzie +*gen*.

barrister ['bærɪstə*] (*BRIT*) *n* adwokat(ka) *m(f)*, obrońca (-czyni) *m(f)*.

barrow ['bærəu] *n* (*wheelbarrow*) taczka *f*; (*for selling vegetables etc*) wózek *m*.

bar stool *n* stołek *m* barowy.

Bart. (*BRIT*) *abbr* (= *baronet*) *tytuł szlachecki.*

bartender ['bɑːtɛndə*] (*US*) *n* barman *m*.

barter ['bɑːtə*] *vt* wymieniać (wymienić *perf*), wymieniać się (wymienić się *perf*) +*instr* ♦ *n* wymiana *f* (towarowa).

base [beɪs] *n* (*of post, tree, system of ideas*) podstawa *f*; (*of cup, box*) spód *m*; (*of paint, make up*) podkład *m*; (*for military, individual, organization*) baza *f* ♦ *vt*: **to base sth on** opierać (oprzeć *perf*) coś na +*loc* ♦ *adj* (*mind, thoughts*) podły, nikczemny; **to be based at** bazować w +*loc or* na +*loc*; **I'm based in London** mam siedzibę w Londynie; **a Paris-based firm** firma z siedzibą w Paryżu; **coffee-based** na bazie kawy.

baseball ['beɪsbɔːl] *n* baseball *m*.

baseboard ['beɪsbɔːd] (*US*) *n* listwa *f* przypodłogowa.

base camp *n* baza *f*, główny obóz *m*.

Basel [bɑːl] *n* = **Basle**.

basement ['beɪsmənt] *n* suterena *f*.

base rate (*FIN*) *n* stopa *f* bazowa oprocentowania kredytu.

bases[1] ['beɪsɪz] *npl of* **base**.

bases[2] ['beɪsiːz] *npl of* **basis**.

bash [bæʃ] (*inf*) *vt* walić (walnąć *perf*) (*inf*) ♦ *vi*: **to bash into/against** walnąć (*perf*) w +*acc* (*inf*) ♦ *n*: **I'll have a bash at it** (*BRIT: inf*) przymierzę się do tego.

►**bash up** *vt* (*car etc*) obijać (poobijać *perf*).

bashful ['bæʃful] *adj* wstydliwy, nieśmiały.

bashing ['bæʃɪŋ] *n*: **Paki-/queer-bashing** (*inf*) nagonka *f* na Pakistańczyków/homoseksualistów.

BASIC ['beɪsɪk] (*COMPUT*) *n* (*język*) BASIC *m*.

basic ['beɪsɪk] *adj* (*problem*) zasadniczy, podstawowy; (*principles, wage, knowledge*) podstawowy; (*facilities*) prymitywny.

basically ['beɪsɪklɪ] *adv* (*fundamentally*) zasadniczo; (*in fact, put simply*) w zasadzie.

basic rate n (of tax) stopa f podstawowa; (of pay) stawka f zasadnicza.

basics ['beɪsɪks] npl: **the basics** podstawy pl.

basil ['bæzl] n bazylia f.

basin ['beɪsn] n (vessel) miednica f; (BRIT: for food) miska f; (: : bigger) misa f; (also: **wash basin**) umywalka f; (of river) dorzecze nt; (of lake) basen m.

basis ['beɪsɪs] (pl **bases**) n podstawa f; **on a part-time basis** na niecałym etacie; **on a voluntary basis** na zasadzie dobrowolności; **on the basis of what you've said** na podstawie tego, co powiedziałeś.

bask [bɑːsk] vi: **to bask in the sun** wygrzewać się na słońcu.

basket ['bɑːskɪt] n kosz m; (smaller) koszyk m.

basketball ['bɑːskɪtbɔːl] n koszykówka f.

basketball player n koszykarz (-arka) m(f).

Basle [bɑːl] n Bazylea f.

Basque [bæsk] adj baskijski ♦ n (person) Bask(ijka) m(f); (LING) (język m) baskijski.

bass [beɪs] n (singer) bas m; (part) partia f basowa; (also: **bass guitar**) gitara f basowa; (on radio etc) niskie tony pl, basy pl.

bass clef n klucz m basowy.

bassoon [bə'suːn] n fagot m.

bastard ['bɑːstəd] n (offspring) bękart m; (inf!) gnój m (inf!).

baste [beɪst] vt (CULIN) polewać (polać perf) tłuszczem; (SEWING) fastrygować (sfastrygować perf).

bastion ['bæstɪən] n (fig) bastion m.

bat [bæt] n (ZOOL) nietoperz m; (for cricket, baseball) kij m; (BRIT: for table tennis) rakieta f, rakietka f ♦ vt: **he didn't bat an eyelid** nawet nie mrugnął; **off one's own bat** z własnej woli or inicjatywy.

batch [bætʃ] n (of bread) wypiek m; (of letters, papers) plik m; (of applicants) grupa f; (of work) porcja f; (of goods) partia f.

batch processing (COMPUT) n przetwarzanie nt partiowe.

bated ['beɪtɪd] adj: **with bated breath** z zapartym tchem.

bath [bɑːθ] n (bathtub) wanna f; (act of bathing) kąpiel f ♦ vt kąpać (wykąpać perf); **to have a bath** brać (wziąć perf) kąpiel, kąpać się (wykąpać się perf); see also **baths**.

bathe [beɪð] vi (swim) kąpać się (wykąpać się perf), pływać (popływać perf); (US: have a bath) brać (wziąć perf) kąpiel, kąpać się (wykąpać się perf) ♦ vt (wound) przemywać (przemyć perf); (fig: in light, love etc) skąpać (perf).

bather ['beɪðə*] n kąpiący (-ca) się m(f).

bathing ['beɪðɪŋ] n kąpiel f.

bathing cap n czepek m.

bathing costume (US **bathing suit**) n kostium m kąpielowy.

bath mat n mata f łazienkowa.

bathrobe ['bɑːθrəub] n szlafrok m kąpielowy.

bathroom ['bɑːθrum] n łazienka f.

baths [bɑːðz] npl kryta pływalnia f, kryty basen m.

bath towel n ręcznik m kąpielowy.

bathtub ['bɑːθtʌb] n wanna f.

batman ['bætmən] (BRIT: MIL) (irreg like **man**) n ordynans m.

baton ['bætən] n (MUS) batuta f; (ATHLETICS) pałeczka f (sztafetowa); (policeman's) pałka f.

battalion [bə'tælɪən] n batalion m.

batten ['bætn] n (CARPENTRY) listwa f; (NAUT) listwa f żagla.

►batten down vt: **to batten down the hatches** (NAUT) zamykać (zamknąć perf) luki.

batter ['bætə*] vt (child, wife) maltretować, bić; (wind, rain) targać +instr, miotać +instr ♦ n (CULIN) panier m.

battered ['bætəd] adj (hat, car) sponiewierany; **battered wife** maltretowana żona.

battering ram ['bætərɪŋ-] n taran m.

battery ['bætərɪ] n (for torch, radio etc) bateria f; (AUT) akumulator m; (of tests) zestaw m, seria f; (of cameras) zespół m.

battery charger n prostownik m do ładowania akumulatorów.

battery farming n hodowla f fermowa.

battle ['bætl] n (MIL) bitwa f; (fig) wojna f ♦ vi walczyć; **that's half the battle** to połowa sukcesu; **we're fighting a losing battle** toczymy beznadziejną walkę; **it's a losing battle** to jest beznadziejna walka.

battledress ['bætldres] n mundur m polowy.

battlefield ['bætlfiːld] n pole nt bitwy or walki.

battlements ['bætlmənts] npl blanki pl.

battleship ['bætlʃɪp] n pancernik m.

bauble ['bɔːbl] n błyskotka f, świecidełko nt.

baud [bɔːd] (COMPUT) n bod m.

baud rate n szybkość f transmisji danych.

baulk [bɔːlk] vi = **balk**.

bauxite ['bɔːksaɪt] n boksyt m.

Bavaria [bə'vɛərɪə] n Bawaria f.

Bavarian [bə'vɛərɪən] adj bawarski ♦ n Bawarczyk (-rka) m(f).

bawdy ['bɔːdɪ] adj rubaszny, sprośny.

bawl [bɔːl] vi drzeć się (rozedrzeć się perf), ryczeć (ryknąć perf).

bay [beɪ] n zatoka f; (BRIT: for parking) zatoczka f; (: for loading) podjazd m; (horse) gniadosz m; **to hold sb at bay** trzymać kogoś na dystans.

bay leaf n liść m or listek m bobkowy or laurowy.

bayonet ['beɪənɪt] n bagnet m.

bay tree n wawrzyn m, laur m.

bay window n okno nt wykuszowe.

bazaar [bə'zɑː*] n (market) bazar m, jarmark m; (fete) kiermasz m dobroczynny.

bazooka [bə'zuːkə] n pancerzownica f.

BB (BRIT) n abbr (= Boys' Brigade) organizacja chłopięca.

B & B n abbr = bed and breakfast.

BBB (US) n abbr (= Better Business Bureau) biuro broniące praw konsumentów.

BBC n abbr (= British Broadcasting Corporation) BBC nt inv.

BC adv abbr (= before Christ) p.n.e. ♦ abbr (CANADA: = British Columbia).

BCG n abbr (= Bacillus Calmette-Guérin) BCG nt inv.

BD n abbr (= Bachelor of Divinity) stopień naukowy.

B/D abbr = bank draft.

BDS n abbr (= Bachelor of Dental Surgery) stopień naukowy.

KEYWORD
---

be [bi:] (pt **was, were**, pp **been**) aux vb **1** (in continuous tenses): **what are you doing?** co robisz?; **it is raining** pada (deszcz); **they're coming tomorrow** przyjeżdżają jutro; **I've been waiting for you for hours** czekam na ciebie od dobrych paru godzin. **2** (forming passives) być, zostać (perf); **she was admired** była podziwiana; **he was killed** został zabity; **the thief was nowhere to be seen** złodzieja nigdzie nie było widać. **3** (in tag questions) prawda; **he's good-looking, isn't he?** jest przystojny, prawda?; **she's back again, is she?** a więc znów jest z powrotem? **4** (+to +infin): **the house is to be sold** dom ma zostać sprzedany; **you are to report to the boss** masz się zgłosić do szefa; **he's not to open it** on ma tego nie otwierać ♦ vb +complement **1** być; **I'm English** jestem Anglikiem; **I am hot/cold** jest mi gorąco/zimno; **2 and 2 are 4** 2 i 2 jest 4; **be careful** bądź ostrożny. **2** (of health) czuć się; **how are you?** jak się czujesz?; **he's very ill** jest bardzo chory. **3** (of age): **how old are you?** ile masz lat?; **I'm sixteen (years old)** mam szesnaście lat. **4** (cost) kosztować; **how much was the dinner?** ile kosztował obiad?; **that'll be 5 pounds please** to będzie (razem) 5 funtów ♦ vi **1** (exist, occur etc) istnieć; **is there a God?** czy istnieje Bóg?; **so be it** niech tak będzie; **be that as it may** tak czy owak. **2** (referring to place) być; **I won't be here tomorrow** jutro mnie tu nie będzie; **where have you been?** gdzie byłeś? ♦ impers vb **1** (referring to time, distance, weather) być; **it's five o'clock** jest (godzina) piąta; **it's the 28th of April** jest 28 kwietnia; **it's 10 km to the village** do wsi jest 10 km; **it's too hot/cold** jest za gorąco/zimno. **2** (emphatic): **it's only me** to tylko ja; **it was Maria who paid the bill** to Maria uregulowała rachunek.

B/E abbr = bill of exchange.

beach [bi:tʃ] n plaża f ♦ vt (boat) wyciągać (wyciągnąć perf) na brzeg.

beach buggy n mały pojazd z silnikiem o dużej mocy i wielkimi oponami umożliwiającymi jazdę po wydmach.

beachcomber ['bi:tʃkəumə*] n włóczęga zbierający wyrzucone przez fale przedmioty i utrzymujący się z ich sprzedaży.

beachwear ['bi:tʃwɛə*] n stroje pl plażowe.

beacon ['bi:kən] n (signal light) znak m nawigacyjny; (marker) stawa f, pława f, (radio beacon) radiolatarnia f.

bead [bi:d] n (glass, plastic etc) paciorek m, koralik m; (of sweat) kropla f; **beads** npl korale pl.

beady ['bi:dɪ] adj: **beady eyes** oczy jak paciorki.

beagle ['bi:gl] n nieduży pies gończy.

beak [bi:k] n dziób m.

beaker ['bi:kə*] n kubek m (zwykle bez ucha i rozszerzający się ku górze).

beam [bi:m] n (ARCHIT) belka f, dźwigar m; (of light) snop m; (RADIO, PHYS) wiązka f ♦ vi rozpromieniać się (rozpromienić się perf) ♦ vt (signal) przesyłać (przesłać perf), nadawać (nadać perf); **to drive on full** or **main** or (US) **high beam** jechać na pełnym gazie.

beaming ['bi:mɪŋ] adj (sun) jasny; (smile) promienny.

bean [bi:n] n fasola f, fasolka f; **runner bean** fasol(k)a szparagowa; **broad bean** bób; **coffee bean** ziarn(k)o kawy.

beansprouts ['bi:nsprauts] npl kiełki pl (fasoli, soi itp).

bear¹ [bɛə*] n niedźwiedź m; (STOCK EXCHANGE) gracz m na zniżkę; **a bear market** okres intensywnej wyprzedaży akcji.

bear² [bɛə*] (pt **bore**, pp **borne**) vt (carry) nieść, nosić; (support) podtrzymywać (podtrzymać perf); (responsibility, cost) ponosić (ponieść perf); (tolerate, endure) znosić (znieść perf); (examination, scrutiny) wytrzymywać (wytrzymać perf); (traces, signs) nosić; (COMM: interest, dividend) przynosić (przynieść perf); (children, fruit) rodzić (urodzić perf) ♦ vi: **to bear right/left** (AUT) trzymać się prawej/lewej strony; **to bear no relation to** nie odpowiadać +dat, (zupełnie) nie przypominać +gen; **I can't bear him** nie mogę go znieść, nie znoszę go; **to bring pressure to bear on sb** wywierać (wywrzeć perf) na kogoś presję.

▶**bear out** vt (claims, suspicions etc) potwierdzać (potwierdzić perf); (person) popierać (poprzeć perf).

▶**bear up** vi nie upadać na duchu, trzymać się; **he bore up well** trzymał się dzielnie.

▶**bear with** vt fus (sb's decision, plan) trwać (wytrwać perf) przy +loc; **bear with me a minute** posłuchaj mnie przez chwilę.

bearable ['bɛərəbl] *adj* znośny.

beard [bɪəd] *n* broda *f*, zarost *m*.

bearded ['bɪədɪd] *adj* brodaty, z brodą *post*.

bearer ['bɛərə*] *n* (*of letter, news*) doręczyciel(ka) *m(f)*; (*of cheque, passport, title*) posiadacz(ka) *m(f)*, właściciel(ka) *m(f)*.

bearing ['bɛərɪŋ] *n* (*posture*) postawa *f*, postura *f*; (*connection*) związek *m*, powiązanie *nt*; (*TECH*) łożysko *nt*, ułożyskowanie *nt*; **bearings** *npl* łożysko *nt*; **to take a bearing** wziąć (*perf*) namiar; **to get one's bearings** ustalić (*perf*) swoje położenie *or* swoją pozycję; (*fig*) zorientować się (*perf*), nabrać (*perf*) orientacji.

beast [bi:st] *n* (*animal*) zwierzę *nt*, zwierz *m*; (*inf: person*) bestia *f*, potwór *m*.

beastly ['bi:stlɪ] *adj* (*weather, trick etc*) paskudny; (*child*) nieznośny.

beat [bi:t] (*pt* **beat**, *pp* **beaten**) *n* (*of heart*) bicie *nt*; (*MUS*) rytm *m*; (*of policeman*) obchód *m* ♦ *vt* (*wife, child*) bić (zbić *perf*); (*eggs, cream*) ubijać (ubić *perf*); (*opponent*) pokonywać (pokonać *perf*); (*record*) bić (pobić *perf*) ♦ *vi* (*heart, wind*) bić, uderzać (uderzyć *perf*); (*drum, rain*) bębnić (zabębnić *perf*); **to beat time** wybijać rytm; **beat it!** (*inf*) spływaj! (*inf*), zmiataj! (*inf*); **that beats everything** to przechodzi ludzkie pojęcie; **to beat about the bush** owijać w bawełnę; **off the beaten track** z dala od cywilizacji.

►**beat down** *vt* (*door*) wyważać (wyważyć *perf*); (*seller*) stargować (*perf*) ofertę +*gen* ♦ *vi* (*rain*) lać; (*sun*) prażyć.

►**beat off** *vt* bronić się (obronić się *perf*) przed +*instr*.

►**beat up** *vt* pobić (*perf*).

beater ['bi:tə*] *n* trzepaczka *f*.

beating ['bi:tɪŋ] *n* lanie *nt*; **to take a beating** (*fig*) doznawać (doznać *perf*) porażki *or* klęski, dostawać (dostać *perf*) lanie (*inf*); **she will take some beating** niełatwo będzie ją pokonać.

beat-up ['bi:t'ʌp] (*inf*) *adj* (*car etc*) poobijany.

beautician [bju:'tɪʃən] *n* kosmetyczka *f*.

beautiful ['bju:tɪful] *adj* piękny.

beautifully ['bju:tɪflɪ] *adv* (*play, sing, etc*) pięknie; (*quiet, empty etc*) doskonale.

beautify ['bju:tɪfaɪ] *vt* upiększać (upiększyć *perf*).

beauty ['bju:tɪ] *n* (*quality*) piękno *nt*, uroda *f*; (*woman*) piękność *f*; (*fig*) urok *m*; **the beauty of it is that ...** urok tego tkwi w tym, że ... .

beauty contest *n* konkurs *m* piękności.

beauty queen *n* miss *f inv* (*zwyciężczyni konkursu piękności*).

beauty salon *n* salon *m* kosmetyczny *or* piękności.

beauty spot (*BRIT*) *n* atrakcja *f* krajobrazowa.

beaver ['bi:və*] *n* bóbr *m*.

becalmed [bɪ'kɑ:md] *adj* (*ship*) unieruchomiony (*z powodu braku wiatru*).

became [bɪ'keɪm] *pt of* **become**.

because [bɪ'kɔz] *conj* ponieważ, dlatego, że; **because of** z powodu +*gen*.

beck [bɛk] *n*: **to be at sb's beck and call** być na czyjeś zawołanie *or* do czyichś usług.

beckon ['bɛkən] *vt* (*also:* **beckon to**) kiwać (kiwnąć *perf*) do +*gen*, skinąć (*perf*) na +*acc* ♦ *vi* (*fame, glory*) kusić.

become [bɪ'kʌm] (*irreg like:* **come**) *vi* (+*noun*) zostawać (zostać *perf*) +*instr*, stawać się (stać się *perf*) +*instr*; (+*adj*) stawać się (stać się *perf*) +*nom*; **to become fat** tyć (utyć *perf*); **to become thin** chudnąć (schudnąć *perf*); **to become angry** złościć się (rozzłościć się *perf*); **it became known that** stało się wiadome, że; **what has become of him?** co się z nim stało?

becoming [bɪ'kʌmɪŋ] *adj* (*behaviour*) stosowny, właściwy; (*clothes, colour*) twarzowy.

BECTU ['bɛktu] (*BRIT*) *n abbr* (= *Broadcasting Entertainment Cinematographic and Theatre Union*).

BEd *n abbr* (= *Bachelor of Education*) *stopień naukowy*.

bed [bɛd] *n* (*piece of furniture*) łóżko *nt*; (*of coal etc*) pokład *m*, złoże *nt*; (*of river, sea*) dno *nt*; (*of flowers*) klomb *m*, grządka *f*; **to go to bed** iść (pójść *perf*) do łóżka, iść (pójść *perf*) spać.

►**bed down** *vi* przespać się (*perf*).

bed and breakfast *n* (*place*) ≈ pensjonat *m*; (*terms*) pokój *m* ze śniadaniem.

bedbug ['bɛdbʌg] *n* pluskwa *f*.

bedclothes ['bɛdkləuðz] *npl* pościel *f*.

bedding ['bɛdɪŋ] *n* posłanie *nt*, pościel *f*.

bedevil [bɪ'dɛvl] *vt* (*person*) prześladować; (*plans*) krzyżować (pokrzyżować *perf*).

bedfellow ['bɛdfɛləu] *n*: **they are strange bedfellows** (*fig*) dziwna z nich para.

bedlam ['bɛdləm] *n* bałagan *m*, harmider *m*.

bedpan ['bɛdpæn] *n* basen *m* (*dla chorego*).

bedpost ['bɛdpəust] *n* słupek *m* łóżka z baldachimem.

bedraggled [bɪ'drægld] *adj* (*person*) przemoczony; (*clothes, hair*) przemoczony, w nieładzie *post*.

bedridden ['bɛdrɪdn] *adj* przykuty do łóżka.

bedrock ['bɛdrɔk] *n* (*fig*) podstawa *f*, opoka *f*; (*GEOL*) skała *f* macierzysta.

bedroom ['bɛdrum] *n* sypialnia *f*.

Beds [bɛdz] (*BRIT: POST*) *abbr* (= *Bedfordshire*).

bedside ['bɛdsaɪd] *n*: **at sb's bedside** u czyjegoś łoża; **a bedside lamp** lampka nocna.

bedsit(ter) ['bɛdsɪt(ə*)] (*BRIT*) *n* ≈ kawalerka *f*.

bedspread ['bɛdsprɛd] *n* narzuta *f*, kapa *f*.

bedtime ['bɛdtaɪm] *n*: **it's bedtime** pora spać; **at bedtime** przed zaśnięciem; **it's long past her bedtime** już od dawna powinna spać.

bee [biː] n pszczoła f; **to have a bee in one's bonnet (about sth)** mieć bzika (na punkcie czegoś).

beech [biːtʃ] n buk m.

beef [biːf] n wołowina f; **roast beef** pieczeń wołowa.

▸**beef up** vt (inf: essay, programme) uatrakcyjniać (uatrakcyjnić perf).

beefburger ['biːfbəːgə*] n hamburger m z wołowiny.

Beefeater ['biːfiːtə*] n strażnik londyńskiej Tower w stroju historycznym.

beehive ['biːhaɪv] n ul m.

beeline ['biːlaɪn] n: **to make a beeline for** ruszyć (perf) prosto do +gen.

been [biːn] pp of **be**.

beer [bɪə*] n piwo nt.

beer can n puszka f po piwie.

beet [biːt] n burak m; (US: also: **red beet**) burak m (ćwikłowy).

beetle ['biːtl] n żuk m, chrząszcz m.

beetroot ['biːtruːt] (BRIT) n burak m (ćwikłowy).

befall [bɪˈfɔːl] (irreg like: **fall**) vt przytrafiać się (przytrafić się perf) +dat, spotykać (spotkać perf).

befit [bɪˈfɪt] vt wypadać +dat; **as befits a four-star hotel** jak przystało na czterogwiazdkowy hotel.

before [bɪˈfɔː*] prep (of time) przed +instr; (of space) przed +instr, naprzeciwko +gen ♦ conj zanim ♦ adv (time) (już) kiedyś, poprzednio; **before going** przed wyjściem; **before she goes** zanim wyjdzie; **the week before** tydzień wcześniej, w poprzednim tygodniu; **I've never seen it before** nigdy wcześniej tego nie widziałem.

beforehand [bɪˈfɔːhænd] adv wcześniej, z wyprzedzeniem.

befriend [bɪˈfrend] vt okazywać (okazać perf) życzliwość +dat, przychodzić (przyjść perf) z pomocą +dat.

befuddled [bɪˈfʌdld] adj zamroczony.

beg [beg] vi żebrać ♦ vt (also: **beg for**: food, money) żebrać o +acc; (: favour) prosić o +acc; (: mercy etc) błagać o +acc; **to beg sb to do sth** błagać kogoś, żeby coś zrobił; **I beg your pardon** (apologizing) przepraszam; (not hearing) słucham?; **to beg the question** opierać się na nie dowiedzionych przesłankach.

began [bɪˈgæn] pt of **begin**.

beggar ['begə*] n żebrak (-aczka) m(f).

begin [bɪˈgɪn] (pt **began**, pp **begun**) vt zaczynać (zacząć perf), rozpoczynać (rozpocząć perf) ♦ vi zaczynać się (zacząć się perf), rozpoczynać się (rozpocząć się perf); **to begin doing** or **to do sth** zaczynać (zacząć perf) coś robić; **beginning (from) Monday** od poniedziałku; **I can't begin to thank you** nie wiem, jak mam ci dziękować; **we'll have**

soup to begin with na początek będzie zupa; **to begin with, I'd like to know ...** po pierwsze, chciałbym wiedzieć... .

beginner [bɪˈgɪnə*] n początkujący (-ca) m(f), nowicjusz(ka) m(f).

beginning [bɪˈgɪnɪŋ] n początek m; **right from the beginning** od samego początku.

begrudge [bɪˈgrʌdʒ] vt: **to begrudge sb sth** żałować (pożałować perf) komuś czegoś, zazdrościć (pozazdrościć perf) komuś czegoś.

beguile [bɪˈgaɪl] vt mamić (omamić perf).

beguiling [bɪˈgaɪlɪŋ] adj (voice, sight) czarujący; (prospect, promise) złudny.

begun [bɪˈgʌn] pp of **begin**.

behalf [bɪˈhɑːf] n: **on behalf of**, (US) **in behalf of** (as representative of) w imieniu +gen; (for benefit of) na rzecz +gen; **on my/his behalf** w swoim/jego imieniu.

behave [bɪˈheɪv] vi (person) zachowywać się (zachować się perf), postępować (postąpić perf); (object) zachowywać się (zachować się perf); (also: **behave o.s.**) być grzecznym, zachowywać się (poprawnie); **behave yourself!** zachowuj się!

behaviour [bɪˈheɪvjə*] (US **behavior**) n zachowanie nt, postępowanie nt.

behead [bɪˈhed] vt ścinać (ściąć perf) głowę +dat.

beheld [bɪˈheld] pt, pp of **behold**.

behind [bɪˈhaɪnd] prep (at the back of) za +instr, z tyłu +gen; (supporting) za +instr, po stronie +gen; (lower in rank etc) za +instr ♦ adv z tyłu, w tyle ♦ n pupa f (inf), tyłek m; **to be behind** być spóźnionym; **behind the scenes** (fig) za kulisami; **she asked me to stay behind** poprosiła, żebym został; **to leave sth behind** zapominać (zapomnieć perf) czegoś, zostawiać (zostawić perf) coś; **we're behind them in technology** jesteśmy za nimi w tyle, jeśli idzie o technikę.

behold [bɪˈhəʊld] (irreg like: **hold**) (old) vt ujrzeć (perf).

beige [beɪʒ] adj beżowy.

Beijing ['beɪˈdʒɪŋ] n Pekin m.

being ['biːɪŋ] n (creature) istota f, stworzenie nt; (existence) istnienie nt, byt m; **to come into being** powstawać (powstać perf), zaistnieć (perf).

Beirut [beɪˈruːt] n Bejrut m.

belated [bɪˈleɪtɪd] adj (thanks etc) spóźniony.

belch [beltʃ] vi: **he belched** odbiło mu się ♦ vt (also: **belch out**: smoke etc) buchać (buchnąć perf) +instr.

beleaguered [bɪˈliːgɪd] adj (city) oblężony; (army) otoczony; (fig) zapracowany.

Belfast ['belfɑːst] n Belfast m.

belfry ['belfrɪ] n dzwonnica f.

Belgian ['beldʒən] adj belgijski ♦ n Belg(ijka) m(f).

Belgium ['beldʒəm] n Belgia f.

Belgrade [belˈgreɪd] n Belgrad m.

belie [bɪ'laɪ] *vt* (*disprove*) przeczyć +*dat*, zadawać (zadać *perf*) kłam +*dat*; (*give false impression of*) maskować.

belief [bɪ'li:f] *n* (*opinion*) przekonanie *nt*; (*trust, faith*) wiara *f*; (*religious*) wiara *f*, wierzenie *nt*; (*acceptance as true*) przekonanie *nt*, przeświadczenie *nt*; **beyond belief** nie do wiary; **in the belief that ...** w nadziei, że ... .

believable [bɪ'li:vəbl] *adj* wiarygodny.

believe [bɪ'li:v] *vt* (*person*) wierzyć (uwierzyć *perf*) +*dat*; (*story*) wierzyć (uwierzyć *perf*) w +*acc* ♦ *vi* wierzyć (uwierzyć *perf*); **to believe that...** uważać, że..., wierzyć, że...; **to believe in** wierzyć (uwierzyć *perf*) w +*acc*; **I don't believe in corporal punishment** nie jestem zwolennikiem kar cielesnych; **he is believed to be abroad** uważa się, że jest za granicą.

believer [bɪ'li:və*] *n* (*in idea*) zwolennik (-iczka) *m(f)*; (*REL*) wyznawca (-czyni) *m(f)*, wierzący (-ca) *m(f)*; **she's a great believer in healthy eating** ona jest gorącą zwolenniczką zdrowego odżywiania się.

belittle [bɪ'lɪtl] *vt* umniejszać (umniejszyć *perf*).

Belize [bɛ'li:z] *n* Belize *nt inv*.

bell [bɛl] *n* (*of church*) dzwon *m*; (*small, electric*) dzwonek *m*; **that rings a bell** (*fig*) to mi coś przypomina.

bell-bottoms ['bɛlbɔtəmz] *npl* dzwony *pl* (*spodnie*).

bellboy ['bɛlbɔɪ] (*BRIT*) *n* goniec *m* hotelowy.

bellhop ['bɛlhɔp] (*US*) *n* = **bellboy**.

belligerence [bɪ'lɪdʒərəns] *n* wojowniczość *f*.

belligerent [bɪ'lɪdʒərənt] *adj* wojowniczy.

bellow ['bɛləu] *vi* (*bull*) ryczeć (ryknąć *perf* or zaryczeć *perf*); (*person*) grzmieć (zagrzmieć *perf*) ♦ *vt* (*orders*) wykrzykiwać (wykrzyczeć *perf*).

bellows ['bɛləuz] *npl* miech *m*, miechy *pl*.

bell push (*BRIT*) *n* przycisk *m* dzwonka.

belly ['bɛlɪ] *n* brzuch *m*.

bellyache ['bɛlɪeɪk] (*inf*) *n* ból *m* brzucha ♦ *vi* narzekać, stękać (*inf*).

belly button *n* pępek *m*.

belong [bɪ'lɔŋ] *vi*: **to belong to** należeć do +*gen*; **this book belongs here** miejsce tej książki jest tutaj.

belongings [bɪ'lɔŋɪŋz] *npl* rzeczy *pl*, dobytek *m*.

beloved [bɪ'lʌvɪd] *adj* ukochany ♦ *n* (*old*) ukochany (-na) *m(f)*.

below [bɪ'ləu] *prep* (*beneath*) pod +*instr*, poniżej +*gen*; (*less than*) poniżej +*gen* ♦ *adv* pod spodem, poniżej; **see below** (*in letter etc*) patrz poniżej; **temperatures below normal** temperatury poniżej normy.

belt [bɛlt] *n* (*clothing*) pasek *m*; (*of land, sea, air*) pas *m*, strefa *f*; (*TECH*) pas *m*, pasek *m* ♦ *vt* (*inf*) lać (zlać *perf*) (*pasem: inf*) ♦ *vi* (*BRIT: inf*) pędzić, pruć (*inf*); **industrial belt** okręg przemysłowy.

▸**belt out** *vt* (*inf*) wyśpiewywać (*na cały głos*).

▸**belt up** (*BRIT: inf*) *vi* zamknąć się (*perf*) (*inf*), przymknąć się (*perf*) (*inf*).

beltway ['bɛltweɪ] (*US: AUT*) *n* obwodnica *f*.

bemoan [bɪ'məun] *vt* opłakiwać, żałować +*gen*.

bemused [bɪ'mju:zd] *adj* zdezorientowany.

bench [bɛntʃ] *n* (*seat*) ławka *f*, ława *f*; (*work bench*) warsztat *m*, stół *m* roboczy; (*BRIT*) ława *f* (*w parlamencie*); **the Bench** sąd.

benchmark ['bɛntʃmɑ:k] *n* (*fig*) miara *f*, kryterium *nt*.

bend [bɛnd] (*pt, pp* **bent**) *vt* (*leg*) zginać (zgiąć *perf*); (*pipe*) giąć, wyginać (wygiąć *perf*) ♦ *vi* (*person*) zginać się (zgiąć się *perf*), schylać się (schylić się *perf*); (*pipe*) zginać się (zgiąć się *perf*) ♦ *n* (*BRIT: in road, river*) zakręt *m*; (*in pipe*) wygięcie *nt*; **bends** *npl*: **the bends** choroba *f* kesonowa.

▸**bend down** *vi* schylać się (schylić się *perf*).

▸**bend over** *vi* nachylać się (nachylić się *perf*), pochylać się (pochylić się *perf*).

beneath [bɪ'ni:θ] *prep* (*in position*) pod +*instr*, poniżej +*gen*; (*in status*) poniżej +*gen* ♦ *adv* poniżej, pod spodem.

benefactor ['bɛnɪfæktə*] *n* dobroczyńca *m*, ofiarodawca *m*.

benefactress ['bɛnɪfæktrɪs] *n* ofiarodawczyni *f*.

beneficial [bɛnɪ'fɪʃəl] *adj* zbawienny, dobroczynny; **beneficial (to)** korzystny (dla +*gen*).

beneficiary [bɛnɪ'fɪʃərɪ] (*JUR*) *n* beneficjent *m*.

benefit ['bɛnɪfɪt] *n* (*advantage*) korzyść *f*, pożytek *m*; (*money*) zasiłek *m*; (*also*: **benefit concert/match**) impreza *f* na cele dobroczynne ♦ *vt* przynosić (przynieść *perf*) korzyść or pożytek +*dat* ♦ *vi*: **he'll benefit from it** skorzysta na tym.

Benelux ['bɛnɪlʌks] *n* Beneluks *m*, kraje *pl* Beneluksu.

benevolent [bɪ'nɛvələnt] *adj* (*person*) życzliwy; (*organization*) dobroczynny.

BEng *n abbr* (= *Bachelor of Engineering*) *stopień naukowy*.

benign [bɪ'naɪn] *adj* (*person, smile*) dobroduszny, dobrotliwy; (*MED*) łagodny, niezłośliwy.

bent [bɛnt] *pt, pp of* **bend** ♦ *n* zacięcie *nt*, żyłka *f* ♦ *adj* (*wire, pipe*) zgięty, wygięty; (*inf: dishonest*) przekupny, skorumpowany; (: *pej: homosexual*) pedałowaty (*pej, inf*); **to be bent on** być zdecydowanym na +*acc*.

bequeath [bɪ'kwi:ð] *vt* zapisywać (zapisać *perf*) +*dat*, zostawiać (zostawić *perf*) w spadku +*dat*.

bequest [bɪ'kwɛst] *n*: **bequest (to)** zapis *m* (na rzecz +*gen*).

bereaved [bɪ'ri:vd] *n*: **the bereaved** pogrążeni *pl* w smutku or żałobie ♦ *adj* osamotniony, osierocony.

bereavement [bɪ'ri:vmənt] *n* strata *f* bliskiej osoby, żałoba *f*.

bereft [bɪ'rɛft] (fml) adj: **bereft of** pozbawiony +gen.

beret ['bɛreɪ] n beret m.

Bering Sea ['beɪrɪŋ-] n: **the Bering Sea** Morze nt Beringa.

Berks [bɑ:ks] (BRIT: POST) abbr (= Berkshire).

Berlin [bə:'lɪn] n Berlin m; **East/West Berlin** Berlin Wschodni/Zachodni.

berm [bə:m] (US) n wał m ziemny (na poboczu drogi).

Bermuda [bə:'mju:də] n Bermudy pl.

Bermuda shorts npl bermudy pl.

Bern [bə:n] n Berno nt.

berry ['bɛrɪ] n jagoda f.

berserk [bə'sə:k] adj: **to go berserk** wpadać (wpaść perf) w szał.

berth [bə:θ] n (on boat) koja f; (on train) miejsce nt leżące; (NAUT) miejsce nt postoju statku ♦ vi dobijać (dobić perf) do nabrzeża; **to give sb a wide berth** (fig) omijać kogoś szerokim łukiem.

beseech [bɪ'si:tʃ] (pt, pp **besought**) vt błagać.

beset [bɪ'sɛt] (pt, pp **beset**) vt dręczyć, prześladować; **beset with dangers/difficulties** najeżony niebezpieczeństwami/trudnościami.

beside [bɪ'saɪd] prep (next to) obok +gen; (compared with) oprócz +gen, poza +instr; **to be beside o.s. (with rage)** nie posiadać się ze złości; **that's beside the point** to nie ma nic do rzeczy.

besides [bɪ'saɪdz] adv poza tym, oprócz tego ♦ prep poza +instr, oprócz +gen.

besiege [bɪ'si:dʒ] vt oblegać (oblec perf); (fig) nagabywać; (: with offers, requests) zasypywać (zasypać perf).

besmirch [bɪ'smə:tʃ] vt (person) oczerniać (oczernić perf); (reputation) szargać (zszargać perf).

besotted [bɪ'sɔtɪd] (BRIT) adj: **besotted with** (person) ogłupiały na punkcie +gen; (love, power) zaślepiony +instr.

besought [bɪ'sɔ:t] pt, pp of **beseech**.

bespectacled [bɪ'spɛktɪkld] adj w okularach post.

bespoke [bɪ'spəuk] (BRIT) adj (garment) szyty na miarę; (tailor) szyjący na miarę.

best [bɛst] adj najlepszy ♦ adv najlepiej; **the best thing to do is ...** najlepiej +infin; **the best part of** większa część +gen; **at best** w najlepszym razie, co najwyżej; **to make the best of** robić (zrobić perf) jak najlepszy użytek z +gen; **to do one's best** dawać (dać perf) z siebie wszystko; **to the best of my knowledge** o ile mi wiadomo; **to the best of my ability** najlepiej jak potrafię; **he's not exactly patient at the best of times** nigdy nie odznaczał się zbytnią cierpliwością.

bestial ['bɛstɪəl] adj bestialski.

best man n drużba m.

bestow [bɪ'stəu] vt: **to bestow sth on sb**

(honour, title) nadawać (nadać perf) coś komuś; (affection, praise) obdarzać (obdarzyć perf) czymś kogoś.

bestseller ['bɛst'sɛlə*] n bestseller m.

bet [bɛt] (pt, pp **bet** or **betted**) n zakład m ♦ vt (wager): **to bet sb sth** zakładać się (założyć się perf) z kimś o coś; (expect, guess): **to bet that** zakładać się (założyć się perf), że ♦ vi: **to bet on** obstawiać (obstawić perf) +acc; **I wouldn't bet on it** nie liczyłbym na to; **it's a safe bet that ...** jest pewne jak w banku, że ... .

Bethlehem ['bɛθlɪhɛm] n Betlejem nt.

betray [bɪ'treɪ] vt (person, country, emotion) zdradzać (zdradzić perf); (trust) zawodzić (zawieść perf).

betrayal [bɪ'treɪəl] n zdrada f.

better ['bɛtə*] adj lepszy ♦ adv lepiej ♦ vt poprawiać (poprawić perf) ♦ n: **to get the better of** brać (wziąć perf) górę nad +instr; **a change for the better** zmiana na lepsze; **I had better go** lepiej już (sobie) pójdę; **I'm much better now** czuję się (już) o wiele lepiej; **you had better do it** lepiej zrób to; **he thought better of it** rozmyślił się; **to get better** (MED) zdrowieć (wyzdrowieć perf); **that's better!** teraz lepiej!

better off adj zamożniejszy; **you can pay the money back when you are better off** możesz zwrócić pieniądze, gdy będziesz w lepszej sytuacji finansowej; **she'll be better off in hospital/without him** lepiej jej będzie w szpitalu/bez niego.

betting ['bɛtɪŋ] n (gambling) zakłady pl; (odds) prawdopodobieństwo nt.

betting shop (BRIT) n agencja f bukmacherska.

between [bɪ'twi:n] prep między +instr, pomiędzy +instr ♦ adv: **in between** pośrodku; **the road between here and London** droga stąd do Londynu; **we only had 5 pounds between us** mieliśmy razem tylko 5 funtów; **between you and me** między nami (mówiąc); **a man aged between 20 and 25** mężczyzna w wieku między 20 a 25 lat; **Penn Close, Court Road and all the little streets in between** Penn Close, Court Road i wszystkie małe uliczki pomiędzy nimi.

bevel ['bɛvəl] n (also: **bevel edge**) skos m, ukos m.

bevelled ['bɛvəld] adj: **a bevelled edge** fazowana krawędź f.

beverage ['bɛvərɪdʒ] n napój m.

bevy ['bɛvɪ] n: **a bevy of** stadko nt +gen.

bewail [bɪ'weɪl] vt użalać się (użalić się perf) na +acc.

beware [bɪ'wɛə*] vi: **to beware (of)** wystrzegać się (+gen); **"beware of the dog"** „uwaga zły pies".

bewildered [bɪ'wɪldəd] adj skonsternowany, zdezorientowany.

bewildering [bɪ'wɪldrɪŋ] *adj* wprawiający w konsternację.

bewitching [bɪ'wɪtʃɪŋ] *adj* czarujący, urzekający.

beyond [bɪ'jɔnd] *prep* poza +*instr* ♦ *adv* dalej; **beyond the age of 16** powyżej szesnastego roku życia; **beyond doubt** ponad wszelką wątpliwość; **beyond repair/recognition** nie do naprawienia/poznania; **to be beyond sb's wildest dreams** przechodzić czyjeś najśmielsze oczekiwania; **it's beyond me** nie mogę tego pojąć.

b/f (*COMM*) *abbr* (= **brought forward**) do przeniesienia.

BFPO *n abbr* (= *British Forces Post Office*).

bhp (*AUT*) *n abbr* (= *brake horsepower*) moc *f* użyteczna w koniach mechanicznych.

bi... [baɪ] *pref* dwu... .

biannual [baɪ'ænjuəl] *adj* odbywający się dwa razy do roku.

bias ['baɪəs] *n* (*prejudice*) uprzedzenie *nt*; (*preference*) przychylność *f*.

bias(s)ed ['baɪəst] *adj* stronniczy; **to be bias(s)ed against** być uprzedzonym do +*gen*.

bib [bɪb] *n* śliniaczek *m*.

Bible ['baɪbl] *n* Biblia *f*.

biblical ['bɪblɪkl] *adj* biblijny.

bibliography [bɪblɪ'ɔgrəfɪ] *n* bibliografia *f*.

bicarbonate of soda [baɪ'kɑːbənɪt-] *n* soda *f* oczyszczona.

bicentenary [baɪsɛn'tiːnərɪ] *n* dwóchsetlecie *nt*.

bicentennial [baɪsɛn'tɛnɪəl] *n* = **bicentenary**.

biceps ['baɪsɛps] *n* biceps *m*, bicepsy *pl*.

bicker ['bɪkə*] *vi* sprzeczać się.

bickering ['bɪkərɪŋ] *n* sprzeczki *pl*.

bicycle ['baɪsɪkl] *n* rower *m*.

bicycle path *n* ścieżka *f* rowerowa.

bicycle pump *n* pompka *f* rowerowa.

bicycle track *n* tor *m* rowerowy.

bid [bɪd] (*pt* **bade** *or* **bid**, *pp* **bid(den)**) *n* oferta *f*; (*for power*) próba *f* przejęcia ♦ *vi* licytować ♦ *vt* oferować (zaoferować *perf*); **to bid sb good day** (*say hallo*) witać (przywitać *perf*) kogoś; (*say good-bye*) żegnać (pożegnać *perf*) kogoś.

bidder ['bɪdə*] *n*: **the highest bidder** osoba *f* oferująca najwyższą cenę.

bidding ['bɪdɪŋ] *n* licytacja *f*; **to do sb's bidding** spełniać (spełnić *perf*) czyjeś rozkazy.

bide [baɪd] *vt*: **to bide one's time** czekać na właściwy moment.

bidet ['biːdeɪ] *n* bidet *m*.

bidirectional ['baɪdɪ'rɛkʃənl] *adj* dwukierunkowy.

biennial [baɪ'ɛnɪəl] *adj* odbywający się co dwa lata ♦ *n* roślina *f* dwuletnia.

bier [bɪə*] *n* mary *pl* (*nosze pogrzebowe*).

bifocals [baɪ'fəuklz] *npl* okulary *pl* dwuogniskowe.

big [bɪg] *adj* duży; (*brother, sister*) starszy; (*ideas, plans*) ambitny; **a big woman in her early forties** rosła kobieta po czterdziestce; **to**

be big in liczyć się w +*loc*; **in a big way** na wielką skalę.

bigamist ['bɪgəmɪst] *n* bigamista (-tka) *m(f)*.

bigamous ['bɪgəməs] *adj* bigamiczny.

bigamy ['bɪgəmɪ] *n* bigamia *f*.

big dipper [-'dɪpə*] *n* kolejka *f* górska (*w wesołym miasteczku*).

big end (*AUT*) *n* łeb *m* korbowy.

bigheaded ['bɪg'hɛdɪd] *adj* przemądrzały.

big-hearted ['bɪg'hɑːtɪd] *adj* wielkiego serca *post*.

bigot ['bɪgət] *n* bigot(ka) *m(f)*.

bigoted ['bɪgətɪd] *adj* bigoteryjny.

bigotry ['bɪgətrɪ] *n* bigoteria *f*.

big toe *n* paluch *m*, duży *or* wielki palec *m* (u nogi).

big top *n* namiot *m* cyrkowy.

big wheel *n* diabelski młyn *m*.

bigwig ['bɪgwɪg] (*inf*) *n* gruba ryba *f* (*inf*).

bike [baɪk] *n* (*bicycle*) rower *m*; (*motorcycle*) motorower *m*.

bikini [bɪ'kiːnɪ] *n* bikini *nt inv*.

bilateral [baɪ'lætərl] *adj* dwustronny, bilateralny.

bile [baɪl] *n* (*lit, fig*) żółć *f*.

bilingual [baɪ'lɪŋgwəl] *adj* dwujęzyczny, bilingwalny.

bilious ['bɪlɪəs] *adj* (*fig*) obrzydliwy; **I felt bilious** było mi niedobrze.

bill [bɪl] *n* rachunek *m*; (*POL*) projekt *m* ustawy; (*US*) banknot *m*; (*of bird*) dziób *m*; (*THEAT*): **on the bill** w programie ♦ *vt* (*item*) ewidencjonować (zaewidencjonować *perf*); (*customer*) wystawiać (wystawić *perf*) rachunek +*dat*; **"post no bills"** „nie naklejać"; **to fit** *or* **fill the bill** (*fig*) nadawać się (nadać się *perf*); **bill me at my London address** proszę przysłać rachunek na mój londyński adres; **bill of exchange** weksel; **bill of fare** jadłospis; **bill of lading** konosament, list przewozowy; **bill of sale** akt sprzedaży.

billboard ['bɪlbɔːd] *n* billboard *m*.

billet ['bɪlɪt] *n* (*MIL*) kwatera *f* ♦ *vt* kwaterować (zakwaterować *perf*).

billfold ['bɪlfəuld] (*US*) *n* portfel *m*.

billiards ['bɪljədz] *n* bilard *m*.

billion ['bɪljən] *n* (*BRIT*) bilion *m*; (*US*) miliard *m*.

billow ['bɪləu] *n* kłąb *m* ♦ *vi* (*smoke*) kłębić się; (*sail*) wydymać się.

billy goat ['bɪlɪ-] *n* kozioł *m*.

bin [bɪn] *n* (*BRIT: for rubbish*) kosz *m*; (*for storing things*) pojemnik *m*.

binary ['baɪnərɪ] (*MATH*) *adj* dwójkowy, binarny.

bind [baɪnd] (*pt, pp* **bound**) *vt* (*tie*) przywiązywać (przywiązać *perf*); (*tie together*) wiązać, związywać (związać *perf*); (*oblige*) zobowiązywać (zobowiązać *perf*); (*book*) oprawiać (oprawić *perf*) ♦ *n* (*inf*) zawracanie *nt* głowy (*inf*).

▸**bind over** vt (JUR) zobowiązywać (zobowiązać perf) pod rygorem.

▸**bind up** vt (wound) bandażować (zabandażować perf); **to be bound up in** być zaangażowanym w +acc.

binder ['baɪndə*] n segregator m.

binding ['baɪndɪŋ] adj wiążący ♦ n (of book) oprawa f.

binge [bɪndʒ] (inf) n: **to go on a binge** iść (pójść perf) w tango (inf).

bingo ['bɪŋgəu] n bingo nt inv.

binoculars [bɪ'nɔkjuləz] npl lornetka f.

bio... [baɪəu] pref bio... .

biochemistry [baɪə'kemɪstrɪ] n biochemia f.

biodegradable ['baɪəudɪ'greɪdəbl] adj ulegający biodegradacji.

biographer [baɪ'ɔgrəfə*] n biograf m.

biographic(al) [baɪə'græfɪk(l)] adj biograficzny.

biography [baɪ'ɔgrəfɪ] n biografia f.

biological [baɪə'lɔdʒɪkl] adj biologiczny; (washing powder) enzymatyczny.

biologist [baɪ'ɔlədʒɪst] n biolog m.

biology [baɪ'ɔlədʒɪ] n biologia f.

biophysics ['baɪəu'fɪzɪks] n biofizyka f.

biopsy ['baɪɔpsɪ] n biopsja f.

biotechnology ['baɪəutek'nɔlədʒɪ] n biotechnologia f.

biped ['baɪpɛd] n dwunożny m.

birch [bə:tʃ] n brzoza f.

bird [bə:d] n ptak m; (BRIT: inf: woman) kociak m.

bird's-eye view ['bə:dzaɪ-] n (aerial view) widok m z lotu ptaka; (overview) ogólne spojrzenie nt.

bird-watcher ['bə:dwɔtʃə*] n obserwator(ka) m(f) ptaków.

Biro ['baɪərəu] ® n długopis m.

birth [bə:θ] n (lit, fig) narodziny pl; **to give birth to** rodzić (urodzić perf) +acc.

birth certificate n metryka f (urodzenia).

birth control n (policy) planowanie nt rodziny; (methods) regulacja f urodzeń, zapobieganie nt ciąży.

birthday ['bə:θdeɪ] n urodziny pl ♦ cpd urodzinowy; see also **happy**.

birthmark ['bə:θmɑ:k] n znamię nt wrodzone.

birthplace ['bə:θpleɪs] n miejsce nt urodzenia; (fig) miejsce nt narodzin, kolebka f.

birth rate ['bə:θreɪt] n wskaźnik m urodzeń.

Biscay ['bɪskeɪ] n: **the Bay of Biscay** Zatoka f Biskajska.

biscuit ['bɪskɪt] n (BRIT) herbatnik m, kruche ciasteczko nt; (US) biszkopt m, babeczka f.

bisect [baɪ'sɛkt] vt przepoławiać (przepołowić perf), dzielić (podzielić perf) na połowę.

bishop ['bɪʃəp] n (REL) biskup m; (CHESS) goniec m.

bit [bɪt] pt of bite ♦ n (piece) kawałek m; (tool) wiertło nt; (COMPUT) bit m; (of horse) wędzidło nt; (US) 12,5 centa; **a bit of** trochę

+gen, odrobina +gen; **a bit mad** lekko stuknięty (inf); **bit by bit** kawałek po kawałku; **to come to bits** rozpaść się (perf) or rozlecieć się (perf) na kawałki; **bring all your bits and pieces** przynieś wszystkie swoje drobiazgi; **he did his bit** zrobił, co do niego należało.

bitch [bɪtʃ] n suka f.

bite [baɪt] (pt **bit**, pp **bitten**) vt gryźć (ugryźć perf) ♦ vi gryźć (ugryźć perf), kąsać (ukąsić perf) ♦ n (from insect) ukąszenie nt; (mouthful) kęs m; **to bite one's nails** obgryzać paznokcie; **let's have a bite (to eat)** (inf) przekąsmy coś (inf).

biting ['baɪtɪŋ] adj (wind) szczypiący; (wit) uszczypliwy.

bit part (THEAT) n rólka f.

bitten ['bɪtn] pp of **bite**.

bitter ['bɪtə*] adj (person) zgorzkniały; (taste, experience, disappointment) gorzki; (cold, wind) przejmujący, przenikliwy; (struggle, criticism) zawzięty ♦ n (BRIT) rodzaj piwa; **to the bitter end** do upadłego.

bitterly ['bɪtəlɪ] adv gorzko; (oppose, criticize) zawzięcie; **it's bitterly cold** jest przejmująco zimno.

bitterness ['bɪtənɪs] n (resentment) gorycz f, rozgoryczenie nt; (bitter taste) gorycz f, gorzkość f.

bittersweet ['bɪtəswi:t] adj gorzko-słodki; **bittersweet memories** mieszanina złych i dobrych wspomnień.

bitty ['bɪtɪ] (BRIT: inf) adj: **the play was bitty in the second act** drugi akt nie trzymał się kupy (inf).

bitumen ['bɪtjumɪn] n bitum m.

bivouac ['bɪvuæk] n biwak m.

bizarre [bɪ'zɑ:*] adj dziwaczny.

bk abbr = bank; book książ.

BL n abbr (= Bachelor of Law, Bachelor of Letters, Bachelor of Literature) stopień naukowy.

bl abbr (= bill of lading) list m przewozowy.

blab [blæb] (inf) vi wygadać się (perf) (inf).

black [blæk] adj czarny ♦ n (colour) (kolor m) czarny, czerń f; (person) czarnoskóry (-ra) m ♦ vt (BRIT: INDUSTRY) bojkotować (zbojkotować perf); **to give sb a black eye** podbić (perf) komuś oko; **black and blue** posiniaczony; **in the black** wypłacalny; **in black and white** (fig) czarno na białym.

▸**black out** vi (na krótko) tracić (stracić perf) przytomność.

black belt n (US) dzielnica f murzyńska; (JUDO) czarny pas m.

blackberry ['blækbərɪ] n jeżyna f.

blackbird ['blækbə:d] n kos m.

blackboard ['blækbɔ:d] n tablica f.

black box (AVIAT) n czarna skrzynka f.

black coffee n czarna kawa f.

Black Country *n*: **the Black Country** *silnie uprzemysłowiony rejon środkowej Anglii.*

blackcurrant ['blæk'kʌrənt] *n* czarna porzeczka *f*.

black economy *n*: **the black economy** szara strefa *f*.

blacken ['blækn] *vt* (*fig*) oczerniać (oczernić *perf*).

Black Forest *n*: **the Black Forest** Schwarzwald *m*.

blackhead ['blækhɛd] *n* wągier *m*, zaskórnik *m*.

black ice *n* warstwa przezroczystego lodu na drodze.

blackjack ['blækdʒæk] *n* (*CARDS*) oczko *nt*; (*US*) pałka *f*.

blackleg ['blæklɛg] (*BRIT*) *n* łamistrajk *m*.

blacklist ['blæklɪst] *n* czarna lista *f* ♦ *vt* wciągać (wciągnąć *perf*) na czarną listę.

blackmail ['blækmeɪl] *n* szantaż *m* ♦ *vt* szantażować (zaszantażować *perf*).

blackmailer ['blækmeɪlə*] *n* szantażysta (-tka) *m(f)*.

black market *n* czarny rynek *m*.

blackout ['blækaut] *n* (*in wartime*) zaciemnienie *nt*; (*power cut*) przerwa *f* w dostawie energii elektrycznej; (*TV, RADIO*) zagłuszanie *nt*; (*faint*) (krótkotrwała) utrata *f* przytomności.

Black Sea *n*: **the Black Sea** Morze *nt* Czarne.

black sheep *n* (*fig*) czarna owca *f*.

blacksmith ['blæksmɪθ] *n* kowal *m*.

black spot *n* (*AUT*) niebezpieczne miejsce *nt* na drodze; (*for unemployment etc*) rejon *m* zagrożony.

bladder ['blædə*] (*ANAT*) *n* pęcherz *m*.

blade [bleɪd] *n* (*of knife*) ostrze *nt*; (*of sword*) klinga *f*, ostrze *nt*; (*of oar*) pióro *nt*; (*of propeller*) łopat(k)a *f*; (*of grass*) źdźbło *nt*.

blame [bleɪm] *n* wina *f* ♦ *vt*: **to blame sb for sth** obwiniać (obwinić *perf*) kogoś o coś; **to be to blame** być winnym, ponosić winę; **who's to blame?** kto jest winny?

blameless ['bleɪmlɪs] *adj* niewinny.

blanch [blɑːntʃ] *vi* (*face*) blednąć (zblednąć *perf*) ♦ *vt* (*CULIN*) parzyć (sparzyć *perf*), blanszować (zblanszować *perf*).

blancmange [blə'mɒnʒ] *n* ≈ budyń *m* (*na zimno*).

bland [blænd] *adj* (*taste*) mdły, nijaki.

blank [blæŋk] *adj* (*paper*) czysty, nie zapisany; (*look*) bez wyrazu *post*, obojętny ♦ *n* (*of memory*) luka *f*; (*on form*) puste *or* wolne miejsce *nt*; (*cartridge*) ślepy nabój *m*; **we drew a blank** (*fig*) nie doszliśmy do niczego.

blank cheque *n* czek *m* in blanco; **to give sb a blank cheque to do sth** (*fig*) dawać (dać *perf*) komuś wolną rękę do zrobienia czegoś.

blanket ['blæŋkɪt] *n* (*cloth*) koc *m*; (*of snow*) pokrywa *f*; (*of fog*) zasłona *f* ♦ *adj* całościowy.

blanket cover *n* ubezpieczenie *nt* całościowe.

blare [blɛə*] *vi* grzmieć (zagrzmieć *perf*).

▸**blare out** *vi* ryczeć (*inf*).

blarney ['blɑːnɪ] *n* pochlebstwa *pl*.

blasé ['blɑːzeɪ] *adj* zblazowany.

blaspheme [blæs'fiːm] *vi* bluźnić.

blasphemous ['blæsfɪməs] *adj* bluźnierczy.

blasphemy ['blæsfɪmɪ] *n* bluźnierstwo *nt*.

blast [blɑːst] *n* (*of wind, air*) podmuch *m*; (*of whistle*) gwizd *m*; (*explosion*) wybuch *m* ♦ *vt* wysadzać (wysadzić *perf*) w powietrze ♦ *excl* (*BRIT: inf*) (o) kurczę! (*inf*); **at full blast** na cały regulator.

▸**blast off** *vi* (*SPACE*) startować (wystartować *perf*), odpalać (odpalić *perf*).

blast furnace *n* piec *m* hutniczy.

blast-off ['blɑːstɒf] (*SPACE*) *n* start *m*, odpalenie *nt*.

blatant ['bleɪtənt] *adj* rażący, krzyczący.

blatantly ['bleɪtəntlɪ] *adv*: **blatantly obvious** ewidentny; **to lie blatantly** kłamać w żywe oczy.

blaze [bleɪz] *n* pożar *m*; (*fig: of colour*) feeria *f*; (: *of glory*) blask *m* ♦ *vi* (*fire*) buchać (buchnąć *perf*); (*guns*) walić; (*fig: eyes*) płonąć (zapłonąć *perf*) ♦ *vt*: **to blaze a trail** (*fig*) przecierać (przetrzeć *perf*) szlak; **in a blaze of publicity** w blasku powszechnego zainteresowania.

blazer ['bleɪzə*] *n* blezer *m*.

bleach [bliːtʃ] *n* wybielacz *m* ♦ *vt* (*fabric*) wybielać (wybielić *perf*); (*hair*) tlenić (utlenić *perf*).

bleached [bliːtʃt] *adj* (*hair*) tleniony.

bleachers ['bliːtʃəz] (*SPORT: US*) *npl* trybuny *pl* (*nie osłonięte*).

bleak [bliːk] *adj* ponury, posępny.

bleary-eyed ['blɪərɪˈaɪd] *adj*: **to be bleary-eyed** mieć zaczerwienione oczy.

bleat [bliːt] *vi* beczeć (zabeczeć *perf*) ♦ *n* bek *m*, beczenie *nt*.

bled [blɛd] *pt, pp of* **bleed**.

bleed [bliːd] (*pt, pp* **bled**) *vi* (*MED*) krwawić; (*colour*) farbować, puszczać ♦ *vt* (*brakes, radiator*) odpowietrzać (odpowietrzyć *perf*); **my nose is bleeding** leci mi krew z nosa.

bleeper ['bliːpə*] *n* brzęczyk *m* przywołujący.

blemish ['blɛmɪʃ] *n* skaza *f*.

blend [blɛnd] *n* mieszanka *f* ♦ *vt* (*CULIN*) miksować (zmiksować *perf*); (*colours, styles*) mieszać (zmieszać *perf*) ♦ *vi* (*also*: **blend in**) wtapiać się (wtopić się *perf*).

blender ['blɛndə*] *n* mikser *m*.

bless [blɛs] (*pt, pp* **blessed** *or* **blest**) *vt* błogosławić (pobłogosławić *perf*); **to be blessed with** być obdarzonym +*instr*; **bless you!** na zdrowie!, sto lat!

blessed ['blɛsɪd] *adj* błogosławiony; **it rains every blessed day** (*inf*) nie ma dnia, żeby nie lało (*inf*).

blessing ['blɛsɪŋ] *n* błogosławieństwo *nt*; **you should count your blessings** powinieneś dziękować Bogu za to, co masz; **a blessing in disguise** błogosławione w skutkach nieszczęście.

blew [blu:] *pt of* **blow**.

blight [blaɪt] *vt* niweczyć (zniweczyć *perf*) ♦ *n* rdza *f* zbożowa.

blimey ['blaɪmɪ] (*BRIT: inf*) *excl* (o) kurczę! (*inf*).

blind [blaɪnd] *adj* niewidomy, ślepy;: **blind (to)** (*fig*) ślepy (na +*acc*) ♦ *n* (*for window*) roleta *f*; (*also*: **Venetian blind**) żaluzja *f* ♦ *vt* oślepiać (oślepić *perf*); (*deaden*) zaślepiać (zaślepić *perf*); **the blind** *npl* niewidomi *vir pl*; **to turn a blind eye (on** *or* **to)** przymykać (przymknąć *perf*) oko (na +*acc*).

blind alley *n* (*fig*) ślepa uliczka *f*.

blind corner (*BRIT*) *n* zakręt *m* z ograniczoną widocznością.

blind date *n* randka *f* w ciemno.

blinders ['blaɪndəz] (*US*) *npl* = **blinkers**.

blindfold ['blaɪndfəuld] *n* przepaska *f* na oczy ♦ *adj* z zawiązanymi oczami *post* ♦ *adv* z zawiązanymi oczami ♦ *vt* zawiązywać (zawiązać *perf*) oczy +*dat*.

blindly ['blaɪndlɪ] *adv* (*without seeing*) na oślep; (*without thinking*) ślepo.

blindness ['blaɪndnɪs] *n* (*lit, fig*) ślepota *f*.

blind spot *n* (*AUT*) martwy punkt *m*; (*fig: weak spot*) słabość *f*.

blink [blɪŋk] *vi* (*person, animal*) mrugać (zamrugać *perf*); (*light*) migać (zamigać *perf*) ♦ *n*: **the TV's on the blink** (*inf*) telewizor nawalił (*inf*).

blinkers ['blɪŋkəz] *npl* klapki *pl* na oczy.

blinking ['blɪŋkɪŋ] (*BRIT: inf*) *adj* cholerny (*inf*).

bliss [blɪs] *n* rozkosz *f*.

blissful ['blɪsful] *adj* błogi; **in blissful ignorance** w błogiej niewiedzy.

blissfully ['blɪsfəlɪ] *adv* błogo; **blissfully happy** bezgranicznie szczęśliwy; **blissfully unaware of** w błogiej nieświadomości +*gen*.

blister ['blɪstə*] *n* (*on skin*) pęcherz *m*; (*in paint, rubber*) pęcherzyk *m* ♦ *vi* (*paint*) pokrywać się (pokryć się *perf*) pęcherzykami.

blithely ['blaɪðlɪ] *adv* beztrosko.

blithering ['blɪðərɪŋ] (*inf*) *adj*: **blithering idiot** skończony idiota (*inf*).

BLit(t) *n abbr* (= *Bachelor of Literature, Bachelor of Letters*) *stopień naukowy.*

blitz [blɪts] *n* (*MIL*) bombardowanie *nt*; **to have a blitz on sth** (*fig*) ostro zabierać się (zabrać się *perf*) za coś.

blizzard ['blɪzəd] *n* zamieć *f* (śnieżna).

BLM (*US*) *n abbr* (= *Bureau of Land Management*) *urząd federalny zajmujący się administracją gruntów i bogactw naturalnych.*

bloated ['bləutɪd] *adj* (*face*) opuchnięty; (*stomach*) wydęty; (*person*) napchany (*inf*).

blob [blɔb] *n* (*of glue, paint*) kropelka *f*; (*sth indistinct*) plamka *f*.

bloc [blɔk] (*POL*) *n* blok *m*; **the Eastern bloc** blok wschodni.

block [blɔk] *n* (*large building, piece of stone*) blok *m*; (*toy*) klocek *m*; (*of ice*) bryła *f*; (*of wood*) kloc *m*; (*esp US: in town, city*) *obszar zabudowany, ograniczony ze wszystkich stron kolejnymi ulicami* ♦ *vt* (*road, agreement*) blokować (zablokować *perf*); (*COMPUT*) wyróżniać (wyróżnić *perf*); **block of flats** (*BRIT*) blok (mieszkalny); **three blocks from here** trzy przecznice stąd; **mental block** (chwilowe) zaćmienie umysłu; **block and tackle** wielokrążek.

►**block up** *vt* zapychać (zapchać *perf*) ♦ *vi* zapychać się (zapchać się *perf*).

blockade [blɔ'keɪd] *n* blokada *f* ♦ *vt* blokować, zablokowywać (zablokować *perf*).

blockage ['blɔkɪdʒ] *n* (*in pipe, tube*) zator *m*.

block booking *n* rezerwacja *f* zbiorowa.

blockbuster ['blɔkbʌstə*] *n* szlagier *m* (*film lub książka*).

block capitals *npl* drukowane litery *pl*.

blockhead ['blɔkhɛd] (*inf*) *n* bałwan *m* (*inf*).

block letters *npl* = **block capitals**.

block release (*BRIT*) *n system urlopowania pracowników na okres, w którym uzupełniają wykształcenie.*

block vote (*BRIT*) *n głos oddany przez przedstawiciela dużej grupy osób (np. związku zawodowego) i liczony tak, jak gdyby członkowie grupy głosowali indywidualnie.*

bloke [bləuk] (*BRIT: inf*) *n* facet *m* (*inf*), gość *m* (*inf*).

blond(e) [blɔnd] *adj* blond ♦ *n*: **blonde** blondynka *f*.

blood [blʌd] *n* krew *f*; **new blood** (*fig*) nowa krew.

bloodbath ['blʌdbɑ:θ] *n* rzeź *f*.

bloodcurdling ['blʌdkə:dlɪŋ] *adj* mrożący krew w żyłach.

blood donor *n* krwiodawca *m*.

blood group *n* grupa *f* krwi.

bloodhound ['blʌdhaund] *n* ogar *m*.

bloodless ['blʌdlɪs] *adj* (*victory*) bezkrwawy; (*cheeks*) blady.

bloodletting ['blʌdlɛtɪŋ] *n* (*MED*) upust *m* krwi; (*fig*) rozlew *m* krwi.

blood poisoning *n* posocznica *f*.

blood pressure *n* ciśnienie *nt* (krwi); **to have high/low blood pressure** mieć wysokie/niskie ciśnienie.

bloodshed ['blʌdʃɛd] *n* rozlew *m* krwi.

bloodshot ['blʌdʃɔt] *adj* nabiegły krwią.

blood sport *n* łowiectwo *nt*.

bloodstained ['blʌdsteɪnd] *adj* poplamiony krwią.

bloodstream ['blʌdstri:m] *n* krwiobieg *m*.

blood test *n* badanie *nt* krwi.

bloodthirsty [ˈblʌdθəːstɪ] *adj* krwiożerczy.

blood transfusion *n* transfuzja *f* (krwi).

blood vessel *n* naczynie *nt* krwionośne.

bloody [ˈblʌdɪ] *adj* (*battle*) krwawy; (*hands*) zakrwawiony; (*BRIT: inf!*) cholerny (*inf*); **bloody strong/good** (*inf!*) cholernie silny/dobry (*inf*).

bloody-minded [ˈblʌdɪˈmaɪndɪd] (*BRIT: inf*) *adj* perfidny.

bloom [bluːm] *n* kwiat *m* (*na drzewie itp*) ♦ *vi* (*be in flower*) kwitnąć; (*come into flower*) zakwitać (zakwitnąć *perf*); (*fig: talent, beauty*) rozkwitać (rozkwitnąć *perf*); **to be in bloom** kwitnąć.

blooming [ˈbluːmɪŋ] (*inf*) *adj* cholerny (*inf*).

blossom [ˈblɔsəm] *n* kwiat *m* ♦ *n inv* kwiecie *nt*, kwiaty *pl* ♦ *vi* zakwitać (zakwitnąć *perf*); **to blossom into** (*fig*) rozkwitać (rozkwitnąć *perf*) w +*acc*.

blot [blɔt] *n* kleks *m*; (*fig*) plama *f* ♦ *vt* osuszać (osuszyć *perf*) bibułą; **to be a blot on the landscape** psuć widok; **to blot one's copybook** (*fig*) psuć (zepsuć *perf*) sobie reputację.

▸**blot out** *vt* (*view*) przesłaniać (przesłonić *perf*); (*memory, thought*) wymazywać (wymazać *perf*) z pamięci.

blotchy [ˈblɔtʃɪ] *adj* (*complexion*) plamisty.

blotter [ˈblɔtə*] *n* suszka *f*.

blotting paper [ˈblɔtɪŋ-] *n* bibuła *f*.

blouse [blauz] *n* bluzka *f*.

blow [bləu] (*pt* **blew**, *pp* **blown**) *n* (*lit, fig*) cios *m* ♦ *vi* (*wind*) wiać; (*person*) dmuchać (dmuchnąć *perf*) ♦ *vt* (*instrument*) grać na +*loc*; (*whistle*) dmuchać (dmuchnąć *perf*) w +*acc*; (*fuse*) przepalać (przepalić *perf*); **to blow one's nose** wydmuchiwać (wydmuchać *perf*) nos; **a gust of wind blew snow in her face** podmuch wiatru sypnął jej śniegiem w twarz; **they came to blows** doszło (między nimi) do rękoczynów.

▸**blow away** *vt* wywiewać (wywiać *perf*) ♦ *vi* (*piece of paper etc*) odfruwać (odfrunąć *perf*).

▸**blow down** *vt* (*tree*) powalać (powalić *perf*).

▸**blow off** *vt* zwiewać (zwiać *perf*), zdmuchiwać (zdmuchnąć *perf*); **the washing blew off the line** wiatr zerwał pranie ze sznurka; **the ship was blown off course** statek zniosło z kursu.

▸**blow out** *vt* (*fire, flame*) gasić (zgasić *perf*); (*candle*) zdmuchiwać (zdmuchnąć *perf*) ♦ *vi* gasnąć (zgasnąć *perf*).

▸**blow over** *vi* (*storm, row*) ucichnąć (*perf*).

▸**blow up** *vi* wybuchać (wybuchnąć *perf*) ♦ *vt* (*bridge, building*) wysadzać (wysadzić *perf*) (w powietrze); (*tyre*) pompować (napompować *perf*); (*baloon*) nadmuchiwać (nadmuchać *perf*); (*PHOT*) powiększać (powiększyć *perf*).

blow-dry [ˈbləudraɪ] *n* modelowanie *nt* włosów (suszarką) ♦ *vt* modelować (wymodelować *perf*) (suszarką).

blowlamp [ˈbləulæmp] (*BRIT*) *n* lampa *f* lutownicza.

blown [bləun] *pp of* **blow**.

blow-out [ˈbləuaut] *n* (*of tyre*) rozerwanie *nt*; (*of oil-well*) erupcja *f*; (*inf: big meal*) wyżerka *f* (*inf*).

blowtorch [ˈbləutɔːtʃ] *n* = **blowlamp**.

blow-up [ˈbləuʌp] *n* (*PHOT*) powiększenie *nt*.

blowzy [ˈblauzɪ] (*BRIT*) *adj* flejtuchowaty.

BLS (*US*) *n abbr* (= *Bureau of Labor Statistics*) urząd federalny opracowujący statystyki rynku pracy.

blubber [ˈblʌbə*] *n* tłuszcz *m* wielorybi ♦ *vi* (*pej*) beczeć (*inf*), ryczeć (*inf*).

bludgeon [ˈblʌdʒən] *vt* tłuc (stłuc *perf*) pałką; **to bludgeon sb into doing sth** (*fig*) wymusić (*perf*) na kimś zrobienie czegoś.

blue [bluː] *adj* niebieski; (*from cold*) siny; (*depressed*) smutny; (*joke*) pikantny; (*film*) porno *post* ♦ *n* (kolor *m*) niebieski, błękit *m*; **blues** *n*: **the blues** blues *m*; **(only) once in a blue moon** (tylko) od wielkiego święta *or* dzwonu; **out of the blue** (*fig*) ni stąd, ni zowąd; **to have the blues** mieć chandrę.

blue baby *n* noworodek *m* z sinicą wrodzoną.

bluebell [ˈbluːbɛl] *n* (*BOT*) dzwonek *m*.

bluebottle [ˈbluːbɔtl] *n* mucha *f* mięsna.

blue cheese *n* ser *m* pleśniowy.

blue-chip [ˈbluːtʃɪp] *adj*: **blue-chip investment** bezpieczna inwestycja *f*.

blue-collar worker [ˈbluːkɔlə*-] *n* pracownik *m* fizyczny.

blue jeans *npl* dżinsy *pl*.

blueprint [ˈbluːprɪnt] *n*: **a blueprint (for)** (*fig*) projekt *m* (+*gen*).

bluff [blʌf] *vi* blefować (zablefować *perf*) ♦ *n* (*deception*) blef *m*; (*GEOL: cliff*) urwisko *nt*; (: *promontory*) urwisty cypel *m*; **to call sb's bluff** zmuszać (zmusić *perf*) kogoś do odkrycia kart.

blunder [ˈblʌndə*] *n* gafa *f* ♦ *vi* popełniać (popełnić *perf*) gafę; **to blunder into sb/sth** wpadać (wpaść *perf*) na kogoś/coś.

blunt [blʌnt] *adj* (*knife, pencil*) tępy; (*person, talk*) bezceremonialny ♦ *vt* tępić (stępić *perf*); **blunt instrument** (*JUR*) tępe narzędzie; **to be blunt, ...** mówiąc bez ogródek, ...

bluntly [ˈblʌntlɪ] *adv* bez ogródek, prosto z mostu.

bluntness [ˈblʌntnɪs] *n* (*of person*) bezceremonialność *f*.

blur [bləː*] *n* (*shape*) niewyraźna plama *f*; (*memory*) mgliste wspomnienie *nt* ♦ *vt* (*vision*) zamglić (*perf*); (*distinction*) zacierać (zatrzeć *perf*), zamazywać (zamazać *perf*).

blurb [bləːb] *n* (*for book, concert*) notka *f* reklamowa.

blurred [bləːd] *adj* zamazany.

blurt out [blə:t-] *vt* wyrzucać (wyrzucić *perf*)
z siebie.

blush [blʌʃ] *vi* rumienić się (zarumienić się
perf), czerwienić się (zaczerwienić się *perf*) ♦
n rumieniec *m*.

blusher ['blʌʃə*] *n* róż *m* (*do makijażu*).

bluster ['blʌstə*] *n* (*threatening*) (głośne)
pogróżki *pl*; (*boastful*) (głośne) przechwałki *pl*
♦ *vi* (*in anger*) grzmieć (zagrzmieć *perf*);
(*boast*) przechwalać się (głośno).

blustering ['blʌstərɪŋ] *adj* (*tone*) grzmiący;
(*person*): **to be blustering** robić dużo hałasu.

blustery ['blʌstərɪ] *adj* (bardzo) wietrzny.

Blvd *abbr* (= *boulevard*).

BM *n abbr* (= *British Museum*);
(= *Bachelor of Medicine*) stopień naukowy.

BMA *n abbr* (= *British Medical Association*).

BMJ *n abbr* (= *British Medical Journal*).

BMus *n abbr* (= *Bachelor of Music*) stopień
naukowy.

BMX *n abbr* (= *bicycle motorcross*) kros *m*
rowerowy; **BMX bike** rower *m* krosowy,
rower *m* BMX.

BO *n abbr* (*inf.* = *body odour*) nieprzyjemny
zapach *m* (ciała); (*US*) = **box office**.

boar [bɔ:*] *n* (*also*: **wild boar**) dzik *m*; (*male
pig*) knur *m*.

board [bɔ:d] *n* (*piece of wood*) deska *f*; (*piece
of cardboard*) tektura *f*; (*also*: **notice board**)
tablica *f*; (*for chess etc*) plansza *f*;
(*committee*) rada *f*; (*in firm*) zarząd *m*;
(*NAUT, AVIAT*): **on board** na pokładzie ♦ *vt*
(*ship*) wchodzić (wejść *perf*) na pokład +*gen*;
(*train*) wsiadać (wsiąść *perf*) do +*gen*; **full/half
board** (*BRIT*) pełne/niepełne wyżywienie;
board and lodging mieszkanie i wyżywienie;
the plan went by the board (*fig*) plan poszedł
do kosza; **above board** (*fig*) zgodny z
prawem; **across the board** (*fig: adv*) bez
wyjątku; (: *adj*) dotyczący wszystkich.

►**board up** *vt* (*door, window*) zabijać (zabić
perf) deskami.

boarder ['bɔ:də*] (*SCOL*) *n* mieszkaniec
(-nka) *m(f)* internatu.

board game *n* gra *f* planszowa.

boarding card ['bɔ:dɪŋ-] *n* = **boarding pass**.

boarding house *n* pensjonat *m*.

boarding pass *n* karta *f* pokładowa.

boarding school *n* szkoła *f* z internatem.

board meeting *n* zebranie *nt* zarządu.

board room *n* sala *f* posiedzeń.

boardwalk ['bɔ:dwɔ:k] (*US*) *n* promenada *f*
(nadmorska).

boast [bəust] *vi*: **to boast (about** *or* **of)**
chwalić się *or* przechwalać się (+*instr*) ♦ *vt*
(*fig*) szczycić się +*instr*.

boastful ['bəustful] *adj* chełpliwy.

boastfulness ['bəustfulnɪs] *n* chełpliwość *f*.

boat [bəut] *n* łódź *f*; (*smaller*) łódka *f*; (*ship*)
statek *m*; **to go somewhere by boat** płynąć

(popłynąć *perf*) gdzieś statkiem; **to be in the
same boat** (*fig*) jechać na tym samym wózku.

boater ['bəutə*] *n* kapelusz *m* słomkowy
(*sztywny, z płaskim rondem*).

boating ['bəutɪŋ] *n* przejażdżka *f* łodzią.

boatswain ['bəusn] *n* bosman *m*.

bob [bɔb] *vi* (*also*: **bob up and down**: *boat*)
huśtać się; (: *cork on water*) podskakiwać ♦
n (*BRIT: inf*) = **shilling**.

►**bob up** *vi* wyskakiwać (wyskoczyć *perf*).

bobbin ['bɔbɪn] *n* szpulka *f*.

bobby ['bɔbɪ] (*BRIT: inf*) *n policjant angielski*.

bobsleigh ['bɔbsleɪ] *n* bobslej *m*.

bode [bəud] *vi*: **to bode well/ill (for)** wróżyć
dobrze/źle (+*dat*).

bodice ['bɔdɪs] *n* góra *f* (sukienki).

bodily ['bɔdɪlɪ] *adj* (*functions*) fizjologiczny;
(*needs, pain*) fizyczny ♦ *adv* (*move, lift etc*)
w całości.

body ['bɔdɪ] *n* (*ANAT*) ciało *nt*; (*corpse*)
zwłoki *pl*; (*main part*) główna część *f*; (*of
car*) karoseria *f*, nadwozie *nt*; (*of plane*)
kadłub *m*; (*fig: group*) grono *nt*;
(: *organization*) ciało *nt*, gremium *nt*; (*of
facts*) ilość *f*; (*of wine*) treść *f*, treściwość *f*;
ruling body ciało rządzące.

body-building ['bɔdɪ'bɪldɪŋ] *n* kulturystyka *f*.

bodyguard ['bɔdɪgɑ:d] *n* członek *m* ochrony
(osobistej), ochroniarz *m* (*inf*).

body repairs *npl* prace *pl* blacharskie.

bodywork ['bɔdɪwə:k] *n* nadwozie *nt*.

boffin ['bɔfɪn] *n* jajogłowy *m*.

bog [bɔg] *n* bagno *nt* ♦ *vt*: **to get bogged
down** (*fig*) grzązć (ugrzązć *perf*).

bogey ['bəugɪ] *n* (*worry*) zmora *f*; (*also*:
bogeyman) strach *m*.

boggle ['bɔgl] *vi*: **the mind boggles** w głowie
się nie mieści.

bogie ['bəugɪ] *n* straszydło *nt*.

Bogotá [bəugə'tɑ:] *n* Bogota *f*.

bogus ['bəugəs] *adj* fałszywy.

Bohemia [bəu'hi:mɪə] *n* Czechy *pl*.

Bohemian [bəu'hi:mɪən] *adj* czeski ♦ *n*
Czech/Czeszka *m/f*; **bohemian** cygan(ka) *m(f)*.

boil [bɔɪl] *vt* (*water*) gotować, zagotowywać
(zagotować *perf*); (*eggs etc*) gotować
(ugotować *perf*) ♦ *vi* (*liquid*) gotować się
(zagotować się *perf*), wrzeć (zawrzeć *perf*);
(*fig: with anger*) kipieć ♦ *n* czyrak *m*; **to
come to the** (*BRIT*) *or* **a** (*US*) **boil** zagotować
się (*perf*).

►**boil down to** *vt fus* (*fig*) sprowadzać się
(sprowadzić się *perf*) do +*gen*.

►**boil over** *vi* kipieć (wykipieć *perf*).

boiled egg [bɔɪld-] *n* gotowane jajko *nt*.

boiled potatoes *npl* ziemniaki *pl* gotowane *or*
z wody.

boiler ['bɔɪlə*] *n* kocioł *m*, bojler *m*.

boiler suit *n* kombinezon *m*.

boiling ['bɔɪlɪŋ] *adj*: **I'm boiling (hot)** (*inf*)

umieram z gorąca, gotuję się (*inf*); **it's boiling in here** można się tu ugotować.

boiling point *n* temperatura *f* wrzenia.

boisterous ['bɔɪstərəs] *adj* hałaśliwy.

bold [bəuld] *adj* (*person, action*) śmiały; (*pattern, colours*) krzykliwy; **if I may be so bold** jeśli wolno spytać.

boldly ['bəuldlɪ] *adv* (*bravely*) śmiało; (*defiantly*) zuchwale.

boldness ['bəuldnɪs] *n* śmiałość *f*.

bold type *n* tłusta czcionka *f*.

Bolivia [bə'lɪvɪə] *n* Boliwia *f*.

Bolivian [bə'lɪvɪən] *adj* boliwijski ♦ *n* Boliwijczyk (-jka) *m(f)*.

bollard ['bɔləd] *n* (*BRIT*: *AUT*) słupek *m*; (*NAUT*) pachołek *m*.

bolster ['bəulstə*] *n* wałek *m* (*pod głowę*).

►**bolster up** *vt* podbudowywać (podbudować *perf*).

bolt [bəult] *n* (*lock*) zasuwa *f*, rygiel *m*; (*with nut*) śruba *f*, (*of lightning*) piorun *m* ♦ *vt* (*door*) ryglować (zaryglować *perf*); (*food*) połykać (połknąć *perf*) (*nie żując*); **to bolt sth to sth** przykuwać (przykuć *perf*) coś do czegoś ♦ *vi* (*person*) pędzić (popędzić *perf*); (*horse*) ponosić (ponieść *perf*) ♦ *adv*: **bolt upright** (prosto) jakby kij połknął; **a bolt from the blue** (*fig*) grom z jasnego nieba.

bomb [bɔm] *n* bomba *f* ♦ *vt* bombardować (zbombardować *perf*).

bombard [bɔm'bɑːd] *vt* (*MIL*) bombardować (zbombardować *perf*); (*fig*: *with questions*) bombardować.

bombardment [bɔm'bɑːdmənt] *n* bombardowanie *nt*.

bombastic [bɔm'bæstɪk] *adj* (*person*) napuszony; (*language*) bombastyczny.

bomb disposal *n*: **bomb disposal unit** oddział *m* saperski; **bomb disposal expert** saper.

bomber ['bɔmə*] *n* (*AVIAT*) bombowiec *m*; (*terrorist*) zamachowiec *m*.

bombing ['bɔmɪŋ] *n* atak *m* bombowy.

bombshell ['bɔmʃɛl] *n* (*fig*) sensacja *f*.

bomb site *n* lej *m* po bombie.

bona fide ['bəunə'faɪdɪ] *adj* (*traveller etc*) prawdziwy; (*offer*) rzetelny.

bonanza [bə'nænzə] *n* dobra *or* szczęśliwa passa *f*.

bond [bɔnd] *n* (*of affection etc*) więź *f*, (*FIN*) obligacja *f*, (*COMM*): **in bond** na cle (*o wwożonym towarze*); **my word is my bond** daję słowo honoru.

bondage ['bɔndɪdʒ] *n* niewola *f*, (*sexual*) krępowanie *nt* (*praktyka seksualna*).

bonded warehouse ['bɔndɪd-] *n* magazyn *m or* skład *m* celny.

bone [bəun] *n* (*ANAT*) kość *f*, (*of fish*) ość *f* ♦ *vt* (*meat*) oczyszczać (oczyścić *perf*) z kości; (*fish*) oczyszczać (oczyścić *perf*) z ości; **I've**

got a bone to pick with you mam z tobą do pomówienia.

bone china *n* porcelana *f* kostna.

bone-dry ['bəun'draɪ] *adj* suchy jak pieprz.

bone idle *adj*: **he is bone idle** to śmierdzący leń.

boner ['bəunə*] (*US*) *n* byk *m*.

bonfire ['bɔnfaɪə*] *n* ognisko *nt*; **bonfire night** *wieczór 5 listopada, kiedy w Wielkiej Brytanii pali się kukłę Guya Fawkesa*.

Bonn [bɔn] *n* Bonn *nt inv*.

bonnet ['bɔnɪt] *n* (*hat*) czepek *m*; (*BRIT*: *of car*) maska *f*.

bonny ['bɔnɪ] *adj* (*Scottish, Northern English*) ładny.

bonus ['bəunəs] *n* premia *f*, (*fig*) dodatkowa korzyść *f*.

bony ['bəunɪ] *adj* (*arm, person*) kościsty; (*MED*: *tissue*) kostny; (*fish*) ościsty; **the meat is bony** to mięso ma dużo kości.

boo [buː] *excl* hu (*okrzyk mający na celu przestraszenie kogoś*) ♦ *vt* wygwizdywać (wygwizdać *perf*).

boob [buːb] (*inf*) *n* (*breast*) cyc(ek) *m* (*inf*); (*BRIT*: *mistake*) byk *m* (*inf*) ♦ *vi* strzelić (*perf*) byka (*inf*).

booby prize ['buːbɪ-] *n* nagroda *f* pocieszenia.

booby trap ['buːbɪ-] *n* bomba *f* -pułapka *f*, (*fig*: *practical joke*) kawał *m*.

booby-trapped ['buːbɪtræpt] *adj* z podłączoną bombą-pułapką *post*; **a booby-trapped car** samochód-pułapka.

book [buk] *n* książka *f*, (*of stamps, tickets*) bloczek *m* ♦ *vt* (*ticket, seat, room*) rezerwować (zarezerwować *perf*); (*driver*) spisywać (spisać *perf*); (*SPORT*: *player*) dawać (dać *perf*) kartkę +*dat*; **books** *npl* (*COMM*) księgi *pl* rachunkowe; **to keep the books** prowadzić księgowość; **by the book** według przepisów; **to throw the book at sb** wymierzać (wymierzyć *perf*) komuś najwyższą karę.

►**book in** (*BRIT*) *vi* (*at hotel*) meldować się (zameldować się *perf*).

►**book up** *vt* wykupywać (wykupić *perf*); **all seats are booked up** wszystkie bilety zostały wyprzedane; **the hotel is booked up** w hotelu nie ma wolnych miejsc.

bookable ['bukəbl] *adj*: **all seats are bookable** wszystkie miejsca są numerowane.

bookcase ['bukkeɪs] *n* biblioteczka *f*, regał *m* na książki.

book ends *npl* podpórki *pl* do książek.

booking ['bukɪŋ] (*BRIT*) *n* rezerwacja *f*.

booking office (*BRIT*) *n* kasa *f*.

book-keeping ['buk'kiːpɪŋ] *n* księgowość *f*.

booklet ['buklɪt] *n* broszur(k)a *f*.

bookmaker ['bukmeɪkə*] *n* bukmacher *m*.

bookseller ['buksɛlə*] *n* księgarz *m*.

bookshop ['bukʃɔp] *n* księgarnia *f*.

bookstall ['bukstɔːl] *n* stoisko *nt* księgarskie.

book store *n* = **bookshop**.
book token *n* talon *m* na książki.
book value *n* wartość *f* księgowa.
boom [bu:m] *n* (*noise*) huk *m*, grzmot *m*; (*in exports etc*) wzrost *m*, (*dobra*) koniunktura *f*; (*busy period*) ruch *m* ♦ *vi* grzmieć (zagrzmieć *perf*); (*business*) zwyżkować; **population boom** wyż demograficzny.
boomerang ['bu:məræŋ] *n* bumerang *m* ♦ *vi* (*fig*): **to boomerang on sb** obracać się (obrócić się *perf*) przeciwko komuś.
boom town *n* świetnie prosperujące miasto *nt*.
boon [bu:n] *n* dobrodziejstwo *nt*.
boorish ['buərɪʃ] *adj* prostacki.
boost [bu:st] *n*: **a boost to sb's confidence** zastrzyk *m* pewności siebie ♦ *vt* (*sales, demand*) zwiększać (zwiększyć *perf*); (*confidence*) dodawać (dodać *perf*) +*gen*; (*morale*) podnosić (podnieść *perf*); **to give a boost to sb's spirits** *or* **to sb** podnosić (podnieść *perf*) kogoś na duchu.
booster ['bu:stə*] *n* (*MED*) zastrzyk *m* przypominający; (*TV, ELEC*) przetwornica *f*; (*also*: **booster rocket**) silnik *m* rakietowy pomocniczy.
booster seat *n* fotelik *m* dziecięcy (*w samochodzie*).
boot [bu:t] *n* (*for winter*) kozaczek *m*; (*for football, walking*) but *m*; (*also*: **ankle boot**) trzewik *m*; (*BRIT: of car*) bagażnik *m* ♦ *vt* (*COMPUT*) inicjować (zainicjować *perf*), zapuszczać (zapuścić *perf*) (*inf*); **...to boot** ...do tego (jeszcze), ...na dodatek; **to give sb the boot** (*inf*) wylewać (wylać *perf*) kogoś (z pracy) (*inf*).
booth [bu:ð] *n* (*at fair*) stoisko *nt*; (*for voting, telephoning*) kabina *f*.
bootleg ['bu:tlɛg] *adj* nielegalny.
bootlegger ['bu:tlɛgə*] *n* przemytnik (-iczka) *m(f)* alkoholu.
booty ['bu:tɪ] *n* łup *m*.
booze [bu:z] (*inf*) *n* coś *nt* mocniejszego ♦ *vi* popijać (popić *perf*).
boozer ['bu:zə*] (*inf*) *n* (*person*) ochlapus *m* (*inf*); (*BRIT*) knajpa *f* (*inf*).
border ['bɔ:də*] *n* (*of country*) granica *f*; (*for flowers*) rabat(k)a *f*; (*on cloth*) lamówka *f*; (*on plate*) obwódka *f* ♦ *vt* leżeć wzdłuż +*gen*; (*also*: **border on**) graniczyć z +*instr*; **elm trees border the road** wzdłuż szosy rosną wiązy; **Borders** *n*: **the Borders** pogranicze *nt* angielsko-szkockie.
▶**border on** *vt fus* (*fig*) graniczyć z +*instr*.
borderline ['bɔ:dəlaɪn] *n*: **on the borderline** (*fig*) na granicy.
borderline case *n* przypadek *m* wątpliwy.
bore [bɔ:*] *pt of* **bear** ♦ *vt* (*hole, tunnel*) wiercić (wywiercić *perf*); (*person*) zanudzać (zanudzić *perf*) ♦ *n* (*person*) nudziarz (-ara) *m(f)*; (*of gun*) kaliber *m*; **to be bored** nudzić

się; **he's bored to tears** *or* **bored to death** *or* **bored stiff** umiera z nudów.
boredom ['bɔ:dəm] *n* (*condition*) znudzenie *nt*; (*quality*) nuda *f*.
boring ['bɔ:rɪŋ] *adj* (*tedious*) nudny; (*unimaginative*) nieciekawy.
born [bɔ:n] *adj*: **to be born** rodzić się (urodzić się *perf*); **I was born in 1960** urodziłem się w roku 1960; **born blind** niewidomy od urodzenia; **a born comedian** urodzony komik.
borne [bɔ:n] *pp of* **bear**.
Borneo ['bɔ:nɪəu] *n* Borneo *nt inv*.
borough ['bʌrə] *n* okręg *m* wyborczy.
borrow ['bɔrəu] *vt* (*from sb*) pożyczać (pożyczyć *perf*); (*from library*) wypożyczać (wypożyczyć *perf*); **may I borrow your car?** czy mogę pożyczyć twój samochód?
borrower ['bɔrəuə*] *n* kredytobiorca *m*.
borrowing ['bɔrəuɪŋ] *n* (*COMM*) zaciąganie *nt* kredytów; (*LING*) zapożyczenie *nt*.
borstal ['bɔ:stl] (*BRIT*) *n* dom *m or* zakład *m* poprawczy, poprawczak *m* (*inf*).
bosom ['buzəm] *n* (*ANAT*) biust *m*; (*fig: of family*) łono *nt*.
bosom friend *n* przyjaciel (-iółka) *m(f)* od serca.
boss [bɔs] *n* szef(owa) *m(f)* ♦ *vt* (*also*: **boss around, boss about**) rozkazywać +*dat*; **stop bossing everyone about!** przestań rozstawiać wszystkich po kątach!
bossy ['bɔsɪ] *adj* despotyczny.
bosun ['bəusn] (*NAUT*) *n* bosman *m*.
botanical [bə'tænɪkl] *adj* botaniczny.
botanist ['bɔtənɪst] *n* botanik (-iczka) *m(f)*.
botany ['bɔtənɪ] *n* botanika *f*.
botch [bɔtʃ] *vt* (*also*: **botch up**) knocić (sknocić *perf*) (*inf*).
both [bəuθ] *adj* obaj ♦ *pron* (*things*: with plurals of neuter and masculine nouns*) oba; (: *with plurals of feminine nouns*) obie; (*people*: male*) obaj; (: *female*) obie; (: *a male and a female*) oboje ♦ *adv*: **both A and B** zarówno A, jak i B; **both of us went, we both went** poszliśmy oboje; **they sell both meat and poultry** sprzedają mięso i drób; **they sell both the fabric and the finished curtains** sprzedają zarówno materiały, jak i gotowe zasłony.
bother ['bɔðə*] *vt* (*worry*) niepokoić; (*disturb*) przeszkadzać +*dat*, zawracać głowę +*dat* (*inf*) ♦ *vi* (*also*: **bother o.s.**) trudzić się, zawracać sobie głowę (*inf*) ♦ *n* (*trouble*) kłopot *m*; (*nuisance*): **to be a bother** zawracać głowę (*inf*) ♦ *excl* kurczę; **it is a bother to have to do** dużo z tym kłopotu; **to bother doing sth** zadawać sobie trud robienia czegoś; **I'm sorry to bother you** przepraszam, że przeszkadzam; **please don't bother** nie kłopocz się; **don't bother** nie zawracaj sobie głowy; **it's no bother** (to) żaden kłopot.

Botswana [bɔt'swɑ:nə] *n* Botswana *f*.
bottle ['bɔtl] *n* butelka *f*; (*small*) buteleczka *f*; (*BRIT: inf*) odwaga *f* ♦ *vt* (*beer, wine*) rozlewać (rozlać *perf*) do butelek, butelkować; (*fruit*) zaprawiać (zaprawić *perf*); **a bottle of wine/milk** butelka wina/mleka; **wine/milk bottle** butelka po winie/od mleka.
▶**bottle up** *vt* tłumić (stłumić *perf*) w sobie.
bottle bank *n* pojemnik *m* na stłuczkę szklaną.
bottle-fed ['bɔtlfɛd] *adj* karmiony butelką *or* sztucznie.
bottleneck ['bɔtlnɛk] *n* (*AUT*) korek *m* (uliczny); (*fig*) wąskie gardło *nt*.
bottle-opener ['bɔtləupnə*] *n* otwieracz *m* do butelek.
bottom ['bɔtəm] *n* (*of container, sea*) dno *nt*; (*buttocks*) pupa *f*, siedzenie *nt*; (*of page*) dół *m*; (*of chair*) siedzenie *nt*; (*of class etc*) szary koniec *m*; (*of mountain*) podnóże *nt* ♦ *adj* najniższy; **at the bottom of** (*mountain*) u stóp *or* podnóża +*gen*; (*situation, attitude*) u podłoża +*gen*; **to get to the bottom of sth** (*fig*) docierać (dotrzeć *perf*) do sedna czegoś.
bottomless ['bɔtəmlɪs] *adj* bez dna *post*.
bough [bau] *n* konar *m*.
bought [bɔ:t] *pt, pp of* **buy**.
boulder ['bəuldə*] *n* głaz *m*.
boulevard ['bu:ləvɑ:d] *n* bulwar *m*.
bounce [bauns] *vi* (*ball*) odbijać się (odbić się *perf*); (*cheque*) nie mieć pokrycia ♦ *vt* odbijać (odbić *perf*) ♦ *n* odbicie *nt*; **to bounce in/out** wpadać (wpaść *perf*)/wypadać (wypaść *perf*) w podskokach.
bouncer ['baunsə*] (*inf*) *n* bramkarz *m* (*inf: na dyskotece itp*).
bound [baund] *pt, pp of* **bind** ♦ *n* skok *m*; (*usu pl: of possibility etc*) granice *pl* ♦ *vi* podskakiwać (podskoczyć *perf*) ♦ *vt* otaczać (otoczyć *perf*), ograniczać (ograniczyć *perf*) ♦ *adj*: **bound by** (*law etc*) zobowiązany +*instr*; **to be/feel bound to do sth** być/czuć się zobowiązanym zrobić coś; **he's bound to fail** na pewno mu się nie uda; **bound for** (*zdążający*) do +*gen*; **out of bounds** (*fig*) w strefie zakazanej.
boundary ['baundrɪ] *n* granica *f*.
boundless ['baundlɪs] *adj* nieograniczony, bezgraniczny.
bountiful ['bauntɪful] *adj* (*person*) szczodry; (*supply*) obfity.
bounty ['bauntɪ] *n* (*generosity*) szczodrość *f*; (*reward*) premia *f*, nagroda *f*.
bounty hunter *n* łowca *m* nagród.
bouquet ['bukeɪ] *n* bukiet *m*.
bourbon ['buəbən] (*US*) *n* burbon *m*.
bourgeois ['buəʒwɑ:] *adj* burżuazyjny ♦ *n* członek *m* burżuazji, burżuj(ka) *m(f)* (*pej, inf*).
bout [baut] *n* (*of disease*) atak *m*; (*of activity*) napad *m*; (*BOXING*) walka *f*, mecz *m*.
boutique [bu:'ti:k] *n* butik *m*.

bow¹ [bəu] *n* (*knot*) kokarda *f*; (*weapon*) łuk *m*; (*MUS*) smyczek *m*.
bow² [bau] *n* (*greeting*) ukłon *m*; (*NAUT: also:* **bows**) dziób *m* ♦ *vi* kłaniać się (ukłonić się *perf*); **to bow to** *or* **before** (*pressure*) uginać się (ugiąć się *perf*) pod +*instr*; (*sb's wishes*) przystawać (przystać *perf*) na +*acc*; **to bow to the inevitable** godzić się (pogodzić się *perf*) z losem.
bowels ['bauəlz] *npl* (*ANAT*) jelita *pl*; (*of the earth etc*) wnętrze *nt*.
bowl [bəul] *n* (*for/of food*) miska *f*, (: *smaller*) miseczka *f*; (*for washing*) miednica *f*; (*SPORT*) kula *f*; (*of pipe*) główka *f*; (*US*) stadion *m* (*o budowie amfiteatralnej*) ♦ *vi* (*CRICKET, BASEBALL*) rzucać (rzucić *perf*) (piłką).
▶**bowl over** *vt* (*fig*) rzucać (rzucić *perf*) na kolana.
bow-legged ['bəu'lɛgɪd] *adj* o pałąkowatych nogach *post*.
bowler ['bəulə*] *n* (*CRICKET, BASEBALL*) gracz rzucający lub serwujący piłkę; (*BRIT: also:* **bowler hat**) melonik *m*.
bowling ['bəulɪŋ] *n* (*game*) kręgle *pl*.
bowling alley *n* kręgielnia *f*.
bowling green *n* trawnik *m* do gry w kule.
bowls [bəulz] *n* gra *f* w kule.
bow tie [bəu-] *n* muszka *f*.
box [bɔks] *n* pudełko *nt*; (*cardboard box*) pudło *nt*, karton *m*; (*crate*) skrzynka *f*; (*THEAT*) loża *f*; (*on form*) kratka *f*; (*BRIT: AUT*) koperta *f* (*lub inne miejsce, w którym nie wolno się zatrzymywać*) ♦ *vt* pakować (zapakować *perf*) do pudełka/pudełek; (*SPORT*) boksować się z +*instr* ♦ *vi* uprawiać boks; **to box sb's ears** dawać (dać *perf*) komuś po uszach.
▶**box in** *vt* blokować (zablokować *perf*).
▶**box off** *vt* odgradzać (odgrodzić *perf*).
boxer ['bɔksə*] *n* bokser *m*.
box file *n* segregator *m* (*w formie zamykanego pudła*).
boxing ['bɔksɪŋ] (*SPORT*) *n* boks *m*.
Boxing Day (*BRIT*) *n* drugi dzień Świąt Bożego Narodzenia.
boxing gloves *npl* rękawice *pl* bokserskie.
boxing ring *n* ring *m* bokserski.
box number (*PRESS*) *n* numer *m* oferty.
box office *n* kasa *f* (biletowa) (*w teatrze itp*).
boxroom ['bɔksrum] *n* rupieciarnia *f* (*służąca czasem jako dodatkowa sypialnia*).
boy [bɔɪ] *n* chłopiec *m*.
boycott ['bɔɪkɔt] *n* bojkot *m* ♦ *vt* bojkotować (zbojkotować *perf*).
boyfriend ['bɔɪfrɛnd] *n* chłopak *m*; (*older woman's*) przyjaciel *m*.
boyish ['bɔɪɪʃ] *adj* chłopięcy.
boy scout *n* ≈ harcerz *m*.
Bp *abbr* = **bishop** bp.

BR *abbr* (= *British Rail*).

bra [brɑ:] *n* biustonosz *m*, stanik *m*.

brace [breɪs] *n* (*on teeth*) aparat *m* (korekcyjny); (*tool*) świder *m*; (*also*: **brace bracket**) nawias *m* klamrowy ♦ *vt* (*knees, shoulders*) napinać (napiąć *perf*); **braces** *npl* (*BRIT*) szelki *pl*; **to brace o.s.** podpierać się (podeprzeć się *perf*); (*fig*) zbierać (zebrać *perf*) siły.

bracelet ['breɪslɪt] *n* bransoletka *f*.

bracing ['breɪsɪŋ] *adj* ożywczy, orzeźwiający.

bracken ['brækən] *n* orlica *f* (*paproć*).

bracket ['brækɪt] *n* (*TECH*) wspornik *m*, podpórka *f*; (*group, range*) przedział *m*; (*also*: **brace bracket**) nawias *m* klamrowy, klamra *f*; (*also*: **round bracket**) nawias *m* (okrągły); (*also*: **square bracket**) nawias *m* kwadratowy ♦ *vt* (*word, phrase*) brać (wziąć *perf*) w nawias; (*also*: **bracket together**) traktować (potraktować *perf*) razem; **income bracket** przedział *or* grupa dochodu; **in brackets** w nawiasach.

brackish ['brækɪʃ] *adj* (*water*) słonawy.

brag [bræg] *vi* chwalić się, przechwalać się.

braid [breɪd] *n* (*trimming*) galon *m*; (*plait*) warkocz *m*.

Braille [breɪl] *n* alfabet *m* Braille'a, brajl *m*.

brain [breɪn] *n* mózg *m*; (*fig*) umysł *m*; **brains** *npl* (*CULIN*) móżdżek *m*; (*intelligence*) głowa *f*; **he's got brains** ma (dobrą) głowę.

brainchild ['breɪntʃaɪld] *n*: **the project was the brainchild of Max Nicholson** projekt narodził się w głowie Maxa Nicholsona.

brain drain *n*: **the brain drain** drenaż *m* mózgów.

brainless ['breɪnlɪs] *adj* głupi.

brainstorm ['breɪnstɔ:m] *n* (*aberration*) zaćmienie *nt* umysłu; (*US: brainwave*) olśnienie *nt*.

brainwash ['breɪnwɔʃ] *vt* robić (zrobić *perf*) pranie mózgu +*dat*.

brainwave ['breɪnweɪv] *n* olśnienie *nt*.

brainy ['breɪnɪ] *adj* bystry, rozgarnięty.

braise [breɪz] (*CULIN*) *vt* dusić (udusić *perf*).

brake [breɪk] *n* hamulec *m*; (*fig*) ograniczenie *nt* ♦ *vi* hamować (zahamować *perf*).

brake fluid *n* płyn *m* hamulcowy.

brake light *n* światła *pl* stopu *or* hamowania.

brake pedal *n* pedał *m* hamulca.

bramble ['bræmbl] *n* jeżyna *f* (*krzew*), ostrężyna *f*.

bran [bræn] *n* otręby *pl*.

branch [brɑ:ntʃ] *n* (*lit, fig*) gałąź *f*; (*COMM*) oddział *m* ♦ *vi* rozgałęziać się (rozgałęzić się *perf*).

►branch out *vi*: **to branch out (into)** (*fig*) rozszerzać (rozszerzyć *perf*) działalność (o +*acc*).

branch line (*RAIL*) *n* linia *f* boczna.

branch manager *n* kierownik (-iczka) *m(f)* oddziału.

brand [brænd] *n* (*make*) marka *f*; (*fig*) rodzaj *m*, odmiana *f* ♦ *vt* (*cattle*) znakować (oznakować *perf*); **to brand sb a communist/traitor** przyczepiać (przyczepić *perf*) komuś etykietkę komunisty/zdrajcy.

brandish ['brændɪʃ] *vt* wymachiwać *or* wywijać +*instr*.

brand name *n* nazwa *f* firmowa.

brand-new ['brænd'nju:] *adj* nowiutki, nowiuteńki; (*machine etc*) fabrycznie nowy.

brandy ['brændɪ] *n* koniak *m*, winiak *m*.

brash [bræʃ] *adj* zuchwały.

Brasilia [brə'zɪlɪə] *n* Brasilia *f*.

brass [brɑ:s] *n* mosiądz *m*; **the brass** (*MUS*) instrumenty dęte blaszane.

brass band *n* orkiestra *f* dęta.

brassière ['bræsɪə*] *n* biustonosz *m*, stanik *m*.

brass tacks *npl*: **to get down to brass tacks** przechodzić (przejść *perf*) do rzeczy.

brat [bræt] (*pej*) *n* bachor *m* (*pej, inf*).

bravado [brə'vɑ:dəu] *n* brawura *f*.

brave [breɪv] *adj* dzielny ♦ *n* wojownik *m* indiański ♦ *vt* stawiać (stawić *perf*) czoła +*dat*.

bravely ['breɪvlɪ] *adv* dzielnie.

bravery ['breɪvərɪ] *n* dzielność *f*, męstwo *nt*.

bravo [brɑ:'vəu] *excl* brawo.

brawl [brɔ:l] *n* bijatyka *f*, burda *f* ♦ *vi* bić się (pobić się *perf*).

brawn [brɔ:n] *n* (*strength*) tężyzna *f* (fizyczna); (*meat*) salceson *m*.

brawny ['brɔ:nɪ] *adj* muskularny.

bray [breɪ] *vi* ryczeć (zaryczeć *perf*) ♦ *n* ryk *m* (*ośli lub podobny*).

brazen ['breɪzn] *adj* (*woman*) bezwstydny; (*lie, accusation*) bezczelny ♦ *vt*: **to brazen it out** nadrabiać tupetem.

brazier ['breɪzɪə*] *n* koksownik *m*.

Brazil [brə'zɪl] *n* Brazylia *f*.

Brazilian [brə'zɪljən] *adj* brazylijski ♦ *n* Brazylijczyk (-jka) *m(f)*.

Brazil nut *n* orzech *m* brazylijski.

breach [bri:tʃ] *vt* (*wall*) robić (zrobić *perf*) wyłom w +*loc*; (*defence*) przełamywać (przełamać *perf*) ♦ *n* (*gap*) wyłom *m*; (*estrangement*) różnica *f* zdań *or* poglądów; **breach of contract** naruszenie *or* pogwałcenie umowy; **breach of the peace** zakłócenie porządku publicznego; **breach of trust** nadużycie zaufania.

bread [bred] *n* chleb *m*; (*inf*) forsa *f* (*inf*), siano *nt* (*inf*); **to earn one's daily bread** zarabiać (zarobić *perf*) na chleb; **he knows which side his bread is buttered (on)** on wie, komu się przypodobać.

bread and butter *n* chleb *m* z masłem; (*fig*) źródło *nt* utrzymania.

breadbin ['bredbɪn] (*BRIT*) *n* pojemnik *m* na chleb *or* pieczywo.

breadboard ['bredbɔ:d] *n* deska *f* do krojenia chleba; (*COMPUT*) płyta *f* montażowa.

breadbox ['bredbɔks] (*US*) *n* = **breadbin**.

breadcrumbs ['brɛdkrʌmz] *npl* okruszki *pl*;
(*CULIN*) bułka *f* tarta.

breadline ['brɛdlaɪn] *n*: **on the breadline** na
skraju *or* granicy nędzy.

breadth [brɛtθ] *n* szerokość *f*; (*fig*) rozmach *m*.

breadwinner ['brɛdwɪnə*] *n* żywiciel(ka) *m(f)*
(rodziny).

break [breɪk] (*pt* **broke**, *pp* **broken**) *vt*
(*crockery, glass*) tłuc (stłuc *perf*); (*leg,
promise, law*) łamać (złamać *perf*); (*record*)
bić (pobić *perf*) ♦ *vi* (*crockery, glass*) tłuc się
(stłuc się *perf*), rozbijać się (rozbić się *perf*);
(*weather*) przełamywać się (przełamać się
perf); (*storm*) zrywać się (zerwać się *perf*);
(*story, news*) wychodzić (wyjść *perf*) na jaw
♦ *n* (*gap, pause, rest*) przerwa *f*; (*fracture*)
złamanie *nt*; (*chance*) szansa *f*; **the day was
about to break when ...** świtało, gdy ...; **to
break the news to sb** przekazywać
(przekazać *perf*) komuś (złą) wiadomość; **to
break even** wychodzić (wyjść *perf*) na czysto
or na zero; **to break with sb** zrywać (zerwać
perf) z kimś; **to break free** *or* **loose** wyrwać
się *(perf)*, uwolnić się *(perf)*; **to break open**
(*door*) wyważać (wyważyć *perf*); (*safe*)
otwierać (otworzyć *perf*); **to take a break** (*for
a few minutes*) robić (zrobić *perf*) sobie
przerwę; (*have a holiday*) brać (wziąć *perf*)
wolne; **without a break** bez przerwy; **her
lucky break came in 1991** szczęście
uśmiechnęło się do niej w 1991.

►**break down** *vt* (*figures, data*) dzielić
(podzielić *perf*), rozbijać (rozbić *perf*); (*door*)
wyłamywać (wyłamać *perf*) ♦ *vi* (*machine,
car*) psuć się (popsuć się *perf*); (*person, talks*)
załamywać się (załamać się *perf*).

►**break in** *vt* (*horse*) ujeżdżać (ujeździć *perf*) ♦
vi (*burgle*) włamywać się (włamać się *perf*);
(*interrupt*) wtrącać się (wtrącić się *perf*).

►**break into** *vt fus* włamywać się (włamać się
perf) do +*gen*.

►**break off** *vi* (*branch*) odłamywać się
(odłamać się *perf*); (*speaker*) przerywać
(przerwać *perf*) ♦ *vt* (*talks, engagement*)
zrywać (zerwać *perf*).

►**break out** *vi* (*war, fight*) wybuchać
(wybuchnąć *perf*); (*prisoner*) zbiegać (zbiec
perf); **to break out in spots/a rash** pokrywać
(pokryć *perf*) się plamami/wysypką.

►**break through** *vi*: **the sun broke through**
wyszło *or* wyjrzało słońce.

►**break through** *vt fus* przedzierać się
(przedrzeć się *perf*) przez +*acc*.

►**break up** *vi* (*object, substance, marriage*)
rozpadać się (rozpaść się *perf*); (*couple*)
zrywać (zerwać *perf*) ze sobą; (*crowd*)
rozchodzić się (rozejść się *perf*); (: *in panic*)
rozpierzchać się (rozpierzchnąć się *perf*);
(*SCOL*) kończyć (skończyć *perf*) naukę *or*
zajęcia ♦ *vt* (*rocks, biscuit*) łamać (połamać

perf), kruszyć (rozkruszyć *perf*); (*fight,
meeting, monotony*) przerywać (przerwać
perf); (*marriage*) doprowadzać (doprowadzić
perf) do rozpadu +*gen*.

breakable ['breɪkəbl] *adj* łamliwy, kruchy ♦ *n*:
breakables rzeczy *pl* łatwo tłukące się.

breakage ['breɪkɪdʒ] *n* (*breaking*) uszkodzenie
nt; (: *of glass etc object*) stłuczenie *nt*;
(*damage*) szkoda *f*; **to pay for breakages**
płacić (zapłacić *perf*) za szkody.

breakaway ['breɪkəweɪ] *adj* frakcyjny.

break-dancing ['breɪkdɑːnsɪŋ] *n* breakdance *m*.

breakdown ['breɪkdaun] *n* (*AUT*) awaria *f*; (*of
marriage, political system*) rozpad *m*; (*of talks*)
załamanie się *nt*; (*of statistics*) rozbicie *nt*,
analiza *f*; (*also:* **nervous breakdown**)
załamanie *nt* (nerwowe).

breakdown service (*BRIT*) *n* pomoc *f*
drogowa.

breakdown van (*BRIT*) *n* samochód *m*
pomocy drogowej.

breaker ['breɪkə*] *n* fala *f* przybojowa.

breakeven ['breɪk'iːvn] *cpd*: **breakeven chart**
wykres *m* progu rentowności; **breakeven point**
próg rentowności.

breakfast ['brɛkfəst] *n* śniadanie *nt* ♦ *vi* jeść
(zjeść *perf*) śniadanie.

breakfast cereal *n* płatki *pl* śniadaniowe.

break-in ['breɪkɪn] *n* włamywać się (włamać
się *perf*).

breaking and entering ['breɪkɪŋən'entrɪŋ]
(*JUR*) *n* wtargnięcie *nt* z włamaniem.

breaking point ['breɪkɪŋ-] *n* granica *f*
wytrzymałości.

breakthrough ['breɪkθruː] *n* (*fig*) przełom *m*.

break-up ['breɪkʌp] *n* rozpad *m*.

break-up value *n suma wartości majątku
spółki podzielona przez liczbę wyemitowanych
akcji.*

breakwater ['breɪkwɔːtə*] *n* falochron *m*.

breast [brɛst] *n* pierś *f*; (*of lamb, veal*) mostek *m*.

breast-feed ['brɛstfiːd] (*irreg like:* **feed**) *vt*
karmić (nakarmić *perf*) piersią ♦ *vi* karmić
piersią.

breast pocket *n* kieszeń *f* wewnętrzna.

breast-stroke ['brɛststrəuk] *n* styl *m*
klasyczny, żabka *f* (*inf*).

breath [brɛθ] *n* (*breathing*) oddech *m*; (*single
intake of air*) wdech *m*; **to go out for a
breath of air** wychodzić (wyjść *perf*)
zaczerpnąć powietrza *or* odetchnąć świeżym
powietrzem; **to be out of breath** nie móc
złapać tchu; **to get one's breath back**
odzyskać *(perf)* oddech; **to hold one's breath**
wstrzymywać (wstrzymać *perf*) oddech.

breathalyze ['brɛθəlaɪz] (*also spelled*
breathalyse) *vt* mierzyć (zmierzyć *perf*)
zawartość alkoholu (w organizmie) +*dat*, kazać
(kazać *perf*) dmuchać w balonik +*dat* (*inf*).

Breathalyzer ['brεθəlaɪzə*] (*also spelled*
Breathalyser) ® *n* ≈ alkomat *m*.
breathe [bri:ð] *vt* oddychać (odetchnąć *perf*)
+*instr* ♦ *vi* oddychać (odetchnąć *perf*); **I won't
breathe a word about it** nie puszczę pary z
ust na ten temat.
▸**breathe in** *vt* wdychać ♦ *vi* oddychać
(odetchnąć *perf*).
▸**breathe out** *vt* wydychać ♦ *vi* wypuszczać
(wypuścić *perf*) powietrze.
breather ['bri:ðə*] *n*: **to take** *or* **have a
breather** robić (zrobić *perf*) sobie przerwę (na
złapanie oddechu).
breathing ['bri:ðɪŋ] *n* oddychanie *nt*, oddech *m*.
breathing space *n* (*fig*) chwila *f* wytchnienia.
breathless ['brεθlɪs] *adj* (*from exertion*)
z(a)dyszany; **he was breathless with
excitement** z wrażenia zaparło mu dech.
breathtaking ['brεθteɪkɪŋ] *adj* zapierający dech
(w piersiach).
bred [brεd] *pt, pp of* **breed**.
-bred [brεd] *suff*: **well/ill-bred** dobrze/źle
wychowany.
breed [bri:d] (*pt, pp* **bred**) *vt* hodować
(wyhodować *perf*); (*fig*) rodzić (zrodzić *perf*) ♦
vi rozmnażać się (rozmnożyć się *perf*) ♦ *n*
(*ZOOL*) rasa *f*; (*of person*) typ *m*.
breeder ['bri:də*] *n* (*person*) hodowca *m*;
(*also*: **breeder reactor**) reaktor *m* powielający.
breeding ['bri:dɪŋ] *n* (*upbringing*) wychowanie *nt*.
breeding ground *n* (*for birds*) lęgowisko *nt*;
(*for fish*) tarlisko *nt*; (*fig*) wylęgarnia *f*.
breeze [bri:z] *n* wietrzyk *m*.
breezeblock ['bri:zblɔk] (*BRIT*) *n* pustak *m*.
breezy ['bri:zɪ] *adj* (*person*) żwawy; (*tone*)
lekki; (*weather*) wietrzny.
Breton ['brεtən] *adj* bretoński ♦ *n* Bretończyk
(-onka) *m(f)*.
brevity ['brεvɪtɪ] *n* (*of life*) krótkotrwałość *f*;
(*of speech, writing*) zwięzłość *f*.
brew [bru:] *vt* (*tea*) parzyć (zaparzyć *perf*);
(*beer*) warzyć ♦ *vi* (*tea*) zaparzać się
(zaparzyć się *perf*); (*beer*) warzyć się; (*sth
unpleasant*): **a storm/crisis is brewing** zanosi
się na burzę/kryzys.
brewer ['bru:ə*] *n* (*beer maker*) piwowar *m*;
(*brewery owner*) właściciel *m* browaru.
brewery ['bru:ərɪ] *n* browar *m*.
briar ['braɪə*] *n* (*thorny bush*) wrzosiec *m*;
(*wild rose*) dzika róża *f*.
bribe [braɪb] *n* łapówka *f* ♦ *vt* przekupywać
(przekupić *perf*); **to bribe sb to do sth**
przekupić (*perf*) kogoś, żeby coś zrobił.
bribery ['braɪbərɪ] *n* przekupstwo *nt*.
bric-a-brac ['brɪkəbræk] *n* bibeloty *pl*.
brick [brɪk] *n* cegła *f*.
bricklayer ['brɪkleɪə*] *n* murarz *m*.
brickwork ['brɪkwə:k] *n* mur *m* (ceglany).
bridal ['braɪdl] *adj* ślubny.
bride [braɪd] *n* panna *f* młoda.

bridegroom ['braɪdgru:m] *n* pan *m* młody.
bridesmaid ['braɪdzmeɪd] *n* druhna *f*.
bridge [brɪdʒ] *n* (*TECH, ARCHIT*) most *m*;
(*NAUT*) mostek *m* kapitański; (*CARDS*) brydż
m; (*DENTISTRY*) most(ek) *m*; (*of nose*)
grzbiet *m* ♦ *vt* (*river*) przerzucać (przerzucić
perf) most nad +*instr*; (*fig: gap, gulf*)
zmniejszać (zmniejszyć *perf*).
bridging loan ['brɪdʒɪŋ-] (*BRIT*) *n*
krótkoterminowa pożyczka między
transakcjami, np. na zakup nowego domu
przed uzyskaniem wpływów ze sprzedaży
starego.
bridle ['braɪdl] *n* uzda *f* ♦ *vt* (*horse*) zakładać
(założyć *perf*) uzdę +*dat* ♦ *vi*: **to bridle (at)**
obruszać się (obruszyć się *perf*) (na +*acc*).
bridle path *n* ścieżka *f* konna.
brief [bri:f] *adj* krótki ♦ *n* (*JUR: documents*)
akta *pl* (sprawy); (*task*) wytyczne *pl* ♦ *vt*: **to
brief sb (about sth)** (*give instructions*)
instruować (poinstruować *perf*) kogoś (o
czymś); (*give information*) informować
(poinformować *perf*) kogoś (o czymś); **briefs**
npl (*for men*) slipy *pl*; (*for women*) figi *pl*; **in
brief** krótko mówiąc; **to give a brief to sb**
(*JUR*) powierzyć komuś prowadzenie sprawy.
briefcase ['bri:fkeɪs] *n* aktówka *f*.
briefing ['bri:fɪŋ] *n* instruktaż *m*; (*MIL*)
odprawa *f*; (*PRESS*) briefing *m*.
briefly ['bri:flɪ] *adv* (*smile, glance*) przelotnie;
(*visit*) na krótko; (*explain*) pokrótce; **to
glimpse sb/sth briefly** ujrzeć (*perf*) kogoś/coś
przelotnie.
Brig. *abbr* = **brigadier** bryg.
brigade [brɪ'geɪd] *n* brygada *f*.
brigadier [brɪgə'dɪə*] *n* brygadier *m* (*stopień
pomiędzy pułkownikiem a generałem brygady*).
bright [braɪt] *adj* (*light, room, colour*) jasny;
(*day*) pogodny; (*person*) bystry; (*idea*)
błyskotliwy; (*outlook, future*) świetlany; (*lively*)
ożywiony; **to look on the bright side**
podchodzić (podejść *perf*) do rzeczy
optymistycznie.
brighten ['braɪtn] (*also*: **brighten up**) *vt* (*place*)
upiększać (upiększyć *perf*); (*person*)
rozweselać (rozweselić *perf*); (*event*) ożywiać
(ożywić *perf*) ♦ *vi* (*of weather*) rozpogadzać
się (rozpogodzić się *perf*); (*person*) poweseleć
(*perf*); (*face*) rozjaśniać się (rozjaśnić się
perf); (*prospects*) polepszać się (polepszyć się
perf).
brightly ['braɪtlɪ] *adv* (*shine*) jasno; (*smile*)
promiennie; (*talk*) pogodnie.
brilliance ['brɪljəns] *n* (*of light*) świetlistość *f*;
(*of talent, skill*) błyskotliwość *f*.
brilliant ['brɪljənt] *adj* (*person, idea, career*)
błyskotliwy; (*smile*) promienny; (*light*)
olśniewający; (*inf: holiday etc*) kapitalny (*inf*).
brilliantly ['brɪljəntlɪ] *adv* (*act, perform*)

błyskotliwie; (*succeed, work*) znakomicie; (*illuminate*) rzęsiście.

brim [brɪm] *n* (*of cup*) brzeg *m*; (*of hat*) rondo *nt*.

brimful ['brɪm'ful] *adj*: **brimful (of)** po brzegi napełniony (*+instr*); (*fig*) pełen (*+gen*).

brine [braɪn] *n* zalewa *f* solna.

bring [brɪŋ] (*pt, pp* **brought**) *vt* (*thing, satisfaction*) przynosić (przynieść *perf*); (*person*) przyprowadzać (przyprowadzić *perf*); **to bring sth to an end** zakończyć (*perf*) coś; **I can't bring myself to fire him** nie mogę się przemóc, żeby go zwolnić.

►**bring about** *vt* doprowadzać (doprowadzić *perf*) do +*gen*.

►**bring back** *vt* (*restore*) przywracać (przywrócić *perf*); (*return*) odnosić (odnieść *perf*).

►**bring down** *vt* (*government*) obalać (obalić *perf*); (*price*) obniżać (obniżyć *perf*).

►**bring forward** *vt* (*meeting, proposal*) przesuwać (przesunąć *perf*) (*na wcześniejszy termin*); (*BOOK-KEEPING*) przenosić (przenieść *perf*).

►**bring in** *vt* (*money*) przynosić (przynieść *perf*); (*object, person*) sprowadzać (sprowadzić *perf*); (*POL: legislation*) wprowadzać (wprowadzić *perf*); (*JUR: verdict*) ogłaszać (ogłosić *perf*).

►**bring off** *vt* (*task*) wykonywać (wykonać *perf*); (*deal, plan*) przeprowadzać (przeprowadzić *perf*).

►**bring out** *vt* (*person*) ośmielać (ośmielić *perf*); (*new product*) wypuszczać (wypuścić *perf*) (na rynek); **to bring out the worst in sb** wyzwalać (wyzwolić *perf*) w kimś najgorsze instynkty.

►**bring round** *vt* (*unconscious person*) cucić (ocucić *perf*).

►**bring up** *vt* (*carry up*) przynosić (przynieść *perf*) (*na górę*); (*children*) wychowywać (wychować *perf*); (*question, subject*) podnosić (podnieść *perf*); (*food*) zwracać (zwrócić *perf*).

bring and buy sale *n dobroczynna giełda rzeczy używanych.*

brink [brɪŋk] *n* (*of disaster, war etc*) krawędź *f*; **to be on the brink of doing sth** być bliskim zrobienia czegoś; **she was on the brink of tears** była bliska łez.

brisk [brɪsk] *adj* (*tone, person*) energiczny; (*pace*) dynamiczny; (*trade*) ożywiony; **brisk walk** szybki spacer; **business is brisk** interes kwitnie.

bristle ['brɪsl] *n* (*on animal, chin*) szczecina *f*; (*of brush*) włosie *nt* ♦ *vi* (*in anger*) zjeżać się (zjeżyć się *perf*) (*inf*); (*at memory etc*) wzdrygać się (wzdrygnąć się *perf*); **bristling with** najeżony +*instr*.

bristly ['brɪslɪ] *adj* (*beard, hair*) szczeciniasty; (*chin*) pokryty szczeciną.

Brit [brɪt] (*inf*) *n abbr* (= *British person*) Brytyjczyk (-jka) *m(f)*.

Britain ['brɪtən] *n* (*also*: **Great Britain**) Wielka Brytania *f*; **in Britain** w Wielkiej Brytanii.

British ['brɪtɪʃ] *adj* brytyjski ♦ *npl*: **the British** Brytyjczycy *vir pl*.

British Isles *npl*: **the British Isles** Wyspy *pl* Brytyjskie.

British Rail *n* Kolej *f* Brytyjska.

Briton ['brɪtən] *n* Brytyjczyk (-jka) *m(f)*.

Brittany ['brɪtənɪ] *n* Bretania *f*.

brittle ['brɪtl] *adj* kruchy.

Br(o). (*REL*) *abbr* = **brother** br.

broach [brəʊtʃ] *vt* (*subject*) poruszać (poruszyć *perf*).

broad [brɔːd] *adj* (*street, smile, range*) szeroki; (*outlines*) ogólny; (*accent*) silny ♦ *n* (*US: inf*) kobieta *f*; **in broad daylight** w biały dzień; **broad hint** wyraźna aluzja.

broad bean *n* bób *m*.

broadcast ['brɔːdkɑːst] (*pt, pp* **broadcast**) *n* (*RADIO*) audycja *f*, program *m*; (*TV*) program *m* ♦ *vt* (*RADIO, TV*) nadawać (nadać *perf*), emitować (wyemitować *perf*) ♦ *vi* (*RADIO, TV*) nadawać.

broadcasting ['brɔːdkɑːstɪŋ] *n* nadawanie *nt* programów.

broadcasting station *n* stacja *f* nadawcza.

broaden ['brɔːdn] *vt* rozszerzać (rozszerzyć *perf*), poszerzać (poszerzyć *perf*) ♦ *vi* rozszerzać się (rozszerzyć się *perf*); **to broaden sb's mind** poszerzać (poszerzyć *perf*) czyjeś horyzonty (myślowe); **travel broadens the mind** podróże kształcą.

broadly ['brɔːdlɪ] *adv* zasadniczo; **broadly speaking** najogólniej biorąc.

broad-minded ['brɔːd'maɪndɪd] *adj* tolerancyjny.

broccoli ['brɔkəlɪ] *n* brokuły *pl*.

brochure ['brəʊʃjuə*] *n* broszura *f*, prospekt *m*.

brogue [brəʊg] *n* (*accent*) silny akcent, *zwłaszcza irlandzki lub szkocki*; (*shoe*) *mocny, skórzany but.*

broil [brɔɪl] *vt* opiekać (opiec *perf*).

broiler ['brɔɪlə*] *n* brojler *m*.

broke [brəʊk] *pt of* **break** ♦ *adj* (*inf: person*) spłukany (*inf*); **to go broke** plajtować (splajtować *perf*) (*inf*).

broken ['brəʊkn] *pp of* **break** ♦ *adj* (*window, cup*) rozbity; (*machine*) zepsuty; (*leg, promise, vow*) złamany; (*marriage, home*) rozbity; **in broken English/Polish** łamaną angielszczyzną/polszczyzną.

broken-down ['brəʊkn'daʊn] *adj* (*car, machine*) zepsuty; (*house*) podupadły.

broken-hearted ['brəʊkn'hɑːtɪd] *adj*: **to be broken-hearted** mieć złamane serce.

broker ['brəʊkə*] *n* (*in shares*) makler *m*; (*insurance broker*) broker *m* ubezpieczeniowy.

brokerage ['brəʊkrɪdʒ] *n* (*business*) usługi *pl* maklerskie; (*fee*) opłata *f* za usługi maklerskie.

brolly ['brɔlɪ] (*BRIT: inf*) *n* parasol *m*.

bronchitis [brɔŋ'kaɪtɪs] *n* zapalenie *nt* oskrzeli, bronchit *m*.

bronze [brɔnz] *n* (*metal*) brąz *m*; (*sculpture*) rzeźba *f* z brązu.

bronzed [brɔnzd] *adj* opalony na brąz.

brooch [brəutʃ] *n* broszka *f*.

brood [bru:d] *n* (*baby birds*) wyląg *m*; (*sb's children*) trzódka *f*, gromadka *f* ♦ *vi* (*hen*) wysiadywać jajka; (*person*) rozmyślać.

►**brood on** *or* **over** *vt fus* rozpamiętywać +*acc*.

broody ['bru:dɪ] *adj* (*moody*) zasępiony; (*hen*) kwoczący; **to feel broody** (*woman*) pragnąć dziecka.

brook [bruk] *n* strumyk *m*.

broom [brum] *n* miotła *f*; (*BOT*) janowiec *m*.

broomstick ['brumstɪk] *n* kij *m* od miotły.

Bros. (*COMM*) *abbr* (= *brothers*) Bracia.

broth [brɔθ] *n* rosół *m*.

brothel ['brɔθl] *n* dom *m* publiczny, burdel *m* (*inf*).

brother ['brʌðə*] *n* (*lit, fig*) brat *m*.

brotherhood ['brʌðəhud] *n* braterstwo *nt*.

brother-in-law ['brʌðərɪn'lɔ:] *n* szwagier *m*.

brotherly ['brʌðəlɪ] *adj* braterski.

brought [brɔ:t] *pt, pp of* bring.

brought forward (*BOOK-KEEPING*) *adj* z przeniesienia *post*.

brow [brau] *n* (*forehead*) czoło *nt*; (*old: eyebrow*) brew *f*; (*of hill*) grzbiet *m*.

browbeat ['braubi:t] *vt*: **to browbeat sb** zastraszać (zastraszyć *perf*) kogoś; **to browbeat sb into doing sth** wymuszać (wymusić *perf*) na kimś zrobienie czegoś.

brown [braun] *adj* brązowy ♦ *n* (kolor *m*) brązowy, brąz *m* ♦ *vi* (*CULIN*) przyrumieniać się (przyrumienić się *perf*); **to go brown** (*person*) opalać się (opalić się *perf*); (*leaves*) brązowieć (zbrązowieć *perf*).

brown bread *n* ciemny chleb *m*.

Brownie ['braunɪ] *n* (*also*: **Brownie Guide**) dziewczynka należąca do drużyny zuchów.

brownie ['braunɪ] (*US*) *n* czekoladowe ciasteczko z orzechami.

brown paper *n* szary papier *m*.

brown rice *n* ryż *m* niełuskany.

brown sugar *n* cukier *m* nieoczyszczony.

browse [brauz] *vi* (*in shop*) szperać; (*animal*) paść się ♦ *n*: **to have a browse (around)** rozglądać się (rozejrzeć się *perf*); **to browse through a book** przeglądać *or* przerzucać książkę.

bruise [bru:z] *n* (*on body*) siniak *m*; (*on fruit*) obicie *nt* ♦ *vt* (*arm, leg*) stłuc (*perf*); (*person*) posiniaczyć (*perf*); (*fruit*) obijać (obić *perf*) ♦ *vi* (*fruit*) obijać się (obić się *perf*).

Brum [brʌm] (*BRIT: inf*) *n abbr* (= *Birmingham*).

Brummie ['brʌmɪ] (*inf*) *n* mieszkaniec (-nka) *m(f)* Birmingham.

brunch [brʌntʃ] *n* połączenie późnego śniadania z lunchem.

brunette [bru:'nɛt] *n* brunetka *f*.

brunt [brʌnt] *n*: **to bear the brunt of** (*attack, criticism*) najbardziej odczuwać (odczuć *perf*);

brush [brʌʃ] *n* (*for cleaning*) szczotka *f*; (*for shaving, painting*) pędzel *m*; (*unpleasant encounter*) scysja *f* ♦ *vt* (*floor*) zamiatać (zamieść *perf*); (*hair*) szczotkować (wyszczotkować *perf*); (*also*: **brush against**) ocierać się (otrzeć się *perf*) o +*acc*; **to brush one's teeth** myć (umyć *perf*) zęby; **to have a brush with death** ocierać się (otrzeć się *perf*) o śmierć; **to have a brush with the police** mieć do czynienia z policją.

►**brush aside** *vt* odsuwać (odsunąć *perf*) na bok.

►**brush past** *vt* przemykać (przemknąć *perf*) obok +*gen*.

►**brush up (on)** *vt* (*language*) szlifować (podszlifować *perf*); (*knowledge*) odświeżać (odświeżyć *perf*).

brushed [brʌʃt] *adj* (*steel, chrome*) matowy; (*nylon, denim*) z meszkiem *post*.

brush-off ['brʌʃɔf] *n*: **to give sb the brush-off** (*inf*) spławiać (spławić *perf*) kogoś (*inf*).

brushwood ['brʌʃwud] *n* chrust *m*.

brusque [bru:sk] *adj* szorstki.

Brussels ['brʌslz] *n* Bruksela *f*.

Brussels sprout *n* brukselka *f*.

brutal ['bru:tl] *adj* brutalny.

brutality [bru:'tælɪtɪ] *n* brutalność *f*.

brute [bru:t] *n* (*person*) brutal *m*; (*animal*) zwierz *m*, bydlę *nt* (*inf*) ♦ *adj*: **by brute force** na siłę, na chama (*inf*).

brutish ['bru:tɪʃ] *adj* bydlęcy.

BS (*US*) *n abbr* (= *Bachelor of Science*) stopień naukowy.

bs *abbr* = **bill of sale**.

BSA *n abbr* (= *Boy Scouts of America*) chłopięca organizacja skautowska.

BSc *abbr* (= *Bachelor of Science*) stopień naukowy.

BSE *n abbr* (= *bovine spongiform encephalopathy*) choroba bydła.

BSI *n abbr* (= *British Standards Institution*) urząd normalizacyjny.

BST *abbr* (= *British Summer Time*).

Bt. (*BRIT*) *abbr* = **Bart.**.

btu *n abbr* (= *British thermal unit*) brytyjska jednostka *f* cieplna.

bubble ['bʌbl] *n* bańka *f* ♦ *vi* (*form bubbles: boiling liquid*) wrzeć; (: *champagne etc*) musować; (*gurgle*) bulgotać; (: *stream*) szemrać; (*fig: with energy*) kipieć; (: *with joy, confidence*) promieniować.

bubble bath *n* (*liquid*) płyn *m* do kąpieli; (*bath*) kąpiel *f* w pianie.

bubble gum *n* guma *f* balonowa.

bubble pack *n* opakowanie złożone z

wymodelowanej przejrzystej pokrywy
przymocowanej do kartonowej podstawy.
Bucharest [buːkəˈrest] *n* Bukareszt *m*.
buck [bʌk] *n* (*rabbit*) królik *m* (*samiec*); (*deer*)
kozioł *m*; (*US*: *inf*) dolec *m* (*inf*) ♦ *vi* (*horse*)
brykać (bryknąć *perf*); **to pass the buck**
spychać (zepchnąć *perf*) odpowiedzialność na
innych; **to pass the buck to sb** spychać
(zepchnąć *perf*) odpowiedzialność na kogoś.
►**buck up** *vi* (*cheer up*) rozchmurzyć się *(perf)*
♦ *vt*: **to buck one's ideas up** spinać się
(spiąć się *perf*) (*inf*), sprężać się (sprężyć się
perf) (*inf*).
bucket [ˈbʌkɪt] *n* wiadro *nt* ♦ *vi* (*BRIT*: *inf*): **the**
rain is bucketing (down) leje jak z cebra (*inf*).
buckle [ˈbʌkl] *n* sprzączka *f* ♦ *vt* (*shoe, belt*)
zapinać (zapiąć *perf*) (na sprzączkę); (*wheel*)
wyginać (wygiąć *perf*) ♦ *vi* (*wheel, bridge*)
wyginać się (wygiąć się *perf*).
►**buckle down** *vi*: **to buckle down (to sth)**
przykładać się (przyłożyć się *perf*) (do czegoś).
Bucks [bʌks] (*BRIT*: *POST*) *abbr* (=
Buckinghamshire).
bud [bʌd] *n* pąk *m*, pączek *m* ♦ *vi* wypuszczać
(wypuścić *perf*) pąki *or* pączki.
Budapest [bjuːdəˈpest] *n* Budapeszt *m*.
Buddha [ˈbudə] *n* Budda *m*.
Buddhism [ˈbudɪzəm] *n* buddyzm *m*.
Buddhist [ˈbudɪst] *adj* buddyjski ♦ *n* buddysta
(-tka) *m(f)*.
budding [ˈbʌdɪŋ] *adj* (*fig*) dobrze się
zapowiadający.
buddy [ˈbʌdɪ] (*US*) *n* kumpel *m*; (*form of*
address) kolego *(voc)*.
budge [bʌdʒ] *vt* ruszać (ruszyć *perf*) (z
miejsca) ♦ *vi* (*screw etc*) ruszać się (ruszyć
się *perf*); (*fig: person*) ustępować (ustąpić
perf); **he could not be budged, he wouldn't**
budge pozostawał niewzruszony.
budgerigar [ˈbʌdʒərɪgaː*] *n* papużka *f* falista.
budget [ˈbʌdʒɪt] *n* budżet *m* ♦ *vi*: **to budget**
for sth preliminować (zaplaniować *perf*)
coś; **I'm on a tight budget** mam napięty
budżet; **she works out her budget every**
month co miesiąc planuje swoje wydatki.
budgie [ˈbʌdʒɪ] *n* = budgerigar.
Buenos Aires [ˈbweɪnɔsˈaɪrɪz] *n* Buenos Aires
nt inv.
buff [bʌf] *adj* szary ♦ *n* (*inf*) znawca (-czyni) *m(f)*.
buffalo [ˈbʌfələu] (*pl* **buffalo** *or* **buffaloes**) *n*
(*BRIT*) bawół *m*; (*US*) bizon *m*.
buffer [ˈbʌfə*] *n* (*COMPUT, RAIL*) bufor *m*;
(*fig: safeguard*) zabezpieczenie *nt*.
buffering [ˈbʌfərɪŋ] (*COMPUT*) *n* buforowanie *nt*.
buffer state *n* państwo *nt* buforowe.
buffet[1] [ˈbufeɪ] (*BRIT*) *n* bufet *m*.
buffet[2] [ˈbʌfɪt] *vt* (*wind, waves: ship*) uderzać
w +*acc or* o +*acc*.
buffet car *n* wagon *m* restauracyjny.
buffet lunch *n* stół *m* szwedzki.

buffoon [bəˈfuːn] *n* bufon *m*.
bug [bʌg] *n* (*esp US*: *insect*) robak *m*;
(*COMPUT*: *in program*) błąd *m*; (: *in*
equipment) wada *f*; (*microphone*) ukryty
mikrofon *m*; (*fig: germ*) wirus *m* ♦ *vt*
(*inf: annoy*) wkurzać (*inf*); (: *bother*) gryźć;
(*room, house*) zakładać (założyć *perf*)
podsłuch w +*loc*; **to bug sb's telephone**
zakładać (założyć *perf*) komuś *or* u kogoś
podsłuch (telefoniczny); **to be bugged** (*room,*
telephone) być na podsłuchu; **I've got the**
travel bug (*fig*) złapałem bakcyla podróży.
bugbear [ˈbʌgbeə*] *n* problem *m*.
bugger [ˈbʌgə*] (*inf!*) *n* gnój *m* (*inf!*) ♦ *vb*:
bugger off! odpierdol się! (*inf!*); **bugger (it)!**
(о) kurwa! (*inf!*).
buggy [ˈbʌgɪ] *n* (*also*: **baby buggy**) wózek *m*
spacerowy, spacerówka *f* (*inf*).
bugle [ˈbjuːgl] *n* trąbka *f* (*zwłaszcza używana w*
wojsku).
build [bɪld] (*pt, pp* **built**) *n* (*of person*) budowa *f*
(ciała) ♦ *vt* budować (zbudować *perf*).
►**build on** *vt fus* (*fig*) wykorzystywać
(wykorzystać *perf*).
►**build up** *vt* (*production*) zwiększać
(zwiększyć *perf*); (*forces*) wzmacniać
(wzmocnić *perf*); (*morale*) podnosić (podnieść
perf); (*stocks*) gromadzić (zgromadzić *perf*);
(*business*) rozwijać (rozwinąć *perf*); **don't**
build your hopes up too soon nie rób sobie
przedwcześnie nadziei.
builder [ˈbɪldə*] *n* budowniczy *m*.
building [ˈbɪldɪŋ] *n* (*construction*) budowa *f*;
(*structure*) budynek *m*.
building contractor *n* przedsiębiorca *m*
budowlany.
building industry *n*: **the building industry**
przemysł *m* budowlany.
building site *n* plac *m* budowy.
building society (*BRIT*) *n* ≈ spółdzielnia *f*
mieszkaniowa.
building trade *n* = building industry.
build-up [ˈbɪldʌp] *n* (*of gas etc*)
nagromadzenie *nt*; **to give sb/sth a good**
build-up robić (zrobić *perf*) komuś/czemuś
dobrą reklamę.
built [bɪlt] *pt, pp of* build ♦ *adj*: **built-in**
wbudowany; **well-built** dobrze zbudowany.
built-up area [ˈbɪltʌp-] *n* obszar *m*
zabudowany.
bulb [bʌlb] *n* (*BOT*) bulwa *f*; (*ELEC*) żarówka *f*.
bulbous [ˈbʌlbəs] *adj* bulwiasty.
Bulgaria [bʌlˈgeərɪə] *n* Bułgaria *f*.
Bulgarian [bʌlˈgeərɪən] *adj* bułgarski ♦ *n*
(*person*) Bułgar(ka) *m(f)*; (*LING*) (język *m*)
bułgarski.
bulge [bʌldʒ] *n* (*bump*) wybrzuszenie *nt*; (*in*
birth rate, sales) przejściowy wzrost *m* ♦ *vi*:
his pocket bulged miał wypchaną kieszeń; **to**
be bulging with (*box*) pękać od +*gen*; (*table,*

shelf) uginać się od +*gen*; **population bulge** wyż demograficzny.

bulimia [bə'lɪmɪə] *n* bulimia *f*.

bulk [bʌlk] *n* (*of object*) masa *f*, (*of person*) cielsko *nt*; **in bulk** (*COMM*) hurtowo; **the bulk of** większość +*gen*.

bulk buying [-'baɪɪŋ] *n* masowy skup *m*.

bulkhead ['bʌlkhɛd] *n* przegroda *f*.

bulky ['bʌlkɪ] *adj* nieporęczny.

bull [bul] *n* (*ZOOL*) byk *m*; (*STOCK EXCHANGE*) gracz *m* na zwyżkę; (*REL*) bulla *f*.

bulldog ['buldɔg] *n* buldog *m*.

bulldoze ['buldəuz] *vt* (*knock down*) burzyć (zburzyć *perf*) spychaczem; (*flatten*) wyrównywać (wyrównać *perf*) spychaczem; **I was bulldozed into it** (*inf. fig*) zmusili mnie do tego.

bulldozer ['buldəuzə*] *n* spychacz *m*, buldożer *m*.

bullet ['bulɪt] *n* kula *f*.

bulletin ['bulɪtɪn] *n* (*TV etc*): **news bulletin** skrót *m* wiadomości; (*journal*) biuletyn *m*.

bulletin board (*COMPUT*) *n* komputerowa tablica *f* ogłoszeń, BBS *m*; (*US: noticeboard*) tablica *f* ogłoszeń.

bulletproof ['bulɪtpru:f] *adj* kuloodporny.

bullfight ['bulfaɪt] *n* corrida *f*, walka *f* byków.

bullfighter ['bulfaɪtə*] *n* torreador *m*.

bullfighting ['bulfaɪtɪŋ] *n* walki *pl* byków.

bullion ['buljən] *n* (*gold*) złoto *nt* w sztabach; (*silver*) srebro *nt* w sztabach.

bullock ['bulək] *n* wół *m*.

bullring ['bulrɪŋ] *n* arena *f* (*do walk byków*).

bull's-eye ['bulzaɪ] *n* środek *m* tarczy, dziesiątka *f* (*inf*).

bully ['bulɪ] *n*: **he was a bully at school** w szkole znęcał się nad słabszymi ♦ *vt* tyranizować; **to bully sb into doing sth** zmuszać (zmusić *perf*) kogoś do zrobienia czegoś.

bullying ['bulɪŋ] *n* tyranizowanie *nt*.

bum [bʌm] (*inf*) *n* (*BRIT: backside*) zadek *m* (*inf*); (*esp US: tramp*) włóczęga *m*.

►bum around (*inf*) *vi* (*drift*) włóczyć się; (*laze around*) obijać się.

bumblebee ['bʌmblbi:] *n* trzmiel *m*.

bumf [bʌmf] (*also spelled* **bumph**) (*inf*) *n* papierki *pl* (*inf*).

bump [bʌmp] *n* (*car accident*) stłuczka *f*, (*jolt*) wstrząs *m*; (*on head*) guz *m*; (*on road*) wybój *m* ♦ *vt*: **to bump one's head on** *or* **against sth** uderzać (uderzyć *perf*) głową o coś ♦ *vi* (*car*) podskakiwać (podskoczyć *perf*).

►bump into *vt fus* wpadać (wpaść *perf*) na +*acc*.

bumper ['bʌmpə*] *n* zderzak *m* ♦ *adj*: **bumper crop/harvest** rekordowe zbiory *pl*.

bumper cars *pl* samochodziki *pl* (*w wesołym miasteczku*).

bumph [bʌmf] *n* = **bumf**.

bumptious ['bʌmpʃəs] *adj* przemądrzały.

bumpy ['bʌmpɪ] *adj* wyboisty; **it was a bumpy flight/ride** bardzo trzęsło (podczas lotu/jazdy).

bun [bʌn] *n* (*CULIN*) (*słodka*) bułeczka *f*; (*hairstyle*) kok *m*.

bunch [bʌntʃ] *n* (*of flowers*) bukiet *m*; (*of keys*) pęk *m*; (*of bananas, grapes*) kiść *f*; (*of people*) grupa *f*, **bunches** *npl* kitki *pl*, kucyki *pl*.

bundle ['bʌndl] *n* (*of clothes, belongings*) zawiniątko *nt*, tobołek *m*; (*of sticks*) wiązka *f*, (*of papers*) paczka *f*, plik *m* ♦ *vt* (*also*: **bundle up**) pakować (spakować *perf*); (*put*): **to bundle sth/sb into** wpychać (wepchnąć *perf*) coś/kogoś do +*gen*.

►bundle off *vt* (*person*) wyprawiać (wyprawić *perf*).

bun fight (*BRIT: inf*) *n* bankiecik *m* (*inf*).

bung [bʌŋ] *n* (*of barrel*) szpunt *m*; (*of flask*) korek *m*, zatyczka *f* ♦ *vt* (*BRIT: throw, put*) rzucać (rzucić *perf*); (*also*: **bung up**: *pipe, hole*) zatykać (zatkać *perf*); **my nose is bunged up** mam zapchany nos.

bungalow ['bʌŋgələu] *n* dom *m* parterowy, bungalow *m*.

bungle ['bʌŋgl] *vt* spartaczyć (*perf*).

bunion ['bʌnjən] *n* (*MED*) halluks *m*.

bunk [bʌŋk] *n* (*on ship*) koja *f*.

bunk beds *npl* łóżko *nt* piętrowe.

bunker ['bʌŋkə*] *n* (*coal store*) skład *m* na węgiel; (*MIL, GOLF*) bunkier *m*.

bunny ['bʌnɪ] *n* (*also*: **bunny rabbit**) króliczek *m*.

bunny girl (*BRIT*) *n* hostessa *w klubie nocnym w stroju króliczka*.

bunny hill (*US: SKI*) *n* ośla łączka *f*.

bunting ['bʌntɪŋ] *n* chorągiewki *pl*.

buoy [bɔɪ] *n* boja *f*.

►buoy up *vt* (*fig*) podtrzymywać (podtrzymać *perf*) na duchu.

buoyancy ['bɔɪənsɪ] *n* (*of ship*) pływalność *f*.

buoyant ['bɔɪənt] *adj* (*economy, market*) prężny; (*prices, currency*) zwyżkujący; **to be buoyant** utrzymywać się na powierzchni wody; (*fig*) cieszyć się życiem.

burden ['bə:dn] *n* (*responsibility*) obciążenie *nt*; (*load, worry*) ciężar *m* ♦ *vt*: **to burden sb with** (*trouble, worry*) martwić kogoś +*instr*; **to be a burden to sb** być dla kogoś ciężarem.

bureau ['bjuərəu] (*pl* **bureaux**) *n* (*BRIT*) sekretarzyk *m*; (*US*) komoda *f*; (*for travel, information*) biuro *nt*.

bureaucracy [bjuə'rɔkrəsɪ] *n* biurokracja *f*.

bureaucrat ['bjuərəkræt] *n* biurokrata (-tka) *m(f)*.

bureaucratic [bjuərə'krætɪk] *adj* biurokratyczny.

bureaux ['bjuərəuz] *npl of* **bureau**.

burgeon ['bə:dʒən] *vi* (*fig*) rozrastać się (rozrosnąć się *perf*).

burglar ['bə:glə*] *n* włamywacz(ka) *m(f)*.

burglar alarm *n* alarm *m* antywłamaniowy *or* przeciwwłamaniowy.

burglarize ['bə:gləraɪz] (*US*) *vt* włamywać się (włamać się *perf*) do +*gen*.

burglary ['bə:gləri] *n* włamanie *nt*.

burgle ['bə:gl] *vt* włamywać się (włamać się *perf*) do +gen.

Burgundy ['bə:gəndi] *n* Burgundia *f*.

burial ['bɛriəl] *n* pogrzeb *m*.

burial ground *n* (*ancient*) cmentarzysko *nt*; (*of soldiers*) miejsce *nt* spoczynku.

burlesque [bə:'lɛsk] *n* burleska *f*.

burly ['bə:li] *adj* krzepki.

Burma ['bə:mə] *n* Birma *f*.

Burmese [bə:'mi:z] *adj* birmański; (*person*) Birmańczyk (-anka) *m(f)*; (*LING*) (język *m*) birmański.

burn [bə:n] (*pt, pp* **burned** *or* **burnt**) *vt* (*papers etc*) palić (spalić *perf*); (*fuel*) spalać (spalić *perf*); (*toast etc*) przypalać (przypalić *perf*); (*part of body*) parzyć (oparzyć *perf or* sparzyć *perf*) ♦ *vi* (*house, wood*) palić się (spalić się *perf*); (*fuel*) spalać się (spalić się *perf*); (*toast etc*) przypalać się (przypalić się *perf*); (*blister etc*) piec ♦ *n* oparzenie *nt*; **the cigarette burnt a hole in her dress** papieros wypalił jej dziurę w sukni; **I've burnt myself!** oparzyłem się!

►**burn down** *vt* spalić (*perf*) (doszczętnie).

►**burn out** *vi*: **to burn (o.s.) out** wypalać się (wypalić się *perf*).

burner ['bə:nə*] *n* palnik *m*.

burning ['bə:niŋ] *adj* (*house, forest*) płonący, palący się; (*sand, issue*) palący; (*interest, enthusiasm*) gorący.

burnish ['bə:niʃ] *vt* polerować (wypolerować *perf*).

burnt [bə:nt] *pt, pp of* **burn**.

burnt sugar (*BRIT*) *n* karmel *m*.

burp [bə:p] (*inf*) *n* odbicie *nt*, beknięcie *nt* (*inf*) ♦ *vi*: **he burped** odbiło mu się, beknął (*inf*).

burrow ['bʌrəu] *n* nora *f* (*np. królicza*) ♦ *vi* (*animal*) ryć *or* kopać norę; (*person*) szperać, grzebać.

bursar ['bə:sə*] *n* kwestor *m*.

bursary ['bə:səri] (*BRIT*) *n* stypendium *nt*.

burst [bə:st] (*pt, pp* **burst**) *vt* (*balloon, ball*) przebijać (przebić *perf*); (*pipe*) rozrywać (rozerwać *perf*) ♦ *vi* (*pipe, tyre*) pękać (pęknąć *perf*) ♦ *n* (*also*: **burst pipe**) pęknięta rura *f*; **to burst into flames** stawać (stanąć *perf*) w płomieniach; **to burst into tears** wybuchać (wybuchnąć *perf*) płaczem; **to burst out laughing** wybuchać (wybuchnąć *perf*) śmiechem; **the river has burst its banks** rzeka wystąpiła z brzegów; **burst blood vessel** pęknięte naczynie krwionośne; **to be bursting with** (*container*) pękać od +gen; (*person*) tryskać +instr; **to burst open** gwałtownie się otwierać (otworzyć *perf*); **a burst of energy/enthusiasm** przypływ energii/entuzjazmu; **a burst of laughter** wybuch śmiechu; **a burst of applause** burza oklasków; **there was a burst of gunfire** nagle otworzono ogień.

►**burst into** *vt fus* wpadać (wpaść *perf*) do +gen.

►**burst out of** *vt fus* wypadać (wypaść *perf*) z +gen.

bury ['bɛri] *vt* (*object*) zakopywać (zakopać *perf*); (*person*) chować (pochować *perf*); **to bury one's face in one's hands** ukrywać (ukryć *perf*) twarz w dłoniach; **to bury one's head in the sand** (*fig*) chować (schować *perf*) głowę w piasek; **to bury the hatchet** (*fig*) zakopywać (zakopać *perf*) topór wojenny.

bus [bʌs] *n* autobus *m*.

bush [buʃ] *n* (*plant*) krzew *m*, krzak *m*; (*scrubland*) busz *m*; **to beat about the bush** owijać w bawełnę.

bushel ['buʃl] *n* buszel *m* (*36,4 litra*).

bushy ['buʃi] *adj* (*eyebrows*) krzaczasty; (*tail*) puszysty; (*hair, plants*) bujny.

busily ['bizili] *adv* pracowicie.

business ['biznis] *n* (*matter, question*) sprawa *f*; (*trading*) interesy *pl*, biznes *m*; (*firm*) firma *f*, biznes *m* (*inf*); (*trade*) branża *f*; **she's away on business** wyjechała w interesach; **I'm here on business** jestem tu w interesach *or* służbowo; **he's in the insurance business** pracuje w branży ubezpieczeniowej; **to do business with sb** robić z kimś interesy; **it's my business to ...** moim obowiązkiem jest +infin; **it's none of my business** to nie moja sprawa; **he means business** on nie żartuje.

business address *n* adres *m* firmy.

business card *n* wizytówka *f*.

businesslike ['biznislaik] *adj* rzeczowy.

businessman ['biznismən] (*irreg like* **man**) *n* biznesman *m*.

business trip *n* wyjazd *m* służbowy.

businesswoman ['bizniswumən] (*irreg like* **woman**) *n* bizneswoman *f inv*.

busker ['bʌskə*] (*BRIT*) *n* grajek *m* uliczny.

bus lane (*BRIT*) *n* pas *m* (*ruchu*) wydzielony dla autobusów.

bus shelter *n* wiata *f* (*na przystanku autobusowym*).

bus station *n* dworzec *m* autobusowy.

bus stop *n* przystanek *m* autobusowy.

bust [bʌst] *n* (*ANAT*) biust *m*; (*measurement*) obwód *m* w biuście; (*sculpture*) popiersie *nt* ♦ *adj* (*inf: broken*) zepsuty ♦ *vt* (*inf: arrest*) przymykać (przymknąć *perf*) (*inf*); **to go bust** plajtować (splajtować *perf*) (*inf*).

bustle ['bʌsl] *n* krzątanina *f* ♦ *vi* krzątać się.

bustling ['bʌsliŋ] *adj* gwarny, ruchliwy.

bust-up ['bʌstʌp] (*BRIT: inf*) *n* kłótnia *f*, (*ending relationship*) zerwanie *nt*.

BUSWE (*BRIT*) *n abbr* (= British Union of Social Work Employees).

busy ['bizi] *adj* (*person, telephone line*) zajęty; (*street*) ruchliwy ♦ *vt*: **to busy o.s. with** zajmować się (zająć się *perf*) +instr; **he's a busy man** jest bardzo zapracowany; **she's**

busy jest zajęta; **it's usually a very busy shop** w tym sklepie panuje zwykle duży ruch.

busybody ['bɪzɪbɔdɪ] n ciekawski (-ka) m(f).

busy signal (US: TEL) n sygnał m „zajęte".

┌─────────── KEYWORD ───────────┐

but [bʌt] conj **1** (yet, however) ale, lecz (fml); **I'd love to come, but I'm busy** bardzo chciałabym przyjść, ale jestem zajęta; **I'm sorry, but I don't agree** przykro mi, lecz nie zgadzam się. **2** (showing disagreement, surprise etc) ależ; **but that's far too expensive!** ależ to o wiele za drogo!; **but that's fantastic!** ależ to wspaniale! ♦ prep (apart from, except): **we've had nothing but trouble** mieliśmy same kłopoty; **no-one but him can do it** jedynie on może to zrobić; **but for your help** gdyby nie twoja pomoc; **I'll do anything but that** zrobię wszystko, tylko nie to ♦ adv tylko; **she's but a child** jest tylko dzieckiem; **had I but known** gdybym tylko wiedział; **I can but try** mogę tylko spróbować.

└───────────────────────────────┘

butane ['bju:teɪn] n (also: **butane gas**) butan m.

butcher ['butʃə*] n rzeźnik (-iczka) m(f); (fig) oprawca m ♦ vt (cattle) zarzynać (zarżnąć perf); (people) dokonywać (dokonać perf) rzezi na +loc.

butcher's (shop) ['butʃəz-] n (sklep m) mięsny, rzeźnik m.

butler ['bʌtlə*] n kamerdyner m.

butt [bʌt] n (barrel) beczka f; (of spear) rękojeść f; (of gun) kolba f; (of cigarette) niedopałek m; (BRIT: fig: of jokes, criticism) obiekt m; (US: inf!) dupa f (inf!) ♦ vt (person) uderzać (uderzyć perf) głową; (goat) bóść (ubóść perf).

►**butt in** vi wtrącać się (wtrącić się perf).

butter ['bʌtə*] n masło nt ♦ vt smarować (posmarować perf) masłem.

buttercup ['bʌtəkʌp] n jaskier m.

butter dish n maselniczka f.

butterfingers ['bʌtəfɪŋgəz] (inf) n niezdara m/f.

butterfly ['bʌtəflaɪ] n motyl m; (also: **butterfly stroke**) styl m motylkowy, motylek m.

buttocks ['bʌtəks] npl pośladki pl.

button ['bʌtn] n (on clothes) guzik m; (on machine) przycisk m, guzik m; (US: badge) znaczek m (do przypinania) ♦ vt (also: **button up**) zapinać (zapiąć perf) ♦ vi zapinać się (zapiąć się perf).

buttonhole ['bʌtnhəul] n dziurka f ♦ vt przyczepiać się (przyczepić się perf) do +gen.

buttress ['bʌtrɪs] n przypora f.

buxom ['bʌksəm] adj (woman) dorodny.

buy [baɪ] (pt, pp **bought**) vt kupować (kupić perf) ♦ n: **good/bad buy** dobry or udany/zły or nieudany zakup m; **to buy sb sth**
kupować (kupić perf) komuś coś; **to buy sth from sb/a shop** kupować (kupić perf) coś od kogoś/w sklepie; **to buy sth off sb** kupować (kupić perf) coś od kogoś; **to buy sb a drink** stawiać (postawić perf) komuś drinka.

►**buy back** vt odkupić (perf) (z powrotem).

►**buy in** (BRIT) vt zakupić (perf) (w dużych ilościach).

►**buy into** (BRIT: COMM) vt fus zdobywać (zdobyć perf) udziały w +loc.

►**buy off** vt przekupywać (przekupić perf).

►**buy out** vt (business, partner) wykupywać (wykupić perf).

►**buy up** vt (land etc) wykupywać (wykupić perf).

buyer ['baɪə*] n (purchaser) kupiec m, nabywca m; (COMM) zaopatrzeniowiec m.

buyer's market ['baɪəz-] n rynek m nabywcy.

buy-out ['baɪaut] n: **a management buy-out** wykup m przedsiębiorstwa przez kierownictwo.

buzz [bʌz] n brzęczenie nt; **to give sb a buzz** (inf) przekręcić (perf) do kogoś (inf) ♦ vi (insect, saw) brzęczeć ♦ vt (person) przywoływać (przywołać perf) (za pomocą telefonu wewnętrznego, brzęczyka itp); (AVIAT) przelatywać (przelecieć perf) lotem koszącym nad +instr; **my head is buzzing** mam mętlik w głowie; **my ears are buzzing** szumi mi w uszach.

►**buzz off** (inf) vi spływać (spłynąć perf) (inf).

buzzard ['bʌzəd] n myszołów m.

buzzer ['bʌzə*] n brzęczyk m.

buzz word (inf) n modne określenie nt (zwykle specjalistyczne i nadużywane w mediach).

┌─────────── KEYWORD ───────────┐

by [baɪ] prep **1** (referring to cause, agent) przez +acc; **killed by lightning** zabity przez piorun; **surrounded by a fence** otoczony płotem; **a painting by Picasso** obraz Picassa. **2** (referring to method, manner, means): **by bus** etc autobusem etc; **to pay by cheque** płacić (zapłacić perf) czekiem; **by moonlight/candlelight** przy świetle księżyca/świecach; **by saving hard** oszczędzając każdy grosz. **3** (via, through) przez +acc; **he came in by the back door** wszedł tylnymi drzwiami. **4** (close to): **she sat by his bed** usiadła przy jego łóżku; **the house by the river** dom nad rzeką. **5** (past) obok +gen, koło +gen; **she rushed by me** przemknęła obok mnie; **I go by the post office every day** codziennie przechodzę koło poczty. **6** (not later than) do +gen; **by 4 o'clock** do (godziny) czwartej; **by the time I got here it was too late** zanim tu dotarłem, było już za późno. **7** (amount): **paid by the hour** opłacany za godzinę; **by the kilo/metre** na kilogramy/metry. **8** (MATH) przez +acc; **to divide by 3** dzielić (podzielić perf) przez 3. **9**

└───────────────────────────────┘

(*measure*): **a room 3 metres by 4** pokój o wymiarach 3 na 4 (metry); **it's broader by a metre** jest o metr szerszy. **10** (*according to*) według +*gen*; **to play by the rules** grać według zasad; **it's all right by me** mnie to nie przeszkadza. **11: he did it (all) by himself** zrobił to (zupełnie) sam. **12: by the way** nawiasem mówiąc, à propos; **this wasn't my idea by the way** nawiasem mówiąc, to nie był mój pomysł; **by the way, did you know Claire was back?** à propos, czy wiesz, że Claire wróciła? ♦ *adv* **1** *see* **go, pass** *etc* **2: by and by** wkrótce, niebawem; **by and by they came to a fork in the road** wkrótce dotarli do rozwidlenia dróg; **they'll come back by and by** niebawem wrócą. **3: by and large** ogólnie (rzecz) biorąc; **by and large I would agree with you** ogólnie (rzecz) biorąc, zgodziłbym się z tobą.

bye(-bye) ['baɪ('baɪ)] *n excl* do widzenia; (*to child etc*) pa (pa).
by(e)-law ['baɪlɔː] *n* lokalne zarządzenie *nt*.
by-election ['baɪɪlɛkʃən] (*BRIT*) *n* wybory *pl* uzupełniające.
bygone ['baɪɡɔn] *adj* miniony ♦ *n*: **let bygones be bygones** puśćmy to w niepamięć, (co) było, minęło.
bypass ['baɪpɑːs] *n* (*AUT*) obwodnica *f*; (*MED*) połączenie *nt* omijające, bypass *m* ♦ *vt* omijać (ominąć *perf*); (*fig*) obchodzić (obejść *perf*).
by-product ['baɪprɔdʌkt] *n* (*of industrial process*) produkt *m* uboczny; (*of situation*) skutek *m* uboczny.
byre ['baɪə*] (*BRIT*) *n* obora *f*.
bystander ['baɪstændə*] *n* (*at accident etc*) świadek *m*, widz *m*.
byte [baɪt] (*COMPUT*) *n* bajt *m*.
byway ['baɪweɪ] *n* boczna droga *f*.
byword ['baɪwəːd] *n*: **to be a byword for** być symbolem *or* uosobieniem +*gen*.
by-your-leave ['baɪjɔː'liːv] *n*: **without so much as a by-your-leave** nie pytając nikogo o zgodę.

C, c

C¹, c [siː] *n* (*letter*) C *nt*, c *nt*; (*SCOL*) ≈ dostateczny *m*; **C for Charlie** ≈ C jak Celina.
C² [siː] *n* (*MUS*) C *nt*, c *nt*.
C³ *abbr* = **Celsius, centigrade** C, °C.
c² *abbr* = **century** w.; (= *circa*) ok.; (*US etc*: = *cents*) c.
CA *n abbr* (*BRIT*) = **chartered accountant** ♦

abbr (= *Central America*) (*US*: *POST*: = *California*).
ca. *abbr* (= *circa*) ok.
C/A *abbr* (*COMM*) = **capital account; credit account; current account.**
CAA *n abbr* (*BRIT*: = *Civil Aviation Authority*; *US*: = *Civil Aeronautics Authority*) GILC *m*, = Główny Inspektorat Lotnictwa Cywilnego.
CAB (*BRIT*) *n abbr* (= *Citizens' Advice Bureau*) biuro porad dla obywateli.
cab [kæb] *n* (*taxi*) taksówka *f*; (*of truck etc*) kabina *f*; (*horse-drawn*) powóz *m*, dorożka *f*.
cabaret ['kæbəreɪ] *n* kabaret *m*.
cabbage ['kæbɪdʒ] *n* kapusta *f*.
cabin ['kæbɪn] *n* (*on ship, plane*) kabina *f*; (*house*) chata *f*.
cabin cruiser *n* turystyczny jacht *m* motorowy.
cabinet ['kæbɪnɪt] *n* (*piece of furniture*) szafka *f*, (*also*: **display cabinet**) gablota *f*; (: *small*) gablotka *f*; (*POL*) gabinet *m*; **cocktail cabinet** barek.
cabinet-maker ['kæbɪnɪt'meɪkə*] *n* stolarz *m* meblowy *or* artystyczny.
cabinet minister *n* minister *m* gabinetu, minister *m* w rządzie.
cable ['keɪbl] *n* (*rope*) lina *f*; (*ELEC*) przewód *m*; (*TEL, TV*) kabel *m* ♦ *vt* przesyłać (przesłać *perf*) telegraficznie.
cable-car ['keɪblkɑː*] *n* wagon *m* kolei linowej.
cablegram ['keɪblɡræm] *n* depesza *f*.
cable railway *n* kolej *f* linowa.
cable television *n* telewizja *f* kablowa.
cache [kæʃ] *n* tajny skład *m*; **a cache of food** ukryte zapasy żywności.
cackle ['kækl] *vi* (*person*) rechotać (zarechotać *perf*) (*pej*); (*hen*) gdakać (zagdakać *perf*).
cacti ['kæktaɪ] *npl of* **cactus**.
cactus ['kæktəs] (*pl* **cacti**) *n* kaktus *m*.
CAD *n abbr* (= *computer-aided design*) CAD, projektowanie *nt* wspomagane komputerowo.
caddie ['kædɪ] (*GOLF*) *n* osoba nosząca graczowi kije.
caddy ['kædɪ] *n* = **caddie**.
cadence ['keɪdəns] *n* (*of voice*) kadencja *f*.
cadet [kə'dɛt] *n* kadet *m*; **police cadet** kadet szkoły policyjnej.
cadge [kædʒ] (*inf*) *vt*: **to cadge (from** *or* **off)** wyłudzać (wyłudzić *perf*) (od +*gen*).
cadger ['kædʒə*] (*BRIT*: *inf*) *n* żebrak (-aczka) *m(f)*.
cadre ['kædrɪ] *n* kadra *f*.
Caesarean [siː'zɛərɪən] *adj*: **Caesarean (section)** cesarskie cięcie *nt*.
CAF (*BRIT*) *abbr* (= *cost and freight*) koszt *m* i fracht *m*.
café ['kæfeɪ] *n* kawiarnia *f*.
cafeteria [kæfɪ'tɪərɪə] *n* (*in school, factory*) stołówka *f*; (*in station*) bufet *m*.
caffein(e) ['kæfiːn] *n* kofeina *f*.

cage [keɪdʒ] *n* klatka *f* ♦ *vt* zamykać (zamknąć *perf*) w klatce.
cagey ['keɪdʒɪ] (*inf*) *adj* wymijający.
cagoule [kə'guːl] *n* (lekki) płaszcz *m* przeciwdeszczowy.
CAI *n abbr* (= *computer-aided instruction*) nauczanie *nt* wspomagane komputerowo.
Cairo ['kaɪərəu] *n* Kair *m*.
cajole [kə'dʒəul] *vt* nakłaniać (nakłonić *perf*) (pochlebstwami).
cake [keɪk] *n* (*CULIN*) ciasto *nt*; (: *small*) ciastko *nt*; (*of soap*) kostka *f*; **it's a piece of cake** (*inf*) to małe piwo (*inf*); **he wants to have his cake and eat it (too)** (*fig*) on chce mieć wszystko naraz.
caked [keɪkt] *adj*: **caked with** oblepiony +*instr*.
cake shop *n* ciastkarnia *f*, cukiernia *f*.
calamine lotion ['kæləmaɪn-] *n* płyn *m* kalaminowy (*mieszanina tlenku cynku i wody wapiennej*).
calamitous [kə'læmɪtəs] *adj* katastrofalny.
calamity [kə'læmɪtɪ] *n* katastrofa *f*, klęska *f*.
calcium ['kælsɪəm] *n* wapń *m*.
calculate ['kælkjuleɪt] *vt* (*cost, distance, sum*) obliczać (obliczyć *perf*); (*chances*) oceniać (ocenić *perf*); (*consequences*) przewidywać (przewidzieć *perf*); **calculated to attract shareholders** obliczony na przyciągnięcie akcjonariuszy.
calculated ['kælkjuleɪtɪd] *adj* rozmyślny; **a calculated risk** wkalkulowane ryzyko.
calculating ['kælkjuleɪtɪŋ] *adj* wyrachowany.
calculation [kælkju'leɪʃən] *n* (*sum*) obliczenie *nt*; (*estimate*) rachuba *f*, kalkulacja *f*.
calculator ['kælkjuleɪtə*] *n* kalkulator *m*.
calculus ['kælkjuləs] *n*: **integral/differential calculus** rachunek *m* całkowy/różniczkowy.
calendar ['kæləndə*] *n* kalendarz *m*.
calendar month/year *n* miesiąc *m*/rok *m* kalendarzowy.
calf [kɑːf] (*pl* **calves**) *n* (*of cow*) cielę *nt*; (*of elephant, seal*) młode *nt*; (*also*: **calfskin**) skóra *f* cielęca; (*ANAT*) łydka *f*.
caliber ['kælɪbə*] (*US*) *n* = **calibre**.
calibrate ['kælɪbreɪt] *vt* (*gun etc*) kalibrować; (*measuring instrument*) skalować (wyskalować *perf*).
calibre ['kælɪbə*] (*US* **caliber**) *n* kaliber *m*.
calico ['kælɪkəu] *n* (*BRIT*) surówka *f* (bawełniana); (*US*) perkal *m*.
California [kælɪ'fɔːnɪə] *n* Kalifornia *f*.
calipers ['kælɪpəz] (*US*) *npl* = **callipers**.
call [kɔːl] *vt* (*name, label*) nazywać (nazwać *perf*); (*christen*) dawać (dać *perf*) na imię +*dat*; (*TEL*) dzwonić (zadzwonić *perf*) do +*gen*; (*summon*) przywoływać (przywołać *perf*), wzywać (wezwać *perf*); (*meeting*) zwoływać (zwołać *perf*); (*flight*) zapowiadać (zapowiedzieć *perf*); (*strike*) ogłaszać (ogłosić *perf*) ♦ *vi* (*shout*) wołać (zawołać *perf*); (*TEL*) dzwonić

(zadzwonić *perf*); (*also*: **call in, call round**) wstępować (wstąpić *perf*), wpadać (wpaść *perf*) ♦ *n* (*shout*) wołanie *nt*; (*TEL*) rozmowa *f*; (*of bird*) głos *m*; (*visit*) wizyta *f*; (*demand*) wezwanie *nt*; (*for flight etc*) zapowiedź *f*; (*fig*) zew *m*; **to be on call** dyżurować, mieć dyżur; **he's called Hopkins** nazywa się Hopkins; **she's called Suzanne** ma na imię Suzanne; **who is calling?** (*TEL*) kto mówi?; **London calling** (*RADIO*) tu mówi Londyn; **please give me a call at 7** proszę zadzwonić do mnie o 7; **to make a call** dzwonić (zadzwonić *perf*); **to pay a call on sb** składać (złożyć *perf*) komuś wizytę; **there's not much call for these items** nie ma dużego zapotrzebowania na te artykuły.
►**call at** *vt fus* (*ship: town*) zawijać (zawinąć *perf*) do +*gen*; (: *island*) zawijać (zawinąć *perf*) na +*acc*; (*train*) zatrzymać się (zatrzymywać się *perf*) w +*loc*.
►**call back** *vi* (*return*) wstępować (wstąpić *perf*) jeszcze raz; (*TEL*) oddzwaniać (oddzwonić *perf*) ♦ *vt* (*TEL*) oddzwaniać (oddzwonić *perf*) +*dat*.
►**call for** *vt fus* (*demand*) wzywać (wezwać *perf*) do +*gen*; (*fetch*) zgłaszać się (zgłosić się *perf*) po +*acc*.
►**call in** *vt* (*doctor, police*) wzywać (wezwać *perf*); (*library books*) wzywać (wezwać *perf*) do oddania +*gen*.
►**call off** *vt* (*strike, meeting*) odwoływać (odwołać *perf*); (*engagement*) zrywać (zerwać *perf*).
►**call on** *vt fus* odwiedzać (odwiedzić *perf*) +*acc*; **to call on sb to do sth** wzywać (wezwać *perf*) kogoś do zrobienia czegoś.
►**call out** *vi* krzyczeć (krzyknąć *perf*), wołać (zawołać *perf*) ♦ *vt* wzywać (wezwać *perf*).
►**call up** *vt* (*MIL*) powoływać (powołać *perf*) do wojska; (*TEL*) dzwonić (zadzwonić *perf*) do +*gen*.
callbox ['kɔːlbɔks] (*BRIT*) *n* budka *f* telefoniczna.
caller ['kɔːlə*] *n* (*visitor*) gość *m*, odwiedzający (-ca) *m(f)*; (*TEL*) telefonujący (-ca) *m(f)*; **hold the line, caller!** proszę nie odkładać słuchawki!
call girl *n* dziewczyna *f* do towarzystwa.
call-in ['kɔːlɪn] (*US: RADIO, TV*) *n* program *na żywo z telefonicznym udziałem słuchaczy/widzów*.
calling ['kɔːlɪŋ] *n* (*trade, occupation*) fach *m*; (*vocation*) powołanie *nt*.
calling card (*US*) *n* wizytówka *f*, bilet *m* wizytowy.
callipers ['kælɪpəz] (*US* **calipers**) *npl* (*MATH*) cyrkiel *m* kalibrowy; (*MED*) cyrkiel *m* wyciągowy.
callous ['kæləs] *adj* bezduszny.
callousness ['kæləsnɪs] *n* bezduszność *f*.
callow ['kæləu] *adj* niedoświadczony.
calm [kɑːm] *adj* spokojny ♦ *n* spokój *m* ♦ *vt*

(*person, fears*) uspokajać (uspokoić *perf*);
(*grief, pain*) koić (ukoić *perf*).
►**calm down** *vt* uspokajać (uspokoić *perf*) ♦ *vi*
uspokajać się (uspokoić się *perf*).
calmly [ˈkɑːmlɪ] *adv* spokojnie.
calmness [ˈkɑːmnɪs] *n* spokój *m*.
Calor gas [ˈkælə*-] ® *n* ≈ propan-butan *m*.
calorie [ˈkælərɪ] *n* kaloria *f*; **low calorie
product** produkt niskokaloryczny.
calve [kɑːv] *vi* cielić się (ocielić się *perf*).
calves [kɑːvz] *npl of* **calf**.
CAM *n abbr* (= *computer-aided manufacturing*)
CAM, produkcja *f* wspomagana komputerowo.
camber [ˈkæmbə*] *n* (*of road*) wypukłość *f*.
Cambodia [kæmˈbəudɪə] *n* Kambodża *f*.
Cambodian [kæmˈbəudɪən] *adj* kambodżański
♦ *n* Kambodżanin (-anka) *m(f)*.
Cambs (*BRIT: POST*) *abbr* (= *Cambridgeshire*).
camcorder [ˈkæmkɔːdə*] *n* kamera *f* wideo.
came [keɪm] *pt of* **come**.
camel [ˈkæməl] *n* wielbłąd *m*.
cameo [ˈkæmɪəu] *n* (*jewellery*) kamea *f*;
(*performance*) *niewielka rola grana przez
znanego aktora, często ograniczona do
jednego wejścia.*
camera [ˈkæmərə] *n* (*PHOT*) aparat *m*
(fotograficzny); (*FILM, TV*) kamera *f*; (*also*:
cinecamera, movie camera) kamera *f* filmowa;
35 mm camera aparat małoobrazkowy; **in
camera** (*JUR*) przy drzwiach zamkniętych.
cameraman [ˈkæmərəmæn] (*irreg like* **man**)
(*FILM*) *n* operator *m* (filmowy); (*TV*)
kamerzysta *m*.
Cameroon [kæməˈruːn] *n* Kamerun *m*.
Cameroun [kæməˈruːn] *n* = **Cameroon**.
camomile [ˈkæməumaɪl] *n* rumianek *m*.
camouflage [ˈkæməflɑːʒ] *n* kamuflaż *m* ♦ *vt*
(*MIL*) maskować (zamaskować *perf*).
camp [kæmp] *n* obóz *m* ♦ *vi* obozować,
biwakować ♦ *adj* (*effeminate*) zniewieściały;
(*exaggerated*) afektowany.
campaign [kæmˈpeɪn] *n* kampania *f* ♦ *vi*
prowadzić *or* przeprowadzać (przeprowadzić
perf) kampanię; **to campaign for/against**
prowadzić kampanię na rzecz
+*gen*/przeciw(ko) +*dat*.
campaigner [kæmˈpeɪnə*] *n*: **campaigner
for/against sth** osoba *f* prowadząca kampanię
na rzecz czegoś/przeciwko czemuś.
camp bed (*BRIT*) *n* łóżko *nt* polowe.
camper [ˈkæmpə*] *n* (*person*) obozowicz(ka)
m(f), wczasowicz(ka) *m(f)*; (*vehicle*) samochód
m kempingowy.
camping [ˈkæmpɪŋ] *n* kemping *m*, obozowanie
nt, biwakowanie *nt*; **to go camping** jechać
(pojechać *perf*) na biwak *or* kemping.
camping site *n* = **campsite**.
campsite [ˈkæmpsaɪt] *n* kemping *m*, pole *nt*
namiotowe.

campus [ˈkæmpəs] *n* miasteczko *nt*
uniwersyteckie.
camshaft [ˈkæmʃɑːft] (*AUT*) *n* wał *m*
rozrządowy.
can[1] *n* (*for foodstuffs*) puszka *f*; (*for oil, water*)
kanister *m* ♦ *vt* puszkować (zapuszkować
perf); **a can of beer** puszka piwa; **he had to
carry the can** (*BRIT: inf*) musiał wziąć całą
winę na siebie.

┌─────────── **KEYWORD** ───────────┐

can[2] [kæn, kən] (*negative* **cannot, can't**,
conditional and pt **could**) *aux vb* **1** (*be able
to*) móc; **you can do it if you try** możesz to
zrobić, jeśli się postarasz; **she couldn't sleep
that night** nie mogła spać tej nocy; **I can't
see you** nie widzę cię. **2** (*know how to*)
umieć; **I can swim** umiem pływać; **can you
speak French?** (czy) mówisz po francusku? **3**
(*expressing permission, disbelief, puzzlement,
possibility*) móc; **could I have a word with
you?** czy mógłbym zamienić z tobą dwa
słowa?; **it can't be true!** to nie może być
prawda!; **what CAN he want?** czego on może
chcieć?; **she could have been delayed** mogło
ją coś zatrzymać.

└───────────────────────────────┘

Canada [ˈkænədə] *n* Kanada *f*.
Canadian [kəˈneɪdɪən] *adj* kanadyjski ♦ *n*
Kanadyjczyk (-jka) *m(f)*.
canal [kəˈnæl] *n* kanał *m*; (*ANAT*) przewód *m*.
Canaries [kəˈneərɪz] *npl* = **Canary Islands**.
canary [kəˈneərɪ] *n* kanarek *m*.
Canary Islands [kəˈneərɪ ˈaɪləndz] *npl*: **the
Canary Islands** Wyspy *pl* Kanaryjskie.
Canberra [ˈkænbərə] *n* Canberra *f*.
cancel [ˈkænsəl] *vt* (*meeting, flight, reservation*)
odwoływać (odwołać *perf*); (*contract, cheque*)
anulować (anulować *perf*), unieważniać
(unieważnić *perf*); (*order*) cofać (cofnąć *perf*);
(*words, figures*) przekreślać (przekreślić *perf*).
►**cancel out** *vt* znosić (znieść *perf*); **they
cancel each other out** wzajemnie się znoszą
or niwelują.
cancellation [kænsəˈleɪʃən] *n* (*of appointment,
reservation, flight*) odwołanie *nt*; (*TOURISM*)
zwrot *m*.
cancer [ˈkænsə*] *n* rak *m*, nowotwór *m*;
Cancer Rak; **to be Cancer** być spod znaku
Raka.
cancerous [ˈkænsrəs] *adj* nowotworowy.
cancer patient *n* chory (-ra) *m(f)* na raka.
cancer research *n* badania *pl* nad rakiem.
C and F (*BRIT: COMM*) *abbr* = **CAF**.
candid [ˈkændɪd] *adj* szczery.
candidacy [ˈkændɪdəsɪ] *n* kandydatura *f*.
candidate [ˈkændɪdeɪt] *n* kandydat(ka) *m(f)*.
candidature [ˈkændɪdətʃə*] (*BRIT*) *n* =
candidacy.

candied ['kændɪd] adj kandyzowany.

candle ['kændl] n (in house) świeczka f; (in church) świeca f; (of tallow) łojówka f.

candlelight ['kændllaɪt] n: **by candlelight** przy świetle świec, przy świeczce or świecach.

candlestick ['kændlstɪk] n świecznik m; (big, ornate) lichtarz m.

candour ['kændə*] (US **candor**) n szczerość f.

candy ['kændɪ] n (also: **sugar-candy**) cukierek m; (US) słodycze pl.

candy-floss ['kændɪflɒs] (BRIT) n wata f cukrowa.

candy store (US) n sklep m ze słodyczami.

cane [keɪn] n trzcina f; (for walking) laska f ♦ vt (BRIT: SCOL) chłostać (wychłostać perf).

canine ['keɪnaɪn] adj psi.

canister ['kænɪstə*] n (for tea, sugar) puszka f; (of gas, chemicals) kanister m.

cannabis ['kænəbɪs] n marihuana f; **cannabis plant** konopie indyjskie.

canned [kænd] adj (fruit, vegetables) z puszki post; (inf: music) z taśmy post; (BRIT: inf: drunk) zalany (inf).

cannibal ['kænɪbəl] n kanibal m.

cannibalism ['kænɪbəlɪzəm] n kanibalizm m.

cannon ['kænən] (pl **cannon** or **cannons**) n armata f, działo nt.

cannonball ['kænənbɔːl] n kula f armatnia.

cannon fodder n mięso nt armatnie.

cannot ['kænɒt] = **can not**.

canny ['kænɪ] adj sprytny.

canoe [kə'nuː] n kajak m, kanoe or kanu nt inv.

canoeing [kə'nuːɪŋ] n kajakarstwo nt.

canon ['kænən] n (clergyman) kanonik m; (principle) kanon m.

canonize ['kænənaɪz] vt kanonizować (kanonizować perf).

can opener [-'əupnə*] n otwieracz m do puszek or konserw.

canopy ['kænəpɪ] n (above bed, throne) baldachim m; (of leaves, sky) sklepienie nt.

cant [kænt] n (obłudne) frazesy pl.

can't [kænt] = **can not**.

Cantab. (BRIT) abbr (in degree titles: = Cantabrigiensis) Uniwersytetu Cambridge.

cantankerous [kæn'tæŋkərəs] adj marudny.

canteen [kæn'tiːn] n (in workplace, school) stołówka f; (mobile) kuchnia f polowa; **a canteen of cutlery** (BRIT) komplet sztućców (w pudełku).

canter ['kæntə*] vi (horse) kłusować, biec kłusem ♦ n kłus m.

cantilever ['kæntɪliːvə*] n wspornik m.

canvas ['kænvəs] n (fabric) brezent m; (painting) płótno nt; (NAUT) żagiel m; **under canvas** pod namiotem.

canvass ['kænvəs] vi agitować ♦ vt (opinions, place) badać (zbadać perf); (person) wybadać (perf); **to canvass for** agitować za +instr.

canvasser ['kænvəsə*] n agitator(ka) m(f).

canvassing ['kænvəsɪŋ] n agitacja f.

canyon ['kænjən] n kanion m.

CAP n abbr (= Common Agricultural Policy) Wspólna Polityka f Agrarna (krajów Wspólnoty Europejskiej).

cap [kæp] n (hat) czapka f; (of pen) nasadka f; (of bottle) nakrętka f, kapsel m; (also: **Dutch cap**) kapturek m dopochwowy; (for toy gun) kapiszon m; (for swimming) czepek m ♦ vt (performance etc) ukoronować (perf), uwieńczyć (perf); (tax) nakładać (nałożyć perf) ograniczenia na +acc; **he won his England cap** dostał się do reprezentacji (narodowej) Anglii; **she was capped twenty times** była w reprezentacji kraju dwadzieścia razy; **sweets capped with a cherry** słodycze przystrojone wiśnią; **and to cap it all,** ... a na domiar wszystkiego, ...

capability [keɪpə'bɪlɪtɪ] n zdolność f; (MIL) potencjał m; **it's beyond their capabilities** to przerasta ich możliwości.

capable ['keɪpəbl] adj zdolny; **to be capable of doing sth** (able) być w stanie coś zrobić; (likely) być zdolnym do zrobienia czegoś; **to be capable of** być zdolnym do +gen; **moths are capable of speeds of 50 kph** ćmy potrafią osiągać prędkość 50 km/h.

capacious [kə'peɪʃəs] adj pojemny.

capacity [kə'pæsɪtɪ] n (of container) pojemność f; (of ship) ładowność f; (of pipeline) przepustowość f; (of lift) udźwig m, obciążenie nt; (capability) zdolność f; (position, role) kompetencje pl, uprawnienia pl; (of factory) wydajność f; **seating capacity** liczba miejsc siedzących; **filled to capacity** wypełniony po brzegi; **in his capacity as a director** w ramach swoich dyrektorskich kompetencji or uprawnień; **this work is beyond my capacity** ta praca przerasta moje możliwości; **in an advisory capacity** w charakterze doradcy; **to work at full capacity** pracować na pełnych obrotach.

cape [keɪp] n (GEOG) przylądek m; (cloak) peleryna f.

Cape of Good Hope n: **the Cape of Good Hope** Przylądek m Dobrej Nadziei.

caper ['keɪpə*] n (CULIN: usu pl) kapar m; (prank) psota f, figiel m.

Cape Town n Kapsztad m.

capita ['kæpɪtə] see **per capita**.

capital ['kæpɪtl] n (city) stolica f; (money) kapitał m; (also: **capital letter**) duża litera f.

capital account n (COMM) rachunek m kapitału, bilans m; (of country) bilans m płatniczy.

capital allowance n odpisy pl amortyzacyjne.

capital assets npl aktywa pl trwałe.

capital expenditure n wydatki pl inwestycyjne.

capital gains tax n podatek m od zysków kapitałowych.
capital goods (COMM) npl dobra pl inwestycyjne.
capital-intensive ['kæpɪtlɪn'tɛnsɪv] (COMM) adj kapitałochłonny.
capitalism ['kæpɪtəlɪzəm] n kapitalizm m.
capitalist ['kæpɪtəlɪst] adj kapitalistyczny ♦ n kapitalista (-tka) m(f).
capitalize ['kæpɪtəlaɪz] vi: **to capitalize on** zbijać (zbić perf) kapitał na +loc ♦ vt (COMM) spieniężać (spieniężyć perf).
capital punishment n kara f śmierci.
capital transfer tax (BRIT) n podatek m od spadków or transferu kapitału.
capitulate [kə'pɪtjuleɪt] vi kapitulować (skapitulować perf).
capitulation [kəpɪtju'leɪʃən] n kapitulacja f.
capricious [kə'prɪʃəs] adj kapryśny.
Capricorn ['kæprɪkɔːn] n Koziorożec m; **to be Capricorn** być spod znaku Koziorożca.
caps [kæps] abbr = **capital letters**.
capsize [kæp'saɪz] vt wywracać (wywrócić perf) dnem do góry ♦ vi wywracać się (wywrócić się perf) dnem do góry.
capstan ['kæpstən] n kabestan m.
capsule ['kæpsjuːl] n (MED) kapsułka f; (spacecraft) kapsuła f; (storage container) pojemnik m.
Capt. (MIL) abbr = **captain** kpt.
captain ['kæptɪn] n kapitan m; (BRIT: SCOL: of debating team etc) przewodniczący (-ca) m(f) ♦ vt być kapitanem +gen.
caption ['kæpʃən] n (to picture, photograph) podpis m.
captivate ['kæptɪveɪt] vt urzekać (urzec perf).
captive ['kæptɪv] adj schwytany, pojmany ♦ n jeniec m.
captivity [kæp'tɪvɪtɪ] n niewola f; **in captivity** w niewoli.
captor ['kæptə*] n (unlawful) porywacz m; (lawful) zdobywca m.
capture ['kæptʃə*] vt (animal) schwytać (perf); (person) pojmać (perf), ująć (perf); (town, country) zdobywać (zdobyć perf); (imagination) zawładnąć (perf) +instr; (market) opanowywać (opanować perf); (COMPUT) wychwytywać (wychwycić perf) ♦ n (of animal) schwytanie nt; (of person) pojmanie nt, ujęcie nt; (of town) zdobycie nt; (COMPUT: of data) wychwytywanie nt.
car [kɑː*] n (AUT) samochód m; (RAIL) wagon m; **by car** samochodem.
Caracas [kə'rækəs] n Caracas nt inv.
carafe [kə'ræf] n karafka f.
caramel ['kærəməl] n (sweet) karmelek m; (burnt sugar) karmel m.
carat ['kærət] n karat m; **18 carat gold** 18-karatowe złoto.

caravan ['kærəvæn] n (BRIT: vehicle) przyczepa f kempingowa; (in desert) karawana f.
caravan site (BRIT) n pole nt kempingowe.
caraway ['kærəweɪ] n: **caraway seed** kminek m.
carbohydrate [kɑːbəu'haɪdreɪt] n węglowodan m.
carbolic acid [kɑː'bɔlɪk-] n kwas m karbolowy.
carbon ['kɑːbən] n (CHEM) węgiel m.
carbonated ['kɑːbəneɪtɪd] adj (drink) gazowany.
carbon copy n kopia f (przez kalkę).
carbon dioxide n dwutlenek m węgla.
carbon monoxide [mɔ'nɔksaɪd] n tlenek m węgla.
carbon paper n kalka f (maszynowa or ołówkowa).
carbon ribbon n taśma f do maszyny do pisania.
carburettor [kɑːbju'rɛtə*] (US **carburetor**) n gaźnik m.
carcass ['kɑːkəs] n padlina f, ścierwo nt; (at butcher's) tusza f.
carcinogenic [kɑːsɪnə'dʒɛnɪk] adj rakotwórczy.
card [kɑːd] n (index card, membership card, playing card) karta f; (material) karton m, tektura f; (greetings card) kartka f (okolicznościowa); (visiting card) wizytówka f; **to play cards** grać (zagrać perf) w karty.
cardamom ['kɑːdəməm] n kardamon m.
cardboard ['kɑːdbɔːd] n karton m, tektura f.
cardboard box n pudełko nt tekturowe; (large) karton m.
cardboard city (inf) n miejsce (np. pod mostem), gdzie bezdomni sypiają w kartonach.
card-carrying ['kɑːd'kærɪŋ] adj (member) pełnoprawny.
card game n gra f karciana.
cardiac ['kɑːdɪæk] adj sercowy; **cardiac arrest** zatrzymanie akcji serca.
cardigan ['kɑːdɪgən] n sweter m rozpinany.
cardinal ['kɑːdɪnl] adj główny ♦ n kardynał m.
card index n katalog m alfabetyczny.
cardsharp ['kɑːdʃɑːp] n szuler m.
card vote (BRIT) n głosowanie za pośrednictwem przedstawiciela.
CARE [kɛə*] n abbr (= Cooperative for American Relief Everywhere) organizacja charytatywna.
care [kɛə*] n (attention) opieka f; (worry) troska f ♦ vi: **to care about** (person, animal) troszczyć się o +acc; (thing, idea) przejmować się (przejąć się perf) +instr; **would you care to/for ...?** czy masz ochotę +infin/na +acc?; **I don't care to remember** nie chcę pamiętać; **care of Mr and Mrs. Brown** (on letter) u Państwa Brown; **"with care"** „ostrożnie"; **in sb's care** pod czyjąś opieką; **to took care not to offend the visitors** (bardzo) uważał, żeby nie urazić gości; **to take care of** (person) opiekować się (zaopiekować się perf) +instr; (arrangements)

dopilnowywać (dopilnować *perf*) +*gen*; (*problem*) rozwiązywać (rozwiązać *perf*) +*acc*; **the boy has been taken into care** chłopca zabrano do domu dziecka; **I don't care** nic mnie to nie obchodzi; **I couldn't care less** wszystko mi jedno.

►**care for** *vt fus* (*look after*) opiekować się +*instr*; (*like*): **does she still care for him?** czy nadal jej na nim zależy?

career [kə'rɪə*] *n* kariera *f* ♦ *vi* (*also*: **career along**) pędzić (popędzić *perf*); **change/choice of career** zmiana/wybór zawodu.

career girl *n* = **career woman**.

careers officer [kə'rɪəz-] *n osoba zajmująca się doradztwem zawodowym w szkole itp.*

career woman (*irreg like* **woman**) *n* kobieta *f* czynna zawodowo.

carefree ['kɛəfri:] *adj* beztroski.

careful ['kɛəful] *adj* (*cautious*) ostrożny; (*thorough*) uważny, staranny; **(be) careful!** uważaj!; **he's careful with his money** nie szasta pieniędzmi.

carefully ['kɛəfəlɪ] *adv* (*cautiously*) ostrożnie; (*methodically*) starannie.

careless ['kɛəlɪs] *adj* (*not careful*) nieostrożny; (*negligent, heedless, casual*) niedbały; (*with money*) rozrzutny.

carelessly ['kɛəlɪslɪ] *adv* niedbale.

carelessness ['kɛəlɪsnɪs] *n* (*negligence*) niedbalstwo *nt*; (*casualness*) niedbałość *f*, nonszalancja *f*.

carer ['kɛərə*] *n* opiekun(ka) *m(f)*.

caress [kə'rɛs] *n* pieszczota *f* ♦ *vt* pieścić.

caretaker ['kɛəteɪkə*] *n* dozorca (-czyni) *m(f)*.

caretaker government (*BRIT*) *n* rząd *m* tymczasowy.

car-ferry ['kɑ:fɛrɪ] *n* prom *m* samochodowy.

cargo ['kɑ:gəu] (*pl* **cargoes**) *n* ładunek *m*.

cargo boat *n* (*on river*) barka *f*; (*at sea*) frachtowiec *m*.

cargo plane *n* samolot *m* towarowy *or* dostawczy.

car hire (*BRIT*) *n* wynajem *m* samochodów.

Caribbean [kærɪ'bi:ən] *n*: **the Caribbean (Sea)** Morze *nt* Karaibskie ♦ *adj* karaibski.

caricature ['kærɪkətjuə*] *n* karykatura *f*.

caring ['kɛərɪŋ] *adj* opiekuńczy.

carnage ['kɑ:nɪdʒ] *n* rzeź *f*.

carnal ['kɑ:nl] *adj* cielesny.

carnation [kɑ:'neɪʃən] (*BOT*) *n* goździk *m*.

carnival ['kɑ:nɪvl] *n* karnawał *m*; (*US: funfair*) wesołe miasteczko *nt*.

carnivorous [kɑ:'nɪvərəs] *adj* (*animal*) mięsożerny; (*plant*) owadożerny.

carol ['kærəl] *n*: **(Christmas) carol** kolęda *f*.

carouse [kə'rauz] *vi* hulać (pohulać *perf*).

carousel [kærə'sɛl] (*US*) *n* karuzela *f*.

carp [kɑ:p] *n* karp *m*.

►**carp at** *vt fus* utyskiwać na +*acc*, wydziwiać na +*acc* (*inf*).

car park (*BRIT*) *n* parking *m*.

carpenter ['kɑ:pɪntə*] *n* stolarz *m*.

carpentry ['kɑ:pɪntrɪ] *n* stolarka *f*; (*at school*) obróbka *f* drewna.

carpet ['kɑ:pɪt] *n* dywan *m*; (*fig*) kobierzec *m* ♦ *vt* wykładać (wyłożyć *perf*) dywanami; **fitted carpet** (*BRIT*) wykładzina (dywanowa).

carpet slippers *npl* bambosze *pl*.

carpet sweeper [-'swi:pə*] *n* szczotka *f* do dywanów (*typu „kasia"*).

car phone *n* telefon *m* samochodowy.

car port *n* wiata *f* samochodowa (*przy domu, zamiast garażu*).

car rental *n* wynajem *m* samochodów.

carriage ['kærɪdʒ] *n* (*BRIT: RAIL*) wagon *m* (osobowy); (*horse-drawn*) (po)wóz *m*; (*of typewriter*) karetka *f*; (*transport costs*) przewóz *m*, koszt *m* przewozu; **carriage forward/free** koszt przewozu ponosi odbiorca/dostawca; **carriage paid** przewóz darmowy.

carriage return *n* (*on typewriter etc*) powrót *m* karetki.

carriageway ['kærɪdʒweɪ] (*BRIT*) *n* nitka *f* (*autostrady*).

carrier ['kærɪə*] *n* (*COMM*) przewoźnik *m*, spedytor *m*; (*MED*) nosiciel *m*.

carrier bag (*BRIT*) *n* reklamówka *f*.

carrier pigeon *n* gołąb *m* pocztowy.

carrion ['kærɪən] *n* padlina *f*.

carrot ['kærət] *n* marchew *f*, marchewka *f*; (*fig: incentive*) marchewka *f*.

carry ['kærɪ] *vt* (*take*) nieść (zanieść *perf*); (*transport*) przewozić (przewieźć *perf*); (*involve*) nieść za sobą; (*disease, virus*) przenosić (przenieść *perf*); (*gun, donor card*) nosić (przy sobie); (*newspaper: report, picture*) zamieszczać (zamieścić *perf*) ♦ *vi* (*sound*) nieść się; **the motion was carried by 259 votes to 162** wniosek przeszedł stosunkiem 259 do 162 głosów; **he got carried away** (*fig*) poniosło go; **the placards carried the slogan: ...** na transparentach widniało hasło: ...; **this loan carries 10% interest** pożyczka jest oprocentowana na 10%.

►**carry forward** *vt* (*BOOK-KEEPING*) przenosić (przenieść *perf*).

►**carry on** *vi* kontynuować; (*inf*) zachowywać się ♦ *vt* prowadzić; **to carry on with sth/doing sth** kontynuować coś/robienie czegoś; **am I boring you? – no, carry on** nudzę cię? – nie, mów dalej.

►**carry out** *vt* (*orders*) wykonywać (wykonać *perf*); (*investigation, experiments*) przeprowadzać (przeprowadzić *perf*); (*threat*) spełniać (spełnić *perf*).

carrycot ['kærɪkɔt] (*BRIT*) *n* nosidełko *nt* (*torba do noszenia niemowlęcia*).

carry-on ['kærɪ'ɔn] (*inf*) *n*: **what a carry-on!** co za szopka! (*inf*).

cart [kɑ:t] *n* (*for grain, hay*) wóz *m*, furmanka

f, (*for passengers*) powóz *m*; (*handcart*)
wózek *m* ♦ *vt* (*inf*) wlec, włóczyć.
carte blanche ['ka:t'blɒŋʃ] *n*: **to give sb carte
blanche** dawać (dać *perf*) komuś wolną rękę.
cartel [ka:'tɛl] *n* kartel *m*.
cartilage ['ka:tılıdʒ] (*ANAT*) *n* chrząstka *f*.
cartographer [ka:'tɔgrəfə*] *n* kartograf *m*.
cartography [ka:'tɔgrəfı] *n* kartografia *f*.
carton ['ka:tən] *n* karton *m*.
cartoon [ka:'tu:n] *n* (*drawing*) rysunek *m*
satyryczny, karykatura *f*; (*FILM*) kreskówka *f*,
film *m* rysunkowy; (*BRIT*) komiks *m*.
cartoonist [ka:'tu:nıst] *n* karykaturzysta (-tka)
m(f).
cartridge ['ka:trıdʒ] *n* (*for gun, pen*) nabój *m*;
(*for camera, tape recorder*) kaseta *f*; (*of
record-player*) wkładka *f* (gramofonowa).
cartwheel ['ka:twi:l] *n* koło *nt* (*wozu*); **to turn
a cartwheel** (*SPORT etc*) robić (zrobić *perf*)
gwiazdę.
carve [ka:v] *vt* (*sculpt*) rzeźbić (wyrzeźbić
perf); (*meat*) kroić (pokroić *perf*); (*initials,
design*) wycinać (wyciąć *perf*).
►**carve up** *vt* (*land, property*) parcelować
(rozparcelować *perf*); (*meat*) kroić (pokroić
perf) (na kawałki).
carving ['ka:vıŋ] *n* (*object*) rzeźba *f*, (*design*)
rzeźbienia *pl*; (*art of carving*) rzeźbiarstwo *nt*,
snycerstwo *nt*.
carving knife *n* nóż *m* do krojenia mięsa.
car wash *n* myjnia *f* samochodowa.
Casablanca [kæsə'blæŋkə] *n* Casablanca *f*.
cascade [kæs'keıd] *n* kaskada *f* ♦ *vi* (*water*)
spływać kaskadą; (*hair*) opadać kaskadą.
case [keıs] *n* (*also MED, LING*) przypadek *m*;
(*JUR*) sprawa *f*; (*for spectacles, nail scissors*)
etui *nt inv*; (*for musical instrument*) futerał *m*;
(*BRIT: also*: **suitcase**) walizka *f*; (*of wine*)
skrzynka *f*, **lower/upper case** (*TYP*) małe/duże
litery; **to have a good case** (*JUR*) mieć duże
szanse na wygranie sprawy; **to make (out) a
case for/against** przedstawić argumenty za
+*instr*/przeciw(ko) +*dat*; **there's a strong case
for/against** wiele przemawia za
+*instr*/przeciw(ko) +*dat*; **in case (of)** w
przypadku (+*gen*); **in case he comes** na
wypadek, gdyby przyszedł; **in any case** tak
czy owak, zresztą; **just in case** (tak) na
wszelki wypadek.
case history (*MED*) *n* historia *f* choroby.
case study *n* studium *nt*, opracowanie *nt*
(naukowe).
cash [kæʃ] *n* gotówka *f* ♦ *vt* (*cheque, money
order*) realizować (zrealizować *perf*); **to pay
(in) cash** płacić (zapłacić *perf*) gotówką; **cash
on delivery** za pobraniem; **cash with order**
zapłata rachunku przy zamówieniu.
►**cash in** *vt* spieniężać (spieniężyć *perf*).
►**cash in on** *vt fus* zarabiać (zarobić *perf*) na
+*loc*.

cash account *n* konto *nt* gotówkowe.
cash-and-carry [kæʃən'kærı] *n* skład
(pół)hurtowy sprzedający za gotówkę i bez
dostawy.
cash-book ['kæʃbuk] *n* księga *f* kasowa.
cash box *n* sejf *m* sklepowy or przenośny,
kasa *f* sklepowa.
cash card (*BRIT*) *n* karta *f* bankowa (*do
wypłacania pieniędzy z bankomatu*).
cash crop *n* uprawa *f* rynkowa.
cash desk (*BRIT*) *n* kasa *f* (*w sklepie*).
cash discount (*COMM*) *n* rabat *m* przy
zapłacie gotówką.
cash dispenser (*BRIT*) *n* bankomat *m*.
cashew [kæ'ʃu:] *n* (*also*: **cashew nut**) orzech
m nerkowca.
cash flow *n* przepływ *m* gotówki.
cashier [kæ'ʃıə*] *n* kasjer(ka) *m(f)*.
cashmere ['kæʃmıə*] *n* kaszmir *m* ♦ *adj*
kaszmirowy.
cashpoint ['kæʃpɔınt] *n* bankomat *m*.
cash price *n* cena *f* gotówkowa.
cash register *n* kasa *f* rejestrująca.
cash sale *n* sprzedaż *f* za gotówkę.
casing ['keısıŋ] *n* obudowa *f*.
casino [kə'si:nəu] *n* kasyno *nt*.
cask [ka:sk] *n* (*of wine, beer*) beczułka *f*.
casket ['ka:skıt] *n* (*for jewellery*) szkatułka *f*,
kasetka *f*; (*US: coffin*) trumna *f*.
Caspian Sea ['kæspıən-] *n*: **the Caspian Sea**
Morze *nt* Kaspijskie.
casserole ['kæsərəul] *n* (*CULIN*) zapiekanka *f*;
(*container*) naczynie *nt* (żaroodporne) do
zapiekanek.
cassette [kæ'sɛt] *n* kaseta *f*.
cassette deck *n* magnetofon *m* kasetowy
(bez wzmacniacza).
cassette player *n* odtwarzacz *m* kasetowy.
cassette recorder *n* magnetofon *m* kasetowy.
cast [ka:st] (*pt, pp* **cast**) *vt* (*shadow, glance,
spell, aspersions*) rzucać (rzucić *perf*); (*net,
fishing-line*) zarzucać (zarzucić *perf*); (*skin*)
zrzucać (zrzucić *perf*); (*metal*) odlewać (odlać
perf); (*vote*) oddawać (oddać *perf*); (*THEAT*):
to cast sb as Hamlet obsadzać (obsadzić
perf) kogoś w roli Hamleta ♦ *vi* zarzucać
(zarzucić *perf*) wędkę ♦ *n* (*THEAT*) obsada *f*;
(*mould*) odlew *m*; (*also*: **plaster cast**) gips *m*;
to cast doubt on sth poddawać (poddać *perf*)
coś w wątpliwość.
►**cast aside** *vt* odrzucać (odrzucić *perf*).
►**cast off** *vi* (*NAUT*) odwiązywać (odwiązać
perf) łódź; (*KNITTING*) spuszczać (spuścić
perf) oczka.
►**cast on** (*KNITTING*) *vi* nabierać (nabrać *perf*)
oczka.
castanets [kæstə'nɛts] *npl* kastaniety *pl*.
castaway ['ka:stəweı] *n* rozbitek *m*.
caste [ka:st] *n* (*class*) kasta *f*; (*system*)
kastowość *f*.

caster sugar ['kɑːstə-] (*BRIT*) *n* cukier *m* puder *m*.

casting vote ['kɑːstɪŋ-] (*BRIT*) *n* decydujący głos *m*.

cast iron *n* żeliwo *nt* ♦ *adj*: **cast-iron** (*fig: alibi etc*) żelazny.

castle ['kɑːsl] *n* zamek *m*; (*CHESS*) wieża *f*.

cast-off ['kɑːstɔf] *n*: **she wears her elder sister's cast-offs** nosi ubrania po starszej siostrze.

castor ['kɑːstə*] *n* kółko *nt* (*u fotela, łóżka itp*).

castor oil *n* olej *m* rycynowy.

castrate [kæs'treɪt] *vt* kastrować (wykastrować *perf*).

casual ['kæʒjul] *adj* (*accidental*) przypadkowy; (*irregular. work etc*) dorywczy; (*unconcerned*) swobodny, niezobowiązujący; **casual wear** odzież codzienna; **casual sex** przygodny seks.

casual labour *n* praca *f* dorywcza.

casually ['kæʒjulɪ] *adv* (*in a relaxed way*) swobodnie, od niechcenia; (*dress*) na sportowo; (*by chance*) przypadkowo.

casualty ['kæʒjultɪ] *n* (*person*) ofiara *f*, (*in hospital*) izba *f* przyjęć (*dla przypadków urazowych*); **heavy casualties** duże straty (w ludziach).

casualty ward (*BRIT*) *n* oddział *m* urazowy.

cat [kæt] *n* kot *m*.

catacombs ['kætəkuːmz] *npl* katakumby *pl*.

catalogue ['kætəlɔg] (*US* **catalog**) *n* katalog *m*; (*of events*) seria *f*, (*of faults, sins*) litania *f* ♦ *vt* (*book, collection*) katalogować (skatalogować *perf*); (*events, qualities*) wyliczać (wyliczyć *perf*).

catalyst ['kætəlɪst] *n* katalizator *m*.

catalytic converter [kætə'lɪtɪk kən'vəːtə*] *n* katalizator *m* (*w samochodzie*).

catapult ['kætəpʌlt] *n* (*BRIT: sling*) proca *f*, (*HIST, MIL*) katapulta *f* ♦ *vi* wyskakiwać (wyskoczyć *perf*) ♦ *vt* wyrzucać (wyrzucić *perf*).

cataract ['kætərækt] *n* zaćma *f*, katarakta *f*.

catarrh [kə'tɑː*] *n* katar *m*.

catastrophe [kə'tæstrəfɪ] *n* katastrofa *f*.

catastrophic [kætə'strɔfɪk] *adj* katastrofalny.

catcall ['kætkɔːl] *n* gwizdy *pl*.

catch [kætʃ] (*pt, pp* **caught**) *vt* (*capture, get hold of*) łapać (złapać *perf*); (*surprise*) przyłapywać (przyłapać *perf*); (*hit*) trafiać (trafić *perf*); (*hear*) dosłyszeć (*perf*); (*MED*) zarażać się (zarazić się *perf*) +*instr*, łapać (złapać *perf*) (*inf*); (*also*: **catch up**) zrównać (*perf*) się z +*instr*, doganiać (dogonić *perf*) ♦ *vi* (*fire*) zapłonąć (*perf*); (*in branches etc*) zaczepić się (*perf*) ♦ *n* (*of fish etc*) połów *m*; (*of ball*) piłka *f*, (*hidden problem*) kruczek *m*; (*of lock*) zapadka *f*; **to catch sb's attention** *or* **eye** zwracać (zwrócić *perf*) (na siebie) czyjąś uwagę; **to catch fire** zapalać się (zapalić się *perf*), zajmować się (zająć się *perf*); **to catch**

sight of dostrzegać (dostrzec *perf*) +*acc*; **she caught her breath** zaparło jej dech (w piersiach).

▶**catch on** *vi* (*understand*) zaskakiwać (zaskoczyć *perf*) (*inf*); (*grow popular*) przyjmować się (przyjąć *perf* się), chwytać (chwycić *perf*) (*inf*);: **to catch on to sth** chwytać (chwycić *perf*) coś (*inf*).

▶**catch out** (*BRIT*) *vt* (*fig: with trick question*) zaginać (zagiąć *perf*) (*inf*).

▶**catch up** *vi* (*with person*) doganiać (dogonić *perf*); (*fig: on work/sleep*) nadrabiać (nadrobić *perf*) zaległości.

▶**catch up with** *vt fus* doganiać (dogonić *perf*) (+*acc*).

catching ['kætʃɪŋ] *adj* zaraźliwy.

catchment area ['kætʃmənt-] (*BRIT*) *n* (*of school, hospital*) rejon *m*.

catch phrase *n* slogan *m*.

catch-22 ['kætʃtwɛntɪ'tuː] *n*: **it's a catch-22 situation** to (jest) błędne koło.

catchy ['kætʃɪ] *adj* chwytliwy, wpadający w ucho.

catechism ['kætɪkɪzəm] *n* katechizm *m*.

categoric(al) [kætɪ'gɔrɪk(l)] *adj* kategoryczny.

categorize ['kætɪgəraɪz] *vt* klasyfikować (sklasyfikować *perf*).

category ['kætɪgərɪ] *n* kategoria *f*.

cater ['keɪtə*] *vi*

▶**cater for** *vt fus* (*party etc*) zaopatrywać (zaopatrzyć *perf*); (*needs etc*) zaspokajać (zaspokoić *perf*); (*readers, consumers*) zaspokajać (zaspokoić *perf*) potrzeby +*gen*.

caterer ['keɪtərə*] *n* aprowizator(ka) *m(f)*.

catering ['keɪtərɪŋ] *n* przemysł *m* restauracyjny.

caterpillar ['kætəpɪlə*] *n* gąsienica *f*.

caterpillar tracks *npl* gąsienice *pl* (*czołgu itp*).

cathedral [kə'θiːdrəl] *n* katedra *f*.

cathode ['kæθəud] *n* katoda *f*.

cathode ray tube *n* lampa *f* kineskopowa *or* elektronopromieniowa.

catholic ['kæθəlɪk] *adj* wszechstronny.

Catholic ['kæθəlɪk] *adj* katolicki ♦ *n* katolik (-iczka) *m(f)*.

CAT scanner (*MED*) *n abbr* (= *computerized axial tomography scanner*) tomograf *m* komputerowy.

cat's-eye ['kæts'aɪ] (*BRIT: AUT*) *n* kocie oko *nt*.

catsup ['kætsəp] (*US*) *n* ketchup *m*, keczup *m*.

cattle ['kætl] *npl* bydło *nt*.

catty ['kætɪ] *adj* zjadliwy, złośliwy.

Caucasian [kɔː'keɪzɪən] *adj* kaukaski ♦ *n* mieszkaniec(nka) *m(f)* Kaukazu.

Caucasus ['kɔːkəsəs] *n*: **the Caucasus** Kaukaz *m*.

caucus ['kɔːkəs] (*POL*) *n* (*group*) komitet *m* wyborczy; (*meeting*) (zamknięte) zebranie *nt* komitetu wyborczego.

caught [kɔːt] *pt, pp of* **catch**.

cauliflower ['kɔlɪflauə*] *n* kalafior *m*.

cause [kɔːz] *n* (*of outcome, effect*) przyczyna *f*,

(*reason*) powód *m*; (*aim, principle*) sprawa *f* ♦ *vt* powodować (spowodować *perf*), wywoływać (wywołać *perf*); **there is no cause for concern** nie ma powodu do obaw; **to cause sth to be done** sprawiać (sprawić *perf*), że coś zostanie zrobione; **to cause sb to do sth** sprawić (sprawić *perf*), że ktoś coś zrobi.

causeway ['kɔ:zweɪ] *n* szosa *f* na grobli.

caustic ['kɔ:stɪk] *adj* (*CHEM*) kaustyczny, żrący; (*fig: remark*) uszczypliwy.

cauterize ['kɔ:təraɪz] *vt* przyżegać (przyżec *perf*).

caution ['kɔ:ʃən] *n* (*prudence*) ostrożność *f*; (*warning*) ostrzeżenie *nt* ♦ *vt* ostrzegać (ostrzec *perf*); (*policeman*) udzielać (udzielić *perf*) ostrzeżenia +*dat*.

cautious ['kɔ:ʃəs] *adj* ostrożny.

cautiously ['kɔ:ʃəslɪ] *adv* ostrożnie.

cautiousness ['kɔ:ʃəsnɪs] *n* ostrożność *f*.

cavalier [kævə'lɪə*] *adj* nonszalancki.

cavalry ['kævəlrɪ] *n* kawaleria *f*.

cave [keɪv] *n* jaskinia *f*, grota *f* ♦ *vi*: **to go caving** chodzić po jaskiniach.

►**cave in** *vi* (*roof etc*) zapadać się (zapaść *perf* się), załamywać się (załamać *perf* się); (*person*) uginać się (ugiąć się *perf*).

caveman ['keɪvmæn] (*irreg like* **man**) *n* jaskiniowiec *m*.

cavern ['kævən] *n* pieczara *f*.

caviar(e) ['kævɪɑ:*] *n* kawior *m*.

cavity ['kævɪtɪ] *n* otwór *m*; (*in tooth*) ubytek *m*, dziura *f* (*inf*).

cavity wall insulation *n* izolacja *f* murem szczelinowym *or* podwójnym.

cavort [kə'vɔ:t] *vi* baraszkować, hasać.

cayenne [keɪ'ɛn] *n* (*also*: **cayenne pepper**) pieprz *m* cayenne.

CB *n abbr* (= *Citizens' Band (Radio)*) CB *nt inv*, CB radio *nt*; (*BRIT*: = *Companion of (the Order of) the Bath*) *order brytyjski*.

CBC *n abbr* (= *Canadian Broadcasting Corporation*).

CBE (*BRIT*) *n abbr* (= *Commander of (the Order of) the British Empire*) *order brytyjski*.

CBI *n abbr* (= *Confederation of British Industry*) *związek pracodawców*.

CBS (*US*) *n abbr* (= *Columbia Broadcasting System*).

CC (*BRIT*) *abbr* = **county council**.

cc *abbr* (= *cubic centimetre*) cm³ ; = **carbon copy**.

CCA (*US*) *n abbr* (= *Circuit Court of Appeals*) *okręgowy sąd apelacyjny*.

CCU (*US*) *n abbr* (= *coronary care unit*) *oddział intensywnej opieki kardiologicznej*.

CD *abbr* (*BRIT*: = *Corps Diplomatique*) Korpus *m* Dyplomatyczny ♦ *n abbr* (*MIL*: *BRIT*: = *Civil Defence (Corps)*) ≈ OC *f inv*; (: *US*: = *Civil Defense*) ≈ OC *f inv*; = **compact disk** płyta *f* kompaktowa; **CD player** odtwarzacz *m* płyt kompaktowych.

CDC (*US*) *n abbr* (= *Center for Disease Control*).

Cdr (*MIL*) *abbr* = **commander** dow., d-ca.

CD-ROM *abbr* (= *compact disc read-only memory*) CD-ROM *m*.

CDT (*US*) *abbr* (= *Central Daylight Time*).

cease [si:s] *vt* zaprzestawać (zaprzestać *perf*) +*gen*, przerywać (przerwać *perf*) ♦ *vi* ustawać (ustać *perf*).

ceasefire ['si:sfaɪə*] *n* zawieszenie *nt* broni.

ceaseless ['si:slɪs] *adj* nieustanny.

CED (*US*) *n abbr* (= *Committee for Economic Development*).

cedar ['si:də*] *n* cedr *m*.

cede [si:d] *vt* cedować (scedować *perf*).

cedilla [sɪ'dɪlə] *n* cedilla *f* (*haczyk nadający literze c brzmienie s*).

CEEB (*US*) *n abbr* (= *College Entry Examination Board*).

ceiling ['si:lɪŋ] *n* (*in room*) sufit *m*; (*on wages, prices etc*) (górny) pułap *m*.

celebrate ['sɛlɪbreɪt] *vt* (*success, victory*) świętować; (*anniversary, birthday*) obchodzić; (*REL: mass*) odprawiać (odprawić *perf*), celebrować ♦ *vi* świętować; **we ought to celebrate** powinniśmy to uczcić.

celebrated ['sɛlɪbreɪtɪd] *adj* sławny.

celebration [sɛlɪ'breɪʃən] *n* świętowanie *nt*.

celebrity [sɪ'lɛbrɪtɪ] *n* (znana) osobistość *f*, sława *f*.

celeriac [sə'lɛrɪæk] *n* seler *m*.

celery ['sɛlərɪ] *n* seler *m* naciowy.

celestial [sɪ'lɛstɪəl] *adj* niebiański, niebieski.

celibacy ['sɛlɪbəsɪ] *n* celibat *m*.

cell [sɛl] *n* (*in prison, monastery*) cela *f*; (*of revolutionaries*) komórka *f* (organizacyjna); (*BIO*) komórka *f*; (*ELEC*) ogniwo *nt*.

cellar ['sɛlə*] *n* piwnica *f*.

cellist ['tʃɛlɪst] *n* wiolonczelista (-tka) *m(f)*.

cello ['tʃɛləu] *n* wiolonczela *f*.

cellophane ['sɛləfeɪn] *n* celofan *m*.

cellphone ['sɛlfəun] *n* telefon *m* komórkowy.

cellular ['sɛljulə*] *adj* (*structure, tissue*) komórkowy; (*fabrics*) luźno tkany.

Celluloid ['sɛljulɔɪd] ® *n* celuloid *m*.

cellulose ['sɛljuləus] *n* celuloza *f*.

Celsius ['sɛlsɪəs] *adj*: **30 degrees Celsius** 30 stopni Celsjusza.

Celt [kɛlt, sɛlt] *n* Celt *m*.

Celtic ['kɛltɪk, 'sɛltɪk] *adj* celtycki ♦ *n* (język *m*) celtycki.

cement [sə'mɛnt] *n* (*powder, concrete*) cement *m*; (*glue*) klej *m* cementowy ♦ *vt* (*path, floor*) cementować (wycementować *perf*); (*fig: relationship*) cementować (scementować *perf*); (*stick, glue*) przytwierdzać (przytwierdzić *perf*).

cement mixer *n* betoniarka *f*.

cemetery ['sɛmɪtrɪ] *n* cmentarz *m*.

cenotaph ['sɛnətɑːf] *n symboliczny grobowiec upamiętniający poległych na wojnie.*
censor ['sɛnsə*] *n* cenzor(ka) *m(f)* ♦ *vt* cenzurować (ocenzurować *perf*).
censorship ['sɛnsəʃɪp] *n* cenzura *f.*
censure ['sɛnʃə*] *vt (reprove)* potępiać (potępić *perf*) ♦ *n* potępienie *nt.*
census ['sɛnsəs] *n* spis *m* ludności.
cent [sɛnt] *(US etc) n* cent *m*; *see also* **per.**
centenary [sɛn'tiːnərɪ] *n* stulecie *nt*, setna rocznica *f.*
centennial [sɛn'tɛnɪəl] *n* = **centenary.**
center ['sɛntə*] *(US)* = **centre.**
centigrade ['sɛntɪgreɪd] *adj*: **23 degrees centigrade** 23 stopnie Celsjusza.
centilitre ['sɛntɪliːtə*] *(US* **centiliter***) n* centylitr *m.*
centimetre ['sɛntɪmiːtə*] *(US* **centimeter***) n* centymetr *m.*
centipede ['sɛntɪpiːd] *n* wij *m.*
central ['sɛntrəl] *adj (in the centre)* centralny, środkowy; *(near the city centre)* położony centralnie *or* w centrum; *(committee etc)* centralny; *(idea, figure)* główny.
Central African Republic *n* Republika *f* Środkowoafrykańska.
Central America *n* Ameryka *f* Środkowa.
central heating *n* centralne ogrzewanie *nt.*
centralize ['sɛntrəlaɪz] *vt* centralizować (scentralizować *perf*).
central processing unit *(COMPUT) n* mikroprocesor *m* centralny *or* główny.
central reservation *(BRIT: AUT) n* pas *m* zieleni *or* dzielący.
centre ['sɛntə*] *(US* **center***) n (of circle, room, line)* środek *m*; *(of town, attention, power)* centrum *m*; *(of action, belief)* podstawa *f*; *(of arts, industry)* ośrodek *m*, centrum *nt* ♦ *vt (weight)* umieszczać (umieścić *perf*) na środku; *(PHOT, TYP)* centrować (wycentrować *perf*); *(ball)* dośrodkowywać (dośrodkować *perf*); **to centre on** *(fig)* skupiać się (skupić się *perf*) na *+loc.*
centrefold ['sɛntəfəuld] *(US* **centerfold***) n ilustrowana wkładka w czasopiśmie.*
centre-forward ['sɛntə'fɔːwəd] *(FOOTBALL) n* środek *m* linii.
centre-half ['sɛntə'hɑːf] *(FOOTBALL) n* stoper *m.*
centrepiece ['sɛntəpiːs] *(US* **centerpiece***) n* ozdoba *f* na stół; *(fig)* duma *f.*
centre spread *(BRIT) n* dwie środkowe strony gazety *lub* czasopisma.
centrifugal [sɛn'trɪfjugl] *adj* odśrodkowy.
centrifuge ['sɛntrɪfjuːʒ] *n* wirówka *f.*
century ['sɛntjurɪ] *n* wiek *m*, stulecie *nt*; *(CRICKET)* sto punktów; **in the twentieth century** w dwudziestym wieku.
CEO *(US) n abbr* = **chief executive officer.**
ceramic [sɪ'ræmɪk] *adj* ceramiczny.
ceramics [sɪ'ræmɪks] *npl* ceramika *f.*

cereal ['siːrɪəl] *n (plant, crop)* zboże *nt*; *(food)* płatki *pl* zbożowe.
cerebral ['sɛrɪbrəl] *adj (MED)* mózgowy; *(intellectual)* intelektualny; **cerebral hemorrhage** wylew krwi do mózgu.
ceremonial [sɛrɪ'məunɪəl] *n* ceremoniał *m* ♦ *adj* ceremonialny, obrzędowy.
ceremony ['sɛrɪmənɪ] *n* ceremonia *f*; **to stand on ceremony** robić ceremonie.
cert [sə:t] *(BRIT: inf) n*: **it's a dead cert** to pewniak *(inf).*
certain ['sə:tən] *adj (sure)* pewny, pewien; *(particular, some)* pewien; **a certain Mr Smith** pewien *or* niejaki pan Smith; **certain days/places** pewne dni/miejsca; **a certain coldness/pleasure** pewna oziębłość/przyjemność; **to make certain that** upewniać się (upewnić się *perf*), że; **to be certain of** być pewnym *+gen*; **for certain** na pewno.
certainly ['sə:tənlɪ] *adv (undoubtedly)* na pewno, z pewnością; *(of course)* oczywiście, naturalnie.
certainty ['sə:təntɪ] *n (assurance)* pewność *f*; *(inevitability)* pewnik *m.*
certificate [sə'tɪfɪkɪt] *n (of birth, marriage etc)* akt *m*, świadectwo *nt*; *(diploma)* świadectwo *nt*, dyplom *m.*
certified letter ['sə:tɪfaɪd-] *(US) n* list *m* polecony.
certified mail *(US) n* poczta *f* polecona.
certified public accountant ['sə:tɪfaɪd-] *(US) n* zaprzysiężony rewident *m* księgowy.
certify ['sə:tɪfaɪ] *vt (fact)* poświadczać (poświadczyć *perf*); *(award diploma to)* przyznawać (przyznać *perf*) dyplom *or* patent *+dat*; **to certify sb insane** orzekać (orzec *perf*) o czyjejś niepoczytalności ♦ *vi*: **to certify that** zaświadczać (zaświadczyć *perf*), że.
cervical ['sə:vɪkl] *adj* szyjny, karkowy; **cervical cancer** rak szyjki macicy; **cervical smear** wymaz z szyjki macicy.
cervix ['sə:vɪks] *n* szyjka *f* macicy.
Cesarean [si:'zɛərɪən] *(US) adj, n* = **Caesarean.**
cessation [sə'seɪʃən] *n (of hostilities etc)* zaprzestanie *nt.*
cesspit ['sɛspɪt] *n* szambo *nt.*
CET *abbr (= Central European Time)* czas *m* środkowoeuropejski.
Ceylon [sɪ'lɔn] *n* Cejlon *m.*
cf. *abbr* = **compare** por.
c/f *(COMM) abbr (= carried forward)* do przeniesienia.
CFC *n abbr (= chlorofluorocarbon)* chlorofluorokarbon *m*, CFC.
CG *(US) n abbr* = **coastguard.**
cg *abbr (= centigram)* cg.
CH *(BRIT) n abbr (= Companion of Honour) odznaczenie brytyjskie.*
ch. *abbr* = **chapter** rozdz.

c.h. (BRIT) abbr = **central heating** co.

Chad [tʃæd] n Czad m.

chafe [tʃeɪf] vt (skin) ocierać (otrzeć perf) ♦ vi: **to chafe at** (fig) irytować się (zirytować się perf) z powodu +gen.

chaffinch ['tʃæfɪntʃ] n zięba f.

chagrin ['ʃægrɪn] n rozgoryczenie nt.

chain [tʃeɪn] n łańcuch m; (piece of jewellery) łańcuszek m; (of shops, hotels) sieć f ♦ vt (also: **chain up**: prisoner) przykuwać (przykuć perf) łańcuchem; (: dog) uwiązywać (uwiązać perf) na łańcuchu.

chain reaction n (fig) reakcja f łańcuchowa.

chain-smoke ['tʃeɪnsməuk] vi palić jednego (papierosa) za drugim.

chain store n sklep m należący do sieci.

chair [tʃeə*] n (seat) krzesło nt; (armchair) fotel m; (at university) katedra f; (of meeting etc) przewodniczący (-ca) m(f) ♦ vt przewodniczyć +dat; **the chair** (US) krzesło elektryczne.

chairlift ['tʃeəlɪft] n wyciąg m krzesełkowy.

chairman ['tʃeəmən] (irreg like man) n (of committee) przewodniczący m; (BRIT: of company) prezes m.

chairperson ['tʃeəpə:sn] n przewodniczący (-ca) m(f).

chairwoman ['tʃeəwumən] (irreg like woman) n przewodnicząca f.

chalet ['ʃæleɪ] n drewniana chata f (najczęściej wczasowa, w górach).

chalice ['tʃælɪs] n kielich m.

chalk [tʃɔ:k] n kreda f.

►**chalk up** vt zapisywać (zapisać perf); (fig) zapisywać (zapisać perf) na swoim koncie.

challenge ['tʃælɪndʒ] n wyzwanie nt; (to authority, received ideas) kwestionowanie nt ♦ vt (SPORT) rzucać (rzucić perf) wyzwanie +dat, wyzywać (wyzwać perf); (rival) stawiać (postawić perf) w obliczu wyzwania; (authority, idea etc) kwestionować (zakwestionować perf); **to challenge sb to do sth** wzywać (wezwać perf) kogoś, żeby coś zrobił; **to challenge sb to a fight/game** rzucać (rzucić perf) komuś wyzwanie do walki/gry.

challenger ['tʃælɪndʒə*] n pretendent(ka) m(f).

challenging ['tʃælɪndʒɪŋ] adj (career) stawiający wysokie wymagania; (task) ambitny; (tone, look etc) wyzywający.

chamber ['tʃeɪmbə*] n (room) komnata f; (POL) izba f; (BRIT: usu pl: judge's office) gabinet m sędziego; (: barristers' offices) kancelaria f adwokacka; **chamber of commerce** izba handlowa; **torture chamber** sala tortur.

chambermaid ['tʃeɪmbəmeɪd] n pokojówka f.

chamber music n muzyka f kameralna.

chamberpot ['tʃeɪmbəpɔt] n nocnik m.

chameleon [kə'mi:lɪən] n kameleon m.

chamois ['ʃæmwɑ:] n (ZOOL) giemza f; (also: **chamois leather**) ircha f.

champagne [ʃæm'peɪn] n szampan m.

champion ['tʃæmpɪən] n (of league, contest) mistrz(yni) m(f); (of cause) orędownik (-iczka) m(f), szermierz m; (of person) obrońca (-ńczyni) m(f) ♦ vt bronić +gen (obronić perf).

championship ['tʃæmpɪənʃɪp] n (contest) mistrzostwa pl; (title) mistrzostwo nt.

chance [tʃɑ:ns] n (hope) szansa f; (likelihood) prawdopodobieństwo nt; (opportunity) sposobność f, okazja f; (risk) ryzyko nt ♦ vt (risk): **to chance it** zaryzykować (perf); (happen): **I chanced to overhear them talking** przez przypadek podsłuchałem ich rozmowę ♦ adj przypadkowy; **the chances are that...** wszystko wskazuje na to, że...; **there is little chance of his coming** prawdopodobieństwo, że przyjdzie, jest niewielkie; **to take a chance** ryzykować (zaryzykować perf); **by chance** przez przypadek, przypadkiem; **it's the chance of a lifetime** to życiowa szansa.

►**chance (up)on** vt fus natykać się (natknąć się perf) na +acc.

chancel ['tʃɑ:nsəl] n prezbiterium nt.

chancellor ['tʃɑ:nsələ*] n (head of government) kanclerz m; (BRIT: of university) (honorowy) rektor m.

Chancellor of the Exchequer (BRIT) n minister m skarbu.

chancy ['tʃɑ:nsɪ] adj ryzykowny.

chandelier [ʃændə'lɪə*] n żyrandol m.

change [tʃeɪndʒ] vt zmieniać (zmienić perf); (replace) zamieniać (zamienić perf), wymieniać (wymienić perf); (substitute, exchange) wymieniać (wymienić perf); (transform): **to change sb/sth into** zamieniać (zamienić perf) kogoś/coś w +acc, przemieniać (przemienić perf) kogoś/coś w +acc ♦ vi zmieniać się (zmienić się perf); (on bus etc) przesiadać się (przesiąść się perf); (be transformed): **to change into** zamieniać się (zamienić się perf) w +acc, przemieniać się (przemienić się perf) w +acc ♦ n (alteration) zmiana f; (difference) odmiana f; (coins) drobne pl; (money returned) reszta f; **to change trains/buses** przesiadać się (przesiąść się perf); **to change hands** (person) zmieniać (zmienić perf) rękę; (money, house etc) zmieniać (zmienić perf) właściciela; **to change a baby** przewijać (przewinąć perf) niemowlę; **to change one's mind** zmieniać (zmienić perf) zdanie; **to change gear** (AUT) zmieniać (zmienić perf) bieg; **she changed into an old skirt** przebrała się w starą spódnicę; **a change of clothes** zmiana ubrania; **small change** drobne; **to give sb change for** or **of ten pounds** rozmieniać (rozmienić perf) komuś dziesięć funtów; **keep**

the change proszę zatrzymać resztę; **for a change** dla odmiany.

changeable ['tʃeɪndʒəbl] *adj* zmienny.

change machine *n* automat *m* do rozmieniania pieniędzy.

changeover ['tʃeɪndʒəuvə*] *n* (*to new system etc*) zmiana *f*.

changing ['tʃeɪndʒɪŋ] *adj* zmieniający się.

changing room (*BRIT*) *n* (*in shop*) przymierzalnia *f*; (*SPORT*) szatnia *f*.

channel ['tʃænl] *n* kanał *m*; (*groove*) rowek *m*, wyżłobienie *nt* ♦ *vt* kierować (skierować *perf*); **to channel sth into** (*fig*) kierować (skierować *perf*) coś w stronę +*gen*; **through the usual/normal channels** zwykłymi/normalnymi kanałami; **green/red channels** *stanowiska odprawy celnej dla podróżnych nie posiadających/posiadających rzeczy do oclenia*; **the (English) Channel** kanał La Manche; **the Channel Islands** *wyspy w kanale La Manche należące do Wielkiej Brytanii.*

chant [tʃɑːnt] *n* (*of crowd, fans*) skandowanie *nt*; (*REL*) pieśń *f*, śpiew *m* ♦ *vt* (*slogans etc*) skandować; (*song, prayer*) intonować (zaintonować *perf*) ♦ *vi* skandować; **the demonstrators chanted their disapproval** demonstranci skandowaniem wyrażali swe niezadowolenie.

chaos ['keɪɔs] *n* chaos *m*.

chaotic [keɪ'ɔtɪk] *adj* (*jumble*) bezładny; (*situation*) chaotyczny.

chap [tʃæp] (*BRIT: inf*) *n* facet *m* (*inf*), gość *m* (*inf*); **old chap** (*term of address*) stary (*inf*).

chapel ['tʃæpl] *n* kaplica *f*; (*BRIT: non-conformist chapel*) zbór *m*; (: *of union*) podstawowa organizacja *f* związkowa.

chaperone ['ʃæpərəun] *n* (*for woman*) przyzwoitka *f*; (*for child*) opiekunka *f* ♦ *vt* (*woman*) towarzyszyć +*dat*; (*child*) opiekować się +*instr*.

chaplain ['tʃæplɪn] *n* kapelan *m*.

chapped [tʃæpt] *adj* spierzchnięty, spękany.

chapter ['tʃæptə*] *n* rozdział *m*; **a chapter of accidents** seria nieszczęść.

char [tʃɑː*] *vt* zwęglać (zwęglić *perf*) ♦ *vi* (*BRIT*) sprzątać (*u kogoś*) ♦ *n* (*BRIT*) = **charlady.**

character ['kærɪktə*] *n* charakter *m*; (*in novel, film*) postać *f*, (*eccentric*) oryginał *m*, dziwak (-aczka) *m(f)*; (*letter*) znak *m*; **a person of good character** osoba o dobrej reputacji.

character code (*COMPUT*) *n* kod *m* znaku.

characteristic ['kærɪktə'rɪstɪk] *adj* charakterystyczny ♦ *n* cecha *f* (charakterystyczna), właściwość *f*; **characteristic of** charakterystyczny dla +*gen*.

characterize ['kærɪktəraɪz] *vt* (*typify*) charakteryzować, cechować; (*describe character of*) charakteryzować (scharakteryzować *perf*); **to characterize sb/sth**

as (*render*) nadawać (nadać *perf*) komuś/czemuś charakter +*gen*.

charade [ʃə'rɑːd] *n* farsa *f*; **charades** *npl* szarady *pl*.

charcoal ['tʃɑːkəul] *n* (*fuel*) węgiel *m* drzewny; (*for drawing*) węgiel *m* (rysunkowy).

charge [tʃɑːdʒ] *n* (*fee*) opłata *f*, (*JUR*) zarzut *m*, oskarżenie *nt*; (*attack*) natarcie *nt*, szarża *f*; (*responsibility*) odpowiedzialność *f*; (*MIL, ELEC*) ładunek *m* ♦ *vt* (*person*) obciążać (obciążyć *perf*); (*sum*) pobierać (pobrać *perf*); (*gun*) ładować (załadować *perf*); (*MIL*) atakować (zaatakować *perf*), nacierać (natrzeć *perf*) na +*acc*; (*also*: **charge up**: *battery*) ładować (naładować *perf*); (*JUR*): **to charge sb (with)** oskarżać (oskarżyć *perf*) kogoś (o +*acc*); **to charge sb to do sth** zobowiązywać (zobowiązać *perf*) kogoś do zrobienia czegoś ♦ *vi* rzucać się (rzucić się *perf*) (do ataku), szarżować; **to charge (up), to charge (along), etc** ruszyć (ruszać *perf*), rzucać się (rzucić się *perf*); **charges** *npl* opłaty *pl*; **labour charges** koszt robocizny; **to reverse the charges** (*BRIT*) dzwonić na koszt osoby przyjmującej rozmowę; **is there a charge?** czy jest jakaś opłata?; **there's no charge** nie ma żadnej opłaty; **at no extra charge** bez dodatkowej opłaty; **free of charge** nieodpłatnie; **they charged us 20 pounds for the meal** policzyli nam 20 funtów za posiłek; **how much do you charge?** ile to u państwa kosztuje?; **to charge an expense (up) to sb's account** dopisywać (dopisać *perf*) wydatek do czyjegoś rachunku; **under my charge** pod moją opieką; **to take charge** (*of child*) zajmować się (zająć się *perf*) +*instr*; (*of company*) obejmować (objąć *perf*) kierownictwo +*gen*; **to be in charge (of)** (*person, machine*) odpowiadać (za +*acc*); (*business*) kierować +*instr*.

charge account *n* kredyt *m* (*w placówce lub sieci handlowej*).

charge card *n* karta *f* kredytowa *or* stałego klienta (*ważna w określonej placówce handlowej*).

chargé d'affaires ['ʃɑːʒeɪ dæ'fɛə] *n* chargé d'affaires *m inv*.

chargehand ['tʃɑːdʒhænd] (*BRIT*) *n* brygadzista (-tka) *m(f)*.

charger ['tʃɑːdʒə*] *n* (*also*: **battery charger**) urządzenie *nt* załadowcze; (*old: warhorse*) rumak *m*.

chariot ['tʃærɪət] *n* rydwan *m*.

charisma [kæ'rɪsmə] *n* charyzma *f*.

charitable ['tʃærɪtəbl] *adj* (*organization*) charytatywny, dobroczynny; (*person, remark*) wyrozumiały, pobłażliwy.

charity ['tʃærɪtɪ] *n* (*organization*) organizacja *f* charytatywna *or* dobroczynna; (*kindness, generosity*) wyrozumiałość *f*; (*money, gifts*) jałmużna *f*.

charlady ['tʃɑːleɪdɪ] (*BRIT*) *n* sprzątaczka *f*.

charlatan ['ʃɑːlətən] *n* szarlatan(ka) *m(f)*.

charm [tʃɑːm] *n* (*appeal, spell*) czar *m*, urok *m*; (*talisman*) talizman *m*, amulet *m*; (*on bracelet etc*) wisiorek *m*, breloczek *m* ♦ *vt* zauroczyć (*perf*).

charm bracelet *n* bransoletka *f* z wisiorkami.

charming ['tʃɑːmɪŋ] *adj* czarujący, uroczy.

chart [tʃɑːt] *n* (*graph, diagram*) wykres *m*; (*NAUT*) mapa *f* (morska); (*weather chart*) mapa *f* (pogody) ♦ *vt* (*river etc*) nanosić (nanieść *perf*) na mapę; (*progress, movements*) rejestrować (*na wykresie*); **charts** *npl* listy *pl* przebojów.

charter ['tʃɑːtə*] *vt* wynajmować (wynająć *perf*) ♦ *n* (*document, constitution*) karta *f*, (*of university, company*) statut *m*.

chartered accountant ['tʃɑːtəd-] (*BRIT*) *n* ≈ dyplomowany (-na) *m(f)* księgowy (-wa) *m(f)*.

charter flight *n* lot *m* charterowy.

charwoman ['tʃɑːwumən] (*irreg like* **woman**) *n* = **charlady**.

chary ['tʃɛərɪ] *adj*: **to be chary of** być ostrożnym przy +*loc*.

chase [tʃeɪs] *vt* (*pursue*) gonić; (*also*: **chase away**) wyganiać (wygonić *perf*); (*job etc*) uganiać się za +*instr* ♦ *n* pościg *m*.

▶**chase down** (*US*) *vt* = **chase up**.

▶**chase up** (*BRIT*) *vt* (*person*) przyciskać (przycisnąć *perf*); (*information*) odszukiwać (odszukać *perf*).

chasm ['kæzəm] *n* (*GEOL*) rozpadlina *f*; (*between people*) przepaść *f*.

chassis ['ʃæsɪ] *n* podwozie *nt*.

chaste [tʃeɪst] *adj* czysty, cnotliwy.

chastened ['tʃeɪsnd] *adj* skarcony, zawstydzony.

chastening ['tʃeɪsnɪŋ] *adj* (*remark*) karcący; (*experience*) otrzeźwiający.

chastise [tʃæs'taɪz] *vt* (*scold*) (surowo) upominać (upomnieć *perf*).

chastity ['tʃæstɪtɪ] *n* czystość *f*, cnota *f*.

chat [tʃæt] *vi* (*also*: **have a chat**) gadać (pogadać *perf*), ucinać (uciąć *perf*) sobie pogawędkę ♦ *n* pogawędka *f*, pogaduszki *pl*.

▶**chat up** (*BRIT: inf*) *vt* przygadać (*perf*) sobie (*inf*).

chat show (*BRIT*) *n* talkshow *m*.

chattel ['tʃætl] *see* **goods**.

chatter ['tʃætə*] *vi* (*person*) paplać (*inf*), trajkotać (*inf*); (*magpie etc*) skrzeczeć; (*teeth*) szczękać ♦ *n* (*of people*) paplanina *f*; (*of magpie etc*) skrzeczenie *nt*; **his teeth were chattering** szczękał zębami.

chatterbox ['tʃætəbɔks] (*inf*) *n* trajkotka *f* (*inf*).

chatty ['tʃætɪ] *adj* (*style, letter*) gawędziarski; (*person*) gadatliwy.

chauffeur ['ʃəufə*] *n* szofer *m*.

chauvinism ['ʃəuvɪnɪzəm] *n* (*also*: **male chauvinism**) (męski) szowinizm *m*; (*POL*) szowinizm *m*.

chauvinist ['ʃəuvɪnɪst] *n* (*also*: **male chauvinist**)

(męski) szowinista *m*; (*POL*) szowinista (-tka) *m(f)*.

chauvinistic [ʃəuvɪ'nɪstɪk] *adj* szowinistyczny.

ChE *abbr* (= *chemical engineer*).

cheap [tʃiːp] *adj* (*lit, fig*) tani; (*ticket, fare*) ulgowy ♦ *adv*: **to buy/sell sth cheap** kupować (kupić *perf*)/sprzedawać (sprzedać *perf*) coś tanio.

cheapen ['tʃiːpn] *vt*: **I wouldn't cheapen myself by doing such a thing** nie zniżyłbym się do czegoś takiego.

cheaper ['tʃiːpə*] *adj* tańszy.

cheaply ['tʃiːplɪ] *adv* tanio.

cheat [tʃiːt] *vi* oszukiwać (oszukać *perf*) ♦ *vt*: **to cheat sb out of sth** podstępem pozbawiać (pozbawić *perf*) kogoś czegoś ♦ *n* oszust(ka) *m(f)*.

▶**cheat on** (*inf*) *vt fus* (*husband, wife*) zdradzać +*acc*.

cheating ['tʃiːtɪŋ] *n* oszustwo *nt*.

check [tʃɛk] *vt* (*inspect, examine, verify*) sprawdzać (sprawdzić *perf*); (*halt, restrain*) powstrzymywać (powstrzymać *perf*) ♦ *vi*: **to check (with)** (*data, piece of information*) zgadzać się (z +*instr*) ♦ *n* (*inspection*) kontrola *f*; (*curb*) powstrzymanie *nt*; (*US: bill*) rachunek *m*; = **cheque**; (*CHESS*) szach *m*; (*usu pl: pattern*) kratka *f*; **a green jacket with sky-blue checks** zielona marynarka w błękitną kratkę ♦ *adj* w kratkę *post*; **to check with sb** konsultować się (skonsultować się *perf*) z kimś; **to keep a check on sb/sth** kontrolować kogoś/coś.

▶**check in** *vi* (*at hotel*) meldować się (zameldować się *perf*); (*at airport*) zgłaszać się (zgłosić się *perf*) do odprawy ♦ *vt* (*luggage*) nadawać (nadać *perf*).

▶**check off** *vt* (*items on list*) odhaczać (odhaczyć *perf*).

▶**check out** *vi* (*of hotel*) wymeldowywać się (wymeldować się *perf*) ♦ *vt* (*luggage*) odbierać (odebrać *perf*); (*person, story*) sprawdzać (sprawdzić *perf*), weryfikować (zweryfikować *perf*).

▶**check up on** *vt fus*: **to check up on sb** zbierać (zebrać *perf*) o kimś informacje.

checkered ['tʃɛkəd] (*US*) *adj* = **chequered**.

checkers ['tʃɛkəz] (*US*) *npl* warcaby *pl*.

check guarantee card (*US*) *n* = **cheque card**.

check-in (desk) ['tʃɛkɪn-] *n* (*at airport*) punkt *m* odpraw.

checking account ['tʃɛkɪŋ-] (*US*) *n* ≈ rachunek *m* oszczędnościowo-rozliczeniowy.

checklist ['tʃɛklɪst] *n* spis *m* kontrolny.

checkmate ['tʃɛkmeɪt] *n* szach-mat *m*.

checkout ['tʃɛkaut] *n* kasa *f* (*w supermarkecie*).

checkpoint ['tʃɛkpɔɪnt] *n* punkt *m* kontroli granicznej.

checkroom ['tʃɛkrum] (*US*) *n* przechowalnia *f* bagażu.

checkup ['tʃɛkʌp] (*also spelled* **check-up**)

(MED) n badanie *nt* lekarskie *(kontrolne)*; *(at dentist's)* przegląd *m*.

cheek [tʃiːk] *n (ANAT)* policzek *m*; *(impudence)* bezczelność *f*, tupet *m*; **to have the cheek to do sth** mieć czelność coś zrobić.

cheekbone ['tʃiːkbəun] *n* kość *f* policzkowa.

cheeky ['tʃiːkɪ] *adj* bezczelny.

cheep [tʃiːp] *vi (bird)* piszczeć *(zapiszczeć perf)* ♦ *n* pisk *m*.

cheer [tʃɪə*] *vt (team, speaker)* zgotować *(perf)* owację +*dat*; *(gladden)* pocieszać *(pocieszyć perf)* ♦ *vi* wiwatować ♦ *n* wiwat *m*; **cheers!** *(toast)* na zdrowie!; *(bye)* cześć!

►**cheer on** *vt* kibicować +*dat*.

►**cheer up** *vi* rozchmurzać się *(rozchmurzyć się perf)* ♦ *vt* rozweselać *(rozweselić perf)*.

cheerful ['tʃɪəful] *adj* wesoły, radosny.

cheerfulness ['tʃɪəfulnɪs] *n* wesołość *f*.

cheerio [tʃɪərɪ'əu] *(BRIT) excl* cześć *(przy pożegnaniu)*.

cheerless ['tʃɪəlɪs] *adj* ponury.

cheese [tʃiːz] *n* ser *m*.

cheeseboard ['tʃiːzbɔːd] *n* deska *f* do *(krojenia)* sera; *(with cheese on it)* półmisek *m or* wybór *m* serów.

cheesecake ['tʃiːzkeɪk] *n* sernik *m*.

cheetah ['tʃiːtə] *n* gepard *m*.

chef [ʃef] *n* szef *m* kuchni.

chemical ['kemɪkl] *adj* chemiczny ♦ *n* substancja *f* chemiczna; **chemicals** chemikalia.

chemical engineering *n* inżynieria *f* chemiczna.

chemist ['kemɪst] *n (BRIT: pharmacist)* aptekarz (-arka) *m(f)*; *(scientist)* chemik (-iczka) *m(f)*.

chemistry ['kemɪstrɪ] *n* chemia *f*.

chemist's (shop) ['kemɪsts-] *(BRIT) n* apteka *f (połączona z drogerią)*.

cheque [tʃek] *(BRIT) n* czek *m*; **to pay by cheque** płacić *(zapłacić perf)* czekiem.

chequebook ['tʃekbuk] *(BRIT) n* książeczka *f* czekowa.

cheque card *(BRIT) n* karta *f* czekowa *(gwarantująca czeki wystawiane przez jej posiadacza)*.

chequered ['tʃekəd] *(US* **checkered***) adj (fig: career, history)* burzliwy.

cherish ['tʃerɪʃ] *vt (person, freedom)* miłować *(literary)*; *(right, privilege)* wysoko (sobie) cenić, przywiązywać wielką wagę do +*gen*; *(hope)* żywić; *(memory)* zachowywać *(zachować perf)* w pamięci.

cheroot [ʃə'ruːt] *n (krótkie)* cygaro *nt*.

cherry ['tʃerɪ] *n* czereśnia *f*; *(sour)* wiśnia *f*.

chervil ['tʃəːvɪl] *n (BOT)* trybula *f*.

Ches *(BRIT: POST) abbr* (= *Cheshire*).

chess [tʃes] *n* szachy *pl*.

chessboard ['tʃesbɔːd] *n* szachownica *f*.

chessman ['tʃesmən] *(irreg like* **man***) n* figura *f* szachowa.

chessplayer ['tʃespleɪə*] *n* szachista (-tka) *m(f)*.

chest [tʃest] *n (ANAT)* klatka *f* piersiowa; *(box)* skrzynia *f*, kufer *m*; **I'm glad I got it off my chest** *(inf)* cieszę się, że zrzuciłam ten ciężar z serca.

chest measurement *n* obwód *m* klatki piersiowej.

chestnut ['tʃesnʌt] *n* kasztan *m*; *(also:* **chestnut tree***)* kasztanowiec *m*, kasztan *m* ♦ *adj* kasztanowaty.

chest of drawers *n* komoda *f*.

chew [tʃuː] *vt (food)* żuć, przeżuwać *(przeżuć perf)*; *(gum)* żuć; *(hole)* wygryzać *(wygryźć perf)*; *(fingernails)* obgryzać *(obgryźć perf)*.

chewing gum ['tʃuːɪŋ-] *n* guma *f* do żucia.

chic [ʃiːk] *adj (dress, hat)* modny; *(person, place)* elegancki, szykowny.

chick [tʃɪk] *n* pisklę *nt*; *(inf: girl)* laska *f (inf)*.

chicken ['tʃɪkɪn] *n* kurczak *m*; *(inf: person)* tchórz *m*.

►**chicken out** *(inf) vi* tchórzyć *(stchórzyć perf)*; **he chickened out of going** stchórzył i nie poszedł.

chicken feed *n (fig)* grosze *pl*.

chickenpox ['tʃɪkɪnpɔks] *n* ospa *f* wietrzna.

chick pea *n* ciecierzyca *f*.

chicory ['tʃɪkərɪ] *n* cykoria *f*.

chide [tʃaɪd] *vt*: **to chide sb (for)** besztać *(zbesztać perf)* kogoś *(za +acc)*.

chief [tʃiːf] *n (of tribe)* wódz *m*; *(of organization, department)* szef *m* ♦ *adj* główny.

chief constable *(BRIT) n* komisarz *m or* szef *m* policji *(w danym okręgu)*.

chief executive *(US* **chief executive officer***) n* dyrektor *m* naczelny.

chiefly ['tʃiːflɪ] *adv* głównie.

Chief of Staff *n* szef *m* sztabu.

chiffon ['ʃɪfɔn] *n* szyfon *m*.

chilblain ['tʃɪlbleɪn] *n* odmrożenie *nt (palców rąk lub nóg)*.

child [tʃaɪld] *(pl* **children***) n* dziecko *nt*.

child benefit *(BRIT) n* ≈ zasiłek *m* rodzinny.

childbirth ['tʃaɪldbəːθ] *n* poród *m*.

childhood ['tʃaɪldhud] *n* dzieciństwo *nt*.

childish ['tʃaɪldɪʃ] *adj* dziecinny.

childless ['tʃaɪldlɪs] *adj* bezdzietny.

childlike ['tʃaɪldlaɪk] *adj (behaviour)* dziecinny; *(eyes, figure)* dziecięcy.

child minder *(BRIT) n* opiekun(ka) *m(f)* do dziecka.

children ['tʃɪldrən] *npl of* **child**.

child's play ['tʃaɪldz-] *n* dziecinna igraszka *f or* zabawa *f*.

Chile ['tʃɪlɪ] *n* Chile *nt inv*.

Chilean ['tʃɪlɪən] *adj* chilijski ♦ *n* Chilijczyk (-jka) *m(f)*.

chill [tʃɪl] *n (coldness)* chłód *m*; *(MED)* przeziębienie *nt*; *(shiver)* dreszcz *m* ♦ *adj (lit, fig)* chłodny ♦ *vt (food, drinks)* schładzać *(schłodzić perf)*; *(person)*: **to be chilled**

przemarzać (przemarznąć *perf*); **"serve chilled"** „podawać schłodzone".

chilli ['tʃɪlɪ] (*US* **chili**) *n* chili *nt inv*.

chilly ['tʃɪlɪ] *adj* (*lit, fig*) chłodny; **I am/feel chilly** jest mi bardzo zimno.

chime [tʃaɪm] *n* (*of clock*) kurant *m*; (*of bells*) bicie *nt* ♦ *vi* dzwonić.

chimney ['tʃɪmnɪ] *n* komin *m*.

chimney sweep *n* kominiarz *m*.

chimpanzee [tʃɪmpæn'ziː] *n* szympans *m*.

chin [tʃɪn] *n* podbródek *m*.

China ['tʃaɪnə] *n* Chiny *pl*.

china ['tʃaɪnə] *n* (*clay*) glinka *f* porcelanowa; (*crockery*) porcelana *f*.

Chinese [tʃaɪ'niːz] *adj* chiński ♦ *n inv* (*person*) Chińczyk/Chinka *m/f*; (*LING*) (język *m*) chiński.

chink [tʃɪŋk] *n* (*in door, wall*) szczelina *f*; (*sound*) brzęk *m*.

chintz [tʃɪnts] *n* perkal *m*.

chip [tʃɪp] *n* (*of wood*) drzazga *f*, wiór *m*; (*of glass, stone*) odłamek *m*; (*in glass, cup*) szczerba *f*; (*in gambling*) żeton *m*; (*COMPUT: also:* **microchip**) kość *f*, układ *m* scalony; **chips** *npl* (*BRIT*) frytki *pl*; (*US: also:* **potato chips**) chipsy *pl* ♦ *vt* wyszczerbiać (wyszczerbić *perf*); **when the chips are down** (*fig*) kiedy przyjdzie co do czego.

►**chip in** (*inf*) *vi* (*contribute*) zrzucać się (zrzucić się *perf*); (*inf*); (*interrupt*) wtrącać się (wtrącić się *perf*).

chipboard ['tʃɪpbɔːd] *n* płyta *f* wiórowa.

chipmunk ['tʃɪpmʌŋk] *n* wiewiórka *f* ziemna.

chippings ['tʃɪpɪŋz] *npl*: **"loose chippings"** „uwaga żwir!".

chiropodist [kɪ'rɔpədɪst] (*BRIT*) *n* specjalista *m* chorób stóp.

chiropody [kɪ'rɔpədɪ] (*BRIT*) *n* leczenie *nt* chorób stóp.

chirp [tʃəːp] *vi* (*bird*) ćwierkać (zaćwierkać *perf*); (*crickets*) cykać.

chirpy ['tʃəːpɪ] (*inf*) *adj* dziarski, żwawy.

chisel ['tʃɪzl] *n* dłuto *nt*.

chit [tʃɪt] *n* notka *f*, karteczka *f*.

chitchat ['tʃɪttʃæt] (*also spelled* **chit-chat**) *n* pogawędka *f*.

chivalrous ['ʃɪvəlrəs] *adj* rycerski.

chivalry ['ʃɪvəlrɪ] *n* rycerskość *f*.

chives [tʃaɪvz] *npl* szczypiorek *m*.

chloride ['klɔːraɪd] *n* chlorek *m*.

chlorinate ['klɔrɪneɪt] *vt* chlorować.

chlorine ['klɔːriːn] *n* chlor *m*.

chock [tʃɔk] (*AUT, AVIAT*) *n* klin *m* (*pod koła*).

chock-a-block ['tʃɔkə'blɔk] *adj*: **chock-a block (with)** nabity *or* załadowany (+*instr*) (*inf*).

chock-full [tʃɔk'ful] *adj* = **chock-a-block**.

chocolate ['tʃɔklɪt] *n* (*substance, drink*) czekolada *f*; (*sweet*) czekoladka *f* ♦ *cpd* czekoladowy.

choice [tʃɔɪs] *n* (*selection*) wybór *m*; (*option*) możliwość *f* (*do wyboru*); (*person preferred*) typ *m*, kandydat *m* ♦ *adj* najlepszy; **by** *or* **from choice** z wyboru; **a wide choice** duży wybór; **I have no (other) choice** nie mam (innego) wyjścia; **this is a possible choice** to jeden z możliwych wariantów.

choir ['kwaɪə*] *n* chór *m*.

choirboy ['kwaɪə'bɔɪ] *n* chłopiec *m* śpiewający w chórze kościelnym.

choke [tʃəuk] *vi* dławić się (zadławić się *perf*) ♦ *vt* (*strangle*) dusić ♦ *n* (*AUT*) ssanie *nt*; **the city centre was choked with cars** centrum miasta było zapchane samochodami.

cholera ['kɔlərə] (*MED*) *n* cholera *f*.

cholesterol [kə'lɛstərɔl] *n* cholesterol *m*.

choose [tʃuːz] (*pt* **chose**, *pp* **chosen**) *vt* wybierać (wybrać *perf*) ♦ *vi*: **to choose between/from** wybierać (wybrać *perf*) (po)między +*instr*/z +*gen*; **to choose to do sth** postanawiać (postanowić *perf*) coś zrobić.

choosy ['tʃuːzɪ] *adj* wybredny.

chop [tʃɔp] *vt* rąbać (porąbać *perf*); (*also:* **chop up**) siekać (posiekać *perf*) ♦ *n* (*CULIN*) kotlet *m*; **chops** (*inf*) *npl* wargi *pl* (*zwierzęcia*); **to lick one's chops** (*fig, pej*) oblizywać się; **he got the chop** (*BRIT: inf*) wylali go (z pracy) (*inf*).

►**chop down** *vt* zrąbać (*perf*).

chopper ['tʃɔpə*] (*inf*) *n* helikopter *m*.

choppy ['tʃɔpɪ] *adj* (*sea*) lekko wzburzony.

chopsticks ['tʃɔpstɪks] *npl* pałeczki *pl*.

choral ['kɔːrəl] *adj* chóralny.

chord [kɔːd] *n* (*MUS*) akord *m*; (*MATH*) cięciwa *f*.

chore [tʃɔː*] *n* (*domestic task*) praca *f* domowa; (*routine task*) (przykry) obowiązek *m*; **household chores** prace *or* obowiązki domowe.

choreographer [kɔrɪ'ɔgrəfə*] *n* choreograf(ka) *m(f)*.

chorister ['kɔrɪstə*] *n* chórzysta (-tka) *m(f)* (*w chórze kościelnym*).

chortle ['tʃɔːtl] *vi* chichotać (zachichotać *perf*).

chorus ['kɔːrəs] *n* (*song, group of singers, sth said by many people*) chór *m*; (*part of song*) refren *m*; **she began her career in the chorus line of "Oklahoma"** zaczynała jako statystka w musicalu „Oklahoma".

chose [tʃəuz] *pt of* **choose**.

chosen ['tʃəuzn] *pp of* **choose**.

chow [tʃau] *n* chow-chow *m inv*.

chowder ['tʃaudə*] *n* zupa *f* rybna (*lub ze skorupiaków*).

Christ [kraɪst] *n* Chrystus *m*.

christen ['krɪsn] *vt* (*baby*) chrzcić (ochrzcić *perf*); (*with nickname*) ochrzcić (*perf*).

christening ['krɪsnɪŋ] *n* chrzest *m*.

Christian ['krɪstɪən] *adj* chrześcijański ♦ *n* chrześcijanin (-anka) *m(f)*.

Christianity [krɪstɪ'ænɪtɪ] *n* chrześcijaństwo *nt*.

Christian name *n* imię *nt*.

Christmas ['krɪsməs] *n* Święta *pl* (Bożego

Narodzenia), Boże Narodzenie *nt*; **Happy** *or*
Merry Christmas! Wesołych Świąt!
Christmas card *n* kartka *f* świąteczna.
Christmas Day *n* dzień *m* Bożego Narodzenia.
Christmas Eve *n* Wigilia *f* (Bożego Narodzenia).
Christmas Island *n* Wyspa *f* Bożego Narodzenia.
Christmas tree *n* choinka *f*.
chrome [krəum] *n* = **chromium**.
chromium ['krəumɪəm] *n* chrom *m*; (*also*: **chromium plating**) chromowanie *pl*.
chromosome ['krəuməsəum] *n* chromosom *m*.
chronic ['krɔnɪk] *adj* chroniczny; (*fig: liar, drunkenness*) notoryczny.
chronicle ['krɔnɪkl] *n* kronika *f*.
chronological [krɔnə'lɔdʒɪkl] *adj* chronologiczny.
chrysanthemum [krɪ'sænθəməm] *n* chryzantema *f*.
chubby ['tʃʌbɪ] *adj* (*cheeks, child*) pucołowaty.
chuck [tʃʌk] (*inf*) *vt* (*lit, fig*) rzucać (rzucić *perf*).
▸**chuck out** *vt* wyrzucać (wyrzucić *perf*).
chuckle ['tʃʌkl] *vi* chichotać (zachichotać *perf*).
chug [tʃʌg] *vi* (*machine, car engine*) dyszeć, sapać; (*also*: **chug along**) telepać się (*inf*).
chum [tʃʌm] *n* kumpel *m*.
chump [tʃʌmp] (*inf*) *n* matołek *m* (*inf*).
chunk [tʃʌŋk] *n* kawał *m*.
chunky ['tʃʌŋkɪ] *adj* (*person*) krępy, przysadzisty; (*knitwear*) gruby; (*furniture*) masywny.
church [tʃəːtʃ] *n* kościół *m*; **the Church of England** Kościół *or* kościół anglikański.
churchyard ['tʃəːtʃjɑːd] *n* cmentarz *m* parafialny.
churlish ['tʃəːlɪʃ] *adj* grubiański.
churn [tʃəːn] *n* (*for butter*) maselnica *f*; (*also*: **milk churn**) bańka *f* (na mleko).
▸**churn out** *vt* masowo produkować.
chute [ʃuːt] *n* (*also*: **rubbish chute**) zsyp *m* (na śmieci); (*for coal*) zsuwnia *f*; (*BRIT: in playground, into swimming pool*) zjeżdżalnia *f*.
chutney ['tʃʌtnɪ] *n* ostry, gęsty sos z owoców, cukru, octu i przypraw, spożywany jako dodatek do mięs i serów.
CIA (*US*) *n abbr* (= *Central Intelligence Agency*) CIA *f inv*.
cicada [sɪ'kɑːdə] *n* cykada *f*.
CID (*BRIT*) *n abbr* (= *Criminal Investigation Department*) brytyjska policja kryminalna.
cider ['saɪdə*] *n* cydr *m*, jabłecznik *m*.
c.i.f. (*COMM*) *abbr* (= *cost, insurance and freight*) koszt *m*, ubezpieczenie *nt* i fracht *m*.
cigar [sɪ'gɑː*] *n* cygaro *nt*.
cigarette [sɪgə'rɛt] *n* papieros *m*.
cigarette case *n* papierośnica *f*.
cigarette end *n* niedopałek *m*.
cigarette holder *n* cygarniczka *f*.

C-in-C (*MIL*) *abbr* (= *commander-in-chief*) głównodowodzący *m*, naczelny wódz *m*.
cinch [sɪntʃ] (*inf*) *n*: **it's a cinch** to pestka (*inf*).
Cinderella [sɪndə'rɛlə] *n* Kopciuszek *m*.
cinders ['sɪndəz] *npl* popiół *m*.
cine-camera ['sɪnɪ'kæmərə] (*BRIT*) *n* kamera *f* (filmowa).
cine-film ['sɪnɪfɪlm] (*BRIT*) *n* taśma *f* filmowa.
cinema ['sɪnəmə] *n* kino *nt*.
cine-projector ['sɪnɪprə'dʒɛktə*] (*BRIT*) *n* projektor *m* filmowy.
cinnamon ['sɪnəmən] *n* cynamon *m*.
cipher ['saɪfə*] *n* (*code*) szyfr *m*; (*fig: person*) pionek *m*; **in cipher** szyfrem.
circa ['səːkə] *prep* około +*gen*.
circle ['səːkl] *n* (*curved line*) okrąg *m*; (*area enclosed by curved line*) koło *nt*; (: *smaller*) kółko *nt*; (*of friends*) krąg *m*; (*in cinema, theatre*) balkon *m* ▸ *vi* krążyć, zataczać koła (zatoczyć *perf* koło) ▸ *vt* (*move round*) okrążać (okrążyć *perf*); (*surround*) otaczać (otoczyć *perf*).
circuit ['səːkɪt] *n* (*ELEC*) obwód *m*; (*tour*) objazd *m*; (*track*) tor *m*; (*lap*) okrążenie *nt*.
circuit board (*COMPUT, ELEC*) *n* płytka *f* montażowa.
circuitous [səː'kjuɪtəs] *adj* okrężny.
circular ['səːkjulə*] *adj* (*plate, pond*) okrągły; (*route*) okrężny; **circular argument** błędne koło ▸ *n* (*letter*) okólnik *m*; (*advertisement*) ulotka *f* (reklamowa).
circulate ['səːkjuleɪt] *vi* krążyć ▸ *vt* (*report etc*) rozprowadzać (rozprowadzić *perf*); **the traffic circulates freely** ruch przebiega bez zakłóceń.
circulating capital [səːkju'leɪtɪŋ-] *n* kapitał *m* obrotowy.
circulation [səːkju'leɪʃən] *n* (*of report, book, newspaper*) nakład *m*; (*of air, money*) obieg *m*; (*of blood*) krążenie *nt*.
circumcise ['səːkəmsaɪz] *vt* obrzezywać (obrzezać *perf*).
circumference [sə'kʌmfərəns] *n* obwód *m*.
circumflex ['səːkəmflɛks] *n* (*also*: **circumflex accent**) cyrkumfleks *m*.
circumscribe ['səːkəmskraɪb] *vt* (*geometrical figure*) opisywać (opisać *perf*) okrąg na +*acc*; (*fig: authority, freedom*) ograniczać (ograniczyć *perf*).
circumspect ['səːkəmspɛkt] *adj* ostrożny.
circumstances ['səːkəmstənsɪz] *npl* (*of accident, death etc*) okoliczności *pl*; (*conditions*) warunki *pl*; (: *financial, domestic*) sytuacja *f*; **in** *or* **under the circumstances** w tej sytuacji; **under no circumstances** w żadnym wypadku.
circumstantial [səːkəm'stænʃl] *adj* (*report, statement*) szczegółowy; **circumstantial evidence** poszlaki.
circumvent [səːkəm'vɛnt] *vt* (*regulation,*

difficulty) omijać (ominąć *perf*), obchodzić (obejść *perf*).

circus ['sə:kəs] *n* cyrk *m*; **Circus** (*in place names*) plac *m*.

CIS *n abbr* (= *Commonwealth of Independent States*) WNP *f inv*.

cistern ['sıstən] *n* (*water tank*) zbiornik *m*, cysterna *f*; (*of toilet*) spłuczka *f*, rezerwuar *m*.

citation [saɪ'teɪʃən] *n* (*commendation*) (oficjalna) pochwała *f*; (*quotation*) cytat *m*; (*JUR*) wezwanie *nt* (do sądu).

cite [saɪt] *vt* (*sum*) wymieniać (wymienić *perf*); (*author, passage*) cytować (zacytować *perf*); (*example*) przytaczać (przytoczyć *perf*); (*JUR*) wzywać (wezwać *perf*) (do sądu).

citizen ['sıtızn] *n* (*of country*) obywatel(ka) *m(f)*; (*of town*) mieszkaniec (-nka) *m(f)*.

citizenship ['sıtıznʃıp] *n* (*of country*) obywatelstwo *nt*.

citric ['sıtrık] *adj*: **citric acid** kwas *m* cytrynowy.

citrus fruit ['sıtrəs-] *n* owoc *m* cytrusowy, cytrus *m*.

city ['sıtı] *n* miasto *nt*; **the City** (*BRIT*) (londyńskie) City *nt inv*.

city centre *n* centrum *nt* (miasta).

civic ['sıvık] *adj* (*authorities*) miejski; (*duties, pride*) obywatelski.

civic centre (*BRIT*) *n* ≈ zarząd *m* miasta.

civil ['sıvıl] *adj* (*disturbances, equality*) społeczny; (*authorities*) cywilny; (*rights, liberties*) obywatelski; (*behaviour, person*) uprzejmy.

Civil Aviation Authority *n* ≈ Główny Inspektorat *m* Lotnictwa Cywilnego.

civil defence *n* obrona *f* cywilna.

civil disobedience *n* (*JUR*) nieposłuszeństwo *nt* obywatelskie.

civil engineer *n* ≈ inżynier *m* budownictwa.

civil engineering *n* ≈ inżynieria *f* wodno-lądowa.

civilian [sı'vılıən] *adj* (*casualties*) cywilny ♦ *n* cywil *m*.

civilization [sıvılaı'zeıʃən] *n* cywilizacja *f*.

civilized ['sıvılaızd] *adj* (*society*) cywilizowany; (*person*) kulturalny; (*place, design*) w dobrym guście *post*.

civil law *n* prawo *nt* cywilne.

civil rights *npl* prawa *pl* obywatelskie.

civil servant *n* urzędnik (-iczka) *m(f)* administracji państwowej.

Civil Service *n*: **the Civil Service** Państwowa Służba *f* Cywilna.

civil war *n* wojna *f* domowa.

cl *abbr* = **centilitre** cl.

clad [klæd] *adj*: **clad (in)** odziany (w +*acc*).

claim [kleım] *vt* (*rights, compensation*) żądać (zażądać *perf*) +*gen*, domagać się +*gen*; (*credit*) przypisywać (przypisać *perf*) sobie; (*expenses*) żądać (zażądać *perf*) zwrotu +*gen*; (*assert*): **he claims (that)/to be ...** twierdzi, że/że jest +*instr* ♦

n (*assertion*) twierdzenie *nt*; (*for pension, wage rise*) roszczenie *nt*; (*to inheritance, land, power*) prawo *nt*; **to claim responsibility for** przyznawać się (przyznać się *perf*) do +*gen*; **she claimed innocence** twierdziła, że jest niewinna; **to put in a claim for** (*expenses*) przedstawiać (przedstawić *perf*) rachunek na +*acc*; **to lay a claim to sth** rościć sobie prawo do czegoś; **to claim on the insurance** składać (złożyć *perf*) wniosek o odszkodowanie (*z tytułu polisy ubezpieczeniowej*); **the airline faced millions of dollars in claims** linie lotnicze stanęły w obliczu wielomilionowych roszczeń o odszkodowania.

claimant ['kleımənt] *n* osoba *f* wysuwająca roszczenie.

claim form *n* formularz *m* podaniowy; (*completed*) podanie *nt*.

clairvoyant [klɛə'vɔıənt] *n* jasnowidz *m*.

clam [klæm] *n* małż *m*.

▶**clam up** (*inf*) *vi* zamykać się (zamknąć się *perf*) w sobie.

clamber ['klæmbə*] *vi* (*aboard vehicle*) gramolić się (wgramolić się *perf*); (*up hill*) wdrapywać się (wdrapać się *perf*).

clammy ['klæmı] *adj* (*hands etc*) lepki, wilgotny.

clamour ['klæmə*] (*US* **clamor**) *vi*: **to clamour for** głośno domagać się +*gen* ♦ *n* (*noise*) zgiełk *m*, wrzawa *f*; (*protest*) oburzenie *nt*.

clamp [klæmp] *n* klamra *f*, zacisk *m* ♦ *vt* (*wheel, car*) zakładać (założyć *perf*) klamrę blokującą na +*acc*; **to clamp sth to sth** przymocowywać (przymocować *perf*) *or* przytwierdzać (przytwierdzić *perf*) coś do czegoś; **they clamped handcuffs round my wrists** założyli mi kajdanki na ręce.

▶**clamp down on** *vt fus* przyhamowywać (przyhamować *perf*).

clan [klæn] *n* klan *m*.

clandestine [klæn'dɛstın] *adj* (*radio station*) tajny; (*meeting, marriage*) potajemny.

clang [klæŋ] *vi* (*bell*) dźwięczeć (zadźwięczeć *perf*); (*metal object*) szczękać (zaszczękać *perf*) ♦ *n* (*of bell*) brzęk *m*; (*of metal*) szczęk *m*.

clansman ['klænzmən] *n* członek *m* klanu.

clap [klæp] *vi* klaskać ♦ *vt*: **to clap (one's hands)** klaskać (klasnąć *perf*) (w dłonie *or* ręce); **a clap of thunder** uderzenie pioruna, grzmot.

clapping ['klæpıŋ] *n* oklaski *pl*.

claret ['klærət] *n* bordo *nt inv* (*wino*).

clarification [klærıfı'keıʃən] *n* wyjaśnienie *nt*.

clarify ['klærıfaı] *vt* wyjaśniać (wyjaśnić *perf*).

clarinet [klærı'nɛt] *n* klarnet *m*.

clarity ['klærıtı] *n* jasność *f*.

clash [klæʃ] *n* (*fight, disagreement*) starcie *nt*; (*of beliefs, cultures, styles*) zderzenie *nt*; (*of events, appointments*) nałożenie się *nt*; (*of weapons*) szczęk *m*; (*of cymbals*) brzęk *m* ♦

vi (*gangs, political opponents*) ścierać się (zetrzeć się *perf*); (*beliefs*) kolidować (ze sobą); (*colours, styles*) kłócić się (ze sobą); (*two events, appointments*) kolidować, nakładać się (nałożyć się *perf*) (na siebie); (*weapons*) szczękać (zaszczękać *perf*); (*cymbals*) brzękać (brzęknąć *perf*).

clasp [klɑːsp] *n* (*hold, embrace*) uścisk *m*; (*of bag*) zatrzask *m*; (*of necklace*) zapięcie *nt* ♦ *vt* ściskać (ścisnąć *perf*).

class [klɑːs] *n* klasa *f*, (*period of teaching*) lekcja *f*, (: *at university*) zajęcia *pl*, ćwiczenia *pl* ♦ *cpd* klasowy ♦ *vt* klasyfikować (zaklasyfikować *perf*).

class-conscious [ˈklɑːsˈkɔnʃəs] *adj* świadomy klasowo.

class-consciousness [ˈklɑːsˈkɔnʃəsnɪs] *n* świadomość *f* klasowa.

classic [ˈklæsɪk] *adj* klasyczny ♦ *n* (*film, novel*) klasyczne dzieło *nt*, klasyka *f*; (*author*) klasyk *m*; (*example*) klasyczny przykład *m*; **Classics** *npl* ≈ filologia *f* klasyczna.

classical [ˈklæsɪkl] *adj* (*art, music, language*) klasyczny; (*times*) antyczny.

classification [klæsɪfɪˈkeɪʃən] *n* (*process*) klasyfikacja *f*; (*category*) zaklasyfikowanie *nt*.

classified [ˈklæsɪfaɪd] *adj* (*information*) tajny, poufny.

classified advertisement *n* ≈ ogłoszenie *nt* drobne.

classify [ˈklæsɪfaɪ] *vt* klasyfikować (zaklasyfikować *perf*).

classmate [ˈklɑːsmeɪt] *n* kolega/koleżanka *m/f* z klasy.

classroom [ˈklɑːsrum] *n* klasa *f*, sala *f* lekcyjna.

classy [ˈklɑːsɪ] (*inf*) *adj* z klasą *post*.

clatter [ˈklætə*] *n* (*of dishes, pots*) brzęk *m*; (*of hooves*) stukot *m* ♦ *vi* (*dishes, pots*) brzęczeć (zabrzęczeć *perf*); (*hooves*) stukotać (zastukotać *perf*).

clause [klɔːz] *n* (*JUR*) klauzula *f*, (*LING*) zdanie *nt*.

claustrophobia [klɔːstrəˈfəubɪə] *n* klaustrofobia *f*.

claw [klɔː] *n* (*of animal*) pazur *m*; (*of bird*) szpon *m*; (*of lobster*) szczypce *pl* (*no sg*).

►**claw at** *vt fus* (*curtains etc*) wczepiać się (wczepić się *perf*) w +*acc*; (*door etc*) drapać w +*acc*.

clay [kleɪ] *n* glina *f*.

clean [kliːn] *adj* (*lit, fig*) czysty; (*joke, story*) przyzwoity; (*edge*) gładki; (*MED: fracture*) prosty ♦ *vt* czyścić (wyczyścić *perf*) ♦ *adv*: **he clean forgot** zupełnie *or* na śmierć zapomniał; **the thief got clean away** złodziej zniknął bez śladu; **to come clean** (*inf*) przyznawać się (przyznać się *perf*); **to clean one's teeth** (*BRIT*) czyścić (wyczyścić *perf*) zęby; **to have a clean driving licence** *or* (*US*)

record ≈ nie mieć punktów karnych w ewidencji policji drogowej.

►**clean out** *vt* (*cupboard, drawer*) opróżniać (opróżnić *perf*); (*inf: person*): **to be cleaned out** spłukać się (*perf*) (*inf*).

►**clean up** *vt* (*mess*) sprzątać (posprzątać *perf*); (*child*) doprowadzać (doprowadzić *perf*) do porządku; (*fig: police, authorities: city, area*) robić (zrobić *perf*) porządek w +*loc* ♦ *vi* sprzątać (posprzątać *perf*); (*fig*) zbijać (zbić *perf*) majątek.

clean-cut [ˈkliːnˈkʌt] *adj* (*person*) o miłej powierzchowności *post*; (*situation*) jasny.

cleaner [ˈkliːnə*] *n* (*person*) sprzątacz(ka) *m(f)*; (*substance*) środek *m* czyszczący.

cleaner's [ˈkliːnəz] *n* (*also*: **dry cleaner's**) pralnia *f* chemiczna.

cleaning [ˈkliːnɪŋ] *n* sprzątanie *nt*.

cleaning lady *n* sprzątaczka *f*.

cleanliness [ˈklɛnlɪnɪs] *n* czystość *f*, schludność *f*.

cleanly [ˈkliːnlɪ] *adv* gładko.

cleanse [klɛnz] *vt* (*face, cut*) oczyszczać (oczyścić *perf*), przemywać (przemyć *perf*); (*fig: image, memory*) wymazywać (wymazać *perf*).

cleanser [ˈklɛnzə*] *n* płyn *m* do zmywania twarzy.

clean-shaven [ˈkliːnˈʃeɪvn] *adj* gładko ogolony.

cleansing department [ˈklɛnzɪŋ-] (*BRIT*) *n* ≈ przedsiębiorstwo *nt* oczyszczania miasta.

clean-up [ˈkliːnʌp] *n* gruntowne sprzątanie *nt* *or* porządki *pl*.

clear [klɪə*] *adj* (*report, argument, conclusion*) jasny; (*voice, photograph, handwriting, commitment*) wyraźny; (*majority*) wyraźny, bezsporny; (*glass, plastic, water*) przezroczysty; (*road, way*) wolny; (*conscience, profit, sky*) czysty ♦ *vt* (*ground, suspect*) oczyszczać (oczyścić *perf*); (*building*) ewakuować (ewakuować *perf*); (*weeds*) usuwać (usunąć *perf*); (*fence, wall*) przeskakiwać (przeskoczyć *perf*); (*cheque*) rozliczać (rozliczyć *perf*); (*goods*) wyprzedawać (wyprzedać *perf*) ♦ *vi* (*sky*) przejaśniać się (przejaśnić się *perf*); (*fog, smoke*) przerzedzać się (przerzedzić się *perf*) ♦ *adv*: **to be clear of** nie dotykać +*gen*; **to be in the clear** (*free of suspicion*) być wolnym od podejrzeń; (*out of danger*) być bezpiecznym; **to clear the table** sprzątać (sprzątnąć *perf*) ze stołu; **to clear one's throat** odchrząkiwać (odchrząknąć *perf*); **to clear a profit** osiągać (osiągnąć *perf*) zysk; **do I make myself clear?** czy wyrażam się jasno?; **to make it clear to sb that ...** uzmysławiać (uzmysłowić *perf*) komuś, że ...; **to keep** *or* **stay** *or* **steer clear of sb/sth** trzymać się z dala *or* daleka od kogoś/czegoś; **this weather should clear any moment now** lada chwila

powinno się rozpogodzić; **the cheque will take three days to clear** czek zostanie rozliczony w ciągu trzech dni.
▸**clear off** (*inf*) *vi* zmiatać (*inf*), zmywać się (zmyć się *perf*) (*inf*).
▸**clear up** *vt* (*room, mess*) sprzątać (posprzątać *perf*); (*mystery, problem*) wyjaśniać (wyjaśnić *perf*) ♦ *vi* (*person*) sprzątać (posprzątać *perf*); (*illness*) przechodzić (przejść *perf*).
clearance ['klɪərəns] *n* (*removal*) usunięcie *nt*; (*permission*) pozwolenie *nt*, zgoda *f*, (*free space*) miejsce *nt*; (*AVIAT*) zezwolenie *nt*.
clearance sale *n* wyprzedaż *f* likwidacyjna.
clear-cut ['klɪə'kʌt] *adj* (*decision, issue*) jednoznaczny.
clearing ['klɪərɪŋ] *n* (*in wood*) polana *f*.
clearing bank (*BRIT*) *n* bank *m* clearingowy.
clearing house (*COMM*) *n* izba *f* rozrachunkowa.
clearly ['klɪəlɪ] *adv* (*distinctly*) wyraźnie; (*coherently*) jasno; (*obviously*) najwyraźniej, najwidoczniej.
clearway ['klɪəweɪ] (*BRIT*) *n* droga *f* szybkiego ruchu.
cleavage ['kliːvɪdʒ] *n* (*within group, society*) rozłam *m*; **she wore a dress which showed her cleavage** miała na sobie suknię z głębokim dekoltem.
cleaver ['kliːvə*] *n* tasak *m*.
clef [klɛf] (*MUS*) *n* klucz *m*.
cleft [klɛft] *n* szczelina *f* (skalna).
cleft palate *n* rozszczep *m* podniebienia.
clemency ['klɛmənsɪ] *n* (*JUR*) łaska *f*.
clement ['klɛmənt] *adj* (*weather*) łagodny.
clench [klɛntʃ] *vt* (*fist, teeth*) zaciskać (zacisnąć *perf*); (*object*) ściskać (ścisnąć *perf*).
clergy ['kləːdʒɪ] *n* duchowieństwo *nt*, kler *m*.
clergyman ['kləːdʒɪmən] (*irreg like* **man**) *n* duchowny *m*.
clerical ['klɛrɪkl] *adj* (*worker, job*) biurowy; **clerical opposition** sprzeciw duchownych *or* kleru; **clerical collar** koloratka; **a clerical error** pomyłka urzędnika.
clerk [klɑːk] *n* (*office worker*) urzędnik (-iczka) *m(f)*; (*US: salesperson*) ekspedient(ka) *m(f)*.
Clerk of Court *n* pisarz *m* sądowy, protokolant(ka) *m(f)*.
clever ['klɛvə*] *adj* (*intelligent*) zdolny, inteligentny; (*deft, crafty*) sprytny; (*ingenious*) pomysłowy; (*device, gadget*) zmyślny.
clew [kluː] *n* (*US*) = **clue**.
cliché ['kliːʃeɪ] *n* komunał *m*.
click [klɪk] *vt* (*tongue*) mlaskać (mlasnąć *perf*) +*instr*; (*heels*) stukać (stuknąć *perf*) *or* trzaskać (trzasnąć *perf*) +*instr* ♦ *vi* (*camera, switch*) pstrykać (pstryknąć *perf*); (*fig: people*) przypaść (*perf*) sobie do gustu ♦ *n* pstryknięcie *nt*.
client ['klaɪənt] *n* klient(ka) *m(f)*.

clientele [kliːãːn'tɛl] *n* klientela *f*.
cliff [klɪf] *n* wybrzeże *nt* klifowe, klif *m*.
cliffhanger ['klɪfhæŋə*] *n* (*fig*) sytuacja *f* pełna napięcia.
climactic [klaɪ'mæktɪk] *adj* szczytowy.
climate ['klaɪmɪt] *n* (*lit, fig*) klimat *m*.
climax ['klaɪmæks] *n* (*of battle*) punkt *m* kulminacyjny; (*of career*) szczyt *m*; (*of film, book*) scena *f* kulminacyjna; (*sexual*) szczytowanie *nt*, orgazm *m*.
climb [klaɪm] *vi* (*person, sun*) wspinać się (wspiąć się *perf*); (*plant*) piąć się; (*plane*) wznosić się (wznieść się *perf*), wzbijać się (wzbić się *perf*); (*prices, shares*) wzrastać (wzrosnąć *perf*) ♦ *vt* (*stairs, ladder*) wdrapywać się (wdrapać się *perf*) po +*instr*; (*tree, hill*) wspinać się (wspiąć się *perf*) na +*acc* ♦ *n* wspinaczka *f*; **to climb over a wall** przełazić (przeleźć *perf*) przez mur; **to climb into a car** gramolić się (wgramolić się *perf*) do samochodu.
▸**climb down** (*BRIT*) *vi* (*fig*) iść (pójść *perf*) na ustępstwa.
climb-down ['klaɪmdaun] *n* ustępstwo *nt*.
climber ['klaɪmə*] *n* (*person*) alpinista (-tka) *m(f)*; (*plant*) pnącze *nt*.
climbing ['klaɪmɪŋ] *n* wspinaczka *f* górska, alpinistyka *f*.
clinch [klɪntʃ] *vt* (*deal*) finalizować (sfinalizować *perf*); (*argument*) rozstrzygać (rozstrzygnąć *perf*).
cling [klɪŋ] (*pt, pp* **clung**) *vi*: **to cling to** (*mother, support*) trzymać się kurczowo +*gen*; (*idea, belief*) uporczywie trwać przy +*loc*; (*dress: body*) przylegać do +*gen*, opinać się na +*loc*.
clinic ['klɪnɪk] *n* (*centre*) klinika *f*, (*session*) godziny *pl* przyjęć *or* konsultacji.
clinical ['klɪnɪkl] *adj* (*tests etc*) kliniczny; (*building, white*) szpitalny; (*fig: dispassionate*) bezosobowy, pozbawiony emocji.
clink [klɪŋk] *vi* (*glasses, cutlery*) brzęczeć, pobrzękiwać.
clip [klɪp] *n* (*also*: **paper clip**) spinacz *m*; (*BRIT: also*: **bulldog clip**) klips *m* do papieru; (*for hose etc*) klamra *f*, zacisk *m*; (*for hair*) spinka *f*, (*TV, FILM*) clip *m* ♦ *vt* (*fasten*) przypinać (przypiąć *perf*); (*also*: **clip together**) spinać (spiąć *perf*); (*hedge*) przycinać (przyciąć *perf*); (*nails*) obcinać (obciąć *perf*).
clippers ['klɪpəz] *npl* (*for gardening*) sekator *m*; (*also*: **nail clippers**) cążki *pl* (do paznokci).
clipping ['klɪpɪŋ] *n* (*from newspaper*) wycinek *m*.
clique [kliːk] *n* klika *f*.
clitoris ['klɪtərɪs] (*ANAT*) *n* łechtaczka *f*.
cloak [kləuk] *n* peleryna *f* ♦ *vt* (*fig*): **to be cloaked in** (*mist, secrecy*) być okrytym +*instr*.
cloakroom ['kləukrum] *n* (*BRIT: for coats*) szatnia *f*, (*bathroom*) toaleta *f* (*zwłaszcza w budynku publicznym*).
clobber ['klɔbə*] (*inf*) *n* majdan *m* (*inf*),

manatki *pl* (*inf*) ♦ *vt* (*hit*) walnąć (*perf*) (*inf*);
(*defeat*) załatwić (*perf*) (*inf*).
clock [klɔk] *n* zegar *m*; (*of taxi*) taksometr *m*,
licznik *m*; **round the clock** całą dobę, na
okrągło (*inf*); **a car with 30,000 miles on the
clock** (*BRIT*) samochód z przebiegiem 30.000
mil; **to work against the clock** walczyć z
czasem.
►**clock in** (*BRIT*) *vi* odbijać (odbić *perf*) kartę
(zegarową) (*po przyjściu do pracy*).
►**clock off** (*BRIT*) *vi* odbijać (odbić *perf*) kartę
(zegarową) (*przy wychodzeniu z pracy*).
►**clock on** (*BRIT*) *vi* = **clock in**.
►**clock out** (*BRIT*) *vi* = **clock off**.
►**clock up** *vt* (*hours, miles*) zaliczać (zaliczyć
perf) (*inf*).
clockwise ['klɔkwaɪz] *adv* zgodnie z ruchem
wskazówek zegara.
clockwork ['klɔkwə:k] *n* mechanizm *m*
zegarowy ♦ *adj* mechaniczny; **like clockwork**
jak w zegarku.
clog [klɔg] *n* chodak *m* ♦ *vt* zapychać
(zapchać *perf*), zatykać (zatkać *perf*) ♦ *vi*
(*also*: **clog up**) zapychać się (zapchać się
perf), zatykać się (zatkać się *perf*).
cloister ['klɔɪstə*] *n* krużganek *m*.
clone [kləun] *n* klon *m* (*potomstwo*) ♦ *vt*
klonować.
close[1] [kləus] *adj* (*near*): **their heads were
close to each other** ich głowy były blisko
siebie; (*friend, relative, ties*) bliski; (*writing,
print*) drobny; (*texture*) gęsty, ścisły;
(*examination, look*) dokładny; (*contest*)
wyrównany; (*weather*) parny; (*room*) duszny
♦ *adv* blisko; **close to** *or* **up** z bliska; **close
by** tuż obok; **close at hand** = **close by**;
how close is Edinburgh to Glasgow? jak
daleko jest z Edynburga do Glasgow?; **it was
a close shave** (*fig*) niewiele brakowało; **at
close quarters** z niewielkiej odległości.
close[2] [kləuz] *vt* (*door, window*) zamykać
(zamknąć *perf*); (*sale, deal*) finalizować
(sfinalizować *perf*); (*conversation, speech*)
zakańczać (zakończyć *perf*) ♦ *vi* (*door, lid etc*)
zamykać się (zamknąć się *perf*); (*film, speech
etc*): **to close (with)** kończyć się (zakończyć
się *perf*) (+*instr*) ♦ *n* koniec *m*; **to bring
something to a close** (stopniowo) zakańczać
(zakończyć *perf*) coś; **the shops/libraries close
on Saturdays at 1 p.m.** sklepy/biblioteki
zamyka się w soboty o 13-tej.
►**close down** *vi* (*factory, magazine*) zamykać
(zamknąć *perf*).
►**close in** *vi*: **to close in (on sb/sth)** otaczać
(otoczyć *perf*) (kogoś/coś).
►**close in** *vi* (*night, fog*) nadciągać (nadciągnąć
perf); **the days are closing in** dni stają się
coraz krótsze.
►**close off** *vt* zamykać (zamknąć *perf*) (dla
ruchu).

closed [kləuzd] *adj* zamknięty.
closed-circuit ['kləuzd'sə:kɪt] *adj*:
  closed-circuit television telewizja *f*
  przemysłowa, sieć *f* telewizyjna zamknięta.
closed shop *n* zakład pracy wymagający od
  *pracowników przynależności do określonego
  związku zawodowego*.
close-knit ['kləus'nɪt] *adj* (*family, community*)
  zwarty, zżyty.
closely ['kləuslɪ] *adv* (*examine, watch*)
  dokładnie; (*connected, related*) blisko; **a
  closely guarded secret** pilnie strzeżona
  tajemnica.
closet ['klɔzɪt] *n* (*cupboard*) szafa *f* ścienna.
close-up ['kləusʌp] *n* (*PHOT*) zbliżenie *nt*.
closing ['kləuzɪŋ] *adj* (*stages, remarks*)
  końcowy.
closing price (*STOCK EXCHANGE*) *n* kurs *m*
  zamknięcia.
closure ['kləuʒə*] *n* zamknięcie *nt*.
clot [klɔt] *n* (*MED*) skrzep *m*; (*inf. person*)
  baran *m* (*inf*) ♦ *vi* (*blood*) krzepnąć
  (zakrzepnąć *perf*).
cloth [klɔθ] *n* (*material*) tkanina *f*; (*rag*)
  szmatka *f*, (*BRIT: teacloth*) ścier(ecz)ka *f* (do
  naczyń); (*tablecloth*) obrus *m*.
clothe [kləuð] *vt* ubierać (ubrać *perf*).
clothes [kləuðz] *npl* ubranie *nt*, ubrania *pl*; **to
  put one's clothes on** ubierać się (ubrać się
  perf); **to take one's clothes off** rozbierać się
  (rozebrać się *perf*); **to change one's clothes**
  przebierać się (przebrać się *perf*).
clothes brush *n* szczotka *f* do ubrań.
clothes line *n* sznur *m* do (suszenia) bielizny.
clothes peg (*US* **clothes pin**) *n* klamerka *f*.
clothing ['kləuðɪŋ] *n* = **clothes**.
clotted cream ['klɔtɪd-] (*BRIT*) *n* gęsta
  śmietana zbierana z podgrzewanego mleka.
cloud [klaud] *n* chmura *f*, obłok *m* ♦ *vt*
  (*liquid*) mącić (zmącić *perf*); **to cloud the
  issue** zaciemniać (zaciemnić *perf*) sprawę;
  every cloud has a silver lining (*proverb*) po
  burzy zawsze jest słońce.
►**cloud over** *vi* (*sky*) chmurzyć się
  (zachmurzyć się *perf*); (*face, eyes*)
  pochmurnieć (spochmurnieć *perf*).
cloudburst ['klaudbə:st] *n* oberwanie *nt*
  chmury.
cloud-cuckoo-land [klaud'kuku:lænd] (*BRIT*)
  n: **he's living in cloud-cuckoo-land** chodzi z
  głową w chmurach.
cloudy ['klaudɪ] *adj* (*sky*) pochmurny; (*liquid*)
  mętny.
clout [klaut] (*inf*) *vt* walnąć (*perf*) (*inf*) ♦ *n*
  (*fig*) siła *f* przebicia.
clove [kləuv] (*CULIN*) *n* goździki *pl*; **clove of
  garlic** ząbek czosnku.
clover ['kləuvə*] *n* koniczyna *f*.
cloverleaf ['kləuvəli:f] *n* liść *m* koniczyny;

(*AUT*) koniczyn(k)a *f* (*dwupoziomowe skrzyżowanie bezkolizyjne*).

clown [klaun] *n* klown *m* ♦ *vi* (*also*: **clown about, clown around**) błaznować.

cloying ['klɔɪɪŋ] *adj* mdły.

club [klʌb] *n* (*society, place*) klub *m*; (*weapon*) pałka *f*, (*also*: **golf club**) kij *m* (golfowy) ♦ *vt* tłuc (stłuc *perf*) pałką, pałować (spałować *perf*) (*inf*) ♦ *vi*: **to club together (for sth)** składać się (złożyć się *perf*) *or* zrzucać się (zrzucić się *perf*) (*inf*) (na coś); **clubs** *npl* (*CARDS*) trefle *pl*.

club car (*US*: *RAIL*) *n* salonka *f*.

clubhouse ['klʌbhaus] *n* siedziba *f* klubu (*sportowego*).

cluck [klʌk] *vi* (*hen*) gdakać.

clue [klu:] *n* (*pointer, lead*) wskazówka *f*; (: *providing solution*) klucz *m*; (*in crossword*) hasło *nt*; **I haven't a clue** nie mam pojęcia.

clued up (*inf*) (*US* **clued in**) *adj* dobrze poinformowany.

clueless ['klu:lɪs] *adj* ciężko myślący.

clump [klʌmp] *n* (*of trees, bushes*) kęp(k)a *f*; (*of people, buildings*) grupka *f*.

clumsy ['klʌmzɪ] *adj* (*person, attempt*) niezdarny; (*object*) pokraczny.

clung [klʌŋ] *pt, pp of* **cling**.

cluster ['klʌstə*] *n* (*of people*) grupka *f*, gromadka *f*; (*of flowers*) pęk *m*; (*of stars*) skupisko *nt* ♦ *vi*: **to cluster (round)** skupiać się (skupić się *perf*) (wokół +*gen*).

clutch [klʌtʃ] *n* (*grip*) uścisk *m*; (*AUT*) sprzęgło *nt* ♦ *vt* ściskać (ścisnąć *perf*) kurczowo.

▶**to clutch (at)** *vt fus* (*lit, fig*) chwytać się (chwycić się *perf*) (+*gen*).

clutter ['klʌtə*] *vt* (*also*: **clutter up**: *room, house*) zagracać (zagracić *perf*); (: *mind*) zaśmiecać (zaśmiecić *perf*) ♦ *n* graty *pl*.

CM (*US*: *POST*) *abbr* (= North Mariana Islands).

cm *abbr* = **centimetre** cm.

CNAA (*BRIT*) *n abbr* (= Council for National Academic Awards) *rada przyznająca uprawnienia zawodowe*.

CND *n abbr* (= Campaign for Nuclear Disarmament).

CO *n abbr* = **commanding officer** dow., d-ca; (*BRIT*: = Commonwealth Office) *urząd do spraw brytyjskiej Wspólnoty Narodów* ♦ *abbr* (*US*: *POST*: = Colorado).

Co. *abbr* = **county**; **company**.

c/o *abbr* (= care of) na adres.

coach [kəutʃ] *n* (*bus*) autokar *m*; (*horse-drawn*) powóz *m*, kareta *f*; (*RAIL*) wagon *m*; (*SPORT*) trener(ka) *m(f)*; (*SCOL*) korepetytor(ka) *m(f)* ♦ *vt* (*sportsman/woman*) trenować; (*student*) udzielać korepetycji *or* dawać korepetycje +*dat*.

coach trip *n* wycieczka *f* autokarowa.

coagulate [kəu'ægjuleɪt] *vi* (*blood*) krzepnąć

(zakrzepnąć *perf*); (*paint*) gęstnieć (zgęstnieć *perf*) ♦ *vt* powodować krzepnięcie +*gen*.

coal [kəul] *n* (*substance*) węgiel *m*; (*piece of coal*) węgielek *m*.

coal face *n* przodek *m* (węglowy).

coalfield ['kəulfi:ld] *n* zagłębie *nt* węglowe.

coalition [kəuə'lɪʃən] *n* koalicja *f*.

coalman ['kəulmən] (*irreg like* **man**) *n* dostawca *m* węgla.

coalmine ['kəulmaɪn] *n* kopalnia *f* (węgla).

coal miner *n* górnik *m*.

coal mining *n* górnictwo *nt* (węgla).

coarse [kɔ:s] *adj* (*texture*) szorstki; (*person, character, laugh*) prostacki; (*salt, sand*) gruboziarnisty; (*cloth*) surowy.

coast [kəust] *n* wybrzeże *nt* ♦ *vi* (*car, bicycle etc*) jechać rozpędem.

coastal ['kəustl] *adj* przybrzeżny.

coaster ['kəustə*] *n* (*NAUT*) statek *m* żeglugi przybrzeżnej, kabotażowiec *m*; (*for glass*) podkładka *f* pod kieliszek.

coastguard ['kəustgɑ:d] *n* (*officer*) strażnik *m* straży przybrzeżnej; (*service*) straż *f* przybrzeżna.

coastline ['kəustlaɪn] *n* lina *f* brzegowa.

coat [kəut] *n* (*overcoat*) płaszcz *m*; (*of animal*) sierść *f*, (*of paint*) warstwa *f* ♦ *vt* pokrywać (pokryć *perf*) +*instr*.

coat hanger *n* wieszak *m*.

coating ['kəutɪŋ] *n* warstwa *f*.

coat of arms *n* herb *m*.

co-author ['kəu'ɔ:θə*] *n* współautor(ka) *m(f)*.

coax [kəuks] *vt*: **to coax sb (into doing sth)** namawiać (namówić *perf*) kogoś (do zrobienia czegoś) (*posługując się łagodną perswazją*).

cob [kɔb] *n see* **corn**.

cobbler ['kɔblə*] *n* szewc *m*.

cobbles ['kɔblz] *npl* bruk *m*.

cobblestones ['kɔblstəunz] *npl* = **cobbles**.

COBOL ['kəubɔl] (*COMPUT*) *n* COBOL *m*.

cobra ['kəubrə] *n* kobra *f*.

cobweb ['kɔbwɛb] *n* pajęczyna *f*.

cocaine [kə'keɪn] *n* kokaina *f*.

cock [kɔk] *n* kogut *m* ♦ *vt* repetować (zarepetować *perf*); **to cock one's ears** (*fig*) nastawiać (nastawić *perf*) uszu.

cock-a-hoop [kɔkə'hu:p] (*inf*) *adj* rozradowany.

cockerel ['kɔkərl] *n* kogucik *m*.

cock-eyed ['kɔkaɪd] *adj* (*fig*: *idea, method*) zwariowany.

cockle ['kɔkl] *n* sercówka *f* jadalna (*małż*).

cockney ['kɔknɪ] *n* cockney *m* (*rdzenny mieszkaniec wschodniego Londynu lub dialekt, którym się posługuje*).

cockpit ['kɔkpɪt] *n* (*AVIAT*) kabina *f* pilota; (*in racing car*) kabina *f*.

cockroach ['kɔkrəutʃ] *n* karaluch *m*.

cocktail ['kɔkteɪl] *n* koktajl *m*.

cocktail cabinet *n* barek *m*.

cocktail party *n* koktajl *m*.

cocktail shaker [-'ʃeɪkə*] *n* shaker *m*.

cock-up ['kɔkʌp] (*inf!*) *n* fuszerka *f* (*inf*).

cocoa ['kəukəu] *n* kakao *nt inv*.

coconut ['kəukənʌt] *n* (*fruit*) orzech *m* kokosowy; (*flesh*) kokos *m*.

cocoon [kə'ku:n] *n* kokon *m*; **in a cocoon of love and warmth**

cod [kɔd] *n* dorsz *m*.

COD *abbr* (= *cash on delivery*) za pobraniem; (*US*: = *collect on delivery*) za pobraniem.

code [kəud] *n* (*rules*) kodeks *m*; (*cipher*) szyfr *m*; (*also*: **dialling code**) (numer *m*) kierunkowy; (*also*: **post code**) kod *m* (pocztowy); **code of behaviour/practice** kodeks zachowania/postępowania.

codeine ['kəudi:n] *n* kodeina *f*.

codicil ['kɔdɪsɪl] (*JUR*) *n* kodycyl *m*, testament *m* uzupełniający.

codify ['kəudɪfaɪ] *vt* kodyfikować (skodyfikować *perf*).

cod-liver oil ['kɔdlɪvə-] *n* tran *m*.

co-driver ['kəu'draɪvə*] *n* (*in race*) pilot *m*; (*of lorry*) zmiennik *m* (kierowcy).

co-ed ['kəu'ɛd] *adj abbr* (*SCOL*) = **coeducational** ♦ *n abbr* (*US*: *female student*) studentka *f*; (*BRIT*: *school*) szkoła *f* koedukacyjna.

coeducational ['kəuɛdju'keɪʃənl] *adj* koedukacyjny.

coerce [kəu'ə:s] *vt* przymuszać (przymusić *perf*).

coercion [kəu'ə:ʃən] *n* przymus *m*.

coexistence ['kəuɪg'zɪstəns] *n* współistnienie *nt*.

C of C *n abbr* (= *chamber of commerce*) Izba *f* Handlowa.

C of E *abbr* = **Church of England**.

coffee ['kɔfɪ] *n* kawa *f*; **black/white coffee** czarna/biała kawa; **coffee with cream** kawa ze śmietanką.

coffee bar (*BRIT*) *n* bar *m* kawowy.

coffee bean *n* ziarenko *nt* kawy.

coffee break *n* przerwa *f* na kawę.

coffee cake (*US*) *n ciasto drożdżowe, często z bakaliami, lukrowane lub posypywane cukrem pudrem*.

coffee cup *n* filiżanka *f* do kawy.

coffee pot *n* dzbanek *m* do kawy.

coffee table *n* ława *f* (*niski stolik*).

coffin ['kɔfɪn] *n* trumna *f*.

C of I *abbr* (= *Church of Ireland*).

C of S *abbr* (= *Church of Scotland*).

cog [kɔg] *n* (*wheel*) koło *nt* zębate; (*tooth*) ząb *m* (*koła zębatego*).

cogent ['kəudʒənt] *adj* przekonywający.

cognac ['kɔnjæk] *n* koniak *m*.

cogwheel ['kɔgwi:l] *n* koło *nt* zębate.

cohabit [kəu'hæbɪt] (*fml*) *vi* mieszkać razem (*bez zawarcia małżeństwa*).

coherent [kəu'hɪərənt] *adj* (*theory*) spójny; (*person*) komunikatywny.

cohesion [kəu'hi:ʒən] *n* (*ideological, political*) jedność *f*; (*of text, performance*) spójność *f*.

cohesive [kə'hi:sɪv] *adj* (*fig*) spójny.

COI (*BRIT*) *n abbr* (= *Central Office of Information*) rządowe biuro informacji.

coil [kɔɪl] *n* (*of rope, wire*) zwój *m*; (*of smoke*) wstęga *f*; (*ELEC*) cewka *f*; (*AUT*) cewka *f* zapłonowa; (*contraceptive*) spirala *f* ♦ *vt* zwijać (zwinąć *perf*); **to coil sth round sth** owijać (owinąć *perf*) coś wokół czegoś.

coin [kɔɪn] *n* moneta *f* ♦ *vt* (*word, slogan*) ukuć (*perf*).

coinage ['kɔɪnɪdʒ] *n* monety *pl* (*danego systemu monetarnego*); (*LING*) neologizm *m*.

coin box (*BRIT*) *n* automat *m* telefoniczny (*na monety*).

coincide [kəuɪn'saɪd] *vi* (*events*) zbiegać się (zbiec się *perf*) (w czasie); (*ideas, views*) być zbieżnym.

coincidence [kəu'ɪnsɪdəns] *n* zbieg *m* okoliczności.

coin-operated ['kɔɪn'ɔpəreɪtɪd] *adj* na monety *post*.

Coke [kəuk] ® *n* coca cola *f*.

coke [kəuk] *n* (*coal*) koks *m*.

Col. *abbr* = **Colonel** płk.

COLA (*US*) *n abbr* (= *cost-of-living adjustment*) ≈ indeksacja *f* (*świadczeń, zarobków*).

colander ['kɔləndə*] *n* cedzak *m*, durszlak *m*.

cold [kəuld] *adj* zimny; (*person: in temperature*) zmarznięty; (*unemotional*) chłodny, oziębły ♦ *n* (*weather*) zimno *nt*; (*MED*) przeziębienie *nt*; **it's cold** jest zimno; **I am** *or* **feel cold** zimno mi; **to catch (a) cold** przeziębiać się (przeziębić się *perf*); **in cold blood** z zimną krwią; **to get cold feet (about)** (*fig*) przestraszyć się (*perf*) (+*gen*); **to give sb the cold shoulder** traktować (potraktować *perf*) kogoś oziębłe.

cold-blooded ['kəuld'blʌdɪd] *adj* (*ZOOL*) zmiennocieplny; (*murderer*) bezlitosny, bezwzględny; (*murder*) (popełniony) z zimną krwią.

cold cream *n* krem *m* nawilżający półtłusty.

coldly ['kəuldlɪ] *adv* chłodno, oziębłe.

cold-shoulder [kəuld'ʃəuldə*] *vt* zachowywać się (zachować się *perf*) oziębłe wobec +*gen*.

cold sore *n* opryszczka *f* (na wardze), febra *f* (*inf*).

cold war *n*: **the cold war** zimna wojna *f*.

coleslaw ['kəulslɔ:] *n surówka z białej kapusty i innych warzyw z dodatkiem majonezu*.

colic ['kɔlɪk] (*MED*) *n* kolka *f*.

collaborate [kə'læbəreɪt] *vi* (*work together*): **to collaborate (on)** pracować wspólnie (nad +*instr*); (*with enemy*) kolaborować.

collaboration [kəlæbə'reɪʃən] *n* współpraca *f*.

collaborator [kə'læbəreɪtə*] *n* współpracownik (-iczka) *m(f)*; (*with enemy*) kolaborant(ka) *m(f)*.

collage [kɔ'lɑːʒ] n collage m, kolaż m.
collagen ['kɔlədʒən] n kolagen m.
collapse [kə'læps] vi (building) zawalać się
(zawalić się perf); (table, resistance)
załamywać się (załamać się perf); (marriage,
system) rozpadać się (rozpaść się perf);
(government, company) upadać (upaść perf);
(hopes) rozwiewać się (rozwiać się perf);
(plans) runąć (perf); (person: faint) zemdleć
(perf), zasłabnąć (perf); (: from exhaustion)
padać (paść perf) ♦ n (of building) zawalenie
się nt; (of table, resistance) załamanie się nt;
(of marriage, system) rozpad m; (of
government, company) upadek m; (of hopes)
rozwianie się nt; (of plans) runięcie nt;
(MED) zapaść f.
collapsible [kə'læpsəbl] adj składany.
collar ['kɔlə*] n (of coat, shirt) kołnierz m; (of
dog, cat) obroża f; (TECH: flange) kołnierz
m; (: ring) pierścień m ♦ vt (inf) dopadać
(dopaść perf) (inf).
collarbone ['kɔləbəun] n obojczyk m.
collate [kɔ'leɪt] vt zestawiać (zestawić perf).
collateral [kə'lætərl] (COMM) n (dodatkowe)
zabezpieczenie nt.
collation [kə'leɪʃən] n zestawienie nt; (CULIN):
a cold collation zimny bufet m.
colleague ['kɔliːg] n kolega/koleżanka m/f (z
pracy).
collect [kə'lɛkt] vt (wood, litter) zbierać (zebrać
perf); (stamps, coins) zbierać, kolekcjonować;
(BRIT: children from school etc) odbierać
(odebrać perf); (debts, taxes) ściągać
(ściągnąć perf); (mail: from box) wybierać
(wybrać perf), wyjmować (wyjąć perf) ♦ vi
(dust etc) zbierać się (zebrać się perf); (for
charity etc) prowadzić zbiórkę pieniędzy,
kwestować; **to call collect** (US) dzwonić
(zadzwonić perf) na koszt abonenta; **to collect
one's thoughts** zbierać (zebrać perf) myśli;
collect on delivery (US: COMM) za pobraniem.
collected [kə'lɛktɪd] adj: **collected works**
dzieła pl zebrane.
collection [kə'lɛkʃən] n (of art, stamps)
kolekcja f, zbiór m; (of poems, stories) zbiór
m; (from place, person) odbiór m, odebranie
nt; (for charity) zbiórka f pieniędzy, kwesta f;
(of mail) wyjmowanie nt listów (ze skrzynki
pocztowej).
collective [kə'lɛktɪv] adj zbiorowy ♦ n
(zorganizowany) zespół m, kolektyw m;
collective farm (state-owned) ≈ Państwowe
Gospodarstwo Rolne; (co-operative) rolnicza
spółdzielnia produkcyjna.
collective bargaining n negocjacje pl w
sprawie zbiorowego układu pracy.
collector [kə'lɛktə*] n (of art, stamps)
kolekcjoner(ka) m(f), zbieracz(ka) m(f); (of
taxes, rent) poborca m; **collector's item** or
piece rzadki okaz.

college ['kɔlɪdʒ] n (in Oxford etc) kolegium nt,
college m; (of agriculture, technology) ≈
technikum nt; **to go to college** ≈ iść (pójść
perf) na studia; **college of further education**
instytucja oświatowa, w której można
uzupełnić wykształcenie średnie i/lub zdobyć
kwalifikacje zawodowe.
collide [kə'laɪd] vi zderzać się (zderzyć się perf).
collie ['kɔlɪ] n owczarek m szkocki.
colliery ['kɔlɪərɪ] (BRIT) n kopalnia f węgla.
collision [kə'lɪʒən] n zderzenie nt, kolizja f; **to
be on a collision course (with)** być na kursie
kolizyjnym (z +instr); (fig) zmierzać do
konfrontacji (z +instr.
collision damage waiver n zwolnienie nt z
obowiązku wypłaty odszkodowania (w
następstwie wypadku drogowego).
colloquial [kə'ləukwɪəl] adj potoczny.
collusion [kə'luːʒən] n zmowa f, **in collusion
with** w zmowie z +instr.
Cologne [kə'ləun] n Kolonia f.
cologne [kə'ləun] n (also: **eau de cologne**)
woda f kolońska.
Colombia [kə'lɔmbɪə] n Kolumbia f.
Colombian [kə'lɔmbɪən] adj kolumbijski ♦ n
Kolumbijczyk (-jka) m(f).
colon ['kəulən] n (punctuation mark)
dwukropek m; (ANAT) okrężnica f.
colonel ['kəːnl] n pułkownik m.
colonial [kə'ləunɪəl] adj kolonialny.
colonize ['kɔlənaɪz] vt kolonizować
(skolonizować perf).
colony ['kɔlənɪ] n kolonia f.
color etc (US) = **colour** etc.
Colorado beetle [kɔlə'rɑːdəu-] n stonka f
ziemniaczana.
colossal [kə'lɔsl] adj kolosalny.
colour ['kʌlə*] (US **color**) n kolor m; (skin
colour) kolor m skóry; (of spectacle, place)
koloryt m ♦ vt (paint) malować (pomalować
perf); (dye) farbować (ufarbować perf); (fig)
mieć (pewien) wpływ na +acc ♦ vi
czerwienić się (zaczerwienić się perf),
poczerwienieć (perf) ♦ cpd kolorowy; **colours**
npl (of party, club) barwy pl; **in colour** (film,
magazine) kolorowy; (illustrations) barwny,
kolorowy.
▶**colour in** vt kolorować (pokolorować perf).
colour bar n segregacja f rasowa.
colour-blind ['kʌləblaɪnd] adj: **to be
colour-blind** być daltonistą (-tką) m(f).
coloured ['kʌləd] adj kolorowy.
colour film n film m kolorowy.
colourful ['kʌləful] adj kolorowy; (fig: account,
personality) barwny.
colouring ['kʌlərɪŋ] n (complexion) karnacja f;
(in food) barwnik m; (combination of colours)
kolorystyka f.
colour scheme n dobór m kolorów.

colour supplement (*BRIT: PRESS*) *n*
kolorowy dodatek *m*.

colour television *n* telewizja *f* kolorowa.

colt [kəult] *n* źrebak *m*.

column ['kɔləm] *n* (*of building, people*)
kolumna *f*; (*of smoke*) słup *m*; (*PRESS*)
rubryka *f*; **the editorial column** artykuł
wstępny.

columnist ['kɔləmnɪst] *n* dziennikarz mający
stałą rubrykę w gazecie lub czasopiśmie.

coma ['kəumə] *n* śpiączka *f*.

comb [kəum] *n* grzebień *m* ♦ *vt* (*hair*)
rozczesywać (rozczesać *perf*); (*area*)
przeczesywać (przeczesać *perf*); **to comb
one's hair** czesać się (uczesać się *perf*).

combat [*n* 'kɔmbæt, *vb* kɔm'bæt] *n* walka *f* ♦
vt walczyć z +*instr*, zwalczać.

combination [kɔmbɪ'neɪʃən] *n* (*mixture*)
połączenie *nt*, kombinacja *f*; (*for lock, safe*)
szyfr *m*.

combination lock *n* zamek *m* szyfrowy.

combine [*vb* kəm'baɪn, *n* 'kɔmbaɪn] *vt* łączyć
(połączyć *perf*) ♦ *vi* łączyć się (połączyć się
perf) ♦ *n* (*ECON*) koncern *m*; **to combine sth
with sth** łączyć (połączyć *perf*) coś z czymś;
a combined effort wspólny wysiłek.

combine (harvester) *n* kombajn *m*.

combo ['kɔmbəu] *n* kapela *f* jazzowa.

combustible [kəm'bʌstɪbl] *adj* łatwopalny.

combustion [kəm'bʌstʃən] *n* spalanie *nt*.

┌─────────── *KEYWORD* ───────────┐

come [kʌm] (*pt* **came**, *pp* **come**) *vi* **1**
(*movement towards: on foot*) przychodzić
(przyjść *perf*); (: *by car etc*) przyjeżdżać
(przyjechać *perf*); **come here!** chodź tu(taj)!;
I've only come for an hour przyszedłem
tylko na godzinę; **are you coming to my
party?** przyjdziesz na moje przyjęcie?; **to
come running** przybiegać (przybiec *perf*). **2**
(*arrive*) przybywać (przybyć *perf*), przyjeżdżać
(przyjechać *perf*); **he's just come from
Aberdeen** właśnie przyjechał z Aberdeen;
he's come here to work przybył tu do pracy.
3 (*reach*): **to come to** sięgać (sięgnąć *perf*)
+*gen*, dochodzić (dojść *perf*) do +*gen*; **her
hair came to her waist** włosy sięgały jej do
pasa; **to come to power** obejmować (objąć
perf) władzę; **to come to a decision**
podejmować (podjąć *perf*) decyzję. **4** (*occur*):
an idea came to me przyszedł mi do głowy
pewien pomysł. **5** (*be, become*): **to come
loose** poluźniać się(poluźnić się *perf*); **I've
come to like him** polubiłem go.

▶**come about** *vi*: **how did it come about?** jak
do tego doszło?; **it came about that ...** stało
się tak, że ... .

▶**come across** *vt fus* natknąć się (*perf*) na
+*acc* ♦ *vi*: **to come across well/badly** (*idea,*

meaning) zostać (*perf*)/nie zostać (*perf*) dobrze
przekazanym.

▶**come along** *vi* (*arrive*) pojawiać się (pojawić
się *perf*); (*make progress*) posuwać się
(posunąć się *perf*) naprzód; **come along!** dalej!

▶**come apart** *vi* rozpadać się (rozpaść się *perf*).

▶**come away** *vi* (*leave*) odchodzić (odejść
perf); (*become detached*) odpadać (odpaść
perf), odrywać się (oderwać się *perf*).

▶**come back** *vi* wracać (wrócić *perf*); **black is
coming back into fashion** wraca moda na
czerń.

▶**come by** *vt fus* (*find*) zdobyć (*perf*), znaleźć
(*perf*).

▶**come down** *vi* (*price*) obniżać się (obniżyć
się *perf*); (*building, tree*) runąć (*perf*).

▶**come forward** *vi* zgłaszać się (zgłosić się
perf) (na ochotnika).

▶**come from** *vt fus* pochodzić z +*gen*.

▶**come in** *vi* (*enter*) wchodzić (wejść *perf*);
(*report, news*) nadchodzić (nadejść *perf*); (*on
deal etc*) wchodzić (wejść *perf*); **come in!**
proszę (wejść)!

▶**come in for** *vt fus* (*criticism etc*) spotykać
się (spotkać się *perf*) z +*instr*.

▶**come into** *vt fus* (*money*) dostawać (dostać
perf) w spadku; **to come into fashion**
wchodzić (wejść *perf*) w modę; **money
doesn't come into it** pieniądze nie mają z
tym nic wspólnego.

▶**come off** *vi* (*become detached*) odpadać
(odpaść *perf*); (*succeed*) powieść się (*perf*) ♦
vt fus (*inf*): **come off it!** daj spokój! (*inf*).

▶**come on** *vi* (*pupil*) robić (zrobić *perf*)
postęp(y); (*work, project*) postępować
(postąpić *perf*) naprzód; (*electricity*) włączać
się (włączyć się *perf*); **come on!** no już!,
dalej!

▶**come out** *vi* (*fact*) wychodzić (wyjść *perf*) na
jaw; (*book*) wychodzić (wyjść *perf*); (*stain*)
schodzić (zejść *perf*); (*sun*) wychodzić (wyjść
perf), wyjrzeć (*perf*); (*workers*) strajkować
(zastrajkować *perf*).

▶**come over** *vt fus*: **I don't know what's come
over him!** nie wiem, co go naszło!

▶**come round** *vi* (*recover consciousness*)
przychodzić (przyjść *perf*) do siebie; (*visit*)
wpadać (wpaść *perf*); (*agree*) dawać (dać
perf) się przekonać.

▶**come through** *vi* (*survive*) przetrwać (*perf*);
the call came through połączenie zostało
zrealizowane.

▶**come to** *vi* ocknąć się (*perf*) ♦ *vt fus*: **how
much does it come to?** ile to (razem)
wynosi?

▶**come under** *vt fus* (*heading*) być zaliczanym
do +*gen*; (*criticism, pressure*) zostawać (zostać
perf) poddanym +*dat*.

▶**come up** *vi* (*approach*) podchodzić (podejść
perf); (*sun*) wschodzić (wzejść *perf*);

(*problem*) pojawiać się (pojawić się *perf*); (*event*) zbliżać się; (*in conversation*) padać (paść *perf*).

►**come up against** *vt fus* (*resistance, difficulties*) napotykać (napotkać *perf*).

►**come upon** *vt fus* natknąć się *(perf)* na +*acc*.

►**come up to** *vt fus*: **the film didn't come up to our expectations** film nie spełnił naszych oczekiwań; **it's coming up to ten o'clock** zbliża się (godzina) dziesiąta.

►**come up with** *vt fus* (*plan*) wymyślić *(perf)*; (*money*) wykombinować *(perf)* or wytrzasnąć *(perf)* (skądś) (*inf*).

comeback ['kʌmbæk] *n* (*of film star, fashion*) powrót *m*, come-back *m*; **to have no comeback** nie mieć prawa do rekompensaty.

Comecon ['kɔmɪkɔn] *n abbr* (= *Council for Mutual Economic Aid*) RWPG *nt inv*.

comedian [kə'miːdɪən] *n* komik *m*.

comedienne [kəmiːdɪ'ɛn] *n* kobieta *f* – komik *m*.

come-down (*inf*) *n* degradacja *f*.

comedy ['kɔmɪdɪ] *n* (*play, film*) komedia *f*; (*humour*) komizm *m*.

comet ['kɔmɪt] *n* kometa *f*.

come-uppance *n*: **to get one's come-uppance** ponosić (ponieść *perf*) zasłużoną karę.

comfort ['kʌmfət] *n* (*physical*) wygoda *f*, (*luxury, freedom from anxiety*) komfort *m*; (*cosolation*) pociecha *f*, otucha *f* ♦ *vt* pocieszać (pocieszyć *perf*); **comforts** *npl* wygody *pl*.

comfortable ['kʌmfətəbl] *adj* (*person: financially*) dobrze sytuowany; (: *physically*): **I'm comfortable** jest mi wygodnie; (: *when ill*): **she's comfortable** jej stan jest zadowalający; (*chair, bed*) wygodny; (*hotel, flat*) komfortowy; (*walk, climb*) łatwy; (*income*) wysoki; (*majority*) znaczny; **to be/feel comfortable** (*at ease*) czuć się swobodnie; **I don't feel very comfortable about it** trochę mnie to niepokoi; **make yourself comfortable** rozgość się.

comfortably ['kʌmfətəblɪ] *adv* wygodnie.

comforter ['kʌmfətə*] (*US*) *n* smoczek *m*.

comfort station (*US*) *n* toaleta *f* publiczna.

comic ['kɔmɪk] *adj* komiczny ♦ *n* (*person*) komik *m*; (*BRIT: magazine*) komiks *m*.

comical ['kɔmɪkl] *adj* komiczny.

comic strip *n* historyjka *f* obrazkowa.

coming ['kʌmɪŋ] *adj* nadchodzący, zbliżający się; **in the coming weeks** w nadchodzących or najbliższych tygodniach.

comings and goings *npl* (*arrivals and departures*) przyjazdy *pl* i wyjazdy *pl*; (*bustle*) ruch *m*, bieganina *f*.

Comintern ['kɔmɪntəːn] *n* Międzynarodówka *f* Komunistyczna, Komintern *m*.

comma ['kɔmə] *n* przecinek *m*.

command [kə'mɑːnd] *n* (*order*) polecenie *nt*, rozkaz *m*; (*control, charge*) kierownictwo *nt*; (*MIL*) dowództwo *nt*; (*of subject*) znajomość *f*, opanowanie *nt*; (*COMPUT*) polecenie *nt* ♦ *vt* (*troops*) dowodzić +*instr*; (*be able to get*) uzyskiwać (uzyskać *perf*); (*deserve*) zasługiwać na +*acc*; **to command sb to do sth** (*tell*) kazać (kazać *perf*) komuś coś zrobić; (*order*) rozkazywać (rozkazać *perf*) komuś coś zrobić; **to be in command of** dowodzić +*instr*; **to have/take command of** sprawować/obejmować (objąć *perf*) dowództwo nad +*instr*; **to have at one's command** dysponować +*instr*.

commandant ['kɔməndænt] *n* komendant(ka) *m(f)*.

commandeer [kɔmən'dɪə*] *vt* rekwirować (zarekwirować *perf*); (*fig*) przywłaszczać (przywłaszczyć *perf*) sobie; **to commandeer sth from sb** odbierać (odebrać *perf*) coś komuś.

commander [kə'mɑːndə*] *n* dowódca *m*.

commander-in-chief [kə'mɑːndərɪn'tʃiːf] *n* głównodowodzący *m*, naczelny wódz *m*.

commanding [kə'mɑːndɪŋ] *adj* (*voice*) rozkazujący, władczy; (*position*) dominujący; (*lead*) zdecydowany.

commanding officer *n* dowódca *m*.

commandment [kə'mɑːndmənt] (*REL*) *n* przykazanie *nt*.

command module *n* człon *m* dowodzenia (*statku kosmicznego*).

commando [kə'mɑːndəu] *n* (*group*) oddział *m* komandosów; (*soldier*) komandos *m*.

commemorate [kə'mɛməreɪt] *vt* (*with statue, monument*) upamiętniać (upamiętnić *perf*); (*with celebration*) obchodzić rocznicę +*gen*.

commemoration [kəmɛmə'reɪʃən] *n* obchody *pl*; **in commemoration of** dla upamiętnienia +*gen*.

commemorative [kə'mɛmərətɪv] *adj* pamiątkowy.

commence [kə'mɛns] *vt* rozpoczynać (rozpocząć *perf*) ♦ *vi* rozpoczynać się (rozpocząć się *perf*).

commend [kə'mɛnd] *vt* pochwalać (pochwalić *perf*); **to commend sth to sb** rekomendować (zarekomendować *perf*) coś komuś.

commendable [kə'mɛndəbl] *adj* godny pochwały.

commendation [kɔmɛn'deɪʃən] *n* pochwała *f*.

commensurate [kə'mɛnʃərɪt] *adj*: **commensurate with/to** współmierny do +*gen*.

comment ['kɔmɛnt] *n* (*remark*) uwaga *f*, komentarz *m*; (*event, situation*): **a comment on** odbicie *nt* or odzwierciedlenie *nt* +*gen* ♦ *vi*: **to comment (on)** komentować (skomentować *perf*) (+*acc*); **to comment that**

zauważyć (perf), że; **"no comment"** „bez komentarza".

commentary ['kɔmǝntǝrɪ] n komentarz m; (genre) publicystyka f.

commentator ['kɔmǝnteɪtǝ*] n (SPORT) sprawozdawca m, komentator m; (expert) komentator(ka) m(f).

commerce ['kɔmǝːs] n handel m.

commercial [kǝ'mǝːʃǝl] adj (organization) handlowy; (success) komercyjny ♦ n (TV, RADIO) reklama f.

commercial bank n bank m komercyjny.

commercial break (TV) n przerwa f na reklamę.

commercial college n ≈ technikum nt handlowe.

commercialism [kǝ'mǝːʃǝlɪzǝm] n komercjalizm m.

commercialized [kǝ'mǝːʃǝlaɪzd] (pej) adj skomercjalizowany.

commercial radio n prywatna or komercyjna stacja f radiowa.

commercial television n telewizja f prywatna or komercyjna.

commercial traveller n agent m handlowy, komiwojażer m.

commercial vehicle n samochód m dostawczy.

commiserate [kǝ'mɪzǝreɪt] vi: **to commiserate with** współczuć +dat; (verbally) składać (złożyć perf) wyrazy współczucia +dat.

commission [kǝ'mɪʃǝn] n (order for work) zamówienie nt, zlecenie nt; (COMM) prowizja f (od sprzedaży); (committee) komisja f, (MIL) stanowisko nt oficerskie ♦ vt (work of art) zamawiać (zamówić perf); (army officer) mianować (mianować perf); **to be out of commission** nie funkcjonować; **I get 10% commission** dostaję 10% prowizji; **commission of inquiry** komisja dochodzeniowa; **to commission sb to do sth** zlecać (zlecić perf) komuś zrobienie czegoś; **to commission sth from sb** zamawiać (zamówić perf) coś u kogoś.

commissionaire [kǝmɪʃǝ'nɛǝ*] (BRIT) n portier m (w liberii).

commissioner [kǝ'mɪʃǝnǝ*] n komisarz m.

commit [kǝ'mɪt] vt (crime, murder) popełniać (popełnić perf); (money, resources) przeznaczać (przeznaczyć perf); (person): **she was committed to a hospital/nursing home** umieszczono ją w szpitalu/prywatnym domu opieki; **to commit o.s. (to do)** zobowiązywać się (zobowiązać się perf) (do zrobienia +gen); **to commit suicide** popełnić (perf) samobójstwo; **to commit sth to writing** zapisywać (zapisać perf) coś, notować (zanotować perf) coś; **to commit sb for trial** stawiać (postawić perf) kogoś w stan oskarżenia.

commitment [kǝ'mɪtmǝnt] n zobowiązanie nt;

(to ideology, system) oddanie nt, zaangażowanie nt.

committed [kǝ'mɪtɪd] adj (writer, politician) zaangażowany; (Christian) wierny.

committee [kǝ'mɪtɪ] n komisja f, komitet m; **to be on a committee** zasiadać or być w komisji.

committee meeting n posiedzenie nt komisji.

commodity [kǝ'mɔdɪtɪ] n towar m; **commodities** (food) artykuły pl spożywcze.

common ['kɔmǝn] adj (shared) wspólny; (ordinary: object, name, species) pospolity; (: experience, phenomenon) powszechny; (vulgar) prostacki ♦ n błonia pl (wiejskie); **the Commons** (BRIT) npl Izba f Gmin; **to have sth in common (with sb)** mieć coś wspólnego (z kimś); **we have sth in common** mamy ze sobą coś wspólnego; **in common use** w powszechnym użyciu; **it's common knowledge that** powszechnie wiadomo, że; **for the common good** dla wspólnego dobra, dla dobra ogółu.

commoner ['kɔmǝnǝ*] n człowiek m z ludu.

common ground n (fig) wspólna płaszczyzna f.

common law n prawo nt zwyczajowe.

common-law ['kɔmǝnlɔː] adj: **common-law wife** konkubina f; **common-law marriage** nieślubny związek.

commonly ['kɔmǝnlɪ] adv powszechnie.

Common Market n: **the Common Market** Wspólny Rynek m.

commonplace ['kɔmǝnpleɪs] adj powszedni, zwykły.

common room n (SCOL) ≈ świetlica f (szkolna); (UNIV) ≈ klub m.

common sense n zdrowy rozsądek m.

Commonwealth ['kɔmǝnwelθ] (BRIT) n: **the Commonwealth** (Brytyjska) Wspólnota f Narodów.

commotion [kǝ'mǝuʃǝn] n zamieszanie nt.

communal ['kɔmjuːnl] adj (property) wspólny, społeczny; (life) we wspólnocie post.

commune [n 'kɔmjuːn, vb kǝ'mjuːn] n (group) wspólnota f; (POL) komuna f ♦ vi: **to commune with** (nature, God) obcować z +instr.

communicate [kǝ'mjuːnɪkeɪt] vt przekazywać (przekazać perf) ♦ vi (by speech, gesture) porozumiewać się (porozumieć się perf), komunikować się; (by letter, telephone) kontaktować się (skontaktować się perf), komunikować się.

communication [kǝmjuːnɪ'keɪʃǝn] n (process) porozumiewanie się nt, komunikowanie się nt; (message) wiadomość f.

communication cord (BRIT) n (on train) ≈ hamulec m bezpieczeństwa.

communications network [kǝmjuːnɪ'keɪʃǝnz-] n sieć f informacyjna.

communications satellite n satelita m (tele)komunikacyjny.

communicative [kə'mju:nɪkətɪv] *adj* (*person*) rozmowny.

communion [kə'mju:nɪən] *n* (*also*: **Holy Communion**) komunia *f*, Komunia *f* (Święta).

communiqué [kə'mju:nɪkeɪ] *n* komunikat *m*.

communism ['kɔmjunɪzəm] *n* komunizm *m*.

communist ['kɔmjunɪst] *adj* komunistyczny ♦ *n* komunista (-tka) *m(f)*.

community [kə'mju:nɪtɪ] *n* (*local*) społeczność *f*, (*national*) społeczeństwo *nt*; (*business etc*) środowisko *nt*.

community centre *n* ≈ dom *m or* ośrodek *m* kultury.

community charge (*BRIT*) *n* opłata na rzecz społeczności lokalnej uprawniająca do głosowania.

community chest (*US*) *n* lokalny fundusz *m* zapomogowy.

community health centre *n* ≈ przychodnia *f* rejonowa.

community home (*BRIT*) *n* ≈ dom *m* poprawczy.

community service *n* praca *f* społeczna (*wykonywana dobrowolnie lub jako kara za drobne wykroczenia*).

community spirit *n* poczucie *nt or* duch *m* wspólnoty.

commutation ticket [kɔmju'teɪʃən-] (*US*) *n* bilet *m* okresowy (*dla dojeżdżających do pracy*).

commute [kə'mju:t] *vi* dojeżdżać (do pracy) ♦ *vt* (*JUR*: *sentence*) zamieniać (zamienić *perf*) (*na łżejszy*); (*pension*) zmieniać (zmienić *perf*) formę wypłaty *+gen*.

commuter [kə'mju:tə*] *n* dojeżdżający (-ca) *m(f)* do pracy.

compact [*adj* kəm'pækt, *n* 'kɔmpækt] *adj* niewielkich rozmiarów *post* ♦ *n* (*also*: **powder compact**) puderniczka *f*.

compact disc *n* płyta *f* kompaktowa.

compact disc player *n* odtwarzacz *m* kompaktowy.

companion [kəm'pænjən] *n* towarzysz(ka) *m(f)*.

companionship [kəm'pænjənʃɪp] *n* (*company*) towarzystwo *nt*; (*friendship*) przyjaźń *f*.

companionway [kəm'pænjənweɪ] (*NAUT*) *n* zejściówka *f*.

company ['kʌmpənɪ] *n* (*COMM*) firma *f*, przedsiębiorstwo *nt*; (*THEAT*) zespół *m* (teatralny), trupa *f* (*old*); (*MIL*) kompania *f*, (*companionship*) towarzystwo *nt*; **oil/insurance company** towarzystwo naftowe/ubezpieczeniowe; **Smith and Company** Smith i spółka; **he's good company** dobry z niego kompan; **we have company** mamy towarzystwo; **to keep sb company** towarzyszyć (potowarzyszyć *perf*) komuś; **to part company with** rozstawać się (rozstać się *perf*) z *+instr*.

company car *n* samochód *m* służbowy.

company director *n* dyrektor *m* spółki.

company secretary (*BRIT*) *n* sekretarz *m* spółki.

comparable ['kɔmpərəbl] *adj* (*size, style etc*) porównywalny; (*car, property etc*) podobny, zbliżony; **comparable to** porównywalny z *+instr*.

comparative [kəm'pærətɪv] *adj* (*peace, safety*) względny; (*study, literature*) porównawczy; (*adjective, adverb*) w stopniu wyższym *post*; **a comparative stranger** ktoś stosunkowo mało znany.

comparatively [kəm'pærətɪvlɪ] *adv* stosunkowo, względnie.

compare [kəm'pɛə*] *vt*: **to compare sb/sth with/to** (*contrast*) porównywać (porównać *perf*) kogoś/coś z *+instr*; **to compare sb/sth to** (*liken*) porównywać (porównać *perf*) kogoś/coś z *+instr*, przyrównywać (przyrównać *perf*) kogoś/coś do *+gen* ♦ *vi*: **to compare (un)favourably with** wypadać (wypaść *perf*) (nie)korzystnie w porównaniu z *+instr*; **how do the prices compare?** jak mają się do siebie ceny?; **compared with** *or* **to** w porównaniu z *+instr*.

comparison [kəm'pærɪsn] *n* porównanie *nt*; **in comparison with** w porównaniu z *+instr*.

compartment [kəm'pɑ:tmənt] *n* (*RAIL*) przedział *m*; (*of wallet*) przegródka *f*, (*of fridge*) komora *f*.

compass ['kʌmpəs] *n* (*NAUT*) kompas *m*; (*GEOM*) cyrkiel *m*; (*fig*: *of activity*) zasięg *m*; (: *of voice, musical instrument*) skala *f*, **compasses** *npl* (*also*: **pair of compasses**) cyrkiel *m*; **beyond/within the compass of** poza zasięgiem/w zasięgu *+gen*.

compassion [kəm'pæʃən] *n* współczucie *nt*.

compassionate [kəm'pæʃənɪt] *adj* współczujący; **on compassionate grounds** ze względów rodzinnych (*urlop itp*).

compatibility [kəmpætɪ'bɪlɪtɪ] *n* zgodność *f*, (*COMPUT*) kompatybilność *f*.

compatible [kəm'pætɪbl] *adj* zgodny; (*COMPUT*) kompatybilny.

compel [kəm'pɛl] *vt* zmuszać (zmusić *perf*), przymuszać (przymusić *perf*).

compelling [kəm'pɛlɪŋ] *adj* (*argument, reason*) nie do odparcia *post*; (*poem, painting*) przykuwający uwagę.

compendium [kəm'pɛndɪəm] *n* kompendium *nt*.

compensate ['kɔmpənseɪt] *vt* dawać (dać *perf*) odszkodowanie *+dat* ♦ *vi*: **to compensate for** rekompensować (zrekompensować *perf*) sobie *+acc*.

compensation [kɔmpən'seɪʃən] *n* (*money*) odszkodowanie *nt*; (*for loss, disappointment*) rekompensata *f*, (*PSYCH etc*) kompensacja *f*.

compère ['kɔmpɛə*] *n* (*TV, RADIO*) gospodarz (-dyni) *m(f)* programu.

compete [kəm'pi:t] *vi* (*in contest, game*) brać (wziąć *perf*) udział; **to compete (with)**

(*companies, theories*) rywalizować (z +*instr*), konkurować (z +*instr*); (*sportsmen*) rywalizować (z +*instr*), współzawodniczyć (z +*instr*); **to compete (for)** walczyć (o +*acc*).

competence ['kɔmpɪtəns] *n* kompetencje *pl*, fachowość *f*.

competent ['kɔmpɪtənt] *adj* (*person*) kompetentny, fachowy; (*piece of work*) fachowo wykonany.

competition [kɔmpɪ'tɪʃən] *n* (*between firms, rivals*) rywalizacja *f*, współzawodnictwo *nt*; (*contest*) konkurs *m*, zawody *pl*; (*ECON*) konkurencja *f*; **to be in competition with** konkurować *or* rywalizować z +*instr*.

competitive [kəm'pɛtɪtɪv] *adj* (*industry, society*) oparty na współzawodnictwie; (*person*) nastawiony na współzawodnictwo; (*price, product*) konkurencyjny; (*sport*) ≈ wyczynowy.

competitive examination *n* egzamin *m* konkursowy.

competitor [kəm'pɛtɪtə*] *n* (*rival*) konkurent(ka) *m(f)*, rywal(ka) *m(f)*; (*participant*) zawodnik (-iczka) *m(f)*, uczestnik (-iczka) *m(f)*.

compile [kəm'paɪl] *vt* (*report*) opracowywać (opracować *perf*); (*dictionary*) kompilować (skompilować *perf*).

complacency [kəm'pleɪsnsɪ] *n* samozadowolenie *nt*.

complacent [kəm'pleɪsnt] *adj* (*person*) zadowolony z siebie; (*smile, attitude*) pełen samozadowolenia.

complain [kəm'pleɪn] *vi*: **to complain (about)** (*grumble*) narzekać (na +*acc*); (*protest: to authorities, bank*) składać (złożyć *perf*) zażalenie *or* skargę (z powodu +*gen*); (*: to shop*) zgłaszać (zgłosić *perf*) reklamację (+*gen*); **to complain of** (*pain etc*) skarżyć się na +*acc*.

complaint [kəm'pleɪnt] *n* (*activity*) narzekanie *nt*; (*instance*) skarga *f*; (*in shop etc*) reklamacja *f*; (*reason for complaining*) zarzut *m*; (*MED*) dolegliwość *f*; **a letter of complaint** (pisemne) zażalenie.

complement [*n* 'kɔmplɪmənt, *vb* 'kɔmplɪmɛnt] *n* (*supplement*) uzupełnienie *nt*; (*crew*) skład *m*, załoga *f* ♦ *vt*: **to complement each other/one another** wzajemnie się uzupełniać (uzupełnić *perf*); **to have a full complement of** mieć komplet +*gen*.

complementary [kɔmplɪ'mɛntərɪ] *adj* wzajemnie się uzupełniający; **to be complementary** wzajemnie się uzupełniać; **complementary medicine** lek wspomagający *or* pomocniczy.

complete [kəm'pli:t] *adj* (*silence, change, success*) zupełny, całkowity; (*list, edition, set*) cały, kompletny; (*building, task*) ukończony ♦ *vt* (*building, task*) ukończyć (*perf*); (*set, group*) dopełniać (dopełnić *perf*); (*form*) wypełniać

(wypełnić *perf*); **a silk tie completed the outfit** stroju dopełniał jedwabny krawat.

completely [kəm'pli:tlɪ] *adv* zupełnie, całkowicie, kompletnie.

completion [kəm'pli:ʃən] *n* (*of building*) ukończenie *nt*; (*of sale*) sfinalizowanie *nt*; **to be nearing completion** być na ukończeniu; **on completion (of)** po ukończeniu (+*gen*).

complex ['kɔmplɛks] *adj* złożony ♦ *n* kompleks *m*.

complexion [kəm'plɛkʃən] *n* cera *f*, karnacja *f*; (*fig: of event, problem*) zabarwienie *nt*.

complexity [kəm'plɛksɪtɪ] *n* złożoność *f*.

compliance [kəm'plaɪəns] *n* uległość *f*; **compliance with** podporządkowanie się +*dat*; **in compliance with** zgodnie z +*instr*.

compliant [kəm'plaɪənt] *adj* uległy.

complicate ['kɔmplɪkeɪt] *vt* komplikować (skomplikować *perf*).

complicated ['kɔmplɪkeɪtɪd] *adj* skomplikowany.

complication [kɔmplɪ'keɪʃən] *n* (*problem*) szkopuł *m*; (*MED*) powikłanie *nt*, komplikacja *f*.

complicity [kəm'plɪsɪtɪ] *n* współudział *m*.

compliment [*n* 'kɔmplɪmənt, *vb* 'kɔmplɪmɛnt] *n* komplement *m* ♦ *vt* gratulować (pogratulować *perf*) +*dat*; **compliments** *npl* uszanowanie *nt*, wyrazy *pl* uszanowania; **to pay sb a compliment** powiedzieć (*perf*) komuś komplement; **to compliment sb (on sth/on doing sth)** gratulować (pogratulować *perf*) komuś (czegoś/zrobienia czegoś).

complimentary [kɔmplɪ'mɛntərɪ] *adj* (*remark*) pochlebny; (*ticket, copy of book*) bezpłatny, gratisowy.

compliments slip *n* bilet *m or* bilecik *m* (grzecznościowy).

comply [kəm'plaɪ] *vi*: **to comply (with)** stosować się (zastosować się *perf*) (do +*gen*).

component [kəm'pəunənt] *adj* składowy ♦ *n* składnik *m*.

compose [kəm'pəuz] *vt*: **to be composed of** składać się z +*gen*, być złożonym z +*gen* ♦ *vt* komponować (skomponować *perf*); **to compose o.s.** opanowywać się (opanować się *perf*), uspokajać się (uspokoić się *perf*).

composed [kəm'pəuzd] *adj* opanowany, spokojny.

composer [kəm'pəuzə*] *n* kompozytor(ka) *m(f)*.

composite ['kɔmpəzɪt] *adj* (*fee*) łączny; (*resolution, character*) zbiorowy ♦ *n* połączenie *nt*.

composition [kɔmpə'zɪʃən] *n* (*of substance, group*) skład *m*; (*essay*) wypracowanie *nt*; (*MUS*) kompozycja *f*.

compositor [kəm'pɔzɪtə*] *n* zecer *m*, składacz *m*.

compos mentis ['kɔmpɔs 'mɛntɪs] *adj* w pełni władz umysłowych *post*.

compost ['kɔmpɔst] *n* (*decaying material*) kompost *m*; (*also*: **potting compost**) podłoże *nt* kwiatowe.

composure [kəm'pəuʒə*] n opanowanie nt, spokój m.

compound [n, adj 'kɔmpaund, vb kəm'paund] n (CHEM) związek m; (enclosure) ogrodzony or zamknięty teren m; (LING) wyraz m złożony ♦ adj (structure) złożony; (eye, leaf) o złożonej budowie post ♦ vt (fig: problem, difficulty) pogłębiać (pogłębić perf); (: error) zwiększać (zwiększyć perf).

compound fracture n złamanie nt otwarte.

compound interest n odsetki pl łączne.

comprehend [kɔmprɪ'hɛnd] vt pojmować (pojąć perf).

comprehension [kɔmprɪ'hɛnʃən] n (ability) zdolność f pojmowania; (understanding) zrozumienie nt; **it's beyond my/all comprehension** nie mogę tego pojąć/to przechodzi ludzkie pojęcie; **listening comprehension** rozumienie ze słuchu.

comprehensive [kɔmprɪ'hɛnsɪv] adj pełny.

comprehensive (school) (BRIT) n państwowa szkoła średnia, do której przyjmuje się dzieci niezależnie od dotychczasowych wyników w nauce.

compress [vb kəm'prɛs, n 'kɔmprɛs] vt (usu) ściskać (ścisnąć perf); (air, gas) sprężać (sprężyć perf); (text, information) kondensować (skondensować perf) ♦ n kompres m.

compressed air [kəm'prɛst-] n sprężone powietrze nt.

compression [kəm'prɛʃən] n ściskanie nt; (of gas, air) sprężanie nt.

comprise [kəm'praɪz] vt (also: **be comprised of**) składać się z +gen, być złożonym z +gen; (constitute) stanowić, składać się na +acc.

compromise ['kɔmprəmaɪz] n kompromis m ♦ vt (beliefs, principles) narażać (narazić perf) (na szwank) ♦ vi iść (pójść perf) na kompromis, zawierać (zawrzeć perf) kompromis ♦ cpd kompromisowy; **to compromise sb/o.s.** kompromitować (skompromitować perf) kogoś/się.

compulsion [kəm'pʌlʃən] n (desire) wewnętrzny przymus m; (pressure) przymus m; **under compulsion** pod przymusem.

compulsive [kəm'pʌlsɪv] adj (liar, gambler) nałogowy; **it's complulsive viewing/reading** etc nie można się od tego oderwać (o filmie, książce itp).

compulsory [kəm'pʌlsərɪ] adj (attendance) obowiązkowy; (retirement) przymusowy.

compulsory purchase n wywłaszczenie nt.

compunction [kəm'pʌŋkʃən] n skrupuły pl, wyrzuty pl (sumienia); **to have no compunction about doing sth** robić (zrobić perf) coś bez żadnych skrupułów.

computer [kəm'pju:tə*] n komputer m ♦ cpd komputerowy.

computer game n gra f komputerowa.

computerization [kəmpju:təraɪ'zeɪʃən] n komputeryzacja f.

computerize [kəm'pju:təraɪz] vt (system, filing etc) komputeryzować (skomputeryzować perf); (information) przetwarzać (przetworzyć perf) komputerowo.

computer programmer n programista (-tka) m(f).

computer programming n programowanie nt.

computer science n informatyka f.

computer scientist n informatyk (-yczka) m(f).

computing [kəm'pju:tɪŋ] n (activity) praca f na komputerze; (science) informatyka f.

comrade ['kɔmrɪd] n towarzysz(ka) m(f).

comradeship ['kɔmrɪdʃɪp] n koleżeństwo nt; **comradeship of war** braterstwo broni.

comsat ['kɔmsæt] n abbr (= communications satellite) satelita m telekomunikacyjny.

con [kɔn] vt nabierać (nabrać perf) (inf), kantować (okantować perf) (inf) ♦ n kant m (inf); **to con sb into doing sth** naciągać (naciągnąć perf) kogoś na zrobienie czegoś (inf).

concave ['kɔnkeɪv] adj wklęsły.

conceal [kən'si:l] vt ukrywać (ukryć perf).

concede [kən'si:d] vt przyznawać (przyznać perf) ♦ vi ustępować (ustąpić perf), dawać (dać perf) za wygraną.

conceit [kən'si:t] n zarozumiałość f.

conceited [kən'si:tɪd] adj zarozumiały.

conceivable [kən'si:vəbl] adj wyobrażalny; **there is no conceivable reason why...** trudno wyobrazić sobie przyczynę, dla której...; **it is conceivable that ...** niewykluczone, że ... .

conceivably [kən'si:vəblɪ] adv: **he may conceivably be right** niewykluczone, że ma rację.

conceive [kən'si:v] vt (child) począć (perf); (plan) obmyślić (perf), wymyślić (perf) ♦ vi (BIO) zajść (perf) w ciążę; **to conceive of sth/of doing sth** wyobrażać (wyobrazić perf) sobie coś/, że coś się zrobi.

concentrate ['kɔnsəntreɪt] vi skupiać się (skupić się perf), koncentrować się (skoncentrować się perf) ♦ vt skupiać (skupić perf), koncentrować (skoncentrować perf).

concentration [kɔnsən'treɪʃən] n skupienie nt, koncentracja f; (CHEM) stężenie nt.

concentration camp n obóz m koncentracyjny.

concentric [kɔn'sɛntrɪk] adj koncentryczny.

concept ['kɔnsɛpt] n pojęcie nt.

conception [kən'sɛpʃən] n (idea) koncepcja f; (of child) poczęcie nt.

concern [kən'sə:n] n (affair) sprawa f; (anxiety) obawa f; (worry) zmartwienie nt, troska f; (care) troska f; (COMM) koncern m ♦ vt (worry) martwić (zmartwić perf); (relate to) dotyczyć +gen; **to be concerned (about)** martwić się (o +acc); **to be concerned with, concern o.s. with** interesować się + instr; **"to**

whom it may concern" „do wszystkich zainteresowanych"; **as far as I am concerned** jeśli o mnie chodzi; **the people concerned** zainteresowani.

concerning [kən'sə:nɪŋ] *prep* dotyczący *+gen.*

concert ['kɔnsət] *n (MUS)* koncert *m*; **to be in concert** *(MUS)* dawać koncert; **in concert** *(in cooperation)* wspólnie.

concerted [kən'sə:tɪd] *adj (effort etc)* wspólny.

concert hall *n* sala *f* koncertowa.

concertina [kɔnsə'ti:nə] *n (instrument)* harmonia *f* ♦ *vi (fig)* składać się (złożyć się *perf)* w harmonijkę.

concerto [kən'tʃə:təu] *n* koncert *m*; **piano/violin concerto** koncert fortepianowy/skrzypcowy.

concession [kən'sɛʃən] *n (compromise)* ustępstwo *nt*; *(COMM)* koncesja *f*; **tax concession** ulga podatkowa.

concessionaire [kənsɛʃə'nɛə*] *n* koncesjonariusz(ka) *m(f)*.

concessionary [kən'sɛʃənrɪ] *adj (fare etc)* ulgowy.

conciliation [kənsɪlɪ'eɪʃən] *n* pojednanie *nt*.

conciliatory [kən'sɪlɪətrɪ] *adj* pojednawczy.

concise [kən'saɪs] *adj* zwięzły.

conclave ['kɔnkleɪv] *n* tajne zebranie *nt*; *(REL)* konklawe *nt inv.*

conclude [kən'klu:d] *vt (speech, chapter)* kończyć (skończyć *perf)*; *(treaty, deal)* zawierać (zawrzeć *perf)*; *(deduce)* wywnioskowywać (wywnioskować *perf)* ♦ *vi*: **to conclude (with)** *(speaker)* kończyć (zakończyć *perf)* (+*instr)*; *(event)* kończyć się (zakończyć się *perf)* (+*instr)*; **"that," he concluded, "is why we did it"** „oto dlaczego to zrobiliśmy" – zakończył; **I conclude that ...** wnioskuję, że... .

conclusion [kən'klu:ʒən] *n (of speech, chapter)* zakończenie *nt*; *(of treaty, deal)* zawarcie *nt*; *(deduction)* wniosek *m*, konkluzja *f*; **to come to the conclusion that** dochodzić (dojść *perf)* do wniosku, że.

conclusive [kən'klu:sɪv] *adj (evidence)* niezbity; *(defeat)* ostateczny.

concoct [kən'kɔkt] *vt (excuse etc)* preparować (spreparować *perf)*; *(meal)* zaimprowizować *(perf)*.

concoction [kən'kɔkʃən] *n (mixture)* mieszanina *f*; *(food, drink)* mieszanka *f*.

concord ['kɔŋkɔ:d] *n (harmony, agreement)* zgoda *f*; *(treaty)* ugoda *f*.

concourse ['kɔŋkɔ:s] *n (in building)* hol *m*; *(crowd)* zgromadzenie *nt*.

concrete ['kɔŋkri:t] *n* beton *m* ♦ *adj* betonowy; *(fig)* konkretny.

concrete mixer *n* betoniarka *f*.

concur [kən'kə:*] *vi (events)* zbiegać się (zbiec się *perf)*; *(person)*: **to concur with** zgadzać się (zgodzić się) z *perf*;

concurrently [kən'kʌrntlɪ] *adv* w tym samym czasie, jednocześnie.

concussion [kən'kʌʃən] *n* wstrząs *m* mózgu.

condemn [kən'dɛm] *vt (action)* potępiać (potępić *perf)*; *(prisoner)* skazywać (skazać *perf)*; *(building)* przeznaczać (przeznaczyć *perf)* do rozbiórki.

condemnation [kɔndɛm'neɪʃən] *n* potępienie *nt.*

condensation [kɔndɛn'seɪʃən] *n (on wall, window)* skroplona para *f.*

condense [kən'dɛns] *vi* skraplać się (skroplić się *perf)* ♦ *vt (report, information)* skondensować *(perf).*

condensed milk [kən'dɛnst-] *n* mleko *nt* zagęszczone.

condescend [kɔndɪ'sɛnd] *vi* zniżać się (zniżyć się *perf)*; **he condescended to have dinner with us** raczył zjeść z nami obiad.

condescending [kɔndɪ'sɛndɪŋ] *adj* protekcjonalny.

condition [kən'dɪʃən] *n (state)* stan *m*; *(requirement)* warunek *m* ♦ *vt (person)* formować (uformować *perf)*; *(hair)* nakładać (nałożyć *perf)* odżywkę na +*acc*; **conditions** *npl* warunki *pl*; **in good/poor condition** w dobrym/złym stanie; **a heart condition** choroba serca; **weather conditions** warunki atmosferyczne; **on condition that** pod warunkiem, że.

conditional [kən'dɪʃənl] *adj* warunkowy; **to be conditional upon** być uzależnionym od +*gen.*

conditioner [kən'dɪʃənə*] *n (for hair)* odżywka *f*, *(for fabrics)* płyn *m* zmiękczający.

condo ['kɔndəu] *(US: inf) n abbr* = **condominium.**

condolences [kən'dəulənsɪz] *npl* kondolencje *pl.*

condom ['kɔndəm] *n* prezerwatywa *f*, kondom *m (inf).*

condominium [kɔndə'mɪnɪəm] *(US) n (building)* ≈ blok *m* mieszkalny *(z mieszkaniami własnościowymi)*; *(apartment)* ≈ mieszkanie *nt* własnościowe.

condone [kən'dəun] *vt* akceptować, godzić się na +*acc.*

conducive [kən'dju:sɪv] *adj*: **conducive to** sprzyjający +*dat.*

conduct [*n* 'kɔndʌkt, *vb* kən'dʌkt] *n (of person)* zachowanie *nt* ♦ *vt (survey, research)* przeprowadzać (przeprowadzić *perf)*; *(life)* prowadzić; *(orchestra, choir)* dyrygować +*instr*; *(heat, electricity)* przewodzić; **to conduct o.s.** zachowywać się.

conducted tour [kən'dʌktɪd-] *n* wycieczka *f* z przewodnikiem.

conductor [kən'dʌktə*] *n (of orchestra)* dyrygent *m*; *(on bus, train)* konduktor *m*; *(ELEC)* przewodnik *m.*

conductress [kən'dʌktrɪs] *n (on bus)* konduktorka *f.*

conduit ['kɔndjuɪt] n przewód m, kanał m.

cone [kəun] n (shape) stożek m; (on road) pachołek m; (ice cream) rożek m; (BOT) szyszka f.

confectioner [kən'fɛkʃənə*] n cukiernik m.

confectioner's (shop) [kən'fɛkʃənəz-] n sklep m ze słodyczami.

confectionery [kən'fɛkʃənrɪ] n (sweets, candies) słodycze pl; (cakes) ciasta pl.

confederate [kən'fɛdrɪt] n (accomplice) wspólnik (-iczka) m(f); (US) konfederat m.

confederation [kənfɛdə'reɪʃən] n konfederacja f.

confer [kən'fə:*] vt: to confer sth (on sb) nadawać (nadać perf) coś (komuś) ♦ vi (jury, panel) naradzać się; to confer with sb/about sth naradzać się (naradzić się perf) z kimś/nad czymś.

conference ['kɔnfərəns] n konferencja f; (daily, routine) narada f; to be in conference mieć naradę.

conference room n pokój m konferencyjny.

confess [kən'fɛs] vt (sin, guilt) wyznawać (wyznać perf); (crime, ignorance, weakness) przyznawać się (przyznać się perf) do +gen ♦ vi przyznawać się (przyznać się perf); to confess to przyznawać się (przyznać się perf) do +gen; I must confess that I didn't enjoy it at all muszę przyznać, że wcale mnie to nie bawiło.

confession [kən'fɛʃən] n (admission) przyznanie się nt; (REL: of sins) spowiedź f; (: of faith) wyznanie nt; to make a confession czynić (uczynić perf) wyznanie.

confessor [kən'fɛsə*] n spowiednik m.

confetti [kən'fɛtɪ] n konfetti nt inv.

confide [kən'faɪd] vi: to confide in zwierzać się (zwierzyć się perf) +dat.

confidence ['kɔnfɪdns] n (faith) zaufanie nt; (self-assurance) pewność f siebie; (secret) zwierzenie nt; to have confidence in sb/sth wierzyć w kogoś/coś; to have (every) confidence that być (święcie) przekonanym, że; motion of no confidence wotum nieufności; I'm telling you this in (strict) confidence mówię ci to w (największej) tajemnicy.

confidence trick n oszustwo nt.

confident ['kɔnfɪdənt] adj (self-assured) pewny siebie; (positive) pewny.

confidential [kɔnfɪ'dɛnʃəl] adj (information, tone) poufny; (secretary) zaufany.

confidentiality [kɔnfɪdɛnʃɪ'ælɪtɪ] n poufność f.

configuration [kənfɪgju'reɪʃən] n konfiguracja f.

confine [kən'faɪn] vt: to confine (to) (limit) ograniczać (ograniczyć perf) (do +gen); (shut up) zamykać (zamknąć perf) (w +loc); to confine o.s. to doing sth/to sth ograniczać się (ograniczyć się perf) do (z)robienia czegoś/do czegoś.

confined [kən'faɪnd] adj ograniczony.

confinement [kən'faɪnmənt] n (imprisonment) zamknięcie nt; (MED) poród m.

confines ['kɔnfaɪnz] npl: within the confines of (area) w granicach +gen; (situation) w ramach +gen.

confirm [kən'fə:m] vt potwierdzać (potwierdzić perf); to be confirmed (REL) być bierzmowanym.

confirmation [kɔnfə'meɪʃən] n potwierdzenie nt; (REL) bierzmowanie nt.

confirmed [kən'fə:md] adj (bachelor, teetotaller) zaprzysięgły.

confiscate ['kɔnfɪskeɪt] vt konfiskować (skonfiskować perf).

confiscation [kɔnfɪs'keɪʃən] n konfiskata f.

conflagration [kɔnflə'greɪʃən] n pożoga f.

conflict [n 'kɔnflɪkt, vb kən'flɪkt] n konflikt m ♦ vi ścierać się (zetrzeć się perf).

conflicting [kən'flɪktɪŋ] adj sprzeczny.

conform [kən'fɔ:m] vi dostosowywać się (dostosować się perf), podporządkowywać się (podporządkować się perf); to conform to (wish, ideal, standard) odpowiadać +dat.

conformist [kən'fɔ:mɪst] n konformista (-tka) m(f).

confound [kən'faund] vt wprawiać (wprawić perf) w zakłopotanie.

confounded [kən'faundɪd] adj przeklęty.

confront [kən'frʌnt] vt (problems, task) stawać (stanąć perf) przed +instr; (enemy, danger) stawiać (stawić perf) czoło +dat.

confrontation [kɔnfrən'teɪʃən] n konfrontacja f.

confuse [kən'fju:z] vt (perplex) wprawiać (wprawić perf) w zakłopotanie; (mix up) mylić (pomylić perf); (complicate) gmatwać (pogmatwać perf).

confused [kən'fju:zd] adj (bewildered) zakłopotany, zmieszany; (disordered) pogmatwany; to get confused gubić się (pogubić się perf).

confusing [kən'fju:zɪŋ] adj (plot, instructions) zagmatwany; (signals) mylący.

confusion [kən'fju:ʒən] n (mix-up) pomyłka f; (perplexity) zakłopotanie nt, zmieszanie nt; (disorder) zamieszanie nt, zamęt m.

congeal [kən'dʒi:l] vi (blood) krzepnąć (skrzepnąć perf); (sauce) gęstnieć (zgęstnieć perf).

congenial [kən'dʒi:nɪəl] adj (person) sympatyczny; (atmosphere) przyjemny; (work, company) odpowiedni.

congenital [kən'dʒɛnɪtl] adj (MED) wrodzony.

conger eel ['kɔngər-] n węgorz m morski.

congested [kən'dʒɛstɪd] adj (nose) zapchany; (road, area) zatłoczony.

congestion [kən'dʒɛstʃən] n (MED) przekrwienie nt; (of road) zator m.

conglomerate [kən'glɔmərɪt] n (COMM) konglomerat m.

conglomeration [kəngləmə'reɪʃən] *n* zlepek *m*, konglomerat *m*.

Congo ['kɔŋgəu] *n* Kongo *nt*.

congratulate [kən'grætjuleɪt] *vt*: **to congratulate sb (on)** gratulować (pogratulować *perf*) komuś (+*gen*).

congratulations [kəngrætju'leɪʃənz] *npl* gratulacje *pl*; **congratulations!** (moje) gratulacje!, gratuluję!; **congratulations on** gratulacje z okazji +*gen*.

congregate ['kɔŋgrɪgeɪt] *vi* gromadzić się (zgromadzić się *perf*).

congregation [kɔŋgrɪ'geɪʃən] *n* kongregacja *f*.

congress ['kɔŋgrɛs] *n* kongres *m*; (*US*): **Congress** Kongres *m*.

congressman ['kɔŋgrɛsmən] (*US*) (*irreg like* **man**) *n* członek *m* Kongresu, kongresman *m*.

congresswoman ['kɔŋgrɛswumən] (*US*) (*irreg like* **woman**) *n* członkini *f* Kongresu.

conical ['kɔnɪkl] *adj* stożkowy.

conifer ['kɔnɪfə*] *n* drzewo *nt* iglaste.

coniferous [kə'nɪfərəs] *adj* iglasty.

conjecture [kən'dʒɛktʃə*] *n* domysł *m*, przypuszczenie *nt* ♦ *vi* snuć domysły *or* przypuszczenia, przypuszczać.

conjugal ['kɔndʒugl] *adj* małżeński.

conjugate ['kɔndʒugeɪt] *vt* (*LING*) koniugować, odmieniać (odmienić *perf*).

conjugation [kɔndʒə'geɪʃən] *n* koniugacja *f*, odmiana *f* czasownika.

conjunction [kən'dʒʌŋkʃən] *n* (*LING*) spójnik *m*; **in conjunction with** (*act, work*) wraz z +*instr*; (*treat, consider*) łącznie z +*instr*.

conjunctivitis [kəndʒʌŋktɪ'vaɪtɪs] *n* zapalenie *nt* spojówek.

conjure ['kʌndʒə*] *vi* pokazywać sztuczki (magiczne) ♦ *vt* (*lit, fig*) wyczarowywać (wyczarować *perf*).

conjure up *vt* (*ghost, memories*) wywoływać (wywołać *perf*).

conjurer ['kʌndʒərə*] *n* sztukmistrz *m*, iluzjonista (-tka) *m(f)*.

conjuring trick ['kʌndʒərɪŋ-] *n* sztuczka *f* magiczna.

conker ['kɔŋkə*] (*BRIT*) *n* kasztan *m*.

conk out [kɔŋk-] (*inf*) *vi* (*machine, engine*) wysiadać (wysiąść *perf*) (*inf*).

con man (*irreg like* **man**) *n* oszust *m*, kanciarz *m* (*inf*).

connect [kə'nɛkt] *vt* (*lit, fig*) łączyć (połączyć *perf*); (*TEL: telephone, subscriber*) podłączać (podłączyć *perf*); (*join*): **to connect sth (to)** podłączać (podłączyć *perf*) coś (do +*gen*) ♦ *vi*: **to be connected with** być związanym z +*instr*; **this train connects with a bus service to Worcester** z tego pociągu jest dogodna przesiadka na autobus do Worcester.

connection [kə'nɛkʃən] *n* połączenie *nt*; (*of telephone, subscriber*) podłączenie *nt*; (*ELEC*) styk *m*, połączenie *nt*; (*fig*) związek *m*; **in**

connection with w związku z +*instr*; **what is the connection between them?** co oni mają ze sobą wspólnego?; **business connections** stosunki handlowe; **I got/missed my connection** zdążyłem/spóźniłem się *or* nie zdążyłem na przesiadkę.

connexion [kə'nɛkʃən] (*BRIT*) *n* = **connection**.

conning tower ['kɔnɪŋ-] *n* (*NAUT*) (pancerna) wieża *f* dowodzenia.

connive [kə'naɪv] *vi*: **to connive at** przymykać oczy na +*acc*.

connoisseur [kɔnɪ'sə:*] *n* koneser(ka) *m(f)*.

connotation [kɔnə'teɪʃən] *n* konotacja *f*.

connubial [kə'nju:bɪəl] *adj* małżeński.

conquer ['kɔŋkə*] *vt* (*MIL*) zdobywać (zdobyć *perf*), podbijać (podbić *perf*); (*fig: fear, feelings*) przemagać (przemóc *perf*), pokonywać (pokonać *perf*).

conqueror ['kɔŋkərə*] *n* zdobywca *m*.

conquest ['kɔŋkwɛst] *n* podbój *m*.

cons [kɔnz] *npl see* **convenience, pro**.

conscience ['kɔnʃəns] *n* sumienie *nt*; **to have a clear/guilty** *or* **bad conscience** mieć czyste/nieczyste sumienie; **in all** *or* **good conscience** z czystym sumieniem.

conscientious [kɔnʃɪ'ɛnʃəs] *adj* sumienny.

conscientious objector *n osoba odmawiająca służby wojskowej ze względu na przekonania.*

conscious ['kɔnʃəs] *adj* (*awake*) przytomny; (*deliberate*) świadomy; (*aware*): **conscious (of)** świadomy (+*gen*); **to become conscious of/that** zdać (*perf*) sobie sprawę z +*gen*/, że.

consciousness ['kɔnʃəsnɪs] *n* świadomość *f*; (*MED*) przytomność *f*; **to lose/regain consciousness** tracić (stracić *perf*)/odzyskiwać (odzyskać *perf*) przytomność.

conscript ['kɔnskrɪpt] *n* poborowy *m*.

conscription [kən'skrɪpʃən] *n* pobór *m*.

consecrate ['kɔnsɪkreɪt] *vt* święcić, poświęcać (poświęcić *perf*).

consecutive [kən'sɛkjutɪv] *adj* kolejny; **on three consecutive occasions** trzy razy z rzędu.

consensus [kən'sɛnsəs] *n* (powszechna) zgoda *f*, jednomyślność *f*; **the consensus of opinion** konsensus.

consent [kən'sɛnt] *n* zgoda *f* ♦ *vi*: **to consent to** zgadzać się (zgodzić się *perf*) na +*acc*; **by common consent** za obopólną zgodą; **age of consent** pełnoletność (*określona prawnie dolna granica wieku, przy której dopuszcza się współżycie płciowe i zawieranie związków małżeńskich*).

consequence ['kɔnsɪkwəns] *n* konsekwencja *f*; **of consequence** znaczący, doniosły; **it's of little consequence** to nie ma większego znaczenie; **in consequence** w rezultacie.

consequently ['kɔnsɪkwəntlɪ] *adv* w rezultacie.

conservation [kɔnsə'veɪʃən] *n* (*of environment*) ochrona *f*; (*of paintings, books*) konserwacja *f*, (*of energy, mass, momentum*) zachowanie *nt*; **nature conservation** ochrona przyrody; **energy conservation** oszczędzanie energii.

conservationist [kɔnsə'veɪʃnɪst] *n* działacz(ka) *m(f)* na rzecz ochrony przyrody.

conservative [kən'sɔːvətɪv] *adj* (*person, attitude*) konserwatywny; (*estimate etc*) skromny; (*BRIT*): **Conservative** konserwatywny ♦ *n* (*BRIT*): **Conservative** konserwatysta (-tka) *m(f)*.

conservatory [kən'sɔːvətɪɪ] *n* (*with plants*) oszklona weranda *f*; (*MUS*) konserwatorium *nt*.

conserve [kən'sɔːv] *vt* (*preserve*) utrzymywać (utrzymać *perf*), chronić; (*supplies, energy*) oszczędzać, zaoszczędzać (zaoszczędzić *perf*) ♦ *n* konfitury *pl*.

consider [kən'sɪdə*] *vt* (*believe*): **to consider sb/sth (as)** uważać kogoś/coś za +*acc*; (*study, take into account*) rozważać (rozważyć *perf*); (*regard, judge*) rozpatrywać (rozpatrzyć *perf*); **to consider doing sth** rozważać (rozważyć *perf*) zrobienie czegoś; **they consider themselves to be superior** uważają się za lepszych; **she considered it a disaster** uważała to za klęskę; **he is generally considered to have invented the first computer** powszechnie uważa się go za wynalazcę pierwszego komputera; **consider yourself lucky** masz szczęście; **all things considered** wziąwszy wszystko pod uwagę.

considerable [kən'sɪdərəbl] *adj* znaczny.

considerably [kən'sɪdərəblɪ] *adv* znacznie.

considerate [kən'sɪdərɪt] *adj* liczący się z innymi; **it was very considerate of you to remember her birthday** to bardzo ładnie, że pamiętałeś o jej urodzinach.

consideration [kənsɪdə'reɪʃən] *n* (*deliberation*) namysł *m*; (*factor*) czynnik *m*, okoliczność *f*; (*fml: reward*) uznanie *nt*; **to show no consideration for sb** zupełnie nie liczyć się z czyimiś uczuciami; **out of consideration for** przez wzgląd na +*acc*; **under consideration** rozważany; **my first consideration is my family** na pierwszym miejscu stoi u mnie (moja) rodzina.

considering [kən'sɪdərɪŋ] *prep* zważywszy na +*acc*; **considering (that)** zważywszy (na to), że.

consign [kən'saɪn] *vt* (*goods*) wysyłać (wysłać *perf*); (*person*): **to consign sb to** (*sb's care*) powierzać (powierzyć *perf*) kogoś +*dat*; (*poverty*) skazywać (skazać *perf*) kogoś na +*acc*; **those old wheels had been consigned to the loft** te stare koła wyniesiono na strych.

consignment [kən'saɪnmənt] *n* partia *f* towaru.

consignment note *n* (*COMM*) list *m* przewozowy.

consist [kən'sɪst] *vi*: **to consist of** składać się z +*gen*.

consistency [kən'sɪstənsɪ] *n* (*of actions*) konsekwencja *f*; (*of yoghurt etc*) konsystencja *f*.

consistent [kən'sɪstənt] *adj* (*person*) konsekwentny; (*argument*) spójny; **consistent with** zgodny z +*instr*.

consolation [kɔnsə'leɪʃən] *n* pocieszenie *nt*.

console [*vb* kən'səul, *n* 'kɔnsəul] *vt* pocieszać (pocieszyć *perf*) ♦ *n* konsola *f*, konsoleta *f*.

consolidate [kən'sɔlɪdeɪt] *vt* konsolidować (skonsolidować *perf*).

consols ['kɔnsɔlz] (*BRIT*) *npl* konsole *pl*, obligacje *pl* państwowe.

consommé [kən'sɔmeɪ] *n* bulion *m*.

consonant ['kɔnsənənt] *n* spółgłoska *f*.

consort [*n* 'kɔnsɔːt, *vb* kən'sɔːt] *n* (*also:* **prince consort**) książę *m* małżonek *m* ♦ *vi* (*often pej*): **to consort with** zadawać się z +*instr*.

consortium [kən'sɔːtɪəm] *n* konsorcjum *nt*.

conspicuous [kən'spɪkjuəs] *adj* rzucający się w oczy; **to make o.s. conspicuous** zwracać (zwrócić *perf*) na siebie uwagę.

conspiracy [kən'spɪrəsɪ] *n* spisek *m*.

conspiratorial [kən'spɪrə'tɔːrɪəl] *adj* (*group*) spiskowy; (*whisper, glance*) konspiracyjny.

conspire [kən'spaɪə*] *vi* (*criminals, revolutionaries*) spiskować; (*events*) sprzysięgać się (sprzysiąc się *perf*).

constable ['kʌnstəbl] (*BRIT*) *n* posterunkowy *m*; **chief constable** naczelnik policji.

constabulary [kən'stæbjulərɪ] (*BRIT*) *n* siły *pl* policyjne (*danego miasta lub rejonu*).

constant ['kɔnstənt] *adj* stały.

constantly ['kɔnstəntlɪ] *adv* stale.

constellation [kɔnstə'leɪʃən] *n* gwiazdozbiór *m*, konstelacja *f*.

consternation [kɔnstə'neɪʃən] *n* konsternacja *f*.

constipated ['kɔnstɪpeɪtɪd] *adj*: **to be constipated** cierpieć na zaparcie.

constipation [kɔnstɪ'peɪʃən] *n* zaparcie *nt*.

constituency [kən'stɪtjuənsɪ] *n* (*area*) okręg *m* wyborczy; (*electors*) wyborcy *vir pl*.

constituency party *n* okręgowa organizacja *f* partyjna.

constituent [kən'stɪtjuənt] *n* (*POL*) wyborca *m*; (*component*) składnik *m*.

constitute ['kɔnstɪtjuːt] *vt* (*represent*) stanowić; (*make up*) stanowić, składać się na +*acc*.

constitution [kɔnstɪ'tjuːʃən] *n* (*of country*) konstytucja *f*; (*of organization*) statut *m*; (*of committee etc*) skład *m*; **he has a strong constitution** ma silny organizm.

constitutional [kɔnstɪ'tjuːʃənl] *adj* konstytucyjny.

constrain [kən'streɪn] *vt* ograniczać (ograniczyć *perf*).

constrained [kən'streɪnd] *adj* (*behaviour*) sztuczny; (*smile*) wymuszony; **he felt constrained to apologize** czuł się zmuszony przeprosić.

constraint [kən'streɪnt] *n* (*restriction*) ograniczenie *nt*; (*compulsion*) przymus *m*.

constrict [kən'strɪkt] *vt* (*person*) ograniczać

(ograniczyć *perf*); (*breathing, movements*)
utrudniać (utrudnić *perf*); (*blood vessels*)
obkurczać (obkurczyć *perf*), zwężać (zwęzić
perf).

constriction [kən'strɪkʃən] *n* (*restriction*)
ograniczenie *nt*; (*in chest*) ucisk *m*.

construct [kən'strʌkt] *vt* (*building*) budować
(zbudować *perf*); (*machine, argument, theory*)
budować (zbudować *perf*), konstruować
(skonstruować *perf*).

construction [kən'strʌkʃən] *n* (*activity*) budowa
f; (*structure*) konstrukcja *f*; (*fig*) interpretacja
f; **to be under construction** być w budowie.

construction industry *n* przemysł *m*
budowlany.

constructive [kən'strʌktɪv] *adj* konstruktywny.

construe [kən'stru:] *vt* (*statement, event*)
odbierać (odebrać *perf*), interpretować
(zinterpretować *perf*).

consul ['kɔnsl] *n* konsul *m*.

consulate ['kɔnsjulɪt] *n* konsulat *m*.

consult [kən'sʌlt] *vt* (*friend*) radzić się
(poradzić się *perf*) +*gen*; (*reference book*)
sprawdzać (sprawdzić *perf*) w +*loc*; **to consult
sb (about sth)** (*doctor, lawyer etc*)
konsultować się (skonsultować się *perf*) z
kimś (w jakiejś sprawie).

consultancy [kən'sʌltənsɪ] *n* (*business*) firma
f konsultacyjna; (*MED*) stanowisko *nt* lekarza ,
specjalisty (*w szpitalu*).

consultant [kən'sʌltənt] *n* (*MED*) ≈ lekarz *m*
specjalista *m*; (*other specialist*) doradca *m* ♦
cpd: **consultant engineer** inżynier *m*
specjalista *m*; **consultant paediatrician** ≈
specjalista z zakresu pediatrii; **legal
consultant** radca prawny; **management
consultant** doradca do spraw zarządzania.

consultation [kɔnsəl'teɪʃən] *n* konsultacja *f*;
(*JUR*) porada *f* (prawna); **in consultation with**
w porozumieniu z +*instr*; **the patient should
feel at ease during a consultation** podczas
wizyty u lekarza pacjent powinien czuć się
swobodnie.

consulting room [kən'sʌltɪŋ-] (*BRIT*) *n*
gabinet *m* lekarski.

consume [kən'sju:m] *vt* (*food, drink*)
konsumować (skonsumować *perf*); (*fuel,
energy*) zużywać (zużyć *perf*); (*time*)
pochłaniać (pochłonąć *perf*); (*emotion: person*)
trawić, zżerać; (*fire: city etc*) trawić (strawić
perf).

consumer [kən'sju:mə*] *n* konsument(ka) *m(f)*;
**these machines are enormous consumers of
electricity** te maszyny pożerają ogromne ilości
prądu.

consumer credit *n* kredyt *m* konsumpcyjny.

consumer durables *npl* dobra *pl*
konsumpcyjne trwałego użytku.

consumer goods *npl* dobra *pl* or towary *pl*
konsumpcyjne.

consumerism [kən'sju:mərɪzəm] *n* obrona *f*
interesów konsumenta.

consumer society *n* społeczeństwo *nt*
konsumpcyjne.

consummate ['kɔnsʌmeɪt] *vt* (*marriage*)
konsumować (skonsumować *perf*);
(*achievements*) spożytkowywać (spożytkować
perf).

consumption [kən'sʌmpʃən] *n* (*of food, drink*)
konsumpcja *f*, spożywanie *nt*; (*of fuel, energy,
time*) zużycie *nt*; (*buying*) konsumpcja *f*;
(*MED: old*) suchoty *pl*; **not fit for human
consumption** nie nadający się do spożycia.

cont. *abbr* (= *continued*) c.d., cd.

contact ['kɔntækt] *n* kontakt *m* ♦ *vt*
kontaktować się (skontaktować się *perf*) z
+*instr*; **to be in contact with sb/sth** być w
kontakcie z kimś/czymś; **business contacts**
kontakty handlowe.

contact lenses *npl* soczewki *pl* or szkła *pl*
kontaktowe.

contagious [kən'teɪdʒəs] *adj* (*disease*)
zakaźny; (*fig: laughter, enthusiasm*) zaraźliwy.

contain [kən'teɪn] *vt* (*objects, ingredients*)
zawierać; (*growth, feeling*) powstrzymywać
(powstrzymać *perf*); **to contain o.s.**
opanowywać się (opanować się *perf*).

container [kən'teɪnə*] *n* pojemnik *m*; (*COMM*)
kontener *m*.

containerize [kən'teɪnəraɪz] *vt* konteneryzować
(skonteneryzować *perf*).

container lorry *n* ciężarówka *f* z kontenerem,
≈ TIR *m*.

container ship *n* kontenerowiec *m*.

contaminate [kən'tæmɪneɪt] *vt* zanieczyszczać
(zanieczyścić *perf*).

contamination [kəntæmɪ'neɪʃən] *n*
zanieczyszczenie *nt*; (*radioactive*) skażenie *nt*.

cont'd *abbr* (= *continued*) c.d., cd.

contemplate ['kɔntəmpleɪt] *vt* (*idea, course of
action*) rozważać; (*subject*) rozmyślać o +*loc*;
(*painting etc*) kontemplować.

contemplation [kɔntəm'pleɪʃən] *n* rozmyślanie
nt, kontemplacja *f*.

contemporary [kən'tempərərɪ] *adj*
współczesny; **contemporary with** współczesny
+*dat*; **Samuel Pepys and his contemporaries**
Samuel Pepys i jemu współcześni.

contempt [kən'tempt] *n* pogarda *f*; **contempt
of court** (*disobedience*) niezastosowanie się
do nakazu sądu; (*disrespect*) obraza sądu; **to
have contempt for sb/sth, to hold sb/sth in
contempt** gardzić or pogardzać kimś/czymś.

contemptible [kən'temptəbl] *adj* godny
pogardy.

contemptuous [kən'temptjuəs] *adj* pogardliwy.

contend [kən'tend] *vt*: **to contend that**
twierdzić or utrzymywać, że ♦ *vi*: **to contend
with** borykać się z +*instr* ♦ *vi*: **to contend for**
rywalizować o +*acc*; **to have to contend with**

musieć stawiać (stawić *perf*) czoła +*dat*; **he
has a lot to contend with** musi się uporać z
wieloma problemami.

contender [kən'tɛndə*] *n* (*in election*)
kandydat(ka) *m(f)*; (*in competition*) uczestnik
(-iczka) *m(f)*; (*for title*) pretendent(ka) *m(f)*.

content [*vb* kən'tɛnt, *n* 'kɔntɛnt] *vt* zadowalać
(zadowolić *perf*) ♦ *n* zawartość *f*; (*of book
etc*) treść *f*; **contents** *npl* zawartość *f*; (*of
book etc*) treść *f*; **(table of) contents** spis
treści; **to be content to do sth** chętnie coś
(z)robić; **to be content with** być
zadowolonym z +*gen*; **to content o.s. with
sth/with doing sth** zadowalać się (zadowolić
się *perf*) czymś/(z)robieniem czegoś.

contented [kən'tɛntɪd] *adj* zadowolony.

contentedly [kən'tɛntɪdlɪ] *adv* z zadowoleniem.

contention [kən'tɛnʃən] *n* (*assertion*)
twierdzenie *nt*; (*dispute*) spór *m*; **it is my
contention that...** twierdzę, że...; **bone of
contention** kość niezgody.

contentious [kən'tɛnʃəs] *adj* (*subject*) sporny;
(*opinion*) kontrowersyjny; (*person*) kłótliwy.

contentment [kən'tɛntmənt] *n* zadowolenie *nt*.

contest [*n* 'kɔntɛst, *vb* kən'tɛst] *n* (*competition*)
konkurs *m*; (*for control, power*) rywalizacja *f*
♦ *vt* (*election, competition*) uczestniczyć *or*
startować w +*loc*; (*title*) ubiegać się *or*
walczyć o +*acc*; (*decision, testament*)
kwestionować (zakwestionować *perf*).

contestant [kən'tɛstənt] *n* (*in quiz, competition*)
uczestnik (-iczka) *m(f)*; (*in election*)
kandydat(ka) *m(f)*.

context ['kɔntɛkst] *n* kontekst *m*; **in context**
całościowo; **in the context of** w kontekście
+*gen*; **out of context** w oderwaniu; **taken out
of context** wyrwany z kontekstu.

continent ['kɔntɪnənt] *n* kontynent *m*; **the
Continent** (*BRIT*) Europa *f* (*z wyłączeniem
Wysp Brytyjskich*).

continental [kɔntɪ'nɛntl] (*BRIT*) *adj*
kontynentalny ♦ *n* Europejczyk (-jka) *m(f)*.

continental breakfast *n* śniadanie *nt*
kontynentalne (*kawa i pieczywo z dżemem*).

continental quilt (*BRIT*) *n* kołdra *f*.

contingency [kən'tɪndʒənsɪ] *n* ewentualność *f*.

contingency plan *n*: **a contingency plan for**
plan *m* na wypadek +*gen*.

contingent [kən'tɪndʒənt] *n* reprezentacja *f*;
(*MIL*) kontyngent *m* ♦ *adj*: **to be contingent
on/upon** być uzależnionym od +*gen*.

continual [kən'tɪnjuəl] *adj* ciągły, nieustający.

continually [kən'tɪnjuəlɪ] *adv* ciągle,
nieustannie.

continuation [kəntɪnju'eɪʃən] *n* (*persistence*)
ciągłość *f*; (*after interruption*) wznowienie *nt*;
(*extension*) przedłużenie *nt*, kontynuacja *f*.

continue [kən'tɪnjuː] *vi* (*carry on*) trwać
(nadal); (*after interruption*) zostawać (zostać
perf) wznowionym ♦ *vt* kontynuować; **to be**

continued ciąg dalszy nastąpi; **continued on
page 10** ciąg dalszy na stronie 10.

continuity [kɔntɪ'njuːɪtɪ] *n* ciągłość *f* ♦ *cpd*:
continuity announcer ≈ prezenter(ka) *m(f)*
telewizyjny(na) *m(f)*; **continuity girl** (*FILM*)
inspicjentka.

continuous [kən'tɪnjuəs] *adj* (*growth*) ciągły,
stały; (*line, verb form*) ciągły; (*relationship*)
stały; **continuous performance** (*FILM*) seans
non-stop.

continuously [kən'tɪnjuəslɪ] *adv* ciągle, stale.

continuous stationery *n* składanka *f*
komputerowa.

contort [kən'tɔːt] *vt* (*body*) wyginać (wygiąć
perf); (*face*) wykrzywiać (wykrzywić *perf*).

contortion [kən'tɔːʃən] *n* (*of body*) wygięcie
nt; (: *unusual, complicated*) wygibas *m usu pl*;
(*MED*) skręcenie *nt*.

contortionist [kən'tɔːʃənɪst] *n* (*in circus etc*)
kontorsjonista (-tka) *m(f)*.

contour ['kɔntuə*] *n* (*also*: **contour line**: *on
map*) poziomica *f*, warstwica *f*, (*usu
pl*: *outline*) kontur *m*.

contraband ['kɔntrəbænd] *n* kontrabanda *f*,
przemyt *m* ♦ *adj* z kontrabandy *or* przemytu
post.

contraception [kɔntrə'sɛpʃən] *n* antykoncepcja
f, zapobieganie *nt* ciąży.

contraceptive [kɔntrə'sɛptɪv] *adj*
antykoncepcyjny ♦ *n* środek *m*
antykoncepcyjny.

contract [*n, cpd* 'kɔntrækt, *vb* kən'trækt] *n*
kontrakt *m*, umowa *f* ♦ *vi* (*become smaller*)
kurczyć się (skurczyć się *perf*); (*COMM*): **to
contract to do sth** zobowiązywać się
(zobowiązać się *perf*) w drodze umowy do
zrobienia czegoś ♦ *vt* (*illness*) nabawiać się
(nabawić się *perf*) +*gen* ♦ *cpd* (*price*)
umowny; (*work*) zlecony; **contract of
employment/service** umowa o pracę.

▸**contract in** (*BRIT*) *vi* zgłaszać się (zgłosić
się *perf*) (oficjalnie *or* formalnie).

▸**contract out** (*BRIT*) *vi* wycofywać się
(wycofać się *perf*) (oficjalnie *or* formalnie).

contraction [kən'trækʃən] *n* (*of muscle, uterus*)
skurcz *m*; (*of metal, power*) kurczenie się *nt*;
(*LING*) forma *f* ściągnięta.

contractor [kən'træktə*] *n* zleceniobiorca *m*;
(*for building*) wykonawca *m*; (*for supplies*)
dostawca *m*.

contractual [kən'træktʃuəl] *adj* (*obligation*)
wynikający z umowy; (*agreement*)
kontraktowy.

contradict [kɔntrə'dɪkt] *vt* (*person, statement*)
zaprzeczać (zaprzeczyć *perf*) +*dat*; (*be
contrary to*) pozostawać w sprzeczności z
+*instr*, przeczyć +*dat*; **these findings
contradict each other** te odkrycia wzajemnie
sobie przeczą.

contradiction [kɔntrə'dɪkʃən] *n* sprzeczność *f*;

a **contradiction in terms** sprzeczność sama w sobie.

contradictory [kɔntrə'dɪktərɪ] *adj* sprzeczny.

contralto [kən'træltəu] *n* kontralt *m*.

contraption [kən'træpʃən] (*pej*) *n* ustrojstwo *nt* (*inf*).

contrary[1] ['kɔntrərɪ] *adj* przeciwstawny ♦ *n* przeciwieństwo *nt*; **on the contrary** przeciwnie; **unless you hear to the contrary** jeśli nie otrzymasz innych instrukcji; **contrary to what we thought** odwrotnie niż myśleliśmy.

contrary[2] [kən'trɛərɪ] *adj* przekorny.

contrast [*n* 'kɔntrɑːst, *vb* kən'trɑːst] *n* kontrast *m* ♦ *vt* zestawiać (zestawić *perf*), porównywać (porównać *perf*); **to contrast sth with sth** przeciwstawiać (przeciwstawić *perf*) coś czemuś; **in contrast to** *or* **with** w przeciwieństwie do +*gen*.

contrasting [kən'trɑːstɪŋ] *adj* (*colours*) kontrastowy; (*attitudes*) kontrastujący (ze sobą).

contravene [kɔntrə'viːn] *vt* (*law, regulation*) naruszać (naruszyć *perf*).

contravention [kɔntrə'vɛnʃən] *n*: **in contravention of** z naruszeniem +*gen*.

contribute [kən'trɪbjuːt] *vi*: **to contribute to** (*charity etc*) zasilać (zasilić *perf*); (*magazine*) pisywać do +*gen*, współpracować z +*instr*; (*situation, problem*) przyczyniać się (przyczynić się *perf*) do +*gen*; (*discussion, conversation*) brać (wziąć *perf*) udział w +*loc* ♦ *vt*: **to contribute 10 pounds to** (*charity*) wpłacać (wpłacić *perf*) *or* ofiarowywać (ofiarować *perf*) 10 funtów na +*acc*; **to contribute an article to** pisać (napisać *perf*) artykuł do +*gen*.

contribution [kɔntrɪ'bjuːʃən] *n* (*donation*) datek *m*; (*to debate, campaign*) wkład *m*, przyczynek *m*; (*to magazine*) artykuł *m*; (*BRIT: for social security*) składka *f*.

contributor [kən'trɪbjutə*] *n* (*to appeal*) ofiarodawca (-czyni) *m(f)*; (*to magazine*) współpracownik (-iczka) *m(f)*.

contributory [kən'trɪbjutərɪ] *adj*: **it was a contributory factor in ...** był to jeden z czynników, które złożyły się na +*acc*.

contributory pension scheme (*BRIT*) *n* składkowy fundusz *m* emerytalny.

contrite ['kɔntraɪt] *adj* skruszony.

contrivance [kən'traɪvəns] *n* (*scheme*) podstęp *m*; (*device*) urządzenie *nt*.

contrive [kən'traɪv] *vt* (*device*) zmajstrować (*perf*); (*meeting etc*) ukartować (*perf*) ♦ *vi*: **to contrive to do sth** znajdować (znaleźć *perf*) sposób na zrobienie czegoś.

control [kən'trəul] *vt* (*country*) sprawować władzę w +*loc*; (*organization*) sprawować kontrolę nad +*instr*, kierować +*instr*; (*machinery, process*) sterować +*instr*; (*wages, prices*) kontrolować; (*one's emotions*) panować nad +*instr*; (*disease*) zwalczać (zwalczyć *perf*); (*fire*) opanowywać (opanować *perf*) ♦ *n* (*of country*) władza *f*; (*of organization, stocks*) kontrola *f*; (*also*: **control group**) grupa *f* kontrolna; **controls** *npl* (*of vehicle*) układ *m* sterowania; (*on radio, television*) przełączniki *pl*; (*governmental*) kontrola *f*; **to take control of** przejmować (przejąć *perf*) kontrolę nad +*instr*; **to be in control of** panować nad +*instr*; **control yourself!** opanuj się!; **everything is under control** panujemy nad sytuacją; **the car went out of control** kierowca stracił kontrolę nad samochodem; **circumstances beyond our control** okoliczności od nas niezależne; **to get out of control** wymykać się (wymknąć się *perf*) spod kontroli.

control key *n* (*COMPUT*) klawisz *m* sterujący.

controller [kən'trəulə*] *n* (*of part of organization*) kierownik *m*; (*COMM*) rewident *m* księgowy.

controlling interest [kən'trəulɪŋ-] *n* pakiet *m* kontrolny.

control panel *n* pulpit *m* sterowniczy.

control room *n* (*NAUT, MIL*) sterownia *f*; (*RADIO, TV*) pokój *m* aparatury.

control tower *n* wieża *f* kontrolna.

control unit *n* jednostka *f* sterująca.

controversial [kɔntrə'vəːʃl] *adj* kontrowersyjny.

controversy ['kɔntrəvəːsɪ] *n* kontrowersja *f*.

conurbation [kɔnə'beɪʃən] *n* konurbacja *f*.

convalesce [kɔnvə'lɛs] *vi* wracać (wrócić *perf*) do zdrowia.

convalescence [kɔnvə'lɛsns] *n* rekonwalescencja *f*.

convalescent [kɔnvə'lɛsnt] *adj* (*leave*) zdrowotny; **convalescent home** ≈ sanatorium ♦ *n* rekonwalescent(ka) *m(f)*.

convector [kən'vɛktə*] *n* grzejnik *m* konwektorowy.

convene [kən'viːn] *vt* (*meeting, conference*) zwoływać (zwołać *f*) ♦ *vi* (*parliament, jury*) zbierać się (zebrać się *perf*).

convener [kən'viːnə*] *n* (*ADMIN*) organizator *m*;

convenience [kən'viːnɪəns] *n* wygoda *f*; **at your convenience** w dogodnej (dla ciebie) chwili; **at your earliest convenience** (*COMM, ADMIN*) jak najszybciej, niezwłocznie; **all modern conveniences**, (*BRIT*) **all mod cons** z wygodami.

convenience foods *npl* łatwe do przygotowania produkty w puszkach, mrożonki itp.

convenient [kən'viːnɪənt] *adj* dogodny; **if it is convenient to you** jeśli ci to odpowiada.

conveniently [kən'viːnɪəntlɪ] *adv* dogodnie.

convenor [kən'viːnə*] *n* = **convener**.

convent ['kɔnvənt] *n* klasztor *m*.

convention [kən'vɛnʃən] *n* (*custom*) konwenans *m*; (*conference*) zjazd *m*; (*agreement*) konwencja *f*.

conventional [kən'vɛnʃənl] *adj* konwencjonalny.

convent school n szkoła f przyklasztorna.

converge [kən'və:dʒ] vi (roads, interests) zbiegać się (zbiec się perf); (ideas) upodabniać się (upodobnić się perf) do siebie; **to converge on** przybywać (przybyć perf) do +gen.

conversant [kən'və:snt] adj: **to be conversant with** posiadać gruntowną znajomość +gen.

conversation [kɔnvə'seɪʃən] n rozmowa f.

conversational [kɔnvə'seɪʃənl] adj (language) potoczny; (COMPUT) konwersacyjny, dialogowy; **conversational skills** umiejętność prowadzenia rozmowy.

conversationalist [kɔnvə'seɪʃnəlɪst] n: **(good) conversationalist** (interesujący (-ca) m(f)) rozmówca (-czyni) m(f).

converse [n 'kɔnvə:s, vb kən'və:s] n odwrotność f ♦ vi: **to converse (with sb) (about sth)** rozmawiać (z kimś) (o czymś).

conversely [kɔn'və:slɪ] adv odwrotnie.

conversion [kən'və:ʃən] n (CHEM) zamiana f, konwersja f; (MATH) przeliczenie nt; (REL) nawrócenie nt; (BRIT: of house) przebudowa f, adaptacja f.

conversion table n tabela f przeliczeniowa.

convert [vb kən'və:t, n 'kɔnvə:t] vt (change): **to convert sth into/to** zamieniać (zamienić perf) or przekształcać (przekształcić perf) coś w +acc; (REL, POL) nawracać (nawrócić perf); (building, vehicle) przebudowywać (przebudować perf), adaptować (zaadaptować perf); (quantity) zamieniać (zamienić perf), przeliczać (przeliczyć perf); (RUGBY) podwyższać (podwyższyć perf) ♦ n nawrócony (-na) m(f).

convertible [kən'və:təbl] adj (currency) wymienialny ♦ n kabriolet m.

convex ['kɔnvɛks] adj wypukły.

convey [kən'veɪ] vt (information, thanks) przekazywać (przekazać perf); (cargo, travellers) przewozić (przewieźć perf).

conveyance [kən'veɪəns] n (of goods) przewóz m; (vehicle) pojazd m.

conveyancing [kən'veɪənsɪŋ] (JUR) n przeniesienie nt własności.

conveyor belt n przenośnik m taśmowy.

convict [vb kən'vɪkt, n 'kɔnvɪkt] vt skazywać (skazać perf) ♦ n skazaniec m, skazany (-na) m(f).

conviction [kən'vɪkʃən] n (belief, certainty) przekonanie nt; (JUR) skazanie nt; **he had a long record of previous convictions** był przedtem wielokrotnie karany.

convince [kən'vɪns] vt przekonywać (przekonać perf); **to convince sb (of sth/that)** przekonać (perf) kogoś (o czymś/, że).

convinced [kən'vɪnst] adj: **convinced of/that** przekonany o +loc/, że.

convincing [kən'vɪnsɪŋ] adj przekonywający, przekonujący.

convincingly [kən'vɪnsɪŋlɪ] adv przekonywająco, przekonująco.

convivial [kən'vɪvɪəl] adj (festive) biesiadny; (friendly) serdeczny.

convoluted ['kɔnvəlu:tɪd] adj (statement, argument) zawiły, zagmatwany; (shape) powykręcany.

convoy ['kɔnvɔɪ] n konwój m.

convulse [kən'vʌls] vt: **to be convulsed with laughter/pain** skręcać się ze śmiechu/z bólu.

convulsion [kən'vʌlʃən] n drgawki pl, konwulsje pl.

coo [ku:] vi (dove, pigeon) gruchać (zagruchać perf); (person) gruchać.

cook [kuk] vt gotować (ugotować perf) ♦ vi (person) gotować; (meat etc) gotować się (ugotować się perf) ♦ n kucharz (-arka) m(f).

▸**cook up** (inf) vt spreparować (perf).

cookbook ['kukbuk] n książka f kucharska.

cook-chill ['kuktʃɪl] adj (food) utrwalony przez szybkie schłodzenie.

cooker ['kukə*] n kuchenka f.

cookery ['kukərɪ] n sztuka f gotowania.

cookery book (BRIT) n = **cookbook**.

cookie ['kukɪ] (US) n herbatnik m.

cooking ['kukɪŋ] n gotowanie nt, kuchnia f ♦ cpd do gotowania post.

cookout ['kukaut] (US) n przyjęcie na wolnym powietrzu, podczas którego przyrządza się potrawy na ognisku lub rożnie.

cool [ku:l] adj (temperature, drink) chłodny; (clothes) lekki, przewiewny; (person: calm) spokojny, opanowany; (: unfriendly) chłodny ♦ vt ochładzać (ochłodzić perf) ♦ vi ochładzać się (ochłodzić się perf); **it's cool** jest chłodno; **to keep sth cool** or **in a cool place** przechowywać coś w chłodnym miejscu; **to keep one's cool** zachowywać (zachować perf) spokój.

▸**cool down** vi ochładzać się (ochłodzić się perf); (fig) uspokajać się (uspokoić się perf).

cool box (US **cooler**) n lodówka f turystyczna.

cooling tower ['ku:lɪŋ-] n wieża f chłodnicza.

coolly ['ku:lɪ] adv (calmly) spokojnie; (in unfriendly way) chłodno.

coolness ['ku:lnɪs] n (lit, fig) chłód m; (calmness) spokój m.

coop [ku:p] n klatka f (dla drobiu, królików itp) ♦ vt: **to coop up** (fig) stłaczać (stłoczyć perf).

co-op ['kəuɔp] n abbr (= cooperative (society)) spółdz.

cooperate [kəu'ɔpəreɪt] vi (collaborate) współpracować; (assist) pomagać (pomóc perf); **to cooperate with sb** współpracować z kimś.

cooperation [kəuɔpə'reɪʃən] n (collaboration) współpraca f; (assistance) pomoc f.

cooperative [kəu'ɔpərətɪv] adj (enterprise) wspólny; (farm) spółdzielczy; (person) pomocny ♦ n (factory, business) spółdzielnia f.

coopt [kəu'ɔpt] *vt*: **to coopt sb onto a committee** dokooptowywać (dokooptować *perf*) kogoś do komisji.

coordinate [*vb* kəu'ɔ:dɪneɪt, *n* kəu'ɔdɪnət] *vt* koordynować (skoordynować *perf*) ♦ *n* współrzędna *f*.

coordination [kəuɔ:dɪ'neɪʃən] *n* koordynacja *f*.

co-ownership ['kəu'əunəʃɪp] *n* współwłasność *f*.

cop [kɔp] (*inf*) *n* glina *m* (*inf*), gliniarz *m* (*inf*).

cope [kəup] *vi*: **to cope with** borykać się z +*instr*; (*successfully*) radzić sobie z +*instr*.

Copenhagen ['kəupn'heɪgən] *n* Kopenhaga *f*.

copier ['kɔpɪə*] *n* (*also*: **photocopier**) kopiarka *f*.

co-pilot ['kəu'paɪlət] *n* drugi pilot *m*.

copious ['kəupɪəs] *adj* obfity.

copper ['kɔpə*] *n* miedź *f*; (*BRIT*: *inf*) gliniarz *m* (*inf*); **coppers** *npl* miedziaki *pl*.

coppice ['kɔpɪs] *n* zagajnik *m*.

copse [kɔps] *n* = **coppice**.

copulate ['kɔpjuleɪt] *vi* kopulować, spółkować.

copy ['kɔpɪ] *n* (*duplicate*) kopia *f*, odpis *m*; (*of book, record*) egzemplarz *m*; (*material: for printing*) maszynopis *m* ♦ *vt* kopiować (skopiować *perf*); **to make good copy** (*PRESS*) nadawać się do gazety.

►**copy out** *vt* przepisywać (przepisać *perf*).

copycat ['kɔpɪkæt] (*pej*) *n* papuga *f* (*pej*).

copyright ['kɔpɪraɪt] *n* prawo *nt* autorskie; **copyright reserved** prawo autorskie zastrzeżone.

copy typist *n* maszynistka *f*.

copywriter ['kɔpɪraɪtə*] *n* osoba zajmująca się układaniem haseł reklamowych.

coral ['kɔrəl] *n* koral *m*.

coral reef *n* rafa *f* koralowa.

Coral Sea *n*: **the Coral Sea** Morze *nt* Koralowe.

cord [kɔ:d] *n* (*string*) sznur *m*; (*ELEC*) przewód *m*; (*fabric*) sztruks *m*; **cords** *npl* sztruksy *pl*.

cordial ['kɔ:dɪəl] *adj* serdeczny ♦ *n* (*BRIT*) słodki napój bezalkoholowy na bazie soku owocowego.

cordless ['kɔ:dlɪs] *adj* bezprzewodowy.

cordon ['kɔ:dn] *n* kordon *m*.

►**cordon off** *vt* odgradzać (odgrodzić *perf*) kordonem.

corduroy ['kɔ:dərɔɪ] *n* sztruks *m*.

CORE [kɔ:*] (*US*) *n* *abbr* (= *Congress of Racial Equality*).

core [kɔ:*] *n* (*of apple*) ogryzek *m*; (*of organization, earth*) jądro *nt*; (*of nuclear reactor*) rdzeń *m*; (*of problem*) sedno *nt*; (*of building, place*) serce *nt* ♦ *vt* (*apple, pear*) wydrążać (wydrążyć *perf*); **rotten to the core** (*fig*) zepsuty do szpiku kości.

Corfu [kɔ:'fu:] *n* Korfu *nt inv*.

coriander [kɔrɪ'ændə*] *n* kolendra *f*.

cork [kɔ:k] *n* korek *m*.

corkage ['kɔ:kɪdʒ] *n* opłata pobierana od klientów restauracji za podanie przyniesionego przez nich alkoholu.

corked [kɔ:kt] (*US* **corky**) *adj* smakujący *or* trącący korkiem.

corkscrew ['kɔ:kskru:] *n* korkociąg *m*.

cormorant ['kɔ:mərnt] *n* kormoran *m*.

Corn (*BRIT*: *POST*) *abbr* (= *Cornwall*).

corn [kɔ:n] *n* (*BRIT*) zboże *nt*; (*US*) kukurydza *f*; (*on foot*) odcisk *m*; **corn on the cob** gotowana kolba kukurydzy.

cornea ['kɔ:nɪə] *n* rogówka *f*.

corned beef ['kɔ:nd-] *n* peklowana wołowina *f*.

corner ['kɔ:nə*] *n* (*outside*) róg *m*; (*inside*) kąt *m*, róg *m*; (*in road*) zakręt *m*, róg *m*; (*FOOTBALL etc*: *also*: **corner kick**) rzut *m* rożny, róg *m* (*inf*); (*BOXING*) narożnik *m* ♦ *vt* (*trap*) przypierać (przyprzeć *perf*) do muru; (*COMM*) monopolizować (zmonopolizować *perf*) ♦ *vi* (*car*) brać zakręty; **to cut corners** (*fig*) iść (pójść *perf*) na łatwiznę.

corner flag (*FOOTBALL*) *n* chorągiewka *f* narożnikowa.

corner kick (*FOOTBALL*) *n* rzut *m* rożny.

cornerstone ['kɔ:nəstəun] *n* kamień *m* węgielny; (*fig*) podstawa *f*.

cornet ['kɔ:nɪt] *n* (*MUS*) kornet *m*; (*BRIT*: *ice-cream*) rożek *m*.

cornflakes ['kɔ:nfleɪks] *npl* płatki *pl* kukurydziane.

cornflour ['kɔ:nflauə*] (*BRIT*) *n* mąka *f* kukurydziana.

cornice ['kɔ:nɪs] *n* gzyms *m*.

Cornish ['kɔ:nɪʃ] *adj* kornwalijski.

corn oil *n* olej *m* kukurydziany.

cornstarch ['kɔ:nstɑ:tʃ] (*US*) *n* = **cornflour**.

cornucopia [kɔ:nju'kəupɪə] *n* (*abundance*) obfitość *f*; (*horn of plenty*) róg *m* obfitości.

Cornwall ['kɔ:nwəl] *n* Kornwalia *f*.

corny ['kɔ:nɪ] (*inf*) *adj* banalny; **corny joke** kawał z brodą.

corollary [kə'rɔlərɪ] *n* następstwo *nt*.

coronary ['kɔrənərɪ] *n* (*also*: **coronary thrombosis**) zakrzepica *f* tętnicy wieńcowej.

coronation [kɔrə'neɪʃən] *n* koronacja *f*.

coroner ['kɔrənə*] (*JUR*) *n* koroner *m* (*urzędnik zajmujący się ustalaniem przyczyn nagłych zgonów*).

coronet ['kɔrənɪt] *n* (*small crown*) korona *f*; (*jewellery*) diadem *m*.

Corp. *abbr* = **corporation** Korp.; (*MIL*) = **corporal** kpr.

corporal ['kɔ:pərl] *n* kapral *m* ♦ *adj*: **corporal punishment** kara *f* cielesna.

corporate ['kɔ:pərɪt] *adj* (*COMM*) korporacyjny; (*action, effort, responsibility*) zbiorowy; **corporate image** wizerunek firmy.

corporation [kɔ:pə'reɪʃən] *n* (*COMM*) korporacja *f*; (*of town*) władze *pl* miejskie.

corporation tax *n* ≈ podatek *m* dochodowy od osób prawnych.

corps [kɔː*] (*pl* **corps**) *n* korpus *m*; **the press corps** korpus prasowy.
corpse [kɔːps] *n* zwłoki *pl*.
corpuscle ['kɔːpʌsl] (*BIO*) *n* ciałko *nt*.
corral [kə'rɑːl] *n* zagroda *f*.
correct [kə'rɛkt] *adj* (*accurate*) poprawny, prawidłowy; (*proper*) prawidłowy ♦ *vt* poprawiać (poprawić *perf*); **you are correct** masz rację.
correction [kə'rɛkʃən] *n* (*act of correcting*) poprawa *f*, (*instance*) poprawka *f*.
correctly [kə'rɛktlɪ] *adv* poprawnie, prawidłowo.
correlate ['kɔrɪleɪt] *vt* wiązać (powiązać *perf*) ze sobą ♦ *vi*: **to correlate with** być powiązanym z +*instr*, korelować z +*instr* (*fml*).
correlation [kɔrɪ'leɪʃən] *n* związek *m*, korelacja *f* (*fml*).
correspond [kɔrɪs'pɔnd] *vi*: **to correspond (with)** (*write*) korespondować (z +*instr*); (*tally*) pokrywać się *or* zgadzać się (z +*instr*); **to correspond to** odpowiadać +*dat*.
correspondence [kɔrɪs'pɔndəns] *n* (*letters*) korespondencja *f*, (*relationship*) odpowiedniość *f*.
correspondence course *n* kurs *m* korespondencyjny.
correspondent [kɔrɪs'pɔndənt] *n* korespondent(ka) *m(f)*.
corresponding [kɔrɪs'pɔndɪŋ] *adj* odpowiedni; **corresponding to** zgodny z +*instr*, odpowiadający +*dat*.
corridor ['kɔrɪdɔː*] *n* korytarz *m*.
corroborate [kə'rɔbəreɪt] *vt* potwierdzać (potwierdzić *perf*).
corrode [kə'rəud] *vt* powodować (spowodować *perf*) korozję +*gen*, korodować ♦ *vi* ulegać (ulec *perf*) korozji, korodować (skorodować *perf*).
corrosion [kə'rəuʒən] *n* (*damage*) rdza *f*, (*process*) korozja *f*.
corrosive [kə'rəuzɪv] *adj* powodujący korozję.
corrugated ['kɔrəgeɪtɪd] *adj* falisty.
corrugated iron *n* blacha *f* stalowa falista.
corrupt [kə'rʌpt] *adj* (*dishonest*) skorumpowany; (*depraved*) zepsuty; (*COMPUT: data*) uszkodzony ♦ *vt* korumpować (skorumpować *perf*); (*COMPUT: data*) uszkadzać (uszkodzić *perf*); **corrupt practices** nieuczciwe praktyki.
corruption [kə'rʌpʃən] *n* (*dishonesty*) korupcja *f*.
corset ['kɔːsɪt] *n* gorset *m*.
Corsica ['kɔːsɪkə] *n* Korsyka *f*.
Corsican ['kɔːsɪkən] *adj* korsykański ♦ *n* Korsykanin (-anka) *m(f)*.
cortège [kɔː'teɪʒ] *n* (*also*: **funeral cortège**) kondukt *m* *or* orszak *m* pogrzebowy.
cortisone ['kɔːtɪzəun] *n* kortyzon *m*.
coruscating ['kɔrəskeɪtɪŋ] *adj* skrzący się, mieniący się.
c.o.s. *abbr* (= *cash on shipment*) płatne gotówką przy załadowaniu.

cosh [kɔʃ] (*BRIT*) *n* pałka *f*.
cosignatory ['kəu'sɪgnətərɪ] *n* konsygnatariusz *m*.
cosiness ['kəuzɪnɪs] *n* przytulność *f*.
cos lettuce ['kɔs-] *n* odmiana sałaty o długich i wąskich liściach.
cosmetic [kɔz'mɛtɪk] *n* kosmetyk *m* ♦ *adj* (*lit*, *fig*) kosmetyczny; **cosmetic surgery** operacja plastyczna.
cosmic ['kɔzmɪk] *adj* kosmiczny.
cosmonaut ['kɔzmənɔːt] *n* kosmonauta (-tka) *m(f)*.
cosmopolitan [kɔzmə'pɔlɪtn] *adj* kosmopolityczny.
cosmos ['kɔzmɔs] *n*: **the cosmos** kosmos *m*.
cosset ['kɔsɪt] *vt* rozpieszczać (rozpieścić *perf*).
cost [kɔst] (*pt*, *pp* **cost**) *n* koszt *m*; (*fig*) cena *f* ♦ *vt* (*be priced at*) kosztować; (*find out cost of*: *pt*, *pp* **costed**) ustalać (ustalić *perf*) koszt +*gen*; **costs** *npl* (*COMM*: *overheads*) koszty *pl* (stałe); (*JUR*) koszty *pl* (sądowe); **how much does it cost?** ile to kosztuje?; **it costs 5 pounds/too much** to kosztuje 5 funtów/za dużo; **what will it cost to have it repaired?** ile będzie kosztować naprawa?; **it cost me time/effort** kosztowało mnie to wiele czasu/wysiłku; **it cost him his life/job** kosztowało go to życie/pracę; **the cost of living** koszty utrzymania; **at all costs** za wszelką cenę.
cost accountant *n* (*COMM*) kalkulator *m* (*osoba*).
co-star ['kəustɑː*] *n*: **his co-star was ...** obok niego główną rolę (w filmie) grała ... .
Costa Rica ['kɔstə'riːkə] *n* Kostaryka *f*.
cost centre *n* dział *m* kalkulacji kosztów.
cost control *n* kontrola *f* kosztów.
cost-effective ['kɔstɪ'fɛktɪv] *adj* wydajny.
cost-effectiveness ['kɔstɪ'fɛktɪvnɪs] *n* wydajność *f*.
costing ['kɔstɪŋ] *n* sporządzanie *nt* kosztorysu.
costly ['kɔstlɪ] *adj* kosztowny; (*in time*) czasochłonny; (*in effort*) pracochłonny.
cost-of-living ['kɔstəv'lɪvɪŋ] *adj*: **cost-of-living index** wskaźnik *m* kosztów utrzymania; **cost-of-living allowance** dodatek drożyźniany.
cost price (*BRIT*) *n* cena *f* własna; **to sell/buy at cost price** sprzedawać (sprzedać *perf*)/kupować (kupić *perf*) po cenie własnej.
costume ['kɔstjuːm] *n* (*outfit*) kostium *m*; (*style of dress*) strój *m*; (*BRIT*: *also*: **swimming costume**) kostium *m* (kąpielowy).
costume jewellery *n* sztuczna biżuteria *f*.
cosy ['kəuzɪ] (*US* **cozy**) *adj* (*room, house*) przytulny; (*bed*) wygodny; (*atmosphere*) kameralny; (*evening, chat*) miły; **I am/feel very cosy here** jest mi tu bardzo wygodnie.
cot [kɔt] *n* (*BRIT*) łóżeczko *nt* (dziecinne); (*US*) łóżko *nt* polowe *or* rozkładane.
Cotswolds ['kɔtswəuldz] *npl*: **the Cotswolds** *pasmo wzgórz w południowo-zachodniej Anglii*.

cottage ['kɔtɪdʒ] n domek m.
cottage cheese n ≈ serek m ziarnisty.
cottage industry n chałupnictwo nt.
cottage pie n zapiekanka z mielonego mięsa i ziemniaków.
cotton ['kɔtn] n (fabric, plant) bawełna f; (esp BRIT: thread) nici pl; **cotton dress** bawełniana sukienka.
▶**cotton on** (inf) vi: **he cottoned on to the fact that ...** zorientował się, że ... .
cotton candy (US) n wata f cukrowa.
cotton wool (BRIT) n wata f.
couch [kautʃ] n kanapa f; (doctor's) leżanka f
♦ vt (statement, question) formułować (sformułować perf); **the booklet was couched in legal jargon** broszura napisana była żargonem prawniczym.
couchette [kuːˈʃɛt] n kuszetka f.
cough [kɔf] vi (person) kaszleć (zakaszleć perf); (engine) krztusić się ♦ n kaszel m.
cough drop n pastylka f na kaszel.
cough mixture n syrop m na kaszel.
cough syrup n = cough mixture.
could [kud] pt of can.
couldn't ['kudnt] = could not.
council ['kaunsl] n rada f; **city** or **town council** rada miejska; **Council of Europe** Rada Europy.
council estate (BRIT) n osiedle mieszkaniowe należące do lokalnych władz samorządowych.
council house (BRIT) n budynek mieszkalny należący do lokalnych władz samorządowych.
council housing (BRIT) n ≈ budownictwo nt komunalne.
councillor ['kaunslə*] n radny (-na) m(f).
counsel ['kaunsl] n (advice) rada f; (lawyer) prawnik m (mogący występować w sądach wyższej instancji) ♦ vt: **to counsel (sth/sb to do sth)** doradzać (doradzić perf) (coś/komuś, by coś zrobił); **counsel for the defence/the prosecution** obrońca/oskarżyciel.
counsellor ['kaunslə*] n (advisor): **marriage etc counsellor** pracownik (-ica) m(f) poradni małżeńskiej etc; (US: lawyer) adwokat m.
count [kaunt] vt liczyć (policzyć perf) ♦ vi (matter, qualify) liczyć się; (enumerate) wyliczać (wyliczyć perf) ♦ n (of things, people) liczba f; (of cholesterol, pollen etc) poziom m; (nobleman) hrabia m; **to count (up) to 10** liczyć (policzyć perf) do 10-ciu; **to keep count of sth** prowadzić rachunek czegoś; **not counting the children** nie licząc dzieci; **ten counting him** razem z nim dziesięciu; **to count the cost of** obliczać (obliczyć perf) koszt +gen; **it counts for very little** to niewiele znaczy; **count yourself lucky** uważaj się za szczęściarza.
▶**count on** vt fus liczyć na +acc; **to count on doing sth** liczyć na zrobienie czegoś.
▶**count up** vt fus liczyć (policzyć perf).

countdown ['kauntdaun] n odliczanie nt.
countenance ['kauntɪnəns] n oblicze nt ♦ vt aprobować (zaaprobować perf).
counter ['kauntə*] n (in shop, café) lada f, kontuar m; (in bank, post office) okienko nt; (in game) pionek m; (TECH) licznik m ♦ vt (oppose) przeciwstawiać się (przeciwstawić się perf); (blow) odparowywać (odparować perf) ♦ adv: **to run counter to** być niezgodnym z +instr; **to buy under the counter** (fig) kupować (kupić perf) spod lady; **to counter with sth/by doing sth** odparowywać (odparować perf) czymś/robiąc coś.
counteract ['kauntər'ækt] vt (effect, tendency) przeciwdziałać +dat; (poison, bitterness) neutralizować (zneutralizować perf).
counterattack ['kauntərə'tæk] n kontratak m ♦ vi kontratakować.
counterbalance ['kauntə'bæləns] vt równoważyć (zrównoważyć perf).
counter-clockwise ['kauntə'klɔkwaɪz] adv przeciwnie do ruchu wskazówek zegara.
counter-espionage ['kauntər'ɛspɪənɑːʒ] n kontrwywiad m.
counterfeit ['kauntəfɪt] n fałszerstwo nt ♦ vt fałszować (sfałszować perf) ♦ adj fałszywy.
counterfoil ['kauntəfɔɪl] n (of cheque, money order) odcinek m.
counter-intelligence n kontrwywiad m.
countermand ['kauntəmɑːnd] vt odwoływać (odwołać perf).
counter-measure n środek m zaradczy.
counter-offensive n kontrofensywa f.
counterpane ['kauntəpeɪn] n kapa f.
counterpart ['kauntəpɑːt] n (of person, company) odpowiednik m; (of document) kopia f.
counter-productive ['kauntəprə'dʌktɪv] adj: **to be counter-productive** przynosić (przynieść perf) efekty odwrotne do zamierzonych.
counter-proposal n kontrpropozycja f.
countersign ['kauntəsaɪn] vt kontrasygnować.
countersink ['kauntəsɪŋk] vt nawiercać (nawiercić perf).
countess ['kauntɪs] n hrabina f.
countless ['kauntlɪs] adj niezliczony.
countrified ['kʌntrɪfaɪd] adj prowincjonalny.
country ['kʌntrɪ] n (state, population, native land) kraj m; (rural area) wieś f; (region) teren m; **in the country** na wsi; **mountainous country** górzysty teren.
country and western (music) n country nt inv, muzyka f country.
country dancing (BRIT) n tańce pl ludowe.
country house n posiadłość f or rezydencja f wiejska.
countryman ['kʌntrɪmən] (irreg like man) n (compatriot) rodak m; (country dweller) wieśniak m.

countryside ['kʌntrɪsaɪd] *n* krajobraz *m* (wiejski); **in the countryside** na wsi.

country-wide ['kʌntrɪ'waɪd] *adj* ogólnokrajowy ♦ *adv* w całym kraju.

county ['kauntɪ] *n* hrabstwo *nt*.

county town (*BRIT*) *n* stolica *f* hrabstwa.

coup [ku:] (*pl* **coups**) *n* (*also*: **coup d'état**) zamach *m* stanu; (*achievement*) osiągnięcie *nt*.

coupé [ku:'peɪ] (*AUT*) *n* coupé *nt inv*.

couple ['kʌpl] *n* para *f* ♦ *vt* (*ideas, names*) łączyć (połączyć *perf*); (*machinery*) sczepiać (sczepić *perf*); **a couple of** (*two*) para +*gen*; (*a few*) parę +*gen*.

couplet ['kʌplɪt] *n* dwuwiersz *m*.

coupling ['kʌplɪŋ] (*RAIL*) *n* łącznik *m*.

coupon ['ku:pɔn] *n* (*voucher*) talon *m*; (*detachable form*) kupon *m*, odcinek *m*.

courage ['kʌrɪdʒ] *n* odwaga *f*.

courageous [kə'reɪdʒəs] *adj* odważny.

courgette [kuə'ʒet] (*BRIT*) *n* cukinia *f*.

courier ['kurɪə*] *n* (*messenger*) goniec *m*, kurier *m*; (*for tourists*) pilot *m*.

course [kɔ:s] *n* (*SCOL, NAUT*) kurs *m*; (*of life, events, river*) bieg *m*; (*of injections, drugs*) seria *f*, (*approach*) stanowisko *nt*; (*part of meal*): **first/next/last course** pierwsze/następne/ostatnie danie *nt*; (*GOLF*) pole *nt*; **of course** oczywiście; **(no) of course not!** oczywiście, że nie!; **in the course of the next few days** w ciągu kilku następnych dni; **in due course** we właściwym czasie; **course (of action)** sposób *or* tryb postępowania; **the best course would be to ...** najlepszym wyjściem byłoby +*infin*; **we have no other course but to ...** nie mamy innego wyjścia, jak tylko +*infin*; **course of lectures** cykl wykładów; **course of treatment** (*MED*) leczenie, kuracja.

court [kɔ:t] *n* (*royal*) dwór *m*; (*JUR*) sąd *m*; (*for tennis etc*) kort *m* ♦ *vt* (*woman*) zalecać się do +*gen*; (*fig: favour, popularity*) zabiegać o +*dat*; (: *death, disaster*) igrać z +*instr*; **out of court** (*JUR*) polubownie; **to take sb to court** (*JUR*) podawać (podać *perf*) kogoś do sądu.

courteous ['kə:tɪəs] *adj* uprzejmy.

courtesan [kɔ:tɪ'zæn] *n* kurtyzana *f*.

courtesy ['kə:təsɪ] *n* grzeczność *f*, uprzejmość *f*, **(by) courtesy of** dzięki uprzejmości +*gen*.

courtesy light (*AUT*) *n* lampka w samochodzie włączająca się przy otwieraniu drzwi.

court-house ['kɔ:thaus] (*US*) *n* budynek *m* sądu.

courtier ['kɔ:tɪə*] *n* dworzanin *m*.

court-martial (*pl* **courts-martial**) *n* sąd *m* wojenny *or* wojskowy ♦ *vt* oddawać (oddać *perf*) pod sąd wojenny.

court of appeal (*pl* **courts of appeal**) *n* sąd *m* apelacyjny.

court of inquiry (*pl* **courts of inquiry**) *n* komisja *f* śledcza *or* dochodzeniowa.

courtroom ['kɔ:trum] *n* sala *f* rozpraw.

court shoe *n* but *m* na wysokim obcasie.

courtyard ['kɔ:tjɑ:d] *n* dziedziniec *m*.

cousin ['kʌzn] *n* kuzyn(ka) *m(f)*; **first cousin** (*male*) brat cioteczny; (*female*) siostra cioteczna.

cove [kəuv] *n* zatoczka *f*.

covenant ['kʌvənənt] *n* umowa *f*, ugoda *f* ♦ *vt*: **to covenant 200 pounds per year to a charity** zobowiązywać się (zobowiązać się *perf*) w drodze umowy do płacenia 200 funtów rocznie na cele dobroczynne.

Coventry ['kɔvəntrɪ] *n*: **to send sb to Coventry** (*fig*) bojkotować (zbojkotować *perf*) kogoś.

cover ['kʌvə*] *vt* (*protect, hide*): **to cover (with)** zakrywać (zakryć *perf*) (+*instr*); (*INSURANCE*): **to cover (for)** ubezpieczać (ubezpieczyć *perf*) (od +*gen*); (*include*) obejmować (objąć *perf*); (*distance*) przemierzać (przemierzyć *perf*), pokonywać (pokonać *perf*); (*topic*) omawiać (omówić *perf*), poruszać (poruszyć *perf*); (*PRESS*) robić (zrobić *perf*) reportaż o +*loc* ♦ *n* (*for furniture, machinery*) pokrowiec *m*; (*of book, magazine*) okładka *f*, (*shelter*) schronienie *nt*; (*INSURANCE*) zwrot *m* kosztów; (*fig: for illegal activities*) przykrywka *f*, **to be covered in** *or* **with** być pokrytym +*instr*; **to take cover** kryć się (skryć się *perf*), chronić się (schronić się *perf*); **under cover** osłonięty; **under cover of darkness** pod osłoną ciemności; **under separate cover** (*COMM*) w osobnej przesyłce; **50 pounds will cover my expenses** 50 funtów pokryje moje wydatki.

▸**cover up** *vt* przykrywać (przykryć *perf*); (*fig: facts, mistakes*) zatuszowywać (zatuszować *perf*); (: *feelings*) maskować ♦ *vi*: **to cover up for sb** (*fig*) kryć *or* osłaniać kogoś.

coverage ['kʌvərɪdʒ] *n* (*TV, PRESS*) sprawozdanie *nt*; **television coverage of the conference** telewizyjne sprawozdanie z konferencji; **to give full coverage to sth** szczegółowo coś omawiać (omówić *perf*).

coveralls ['kʌvərɔ:lz] (*US*) *npl* kombinezon *m*.

cover charge *n* cena *f* wstępu (*w restauracji, nocnym lokalu itp*).

covering ['kʌvərɪŋ] *n* (*layer*) powłoka *f*, (*of snow, dust*) warstwa *f*.

covering letter (*US* **cover letter**) *n* list *m* przewodni *or* towarzyszący.

cover note (*INSURANCE*) *n* (maklerska) nota *f* kryjąca.

cover price *n* cena *f* katalogowa (*książki*).

covert ['kʌvət] *adj* (*glance*) ukradkowy; (*threat*) ukryty; (*attack*) z ukrycia *post*.

cover-up ['kʌvərʌp] *n* tuszowanie *nt*, maskowanie *nt*.

covet ['kʌvɪt] *vt* pożądać *+gen*.

cow [kau] *n* krowa *f*; (*inf!: woman*) krowa *f* (*inf!*), krówsko *nt* (*inf!*) ♦ *cpd*: **cow whale** *etc* samica *f* wieloryba *etc* ♦ *vt* zastraszać (zastraszyć *perf*).

coward ['kauəd] *n* tchórz *m*.

cowardice ['kauədɪs] *n* tchórzostwo *nt*.

cowardly ['kauədlɪ] *adj* tchórzliwy.

cowboy ['kaubɔɪ] *n* kowboj *m*; (*pej*) partacz *m*.

cow elephant *n* słonica *f*.

cower ['kauə*] *vi* kulić się (skulić się *perf*).

cowshed ['kauʃed] *n* obora *f*.

cowslip ['kauslɪp] *n* pierwiosnek *m*.

cox [kɔks] *n abbr* = **coxswain**.

coxswain ['kɔksn] *n* sternik *m*.

coy [kɔɪ] *adj* nieśmiały, wstydliwy.

coyote [kɔɪ'əutɪ] *n* kojot *m*.

cozy ['kəuzɪ] (*US*) *adj* = **cosy**.

CP *n abbr* (= *Communist Party*) Partia *f* Komunistyczna.

cp. *abbr* = **compare** zob.

c/p (*BRIT*) *abbr* (= *carriage paid*) przewóz opłacony.

CPA (*US*) *n abbr* = **certified public accountant**.

CPI *n abbr* (= *Consumer Price Index*) wskaźnik *m* cen artykułów konsumpcyjnych.

Cpl. (*MIL*) *abbr* = **corporal** kpr.

CP/M *n abbr* (= *Central Program for Microprocessors*) CP/M *m*.

c.p.s. (*COMPUT, TYP*) *abbr* (= *characters per second*) znaków/s.

CPSA (*BRIT*) *n abbr* (= *Civil and Public Services Association*) *związek zawodowy pracowników administracji państwowej*.

CPU (*COMPUT*) *n abbr* = **central processing unit**.

cr. *abbr* = **credit**; **creditor**.

crab [kræb] *n* krab *m*; (*meat*) kraby *pl*.

crab apple *n* dzika jabłoń *f*.

crack [kræk] *n* (*noise*) trzask *m*; (*gap*) szczelina *f*, szpara *f*; (*in bone*) pęknięcie *nt*; (*in wall, dish*) pęknięcie *nt*, rysa *f*; (*joke*) kawał *m*; (*drug*) crack *m*; (*inf: attempt*): **to have a crack (at sth)** próbować (spróbować *perf*) swoich sił (w czymś) ♦ *vt* (*whip, twig*) trzaskać (trzasnąć *perf*) *+instr*; (*knee etc*) stłuc (*perf*); (*nut*) rozłupywać (rozłupać *perf*); (*problem*) rozgryzać (rozgryźć *perf*); (*code*) łamać (złamać *perf*) ♦ *adj* (*athlete, expert*) pierwszorzędny; (*regiment*) elitarny; **to crack jokes** (*inf*) opowiadać kawały; **I cracked a glass** pękła mi szklanka; **to get cracking** (*inf*) zabierać się (zabrać się *perf*) do roboty.

▶**crack down on** *vt fus* (*offenders etc*) brać się (wziąć się *perf*) (ostro) za *+acc* (*inf*).

▶**crack up** *vi* (*PSYCH*) załamywać się (załamać się *perf*).

crackdown ['krækdaun] *n*: **crackdown (on)** rozprawa *f* (z *+instr*).

cracked [krækt] (*inf*) *adj* stuknięty (*inf*).

cracker ['krækə*] *n* (*biscuit*) krakers *m*; (*firework*) petarda *f*; (*Christmas cracker*) *kolorowy walec z papieru, zawierający niespodziankę i eksplodujący przy otwarciu*; **a cracker of a shot** (*BRIT: inf*) pierwszorzędny strzał; **he's crackers** (*BRIT: inf*) on jest stuknięty (*inf*).

crackle ['krækl] *vi* (*fire, twig*) trzaskać.

crackling ['kræklɪŋ] *n* (*of fire etc*) trzaskanie *nt*; (*on radio, telephone*) trzaski *pl*; (*pork*) (przypieczona) skórka *f*.

cradle ['kreɪdl] *n* kołyska *f* ♦ *vt* tulić.

craft [krɑːft] *n* (*weaving etc*) rękodzieło *nt*; (*journalism etc*) sztuka *f*; (*skill*) biegłość *f*; (*pl inv: boat*) statek *m*; (: *plane*) samolot *m*.

craftsman ['krɑːftsmən] (*irreg like* **man**) *n* rzemieślnik (-iczka) *m(f)*.

craftsmanship ['krɑːftsmənʃɪp] *n* kunszt *m*.

crafty ['krɑːftɪ] *adj* przebiegły.

crag [kræg] *n* grań *f*.

craggy ['krægɪ] *adj* (*mountain, cliff*) urwisty; (*face*) wyrazisty.

cram [kræm] *vt*: **to cram sth with** wypełniać (wypełnić *perf*) coś (po brzegi) *+instr*; **he crammed the bank notes into his pockets** poupychał banknoty po kieszeniach ♦ *vi* kuć (*inf*), wkuwać (*inf*).

cramming ['kræmɪŋ] *n* kucie *nt* (*inf*), wkuwanie *nt* (*inf*).

cramp [kræmp] *n* (*MED*) skurcz *m* ♦ *vt* hamować (zahamować *perf*) rozwój *+gen*.

cramped [kræmpt] *adj* (*accommodation*) ciasny.

crampon ['kræmpən] (*for climbing*) *n* raki *pl*.

cranberry ['krænbərɪ] *n* borówka *f*, żurawina *f*.

crane [kreɪn] *n* (*machine*) dźwig *m*; (*bird*) żuraw *m* ♦ *vt*: **to crane one's neck** wyciągać (wyciągnąć *perf*) szyję ♦ *vi*: **to crane forward** wyciągać szyję.

cranium ['kreɪnɪəm] (*pl* **crania**) *n* czaszka *f*.

crank [kræŋk] *n* (*person*) nawiedzony (-na) *m(f)* (*inf*); (*handle*) korba *f*.

crankshaft ['kræŋkʃɑːft] (*AUT*) *n* wał *m* korbowy.

cranky ['kræŋkɪ] *adj* nawiedzony (*inf*).

cranny ['krænɪ] *n see* **nook**.

crap [kræp] (*inf!*) *n* gówno *nt* (*inf!*) ♦ *vi* srać (*inf!*); **to have a crap** wysrać się (*perf*) (*inf!*).

crash [kræʃ] *n* (*noise*) trzask *m*; (*COMM*) krach *m* ♦ *vt* rozbijać (rozbić *perf*) ♦ *vi* (*plane, car*) rozbijać się (rozbić się *perf*); (*two cars*) zderzać się (zderzyć się *perf*); (*glass, cup*) roztrzaskiwać się (roztrzaskać się *perf*); (*market, firm*) upadać (upaść *perf*); **car crash** wypadek samochodowy; **plane crash** katastrofa lotnicza; **to crash into** wpadać (wpaść *perf*) na *+acc*; **he crashed the car into a wall** rozbił samochód o mur; **the door crashed open** drzwi otwarły się z trzaskiem.

crash barrier (*BRIT*) *n* bariera *f* ochronna *or* zabezpieczająca.

crash course *n* błyskawiczny kurs *m*.

crash helmet *n* kask *m* (*motocyklowy*).

crash landing (*also spelled* **crash-landing**) *n* lądowanie *nt* awaryjne.

crass [kræs] *adj* (*person, comment*) głupi, prymitywny; (*ignorance*) rażący.

crate [kreɪt] *n* (*of fruit, wine*) skrzynka *f*; (*inf: vehicle*) gruchot *m* (*inf*).

crater ['kreɪtə*] *n* (*of volcano*) krater *m*; (*of bomb blast*) lej *m*.

cravat [krə'væt] *n* apaszka *f*.

crave [kreɪv] *vt* (*also:* **crave for:** *drink, cigarette*) mieć nieprzepartą ochotę na +*acc*; (: *luxury, admiration*) być złaknionym +*gen*.

craving ['kreɪvɪŋ] *n* (*for drink, cigarette*) ochota *f*; (*for luxury*) pragnienie *nt*.

crawl [krɔ:l] *vi* (*adult*) czołgać się; (*baby*) raczkować; (*insect*) pełzać, pełznąć; (*vehicle*) wlec się; (*inf*): **to crawl (to sb)** czołgać się *or* płaszczyć się (przed kimś) ♦ *n* kraul *m*; **I crawled in/out** wczołgałem się (do środka)/wyczołgałem się (na zewnątrz); **we were driving along at a crawl** posuwaliśmy się bardzo powoli.

crayfish ['kreɪfɪʃ] *n inv* (*freshwater*) rak *m*; (*saltwater*) langusta *f*.

crayon ['kreɪən] *n* kredka *f*.

craze [kreɪz] *n* moda *f*, szaleństwo *nt* (*inf*).

crazed [kreɪzd] *adj* (*look, person*) szalony; (*pottery, glaze*) popękany.

crazy ['kreɪzɪ] *adj* pomylony, zwariowany; **to be crazy about sb/sth** (*inf*) szaleć za kimś/czymś, mieć bzika na punkcie kogoś/czegoś (*inf*); **to go crazy** wariować (zwariować *perf*).

crazy paving (*BRIT*) *n* chodnik *m* z mozaiki.

creak [kri:k] *vi* skrzypieć (zaskrzypieć *perf*).

cream [kri:m] *n* (*from milk*) śmietana *f*, śmietanka *f*; (*cake and chocolate filling, cosmetic*) krem *m*; (*fig*) śmietanka *f* ♦ *adj* kremowy; **whipped cream** bita śmietana.

▸**cream off** *vt* (*best talents*) wyławiać (wyłowić *perf*); (*part of profits*) zgarniać (zgarnąć *perf*).

cream cake *n* ciastko *nt* z kremem.

cream cheese *n* serek *m* śmietankowy.

creamery ['kri:mərɪ] *n* mleczarnia *f*.

creamy ['kri:mɪ] *adj* (*colour*) kremowy; (*milk*) tłusty; (*coffee*) ze śmietanką *post*.

crease [kri:s] *n* (*fold*) zgięcie *nt*; (*wrinkle*) zmarszczka *f*; (*in trousers*) kant *m* ♦ *vt* gnieść (pognieść *perf*), miąć (pomiąć *perf*) ♦ *vi* gnieść się (pognieść się *perf*), miąć się (pomiąć się *perf*).

crease-resistant ['kri:srɪzɪstənt] *adj* niemnący.

create [kri:'eɪt] *vt* tworzyć (stworzyć *perf*); (*interest, fuss*) wywoływać (wywołać *perf*).

creation [kri:'eɪʃən] *n* (*bringing into existence*) tworzenie *nt*; (*production, design*) wyrób *m*; (*REL*) stworzenie *nt* (świata).

creative [kri:'eɪtɪv] *adj* (*artistic*) twórczy; (*inventive*) twórczy, kreatywny.

creativity [kri:eɪ'tɪvɪtɪ] *n* inwencja *f* (twórcza).

creator [kri:'eɪtə*] *n* twórca (-czyni) *m(f)*; **the Creator** Stwórca *m*.

creature ['kri:tʃə*] *n* stworzenie *nt*.

crèche [krɛʃ] *n* ≈ żłobek *m*.

credence ['kri:dns] *n*: **to lend** *or* **give credence to** dawać (dać *perf*) wiarę +*dat*.

credentials [krɪ'dɛnʃlz] *npl* (*references*) referencje *pl*; (*identity papers*) listy *pl* uwierzytelniające.

credibility [krɛdɪ'bɪlɪtɪ] *n* wiarygodność *f*.

credible ['krɛdɪbl] *adj* wiarygodny.

credit ['krɛdɪt] *n* (*COMM*) kredyt *m*; (*recognition*) uznanie *nt*; (*SCOL*) ≈ zaliczenie *nt* ♦ *adj* (*COMM: balance etc*) dodatni ♦ *vt* (*believe*) dawać (dać *perf*) wiarę +*dat*; (*COMM*): **to credit sth to sb/sb's account** zapisywać (zapisać *perf*) coś na dobro czyjegoś rachunku; **credits** *npl* (*FILM, TV*) napisy *pl* (końcowe); **to be in credit** być wypłacalnym; **on the credit side** po stronie „ma"; **to credit sb with sth** (*fig*) przypisywać (przypisać *perf*) komuś coś; **to credit 50 pounds to sb** zapisać (*perf*) 50 funtów na czyjeś konto; **on credit** na kredyt; **it is to their credit that ...** to ich zasługa, że..., to dzięki nim...; **to take the credit for** przypisywać (przypisać *perf*) sobie +*acc*; **it does you credit** to dobrze o tobie świadczy; **he's a credit to his family** jest chlubą swojej rodziny.

creditable ['krɛdɪtəbl] *adj* zaszczytny, godny uznania.

credit account *n* konto *nt* kredytowe.

credit agency (*BRIT*) *n* biuro *nt* informacji kredytowej.

credit bureau (*US*) *n* = **credit agency**.

credit card *n* karta *f* kredytowa.

credit control (*ECON*) *n* kontrola *f* kredytów.

credit facilities *npl* udogodnienia *pl* kredytowe.

credit limit *n* maksymalny kredyt *m*, limit *m* kredytu.

credit note (*BRIT*) *n* pokwitowanie *nt* zwrotu zakupionego towaru, uprawniające do kupna towarów za tę samą sumę.

creditor ['krɛdɪtə*] *n* wierzyciel *m*.

credit transfer *n* przelew *m* (bankowy).

creditworthy ['krɛdɪt'wə:ðɪ] *adj* rzetelny.

credulity [krɪ'dju:lɪtɪ] *n* łatwowierność *f*.

creed [kri:d] *n* wyznanie *nt*.

creek [kri:k] *n* (*inlet*) wąska zatoka *f*; (*US: stream*) strumień *m*; **to be up the creek** (*inf*) być w tarapatach.

creel [kri:l] *n* (*also:* **lobster creel**) kosz *m* (*na ryby, homary itp*).

creep [kri:p] (*pt, pp* **crept**) *vi* (*person, animal*) skradać się; (*plant*) płozić się ♦ *n* (*inf*) lizus *m* (*inf*); **it gives me the creeps** przyprawia mnie to o gęsią skórkę; **to creep up on sb** podkradać się (podkraść się *perf*) do kogoś.

creeper ['kri:pə*] *n* pnącze *nt*.

creepy ['kri:pɪ] *adj* straszny.

creepy-crawly ['kri:pɪ'krɔ:lɪ] (*inf*) *n* robal *m* (*inf*).

cremate [krɪ'meɪt] *vt* poddawać (poddać *perf*) kremacji.

cremation [krɪ'meɪʃən] *n* kremacja *f*.

crematoria [krɛmə'tɔ:rɪə] *npl of* **crematorium**.

crematorium [krɛmə'tɔ:rɪəm] (*pl* **crematoria**) *n* krematorium *nt*.

creosote ['krɪəsəut] *n* kreozot *m*.

crêpe [kreɪp] *n* krepa *f* (*tkanina lub rodzaj kauczuku*).

crêpe bandage (*BRIT*) *n* bandaż *m* elastyczny.

crêpe paper *n* krepina *f*, bibułka *f* marszczona *or* krepowa.

crêpe sole *n* kauczukowa podeszwa *f*.

crept [krɛpt] *pt*, *pp of* **creep**.

crescendo [krɪ'ʃɛndəu] *n* (*MUS*) crescendo *nt* *inv*; (*noise*): **in a crescendo** coraz głośniej.

crescent ['krɛsnt] *n* (*shape*) półksiężyc *m*; (*street*) ulica *f* (*w kształcie półkola*).

cress [krɛs] *n* rzeżucha *f*.

crest [krɛst] *n* (*of hill*) szczyt *m*, wierzchołek *m*; (*of bird*) czub(ek) *m*, grzebień *m* (*z piór*); (*coat of arms*) herb *m*.

crestfallen ['krɛstfɔ:lən] *adj* strapiony.

Crete [kri:t] *n* Kreta *f*.

crevasse [krɪ'væs] *n* szczelina *f* lodowca.

crevice ['krɛvɪs] *n* szczelina *f* (*skalna*).

crew [kru:] *n* (*NAUT, AVIAT*) załoga *f*; (*TV, FILM*) ekipa *f*, (*gang*) zgraja *f*.

crew-cut ['kru:kʌt] *n* fryzura *f* na jeża, jeżyk *m* (*inf*).

crew-neck ['kru:nɛk] *n* (*jersey*) pulower *m* (*z okrągłym wykończeniem przy szyi*).

crib [krɪb] *n* (*cot*) łóżeczko *nt* (dziecięce); (*REL*) żłobek *m* ♦ *vt* (*inf: copy*) ściągać (ściągnąć *perf*) (*inf*).

cribbage ['krɪbɪdʒ] *n* gra karciana, w której jako tabeli wyników używa się drewnianej planszy z wtykanymi kołkami.

crick [krɪk] *n* (*in neck. back*) (bolesny) skurcz *m*, strzyknięcie *nt* (*inf*).

cricket ['krɪkɪt] *n* (*SPORT*) krykiet *m*; (*insect*) świerszcz *m*.

cricketer ['krɪkɪtə*] *n* gracz *m* w krykieta.

crime [kraɪm] *n* (*illegal activities*) przestępczość *f*, (*illegal action*) przestępstwo *nt*; (*fig*) zbrodnia *f*.

crime wave *n* fala *f* przestępczości.

criminal ['krɪmɪnl] *n* przestępca (-czyni) *m(f)* ♦ *adj* (*illegal*) kryminalny; (*morally wrong*) karygodny; **criminal law** prawo karne; **Criminal Investigation Department** (*BRIT*) ≈ wydział kryminalny.

crimp [krɪmp] *vt* (*fabric*) marszczyć (zmarszczyć *perf*) brzegi +*gen*; (*pastry*) zaginać (zagiąć *perf*) brzegi +*gen*; (*hair*) karbować.

crimson ['krɪmzn] *adj* karmazynowy.

cringe [krɪndʒ] *vi* kulić się (skulić się *perf*).

crinkle ['krɪŋkl] *vt* marszczyć (zmarszczyć *perf*) (lekko).

cripple ['krɪpl] *n* (*old*) kaleka *m* ♦ *vt* (*person*) okaleczać (okaleczyć *perf*), uczynić (*perf*) kaleką; (*ship, plane*) unieruchamiać (unieruchomić *perf*); (*production, exports*) paraliżować (sparaliżować *perf*); **crippled with rheumatism** sparaliżowany przez reumatyzm.

crippling ['krɪplɪŋ] *adj* (*disease*) wyniszczający; (*taxation, debts*) rujnujący.

crises ['kraɪsi:z] *npl of* **crisis**.

crisis ['kraɪsɪs] (*pl* **crises**) *n* kryzys *m*.

crisp [krɪsp] *adj* (*vegetables*) kruchy; (*bacon, roll*) chrupiący; (*weather*) rześki; (*tone, reply*) rzeczowy.

crisps [krɪsps] (*BRIT*) *npl* chrupki *pl*, chipsy *pl*.

criss-cross ['krɪskrɔs] *adj* (*pattern etc*) kratkowany ♦ *vt* przecinać (wzdłuż i wszerz).

criteria [kraɪ'tɪərɪə] *npl of* **criterion**.

criterion [kraɪ'tɪərɪən] (*pl* **criteria**) *n* kryterium *nt*.

critic ['krɪtɪk] *n* krytyk *m*.

critical ['krɪtɪkl] *adj* krytyczny; **to be critical of sb/sth** mieć krytyczny stosunek do kogoś/czegoś.

critically ['krɪtɪklɪ] *adv* krytycznie; **he's critically ill** jest w stanie krytycznym.

criticism ['krɪtɪsɪzəm] *n* (*disapproval, complaint*) krytyka *f*; (*of book, play*) analiza *f* krytyczna; **literary criticism** krytyka literacka.

criticize ['krɪtɪsaɪz] *vt* krytykować (skrytykować *perf*).

critique [krɪ'ti:k] *n* krytyka *f*, analiza *f* krytyczna; **a critique of Socialism** krytyka socjalizmu.

croak [krəuk] *vi* (*frog*) rechotać (zarechotać *perf*); (*crow*) krakać (zakrakać *perf*); (*person*) chrypieć (zachrypieć *perf*).

Croatia [krəu'eɪʃə] *n* Chorwacja *f*.

crochet ['krəuʃeɪ] *n* szydełkowanie *nt*.

crock [krɔk] *n* garnek *m* gliniany; (*inf: vehicle*) grat *m* (*inf*); (*: person*) ramol *m* (*inf*).

crockery ['krɔkərɪ] (*also:* **crocks**) *n* naczynia *pl* stołowe.

crocodile ['krɔkədaɪl] *n* krokodyl *m*.

crocus ['krəukəs] *n* krokus *m*.

croft [krɔft] (*BRIT*) *n* małe gospodarstwo *nt*.

crofter ['krɔftə*] (*BRIT*) *n* właściciel *m* małego gospodarstwa, chłop *m* małorolny (*old*).

crone [krəun] *n* starucha *f*.

crony ['krəunɪ] (*inf*) *n* kumpel *m* (*inf*).

crook [kruk] *n* (*criminal*) kanciarz *m*; (*of shepherd*) kij *m* pasterski; (*of arm*) zgięcie *nt*.

crooked ['krukɪd] *adj* (*branch, table, smile*)

krzywy; (*street, lane*) kręty; (*person*)
nieuczciwy.

crop [krɔp] *n* (*plant*) roślina *f* uprawna;
(*harvest*) zbiór *m*, plon *m*; (*amount produced*)
produkcja *f*, (*also*: **riding crop**) szpicruta *f*
(*zakończona pętelką*); (*of bird*) wole *nt* ♦ *vt*
(*hair*) przycinać (przyciąć *perf*) (krótko);
(*animal*: *grass, leaves*) skubać.

►**crop up** *vi* pojawiać się (pojawić się *perf*).

crop circle *n* (*BRIT*) tajemnicze koliste znaki
ze złamanych kłosów pojawiające się na polu.

cropper ['krɔpə*] (*inf*) *n*: **to come a cropper**
dawać (dać *perf*) plamę (*inf*).

crop spraying [-'spreɪɪŋ] *n* opylanie *nt*
zbiorów.

croquet ['krəukeɪ] (*BRIT*) *n* krokiet *m* (*gra*).

croquette [krə'kɛt] *n* krokiet *m* (*potrawa*).

cross [krɔs] *n* krzyż *m*; (*small*) krzyżyk *m*;
(*BIO, BOT*) krzyżówka *f* ♦ *vt* (*street, room*)
przechodzić (przejść *perf*) przez +*acc*;
(*cheque*) zakreślać (zakreślić *perf*); (*arms,
animals, plants*) krzyżować (skrzyżować *perf*);
(*thwart*: *person*) psuć (popsuć *perf*) szyki
+*dat*; (: *plan*) krzyżować (pokrzyżować *perf*) ♦
vi: **the boat crosses from ... to ...** łódź
kursuje między +*instr* a +*instr* ♦ *adj*
podenerwowany, poirytowany; **to cross o.s.**
żegnać się (przeżegnać się *perf*); **to cross
one's legs** zakładać (założyć *perf*) nogę na
nogę; **we have a crossed line** (*BRIT*: *TEL*)
mamy przebicia na linii; **they've got their
lines** *or* **wires crossed** (*fig*) mówią o dwóch
różnych rzeczach; **to be cross with sb (about
sth)** być poirytowanym na kogoś (o coś).

►**cross out** *vt* skreślać (skreślić *perf*).

►**cross over** *vi* przechodzić (przejść *perf*) na
drugą stronę.

crossbar ['krɔsbɑː*] (*SPORT*) *n* poprzeczka *f*.

crossbreed ['krɔsbriːd] *n* mieszaniec *m*.

cross-Channel ferry ['krɔs'tʃænl-] *n* prom *m*
kursujący po kanale La Manche.

crosscheck ['krɔstʃɛk] (*US* **cross-check**) *n*
powtórne badanie *nt* ♦ *vt* powtórnie badać
(zbadać *perf*).

cross-country (race) ['krɔs'kʌntrɪ-] *n* wyścig
m przełajowy.

cross-examination ['krɔsɪgzæmɪ'neɪʃən] *n*
przesłuchanie *nt* (*świadka strony przeciwnej
podczas procesu*).

cross-examine ['krɔsɪg'zæmɪn] *vt*
przesłuchiwać (przesłuchać *perf*) (*świadka
strony przeciwnej podczas procesu*).

cross-eyed ['krɔsaɪd] *adj* zezowaty.

crossfire ['krɔsfaɪə*] *n* ogień *m* krzyżowy; **to
get caught in the crossfire** dostać się (*perf*)
w ogień krzyżowy; (*fig*) znaleźć się (*perf*)
między młotem a kowadłem.

crossing ['krɔsɪŋ] *n* (*sea passage*) przeprawa
f, (*also*: **pedestrian crossing**) przejście *nt* dla
pieszych.

crossing guard (*US*) *n osoba
przeprowadzająca dzieci przez jezdnię w
drodze do/ze szkoły.*

cross-purposes ['krɔs'pə:pəsɪz] *npl*: **we are at
cross-purposes** nie rozumiemy się; **we're
talking at cross-purposes** mówimy o różnych
rzeczach.

cross-reference ['krɔs'rɛfrəns] *n* odsyłacz *m*.

crossroads ['krɔsrəudz] *n* skrzyżowanie *nt*.

cross section *n* przekrój *m*.

crosswalk ['krɔswɔːk] (*US*) *n* przejście *nt* dla
pieszych.

crosswind ['krɔswɪnd] *n* boczny wiatr *m*.

crosswise ['krɔswaɪz] *adv* w poprzek.

crossword ['krɔswə:d] *n* krzyżówka *f*.

crotch [krɔtʃ], **crutch** *n* (*ANAT*) krocze *nt*; (*of
garment*) krok *m*.

crotchet ['krɔtʃɪt] *n* ćwierćnuta *f*.

crotchety ['krɔtʃɪtɪ] *adj* zrzędny.

crouch [krautʃ] *vi* (*move*) kucać (kucnąć *perf*),
przykucać (przykucnąć *perf*); (*sit*) siedzieć w
kucki.

croup [kru:p] (*MED*) *n* krup *m*, dławiec *m*
rzekomy.

croupier ['kru:pɪə*] *n* krupier *m*.

croutons ['kru:tɔnz] *npl* grzanki *pl* (*małe, w
zupie*).

crow [krəu] *n* wrona *f* ♦ *vi* piać (zapiać *perf*);
(*fig*): **to crow over sth** piać (z zachwytu) nad
czymś.

crowbar ['krəubɑː*] *n* łom *m*.

crowd [kraud] *n* tłum *m* ♦ *vt*: **to crowd sb/sth
in/into** wpychać (wepchnąć *perf*) kogoś/coś do
środka/do +*gen* ♦ *vi*: **to crowd round sb/sth**
tłoczyć się (stłoczyć się *perf*) dookoła
kogoś/czegoś;: **to crowd in/into** wpychać się
(wepchnąć się *perf*) do środka/do +*gen*;
the/our crowd (nasza) paczka (*inf*); **crowds of
people** tłumy ludzi.

crowded ['kraudɪd] *adj* (*full*) zatłoczony;
(*densely populated*) przeludniony; **crowded
with** pełen +*gen*.

crowd scene (*FILM*) *n* scena *f* zbiorowa.

crown [kraun] *n* (*of monarch, tooth*) korona *f*;
(*of head*) czubek *m*; (*of hill*) wierzchołek *m*,
szczyt *m*; (*of hat*) denko *nt* ♦ *vt* koronować
(ukoronować *perf*); (*fig*) ukoronować (*perf*),
uwieńczyć (*perf*); **the Crown** (*monarchy*)
Korona; **and to crown it all ...** (*fig*) a na
dodatek (jeszcze)... .

crown court (*BRIT*) *n Sąd Koronny do spraw
karnych (w Anglii i Walii).*

crowning ['kraunɪŋ] *adj* (*achievement*)
czołowy; (*ambition*) nadrzędny; **her hair is
her crowning glory** włosy są jej głównym
atutem.

crown jewels *npl* klejnoty *pl* koronne.

crown prince *n* następca *m* tronu.

crow's feet *npl* kurze łapki *pl*.

crow's nest *n* (*NAUT*) bocianie gniazdo *nt*.

crucial ['kru:ʃl] adj (vote) rozstrzygający, decydujący; (issue) zasadniczy, kluczowy; **crucial to** kluczowy dla +gen.

crucifix ['kru:sɪfɪks] n krucyfiks m.

crucifixion [kru:sɪ'fɪkʃən] n ukrzyżowanie nt.

crucify ['kru:sɪfaɪ] vt krzyżować (ukrzyżować perf); **if he catches us he'll crucify us** jak nas złapie, to nas zamorduje.

crude [kru:d] adj (materials) surowy; (tool) prosty, prymitywny; (person) ordynarny.

crude (oil) n ropa f naftowa.

cruel ['kruəl] adj okrutny.

cruelty ['kruəltɪ] n okrucieństwo nt.

cruet ['kru:ɪt] n komplet m do przypraw (lub sam stojaczek, na którym umieszczone są pojemniki z solą, pieprzem itp).

cruise [kru:z] n rejs m wycieczkowy ♦ vi (ship) płynąć (ze stałą prędkością); (car) jechać (ze stałą prędkością); (aircraft) lecieć (ze stałą prędkością); (taxi) krążyć.

cruise missile n pocisk m samosterujący dalekiego zasięgu.

cruiser ['kru:zə*] n (motorboat) łódź f motorowa; (warship) krążownik m.

cruising speed n (stała) prędkość f jazdy.

crumb [krʌm] n okruch m; (small) okruszek m; (fig: of information, comfort) odrobina f.

crumble ['krʌmbl] vt kruszyć (pokruszyć perf) ♦ vi (bread, plaster, brick) kruszyć się (pokruszyć się perf); (building, society, organization) rozpadać się (rozpaść się perf).

crumbly ['krʌmblɪ] adj kruchy.

crummy ['krʌmɪ] (inf) adj lichy.

crumpet ['krʌmpɪt] n okrągły placek spożywany na gorąco z masłem, konfiturami itp.

crumple ['krʌmpl] vt (paper) gnieść (zgnieść perf), miąć (zmiąć perf); (clothes) gnieść (pognieść perf), miąć (wymiąć perf).

crunch [krʌntʃ] vt (food etc) chrupać (schrupać perf); (underfoot) miażdżyć (zmiażdżyć perf) ♦ n: **the crunch** (fig) krytyczny moment m; **if it comes to the crunch** jak przyjdzie co do czego.

crunchy ['krʌntʃɪ] adj (food) chrupiący, chrupki; (snow, gravel) skrzypiący, chrzęszczący.

crusade [kru:'seɪd] n wyprawa f krzyżowa, krucjata f; (fig) kampania f ♦ vi (fig): **to crusade for/against** prowadzić kampanię na rzecz +gen/przeciwko +dat.

crusader [kru:'seɪdə*] n krzyżowiec m; (fig): **moral crusader** orędownik (-iczka) m(f) moralności.

crush [krʌʃ] n (crowd) (gęsty) tłum m; (drink) sok m (ze świeżych owoców i wody) ♦ vt (press, break) miażdżyć (zmiażdżyć perf); (grapes) wyciskać (wycisnąć perf); (paper) gnieść (zgnieść perf), miąć (zmiąć perf); (clothes) gnieść (pognieść perf), miąć (wymiąć perf); (garlic) rozgniatać (rozgnieść perf); (ice, rock) kruszyć (skruszyć perf); (enemy, opposition) roznosić (roznieść perf); (hopes, person) druzgotać (zdruzgotać perf); **to have a crush on sb** być zadurzonym w kimś.

crush barrier (BRIT) n = **crash barrier**.

crushing ['krʌʃɪŋ] adj (defeat, blow) druzgocący.

crust [krʌst] n (of bread) skórka f; (of snow, ice) skorupa f; **the earth's crust** skorupa ziemska.

crustacean [krʌs'teɪʃən] n skorupiak m.

crusty ['krʌstɪ] adj chrupiący.

crutch [krʌtʃ] n (MED) kula f; (fig) podpora f; see **crotch**.

crux [krʌks] n sedno nt.

cry [kraɪ] vi (weep) płakać (zapłakać perf); (also: **cry out**) krzyczeć (krzyknąć perf) ♦ n (shriek) (o)krzyk m; (of bird) krzyk m; (of wolf) wycie nt; **what are you crying about?** dlaczego płaczesz?; **to cry for help** wołać (zawołać perf) o pomoc; **she had a good cry** porządnie się wypłakała; **this is a far cry from ...** (fig) daleko temu do +gen.

►**cry off** (inf) vi wycofywać się (wycofać się perf).

crying ['kraɪɪŋ] adj (fig: need) palący; **it's a crying shame** to woła o pomstę do nieba.

crypt [krɪpt] n krypta f.

cryptic ['krɪptɪk] adj zagadkowy.

crystal ['krɪstl] n kryształ m.

crystal clear adj (sky, air, sound) kryształowo czysty; (point, position) absolutnie jasny.

crystallize ['krɪstəlaɪz] vt krystalizować (skrystalizować perf) ♦ vi (lit, fig) krystalizować się (skrystalizować się perf); **crystallized fruits** (BRIT) owoce kandyzowane.

CSA n abbr (= Confederate States of America).

CSC n abbr (= Civil Service Commission) komisja administracji państwowej.

CSE (BRIT) n abbr (formerly: = Certificate of Secondary Education) świadectwo ukończenia szkoły średniej.

CS gas (BRIT) n gaz m łzawiący.

CST (US) abbr (= Central Standard Time).

CT (US: POST) abbr (= Connecticut).

ct abbr = **carat** kt.

CTC (BRIT) n abbr (= city technology college).

cu. abbr = **cubic**.

cub [kʌb] n (of wild animal) młode nt; (also: **cub scout**) ≈ zuch m; **lion/wolf/bear cub** lwiątko/wilczek/niedźwiadek.

Cuba ['kju:bə] n Kuba f.

Cuban ['kju:bən] adj kubański ♦ n Kubańczyk (-anka) m(f).

cubbyhole ['kʌbɪhəul] n kącik m.

cube [kju:b] n (shape) kostka f; (MATH) sześcian m, trzecia potęga f ♦ vt podnosić (podnieść perf) do sześcianu or trzeciej potęgi.

cube root n pierwiastek m sześcienny or trzeciego stopnia.

cubic ['kju:bɪk] adj (metre, foot) sześcienny; **cubic volume** (of liquid, gas) objętość; (of container) pojemność.

cubic capacity n pojemność f.

cubicle ['kju:bɪkl] n (at pool) kabina f, (in hospital) część sali oddzielona zasłoną.

cubism ['kju:bɪzəm] n kubizm m.

cuckoo ['kuku:] n kukułka f.

cuckoo clock n zegar m z kukułką.

cucumber ['kju:kʌmbə*] n ogórek m.

cud [kʌd] n: **to chew the cud** (fig) rozmyślać, dumać.

cuddle ['kʌdl] vt (baby) przytulać (przytulić perf); (lover) pieścić ♦ n: **to give sb a cuddle** przytulić (perf) kogoś.

cuddly ['kʌdlɪ] adj (person, animal) milusi; **a cuddly toy** przytulanka.

cudgel ['kʌdʒl] n pałka f ♦ vt: **to cudgel one's brains** zachodzić w głowę.

cue [kju:] n (snooker cue) kij m bilardowy; (hint) sygnał m.

cuff [kʌf] n (of garment) mankiet m; (blow) trzepnięcie nt ♦ vt trzepać (trzepnąć perf); **off the cuff** (tak) z głowy.

cuff links npl spinki pl do mankietów.

cu. in. abbr (= cubic inches) cale pl sześcienne.

cuisine [kwɪ'zi:n] n kuchnia f (danego regionu, kraju itp).

cul-de-sac ['kʌldəsæk] n ślepa uliczka f.

culinary ['kʌlɪnərɪ] adj kulinarny.

cull [kʌl] vt (story, idea) zaczerpnąć (perf); (wild animals) odstrzeliwać (odstrzelić perf); (domestic animals) dokonywać (dokonać perf) uboju +gen (selektywnego) ♦ n (of wild animals) odstrzał m; (of domestic animals) ubój m selektywny.

culminate ['kʌlmɪneɪt] vi: **to culminate in** kończyć się (zakończyć się perf) +instr.

culmination [kʌlmɪ'neɪʃən] n (of career etc) ukoronowanie nt; (of process) punkt m kulminacyjny.

culottes [kju:'lɔts] npl spódnica f – spodnie pl (o długości do kolan).

culpable ['kʌlpəbl] adj winny.

culprit ['kʌlprɪt] n (of crime) sprawca (-czyni) m(f).

cult [kʌlt] n kult m.

cult figure n bożyszcze nt.

cultivate ['kʌltɪveɪt] vt (land, crop) uprawiać; (attitude, feeling) kultywować; (: in oneself) rozwijać w sobie; (person) zabiegać o względy +gen.

cultivation [kʌltɪ'veɪʃən] n uprawa f.

cultural ['kʌltʃərəl] adj (tradition, link) kulturowy; (concerning the arts) kulturalny.

culture ['kʌltʃə*] n kultura f.

cultured ['kʌltʃəd] adj (person) kulturalny;

cultured pearl perła uzyskana w warunkach hodowlanych.

cumbersome ['kʌmbəsəm] adj (object) nieporęczny; (system) nieefektywny.

cumin ['kʌmɪn] n kmin m. czarnuszka f.

cumulative ['kju:mjulətɪv] adj (effect) kumulacyjny; (result) łączny.

cunning ['kʌnɪŋ] n przebiegłość f ♦ adj przebiegły.

cup [kʌp] n (for drinking) filiżanka f, (trophy) puchar m; (of bra) miseczka f, (quantity) ≈ szklanka f.

cupboard ['kʌbəd] n kredens m.

cup final (BRIT) n finał m rozgrywek pucharowych.

cupful ['kʌpful] n ≈ szklanka f.

Cupid ['kju:pɪd] n Kupidyn m or Kupido m, Amor m; (figurine) kupidynek m, amorek m.

cupidity [kju:'pɪdɪtɪ] n chciwość f.

cupola ['kju:pələ] n kopuła f.

cup tie (BRIT) n rozgrywka f eliminacyjna (w systemie pucharowym).

curable ['kjuərəbl] adj uleczalny.

curate ['kjuərɪt] n wikary m (w kościele anglikańskim).

curator [kjuə'reɪtə*] n kustosz m.

curb [kə:b] vt (powers, expenditure) ograniczać (ograniczyć perf); (person) okiełznywać (okiełznać perf) ♦ n (restraint) ograniczenie nt; (US: kerb) krawężnik m.

curd cheese n twaróg m.

curdle ['kə:dl] vi zsiadać się (zsiąść się perf).

curds [kə:dz] npl zsiadłe mleko nt.

cure [kjuə*] vt (MED) leczyć (wyleczyć perf); (CULIN) konserwować (zakonserwować perf); (problem) zaradzać (zaradzić perf) +dat ♦ n lekarstwo nt; **to be cured of sth** zostać (perf) z czegoś wyleczonym.

cure-all ['kjuərɔ:l] n lekarstwo nt na wszystko; (fig) panaceum nt.

curfew ['kə:fju:] n godzina f policyjna.

curio ['kjuərɪəu] n osobliwość f.

curiosity [kjuərɪ'ɔsɪtɪ] n (interest) ciekawość f, zaciekawienie nt; (nosiness) ciekawość f; (unusual thing) osobliwość f.

curious ['kjuərɪəs] adj (interested) ciekawy, zaciekawiony; (nosy) ciekawski; (strange, unusual) dziwny; **I'm curious about him** on mnie interesuje.

curiously ['kjuərɪəslɪ] adv ciekawie, z ciekawością or zaciekawieniem; **curiously enough**, ... co ciekawe, ...

curl [kə:l] n (of hair) lok m; (of smoke) kłąb m ♦ vt (hair. loosely) układać (ułożyć perf) w fale; (: tightly) zakręcać (zakręcić perf) ♦ vi (hair) kręcić się; (smoke) wić się.

▶**curl up** vi (person) kulić się (skulić się perf); (animal) zwijać się (zwinąć się perf) (w kłębek).

curler ['kə:lə*] n wałek m (do włosów).

curlew ['kə:lu:] n kulik m.

curling ['kə:lıŋ] n sport zimowy, polegający na toczeniu po lodzie płaskich kamieni, którymi gracze starają się trafić do celu.

curling tongs (US **curling irons**) npl lokówka f.

curly ['kə:lı] adj (hair) kręcony; (leaf etc) poskręcany.

currant ['kʌrnt] n (dried fruit) rodzynek m; (also: **blackcurrant**) czarna porzeczka f, (also: **redcurrant**) czerwona porzeczka f.

currency ['kʌrnsı] n waluta f; **to gain currency** (fig) zyskiwać (zyskać perf) popularność.

current ['kʌrnt] n prąd m ♦ adj (methods, rate) obecny; (month, year) bieżący; (beliefs etc) powszechnie przyjęty; **direct/alternating current** prąd stały/zmienny; **current of opinion** trend; **the current issue of a magazine** bieżący numer czasopisma; **in current use** rozpowszechniony.

current account (BRIT) n rachunek m bieżący.

current affairs npl aktualności pl.

current assets npl środki pl obrotowe.

current liabilities npl zobowiązania pl bieżące or krótkoterminowe.

currently ['kʌrntlı] adv obecnie.

curricula [kə'rıkjulə] npl of **curriculum**.

curriculum [kə'rıkjuləm] (pl **curriculums** or **curricula**) n program m zajęć or nauczania.

curriculum vitae [-'vi:taı] n życiorys m.

curry ['kʌrı] n curry nt inv (potrawa) ♦ vt: **to curry favour with** starać się przypodobać +dat, nadskakiwać +dat.

curry powder n curry nt inv (przyprawa).

curse [kə:s] vi kląć (zakląć perf), przeklinać ♦ vt przeklinać (przekląć perf) ♦ n (spell) klątwa f, przekleństwo nt; (swearword, scourge) przekleństwo nt.

cursor ['kə:sə*] (COMPUT) n kursor m.

cursory ['kə:sərı] adj pobieżny.

curt [kə:t] adj (reply, tone) szorstki.

curtail [kə:'teıl] vt (freedom, rights) ograniczać (ograniczyć perf); (visit) skracać (skrócić perf); (expenses) redukować (zredukować perf).

curtain ['kə:tn] n zasłona f, (THEAT) kurtyna f; **to draw the curtains** (together) zasuwać (zasunąć perf) zasłony; (apart) rozsuwać (rozsunąć perf) zasłony.

curtain call n wspólny ukłon aktorów po zakończeniu przedstawienia; **we took four curtain calls** wywoływano nas (oklaskami) cztery razy.

curts(e)y ['kə:tsı] vi dygać (dygnąć perf) ♦ n dyg m.

curvature ['kə:vətʃə*] n krzywizna f.

curve [kə:v] n łuk m; (MATH) krzywa f ♦ vi zataczać (zatoczyć perf) łuk.

curved [kə:vd] adj zakrzywiony.

cushion ['kuʃən] n poduszka f ♦ vt (collision,

fall) amortyzować (zamortyzować perf); (shock, effect) osłabiać (osłabić perf).

cushy ['kuʃı] (inf) adj (life, position) wygodny; **a cushy job** ciepła posadka.

custard ['kʌstəd] n sos z mleka, cukru, mąki i jaj do polewania deserów.

custard powder (BRIT) n słodki sos w proszku do polewania deserów.

custodian [kʌs'təudıən] n (of building) dozorca (-rczyni) m(f); (of museum) kustosz m.

custody ['kʌstədı] n (JUR: of child) opieka f nad dzieckiem; (for offenders) areszt m; **to take sb into custody** aresztować (zaresztować perf) kogoś; **in the custody of** pod opieką +gen; **the mother has custody of the children** matce przyznano opiekę nad dziećmi.

custom ['kʌstəm] n (traditional activity) obyczaj m, zwyczaj m; (habit, convention) zwyczaj m; **I shall take my custom elsewhere** będę kupować gdzie indziej; **we get a lot of custom from foreigners** kupuje u nas wielu obcokrajowców.

customary ['kʌstəmərı] adj (time, behaviour) zwykły; (method, celebration) tradycyjny; **it is customary to** przyjęło się +infin.

custom-built ['kʌstəm'bılt] adj wykonany na zamówienie post.

customer ['kʌstəmə*] n klient(ka) m(f); **he's an odd customer** (inf) to dziwny gość (inf).

customer profile n charakterystyka f klienta.

customized ['kʌstəmaızd] adj przerobiony (na życzenie klienta).

custom-made ['kʌstəm'meıd] adj na zamówienie post.

customs ['kʌstəmz] npl (at border, airport) punkt m odprawy celnej; **to go through (the) customs** odbywać (odbyć perf) odprawę celną.

Customs and Excise (BRIT) ħ ≈ Główny Urząd Ceł.

customs officer n celnik (-iczka) m(f).

cut [kʌt] (pt, pp **cut**) vt (bread, meat) kroić (pokroić perf); (hand, knee) rozcinać (rozciąć perf); (grass) przycinać (przyciąć perf); (hair) obcinać (obciąć perf); (scene: from book) usuwać (usunąć perf); (: from film, broadcast) wycinać (wyciąć perf); (prices) obniżać (obniżyć perf); (spending, supply) ograniczać (ograniczyć perf); (garment) kroić (skroić perf); (line, path) przecinać (przeciąć perf); (inf: cancel) odwoływać (odwołać perf) ♦ vi ciąć ♦ n (in skin) skaleczenie nt; (in salary, spending) cięcie nt; (of meat) płat m; (of garment) krój m ♦ adj (jewel) (o)szlifowany; **the baby is cutting a tooth** dziecku wyrzyna się ząb; **to cut one's finger** skaleczyć się (perf) w palec; **to get one's hair cut** obcinać (obciąć perf) sobie włosy; **to cut sth short** skracać (skrócić perf) coś; **to cut sb dead** udawać (udać perf), że się kogoś nie widzi; **cold cuts** (US) różne rodzaje wędlin i *zimnych mięs pokrojone w plasterki*; **power cut** przerwa w dopływie energii.

►**cut back** *vt* (*plants*) przycinać (przyciąć *perf*); (*production, expenditure*) ograniczać (ograniczyć *perf*).

►**cut down** *vt* (*tree*) ścinać (ściąć *perf*); (*consumption*) ograniczać (ograniczyć *perf*); **to cut sb down to size** (*fig*) przytrzeć *(perf)* komuś nosa.

►**cut down on** *vt fus* ograniczać (ograniczyć *perf*) +*acc*.

►**cut in** *vi*: **to cut in (on)** (*interrupt*) wtrącać się (wtrącić się *perf*) (do +*gen*); **to cut in on sb** (*AUT*) zajeżdżać (zajechać *perf*) komuś drogę.

►**cut off** *vt* (*piece, village, supply*) odcinać (odciąć *perf*); (*limb*) obcinać (obciąć *perf*); (*TEL*) rozłączać (rozłączyć *perf*); **we've been cut off** (*TEL*) rozłączono nas.

►**cut out** *vt* (*shape, article from newspaper*) wycinać (wyciąć *perf*); (*scene, references: from book*) usuwać (usunąć *perf*); (: *from film, broadcast*) wycinać (wyciąć *perf*); **he ought to cut out the drinking** powinien przestać pić; **cut it out!** przestań!

►**cut up** *vt* (*paper*) ciąć (pociąć *perf*) na kawałki; (*meat*) kroić (pokroić *perf*) (na kawałki); **she still feels cut up about her sister's death** (*inf*) jeszcze nie doszła do siebie po śmierci siostry.

cut-and-dried ['kʌtən'draɪd] *adj* (*also*: **cut-and-dry**: *answer, solution*) gotowy.

cutaway ['kʌtəweɪ] *n* (*coat*) frak *m*; (*drawing, model*) częściowy przekrój *m* perspektywiczny; (*FILM, TV*) fragment *m* ujęcia (*przedstawiany dla zasygnalizowania miejsca lub postaci*).

cutback ['kʌtbæk] *n* (*in services, business*) zwolnienia *pl*.

cute [kjuːt] *adj* (*sweet*) śliczny, milutki; (*clever*) sprytny; (*esp US*: *attractive*) fajny (*inf*).

cut glass *n* szkło *nt* rżnięte, kryształy *pl*.

cuticle ['kjuːtɪkl] *n* skórka *f* (*paznokcia*); **cuticle remover** płyn *lub* krem do usuwania skórek u paznokci.

cutlery ['kʌtlərɪ] *n* sztućce *pl*.

cutlet ['kʌtlɪt] *n* kotlet *m*.

cutoff ['kʌtɔf] (*also spelled* **cut-off**) *n* (*also*: **cutoff point**) (górna) granica *f*.

cutoff switch *n* przełącznik *m* zamykający *or* odcinający.

cutout ['kʌtaut] *n* (*switch*) wyłącznik *m*; (*paper figure*) wycinanka *f*.

cut-price ['kʌt'praɪs] (*US* **cut-rate**) *adj* przeceniony.

cut-throat *n* (*person*) rzezimieszek *m* ♦ *adj* (*competition*) bezwzględny; (*business*) niebezpieczny.

cutting ['kʌtɪŋ] *adj* (*edge*) tnący; (*fig*: *remark*) zjadliwy ♦ *n* (*BRIT*: *from newspaper*)

wycinek *m*; (: *RAIL*) wykop *m*; (*from plant*) sadzonka *f*; **to be at the cutting edge of** (*fig*) wyznaczać kierunek rozwoju +*gen*.

cuttlefish ['kʌtlfɪʃ] *n* mątwa *f*.

CV *n abbr* = **curriculum vitae**.

C & W *n abbr* = **country and western music**.

c.w.o. (*COMM*) *abbr* (= *cash with order*) płatne gotówką przy zamówieniu.

cwt. *abbr* = **hundredweight**.

cyanide ['saɪənaɪd] *n* cyjanek *m*.

cybernetics [saɪbə'netɪks] *n* cybernetyka *f*.

cyclamen ['sɪkləmən] *n* cyklamen *m*, fiołek *m* alpejski.

cycle ['saɪkl] *n* (*bicycle*) rower *m*; (*series*) cykl *m*; (*movement*) obrót *m* ♦ *vi* jechać (pojechać *perf*) rowerem *or* na rowerze; (: *regularly*) jeździć na rowerze.

cycle race *n* wyścig *m* kolarski *or* rowerowy.

cycle rack *n* stojak *m* na rowery.

cycling ['saɪklɪŋ] *n* jazda *f* na rowerze; (*SPORT*) kolarstwo *nt*; **to go on a cycling holiday** (*BRIT*) wybierać się (wybrać się *perf*) na wakacje rowerowe.

cyclist ['saɪklɪst] *n* rowerzysta (-tka) *m(f)*; (*SPORT*) kolarz *m*.

cyclone ['saɪkləun] *n* cyklon *m*.

cygnet ['sɪgnɪt] *n* łabędziątko *nt*.

cylinder ['sɪlɪndə*] *n* (*shape*) walec *m*; (*of gas*) butla *f*; (*in engine, machine*) cylinder *m*.

cylinder block *n* (*AUT*) blok *m* cylindrów.

cylinder head *n* (*AUT*) głowica *f* cylindra.

cylinder-head gasket ['sɪlɪndəhed-] *n* (*AUT*) uszczelka *f* pod głowicę cylindra.

cymbals ['sɪmblz] *npl* (*MUS*) talerze *pl*.

cynic ['sɪnɪk] *n* cynik (-iczka) *m(f)*.

cynical ['sɪnɪkl] *adj* cyniczny.

cynicism ['sɪnɪsɪzəm] *n* cynizm *m*.

CYO (*US*) *n abbr* (= *Catholic Youth Organization*) *stowarzyszenie młodzieży katolickiej*.

cypress ['saɪprɪs] *n* cyprys *m*.

Cypriot ['sɪprɪət] *adj* cypryjski ♦ *n* Cypryjczyk (-jka) *m(f)*.

Cyprus ['saɪprəs] *n* Cypr *m*.

cyst [sɪst] *n* (*under skin*) pęcherz *m*; (*inside body*) torbiel *f*.

cystitis [sɪs'taɪtɪs] *n* zapalenie *nt* pęcherza.

CZ (*US*) *n abbr* (= *Canal Zone*).

czar [zɑː*] *n* = **tsar**.

Czech [tʃek] *adj* czeski ♦ *n* (*person*) Czech/Czeszka *m(f)*; (*LING*) (język *m*) czeski.

Czechoslovak [tʃekə'sləuvæk] *adj, n* = **Czechoslovakian**.

Czechoslovakia [tʃekəslə'vækɪə] (*old*) *n* Czechosłowacja *f*.

Czechoslovak(ian) [tʃekəslə'vækɪən] (*old*) *adj* czechosłowacki ♦ *n* mieszkaniec (-nka) *m(f)* Czechosłowacji.

Czech Republic *n*: **the Czech Republic** Republika *f* Czeska.

D,d

D¹, d [di:] *n* (*letter*) D *nt*, d *nt*; **D for David**, *(US)* **D for Dog** ≈ D jak Dorota.

D² [di:] *n* (*MUS*) D *nt*, d *nt*.

D³ (*US: POL*) *abbr* = **democrat(ic)**.

d² (*BRIT: formerly*) *abbr* = **penny**.

d. *abbr* (= **died**) zm.; **Henry Jones, d. 1754** Henry Jones, zm. 1754.

DA (*US*) *n abbr* = **district attorney**.

dab [dæb] *vt* (*wound*) (delikatnie) przemywać (przemyć *perf*); (*paint, cream*) nakładać (nałożyć *perf*) ♦ *n* odrobina *f*.

dab at *vt fus*: **she dabbed at her mouth with the lace handkerchief** kilkakrotnie dotknęła ust koronkową chusteczką; **to be a dab hand at sth/doing sth** być specem w czymś/robieniu czegoś.

dabble ['dæbl] *vi*: **to dabble in** parać się +*instr*, zajmować się po amatorsku +*instr*.

dachshund ['dækshund] *n* jamnik *m*.

dad [dæd] *n* tata *m*, tatuś *m*.

daddy ['dædɪ] *n* = **dad**.

daddy-long-legs [dædɪ'lɔŋlɛgz] (*inf*) *n* (*BRIT*) komarnica *f*; (*US*) kosarz *m*.

daffodil ['dæfədɪl] *n* żonkil *m*.

daft [dɑ:ft] *adj* (*person*) głupi; (*thing*) zwariowany; **to be daft about sb/sth** mieć fioła na punkcie kogoś/czegoś (*inf*).

dagger ['dægə*] *n* sztylet *m*; **to be at daggers drawn with sb** być z kimś na noże; **to look daggers at sb** sztyletować kogoś wzrokiem.

dahlia ['deɪljə] *n* dalia *f*.

daily ['deɪlɪ] *adj* (*dose, wages*) dzienny; (*routine, life*) codzienny ♦ *n* (*paper*) dziennik *m*; (*BRIT: also*: **daily help**) pomoc *f* domowa ♦ *adv* codziennie; **twice daily** dwa razy dziennie.

dainty ['deɪntɪ] *adj* filigranowy.

dairy ['dɛərɪ] *n* (*shop*) sklep *m* nabiałowy; (*company, building*) mleczarnia *f* ♦ *cpd* (*cattle, chocolate*) mleczny; (*industry*) mleczarski.

dairy farm *n* gospodarstwo *nt* mleczarskie.

dairy products *npl* nabiał *m*, produkty *pl* mleczne.

dairy store (*US*) *n* sklep *m* nabiałowy.

dais ['deɪɪs] *n* podium *nt*.

daisy ['deɪzɪ] *n* stokrotka *f*.

daisy wheel *n* (*on printer*) rozetka *f*.

daisy-wheel printer ['deɪzɪwi:l-] *n* drukarka *f* rozetkowa.

Dakar ['dækə*] *n* Dakar *m*.

dale [deɪl] (*BRIT*) *n* dolina *f*.

dally ['dælɪ] *vi* ociągać się, marudzić; **to dally with** rozważać +*acc* (*niezbyt poważnie*).

Dalmatian [dæl'meɪʃən] *n* dalmatyńczyk *m*.

dam [dæm] *n* (*on river*) tama *f*, zapora *f*; (*reservoir*) (sztuczny) zalew *m*, zbiornik *m*

(zaporowy) ♦ *vt* stawiać (postawić *perf*) zaporę *or* tamę na +*loc*.

damage ['dæmɪdʒ] *n* (*harm*) szkody *pl*; (*dents etc*) uszkodzenia *pl*; (*fig*) szkoda *f*, uszczerbek *m* ♦ *vt* (*physically*) uszkadzać (uszkodzić *perf*); (*affect*) narażać (narazić *perf*) na szwank, wyrządzać (wyrządzić *perf*) szkodę +*dat*; **damages** *npl* (*JUR*) odszkodowanie *nt*; **damage to property** straty materialne; **to pay 5,000 pounds in damages** wypłacać (wypłacić *perf*) 5 tys. funtów (tytułem) odszkodowania.

damaging ['dæmɪdʒɪŋ] *adj*: **damaging (to)** szkodliwy (dla +*gen*).

Damascus [də'mɑ:skəs] *n* Damaszek *m*.

dame [deɪm] *n* (*BRIT*) *tytuł przyznawany kobietom w uznaniu ich zasług publicznych*; (*US: inf*) babka *f* (*inf*), facetka *f* (*inf*); (*THEAT*) matrona *f*.

damn [dæm] *vt* (*curse at*) przeklinać (przekląć *perf*); (*condemn*) potępiać (potępić *perf*) ♦ *n* (*inf*): **I don't give a damn** mam to gdzieś (*inf*) ♦ *adj* (*inf. also*: **damned**) cholerny (*inf*); **damn (it)!** cholera! (*inf*).

damnable ['dæmnəbl] *adj* (*behaviour*) nikczemny, niecny; (*weather*) okropny.

damnation [dæm'neɪʃən] *n* (*REL*) potępienie *nt* ♦ *excl* (*inf*) niech to szlag (*inf*).

damning ['dæmɪŋ] *adj* (*evidence*) obciążający.

damp [dæmp] *adj* wilgotny ♦ *n* wilgoć *f* ♦ *vt* (*also*: **dampen**: *cloth, rag*) zwilżać (zwilżyć *perf*); (: *enthusiasm etc*) ostudzić (*perf*).

damp course *n* warstwa *f* izolacyjna (przeciwwilgociowa).

damper ['dæmpə*] *n* (*MUS*) tłumik *m*; (*of fire*) zasuwa *f*; **to put a damper on** (*fig: enthusiasm etc*) ostudzić (*perf*) +*acc*.

dampness ['dæmpnɪs] *n* wilgoć *f*.

damson ['dæmzən] *n* śliwka *f* damaszka *or* damascenka.

dance [dɑ:ns] *n* taniec *m*; (*social event*) bal *m* (taneczny) ♦ *vi* tańczyć (zatańczyć *perf*); **to dance about** podrygiwać.

dance hall *n* sala *f* balowa.

dancer ['dɑ:nsə*] *n* tancerz (-rka) *m(f)*.

dancing ['dɑ:nsɪŋ] *n* taniec *m*, tańce *pl*.

D and C *n abbr* (*MED*: = **dilation and curettage**) rozszerzenie *nt* i wyłyżeczkowanie *nt*.

dandelion ['dændɪlaɪən] *n* dmuchawiec *m*, mlecz *m*.

dandruff ['dændrəf] *n* łupież *m*.

dandy ['dændɪ] *n* dandys *m* ♦ *adj* (*US: inf*) świetny.

Dane [deɪn] *n* Duńczyk/Dunka *m/f*.

danger ['deɪndʒə*] *n* (*unsafe situation*) niebezpieczeństwo *nt*; (*hazard*) zagrożenie *nt*; **there is a danger of ...** istnieje niebezpieczeństwo +*gen*; **"danger!"** „uwaga!"; **to be in danger** znajdować się (znaleźć się *perf*) w niebezpieczeństwie; **to put sb in danger** narażać (narazić *perf*) kogoś na niebezpieczeństwo; **the city was in danger of losing its identity** miastu groziła utrata tożsamości; **the patient is now out of danger** życiu pacjenta nie zagraża (już) niebezpieczeństwo.

danger list (*MED*) *n*: **on the danger list** w stanie zagrożenia życia.

dangerous ['deɪndʒrəs] *adj* niebezpieczny.

dangerously ['deɪndʒrəslɪ] *adv* niebezpiecznie; **dangerously ill** poważnie chory.

danger zone *n* strefa *f* zagrożenia.

dangle ['dæŋgl] *vt* wymachiwać +*instr* ♦ *vi* zwisać, dyndać (*inf*).

Danish ['deɪnɪʃ] *adj* duński ♦ *n* (język *m*) duński.

Danish pastry *n* ciasto *nt* duńskie.

dank [dæŋk] *adj* (*cellar*) zawilgocony; (*air*) wilgotny.

Danube ['dænjuːb] *n*: **the Danube** Dunaj *m*.

dapper ['dæpə*] *adj* szykowny.

Dardanelles [dɑːdə'nelz] (*GEOG*) *npl*: **the Dardanelles** Dardanele *pl*, cieśnina *f* Dardanele.

dare [dɛə*] *vt*: **to dare sb to do sth** rzucać (rzucić *perf*) komuś wyzwanie do zrobienia czegoś, wzywać (wezwać *perf*) kogoś do zrobienia czegoś ♦ *vi*: **to dare (to) do sth** ośmielać się (ośmielić się *perf*) coś zrobić, odważyć się (*perf*) coś zrobić; **I daren't tell him** nie śmiem mu powiedzieć; **I dare say...** zapewne..., przypuszczam, że... .

daredevil ['dɛədɛvl] *n* śmiałek *m*.

Dar-es-Salaam ['dɑːressə'lɑːm] *n* Dar es-Salaam *nt inv*.

daring ['dɛərɪŋ] *adj* odważny, śmiały ♦ *n* odwaga *f*, śmiałość *f*.

dark [dɑːk] *adj* ciemny; (*fig*) mroczny, ponury ♦ *n*: **in the dark** w ciemności, po ciemku; **to be in the dark about sth** (*fig*) nic nie wiedzieć o czymś; **after dark** po zmroku; **dark blue/green** ciemnoniebieski/ciemnozielony; **it is getting dark** ściemnia się; **dark chocolate** gorzka czekolada.

Dark Ages *npl*: **the Dark Ages** wczesne średniowiecze *nt*; **in the Dark Ages** w mrokach średniowiecza.

darken [dɑːkn] *vt* przyciemniać (przyciemnić *perf*) ♦ *vi* ciemnieć (ściemnieć *perf or* pociemnieć *perf*).

dark glasses *npl* ciemne okulary *pl*.

darkly ['dɑːklɪ] *adv* złowrogo.

darkness ['dɑːknɪs] *n* ciemność *f*, mrok *m*.

darkroom ['dɑːkrum] *n* ciemnia *f*.

darling ['dɑːlɪŋ] *adj* (u)kochany ♦ *n* (*as form of address*) kochanie *nt*; **to be the darling of** być ulubieńcem/ulubienicą *m(f)* +*gen*; **she is a darling** (ona) jest kochana.

darn [dɑːn] *vt* cerować (zacerować *perf*).

dart [dɑːt] *n* (*in game*) rzutka *f*, strzałka *f*; (*in sewing*) zaszewka *f* ♦ *vi*: **to dart towards**

(*also*: **make a dart towards**) rzucać się (rzucić się *perf*) w kierunku *or* stronę +*gen*; **to dart along** pędzić (popędzić *perf*).

dartboard ['dɑːtbɔːd] *n* tarcza *f* do gry w rzutki *or* strzałki.

darts [dɑːts] *n* ≈ gra *f* w rzutki *or* strzałki.

dash [dæʃ] *n* (*small quantity*) odrobina *f*, (*sign*) myślnik *m*, kreska *f*; (*journey*) wypad *m*; (*run*): **to make a dash for/towards** rzucać się (rzucić się *perf*) do +*gen*/w stronę +*gen* ♦ *vt* (*object*) ciskać (cisnąć *perf*); (*hopes*) grzebać (pogrzebać *perf*) ♦ *vi*: **to dash towards** rzucać się (rzucić się *perf*) w kierunku *or* stronę +*gen*; **a dash of soda** odrobina wody sodowej; **we'll have to make a dash for it** będziemy musieli się pospieszyć.

▸**dash away** *or* **off** *vi* popędzić (*perf*), oddalać się (oddalić się *perf*) pędem ♦ *vt* (*essay etc*) pisać (napisać *perf*) na kolanie, odwalać (odwalić *perf*) (*inf*).

dashboard ['dæʃbɔːd] *n* (*AUT*) tablica *f* rozdzielcza.

dashing ['dæʃɪŋ] *adj* (*person*) pełen fantazji; (*hat*) fantazyjny.

dastardly ['dæstədlɪ] *adj* nikczemny, podły.

data ['deɪtə] *npl* dane *pl*.

database ['deɪtəbeɪs] *n* baza *f* danych.

data capture (*COMPUT*) *n* zbieranie *nt* danych

data processing *n* przetwarzanie *nt* danych.

data transmission (*COMPUT*) *n* przesyłanie *nt or* transmisja *f* danych.

date [deɪt] *n* (*day*) data *f*; (*appointment*) (umówione) spotkanie *nt*; (: *with girlfriend, boyfriend*) randka *f*; (*fruit*) daktyl *m* ♦ *vt* (*event, object*) określać (określić *perf*) wiek +*gen*; (*letter*) datować; (*person*) chodzić z +*instr*; **what's the date today?** którego dzisiaj mamy?; **date of birth** data urodzenia; **closing date** (*for application*) ostateczny termin; (*in accounting*) termin zamknięcia ksiąg (rachunkowych); **to date** do chwili obecnej, do dzisiaj; **out-of-date** (*old-fashioned*) przestarzały; (*expired*) przeterminowany; **up-to-date** nowoczesny; **to bring up to date** (*information*) uaktualniać (uaktualnić *perf*); (*correspondence*) uzupełniać (uzupełnić *perf*); (*person*) zapoznawać (zapoznać *perf*) z najnowszymi informacjami; **I have a date with Jill** umówiłem się z Jill; **letter dated 5th July** *or* (*US*) **July 5th** list z piątego lipca.

dated ['deɪtɪd] *adj*: **to be dated** trącić myszką.

dateline ['deɪtlaɪn] (*PRESS*) *n* nagłówek *artykułu, podający datę i miejsce jego powstania.*

date stamp *n* datownik *m*.

dative ['deɪtɪv] (*LING*) *n* celownik *m*.

daub [dɔːb] *vt*: **to daub paint onto/over the wall**, **to daub the wall with paint** mazać (pomazać *perf*) ścianę farbą.

daughter ['dɔːtə*] *n* córka *f*.

daughter-in-law ['dɔ:tərɪnlɔ:] n synowa f.

daunt [dɔ:nt] vt (intimidate) onieśmielać (onieśmielić perf); (discourage) zrażać (zrazić perf), zniechęcać (zniechęcić perf).

daunting ['dɔ:ntɪŋ] adj (task) onieśmielający; (prospect) zniechęcający.

dauntless ['dɔ:ntlɪs] adj nieustraszony.

dawdle ['dɔ:dl] vi guzdrać się, grzebać się; **to dawdle over one's work** grzebać się z robotą.

dawn [dɔ:n] n (of day) świt m; (of period, situation) początek m, zaranie nt (literary) ♦ vi świtać (zaświtać perf); **it dawned on him that ...** zaświtało mu (w głowie), że ...; **from dawn to dusk** od świtu do zmierzchu or zmroku.

dawn chorus (BRIT) n poranne trele pl.

day [deɪ] n (as opposed to night) dzień m; (twenty-four hours) doba f, dzień m; (heyday) czas m, dni pl; **the day before/after** poprzedniego/następnego dnia, dzień wcześniej/później; **the day after tomorrow** pojutrze; **the day before yesterday** przedwczoraj; **the following day** następnego dnia; **(on) the day that ...** w dniu, kiedy ...; **day by day** dzień po dniu; **by day** za dnia; **paid by the day** płatny od dniówki; **to work an 8 hour day** mieć ośmiogodzinny dzień pracy; **these days** w dzisiejszych czasach.

daybook ['deɪbuk] (BRIT: ADMIN) n dziennik m (kasowy).

dayboy ['deɪbɔɪ] (SCOL) n ekstern(ista) m, uczeń m dochodzący.

daybreak ['deɪbreɪk] n świt m, brzask m.

daydream ['deɪdri:m] vi marzyć, fantazjować ♦ n marzenie nt, mrzonka f.

daygirl ['deɪgə:l] (SCOL) n eksternistka f, uczennica f dochodząca.

daylight ['deɪlaɪt] n światło nt dzienne.

Daylight Saving Time (US) n czas m letni.

day release n: **to be on day release** kształcić się w godzinach pracy (jeden dzień w tygodniu).

day return (ticket) (BRIT) n bilet m powrotny jednodniowy.

day shift n dzienna zmiana f.

daytime ['deɪtaɪm] n: **in the daytime** za dnia.

day-to-day ['deɪtə'deɪ] adj (daily) codzienny; (planned a day at a time) z dnia na dzień post.

day trip n wycieczka f jednodniowa or całodzienna.

day tripper n wycieczkowicz(ka) m(f).

daze [deɪz] vt (stun) oszałamiać (oszołomić perf); (blow) ogłuszać (ogłuszyć perf) ♦ n: **in a daze** oszołomiony.

dazed [deɪzd] adj oszołomiony.

dazzle ['dæzl] vt (bewitch) olśniewać (olśnić perf); (blind) oślepiać (oślepić perf).

dazzling ['dæzlɪŋ] adj (light) oślepiający; (fig) olśniewający.

DC abbr = direct current;

(US: POST: = District of Columbia).

DD n abbr (= Doctor of Divinity) stopień naukowy; ≈ dr.

dd. (COMM) abbr (= delivered) dostarczony.

D/D abbr (= direct debit).

D-day ['di:deɪ] n godzina f zero.

DDS (US) n abbr (= Doctor of Dental Surgery) stopień naukowy; ≈ dr.

DDT n abbr (= dichlorodiphenyl trichloroethane) DDT nt inv, azotoks m.

DE (US: POST) abbr (= Delaware).

DEA (US) n abbr (= Drug Enforcement Administration) ≈ urząd do walki z handlem narkotykami.

deacon ['di:kən] n diakon m.

dead [dɛd] adj (person) zmarły; (animal) zdechły, nieżywy; (plant) zwiędły; (city) wymarły; (language) martwy; (body part) zdrętwiały, ścierpnięty; (engine) zepsuty; (telephone) głuchy; (battery) wyładowany; (silence) zupełny ♦ adv (completely) całkowicie, zupełnie; (directly, exactly) akurat, dokładnie ♦ npl: **the dead** umarli pl, zmarli pl; **she's dead** (ona) nie żyje; **to shoot sb dead** zastrzelić (perf) kogoś; **to be dead on time** być punktualnym co do minuty; **in the dead centre, dead in the centre** w samym środku; **dead tired** skonany; **he stopped dead** stanął jak wryty; **the line has gone dead** (TEL) połączenie zostało przerwane.

deaden [dɛdn] vt tłumić (stłumić perf), przytępiać (przytępić perf).

dead end n ślepa uliczka f.

dead-end ['dɛdɛnd] adj: **a dead-end job** praca f bez perspektyw.

dead heat (SPORT) n bieg m martwy or nierozstrzygnięty.

dead-letter office [dɛd'lɛtə-] n dział m przesyłek nie doręczonych.

deadline ['dɛdlaɪn] n (ostateczny) termin m; **I'm working to a deadline** muszę wykonać tę pracę w terminie or na termin.

deadlock ['dɛdlɔk] n impas m; **the meeting ended in deadlock** zebranie zakończyło się impasem.

dead loss (inf) n: **to be a dead loss** być do niczego (inf).

deadly ['dɛdlɪ] adj (weapon) śmiercionośny; (poison, insult) śmiertelny; (accuracy) absolutny; (logic) nieubłagany ♦ adv: **deadly dull** śmiertelnie nudny.

deadpan ['dɛdpæn] adj udający powagę, śmiertelnie poważny.

Dead Sea n: **the Dead Sea** Morze nt Martwe.

dead season n martwy sezon m.

deaf [dɛf] adj (totally) głuchy; (partially) niedosłyszący; **to turn a deaf ear to sth** być głuchym na coś.

deaf-aid ['dɛfeɪd] (BRIT) n aparat m słuchowy.

deaf-and-dumb ['dɛfən'dʌm] *adj* głuchoniemy;
deaf-and-dumb alphabet alfabet głuchoniemych.
deafen [dɛfn] *vt* ogłuszać (ogłuszyć *perf*).
deafening ['dɛfnɪŋ] *adj* ogłuszający.
deaf-mute ['dɛfmju:t] *n* głuchoniemy (-ma) *m(f)*.
deafness ['dɛfnɪs] *n* głuchota *f*.
deal [di:l] (*pt, pp* **dealt**) *n* (*COMM*) transakcja
f, interes *m*; (*POL*) porozumienie *nt*, układ *m*
♦ *vt* (*blow*) wymierzać (wymierzyć *perf*),
zadawać (zadać *perf*); (*cards*) rozdawać
(rozdać *perf*); **to strike a deal with sb** ubijać
(ubić *perf*) z kimś interes; **it's a deal!** (*inf*)
załatwione!; **he got a fair/bad deal from them**
dobrze/źle go potraktowali; **a good/great deal**
(bardzo) dużo *or* wiele; **a great deal of**
concern duże zaniepokojenie.
▸**deal in** *vt fus* handlować +*instr*.
▸**deal with** *vt fus* (*COMM*) utrzymywać
stosunki handlowe z +*instr*, robić interesy z
+*instr* (*inf*); (*handle*) radzić (poradzić *perf*)
sobie z +*instr*, uporać się (*perf*) z +*instr*; (*be
about*) dotyczyć +*gen*, traktować o +*instr*; **he
was not easy to deal with** nie był łatwy w
obejściu.
dealer ['di:lə*] *n* (*COMM*) handlarz *m*;
(*CARDS*) rozdający (-ca) *m(f)*; **a drug dealer**
handlarz narkotyków.
dealership ['di:ləʃɪp] *n* handel *m*.
dealings ['di:lɪŋz] *npl* (*business*) interesy *pl*;
(*relations*) kontakty *pl*, stosunki *pl*.
dealt [dɛlt] *pt, pp of* **deal**.
dean [di:n] *n* dziekan *m*.
dear [dɪə*] *adj* drogi ♦ *n* (*as form of address*)
kochanie *nt*; **my dear** mój drogi *m*/moja
droga *f* ♦ *excl*: **dear me!** ojej!; **Dear
Sir/Madam** Szanowny Panie/Szanowna Pani;
Dear Mr/Mrs X Drogi Panie X/Droga Pani X.
dearly ['dɪəlɪ] *adv* (*love*) szczerze; (*pay*) drogo.
dear money (*COMM*) *n* drogi pieniądz *m*.
dearth [də:θ] *n*: **a dearth of** niedostatek *m*
+*gen*.
death [dɛθ] *n* (*BIO*) zgon *m*, śmierć *f*; (*fig*)
śmierć *f*; (*fatality*) ofiara *f* (śmiertelna).
deathbed ['dɛθbɛd] *n*: **to be on one's
deathbed** być na łożu śmierci.
death certificate *n* świadectwo *nt or* akt *m*
zgonu.
deathly ['dɛθlɪ] *adj* (*paleness*) trupi; (*blow*)
śmiertelny; (*silence*) grobowy ♦ *adv* trupio.
death penalty *n* kara *f* śmierci.
death rate *n* śmiertelność *f*.
death sentence *n* wyrok *m* śmierci.
death toll *n* liczba *f* ofiar, żniwo *nt* (*fig*).
death trap *n* śmiercionośna *or* śmiertelna
pułapka *f*.
deb [dɛb] (*inf*) *n abbr* = **debutante**.
debacle [deɪ'ba:kl] *n* (*defeat*) klęska *f*; (*failure*)
fiasko *nt*.
debar [dɪ'ba:*] *vt*: **to debar sb from doing sth**
zabraniać (zabronić *perf*) komuś robienia

czegoś; **to debar sb from a club** wykluczać
(wykluczyć *perf*) kogoś z klubu.
debase [dɪ'beɪs] *vt* (*value, quality*) deprecjonować
(zdeprecjonować *perf*), dewaluować
(zdewaluować *perf*); (*person*) poniżać (poniżyć
perf), upokarzać (upokorzyć *perf*).
debatable [dɪ'beɪtəbl] *adj* dyskusyjny; **it is
debatable whether** jest wątpliwe, czy.
debate [dɪ'beɪt] *n* debata *f* ♦ *vt* (*topic*)
debatować nad +*instr*, dyskutować nad +*instr*;
(*course of action*) zastanawiać się nad +*instr*;
to debate whether zastanawiać się
(zastanowić się *perf*), czy.
debauchery [dɪ'bɔ:tʃərɪ] *n* rozpusta *f*,
rozpasanie *nt*.
debenture [dɪ'bɛntʃə*] (*COMM*) *n* obligacja *f*.
debilitate [dɪ'bɪlɪteɪt] *vt* pozbawiać (pozbawić
perf) sił, osłabiać (osłabić *perf*).
debilitating [dɪ'bɪlɪteɪtɪŋ] *adj* osłabiający.
debit ['dɛbɪt] *n* debet *m* ♦ *vt*: **to debit a sum
to sb** *or* **to sb's account** obciążać (obciążyć
perf) kogoś *or* czyjś rachunek kwotą; *see also*
direct.
debit balance *n* saldo *nt* debetowe.
debit note *n* nota *f* debetowa, awizo *nt*
debetowe.
debonair [dɛbə'nɛə*] *adj* elegancki i czarujący.
debrief [di:'bri:f] *vt* wysłuchiwać (wysłuchać
perf) sprawozdania +*gen*.
debriefing [di:'bri:fɪŋ] *n* wysłuchanie *nt*
sprawozdania.
debris ['dɛbri:] *n* gruzy *pl*.
debt [dɛt] *n* (*money owed*) dług *m*; (*state of
owing money*) długi *pl*, zadłużenie *nt*; **to be
in debt** mieć długi; **bad debt** nieściągalny
dług.
debt collector *n* poborca *m* należności.
debtor ['dɛtə*] *n* dłużnik (-iczka) *m(f)*.
debug ['di:'bʌg] (*COMPUT*) *vt* usuwać (usunąć
perf) błędy z +*gen*.
debunk [di:'bʌŋk] *vt* (*myths, ideas, claim*)
obalać (obalić *perf*); (*person, institution*)
demaskować (zdemaskować *perf*).
debut ['deɪbju:] *n* debiut *m*.
debutante ['dɛbjutænt] *n* debiutantka *f* (*młoda
kobieta wprowadzana w towarzystwo*).
Dec. *abbr* = **december** grudz.
decade ['dɛkeɪd] *n* dziesięciolecie *nt*.
decadence ['dɛkədəns] *n* (*period*) dekadencja
f, schyłek *m*; (*of morals, standards*)
dekadencja *f*, upadek *m*.
decadent ['dɛkədənt] *adj* (*period*) dekadencki,
schyłkowy; (*behaviour*) dekadencki.
decaffeinated [dɪ'kæfɪneɪtɪd] *adj* bezkofeinowy
decamp [dɪ'kæmp] (*inf*) *vi* ulatniać się (ulotnić
się *perf*) (*inf*).
decant [dɪ'kænt] *vt* (*wine*) przelewać (przelać
perf) (*do karafki itp*).
decanter [dɪ'kæntə*] *n* karafka *f*.
decarbonize [di:'ka:bənaɪz] *vt* usuwać (usunąć

perf) osad węglowy z +*gen*, odwęglać (odwęglić *perf*).

decay [dɪ'keɪ] *n* (*of organic matter, society, morals*) rozkład *m*, rozpad *m*; (*of building*) niszczenie *nt*; (*of tooth*) próchnica *f* ♦ *vi* (*body*) rozkładać się (rozłożyć się *perf*); (*leaves, wood*) gnić (zgnić *perf*); (*teeth*) psuć się (zepsuć się *perf*); (*fig*) chylić się ku upadkowi.

decease [dɪ'si:s] (*JUR*) *n* zejście *nt* śmiertelne, zgon *m*.

deceased [dɪ'si:st] *n*: **the deceased** zmarły (-ła) *m(f)*, nieboszczyk (-czka) *m(f)*.

deceit [dɪ'si:t] *n* (*quality*) fałsz *m*, nieuczciwość *f*; (*act*) oszustwo *nt*, kłamstwo *nt*.

deceitful [dɪ'si:tful] *adj* oszukańczy, kłamliwy.

deceive [dɪ'si:v] *vt* oszukiwać (oszukać *perf*), okłamywać (okłamać *perf*); **to deceive o.s.** oszukiwać się *or* samego siebie; **she deceived me into coming here** podstępem skłoniła mnie do przyjścia tutaj.

decelerate [di:'seləreɪt] (*AUT*) *vi* zmniejszać (zmniejszyć *perf*) szybkość.

December [dɪ'sɛmbə*] *n* grudzień *m*; *see also* **July**.

decency ['di:sənsɪ] *n* przyzwoitość *f*, poczucie *nt* przyzwoitości.

decent ['di:sənt] *adj* przyzwoity; **we expect you to do the decent thing** oczekujemy, że postąpisz właściwie; **they were very decent about it** podeszli do sprawy bardzo uczciwie; **that was very decent of him** to było bardzo poczciwe z jego strony; **are you decent?** jesteś ubrany?

decently ['di:səntlɪ] *adv* przyzwoicie.

decentralization ['di:sentrəlaɪ'zeɪʃən] *n* decentralizacja *f*.

decentralize [di:'sentrəlaɪz] *vt* decentralizować (zdecentralizować *perf*).

deception [dɪ'sepʃən] *n* oszustwo *nt*, podstęp *m*.

deceptive [dɪ'septɪv] *adj* złudny, zwodniczy.

decibel ['dɛsɪbɛl] *n* decybel *m*.

decide [dɪ'saɪd] *vt* (*person*) przekonywać (przekonać *perf*); (*question, argument*) rozstrzygać (rozstrzygnąć *perf*) ♦ *vi* decydować (się) (zdecydować (się) *perf*); **to decide to** decydować się (zdecydować się *perf*) +*infin*; **to decide that** decydować (z(a)decydować *perf*), że; **to decide on sth** decydować się (zdecydować się *perf*) na coś; **to decide on/against doing sth** postanawiać (postanowić *perf*) coś zrobić/czegoś nie robić.

decided [dɪ'saɪdɪd] *adj* (*resolute*) zdecydowany, stanowczy; (*clear, definite*) zdecydowany, wyraźny.

decidedly [dɪ'saɪdɪdlɪ] *adv* (*emphatically*) zdecydowanie, stanowczo; (*distinctly*) zdecydowanie, wyraźnie.

deciding [dɪ'saɪdɪŋ] *adj* decydujący.

deciduous [dɪ'sɪdjuəs] *adj* zrzucający liście.

decimal ['dɛsɪməl] *adj* dziesiętny ♦ *n* ułamek *m* dziesiętny; **to three decimal places** do trzech miejsc po przecinku.

decimalize ['dɛsɪmələɪz] (*BRIT*) *vt* decymalizować (zdecymalizować *perf*).

decimal point *n* ≈ przecinek *m* (*w ułamku dziesiętnym*).

decimate ['dɛsɪmeɪt] *vt* dziesiątkować (zdziesiątkować *perf*).

decipher [dɪ'saɪfə*] *vt* (*coded message*) rozszyfrowywać (rozszyfrować *perf*); (*writing*) odcyfrowywać (odcyfrować *perf*).

decision [dɪ'sɪʒən] *n* (*choice*) decyzja *f*; (*decisiveness*) zdecydowanie *nt*, stanowczość *f*; **to make a decision** podejmować (podjąć *perf*) decyzję.

decisive [dɪ'saɪsɪv] *adj* (*action, intervention*) decydujący, rozstrzygający; (*person, reply*) zdecydowany, stanowczy; (*manner*) stanowczy.

deck [dɛk] *n* (*NAUT*) pokład *m*; (*of bus*) piętro *nt*; (*record deck*) gramofon *m* (*bez wzmacniacza*); (*of cards*) talia *f*; **to go up on deck** wychodzić (wyjść *perf*) na pokład; **below deck** pod pokładem; **cassette deck** magnetofon kasetowy (*bez wzmacniacza*).

deckchair ['dɛktʃeə*] *n* leżak *m*.

deck hand *n* majtek *m*.

declaration [dɛklə'reɪʃən] *n* (*statement, public announcement*) deklaracja *f*, oświadczenie *nt*; (*of love*) wyznanie *nt*; (*of war*) wypowiedzenie *nt*.

declare [dɪ'kleə*] *vt* (*intentions, result*) oznajmiać (oznajmić *perf*); (*income*) deklarować (zadeklarować *perf*); **have you anything to declare?** czy ma Pan/Pani coś do oclenia?

declassify [di:'klæsɪfaɪ] *vt* odtajniać (odtajnić *perf*).

decline [dɪ'klaɪn] *n*: **decline in/of** spadek *m* +*gen* ♦ *vt* (*invitation, offer*) nie przyjmować (nie przyjąć *perf*) +*gen* ♦ *vi* podupadać (podupaść *perf*); **to be on the decline** zanikać (zaniknąć *perf*); **to fall into decline** podupadać (podupaść *perf*); **a decline in living standards** spadek *or* obniżenie się poziomu życia *or* stopy życiowej; **when he asked mi to dance, I politely declined his invitation** gdy poprosił mnie do tańca, grzecznie odmówiłam.

declutch ['di:'klʌtʃ] (*AUT*) *vi* wyłączać (wyłączyć *perf*) sprzęgło.

decode ['di:'kəud] *vt* rozszyfrowywać (rozszyfrować *perf*).

decoder [di:'kəudə*] *n* dekoder *m*.

decompose [di:kəm'pəuz] *vi* rozkładać się (rozłożyć się *perf*).

decomposition [di:kɔmpə'zɪʃən] *n* rozkład *m*.

decompression [di:kəm'preʃən] *n* rozprężenie *nt*, dekompresja *f*.

decompression chamber *n* komora *f* dekompresyjna.

decongestant [di:kən'dʒestənt] n lek m
zmniejszający przekrwienie.

decontaminate [di:kən'tæmɪneɪt] vt odkażać
(odkazić perf).

decontrol [di:kən'trəul] vt znosić (znieść perf)
kontrolę +gen ♦ n zniesienie nt kontroli cen.

décor ['deɪkɔ:*] n wystrój m (wnętrza).

decorate ['dɛkəreɪt] vt (room, flat. with paint)
malować (pomalować perf or wymalować
perf); (: with paper) tapetować (wytapetować
perf); **to decorate sth (with)** ozdabiać (ozdobić
perf) coś (+instr), dekorować (udekorować
perf) coś (+instr).

decoration [dɛkə'reɪʃən] n (on dress,
Christmas tree) ozdoba f, (of interior) wystrój
m; (medal) order m, odznaczenie nt.

decorative ['dɛkərətɪv] adj ozdobny,
dekoracyjny.

decorator ['dɛkəreɪtə*] n malarz m.

decorum [dɪ'kɔ:rəm] n przyzwoitość f.

decoy ['di:kɔɪ] n przynęta f; **they used him as
a decoy for the enemy** posłużyli się nim
jako przynętą dla wroga.

decrease [n 'di:kri:s, vb di:'kri:s] n: **decrease
(in)** zmniejszanie się nt +gen ♦ vt zmniejszać
(zmniejszyć perf) ♦ vi zmniejszać się
(zmniejszyć się perf), maleć (zmaleć perf); **to
be on the decrease** zmniejszać się, maleć.

decreasing [di:'kri:sɪŋ] adj zmniejszający się,
malejący.

decree [dɪ'kri:] n (ADMIN) rozporządzenie nt,
zarządzenie nt; (JUR) orzeczenie nt, wyrok m;
(POL) dekret m; (REL) wyrok m ♦ vt: **to
decree (that)** zarządzać (zarządzić perf)(, że).

decree absolute n prawomocne orzeczenie nt
sądu.

decree nisi [-'naɪsaɪ] n warunkowy wyrok m
rozwodowy.

decrepit [dɪ'krɛpɪt] adj (house) walący się;
(person) zniedołężniały.

decry [dɪ'kraɪ] vt potępiać (potępić perf).

dedicate ['dɛdɪkeɪt] vt: **to dedicate to** (time)
poświęcać (poświęcić perf) +dat; (book, record)
dedykować (zadedykować perf) +dat; **to
dedicate o.s. to** poświęcać się (poświęcić się
perf) +dat, oddawać się (oddać się perf) +dat.

dedicated ['dɛdɪkeɪtɪd] adj (person) oddany;
(COMPUT) specjalistyczny.

dedication [dɛdɪ'keɪʃən] n (devotion) oddanie
nt, poświęcenie nt; (in book, on radio)
dedykacja f.

deduce [dɪ'dju:s] vt: **to deduce (that)**
wnioskować (wywnioskować perf) (, że),
dedukować (wydedukować perf) (, że).

deduct [dɪ'dʌkt] vt potrącać (potrącić perf),
odciągać (odciągnąć perf); **to deduct sth from**
potrącać (potrącić perf) coś z +gen.

deduction [dɪ'dʌkʃən] n (reasoning)
wnioskowanie nt; (: in logic) dedukcja f;
(subtraction) potrącenie nt.

deed [di:d] n (act) czyn m, uczynek m; (feat)
wyczyn m; (JUR) akt m prawny; **deed of
covenant** zgoda notarialna.

deem [di:m] (fml) vt: **to deem sb/sth (to be)**
uważać kogoś/coś (za +acc), uznawać (uznać
perf) kogoś/coś (za +acc); **to deem it wise to
do sth** uważać zrobienie czegoś za rozsądne.

deep [di:p] adj (hole, thoughts, sleep) głęboki;
(voice) niski; (trouble, concern) poważny;
(colour) ciemny, intensywny ♦ adv: **the
spectators stood 20 deep** widzowie stali w
20 rzędach; **he took a deep breath** wziął
głęboki oddech; **in deepest sympathy** z
wyrazami głębokiego współczucia; **knee-deep
in water** po kolana w wodzie; **deep down** w
głębi duszy.

deepen [di:pn] vt pogłębiać (pogłębić perf) ♦
vi pogłębiać się (pogłębić się perf).

deep freeze n zamrażarka f.

deep-fry ['di:p'fraɪ] vt smażyć (usmażyć perf)
w dużej ilości tłuszczu.

deeply ['di:plɪ] adv głęboko.

deep-rooted ['di:p'ru:tɪd] adj (głęboko)
zakorzeniony.

deep-sea ['di:p'si:] adj (diving) głębinowy;
(fishing) dalekomorski.

deep-seated ['di:p'si:tɪd] adj (głęboko)
zakorzeniony.

deep-set ['di:pset] adj (eyes) głęboko osadzony.

deer [dɪə*] n inv zwierzyna f płowa; (red)
deer jeleń m; (roe) **deer** sarna f; (fallow) **deer**
daniel m.

deerskin ['dɪəskɪn] n skóra f jelenia or sarnia.

deerstalker ['dɪəstɔ:kə*] n kapelusz m
myśliwski.

deface [dɪ'feɪs] vt (wall, notice) niszczyć
(zniszczyć perf); (grave, monument)
bezcześcić (zbezcześcić perf).

defamation [dɛfə'meɪʃən] n zniesławienie nt.

defamatory [dɪ'fæmətrɪ] adj zniesławiający.

default [dɪ'fɔ:lt] n (COMPUT: also: **default
value**) wartość f domyślna ♦ vi: **to default on
a debt** nie spłacić (perf) długu; **to win by
default** wygrywać (wygrać perf) walkowerem.

defaulter [dɪ'fɔ:ltə*] n strona f nie
wywiązująca się ze zobowiązania.

default option (COMPUT) n opcja f domyślna
or standardowa.

defeat [dɪ'fi:t] n (in battle) porażka f, klęska f;
(failure) niepowodzenie nt, porażka f ♦ vt
pokonywać (pokonać perf).

defeatism [dɪ'fi:tɪzəm] n defetyzm m.

defeatist [dɪ'fi:tɪst] adj defetystyczny ♦ n
defetysta (-tka) m(f).

defecate ['dɛfəkeɪt] vi oddawać (oddać perf)
kał or stolec.

defect [n 'di:fɛkt, vb dɪ'fɛkt] n wada f, defekt
m ♦ vi: **to defect to the enemy** przejść (perf)
na stronę wroga; **to defect to the West** uciec
(perf) na Zachód; **physical defect** ułomność

fizyczna; **mental defect** upośledzenie umysłowe.

defective [dɪ'fɛktɪv] *adj* wadliwy, wybrakowany.

defector [dɪ'fɛktə*] *n* zdrajca (-czyni) *m(f)*.

defence [dɪ'fɛns] (*US* **defense**) *n* (*protection, justification*) obrona *f*; (*assistance*) pomoc *f*; **in defence of** w obronie +*gen*; **witness for the defence** świadek obrony; **the Ministry of Defence,** (*US*) **the Department of Defense** ≈ Ministerstwo Obrony Narodowej.

defenceless [dɪ'fɛnslɪs] *adj* bezbronny.

defend [dɪ'fɛnd] *vt* (*also SPORT*) bronić +*gen* (obronić *perf* +*acc*); (*JUR*) bronić +*gen*.

defendant [dɪ'fɛndənt] (*JUR*) *n* (*in criminal case*) oskarżony (-na) *m(f)*; (*in civil case*) pozwany (-na) *m(f)*.

defender [dɪ'fɛndə*] *n* (*also SPORT*) obrońca (-czyni) *m(f)*.

defending champion [dɪ'fɛndɪŋ-] (*SPORT*) *n* obrońca (-czyni) *m(f)* tytułu.

defending counsel [dɪ'fɛndɪŋ-] (*JUR*) *n* obrona *f*.

defense [dɪ'fɛns] (*US*) *n* = **defence**.

defensive [dɪ'fɛnsɪv] *adj* obronny, defensywny ♦ *n*: **on the defensive** w defensywie.

defer [dɪ'fə:*] *vt* odraczać (odroczyć *perf*), wstrzymywać (wstrzymać *perf*).

deference ['dɛfərəns] *n* szacunek *m*, poważanie *nt*; **out of** *or* **in deference to** przez szacunek *or* z szacunku dla +*gen*.

deferential [dɛfə'rɛnʃəl] *adj* pełen szacunku.

defiance [dɪ'faɪəns] *n* bunt *m*; **in defiance of** (*rules, orders etc*) wbrew +*dat*, na przekór +*dat*.

defiant [dɪ'faɪənt] *adj* buntowniczy.

defiantly [dɪ'faɪəntlɪ] *adv* buntowniczo.

deficiency [dɪ'fɪʃənsɪ] *n* (*lack*) brak *m*, niedobór *m*; (*inadequacy*) niedostatki *pl*, słabość *f*, (*COMM*) deficyt *m*.

deficiency disease *n* choroba *f* z niedoboru (*np. witamin*).

deficient [dɪ'fɪʃənt] *adj* (*service*) nie wystarczający; (*product*) wybrakowany; **to be deficient in** wykazywać niedobór *or* niedostatek +*gen*.

deficit ['dɛfɪsɪt] *n* deficyt *m*.

defile [*vb* dɪ'faɪl, *n* 'di:faɪl] *vt* bezcześcić (zbezcześcić *perf*) ♦ *n* wąwóz *m*.

define [dɪ'faɪn] *vt* (*limits etc*) określać (określić *perf*), wyznaczać (wyznaczyć *perf*); (*word etc*) definiować (zdefiniować *perf*).

definite ['dɛfɪnɪt] *adj* (*fixed*) określony; (*clear*) wyraźny; (*certain*) pewny; **he was definite about it** był stanowczy w tej sprawie.

definite article *n* rodzajnik *m or* przedimek *m* określony.

definitely ['dɛfɪnɪtlɪ] *adv* zdecydowanie.

definition [dɛfɪ'nɪʃən] *n* (*of word*) definicja *f*; (*of photograph*) rozdzielczość *f*.

definitive [dɪ'fɪnɪtɪv] *adj* ostateczny, rozstrzygający.

deflate [di:'fleɪt] *vt* wypuszczać (wypuścić *perf*) *or* spuszczać (spuścić *perf*) powietrze z +*gen*; (*fig: person*) odbierać (odebrać *perf*) pewność siebie +*dat*; (*ECON*) przeprowadzać (przeprowadzić *perf*) deflację +*gen*.

deflation [di:'fleɪʃən] *n* deflacja *f*.

deflationary [di:'fleɪʃənrɪ] *adj* deflacyjny.

deflect [dɪ'flɛkt] *vt* (*attention*) odwracać (odwrócić *perf*); (*criticism*) odpierać (odeprzeć *perf*); (*shot*) odbijać (odbić *perf*); (*light*) odchylać (odchylić *perf*).

defog ['di:'fɔg] (*US: AUT*) *vt* odparowywać (odparować *perf*) (*szybę*).

defogger ['di:'fɔgə*] (*US: AUT*) *n* ogrzewanie *nt* tylnej szyby.

deform [dɪ'fɔ:m] *vt* zniekształcać (zniekształcić *perf*), deformować (zdeformować *perf*).

deformed [dɪ'fɔ:md] *adj* zniekształcony, zdeformowany.

deformity [dɪ'fɔ:mɪtɪ] *n* (*condition*) kalectwo *nt*; (*distorted part*) deformacja *f*, zniekształcenie *nt*.

defraud [dɪ'frɔ:d] *vt*: **to defraud sb (of sth)** okradać (okraść *perf*) kogoś (z czegoś) (*przez defraudację*).

defray [dɪ'freɪ] *vt*: **to defray sb's expenses** zwracać (zwrócić *perf*) komuś koszty.

defrost [di:'frɔst] *vt* rozmrażać (rozmrozić *perf*).

defroster [di:'frɔstə*] (*US*) *n* = **demister**.

deft [dɛft] *adj* zręczny, zgrabny.

defunct [dɪ'fʌŋkt] *adj* martwy.

defuse [di:'fju:z] *vt* (*bomb*) rozbrajać (rozbroić *perf*); (*fig: tension*) rozładowywać (rozładować *perf*).

defy [dɪ'faɪ] *vt* (*disobey: person*) przeciwstawiać się (przeciwstawić się *perf*) +*dat*; (: *order*) ignorować (zignorować *perf*), postępować (postąpić *perf*) wbrew +*dat*; (*challenge*) wyzywać (wyzwać *perf*); (*fig*): **to defy description/imitation** być nie do opisania/podrobienia, nie dawać się opisać/podrobić.

degenerate [*vb* dɪ'dʒɛnəreɪt, *adj* dɪ'dʒɛnərɪt] *vi* pogarszać się (pogorszyć się *perf*) ♦ *adj* zwyrodniały, zdegenerowany.

degradation [dɛgrə'deɪʃən] *n* upodlenie *nt*, poniżenie *nt*.

degrade [dɪ'greɪd] *vt* (*person*) poniżać (poniżyć *perf*); (*environment etc*) powodować (spowodować *perf*) degradację +*gen*.

degrading [dɪ'greɪdɪŋ] *adj* poniżający.

degree [dɪ'gri:] *n* stopień *m*; (*SCOL*) stopień *m* naukowy; **10 degrees below (zero)** 10 stopni poniżej zera, 10 stopni mrozu; **a considerable degree of risk** znaczny stopień ryzyka *or* zagrożenia; **a degree in maths** dyplom z matematyki; **by degrees** stopniowo; **to some degree/to a certain degree** w pewnym stopniu, do pewnego stopnia.

dehydrated [di:haɪ'dreɪtɪd] *adj* (*MED*) odwodniony; (*milk etc*) w proszku *post.*

dehydration [di:haɪ'dreɪʃən] (*MED*) *n* odwodnienie *nt.*

de-ice ['di:'aɪs] *vt* (*windscreen*) usuwać (usunąć *perf*) lód z +*gen.*

de-icer ['di:'aɪsə*] *n* skrobaczka *f* do lodu.

deign [deɪn] *vi:* to deign to do sth raczyć coś zrobić, zechcieć (*perf*) (łaskawie) coś zrobić.

deity ['di:ɪtɪ] *n* boskość *f*, bóstwo *nt.*

déjà vu [deɪʒɑ:'vu:] *n* déjć vu *nt inv.*

dejected [dɪ'dʒɛktɪd] *adj* przygnębiony, przybity.

dejection [dɪ'dʒɛkʃən] *n* przygnębienie *nt.*

del. *abbr* = delete.

delay [dɪ'leɪ] *vt* (*decision etc*) odwlekać (odwlec *perf*), odkładać (odłożyć *perf*) (na później); (*person*) zatrzymywać (zatrzymać *perf*); (*train etc*) powodować (spowodować *perf*) opóźnienie +*gen* ♦ *vi* zwlekać, ociągać się ♦ *n* (*waiting period*) opóźnienie *nt*, zwłoka *f*; (*postponement*) opóźnienie *nt*; without delay bezzwłocznie; to be delayed (*person*) być spóźnionym; (*flight etc*) mieć opóźnienie, być opóźnionym.

delayed-action [dɪ'leɪd'ækʃən] *adj* (*mechanism*) zwłoczny.

delectable [dɪ'lɛktəbl] *adj* (*person*) powabny, rozkoszny; (*food*) wyśmienity.

delegate [*n* 'dɛlɪgɪt, *vb* 'dɛlɪgeɪt] *n* delegat(ka) *m(f)*, wysłannik (-iczka) *m(f)* ♦ *vt* (*person*) delegować (wydelegować *perf*); (*task*) przekazywać (przekazać *perf*); to delegate sth to sb/sb to do sth udzielać (udzielić *perf*) komuś pełnomocnictwa do zrobienia czegoś.

delegation [dɛlɪ'geɪʃən] *n* (*group*) delegacja *f*; (*by manager etc*) udzielanie *nt* pełnomocnictw, dzielenie się *nt* odpowiedzialnością (*z podwładnymi*).

delete [dɪ'li:t] *vt* (*cross out*) skreślać (skreślić *perf*), wykreślać (wykreślić *perf*); (*COMPUT*) kasować (skasować *perf*).

Delhi ['dɛlɪ] *n* Delhi *nt inv.*

deliberate [*adj* dɪ'lɪbərɪt, *vb* dɪ'lɪbəreɪt] *adj* (*intentional*) umyślny, zamierzony; (*unhurried*) spokojny, nieśpieszny ♦ *vi* (*consider*) zastanawiać się (zastanowić się *perf*); (*debate*) naradzać się (naradzić się *perf*).

deliberately [dɪ'lɪbərɪtlɪ] *adv* (*on purpose*) umyślnie, celowo; (*carefully*) ostrożnie, rozważnie.

deliberation [dɪlɪbə'reɪʃən] *n* namaszczenie *nt*, rozwaga *f*; (*usu pl*) obrady *pl.*

delicacy ['dɛlɪkəsɪ] *n* delikatność *f*; (*choice food*) przysmak *m.*

delicate ['dɛlɪkɪt] *adj* delikatny.

delicately ['dɛlɪkɪtlɪ] *adv* delikatnie.

delicatessen [dɛlɪkə'tɛsn] *n* delikatesy *pl.*

delicious [dɪ'lɪʃəs] *adj* (*food, smell*) wyśmienity, (prze)pyszny; (*feeling, person*) rozkoszny, przemiły.

delight [dɪ'laɪt] *n* (*feeling*) zachwyt *m*, radość *f*; (*experience etc*) (wielka) przyjemność *f*, rozkosz *f* ♦ *vt* cieszyć (ucieszyć *perf*), zachwycać (zachwycić *perf*); to take (a) delight in lubować się w +*loc*, rozkoszować się +*instr*; she was a delight to interview wywiad z nią to była sama przyjemność; the delights of country life rozkosze życia na wsi.

delighted [dɪ'laɪtɪd] *adj:* delighted at *or* with zachwycony +*instr*; he was delighted to meet them again był zachwycony, że mógł ich znów zobaczyć; I'd be delighted byłoby mi bardzo przyjemnie.

delightful [dɪ'laɪtful] *adj* zachwycający.

delimit [di:'lɪmɪt] *vt* ograniczać (ograniczyć *perf*).

delineate [dɪ'lɪnɪeɪt] *vt* (*outline*) nakreślać (nakreślić *perf*); (*fig*) określać (określić *perf*).

delinquency [dɪ'lɪŋkwənsɪ] *n* (*criminality*) przestępczość *f*; (*criminal action*) przestępstwo *nt*, wykroczenie *nt.*

delinquent [dɪ'lɪŋkwənt] *adj* winny przestępstwa *or* wykroczenia ♦ *n* (młodociany (-na) *m(f)*) przestępca (-czyni) *m(f).*

delirious [dɪ'lɪrɪəs] *adj:* to be delirious (*MED*) majaczyć, bredzić; (*fig*) szaleć (z radości).

delirium [dɪ'lɪrɪəm] (*MED*) *n* majaczenie *nt*, bredzenie *nt.*

deliver [dɪ'lɪvə*] *vt* (*distribute*) dostarczać (dostarczyć *perf*), doręczać (doręczyć *perf*); (*hand over*) oddawać (oddać *perf*), przekazywać (przekazać *perf*); (*verdict etc*) wydawać (wydać *perf*); (*speech*) wygłaszać (wygłosić *perf*); (*blow*) zadawać (zadać *perf*); (*warning etc*) dawać (dać *perf*); to deliver a baby odbierać (odebrać *perf*) poród; to deliver sb from (*captivity*) oswobadzać (oswobodzić *perf*) kogoś spod +*gen*; (*evil, harm*) wybawiać (wybawić *perf*) kogoś od +*gen*; to deliver the goods (*fig*) wywiązać się (*perf*) z obietnic(y).

deliverance [dɪ'lɪvrəns] *n* uwolnienie *nt*, wyzwolenie *nt.*

delivery [dɪ'lɪvərɪ] *n* (*distribution*) dostawa *f*; (*of speaker*) sposób *m* mówienia; (*MED*) poród *m*; to take delivery of sth obejmować (objąć *perf*) coś w posiadanie.

delivery note (*COMM*) *n* dowód *m* wykonania dostawy.

delivery van (*US* **delivery truck**) *n* samochód *m* dostawczy.

delouse ['di:'laus] *vt* odwszawiać (odwszawić *perf*).

delta ['dɛltə] *n* delta *f.*

delude [dɪ'lu:d] *vt* zwodzić (zwieść *perf*), wprowadzać (wprowadzić *perf*) w błąd; to delude o.s. łudzić się, oszukiwać samego siebie.

deluge ['dɛlju:dʒ] *n* (*of rain*) ulewa *f*, potop *m*; (*fig: of petitions etc*) lawina *f*, zalew *m.*

delusion [dɪ'lu:ʒən] *n* złudzenie *nt*, ułuda *f*; to

have delusions of grandeur mieć złudzenie wielkości.

de luxe [də'lʌks] *adj* luksusowy.

delve [dɛlv] *vi*: **to delve into** (*subject, past etc*) zagłębiać się (zagłębić się *perf*) w +*acc*; **to delve into/among** grzebać w +*loc*/wśród +*gen*.

Dem. (*US: POL*) *abbr* = **democrat(ic)**.

demagogue ['dɛməgɔg] *n* demagog *m*.

demand [dɪ'mɑːnd] *vt* (*ask for, insist on*) żądać (zażądać *perf*) +*gen*, domagać się +*gen*; (*need*) wymagać +*gen* ♦ *n* (*request*) żądanie *nt*; (*claim*) wymaganie *nt*, obciążenie *nt*; (*ECON*) popyt *m*; **to demand sth (from** *or* **of sb)** żądać (zażądać *perf*) czegoś (od kogoś); **I demand to see a doctor** żądam widzenia z lekarzem; **to be in demand** mieć powodzenie, być poszukiwanym; **on demand** na żądanie.

demand draft (*COMM*) *n* przekaz *m* na żądanie *or* na okaziciela *or* a vista.

demanding [dɪ'mɑːndɪŋ] *adj* wymagający.

demarcation [diːmɑː'keɪʃən] *n* rozgraniczenie *nt*.

demarcation dispute (*INDUSTRY*) *n* spór *m* o rozdział między gałęziami.

demean [dɪ'miːn] *vt*: **to demean o.s.** poniżać się (poniżyć się *perf*).

demeanour [dɪ'miːnə*] (*US* **demeanor**) *n* zachowanie (się) *nt*.

demented [dɪ'mɛntɪd] *adj* obłąkany.

demilitarized zone [diː'mɪlɪtəraɪzd-] *n* strefa *f* zdemilitaryzowana.

demise [dɪ'maɪz] *n* (*death*) zgon *m*; (*end*) zanik *m*.

demist [diː'mɪst] (*BRIT*) *vt* (*windscreen*) usuwać (usunąć *perf*) parę z +*gen*.

demister [diː'mɪstə*] (*BRIT*) *n* ogrzewanie *nt* tylnej szyby.

demo ['dɛməu] (*inf*) *n abbr* = **demonstration**.

demob [diː'mɔb] (*inf*) *vt* zwalniać (zwolnić *perf*) do cywila (*inf*).

demobilize [diː'məubɪlaɪz] *vt* demobilizować (zdemobilizować *perf*).

democracy [dɪ'mɔkrəsɪ] *n* (*system*) demokracja *f*; (*country*) państwo *nt* demokratyczne.

democrat ['dɛməkræt] *n* demokrata (-tka) *m(f)*.

democratic [dɛmə'krætɪk] *adj* demokratyczny.

demography [dɪ'mɔgrəfɪ] *n* demografia *f*.

demolish [dɪ'mɔlɪʃ] *vt* (*building*) burzyć (zburzyć *perf*); (*fig: argument*) obalać (obalić *perf*).

demolition [dɛmə'lɪʃən] *n* (*of building*) zburzenie *nt*; (*of argument*) obalenie *nt*.

demon ['diːmən] *n* demon *m* ♦ *cpd*: **demon player/driver** wytrawny gracz *m*/kierowca *m*.

demonstrate ['dɛmənstreɪt] *vt* (*theory*) dowodzić (dowieść *perf*) +*gen*; (*principle*) pokazywać (pokazać *perf*); (*skill*) wykazywać (wykazać *perf*); (*appliance*) demonstrować (zademonstrować *perf*) ♦ *vi*: **to demonstrate (for/against)** demonstrować (zademonstrować

perf) (za +*instr*/przeciw(ko) +*dat*), manifestować (zamanifestować *perf*) (za +*instr*/przeciw(ko) +*dat*).

demonstration [dɛmən'streɪʃən] *n* (*POL*) demonstracja *f*, manifestacja *f*; (*proof*) dowód *m*; (*exhibition*) demonstracja *f*, pokaz *m*; **to hold a demonstration** (*POL*) przeprowadzać (przeprowadzić *perf*) demonstrację *or* manifestację.

demonstration model *n* samochód używany do prób i pokazów, sprzedawany po niższej cenie.

demonstrative [dɪ'mɔnstrətɪv] *adj* (*person*) wylewny; (*pronoun*) wskazujący.

demonstrator ['dɛmənstreɪtə*] *n* (*POL*) demonstrant(ka) *m(f)*, manifestant(ka) *m(f)*; (*COMM: sales person*) demonstrator(ka) *m(f)*; (: *US*) = **demonstration model**.

demoralize [dɪ'mɔrəlaɪz] *vt* zniechęcać (zniechęcić *perf*).

demote [dɪ'məut] *vt* degradować (zdegradować *perf*).

demotion [dɪ'məuʃən] *n* degradacja *f*.

demur [dɪ'mə:*] (*fml*) *vi* sprzeciwiać się (sprzeciwić się *perf*) ♦ *n*: **without demur** bez sprzeciwu; **they demurred at the suggestion** sprzeciwili się tej propozycji.

demure [dɪ'mjuə*] *adj* skromny.

demurrage [dɪ'mʌrɪdʒ] (*COMM*) *n* przestój *m*.

den [dɛn] *n* (*of animal*) nora *f*, legowisko *nt*; (*of thieves*) melina *f*; (*room*) mały, cichy pokój, w którym jego użytkownikowi nie przeszkadzają inni domownicy.

denationalization ['diːnæʃnəlaɪ'zeɪʃən] *n* denacjonalizacja *f*.

denationalize [diː'næʃnəlaɪz] *vt* denacjonalizować (zdenacjonalizować *perf*).

denatured alcohol [diː'neɪtʃəd-] (*US*) *n* denaturat *m*.

denial [dɪ'naɪəl] *n* (*of allegation*) zaprzeczenie *nt*; (*of rights, liberties*) odmawianie *nt*; (*of country, religion etc*) wyparcie się *nt*.

denier ['dɛnɪə*] *n* denier *m*, den *m* (*jednostka wagi przędzy*).

denigrate ['dɛnɪgreɪt] *vt* oczerniać (oczernić *perf*).

denim ['dɛnɪm] *n* dżins *m*, drelich *m*; **denims** *npl* dżinsy *pl*.

denim jacket *n* kurtka *f* dżinsowa.

denizen ['dɛnɪzn] *n* mieszkaniec *m*.

Denmark ['dɛnmɑːk] *n* Dania *f*.

denomination [dɪnɔmɪ'neɪʃən] *n* (*of money*) nominał *m*; (*REL*) wyznanie *nt*.

denominator [dɪ'nɔmɪneɪtə*] (*MATH*) *n* mianownik *m*.

denote [dɪ'nəut] *vt* oznaczać (oznaczyć *perf*).

denounce [dɪ'nauns] *vt* potępiać (potępić *perf*).

dense [dɛns] *adj* gęsty; (*inf: person*) tępy.

densely ['dɛnslɪ] *adv* gęsto.

density ['dɛnsɪtɪ] *n* gęstość *f*;

double-/high-density disk dyskietka o podwójnej/wysokiej gęstości.

dent [dɛnt] n (in metal) wgniecenie nt; (fig: to pride, ego) uszczerbek m ♦ vt (metal) wgniatać (wgnieść perf); (fig: pride, ego) zadawać (zadać perf) cios +dat.

dental ['dɛntl] adj (treatment) dentystyczny, stomatologiczny; (sound) zębowy; **dental hygiene** higiena jamy ustnej.

dental floss [-flɔs] n nić f dentystyczna.

dental surgeon n lekarz m dentysta m or stomatolog m.

dentifrice ['dɛntɪfrɪs] n środek m do czyszczenia zębów.

dentist ['dɛntɪst] n dentysta (-tka) m(f), stomatolog m; **dentist's** (also: **dentist's surgery**) gabinet dentystyczny or stomatologiczny.

dentistry ['dɛntɪstrɪ] n stomatologia f.

dentures ['dɛntʃəz] npl proteza f (zębowa), sztuczna szczęka f (inf).

denuded [di:'nju:dɪd] adj: **denuded of** ogołocony z +gen.

denunciation [dɪnʌnsɪ'eɪʃən] n potępienie nt.

deny [dɪ'naɪ] vt (allegation) zaprzeczać (zaprzeczyć perf) +dat; (permission, rights) odmawiać (odmówić perf) +gen; (country, religion etc) wypierać się (wyprzeć się perf) +gen; **he denies having said it** zaprzecza, że to powiedział.

deodorant [di:'əudərənt] n dezodorant m.

depart [dɪ'pɑːt] vi (visitor: on foot) wychodzić (wyjść perf); (: by train etc) wyjeżdżać (wyjechać perf); (train) odjeżdżać (odjechać perf); (plane) odlatywać (odlecieć perf); **to depart from** (fig) odchodzić (odejść perf) od +gen, odstępować (odstąpić perf) od +gen.

department [dɪ'pɑːtmənt] n (COMM) dział m; (SCOL) instytut m, wydział m; (POL) departament m, ministerstwo nt; **that's not my department** (fig) to nie moja działka (inf); **Department of State** (US) Departament Stanu.

departmental [di:pɑːt'mɛntl] adj (meeting etc) wydziałowy; **departmental manager** (in company) kierownik (-iczka) m(f) oddziału; (in shop) kierownik (-iczka) m(f) działu.

department store n dom m towarowy.

departure [dɪ'pɑːtʃə*] n (of visitor: on foot) wyjście nt; (: by train etc) wyjazd m; (of train) odjazd m; (of plane) odlot m; (of employee, colleague) odejście nt; (fig): **departure from** odejście nt or odstępstwo nt od +gen; **a new departure** (in policy etc) nowy kierunek.

departure lounge n hala f odlotów.

depend [dɪ'pɛnd] vi: **to depend on** (be supported by) zależeć od +gen; (rely on) polegać na +loc; (financially) być zależnym od +gen; **it depends** to zależy; **depending on the result** w zależności od wyniku.

dependable [dɪ'pɛndəbl] adj niezawodny.

dependant [dɪ'pɛndənt] (also spelled **dependent**) n: **to be sb's dependant** być na czyimś utrzymaniu.

dependence [dɪ'pɛndəns] n uzależnienie nt.

dependent [dɪ'pɛndənt] adj: **to be dependent on** być uzależnionym od +gen ♦ n = **dependant**.

depict [dɪ'pɪkt] vt (in picture) przedstawiać (przedstawić perf); (describe) odmalowywać (odmalować perf).

depilatory [dɪ'pɪlətrɪ] n (also: **depilatory cream**) krem m do depilacji, depilator m (w kremie).

depleted [dɪ'pliːtɪd] adj (stocks etc) uszczuplony, naruszony.

deplorable [dɪ'plɔːrəbl] adj (conditions) żałosny; (lack of concern) godny ubolewania.

deplore [dɪ'plɔː*] vt ubolewać nad +instr, boleć nad +instr.

deploy [dɪ'plɔɪ] vt rozmieszczać (rozmieścić perf) (strategicznie).

depopulate [di:'pɔpjuleɪt] vt wyludniać (wyludnić perf).

depopulation ['di:pɔpju'leɪʃən] n wyludnienie nt.

deport [dɪ'pɔːt] vt deportować (deportować perf).

deportation [di:pɔː'teɪʃən] n deportacja f.

deportation order n nakaz m deportacji or opuszczenia kraju.

deportment [dɪ'pɔːtmənt] n (behaviour) zachowanie się nt; (way of walking etc) sposób m poruszania się.

depose [dɪ'pəuz] vt (official) dymisjonować (zdymisjonować perf); (ruler) detronizować (zdetronizować perf).

deposit [dɪ'pɔzɪt] n (in account) wkład m, lokata f; (down payment) pierwsza wpłata f, zadatek m; (for hired goods etc) kaucja f, zastaw m; (CHEM) osad m; (of ore, oil) złoże nt ♦ vt (money) wpłacać (wpłacić perf), deponować (zdeponować perf); (case etc) oddawać (oddać perf) (na przechowanie); (sth valuable) deponować (zdeponować perf); (river: sand etc) osadzać (osadzić perf); **to put down a deposit of 50 pounds** wpłacać (wpłacić perf) kaucję w wysokości 50 funtów.

deposit account n rachunek m terminowy.

depositor [dɪ'pɔzɪtə*] n deponent m.

depository [dɪ'pɔzɪtərɪ] n magazyn m, skład m.

depot ['dɛpəu] n (storehouse) magazyn m, skład m; (for vehicles) zajezdnia f; (US: station) dworzec m.

depraved [dɪ'preɪvd] adj (conduct) niemoralny; (person) zdeprawowany, zepsuty.

depravity [dɪ'prævɪtɪ] n zdeprawowanie nt, zepsucie nt.

deprecate ['dɛprɪkeɪt] vt potępiać.

deprecating ['dɛprɪkeɪtɪŋ] adj wyrażający dezaprobatę.

depreciate [dɪ'priːʃɪeɪt] vi tracić (stracić perf) na wartości.

depreciation [dɪpriːʃɪˈeɪʃən] *n* spadek *m* wartości, deprecjacja *f* (*fml* *).

depress [dɪˈprɛs] *vt* (*person*) przygnębiać (przygnębić *perf*); (*price, wages*) obniżać (obniżyć *perf*); (*press down*) naciskać (nacisnąć *perf*).

depressant [dɪˈprɛsnt] *n* środek *m* uspokajający.

depressed [dɪˈprɛst] *adj* (*person*) przygnębiony, przybity; (*industry etc*) dotknięty kryzysem; (*area*) dotknięty bezrobociem; **to get depressed** popadać (popaść *perf*) w depresję *or* przygnębienie.

depressing [dɪˈprɛsɪŋ] *adj* przygnębiający.

depression [dɪˈprɛʃən] *n* (*PSYCH*) depresja *f*; (*ECON*) kryzys *m*, depresja *f*; (*weather system*) niż *m*; (*hollow*) zagłębienie *nt*.

deprivation [dɛprɪˈveɪʃən] *n* (*poverty*) ubóstwo *nt*; (*of rights etc*) pozbawienie *nt*.

deprive [dɪˈpraɪv] *vt*: **to deprive sb of sth** pozbawiać (pozbawić *perf*) kogoś czegoś.

deprived [dɪˈpraɪvd] *adj* (*area*) upośledzony; (*children*) z ubogich rodzin *post*.

dept. *abbr* = **department** wydz.

depth [dɛpθ] *n* (*of hole, water etc*) głębokość *f*; (*of emotion, knowledge*) głębia *f*; **the depths** czeluść, otchłań; **in the depths of despair** w skrajnej rozpaczy; **in the depths of winter** w samym środku zimy; **at a depth of 3 metres** na głębokości trzech metrów; **to be out of one's depth** (*fig*) nie czuć się w swoim żywiole; **to go out of one's depth** (*lit, fig*) tracić (stracić *perf*) grunt pod nogami; **to study sth in depth** studiować (przestudiować *perf*) coś dogłębnie.

depth charge *n* bomba *f* głębinowa.

deputation [dɛpjuˈteɪʃən] *n* (*assignment*) delegowanie *nt*; (*group*) delegacja *f*.

deputize [ˈdɛpjutaɪz] *vi*: **to deputize for sb** zastępować (zastąpić *perf*) kogoś.

deputy [ˈdɛpjutɪ] *cpd*: **deputy chairman/leader etc** wiceprzewodniczący (-ca) *m(f)* ♦ *n* (*assistant, replacement*) zastępca (-czyni) *m(f)*; (*POL*) deputowany (-na) *m(f)*; (*US: also*: **deputy sheriff**) zastępca (-czyni) *m(f)* szeryfa; **deputy head** (*BRIT: SCOL*) wicedyrektor(ka) *m(f)*.

derail [dɪˈreɪl] *vt*: **to be derailed** wykolejać się (wykoleić się *perf*).

derailment [dɪˈreɪlmənt] *n* wykolejenie *nt*.

deranged [dɪˈreɪndʒd] *adj* (*also*: **mentally deranged**) obłąkany.

derby [ˈdəːrbɪ] (*US*) *n* melonik *m*.

Derbys (*BRIT: POST*) *abbr* (= *Derbyshire*).

deregulate [dɪˈrɛgjuleɪt] *vt* wyjmować (wyjąć *perf*) spod kontroli państwowej.

deregulation [dɪˈrɛgjuˈleɪʃən] *n* wyjęcie *nt* spod kontroli państwowej.

derelict [ˈdɛrɪlɪkt] *adj* (*building*) opuszczony.

deride [dɪˈraɪd] *vt* szydzić z +*gen*, drwić z +*gen*.

derision [dɪˈrɪʒən] *n* szyderstwo *nt*, drwina *f*.

derisive [dɪˈraɪsɪv] *adj* szyderczy, drwiący.

derisory [dɪˈraɪsərɪ] *adj* (*sum*) śmiechu wart; (*laughter, person*) drwiący.

derivation [dɛrɪˈveɪʃən] *n* (*LING*) derywacja *f*.

derivative [dɪˈrɪvətɪv] *n* (*MATH, CHEM*) pochodna *f*, (*LING*) wyraz *m* pochodny, derywat *m* ♦ *adj* (*pej*) wtórny, nieoryginalny.

derive [dɪˈraɪv] *vt*: **to derive pleasure/benefit from** czerpać przyjemność/korzyści z +*gen* ♦ *vi*: **to derive from** wywodzić się z +*gen*.

dermatitis [dəːməˈtaɪtɪs] *n* zapalenie *nt* skóry.

dermatology [dəːməˈtɔlədʒɪ] *n* dermatologia *f*.

derogatory [dɪˈrɔgətərɪ] *adj* uwłaczający.

derrick [ˈdɛrɪk] *n* (*on ship*) żuraw *m*; (*on oil well*) wieża *f* wiertnicza.

derv [dəːv] (*BRIT*) *n* olej *m* napędowy.

DES (*BRIT*) *n abbr* (= *Department of Education and Science*) Ministerstwo *nt* Oświaty i Nauki.

desalination [diːsælɪˈneɪʃən] *n* odsalanie *nt*.

descend [dɪˈsɛnd] *vt* (*stairs*) schodzić (zejść *perf*) po +*loc*; (*hill*) schodzić (zejść *perf*) z +*gen*; (*slope*) schodzić (zejść *perf*) w dół +*gen* ♦ *vi* schodzić (zejść *perf*); **to be descended from** wywodzić się z +*gen*, pochodzić od +*gen*; **to descend to** (*lying etc*) zniżać się (zniżyć się *perf*) do +*gen*; **in descending order** (*MATH*) w porządku malejącym; **in descending order of importance** od najważniejszych poczynając.

▶**descend on** *vt fus* (*enemy etc*) napadać (napaść *perf*) na +*acc*; (*silence etc*) zapanować (*perf*) nad +*instr*, zawładnąć (*perf*) +*instr*; **visitors descended (up)on us** zwalili nam się goście (*inf*).

descendant [dɪˈsɛndənt] *n* potomek *m*.

descent [dɪˈsɛnt] *n* (*of stairs, hill etc*) schodzenie *nt*; (*AVIAT*) opadanie *nt*, wytracanie *nt* wysokości; (*origin*) pochodzenie *nt*, rodowód *m*.

describe [dɪsˈkraɪb] *vt* opisywać (opisać *perf*).

description [dɪsˈkrɪpʃən] *n* (*account*) opis *m*; (*sort*) rodzaj *m*; **of every description** wszelkiego rodzaju.

descriptive [dɪsˈkrɪptɪv] *adj* opisowy.

desecrate [ˈdɛsɪkreɪt] *vt* bezcześcić (zbezcześcić *perf*), profanować (sprofanować *perf*).

desegregate [diːˈsɛgrɪgeɪt] *vt* (*school, area*) eliminować (wyeliminować *perf*) segregację rasową z +*gen*.

desert [*n* ˈdɛzət, *vb* dɪˈzəːt] *n* pustynia *f* ♦ *vt* opuszczać (opuścić *perf*), porzucać (porzucić *perf*) ♦ *vi* dezerterować (zdezerterować *perf*); *see also* **deserts**.

deserter [dɪˈzəːtə*] *n* dezerter *m*.

desertion [dɪˈzəːʃən] *n* (*MIL*) dezercja *f*, (*JUR*) porzucenie *nt*.

desert island *n* bezludna wyspa *f*.

deserts [dɪ'zə:ts] *npl:* **to get one's just deserts**
dostawać (dostać *perf*) to, na co się zasłużyło.
deserve [dɪ'zə:v] *vt* zasługiwać (zasłużyć *perf*)
na +*acc.*
deservedly [dɪ'zə:vɪdlɪ] *adv* zasłużenie.
deserving [dɪ'zə:vɪŋ] *adj* (*person*) zasłużony;
(*action, cause*) chwalebny, godny poparcia;
deserving of zasługujący na +*acc.*
desiccated ['dɛsɪkeɪtɪd] *adj* (*skin etc*)
wysuszony; (*coconut*) suszony.
design [dɪ'zaɪn] *n* (*art, process*) projektowanie
nt; (*drawing*) projekt *m*; (*layout, shape*)
zaprojektowanie *nt*; (*pattern*) deseń *m*;
(*intention*) zamiar *m*, zamysł *m* ♦ *vt* (*house,
product*) projektować (zaprojektować *perf*);
(*test*) układać (ułożyć *perf*); **to have designs
on** mieć *or* robić zakusy na +*acc*;
well-designed dobrze zaprojektowany.
designate [*vb* 'dɛzɪgneɪt, *adj* 'dɛzɪgnɪt] *vt*
desygnować, wyznaczać (wyznaczyć *perf*) ♦
adj: **chairman/minister designate** desygnowany
przewodniczący/minister.
designation [dɛzɪg'neɪʃən] *n* określenie *nt*,
oznaczenie *nt*.
designer [dɪ'zaɪnə*] *n* projektant(ka) *m(f)*;
(*TECH*) konstruktor(ka) *m(f)* ♦ *adj* (*clothes,
label etc*) od znanego projektanta *post.*
desirability [dɪzaɪərə'bɪlɪtɪ] *n:* **the desirability
of** potrzeba *f* +*gen.*
desirable [dɪ'zaɪərəbl] *adj* (*proper*) pożądany,
wskazany; (*attractive*) godny pożądania; **it is
desirable that** wskazane jest, by.
desire [dɪ'zaɪə*] *n* (*urge*) chęć *f*, ochota *f*;
(*sexual urge*) pożądanie *nt*, żądza *f* ♦ *vt*
(*want*) pragnąć (zapragnąć *perf*) +*gen*, życzyć
(zażyczyć *perf*) sobie +*gen*; (*lust after*)
pożądać +*gen*; **to desire to do sth** pragnąć
coś (z)robić; **to desire that** pragnąć, by.
desirous [dɪ'zaɪərəs] (*fml*) *adj:* **to be desirous
of** życzyć sobie +*infin.*
desist [dɪ'zɪst] *vi:* **to desist (from)** zaniechać
(*perf*) (+*gen*).
desk [dɛsk] *n* (*in office*) biurko *nt*; (*for pupil*)
ławka *f*; (*in hotel*) recepcja *f*; (*at airport*)
informacja *f*, (*BRIT: in shop, restaurant*) kasa *f.*
desk job *n* praca *f* biurowa.
desk-top publishing ['dɛsktɔp-] *n*
komputerowe wspomaganie *nt* prac
wydawniczych.
desolate ['dɛsəlɪt] *adj* (*place*) wyludniony,
opuszczony; (*person*) niepocieszony.
desolation [dɛsə'leɪʃən] *n* (*of place*) pustka *f*;
(*of person*) rozpacz *f.*
despair [dɪs'pɛə*] *n* rozpacz *f* ♦ *vi:* **to despair
of** tracić (stracić *perf*) nadzieję na +*acc*,
wątpić (zwątpić *perf*) w +*acc*; **to be in
despair** być zrozpaczonym *or* w rozpaczy.
despatch *n, vt* = **dispatch.**
desperate ['dɛspərɪt] *adj* (*person*)
zdesperowany; (*action*) rozpaczliwy,

desperacki; (*situation, cry*) rozpaczliwy; **to be
desperate for sth/to do sth** rozpaczliwie
potrzebować czegoś/pragnąć coś zrobić; **he
was taken hostage by a gang of desperate
men** został porwany przez bandę desperatów.
desperately ['dɛspərɪtlɪ] *adv* (*struggle, shout*)
z desperacją; (*ill, unhappy etc*) strasznie.
desperation [dɛspə'reɪʃən] *n* desperacja *f*,
rozpacz *f*; **in (sheer) desperation** w desperacji.
despicable [dɪs'pɪkəbl] *adj* nikczemny, podły.
despise [dɪs'paɪz] *vt* gardzić (wzgardzić *perf*)
+*instr*, pogardzać (pogardzić *perf*) +*instr.*
despite [dɪs'paɪt] *prep* (po)mimo +*gen*; **despite
o.s.** wbrew (samemu) sobie.
despondent [dɪs'pɔndənt] *adj* przybity,
przygnębiony.
despot ['dɛspɔt] *n* despota (-tka) *m(f).*
dessert [dɪ'zə:t] *n* deser *m.*
dessert spoon *n* (*object*) łyżka *f* deserowa;
(*quantity*) około 2 łyżeczek od herbaty.
destabilize [di:'steɪbɪlaɪz] *vt* destabilizować
(zdestabilizować *perf*).
destination [dɛstɪ'neɪʃən] *n* (*of traveller*) cel *m*
(podróży); (*of goods*) miejsce *nt*
przeznaczenia; (*of letter*) adres *m*, adresat *m.*
destined ['dɛstɪnd] *adj:* **destined for**
przeznaczony do +*gen*; **destined for Warsaw**
w drodze do Warszawy; **he was destined to
do it** było mu pisane *or* przeznaczone, że to
zrobi.
destiny ['dɛstɪnɪ] *n* przeznaczenie *nt*, los *m.*
destitute ['dɛstɪtjuːt] *adj* pozbawiony środków
do życia.
destroy [dɪs'trɔɪ] *vt* (*building, faith*) niszczyć
(zniszczyć *perf*); (*animal*) uśmiercać (uśmiercić
perf).
destroyer [dɪs'trɔɪə*] (*NAUT*) *n* niszczyciel *m.*
destruction [dɪs'trʌkʃən] *n* zniszczenie *nt*,
zagłada *f.*
destructive [dɪs'trʌktɪv] *adj* (*force*) niszczący,
niszczycielski; (*criticism, child*) destruktywny.
desultory ['dɛsəltərɪ] *adj* (*reading*) pobieżny;
(*conversation*) zdawkowy.
detach [dɪ'tætʃ] *vt* odczepiać (odczepić *perf*),
zdejmować (zdjąć *perf*).
detachable [dɪ'tætʃəbl] *adj* odczepiany,
zdejmowany.
detached [dɪ'tætʃt] *adj* (*attitude, person*)
bezstronny; (*house*) wolno stojący.
detachment [dɪ'tætʃmənt] *n* obojętność *f*,
dystans *m*; (*MIL*) oddział *m* (specjalny).
detail ['diːteɪl] *n* szczegół *m*, detal *m* ♦ *vt*
wyszczególniać (wyszczególnić *perf*); **in detail**
szczegółowo; **to go into details** wdawać się
(wdać się *perf*) w szczegóły.
detailed ['diːteɪld] *adj* szczegółowy,
drobiazgowy.
detain [dɪ'teɪn] *vt* zatrzymywać (zatrzymać *perf*).
detainee [diːteɪ'niː] *n* zatrzymany (-na) *m(f).*

detect [dɪˈtɛkt] *vt* wyczuwać (wyczuć *perf*); (*MED, TECH*) wykrywać (wykryć *perf*).

detection [dɪˈtɛkʃən] *n* wykrycie *nt*; **crime detection** wykrywanie *or* wykrywalność przestępstw; **to escape detection** (*criminal*) pozostawać (pozostać *perf*) na wolności; (*mistake*) pozostawać (pozostać *perf*) nie zauważonym, uchodzić (ujść *perf*) uwadze.

detective [dɪˈtɛktɪv] *n* detektyw *m*, wywiadowca (-czyni) *m(f)*; **private detective** prywatny detektyw.

detective story *n* powieść *f* kryminalna *or* detektywistyczna, kryminał *m* (*inf*).

detector [dɪˈtɛktə*] *n* detektor *m*, wykrywacz *m*.

détente [deɪˈtɑːnt] *n* odprężenie *nt*.

detention [dɪˈtɛnʃən] *n* (*arrest*) zatrzymanie *nt*; (*SCOL*): **to be in detention** zostawać (zostać *perf*) (za karę) po lekcjach.

deter [dɪˈtəː*] *vt* odstraszać (odstraszyć *perf*).

detergent [dɪˈtəːdʒənt] *n* detergent *m*.

deteriorate [dɪˈtɪərɪəreɪt] *vi* pogarszać się (pogorszyć się *perf*), psuć się (popsuć się *perf*).

deterioration [dɪtɪərɪəˈreɪʃən] *n* pogorszenie *nt*.

determination [dɪtəːmɪˈneɪʃən] *n* (*resolve*) determinacja *f*, zdecydowanie *nt*; (*establishment*) określenie *nt*, ustalenie *nt*.

determine [dɪˈtəːmɪn] *vt* (*facts, budget, quantity*) ustalać (ustalić *perf*); (*limits etc*) określać (określić *perf*), wyznaczać (wyznaczyć *perf*); **to determine that** wykazywać (wykazać *perf*), że; **to determine to do sth** postanawiać (postanowić *perf*) coś zrobić.

determined [dɪˈtəːmɪnd] *adj* (*person*) zdecydowany, zdeterminowany; (*effort*) stanowczy; **determined to do sth** zdecydowany coś zrobić.

deterrence [dɪˈtɛrəns] *n* odstraszanie *nt*, działanie *nt* odstraszające.

deterrent [dɪˈtɛrənt] *n* czynnik *m* odstraszający; **to act as a deterrent** działać (podziałać *perf*) odstraszająco.

detest [dɪˈtɛst] *vt* nienawidzić *+gen*, nie cierpieć *+gen*.

detestable [dɪˈtɛstəbl] *adj* obrzydliwy, wstrętny.

detonate [ˈdɛtəneɪt] *vi* wybuchać (wybuchnąć *perf*) ♦ *vt* detonować (zdetonować *perf*).

detonator [ˈdɛtəneɪtə*] *n* detonator *m*.

detour [ˈdiːtuə*] *n* (*diversion*) objazd *m*; **to make a detour** zbaczać (zboczyć *perf*) z trasy.

detract [dɪˈtrækt] *vi*: **to detract from** (*effect, achievement*) umniejszać (umniejszyć *perf*) *+acc*; (*pleasure*) zakłócać (zakłócić *perf*) *+acc*.

detractor [dɪˈtræktə*] *n* krytyk *m*.

detriment [ˈdɛtrɪmənt] *n*: **to the detriment of** ze szkodą dla *+gen*; **without detriment to** bez szkody dla *+gen*.

detrimental [dɛtrɪˈmɛntl] *adj*: **detrimental to** (wielce) szkodliwy dla *+gen*.

deuce [djuːs] (*TENNIS*) *n* równowaga *f*.

devaluation [dɪvæljuˈeɪʃən] *n* dewaluacja *f*.

devalue [ˈdiːˈvæljuː] *vt* (*work, person*) lekceważyć (zlekceważyć *perf*); (*currency*) dewaluować (zdewaluować *perf*).

devastate [ˈdɛvəsteɪt] *vt* (doszczętnie) niszczyć (zniszczyć *perf*); (*fig*): **to be devastated by** być zdruzgotanym *+instr*.

devastating [ˈdɛvəsteɪtɪŋ] *adj* (*weapon, storm*) niszczycielski, siejący spustoszenie; (*news, effect*) druzgocący.

devastation [dɛvəsˈteɪʃən] *n* zniszczenie *nt*, spustoszenie *nt*.

develop [dɪˈvɛləp] *vt* (*business, idea*) rozwijać (rozwinąć *perf*); (*land*) zagospodarowywać (zagospodarować *perf*); (*resource*) wykorzystywać (wykorzystać *perf*); (*PHOT*) wywoływać (wywołać *perf*); (*disease*) dostawać (dostać *perf*) *+gen*, nabawić się (*perf*) *+gen* ♦ *vi* (*advance, evolve*) rozwijać się (rozwinąć się *perf*); (*appear*) występować (wystąpić *perf*), pojawiać się (pojawić się *perf*); **the machine developed faults** w urządzeniu wystąpiły usterki; **to develop a taste for sth** nabierać (nabrać *perf*) upodobania do czegoś, zasmakować (*perf*) w czymś; **to develop into** rozwijać się (rozwinąć się *perf*) w *+acc*.

developer [dɪˈvɛləpə*] *n* (*also*: **property developer**) inwestor *m* (budowlany).

developing country [dɪˈvɛləpɪŋ-] *n* kraj *m* rozwijający się.

development [dɪˈvɛləpmənt] *n* (*advance*) rozwój *m*; (*in affair, case*) wydarzenie *nt*; (*of land*) zagospodarowanie *nt*.

development area *n* rejon *wysokiego bezrobocia, w którym rząd zachęca do inwestowania.*

deviant [ˈdiːvɪənt] *adj* odbiegający od normy.

deviate [ˈdiːvɪeɪt] *vi*: **to deviate (from)** (*view*) odstępować (odstąpić *perf*) (od *+gen*); (*norm*) odbiegać (odbiec *perf*) (od *+gen*); (*path*) zbaczać (zboczyć *perf*) (z *+gen*).

deviation [diːvɪˈeɪʃən] *n* odchylenie *nt*, dewiacja *f*.

device [dɪˈvaɪs] *n* (*apparatus*) przyrząd *m*, urządzenie *nt*; (*stratagem*) sposób *m*, środek *m*; **explosive device** bomba.

devil [ˈdɛvl] *n* diabeł *m*; **go on, be a devil!** zaszalej sobie!; **talk of the devil!** o wilku mowa...; **poor devil** biedaczysko.

devilish [ˈdɛvlɪʃ] *adj* diabelski.

devious [ˈdiːvɪəs] *adj* (*person*) przebiegły; (*path*) kręty.

devise [dɪˈvaɪz] *vt* (*plan*) obmyślać (obmyślić *perf*); (*machine*) wynaleźć (*perf*).

devoid [dɪˈvɔɪd] *adj*: **devoid of** pozbawiony *+gen*.

devolution [diːvəˈluːʃən] *n* decentralizacja *f* (władzy).

devolve [dɪˈvɒlv] *vi*: **to devolve (up)on**

przechodzić (przejść *perf*) na +*acc* ♦ *vt*
(*power, duty etc*) przekazywać (przekazać *perf*).

devote [dɪ'vəut] *vt*: **to devote sth to sb/sth**
poświęcać (poświęcić *perf*) coś komuś/czemuś.

devoted [dɪ'vəutɪd] *adj* (*service, friendship*)
ofiarny; (*admirer, partner*) oddany; **to be**
devoted to sb być komuś oddanym; **the**
book is devoted to politics książka
poświęcona jest polityce.

devotee [dɛvəu'tiː] *n* entuzjasta (-tka) *m(f)*,
wielbiciel(ka) *m(f)*; (*REL*) wierny (-na) *m(f)*.

devotion [dɪ'vəuʃən] *n* oddanie *nt*; (*REL*)
pobożność *f*.

devour [dɪ'vauə*] *vt* pożerać (pożreć *perf*).

devout [dɪ'vaut] *adj* pobożny, nabożny.

dew [djuː] *n* rosa *f*.

dexterity [dɛks'tɛrɪtɪ] *n* (*manual*) sprawność *f*,
zręczność *f*; (*mental*) sprawność *f*.

dext(e)rous ['dɛkstrəs] *adj* sprawny, zręczny.

dg *abbr* (= *decigram*) dkg.

DH (*BRIT*) *n abbr* (= *Department of Health*)
Ministerstwo *nt* Zdrowia.

DHSS (*BRIT*) *n abbr* (*formerly*: = *Department*
of Health and Social Security) Ministerstwo *nt*
Zdrowia i Opieki Społecznej.

Dhaka ['dækə] *n* Dakka *f*.

diabetes [daɪə'biːtiːz] *n* cukrzyca *f*.

diabetic [daɪə'bɛtɪk] *adj* chory na cukrzycę;
(*chocolate etc*) dla chorych na cukrzycę *post*
♦ *n* chory (-ra) *m(f)* na cukrzycę, cukrzyk *m*.

diabolical [daɪə'bɔlɪkl] *adj* (*inf*: *behaviour*,
weather) ohydny.

diaeresis [daɪ'ɛrɪsɪs] *n* diereza *f*.

diagnose [daɪəg'nəuz] *vt* rozpoznawać
(rozpoznać *perf*), diagnozować (zdiagnozować
perf).

diagnoses [daɪəg'nəusiːz] *npl of* **diagnosis**.

diagnosis [daɪəg'nəusɪs] (*pl* **diagnoses**) *n*
diagnoza *f*, rozpoznanie *nt*.

diagonal [daɪ'ægənl] *adj* ukośny ♦ *n* przekątna *f*.

diagram ['daɪəgræm] *n* wykres *m*, diagram *m*.

dial ['daɪəl] *n* (*indicator*) skala *f* (tarczowa);
(*tuner*) pokrętło *nt*, potencjometr *m*; (*of*
phone) tarcza *f* ♦ *vt* (*number*) wykręcać
(wykręcić *perf*), wybierać (wybrać *perf*) (*fml*);
to dial a wrong number wykręcać (wykręcić
perf) zły numer; **can I dial London direct?**
czy można zadzwonić do Londynu
bezpośrednio?

dial. *abbr* = **dialect**.

dial code (*US*) *n* = **dialling code**.

dialect ['daɪəlɛkt] *n* dialekt *m*, gwara *f*.

dialling code ['daɪəlɪŋ-] (*US* **dial code**) *n*
(numer) kierunkowy *m*.

dialling tone (*US* **dial tone**) *n* sygnał *m*
(zgłoszenia) (*w telefonie*).

dialogue ['daɪəlɔg] (*US* **dialog**) *n* dialog *m*.

dial tone (*US*) *n* = **dialling tone**.

dialysis [daɪ'ælɪsɪs] *n* dializa *f*.

diameter [daɪ'æmɪtə*] *n* średnica *f*.

diametrically [daɪə'mɛtrɪklɪ] *adv*: **diametrically**
opposed (to) diametralnie różny (od +*gen*).

diamond ['daɪəmənd] *n* (*stone*) diament *m*;
(: *polished*) brylant *m*; (*shape*) romb *m*;
diamonds *npl* (*CARDS*) karo *nt inv*.

diamond ring *n* pierścionek *m* z brylantem.

diaper ['daɪəpə*] (*US*) *n* pieluszka *f*.

diaphragm ['daɪəfræm] *n* (*ANAT*) przepona *f*;
(*contraceptive*) krążek *m* dopochwowy.

diarrhoea [daɪə'riːə] (*US* **diarrhea**) *n*
biegunka *f*.

diary ['daɪərɪ] *n* (*engagements book*) terminarz
m, notatnik *m*; (*daily account*) pamiętnik *m*,
dziennik *m*; **to keep a diary** pisać pamiętnik.

diatribe ['daɪətraɪb] *n* diatryba *f*.

dice [daɪs] *n inv* (*in game*) kostka *f* (do gry);
(*game*) kości *pl* ♦ *vt* (*CULIN*) kroić (pokroić
perf) w kostkę.

dicey ['daɪsɪ] (*inf*) *adj*: **it's a bit dicey** to
trochę ryzykowne.

dichotomy [daɪ'kɔtəmɪ] *n* (*division*)
dwudzielność *f*, dychotomia *f*; (*disagreement*)
rozdźwięk *m*.

Dictaphone ['dɪktəfəun] ® *n* dyktafon *m*.

dictate [*vb* dɪk'teɪt, *n* 'dɪkteɪt] *vt* dyktować
(podyktować *perf*) ♦ *vi*: **to dictate to** narzucać
(narzucić *perf*) swoją wolę +*dat* ♦ *n* nakaz *m*;
I won't be dictated to nikt mi nie będzie
rozkazywać.

dictation [dɪk'teɪʃən] *n* (*of letter etc*)
dyktowanie *nt*; (*order*) dyktat *m*; (*SCOL*)
dyktando *nt*; **to take dictation from** at
dictation speed w tempie dyktowania.

dictator [dɪk'teɪtə*] *n* dyktator(ka) *m(f)*.

dictatorship [dɪk'teɪtəʃɪp] *n* dyktatura *f*.

diction ['dɪkʃən] *n* dykcja *f*.

dictionary ['dɪkʃənrɪ] *n* słownik *m*.

did [dɪd] *pt of* **do**.

didactic [daɪ'dæktɪk] *adj* dydaktyczny.

diddle ['dɪdl] (*inf*) *vt* nabierać (nabrać *perf*) (*inf*).

didn't ['dɪdnt] = **did not**.

die [daɪ] *vi* (*person*) umierać (umrzeć *perf*);
(*animal*) zdychać (zdechnąć *perf*); (*plant*)
usychać (uschnąć *perf*); (*fig*) umierać (umrzeć
perf), ginąć (zginąć *perf*); **to die of** *or* **from**
umierać (umrzeć *perf*) na +*acc*; (*fig*) umierać
(umrzeć *perf*) z +*gen*; **he is dying** on umiera
or jest umierający; **to be dying for sth/to do**
sth bardzo chcieć czegoś/zrobić coś.

►**die away** *vi* (*sound, light*) niknąć, zanikać
(zaniknąć *perf*).

►**die down** *vi* cichnąć (ucichnąć *perf*),
uspokajać się (uspokoić się *perf*).

►**die out** *vi* (*custom*) zanikać (zaniknąć *perf*);
(*species*) wymierać (wymrzeć *perf*).

diehard ['daɪhɑːd] *n* (zatwardziały (-ła) *m(f)*)
konserwatysta (-tka) *m(f)*.

diesel ['diːzl] *n* (*vehicle*) pojazd *m* napędzany
ropą, diesel *m* (*inf*); (*also*: **diesel oil**) olej *m*
napędowy.

diesel engine n silnik m diesla, diesel m (inf).
diet ['daɪət] n (food intake) odżywianie nt, dieta f; (restricted food) dieta f ♦ vi (also: **to be on a diet**) być na diecie; **to live on a diet of fish and rice** żywić się rybami i ryżem.
dietician [daɪə'tɪʃən] n dietetyk (-yczka) m(f).
differ ['dɪfə*] vi: **to differ (from)** różnić się (od +gen); **to differ (about)** nie zgadzać się (co do +gen); **they agreed to differ** uzgodnili, że pozostaną każdy przy swoim zdaniu.
difference ['dɪfrəns] n (dissimilarity) różnica f; (disagreement) różnica f poglądów; **it makes no difference to me** nie sprawia mi to różnicy; **to settle one's differences** godzić się (pogodzić się perf).
different ['dɪfrənt] adj (not the same, unlike) inny, różny; (various) różny.
differential [dɪfə'renʃəl] n (MATH) różniczka f; (BRIT: in wages) zróżnicowanie nt.
differentiate [dɪfə'renʃɪeɪt] vi: **to differentiate (between)** rozróżniać (rozróżnić perf) (pomiędzy +instr) ♦ vt: **to differentiate sth from** odróżniać (odróżnić perf) coś od +gen.
differently ['dɪfrəntlɪ] adv (in a different way) inaczej, odmiennie; (in different ways) różnie.
difficult ['dɪfɪkəlt] adj trudny; **difficult to understand** trudny do zrozumienia.
difficulty ['dɪfɪkəltɪ] n trudność f; **to have difficulties with** mieć trudności z +instr; **to be in difficulty** być w tarapatach.
diffidence ['dɪfɪdəns] n nieśmiałość f, rezerwa f.
diffident ['dɪfɪdənt] adj nieśmiały.
diffuse [adj dɪ'fjuːs, vb dɪ'fjuːz] adj (idea, sense) niejasny; (light) rozproszony ♦ vt (information) rozpowszechniać (rozpowszechnić perf), szerzyć.
dig [dɪg] (pt, pp **dug**) vt (hole etc) kopać, wykopywać (wykopać perf); (garden) kopać w +loc, przekopywać (przekopać perf) ♦ n (prod) kuksaniec m, szturchaniec m; (also: **archaeological dig**) wykopalisko nt; (remark) przytyk m; **to dig one's nails into sth** wbijać (wbić perf) w coś paznokcie.
▸**dig in** vi okopywać się (okopać się perf) ♦ vt (compost) zakopywać (zakopać perf); (knife, claw) wbijać (wbić perf); **to dig one's heels in** (fig) zapierać się (zaprzeć się perf).
▸**dig into** vt fus (savings) sięgać (sięgnąć perf) do +gen.
▸**dig out** vt odkopywać (odkopać perf), odgrzebywać (odgrzebać perf).
▸**dig up** vt (plant) wykopywać (wykopać perf); (information) wydobywać (wydobyć perf) na jaw.
digest [vb daɪ'dʒest, n 'daɪdʒest] vt (food) trawić (strawić perf); (fig: facts) przetrawiać (przetrawić perf) ♦ n kompendium nt.
digestible [dɪ'dʒestəbl] adj strawny.
digestion [dɪ'dʒestʃən] n trawienie nt.
digestive [dɪ'dʒestɪv] adj trawienny; (BRIT) n rodzaj herbatnika z mąki razowej; **the digestive system** układ pokarmowy.
digit ['dɪdʒɪt] n (number) cyfra f; (finger) palec m.
digital ['dɪdʒɪtl] adj cyfrowy.
digital computer n komputer m cyfrowy.
dignified ['dɪgnɪfaɪd] adj dostojny, pełen godności.
dignitary ['dɪgnɪtərɪ] n dygnitarz m, dostojnik m.
dignity ['dɪgnɪtɪ] n godność f, dostojeństwo nt.
digress [daɪ'gres] vi: **to digress (from)** (topic) odchodzić (odejść perf) (od +gen).
digression [daɪ'greʃən] n dygresja f.
digs [dɪgz] (BRIT: inf) npl kwatera f.
dike [daɪk] n = **dyke**.
dilapidated [dɪ'læpɪdeɪtɪd] adj walący się, w rozsypce post.
dilate [daɪ'leɪt] vi rozszerzać się (rozszerzyć się perf) ♦ vt rozszerzać (rozszerzyć perf).
dilatory ['dɪlətərɪ] adj opieszały.
dilemma [daɪ'lemə] n dylemat m; **to be in a dilemma** być w rozterce.
diligence ['dɪlɪdʒəns] n pilność f.
diligent ['dɪlɪdʒənt] adj pilny.
dill [dɪl] n koper m ogrodowy, koperek m.
dilly-dally ['dɪlɪ'dælɪ] vi ociągać się.
dilute [daɪ'luːt] vt (liquid) rozcieńczać (rozcieńczyć perf); (fig: principle etc) osłabiać (osłabić perf) ♦ adj rozcieńczony.
dim [dɪm] adj (room) ciemny; (outline, figure) niewyraźny; (light) przyćmiony; (memory) niewyraźny, mglisty; (eyesight) osłabiony; (prospects) ponury; (inf: person) ciemny (inf) ♦ vt (light) przyciemniać (przyciemnić perf); (US): **to dim one's lights** włączać (włączyć perf) światła mijania; **to take a dim view of sth** niechętnie odnosić się do czegoś.
dime [daɪm] (US) n dziesięciocentówka f.
dimension [daɪ'menʃən] n (aspect, measurement) wymiar m; (also pl: scale, size) rozmiary pl.
-dimensional [dɪ'menʃənl] adj suff: **two-dimensional** dwuwymiarowy.
diminish [dɪ'mɪnɪʃ] vi zmniejszać się (zmniejszyć się perf), maleć (zmaleć perf) ♦ vt zmniejszać (zmniejszyć perf), pomniejszać (pomniejszyć perf).
diminished [dɪ'mɪnɪʃt] adj: **diminished responsibility** ograniczona poczytalność f.
diminutive [dɪ'mɪnjutɪv] adj malutki, maleńki ♦ n (LING) zdrobnienie nt.
dimly ['dɪmlɪ] adv (shine) blado; (visible, lit) słabo; (remember) mgliście; (see) niewyraźnie.
dimmer ['dɪmə*] n (also: **dimmer switch**: at home) regulator m oświetlenia; (: in car) przełącznik m świateł mijania.
dimmers ['dɪməz] (US: AUT) npl (dipped headlights) światła pl mijania; (parking lights) światła pl postojowe.

dimple ['dɪmpl] n (on cheek, chin) dołeczek m.
dim-witted ['dɪm'wɪtɪd] (inf) adj (person) ciemny (inf).
din [dɪn] n hałas m, gwar m ♦ vt (inf): **to din sth into sb** wbijać (wbić perf) coś komuś do głowy.
dine [daɪn] vi jeść (zjeść perf) obiad.
diner ['daɪnə*] n (in restaurant) gość m; (US) (tania) restauracja f.
dinghy ['dɪŋgɪ] n (also: **rubber dinghy**) nadmuchiwana łódź f ratunkowa; (also: **sailing dinghy**) bączek m, bąk m.
dingy ['dɪndʒɪ] adj (streets, room) obskurny; (clothes, curtains: dirty) przybrudzony; (: faded) wyblakły, wypłowiały.
dining car ['daɪnɪŋ-] (BRIT) n wagon m restauracyjny.
dining room n (in house) pokój m jadalny or stołowy, jadalnia f; (in hotel) restauracja f.
dinner ['dɪnə*] n (evening meal) ≈ kolacja f; (lunch) ≈ obiad m; (banquet) przyjęcie nt.
dinner jacket n smoking m.
dinner party n przyjęcie nt.
dinner service n zastawa f stołowa.
dinner time n (midday) pora f obiadowa; (evening) pora f kolacji.
dinosaur ['daɪnəsɔ:*] n dinozaur m.
dint [dɪnt] n: **by dint of** dzięki +dat.
diocese ['daɪəsɪs] n diecezja f.
dioxide [daɪ'ɔksaɪd] n dwutlenek m.
Dip. (BRIT) abbr = **diploma** dypl.
dip [dɪp] n (slope) nachylenie nt, spadek m; (CULIN) sos m (do zamaczania zakąsek), dip m; (for sheep) kąpiel f odkażająca ♦ vt zanurzać (zanurzyć perf), zamaczać (zamoczyć perf) ♦ vi opadać (opaść perf); **to take a dip/to go for a dip** iść (pójść perf) popływać; **to dip the headlights** (BRIT) włączać (włączyć perf) światła mijania.
diphtheria [dɪf'θɪərɪə] n błonica f, dyfteryt m.
diphthong ['dɪfθɔŋ] (LING) n dyftong m, dwugłoska f.
diploma [dɪ'pləumə] n dyplom m.
diplomacy [dɪ'pləuməsɪ] n dyplomacja f.
diplomat ['dɪpləmæt] n dyplomata (-tka) m(f).
diplomatic [dɪplə'mætɪk] adj dyplomatyczny; **to break off diplomatic relations (with)** zrywać (zerwać perf) stosunki dyplomatyczne (z +instr).
diplomatic corps n korpus m dyplomatyczny.
dipstick ['dɪpstɪk] (BRIT: AUT) n (prętowy) wskaźnik m poziomu oleju.
dip switch (BRIT: AUT) n przełącznik m świateł (mijania).
dire [daɪə*] adj (danger, misery) skrajny; (consequences) zgubny; (prediction) złowieszczy.
direct [daɪ'rɛkt] adj bezpośredni ♦ vt (letter, remarks, attention) kierować, skierowywać (skierować perf); (company, project) kierować

(pokierować perf) +instr; (play, film) reżyserować (wyreżyserować perf);: **to direct sb to do sth** polecać (polecić perf) komuś zrobić coś ♦ adv bezpośrednio; **can you direct me to ...?** czy może mi Pan/Pani wskazać drogę do +gen?
direct access (COMPUT) n dostęp m bezpośredni or swobodny.
direct cost (COMM) n koszty pl bezpośrednie.
direct current n prąd m stały.
direct debit (BRIT) n debet m bezpośredni.
direct dialling n połączenie nt bezpośrednie.
direct hit n trafienie nt.
direction [dɪ'rɛkʃən] n (way) kierunek m, strona f; (TV, RADIO, FILM) reżyseria f, **directions** npl wskazówki pl; **sense of direction** orientacja (w terenie); **directions for use** przepis użytkowania; **to ask for directions** pytać (spytać perf) o drogę; **in the direction of** w kierunku or w stronę +gen.
directional [dɪ'rɛkʃənl] adj kierunkowy.
directive [dɪ'rɛktɪv] n dyrektywa f, wytyczna f.
direct labour n zatrudnianie nt bezpośrednie.
directly [dɪ'rɛktlɪ] adv bezpośrednio.
direct mail n przesyłki pl reklamowe.
direct mailshot (BRIT) n przesyłanie nie zamówionych materiałów reklamowych bezpośrednio na adres domowy lub służbowy potencjalnego klienta.
directness [daɪ'rɛktnɪs] n bezpośredniość f.
director [dɪ'rɛktə*] n (COMM) członek m rady nadzorczej; (of project) kierownik (-iczka) m(f); (TV, RADIO, FILM) reżyser m.
Director of Public Prosecutions (BRIT) n ≈ Prokurator m Generalny.
directory [dɪ'rɛktərɪ] n (TEL) książka f telefoniczna; (also: **street directory**) księga f adresowa; (COMPUT) katalog m; (COMM) zarząd m.
directory enquiries (US **directory assistance**) n biuro nt numerów.
dirt [də:t] n brud m; (earth) ziemia f; **to treat sb like dirt** traktować (potraktować perf) kogoś jak szmatę.
dirt-cheap ['də:t'tʃi:p] adj tani jak barszcz ♦ adv za psie pieniądze.
dirt road n droga f gruntowa.
dirty ['də:tɪ] adj brudny; (joke, story) nieprzyzwoity ♦ vt brudzić (zabrudzić perf or pobrudzić perf).
dirty trick n świństwo nt.
disability [dɪsə'bɪlɪtɪ] n (physical) kalectwo nt, inwalidztwo nt; (mental) upośledzenie nt (umysłowe).
disability allowance n dodatek m inwalidzki.
disable [dɪs'eɪbl] vt (illness, accident) powodować (spowodować perf) kalectwo or inwalidztwo +gen; (tank, gun) unieszkodliwiać (unieszkodliwić perf).
disabled [dɪs'eɪbld] adj (physically) kaleki;

(*mentally*) upośledzony (umysłowo) ♦ *npl*: **the disabled** inwalidzi *vir pl*.
disabuse [dɪsə'bjuːz] *vt*: **to disabuse sb of** wyprowadzać (wyprowadzić *perf*) kogoś z błędu co do +*gen*.
disadvantage [dɪsəd'vɑːntɪdʒ] *n* ujemna strona *f*, wada *f*; **to work to sb's disadvantage** działać na czyjąś niekorzyść; **to be at a disadvantage** być w niekorzystnym położeniu *or* sytuacji.
disadvantaged [dɪsəd'vɑːntɪdʒd] *adj* społecznie upośledzony.
disadvantageous [dɪsædvɑːn'teɪdʒəs] *adj* niekorzystny.
disaffected [dɪsə'fɛktɪd] *adj* (*estranged*) zrażony; (*disloyal*) nielojalny.
disaffection [dɪsə'fɛkʃən] *n* nielojalność *f*, niezadowolenie *nt* (*polityczne*).
disagree [dɪsə'griː] *vi* nie zgadzać się, być innego *or* odmiennego zdania; **to disagree with** (*action, proposal*) być przeciwnym +*dat*; **I disagree with you** nie zgadzam się z tobą; **garlic disagrees with me** czosnek mi szkodzi *or* nie służy.
disagreeable [dɪsə'griːəbl] *adj* nieprzyjemny.
disagreement [dɪsə'griːmənt] *n* (*lack of consensus*) różnica *f* zdań; (*refusal to agree*) niezgoda *f*; (*between statements, reports*) niezgodność *f*; (*argument*) nieporozumienie *nt*; **to have a disagreement with sb** nie zgadzać się z kimś.
disallow ['dɪsə'lau] *vt* (*JUR: appeal*) odrzucać (odrzucić *perf*); (*SPORT: goal*) nie uznawać (nie uznać *perf*) +*gen*.
disappear [dɪsə'pɪə*] *vi* znikać (zniknąć *perf*); (*custom etc*) zanikać (zaniknąć *perf*).
disappearance [dɪsə'pɪərəns] *n* zniknięcie *nt*, (*of custom etc*) zanik *m*.
disappoint [dɪsə'pɔɪnt] *vt* rozczarowywać (rozczarować *perf*), zawodzić (zawieść *perf*).
disappointed [dɪsə'pɔɪntɪd] *adj* rozczarowany, zawiedziony.
disappointing [dɪsə'pɔɪntɪŋ] *adj* (*result*) nie spełniający oczekiwań; (*book etc*) zaskakująco słaby.
disappointment [dɪsə'pɔɪntmənt] *n* rozczarowanie *nt*, zawód *m*.
disapproval [dɪsə'pruːvəl] *n* dezaprobata *f*.
disapprove [dɪsə'pruːv] *vi*: **to disapprove of** nie pochwalać +*gen*.
disapproving [dɪsə'pruːvɪŋ] *adj*: **disapproving expression/gesture** wyraz *m*/gest *m* dezaprobaty.
disarm [dɪs'ɑːm] *vt* (*lit, fig*) rozbrajać (rozbroić *perf*) ♦ *vi* rozbrajać się (rozbroić się *perf*).
disarmament [dɪs'ɑːməmənt] *n* rozbrojenie *nt*.
disarming [dɪs'ɑːmɪŋ] *adj* rozbrajający.
disarray *n* [dɪsə'reɪ]: **in disarray** w nieładzie; **to throw into disarray** wprowadzać (wprowadzić *perf*) zamieszanie w +*loc*.

disaster [dɪ'zɑːstə*] *n* (*natural*) klęska *f* żywiołowa; (*AVIAT etc*) katastrofa *f*; (*fig*) nieszczęście *nt*, katastrofa *f*.
disaster area *n* obszar *m* klęski żywiołowej; **he's a disaster area as a politician** polityk z niego fatalny.
disastrous [dɪ'zɑːstrəs] *adj* katastrofalny.
disband [dɪs'bænd] *vt* (*regiment, group*) rozwiązywać (rozwiązać *perf*) ♦ *vi* rozwiązywać się (rozwiązać się *perf*).
disbelief ['dɪsbə'liːf] *n* niedowierzanie *nt*; **in disbelief** z niedowierzaniem.
disbelieve ['dɪsbə'liːv] *vt* (*person*) nie wierzyć +*dat*; (*story*) nie wierzyć w +*acc*; **I don't disbelieve you** wierzę ci.
disc [dɪsk] *n* (*ANAT*) dysk *m*; (*record*) płyta *f*, krążek *m*; (*COMPUT*) = **disk**.
disc. (*COMM*) *abbr* = **discount**.
discard [dɪs'kɑːd] *vt* wyrzucać (wyrzucić *perf*), pozbywać się (pozbyć się *perf*) +*gen*; (*fig*) porzucać (porzucić *perf*), odrzucać (odrzucić *perf*).
disc brake *n* hamulec *m* tarczowy.
discern [dɪ'səːn] *vt* (*perceive*) (ledwie) dostrzegać (dostrzec *perf*); (*discriminate*) rozróżniać (rozróżnić *perf*); (*understand*) rozeznawać się (rozeznać się *perf*) w +*loc*.
discernible [dɪ'səːnəbl] *adj* dostrzegalny.
discerning [dɪ'səːnɪŋ] *adj* (*judgement, look*) wnikliwy; (*audience*) wyrobiony.
discharge [*vb* dɪs'tʃɑːdʒ, *n* 'dɪstʃɑːdʒ] *vt* (*duties*) wypełniać (wypełnić *perf*); (*debt*) spłacać (spłacić *perf*); (*waste*) wydalać (wydalić *perf*); (*patient*) wypisywać (wypisać *perf*); (*employee, defendant, soldier*) zwalniać (zwolnić *perf*) ♦ *n* (*CHEM*) emisja *f*; (*ELEC*) wyładowanie *nt*, rozładowanie *nt*; (*MED*) wydzielina *f*, wysięk *m*; (*of patient*) wypisanie *nt* (ze szpitala); (*of defendant, soldier*) zwolnienie *nt*; **to discharge a gun** oddać (*perf*) strzał.
discharged bankrupt [dɪs'tʃɑːdʒd-] (*JUR*) *n* bankrut *m* z uregulowanymi długami.
disciple [dɪ'saɪpl] *n* (*REL, fig*) uczeń (-ennica) *m(f)*.
disciplinary ['dɪsɪplɪnərɪ] *adj* dyscyplinarny; **to take disciplinary action against sb** stosować (zastosować *perf*) wobec kogoś środki dyscyplinarne.
discipline ['dɪsɪplɪn] *n* dyscyplina *f* ♦ *vt* (*train*) narzucać (narzucić *perf*) dyscyplinę +*dat*; (*punish*) karać (ukarać *perf*) (dyscyplinarnie); **to discipline o.s. to do sth** mobilizować (zmobilizować *perf*) się do zrobienia czegoś.
disc jockey *n* dyskdżokej *m*.
disclaim [dɪs'kleɪm] *vt* wypierać się (wyprzeć się *perf*) +*gen*.
disclaimer [dɪs'kleɪmə*] *n* zaprzeczenie *nt*, dementi *nt inv* (*fml*); **to issue a disclaimer** składać (złożyć *perf*) dementi.

disclose [dɪs'kləʊz] *vt* ujawniać (ujawnić *perf*).

disclosure [dɪs'kləʊʒə*] *n* ujawnienie *nt*.

disco ['dɪskəʊ] *n abbr* = **discothèque**.

discolour [dɪs'kʌlə*] (*US* **discolor**) *vt* przebarwiać (przebarwić *perf*) ♦ *vi* przebarwiać się (przebarwić się *perf*).

discolo(u)ration [dɪskʌlə'reɪʃən] *n* przebarwienie *nt*.

discolo(u)red [dɪs'kʌləd] *adj* przebarwiony.

discomfort [dɪs'kʌmfət] *n* (*unease*) zakłopotanie *nt*, zażenowanie *nt*; (*physical*) ból *m*; (*inconvenience*) niewygoda *f*.

disconcert [dɪskən'sə:t] *vt* (*perturb*) niepokoić (zaniepokoić *perf*); (*embarass*) wprawiać (wprawić *perf*) w zakłopotanie.

disconcerting [dɪskən'sə:tɪŋ] *adj* (*perturbing*) niepokojący; (*embarassing*) żenujący.

disconnect [dɪskə'nɛkt] *vt* odłączać (odłączyć *perf*); (*TEL*) rozłączać (rozłączyć *perf*).

disconnected [dɪskə'nɛktɪd] *adj* (*speech, thoughts*) bezładny, chaotyczny.

disconsolate [dɪs'kɔnsəlɪt] *adj* niepocieszony.

discontent [dɪskən'tɛnt] *n* niezadowolenie *nt*.

discontented [dɪskən'tɛntɪd] *adj* niezadowolony.

discontinue [dɪskən'tɪnju:] *vt* przerywać (przerwać *perf*); "**discontinued**" (*COMM*) „model *or* wzór już nie produkowany".

discord ['dɪskɔ:d] *n* niezgoda *f*, (*MUS*) dysonans *m*.

discordant [dɪs'kɔ:dənt] *adj* (*fig: opinions*) niezgodny; (*note*) nieharmonijny.

discothèque ['dɪskəʊtɛk] *n* dyskoteka *f*.

discount [*n* 'dɪskaunt, *vb* dɪs'kaunt] *n* zniżka *f*, rabat *m* ♦ *vt* (*COMM*) udzielać (udzielić *perf*) rabatu w wysokości +*gen*; (*idea, fact*) pomijać (pominąć *perf*), nie brać (nie wziąć *perf*) pod uwagę +*gen*; **to give sb a discount on sth** udzielać (udzielić *perf*) komuś zniżki na coś; **discount for cash** rabat przy zapłacie gotówką; **at a discount** ze zniżką.

discount house *n* (*FIN*) bank *m* dyskontowy; (*also*: **discount store**) sklep *m* z towarami po obniżonych cenach.

discount rate *n* stopa *f* dyskontowa.

discourage [dɪs'kʌrɪdʒ] *vt* zniechęcać (zniechęcić *perf*); **to discourage sb from doing sth** zniechęcać (zniechęcić *perf*) kogoś do (z)robienia czegoś.

discouragement [dɪs'kʌrɪdʒmənt] *n* (*act*) zniechęcanie *nt*, odradzanie *nt*; (*state*) zniechęcenie *nt*; **to act as a discouragement to sb** działać (podziałać *perf*) na kogoś zniechęcająco.

discouraging [dɪs'kʌrɪdʒɪŋ] *adj* zniechęcający.

discourteous [dɪs'kə:tɪəs] *adj* nieuprzejmy, niegrzeczny.

discover [dɪs'kʌvə*] *vt* odkrywać (odkryć *perf*); (*missing person, object*) odnajdować (odnaleźć *perf*); **to discover that** odkrywać (odkryć *perf*), że.

discovery [dɪs'kʌvərɪ] *n* odkrycie *nt*; (*of missing person, object*) odnalezienie *nt*.

discredit [dɪs'krɛdɪt] *vt* dyskredytować (zdyskredytować *perf*) ♦ *n*: **to be to sb's discredit** przynosić (przynieść *perf*) komuś ujmę.

discreet [dɪs'kri:t] *adj* dyskretny; (*distance*) bezpieczny.

discreetly [dɪs'kri:tlɪ] *adv* dyskretnie.

discrepancy [dɪs'krɛpənsɪ] *n* rozbieżność *f*.

discretion [dɪs'krɛʃən] *n* dyskrecja *f*; **at the discretion of** według uznania +*gen*; **use your own discretion** zdecyduj sam.

discretionary [dɪs'krɛʃənrɪ] *adj* (*payment etc*) nieobowiązkowy, dobrowolny; **discretionary power(s)** prawo podejmowania decyzji.

discriminate [dɪs'krɪmɪneɪt] *vi*: **to discriminate between** odróżniać (odróżnić *perf*) +*acc* od +*gen*; **to discriminate against** dyskryminować +*acc*.

discriminating [dɪs'krɪmɪneɪtɪŋ] *adj* (*public*) wyrobiony.

discrimination [dɪskrɪmɪ'neɪʃən] *n* (*bias*) dyskryminacja *f*; (*discernment*) rozeznanie *nt*; **racial/sexual discrimination** dyskryminacja rasowa/pod względem płci.

discus ['dɪskəs] (*SPORT*) *n* (*object*) dysk *m*; (*event*) rzut *m* dyskiem.

discuss [dɪs'kʌs] *vt* (*talk over*) omawiać (omówić *perf*); (*analyse*) dyskutować o +*loc or* nad +*instr* (przedyskutować *perf* +*acc*).

discussion [dɪs'kʌʃən] *n* dyskusja *f*; **under discussion** omawiany, będący przedmiotem dyskusji.

disdain [dɪs'deɪn] *n* pogarda *f* ♦ *vt* gardzić +*instr* ♦ *vi*: **to disdain to ...** nie raczyć +*infin*.

disease [dɪ'zi:z] *n* (*lit, fig*) choroba *f*.

diseased [dɪ'zi:zd] *adj* (*lit, fig*) chory.

disembark [dɪsɪm'bɑ:k] *vt* (*freight*) wyładowywać (wyładować *perf*); (*passengers*) wysadzać (wysadzić *perf*) ♦ *vi* wysiadać (wysiąść *perf*).

disembarkation [dɪsɛmbɑ:'keɪʃən] *n* (*of freight*) wyładunek *m*; (*of passangers*) zejście *nt* na ląd.

disembodied ['dɪsɪm'bɔdɪd] *adj* bezcielesny.

disembowel ['dɪsɪm'bauəl] *vt* (*animal*) patroszyć (wypatroszyć *perf*); (*person*) wypruwać (wypruć *perf*) wnętrzności z +*gen*.

disenchanted ['dɪsɪn'tʃɑ:ntɪd] *adj*: **disenchanted (with)** rozczarowany (+*instr*), pozbawiony złudzeń (co do +*gen*).

disenfranchise ['dɪsɪn'fræntʃaɪz] *vt* (*POL*) pozbawiać (pozbawić *perf*) praw obywatelskich; (*COMM*) pozbawiać (pozbawić *perf*) licencji *or* prawa wyłączności.

disengage [dɪsɪn'geɪdʒ] *vt* (*AUT: clutch*) zwalniać (zwolnić *perf*).

disentangle [dɪsɪn'tæŋgl] *vt* (*person*) wyswobadzać (wyswobodzić *perf*); (*wool, string*) rozplątywać (rozplątać *perf*), rozsupływać (rozsupłać *perf*); (*truth from lies*) oddzielać (oddzielić *perf*).

disfavour [dɪsˈfeɪvə*] (*US* **disfavor**) *n* nieprzychylność *f*.

disfigure [dɪsˈfɪgə*] *vt* oszpecać (oszpecić *perf*), zeszpecać (zeszpecić *perf*).

disgorge [dɪsˈgɔːdʒ] *vt* wypluwać (wypluć *perf*) (*fig*).

disgrace [dɪsˈgreɪs] *n* hańba *f* ♦ *vt* przynosić (przynieść *perf*) hańbę +*dat*, hańbić (zhańbić *perf*).

disgraceful [dɪsˈgreɪsful] *adj* haniebny, hańbiący.

disgruntled [dɪsˈgrʌntld] *adj* rozczarowany.

disguise [dɪsˈgaɪz] *n* (*costume*) przebranie *nt*; (*art*) kamuflaż *m* ♦ *vt*: **to disguise sb (as)** przebierać (przebrać *perf*) kogoś (za +*acc*); **in disguise** w przebraniu; **there's no disguising the fact that ...** nie da się ukryć faktu, że ...; **to disguise o.s. as** przebierać się (przebrać się *perf*) za +*acc*.

disgust [dɪsˈgʌst] *n* obrzydzenie *nt*, wstręt *m* ♦ *vt* wzbudzać (wzbudzić *perf*) obrzydzenie *or* wstręt w +*loc*, napawać obrzydzeniem *or* wstrętem; **she walked off in disgust** oddaliła się ze wstrętem.

disgusting [dɪsˈgʌstɪŋ] *adj* obrzydliwy, wstrętny.

dish [dɪʃ] *n* (*piece of crockery*) naczynie *nt*; (*shallow plate*) półmisek *m*; (*recipe, food*) potrawa *f*; (*also:* **satellite dish**) antena *f* satelitarna; **to do** *or* **wash the dishes** zmywać (pozmywać *perf*).

►**dish out** *vt* (*gifts*) rozdawać (rozdać *perf*); (*food*) nakładać (nałożyć *perf*) (na talerze); (*advice*) udzielać (udzielić *perf*) +*gen*; (*money*) rozdzielać (rozdzielić *perf*).

►**dish up** *vt* (*food*) podawać (podać *perf*).

dishcloth [ˈdɪʃklɔθ] *n* ścier(ecz)ka *f* (do naczyń).

dishearten [dɪsˈhɑːtn] *vt* zniechęcać (zniechęcić *perf*).

dishevelled [dɪˈʃevəld] (*US* **disheveled**) *adj* (*hair*) rozczochrany; (*clothes*) w nieładzie *post*.

dishonest [dɪsˈɔnɪst] *adj* nieuczciwy.

dishonesty [dɪsˈɔnɪstɪ] *n* nieuczciwość *f*.

dishonour [dɪsˈɔnə*] (*US* **dishonor**) *n* hańba *f*.

dishono(u)rable [dɪsˈɔnərəbl] *adj* haniebny, hańbiący.

dish soap (*US*) *n* środek *m* do mycia naczyń.

dishtowel [ˈdɪʃtauəl] (*US*) *n* ścier(ecz)ka *f* (do naczyń).

dishwasher [ˈdɪʃwɔʃə*] *n* zmywarka *f* (do naczyń).

disillusion [dɪsɪˈluːʒən] *vt* pozbawiać (pozbawić *perf*) złudzeń ♦ *n* = **disillusionment**; **to become disillusioned (with)** pozbywać się (pozbyć się *perf*) złudzeń (co do +*gen*).

disillusionment [dɪsɪˈluːʒənmənt] *n* rozczarowanie *nt*.

disincentive [dɪsɪnˈsentɪv] *n*: **to be a disincentive to work/investment** zniechęcać (zniechęcić *perf*) do pracy/inwestowania; **to be a disincentive to sb** zniechęcać (zniechęcić *perf*) kogoś.

disinclined [dɪsɪnˈklaɪnd] *adj*: **to be disinclined to do sth** nie mieć ochoty czegoś robić (zrobić *perf*).

disinfect [dɪsɪnˈfekt] *vt* odkażać (odkazić *perf*), dezynfekować (zdezynfekować *perf*).

disinfectant [dɪsɪnˈfektənt] *n* środek *m* odkażający *or* dezynfekujący.

disinflation [dɪsɪnˈfleɪʃən] *n* zwalczanie *nt* inflacji.

disingenuous [dɪsɪnˈdʒenjuəs] *adj* nieszczery.

disinherit [dɪsɪnˈherɪt] *vt* wydziedziczać (wydziedziczyć *perf*).

disintegrate [dɪsˈɪntɪgreɪt] *vi* rozpadać się (rozpaść się *perf*).

disinterested [dɪsˈɪntrəstɪd] *adj* (*impartial*) bezinteresowny.

disjointed [dɪsˈdʒɔɪntɪd] *adj* bezładny.

disk [dɪsk] *n* dysk *m*; (*floppy*) dyskietka *f*; **double-/high-density disk** dyskietka o podwójnej/wysokiej gęstości.

disk drive *n* stacja *f* *or* napęd *m* dysków.

diskette [dɪsˈket] (*US*) *n* dyskietka *f*.

disk operating system *n* system *m* operacyjny.

dislike [dɪsˈlaɪk] *n* (*feeling*) niechęć *f*; **one's dislikes** rzeczy, których się nie lubi ♦ *vt* nie lubić +*gen*; **to take a dislike to sb/sth** zacząć (*perf*) odczuwać niechęć do kogoś/czegoś; **I dislike the idea** nie podoba mi się ten pomysł.

dislocate [ˈdɪsləkeɪt] *vt* (*joint*) zwichnąć (*perf*); **he has dislocated his shoulder** zwichnął (sobie) ramię.

dislodge [dɪsˈlɔdʒ] *vt* wyrywać (wyrwać *perf*).

disloyal [dɪsˈlɔɪəl] *adj*: **disloyal (to)** nielojalny (wobec *or* w stosunku do +*gen*).

dismal [ˈdɪzml] *adj* (*weather, mood, prospects*) ponury; (*results*) fatalny.

dismantle [dɪsˈmæntl] *vt* (*machine*) rozbierać (rozebrać *perf*), demontować (zdemontować *perf*).

dismay [dɪsˈmeɪ] *n* (wielki) niepokój *m*, konsternacja *f* ♦ *vt* napełniać (napełnić *perf*) niepokojem *or* konsternacją; **much to my dismay** ku mojej konsternacji; **he gasped in dismay** dech mu zaparło z przerażenia.

dismiss [dɪsˈmɪs] *vt* (*worker*) zwalniać (zwolnić *perf*) (z pracy); (*pupils*) puszczać (puścić *perf*) (*do domu lub na przerwę*); (*soldiers*) rozpuszczać (rozpuścić *perf*); (*possibility, problem*) lekceważyć (zlekceważyć *perf*); (*JUR: case*) oddalać (oddalić *perf*).

dismissal [dɪsˈmɪsl] *n* zwolnienie *nt* (z pracy).

dismount [dɪsˈmaunt] *vi* zsiadać (zsiąść *perf*) (*z konia, roweru*).

disobedience [dɪsə'biːdɪəns] *n*
nieposłuszeństwo *nt*.

disobedient [dɪsə'biːdɪənt] *adj* nieposłuszny.

disobey [dɪsə'beɪ] *vt* nie słuchać (nie
posłuchać *perf*) +*gen*.

disorder [dɪs'ɔːdə*] *n* (*untidiness*) nieporządek
m, bałagan *m*; (*rioting*) niepokoje *pl*, rozruchy
pl; (*MED*) zaburzenia *pl*; **civil disorder**
niepokoje społeczne.

disorderly [dɪs'ɔːdəlɪ] *adj* (*room*) nieporządny;
(*meeting*) chaotyczny; (*behaviour*) rozpasany.

disorderly conduct *n* zakłócenie *nt* porządku
publicznego.

disorganize [dɪs'ɔːgənaɪz] *vt* dezorganizować
(zdezorganizować *perf*).

disorganized [dɪs'ɔːgənaɪzd] *adj* źle
zorganizowany.

disorientated [dɪs'ɔːrɪenteɪtɪd] *adj*
zdezorientowany.

disown [dɪs'əun] *vt* (*action*) wypierać się
(wyprzeć się *perf*) +*gen*; (*child*) wyrzekać się
(wyrzec się *perf*) +*gen*.

disparaging [dɪs'pærɪdʒɪŋ] *adj* pogardliwy,
lekceważący; **to be disparaging about sb/sth**
odnosić się do kogoś/czegoś z pogardą *or*
lekceważeniem.

disparate ['dɪspərɪt] *adj* (całkowicie) różny *or*
odmienny, nieporównywalny.

disparity [dɪs'pærɪtɪ] *n* nierówność *f*, różnica *f*.

dispassionate [dɪs'pæʃənət] *adj* beznamiętny.

dispatch [dɪs'pætʃ] *vt* (*send*) wysyłać (wysłać
perf); (*deal with*) załatwiać (załatwić *perf*);
(*kill*) uśmiercać (uśmiercić *perf*) ♦ *n* (*sending*)
wysyłka *f*, wysłanie *nt*; (*PRESS*) doniesienie
nt, depesza *f*; (*MIL*) meldunek *m*, komunikat *m*.

dispatch department *n* dział *m* wysyłki.

dispatch rider *n* kurier *m*, goniec *m*.

dispel [dɪs'pel] *vt* rozwiewać (rozwiać *perf*).

dispensary [dɪs'pensərɪ] *n* apteka *f* (*w szpitalu
lub szkole*).

dispensation [dɪspən'seɪʃən] *n* (*of justice*)
wymierzanie *nt*; (*of medicine*) wydawanie *nt*;
(*permission*: *REL*) dyspensa *f*, (: *royal etc*)
specjalne pozwolenie *nt*.

dispense [dɪs'pens] *vt* (*medicines*) wydawać
(wydać *perf*); (*advice*) udzielać (udzielić *perf*)
+*gen*; (*money*) rozdysponowywać
(rozdysponować *perf*).

▸**dispense with** *vt fus* (*do without*) obchodzić
się (obejść się *perf*) *or* obywać się (obyć się
perf) bez +*gen*; (*get rid of*) pozbywać się
(pozbyć się *perf*) +*gen*.

dispenser [dɪs'pensə*] *n*: **drinks dispenser**
automat *m* z napojami; **cash dispenser**
bankomat *m*; **soap dispenser** dozownik mydła.

dispensing chemist [dɪs'pensɪŋ-] (*BRIT*) *n*
(*shop*) apteka *f*, (*person*) farmaceuta (-tka)
m(f) (*pracujący w aptece*).

dispersal [dɪs'pəːsl] *n* rozproszenie *nt*.

disperse [dɪs'pəːs] *vt* rozpraszać (rozproszyć
perf) ♦ *vi* rozpraszać się (rozproszyć się *perf*).

dispirited [dɪs'pɪrɪtɪd] *adj* zniechęcony.

displace [dɪs'pleɪs] *vt* (*take place of*) wypierać
(wyprzeć *perf*); (*force to move*) wysiedlać
(wysiedlić *perf*).

displaced person [dɪs'pleɪst-] *n* wysiedleniec *m*.

displacement [dɪs'pleɪsmənt] *n* (*of population*)
wysiedlenie *nt*; (*of liquid*) wypieranie *nt*; (*of
vessel*) wyporność *f*.

display [dɪs'pleɪ] *n* (*in shop window*) wystawa
f, (*of fireworks etc*) pokaz *m*; (*of feelings*)
okazywanie *nt*; (*COMPUT*) monitor *m*;
(*TECH*) wyświetlacz *m* ♦ *vt* (*collection, goods*)
wystawiać (wystawić *perf*); (*feelings*)
okazywać (okazać *perf*); (*departure times
etc: on screen*) wyświetlać (wyświetlić *perf*);
(*ostentatiously*) wystawiać (wystawić *perf*) na
pokaz; **on display** (*exhibits*) prezentowany;
(*goods*) wystawiony.

display advertising *n* reklama *f* na stojakach
promocyjnych.

displease [dɪs'pliːz] *vt* (*annoy*) drażnić,
denerwować (zdenerwować *perf*); (*cause
displeasure to*) wywoływać (wywołać *perf*)
niezadowolenie +*gen*.

displeased [dɪs'pliːzd] *adj*: **displeased with**
niezadowolony z +*gen*.

displeasure [dɪs'pleʒə*] *n* niezadowolenie *nt*.

disposable [dɪs'pəuzəbl] *adj* (*lighter, bottle,
syringe*) jednorazowy; **disposable income**
dochód netto.

disposable nappy (*BRIT*) *n* pieluszka *f*
jednorazowa.

disposal [dɪs'pəuzl] *n* (*of rubbish*) wywóz *m*;
(*of radioactive waste*) usuwanie *nt*; (*of body,
unwanted goods*) pozbycie się *nt*; **at one's
disposal** do (swojej) dyspozycji; **to put sth
at sb's disposal** oddawać (oddać *perf*) komuś
coś do dyspozycji.

dispose [dɪs'pəuz]: **dispose of** *vt fus* (*body,
unwanted goods*) pozbywać się (pozbyć się
perf) +*gen*; (*problem, task*) radzić (poradzić
perf) sobie z +*instr*; (*COMM: stock*)
sprzedawać (sprzedać *perf*).

disposed [dɪs'pəuzd] *adj*: **to be disposed to
do sth** (*inclined*) być skłonnym coś zrobić;
(*willing*) mieć ochotę coś zrobić; **to be well
disposed towards** być przyjaźnie
usposobionym *or* nastawionym do +*gen*.

disposition [dɪspə'zɪʃən] *n* (*nature*)
usposobienie *nt*; (*inclination*) skłonność *f*.

dispossess ['dɪspə'zes] *vt* wywłaszczać
(wywłaszczyć *perf*); **to dispossess sb of sth**
pozbawiać (pozbawić *perf*) kogoś czegoś;
they were dispossessed of the house
wysiedlono ich (z domu).

disproportion [dɪsprə'pɔːʃən] *n* dysproporcja *f*.

disproportionate [dɪsprə'pɔːʃənət] *adj*
nieproporcjonalny.

disprove [dɪs'pru:v] vt (belief, theory) obalać (obalić perf).

dispute [dɪs'pju:t] n spór m ♦ vt (fact, statement) poddawać (poddać perf) w wątpliwość, kwestionować (zakwestionować perf); (ownership etc) spierać się o +acc; **to be in** or **under dispute** (matter) być przedmiotem dyskusji; (territory) być przedmiotem sporu.

disqualification [dɪskwɔlɪfɪ'keɪʃən] n: **disqualification (from)** dyskwalifikacja f or wykluczenie nt (z +gen); **disqualification (from driving)** (BRIT) odebranie prawa jazdy.

disqualify [dɪs'kwɔlɪfaɪ] vt (SPORT) dyskwalifikować (zdyskwalifikować perf); **to disqualify sb for sth** dyskwalifikować (zdyskwalifikować perf) or wykluczać (wykluczyć perf) kogoś za coś; **to disqualify sb from doing sth** odbierać (odebrać perf) komuś prawo robienia czegoś; **he's been disqualified from driving** (BRIT) odebrali mu prawo jazdy.

disquiet [dɪs'kwaɪət] n zaniepokojenie nt.

disquieting [dɪs'kwaɪətɪŋ] adj niepokojący.

disregard [dɪsrɪ'gɑ:d] vt lekceważyć, nie zważać na +acc ♦ n: **disregard (for)** lekceważenie nt (+gen).

disrepair ['dɪsrɪ'pɛə*] n: **to fall into disrepair** popadać (popaść perf) w ruinę.

disreputable [dɪs'rɛpjutəbl] adj (person) podejrzany; (behaviour) naganny.

disrepute ['dɪsrɪ'pju:t] n: **to be in disrepute** cieszyć się złą sławą; **to bring sth into disrepute** przynosić (przynieść perf) czemuś złą sławę.

disrespectful [dɪsrɪ'spɛktful] adj (person) lekceważący; (conduct) obraźliwy.

disrupt [dɪs'rʌpt] vt (plans) krzyżować (pokrzyżować perf); (conversation, proceedings) przerywać (przerwać perf); (event, process) zakłócać (zakłócić perf).

disruption [dɪs'rʌpʃən] n zakłócenie nt.

disruptive [dɪs'rʌptɪv] adj (influence, action) destrukcyjny.

dissatisfaction [dɪssætɪs'fækʃən] n niezadowolenie nt.

dissatisfied [dɪs'sætɪsfaɪd] adj niezadowolony; **dissatisfied with** niezadowolony z +gen.

dissect [dɪ'sɛkt] vt przeprowadzać (przeprowadzić perf) sekcję +gen; (fig: theory, article) rozkładać (rozłożyć perf) na czynniki pierwsze.

disseminate [dɪ'sɛmɪneɪt] vt rozpowszechniać (rozpowszechnić perf).

dissent [dɪ'sɛnt] n (disagreement) różnica f zdań or poglądów; (protest) protest m; **dissent from the party line** odejście od linii partyjnej.

dissenter [dɪ'sɛntə*] n inaczej myślący (-ca) m(f); (REL) odszczepieniec m.

dissertation [dɪsə'teɪʃən] n rozprawa f, dysertacja f.

disservice [dɪs'sə:vɪs] n: **to do sb a disservice** źle się komuś przysłużyć (perf).

dissident ['dɪsɪdnt] adj dysydencki ♦ n dysydent(ka) m(f).

dissimilar [dɪ'sɪmɪlə*] adj odmienny, różny; **dissimilar to** niepodobny do +gen.

dissipate ['dɪsɪpeɪt] vt (heat) odprowadzać (odprowadzić perf); (clouds) rozpraszać (rozproszyć perf); (money, time) trwonić (roztrwonić perf).

dissipated ['dɪsɪpeɪtɪd] adj (person) zniszczony rozpustą; (behaviour) rozpustny.

dissociate [dɪ'səuʃɪeɪt] vt rozdzielać (rozdzielić perf), oddzielać (oddzielić perf); **to dissociate o.s. from** odcinać się (odciąć się perf) od +gen.

dissolute ['dɪsəlu:t] adj rozwiązły.

dissolution [dɪsə'lu:ʃən] n (breaking up officially) rozwiązanie nt; (decay) rozpad m.

dissolve [dɪ'zɔlv] vt (in liquid) rozpuszczać (rozpuścić perf); (organization, marriage) rozwiązywać (rozwiązać perf) ♦ vi rozpuszczać się (rozpuścić się perf); **to dissolve in(to) tears** zalewać się (zalać się perf) łzami.

dissuade [dɪ'sweɪd] vt: **to dissuade sb from** odwodzić (odwieść perf) kogoś od +gen.

distaff ['dɪstɑ:f] n: **on the distaff side** po kądzieli.

distance ['dɪstns] n (interval) odległość f; (remoteness) oddalenie nt; (reserve) dystans m ♦ vt: **to distance o.s. (from)** dystansować się (zdystansować się perf) (od +gen); **in the distance** w oddali; **what's the distance to London?** jak daleko jest do Londynu?; **it's within walking distance** można tam dojść pieszo or piechotą; **at a distance of two metres** w odległości dwóch metrów; **keep your distance!** nie zbliżać się!

distant ['dɪstnt] adj (place, time) odległy; (relative) daleki; (manner) chłodny.

distaste [dɪs'teɪst] n wstręt m, obrzydzenie nt.

distasteful [dɪs'teɪstful] adj wstrętny, obrzydliwy.

Dist. Atty. (US) abbr = **district attorney**.

distemper [dɪs'tɛmpə*] n (paint) farba f klejowa; (dog disease) nosówka f.

distend [dɪs'tɛnd] (MED) vt rozszerzać (rozszerzyć perf) ♦ vi (stomach) rozdymać się (rozdąć się perf); (pupils) rozszerzać się (rozszerzyć się perf).

distended [dɪs'tɛndɪd] adj (stomach, intestine) rozdęty.

distil [dɪs'tɪl] (US **distill**) vt destylować; (fig: information etc) czerpać, zaczerpywać (zaczerpnąć perf).

distillery [dɪs'tɪlərɪ] n gorzelnia f.

distinct [dɪs'tɪŋkt] adj (separate) odrębny;

(*different*) różny; (*clear*) wyraźny;
(*unmistakable*) niewątpliwy, zdecydowany; **as
distinct from** w odróżnieniu od +*gen*.

distinction [dɪs'tɪŋkʃən] *n* (*difference*) różnica
f; (*mark of respect, recognition of
achievement*) wyróżnienie *nt*; **to draw a
distinction between** przeprowadzać
(przeprowadzić *perf*) rozróżnienie pomiędzy
+*instr*; **a writer of distinction** wybitny pisarz.

distinctive [dɪs'tɪŋktɪv] *adj* wyróżniający.

distinctly [dɪs'tɪŋktlɪ] *adv* wyraźnie.

distinguish [dɪs'tɪŋgwɪʃ] *vt* (*differentiate*)
odróżniać (odróżnić *perf*); (*identify*)
rozpoznawać (rozpoznać *perf*); **to distinguish
between** rozróżniać (rozróżnić *perf*) pomiędzy
+*instr*; **to distinguish o.s.** (*in battle etc*)
odznaczać się (odznaczyć się *perf*).

distinguished [dɪs'tɪŋgwɪʃt] *adj* (*eminent*)
wybitny; (*in appearance*) dystyngowany.

distinguishing [dɪs'tɪŋgwɪʃɪŋ] *adj* wyróżniający.

distort [dɪs'tɔ:t] *vt* (*argument*) wypaczać
(wypaczyć *perf*); (*sound, image, news*)
zniekształcać (zniekształcić *perf*).

distortion [dɪs'tɔ:ʃən] *n* (*of argument*)
wypaczenie *nt*; (*of sound, image, news*)
zniekształcenie *nt*.

distract [dɪs'trækt] *vt* (*person, attention*)
rozpraszać (rozproszyć *perf*); **to distract sb's
attention from sth** odrywać (oderwać *perf*)
czyjąś uwagę od czegoś; **it distracted them
from their work** to im przeszkadzało w pracy.

distracted [dɪs'træktɪd] *adj* (*dreaming*)
nieuważny, roztargniony; (*anxious*) strapiony.

distraction [dɪs'trækʃən] *n* (*diversion*)
zakłócenie *nt*; (*amusement*) rozrywka *f*; **to
drive sb to distraction** doprowadzać
(doprowadzić *perf*) kogoś do szału.

distraught [dɪs'trɔ:t] *adj*: **distraught with** (*pain,
worry*) oszalały z +*gen*.

distress [dɪs'trɛs] *n* (*extreme worry*) rozpacz *f*;
(*suffering*) cierpienie *nt* ♦ *vt* sprawiać (sprawić
perf) ból *or* przykrość +*dat*; **in distress** (*ship*)
w niebezpieczeństwie; (*person*) w niedoli *or*
biedzie; **distressed area** (*BRIT*) obszar
dotknięty bezrobociem.

distressing [dɪs'trɛsɪŋ] *adj* przykry.

distress signal *n* (*AVIAT, NAUT*) sygnał *m*
SOS.

distribute [dɪs'trɪbju:t] *vt* (*hand out*) rozdawać
(rozdać *perf*); (*deliver*) rozprowadzać
(rozprowadzić *perf*); (*share out*) rozdzielać
(rozdzielić *perf*); (*spread out*) rozmieszczać
(rozmieścić *perf*).

distribution [dɪstrɪ'bju:ʃən] *n* (*of goods*)
rozprowadzanie *nt*; (*of profits etc*) rozdzielanie *nt*.

distribution cost *n* koszt *m* dystrybucji.

distributor [dɪs'trɪbjutə*] *n* (*COMM*)
dystrybutor *m*; (*AUT, TECH*) rozdzielacz *m*.

district ['dɪstrɪkt] *n* (*of country*) region *m*; (*of
town*) dzielnica *f*; (*ADMIN*) okręg *m*.

district attorney (*US*) *n* ≈ prokurator *m*.

district council (*BRIT*) *n* rada *f* okręgowa.

district nurse (*BRIT*) *n* ≈ pielęgniarka *f*
środowiskowa.

distrust [dɪs'trʌst] *n* nieufność *f*, podejrzliwość
f ♦ *vt* nie ufać *or* nie dowierzać +*dat*.

distrustful [dɪs'trʌstful] *adj*: **distrustful (of)**
nieufny *or* podejrzliwy (wobec *or* w stosunku
do +*gen*).

disturb [dɪs'tə:b] *vt* (*interrupt*) przeszkadzać
(przeszkodzić *perf*) +*dat*; (*upset*) martwić
(zmartwić *perf*); (*rearrange*) naruszać
(naruszyć *perf*); (*inconvenience*) niepokoić
(zaniepokoić *perf*); **sorry to disturb you**
przepraszam, że przeszkadzam.

disturbance [dɪs'tə:bəns] *n* (*emotional*)
niepokój *m*; (*political etc*) niepokoje *pl*;
(*violent event*) zajście *nt*; (*of mind*) zaburzenia
pl; (*by drunks etc*) burda *f*; **to cause a
disturbance** zakłócać (zakłócić *perf*) porządek
(publiczny); **disturbance of the peace**
zakłócenie spokoju *or* porządku (publicznego).

disturbed [dɪs'tə:bd] *adj* (*worried, upset*)
zaniepokojony, poruszony; (*childhood*) trudny;
mentally disturbed umysłowo chory;
emotionally disturbed niezrównoważony
emocjonalnie.

disturbing [dɪs'tə:bɪŋ] *adj* niepokojący,
poruszający.

disuse [dɪs'ju:s] *n*: **to fall into disuse**
wychodzić (wyjść *perf*) z użycia.

disused [dɪs'ju:zd] *adj* (*building*) opuszczony;
(*airfield*) nie używany.

ditch [dɪtʃ] *n* (*at roadside*) rów *m*; (*irrigation
ditch*) kanał *m* ♦ *vt* (*inf: partner*) rzucać
(rzucić *perf*); (: *plan*) zarzucać (zarzucić *perf*);
(: *car*) porzucać (porzucić *perf*).

dither ['dɪðə*] (*pej*) *vi* wahać się.

ditto ['dɪtəu] *adv* jak wyżej.

divan [dɪ'væn] *n* (*also*: **divan bed**) otomana *f*.

dive [daɪv] *n* (*from board*) skok *m* (do wody);
(*underwater*) nurkowanie *nt*; (*pej: place*)
spelunka *f* (*pej*) ♦ *vi* (*into water*) skakać
(skoczyć *perf*) do wody; (*under water*)
nurkować (zanurkować *perf*); (*submarine*)
zanurzać się (zanurzyć się *perf*); **to dive into**
(*bag, drawer*) sięgać (sięgnąć *perf*) do +*gen*;
(*shop, car*) dawać (dać *perf*) nura do +*gen*.

diver ['daɪvə*] *n* (*from board*) skoczek *m* (do
wody); (*deep-sea diver*) nurek *m*.

diverge [daɪ'və:dʒ] *vi* rozchodzić się (rozejść
się *perf*).

divergent [daɪ'və:dʒənt] *adj* (*interests, views*)
rozbieżny; (*groups*) różnorodny.

diverse [daɪ'və:s] *adj* różnorodny, zróżnicowany.

diversification [daɪvə:sɪfɪ'keɪʃən] *n*
różnorodność *f*, zróżnicowanie *nt*.

diversify [daɪ'və:sɪfaɪ] *vi* (*COMM*) poszerzać
(poszerzyć *perf*) ofertę.

diversion [daɪ'və:ʃən] *n* (*BRIT: AUT*) objazd

m; (*distraction*) urozmaicenie *nt*, rozrywka *f*; (*of investment etc*) zmiana *f* kierunku.

diversity [daɪˈvəːsɪtɪ] *n* różnorodność *f*, urozmaicenie *nt*.

divert [daɪˈvəːt] *vt* (*sb's attention*) odwracać (odwrócić *perf*); (*money*) zmieniać (zmienić *perf*) przeznaczenie +*gen*; (*traffic*) zmieniać (zmienić *perf*) kierunek +*gen*, kierować (skierować *perf*) objazdem.

divest [daɪˈvɛst] *vt*: **to divest sb of** pozbawiać (pozbawić *perf*) kogoś +*gen*; **to divest o.s. of** (*belief etc*) wyzbywać się (wyzbyć się *perf*) +*gen*.

divide [dɪˈvaɪd] *vt* dzielić (podzielić *perf*) ♦ *vi* dzielić się (podzielić się *perf*) ♦ *n* (*gulf, rift*) przepaść *f* (*fig*); **to divide (between** *or* **among)** dzielić (podzielić *perf*) ((po)między +*acc*); **40 divided by 5** 40 podzielone przez 5.

►**divide out** *vt*: **to divide out (between** *or* **among)** rozdzielać (rozdzielić *perf*) ((po)między +*acc*).

divided [dɪˈvaɪdɪd] *adj* (*lit, fig*) podzielony.

divided highway (*US*) *n* droga *f* dwupasmowa.

dividend [ˈdɪvɪdɛnd] *n* dywidenda *f*; (*fig*): **to pay dividends** procentować (zaprocentować *perf*).

dividend cover *n* gwarancja *f* dywidendy.

dividers [dɪˈvaɪdəz] *npl* (*instrument*) cyrkiel *m* warsztatowy *or* pomiarowy; (*between pages*) separator *m*.

divine [dɪˈvaɪn] *adj* (*REL*) boski, boży; (*fig*) boski ♦ *vt* (*truth, future*) odgadywać (odgadnąć *perf*); (*water, metal*) wykrywać (wykryć *perf*) (różdżką).

diving [ˈdaɪvɪŋ] *n* (*underwater*) nurkowanie *nt*; (*from board*) skoki *pl* do wody.

diving board *n* trampolina *f*.

diving suit *n* skafander *m* (nurka).

divinity [dɪˈvɪnɪtɪ] *n* (*quality*) boskość *f*; (*god, goddess*) bóstwo *nt*; (*SCOL*) teologia *f*.

divisible [dɪˈvɪzəbl] (*MATH*) *adj*: **divisible (by)** podzielny (przez +*acc*); **to be divisible into** dzielić się na +*acc*.

division [dɪˈvɪʒən] *n* (*of cells, property, within party*) podział *m*; (*MATH*) dzielenie *nt*; (*MIL*) dywizja *f*; (*esp FOOTBALL*) liga *f*; (*department. in company*) dział *m*; (: *in bank*) oddział *m*; (: *in police*) wydział *m*; (*BRIT: POL*) głosowanie polegające na przejściu członków Izby Gmin przez wyjścia oznaczające „za" i „przeciw"; **division of labour** podział pracy.

divisive [dɪˈvaɪsɪv] *adj* stwarzający podziały.

divorce [dɪˈvɔːs] *n* rozwód *m* ♦ *vt* (*spouse*) rozwodzić się (rozwieść się *perf*) z +*instr*; (*sth from sth else*) oddzielać (oddzielić *perf*).

divorced [dɪˈvɔːst] *adj* rozwiedziony.

divorcee [dɪvɔːˈsiː] *n* rozwodnik (-wódka) *m(f)*.

divulge [daɪˈvʌldʒ] *vt* wyjawiać (wyjawić *perf*).

DIY (*BRIT*) *n abbr* = **do-it-yourself**.

dizziness [ˈdɪzɪnɪs] *n* zawroty *pl* głowy.

dizzy [ˈdɪzɪ] *adj* (*height*) zawrotny; **dizzy spell** *or* **turn** atak zawrotów głowy; **I feel dizzy** kręci mi się w głowie; **to make sb dizzy** przyprawiać (przyprawić *perf*) kogoś o zawroty głowy.

DJ *n abbr* = **disc jockey** DJ *m*.

d.j. *n abbr* = **dinner jacket**.

Djakarta [dʒəˈkɑːtə] *n* Dżakarta *f*.

DJIA (*US*) *n abbr* (= *Dow-Jones Industrial Average*) indeks *m or* wskaźnik *m* Dow-Jones.

dl *abbr* (= *decilitre*) dcl.

DLit(t) *n abbr* (= *Doctor of Literature, Doctor of Letters*) stopień naukowy; ≈ dr hab.

DLO *n abbr* (= *dead-letter office*) dział poczty zajmujący się niedoręczonymi przesyłkami.

dm *abbr* (= *decimetre*) dm.

DMus *n abbr* (= *Doctor of Music*) stopień naukowy; ≈ dr.

DMZ *n abbr* (= *demilitarized zone*) strefa *f* zdemilitaryzowana.

DNA *n abbr* (= *deoxyribonucleic acid*) DNA *m inv*.

┌─────── *KEYWORD* ───────┐

do [duː] (*pt* **did**, *pp* **done**) *aux vb* **1** (*in negative constructions*): **I don't understand** nie rozumiem; **he didn't seem to care** wydawało się, że go to nie obchodzi. **2** (*to form questions*): **didn't you know?** nie wiedziałaś?; **what do you think?** jak myślisz? **3** (*for emphasis*) istotnie, rzeczywiście; **she does seem rather late** istotnie, wydaje się, że się spóźnia; **oh do shut up!** och, zamknij się wreszcie! (*inf*). **4** (*in polite expressions*) (bardzo) proszę; **do sit down/help yourself** (bardzo) proszę usiąść/poczęstować się. **5** (*used to avoid repeating vb*): **she swims better than I do** ona pływa lepiej niż ja *or* ode mnie; **do you agree? – yes, I do/no, I don't** zgadzasz się? – tak/nie; **who made this mess? – I did** kto tak nabałaganił – ja. **6** (*in question tags*) prawda; **you like him, don't you?** lubisz go, prawda?; **I don't know him, do I?** przecież go nie znam ♦ *vt* **1** (*usu*) robić (zrobić *perf*); **what are you doing tonight?** co robisz (dziś) wieczorem?; **what do you do (for a living)?** czym się Pan/Pani zajmuje?; **have you done your homework?** (czy) odrobiłeś lekcje?; **I've got nothing to do** nie mam nic do roboty; **to do the cooking** gotować; **we're doing "Othello" at school** (*studying*) przerabiamy w szkole „Otella"; (*performing*) gramy w szkole „Otella". **2** (*AUT etc: of distance*) robić (zrobić *perf*); (: *of speed*): **we've done 200 km already** zrobiliśmy już 200 km; **the car was doing 100** samochód jechał setką ♦ *vi* **1** (*act, behave*) robić (zrobić *perf*); **do as I tell you** rób, jak ci każę; **you did well to come so quickly** dobrze zrobiłeś, że tak szybko przyszedłeś. **2** (*get on*) radzić sobie; **he's doing well/badly at school** dobrze/źle sobie radzi w szkole; **how do you do?** miło mi Pana/Panią poznać. **3** (*suit*) nadawać się (nadać się *perf*); **will it do?** czy to się nada? **4** (*be sufficient*) starczać (starczyć *perf*), wystarczać (wystarczyć *perf*); **will 10 pounds do?** czy wystarczy dziesięć funtów?; **that'll do** (*is sufficient*) (to) wystarczy; **that'll do!** (*in annoyance*) starczy już!; **to make do** (**with**) zadowalać się (zadowolić się *perf*) (+*instr*) ♦ *n* (*inf*) impreza *f* (*inf*); **we're having a little do on Saturday** w sobotę robimy małą imprezę.

do. *abbr* = ditto.
DOA *abbr* (= dead on arrival).
d.o.b. *abbr* = date of birth.
docile ['dəusaɪl] *adj* potulny.
dock [dɔk] *n* (*NAUT*) dok *m*; (*JUR*) ława *f* oskarżonych; (*BOT*) szczaw *m* ♦ *vi* (*ship*) wchodzić (wejść *perf*) do portu; (*two spacecraft*) łączyć się (połączyć się *perf*) ♦ *vt*: **they docked a third of his wages** potrącili mu jedną trzecią pensji; **docks** *npl* (*NAUT*) port *m*.
dock dues [-dju:z] *npl* opłaty *pl* dokowe *or* przystaniowe.
docker ['dɔkə*] *n* doker *m*.
docket ['dɔkɪt] *n* (*ADMIN, COMM*) pokwitowanie *nt*, kwit *m*; (*on parcel etc*) wykaz *m or* opis *m* zawartości.
dockyard ['dɔkjɑ:d] *n* stocznia *f*.
doctor ['dɔktə*] *n* (*MED*) lekarz (-arka) *m(f)*; (*PhD etc*) doktor *m* ♦ *vt* (*figures, election results*) fałszować (sfałszować *perf*); **she doctored his coffee with arsenic** dosypała mu arszeniku do kawy; **doctor's office** (*US*) gabinet lekarski.
doctorate ['dɔktərɪt] *n* doktorat *m*.
Doctor of Philosophy *n* (*degree*) doktorat *m*; (*person*) doktor *m* (*nauk humanistycznych*).
doctrine ['dɔktrɪn] *n* doktryna *f*.
document [*n* 'dɔkjumənt, *vb* 'dɔkjumɛnt] *n* dokument *m* ♦ *vt* opisywać (opisać *perf*).
documentary [dɔkju'mɛntərɪ] *adj*: **documentary evidence** dowody *pl* w postaci dokumentów ♦ *n* film *m* dokumentalny.
documentation [dɔkjumən'teɪʃən] *n* dokumentacja *f*.
DOD (*US*) *n abbr* = Department of Defense Ministerstwo *nt* Obrony, ≈ MON *m*.
doddering ['dɔdərɪŋ] *adj* trzęsący się (*ze starości*).
Dodecanese (Islands) [dəudɪkə'ni:z ('aɪləndz)] *n(pl)*: **the Dodecanese (Islands)** Dodekanez *m*.
dodge [dɔdʒ] *n* unik *m* ♦ *vt* (*tax*) uchylać się (uchylić się *perf*) od +*gen*; (*blow, ball*)

uchylać się (uchylić się *perf*) przed +*instr* ♦ *vi* robić (zrobić *perf*) unik; **he dodged the question** uchylił się od odpowiedzi na to pytanie; **to dodge out of the way** uskakiwać (uskoczyć *perf*); **to dodge through the traffic** przemykać się (przemknąć się *perf*) między samochodami.
dodgems ['dɔdʒəmz] (*BRIT*) *npl* samochodziki *pl* (*w wesołym miasteczku*).
DOE *n abbr* (*BRIT*: = Department of the Environment*) Ministerstwo *nt* Ochrony Środowiska; (*US*: = Department of Energy*) Ministerstwo *nt* Energetyki.
doe [dəu] *n* (*deer*) łania *f*; (*rabbit*) królica *f*.
does [dʌz] *vb see* do.
doesn't ['dʌznt] = does not.
dog [dɔg] *n* pies *m* ♦ *vt* (*person*) chodzić za +*instr*; (*bad luck, memory*) prześladować; **to go to the dogs** schodzić (zejść *perf*) na psy.
dog biscuit *n* sucharek *m* dla psów.
dog collar *n* (*of dog*) obroża *f*; (*inf. of priest*) koloratka *f*.
dog-eared ['dɔgɪəd] *adj* (*book etc*) zniszczony.
dog food *n* pokarm *m* dla psów.
dogged ['dɔgɪd] *adj* uparty, zawzięty.
dogma ['dɔgmə] *n* dogmat *m*.
dogmatic [dɔg'mætɪk] *adj* dogmatyczny.
do-gooder [du:'gudə*] (*pej*) *n* uszczęśliwiacz *m* (*pej*).
dogsbody ['dɔgzbɔdɪ] (*BRIT*: *inf*) *n* posługacz(ka) *m(f)*.
doing ['duɪŋ] *n*: **this is your doing** to twoja sprawka.
doings ['duɪŋz] *npl* poczynania *pl*.
do-it-yourself ['du:ɪtjɔ:'sɛlf] *n* majsterkowanie *nt*.
doldrums ['dɔldrəmz] *npl*: **to be in the doldrums** (*person*) mieć chandrę; (*business*) podupadać.
dole [dəul] (*BRIT*: *inf*) *n* zasiłek *m*; **to be on the dole** być na zasiłku; **to go on the dole** iść (pójść *perf*) na zasiłek.
►dole out *vt* wydzielać (wydzielić *perf*).
doleful ['dəulful] *adj* smętny, żałosny.
doll [dɔl] *n* (*toy*) lalka *f*; (*US*: *inf. attractive woman*) laska *f* (*inf*).
dolled up (*inf*) *adj* odpicowany (*inf*).
dollar ['dɔlə*] (*US etc*) *n* dolar *m*.
Dolomites ['dɔləmaɪts] *npl*: **the Dolomites** Dolomity *pl*.
dolphin ['dɔlfɪn] *n* delfin *m*.
domain [də'meɪn] *n* (*sphere*) dziedzina *f*; (*empire*) królestwo *nt* (*fig*).
dome [dəum] *n* kopuła *f*.
domestic [də'mɛstɪk] *adj* (*trade, policy*) wewnętrzny; (*flight*) krajowy; (*news*) z kraju *post*; (*animals, tasks, happiness*) domowy.
domesticated [də'mɛstɪkeɪtɪd] *adj* (*animal*) oswojony; **her husband is very domesticated** jej mąż dużo pomaga w domu.
domesticity [dəumɛs'tɪsɪtɪ] *n* domatorstwo *nt*.

domestic servant n służący (-ca) m(f), pomoc f domowa.

domicile ['dɒmɪsaɪl] n miejsce nt zamieszkania ♦ vt: **people domiciled in Britain** ludzie zamieszkali (na stałe) w Wielkiej Brytanii.

dominant ['dɒmɪnənt] adj (share) przeważający; (role) główny; (partner) dominujący.

dominate ['dɒmɪneɪt] vt (discussion) dominować (zdominować perf); (people, place) mieć zwierzchnictwo nad +instr.

domination [dɒmɪ'neɪʃən] n dominacja f, zwierzchnictwo nt.

domineering [dɒmɪ'nɪərɪŋ] adj apodyktyczny.

Dominican Republic [də'mɪnɪkən-] (GEOG) n: **the Dominican Republic** Dominikana f, Republika f Dominikańska.

dominion [də'mɪnɪən] n (territory) dominium nt; (authority): **to have dominion over** mieć zwierzchnictwo nad +instr.

domino ['dɒmɪnəu] (pl **dominoes**) n klocek m domina.

domino effect n efekt m domina.

dominoes ['dɒmɪnəuz] n domino nt (gra).

don [dɒn] n (BRIT) nauczyciel m akademicki (zwłaszcza w Oxfordzie lub Cambridge) ♦ vt przywdziewać (przywdziać perf).

donate [də'neɪt] vt: **to donate (to)** ofiarowywać (ofiarować perf) (na +acc).

donation [də'neɪʃən] n (act of giving) ofiarowanie nt; (contribution) darowizna f.

done [dʌn] pp of do.

donkey ['dɒŋkɪ] n osioł m.

donkey-work ['dɒŋkɪwəːk] (BRIT: inf) n czarna robota f (inf).

donor ['dəunə*] n (MED) dawca m; (to charity) ofiarodawca m.

don't [dəunt] = do not.

donut ['dəunʌt] (US) n = doughnut.

doodle ['duːdl] vi gryzmolić, bazgrać ♦ n gryzmoły pl, bazgroły pl.

doom [duːm] n fatum nt ♦ vt: **to be doomed to failure** być skazanym na porażkę.

doomsday ['duːmzdeɪ] n sądny dzień m; (REL): **Doomsday** dzień m Sądu Ostatecznego.

door [dɔː*] n (of house, room, car) drzwi pl; (of cupboard) drzwiczki pl; **to go from door to door** chodzić od domu do domu or po domach.

doorbell ['dɔːbɛl] n dzwonek m u drzwi.

door handle n klamka f.

doorman ['dɔːmən] (irreg like **man**) n (in hotel) odźwierny m; (in block of flats) portier m.

doormat ['dɔːmæt] n wycieraczka f; (fig) popychadło nt.

doorpost ['dɔːpəust] n framuga f drzwiowa.

doorstep ['dɔːstɛp] n próg m; **on the doorstep** (fig) tuż za progiem.

door-to-door ['dɔːtə'dɔː*] adj: **door-to-door salesman** domokrążca m; **door-to-door selling** handel obwoźny.

doorway ['dɔːweɪ] n: **in the doorway** w drzwiach.

dope [dəup] n (inf: illegal drug) narkotyk m; (: medicine) środek m odurzający; (: person) idiota (-tka) m(f); (: information) cynk m (inf) ♦ vt odurzać (odurzyć perf) (przez podanie narkotyku).

dopey ['dəupɪ] (inf) adj (groggy) otumaniony, ogłupiały (inf); (stupid) głupkowaty (inf).

dormant ['dɔːmənt] adj (plant) w okresie spoczynku post; (volcano) drzemiący; **to lie dormant** (idea, report etc) pozostawać niewykorzystanym.

dormer ['dɔːmə*] n (also: **dormer window**) okno nt mansardowe.

dormice ['dɔːmaɪs] npl of dormouse.

dormitory ['dɔːmɪtrɪ] n (room) sypialnia f (wieloosobowa w internacie); (US) dom m akademicki, akademik m (inf).

dormouse ['dɔːmaus] (pl **dormice**) n koszatka f.

Dors (BRIT: POST) abbr (= Dorset).

DOS [dɒs] (COMPUT) n abbr (= disk operating system) DOS m.

dosage ['dəusɪdʒ] n (MED) dawka f; (on label) dawkowanie nt.

dose [dəus] n (of medicine) dawka f; (BRIT: bout) atak m ♦ vt: **to dose o.s. with** aplikować (zaaplikować perf) sobie +acc; **a dose of flu** atak grypy.

doss house ['dɒs-] (BRIT) n noclegownia f.

dossier ['dɒsɪeɪ] n akta pl, dossier nt inv.

DOT (US) n abbr (= Department of Transportation) Ministerstwo nt Transportu.

dot [dɒt] n (round mark) kropka f; (speck, spot) punkcik m ♦ vt: **dotted with** (pictures, decorations) upstrzony +instr; (stars, freckles) usiany +instr; **on the dot** co do minuty.

dot command (COMPUT) n polecenie rozpoczynające się od znaku kropki.

dote [dəut]: **to dote on** vt fus świata nie widzieć poza +instr, mieć bzika na punkcie +gen (inf).

dot-matrix printer [dɒt'meɪtrɪks-] n drukarka f igłowa.

dotted line ['dɒtɪd-] n linia f kropkowana; **you must get them to sign on the dotted line** (fig) musisz ich nakłonić do podpisania się pod tym.

dotty ['dɒtɪ] (inf) adj stuknięty (inf).

double ['dʌbl] adj podwójny ♦ adv: **to cost double** kosztować podwójnie ♦ n sobowtór m ♦ vt (offer, amount) podwajać (podwoić perf); (paper, blanket) składać (złożyć perf) na pół ♦ vi podwajać się (podwoić się perf); **to double as** spełniać (spełnić perf) równocześnie funkcję +gen; **on the double,** (BRIT) **at the double** dwa razy szybciej;

double five two six (5526) (*BRIT*: *TEL*) pięćdziesiąt pięć, dwadzieścia sześć; **it's spelt with a double "I"** to się pisze przez dwa „l".

►**double back** *vi* zawracać (zawrócić *perf*).

►**double up** *vi* (*with laughter, in pain*) skręcać się; (*share room*) ścieśniać się (ścieśnić się *perf*).

double bass *n* kontrabas *m*.

double bed *n* łóżko *nt* dwuosobowe.

double-breasted ['dʌbl'brɛstɪd] *adj* (*jacket etc*) dwurzędowy.

double-check ['dʌbl'tʃɛk] *vt* ponownie sprawdzać (sprawdzić *perf*) ♦ *vi* podwójnie sprawdzać (sprawdzić *perf*).

double-clutch ['dʌbl'klʌtʃ] (*US*) *vi* zmieniać (zmienić *perf*) bieg z podwójnym wysprzęgleniem.

double cream (*BRIT*) *n* ≈ kremówka *f*.

double-cross *vt* wystawiać (wystawić *perf*) do wiatru.

double-decker *n* autobus *m* piętrowy.

double-declutch ['dʌbldi:'klʌtʃ] (*BRIT*) *vi* zmieniać (zmienić *perf*) bieg z podwójnym wysprzęgleniem.

double exposure *n* podwójnie naświetlona klatka *f*.

double glazing [-'gleizɪŋ] (*BRIT*) *n* podwójne szyby *pl*.

double-page ['dʌblpeidʒ] *adj*: **double-page spread** rozkładówka *f*.

double parking *n* parkowanie *nt* na drugiego (*inf*).

double room *n* pokój *m* dwuosobowy.

doubles ['dʌblz] *n* debel *m*.

double time *n* podwójna stawka *f* (*za pracę w dni świąteczne*).

doubly ['dʌblɪ] *adv* podwójnie.

doubt [daut] *n* wątpliwość *f* ♦ *vt* (*disbelieve*) wątpić (zwątpić *perf*) w +*acc*; (*mistrust, suspect*) nie dowierzać +*dat*; **without (a) doubt** bez wątpienia; **I doubt it (very much)** (bardzo) wątpię; **to doubt if** *or* **whether ...** wątpić, czy ...; **I don't doubt that ...** nie wątpię, że ... .

doubtful ['dautful] *adj* (*fact*) niepewny; **to be doubtful about sth** mieć wątpliwości co do czegoś; **I'm a bit doubtful** mam pewne wątpliwości.

doubtless ['dautlɪs] *adv* niewątpliwie.

dough [dəu] *n* (*CULIN*) ciasto *nt*; (*inf*) forsa *f* (*inf*), szmal *m* (*inf*).

doughnut ['dəunʌt] (*US* **donut**) *n* ≈ pączek *m*.

dour [duə*] *adj* oschły, surowy.

douse [dauz] *vt* (*person*): **to douse (with)** oblewać (oblać *perf*) (+*instr*); (*lamp*) gasić (zgasić *perf*).

dove [dʌv] *n* gołąb *m*; (*symbol of peace*) gołąb(ek) *m*.

Dover ['dəuvə*] *n* Dover *nt inv*.

dovetail ['dʌvteil] *vi* (*fig*) idealnie do siebie pasować ♦ *n*: **dovetail joint** połączenie *nt* na jaskółczy ogon.

dowager ['dauədʒə*] *n wdowa dziedzicząca tytuł po mężu*.

dowdy ['daudɪ] *adj* (*clothes*) niemodny; (*person*) zaniedbany.

Dow-Jones average ['dau'dʒəunz-] (*US*) *n* wskaźnik *m* Dow-Jonesa.

down [daun] *n* (*feathers*) puch *m*; (*hair*) meszek *nt* ♦ (*hill*) wzgórze *nt* ♦ *adv* w dół ♦ *prep* w dół +*gen* ♦ *vt* (*inf*: *drink*) wychylić (*perf*); **down there/here** tam/tu na *or* w dole; **face down** twarzą do ziemi; **down the river** w dół rzeki; **down the corridor** wzdłuż korytarza; **to walk down the road** iść drogą; **the price of meat is down** cena mięsa spadła; **I've got it down in my diary** zapisałam to w pamiętniku; **to pay 5 pounds down** zapłacić (*perf*) 5 funtów zaliczki; **England are two goals down** Anglia przegrywa dwoma bramkami; **to down tools** (*BRIT*) przerywać (przerwać *perf*) pracę (*na znak protestu*); **down with X!** precz z X!

down-and-out ['daunəndaut] *n* kloszard *m*.

down-at-heel ['daunət'hi:l] *adj* (*shoes etc*) znoszony; (*appearance, person*) zabiedzony.

downbeat ['daunbi:t] *n* (*MUS*) akcentowana miara *f* taktu ♦ *adj* (*inf*) powściągliwy.

downcast ['daunka:st] *adj* (*person*) przybity; (*eyes*) spuszczony.

downer ['daunə*] (*inf*) *n* środek *m* uspokajający; **he is on a downer** jest przybity.

downfall ['daunfɔ:l] *n* upadek *m*.

downgrade ['daungreid] *vt* umniejszać (umniejszyć *perf*) znaczenie +*gen*.

downhearted ['daun'ha:tɪd] *adj* przygnębiony.

downhill ['daun'hɪl] *adv*: **to go downhill** (*road*) biec w dół zbocza; (*person*) schodzić (zejść *perf*) ze zbocza; (*car*) zjeżdżać (zjechać *perf*) ze zbocza; (*fig*: *person*) staczać się (stoczyć się *perf*); (: *business, career*) podupadać (podupaść *perf*) ♦ *n* (*also*: **downhill race**) bieg *m* zjazdowy; **it was downhill after that** potem już było z górki (*inf*).

Downing Street ['daunɪŋ-] (*BRIT*) *n*: **10 Downing Street** *siedziba premiera Wielkiej Brytanii*.

download ['daunləud] *vt* przesyłać (przesłać *perf*) (*do lub z komputera*).

down-market ['daun'ma:kɪt] *adj* tandetny.

down payment *n* zaliczka *f*.

downplay ['daunplei] (*US*) *vt* bagatelizować (zbagatelizować) *perf*.

downpour ['daunpɔ:*] *n* ulewa *f*.

downright ['daunrait] *adj* (*liar etc*) skończony; (*lie, insult*) jawny ♦ *adv* wręcz.

Downs [daunz] (*BRIT*) *npl*: **the Downs** *porośnięte trawą wapienne wzgórza w południowej Anglii*.

own's syndrome [daunz-] *n* zespół *m* Downa.

ownstairs ['daun'stɛəz] *adv* (*below, on ground floor*) na dole; (*downwards, to ground floor*) na dół (po schodach); (*on or to floor below*) piętro niżej.

ownstream ['daunstri:m] *adv* (*be*) w dole rzeki; (*go*) w dół rzeki.

owntime ['dauntaɪm] *n* (*of machine etc*) okres *m* wyłączenia.

own-to-earth ['dauntu'ə:θ] *adj* (*realistic*) praktyczny; (*direct*) bezpośredni; (*reason*) przyziemny.

owntown ['daun'taun] *adv* (*in the centre*) w mieście *or* centrum; (*to the centre*) do miasta *or* centrum ♦ *adj* (*US: offices, buildings*) w śródmieściu *or* centrum *post*; **downtown Chicago** śródmieście Chicago.

owntrodden ['dauntrɔdn] *adj* poniewierany.

own under *adv* w *Australii lub Nowej Zelandii.*

ownward ['daunwəd] *adj*: **downward movement** ruch *m* ku dołowi *or* w dół ♦ *adv* ku dołowi, w dół; **a downward trend** tendencja zniżkowa.

ownwards ['daunwədz] *adv* = **downward**.

owry ['dauri] *n* posag *m*.

oz. *abbr* = **dozen**.

oze [dəuz] *vi* drzemać.

doze off *vi* zdrzemnąć się (*perf*).

ozen ['dʌzn] *n* tuzin *m*; **a dozen books** tuzin książek; **80p a dozen** po 80 pensów za tuzin; **dozens of** dziesiątki +*gen*.

)Ph *n abbr* (= *Doctor of Philosophy*) stopień *naukowy*; ≈ dr.

)Phil *n abbr* (= *Doctor of Philosophy*) stopień *naukowy*; ≈ dr.

)PP (*BRIT*) *n abbr* (= *Director of Public Prosecutions*) ≈ Prokurator *m* Generalny.

)PT *n abbr* (= *diphtheria, pertussis, tetanus*) DiPerTe *nt inv.*

)PW (*US*) *n abbr* (= *Department of Public Works*) Ministerstwo *nt* Robót Publicznych.

)r *abbr* = **doctor** dr.

)r. *abbr* (*in street names*) = **Drive**.

)r (*COMM*) *abbr* = **debtor**.

)rab [dræb] *adj* (*life, clothes*) szary, bezbarwny; (*weather*) ponury.

)raft [drɑ:ft] *n* (*first version*) szkic *m*; (*POL: of bill*) projekt *m*; (*bank draft*) przekaz *m*; (*US: call-up*) pobór *m* ♦ *vt* (*plan*) sporządzać (sporządzić *perf*) projekt *or* szkic +*gen*; (*write roughly*) pisać (napisać *perf*) pierwszą wersję +*gen*; *see also* **draught**.

)raftsman ['drɑ:ftsmən] (*US*) (*irreg like* **man**) *n* = **draughtsman**.

)raftsmanship ['drɑ:ftsmənʃip] (*US*) *n* = **draughtsmanship**.

)rag [dræg] *vt* (*bundle, person*) wlec (zawlec *perf*); (*river*) przeszukiwać (przeszukać *perf*) ♦

vi (*time, event*) wlec się ♦ *n* (*inf: bore*) męka *f*; (: *person*) nudziarz (-ara) *m(f)* (*inf*); (*NAUT, AVIAT*) opór *m*; **in drag** w damskim przebraniu.

▸**drag away** *vt*: **to drag away (from)** odrywać (oderwać *perf*) (od +*gen*).

▸**drag on** *vi* wlec się.

dragnet ['drægnɛt] *n* włok *m*; (*fig*) obława *f*.

dragon ['drægn] *n* smok *m*.

dragonfly ['drægənflaɪ] *n* ważka *f*.

dragoon [drə'gu:n] *n* dragon *m* ♦ *vt*: **to dragoon sb into doing sth** (*BRIT*) zmuszać (zmusić *perf*) kogoś do zrobienia czegoś.

drain [dreɪn] *n* (*in street*) studzienka *f* ściekowa; (*fig: on resources*) odpływ *m* ♦ *vt* (*land*) drenować, osuszać (osuszyć *perf*); (*marshes, pond*) osuszać (osuszyć *perf*); (*vegetables*) osączać (osączyć *perf*); (*glass, cup*) wysączyć (*perf*) napój z +*gen* ♦ *vi* spływać (spłynąć *perf*); **to feel drained** czuć się (poczuć się *perf*) wyczerpanym; **I feel drained of energy** (cała) energia ze mnie odpłynęła.

drainage ['dreɪnɪdʒ] *n* (*system*) system *m* odwadniający; (*process*) odwadnianie *nt*, drenaż *m*.

draining board ['dreɪnɪŋ-] (*US* **drainboard**) *n* ociekacz *m*.

drainpipe ['dreɪnpaɪp] *n* rura *f* odpływowa.

drake [dreɪk] *n* kaczor *m*.

dram [dræm] *n* (*SCOTTISH*) *n* ≈ kieliszeczek *m* (*czegoś mocniejszego*).

drama ['drɑ:mə] *n* (*lit, fig*) dramat *m*; (*of situation*) dramaturgia *f*.

dramatic [drə'mætɪk] *adj* (*theatrical, exciting*) dramatyczny; (*marked*) radykalny; (*sudden*) gwałtowny.

dramatically [drə'mætɪklɪ] *adv* (*theatrically*) dramatycznie; (*markedly*) radykalnie; (*suddenly*) gwałtownie.

dramatist ['dræmətɪst] *n* dramaturg *m*, dramatopisarz (-arka) *m(f)*.

dramatize ['dræmətaɪz] *vt* (*events*) dramatyzować (udramatyzować *perf*); (*book, story*) adaptować (zaadaptować *perf*).

drank [dræŋk] *pt of* **drink**.

drape [dreɪp] *vt* drapować (udrapować *perf*).

drapes [dreɪps] (*US*) *npl* zasłony *pl*.

drastic ['dræstɪk] *adj* drastyczny.

drastically ['dræstɪklɪ] *adv* drastycznie.

draught [drɑ:ft] (*US* **draft**) *n* (*of wind*) podmuch *m*; (: *between open doors etc*) przeciąg *m*; (*NAUT*) zanurzenie *nt*; **beer on draught** piwo beczkowe.

draughtboard ['drɑ:ftbɔ:d] (*BRIT*) *n* plansza *f* do gry w warcaby, szachownica *f*.

draughts [drɑ:fts] (*BRIT*) *n* warcaby *pl*.

draughtsman ['drɑ:ftsmən] (*irreg like* **man**) (*US* **draftsman**) *n* (*ART*) rysownik (-iczka) *m(f)*; (*TECH*) kreślarz (-arka) *m(f)*.

draughtsmanship ['drɑ:ftsmənʃɪp] (*US* **draftsmanship**) *n* rysunek *m*; **the draughtsmanship of the forgery was excellent** jakość falsyfikatu była wyśmienita.

draw [drɔ:] (*pt* **drew**, *pp* **drawn**) *vt* (*ART, TECH*) rysować (narysować *perf*); (*cart etc*) ciągnąć; (*curtain: close*) zaciągać (zaciągnąć *perf*), zasuwać (zasunąć *perf*); (: *open*) odsuwać (odsunąć *perf*); (*gun, conclusion*) wyciągać (wyciągnąć *perf*); (*tooth*) wyrywać (wyrwać *perf*); (*attention*) przyciągać (przyciągnąć *perf*); (*response*) spotykać się (spotkać się *perf*) z +*instr*; (*admiration*) wzbudzać (wzbudzić *perf*); (*money*) podejmować (podjąć *perf*); (*wages*) otrzymywać ♦ *vi* (*ART, TECH*) rysować; (*SPORT*) remisować (zremisować *perf*) ♦ *n* (*SPORT*) remis *m*; (*prize draw*) loteria *f*; **to draw near** zbliżać się; **to draw to a close** dobiegać końca; **to draw a comparison (between sth and sth)** porównywać (porównać *perf*) (coś z czymś); **to draw a distinction (between sth and sth)** rozróżniać (rozróżnić *perf*) (pomiędzy czymś a czymś).

▸**draw back** *vi* cofać się (cofnąć się *perf*); **to draw back from** odsuwać się (odsunąć się *perf*) od +*gen*.

▸**draw in** *vi* (*BRIT: train*) wjeżdżać (wjechać *perf*) (na stację); **the nights are drawing in** coraz wcześniej zapada zmierzch.

▸**draw on** *vt* (*resources, imagination*) sięgać (sięgnąć *perf*) do +*gen*; (*cigarette*) zaciągać się (zaciągnąć się *perf*) +*instr*.

▸**draw out** *vi* (*train*) ruszać (ruszyć *perf*) (ze stacji) ♦ *vt* (*money*) podejmować (podjąć *perf*).

▸**draw up** *vi* (*car etc*) podjeżdżać (podjechać *perf*) ♦ *vt* (*chair*) przysuwać (przysunąć *perf*); (*plan*) kreślić (nakreślić *perf*).

drawback ['drɔ:bæk] *n* wada *f*, minus *m*.

drawbridge ['drɔ:brɪdʒ] *n* most *m* zwodzony.

drawee [drɔ:'i:] (*FIN*) *n* trasat *m*.

drawer [drɔ:*] *n* szuflada *f*.

drawing ['drɔ:ɪŋ] *n* rysunek *m*.

drawing board *n* deska *f* kreślarska, rysownica *f*; **back to the drawing board** (*fig*) trzeba zacząć od początku.

drawing pin (*BRIT*) *n* pinezka *f*.

drawing room *n* salon *m*.

drawl [drɔ:l] *n* przeciągły sposób mówienia, charakterystyczny dla mieszkańców południowych Stanów ♦ *vi* mówić, przeciągając samogłoski.

drawn [drɔ:n] *pp of* **draw** ♦ *adj* wymizerowany.

drawstring ['drɔ:strɪŋ] *n* sznurek *m* (*do zaciągania/luzowania*).

dread [drɛd] *n* strach *m* ♦ *vt* bać się +*gen*.

dreadful ['drɛdful] *adj* straszny; **I feel dreadful!** czuję się okropnie!

dream [dri:m] (*pt, pp* **dreamed** *or* **dreamt**) *n* (*while asleep*) sen *m*; (: *PSYCH*) marzenie *nt* senne, sen *m*; (*ambition*) marzenie *nt* ♦ *vi* (*while asleep*): **I dreamt about my father** śnił mi się ojciec; **she dreamt that ...** śniło jej się, że ...; (*fantasize*): **he dreamt about/that...** marzył o +*loc*/(o tym), że...; **to have a (strange) dream** mieć (dziwny) sen; **I had a dream about you** śniłaś mi się; **to dream of doing sth** marzyć o tym, żeby coś zrobić; **sweet dreams!** miłych snów!

▸**dream up** *vt* wymyślić (*perf*), wydumać (*perf*) (*pej*).

dreamer ['dri:mə*] *n* (*fig*) marzyciel(ka) *m(f)*.

dreamt [drɛmt] *pt, pp of* **dream**.

dream world *n*: **to live in a dream world** żyć marzeniami.

dreamy ['dri:mɪ] *adj* (*expression*) rozmarzony; (*person*) marzycielski; (*music*) kojący.

dreary ['drɪərɪ] *adj* (*depressing*) ponury; (*boring*) drętwy.

dredge [drɛdʒ] *vt* dragować, bagrować.

▸**dredge up** *vt* (*fig: unpleasant facts*) odgrzebywać (odgrzebać *perf*).

dredger ['drɛdʒə*] *n* draga *f*, pogłębiarka *f*.

dregs [drɛgz] *npl* (*of wine, juice*) męty *pl*; (*of tea, coffee*) fusy *pl*; **the dregs of humanity** najgorsze męty *or* szumowiny.

drench [drɛntʃ] *vt* przemoczyć (*perf*); **drenched to the skin** przemoczony do suchej nitki.

dress [drɛs] *n* suknia *f*, sukienka *f*; (*no pl*) odzież *f* ♦ *vt* (*child*) ubierać (ubrać *perf*); (*wound*) opatrywać (opatrzyć *perf*) ♦ *vi* ubierać się (ubrać się *perf*); **she dresses very well** ona się bardzo dobrze ubiera; **to dress a shop window** dekorować (udekorować *perf*) okno wystawowe; **to get dressed** ubierać się (ubrać się *perf*).

▸**dress up** *vi* stroić się (wystroić się *perf*); **to dress up (as)** przebierać się (przebrać się *perf*) (za +*acc*).

dress circle (*BRIT: THEAT*) *n* pierwszy balkon *m*.

dress designer *n* projektant(ka) *m(f)* odzieży.

dresser ['drɛsə*] *n* (*BRIT*) kredens *m*; (*US*) komoda *f* (z lustrem); (*THEAT*) garderobiany (-na) *m(f)*.

dressing ['drɛsɪŋ] *n* (*MED*) opatrunek *m*; (*CULIN*) sos *m* (*sałatkowy*).

dressing gown (*BRIT*) *n* szlafrok *m*.

dressing room *n* (*THEAT*) garderoba *f*; (*SPORT*) szatnia *f*, przebieralnia *f*.

dressing table *n* toaletka *f*.

dressmaker ['drɛsmeɪkə*] *n* krawiec/krawcowa *m(f)*.

dressmaking ['drɛsmeɪkɪŋ] *n* krawiectwo *nt*.

dress rehearsal *n* próba *f* generalna.

dressy ['drɛsɪ] (*inf*) *adj* elegancki.

drew [dru:] *pt of* **draw**.

dribble ['drɪbl] *vi* (*liquid*) spływać, ściekać; (*baby*) ślinić się; (*FOOTBALL*) dryblować ♦ *vt* (*ball*) prowadzić (poprowadzić *perf*).

dried [draɪd] *adj* (*fruit*) suszony; (*eggs, milk*) w proszku *post.*

drier ['draɪə*] *n* = **dryer.**

drift [drɪft] *n* (*of current*) prąd *m*; (*of snow*) zaspa *f*; (*of thought, argument*) sens *m* ♦ *vi* (*boat*) dryfować; (*sand, snow*) tworzyć zaspy; **to let things drift** pozostawiać (pozostawić *perf*) sprawy własnemu biegowi; **they have drifted apart** stali się sobie obcy; **I get** *or* **catch your drift** rozumiem, o co ci chodzi.

drifter ['drɪftə*] *n* tułacz *m.*

driftwood ['drɪftwud] *n* (*on water*) dryfujące drewno *nt*; (*on shore*) drewno *nt* wyrzucone na brzeg.

drill [drɪl] *n* (*drill bit*) wiertło *nt*; (*machine: for DIY etc*) wiertarka *f*; (: *of dentist*) wiertarka *f* (dentystyczna); (: *for mining etc*) świder *m*; (*MIL*) musztra *f* ♦ *vt* (*hole*) wiercić (wywiercić *perf*); (*troops*) musztrować ♦ *vi* wiercić; **to drill pupils in grammar/spelling** ćwiczyć z uczniami gramatykę/ortografię.

drilling ['drɪlɪŋ] *n* wiercenia *pl.*

drilling rig *n* (*on land*) wiertnica *f*, (*at sea*) platforma *f* wiertnicza.

drily ['draɪlɪ] *adv* = **dryly.**

drink [drɪŋk] (*pt* **drank**, *pp* **drunk**) *n* (*fruit etc*) napój *m*; (*alcoholic*) drink *m*; (*sip*) łyk *m* ♦ *vt* pić, wypijać (wypić *perf*) ♦ *vi* pić; **a (hot/cold) drink** coś (ciepłego/zimnego) do picia; **cold/hot drinks** (*on menu etc*) napoje zimne/gorące; **to have a drink** napić się (*perf*); **would you like a drink of water?** czy chciałbyś się napić wody?; **would you like something to drink?** napijesz się czegoś?; **we had drinks before lunch** piliśmy przed obiadem.

drink in *vt* upajać się +*instr*, chłonąć +*acc.*

drinkable ['drɪŋkəbl] *adj* (*not dangerous*) zdatny do picia; (*palatable*) nadający się do picia.

drinker ['drɪŋkə*] *n* pijący (-ca) *m(f)*; **to be a heavy drinker** dużo pić.

drinking ['drɪŋkɪŋ] *n* picie *nt.*

drinking fountain *n* automatyczny wodotrysk z wodą do picia.

drinking water *n* woda *f* pitna.

drip [drɪp] *n* (*noise*) kapanie *nt*; (*MED*) kroplówka *f* ♦ *vi* (*water, rain*) kapać; (*tap*) cieknąć, ciec; (*washing*) ociekać.

drip-dry ['drɪp'draɪ] *adj* nie wymagający prasowania.

drip-feed ['drɪpfiːd] *vt* odżywiać dożylnie ♦ *n*: **she's on a drip-feed** odżywiają ją dożylnie.

dripping ['drɪpɪŋ] *n* tłuszcz *m* spod pieczeni ♦ *adj* ociekający wodą; **I'm dripping** kapie ze mnie; **dripping wet** przemoczony do suchej nitki.

drive [draɪv] (*pt* **drove**, *pp* **driven**) *n* (*journey*) jazda *f* *or* podróż *f* (samochodem); (*also*: **driveway**) wjazd *m*, droga *f* dojazdowa;

(*energy*) werwa *f*, zapał *m*; (*campaign*) działania *pl*; (*SPORT*) uderzenie *nt*; (*also*: **disk drive**) stacja *f* dysków ♦ *vt* (*vehicle*) prowadzić, kierować +*instr*; (*TECH: motor, wheel*) napędzać; (*animal*) prowadzić (poprowadzić *perf*); (*ball*) posyłać (posłać *perf*); (*incite, encourage*) kierować +*instr*; (*nail, stake*): **to drive sth into sth** wbijać (wbić *perf*) coś w coś ♦ *vi* (*as driver*) prowadzić (samochód), jeździć samochodem; (*travel*) jechać (pojechać *perf*) (samochodem); **to go for a drive** wybierać się (wybrać się *perf*) na przejażdżkę; **it's 3 hours' drive from London** to trzy godziny jazdy z Londynu; **left-/right-hand drive** lewostronny/prawostronny układ kierowniczy; **front-/rear-/four-wheel drive** napęd na przednie/tylne/cztery koła; **he drives a taxi** jest kierowcą taksówki; **to drive at 50 km an hour** jechać z prędkością 50 km na godzinę; **to drive sb home/to the airport** zawozić (zawieźć *perf*) *or* odwozić (odwieźć *perf*) kogoś do domu/na lotnisko; **to drive sb mad** doprowadzać (doprowadzić *perf*) kogoś do szału; **to drive sb to sth** doprowadzać (doprowadzić *perf*) kogoś do czegoś; **she drove him to move out** doprowadziła do tego, że się wyprowadził; **what are you driving at?** do czego zmierzasz?

►**drive off** *vt* (*enemy*) przepędzać (przepędzić *perf*); (*attack*) odpierać (odeprzeć *perf*).

►**drive out** *vt* (*evil spirits*) wypędzać (wypędzić *perf*).

drive-in ['draɪvɪn] (*esp US*) *adj obsługujący klientów siedzących w samochodach.*

drive-in cinema (*US*) *n* kino *nt* dla zmotoryzowanych.

drivel ['drɪvl] (*inf*) *n* brednie *pl.*

driven ['drɪvn] *pp of* **drive.**

driver ['draɪvə*] *n* (*of car, bus*) kierowca *m*; (*RAIL*) maszynista *m.*

driver's license ['draɪvəz-] (*US*) *n* prawo *nt* jazdy.

driveway ['draɪvweɪ] *n* wjazd *m*, droga *f* dojazdowa.

driving ['draɪvɪŋ] *n* prowadzenie *nt* (samochodu), jazda *f* (samochodem) ♦ *adj* (*rain etc*) zacinający, siekący.

driving force *n* siła *f* napędzająca.

driving instructor *n* instruktor *m* nauki jazdy.

driving lesson *n* lekcja *f* jazdy, jazda *f* (*inf*).

driving licence (*BRIT*) *n* prawo *nt* jazdy.

driving school *n* ≈ ośrodek *m* szkolenia kierowców.

driving test *n* egzamin *m* na prawo jazdy.

drizzle ['drɪzl] *n* mżawka *f* ♦ *vi* mżyć.

droll [drəul] *adj* ucieszny.

dromedary ['drɔmədərɪ] *n* dromader *m.*

drone [drəun] *n* (*of insects*) bzyczenie *nt*, brzęczenie *nt*; (*of engine*) warkot *m*; (*of traffic*) szum *m*; (*male bee*) truteń *m* ♦ *vi* (*bee*) bzyczeć, brzęczeć; (*engine etc*) warczeć; (*also*: **drone on**) ględzić (*inf*), przynudzać (*inf*).

drool [dru:l] *vi* ślinić się; **to drool over sth/sb** (*fig*) pożerać coś/kogoś wzrokiem.

droop [dru:p] *vi* opadać (opaść *perf*), zwieszać się (zwiesić się *perf*).

drop [drɔp] *n* (*of liquid*) kropla *f*; (*reduction, distance*) spadek *m*; (*by parachute etc*) zrzut *m* ♦ *vt* (*object*) upuszczać (upuścić *perf*); (*voice*) zniżać (zniżyć *perf*); (*eyes*) spuszczać (spuścić *perf*); (*price*) zniżać (zniżyć *perf*), opuszczać (opuścić *perf*); (*set down from car. person*) wysadzać (wysadzić *perf*), wyrzucać (wyrzucić *perf*) (*inf*); (: *object*) podrzucać (podrzucić *perf*) (*inf*); (*omit*) opuszczać (opuścić *perf*) ♦ *vi* (*object, temperature*) spadać (spaść *perf*); (*wind*) ucichać (ucichnąć *perf*); **drops** *npl* krople *pl*; **cough drops** krople na kaszel; **a 300 ft drop** stumetrowy spadek (terenu); **a drop of 10%** spadek o 10%; **to drop anchor** rzucać (rzucić *perf*) kotwicę; **to drop sb a line** skrobnąć (*perf*) do kogoś parę słów (*inf*).

▸**drop in** (*inf*) *vi*: **to drop in (on sb)** wpadać (wpaść *perf*) (do kogoś).

▸**drop off** *vi* zasypiać (zasnąć *perf*) (*mimowolnie*) ♦ *vt* podrzucać (podrzucić *perf*).

▸**drop out** *vi* wycofywać się (wycofać się *perf*); **to drop out of school** porzucać (porzucić *perf*) szkołę.

droplet ['drɔplɪt] *n* kropelka *f*.

drop-out ['drɔpaut] *n* (*from society*) odszczepieniec *m*; (*SCOL*) osoba, która nie ukończyła szkoły lub studiów.

dropper ['drɔpə*] *n* zakraplacz *m*.

droppings ['drɔpɪŋz] *npl* odchody *pl* (*ptaków i małych zwierząt*).

dross [drɔs] *n* odpady *pl* żużlowe.

drought [draut] *n* susza *f*.

drove [drəuv] *pt of* **drive** ♦ *n*: **droves of people** tłumy *pl* ludzi.

drown [draun] *vt* topić (utopić *perf*); (*fig*: *also*: **drown out**) zagłuszać (zagłuszyć *perf*) ♦ *vi* tonąć (utonąć *perf*), topić się (utopić się *perf*).

drowse [drauz] *vi* drzemać.

drowsy ['drauzɪ] *adj* senny, śpiący.

drudge [drʌdʒ] *n* (*person*) wół *m* roboczy.

drudgery ['drʌdʒərɪ] *n* harówka *f*; **housework is sheer drudgery** prace domowe to ciągła harówka.

drug [drʌg] *n* (*MED*) lek *m*; (*narcotic*) narkotyk *m* ♦ *vt* podawać (podać *perf*) środki nasenne +*dat*; **to be on drugs** (*MED*) brać leki; (*addicted*) brać narkotyki; **hard/soft drugs** twarde/miękkie narkotyki.

drug addict *n* narkoman(ka) *m(f)*.

druggist ['drʌgɪst] (*US*) *n* (*person*) aptekarz (-arka) *m(f)*; (*shop*) apteka *f*.

drug peddler *n* handlarz *m* narkotykami.

drugstore ['drʌgstɔ:*] (*US*) *n* drogeria *f* (*sprzedająca też leki, napoje chłodzące i proste posiłki*).

drum [drʌm] *n* bęben *m*; (*for oil etc*) beczka *f* ♦ *vi* bębnić (zabębnić *perf*); **drums** *npl* perkusja *f*.

▸**drum up** *vt* (*support etc*) pozyskiwać (pozyskać *perf*).

drummer ['drʌmə*] *n* perkusista (-tka) *m(f)*.

drum roll *n* tusz *m* werbli, werbel *m*.

drumstick ['drʌmstɪk] *n* (*MUS*) pałeczka *f*; (*of chicken*) pałka *f*.

drunk [drʌŋk] *pp of* **drink** ♦ *adj* pijany ♦ *n* pijak (-aczka) *m(f)*; **to get drunk** upijać się (upić się *perf*).

drunken ['drʌŋkən] *adj* (*laughter etc*) pijacki; (*person*) pijany.

drunkenness ['drʌŋkənnɪs] *n* pijaństwo *nt*.

dry [draɪ] *adj* suchy; (*lake*) wyschnięty; (*humour*) ironiczny; (*wine*) wytrawny; (*subject*) nudny ♦ *vt* (*clothes, hair*) suszyć (wysuszyć *perf*); (*ground*) osuszać (osuszyć *perf*); (*hands, dishes*) wycierać (wytrzeć *perf*); (*tears*) ocierać (otrzeć *perf*) ♦ *vi* schnąć, wysychać (wyschnąć *perf*); **on dry land** na suchym lądzie.

▸**dry up** *vi* (*river, well*) wysychać (wyschnąć *perf*); (*in speech*) zaniemówić (*perf*).

dry clean *vt* czyścić (wyczyścić *perf*) *or* prać (wyprać *perf*) chemicznie.

dry cleaner *n* (*person*) właściciel(ka) *m(f)* pralni chemicznej; (*shop*) pralnia *f* chemiczna.

dry-cleaner's ['draɪ'kli:nəz] *n* pralnia *f* chemiczna.

dry-cleaning ['draɪ'kli:nɪŋ] *n* czyszczenie *nt or* pranie *nt* chemiczne.

dry dock *n* suchy dok *m*.

dryer ['draɪə*] *n* suszarka *f*.

dry goods (*US*) *npl* pasmanteria *f*.

dry ice *n* suchy lód *m*.

dryness ['draɪnɪs] *n* suchość *f*.

dry rot *n* mursz *m*.

dry run *n* (*fig*) próba *f*.

dry ski slope *n* sztuczny stok *m*.

DSc *n abbr* (= *Doctor of Science*) stopień naukowy; ≈ dr hab.

DSS (*BRIT*) *n abbr* (= *Department of Social Security*) Ministerstwo *nt* Opieki Społecznej.

DST (*US*) *abbr* (= *Daylight Saving Time*) czas *m* letni.

DT (*COMPUT*) *n abbr* (= *data transmission*) przesyłanie *nt* danych.

DTI (*BRIT*) *n abbr* (= *Department of Trade and Industry*) Ministerstwo *nt* Handlu i Przemysłu.

DTP *n abbr* = **desktop publishing** DTP *nt inv.*

DT's (*inf*) *npl abbr* (= *delirium tremens*) delirium *nt* tremens; **to have the DT's** mieć delirium (tremens).

dual ['djuəl] *adj* podwójny.

ual carriageway (*BRIT*) *n* droga *f* dwupasmowa.

ual nationality *n* podwójne obywatelstwo *nt*.

ual-purpose ['djuəl'pə:pəs] *adj* dwufunkcyjny.

ubbed [dʌbd] *adj* (*film*) dubbingowany; (*nicknamed*) ochrzczony.

ubious ['dju:bɪəs] *adj* (*claim, reputation*) wątpliwy; (*past, company*) podejrzany; **to be dubious (about)** mieć wątpliwości (co do +*gen*).

ublin ['dʌblɪn] *n* Dublin *m*.

ubliner ['dʌblɪnə*] *n* Dublińczyk/Dublinianka *m/f*.

uchess ['dʌtʃɪs] *n* księżna *f*.

uck [dʌk] *n* kaczka *f* ◊ *vi* (*also*: **duck down**) uchylać się (uchylić się *perf*) ◊ *vt* uchylać się (uchylić się *perf*) przed +*instr*.

uckling ['dʌklɪŋ] (*ZOOL*) *n* kaczątko *nt*, kaczuszka *f*; (*CULIN*) kaczka *f*.

uct [dʌkt] *n* przewód *m*, kanał *m*.

ud [dʌd] *n* (*object*) bubel *m*; (*bomb*) niewypał *m*; (*note, coin*) podróbka *f* ◊ *adj*: **dud cheque** (*BRIT*) czek *m* bez pokrycia.

ue [dju:] *adj* (*arrival*) planowy; (*publication, meeting*) planowany; (*money*) należny; (*attention*) należny, należyty ◊ *n*: **to give sb his** (*or* **her) due** oddawać (oddać *perf*) komuś sprawiedliwość ◊ *adv*: **due north** dokładnie na północ; **dues** *npl* (*for club, union*) składki *pl* (członkowskie); (*in harbour*) opłaty *pl* postojowe; **in due course** w swoim czasie, we właściwym czasie; **due to** z powodu +*gen*; **to be due to do sth** mieć coś zrobić; **the rent is due on the 30th** czynsz jest płatny (do) trzydziestego; **the train is due at 8** pociąg przyjeżdża o ósmej; **we were due in London at 2 a.m.** mieliśmy być w Londynie o drugiej w nocy.; **she is due back tomorrow** ma wrócić jutro; **I am due 6 days' leave** należy mi się sześć dni urlopu.

ue date *n* data *f* zwrotu (*książki z biblioteki itp*).

uel ['djuəl] *n* pojedynek *m*; (*fig*) konflikt *m*.

uet [dju:'ɛt] *n* duet *m*.

uff [dʌf] (*BRIT*: *inf*) *adj* do niczego *post*.

duff up (*inf*) *vt* dołożyć (*perf*) +*dat* (*inf*).

uffel bag ['dʌfl-] *n* worek *m* marynarski.

uffel coat *n* budrysówka *f*.

uffer ['dʌfə*] (*inf*) *n* beztalencie *nt*.

ug [dʌg] *pt, pp of* **dig**.

uke [dju:k] *n* książę *m*.

ull [dʌl] *adj* (*dark*) mroczny; (*boring*) nudny; (*pain, person*) tępy; (*sound*) głuchy; (*weather, day*) pochmurny ◊ *vt* przytępiać (przytępić *perf*).

uly ['dju:lɪ] *adv* (*properly*) należycie; (*on time*) zgodnie z planem.

umb [dʌm] *adj* niemy; (*pej*) głupi; **to be struck dumb** oniemieć (*perf*).

umbbell ['dʌmbɛl] *n* hantla *f*.

umbfounded [dʌm'faundɪd] *adj* oniemiały.

dummy ['dʌmɪ] *n* (*tailor's model*) manekin *m*; (*COMM, TECH*) atrapa *f*, makieta *f*; (*CARDS*: *also*: **dummy hand**) dziadek *m*; (*BRIT*: *for baby*) smoczek *m* ◊ *adj* (*bullet*) ślepy; (*firm*) fikcyjny.

dummy run *n* bieg *m* pusty *or* jałowy.

dump [dʌmp] *n* (*also*: **rubbish dump**) wysypisko *nt* (śmieci); (*inf*: *place*) nora *f* (*inf*); (*of ammunition*) skład *m* ◊ *vt* (*throw down*) rzucać (rzucić *perf*); (*get rid of*) wyrzucać (wyrzucić *perf*); (*COMPUT*: *data*) zrzucać (zrzucić *perf*) (*inf*); **to be down in the dumps** (*fig*: *inf*) być w dołku (*inf*); **"no dumping"** „zakaz wysypywania śmieci".

dumpling ['dʌmplɪŋ] *n* knedel *m*, pyza *f*.

dumpy ['dʌmpɪ] *adj* przysadzisty.

dunce [dʌns] *n* (*SCOL*) osioł *m* (*pej*).

dune [dju:n] *n* wydma *f*.

dung [dʌŋ] *n* gnój *m*.

dungarees [dʌŋgə'ri:z] *npl* (*for work*) kombinezon *m*; (*for child, woman*) ogrodniczki *pl*.

dungeon ['dʌndʒən] *n* loch *m*.

dunk [dʌŋk] *vt* maczać, zamaczać (zamoczyć *perf*).

Dunkirk [dʌn'kə:k] *n* Dunkierka *f*.

duo ['dju:əu] *n* para *f*; (*MUS*) duet *m*.

duodenal [dju:əu'di:nl] *adj*: **duodenal ulcer** wrzód *m* dwunastnicy.

duodenum [dju:əu'di:nəm] *n* dwunastnica *f*.

dupe [dju:p] *n* naiwniak *m* ◊ *vt* naciągać (naciągnąć *perf*) (*inf*).

duplex ['dju:plɛks] (*US*) *n* (*house*) bliźniak *m*; (*apartment*) mieszkanie *nt* dwupoziomowe.

duplicate [*n* 'dju:plɪkət, *adj, vt* 'dju:plɪkeɪt] *n* kopia *f*, duplikat *m* ◊ *adj* zapasowy, dodatkowy ◊ *vt* powielać (powielić *perf*), kopiować (skopiować *perf*); **in duplicate** w dwóch egzemplarzach.

duplicating machine ['dju:plɪkeɪtɪŋ-] *n* powielacz *m*.

duplicator ['dju:plɪkeɪtə*] *n* powielacz *m*.

duplicity [dju:'plɪsɪtɪ] *n* obłuda *f*.

Dur (*BRIT*: *POST*) *abbr* (= *Durham*).

durability [djuərə'bɪlɪtɪ] *n* trwałość *f*, wytrzymałość *f*.

durable ['djuərəbl] *adj* trwały, wytrzymały.

duration [djuə'reɪʃən] *n* okres *m or* czas *m* (trwania).

duress [djuə'rɛs] *n*: **under duress** pod przymusem.

Durex ['djuərɛks] ® (*BRIT*) *n* ≈ prezerwatywa *f*.

during ['djuərɪŋ] *prep* podczas +*gen*, w czasie +*gen*.

dusk [dʌsk] *n* zmierzch *m*, zmrok *m*.

dusky ['dʌskɪ] *adj* mroczny.

dust [dʌst] *n* kurz *m*, pył *m* ◊ *vt* (*furniture*) odkurzać (odkurzyć *perf*); (*cake etc*): **to dust with** posypywać (posypać *perf*) +*instr*; **she**

dusted her face with powder upudrowała twarz.
►**dust off** vt otrzepywać (otrzepać *perf*); (*fig*) odświeżać (odświeżyć *perf*).
dustbin ['dʌstbɪn] (*BRIT*) n kosz m na śmieci.
dustbin liner n worek m na śmieci (*wkładany do kosza*).
duster ['dʌstə*] n ściereczka f (do kurzu).
dust jacket n obwoluta f.
dustman ['dʌstmən] (*BRIT*) (*irreg like* **man**) n śmieciarz m.
dustpan ['dʌstpæn] n szufelka f, śmietniczka f.
dusty ['dʌstɪ] adj zakurzony.
Dutch [dʌtʃ] adj holenderski ♦ n język m holenderski ♦ adv: **to go Dutch** (*inf*) płacić (zapłacić *perf*) każdy za siebie; **the Dutch** npl Holendrzy vir pl.
Dutch auction n licytacja f zniżkowa (*polegająca na obniżaniu ceny wywoławczej*).
Dutchman ['dʌtʃmən] (*irreg like* **man**) n Holender m.
Dutchwoman ['dʌtʃwumən] (*irreg like* **woman**) n Holenderka f.
dutiable ['djuːtɪəbl] adj podlegający ocleniu.
dutiful ['djuːtɪful] adj (*child*) posłuszny; (*husband, wife*) dobry; (*employee*) obowiązkowy.
duty ['djuːtɪ] n (*responsibility*) obowiązek m; (*tax*) cło nt; **duties** npl obowiązki pl; **to make it one's duty to do sth** zobowiązywać się (zobowiązać się *perf*) do zrobienia czegoś; **to pay duty on sth** płacić (zapłacić *perf*) za coś cło; **on/off duty** na/po służbie.
duty-free ['djuːtɪ'friː] adj wolny od cła, wolnocłowy; **duty-free shop** sklep wolnocłowy.
duty officer n oficer m służbowy.
duvet ['duːveɪ] (*BRIT*) n kołdra f.
DV abbr (= Deo volente) jeśli Bóg pozwoli.
DVLC (*BRIT*) n abbr (= Driver and Vehicle Licensing Centre).
DVM (*US*) n abbr (= Doctor of Veterinary Medicine) stopień naukowy; ≈ dr.
dwarf [dwɔːf] (*pl* **dwarves**) n karzeł m ♦ vt: **he was dwarfed by a huge desk** wydawał się bardzo mały w porównaniu z wielkim biurkiem.
dwarves [dwɔːvz] npl of **dwarf**.
dwell [dwɛl] (*pt, pp* **dwelt**) vi mieszkać.
►**dwell on** vt fus ropamiętywać +acc.
dweller ['dwɛlə*] n mieszkaniec (-nka) m(f); **city dweller** mieszkaniec miasta.
dwelling ['dwɛlɪŋ] n mieszkanie nt.
dwelt [dwɛlt] pt, pp of **dwell**.
dwindle ['dwɪndl] vi (*interest, attendance*) maleć (zmaleć *perf*).
dwindling ['dwɪndlɪŋ] adj (*strength, interest*) malejący, słabnący; (*resources, supplies*) topniejący, kurczący się.
dye [daɪ] n (*for hair*) farba f, (*for cloth*) barwnik m ♦ vt (*hair*) farbować (ufarbować

perf); (*cloth*) barwić (zabarwić *perf*), farbować (zafarbować *perf*).
dyestuffs ['daɪstʌfs] npl barwniki pl.
dying ['daɪɪŋ] adj umierający; (*moments, words*) ostatni (*przed śmiercią*).
dyke [daɪk] n (*BRIT*) grobla f, (*channel*) rów m
dynamic [daɪ'næmɪk] adj dynamiczny.
dynamics [daɪ'næmɪks] n or npl dynamika f.
dynamite ['daɪnəmaɪt] n dynamit m ♦ vt wysadzać (wysadzić *perf*) (w powietrze).
dynamo ['daɪnəməu] n prądnica f (prądu stałego), dynamo nt.
dynasty ['dɪnəstɪ] n dynastia f.
dysentery ['dɪsntrɪ] n czerwonka f.
dyslexia [dɪs'lɛksɪə] n dysleksja f.
dyslexic [dɪs'lɛksɪk] adj cierpiący na dysleksję ♦ n dyslektyk (-yczka) m(f).
dyspepsia [dɪs'pɛpsɪə] n niestrawność f.
dystrophy ['dɪstrəfɪ] n dystrofia f; **muscular dystrophy** dystrofia mięśni.

E,e

E¹, e [iː] n (*letter*) E nt, e nt; **E for Edward**, (*US*) **E for Easy** ≈ E jak Ewa.
E² [iː] n (*MUS*) E nt, e nt.
E³ abbr = **east** wsch.
E111 n abbr (*also*: **form E111**) formularz używany w krajach Wspólnoty Europejskiej przy ubieganiu się o zwrot wydatków związanych z leczeniem.
E.A. (*US*) n abbr (= educational age) wiek m szkolny.
ea. abbr = **each**.
each [iːtʃ] adj każdy ♦ pron każdy; **they blamed each other** oskarżali się nawzajem; **they hate/love each other** oni się nienawidzą/kochają; **you are jealous of each other** jesteście o siebie zazdrośni; **each day** każdego dnia; **they have two books each** mają po dwie książki każdy; **they cost 5 pounds each** kosztują (po) 5 funtów za sztukę; **each of us** każdy z nas.
eager ['iːgə*] adj (*keen*) gorliwy; (*excited*) podniecony; **to be eager to do sth** być chętnym do zrobienia czegoś; **to be eager for** (*niecierpliwie*) oczekiwać +gen.
eagerly ['iːgəlɪ] adv (*talk etc*) z zapałem; (*awaited*) niecierpliwie.
eagle ['iːgl] n orzeł m.
ear [ɪə*] n (*ANAT*) ucho nt; (*of corn*) kłos m; **up to one's ears in debt** po uszy w długach; **to give sb a thick ear** trzepać (trzepnąć *perf*) kogoś w ucho; **we'll play it by ear** (*fig*) wymyślimy coś na poczekaniu..

earache ['ɪəreɪk] n ból m ucha.

eardrum ['ɪədrʌm] n błona f bębenkowa.

earl [ə:l] (*BRIT*) n ≈ hrabia m.

earlier ['ə:lɪə*] adj wcześniejszy ♦ adv wcześniej; **in earlier times** dawniej, niegdyś; **I can't come any earlier** nie mogę przyjść ani trochę wcześniej.

early ['ə:lɪ] adv (*not late*) wcześnie; (*ahead of time*) wcześniej ♦ adj (*hours, stage, lunch*) wczesny; (*death*) przedwczesny; (*Christians, settlers*) pierwszy; (*reply*) szybki; **early last week/month** na początku zeszłego tygodnia/miesiąca; **early in the morning** wcześnie rano, wczesnym rankiem; **in the early** *or* **early in the 19th century** w początkach 19. wieku; **in the early** *or* **early in the spring** wczesną wiosną; **to have an early night** kłaść się (położyć się *perf*) (spać) wcześniej; **take the early train** jechać (pojechać *perf*) wcześniejszym pociągiem; **you're early** przyszedłeś za wcześnie; **she's in her early forties** jest trochę po czterdziestce, ma czterdzieści parę lat; **at your earliest convenience** możliwie szybko.

early retirement n: **to take early retirement** iść (pójść *perf*) na wcześniejszą emeryturę.

early warning system n system m wczesnego ostrzegania.

earmark ['ɪəmɑ:k] vt: **to earmark (for)** rezerwować (zarezerwować *perf*) (na +acc).

earn [ə:n] vt (*salary*) zarabiać (zarobić *perf*); (*COMM: profit*) przynosić (przynieść *perf*); (*praise*) zyskiwać (zyskać *perf*); (*hatred*) zasłużyć (*perf*) na +acc; **to earn one's living** zarabiać (zarobić *perf*) na utrzymanie *or* życie; **this earned him much praise, he earned much praise for this** to przyniosło mu wiele uznania, zyskał tym sobie wiele uznania; **he's earned his rest/reward** zasłużył (sobie) na wypoczynek/nagrodę.

earned income [ə:nd-] n dochód m z pracy.

earnest ['ə:nɪst] adj (*wish, desire*) szczery; (*person, manner*) poważny ♦ n (*also:* **earnest money**) zadatek m; **in earnest** adv na poważnie *or* serio ♦ adj: **she was in earnest about what he was to say** była (bardzo) przejęta tym, co miała powiedzieć; **do you think he was in earnest?** czy myślisz, że mówił poważnie?

earnings ['ə:nɪŋz] npl (*personal*) zarobki pl; (*of company*) dochody pl.

ear nose and throat specialist n specjalista m laryngolog m.

earphones ['ɪəfəunz] npl słuchawki pl.

earplugs ['ɪəplʌgz] npl zatyczki pl do uszu.

earring ['ɪərɪŋ] n kolczyk m.

earshot ['ɪəʃɔt] n: **to be within earshot** słyszeć (*być dostatecznie blisko*); **to be out of earshot** nie słyszeć (*być za daleko*).

earth [ə:θ] n (*planet*) Ziemia f; (*land, surface, soil*) ziemia f; (*BRIT: ELEC*) uziemienie nt; (*of fox*) nora f ♦ vt (*BRIT*) uziemiać (uziemić *perf*).

earthenware ['ə:θnwɛə*] n ceramika f, wyroby pl ceramiczne ♦ adj ceramiczny.

earthly ['ə:θlɪ] adj doczesny, ziemski; **earthly paradise** raj na ziemi; **there is no earthly reason to think that ...** nie ma najmniejszego powodu (, by) sądzić, że ... .

earthquake ['ə:θkweɪk] n trzęsienie nt ziemi.

earth tremor n wstrząs m podziemny.

earthworks ['ə:θwə:ks] npl szańce pl.

earthworm ['ə:θwə:m] n dżdżownica f.

earthy ['ə:θɪ] adj (*fig: humour*) prymitywny.

earwig ['ɪəwɪg] n skorek m.

ease [i:z] n (*easiness*) łatwość f; (*comfort*) beztroska f ♦ vt (*pain*) łagodzić (złagodzić *perf*); (*tension, problem*) załagadzać (załagodzić *perf*) ♦ vi (*situation*) załagadzać się (załagodzić się *perf*); (*pain, grip*) zelżeć (*perf*); (*rain, snow*) słabnąć (osłabnąć *perf*); **to ease sth in/out** włożyć/wyjąć coś; **at ease!** spocznij!; **with ease** z łatwością; **a life of ease** beztroskie życie.

▶**ease off** vi słabnąć (osłabnąć *perf*).

▶**ease up** vi = **ease off**.

easel ['i:zl] n sztaluga f.

easily ['i:zɪlɪ] adv (*without difficulty, quickly*) łatwo; (*in a relaxed way*) swobodnie; (*by far*) bez wątpienia; (*possibly, well*) śmiało.

easiness ['i:zɪnɪs] n łatwość f.

east [i:st] n wschód m ♦ adj wschodni ♦ adv na wschód; **the East** (*Orient, Eastern Europe*) Wschód m.

Easter ['i:stə*] n Wielkanoc f ♦ cpd wielkanocny.

Easter egg n pisanka f.

Easter Island n Wyspa f Wiekanocna.

easterly ['i:stəlɪ] adj wschodni.

Easter Monday n poniedziałek m wielkanocny, ≈ lany poniedziałek m.

eastern ['i:stən] adj wschodni; **Eastern Europe** Europa Wschodnia; **Eastern philosophy** filozofia Wschodu; **the Eastern bloc** Blok Wschodni.

Easter Sunday n niedziela f wielkanocna.

East Germany (*old*) n Niemcy pl Wschodnie, NRD nt inv.

eastward(s) ['i:stwəd(z)] adv na wschód.

easy ['i:zɪ] adj (*task, life, prey*) łatwy; (*conversation, manner*) swobodny ♦ adv: **to take it** *or* **things easy** (*go slowly*) nie przemęczać się; (*not worry*) nie przejmować się; (*for health*) oszczędzać się; **payment on easy terms** spłata na dogodnych warunkach; **that's easier said than done** to się łatwo mówi; **I'm not easy** *or* **I do not feel easy about** nie jestem przekonany do +gen; **I'm easy** (*inf*) ja się dostosuję.

easy chair n fotel m klubowy.

easy-going ['iːzɪ'gəuɪŋ] *adj* spokojny, opanowany.

eat [iːt] (*pt* **ate**, *pp* **eaten**) *vt* jeść (zjeść *perf*) ♦ *vi* jeść.

►**eat away** *vt* (*sea*) podmywać (podmyć *perf*); (*acid*) wyżerać (wyżreć *perf*).

►**eat away at** *vt fus* (*metal*) przeżerać (przeżreć *perf*); (*fig: savings*) pochłaniać (pochłonąć *perf*).

►**eat into** *vt fus* = **eat away at.**

►**eat out** *vi* jeść (zjeść *perf*) poza domem.

►**eat up** *vt* zjadać (zjeść *perf*) do końca; (*fig*) pożerać (pożreć *perf*).

eatable ['iːtəbl] *adj* nadający się do jedzenia, zjadliwy (*inf*).

eau de Cologne ['əudəkə'ləun] *n* woda *f* kolońska.

eaves [iːvz] *npl* okap *m*.

eavesdrop ['iːvzdrɔp] *vi*: **to eavesdrop (on)** podsłuchiwać (+*acc*).

ebb [ɛb] *n* odpływ *m* ♦ *vi* (*tidewater*) odpływać, opadać; (*fig: strength*) odpływać (odpłynąć *perf*); (*: feeling*) słabnąć (osłabnąć *perf*); **the ebb and flow** (*fig*) wzloty i upadki; **to be at a low ebb** (*fig*) przechodzić kryzys; **the tide is ebbing** jest odpływ.

►**ebb away** *vi* (*fig*) = **ebb.**

ebb tide *n* odpływ *m*.

ebony ['ɛbənɪ] *n* heban *m*.

ebullient [ɪ'bʌlɪənt] *adj* tryskający energią *or* entuzjazmem.

EC *n abbr* (= *European Community*) Wspólnota *f* Europejska.

eccentric [ɪk'sɛntrɪk] *adj* ekscentryczny ♦ *n* ekscentryk (-yczka) *m(f)*.

ecclesiastic(al) [ɪkliːzɪ'æstɪk(l)] *adj* kościelny.

ECG *n abbr* = **electrocardiogram** EKG *nt inv*.

echo ['ɛkəu] (*pl* **echoes**) *n* echo *nt* ♦ *vt* powtarzać (powtórzyć *perf*) ♦ *vi* (*sound*) odbijać się (odbić się *perf*) echem; (*cave*) rozbrzmiewać (rozbrzmieć *perf*) echem.

éclair ['eɪklɛə*] *n* ekler *m* (*ciastko*).

eclipse [ɪ'klɪps] *n* zaćmienie *nt* ♦ *vt* (*artist, performance*) przyćmiewać (przyćmić *perf*); (*competitor*) spychać (zepchnąć *perf*) na drugi *or* dalszy plan; (*problem*) przesłaniać (przesłonić *perf*).

ECM (*US*) *n abbr* (= *European Common Market*) Wspólny Rynek *m*.

ecologist [ɪ'kɔlədʒɪst] *n* ekolog *m*.

ecology [ɪ'kɔlədʒɪ] *n* (*environment*) ekosystem *m*; (*discipline*) ekologia *f*.

economic [iːkə'nɔmɪk] *adj* (*system, history*) gospodarczy, ekonomiczny; (*business*) rentowny.

economical [iːkə'nɔmɪkl] *adj* (*system, car*) oszczędny, ekonomiczny; (*person*) gospodarny, oszczędny.

economically [iːkə'nɔmɪklɪ] *adv* (*frugally*) oszczędnie; (*regarding economics*) gospodarczo, ekonomicznie.

economics [iːkə'nɔmɪks] *n* ekonomia *f* ♦ *npl* ekonomika *f*.

economist [ɪ'kɔnəmɪst] *n* ekonomista (-tka) *m(f)*.

economize [ɪ'kɔnəmaɪz] *vi* oszczędzać.

economy [ɪ'kɔnəmɪ] *n* (*of country*) gospodarka *f*; (*financial prudence*) oszczędność *f*; **economies of scale** (*COMM*) obniżenie *nt* kosztów poprzez zwiększenie produkcji.

economy class *n* (*AVIAT*) klasa *f* turystyczna.

economy size *n* duże opakowanie *nt*.

ECSC *n abbr* (= *European Coal & Steel Community*) EWWiS *f*, = Europejska Wspólnota Węgla i Stali.

ecstasy ['ɛkstəsɪ] *n* (*rapture*) ekstaza *f*, uniesienie *nt*; (*drug*) ekstaza *f*; **in ecstasy** w uniesieniu; **to go into ecstasies over** podniecać się +*instr*.

ecstatic [ɛks'tætɪk] *adj* (*welcome, reaction*) entuzjastyczny; (*person*) rozentuzjazmowany.

ECT *n abbr* = **electro-convulsive therapy.**

ECU ['eɪkjuː] *n abbr* (= *European Currency Unit*) ECU *nt inv*.

Ecuador ['ɛkwədɔː*] *n* Ekwador *m*.

ecumenical [iːkjuː'mɛnɪkl] *adj* ekumeniczny.

eczema ['ɛksɪmə] *n* egzema *f*.

eddy ['ɛdɪ] *n* zawirowanie *nt*.

edge [ɛdʒ] *n* (*of forest, road*) skraj *m*; (*of table, chair*) krawędź *f*, brzeg *m*; (*of knife*) ostrze *nt* ♦ *vt* okrawać (okroić *perf*) ♦ *vi*: **to edge forward** (powoli) przepychać się (przepchnąć się *perf*) (do przodu); **to edge past** przeciskać się (przecisnąć się *perf*) przez +*acc*; **on edge** (*fig*) = **edgy;**
to edge away from (powoli) oddalać się (oddalić się *perf*) od +*gen*; **to have the edge (over)** (*fig*) mieć przewagę (nad +*instr*).

edgeways ['ɛdʒweɪz] *adv*: **he couldn't get a word in edgeways** nie mógł dojść do słowa.

edging ['ɛdʒɪŋ] *n* obramowanie *nt*.

edgy ['ɛdʒɪ] *adj* podenerwowany, poirytowany.

edible ['ɛdɪbl] *adj* jadalny.

edict ['iːdɪkt] *n* edykt *m*.

edifice ['ɛdɪfɪs] *n* gmach *m*; (*fig*) struktura *f*, formacja *f*.

edifying ['ɛdɪfaɪŋ] *adj* budujący.

Edinburgh ['ɛdɪnbərə] *n* Edynburg *m*.

edit ['ɛdɪt] *vt* (*text, book*) redagować (zredagować *perf*); (*film, broadcast*) montować (zmontować *perf*); (*newspaper, magazine*) wydawać.

edition [ɪ'dɪʃən] *n* wydanie *nt*.

editor ['ɛdɪtə*] *n* (*of newspaper, magazine*) redaktor *m* naczelny; (*of book, TV programme*) redaktor *m*; (*FILM*) montażysta (-tka) *m(f)*; **foreign editor** redaktor działu zagranicznego.

editorial [ɛdɪ'tɔːrɪəl] *adj* redakcyjny ♦ *n* artykuł *m* redakcyjny *or* wstępny.

EDP (*COMPUT*) *n abbr* = **electronic data processing** EPD *nt inv*.

EDT (*US*) *abbr* (= *Eastern Daylight Time*).

educate ['ɛdjukeɪt] *vt* (*teach*) kształcić (wykształcić *perf*), edukować (*literary*); (*inform*) uświadamiać (uświadomić *perf*).

education [ɛdju'keɪʃən] *n* (*process*) kształcenie *nt*, nauczanie *nt*; (*system, area of work*) oświata *f*; (*knowledge, culture*) wykształcenie *nt*; **primary or** (*US*) **elementary/secondary education** szkolnictwo podstawowe/średnie.

educational [ɛdju'keɪʃnl] *adj* (*institution, policy*) oświatowy; (*toy*) edukacyjny; (*experience*) pouczający; **educational technology** technika kształcenia.

Edwardian [ɛd'wɔːdɪən] *adj* edwardiański.

EE *abbr* = **electrical engineer**.

EEC *n abbr* = **European Economic Community** EWG *nt inv*.

EEG *n abbr* = **electroencephalogram** EEG *nt inv*.

eel [iːl] *n* węgorz *m*.

EENT (*US: MED*) *n abbr* (= *eye, ear, nose and throat*) specjalista *m* z zakresu chorób oczu, uszu, nosa, gardła i krtani.

EEOC (*US*) *n abbr* (= *Equal Employment Opportunities Commission*) *komisja do walki z dyskryminacją pracowników*.

eerie ['ɪərɪ] *adj* niesamowity.

EET *abbr* (= *Eastern European Time*) czas *m* wschodnioeuropejski.

efface [ɪ'feɪs] *vt* zacierać (zatrzeć *perf*), wymazywać (wymazać *perf*); **to efface oneself** usuwać się (usunąć się *perf*) w cień.

effect [ɪ'fɛkt] *n* (*result, consequence*) skutek *m*; (*impression*) efekt *m* ♦ *vt* (*repairs*) dokonywać (dokonać *perf*) +*gen*; (*savings*) czynić (poczynić *perf*); **effects** *npl* (*belongings*) rzeczy *pl* osobiste; (*THEAT, FILM*) efekty *pl* specjalne; **to take effect** (*law*) wchodzić (wejść *perf*) w życie; (*drug*) zaczynać (zacząć *perf*) działać; **to put into effect** wprowadzać (wprowadzić *perf*) w życie; **to have an effect on sb/sth** mieć wpływ na kogoś/coś; **in effect** w praktyce; **his letter is to the effect that ...** sens jego listu jest taki, że ... .

effective [ɪ'fɛktɪv] *adj* (*successful*) skuteczny; (*actual*) faktyczny; **to become effective** (*JUR*) wchodzić (wejść *perf*) w życie; **effective date** data wejścia w życie.

effectively [ɪ'fɛktɪvlɪ] *adv* (*successfully*) skutecznie; (*in reality*) faktycznie.

effectiveness [ɪ'fɛktɪvnɪs] *n* skuteczność *f*.

effeminate [ɪ'fɛmɪnɪt] *adj* zniewieściały.

effervescent [ɛfə'vɛsnt] *adj* musujący.

efficacy ['ɛfɪkəsɪ] *n* skuteczność *f*.

efficiency [ɪ'fɪʃənsɪ] *n* (*of person, organization*) sprawność *f*; (*of machine*) wydajność *f*.

efficiency apartment (*US*) *n* ≈ kawalerka *f*.

efficient [ɪ'fɪʃənt] *adj* (*person*) sprawny;

(*organization*) sprawnie działający; (*machine*) wydajny.

efficiently [ɪ'fɪʃəntlɪ] *adv* (*competently*) sprawnie; (*without wasting time or energy*) wydajnie.

effigy ['ɛfɪdʒɪ] *n* (*dummy*) kukła *f*; (*image*) wizerunek *m*, podobizna *f*.

effluent ['ɛfluənt] *n* ściek *m*.

effort ['ɛfət] *n* (*endeavour, exertion*) wysiłek *m*; (*determined attempt*) próba *f*, usiłowanie *nt*; **to make an effort to do sth** dokładać (dołożyć *perf*) starań, żeby coś zrobić.

effortless ['ɛfətlɪs] *adj* (*action*) nie wymagający wysiłku; (*style*) lekki, swobodny.

effrontery [ɪ'frʌntərɪ] *n* bezczelność *f*, tupet *m*; **to have the effrontery to do sth** mieć czelność coś zrobić.

effusive [ɪ'fjuːsɪv] *adj* wylewny.

EFL (*SCOL*) *n abbr* (= *English as a Foreign Language*).

EFTA ['ɛftə] *n abbr* (= *European Free Trade Association*) EFTA *f inv*, Europejskie Stowarzyszenie *nt* Wolnego Handlu.

e.g. *adv abbr* (= *exempli gratia*) np.

egalitarian [ɪgælɪ'tɛərɪən] *adj* (*society*) egalitarny; (*principles*) egalitarystyczny ♦ *n* egalitarysta (-tka) *m(f)*.

egg [ɛg] *n* jajo *nt*, jajko *nt*; **hard-boiled/soft-boiled egg** jajko na twardo/na miękko.

►**egg on** *vt* podjudzać (podjudzić *perf*).

eggcup ['ɛgkʌp] *n* kieliszek *m* do jajek.

eggplant ['ɛgplɑːnt] *n* (*esp US*) oberżyna *f*, bakłażan *m*.

eggshell ['ɛgʃɛl] *n* skorupka *f* jajka ♦ *adj* (*paint, finish*) matowy.

egg white *n* białko *nt*.

egg yolk *n* żółtko *nt*.

ego ['iːgəu] *n* ego *nt inv*.

egotism ['ɛgəutɪzəm], **egoism** *n* egotyzm *m*, egoizm *m*.

egotist ['ɛgəutɪst], **egoist** *n* egotysta (-tka) *m(f)*, egoista (-tka) *m(f)*.

Egypt ['iːdʒɪpt] *n* Egipt *m*.

Egyptian [ɪ'dʒɪpʃən] *adj* egipski ♦ *n* Egipcjanin (-anka) *m(f)*.

eiderdown ['aɪdədaun] *n* pikowana narzuta *f*.

eight [eɪt] *num* osiem; *see also* **five**.

eighteen [eɪ'tiːn] *num* osiemnaście; *see also* **five**.

eighteenth [eɪ'tiːnθ] *num* osiemnasty; *see also* **fifth**.

eighth [eɪtθ] *num* ósmy; *see also* **fifth**.

eighty ['eɪtɪ] *num* osiemdziesiąt; *see also* **fifty**.

Eire ['ɛərə] *n* Irlandia *f*.

EIS *n abbr* (= *Educational Institute of Scotland*) *szkocki związek zawodowy nauczycieli*.

either ['aɪðə*] *adj* (*one or other*) obojętnie który (*z dwóch*); (*both, each*) i jeden, i drugi ♦ *pron*: **either (of them)** (oni) obaj; (*with negative*) żaden (z nich dwóch) ♦ *adv* też (nie) ♦ *conj*: **either ... or** albo ... albo; (*with negative*) ani, ... ani; **she didn't say either yes or no** nie powiedziała ani tak, ani nie; **on either side** po obu stronach; **in either case** w obu przypadkach; **I don't like either** nie lubię ani jednego, ani drugiego; **no, I don't either** nie, ja też nie; **I haven't seen either one or the other** nie widziałem ani jednego, ani drugiego.

ejaculation [ɪdʒækju'leɪʃən] *n* wytrysk *m*, ejakulacja *f*.

eject [ɪ'dʒɛkt] *vt* (*object, gatecrasher*) wyrzucać (wyrzucić *perf*); (*tenant*) eksmitować (eksmitować *perf or* wyeksmitować *perf*) ♦ *vi* (*pilot*) katapultować się (katapultować się *perf*).

ejector seat [ɪ'dʒɛktə-] *n* fotel *m* wyrzucany.

eke [i:k]: **to eke out** *vt* (*income*) podreperowywać (podreperować *perf*); **he eked out a living from writing** z trudem udawało mu się wyżyć z pisania.

EKG (*US*) *n abbr* = **electrocardiogram** EKG *nt inv*.

el [ɛl] (*US: inf*) *n abbr* (= *elevated railroad*) *kolejka miejska przebiegająca ponad poziomem ulic.*

elaborate [*adj* ɪ'læbərɪt, *vb* ɪ'læbəreɪt] *adj* (*complex*) złożony; (*intricate*) zawiły; (*ornate*) wyszukany ♦ *vt* (*expand*) rozwijać (rozwinąć *perf*); (*refine*) dopracowywać (dopracować *perf*) ♦ *vi*: **to elaborate (on)** (*plan etc*) podawać (podać *perf*) szczegóły (+*gen*).

elapse [ɪ'læps] *vi* (*time*) mijać (minąć *perf*), upływać (upłynąć *perf*).

elastic [ɪ'læstɪk] *n* guma *f* ♦ *adj* rozciągliwy, elastyczny; (*fig*) elastyczny.

elastic band (*BRIT*) *n* gumka *f*.

elasticity [ɪlæs'tɪsɪtɪ] *n* elastyczność *f*.

elated [ɪ'leɪtɪd] *adj* rozradowany.

elation [ɪ'leɪʃən] *n* rozradowanie *nt*.

elbow ['ɛlbəʊ] *n* łokieć *m* ♦ *vt*: **to elbow one's way through the crowd** przepychać się (przepchnąć się *perf*) przez tłum.

elbow room *n* pole *nt* manewru.

elder ['ɛldə*] *adj* starszy ♦ *n* (*tree*) czarny bez *m*; (*usu pl*) starszyzna *f*.

elderly ['ɛldəlɪ] *adj* starszy, w podeszłym wieku *post* ♦ *npl*: **the elderly** ludzie *vir pl* starsi.

eldest ['ɛldɪst] *adj* najstarszy ♦ *n* najstarsze dziecko *nt*.

elect [ɪ'lɛkt] *vt* wybierać (wybrać *perf*) ♦ *adj*: **the president elect** prezydent *m* elekt *m*; **to elect to do sth** zdecydować się (*perf*) coś (z)robić.

election [ɪ'lɛkʃən] *n* (*voting*) wybory *pl*; (*installation*) wybór *m*; **to hold an election** przeprowadzać (przeprowadzić *perf*) wybory.

election campaign *n* kampania *f* wyborcza.

electioneering [ɪlɛkʃə'nɪərɪŋ] *n* agitacja *f* (przed)wyborcza.

elector [ɪ'lɛktə*] *n* wyborca *m*.

electoral [ɪ'lɛktərəl] *adj* wyborczy.

electoral college (*US*) *n* kolegium *nt* elektorskie.

electorate [ɪ'lɛktərɪt] *n* wyborcy *vir pl*, elektorat *m*.

electric [ɪ'lɛktrɪk] *adj* elektryczny.

electrical [ɪ'lɛktrɪkl] *adj* elektryczny; **electrical failure** awaria sieci elektrycznej.

electrical engineer *n* inżynier *m* elektryk *m*.

electric blanket *n* koc *m* elektryczny.

electric chair *n* krzesło *nt* elektryczne.

electric cooker *n* kuchenka *f* elektryczna.

electric current *n* prąd *m* elektryczny.

electric fire (*BRIT*) *n* piecyk *m* elektryczny.

electrician [ɪlɛk'trɪʃən] *n* elektryk *m*.

electricity [ɪlɛk'trɪsɪtɪ] *n* elektryczność *f*, prąd *m*; **to switch on/off the electricity** włączać (włączyć *perf*)/wyłączać (wyłączyć *perf*) dopływ prądu; **electricity bill** rachunek za prąd; **electricity meter** licznik prądu; **electricity industry** przemysł energetyczny.

electricity board (*BRIT*) *n* zakład *m* energetyczny.

electric light *n* światło *nt* elektryczne.

electric shock *n* porażenie *nt* prądem.

electrify [ɪ'lɛktrɪfaɪ] *vt* elektryfikować (zelektryfikować *perf*); (*fig*) elektryzować (zelektryzować *perf*).

electro... [ɪ'lɛktrəʊ] *pref* elektro... .

electrocardiogram [ɪ'lɛktrə'ka:dɪəgræm] *n* elektrokardiogram *m*.

electroconvulsive therapy [ɪ'lɛktrəkən'vʌlsɪv-] *n* leczenie *nt* elektrowstrząsami.

electrocute [ɪ'lɛktrəkju:t] *vt* porażać (porazić *perf*) prądem.

electrode [ɪ'lɛktrəʊd] *n* elektroda *f*.

electroencephalogram [ɪ'lɛktrəʊen'sɛfələgræm] *n* elektroencefalogram *m*.

electrolysis [ɪlɛk'trɒlɪsɪs] *n* elektroliza *f*.

electromagnetic [ɪ'lɛktrəmæg'nɛtɪk] *adj* elektromagnetyczny.

electron [ɪ'lɛktrɒn] *n* elektron *m*.

electronic [ɪlɛk'trɒnɪk] *adj* elektroniczny.

electronic data processing *n* elektroniczne przetwarzanie *nt* danych.

electronic mail *n* poczta *f* elektroniczna.

electronics [ɪlɛk'trɒnɪks] *n* elektronika *f*.

electron microscope *n* mikroskop *m* elektronowy.

electroplated [ɪ'lɛktrə'pleɪtɪd] *adj* galwanizowany.

electrotherapy [ɪ'lɛktrə'θɛrəpɪ] *n* elektroterapia *f*.

elegance ['ɛlɪgəns] *n* elegancja *f*.

elegant ['ɛlɪgənt] *adj* elegancki.

element ['ɛlɪmənt] *n* (*part*) element *m*; (*CHEM*) pierwiastek *m*; (*of heater, kettle etc*) element *m* grzejny; **to be in one's element** być w swoim żywiole.

elementary [ɛlɪ'mɛntərɪ] *adj* elementarny; (*school, education*) podstawowy.

elephant ['ɛlɪfənt] *n* słoń *m*.

elevate ['ɛlɪveɪt] *vt* (*to peerage etc*) wynosić (wynieść *perf*); (*physically*) podnosić (podnieść *perf*); (*GEOL*) wypiętrzać (wypiętrzyć *perf*).

elevated railroad ['ɛlɪveɪtɪd-] (*US*) *n* nadziemna linia *f* kolejowa.

elevation [ɛlɪ'veɪʃən] *n* (*to peerage etc*) wyniesienie *nt*; (*hill*) wzniesienie *nt*; (*of place*) wysokość *f* (nad poziomem morza); (*ARCHIT*) elewacja *f*.

elevator ['ɛlɪveɪtə*] *n* (*US*) winda *f*; (*in warehouse etc*) podnośnik *m*.

eleven [ɪ'lɛvn] *num* jedenaście; *see also* **five**.

elevenses [ɪ'lɛvnzɪz] (*BRIT*) *npl* ≈ drugie śniadanie *nt*.

eleventh [ɪ'lɛvnθ] *num* jedenasty; **at the eleventh hour** (*fig*) za pięć dwunasta; *see also* **five**.

elf [ɛlf] (*pl* **elves**) *n* elf *m*.

elicit [ɪ'lɪsɪt] *vt*: **to elicit sth (from sb)** (*response, reaction*) wywoływać (wywołać *perf*) coś (z czyjejś strony); (*information*) wydobywać (wydobyć *perf*) (z kogoś).

eligible ['ɛlɪdʒəbl] *adj* (*man, woman*) wolny, do wzięcia *post*; **an eligible bachelor** dobra partia; **to be eligible for sth** mieć prawo ubiegać się o coś; **to be eligible to do sth** mieć prawo coś robić.

eliminate [ɪ'lɪmɪneɪt] *vt* (*poverty, smoking*) likwidować (zlikwidować *perf*); (*candidate, team, contestant*) eliminować (wyeliminować *perf*).

elimination [ɪlɪmɪ'neɪʃən] *n* (*of poverty, smoking*) likwidacja *f*; (*of candidate, team, contestant*) eliminacja *f*; **by a process of elimination** przez eliminację.

élite [eɪ'liːt] *n* elita *f*.

élitist [eɪ'liːtɪst] (*pej*) *adj* elitarny.

elixir [ɪ'lɪksə*] *n* eliksir *m*.

Elizabethan [ɪlɪzə'biːθən] *adj* elżbietański.

ellipse [ɪ'lɪps] *n* elipsa *f*.

elliptical [ɪ'lɪptɪkl] *adj* eliptyczny.

elm [ɛlm] *n* wiąz *m*.

elocution [ɛlə'kjuːʃən] *n* wymowa *f*.

elongated ['iːlɔŋgeɪtɪd] *adj* wydłużony.

elope [ɪ'ləup] *vi*: **to elope (with sb)** uciekać (uciec *perf*) (z kimś).

elopement [ɪ'ləupmənt] *n* ucieczka *f* (*kochanków*).

eloquence ['ɛləkwəns] *n* (*of speech, description*) sugestywność *f*; (*of person*) krasomówstwo *nt*, elokwencja *f*.

eloquent ['ɛləkwənt] *adj* (*speech, description*) sugestywny; (*person*) wymowny, elokwentny.

else [ɛls] *adv*: **or else** (*otherwise*) bo inaczej; (*threatening*) bo jak nie; **something else** coś innego, coś jeszcze; **somewhere else** gdzie indziej; **everywhere else** wszędzie indziej;

where else? gdzie(ż) indziej?; **is there anything else I can do?** czy jest jeszcze coś, co mogę zrobić?; **there was little else to do** niewiele więcej można było zrobić; **everyone else** wszyscy inni; **nobody else spoke** nikt więcej *or* inny się nie odezwał.

elsewhere [ɛls'wɛə*] *adv* gdzie indziej.

ELT (*SCOL*) *n abbr* (= *English Language Teaching*).

elucidate [ɪ'luːsɪdeɪt] *vt* objaśniać (objaśnić *perf*).

elude [ɪ'luːd] *vt* (*captor*) umykać (umknąć *perf*) +*dat*; (*capture*) uciekać (uciec *perf*) przed +*instr*; **new ideas eluded them** nie byli w stanie pojąć nowych idei; **his name eludes me** nie mogę sobie przypomnieć jego nazwiska.

elusive [ɪ'luːsɪv] *adj* (*person, animal*) nieuchwytny; (*quality*) ulotny.

elves [ɛlvz] *npl of* **elf**.

emaciated [ɪ'meɪsɪeɪtɪd] *adj* wychudzony.

E-mail *n abbr* (= *electronic mail*) poczta *f* elektroniczna, e-mail *m*.

emanate ['ɛməneɪt] *vi*: **to emanate from** (*idea*) wywodzić się od +*gen*; (*feeling*) emanować z +*gen*; (*sound, light, smell*) dochodzić z +*gen*; **he emanates concern** emanuje z niego troska.

emancipate [ɪ'mænsɪpeɪt] *vt* (*slaves*) wyzwalać (wyzwolić *perf*); (*women*) emancypować (wyemancypować *perf*).

emancipation [ɪmænsɪ'peɪʃən] *n* (*of slaves*) wyzwolenie *nt*; (*of women*) emancypacja *f*.

emasculate [ɪ'mæskjuleɪt] *vt* osłabiać (osłabić *perf*).

embalm [ɪm'bɑːm] *vt* balsamować, zabalsamowywać (zabalsamować *perf*).

embankment [ɪm'bæŋkmənt] *n* (*of road, railway*) nasyp *m*; (*of river*) nabrzeże *nt*.

embargo [ɪm'bɑːgəu] (*pl* **embargoes**) *n* embargo *nt* ♦ *vt* (*goods*) obejmować (objąć *perf*) embargiem; (*ship*) nakładać (nałożyć *perf*) sekwestr na +*acc*; **to put** *or* **impose** *or* **place an embargo on sth** nakładać (nałożyć *perf*) embargo na coś; **to lift an embargo** znosić (znieść *perf*) embargo.

embark [ɪm'bɑːk] *vi* (*NAUT*): **to embark (on)** zaokrętowywać się (zaokrętować się *perf*) (na +*acc*).

▸**to embark on** *vt fus* (*journey*) wyruszać (wyruszyć *perf*) w +*acc*; (*task, course of action*) podejmować (podjąć *perf*).

embarkation [ɛmbɑː'keɪʃən] *n* (*of people*) zaokrętowanie *nt*; (*of cargo*) załadunek *m*.

embarrass [ɪm'bærəs] *vt* (*emotionally*) wprawiać (wprawić *perf*) w zakłopotanie; (*politician, government*) stawiać (postawić *perf*) w trudnym położeniu.

embarrassed [ɪm'bærəst] *adj* (*laugh, silence*) pełen zakłopotania *or* zażenowania *post*; **to be embarrassed** być zażenowanym *or*

zakłopotanym; **to be embarassed to do sth**
krępować się coś zrobić.
embarrassing [ɪmˈbærəsɪŋ] *adj* (*situation*)
kłopotliwy, krępujący; (*statement*)
wprawiający w zakłopotanie.
embarrassment [ɪmˈbærəsmənt] *n* (*shame*)
wstyd *m*; (*shyness*) zażenowanie *nt*,
skrępowanie *nt*; (*problem*) kłopotliwa sytuacja *f*.
embassy [ˈɛmbəsɪ] *n* ambasada *f*; **the Polish**
Embassy Ambasada Polski.
embedded [ɪmˈbɛdɪd] *adj* (*object*): **embedded**
in wbity w +*acc*, osadzony w +*loc*; (*attitude,*
feeling) zakorzeniony.
embellish [ɪmˈbɛlɪʃ] *vt* (*place, dress*) ozdabiać
(ozdobić *perf*); (*account*) upiększać (upiększyć
perf); **lavishly embellished** bogato zdobiony;
the house was embellished with masterly
paintings dom zdobiły obrazy mistrzów.
embers [ˈɛmbəz] *npl* żar *m*.
embezzle [ɪmˈbɛzl] *vt* sprzeniewierzać
(sprzeniewierzyć *perf*), defraudować
(zdefraudować *perf*).
embezzlement [ɪmˈbɛzlmənt] *n* malwersacja *f*,
defraudacja *f*.
embezzler [ɪmˈbɛzlə*] *n* malwersant *m*.
embitter [ɪmˈbɪtə*] *vt* (*fig*) wprawiać (wprawić
perf) w rozgoryczenie.
embittered [ɪmˈbɪtəd] *adj* rozgoryczony.
emblem [ˈɛmbləm] *n* (*of country*) godło *nt*; (*of*
sports club etc) emblemat *m*; (*mark, symbol*)
symbol *m*.
embodiment [ɪmˈbɔdɪmənt] *n*: **to be the**
embodiment of być ucieleśnieniem +*gen*.
embody [ɪmˈbɔdɪ] *vt* (*express, manifest*) być
ucieleśnieniem +*gen*, reprezentować; (*include*)
zawierać w sobie.
embolden [ɪmˈbəuldn] *vt* podbudowywać
(podbudować *perf*).
embolism [ˈɛmbəlɪzəm] *n* (*MED*) zator *m*.
embossed [ɪmˈbɔst] *adj* (*design, word*)
wytłoczony; **paper embossed with the royal**
insignia papier z wytłoczonymi insygniami
królewskimi.
embrace [ɪmˈbreɪs] *vt* obejmować (objąć *perf*)
♦ *vi* obejmować się (objąć się *perf*) ♦ *n*
uścisk *m*, objęcie *nt* (*usu pl*).
embroider [ɪmˈbrɔɪdə*] *vt* haftować
(wyhaftować *perf*), wyszywać (wyszyć *perf*);
(*fig: story*) ubarwiać (ubarwić *perf*); **she**
embroidered the tablecloth with flowers
wyhaftowała kwiaty na obrusie.
embroidery [ɪmˈbrɔɪdərɪ] *n* haft *m*.
embroil [ɪmˈbrɔɪl] *vt*: **to become embroiled (in**
sth) wikłać się (uwikłać się *perf*) (w coś).
embryo [ˈɛmbrɪəu] *n* zarodek *m*, embrion *m*;
(*fig*) zalążek *m*.
emend [ɪˈmɛnd] *vt* (*text*) wnosić (wnieść *perf*)
poprawki do +*gen*.
emerald [ˈɛmərəld] *n* szmaragd *m*.
emerge [ɪˈmɜːdʒ] *vi* pojawiać się (pojawić się

perf); **to emerge from** (*room, imprisonment*)
wychodzić (wyjść *perf*) z +*gen*; (*sleep,*
reverie) ocknąć się (*perf*) z +*gen*; (*discussion,*
investigation) wyłaniać się (wyłonić się *perf*)
z +*gen*; **it emerges that ...** (*BRIT*) okazuje
się, że ... .
emergence [ɪˈmɜːdʒəns] *n* pojawienie się *nt*.
emergency [ɪˈmɜːdʒənsɪ] *n* nagły wypadek *m*
♦ *cpd* (*repair*) awaryjny; (*talks, meeting*)
nadzwyczajny; **in an emergency** w razie
niebezpieczeństwa; **a state of emergency** stan
wyjątkowy.
emergency cord (*US*) *n* ≈ hamulec *m*
bezpieczeństwa.
emergency exit *n* wyjście *nt* awaryjne.
emergency landing *n* lądowanie *nt* awaryjne.
emergency lane (*US*) *n* pas *m* awaryjny (*na*
poboczu autostrady).
emergency road service (*US*) *n* pomoc *f*
drogowa.
emergency services *npl*: **the emergency**
services służby *pl* ratownicze.
emergency stop (*BRIT*) *n* nagłe zatrzymanie
nt (*pojazdu*).
emergent [ɪˈmɜːdʒənt] *adj* (*country*) nowo
powstały; (*group, movement, idea*)
wyłaniający się.
emeritus [ɪˈmɛrɪtəs] *adj* (*professor, chairman*)
honorowy.
emery board [ˈɛmərɪ-] *n* pilnik *m* do
paznokci (*szmerglowy*).
emery paper [ˈɛmərɪ-] *n* papier *m* ścierny
szmerglowy.
emetic [ɪˈmɛtɪk] *n* środek *m* wymiotny.
emigrant [ˈɛmɪgrənt] *n* emigrant(ka) *m(f)*.
emigrate [ˈɛmɪgreɪt] *vi* emigrować (emigrować
perf or wyemigrować *perf*).
emigration [ɛmɪˈgreɪʃən] *n* emigracja *f*.
émigré [ˈɛmɪgreɪ] *n* uchodźca *m*.
eminence [ˈɛmɪnəns] *n* sława *f*.
eminent [ˈɛmɪnənt] *adj* znakomity, wybitny.
eminently [ˈɛmɪnəntlɪ] *adv* wybitnie.
emir [ɛˈmɪə*] *n* emir *m*.
emirate [ˈɛmɪrɪt] *n* emirat *m*.
emission [ɪˈmɪʃən] *n* emisja *f*.
emit [ɪˈmɪt] *vt* emitować (emitować *perf or*
wyemitować *perf*).
emolument [ɪˈmɔljumənt] (*fml*) *n* (*often*
pl: fee) honorarium *nt*; (*salary*)
wynagrodzenie *nt*.
emotion [ɪˈməuʃən] *n* uczucie *nt*; (*as opposed*
to reason) emocja *f*; **he was overcome by** *or*
with emotion ogarnęło go wzruszenie.
emotional [ɪˈməuʃənl] *adj* (*person*) uczuciowy;
(*needs, attitude*) emocjonalny; (*issue*) budzący
emocje; (*speech, plea*) wzruszający; **to be**
emotional about sth podchodzić do czegoś
emocjonalnie.
emotionally [ɪˈməuʃnəlɪ] *adv* (*behave*)
emocjonalnie; (*be involved*) uczuciowo;

(speak) wzruszająco; **emotionally disturbed** niezrównoważony emocjonalnie.

emotive [ɪ'məutɪv] adj (subject) budzący or wywołujący emocje; (language) odwołujący się do emocji.

empathy ['εmpəθɪ] n zrozumienie nt; (PSYCH) empatia f; **to feel empathy with sb** wczuwać się (wczuć się perf) w czyjąś sytuację.

emperor ['εmpərə*] n cesarz m, imperator m.

emphases ['εmfəsi:z] npl of **emphasis**.

emphasis ['εmfəsɪs] (pl **emphases**) n nacisk m; **to lay** or **place emphasis on sth** (fig) kłaść (położyć perf) nacisk na coś; **the emphasis is on reading** (największy) nacisk kładzie się na czytanie.

emphasize ['εmfəsaɪz] vt (word) akcentować (zaakcentować perf); (point, feature) podkreślać (podkreślić perf); **I must emphasize that ...** muszę podkreślić or zaznaczyć, że ... .

emphatic [εm'fætɪk] adj dobitny, stanowczy.

emphatically [εm'fætɪklɪ] adv (forcefully) stanowczo; (certainly) zdecydowanie; **"that'll be the day!", said Mike emphatically** „niedoczekanie!" – powiedział z naciskiem Mike.

emphysema [εmfɪ'si:mə] n odma f.

empire ['εmpaɪə*] n imperium nt, cesarstwo nt; (fig) imperium nt.

empirical [εm'pɪrɪkl] adj (study) doświadczalny; (knowledge) empiryczny.

employ [ɪm'plɔɪ] vt (workforce, person) zatrudniać (zatrudnić perf); (tool, weapon) zastosowywać (zastosować perf); **he's employed in a bank** jest zatrudniony w banku.

employee [ɪmplɔɪ'i:] n zatrudniony (-na) m(f), pracownik (-ica) m(f).

employer [ɪm'plɔɪə*] n pracodawca m.

employment [ɪm'plɔɪmənt] n zatrudnienie nt; **to find employment** znajdować (znaleźć perf) zatrudnienie; **without employment** bez zatrudnienia; **place of employment** miejsce zatrudnienia.

employment agency n ≈ biuro nt pośrednictwa pracy.

employment exchange (BRIT: old) n giełda f pracy.

empower [ɪm'pauə*] vt: **to empower sb to do sth** uprawniać (uprawnić perf) kogoś do (z)robienia czegoś.

empress ['εmprɪs] n cesarzowa f.

empties ['εmptɪz] npl puste butelki pl.

emptiness ['εmptɪnɪs] n (of area, life) pustka f; (of sea, ocean) bezkres m.

empty ['εmptɪ] adj pusty; (fig: threat, promise) czczy, gołosłowny ♦ vt (container) opróżniać (opróżnić perf); (liquid) wylewać (wylać perf) ♦ vi (house) pustoszeć (opustoszeć perf); (container) opróżniać się (opróżnić się perf); **on an empty stomach** na pusty żołądek; **to**

empty into (river) uchodzić or wpadać do +gen; **this kind of debate is guaranteed to empty the House of Commons** podczas debat tego typu Izba Gmin zawsze pustoszeje.

empty-handed ['εmptɪ'hændɪd] adj z pustymi rękami post; **he returned empty-handed** wrócił z pustymi rękami.

empty-headed ['εmptɪ'hεdɪd] adj głupiutki.

EMS n abbr (= European Monetary System) Europejski System m Monetarny.

EMT n abbr (= emergency medical technician).

emu ['i:mju:] n emu m inv.

emulate ['εmjuleɪt] vt naśladować; (COMPUT) emulować.

emulsion [ɪ'mʌlʃən] n (PHOT) emulsja f; (also: **emulsion paint**) farba f emulsyjna.

enable [ɪ'neɪbl] vt: **to enable sb to do sth** umożliwiać (umożliwić perf) komuś (z)robienie czegoś; **the shell has to be porous to enable oxygen to pass in** skorupa musi być porowata, żeby umożliwić przenikanie tlenu do wnętrza.

enact [ɪ'nækt] vt (law) uchwalać (uchwalić perf); (play, role) grać (zagrać perf), odgrywać (odegrać perf).

enamel [ɪ'næməl] n emalia f; (of tooth) szkliwo nt.

enamoured [ɪ'næməd] adj: **to be enamoured of** być zakochanym or rozkochanym w +loc.

encampment [ɪn'kæmpmənt] n obozowisko nt.

encased [ɪn'keɪst] adj: **encased in** (plaster) pokryty +instr; (shell) zamknięty w +loc.

enchant [ɪn'tʃɑ:nt] vt oczarowywać (oczarować perf).

enchanted [ɪn'tʃɑ:ntɪd] adj (castle) zaczarowany; (person) oczarowany.

enchanting [ɪn'tʃɑ:ntɪŋ] adj czarujący.

encircle [ɪn'sə:kl] vt otaczać (otoczyć perf).

encl. abbr (= enclosed, enclosure) zał.

enclave ['εnkleɪv] n enklawa f.

enclose [ɪn'kləuz] vt (land, space) otaczać (otoczyć perf); (letter, cheque) załączać (załączyć perf); **please find enclosed** w załączeniu przesyłamy +acc.

enclosure [ɪn'kləuʒə*] n (area) ogrodzone miejsce nt; (in letter) załącznik m.

encoder [ɪn'kəudə*] (COMPUT) n koder m.

encompass [ɪn'kʌmpəs] vt (subject, measure) obejmować (objąć perf).

encore [ɔŋ'kɔ:*] n, excl bis m; **as an encore** na bis.

encounter [ɪn'kauntə*] n (meeting) spotkanie nt; (experience) zetknięcie się nt ♦ vt (person) spotykać (spotkać perf); (problem) napotykać (napotkać perf); (new experience) spotykać się (spotkać się perf) z +instr, stykać się (zetknąć się perf) z +instr.

encourage [ɪn'kʌrɪdʒ] vt (person): **to encourage sb (to do sth)** zachęcać (zachęcić perf) kogoś (do zrobienia czegoś); (activity) zachęcać do +*gen*; (*attitude*) popierać (poprzeć *perf*); (*growth*) pobudzać (pobudzić *perf*).

encouragement [ɪn'kʌrɪdʒmənt] *n* (*inspiration*) zachęta *f*; (*support*) poparcie *nt*.

encouraging [ɪn'kʌrɪdʒɪŋ] *adj* zachęcający.

encroach [ɪn'krəutʃ] *vi*: **to encroach (up)on** (*rights*) naruszać (naruszyć *perf*) +*acc*; (*property*) wtargnąć (*perf*) *or* wdzierać się (wedrzeć się *perf*) na teren +*gen*; (*time*) zabierać (zabrać *perf*) +*acc*.

encrusted [ɪn'krʌstɪd] *adj*: **encrusted with** (*gems*) inkrustowany +*instr*; (*snow, dirt*) pokryty skorupą +*gen*.

encumber [ɪn'kʌmbə*] *vt*: **encumbered with** (*baggage etc*) obarczony +*instr*; (*debts*) obciążony +*instr*.

encyclop(a)edia [ɛnsaɪkləu'piːdɪə] *n* encyklopedia *f*.

end [ɛnd] *n* koniec *m*; (*purpose*) cel *m* ♦ *vt* kończyć (skończyć *perf*), zakańczać (zakończyć *perf*) ♦ *vi* kończyć się (skończyć się *perf*); **from end to end** od końca do końca; **to come to an end** kończyć się (zakończyć się *perf*); **to be at an end** kończyć się; **in the end** w końcu; **on end** na sztorc; **to stand on end** (*hair*) stawać (stanąć *perf*) dęba; **for hours on end** (całymi) godzinami; **bring to an end, put an end to** kłaść (położyć *perf*) kres +*dat*; **for 5 hours on end** przez bite 5 godzin; **at the end of the street** na końcu ulicy; **at the end of the day** (*BRIT*: *fig*) w ostatecznym rozrachunku; **to this end, with this end in view** w tym celu.

▸**end up** *vi*: **to end up in** (*prison etc*) kończyć (skończyć *perf*) w +*loc*, trafiać (trafić *perf*) do +*gen*; **he ended up in tears** skończyło się na tym, że wybuchnął płaczem; **we ended up taking a taxi** koniec końców wzięliśmy taksówkę.

endanger [ɪn'deɪndʒə*] *vt* zagrażać (zagrozić *perf*) +*dat*; **an endangered species** gatunek zagrożony (wymarciem).

endear [ɪn'dɪə*] *vt*: **to endear o.s. to sb** zdobywać (zdobyć *perf*) czyjeś względy.

endearing [ɪn'dɪərɪŋ] *adj* ujmujący.

endearment [ɪn'dɪəmənt] *n*: **term of endearment** pieszczotliwe *or* czułe słowo *nt*; **to whisper endearments** szeptać czułe słowa.

endeavour [ɪn'dɛvə*] (*US* **endeavor**) *n* usiłowanie *nt*, próba *f*; **an exciting new field of endeavour** nowa, pasjonująca dziedzina działań ♦ *vi*: **to endeavour to do sth** usiłować coś zrobić, próbować (spróbować *perf*) coś zrobić.

endemic [ɛn'dɛmɪk] *adj* (*disease*) endemiczny; (*poverty*) powszechny.

ending ['ɛndɪŋ] *n* (*of book, film*) zakończenie *nt*; (*LING*) końcówka *f*.

endive ['ɛndaɪv] *n* (*curly*) endywia *f*; (*smooth*) cykoria *f*.

endless ['ɛndlɪs] *adj* (*argument, search*) nie kończący się; (*forest, beach*) bezkresny; (*patience, resources*) niewyczerpany; (*possibilities*) nieograniczony.

endorse [ɪn'dɔːs] *vt* (*cheque*) podpisywać (podpisać *perf*) na odwrocie, indosować (indosować *perf*) (*fml*); (*proposal, candidate*) popierać (poprzeć *perf*), udzielać (udzielić *perf*) poparcia +*dat*.

endorsee [ɪndɔː'siː] *n* indosatariusz *m*, indosat *m*.

endorsement [ɪn'dɔːsmənt] *n* poparcie *nt*; (*BRIT*: *on driving licence*) adnotacja *f* (*o wykroczeniu drogowym*).

endow [ɪn'dau] *vt* wspomagać (wspomóc *perf*) finansowo, dokonywać (dokonać *perf*) zapisu na rzecz +*gen*; **to be endowed with** (*talent, ability*) być obdarzonym +*instr*.

endowment [ɪn'daumənt] *n* (*money*) dar *m*, donacja *f*; (*of quality*) dar *m*.

endowment policy *n* ubezpieczenie *nt* na życie z rentą kapitałową.

end product *n* produkt *m* końcowy; (*fig*) rezultat *m* końcowy.

end result *n* rezultat *m* (końcowy), wynik *m*.

endurable [ɪn'djuərəbl] *adj* znośny.

endurance [ɪn'djuərəns] *n* wytrzymałość *f*.

endurance test *n* próba *f* wytrzymałości.

endure [ɪn'djuə*] *vt* znosić (znieść *perf*) ♦ *vi* trwać (przetrwać *perf*).

enduring [ɪn'djuərɪŋ] *adj* trwały.

end user (*COMPUT*) *n* użytkownik *m* (ostateczny).

enema ['ɛnɪmə] *n* lewatywa *f*.

enemy ['ɛnəmɪ] *n* wróg *m*; (*MIL*) nieprzyjaciel *m* ♦ *cpd*: **enemy forces/strategy** siły *pl*/strategia *f* nieprzyjaciela; **to make an enemy of sb** robić (zrobić *perf*) sobie z kogoś wroga.

energetic [ɛnə'dʒɛtɪk] *adj* energiczny.

energy ['ɛnədʒɪ] *n* energia *f*; **Department of Energy** ≈ Departament Gospodarki Energetycznej i Paliwowej (*przy Ministerstwie Przemysłu*).

energy crisis *n* kryzys *m* energetyczny.

energy-saving ['ɛnədʒɪ'seɪvɪŋ] *adj* energooszczędny.

enervating ['ɛnəveɪtɪŋ] *adj* wyczerpujący.

enforce [ɪn'fɔːs] *vt* (*JUR*: *impose*) wprowadzać (wprowadzić *perf*) w życie; (*compel observance of*) egzekwować.

enforced [ɪn'fɔːst] *adj* przymusowy.

enfranchise [ɪn'fræntʃaɪz] *vt* nadawać (nadać *perf*) prawo wyborcze +*dat*.

engage [ɪn'geɪdʒ] *vt* (*attention*) zajmować (zająć *perf*); (*consultant, lawyer*) angażować (zaangażować *perf*); (*AUT*: *clutch*) włączać (włączyć *perf*); (*MIL*) nawiązywać (nawiązać *perf*) walkę z +*instr* ♦ *vi* (*TECH*) zaczepiać się (zaczepić się *perf*), sprzęgać się (sprząc się *perf*); **to engage in** zajmować się (zająć się *perf*) +*instr*; **to engage sb in conversation** zajmować (zająć *perf*) kogoś rozmową.

engaged [ɪnˈgeɪdʒd] *adj* (*betrothed*) zaręczony; (*BRIT*: *TEL*) zajęty; **to get engaged (to sb)** zaręczać się (zaręczyć się *perf*) (z kimś); **he is engaged in research** zajmuje się badaniami naukowymi.

engaged tone (*BRIT*: *TEL*) *n* sygnał *m* „zajęte".

engagement [ɪnˈgeɪdʒmənt] *n* (*appointment*) umówione spotkanie *nt*, zobowiązanie *nt* (towarzyskie); (*of actor*) angaż *m*; (*to marry*) zaręczyny *pl*; (*MIL*) potyczka *f*; **I have a previous engagement** jestem już (z kimś) umówiony.

engagement ring *n* pierścionek *m* zaręczynowy.

engaging [ɪnˈgeɪdʒɪŋ] *adj* (*personality, trait*) ujmujący.

engender [ɪnˈdʒɛndə*] *vt* rodzić (zrodzić *perf*).

engine [ˈɛndʒɪn] *n* (*AUT*) silnik *m*; (*RAIL*) lokomotywa *f*.

engine driver *n* maszynista (-tka) *m(f)*.

engineer [ɛndʒɪˈnɪə*] *n* (*designer*) inżynier *m*; (*BRIT*: *for repairs*) technik *m*; (*US*: *RAIL*) maszynista *m*; (*on ship*) mechanik *m*; **civil/mechanical engineer** inżynier budownictwa/inżynier mechanik.

engineering [ɛndʒɪˈnɪərɪŋ] *n* inżynieria *f*; (*of ships, machines*) budowa *f*; (*SCOL*) nauki *pl* inżynieryjne ♦ *cpd*: **engineering works** or **factory** zakład *m* produkcyjny; **mechanical engineering** budowa maszyn.

engine failure *n* awaria *f* silnika.

engine trouble *n* = **engine failure**.

England [ˈɪŋglənd] *n* Anglia *f*.

English [ˈɪŋglɪʃ] *adj* angielski ♦ *n* (*język m*) angielski; **the English** *npl* Anglicy *vir pl*; **an English speaker** osoba mówiąca po angielsku.

English Channel *n*: **the English Channel** kanał *m* La Manche.

Englishman [ˈɪŋglɪʃmən] (*irreg like* **man**) *n* Anglik *m*.

English-speaking [ˈɪŋglɪʃˈspiːkɪŋ] *adj* anglojęzyczny.

Englishwoman [ˈɪŋglɪʃwumən] (*irreg like* **woman**) *n* Angielka *f*.

engrave [ɪnˈgreɪv] *vt* (*on jewellery*) grawerować (wygrawerować *perf*); (*for printing*) ryć (wyryć *perf*).

engraving [ɪnˈgreɪvɪŋ] *n* sztych *m*, rycina *f*.

engrossed [ɪnˈgrəust] *adj*: **engrossed in** pochłonięty +*instr*.

engulf [ɪnˈgʌlf] *vt* (*fire, water*) pochłaniać (pochłonąć *perf*); (*panic, fear*) ogarniać (ogarnąć *perf*).

enhance [ɪnˈhɑːns] *vt* (*value*) podnosić (podnieść *perf*); (*beauty*) uwydatniać

(uwydatnić *perf*); (*reputation*) poprawiać (poprawić *perf*).

enigma [ɪˈnɪgmə] *n* zagadka *f*.

enigmatic [ɛnɪgˈmætɪk] *adj* enigmatyczny, zagadkowy.

enjoy [ɪnˈdʒɔɪ] *vt* (*like*): **I enjoy dancing** lubię tańczyć; (*health, life*) cieszyć się +*instr*; **to enjoy o.s.** dobrze się bawić; **I enjoyed doing that** zrobiłam to z przyjemnością; **did you enjoy the concert?** czy koncert ci się podobał?

enjoyable [ɪnˈdʒɔɪəbl] *adj* przyjemny.

enjoyment [ɪnˈdʒɔɪmənt] *n* przyjemność *f*.

enlarge [ɪnˈlɑːdʒ] *vt* powiększać (powiększyć *perf*) ♦ *vi*: **to enlarge on** rozwodzić się nad +*instr*.

enlarged [ɪnˈlɑːdʒd] *adj* (*edition*) rozszerzony; (*MED*: *organ, gland*) powiększony.

enlargement [ɪnˈlɑːdʒmənt] *n* powiększenie *nt*.

enlighten [ɪnˈlaɪtn] *vt* oświecać (oświecić *perf*).

enlightened [ɪnˈlaɪtnd] *adj* oświecony.

enlightening [ɪnˈlaɪtnɪŋ] *adj* pouczający.

enlightenment [ɪnˈlaɪtnmənt] *n*: **the Enlightenment** oświecenie *nt*, Oświecenie *nt*.

enlist [ɪnˈlɪst] *vt* (*soldier*) werbować (zwerbować *perf*); (*support, help*) pozyskiwać (pozyskać *perf*); (*person*) zjednywać (zjednać *perf*) sobie ♦ *vi*: **to enlist in** zaciągać się (zaciągnąć się *perf*) do +*gen*; **enlisted man** (*US*) żołnierz.

enliven [ɪnˈlaɪvn] *vt* ożywiać (ożywić *perf*).

enmity [ˈɛnmɪtɪ] *n* wrogość *f*.

ennoble [ɪˈnəubl] *vt* nadawać (nadać *perf*) tytuł szlachecki +*dat*; (*fig*) nobilitować (nobilitować *perf*).

enormity [ɪˈnɔːmɪtɪ] *n* ogrom *m*.

enormous [ɪˈnɔːməs] *adj* ogromny.

enormously [ɪˈnɔːməslɪ] *adv* (*increase*) ogromnie; (*rich*) niezmiernie.

enough [ɪˈnʌf] *adj* dosyć or dość +*gen* ♦ *pron* dosyć *nt inv*, dość *nt inv* ♦ *adv*: **big enough** dość or wystarczająco duży; **he has not worked enough** nie pracował tyle, ile powinien; **enough to eat** wystarczająco dużo jedzenia; **will 5 be enough?** czy 5 wystarczy?; **I've had enough!** mam (tego) dosyć!; **he was kind enough to lend me the money** był tak miły, że pożyczył mi te pieniądze; **enough!** dość (tego)!; **that's enough, thanks** dziękuję, wystarczy; **I've had enough of him** mam go dosyć; **oddly/funnily enough, ...** co dziwne/zabawne, ...

enquire [ɪnˈkwaɪə*] *vt, vi* = **inquire**.

enrage [ɪnˈreɪdʒ] *vt* rozwścieczać (rozwścieczyć *perf*).

enrich [ɪnˈrɪtʃ] *vt* wzbogacać (wzbogacić *perf*).

enrol [ɪnˈrəul] (*US* **enroll**) *vt*: **to enrol sb (at a school/on a course)** zapisywać (zapisać *perf*) kogoś (do szkoły/na kurs) ♦ *vi*: **to enrol**

(at a school/on a course) zapisywać się (zapisać się *perf*) (do szkoły/na kurs).

enrolment [ɪnˈrəulmənt] (*US* **enrollment**) *n* zapisanie (się) *nt*.

en route [ɔnˈruːt] *adv* po drodze; **en route for** *or* **to/from** w drodze do +*gen*/z +*gen*.

ensconced [ɪnˈskɔnst] *adj*: **ensconced in** (*armchair etc*) usadowiony w +*loc*; (*town etc*) zadomowiony w +*loc*.

ensemble [ɔnˈsɔmbl] *n* (*MUS*) zespół *m*, grupa *f*; (*clothing*) strój *m*.

enshrine [ɪnˈʃraɪn] *vt* chronić; **the universities' autonomy is enshrined in their charters** autonomia uniwersytetów (za)gwarantowana jest w ich statutach.

ensue [ɪnˈsjuː] *vi* następować (nastąpić *perf*), wywiązywać się (wywiązać się *perf*).

ensuing [ɪnˈsjuːɪŋ] *adj* (*months*) następny; **in the ensuing fight** w walce, która się (potem) wywiązała.

ensure [ɪnˈʃuə*] *vt* zapewniać (zapewnić *perf*).

ENT (*MED*) *n abbr* (= *Ear, Nose and Throat*) specjalista *m* z zakresu chorób uszu, nosa, gardła i krtani.

entail [ɪnˈteɪl] *vt* pociągać (pociągnąć *perf*) za sobą.

entangled [ɪnˈtæŋgld] *adj*: **to become entangled (in)** zaplątywać się (zaplątać się *perf*) (w +*acc*).

enter [ˈɛntə*] *vt* (*room, building*) wchodzić (wejść *perf*) do +*gen*; (*club, army*) wstępować (wstąpić *perf*) do +*gen*; (*university*) wstępować (wstąpić *perf*) na +*acc*; (*race, contest*) brać (wziąć *perf*) udział w +*loc*; (*person: for competition*) zgłaszać (zgłosić *perf*); (*write down*) zapisywać (zapisać *perf*); (*COMPUT*) wprowadzać (wprowadzić *perf*) ♦ *vi* wchodzić (wejść *perf*).

▸**enter for** *vt fus* zapisywać się (zapisać się *perf*) na +*acc*.

▸**enter into** *vt fus* (*discussion*) wdawać się (wdać się *perf*) w +*acc*; (*correspondence*) nawiązywać (nawiązać *perf*) +*acc*; (*agreement*) zawierać (zawrzeć *perf*) +*acc*.

▸**enter (up)on** *vt fus* zapoczątkowywać (zapoczątkować *perf*) +*acc*.

enteritis [ɛntəˈraɪtɪs] *n* zapalenie *nt* jelit(a).

enterprise [ˈɛntəpraɪz] *n* (*company*) przedsiębiorstwo *nt*; (*venture*) przedsięwzięcie *nt*; (*initiative*) przedsiębiorczość *f*; **free enterprise** wolna konkurencja (rynkowa); **private enterprise** sektor prywatny.

enterprising [ˈɛntəpraɪzɪŋ] *adj* (*person*) przedsiębiorczy; (*scheme*) pomysłowy.

entertain [ɛntəˈteɪn] *vt* (*amuse*) zabawiać (zabawić *perf*); (*play host to*) przyjmować (przyjąć *perf*); (*consider*) brać (wziąć *perf*) pod uwagę.

entertainer [ɛntəˈteɪnə*] artysta (-tka) *m(f)* estradowy (-wa) *m(f)*.

entertaining [ɛntəˈteɪnɪŋ] *adj* zabawny ♦ *n*: **to do a lot of entertaining** często przyjmować gości.

entertainment [ɛntəˈteɪnmənt] *n* (*amusement*) rozrywka *f*; (*show*) widowisko *nt*.

entertainment allowance *n* fundusz *m* reprezentacyjny.

enthralled [ɪnˈθrɔːld] *adj* zafascynowany.

enthralling [ɪnˈθrɔːlɪŋ] *adj* fascynujący.

enthuse [ɪnˈθuːz] *vi*: **to enthuse about** *or* **over** zachwycać się +*instr*.

enthusiasm [ɪnˈθuːzɪæzəm] *n* entuzjazm *m*.

enthusiast [ɪnˈθuːzɪæst] *n* entuzjasta (-tka) *m(f)*; **a jazz enthusiast** entuzjasta (-tka) *m(f)* jazzu.

enthusiastic [ɪnθuːzɪˈæstɪk] *adj* (*person, response*) pełen entuzjazmu; (*reception*) entuzjastyczny; (*crowds*) rozentuzjazmowany; **to be enthusiastic about** entuzjazmować się +*instr*.

entice [ɪnˈtaɪs] *vt* wabić (zwabić *perf*).

enticing [ɪnˈtaɪsɪŋ] *adj* (*person*) ponętny; (*offer*) kuszący.

entire [ɪnˈtaɪə*] *adj* cały.

entirely [ɪnˈtaɪəlɪ] *adv* (*exclusively*) wyłącznie; (*completely*) całkowicie.

entirety [ɪnˈtaɪərətɪ] *n*: **in its entirety** w całości.

entitle [ɪnˈtaɪtl] *vt*: **to entitle sb to sth/to do sth** uprawniać kogoś do czegoś/do (z)robienia czegoś; **to be entitled to do sth** mieć prawo coś (z)robić.

entitled [ɪnˈtaɪtld] *adj* zatytułowany, pod tytułem.

entity [ˈɛntɪtɪ] *n* jednostka *f*.

entourage [ɔntuˈrɑːʒ] *n* osoby *pl* towarzyszące.

entrails [ˈɛntreɪlz] *npl* wnętrzności *pl*.

entrance [*n* ˈɛntrns, *vb* ɪnˈtrɑːns] *n* wejście *nt* ♦ *vt* oczarowywać (oczarować *perf*); **to gain entrance to** (*university*) dostawać się (dostać się *perf*) na +*acc*; (*profession*) uzyskiwać (uzyskać *perf*) wstęp do +*gen*.

entrance examination *n* egzamin *m* wstępny.

entrance fee *n* (*to museum etc*) opłata *f* za wstęp; (*to organization*) wpisowe *nt*.

entrance ramp (*US*) *n* wjazd *m* (na autostradę).

entrancing [ɪnˈtrɑːnsɪŋ] *adj* czarujący.

entrant [ˈɛntrnt] *n* uczestnik (-iczka) *m(f)*.

entreat [ɛnˈtriːt] *vt*: **to entreat sb to do sth** błagać kogoś, żeby coś zrobił.

entreaty [ɛnˈtriːtɪ] *n* błaganie *nt*, usilna prośba *f*.

entrée [ˈɔntreɪ] (*CULIN*) *n* danie *nt* główne.

entrenched [ɛnˈtrɛntʃt] *adj* (*ideas*) zakorzeniony; (*power*) utrwalony.

entrepreneur [ˈɔntrəprəˈnəː*] *n* przedsiębiorca *m*.

entrepreneurial [ˈɔntrəprəˈnəːrɪəl] *adj* (*capitalism*) inwestycyjny; **the entrepreneurial spirit** duch przedsiębiorczości.

entrust [ɪnˈtrʌst] *vt*: **to entrust sth to sb, sb**

with sth powierzać (powierzyć *perf*) coś komuś.

entry ['ɛntrɪ] *n* (*way in, arrival*) wejście *nt*; (*in competition*: *story, drawing*) praca *f* (konkursowa); (: *taking part*) udział *m*; (*in register, account book*) pozycja *f*, zapis *m*; (*in reference book*) hasło *nt*; (*to country*) wjazd *m*; "**no entry**" „zakaz wstępu"; (*AUT*) „zakaz wjazdu"; **single/double entry book-keeping** księgowanie pojedyncze/podwójne.

entry form *n* kwestionariusz *m*.

entry phone (*BRIT*) *n* domofon *m*.

entwine [ɪn'twaɪn] *vt* splatać (spleść *perf*).

E-number [iː'nʌmbə*] *n poprzedzona literą „E" liczba identyfikująca substancje dodawane w Europie do artykułów żywnościowych*.

enumerate [ɪ'njuːməreɪt] *vt* wyliczać (wyliczyć *perf*).

enunciate [ɪ'nʌnsɪeɪt] *vt* (*word*) (starannie) wymawiać (wymówić *perf*); (*principle, plan*) ogłaszać (ogłosić *perf*).

envelop [ɪn'vɛləp] *vt* okrywać (okryć *perf*).

envelope ['ɛnvələup] *n* koperta *f*.

enviable ['ɛnvɪəbl] *adj* godny pozazdroszczenia.

envious ['ɛnvɪəs] *adj* zazdrosny; **to be envious of sth/sb** być zazdrosnym o coś/kogoś.

environment [ɪn'vaɪərnmənt] *n* (*surroundings*) środowisko *nt*, otoczenie *nt*; **the environment** środowisko (naturalne); **Department of the Environment** (*BRIT*) ≈ Ministerstwo Ochrony Środowiska.

environmental [ɪnvaɪərn'mɛntl] *adj* (*studies*) środowiskowy; **environmental conditions** warunki otoczenia; **environmental contamination** skażenie środowiska.

environmentalist [ɪnvaɪərn'mɛntlɪst] *n* działacz(ka) *m(f)* na rzecz ochrony środowiska.

environmentally [ɪnvaɪərn'mɛntlɪ] *adv*. **environmentally sound/friendly** ekologiczny.

Environmental Protection Agency (*US*) *n* Agencja *f* Ochrony Środowiska.

envisage [ɪn'vɪzɪdʒ] *vt* przewidywać (przewidzieć *perf*).

envision [ɪn'vɪʒən] (*US*) *vt* = **envisage**.

envoy ['ɛnvɔɪ] *n* wysłannik (-iczka) *m(f)*.

envy ['ɛnvɪ] *n* zawiść *f*, zazdrość *f* ♦ *vt*. **to envy sb (sth)** zazdrościć komuś (czegoś).

enzyme ['ɛnzaɪm] *n* enzym *m*.

EPA (*US*) *n abbr* (= *Environmental Protection Agency*) *agencja rządowa sprawująca kontrolę nad ochroną środowiska*.

ephemeral [ɪ'fɛmərl] *adj* ulotny, efemeryczny.

epic ['ɛpɪk] *n* epos *m*, epopeja *f* ♦ *adj* (*great*) imponujący.

epicentre ['ɛpɪsɛntə*] (*US* **epicenter**) *n* epicentrum *nt*.

epidemic [ɛpɪ'dɛmɪk] *n* epidemia *f*.

epigram ['ɛpɪgræm] *n* epigram(at) *m*.

epilepsy ['ɛpɪlɛpsɪ] *n* padaczka *f*, epilepsja *f*.

epileptic [ɛpɪ'lɛptɪk] *adj* epileptyczny ♦ *n* epileptyk (-yczka) *m(f)*.

epilogue ['ɛpɪlɔg] *n* epilog *m*.

Epiphany [ɪ'pɪfənɪ] *n* Objawienie *nt* Pańskie, święto *nt* Trzech Króli.

episcopal [ɪ'pɪskəpl] *adj* biskupi; **the Episcopal Church** Kościół Episkopalny.

episode ['ɛpɪsəud] *n* (*period, event*) epizod *m*; (*TV, RADIO*) odcinek *m*.

epistle [ɪ'pɪsl] *n* list *m*; (*long, boring*) epistoła *f*.

epitaph ['ɛpɪtɑːf] *n* epitafium *nt*.

epithet ['ɛpɪθɛt] *n* epitet *m*.

epitome [ɪ'pɪtəmɪ] *n* (*person*) uosobienie *nt*; (*thing*) typowy przykład *m*.

epitomize [ɪ'pɪtəmaɪz] *vt* (*person*) uosabiać; (*thing, quality*) zawierać w sobie.

epoch ['iːpɔk] *n* epoka *f*.

epoch-making ['iːpɔkmeɪkɪŋ] *adj* epokowy.

eponymous [ɪ'pɔnɪməs] *adj*: **eponymous hero** tytułowy bohater *m*.

equable ['ɛkwəbl] *adj* (*climate*) łagodny; (*temperatures*) wyrównany; (*temper*) zrównoważony.

equal ['iːkwl] *adj* równy; (*intensity, quality*) jednakowy ♦ *n* równy *m* ♦ *vt* (*number, amount*) równać się; (*match, rival*) dorównywać (dorównać *perf*) +*dat*; **they are roughly equal in size** są mniej więcej równej wielkości; **the number of exports should be equal to imports** eksport powinien równać się importowi; **to be equal to the task** stawać (stanąć *perf*) na wysokości zadania.

equality [iː'kwɔlɪtɪ] *n* równość *f*; **equality of opportunity** równouprawnienie.

equalize ['iːkwəlaɪz] *vi* (*SPORT*) wyrównywać (wyrównać *perf*) ♦ *vt* (*wealth, opportunities*) zrównywać (zrównać *perf*); (*society*) znosić (znieść *perf*) różnice w +*loc*.

equally ['iːkwəlɪ] *adv* (*share, divide*) równo; (*good, bad*) równie; **they are equally clever** są tak samo inteligentni.

Equal Opportunities Commission (*US* **Equal Employment Opportunity Commission**) *n komisja do spraw równouprawnienia zawodowego*.

equals sign *n* znak *m* równości.

equanimity [ɛkwə'nɪmɪtɪ] *n* opanowanie *nt*, spokój *m*.

equate [ɪ'kweɪt] *vt*. **to equate sth with** identyfikować coś z +*instr*; **to equate A to B** przyrównywać (przyrównać *perf*) A do B.

equation [ɪ'kweɪʃən] *n* równanie *nt*.

equator [ɪ'kweɪtə*] *n*. **the equator** równik *m*.

equatorial [ɛkwə'tɔːrɪəl] *adj* równikowy.

Equatorial Guinea *n* Gwinea *f* Równikowa.

equestrian [ɪ'kwɛstrɪən] *adj* (*competition*) hipiczny; (*club*) jeździecki; (*outfit*) do jazdy konnej *post* ♦ *n* jeździec *m*.

equilibrium [iːkwɪ'lɪbrɪəm] *n* równowaga *f*.

equinox ['iːkwɪnɔks] *n* równonoc *f*; **the**

spring/autumn equinox równonoc wiosenna/jesienna.

equip [ɪ'kwɪp] *vt*: **to equip (with)** wyposażać (wyposażyć *perf*) (w +*acc*); **they were well equipped for the negotiations** byli dobrze przygotowani do negocjacji.

equipment [ɪ'kwɪpmənt] *n* wyposażenie *nt*, sprzęt *m*.

equitable ['ɛkwɪtəbl] *adj* sprawiedliwy.

equities ['ɛkwɪtɪz] (*BRIT*) *npl* akcje *pl* zwykłe *or* nieuprzywilejowane.

equity ['ɛkwɪtɪ] *n* sprawiedliwość *f*.

equity capital *n* kapitał *m* własny.

equivalent [ɪ'kwɪvələnt] *adj*: **equivalent (to)** równoważny (+*dat*); (*in meaning*) równoznaczny (z +*instr* ♦ *n* (*counterpart*) odpowiednik *m*; (*sth of equal value*) równoważnik *m*, ekwiwalent *m*.

equivocal [ɪ'kwɪvəkl] *adj* dwuznaczny, niejednoznaczny.

equivocate [ɪ'kwɪvəkeɪt] *vi* wyrażać się dwuznacznie.

equivocation [ɪkwɪvə'keɪʃən] *n* dwuznaczność *f*.

ER (*BRIT*) *abbr* (= *Elizabeth Regina*) Królowa *f* Elżbieta.

ERA (*US*) *n abbr* (*POL*: = *Equal Rights Amendment*) *poprawka do konstytucji amerykańskiej gwarantująca równouprawnienie kobiet.*

era ['ɪərə] *n* era *f*; **the post-war era** okres powojenny.

eradicate [ɪ'rædɪkeɪt] *vt* (*prejudice, bad habits*) wykorzeniać (wykorzenić *perf*); (*problems*) eliminować (wyeliminować *perf*).

erase [ɪ'reɪz] *vt* (*lit, fig*) wymazywać (wymazać *perf*); (*recording*) kasować (skasować *perf*).

eraser [ɪ'reɪzə*] *n* gumka *f*.

erect [ɪ'rɛkt] *adj* (*posture*) wyprostowany, prosty; (*tail, ears*) podniesiony ♦ *vt* (*build*) wznosić (wznieść *perf*); (*assemble*) ustawiać (ustawić *perf*).

erection [ɪ'rɛkʃən] *n* (*of monument*) wzniesienie *nt*; (*of tent*) postawienie *nt*; (*of machine*) montaż *m*; (*PHYSIOL*) wzwód *m*, erekcja *f*.

ergonomics [ə:gə'nɔmɪks] *n* ergonomia *f*.

ERISA (*US*) *n abbr* (= *Employee Retirement Income Security Act*).

ERM *n abbr* (= *Exchange Rate Mechanism*) *dopuszczalne odchylenia kursu centralnego walut krajów należących do Europejskiego Systemu Walutowego.*

ermine ['ə:mɪn] *n* gronostaje *pl*.

ERNIE ['ə:nɪ] (*BRIT*) *n abbr* (= *Electronic Random Number Indicator Equipment*) *urządzenie do elektronicznego wybierania numerów wygrywających bonów.*

erode [ɪ'rəud] *vt* powodować (spowodować *perf*) erozję +*gen*; (*fig: freedom*) ograniczać (ograniczyć *perf*); (: *authority*) podrywać

(poderwać *perf*); (: *confidence*) podkopywać (podkopać *perf*).

erosion [ɪ'rəuʒən] *n* erozja *f*; (*fig: of freedom*) ograniczenie *nt*.

erotic [ɪ'rɔtɪk] *adj* erotyczny.

eroticism [ɪ'rɔtɪsɪzəm] *n* (*of book, picture*) erotyka *f*; (*of person*) erotyzm *m*.

err [ə:*] (*fml*) *vi* błądzić (zbłądzić *perf*); **to err on the side of caution** grzeszyć nadmiarem ostrożności.

errand ['ɛrənd] *n* polecenie *nt*; **to run errands** załatwiać sprawy; **errand of mercy** misja dobroci.

erratic [ɪ'rætɪk] *adj* (*behaviour, attempts*) niekonsekwentny; (*noise*) nieregularny.

erroneous [ɪ'rəunɪəs] *adj* błędny, mylny.

error ['ɛrə*] *n* błąd *m*; **spelling error** błąd ortograficzny; **typing error** literówka; **in error** przez pomyłkę; **errors and omissions excepted** z zastrzeżeniem omyłki (*na rachunkach*).

error message (*COMPUT*) *n* komunikat *m* błędu.

erstwhile ['ə:stwaɪl] *adj* były, niegdysiejszy (*old*).

erudite ['ɛrjudaɪt] *adj* uczony.

erupt [ɪ'rʌpt] *vi* wybuchać (wybuchnąć *perf*).

eruption [ɪ'rʌpʃən] *n* (*of volcano*) erupcja *f*, wybuch *m*; (*of fighting*) wybuch *m*.

ESA *n abbr* (= *European Space Agency*) ESA *f inv*, Europejska Agencja *f* Przestrzeni Kosmicznej.

escalate ['ɛskəleɪt] *vi* nasilać się (nasilić się *perf*).

escalation [ɛskə'leɪʃən] *n* nasilanie się *nt*, eskalacja *f*.

escalation clause (*COMM*) *n* klauzula *f* o warunkach zmiany cen; (*in employment contract*) klauzula *f* regulująca warunki indeksacji płac.

escalator ['ɛskəleɪtə*] *n* schody *pl* ruchome.

escapade [ɛskə'peɪd] *n* eskapada *f*.

escape [ɪs'keɪp] *n* ucieczka *f*; (*of liquid*) wyciek *m*; (*of gas*) ulatnianie się *nt* ♦ *vi* (*person*) uciekać (uciec *perf*); (*liquid*) wyciekać (wyciec *perf*); (*gas*) uchodzić (ujść *perf*), ulatniać się (ulotnić się *perf*) ♦ *vt* (*consequences, responsibility*) unikać (uniknąć *perf*) +*gen*; **his name escapes me** nie mogę sobie przypomnieć jego nazwiska; **to escape from** (*place*) uciekać (uciec *perf*) z +*gen*; (*person*) uciekać (uciec *perf*) od +*gen*; **to escape to safety** chronić się (schronić się *perf*) w bezpieczne miejsce; **to escape notice** umykać (umknąć *perf*) uwadze.

escape artist *n magik uwalniający się z więzów lub zamknięcia.*

escape clause *n* (*COMM*) klauzula *f* uprawniająca do uwolnienia od zobowiązania.

escape hatch *n* luk *m* ratunkowy.

escape key (*COMPUT*) *n* klawisz *m* „escape".

escape route n (*from fire*) droga *f* ewakuacyjna; (*of prisoners*) droga *f* ucieczki.

escapism [ɪs'keɪpɪzəm] n eskapizm *m*.

escapist [ɪs'keɪpɪst] adj eskapistyczny.

escapologist [ɛskə'pɔlədʒɪst] (*BRIT*) n = **escape artist**.

escarpment [ɪs'kɑːpmənt] n skarpa *f*.

eschew [ɪs'tʃuː] vt wystrzegać się +*gen*.

escort [n 'ɛskɔːt, vb ɪs'kɔːt] n (*companion*) osoba *f* towarzysząca; (*MIL, POLICE*) eskorta *f* ♦ vt towarzyszyć +*dat*; (*MIL, POLICE*) eskortować (odeskortować *perf*).

escort agency n agencja *f* towarzyska.

Eskimo ['ɛskɪməu] n Eskimos(ka) *m(f)*.

ESL (*SCOL*) n abbr (= English as a Second Language).

esophagus [iː'sɔfəgəs] (*US*) n = **oesophagus**.

esoteric [ɛsə'tɛrɪk] adj ezoteryczny.

ESP n abbr = **extrasensory perception**; (*SCOL*: = English for Special Purposes).

esp. abbr = **especially** szczeg.

especially [ɪs'pɛʃlɪ] adv (*above all, particularly*) szczególnie, zwłaszcza; (*more than normally*) szczególnie.

espionage ['ɛspɪənɑːʒ] n szpiegostwo *nt*.

esplanade [ɛsplə'neɪd] n promenada *f*, esplanada *f*.

espouse [ɪs'pauz] vt opowiadać się za +*instr*.

Esquire [ɪs'kwaɪə*] n: **J. Brown, Esquire** or **Esq.** Wielmożny Pan or W.P. J. Brown.

essay ['ɛseɪ] n (*SCOL*) wypracowanie *nt*; (*LITERATURE*) esej *m*.

essence ['ɛsns] n (*soul, spirit*) istota *f*; (*CULIN*) esencja *f*, olejek *m*; **in essence** w gruncie rzeczy; **speed is of the essence** konieczny jest pośpiech.

essential [ɪ'sɛnʃl] adj (*necessary, vital*) niezbędny; (*basic*) istotny, zasadniczy ♦ n rzecz *f* niezbędna; **it is essential that ...** jest niezmiernie ważne, żeby ...; **the essentials of English grammar** najważniejsze zasady gramatyki angielskiej.

essentially [ɪ'sɛnʃəlɪ] adv (*broadly, basically*) zasadniczo; (*really*) w gruncie rzeczy.

EST (*US*) abbr (= Eastern Standard Time).

est. abbr (= established) zał.; (= estimate) ocena; (= estimated) szacunkowy.

establish [ɪs'tæblɪʃ] vt (*organization, firm*) zakładać (założyć *perf*); (*facts, cause*) ustalać (ustalić *perf*); (*relations, contact*) nawiązywać (nawiązać *perf*); **to establish one's reputation as** wyrabiać (wyrobić *perf*) sobie reputację +*gen*.

established [ɪs'tæblɪʃt] adj (*business*) o ustalonej reputacji *post*; (*custom, practice*) ustalony, przyjęty.

establishment [ɪs'tæblɪʃmənt] n (*of organization, firm*) założenie *nt*; (*shop etc*) placówka *f*; **the Establishment** establishment.

estate [ɪs'teɪt] n (*land*) posiadłość *f*, majątek *m* (ziemski); (*BRIT*: also: **housing estate**) osiedle *nt* (mieszkaniowe); (*JUR*) majątek *m*.

estate agency (*BRIT*) n biuro *nt* pośrednictwa handlu nieruchomościami.

estate agent (*BRIT*) n pośrednik (-iczka) *m(f)* w handlu nieruchomościami.

estate car (*BRIT*) n samochód *m* kombi, kombi *nt inv*.

esteem [ɪs'tiːm] n: **to hold sb in high esteem** darzyć kogoś wielkim szacunkiem.

esthetic [ɪs'θɛtɪk] (*US*) adj = **aesthetic**.

estimate [n 'ɛstɪmət, vb 'ɛstɪmeɪt] n (*calculation*) szacunkowe or przybliżone obliczenie *nt*, szacunek *m*; (*assessment*) ocena *f*; (*of builder etc*) kosztorys *m* ♦ vt szacować (oszacować *perf*); **to give sb an estimate of** przedstawiać (przedstawić *perf*) komuś kosztorys +*gen*; **at a rough estimate** w przybliżeniu; **I estimate that ...** według moich szacunków ... .

estimation [ɛstɪ'meɪʃən] n (*of person, situation*) opinia *f*; (*of amount, value*) szacunkowe obliczenie *nt*; **in my estimation** w moim odczuciu.

Estonia [ɛs'təunɪə] n Estonia *f*.

estranged [ɪs'treɪndʒd] adj: **to be estranged from** (*spouse*) pozostawać w separacji z +*instr*; (*family*) nie mieszkać z +*instr*; **estranged couple** para pozostająca w separacji.

estrangement [ɪs'treɪndʒmənt] n separacja *f*.

estrogen ['iːstrəudʒən] (*US*) n = **oestrogen**.

estuary ['ɛstjuərɪ] n ujście *nt* (rzeki).

ET n abbr (*BRIT*: = Employment Training) szkolenie *nt* zawodowe ♦ abbr (*US*: = Eastern Time).

ETA n abbr (= estimated time of arrival) przewidywany czas *m* przylotu.

et al. abbr (= et alii) i in.

etc. abbr (= et cetera) itd.

etch [ɛtʃ] vi robić (zrobić *perf*) kwasoryt ♦ vt: **to etch (on)** ryć (wyryć *perf*) (w +*loc*).

etching ['ɛtʃɪŋ] n kwasoryt *m*.

ETD n abbr (= estimated time of departure) przewidywany czas *m* odlotu.

eternal [ɪ'təːnl] adj (*everlasting*) wieczny; (*unchanging*) niezmienny.

eternity [ɪ'təːnɪtɪ] n wieczność *f*.

ether ['iːθə*] (*CHEM*) n eter *m*.

ethereal [ɪ'θɪərɪəl] adj eteryczny.

ethical ['ɛθɪkl] adj etyczny.

ethics ['ɛθɪks] n etyka *f* (*nauka*) ♦ npl etyka *f* (*moralność*).

Ethiopia [iːθɪ'əupɪə] n Etiopia *f*.

Ethiopian [iːθɪ'əupɪən] adj etiopski ♦ n Etiopczyk (-pka) *m(f)*.

ethnic ['ɛθnɪk] adj etniczny.

ethnology [ɛθ'nɔlədʒɪ] n etnologia *f*, etnografia *f*.

ethos ['iːθɔs] n etos *m*.

etiquette ['ɛtɪkɛt] n etykieta *f*.

ETV *(US)* n abbr (= *Educational Television*).
etymology [ɛtɪ'mɔlədʒɪ] n etymologia *f.*
eucalyptus [juːkə'lɪptəs] n eukaliptus *m.*
Eucharist ['juːkərɪst] n: **the Eucharist** Eucharystia *f.*
eulogy ['juːlədʒɪ] n (*written*) panegiryk *m;* (*spoken*) mowa *f* pochwalna.
euphemism ['juːfəmɪzəm] n eufemizm *m.*
euphemistic [juːfə'mɪstɪk] adj eufemistyczny.
euphoria [juː'fɔːrɪə] n euforia *f.*
Eurasia [juə'reɪʃə] n Eurazja *f.*
Eurasian [juə'reɪʃən] adj eurazjatycki ♦ n Eurazjata (-tka) *m(f).*
Euratom [juə'rætəm] n abbr (= *European Atomic Energy Community*) Euratom *m,* Europejska Wspólnota *f* Energii Atomowej.
Eurocheque ['juərəutʃɛk] n euroczek *m.*
Eurocrat ['juərəukræt] n eurokrata (-tka) *m(f).*
Eurodollar ['juərəudɔlə*] n eurodolar *m.*
Europe ['juərəp] n Europa *f.*
European [juərə'piːən] adj europejski ♦ n Europejczyk (-jka) *m(f).*
European Community n: **the European Community** Wspólnota *f* Europejska.
European Court of Justice n: **the European Court of Justice** Europejski Trybunał *m* Sprawiedliwości.
European Economic Community n: **the European Economic Community** Europejska Wspólnota *f* Gospodarcza.
euthanasia [juːθə'neɪzɪə] n eutanazja *f.*
evacuate [ɪ'vækjueɪt] vt ewakuować (ewakuować *perf*).
evacuation [ɪvækju'eɪʃən] n ewakuacja *f.*
evade [ɪ'veɪd] vt (*tax, duty, responsibility*) uchylać się (uchylić się *perf*) od +gen; (*question*) uchylać się (uchylić się *perf*) od odpowiedzi na +acc; (*person: avoid meeting*) unikać (uniknąć *perf*) +gen; (: *escape from*) umykać (umknąć *perf*) or wymykać się (wymknąć się *perf*) +dat.
evaluate [ɪ'væljueɪt] vt oceniać (ocenić *perf*).
evangelical [iːvæn'dʒɛlɪkl] adj ewangelicki.
evangelist [ɪ'vændʒəlɪst] n (*wędrowny*) kaznodzieja *m* (*głoszący ewangelię na wielkich zgromadzeniach*).
evangelize [ɪ'vændʒəlaɪz] vi głosić ewangelię.
evaporate [ɪ'væpəreɪt] vi wyparowywać (wyparować *perf*); (*fig*) ulatniać się (ulotnić się *perf*).
evaporated milk [ɪ'væpəreɪtɪd-] n mleko *nt* skondensowane.
evaporation [ɪvæpə'reɪʃən] n parowanie *nt.*
evasion [ɪ'veɪʒən] n (*of responsibility, tax etc*) uchylanie się *nt.*
evasive [ɪ'veɪsɪv] adj (*reply*) wymijający; **to take evasive action** stosować (zastosować *perf*) unik.
eve [iːv] n: **on the eve of** w przeddzień or przededniu +gen; **Christmas Eve** Wigilia; **New Year's Eve** sylwester.

even ['iːvn] adj (*level, equal*) równy; (*smooth*) gładki; (*distribution, breathing*) równomierny; (*number*) parzysty ♦ adv (*showing surprise*) nawet; (*introducing a comparison*) jeszcze; **even if** nawet jeśli; **even though** (po)mimo że, chociaż; **there were even more people yesterday** wczoraj było jeszcze więcej ludzi; **he loved her even more** kochał ją jeszcze bardziej; **the work is going even faster now** praca idzie teraz jeszcze szybciej; **even so** mimo to; **not even** nawet nie; **even he was there** nawet on tam był; **even on Sundays** nawet w niedzielę; **to break even** wychodzić (wyjść *perf*) na czysto or na zero; **I'll get even with you!** jeszcze ci się odpłacę or odwdzięczę!
▸**even out** vi wyrównywać się (wyrównać się *perf*).
evening ['iːvnɪŋ] n wieczór *m;* **in the evening** wieczorem; **this evening** dziś wieczorem or wieczór; **tomorrow/yesterday evening** jutro/wczoraj wieczorem.
evening class n kurs *m* wieczorowy.
evening dress n (*no pl: formal clothes*) strój *m* wieczorowy; (*woman's gown*) suknia *f* wieczorowa.
evenly ['iːvnlɪ] adv (*distribute, space, spread*) równomiernie, równo; (*divide*) równo; (*breathe*) równomiernie.
evensong ['iːvnsɔŋ] n wieczorne nabożeństwo *nt* (*w Kościele anglikańskim*).
event [ɪ'vɛnt] n (*occurrence*) wydarzenie *nt;* (*SPORT*) konkurencja *f;* **in the normal course of events** w normalnych okolicznościach; **in the event of** w przypadku or razie +gen; **in the event** ostatecznie; **at all events** (*BRIT*), **in any event** w każdym razie.
eventful [ɪ'vɛntful] adj obfitujący or bogaty w wydarzenia *post.*
eventing [ɪ'vɛntɪŋ] n udział *m* w konkursie hipicznym.
eventual [ɪ'vɛntʃuəl] adj ostateczny, końcowy.
eventuality [ɪvɛntʃu'ælɪtɪ] n ewentualność *f.*
eventually [ɪ'vɛntʃuəlɪ] adv ostatecznie, koniec końców.
ever ['ɛvə*] adv (*always*) zawsze; (*at any time*) kiedykolwiek; - **I'd rather not go - why ever not?** - wolałabym nie iść – ale dlaczego (nie)?; - **you cannot do that - why ever not?** - nie możesz tego zrobić – (a) dlaczegóż by nie?; **have you ever been to Poland?** (czy) byłeś kiedyś w Polsce?; **where ever have you been?** gdzieś ty był?; **the best kid ever** najlepszy dzieciak pod słońcem; **the best movie ever** najlepszy film wszechczasów; **for ever** na zawsze; **hardly ever** prawie nigdy; **better than ever (before)** lepszy niż kiedykolwiek (przedtem); **ever**

since adv od tego czasu, od tej pory ♦ conj już od +gen; **she's ever so pretty** jest prześliczna; **thank you ever so much** ogromnie ci dziękuję; **yours ever** (BRIT: in letter) uściski.

Everest ['ɛvərɪst] n (also: **Mount Everest**) Mount Everest m, Czomolungma f.

evergreen ['ɛvəgriːn] n (BOT) roślina f zimozielona.

everlasting [ɛvə'lɑːstɪŋ] adj wieczny.

┌──────── KEYWORD ────────┐

every ['ɛvrɪ] adj 1 (each) każdy; **every time** za każdym razem; **every one of them** (persons) (oni) wszyscy vir pl, (one) wszystkie nvir pl; (objects) wszystkie pl; **every shop in the town was closed** wszystkie sklepy w mieście były zamknięte. 2 (all possible): **I have every confidence in him** mam do niego pełne zaufanie; **we wish you every success** życzymy ci wszelkich sukcesów. 3 (showing recurrence) co +acc; **every day** codziennie; **every week** co tydzień; **every other/third day** co drugi/trzeci dzień; **every now and then** co jakiś czas.

└──────────────────────┘

everybody ['ɛvrɪbɒdɪ] pron (each) każdy m; (all) wszyscy vir pl; **everybody knows about it** wszyscy o tym wiedzą, każdy o tym wie; **everybody else** wszyscy inni.

everyday ['ɛvrɪdeɪ] adj codzienny.

everyone ['ɛvrɪwʌn] pron = **everybody**.

everything ['ɛvrɪθɪŋ] pron wszystko nt; **everything is ready** wszystko gotowe; **he did everything possible** zrobił wszystko, co było możliwe.

everywhere ['ɛvrɪwɛə*] adv wszędzie; **everywhere you go you meet ...** gdziekolwiek pójdziesz, spotykasz +acc.

evict [ɪ'vɪkt] vt eksmitować (eksmitować or wyeksmitować perf).

eviction [ɪ'vɪkʃən] n eksmisja f.

eviction notice n zawiadomienie nt o eksmisji.

eviction order n nakaz m eksmisji.

evidence ['ɛvɪdns] n (proof) dowód m; (JUR: information) dowody pl; (: testimony) zeznania pl; (signs, indications) oznaki pl, dowody pl; **to give evidence** składać (złożyć perf) zeznania; **to show evidence of** zdradzać oznaki +gen; **the servants were never in evidence** służących nigdy nie było widać.

evident ['ɛvɪdnt] adj widoczny; **evident to** oczywisty dla +gen.

evidently ['ɛvɪdntlɪ] adv (obviously) ewidentnie; (apparently) najwyraźniej.

evil ['iːvl] adj zły ♦ n zło nt.

evocative [ɪ'vɔkətɪv] adj (description, music) poruszający.

evoke [ɪ'vəuk] vt wywoływać (wywołać perf).

evolution [iːvə'luːʃən] n ewolucja f.

evolve [ɪ'vɔlv] vt rozwijać (rozwinąć perf) ♦ vi rozwijać się (rozwinąć się perf), ewoluować (literary).

ewe [juː] n owca f.

ewer ['juːə*] n dzban m.

ex- [ɛks] pref eks, były (adj).

exacerbate [ɛks'æsəbeɪt] vt (situation, pain) zaostrzać (zaostrzyć perf).

exact [ɪg'zækt] adj dokładny ♦ vt: **to exact sth (from)** egzekwować (wyegzekwować perf) coś (od +gen).

exacting [ɪg'zæktɪŋ] adj (master, boss) wymagający; (task) pracochłonny.

exactly [ɪg'zæktlɪ] adv dokładnie; **exactly!** dokładnie!

exaggerate [ɪg'zædʒəreɪt] vt wyolbrzymiać (wyolbrzymić perf) ♦ vi przesadzać (przesadzić perf).

exaggerated [ɪg'zædʒəreɪtɪd] adj (politeness) przesadny; (remark) przesadzony; (idea of o.s.) wygórowany.

exaggeration [ɪgzædʒə'reɪʃən] n przesada f.

exalt [ɪg'zɔːlt] vt (praise) wychwalać.

exalted [ɪg'zɔːltɪd] adj (prominent) wysoko postawiony; (elated) wniebowzięty.

exam [ɪg'zæm] n abbr = **examination**.

examination [ɪgzæmɪ'neɪʃən] n (of object) oględziny pl; (of plan) analiza f, (of accounts) kontrola f; (SCOL) egzamin m; (JUR) przesłuchanie nt; (MED) badanie nt; **to take** or (BRIT) **sit an examination** przystępować (przystąpić perf) do egzaminu; **the matter is under examination** sprawa jest rozpatrywana.

examine [ɪg'zæmɪn] vt (object) oglądać (obejrzeć perf); (plan) analizować (przeanalizować perf); (accounts) kontrolować (skontrolować perf); (SCOL) egzaminować (przeegzaminować perf); (JUR) przesłuchiwać (przesłuchać perf); (MED) badać (zbadać perf).

examiner [ɪg'zæmɪnə*] n (SCOL) egzaminator(ka) m(f).

example [ɪg'zɑːmpl] n (illustration) przykład m; (model) wzór m; **for example** na przykład; **to set a good/bad example** dawać (dać perf) dobry/zły przykład.

exasperate [ɪg'zɑːspəreɪt] vt doprowadzać (doprowadzić perf) do rozpaczy; **I was exasperated by** or **with her stubbornness** jej upór doprowadzał mnie do rozpaczy.

exasperating [ɪg'zɑːspəreɪtɪŋ] adj doprowadzający do rozpaczy.

exasperation [ɪgzɑːspə'reɪʃən] n rozdrażnienie nt, złość f; **I was almost crying from exasperation** prawie płakałam ze złości.

excavate ['ɛkskəveɪt] vt wykopywać (wykopać perf) ♦ vi (archeologists) prowadzić wykopaliska; (builders) kopać.

excavation [ɛkskə'veɪʃən] n wykop m.

excavator ['ɛkskəveɪtə*] *n* koparka *f*.
exceed [ɪk'si:d] *vt* przekraczać (przekroczyć *perf*).
exceedingly [ɪk'si:dɪŋlɪ] *adv* niezmiernie.
excel [ɪk'sɛl] *vi* być najlepszym; **to excel in** *or* **at** celować w +*instr*; **to excel oneself** (*BRIT*) przechodzić (przejść *perf*) samego siebie.
excellence ['ɛksələns] *n* doskonałość *f*.
Excellency ['ɛksələnsɪ] *n*: **His Excellency** Jego Ekscelencja *m*.
excellent ['ɛksələnt] *adj* doskonały ♦ *excl* doskonale.
except [ɪk'sɛpt] *prep* (*also*: **except for**) oprócz +*gen*, poza +*instr* ♦ *vt*: **to except sb (from)** wyłączać (wyłączyć *perf*) kogoś (spod +*gen*); **except if/when** chyba, że; **except that** (tyle) tylko, że; **present company excepted** z wyjątkiem tu obecnych.
excepting [ɪk'sɛptɪŋ] *prep* z wyjątkiem +*gen*.
exception [ɪk'sɛpʃən] *n* wyjątek *m*; **to take exception to** (*be offended*) czuć się (poczuć się *perf*) urażonym +*instr*; (*complain*) protestować (zaprotestować *perf*) przeciw +*dat*; **with the exception of** z wyjątkiem +*gen*.
exceptional [ɪk'sɛpʃənl] *adj* wyjątkowy.
excerpt ['ɛksə:pt] *n* (*from text, symphony*) wyjątek *m*, ustęp *m*; (*from film*) urywek *m*.
excess [ɪk'sɛs] *n* (*surfeit*) nadmiar *m*; (*amount by which sth is greater*) nadwyżka *f*; (: *of money paid*) nadpłata *f*; (*INSURANCE*) udział *m* własny ♦ *adj* zbędny; **excesses** *npl* (*irresponsible, stupid*) wybryki *pl*, ekscesy *pl*; (*cruel*) okrucieństwa *pl*; **in excess of** powyżej +*gen*.
excess baggage *n* dodatkowy bagaż *m*.
excess fare (*BRIT*) *n* dopłata *f* (*do biletu*).
excessive [ɪk'sɛsɪv] *adj* nadmierny.
excess supply *n* nadwyżka *f* podaży.
exchange [ɪks'tʃeɪndʒ] *n* (*of prisoners, infomation, students*) wymiana *f*; (*conversation*) wymiana *f* zdań; (*also*: **telephone exchange**) centrala *f* (telefoniczna) ♦ *vt*: **to exchange (for)** wymieniać (wymienić *perf*) (na +*acc*); **in exchange for** w zamian za +*acc*; **foreign exchange** waluta obca, dewizy.
exchange control *n* kontrola *f* rynku dewizowego.
exchange market *n* rynek *m* dewizowy *or* walutowy.
exchange rate *n* kurs *m* dewizowy.
Exchequer [ɪks'tʃɛkə*] (*BRIT*) *n*: **the Exchequer** ministerstwo *nt* skarbu.
excisable [ɪk'saɪzəbl] *adj* podlegający akcyzie.
excise [*n* 'ɛksaɪz, *vb* ɛk'saɪz] *n* akcyza *f* ♦ *vt* wycinać (wyciąć *perf*).
excise duties *npl* opłaty *pl* akcyzowe.
excitable [ɪk'saɪtəbl] *adj* pobudliwy.
excite [ɪk'saɪt] *vt* (*stimulate*) ekscytować; (*arouse*) podniecać (podniecić *perf*); **to get excited** podniecać się (podniecić się *perf*).
excitement [ɪk'saɪtmənt] *n* (*agitation*)

podniecenie *nt*; (*exhilaration*) podniecenie *nt*, podekscytowanie *nt*.
exciting [ɪk'saɪtɪŋ] *adj* (*place*) ekscytujący; (*event, period*) pasjonujący.
excl. *abbr* = **excluding, exclusive (of)** wył.
exclaim [ɪks'kleɪm] *vi* zawołać (*perf*), wykrzyknąć (*perf*).
exclamation [ɛksklə'meɪʃən] *n* okrzyk *m*.
exclamation mark (*LING*) *n* wykrzyknik *m*.
exclude [ɪks'klu:d] *vt* (*person, fact*) wyłączać (wyłączyć *perf*), wykluczać (wykluczyć *perf*); (*possibility*) wykluczać (wykluczyć *perf*).
excluding [ɪks'klu:dɪŋ] *prep*: **excluding VAT** wyłączając VAT.
exclusion [ɪks'klu:ʒən] *n* (*of person, fact*) wyłączenie *nt*, wykluczenie *nt*; (*of possibility*) wykluczenie *nt*; **to the exclusion of** z wyłączeniem +*gen*.
exclusion clause *n* klauzula *f* wyłączająca.
exclusive [ɪks'klu:sɪv] *adj* (*club, district*) ekskluzywny; (*use, property*) wyłączny; (*story, interview*) zastrzeżony ♦ *n* (*PRESS*) wyłączna własność *f*; **exclusive of postage/tax** wyłączając opłatę pocztową/podatek; **from 1st to 15th March exclusive** od 1 do 15 marca wyłącznie; **mutually exclusive statements** wzajemnie wykluczające się stwierdzenia.
exclusively [ɪks'klu:sɪvlɪ] *adv* wyłącznie.
exclusive rights (*COMM*) *npl* wyłączne prawa *pl*.
excommunicate [ɛkskə'mju:nɪkeɪt] (*REL*) *vt* ekskomunikować (ekskomunikować *perf*).
excrement ['ɛkskrəmənt] *n* odchody *pl*.
excruciating [ɪks'kru:ʃɪeɪtɪŋ] *adj* nieznośny, straszliwy.
excursion [ɪks'kə:ʃən] *n* wycieczka *f*.
excursion ticket *n* bilet *m* wycieczkowy.
excusable [ɪks'kju:zəbl] *adj* wybaczalny.
excuse [*n* ɪks'kju:s, *vb* ɪks'kju:z] *n* (*justification*) usprawiedliwienie *nt*, wytłumaczenie *nt*; (: *untrue*) wymówka *f*; (*reason (not) to do sth*) pretekst *m* ♦ *vt* (*justify*) usprawiedliwiać (usprawiedliwić *perf*), tłumaczyć (wytłumaczyć *perf*); (*forgive*) wybaczać (wybaczyć *perf*); **to excuse sb from doing sth** zwalniać (zwolnić *perf*) kogoś z robienia czegoś; **excuse me!** przepraszam!; **if you will excuse me** jeśli Pan/Pani pozwoli; **to excuse o.s. for sth/for doing sth** tłumaczyć się (wytłumaczyć się *perf*) z czegoś/ze zrobienia czegoś; **to make excuses for sb** usprawiedliwiać (usprawiedliwić *perf*) kogoś; **that's no excuse!** to żadne usprawiedliwienie!
ex-directory ['ɛksdɪ'rɛktərɪ] (*BRIT: TEL*) *adj* zastrzeżony; **she's ex-directory** ma zastrzeżony numer.
execrable ['ɛksɪkrəbl] *adj* (*accent*) okropny; (*food, taste*) ohydny, wstrętny.
execute ['ɛksɪkju:t] *vt* (*person*) wykonywać

(wykonać *perf*) egzekucję na +*loc*, stracić
(*perf*) (*literary*); (*order, movement, manouvre*)
wykonywać (wykonać *perf*); (*plan*)
przeprowadzać (przeprowadzić *perf*),
wprowadzać (wprowadzić *perf*) w życie.
execution [ɛksɪ'kjuːʃən] *n* (*of person*)
egzekucja *f*; (*of order, movement, manouvre*)
wykonanie *nt*; (*of plan*) przeprowadzenie *nt*,
wprowadzenie *nt* w życie.
executioner [ɛksɪ'kjuːʃnə*] *n* kat *m*.
executive [ɪg'zɛkjutɪv] *n* (*of company*)
pracownik *m* szczebla kierowniczego; (*of
political party*) komitet *m* wykonawczy,
egzekutywa *f*; (*POL*) władza *f* wykonawcza,
egzekutywa *f* ♦ *adj* (*role*) wykonawczy,
kierowniczy; (*car, chair*) dyrektorski;
executive board zarząd; **executive secretary**
sekretarka dyrektora; **executive toys** *maskotki
charakterystyczne dla gabinetów pracowników
szczebla kierowniczego.*
executive director *n* dyrektor *m* wykonawczy.
executor [ɪg'zɛkjutə*] (*JUR*) *n* wykonawca *m*
testamentu.
exemplary [ɪg'zɛmplərɪ] *adj* przykładny.
exemplify [ɪg'zɛmplɪfaɪ] *vt* (*typify*) stanowić
przykład +*gen*; (*illustrate*) ilustrować
(zilustrować *perf*).
exempt [ɪg'zɛmpt] *adj*: **exempt from** zwolniony
z +*gen* ♦ *vt*: **to exempt sb from** zwalniać
(zwolnić *perf*) kogoś z +*gen*.
exemption [ɪg'zɛmpʃən] *n* zwolnienie *nt* (*z
obowiązku itp*).
exercise ['ɛksəsaɪz] *n* (*no pl*: *keep-fit*)
ćwiczenia *pl* fizyczne; (*piece of work,
practice*) ćwiczenie *nt*; (*MIL*) ćwiczenia *pl*,
manewry *pl* ♦ *vt* (*right*) korzystać (skorzystać
perf) z +*gen*; (*patience*) wykazywać (wykazać
perf); (*dog*) ćwiczyć; (*problem: mind*)
zaprzątać ♦ *vi* (*also*: **to take exercise**)
uprawiać sport; **the exercise of one's rights**
korzystanie z przysługujących praw.
exercise bike *n* rower *m* treningowy.
exercise book *n* zeszyt *m*.
exert [ɪg'zəːt] *vt* (*influence*) wywierać (wywrzeć
perf); (*authority*) używać (użyć *perf*) +*gen*; **to
exert o.s.** wytężać się, wysilać się.
exertion [ɪg'zəːʃən] *n* wysiłek *m*.
ex gratia ['ɛks'greɪʃə] *adj*: **ex gratia payment**
płatność *f* dobrowolna.
exhale [ɛks'heɪl] *vt* wydychać ♦ *vi* wypuszczać
(wypuścić *perf*) powietrze.
exhaust [ɪg'zɔːst] *n* (*also*: **exhaust pipe**) rura *f*
wydechowa; (*fumes*) spaliny *pl* ♦ *vt*
wyczerpywać (wyczerpać *perf*); **to exhaust
o.s.** przemęczać się (przemęczyć się *perf*).
exhausted [ɪg'zɔːstɪd] *adj* wyczerpany.
exhausting [ɪg'zɔːstɪŋ] *adj* wyczerpujący.
exhaustion [ɪg'zɔːstʃən] *n* wyczerpanie *nt*,
przemęczenie *nt*; **nervous exhaustion**
wyczerpanie nerwowe.

exhaustive [ɪg'zɔːstɪv] *adj* wyczerpujący.
exhibit [ɪg'zɪbɪt] *n* (*ART*) eksponat *m*; (*JUR*)
dowód *m* (rzeczowy) ♦ *vt* (*quality, ability*)
wykazywać (wykazać *perf*); (*emotion*)
okazywać (okazać *perf*); (*paintings*) wystawiać
(wystawić *perf*).
exhibition [ɛksɪ'bɪʃən] *n* (*of paintings etc*)
wystawa *f*; (*of ill-temper, talent*) pokaz *m*; **to
make an exhibition of o.s.** robić (zrobić *perf*)
z siebie widowisko.
exhibitionist [ɛksɪ'bɪʃənɪst] *n* (*show-off*) osoba
f lubiąca się popisywać; (*PSYCH*)
ekshibicjonista *m*.
exhibitor [ɪg'zɪbɪtə*] (*ART*) *n* wystawca
(-czyni) *m(f)*.
exhilarating [ɪg'zɪləreɪtɪŋ] *adj* radosny.
exhilaration [ɪgzɪlə'reɪʃən] *n* radosne
podniecenie *nt*, rozradowanie *nt*.
exhort [ɪg'zɔːt] *vt*: **to exhort sb to do sth**
nawoływać kogoś do (z)robienia czegoś.
exile ['ɛksaɪl] *n* (*state*) wygnanie *nt*, emigracja
f; (*person*) wygnaniec *m*, emigrant *m* ♦ *vt*
skazywać (skazać *perf*) na wygnanie; **in exile**
na wygnaniu *or* emigracji.
exist [ɪg'zɪst] *vi* (*be present*) istnieć; (*live*)
egzystować, utrzymywać się przy życiu.
existence [ɪg'zɪstəns] *n* (*reality*) istnienie *nt*;
(*life*) egzystencja *f*; **to be in existence** istnieć.
existentialism [ɛgzɪs'tɛnʃlɪzəm] *n*
egzystencjalizm *m*.
existing [ɪg'zɪstɪŋ] *adj* istniejący.
exit ['ɛksɪt] *n* wyjście *nt*; (*from motorway*)
zjazd *m*, wylot *m* ♦ *vi* wychodzić (wyjść
perf); **to exit from** opuszczać (opuścić *perf*)
+*acc*.
exit ramp (*US*: *AUT*) *n* zjazd *f* z autostrady.
exit visa *n* wiza *f* wyjazdowa.
exodus ['ɛksədəs] *n* exodus *m*; **the exodus to
the cities** migracja do miast.
ex officio ['ɛksə'fɪʃɪəu] *adj* z urzędu *post*, ex
officio *post* ♦ *adv* z urzędu, ex officio.
exonerate [ɪg'zɔnəreɪt] *vt*: **to exonerate from**
(*guilt etc*) oczyszczać (oczyścić *perf*) z +*gen*.
exorbitant [ɪg'zɔːbɪtnt] *adj* (*prices*)
niebotyczny; (*demands*) wygórowany.
exorcize ['ɛksɔːsaɪz] *vt* egzorcyzmować.
exotic [ɪg'zɔtɪk] *adj* egzotyczny.
expand [ɪks'pænd] *vt* (*business*) rozwijać
(rozwinąć *perf*); (*area, staff*) powiększać
(powiększyć *perf*); (*influence*) rozszerzać
(rozszerzyć *perf*) ♦ *vi* (*population, business*)
rozrastać się (rozrosnąć się *perf*); (*gas, metal*)
roszerzać się (rozszerzyć się *perf*); **to expand
on** omawiać (omówić *perf*) szerzej +*acc*.
expanse [ɪks'pæns] *n* obszar *m*, przestrzeń *f*.
expansion [ɪks'pænʃən] *n* (*of business,
economy etc*) rozwój *m*, wzrost *m*; (*of gas,
metal*) rozszerzanie się *nt*.
expansionism [ɪks'pænʃənɪzəm] *n*
espansjonizm *m*.

expansionist [ɪks'pænʃənɪst] *adj* ekspansjonistyczny.

expatriate [ɛks'pætrɪət] *n*: **expatriate Poles** Polacy *vir pl* (żyjący) na emigracji.

expect [ɪks'pɛkt] *vt* (*anticipate, hope for*) spodziewać się +*gen*; (*await, require, count on*) oczekiwać +*gen*; (*suppose*): **to expect that** przypuszczać, że ♦ *vi*: **to be expecting** spodziewać się dziecka; **to expect sb to do sth** (*anticipate*) spodziewać się, że ktoś coś zrobi; (*demand*) oczekiwać od kogoś zrobienia czegoś; **as expected** zgodnie z oczekiwaniami; **I expect so** tak przypuszczam.

expectancy [ɪks'pɛktənsɪ] *n* wyczekiwanie *nt*, nadzieja *f*; **life expectancy** średnia długość życia.

expectant [ɪks'pɛktənt] *adj* (*crowd, silence*) wyczekujący.

expectantly [ɪks'pɛktəntlɪ] *adv* wyczekująco.

expectant mother *n* przyszła matka *f*.

expectation [ɛkspɛk'teɪʃən] *n* oczekiwanie *nt*; **against** *or* **contrary to all expectation(s)** wbrew (wszelkim) oczekiwaniom; **to come** *or* **live up to sb's expectations** spełniać (spełnić *perf*) czyjeś oczekiwania.

expedience [ɪks'piːdɪəns] *n* = **expediency**.

expediency [ɪks'piːdɪənsɪ] *n* doraźne cele *pl*; **for the sake of expediency** ze względów praktycznych.

expedient [ɪks'piːdɪənt] *adj* celowy, wskazany ♦ *n* doraźny środek *m*.

expedite ['ɛkspədaɪt] *vt* przyspieszać (przyspieszyć *perf*).

expedition [ɛkspə'dɪʃən] *n* wyprawa *f*, ekspedycja *f*; **a shopping expedition** wyprawa po zakupy.

expeditionary force [ɛkspə'dɪʃənrɪ-] (*MIL*) *n* ekspedycja *f*.

expeditious [ɛkspə'dɪʃəs] *adj* szybki.

expel [ɪks'pɛl] *vt* (*person: from school, organization*) wydalać (wydalić *perf*), usuwać (usunąć *perf*); (: *from place*) wypędzać (wypędzić *perf*); (*gas, liquid*) wyrzucać (wyrzucić *perf*).

expend [ɪks'pɛnd] *vt* wydatkować (wydatkować *perf*).

expendable [ɪks'pɛndəbl] *adj* zbędny, zbyteczny.

expenditure [ɪks'pɛndɪtʃə*] *n* (*of money*) wydatki *pl*; (*of energy, time*) wydatkowanie *nt*, nakład *m*.

expense [ɪks'pɛns] *n* (*cost*) koszt *m*; (*expenditure*) wydatek *m*; **expenses** *npl* wydatki *pl*, koszty *pl*; **at the expense of** kosztem +*gen*; **he's gone to the expense of buying a car** wykosztował się na samochód; **at great/little expense** wielkim/małym kosztem.

expense account *n* rachunek *m* wydatków *or* kosztów.

expensive [ɪks'pɛnsɪv] *adj* (*article*) drogi, kosztowny; (*mistake, tastes*) kosztowny.

experience [ɪks'pɪərɪəns] *n* (*knowledge, skill*) doświadczenie *nt*; (*event, activity*) przeżycie *nt* ♦ *vt* (*situation, problem*) doświadczać (doświadczyć *perf*) +*gen*; (*feeling*) doznawać (doznać *perf*) +*gen*; **to know sth by** *or* **from experience** znać coś z własnego doświadczenia; **to learn by experience** uczyć się przez doświadczenie.

experienced [ɪks'pɪərɪənst] *adj* doświadczony.

experiment [ɪks'pɛrɪmənt] *n* (*SCIENCE*) eksperyment *m*, doświadczenie *nt*; (*trial*) eksperyment *m*, próba *f* ♦ *vi* (*SCIENCE*): **to experiment (with/on)** eksperymentować *or* prowadzić doświadczenia (z +*instr*/na +*loc*); (*fig*) eksperymentować; **to perform** *or* **carry out an experiment** wykonywać (wykonać *perf*) *or* przeprowadzać (przeprowadzić *perf*) eksperyment; **as an experiment** tytułem próby.

experimental [ɪkspɛrɪ'mɛntl] *adj* (*methods*) eksperymentalny; (*ideas*) eksperymentatorski; (*tests*) doświadczalny; **at the experimental stage** w fazie prób.

expert ['ɛkspəːt] *adj* (*driver etc*) wytrawny; (*help, advice*) specjalistyczny ♦ *n* ekspert *m*; **expert in** *or* **at sth** biegły w czymś; **an expert on sth** znawca czegoś; **expert witness** (*JUR*) rzeczoznawca *m*, biegły (-ła) *m(f)*; **expert opinion** opinia specjalisty.

expertise [ɛkspəː'tiːz] *n* wiedza *f* (specjalistyczna), umiejętności *pl* (specjalistyczne).

expire [ɪks'paɪə*] *vi* wygasać (wygasnąć *perf*), tracić (stracić *perf*) ważność.

expiry [ɪks'paɪərɪ] *n* wygaśnięcie *nt*, utrata *f* ważności.

expiry date *n* data *f* ważności.

explain [ɪks'pleɪn] *vt* wyjaśniać (wyjaśnić *perf*), tłumaczyć (wytłumaczyć *perf*).

►**explain away** *vt* (*mistake etc*) znajdować (znaleźć *perf*) wytłumaczenie *or* usprawiedliwienie dla +*gen*.

explanation [ɛksplə'neɪʃən] *n* (*reason*) wyjaśnienie *nt*, wytłumaczenie *nt*; (*description*) objaśnienie *nt*; **to find an explanation for sth** znajdować (znaleźć *perf*) wytłumaczenie dla czegoś.

explanatory [ɪks'plænətrɪ] *adj* (*statement*) wyjaśniający; (*leaflet, note*) objaśniający.

explicable [ɪks'plɪkəbl] *adj* wytłumaczalny; **for no explicable reason** z niewyjaśnionych *or* niezrozumiałych powodów.

explicit [ɪks'plɪsɪt] *adj* wyraźny; **to be explicit (about sth)** mówić (o czymś) otwarcie *or* jasno.

explode [ɪks'pləʊd] *vi* (*bomb*) wybuchać (wybuchnąć *perf*), eksplodować (eksplodować *perf*); (*person*) wybuchać (wybuchnąć *perf*) ♦ *vt* (*bomb*) powodować (spowodować *perf*)

exploit [*n* 'ɛksplɔɪt, *vb* ɪks'plɔɪt] *n* wyczyn *m* ♦ *vt* (*person*) wyzyskiwać (wyzyskać *perf*); (*idea, opportunity*) wykorzystywać (wykorzystać *perf*); (*resources*) eksploatować (wyeksploatować *perf*).

exploitation [ɛksplɔɪ'teɪʃən] *n* (*of person*) wyzysk *m*; (*of idea, opportunity*) wykorzystanie *nt*; (*of resources*) eksploatacja *f*.

exploration [ɛksplə'reɪʃən] *n* (*of place, space*) badanie *nt*, eksploracja *f* (*fml*); (*of idea, suggestion*) zgłębianie *nt*.

exploratory [ɪks'plɔrətrɪ] *adj* (*expedition*) badawczy; (*talks*) przygotowawczy, wstępny; (*operation*) rozpoznawczy; **exploratory operation** (*MED*) eksploracja chirurgiczna.

explore [ɪks'plɔ:*] *vt* (*place, space*) badać (zbadać *perf*); (*idea, suggestion*) zgłębiać (zgłębić *perf*).

explorer [ɪks'plɔ:rə*] *n* badacz(ka) *m(f)*.

explosion [ɪks'pləʊʒən] *n* (*of bomb*) wybuch *m*, eksplozja *f*; (*of population*) eksplozja *f*; (*of rage, laughter*) wybuch *m*.

explosive [ɪks'pləʊsɪv] *adj* (*material, temper*) wybuchowy; (*situation*) zapalny ♦ *n* materiał *m* wybuchowy.

exponent [ɪks'pəʊnənt] *n* (*of idea, theory*) propagator(ka) *m(f)*; (*of skill, activity*) przedstawiciel(ka) *m(f)*, reprezentant(ka) *m(f)*; (*MATH*) wykładnik *m* (potęgi).

exponential [ɛkspəʊ'nɛnʃl] *adj* (*growth, increase*) gwałtowny; (*MATH*) wykładniczy.

export [*vb* ɛks'pɔ:t, *n, cpd* 'ɛkspɔ:t] *vt* eksportować (wyeksportować *perf*) ♦ *n* (*process*) eksport *m*; (*product*) towar *m or* produkt *m* eksportowy ♦ *cpd*: **export duty** cło *nt* eksportowe *or* wywozowe; **export permit** pozwolenie na eksport *or* wywóz.

exportation [ɛkspɔ:'teɪʃən] *n* wywóz *m*, eksport *m*.

exporter [ɛks'pɔ:tə*] *n* eksporter *m*.

expose [ɪks'pəʊz] *vt* (*object*) odsłaniać (odsłonić *perf*); (*person*) demaskować (zdemaskować *perf*); (*situation*) ujawniać (ujawnić *perf*); **to expose o.s.** (*JUR*) obnażać się (obnażyć się *perf*) (w miejscu publicznym).

exposé [ɛks'pəʊzeɪ] *n* exposé *nt inv*.

exposed [ɪks'pəʊzd] *adj* nie osłonięty, odkryty; (*ELEC*) nieizolowany, nie zabezpieczony.

exposition [ɛkspə'zɪʃən] *n* (*explanation*) przedstawienie *nt*; (*exhibition*) ekspozycja *f*, wystawa *f*.

exposure [ɪks'pəʊʒə*] *n* (*to heat, radiation etc*): **exposure to** wystawienie *nt* na +*acc or* na działanie +*gen*; (*publicity*) nagłośnienie *nt*; (*of truth*) ujawnienie *nt*; (*of person*)

zdemaskowanie *nt*; (*PHOT: amount of light*) naświetlenie *nt*; (: *shot*) klatka *f*; **death from exposure** śmierć na skutek nadmiernego ochłodzenia organizmu.

exposure meter *n* światłomierz *m*.

expound [ɪks'paʊnd] *vt* (*theory, opinion*) wykładać (wyłożyć *perf*).

express [ɪks'prɛs] *adj* (*command, intention*) wyraźny; (*letter, train, bus*) ekspresowy ♦ *n* (*RAIL*) ekspres *m* ♦ *adv*: **to send sth express** wysyłać (wysłać *perf*) coś ekspresem ♦ *vt* wyrażać (wyrazić *perf*); **to express o.s.** wyrażać się (wyrazić się *perf*), wysławiać się (wysłowić się *perf*).

expression [ɪks'prɛʃən] *n* (*word, phrase*) wyrażenie *nt*, zwrot *m*; (*of welcome, support*) wyraz *m*; (*on face*) wyraz *m* twarzy; (*of actor, singer*) ekspresja *f*; **freedom of expression** wolność słowa.

expressionism [ɪks'prɛʃənɪzəm] *n* ekspresjonizm *m*.

expressive [ɪks'prɛsɪv] *adj* pełen wyrazu; **expressive ability** umiejętność wysławiania się.

expressly [ɪks'prɛslɪ] *adv* wyraźnie.

expressway [ɪks'prɛsweɪ] (*US*) *n* ≈ autostrada *f*.

expropriate [ɛks'prəʊprɪeɪt] *vt* (*government etc*) konfiskować (skonfiskować *perf*), przejmować (przejąć *perf*); (*person*) przywłaszczać (przywłaszczyć *perf*) sobie.

expulsion [ɪks'pʌlʃən] *n* (*SCOL, POL*) wydalenie *nt*; (*of gas, liquid*) wypuszczenie *nt*.

expurgate ['ɛkspə:geɪt] *vt* okrawać (okroić *perf*); **the expurgated version** okrojona wersja.

exquisite [ɛks'kwɪzɪt] *adj* (*beautiful*) przepiękny; (*perfect*) znakomity, wyśmienity; (*pain*) dojmujący; (*pleasure, relief*) wyraźny.

exquisitely [ɛks'kwɪzɪtlɪ] *adv* (*beautifully*) przepięknie; (*perfectly*) znakomicie, wyśmienicie; (*polite, sensitive*) nienagannie.

ex-serviceman ['ɛks'sə:vɪsmən] *n* były wojskowy *m*.

ext. (*TEL*) *abbr* = **extension** w., wew., wewn.

extemporize [ɪks'tɛmpəraɪz] *vi* improwizować.

extend [ɪks'tɛnd] *vt* (*make longer*) przedłużać (przedłużyć *perf*); (*make larger*) powiększać (powiększyć *perf*); (*offer*) składać (złożyć *perf*); (*invitation*) wystosowywać (wystosować *perf*); (*arm, hand*) wyciągać (wyciągnąć *perf*); (*deadline, visa*) przedłużać (przedłużyć *perf*); (*credit*) udzielać (udzielić *perf*) +*gen* ♦ *vi* (*land, road*) rozciągać się, ciągnąć się; (*period*) trwać, ciągnąć się.

extension [ɪks'tɛnʃən] *n* (*of building*) dobudówka *f*; (*of time, road, table*) przedłużenie *nt*; (*of campaign, rights*) rozszerzenie *nt*; (*ELEC*) przedłużacz *m*; (*TEL: in private house*) dodatkowy aparat *m*; (: *in office*) numer *m* wewnętrzny; **extension 3718** wewnętrzny 3718.

extension cable *n* przedłużacz *m*.

extension lead n = **extension cable**.

extensive [ɪks'tɛnsɪv] adj (area, knowledge, damage) rozległy; (coverage, discussion, inquiries) szczegółowy; (quotation) obszerny; **to make extensive use of** korzystać w znacznym stopniu z +gen.

extensively [ɪks'tɛnsɪvlɪ] adv: **he's travelled extensively** wiele podróżował.

extent [ɪks'tɛnt] n (of area, land) rozmiary pl; (of problem) zakres m, zasięg m; (of damage, loss) stopień m, rozmiary pl; **to some extent, to a certain extent** do pewnego stopnia, w pewnej mierze; **to a large extent** w dużym stopniu, w dużej mierze; **to the extent of ...** aż po +acc; **to such an extent that ...** do tego stopnia, że ... .

extenuating [ɪks'tɛnjueɪtɪŋ] adj: **extenuating circumstances** okoliczności pl łagodzące.

exterior [ɛks'tɪərɪə*] adj zewnętrzny ♦ n (outside) zewnętrzna f strona; (appearance) powierzchowność f.

exterminate [ɪks'tə:mɪneɪt] vt (animals) tępić (wytępić perf); (people) eksterminować.

extermination [ɪkstə:mɪ'neɪʃən] n (of animals) wytępienie nt; (of people) eksterminacja f.

external [ɛks'tə:nl] adj (walls, use) zewnętrzny; (examiner, auditor) z zewnątrz post; **externals** npl trywia pl; **for external use only** (wyłącznie) do użytku zewnętrznego; **external affairs** sprawy zagraniczne.

externally [ɛks'tə:nəlɪ] adv zewnętrznie.

extinct [ɪks'tɪŋkt] adj (animal, plant) wymarły; (volcano) wygasły.

extinction [ɪks'tɪŋkʃən] n wyginięcie nt, wymarcie nt.

extinguish [ɪks'tɪŋgwɪʃ] vt (fire) gasić (ugasić perf); (light, cigarette) gasić (zgasić perf); (memory) wymazywać (wymazać perf); (hope) niweczyć (zniweczyć perf).

extinguisher [ɪks'tɪŋgwɪʃə*] n (also: **fire extinguisher**) gaśnica f.

extol [ɪks'təul] (US **extoll**) vt wychwalać.

extort [ɪks'tɔ:t] vt: **to extort (from sb)** (money etc) wydzierać (wydrzeć perf) (komuś); (confession, promise) wymuszać (wymusić perf) (na kimś).

extortion [ɪks'tɔ:ʃən] n (crime) wymuszenie nt; (exorbitant charge) zdzierstwo nt.

extortionate [ɪks'tɔ:ʃnɪt] adj wygórowany.

extra ['ɛkstrə] adj dodatkowy ♦ adv dodatkowo, ekstra (inf) ♦ n (luxury) dodatek m; (surcharge) dopłata f; (FILM, THEAT) statysta (-tka) m(f); **wine will cost extra** za wino trzeba będzie zapłacić osobno.

extra... ['ɛkstrə] pref (very): **extra-large** bardzo duży; (from outside): **extra-parliamentary** pozaparlamentarny.

extract [vb ɪks'trækt, n 'ɛkstrækt] vt (object) wyciągać (wyciągnąć perf); (tooth) usuwać (usunąć perf), wyrywać (wyrwać perf);

(mineral: from ground) wydobywać (wydobyć perf); (: from another substance) uzyskiwać (uzyskać perf); (promise, confession) wymuszać (wymusić perf); (money) wyłudzać (wyłudzić perf) ♦ n (of novel) wyjątek m, urywek m; (of recording) fragment m; (from plant etc) wyciąg m, ekstrakt m.

extraction [ɪks'trækʃən] n (of tooth) usunięcie nt, wyrwanie nt, ekstrakcja f (fml); (descent) pochodzenie nt; (of mineral: from ground) wydobycie nt; (: from another substance) uzyskanie nt; (of promise, confession) wymuszenie nt; (of money) wyłudzenie nt; **he is of Scottish extraction, he is Scottish by extraction** jest z pochodzenia Szkotem.

extracurricular ['ɛkstrəkə'rɪkjulə*] adj ponadprogramowy.

extradite ['ɛkstrədaɪt] vt ekstradować (perf).

extradition [ɛkstrə'dɪʃən] n ekstradycja f ♦ cpd: **extradition order/treaty** nakaz m ekstradycji/umowa f o ekstradycji.

extramarital ['ɛkstrə'mærɪtl] adj pozamałżeński.

extramural ['ɛkstrə'mjuərl] adj (studies, course) zaoczny; (activities) dodatkowy.

extraneous [ɛks'treɪnɪəs] adj uboczny.

extraordinary [ɪks'trɔ:dnrɪ] adj nadzwyczajny, niezwykły; (meeting) nadzwyczajny; **the extraordinary thing is that ...** niezwykłe jest to, że ... .

extraordinary general meeting n nadzwyczajne walne zebranie nt.

extrapolation [ɛkstræpə'leɪʃən] n ekstrapolacja f.

extra-sensory perception n percepcja f pozazmysłowa.

extra time (FOOTBALL) n dogrywka f.

extravagance [ɪks'trævəgəns] n (no pl: quality) rozrzutność f; (instance) ekstrawagancja f.

extravagant [ɪks'trævəgənt] adj (person) rozrzutny; (gift) (przesadnie) kosztowny; (tastes, ideas) ekstrawagancki; (praise) przesadny.

extreme [ɪks'tri:m] adj (conditions, opinions, methods) ekstremalny; (poverty, example) skrajny; (caution) największy ♦ n ekstremalność f, skrajność f; **extreme point/tip** czubek, koniec; **extreme edge** skraj, kraniec; **the extreme right/left** (POL) skrajna prawica/lewica; **extremes of temperature** ekstremalne or skrajne temperatury.

extremely [ɪks'tri:mlɪ] adv niezmiernie, nadzwyczajnie.

extremist [ɪks'tri:mɪst] n ekstremista (-tka) m(f) ♦ adj ekstremistyczny.

extremity [ɪks'trɛmɪtɪ] n (edge, end) kraniec m, skraj m; (of situation) skrajność f; **extremities** npl (ANAT) kończyny pl.

extricate ['ɛkstrɪkeɪt] vt: **to extricate sb/sth (from)** (trap) wyswobadzać (wyswobodzić perf) kogoś/coś (z +gen); (difficult situation) wyplątywać (wyplątać perf) kogoś/coś (z +gen).

extrovert ['ɛkstrəvəːt] n ekstrawertyk (-yczka) m(f).

exuberance [ɪg'zjuːbərns] n entuzjazm m.

exuberant [ɪg'zjuːbərnt] adj (person) tryskający energią or entuzjazmem; (imagination, foliage) bujny, wybujały.

exude [ɪg'zjuːd] vt (confidence, enthusiasm) tryskać (trysnąć perf) +instr; (liquid, smell) wydzielać (wydzielić perf).

exult [ɪg'zʌlt] vi radować się, nie posiadać się z radości; **he exulted in the title of ...** chlubił się tytułem +gen.

exultant [ɪg'zʌltənt] adj rozradowany.

exultation [ɛgzʌl'teɪʃən] n rozradowanie nt.

eye [aɪ] n (ANAT) oko nt; (of needle) ucho nt ♦ vt przypatrywać się (przypatrzyć się perf) +dat; **to keep an eye on** mieć na oku +acc; **as far as the eye can see** jak okiem sięgnąć; **in the public eye** w centrum uwagi publicznej; **to see eye to eye with sb** całkowicie się z kimś zgadzać; **to have an eye for** mieć (doskonałe) wyczucie +gen; **there's more to this than meets the eye** kryje się za tym coś więcej.

eyeball ['aɪbɔːl] n gałka f oczna.

eyebath ['aɪbɑːθ] (BRIT) n kieliszek m do przemywania oczu.

eyebrow ['aɪbrau] n brew f.

eyebrow pencil n ołówek m do brwi.

eye-catching ['aɪkætʃɪŋ] adj przyciągający wzrok.

eye cup (US) n = eyebath.

eyedrops ['aɪdrɔps] npl krople pl do oczu.

eyeglass ['aɪglɑːs] n monokl m.

eyelash ['aɪlæʃ] n rzęsa f.

eyelet ['aɪlɪt] n (on belt, shoes) dziurka f.

eye-level ['aɪlɛvl] adj na wysokości oczu post.

eyelid ['aɪlɪd] n powieka f.

eyeliner ['aɪlaɪnə*] n ołówek m do oczu, eyeliner m.

eye-opener ['aɪəupnə*] n rewelacja f.

eyeshadow ['aɪʃædəu] n cień m do powiek.

eyesight ['aɪsaɪt] n wzrok m.

eyesore ['aɪsɔː*] n (fig) szkaradzieństwo nt, brzydactwo nt.

eyestrain ['aɪstreɪn] n: **to get eyestrain** przemęczyć (perf) oczy or wzrok.

eyetooth ['aɪtuːθ] (pl **eyeteeth**) n (górny) kieł m (ludzki); **I would give my eyeteeth for/to** wiele bym dał za +accl, żeby móc +infin.

eyewash ['aɪwɔʃ] n płyn m do przemywania oczu; (fig) mydlenie nt oczu.

eye witness n naoczny świadek m.

eyrie ['ɪərɪ] n niedostępne gniazdo nt (orle itp).

F,f

F¹, f [ɛf] n (letter) F nt, f nt; **F for Frederick,** (US) **F for Fox** ≈ F jak Franciszek.

F² [ɛf] n (MUS) F nt, f nt.

F³ abbr = **Fahrenheit** °F.

FA (BRIT) n abbr (= Football Association) ≈ PZPN m.

FAA (US) n abbr (= Federal Aviation Administration) urząd federalny sprawujący kontrolę nad lotnictwem.

fable ['feɪbl] n bajka f.

fabric ['fæbrɪk] n (cloth) tkanina f; (of society) struktura f; (of building) konstrukcja f.

fabricate ['fæbrɪkeɪt] vt (evidence, story) fabrykować (sfabrykować perf); (parts, equipment) produkować (wyprodukować perf).

fabrication [fæbrɪ'keɪʃən] n (lie) wymysł m; (manufacturing) produkcja f.

fabric ribbon n taśma f do maszyny (do pisania).

fabulous ['fæbjuləs] adj (person, looks, mood) fantastyczny; (beauty, wealth, luxury) bajeczny; (mythical) baśniowy, bajkowy.

facade n (lit, fig) fasada f.

face [feɪs] n (ANAT) twarz f; (expression) mina f; (of clock) tarcza f; (of mountain, cliff) ściana f; (of cube, dice) ścianka f; (fig) oblicze nt ♦ vt (person: direction, object) zwracać się (zwrócić się perf) twarzą do +gen; (: unpleasant situation) stawiać (stawić perf) czoło +dat; (building, seat) być zwróconym w kierunku +gen; **face down/up** (person) (leżący) na brzuchu/plecach; (card) zakryty/odkryty; **to lose/save face** stracić (perf)/zachować (perf) twarz; **to make** or **pull a face** robić (zrobić perf) minę; **to make faces** robić or stroić miny; **in the face of** w obliczu +gen; **on the face of it** na pierwszy rzut oka; **face to face (with)** twarzą w twarz (z +instr); **to be facing sb/sth** (person) być zwróconym twarzą do kogoś/czegoś; **to face the fact that ...** przyjmować (przyjąć perf) do wiadomości (fakt), że ... .

▸**face up to** vt fus (problems, obstacles) stawiać (stawić perf) czoło +dat; (one's responsibilities, duties) uznawać (uznać perf) +acc.

face cloth (BRIT) n myjka f do twarzy.

face cream n krem m do twarzy.

faceless ['feɪslɪs] adj bezimienny, anonimowy.

face lift n (of person) lifting m twarzy; (of building, room, furniture) odnowienie nt.

face powder n puder m (kosmetyczny).

face-saving ['feɪs'seɪvɪŋ] adj (compromise, gesture) pozwalający zachować twarz.

facet ['fæsɪt] *n* (*of question, personality*) strona *f*, aspekt *m*; (*of gem*) faseta *f*.

facetious [fə'si:ʃəs] *adj* (*comment, remark*) żartobliwy; (*person*) frywolny.

face-to-face ['feɪstə'feɪs] *adv* twarzą w twarz *post*.

face value *n* wartość *f* nominalna; **to take sth at face value** (*fig*) brać (wziąć *perf*) coś za dobrą monetę.

facia ['feɪʃə] *n* = **fascia**.

facial ['feɪʃl] *adj*: **facial expression** wyraz *m* twarzy; **facial hair** owłosienie *nt* twarzy, zarost *m* ♦ *n* zabieg *m* kosmetyczny (twarzy).

facile ['fæsaɪl] *adj* płytki, powierzchowny.

facilitate [fə'sɪlɪteɪt] *vt* ułatwiać (ułatwić *perf*).

facilities [fə'sɪlɪtɪz] *npl* (*buildings*) pomieszczenia *pl*; (*equipment*) urządzenia *pl*; **credit facilities** możliwość zaciągnięcia kredytu; **she had no cooking facilities in her room** nie miała w swoim pokoju warunków do gotowania.

facility [fə'sɪlɪtɪ] *n* (*service*) udogodnienie *nt*; (*feature*) (dodatkowa) funkcja *f*; (*aptitude*): **to have a facility for** (*languages etc*) mieć zdolności do +*gen*.

facing ['feɪsɪŋ] *n* fliselina *f*, materiał *m* usztywniający.

facsimile [fæk'sɪmɪlɪ] *n* faksymile *nt*.

fact [fækt] *n* fakt *m*; **in fact** (*expressing emphasis*) faktycznie; (*disagreeing*) w rzeczywistości; (*qualifying statement*) właściwie; **I know for a fact (that ...)** wiem na pewno (, że ...); **the fact (of the matter) is (that) ...** rzecz w tym, że ...; **have you told your son the facts of life yet?** czy uświadomiłeś już syna?; **the service fell victim to the economic facts of life** usługi padły ofiarą naturalnych praw rozwoju ekonomicznego.

fact-finding ['fæktfaɪndɪŋ] *adj* (*ission, trip*) dla zebrania informacji *post*.

faction ['fækʃən] *n* odłam *m*, frakcja *f*.

factor ['fæktə*] *n* czynnik *m*; (*MATH*) współczynnik *m*.

factory ['fæktərɪ] *n* fabryka *f*.

factory farming (*BRIT*) *n* chów *m* przemysłowy; (*of pigs*) tucz *m* przemysłowy.

factory ship *n* statek *m* przetwórnia *f*.

factual ['fæktjuəl] *adj* (*analysis, information*) rzeczowy.

faculty ['fækəltɪ] *n* (*sense, ability*) zdolność *f*; (*of university*) wydział *m*; (*US: teaching staff*) wykładowcy *vir pl*.

fad [fæd] *n* przelotna *or* chwilowa moda *f*.

fade [feɪd] *vi* (*colour, wallpaper, photograph*) blaknąć (wyblaknąć *perf*); (*sound*) cichnąć, ucichać (ucichnąć *perf*); (*hope, memory, smile*) gasnąć (zgasnąć *perf*); **the light was fading** ściemniało się.

►**fade in** *vt* (*picture*) rozjaśniać (rozjaśnić *perf*); (*sound*) wzmacniać (wzmocnić *perf*).

►**fade out** *vt* (*picture*) ściemniać (ściemnić *perf*); (*sound*) wyciszać (wyciszyć *perf*).

faeces ['fi:si:z] (*US* **feces**) *npl* kał *m*, odchody *pl*.

fag [fæg] *n* (*BRIT: inf: cigarette*) fajka *f* (*inf*); (: : *chore*) mordęga *f*; (*US: inf!*) pedał *m* (*inf!*).

fail [feɪl] *vt* (*person: exam*) nie zdawać (nie zdać *perf*) +*gen*, oblewać (oblać *perf*); (*examiner: candidate*) oblewać (oblać *perf*); (*leader, memory*) zawodzić (zawieść *perf*); (*courage*) opuszczać (opuścić *perf*) ♦ *vi* (*candidate*) nie zdawać (nie zdać *perf*), oblewać (oblać *perf*); (*attempt*) nie powieść się (*perf*); (*brakes*) zawodzić (zawieść *perf*); (*eyesight, health*) pogarszać się (pogorszyć się *perf*); (*light*) gasnąć (zgasnąć *perf*); **to fail to do sth** (*not succeed*) nie zdołać (*perf*) czegoś zrobić; (*neglect*) nie zrobić (*perf*) czegoś; **without fail** (*always, religiously*) obowiązkowo; (*definitely*) na pewno.

failing ['feɪlɪŋ] *n* wada *f* ♦ *prep* jeżeli nie będzie +*gen*; **failing that** ewentualnie.

failsafe ['feɪlseɪf] *adj* (*machine, system*) bezpieczny w razie uszkodzenia; (*device, mechanism*) zabezpieczający.

failure ['feɪljə*] *n* (*lack of success*) niepowodzenie *nt*; (*person*) ofiara *f* (życiowa), nieudacznik *m*; (*of engine*) uszkodzenie *nt*; (*of heart*) niedomoga *f*, niewydolność *f*; (*of crops*) nieurodzaj *m*; **his failure to turn up** jego niestawienie się; **it was a complete failure** to była kompletna klęska.

faint [feɪnt] *adj* nikły, słaby; (*smell, breeze*) lekki ♦ *vi* (*MED*) mdleć (zemdleć *perf*) ♦ *n* (*MED*) omdlenie *nt*; **I feel faint** słabo mi.

faint-hearted ['feɪnt'hɑ:tɪd] *adj* (*attempt*) nieśmiały; (*person*) bojaźliwy.

faintly ['feɪntlɪ] *adv* (*slightly*) z lekka; (*weakly*) słabo.

fair [feə*] *adj* (*just, impartial*) sprawiedliwy; (*honest, honourable*) uczciwy; (*size, number, chance*) spory; (*guess, assessment*) trafny; (*complexion, hair*) jasny; (*weather*) ładny ♦ *adv*: **to play fair** (*SPORT*) grać fair; (*fig*) postępować uczciwie ♦ *n* (*also*: **trade fair**) targi *pl*; (*BRIT: also*: **funfair**) wesołe miasteczko *nt*; **it's not fair!** to nie fair!; **a fair amount of money** spora suma pieniędzy; **a fair amount of success** spory sukces.

fair copy *n* czystopis *m*.

fair-haired [feə'heəd] *adj* jasnowłosy.

fairly ['feəlɪ] *adv* (*justly*) sprawiedliwie; (*quite*) dość, dosyć.

fair-minded [feə'maɪndɪd] *adj* bezstronny.

fairness ['feənɪs] *n* sprawiedliwość *f*; **in all fairness** gwoli sprawiedliwości.

fair play *n* fair play *nt inv*.

fairway ['feəweɪ] *n* (*GOLF*) bieżnia *f*.

fairy ['fɛərɪ] *n* wróżka *f* (*z bajki*).

fairy godmother *n* (*fig*) dobra *f* wróżka.

fairy lights (*BRIT*) *npl* kolorowe światełka *pl* or lampki *pl*.

fairy tale *n* bajka *f*, baśń *f*.

faith [feɪθ] *n* wiara *f*; **to have faith in sb/sth** wierzyć w kogoś/coś.

faithful ['feɪθful] *adj* wierny; **to be faithful to** (*spouse*) być wiernym +*dat*; (*book, original*) wiernie oddawać (oddać *perf*) +*acc*.

faithfully ['feɪθfəlɪ] *adv* wiernie; **Yours faithfully** Z poważaniem.

faith healer *n* uzdrowiciel(ka) *m(f)*, uzdrawiacz(ka) *m(f)* (*pej*).

fake [feɪk] *n* falsyfikat *m*, podróbka *f* (*inf*) ♦ *adj* (*antique*) podrabiany; (*passport*) fałszywy; (*laugh*) udawany ♦ *vt* (*painting, document, signature*) podrabiać (podrobić *perf*); (*accounts, results*) fałszować (sfałszować *perf*); (*illness, emotion*) udawać (udać *perf*); **he's a fake** nie jest tym, za kogo się podaje.

falcon ['fɔːlkən] *n* sokół *m*.

Falkland Islands ['fɔːlklənd-] *npl*: **the Falkland Islands** Wyspy *pl* Falklandzkie.

fall [fɔːl] (*pt* **fell**, *pp* **fallen**) *n* (*of person, object, government*) upadek *m*; (*in price, temperature*) spadek *m*; (*of snow*) opady *pl*; (*US: autumn*) jesień *f* ♦ *vi* (*person, object, government*) upadać (upaść *perf*); (*snow, rain*) padać, spadać (spaść *perf*); (*price, temperature, dollar*) spadać (spaść *perf*); (*night, darkness, silence*) zapadać (zapaść *perf*); (*light, shadow*) padać (paść *perf*); (*sadness*) zapanowywać (zapanować *perf*); **falls** *npl* wodospad *m*; **to fall flat** nie udawać się (nie udać się *perf*), nie wychodzić (nie wyjść *perf*); **to fall in love (with sb/sth)** zakochiwać się (zakochać się *perf*) (w kimś/czymś); **to fall short of sb's expectations** nie spełniać (nie spełnić *perf*) czyichś oczekiwań.

►**fall apart** *vi* rozpadać się (rozpaść się *perf*), rozlatywać się (rozlecieć się *perf*); (*inf: emotionally*) rozklejać się (rozkleić się *perf*).

►**fall back** *vt fus* (*MIL*) wycofywać się (wycofać się *perf*); (*in fear, disgust*) cofać się (cofnąć się *perf*).

►**fall back on** *vt fus* zdawać się (zdać się *perf*) na +*acc*, uciekać się (uciec się *perf*) do +*gen*.

►**fall behind** *vi* pozostawać (pozostać *perf*) w tyle; (*fig: with payment*) zalegać.

►**fall down** *vi* (*person*) upadać (upaść *perf*); (*building*) walić się (zawalić się *perf*).

►**fall for** *vt fus* (*trick, story*) dawać (dać *perf*) się nabrać na +*acc*; (*person*) zakochiwać się (zakochać się *perf*) w +*loc*.

►**fall in** *vi* (*roof*) zapadać się (zapaść się *perf*); (*MIL*) formować (sformować *perf*) szereg.

►**fall in with** *vt fus* (*plan, suggestion*) zgadzać się (zgodzić się *perf*) na +*acc*; (*remark*) zgadzać się (zgodzić się *perf*) z +*instr*.

►**fall off** *vi* (*person, object*) odpadać (odpaść *perf*); (*takings, attendance*) spadać (spaść *perf*).

►**fall out** *vi* (*hair, teeth*) wypadać (wypaść *perf*); (*friends etc*): **to fall out (with sb)** poróżnić się (*perf*) (z kimś).

►**fall over** *vi* przewracać się (przewrócić się *perf*) ♦ *vt* (*object*) przewracać (przewrócić *perf*); **to fall over o.s. to do sth** stawać (stanąć *perf*) na głowie, żeby coś zrobić.

►**fall through** *vi* nie dochodzić (nie dojść *perf*) do skutku.

fallacy ['fæləsɪ] *n* (*misconception*) mit *m*; (*in reasoning, argument*) błąd *m* (logiczny).

fallback ['fɔːbæk] *n* odwrót *m* ♦ *cpd*: **fallback position** upatrzona pozycja *f*.

fallen ['fɔːlən] *pp of* **fall**.

fallible ['fæləbl] *adj* (*person*) omylny; (*memory*) zawodny.

falling ['fɔːlɪŋ] *adj*: **falling market** załamujący się rynek *m*.

falling-off ['fɔːlɪŋ'ɔf] *n* (*of business, interest*) spadek *m*.

fallopian tube [fə'ləupɪən-] *n* jajowód *m*.

fallout ['fɔːlaut] *n* opad *m* radioaktywny.

fallout shelter *n* schron *m* przeciwatomowy.

fallow ['fæləu] *adj*: **fallow land/field** ugór *m*.

false [fɔːls] *adj* fałszywy; **false imprisonment** bezprawne pozbawienie wolności.

false alarm *n* fałszywy alarm *m*.

falsehood ['fɔːlshud] *n* fałsz *m*.

falsely ['fɔːlslɪ] *adv* (*accuse*) bezpodstawnie.

false pretences *npl*: **under false pretences** pod fałszywym pretekstem.

false teeth (*BRIT*) *npl* sztuczna szczęka *f*.

falsify ['fɔːlsɪfaɪ] *vt* fałszować (sfałszować *perf*).

falter ['fɔːltə*] *vi* (*engine*) przerywać; (*voice*) łamać się, załamywać się (załamać się *perf*); (*weaken: person*) wahać się (zawahać się *perf*); (*: demand, interest*) słabnąć (osłabnąć *perf*); **he faltered, his steps faltered** zachwiał się.

fame [feɪm] *n* sława *f*.

familiar [fə'mɪlɪə*] *adj* (*well-known*) (dobrze) znany, znajomy; (*too intimate*) poufały; **I am familiar with her work** znam jej prace; **to be on familiar terms with sb** być z kimś w zażyłych stosunkach.

familiarity [fəmɪlɪ'ærɪtɪ] *n* (*of place*) znajomy wygląd *m* or charakter *m*; (*excessive intimacy*) poufałość *f*; (*knowledge*): **familiarity with** znajomość *f* +*gen*.

familiarize [fə'mɪlɪəraɪz] *vt*: **to familiarize o.s. with sth** zaznajamiać się (zaznajomić się *perf*) z czymś.

family ['fæmɪlɪ] *n* rodzina *f*; **mothers with large families** matki z licznym potomstwem; **after raising a family** po odchowaniu dzieci.

family business *n* firma *f* rodzinna.

family doctor *n* lekarz *m* domowy.

family life *n* życie *nt* rodzinne.

family planning *n* planowanie *nt* rodziny; **family planning clinic** poradnia rodzinna.

family tree *n* drzewo *nt* genealogiczne.

famine ['fæmɪn] *n* głód *m*, klęska *f* głodu.

famished ['fæmɪʃt] *(inf) adj* wygłodniały; **I'm famished** umieram z głodu.

famous ['feɪməs] *adj* sławny, znany; **famous for** słynny *or* słynący z +*gen*.

famously ['feɪməslɪ] *adv*. **to get on famously (with sb)** bardzo dobrze się (z kimś) zgadzać.

fan [fæn] *n (folding)* wachlarz *m*; *(ELEC)* wentylator *m*; *(of pop star)* fan(ka) *m(f)*; *(of sports team)* kibic *m* ♦ *vt (face, person)* wachlować (powachlować *perf*); *(fire, fear, anger)* podsycać (podsycić *perf*).

►**fan out** *vi (spread out)* rozbiegać się (rozbiec się *perf*) (półkoliście).

fanatic [fə'nætɪk] *n* fanatyk (-yczka) *m(f)*.

fanatical [fə'nætɪkl] *adj* fanatyczny.

fan belt *n* pasek *m* klinowy wentylatora.

fanciful ['fænsɪful] *adj (notion, idea)* dziwaczny; *(design, name)* udziwniony, wymyślny.

fancy ['fænsɪ] *n (liking)* upodobanie *nt*; *(imagination)* wyobraźnia *f*, fantazja *f*; *(fantasy)* marzenie *nt*, mrzonka *f* ♦ *adj (clothes, hat)* wymyślny, fantazyjny; *(hotel)* wytworny, luksusowy ♦ *vt (feel like, want)* mieć ochotę na +*acc*; *(imagine)* wyobrażać (wyobrazić *perf*) sobie; **I fancied (that) ...** wydawało mi się, że ...; **I took a fancy to him** spodobał mi się; **when the fancy takes him** kiedy mu przyjdzie ochota; **the vase immediately took** *or* **caught her fancy** wazon natychmiast wpadł jej w oko; **he fancies himself** jest zakochany w sobie; **he fancies himself as an intellectual** wyobraża sobie, że jest intelektualistą; **she fancies you** *(inf)* podobasz jej się; **well, fancy that!** a to dopiero!, coś takiego!

fancy dress *n* przebranie *nt*, kostium *m*.

fancy-dress ball ['fænsɪdres-] *n* bal *m* kostiumowy *or* przebierańców.

fancy goods *npl* luksusowe towary *pl*.

fanfare ['fænfɛə*] *n* fanfara *f*.

fang [fæŋ] *n* kieł *m*.

fan heater *(BRIT)* *n* termowentylator *m*.

fanlight ['fænlaɪt] *n* naświetle *nt (półkoliste okienko nad drzwiami)*.

fantasize ['fæntəsaɪz] *vi* marzyć.

fantastic [fæn'tæstɪk] *adj* fantastyczny; *(strange, incredible)* niezwykły.

fantasy ['fæntəsɪ] *n (dream)* marzenie *nt*; *(unreality)* fikcja *f*; *(imagination)* wyobraźnia *f*; *(LITERATURE)* fantastyka *f* baśniowa.

FAO *n abbr (= Food and Agriculture Organization)* FAO *nt inv*.

f.a.q. *abbr (= free alongside quay)* franco nabrzeże.

far [fɑ:*] *adj* daleki ♦ *adv (a long way)* daleko; *(much, greatly)* w dużym stopniu; **at the far side** na drugiej stronie; **at the far end** na drugim końcu; **far away** daleko; **far off** daleko; **far better** daleko lepiej; **he was far from poor** nie był bynajmniej biedny; **far from speeding up, the car stopped** zamiast przyspieszyć, samochód zatrzymał się; **by far** zdecydowanie; **is it far to London?** czy daleko do Londynu?; **it's not far from here** to niedaleko stąd; **go as far as the farm** idź (aż) do farmy; **as far back as the thirteenth century** już w trzynastym wieku; **as far as I know** o ile wiem; **as far as possible** na tyle, na ile (to) możliwe, w miarę możliwości; **he went too far** posunął się zbyt daleko; **he went so far as to resign** posunął się aż do złożenia rezygnacji; **far and away** zdecydowanie; **from far and wide** zewsząd; **far from it** bynajmniej; **far be it from me to criticise** daleki jestem od tego, by krytykować; **so far** (jak) dotąd *or* do tej pory, dotychczas; **how far?** *(in distance, progress)* jak daleko?; *(in degree)* na ile?, do jakiego stopnia?; **the far left/right** *(POL)* skrajna lewica/prawica.

faraway ['fɑ:rəweɪ] *adj (place)* odległy, daleki; *(sound)* daleki; *(look, thought)* oddalony.

farce [fɑ:s] *n (lit, fig)* farsa *f*.

farcical ['fɑ:sɪkl] *adj* absurdalny, niedorzeczny.

fare [fɛə*] *n (on train, bus)* opłata *f* (za przejazd); *(food)* strawa *f*; *(in taxi)* klient(ka) *m(f)*; **he fares well/badly** dobrze/źle mu się powodzi *or* wiedzie; **how did you fare?** jak ci poszło?; **they fared badly in the recent elections** nie powiodło im się w ostatnich wyborach; **half/full fare** opłata ulgowa/normalna.

Far East *n*: **the Far East** Daleki Wschód *m*.

farewell [fɛə'wel] *excl* żegnaj(cie) ♦ *n* pożegnanie *nt*; **to bid sb farewell** żegnać się (pożegnać się *perf*) z kimś ♦ *cpd* pożegnalny.

far-fetched ['fɑ:'fetʃt] *adj (unlikely to be true)* mało prawdopodobny; *(over-ambitious)* zbyt daleko idący.

farm [fɑ:m] *n* gospodarstwo *nt* (rolne); *(specialist)* farma *f* ♦ *vt (land)* uprawiać.

►**farm out** *vt (work etc)* zlecać (zlecić *perf*).

farmer ['fɑ:mə*] *n* rolnik *m*; *(on specialist farm)* farmer *m*.

farmhand ['fɑ:mhænd] *n* robotnik (-ica) *m(f)* rolny (-na) *m(f)*.

farmhouse ['fɑ:mhaus] *n* dom *m* w gospodarstwie rolnym.

farming ['fɑ:mɪŋ] *n (agriculture)* gospodarka *f* rolna; *(of crops)* uprawa *f*; *(of animals)* hodowla *f*; **sheep farming** hodowla owiec; **intensive farming** intensywna gospodarka rolna

farm labourer n = farmhand.

farmland ['fɑːmlænd] n pole nt uprawne.

farm produce n produkty pl rolne.

farm worker n = farmhand.

farmyard ['fɑːmjɑːd] n podwórze nt.

Faroe Islands ['fɛərəu-] npl: **the Faroe Islands** Wyspy pl Owcze.

Faroes ['fɛərəuz] npl = Faroe Islands.

far-reaching ['fɑːˈriːtʃɪŋ] adj dalekosiężny.

far-sighted ['fɑːˈsaɪtɪd] adj (US) dalekowzroczny.

fart [fɑːt] (inf!) vi pierdzieć (pierdnąć perf) (inf!) ♦ n pierdnięcie nt (inf!).

farther ['fɑːðə*] adv dalej ♦ adj (shore, side) drugi.

farthest ['fɑːðɪst] adv najdalej.

f.a.s. (BRIT) abbr (= free alongside ship) franco wzdłuż burty statku.

fascia ['feɪʃə] n (AUT) deska f rozdzielcza.

fascinate ['fæsɪneɪt] vt fascynować (zafascynować perf).

fascinating ['fæsɪneɪtɪŋ] adj fascynujący.

fascination [fæsɪˈneɪʃən] n fascynacja f, zafascynowanie nt; **to hold** or **exercise a fascination for sb** być dla kogoś źródłem fascynacji.

fascism ['fæʃɪzəm] n faszyzm m.

fascist ['fæʃɪst] adj faszystowski ♦ n faszysta (-tka) m(f).

fashion ['fæʃən] n (trend, clothes) moda f; (manner) sposób m ♦ vt (out of clay etc) wymodelowywać (wymodelować perf); **in fashion** w modzie; **to go out of fashion** wychodzić (wyjść perf) z mody; **after a fashion** jako tako.

fashionable ['fæʃnəbl] adj modny.

fashion designer n projektant(ka) m(f) mody.

fashion show n pokaz m mody.

fast [fɑːst] adj (runner, car, progress) szybki; (dye, colour) trwały ♦ adv (run, act, think) szybko; (stuck, held) mocno ♦ n post m ♦ vi pościć; **my watch is (5 minutes) fast** mój zegarek śpieszy się (o 5 minut); **to be fast asleep** spać głęboko; **as fast as I can** najszybciej jak mogę; **to make a boat fast** (BRIT) zacumowywać (zacumować perf) łódź.

fasten ['fɑːsn] vt (one thing to another) przymocowywać (przymocować perf); (coat, dress, seat-belt) zapinać (zapiąć perf) ♦ vi (dress etc) zapinać się (zapiąć się perf).

▸**fasten (up)on** vt fus (idea, scheme) uchwycić się (perf) +gen.

fastener ['fɑːsnə*] n zapięcie nt.

fastening ['fɑːsnɪŋ] n = fastener.

fast food n szybkie dania pl; **fast food restaurant** bar szybkiej obsługi; **fast food chain** sieć barów szybkiej obsługi.

fastidious [fæsˈtɪdɪəs] adj (fussy) wybredny; (attentive to detail) drobiazgowy, skrupulatny.

fast lane n: **the fast lane** pas m szybkiego ruchu.

fat [fæt] adj (animal) tłusty; (person, book, wallet) gruby; (profit) pokaźny ♦ n tłuszcz m; **to live off the fat of the land** opływać w dostatki; **that's a fat lot of use** or **good to us** (inf) strasznie dużo nam z tego przyjdzie!

fatal ['feɪtl] adj (injury, illness, accident) śmiertelny; (mistake) fatalny.

fatalistic [feɪtəˈlɪstɪk] adj fatalistyczny.

fatality [fəˈtælɪtɪ] n (death) wypadek m śmiertelny.

fatally ['feɪtəlɪ] adv (wounded, injured) śmiertelnie.

fate [feɪt] n los m; **to meet one's fate** spotykać (spotkać perf) swoje przeznaczenie.

fated ['feɪtɪd] adj: **we were fated to meet, it was fated that we should meet** było nam przeznaczone or sądzone się spotkać.

fateful ['feɪtful] adj brzemienny w skutki.

father ['fɑːðə*] n (lit, fig) ojciec m.

Father Christmas n ≈ Święty Mikołaj m.

fatherhood ['fɑːðəhud] n ojcostwo nt.

father-in-law ['fɑːðərɪnlɔː] n teść m.

fatherland ['fɑːðəlænd] n ojczyzna f.

fatherly ['fɑːðəlɪ] adj ojcowski.

fathom ['fæðəm] n (NAUT) sążeń m (angielski) ♦ vt (mystery) zgłębiać (zgłębić perf); (meaning, reason) pojmować (pojąć perf).

fatigue [fəˈtiːg] n (tiredness) zmęczenie nt; **fatigues** npl (MIL) mundur m polowy; **metal fatigue** zmęczenie metalu.

fatness ['fætnɪs] n tusza f.

fatten ['fætn] vt tuczyć (utuczyć perf); **chocolate is fattening** czekolada jest tucząca.

fatty ['fætɪ] adj (food) tłusty ♦ n (inf) grubas(ka) m(f).

fatuous ['fætjuəs] adj niedorzeczny.

faucet ['fɔːsɪt] (US) n kran m.

fault [fɔːlt] n (mistake) błąd m; (defect: in person) wada f; (: in machine) usterka f; (GEOL) uskok m; (TENNIS) błąd m serwisowy ♦ vt: **I couldn't fault him** nie mogłem mu nic zarzucić; **it's my fault** to moja wina; **if my memory is not at fault** jeśli mnie pamięć nie myli; **to find fault with sb/sth** czepiać się kogoś/czegoś; **to be at fault** ponosić winę; **generous to a fault** hojny (aż) do przesady.

faultless ['fɔːltlɪs] adj bezbłędny.

faulty ['fɔːltɪ] adj wadliwy.

fauna ['fɔːnə] n fauna f.

faux pas n inv faux pas nt inv.

favour ['feɪvə*] (US **favor**) n (approval) przychylność f; (act of kindness) przysługa f ♦ vt (prefer: solution, view) preferować; (: person) faworyzować; (be advantageous to) sprzyjać +dat; **to ask a favour of sb** prosić (poprosić perf) kogoś o przysługę; **to do sb a favour** wyświadczać (wyświadczyć

perf) komuś przysługę; **in favour of** na
korzyść +*gen*; **to be in favour of sth/doing
sth** być zwolennikiem czegoś/(z)robienia
czegoś; **to find favour with sb** przypadać
(przypaść *perf*) komuś do gustu.

favourable ['feɪvrəbl] *adj* (*reaction, review*)
przychylny; (*terms, conditions, impression*)
korzystny; **to be favourable to** być
przychylnie nastawionym do +*gen*.

favourably ['feɪvrəblɪ] *adv* (*react, speak,
review*) przychylnie; (*placed*) korzystnie; **to
compare favourably with** wypadać (wypaść
perf) korzystnie w porównaniu z +*instr*.

favourite ['feɪvrɪt] *adj* ulubiony ♦ *n* (*of
teacher, parent*) ulubieniec (-ica) *m(f)*; (*in
race*) faworyt(ka) *m(f)*.

favouritism ['feɪvrɪtɪzəm] *n* protekcja *f*.

fawn [fɔːn] *n* jelonek *m* ♦ *adj* (*also:
fawn-coloured*) płowy ♦ *vi*: **to fawn (up)on**
nadskakiwać +*dat*.

fax [fæks] *n* faks *m* ♦ *vt* faksować
(przefaksować *perf*).

FBI (*US*) *n abbr* (= *Federal Bureau of
Investigation*) FBI *nt inv*.

FCC (*US*) *n abbr* (= *Federal Communications
Commission*) *federalny urząd łączności*.

FCO (*BRIT*) *n abbr* (= *Foreign and
Commonwealth Office*) Ministerstwo *nt* Spraw
Zagranicznych i Stosunków z Krajami
Wspólnoty Narodów.

FD (*US*) *n abbr* (= *fire department*) SP *f inv*,
= Straż Pożarna.

FDA (*US*) *n abbr* (= *Food and Drug
Administration*) *urząd federalny sprawujący
kontrolę nad jakością żywności i lekarstw*.

fear [fɪə*] *n* (*dread*) strach *m*; (: *indefinite,
irrational*) lęk *m*; (*anxiety*) obawa *f* ♦ *vt* (*be
scared of*) bać się +*gen*; (*be worried about*)
obawiać się +*gen* ♦ *vi*: **to fear for** lękać się
or obawiać się o +*acc*; **to fear that** ...
obawiać się, że ...; **fear of heights** lęk
wysokości; **for fear of offending him** (w
obawie,) żeby go nie urazić.

fearful ['fɪəful] *adj* (*person*) bojaźliwy; (*sight,
consequences*) przerażający, straszny;
(*scream, racket*) przeraźliwy, straszliwy; **to be
fearful of sth/doing sth** bać się czegoś/coś
(z)robić.

fearfully ['fɪəfəlɪ] *adv* (*timidly*) bojaźliwie;
(*fml: very*) przeraźliwie, straszliwie.

fearless ['fɪəlɪs] *adj* nieustraszony.

fearsome ['fɪəsəm] *adj* przerażający.

feasibility [fiːzə'bɪlɪtɪ] *n* wykonalność *f*.

feasibility study *n* techniczno-ekonomiczne
badanie *nt* wykonalności.

feasible ['fiːzəbl] *adj* wykonalny.

feast [fiːst] *n* (*banquet*) uczta *f*; (*REL: also:
feast day*) święto *nt* ♦ *vi* ucztować; **to feast
on** zajadać się +*instr*; **to feast one's eyes**

(up)on sb/sth sycić wzrok widokiem
kogoś/czegoś.

feat [fiːt] *n* wyczyn *m*.

feather ['fɛðə*] *n* pióro *nt* ♦ *cpd* (*mattress,
pillow*) puchowy ♦ *vt*: **to feather one's nest**
(*fig*) nabijać (nabić *perf*) kabzę; **a feather in
one's cap** powód do dumy.

featherweight ['fɛðəweɪt] *n* bokser *m* wagi
piórkowej; (*fig*) płotka *f*.

feature ['fiːtʃə*] *n* cecha *f*; (*PRESS, TV,
RADIO*) (obszerny) reportaż *m* (*na poważny
temat nie związany bezpośrednio z najświeższymi
wiadomościami*) ♦ *vt*: **the film features two
famous actors** w filmie występują dwaj znani
aktorzy ♦ *vi*: **to feature in** (*film*) grać (zagrać
perf) pierwszoplanową rolę w +*loc*; (*situation*)
odgrywać (odegrać *perf*) ważną rolę w +*loc*;
features *npl* rysy *pl* (twarzy).

feature film *n* film *m* fabularny.

featureless ['fiːtʃəlɪs] *adj* niczym się nie
wyróżniający.

Feb. *abbr* = **February** lut.

February ['fɛbruərɪ] *n* luty *m*; *see also* **July**.

feces ['fiːsiːz] (*US*) *npl* = **faeces**.

feckless ['fɛklɪs] *adj* nieodpowiedzialny.

fed [fɛd] *pt, pp of* **feed**.

Fed (*US*) *abbr* = **federal; federation**.

Fed. [fɛd] (*US: inf*) *n abbr* (= *Federal Reserve
Board*) *rada banków rezerwy federalnej,
tworzących bank centralny Stanów
Zjednoczonych*.

federal ['fɛdərəl] *adj* federalny.

Federal Republic of Germany *n* Republika
f Federalna Niemiec.

Federal Reserve Board (*US*) *n* Federalny
Bank *m* Rezerw.

Federal Trade Commission (*US*) *n*
Federalna Komisja *f* do Spraw Handlowych.

federation [fɛdə'reɪʃən] *n* federacja *f*.

fed up *adj*: **to be fed up (with)** mieć dość
(+*gen*).

fee [fiː] *n* opłata *f*; (*of doctor, lawyer*)
honorarium *nt*; **school fees** czesne; **entrance
fee** (*to organization*) wpisowe; **membership
fee** składka członkowska; **for a small fee** za
niewielką opłatą.

feeble ['fiːbl] *adj* słaby; (*joke, excuse*) kiepski.

feeble-minded ['fiːbl'maɪndɪd] *adj* słaby na
umyśle.

feed [fiːd] (*pt* **fed**) *n* (*feeding*) karmienie *nt*;
(*fodder*) pasza *f*; (*on printer*) dane *pl*
wejściowe ♦ *vt* (*baby, invalid, dog*) karmić
(nakarmić *perf*); (*family*) żywić (wyżywić
perf); (*data, information: into computer*)
wprowadzać (wprowadzić *perf*); (*coins: into
meter, payphone*) wrzucać (wrzucić *perf*).

►**feed on** *vt fus* żywić się +*instr*; **anger feeds
on disappointment** rozczarowanie stanowi
pożywkę dla gniewu.

feedback ['fi:dbæk] n (noise) sprzężenie nt; (from person) reakcja f.

feeder ['fi:də*] n: **the baby is a slow/sleepy feeder** niemowlę je wolno/zasypia przy jedzeniu.

feeding bottle ['fi:dɪŋ-] (BRIT) n butelka f dla niemowląt.

feel [fi:l] (pt **felt**) n: **it has a soft/smooth/prickly feel** to jest miękkie/gładkie/kłujące w dotyku ♦ vt (touch) dotykać (dotknąć perf) +gen; (experience) czuć (poczuć perf); (think, believe): **to feel that ...** uważać, że ...; **the place had a completely different feel** to miejsce miało zupełnie inną atmosferę; **I feel I'm neglecting him** czuję, że go zaniedbuję; **she knew how I felt about it** wiedziała, co sądzę na ten temat; **we didn't feel hungry** nie odczuwaliśmy głodu; **I feel cold/hot** jest mi zimno/gorąco; **to feel lonely/better** czuć się samotnie/lepiej; **I don't feel well** nie czuję się dobrze; **I feel sorry for her** żal mi jej; **the cloth feels soft** tkanina jest miękka w dotyku; **it feels like velvet** przypomina (w dotyku) aksamit; **it feels colder here** tu jest zimniej; **to feel like sth** mieć ochotę na coś; **I felt like a criminal** czułem się jak przestępca; **I'm still feeling my way** ciągle poruszam się po omacku; **you'll soon get the feel of it** wkrótce się przyzwyczaisz.

feel about vi szukać po omacku; **to feel about** or **around in one's pocket for** szperać or grzebać w kieszeni w poszukiwaniu +gen.

feel around vi = **feel about**.

feeler ['fi:lə*] n (of insect) czułek m; **to put out a feeler** or **feelers** (fig) badać (zbadać perf) grunt.

feeling ['fi:lɪŋ] n uczucie nt; **feelings were running high** rozgorzały namiętności; **what are your feelings about the matter?** co sądzisz na ten temat?; **I have a feeling (that) we are being followed** mam uczucie, że ktoś nas nas śledzi; **my feeling is that ...** mam wrażenie, że ...; **I didn't want to hurt his feelings** nie chciałam go urazić.

feet [fi:t] npl of **foot**.

feign [feɪn] vt (illness) symulować; (interest, surprise) udawać (udać perf).

feigned [feɪnd] adj: **feigned surprise** udawane zdziwienie nt.

feint [feɪnt] n papier m w linie.

felicitous [fɪ'lɪsɪtəs] adj (combination) udany, szczęśliwy; (word, remark) trafny.

feline ['fi:laɪn] adj koci.

fell [fɛl] pt of **fall** ♦ vt (tree) ścinać (ściąć perf); (opponent) powalić (perf) ♦ n (BRIT) góra, wzgórze lub wrzosowisko w dzikim krajobrazie północnej Anglii ♦ adj: **in one fell swoop** za jednym zamachem.

fellow ['fɛləu] n (chap) gość m, facet m; (comrade) towarzysz m; (of learned society) ≈ członek m (rzeczywisty); (of university) nauczyciel akademicki będący członkiem kolegium uniwersytetu ♦ cpd: **their fellow prisoners** ich współwięźniowie vir pl; **a fellow passenger** towarzysz podróży; **his fellow workers** jego koledzy z pracy; **with some of his fellow students** z kilkoma innymi studentami.

fellow citizen n współobywatel(ka) m(f).

fellow countryman (irreg like **man**) n rodak/rodaczka m/f.

fellow men npl bliźni vir pl.

fellowship ['fɛləuʃɪp] n (comradeship) koleżeństwo nt; (society) towarzystwo nt; (SCOL) członkostwo kolegium uniwersytetu.

fell-walking ['fɛlwɔ:kɪŋ] (BRIT) n górska turystyka f piesza.

felon ['fɛlən] n (JUR) zbrodniarz (-arka) m(f).

felony ['fɛlənɪ] n ciężkie przestępstwo nt.

felt [fɛlt] pt, pp of **feel** ♦ n filc m.

felt-tip pen ['fɛlttɪp-] n pisak m.

female ['fi:meɪl] n (ZOOL) samica f; (woman) kobieta f ♦ adj (child) płci żeńskiej post; (sex, plant, plug) żeński; (ZOOL: instincts) samiczy; (: animal): **female whale** samica f wieloryba; **the female body** ciało kobiety; **female equality** równouprawnienie kobiet; **female suffrage** prawo wyborcze dla kobiet; **male and female students** studenci obojga płci, studenci i studentki.

female impersonator n (THEAT) odtwórca m ról żeńskich.

feminine ['fɛmɪnɪn] adj kobiecy; (LING: gender) żeński; (: noun, pronoun) rodzaju żeńskiego post.

femininity [fɛmɪ'nɪnɪtɪ] n kobiecość f.

feminism ['fɛmɪnɪzəm] n feminizm m.

feminist ['fɛmɪnɪst] n feminista (-tka) m(f).

fen [fɛn] (BRIT) n: **the Fens** nisko położone, błotniste tereny we wschodniej Anglii.

fence [fɛns] n płot m ♦ vt (also: **fence in**) ogradzać (ogrodzić perf) ♦ vi (SPORT) uprawiać szermierkę; **to sit on the fence** (fig) zachowywać (zachować perf) neutralność.

fencing ['fɛnsɪŋ] n (SPORT) szermierka f.

fend [fɛnd] vi: **grown-up children should fend for themselves** dorosłe dzieci powinny radzić sobie same.

►fend off vt (attack, attacker, blow) odpierać (odeprzeć perf); (unwanted questions etc) bronić się (obronić się perf) przed +instr.

fender ['fɛndə*] n (of fireplace) osłona f zabezpieczająca; (on boat) odbijacz m; (US: of car) błotnik m.

fennel ['fɛnl] n (as herb) koper m włoski; (as vegetable) fenkuł m.

ferment [vb fə'mɛnt, n 'fə:mɛnt] vi fermentować (sfermentować perf) ♦ n (fig) wrzenie nt, ferment m.

fermentation [fə:mɛn'teɪʃən] *n* fermentacja *f.*
fern [fə:n] *n* paproć *f.*
ferocious [fə'rəuʃəs] *adj* (*animal, yell*) dziki; (*assault, fighting, heat*) okrutny; (*climate, expression, criticism*) srogi; (*competition, opposition*) ostry.
ferocity [fə'rɔsɪtɪ] *n* (*of animal*) dzikość *f*; (*of assault*) okrucieństwo *nt*; (*of climate*) srogość *f*; (*of competition*) ostrość *f.*
ferret ['fɛrɪt] *n* fretka *f.*
▸**ferret about** *vi* myszkować.
▸**ferret around** *vi* = ferret about.
▸**ferret out** *vt* (*information*) wyszperać (*perf*).
ferry ['fɛrɪ] *n* prom *m* ♦ *vt* (*by sea, air, road*) przewozić (przewieźć *perf*); **to ferry sth/sb across** *or* **over** przewozić (przewieźć *perf*) kogoś/coś.
ferryman ['fɛrɪmən] *n* przewoźnik *m.*
fertile ['fə:taɪl] *adj* (*soil*) żyzny, urodzajny; (*imagination, woman*) płodny.
fertility [fə'tɪlɪtɪ] *n* (*of soil*) żyzność *f*; (*of imagination, woman*) płodność *f.*
fertility drug *n* środek *m* or lekarstwo *nt* na bezpłodność.
fertilization [fə:tɪlaɪ'zeɪʃən] *n* zapłodnienie *nt.*
fertilize ['fə:tɪlaɪz] *vt* (*land*) nawozić (nawieźć *perf*), użyźniać (użyźnić *perf*); (*BIO*) zapładniać (zapłodnić *perf*).
fertilizer ['fə:tɪlaɪzə*] *n* nawóz *m.*
fervent ['fə:vənt] *adj* (*admirer, supporter*) zagorzały; (*belief*) żarliwy.
fervour ['fə:və*] (*US* **fervor**) *n* zapał *m*, gorliwość *f.*
fester ['fɛstə*] *vi* (*wound*) ropieć, jątrzyć się (rozjątrzyć się *perf*); (*row*) zaogniać się (zaognić się *perf*).
festival ['fɛstɪvəl] *n* (*REL*) święto *nt*; (*ART, MUS*) festiwal *m.*
festive ['fɛstɪv] *adj* świąteczny, odświętny; **the festive season** (*BRIT*) okres gwiazdkowy.
festivities [fɛs'tɪvɪtɪz] *npl* uroczystości *pl*, obchody *pl.*
festoon [fɛs'tu:n] *vt* **to be festooned with** być przystrojonym girlandami +*gen.*
fetch [fɛtʃ] *vt* przynosić (przynieść *perf*); **fetch me a jug of water** przynieś mi dzbanek wody; **how much did it fetch?** ile to przyniosło?
▸**fetch up** *vi* lądować (wylądować *perf*) (*fig*).
fetching ['fɛtʃɪŋ] *adj* (*woman*) ponętny; (*dress*) twarzowy.
fête [feɪt] *n* (*at school*) festyn *m*; (*at church*) odpust *m.*
fetid ['fɛtɪd] *adj* cuchnący.
fetish ['fɛtɪʃ] *n* (*object*) fetysz *m*; (*obsession*) fiksacja *f.*
fetter ['fɛtə*] *vt* krępować (skrępować *perf*), pętać (spętać *perf*).
fetters ['fɛtəz] *npl* (*lit*) kajdany *pl*; (*fig*) pęta *pl*, okowy *pl.*

fettle ['fɛtl] (*BRIT*) *n*: **in fine fettle** w świetnej formie.
fetus ['fi:təs] (*US*) *n* = foetus.
feud [fju:d] *n* waśń *f* ♦ *vi* być zwaśnionym; **a family feud** waśń rodzinna.
feudal ['fju:dl] *adj* feudalny.
feudalism ['fju:dlɪzəm] *n* feudalizm *m.*
fever ['fi:və*] *n* gorączka *f.*
feverish ['fi:vərɪʃ] *adj* (*child, face*) rozpalony; (*fig: emotion, activity*) gorączkowy; (: *person*) rozgorączkowany.
few [fju:] *adj* niewiele (+*gen*), mało (+*gen*); (*of groups of people including at least one male*) niewielu (+*gen*) ♦ *pron* niewiele; (*of groups of people including at least one male*) niewielu; **a few** *adj* kilka (+*gen*), parę (+*gen*); (*of groups of people including at least one male*) kilku (+*gen*), paru (+*gen*); (*of children, groups of people of both sexes*) kilkoro (+*gen*) ♦ *pron* kilka, parę; (*of groups of people including at least one male*) kilku, paru; **very few survived** bardzo niewielu przeżyło; **a good few, quite a few** (całkiem) sporo; **as few as** zaledwie, tylko; **no fewer than** nie mniej niż, aż; **her visits are few and far between** jej wizyty są bardzo rzadkie; **in the next/past few days** w ciągu kilku najbliższych/ostatnich dni; **every few days/months** co kilka dni/miesięcy.
fewer ['fju:ə*] *adj* mniej (+*gen*); **they are fewer** jest ich mniej; **there are fewer buses on Sundays** w niedzielę jeżdzi mniej autobusów.
fewest ['fju:ɪst] *adj* najmniej (+*gen*).
FFA *n abbr* (= *Future Farmers of America*).
FH (*BRIT*) *n abbr* = fire hydrant.
FHA (*US*) *n abbr* (= *Federal Housing Administration*).
fiancé [fɪ'ɑ:ŋseɪ] *n* narzeczony *m.*
fiancée [fɪ'ɑ:ŋseɪ] *n* narzeczona *f.*
fiasco [fɪ'æskəu] *n* fiasko *nt.*
fib [fɪb] *n* bajka *f*, bujda *f* (*inf*); **to tell fibs** bujać (*inf*).
fibre ['faɪbə*] (*US* **fiber**) *n* włókno *nt*; (*roughage*) błonnik *m.*
fibreboard ['faɪbəbɔ:d] (*US* **fiberboard**) *n* płyta *f* pilśniowa.
fibre-glass ['faɪbəglɑ:s] (*US* **fiber-glass**) *n* włókno *nt* szklane.
fibrositis [faɪbrə'saɪtɪs] *n* gościec *m* mięśniowo-ścięgnisty.
FICA (*US*) *n abbr* = Federal Insurance Contributions Act.
fickle ['fɪkl] *adj* kapryśny, zmienny.
fiction ['fɪkʃən] *n* (*LITERATURE*) beletrystyka *f*, literatura *f* piękna; (*invention, lie*) fikcja *f.*
fictional ['fɪkʃənl] *adj* fikcyjny.
fictionalize ['fɪkʃnəlaɪz] *vt* fabularyzować (sfabularyzować *perf*).
fictitious [fɪk'tɪʃəs] *adj* fikcyjny, zmyślony.
fiddle ['fɪdl] *n* (*MUS*) skrzypki *pl*, skrzypce *pl*;

(*fraud*) szwindel *m* (*inf*) ♦ *vt* (*BRIT: accounts*)
fałszować (sfałszować *perf*); **tax fiddle**
oszustwo podatkowe; **to work a fiddle**
dopuścić się (*perf*) szwindlu (*inf*).
▶**fiddle with** *vt fus* bawić się +*instr*.
fiddler ['fɪdlə*] *n* skrzypek (-paczka) *m(f)*.
fiddly ['fɪdlɪ] *adj* (*task*) delikatny; (*object*)
fikuśny (*inf*).
fidelity [fɪ'dɛlɪtɪ] *n* wierność *f*.
fidget ['fɪdʒɪt] *vi* wiercić się.
fidgety ['fɪdʒɪtɪ] *adj* niespokojny.
fiduciary [fɪ'dju:ʃɪərɪ] *n* (*JUR*) powiernik *m*.
field [fi:ld] *n* (*also ELEC, COMPUT*) pole *nt*;
(*SPORT*) boisko *nt*; (*fig*) dziedzina *f*, pole *nt*;
field study badania terenowe; **the field**
(*competitors*) stawka; **to lead the field**
(*SPORT*) prowadzić stawkę; (*fig*) przodować.
field day *n*: **to have a field day** mieć
używanie.
field glasses *npl* lornetka *f* (*polowa*).
field marshal *n* marszałek *m* (polny),
feldmarszałek *m*.
fieldwork ['fi:ldwə:k] *n* badania *pl* terenowe.
fiend [fi:nd] *n* potwór *m*.
fiendish ['fi:ndɪʃ] *adj* (*person*) okrutny;
(*problem*) piekielnie trudny; (*plan*) szatański.
fierce [fɪəs] *adj* (*animal*) dziki; (*warrior*)
zaciekły, zawzięty; (*look*) surowy; (*loyalty*)
niezłomny; (*resistance, competition*) zaciekły;
(*storm*) gwałtowny.
fiery ['faɪərɪ] *adj* (*sun*) ognisty; (*fig*) ognisty,
płomienny.
FIFA ['fi:fə] *n abbr* (= *Fédération Internationale
de Football Association*) FIFA *f inv*.
fifteen [fɪf'ti:n] *num* piętnaście.
fifteenth [fɪf'ti:nθ] *num* piętnasty.
fifth [fɪfθ] *num* piąty.
fiftieth ['fɪftɪɪθ] *num* pięćdziesiąty.
fifty ['fɪftɪ] *num* pięćdziesiąt.
fifty-fifty ['fɪftɪ'fɪftɪ] *adj* (*deal etc*) pół na pół
post ♦ *adv* pół na pół, po połowie; **to go
fifty-fifty with sb** dzielić się (podzielić się
perf) z kimś pół na pół; **to have a fifty-fifty
chance (of success)** mieć pięćdziesiąt procent
szans (na sukces).
fig [fɪg] *n* (*fruit*) figa *f*; (*tree*) drzewo *nt* figowe.
fight [faɪt] *n* walka *f*; (*brawl*) bójka *f*; (*row*)
kłótnia *f*, sprzeczka *f* ♦ *vt* (*pt* **fought**)
(*person, urge*) walczyć z +*instr*; (*cancer,
prejudice etc*) walczyć z +*instr*, zwalczać
(zwalczyć *perf*); (*BOXING*) walczyć przeciwko
+*dat or* z +*instr*; **to fight an election**
prowadzić walkę (przed)wyborczą; **to fight a
case** (*JUR*) bronić sprawy ♦ *vi* walczyć, bić
się; **to put up a fight** dzielnie się bronić; **to
fight with sb** walczyć z kimś; **to fight
for/against sth** walczyć o coś/z czymś; **to
fight one's way through a crowd/the
undergrowth** przedzierać się (przedrzeć się
perf) przez tłum/zarośla.

▶**fight back** *vi* bronić się, odpowiadać
(odpowiedzieć *perf*) na atak ♦ *vt fus* (*tears
etc*) walczyć z +*instr*.
▶**fight down** *vt* zwalczać (zwalczyć *perf*) w
sobie.
▶**fight off** *vt* (*attack*) odpierać (odeprzeć *perf*);
(*disease, urge*) walczyć z +*instr*, zwalczać
(zwalczyć *perf*); (*sleep*) walczyć *or* zmagać
się z +*instr*.
▶**fight out** *vt*: **to fight it out** rozstrzygać
(rozstrzygnąć *perf*) to między sobą.
fighter ['faɪtə*] *n* (*combatant*) walczący *m*;
(*plane*) samolot *m* myśliwski, myśliwiec *m*;
(*fig*) bojownik (-iczka) *m(f)*.
fighter pilot *n* pilot *m* myśliwca.
fighting ['faɪtɪŋ] *n* (*battle*) walka *f*, bitwa *f*;
(*brawl*) bójka *f*, bijatyka *f*.
figment ['fɪgmənt] *n*: **a figment of sb's
imagination** wytwór *m* czyjejś wyobraźni.
figurative ['fɪgjurətɪv] *adj* (*expression*)
przenośny, metaforyczny; (*style*) obfitujący w
przenośnie; (*art*) figuratywny; **in a figurative
sense** w znaczeniu przenośnym, w przenośni.
figure ['fɪgə*] *n* (*GEOM*) figura *f*; (*number*)
liczba *f*, cyfra *f*; (*body*) figura *f*; (*person*)
postać *f*; (*personality*) postać *f*, figura *f* ♦ *vt*
(*esp US*) dojść (*perf*) do wniosku ♦ *vi*
figurować, pojawiać się (pojawić się *perf*); **I
couldn't put a figure on it** nie potrafiłem
podać dokładnej liczby; **public figure** osoba
publiczna; **that figures** to było do
przewidzenia, można się (było) tego
spodziewać.
▶**figure out** *vt* wymyślić (*perf*), wykombinować
(*perf*) (*inf*); **to figure out sb/a problem**
rozpracować (*perf*) *or* rozgryźć (*perf*)
kogoś/problem.
figurehead ['fɪgəhɛd] *n* (*NAUT*) galion *m*;
(*POL*) marionetkowy przywódca *m*.
figure of speech *n* figura *f* retoryczna.
figure skating *n* jazda *f* figurowa na lodzie,
łyżwiarstwo *nt* figurowe.
Fiji (Islands) ['fi:dʒi:-] *n(pl)* (wyspy *pl*) Fidżi.
filament ['fɪləmənt] *n* (*ELEC*) włókno *nt*
(*żarówki itp*); (*BIO*) nitka *f* pyłkowa.
filch [fɪltʃ] (*inf*) *vt* zwędzić (*perf*) (*inf*).
file [faɪl] *n* (*dossier*) akta *pl*, dossier *nt inv*;
(*folder*) kartoteka *f*, teczka *f*; (*for loose leaf*)
segregator *m*, skoroszyt *m*; (*COMPUT*) plik *m*;
(*tool*) pilnik *m* ♦ *vt* (*document*) włączać
(włączyć *perf*) do dokumentacji; (*lawsuit*)
wnosić (wnieść *perf*); (*metal, fingernails*)
piłować (spiłować *perf*); **to file in** wchodzić
(wejść *perf*) jeden za drugim *or* gęsiego; **to
file out** wychodzić (wyjść *perf*) jeden za
drugim *or* gęsiego; **to file past** przechodzić
(przejść *perf*) obok jeden za drugim *or*
gęsiego, przedefilować (*perf*) obok; **to file for
divorce** wnosić (wnieść *perf*) sprawę o rozwód.
file name *n* (*COMPUT*) nazwa *f* pliku.

filibuster ['fɪlɪbʌstə*] (*esp US: POL*) *n* ≈ obstrukcja *f* parlamentarna ♦ *vi* ≈ stosować obstrukcję parlamentarną.

filing ['faɪlɪŋ] *n* segregowanie *nt*.

filing cabinet *n* szafka *f* na akta.

filing clerk *n* urzędnik (-iczka) *m(f)* prowadzący (-ca) *m(f)* dokumentację.

Filipino [fɪlɪ'piːnəu] *n* Filipińczyk (-inka) *m(f)* ♦ *adj* filipiński.

fill [fɪl] *vt* (*container*) napełniać (napełnić *perf*); (*space, time, gap*) wypełniać (wypełnić *perf*); (*tooth*) wypełniać (wypełnić *perf*), plombować (zaplombować *perf*); (*vacancy*) zapełniać (zapełnić *perf*) ♦ *vi* wypełniać się (wypełnić się *perf*), zapełniać się (zapełnić się *perf*) ♦ *n*: **to eat/drink one's fill** najeść się *(perf)*/napić się *(perf)* do syta; **to have one's fill of sth** mieć czegoś dosyć; **to fill sth with sth** napełniać (napełnić *perf*) coś czymś, wypełniać (wypełnić *perf*) coś czymś; **filled with anger/resentment** pełen gniewu/urazy.

▶**fill in** *vt* wypełniać (wypełnić *perf*); **to fill in for sb** zastępować (zastąpić *perf*) kogoś; **to fill sb in on sth** (*inf*) wprowadzać (wprowadzić *perf*) kogoś w coś.

▶**fill out** *vt* (*form*) wypełniać (wypełnić *perf*); (*receipt*) wypisywać (wypisać *perf*).

▶**fill up** *vt* (*container*) napełniać (napełnić *perf*); (*space*) wypełniać (wypełnić *perf*) ♦ *vi* wypełniać się (wypełnić się *perf*), zapełniać się (zapełnić się *perf*); **fill it** *or* **her up, please** (*AUT*) do pełna, proszę!

fillet ['fɪlɪt] *n* filet *m* ♦ *vt* filetować.

fillet steak *n* stek *m* z polędwicy.

filling ['fɪlɪŋ] *n* (*for tooth*) wypełnienie *nt*, plomba *f*; (*of cake*) nadzienie *nt*.

filling station *n* stacja *f* paliw.

fillip ['fɪlɪp] *n* ożywienie *nt*; **to give a fillip to sth** ożywiać (ożywić *perf*) coś.

filly ['fɪlɪ] *n* klaczka *f*, młoda klacz *f*.

film [fɪlm] *n* (*FILM, TV, PHOT*) film *m*; (*of dust etc*) cienka warstwa *f*, warstewka *f*; (*of tears*) mgiełka *f*; (*for wrapping*) folia *f* ♦ *vt* filmować (sfilmować *perf*) ♦ *vi* filmować, kręcić (*inf*).

film star *n* gwiazda *f* filmowa.

filmstrip ['fɪlmstrɪp] *n* diapozytyw *m*.

film studio *n* studio *nt* filmowe.

filter ['fɪltə*] *n* (*also PHOT*) filtr *m* ♦ *vt* filtrować (przefiltrować *perf*).

▶**filter in** *vi* (*sound, light*) sączyć się.

▶**filter through** *vi* (*news*) rozchodzić się (rozejść się *perf*).

filter coffee *n* kawa *f* do parzenia w ekspresie.

filter lane (*BRIT*) *n* pas jezdni wymuszający *ograniczenie prędkości*.

filter tip *n* filtr *m* (*papierosa*), ustnik *m*.

filter-tipped ['fɪltə'tɪpt] *adj* z filtrem *post*.

filth [fɪlθ] *n* (*dirt*) brud *m*; (*smut*) brudy *pl*.

filthy ['fɪlθɪ] *adj* (*object, person*) bardzo brudny; (*language*) sprośny, plugawy; (*behaviour*) obrzydliwy, ohydny.

fin [fɪn] *n* płetwa *f*.

final ['faɪnl] *adj* (*last*) ostatni, końcowy; (*penalty*) najwyższy; (*irony*) największy; (*decision, offer*) ostateczny ♦ *n* (*SPORT*) finał *m*; **finals** *npl* (*SCOL*) egzaminy *pl* końcowe.

final demand *n* (*on invoice etc*) ostatnie ponaglenie *nt*.

finale [fɪ'nɑːlɪ] *n* finał *m*.

finalist ['faɪnəlɪst] *n* finalista (-tka) *m(f)*.

finality [faɪ'nælɪtɪ] *n* ostateczność *f*, nieodwołalność *f*; **with an air of finality** stanowczo.

finalize ['faɪnəlaɪz] *vt* finalizować (sfinalizować *perf*).

finally ['faɪnəlɪ] *adv* (*eventually*) w końcu, ostatecznie; (*lastly*) na koniec; (*irrevocably*) ostatecznie.

finance [faɪ'næns] *n* (*backing*) środki *pl* finansowe, finanse *pl*; (*management*) gospodarka *f* finansowa ♦ *vt* finansować (sfinansować *perf*); **finances** *npl* fundusze *pl*.

financial [faɪ'nænʃəl] *adj* finansowy.

financially [faɪ'nænʃəlɪ] *adv* finansowo.

financial year *n* rok *m* finansowy.

financier [faɪ'nænsɪə*] *n* (*backer*) sponsor *m*; (*expert*) finansista *m*.

find [faɪnd] (*pt* **found**) *vt* (*locate*) znajdować (znaleźć *perf*), odnajdywać (odnaleźć *perf*) (*fml*); (*discover. answer, solution*) znajdować (znaleźć *perf*); (: *object, person*) odkryć (*perf*); (*consider*) uznać (*perf*) za +*acc*, uważać za +*acc*; (*get. work, time*) znajdować (znaleźć *perf*) ♦ *n* (*discovery*) odkrycie *nt*; (*object found*) znalezisko *nt*; **to find sb guilty** (*JUR*) uznawać (uznać *perf*) kogoś za winnego; **to find that...** przekonać się (*perf*), że..., odkryć (*perf*), że...; **I find it easy/difficult** przychodzi mi to z łatwością/trudnością.

▶**find out** *vt* (*fact*) dowiadywać się (dowiedzieć się *perf*) +*gen*; (*truth*) odkrywać (odkryć *perf*), poznawać (poznać *perf*); (*person*) poznać się na +*loc* ♦ *vi*: **to find out about sth** dowiadywać się (dowiedzieć się *perf*) o czymś.

findings ['faɪndɪŋz] *npl* (*of committee*) wyniki *pl* badań; (*of report*) wnioski *pl*.

fine [faɪn] *adj* (*quality etc*) świetny; (*thread*) cienki; (*sand etc*) drobny, miałki; (*detail etc*) drobny; (*weather*) piękny; (*satisfactory*) w porządku *post*, w sam raz *post* ♦ *adv* (*well*) świetnie; (*thinly*) drobno ♦ *n* grzywna *f*, a **speeding/parking fine** mandat za przekroczenie prędkości/niewłaściwe parkowanie ♦ *vt* karać (ukarać *perf*) grzywną; (**I'm**) **fine** (mam się) dobrze; (**that's**) **fine** dobrze; **don't cut it fine** nie rób tego na styk (*inf*); **you're doing fine** świetnie ci idzie.

fine arts *npl* sztuki *pl* piękne.

finely ['faınlı] *adv* (*constructed*) świetnie; (*chopped*) drobno; (*sliced*) cienko; (*tuned*) precyzyjnie.

finery ['faınərı] *n* (*clothing*) wytworny *or* wyszukany strój *m*; (*jewellery*) kosztowności *pl*; **in (all) one's finery** (cały) wystrojony.

finesse [fı'nɛs] *n* finezja *f*.

fine-tooth comb ['faıntu:θ-] *n*: **to go through sth with a fine-tooth comb** (*fig*) gruntownie coś badać (zbadać *perf*).

finger ['fıŋgə*] *n* palec *m* ♦ *vt* dotykać (dotknąć *perf*) palcem +*gen*; **little/index finger** mały/wskazujący palec.

fingernail ['fıŋgəneıl] *n* paznokieć *m* (*u ręki*).

fingerprint ['fıŋgəprınt] *n* odcisk *m* palca ♦ *vt* zdejmować (zdjąć *perf*) odciski palców +*gen*.

fingertip ['fıŋgətıp] *n* koniuszek *m* palca; **to have sth at one's fingertips** (*at one's disposal*) mieć coś w zasięgu ręki; (*know well*) mieć coś w małym palcu.

finicky ['fınıkı] *adj* wybredny.

finish ['fınıʃ] *n* (*end*) koniec *m*, zakończenie *nt*; (*SPORT*) końcówka *f*, finisz *m*; (*polish etc*) wykończenie *nt* ♦ *vt* kończyć (skończyć *perf*) ♦ *vi* (*person*) kończyć (skończyć *perf*); (*course*) kończyć się (skończyć się *perf*); **let me finish** pozwól mi skończyć; **to finish doing sth** kończyć (skończyć *perf*) coś robić; **to finish third** zająć (*perf*) trzecie miejsce; **she's finished with him** skończyła z nim; **a close finish** zacięty finisz, zacięta końcówka.

finish off *vt* (*job*) dokończyć (*perf*), skończyć (*perf*); (*dinner*) dokończyć (*perf*); (*kill*) wykończyć (*perf*) (*inf*).

finish up *vt* dokończyć (*perf*), skończyć (*perf*).

finish up (as/in) *vi* kończyć (skończyć *perf*) (jako +*nom*/w +*loc*) (*pej*).

finished ['fınıʃt] *adj* (*product*) gotowy; (*event, activity*) zakończony, skończony; (*inf. person*) skończony.

finishing line ['fınıʃıŋ-] *n* meta *f*, linia *f* mety.

finishing school *n szkoła dobrych manier dla dziewcząt z wyższych sfer.*

finishing touches *npl*: **to put the finishing touches to sth** wykańczać (wykończyć *perf*) coś.

finite ['faınaıt] *adj* (*number, amount*) skończony; **finite verb** odmienna forma czasownika.

Finland ['fınlənd] *n* Finlandia *f*.

Finn [fın] *n* Fin(ka) *m(f)*.

Finnish ['fınıʃ] *adj* fiński ♦ *n* (*język m*) fiński.

fiord [fjɔ:d] *n* = **fjord**.

fir [fə:*] *n* jodła *f*.

fire ['faıə*] *n* ogień *m*; (*accidental*) pożar *m* ♦ *vt* (*shoot: gun*) strzelać (strzelić *perf*) z +*gen*; (: *arrow*) wystrzeliwać (wystrzelić *perf*); (*stimulate*) rozpalać (rozpalić *perf*); (*inf*) wyrzucać (wyrzucić *perf*) z pracy, wylać (*perf*) (*inf*) ♦ *vi* strzelać (strzelić *perf*); **to catch fire** zapalić się (*perf*); **to be on fire** palić się, płonąć; **to set fire to sth, set sth on fire** podkładać (podłożyć *perf*) ogień pod coś, podpalać (podpalić *perf*) coś; **insured against fire** ubezpieczony na wypadek pożaru; **electric/gas fire** grzejnik elektryczny/gazowy; **to come/be under fire (from)** znaleźć się (*perf*)/być pod ostrzałem (+*gen*); **to open fire** otwierać (otworzyć *perf*) ogień; **to fire a shot** oddawać (oddać *perf*) strzał.

fire alarm *n* alarm *m* pożarowy.

firearm ['faıərɑ:m] *n* broń *f* palna.

fire brigade *n* straż *f* pożarna.

fire chief *n* komendant *m* straży pożarnej.

fire department (*US*) *n* = **fire brigade**.

fire drill *n* ćwiczenia *pl* przeciwpożarowe.

fire engine *n* wóz *m* strażacki.

fire escape *n* schody *pl* pożarowe.

fire extinguisher ['faıərık'stıŋgwıʃə*] *n* gaśnica *f*.

fireguard ['faıəgɑ:d] (*BRIT*) *n* osłona *f* zabezpieczająca kominek.

fire hazard *n*: **that's a fire hazard** to grozi pożarem.

fire hydrant *n* hydrant *m* pożarowy.

fire insurance *n* ubezpieczenie *nt* od ognia.

fireman ['faıəmən] (*irreg like* **man**) *n* strażak *m*.

fireplace ['faıəpleıs] *n* kominek *m*.

fireplug ['faıəplʌg] (*US*) *n* = **fire hydrant**.

fireproof ['faıəpru:f] *adj* ognioodporny, ogniotrwały.

fire regulations *npl* przepisy *pl* przeciwpożarowe.

fireside ['faıəsaıd] *n*: **to sit by the fireside** siedzieć przy kominku.

fire station *n* posterunek *m* straży pożarnej.

firewood ['faıəwud] *n* drewno *nt* opałowe.

fireworks ['faıəwə:ks] *npl* fajerwerki *pl*, sztuczne ognie *pl*.

firing line ['faıərıŋ-] *n*: **to be in the firing line** (*fig*) być obiektem ataków.

firing squad *n* pluton *m* egzekucyjny.

firm [fə:m] *adj* (*mattress*) twardy; (*ground*) ubity; (*grasp, hold*) mocny, pewny; (: *fig*) gruntowny, solidny; (*views*) niewzruszony; (*leadership*) nieugięty; (*offer, date*) wiążący; (*decision*) stanowczy; (*evidence*) niezbity; (*voice*) pewny ♦ *n* przedsiębiorstwo *nt*, firma *f*; **to be a firm believer in sth** mocno w coś wierzyć.

firmly ['fə:mlı] *adv* (*strongly*) mocno; (*securely*) pewnie; (*say, tell*) stanowczo.

firmness ['fə:mnıs] *n* (*of mattress, cake etc*) twardość *f*, (*of decision etc*) stanowczość *f*, kategoryczność *f*.

first [fə:st] *adj* pierwszy ♦ *adv* (*before anyone else*) (jako) pierwszy; (*before other things*) najpierw; (*when listing reasons*) po pierwsze; (*for the first time*) po raz pierwszy ♦ *n* (*AUT*) pierwszy bieg *m*, jedynka *f* (*inf*); (*BRIT: SCOL*) najwyższe wyróżnienie *nt*; **the**

first of January pierwszy stycznia; **at first** najpierw, z początku; **first of all** przede wszystkim; **in the first instance** najpierw; **I'll do it first thing (tomorrow)** zrobię to (jutro) z samego rana; **from the very first** od samego początku; **to put sb/sth first** stawiać (postawić *perf*) kogoś/coś na pierwszym miejscu; **at first hand** z pierwszej ręki.

first aid *n* pierwsza pomoc *f*.

first-aid kit [fə:st'eɪd-] *n* apteczka *f* (pierwszej pomocy).

first-class ['fə:st'klɑ:s] *adj* pierwszorzędny; **a first-class carriage/ ticket** wagon/bilet pierwszej klasy ♦ *adv* pierwszą klasą.

first-hand ['fə:st'hænd] *adj* z pierwszej ręki *post*.

first lady (*US*) *n* pierwsza dama *f* (*żona prezydenta*); **the first lady of jazz** pierwsza dama jazzu.

firstly ['fə:stlɪ] *adv* po pierwsze.

first name *n* imię *nt*; **to be on first-name terms (with sb)** być (z kimś) na „ty".

first night *n* premiera *f*.

first-rate ['fə:st'reɪt] *adj* pierwszorzędny.

fir tree *n* jodła *f*.

FIS (*BRIT*) *n abbr* (= Family Income Supplement) pomoc finansowa dla rodzin o niskich dochodach.

fiscal ['fɪskl] *adj* fiskalny, podatkowy.

fish [fɪʃ] *n inv* ryba *f* ♦ *vi* (*commercially*) poławiać ryby; (*as sport, hobby*) łowić ryby, wędkować; **to go fishing** iść (pójść *perf*) na ryby.

▶**fish out** *vt* wyławiać (wyłowić *perf*).

fishbone ['fɪʃbəun] *n* ość *f*.

fishcake ['fɪʃkeɪk] *n* kotlet *m* rybny.

fisherman ['fɪʃəmən] (*irreg like* **man**) *n* rybak *m*; (*amateur*) wędkarz *m*.

fishery ['fɪʃərɪ] *n* (*area*) łowisko *nt*; (*industry*) rybołówstwo *nt*.

fish farm *n* gospodarstwo *nt* rybne.

fish fingers (*BRIT*) *npl* paluszki *pl* rybne.

fish hook *n* haczyk *m*.

fishing boat ['fɪʃɪŋ-] *n* łódź *f* rybacka.

fishing line *n* żyłka *f* (*do wędki*).

fishing net *n* sieć *f* rybacka.

fishing rod *n* wędka *f*.

fishing tackle *n* sprzęt *m* wędkarski.

fish market *n* targ *m* rybny.

fishmonger ['fɪʃmʌŋgə*] *n* handlarz *m* ryb.

fishmonger's (shop) ['fɪʃmʌŋgəz-] *n* sklep *m* rybny.

fish slice (*BRIT*) *n* łopatka *f* do smażenia ryb.

fish sticks (*US*) *npl* = **fish fingers**.

fishy ['fɪʃɪ] (*inf*) *adj* (*suspicious*) podejrzany.

fission ['fɪʃən] *n*: **atomic** *or* **nuclear fission** rozszczepienie *nt* jądra atomowego.

fissure ['fɪʃə*] *n* szczelina *f*.

fist [fɪst] *n* pięść *f*.

fistfight ['fɪstfaɪt] *n* walka *f* na pięści.

fit [fɪt] *adj* (*suitable*) odpowiedni; (*healthy*) sprawny (fizycznie), w dobrej kondycji *or* formie *post* ♦ *vt* (*be the right size for*) pasować na +*acc*; (*match*) pasować do +*gen*; (*attach*) zakładać (założyć *perf*), montować (zamontować *perf*); (*suit*) odpowiadać +*dat*, pasować do +*gen* ♦ *vi* pasować ♦ *n* (*MED*) napad *m*, atak *m*; **he looked fit to explode** wyglądał, jakby miał zaraz wybuchnąć; **to be fit for sth** nadawać się do czegoś; **to keep fit** utrzymywać dobrą kondycję; **to see fit to do sth** uznawać (uznać *perf*) za stosowne coś zrobić; **to fit sth with sth** wyposażać (wyposażyć *perf*) coś w coś; **a fit of rage/pride** przypływ gniewu/dumy; **a fit of giggles/hysterics** atak śmiechu/histerii; **to have a fit** dostać (*perf*) szału; **this dress is a good fit** ta sukienka dobrze leży; **by fits and starts** zrywami.

▶**fit in** *vi* mieścić się (zmieścić się *perf*); (*fig*) pasować ♦ *vt* (*fig: appointment, visitor*) wcisnąć (*perf*) (*inf*); **to fit in with sb's plans** pasować do czyichś planów.

▶**fit into** *vt fus* (*hole etc*) pasować do +*gen*; (*suitcase etc*) mieścić się w +*loc*.

fitful ['fɪtful] *adj* (*sleep*) niespokojny.

fitment ['fɪtmənt] *n* mebel *m* zamontowany na stałe.

fitness ['fɪtnɪs] *n* (*MED*) sprawność *f* fizyczna.

fitted carpet ['fɪtɪd-] *n* wykładzina *f* dywanowa.

fitted cupboards *npl* szafki *pl* umocowane na stałe.

fitted kitchen (*BRIT*) *n* kuchnia *f* z wyposażeniem.

fitter ['fɪtə*] *n* monter *m*.

fitting ['fɪtɪŋ] *adj* stosowny ♦ *n* przymiarka *f*; **fittings** *npl* armatura *f*.

fitting room *n* przymierzalnia *f*, kabina *f*.

five [faɪv] *num* pięć.

five-day week ['faɪvdeɪ-] *n* pięciodniowy tydzień *m* pracy.

fiver ['faɪvə*] (*inf*) *n* (*BRIT*) banknot *m* pięciofuntowy, piątka *f* (*inf*).

fix [fɪks] *vt* (*date, amount*) ustalać (ustalić *perf*), wyznaczać (wyznaczyć *perf*); (*leak, radio*) naprawiać (naprawić *perf*); (*meal*) przygotowywać (przygotować *perf*); (*inf: game, election*) fingować (sfingować *perf*); (: *result*) fałszować (sfałszować *perf*) ♦ *n*: **to be in a fix** (*inf*) być w tarapatach; **the fight was a fix** (*inf*) walka została sfingowana; **to fix sth to/on sth** (*attach*) przymocowywać (przymocować *perf*) coś do czegoś; (*pin*) przypinać (przypiąć (*perf*)) coś do czegoś; **to fix one's eyes/gaze on sb** utkwić (*perf*) w kimś oczy/wzrok;

▶**fix up** *vt* (*meeting etc*) organizować (zorganizować *perf*); **to fix sb up with sth** załatwiać (załatwić *perf*) komuś coś.

fixation [fɪk'seɪʃən] *n* fiksacja *f*.

fixative ['fɪksətɪv] n utrwalacz m.

fixed [fɪkst] adj (price, intervals etc) stały, niezmienny; (ideas) (głęboko) zakorzeniony; (smile) przylepiony; **there's a fixed charge** pobiera się stałą opłatę; **how are you fixed for money?** (inf) jak wyglądasz z pieniędzmi?; **of no fixed abode** bez miejsca stałego pobytu.

fixture ['fɪkstʃə*] n element m instalacji (wanna, zlew itp); (SPORT) impreza f.

fizz [fɪz] vi (drink) musować; (firework) skwierczeć.

fizzle out ['fɪzl-] vi (plan) spalić (perf) na panewce; (interest) wygasać (wygasnąć perf).

fizzy ['fɪzɪ] adj gazowany, musujący.

fjord [fjɔːd] n fiord m.

FL (US: POST) abbr (= Florida).

flabbergasted ['flæbəgɑːstɪd] adj osłupiały.

flabby ['flæbɪ] adj sflaczały.

flag [flæg] n (of country, for signalling) flaga f; (of organization) sztandar m, chorągiew f; (also: **flagstone**) płyta f chodnikowa ♦ vi słabnąć (osłabnąć perf); **flag of convenience** tania bandera; **to flag down** (taxi etc) zatrzymywać (zatrzymać perf).

flagon ['flægən] n karafka f.

flagpole ['flægpəul] n maszt m.

flagrant ['fleɪgrənt] adj (injustice etc) rażący.

flagship ['flægʃɪp] n (NAUT) okręt m flagowy; (fig) produkt m sztandarowy.

flagstone ['flægstəun] n płyta f chodnikowa.

flag stop (US) n przystanek m na żądanie.

flair [fleə*] n styl m; **to have a flair for sth** mieć smykałkę do czegoś.

flak [flæk] n ogień m przeciwlotniczy; (inf) ogień m krytyki.

flake [fleɪk] n płatek m ♦ vi (also: **flake off**) złuszczać się (złuszczyć się perf).

flake out (inf) vi padać (paść perf) ze zmęczenia.

flaky ['fleɪkɪ] adj złuszczający się.

flaky pastry n ciasto nt francuskie.

flamboyant [flæm'bɔɪənt] adj (brightly coloured) krzykliwy (pej); (showy, confident) ekstrawagancki.

flame [fleɪm] n płomień m; **to burst into flames** stawać (stanąć perf) w płomieniach; **in flames** w płomieniach; **an old flame** (inf) stara miłość.

flaming ['fleɪmɪŋ] (inf!) adj cholerny (inf).

flamingo [flə'mɪŋgəu] n flaming m.

flammable ['flæməbl] adj łatwopalny.

flan [flæn] (BRIT) n tarta f.

Flanders ['flɑːndəz] n Flandria f.

flank [flæŋk] n (of animal) bok m; (of army) skrzydło nt ♦ vt: **to be flanked by sb/sth** mieć kogoś/coś na flance.

flannel ['flænl] n (fabric) flanela f; (BRIT: also: **face flannel**) myjka f; (: inf): **he gave us no**

flannel nie owijał w bawełnę; **flannels** npl spodnie pl flanelowe.

flannelette [flænə'lɛt] n flaneleta f (bawełniana imitacja flaneli).

flap [flæp] n klapa f; (small) klapka f ♦ vt machać (machnąć perf) +instr ♦ vi łopotać (załopotać perf); **to get in a flap (about sth)** (inf) wpaść (perf) w panikę (z powodu czegoś).

flapjack ['flæpdʒæk] n (US) naleśnik m; (BRIT) herbatnik z płatków owsianych.

flare [fleə*] n rakieta f świetlna.

flare up vi (fire) zapłonąć (perf); (fighting) wybuchać (wybuchnąć perf); **flares** npl (trousers) dzwony pl.

flared ['fleəd] adj kloszowy, rozszerzany ku dołowi.

flash [flæʃ] n (of light) błysk m; (PHOT) flesz m, lampa f błyskowa; (US) latarka f ♦ adj (inf) wystrzałowy ♦ vt (light) błyskać (błysnąć perf) +instr; (news, message) przesyłać (przesłać perf); (look, smile) posyłać (posłać perf) ♦ vi (lightning, light) błyskać (błysnąć perf); (eyes) miotać błyskawice; **in a flash** w okamgnieniu; **quick as a flash** szybki jak błyskawica; **flash of inspiration/anger** przypływ natchnienia/gniewu; **to flash one's headlights** dawać (dać perf) znak światłami drogowymi; **the thought flashed through his mind** przemknęło mu to przez myśl; **to flash by** or **past** przemykać (przemknąć perf) obok +gen.

flashback ['flæʃbæk] n (FILM) retrospekcja f.

flashbulb ['flæʃbʌlb] n żarówka f błyskowa.

flashcard ['flæʃkɑːd] n karta tekturowa używana jako pomoc dydaktyczna.

flashcube ['flæʃkjuːb] n (PHOT) kostka zawierająca cztery żarówki błyskowe.

flasher ['flæʃə*] n (AUT) migacz m; (inf!) ekshibicjonista m.

flashlight ['flæʃlaɪt] n latarka f.

flashpoint ['flæʃpɔɪnt] n (fig: moment) punkt m krytyczny; (place) punkt m zapalny.

flashy ['flæʃɪ] adj (pej) krzykliwy (pej).

flask [flɑːsk] n płaska butelka f, piersiówka f (inf); (CHEM) kolba f; (also: **vacuum flask**) termos m.

flat [flæt] adj (surface) płaski; (tyre) bez powietrza post; (battery) rozładowany; (beer) bez gazu post; (refusal) stanowczy; (MUS) za niski; (rate, fee) niezmienny ♦ n (BRIT) mieszkanie nt; (AUT) guma f (inf); (MUS) bemol m ♦ adv płasko ♦ n: **the flat of one's hand** otwarta dłoń f; **to work flat out** pracować na wysokich obrotach; **in 10 minutes flat** dokładnie za 10 minut.

flat-footed ['flæt'futɪd] adj: **to be flat-footed** mieć płaskostopie.

flatly ['flætlɪ] adv (refuse etc) stanowczo.

flatmate ['flætmeɪt] (*BRIT*) *n* współlokator(ka) *m(f)*.

flatness ['flætnɪs] *n* płaskość *f*.

flatten ['flætn] *vt* (*also*: **flatten out**) spłaszczać (spłaszczyć *perf*); (*terrain*) wyrównywać (wyrównać *perf*); (*building, city*) zrównywać (zrównać *perf*) z ziemią; **to flatten o.s. against a wall/door** przywierać (przywrzeć *perf*) do ściany/drzwi.

flatter ['flætə*] *vt* schlebiać +*dat*, pochlebiać +*dat*; **that dress doesn't flatter her** w tej sukience jej nie do twarzy; **I was flattered that...** pochlebiało mi, że...; **to flatter o.s. on sth** szczycić się czymś.

flatterer ['flætərə*] *n* pochlebca *m*.

flattering ['flætərɪŋ] *adj* (*comment*) pochlebny; (*dress*) twarzowy; (*photograph*) udany.

flattery ['flætərɪ] *n* pochlebstwo *nt*.

flatulence ['flætjuləns] *n* wzdęcie *nt*.

flaunt [flɔːnt] *vt* obnosić się *or* afiszować się z +*instr*.

flavour ['fleɪvə*] (*US* **flavor**) *n* smak *m* ♦ *vt* (*food*) przyprawiać (przyprawić *perf*), doprawiać (doprawić *perf*); (*drink*) aromatyzować; **strawberry-flavoured** o smaku truskawkowym; **music with an African flavour** muzyka o afrykańskim brzmieniu.

flavouring ['fleɪvərɪŋ] *n* dodatek *m* smakowy.

flaw [flɔː] *n* skaza *f*; (*in argument, policy*) słaby punkt *m*.

flawless ['flɔːlɪs] *adj* nieskazitelny, bez skazy *post*.

flax [flæks] *n* len *m*.

flaxen ['flæksən] *adj* (*hair*) płowy, lniany.

flea [fliː] *n* pchła *f*.

flea market *n* pchli targ *m*.

fleck [flɛk] *n* plamka *f* ♦ *vt*: **flecked with mud/blood** poplamiony błotem/krwią; **brown flecked with white** brązowy w białe plamki; **flecks of dust** drobinki kurzu.

fled [flɛd] *pt*, *pp of* **flee**.

fledg(e)ling ['flɛdʒlɪŋ] *n* świeżo opierzone pisklę *nt*.

flee [fliː] (*pt* **fled**) *vt* (*danger, famine*) uciekać (uciec *perf*) przed +*instr*; (*country*) uciekać (uciec *perf*) z +*gen* ♦ *vi* uciekać (uciec *perf*).

fleece [fliːs] *n* runo *nt*, wełna *f* ♦ *vt* (*inf. cheat*) oskubać (*perf*) (*inf*).

fleecy ['fliːsɪ] *adj* wełnisty.

fleet [fliːt] *n* (*of ships*) flota *f*; (*of lorries etc*) park *m* (*samochodowy*).

fleeting ['fliːtɪŋ] *adj* przelotny.

Flemish ['flɛmɪʃ] *adj* flamandzki ♦ *n* (język *m*) flamandzki.

flesh [flɛʃ] *n* (*of pig etc*) mięso *nt*; (*of fruit*) miąższ *m*; (*skin*) ciało *nt*; **in the flesh** we własnej osobie.

▸**flesh out** *vt* (*idea*) rozwijać (rozwinąć *perf*).

flesh wound [-wuːnd] *n* rana *f* powierzchowna.

flew [fluː] *pt of* **fly**.

flex [flɛks] *n* sznur *m* sieciowy ♦ *vt* (*muscles*) napinać (napiąć *perf*); (*fingers*) wyginać (wygiąć *perf*).

flexibility [flɛksɪ'bɪlɪtɪ] *n* giętkość *f*, elastyczność *f*.

flexible ['flɛksəbl] *adj* (*adaptable*) elastyczny; (*bending easily*) giętki, elastyczny; **flexible working hours** ruchomy czas pracy.

flick [flɪk] *n* (*of hand, arm*) wyrzut *m*; (*of finger*) prztyczek *m*; (*of towel, whip*) trzaśnięcie *nt*, smagnięcie *nt*; (*through book, pages*) kartkowanie *nt* ♦ *vt* (*with finger, hand*) strzepywać (strzepnąć *perf*); (*whip*) strzelać (strzelić *perf*) z +*gen*; (*ash*) strząsać (strząsnąć *perf*); (*switch*) pstrykać (pstryknąć *perf*) +*instr*; **the flicks** (*BRIT*: *inf*) *npl* kino *nt*.

▸**flick through** *vt fus* kartkować.

flicker ['flɪkə*] *vi* migotać (zamigotać *perf*) ♦ *n* (*of light*) migotanie *nt*; (*of pain, fear, smile*) cień *m*; **he didn't flicker an eyelid** nawet nie mrugnął okiem.

flick knife (*BRIT*) *n* nóż *m* sprężynowy.

flier ['flaɪə*] *n* lotnik *m*.

flight [flaɪt] *n* lot *m*; (*escape*) ucieczka *f*; (*also*: **flight of stairs**) kondygnacja *f*, piętro *nt*; **to take flight** uciekać (uciec *perf*); **a flight of fancy** wybryk fantazji.

flight attendant (*US*) *n* steward(essa) *m(f)*.

flight crew *n* załoga *f* samolotu.

flight deck *n* (*AVIAT*) kabina *f* pilota; (*NAUT*) pokład *m* lotniskowca.

flight recorder *n* czarna skrzynka *f*.

flimsy ['flɪmzɪ] *adj* (*clothes*) cienki; (*hut*) lichy; (*excuse, evidence*) marny.

flinch [flɪntʃ] *vi* wzdrygać się (wzdrygnąć się *perf*); **to flinch from** wzdragać się przed +*instr*.

fling [flɪŋ] (*pt* **flung**) *vt* ciskać (cisnąć *perf*), rzucać (rzucić *perf*) ♦ *n* romans *m*; **to fling oneself** rzucać się (rzucić się *perf*); **to fling one's arms around someone** obejmować (objąć *perf*) kogoś (ramionami).

flint [flɪnt] *n* (*stone*) krzemień *m*; (*in lighter*) kamień *m* do zapalniczki.

flip [flɪp] *vt* (*switch*) pstrykać (pstryknąć *perf*) +*instr*; (*coin*) rzucać (rzucić *perf*); (*pancake, page*) przewracać (przewrócić *perf*) ♦ *vi*: **let's flip for it** rzućmy monetę.

▸**flip through** *vt fus* (*book*) kartkować (przekartkować *perf*); (*pages*) przerzucać (przerzucić *perf*).

flippant ['flɪpənt] *adj* nonszalancki.

flipper ['flɪpə*] *n* płetwa *f*.

flip side *n* strona *f* B (*płyty*).

flirt [fləːt] *vi* flirtować ♦ *n* flirt *m*; **to flirt with** (*idea etc*) zabawiać się +*instr*.

flirtation [flə'teɪʃən] *n* flirt *m*.

flit [flɪt] *vi* (*birds, insects*) polatywać; (*expression, smile*) przemykać (przemknąć *perf*).

float [fləut] *n* (*for swimming*) pływak *m*; (*for*

fishing) spławik *m*; (*money*) drobne *pl*; (*in carnival*) ruchoma platforma *f* (*na której odgrywane są sceny rodzajowe*) ♦ *vi* (*on water, through air*) unosić się; (*currency*) mieć płynny kurs ♦ *vt* (*currency*) upłynniać (upłynnić *perf*) kurs +*gen*; (*company*) zakładać (założyć *perf*); (*idea, plan*) wprowadzać (wprowadzić *perf*) w życie.

►**float around** *vi* krążyć.

flock [flɔk] *n* (*of sheep etc*) stado *nt*; (*REL*) parafia *f*.

►**to flock to** *vt fus* (*gather*) gromadzić się (zgromadzić się *perf*) (tłumnie) przy +*instr*; (*go*) podążać (podążyć *perf*) (tłumnie) do +*gen*.

floe [fləu] *n* (*also*: **ice floe**) kra *f* (*na morzu*).

flog [flɔg] *vt* chłostać (wychłostać *perf*); (*inf*: *sell*) wciskać (wcisnąć *perf*) (*inf*).

flood [flʌd] *n* (*of water*) powódź *f*; (*of letters, imports*) zalew *m*; (*REL*): **the Flood** potop *m* ♦ *vt* zalewać (zalać *perf*); **to flood into** napływać (napłynąć *perf*) do +*gen*; **the river is in flood** rzeka wylała; **the kitchen was flooded** zalało kuchnię.

flooding ['flʌdɪŋ] *n* wylew *m* (rzeki).

floodlight ['flʌdlaɪt] *n* reflektor *m* ♦ *vt* oświetlać (oświetlić *perf*) reflektorami.

floodlit ['flʌdlɪt] *pt, pp of* **floodlight** ♦ *adj* oświetlony reflektorami.

flood tide *n* przypływ *m*.

floor [flɔ:*] *n* (*of room*) podłoga *f*; (*storey*) piętro *nt*; (*of sea, valley*) dno *nt*; (*for dancing*) parkiet *m*; (*fig*: *at meeting*) prawo *nt* głosu ♦ *vt* powalać (powalić *perf*) (na ziemię); (*fig*) zbijać (zbić *perf*) z tropu; **ground floor** (*US* **first floor**) parter; **first floor** (*US* **second floor**) pierwsze piętro; **top floor** ostatnie piętro; **to have/take the floor** mieć/zabierać (zabrać *perf*) głos; **questions from the floor** pytania z sali.

floorboard ['flɔ:bɔ:d] *n* deska *f* podłogowa.

flooring ['flɔ:rɪŋ] *n* materiał *m* podłogowy.

floor lamp (*US*) *n* lampa *f* stojąca.

floor show *n* występy *pl* artystyczne (*w nocnym klubie itp*).

floorwalker ['flɔ:wɔ:kə*] *n* (*esp US*) kierownik (-iczka) *m(f)* piętra w domu towarowym.

flop [flɔp] *n* klapa *f* (*inf*) ♦ *vi* (*fail*) robić (zrobić *perf*) klapę (*inf*); (*into chair, onto floor*) klapnąć (*perf*).

floppy ['flɔpɪ] *adj* (miękko) opadający.

floppy disk *n* (*COMPUT*) dyskietka *f*.

flora ['flɔ:rə] *n* flora *f*.

floral ['flɔ:rl] *adj* kwiecisty.

Florence ['flɔrəns] *n* Florencja *f*.

Florentine ['flɔrəntaɪn] *adj* florencki.

florid ['flɔrɪd] *adj* (*style, verse*) kwiecisty; (*complexion*) rumiany.

florist ['flɔrɪst] *n* kwiaciarz (-arka) *m(f)*.

florist's (shop) ['flɔrɪsts-] *n* kwiaciarnia *f*.

flotation [fləu'teɪʃən] *n* (*of shares*) emitowanie *nt*; (*of company*) uruchomienie *nt*.

flotsam ['flɔtsəm] *n* (*also*: **flotsam and jetsam**: *of ship, plane*) szczątki *pl* (wraku); (: *rubbish*) rupiecie *pl*; (: *people*) życiowi rozbitkowie *vir pl*.

flounce [flauns] *n* falbana *f*.

►**flounce out** *or* **off** *vi* wybiegać (wybiec *perf*) jak szalony.

flounder ['flaundə*] *vi* (*swimmer*) miotać się, rzucać się; (*fig*: *speaker*) plątać się; (: *economy*) borykać się z trudnościami ♦ *n* flądra *f*.

flour ['flauə*] *n* mąka *f*.

flourish ['flʌrɪʃ] *vi* kwitnąć ♦ *vt* wymachiwać +*instr* ♦ *n* (*in writing*) zawijas *m*; (*bold gesture*): **with a flourish** z rozmachem.

flourishing ['flʌrɪʃɪŋ] *adj* kwitnący.

flout [flaut] *vt* (*law, convention*) (świadomie) łamać (złamać *perf*), lekceważyć (zlekceważyć *perf*).

flow [fləu] *n* (*of blood, river, information*) przepływ *m*; (*of traffic*) strumień *m*; (*of tide*) przypływ *m*; (*of thought, speech*) potok *m* ♦ *vi* płynąć; (*clothes, hair*) spływać.

flow chart *n* (blokowy) schemat *m* działania, organigram *m*.

flow diagram *n* = **flow chart**.

flower ['flauə*] *n* kwiat *m* ♦ *vi* kwitnąć; **to be in flower** kwitnąć.

flower bed *n* klomb *m*.

flowerpot ['flauəpɔt] *n* doniczka *f*.

flowery ['flauərɪ] *adj* (*pattern, speech*) kwiecisty; (*perfume*) kwiatowy.

flown [fləun] *pp of* **fly**.

flu [flu:] *n* grypa *f*.

fluctuate ['flʌktjueɪt] *vi* zmieniać się (nieregularnie), wahać się.

fluctuation [flʌktju'eɪʃən] *n* zmiany *pl*, wahania *pl*.

flue [flu:] *n* przewód *m* kominowy.

fluency ['flu:ənsɪ] *n* biegłość *f*, płynność *f*; **his fluency in French** jego biegła znajomość francuskiego.

fluent ['flu:ənt] *adj* (*linguist*) biegły; (*speech, writing*) płynny; **he's a fluent speaker/reader** płynnie mówi/czyta; **he speaks fluent French, he's fluent in French** biegle mówi po francusku.

fluently ['flu:əntlɪ] *adv* biegle, płynnie.

fluff [flʌf] *n* (*on jacket, carpet*) meszek *m*, kłaczki *pl*; (*of young animal*) puch *m* ♦ *vt* (*inf*: *exam etc*) zawalać (zawalić *perf*) (*inf*); (*also*: **fluff out**: *hair*) wzburzać (wzburzyć *perf*); (: *feathers*) napuszać (napuszyć *perf*).

fluffy ['flʌfɪ] *adj* puszysty, puchaty.

fluid ['flu:ɪd] *adj* płynny ♦ *n* płyn *m*.

fluid ounce (*BRIT*) *n* (= 0.028*l*) uncja *f* objętości (płynu).

fluke [flu:k] (*inf*) *n* fuks *m* (*inf*).

flummox ['flʌməks] vt peszyć (speszyć perf).

flung [flʌŋ] pt, pp of **fling**.

fluorescent [fluə'resnt] adj (dial, paint) fluorescencyjny; (light) jarzeniowy, fluorescencyjny.

fluoride ['fluəraid] n fluorek m.

fluorine ['fluəri:n] n fluor m.

flurry ['flʌrɪ] n śnieżyca f; **a flurry of activity/excitement** przypływ ożywienia/podniecenia.

flush [flʌʃ] n (on face) rumieniec m, wypieki pl; (CARDS) sekwens m ♦ vt przepłukiwać (przepłukać perf) ♦ vi rumienić się (zarumienić się perf), czerwienić się (zaczerwienić się perf) ♦ adv: **flush with** równo z +instr; **flush against** tuż przy +loc; **in the first flush of youth/freedom** w pierwszym porywie młodości/wolności; **hot flushes** (MED) uderzenia gorąca; **to flush the toilet** spuszczać (spuścić perf) wodę (w toalecie).

▸**flush out** vt płoszyć (spłoszyć perf).

flushed ['flʌʃt] adj zarumieniony, zaczerwieniony; **flushed with success/victory** promieniejący sukcesem/zwycięstwem.

fluster ['flʌstə*] n: **in a fluster** podenerwowany ♦ vt denerwować (podenerwować perf).

flustered ['flʌstəd] adj podenerwowany.

flute [flu:t] n flet m.

fluted ['flu:tɪd] adj żłobiony.

flutter ['flʌtə*] n (of wings) trzepot m, trzepotanie nt; (of panic, excitement) przypływ m ♦ vi trzepotać (zatrzepotać perf) ♦ vt trzepotać (zatrzepotać perf) +instr.

flux [flʌks] n: **to be in a state of flux** nieustannie się zmieniać.

fly [flaɪ] (pt **flew**, pp **flown**) n (insect) mucha f; (also: **flies**) rozporek m ♦ vt (plane) pilotować; (passengers, cargo) przewozić (przewieźć perf) samolotem; (distances) przelatywać (przelecieć perf); (kite) puszczać (puścić perf) ♦ vi (plane, passengers) lecieć (polecieć perf); (: habitually) latać; (bird, insect) lecieć (polecieć perf), frunąć (pofrunąć perf); (: habitually) latać, fruwać; (prisoner) uciekać (uciec perf); (flags) fruwać; **to fly open** gwałtownie się otwierać (otworzyć perf); **to fly off the handle** tracić (stracić perf) panowanie nad sobą; **pieces of metal went flying everywhere** kawałki metalu fruwały dookoła; **she came flying into the room** wpadła do pokoju; **her glasses flew off** zleciały jej okulary; **he flew into a rage** wpadł we wściekłość; **sorry, I must fly** przepraszam, muszę lecieć.

▸**fly away** vi odlatywać (odlecieć perf).

▸**fly in** vi przylatywać (przylecieć perf).

▸**fly off** vi = **fly away**.

▸**fly out** vi wylatywać (wylecieć perf).

fly-fishing ['flaɪfɪʃɪŋ] n łowienie nt ryb na muchę.

flying ['flaɪɪŋ] n latanie nt ♦ adj: **a flying visit** krótka wizyta f; **with flying colours** z honorami; **he doesn't like flying** nie lubi latać.

flying buttress n łuk m przyporowy.

flying saucer n latający talerz m.

flying start n: **to get off to a flying start** brawurowo zaczynać (zacząć perf).

flyleaf ['flaɪli:f] n strona f przedtytułowa.

flyover ['flaɪəuvə*] (BRIT) n wiadukt m, estakada f.

flysheet ['flaɪʃi:t] n tropik m (namiotu).

flywheel ['flaɪwi:l] n koło nt zamachowe.

FM abbr (BRIT: MIL) = **field marshal**; (RADIO: = frequency modulation) FM, ≈ UKF.

FMB (US) n abbr (= Federal Maritime Board) instytucja rządowa sprawująca kontrolę nad marynarką handlową.

FMCS (US) n abbr (= Federal Mediation and Conciliation Services) federalna komisja mediacyjna i pojednawcza.

FO (BRIT) n abbr = **Foreign Office** ≈ MSZ m.

foal [fəul] n źrebię nt, źrebak m.

foam [fəum] n (surf, soapy water) piana f; (on beer, coffee) pianka f; (also: **foam rubber**) guma f piankowa ♦ vi pienić się; **he was foaming at the mouth** toczył pianę z ust.

f.o.b. (COMM) abbr (= free on board) franco statek.

fob [fɔb] vt: **to fob sb off** zbywać (zbyć perf) kogoś ♦ n (also: **watch fob**) dewizka f.

foc (COMM: BRIT) abbr (= free of charge) bezpłatnie, bez ponoszenia kosztów.

focal point ['fəukl-] n punkt m centralny; (of lens, mirror) ognisko nt.

focus ['fəukəs] (pl **focuses**) n (PHOT) ostrość f; (fig) skupienie nt uwagi ♦ vt (telescope etc) ustawiać (ustawić perf) ostrość +gen; (light rays, one's eyes, attention) skupiać (skupić perf) ♦ vi: **to focus (on)** (with camera) nastawiać (nastawić perf) ostrość (na +acc); (person) skupiać się (skupić się perf) (na +loc); **in/out of focus** ostry/nieostry; **to be the focus of attention** stanowić centrum zainteresowania.

fodder ['fɔdə*] n pasza f.

FOE n abbr (= Friends of the Earth) organizacja propagująca ochronę środowiska.

foe [fəu] n wróg m, nieprzyjaciel m.

foetus ['fi:təs] (US **fetus**) n płód m.

fog [fɔg] n mgła f.

fogbound ['fɔgbaund] adj unieruchomiony przez mgłę.

foggy ['fɔgɪ] adj mglisty; **it's foggy** jest mgła; **I haven't the foggiest (idea)** (inf) nie mam zielonego pojęcia (inf).

fog lamp (US **fog light**) n (AUT) reflektor m przeciwmgłowy or przeciwmgielny.

foible ['fɔɪbl] n słabostka f.

foil [fɔɪl] *vt* (*attack, attempt*) udaremniać (udaremnić *perf*); (*plans*) krzyżować (pokrzyżować *perf*) ♦ *n* (*for wrapping food*) folia *f*; (*complement*) dodatek *m*; (*FENCING*) floret *m*; **to act as a foil to** (*fig*) uwydatniać *or* podkreślać +*acc*.

foist [fɔɪst] *vt*: **to foist sth on sb** narzucać (narzucić *perf*) coś komuś.

fold [fəuld] *n* (*in paper*) zagięcie *nt*; (*in dress, of skin*) fałda *f*; (*for sheep*) koszara *f*; (*fig*) owczarnia *f* ♦ *vt* (*clothes*) składać (złożyć *perf*); (*paper*) składać (złożyć *perf*), zaginać (zagiąć *perf*); (*one's arms*) krzyżować (skrzyżować *perf*) ♦ *vi* (*business, organization*) upadać (upaść *perf*).

►**fold up** *vi* (*map, bed, table*) składać się (złożyć się *perf*); (*business*) upadać (upaść *perf*) ♦ *vt* składać (złożyć *perf*).

folder ['fəuldə*] *n* teczka *f* (papierowa).

folding ['fəuldɪŋ] *adj* składany.

foliage ['fəulɪɪdʒ] *n* listowie *nt*.

folk [fəuk] *npl* (*people*) ludzie *vir pl*; (*ethnic group*) lud *m* ♦ *cpd* ludowy; **folks** (*inf*) *npl* (*parents*) starzy *vir pl* (*inf*).

folklore ['fəuklɔ:*] *n* folklor *m*.

folk music *n* muzyka *f* ludowa.

folk song *n* piosenka *f* ludowa.

follow ['fɔləu] *vt* (*person: on foot*) iść (pójść *perf*) za +*instr*, podążać (podążyć *perf*) za +*instr* (*fml*); (*: by vehicle*) jechać (pojechać *perf*) za +*instr*; (*suspect, event, story*) śledzić; (*route, path: on foot*) iść (pójść *perf*) +*instr*; (*: by vehicle*) jechać (pojechać *perf*) +*instr*; (*advice, instructions*) stosować się (zastosować się *perf*) do +*gen*; (*example*) iść (pójść *perf*) za +*instr*; (*with eyes*) wodzić (powieść *perf*) wzrokiem po +*loc* ♦ *vi* (*person*): **she made for the stairs and he followed** skierowała się ku schodom, a on podążył *or* poszedł za nią; (*period of time*) następować (nastąpić *perf*); (*result, conclusion*) wynikać (wyniknąć *perf*); **to follow in sb's footsteps** iść (pójść *perf*) w czyjeś ślady; **I don't quite follow you** nie całkiem cię rozumiem; **it follows that ...** wynika z tego, że ...; **as follows** jak następuje; **to follow suit** (*fig*) iść (pójść *perf*) za czyimś przykładem.

►**follow on** *vi* następować (nastąpić *perf*) po +*loc*.

►**follow out** *vt* (*idea, plan*) realizować (zrealizować *perf*); (*advice, instructions*) stosować się (zastosować się *perf*) do +*gen*.

►**follow through** *vt* = follow out.

►**follow up** *vt* (*offer*) sprawdzać (sprawdzić *perf*); (*idea, suggestion*) badać (zbadać *perf*).

follower ['fɔləuə*] *n* zwolennik (-iczka) *m(f)*.

following ['fɔləuɪŋ] *adj* (*next*) następny; (*next-mentioned*) następujący ♦ *n* zwolennicy *vir pl*.

follow-up ['fɔləuʌp] *n* ciąg *m* dalszy, kontynuacja *f* ♦ *adj* dalszy, uzupełniający.

folly ['fɔlɪ] *n* (*foolishness*) szaleństwo *nt*; (*building*) imitacja zamku, świątyni itp ustawiona w parku w celach dekoracyjnych.

fond [fɔnd] *adj* (*smile, look*) czuły; (*hopes, dreams*) naiwny; **to be fond of sb/sth** lubić kogoś/coś; **to be fond of doing sth** lubić coś robić.

fondle ['fɔndl] *vt* pieścić.

fondly ['fɔndlɪ] *adv* czule, z czułością; **he fondly imagined that ...** naiwnie wyobrażał sobie, że... .

fondness ['fɔndnɪs] *n* czułość *f*; **a special fondness for** szczególne upodobanie do +*gen*.

font [fɔnt] *n* (*in church*) chrzcielnica *f*; (*TYP*) czcionka *f*.

food [fu:d] *n* żywność *f*, pokarm *m*.

food mixer *n* mikser *m*.

food poisoning *n* zatrucie *nt* pokarmowe.

food processor *n* robot *m* kuchenny.

foodstuffs ['fu:dstʌfs] *npl* artykuły *pl* żywnościowe.

fool [fu:l] *n* (*person*) głupiec *m*, idiota (-tka) *m(f)*; (*CULIN*) mus *m* owocowy (*z dodatkiem cukru, jajek i śmietany*) ♦ *vt* oszukiwać (oszukać *perf*), nabierać (nabrać *perf*) ♦ *vi* wygłupiać się; **to make a fool of sb** (*ridicule*) robić (zrobić *perf*) z kogoś idiotę; (*trick*) wystrychnąć (*perf*) kogoś na dudka; **to make a fool of o.s.** zbłaźnić się (*perf*); **you can't fool me** mnie nie nabierzesz.

►**fool about** (*pej*) *vi* (*waste time*) obijać się; (*behave foolishly*) wygłupiać się, błaznować.

►**fool around** *vi* = fool about.

foolhardy ['fu:lhɑ:dɪ] *adj* ryzykancki.

foolish ['fu:lɪʃ] *adj* (*stupid*) głupi; (*rash*) pochopny.

foolishly ['fu:lɪʃlɪ] *adv* (*stupidly*) głupio; (*rashly*) pochopnie.

foolishness ['fu:lɪʃnɪs] *n* głupota *f*.

foolproof ['fu:lpru:f] *adj* niezawodny.

foolscap ['fu:lskæp] *n* papier formatu *34 x 43 cm*.

foot [fut] (*pl* **feet**) *n* (*of person, as measure*) stopa *f*; (*of animal*) łapa *f*; (*of cliff*) podnóże *nt*; (*of page, stairs*) dół *m*; **at the foot of the bed** w nogach łóżka; **on foot** pieszo, piechotą; **to find one's feet** (*fig*) czuć (poczuć *perf*) grunt pod nogami; **to put one's foot down** (*AUT*) dodawać (dodać *perf*) gazu; (*say no*) stawiać się (postawić się *perf*); **to foot the bill (for sth)** płacić (zapłacić *perf*) (za coś).

footage ['futɪdʒ] *n* materiał *m* filmowy.

foot and mouth (disease) *n* pryszczyca *f*.

football ['futbɔ:l] *n* (*ball*) piłka *f* nożna; (*SPORT: BRIT*) piłka *f* nożna, futbol *m*; (*: US*) futbol *m* amerykański.

football ground *n* boisko *nt* do gry w piłkę nożną.

football match (*BRIT*) *n* mecz *m* piłki nożnej.

football player n (BRIT: also: **footballer**) piłkarz m; (US) futbolista m.

footbrake ['futbreɪk] n hamulec m nożny.

footbridge ['futbrɪdʒ] n kładka f.

foothills ['futhɪlz] npl pogórze nt.

foothold ['futhəuld] n oparcie nt dla stóp; **to get a foothold** (fig) znajdować (znaleźć perf) punkt zaczepienia.

footing ['futɪŋ] n (fig) stopa f, **to lose one's footing** tracić (stracić perf) równowagę; **on an equal footing** na równi z +instr.

footlights ['futlaɪts] npl (THEAT) rampa f.

footman ['futmən] (irreg like **man**) n lokaj m.

footnote ['futnəut] n przypis m.

footpath ['futpɑːθ] n ścieżka f.

footprint ['futprɪnt] n (of person) odcisk m stopy; (of animal) odcisk m łapy.

footrest ['futrɛst] n podnóżek m.

footstep ['futstɛp] n krok m.

footwear ['futwɛə*] n obuwie nt.

f.o.r. (COMM) abbr (= free on rail) franco wagon.

┌─────────── KEYWORD ───────────┐

for [fɔː*] prep **1** (indicating recipient) dla +gen. **2** (indicating destination, application) do +gen; **the train for London** pociąg do Londynu; **what's it for?** do czego to jest? **3** (indicating intention) po +acc; **he went for the paper** wyszedł po gazetę. **4** (indicating purpose): **give it to me – what for?** daj mi to – po co?; **it's time for lunch** czas na obiad; **clothes for children** ubrania dla dzieci; **to pray for peace** modlić się o pokój. **5** (representing): **the MP for Hove** poseł/posłanka m/f z Hove; **he works for the government** pracuje na rządowej posadzie; **I'll ask him for you** zapytam go w twoim imieniu; **N for Nan** ≈ N jak Natalia. **6** (because of) z +gen; **for this reason** z tego powodu; **the town is famous for its canals** miasto słynie ze swoich kanałów. **7** (with regard to): **he's mature for his age** jest dojrzały (jak) na swój wiek; **a gift for languages** talent do języków. **8** (in exchange for) za +acc; **I sold it for 5 pounds** sprzedałam to za 5 funtów. **9** (in favour of) za +instr; **are you for or against us?** jesteś za nami, czy przeciwko nam?; **vote for X** głosuj na X. **10** (referring to distance) (przez) +acc; **there are roadworks for 5 km** przez 5 km ciągną się roboty drogowe; **we walked for miles** szliśmy wiele mil. **11** (referring to time): **he was away for two years** nie było go (przez) dwa lata; **it hasn't rained for 3 weeks** nie padało od trzech tygodni; **can you do it for tomorrow?** czy możesz to zrobić na jutro? **12** (with infinitive clause): **it is not for me to decide** ja nie mogę tu decydować; **it would be best for**

you to leave byłoby najlepiej, gdybyś wyjechał; **for this to be possible** aby to było możliwe. **13** (in spite of) (po)mimo +gen; **for all his complaints, he is very fond of her** (po)mimo wszystkich zastrzeżeń, bardzo ją lubi ♦ conj (fml) ponieważ, gdyż; **she was very angry, for he was late again** była bardzo zła, ponieważ or gdyż znów się spóźnił.

└──────────────────────────────┘

forage ['forɪdʒ] n pasza f ♦ vi (for food) szukać pożywienia; (for interesting objects) szperać.

forage cap n furażerka f.

foray ['foreɪ] n najazd m.

forbad(e) [fə'bæd] pt of **forbid**.

forbearing [fɔː'bɛərɪŋ] adj wyrozumiały.

forbid [fə'bɪd] (pt **forbad(e)**, pp **forbidden**) vt zakazywać (zakazać perf) +gen; **to forbid sb to do sth** zabraniać (zabronić perf) komuś coś robić.

forbidden [fə'bɪdn] pp of **forbid** ♦ adj zakazany, tabu post.

forbidding [fə'bɪdɪŋ] adj (prospect) posępny; (look, person) posępny, odpychający.

force [fɔːs] n (also PHYS) siła f; (power, influence) siła f, moc f ♦ vt (person) zmuszać (zmusić perf); (confession etc) wymuszać (wymusić perf); (push) pchnąć (perf); (lock, door) wyłamywać (wyłamać perf); **the Forces** (BRIT) npl Siły pl Zbrojne; **in force** licznie, masowo; **to come into force** wchodzić (wejść perf) w życie; **to join forces** łączyć (połączyć perf) siły; **a force 5 wind** wiatr o sile pięciu stopni; **the sales force** (COMM) agenci handlowi; **through** or **from force of habit** siłą nawyku; **to force o.s. to do sth** zmuszać się (zmusić się perf) do zrobienia czegoś; **to force sb to do sth** zmuszać (zmusić perf) kogoś do zrobienia czegoś; **to force sb's hand** zmusić (perf) kogoś do ujawnienia zamiarów; **to force sth (up)on sb** narzucać (narzucić perf) coś komuś; **to force o.s. (up)on sb** narzucać się komuś; **they forced him into a small room** wepchnęli go do małego pokoiku.

▸**force back** vt (tears, urge) powstrzymywać (powstrzymać perf).

forced [fɔːst] adj (labour, landing) przymusowy; (smile) wymuszony.

force-feed ['fɔːsfiːd] vt karmić (nakarmić perf) siłą.

forceful ['fɔːsful] adj (person, point) przekonujący; (attack) silny.

forceps ['fɔːsɛps] npl kleszcze pl, szczypce pl.

forcible ['fɔːsəbl] adj (entry, imposition) bezprawny, dokonany przemocą; (reminder) ostry; (lesson) porządny.

forcibly ['fɔːsəblɪ] *adv* (*remove*) siłą; (*express*) dobitnie, dosadnie.

ford [fɔːd] *n* bród *m*; **to ford the river** przebyć (*perf*) rzekę w bród.

fore [fɔː*] *n*: **to come to the fore** wysuwać się (wysunąć się *perf*) na czoło.

forearm ['fɔːrɑːm] *n* przedramię *nt*.

forebear ['fɔːbɛə*] *n* przodek *m*.

foreboding [fɔː'bəudɪŋ] *n* złe przeczucie *nt*.

forecast ['fɔːkɑːst] (*irreg like*: **cast**) *n* przewidywanie *nt*, prognoza *f* ♦ *vt* przewidywać (przewidzieć *perf*); **the weather forecast** prognoza pogody.

foreclose [fɔː'kləuz] *vt* (*also*: **foreclose on**: *property*) orzekać (orzec *perf*) przepadek +*gen*; (: *person*) przejmować (przejąć *perf*) mienie +*gen*.

foreclosure [fɔː'kləuʒə*] *n* egzekucja *f* (*mienia*).

forecourt ['fɔːkɔːt] *n* podjazd *m*.

forefathers ['fɔːfɑːðəz] *npl* przodkowie *vir pl*, ojcowie *vir pl*.

forefinger ['fɔːfɪŋgə*] *n* palec *m* wskazujący.

forefront ['fɔːfrʌnt] *n*: **in the forefront of** na czele +*gen*.

forego [fɔː'gəu] (*irreg like*: **go**) *vt* (*give up*) zrzekać się (zrzec się *perf*) +*gen*, rezygnować (zrezygnować *perf*) z +*gen*; (*go without*) obywać się (obyć się *perf*) bez +*gen*.

foregoing ['fɔːgəuɪŋ] *adj* powyższy ♦ *n*: **the foregoing** powyższe *nt*.

foregone ['fɔːgɔn] *pp of* **forego** ♦ *adj*: **it's a foregone conclusion** to sprawa przesądzona.

foreground ['fɔːgraund] *n* pierwszy plan *m*; **a foreground program** (*COMPUT*) program pierwszoplanowy.

forehand ['fɔːhænd] *n* forhend *m*.

forehead ['fɔrɪd] *n* czoło *nt*.

foreign ['fɔrɪn] *adj* (*country, matter*) obcy; (*trade, student*) zagraniczny; **foreign holidays** wakacje za granicą.

foreign body *n* obce ciało *nt*.

foreign currency *n* waluta *f* obca.

foreigner ['fɔrɪnə*] *n* cudzoziemiec (-mka) *m(f)*.

foreign exchange *n* (*system*) wymiana *f* walut; (*money*) waluty *pl* obce.

foreign exchange market *n* rynek *m* dewizowy.

foreign exchange rate *n* kurs *m* walutowy.

foreign minister *n* minister *m* spraw zagranicznych.

Foreign Office (*BRIT*) *n* Ministerstwo *nt* Spraw Zagranicznych.

Foreign Secretary (*BRIT*) *n* Minister *m* Spraw Zagranicznych.

foreleg ['fɔːlɛg] *n* (*of animal*) przednia noga *f*.

foreman ['fɔːmən] (*irreg like* **man**) *n* (*in factory*) brygadzista *m*; (*on building site*) kierownik *m* (robót); (*of jury*) przewodniczący *m*.

foremost ['fɔːməust] *adj* główny ♦ *adv*: **first and foremost** przede wszystkim.

forename ['fɔːneɪm] *n* imię *nt*.

forensic [fə'rɛnsɪk] *adj* (*medicine*) sądowy; (*skill*) prawniczy.

forerunner ['fɔːrʌnə*] *n* prekursor *m*.

foresaw *pt of* **foresee**.

foresee [fɔː'siː] (*irreg like*: **see**) *vt* przewidywać (przewidzieć *perf*).

foreseeable [fɔː'siːəbl] *adj* dający się przewidzieć, przewidywalny; **in the foreseeable future** w najbliższej przyszłości.

foreseen [fɔː'siːn] *pp of* **foresee**.

foreshadow [fɔː'ʃædəu] *vt* (*event*) zapowiadać (zapowiedzieć *perf*).

foreshore ['fɔːʃɔː*] *n* przedbrzeże *nt*.

foreshorten [fɔː'ʃɔːtn] *vt* przedstawiać (przedstawić *perf*) w rzucie perspektywicznym.

foresight ['fɔːsaɪt] *n* zdolność *f* przewidywania, przezorność *f*.

foreskin ['fɔːskɪn] *n* napletek *m*.

forest ['fɔrɪst] *n* las *m*.

forestall [fɔː'stɔːl] *vt* ubiegać (ubiec *perf*).

forestry ['fɔrɪstrɪ] *n* leśnictwo *nt*.

foretaste ['fɔːteɪst] *n*: **a foretaste of** przedsmak *m* +*gen*.

foretell [fɔː'tɛl] (*irreg like*: **tell**) *vt* przepowiadać (przepowiedzieć *perf*).

forethought ['fɔːθɔːt] *n* przezorność *f*, zapobiegliwość *f*.

foretold [fɔː'təuld] *pt, pp of* **foretell**.

forever [fə'rɛvə*] *adv* (*permanently*) trwale, na trwałe; (*always*) (na) zawsze, wiecznie; (*continually*) ciągle, bezustannie; **it has gone forever** (to) minęło bezpowrotnie; **it will last forever** to będzie trwać wiecznie; **you're forever finding difficulties** ty ciągle wynajdujesz problemy.

forewarn [fɔː'wɔːn] *vt* przestrzegać (przestrzec *perf*).

forewent [fɔː'wɛnt] *pt of* **forego**.

foreword ['fɔːwəːd] *n* przedmowa *f*.

forfeit ['fɔːfɪt] *n* grzywna *f* ♦ *vt* (*right, chance etc*) tracić (stracić *perf*); (*one's happiness, health*) poświęcać (poświęcić *perf*); (*one's income*) zrzekać się (zrzec się *perf*) +*gen*.

forgave [fə'geɪv] *pt of* **forgive**.

forge [fɔːdʒ] *n* kuźnia *f* ♦ *vt* (*signature, money etc*) fałszować (sfałszować *perf*); (*wrought iron*) kuć (wykuć *perf*); (*alliance*) zawierać (zawrzeć *perf*).

►**forge ahead** *vi* iść (pójść *perf*) do przodu.

forger ['fɔːdʒə*] *n* fałszerz *m*.

forgery ['fɔːdʒərɪ] *n* (*crime*) fałszerstwo *nt*; (*document, painting etc*) falsyfikat *m*.

forget [fə'gɛt] (*pt* **forgot**, *pp* **forgotten**) *vt* zapominać (zapomnieć *perf*) +*gen*; (*birthday, appointment, person*) zapominać (zapomnieć *perf*) o +*loc* ♦ *vi* zapominać (zapomnieć *perf*); **his fourth or fifth play, I forget which** jego czwarta czy piąta sztuka, nie pamiętam; **to forget o.s.** zapominać się (zapomnieć się *perf*).

forgetful [fə'gɛtful] *adj*: **to be forgetful** mieć słabą pamięć; **forgetful of** nie zważający na +*acc.*

forgetfulness [fə'gɛtfulnɪs] *n* słaba pamięć *f.*

forget-me-not [fə'gɛtmɪnɔt] *n* niezapominajka *f.*

forgive [fə'gɪv] (*pt* **forgave**, *pp* **forgiven**) *vt* wybaczać (wybaczyć *perf*) +*dat*, przebaczać (przebaczyć *perf*) +*dat*; **to forgive sb for sth** wybaczyć (*perf*) komuś coś; **to forgive sb for doing sth** wybaczyć (*perf*) komuś, że coś zrobił; **forgive my ignorance, but ...** proszę wybaczyć moją niewiedzę, lecz ...; **they could be forgiven for thinking that ...** można im wybaczyć, iż myśleli, że...; **let's forgive and forget** puśćmy to w niepamięć.

forgiveness [fə'gɪvnɪs] *n* przebaczenie *nt*; **to ask** *or* **beg sb's forgiveness** prosić *or* błagać kogoś o wybaczenie.

forgiving [fə'gɪvɪŋ] *adj* wyrozumiały.

forgo [fɔː'gəu] (*pt* **forwent**, *pp* **forgone**) *vt* = **forego**.

forgot [fə'gɔt] *pt of* **forget**.

forgotten [fə'gɔtn] *pp of* **forget**.

fork [fɔːk] *n* (*for eating*) widelec *m*; (*for gardening*) widły *pl*; (*in road, river*) rozwidlenie *nt* ♦ *vi* (*road*) rozwidlać się.

►fork out (*inf*) *vt* bulić (wybulić *perf*) (*inf*) ♦ *vi* bulić (zabulić *perf*) (*inf*).

forked [fɔːkt] *adj*: **forked lightning** błyskawica *f* zygzakowata.

fork-lift truck ['fɔːklɪft-] *n* podnośnik *m* widłowy.

forlorn [fə'lɔːn] *adj* (*person*) opuszczony; (*cry, voice*) żałosny; (*place*) wymarły; (*attempt, hope*) rozpaczliwy.

form [fɔːm] *n* (*type*) forma *f*; (*shape*) postać *f*; (*SCOL*) klasa *f*; (*questionnaire*) formularz *m* ♦ *vt* (*shape, organization*) tworzyć (utworzyć *perf*); (*idea, impression*) wyrabiać (wyrobić *perf*) sobie; (*relationship*) zawierać (zawrzeć *perf*); (*habit*) nabierać (nabrać *perf*) +*gen* ♦ *vi* tworzyć się (utworzyć się *perf*); **in the form of** w formie +*gen*; **to take the form of** mieć *or* przybierać (przybrać *perf*) formę +*gen*; **to form part of sth** stanowić część czegoś; **to be in good** *or* **top form** (*SPORT*) być w dobrej *or* szczytowej formie; (*fig*) być w dobrej *or* wspaniałej formie; **to be on form** być w formie.

formal ['fɔːməl] *adj* (*education, style*) formalny; (*statement, behaviour*) formalny, oficjalny; (*occasion, dinner*) uroczysty; (*gardens*) tradycyjny, typowy; **formal dress** strój oficjalny *or* wizytowy.

formality [fɔː'mælɪtɪ] *n* (*procedure*) formalność *f*; (*politeness*) formalna uprzejmość *f*; **formalities** *npl* formalności *pl.*

formalize ['fɔːməlaɪz] *vt* nadawać (nadać *perf*) formalny wyraz +*dat.*

formally ['fɔːməlɪ] *adv* (*announce, approve*) formalnie, oficjalnie; (*dress, behave*) formalnie; **to be formally invited** otrzymać (*perf*) oficjalne zaproszenie.

format ['fɔːmæt] *n* forma *f* ♦ *vt* (*COMPUT*) formatować (sformatować *perf*).

formation [fɔː'meɪʃən] *n* (*of organization, business*) utworzenie *nt*; (*of theory, ideas*) powstawanie *nt*, formowanie się *nt*; (*pattern*) formacja *f*; (*of rocks, clouds*) tworzenie się *nt*, powstawanie *nt.*

formative ['fɔːmətɪv] *adj* kształtujący; **formative years** okres kształtujący osobowość.

former ['fɔːmə*] *adj* (*one-time*) były; (*earlier*) dawny ♦ *n*: **the former** (ten) pierwszy *m*; **in former times** w dawnych czasach, niegdyś.

formerly ['fɔːməlɪ] *adv* uprzednio.

Formica [fɔː'maɪkə] ® *n* formika *f.*

formidable ['fɔːmɪdəbl] *adj* (*opponent*) budzący grozę; (*task*) ogromny.

formula ['fɔːmjulə] (*pl* **formulae** *or* **formulas**) *n* (*MATH, CHEM*) wzór *m*, formuła *f*; (*plan*) recepta *f*, przepis *m*; **Formula One** (*AUT*) Formuła I.

formulate ['fɔːmjuleɪt] *vt* (*plan, strategy*) opracowywać (opracować *perf*); (*thought, opinion*) formułować (sformułować *perf*).

fornicate ['fɔːnɪkeɪt] *vi* cudzołożyć.

forsake [fə'seɪk] (*pt* **forsook**, *pp* **forsaken**) *vt* porzucać (porzucić *perf*).

forsook [fə'suk] *pt of* **forsake**.

fort [fɔːt] *n* (*MIL*) fort *m*; **to hold the fort** (*fig*) sprawować pieczę (*pod czyjąś nieobecność*).

forte ['fɔːtɪ] *n* mocna strona *f.*

forth [fɔːθ] *adv*: **to set forth** wyruszać (wyruszyć *perf*); **back and forth** tam i z powrotem; **to bring forth** (*child*) wydać (*perf*) na świat; (*revulsion, discussion etc*) wywoływać (wywołać *perf*); **and so forth** i tak dalej.

forthcoming [fɔːθ'kʌmɪŋ] *adj* (*event*) nadchodzący, zbliżający się; (*book*) mający się ukazać; (*help, money*) dostępny; (*person*) rozmowny.

forthright ['fɔːθraɪt] *adj* otwarty, jawny.

forthwith ['fɔːθ'wɪθ] *adv* niezwłocznie.

fortieth ['fɔːtɪɪθ] *num* czterdziesty.

fortification [fɔːtɪfɪ'keɪʃən] *n* fortyfikacja *f.*

fortified wine ['fɔːtɪfaɪd-] *n* wino *nt* alkoholizowane.

fortify ['fɔːtɪfaɪ] *vt* (*city*) obwarowywać (obwarować *perf*); (*person*) umacniać (umocnić *perf*).

fortitude ['fɔːtɪtjuːd] *n* hart *m* ducha.

fortnight ['fɔːtnaɪt] (*BRIT*) *n* dwa tygodnie *pl*; **it's a fortnight since ...** minęły dwa tygodnie od (czasu, gdy) ... .

fortnightly ['fɔːtnaɪtlɪ] *adj* (*lasting two weeks*) dwutygodniowy; (*happening every two weeks*) odbywający się co dwa tygodnie ♦ *adv* co

dwa tygodnie; **a fortnightly magazine**
dwutygodnik.
FORTRAN ['fɔːtræn] n (język m) FORTRAN.
fortress ['fɔːtrɪs] n twierdza f, forteca f.
fortuitous [fɔː'tjuːɪtəs] adj przypadkowy.
fortunate ['fɔːtʃənɪt] adj (person) szczęśliwy;
(event) pomyślny; **to be fortunate** mieć
szczęście; **he is fortunate to have ...** on ma
szczęście, że ma +acc; **it is fortunate that ...**
tak się szczęśliwie składa, że ... .
fortunately ['fɔːtʃənɪtlɪ] adv na szczęście,
szczęśliwie.
fortune ['fɔːtʃən] n (luck) szczęście nt,
powodzenie nt; (wealth) fortuna f, majątek m;
to make a fortune zbijać (zbić perf) majątek;
to tell sb's fortune przepowiadać
(przepowiedzieć perf) komuś przyszłość.
fortune-teller ['fɔːtʃəntelə*] n wróżka f.
forty ['fɔːtɪ] num czterdzieści.
forum ['fɔːrəm] n forum nt.
forward ['fɔːwəd] adj (movement) do przodu
post; (part) przedni; (not shy) śmiały ♦ n
(SPORT) napastnik (-iczka) m(f) ♦ vt (letter,
parcel) przesyłać (przesłać perf) (dalej);
(career, plans) posuwać (posunąć perf) do
przodu; **"please forward"** „proszę przesłać na
nowy adres"; **forward planning** planowanie
perspektywiczne.
forward(s) ['fɔːwəd(z)] adv (in space) do
przodu; (in development, time) naprzód; **to
look forward** patrzeć w przyszłość.
fossil ['fɔsl] n skamielina f.
fossil fuel n paliwo nt kopalniane.
foster ['fɔstə*] vt (child) wychowywać, brać
(wziąć perf) na wychowanie; (idea, activity)
rozwijać (rozwinąć perf), popierać (poprzeć
perf).
foster child n przybrane dziecko nt.
foster mother n przybrana matka f.
fought [fɔːt] pt, pp of **fight**.
foul [faul] adj (place, taste) wstrętny,
paskudny; (smell) cuchnący; (temper, weather)
okropny; (language) sprośny ♦ n (SPORT)
faul m ♦ vt brudzić (zabrudzić perf),
zanieczyszczać (zanieczyścić perf); (SPORT)
faulować (sfaulować perf); (anchor, propeller)
blokować (zablokować perf); (fishing net)
uszkadzać (uszkodzić perf).
foul play n przestępstwo nt; **foul play is not
suspected** nie podejrzewa się przestępstwa.
found [faund] pt, pp of **find** ♦ vt zakładać
(założyć perf).
foundation [faun'deɪʃən] n (of business,
theatre etc) założenie nt; (basis) podstawa f;
(fig) oparcie nt; (organization) fundacja f;
(also: **foundation cream**) podkład m (pod
makijaż); **foundations** npl fundamenty pl; **the
rumours are without foundation** te plotki są
bezpodstawne; **to lay the foundations of sth**
(fig) kłaść (położyć perf) podwaliny pod coś.

foundation stone n kamień m węgielny.
founder ['faundə*] n założyciel(ka) m(f) ♦ vi
(ship) tonąć (zatonąć perf).
founder member n członek m -założyciel m.
founding ['faundɪŋ] adj: **founding father** (fig)
ojciec m; **the Founding Fathers** (US) Ojcowie
Założyciele (członkowie Federalnej Konwencji
Konstytucujnej z 1787 r.).
foundry ['faundrɪ] n odlewnia f.
fount [faunt] n (of knowledge etc) (ważne)
źródło nt; (TYP) komplet m czcionek.
fountain ['fauntɪn] n fontanna f.
fountain pen n wieczne pióro nt.
four [fɔː*] num cztery; **on all fours** na
czworakach.
four-letter word ['fɔːlɛtə-] n brzydki wyraz m.
four-poster ['fɔː'pəustə*] n (also: **four-poster
bed**) łoże nt z baldachimem.
foursome ['fɔːsəm] n czwórka f (grupa).
fourteen ['fɔː'tiːn] num czternaście.
fourteenth ['fɔː'tiːnθ] num czternasty.
fourth ['fɔːθ] num czwarty ♦ n (AUT: also:
fourth gear) czwarty bieg m, czwórka f (inf).
four-wheel drive ['fɔːwiːl-] n: **with four-wheel
drive** z napędem na cztery koła.
fowl [faul] n (bird) ptak m; (birds) ptactwo nt;
(: domestic) drób m.
fox [fɔks] n lis m ♦ vt dezorientować
(zdezorientować perf).
foxglove ['fɔksglʌv] n (BOT) naparstnica f.
fox-hunting ['fɔkshʌntɪŋ] n polowanie nt na lisa.
foxtrot ['fɔkstrɔt] n fokstrot m.
foyer ['fɔɪeɪ] n foyer nt inv.
FPA (BRIT) n abbr (= Family Planning
Association) stowarzyszenie propagujące
planowanie rodziny.
Fr. (REL) abbr = **father**; (lay priest) ks.;
(friar) o.
fr. abbr (= franc) F, = frank.
fracas ['fræka:] n awantura f.
fraction ['frækʃən] n (portion) odrobina f;
(MATH) ułamek m; **for a fraction of a
second** przez ułamek sekundy.
fractionally ['frækʃnəlɪ] adv: **fractionally
smaller** etc odrobinę mniejszy etc.
fractious ['frækʃəs] adj marudny.
fracture ['fræktʃə*] n (of bone) złamanie nt,
pęknięcie nt ♦ vt (bone) powodować
(spowodować perf) pęknięcie +gen.
fragile ['frædʒaɪl] adj (object, structure) kruchy;
(person) delikatny; (economy) wątły.
fragment ['frægmənt] n część f, kawałek m;
(of bone, cup) odłamek m; (of conversation,
poem) fragment m, urywek m; (of paper,
fabric) skrawek m ♦ vi rozpadać się (rozpaść
się perf).
fragmentary ['frægməntərɪ] adj
fragmentaryczny.
fragrance ['freɪgrəns] n zapach m.
fragrant ['freɪgrənt] adj pachnący.

frail [freɪl] *adj* (*person*) słabowity, wątły; (*structure*) kruchy.

frame [freɪm] *n* (*of picture, bicycle*) rama *f*; (*of door, window*) framuga *f*, rama *f*; (*of building, structure*) szkielet *m*; (*of human, animal*) sylwetka *f*, ciało *nt*; (*of spectacles: also*: **frames**) oprawka *f*, (PHOT) klatka *f* ♦ *vt* (*picture*) oprawiać (oprawić *perf*); (*law, theory*) formułować (sformułować *perf*); **to frame sb** (*inf*) wrabiać (wrobić *perf*) kogoś (*inf*).

frame of mind *n* nastrój *m*.

framework ['freɪmwə:k] *n* (*structure*) struktura *f*, szkielet *m*; (*fig*) podstawa *f*, ramy *pl*.

France [frɑ:ns] *n* Francja *f*.

franchise ['fræntʃaɪz] *n* (POL) prawo *nt* wyborcze; (COMM) franszyza *f* (*koncesja na autoryzowaną dystrybucję*).

frank [fræŋk] *adj* szczery ♦ *vt* (*letter*) frankować (ofrankować *perf*).

Frankfurt ['fræŋkfə:t] *n* Frankfurt *m*.

frankfurter ['fræŋkfə:tə*] *n* (cienka) parówka *f*.

franking machine ['fræŋkɪŋ-] *n* maszyna *f* do frankowania listów.

frankly ['fræŋklɪ] *adv* (*honestly*) szczerze; (*candidly*) otwarcie; **frankly,...** szczerze mówiąc,... .

frankness ['fræŋknɪs] *n* szczerość *f*.

frantic ['fræntɪk] *adj* (*person*) oszalały; (*rush, pace*) szalony; (*search*) gorączkowy; (*need*) palący; **we were frantic with worry** szaleliśmy ze zmartwienia.

frantically ['fræntɪklɪ] *adv* gorączkowo.

fraternal [frə'tə:nl] *adj* braterski.

fraternity [frə'tə:nɪtɪ] *n* (*feeling*) braterstwo *nt*; (*group of people*) bractwo *nt*.

fraternize ['frætənaɪz] *vi* bratać się.

fraud [frɔ:d] *n* (*crime*) oszustwo *nt*, (*person*) oszust(ka) *m(f)*.

fraudulent ['frɔ:djulənt] *adj* oszukańczy.

fraught [frɔ:t] *adj* (*person*) spięty; (*evening, meeting*) pełen napięcia; **to be fraught with danger/problems** obfitować w niebezpieczeństwa/problemy.

fray [freɪ] *vi* strzępić się (postrzępić się *perf*) ♦ *n*: **to return to the fray** wracać (wrócić *perf*) w ogień walki; **tempers were frayed** nerwy zawodziły; **her nerves were frayed** była kłębkiem nerwów.

FRB (US) *n abbr* (= *Federal Reserve Board*) rada banków rezerwy federalnej, tworzących bank centralny Stanów Zjednoczonych.

FRCM (BRIT) *n abbr* (= *Fellow of the Royal College of Music*).

FRCO (BRIT) *n abbr* (= *Fellow of the Royal College of Organists*).

FRCP (BRIT) *n abbr* (= *Fellow of the Royal College of Physicians*).

FRCS (BRIT) *n abbr* (= *Fellow of the Royal College of Surgeons*).

freak [fri:k] *n* (*in attitude, behaviour*) dziwak (-aczka) *m(f)*; (*in appearance*) dziwoląg *m*, wybryk *m* natury; (*pej*): **health freak** maniak (-aczka) *m(f)* na punkcie zdrowia ♦ *adj* dziwaczny.

▶**freak out** (*inf*) *vi* bzikować (zbzikować *perf*), głupieć (zgłupieć *perf*); **I was freaked out** byłem wygłupiony (*inf*).

freakish ['fri:kɪʃ] *adj* dziwaczny, cudaczny.

freckle ['frɛkl] *n* pieg *m*.

freckled ['frɛkld] *adj* piegowaty.

free [fri:] *adj* wolny; (*meal, ticket*) bezpłatny ♦ *vt* (*prisoner, colony*) uwalniać (uwolnić *perf*); (*jammed object*) zwalniać (zwolnić *perf*); (*person: from responsibility, duty*) zwalniać (zwolnić *perf*); **to give sb a free hand** dawać (dać *perf*) komuś wolną rękę; **free and easy** na luzie; **admission free** wstęp wolny; **to be free of sth** być wolnym od czegoś; **we are free to do it** wolno nam to robić; **free (of charge), for free** za darmo.

free agent *n* **to be a free agent** mieć całkowitą swobodę działania.

freebie ['fri:bɪ] (*inf*) *n* podarunek *m* (*od firmy, instytucji itp w celach reklamowych*).

freedom ['fri:dəm] *n* wolność *f*, (*of movement*) swoboda *f*, **freedom from hunger/poverty/disease** wolność od głodu/ubóstwa/chorób.

freedom fighter *n* bojownik (-iczka) *m(f)* o wolność.

free enterprise *n* wolny rynek *m*.

free-for-all ['fri:fərɔ:l] *n*: **it's a free-for-all** wszystkie chwyty (są) dozwolone.

free gift *n* bezpłatny podarunek *m*.

freehold ['fri:həuld] *n* tytuł *m* nieograniczonej własności.

free kick *n* rzut *m* wolny.

freelance ['fri:lɑ:ns] *adj* (*journalist, photographer*) niezależny ♦ *n* wolny strzelec *m*

freeloader ['fri:ləudə*] (*pej*) *n* naciągacz(ka) *m(f)* (*pej*).

freely ['fri:lɪ] *adv* (*talk, move*) swobodnie; (*perspire, donate*) obficie; (*spend*) lekką ręką; **drugs are freely available** narkotyki są łatwo dostępne.

Freemason ['fri:meɪsn] *n* mason *m*, wolnomularz *m*.

freemasonry ['fri:meɪsnrɪ] *n* masoneria *f*, wolnomularstwo *nt*.

Freepost ['fri:pəust] ® *n* przesyłka na koszt adresata.

free-range ['fri:'reɪndʒ] *adj* (*eggs, chickens*) wiejski.

free sample *n* bezpłatna próbka *f*.

freesia ['fri:zɪə] *n* frezja *f*.

free speech *n* wolność *f* słowa.

freestyle ['fri:staɪl] *n* (SPORT) styl *m* wolny.

free trade *n* wolny handel *m*.

freeway ['fri:weɪ] (US) *n* autostrada *f*.

freewheel [fri:'wi:l] *vi* jechać na wolnym bieg

ee will n wolna wola f; **of one's own free will** z własnej woli.

eeze [fri:z] (pt **froze**, pp **frozen**) vi (weather) mrozić (przymrozić perf); (liquid, pipe) zamarzać (zamarznąć perf); (person: with cold) marznąć (zmarznąć perf); (: from fear) zamierać (zamrzeć perf) (w bezruchu) ♦ vt (water, lake) skuwać (skuć perf) lodem; (food, prices) zamrażać (zamrozić perf) ♦ n (cold weather) przymrozek m; (on arms, wages) zamrożenie nt; **it'll freeze tonight** dziś wieczorem będzie mróz.

freeze over vi (river, windows) zamarzać (zamarznąć perf).

eeze-dried ['fri:zdraɪd] adj liofilizowany.

eezer ['fri:zə*] n zamrażarka f.

eezing ['fri:zɪŋ] adj (also: **freezing cold**) lodowaty; **3 degrees below freezing** 3 stopnie poniżej zera; **I'm freezing** jest mi bardzo zimno; **it's freezing outside** na zewnątrz jest bardzo zimno.

eezing point n punkt m zamarzania.

eight [freɪt] n fracht m; **to send sth by air/sea freight** przesyłać (przesłać perf) coś drogą powietrzną/morską.

eight car (US) n wagon m towarowy.

eighter ['freɪtə*] n (NAUT) frachtowiec m, transportowiec m; (AVIAT) transportowiec m.

eight train (US) n pociąg m towarowy.

rench [frentʃ] adj francuski; **the French** npl Francuzi vir pl.

rench bean (BRIT) n fasola f zwyczajna.

rench Canadian [frentʃkə'neɪdjən] adj francusko-kanadyjski ♦ n Kanadyjczyk (-jka) m(f) francuskojęzyczny (-na);

rench dressing n sos m francuski.

rench fries [-fraɪz] (esp US) npl frytki pl.

rench Guiana [-gaɪ'ænə] n Gujana f Francuska.

renchman ['frentʃmən] (irreg like **man**) n Francuz m.

rench Riviera n: **the French Riviera** Riwiera f Francuska.

rench window n oszklone drzwi pl.

renchwoman ['frentʃwumən] (irreg like **woman**) n Francuzka f.

enetic [frə'netɪk] adj gorączkowy.

enzied ['frenzɪd] adj szalony.

enzy ['frenzɪ] n (of violence) szał m; (of joy, excitement) szał m, szaleństwo nt; **to drive sb into a frenzy** doprowadzać (doprowadzić perf) kogoś do szału or szaleństwa; **to be in a frenzy** szaleć.

equency ['fri:kwənsɪ] n (of event) częstość f, częstotliwość f; (RADIO) częstotliwość f; **to increase in frequency** występować z większą częstotliwością.

equency modulation n modulacja f częstotliwości.

frequent [adj 'fri:kwənt, vb frɪ'kwent] adj częsty ♦ vt często bywać w +loc.

frequently ['fri:kwəntlɪ] adv często.

fresco ['freskəu] n fresk m.

fresh [freʃ] adj świeży; (approach) nowatorski; (water) słodki; (person) bezczelny; **to make a fresh start** zaczynać (zacząć perf) od nowa; **he's fresh from university** on jest świeżo po studiach; **we're fresh out of bread** właśnie skończył nam się chleb.

freshen ['freʃən] vi (wind) wzmagać się (wzmóc się perf), przybierać (przybrać perf) na sile.

►**freshen up** vi odświeżać się (odświeżyć się perf).

freshener ['freʃnə*] n: **skin freshener** płyn m tonizujący; **air freshener** odświeżacz powietrza.

fresher ['freʃə*] (BRIT: inf) n student(ka) m(f) pierwszego roku.

freshly ['freʃlɪ] adv świeżo.

freshman ['freʃmən] (US) (irreg like **man**) n = **fresher**.

freshness ['freʃnɪs] n świeżość f.

freshwater ['freʃwɔ:tə*] adj słodkowodny.

fret [fret] vi gryźć się, trapić się (literary).

fretful ['fretful] adj płaczliwy.

Freudian ['frɔɪdɪən] adj freudowski; **Freudian slip** freudowskie przejęzyczenie.

FRG n abbr (= Federal Republic of Germany) RFN nt inv.

Fri. abbr = **Friday** pt.

friar ['fraɪə*] n zakonnik m, brat m zakonny.

friction ['frɪkʃən] n (resistance) tarcie nt; (rubbing) ocieranie nt; (conflict) tarcia pl.

Friday ['fraɪdɪ] n piątek m; see also **Tuesday**.

fridge [frɪdʒ] (BRIT) n lodówka f.

fried [fraɪd] pt, pp of **fry** ♦ adj smażony.

friend [frend] n przyjaciel (-ciółka) m(f); (not close) kolega/koleżanka m/f; **to make friends (with)** zaprzyjaźniać się (zaprzyjaźnić się perf) (z +instr).

friendliness ['frendlɪnɪs] n (hospitality) przyjazne nastawienie nt; (of voice, manner) życzliwość f.

friendly ['frendlɪ] adj (person, smile, country) przyjazny, życzliwy; (place, restaurant) przyjemny; (game, match, argument) towarzyski ♦ n (SPORT) spotkanie nt towarzyskie; **to be friendly with** przyjaźnić się z +instr; **to be friendly to** być przyjaźnie nastawionym do +gen.

friendly society n towarzystwo nt wzajemnej asekuracji.

friendship ['frendʃɪp] n przyjaźń f.

frieze [fri:z] n fryz m.

frigate ['frɪgɪt] n fregata f.

fright [fraɪt] n (terror) przerażenie nt; (shock) strach m, przestrach m; **to get a fright** przestraszyć się (perf); **to take fright** przestraszyć się (perf); **to give sb a fright**

przestraszyć *(perf)* *or* nastraszyć *(perf)* kogoś;
she looks a fright wygląda jak straszydło.
frighten ['fraɪtn] *vt* przestraszać (przestraszyć
perf), przerażać (przerazić *perf*).
►**frighten away** *vt* odstraszać (odstraszyć *perf*).
►**frighten off** *vt* = **frighten away**.
frightened ['fraɪtnd] *adj* (*afraid*) przestraszony,
przerażony; (*anxious*) wylękniony; **to be**
frightened (that/to...) bać się (, że/+*infin*); **to**
be frightened of sth/doing sth bać się
czegoś/zrobić coś.
frightening ['fraɪtnɪŋ] *adj* przerażający.
frightful ['fraɪtful] *adj* przeraźliwy.
frightfully ['fraɪtfəlɪ] *adv* strasznie, straszliwie;
I'm frightfully sorry jest mi strasznie przykro.
frigid ['frɪdʒɪd] *adj* oziębły.
frigidity [frɪ'dʒɪdɪtɪ] *n* oziębłość *f*.
frill [frɪl] *n* falbanka *f*; **without** *or* **with no frills**
(*fig*) bez dodatków.
fringe [frɪndʒ] *n* (*BRIT: of hair*) grzywka *f*;
(*on shawl, lampshade*) frędzle *pl*; (*of forest*)
skraj *m*; (*fig: of organization*) (skrajne)
skrzydło *nt*; (: *of activity*) obrzeża *pl*.
fringe benefits *npl* dodatkowe świadczenia *pl*.
fringe theatre *n* teatr *m* awangardowy.
frisk [frɪsk] *vt* przeszukiwać (przeszukać *perf*)
(*podejrzanego*) ♦ *vi* brykać.
frisky ['frɪskɪ] *adj* rozbrykany.
fritter ['frɪtə*] *n* kawałek owocu lub warzywa
zapiekany w cieście.
►**fritter away** *vt* trwonić (roztrwonić *perf*).
frivolity [frɪ'vɔlɪtɪ] *n* frywolność *f*; **frivolities**
npl głupstwa *pl*.
frivolous ['frɪvələs] *adj* (*flippant*) frywolny;
(*unimportant*) błahy.
frizzy ['frɪzɪ] *adj* (*hair*) kręcony.
fro [frəu] *adv*: **to and fro** tam i z powrotem.
frock [frɔk] *n* sukienka *f*.
frog [frɔg] *n* żaba *f*; **to have a frog in one's**
throat mieć chrypkę.
frogman ['frɔgmən] (*irreg like* **man**) *n*
płetwonurek *m*.
frogmarch ['frɔgmɑ:tʃ] (*BRIT*) *vt*: **to frogmarch**
sb in/out doprowadzić *(perf)*/wyprowadzić
(perf) kogoś siłą.
frolic ['frɔlɪk] *vi* baraszkować ♦ *n* igraszki *pl*.

┌────────────── *KEYWORD* ──────────────┐

from [frɔm] *prep* **1** (*indicating starting place,*
origin etc): **from London to Glasgow** z
Londynu do Glasgow; **a letter/telephone call**
from my sister list/telefon od mojej siostry; **a**
quotation from Dickens cytat z Dickensa;
where do you come from? skąd Pan/Pani
pochodzi? **2** (*indicating time, distance, range*
of price, number etc) od +*gen*; **from one**
o'clock to *or* **until** *or* **till two** od (godziny)
pierwszej do drugiej; **from January (on)**
(począwszy) od stycznia; **we're still a long**
way from home wciąż jesteśmy daleko od

domu; **prices from 10 to 50 pounds** ceny od
10 do 50 funtów. **3** (*indicating change of*
price, number etc) z +*gen*; **the interest rate**
was increased from 9% to 10%
oprocentowanie zostało podniesione z 9% na
10%. **4** (*indicating difference*) od +*gen*; **he**
can't tell red from green nie odróżnia
czerwonego od zielonego; **to be different**
from sb/sth być różnym od kogoś/czegoś *or*
innym niż ktoś/coś. **5** (*because of, on the*
basis of) z +*gen*; **from what he says** z tego,
co (on) mówi; **weak from hunger** słaby z
głodu.

└─────────────────────────────────────┘

frond [frɔnd] *n* liść *m*;
front [frʌnt] *n* przód *m*; (*also:* **sea front**) brzeg
m morza; (*MIL, METEOR*) front *m*;
(*fig: pretence*) pozory *pl* ♦ *adj* przedni ♦ *vi*:
to front onto (*house etc*) wychodzić na +*acc*;
in front przodem, z przodu; **in front of** przed
+*instr*; (*in the presence of*) przy +*loc*; **on the**
political front na froncie politycznym.
frontage ['frʌntɪdʒ] *n* fronton *m*.
frontal ['frʌntl] *adj* (*attack*) czołowy, frontalny;
(*view*) od przodu *post*.
front bench (*BRIT*) *n* członkowie parlamentu
zajmujący stanowiska w rządzie lub w
gabinecie cieni.
front desk (*US*) *n* (*in hotel*) recepcja *f*.
front door *n* drzwi *pl* frontowe.
frontier ['frʌntɪə*] *n* granica *f*; (*between*
settled and wild country) kresy *pl*.
frontispiece ['frʌntɪspi:s] *n* frontyspis *m*.
front page *n* strona *f* tytułowa.
front room (*BRIT*) *n* pokój *m* od ulicy.
front-runner ['frʌntrʌnə*] *n* (*fig*) faworyt(ka) *m(f)*
front-wheel drive ['frʌntwi:l-] *n* (*AUT*) napęd
m przedni.
frost [frɔst] *n* (*weather*) mróz *m*; (*substance*)
szron *m*.
frostbite ['frɔstbaɪt] *n* odmrożenie *nt*.
frosted ['frɔstɪd] *adj* (*glass*) matowy; (*esp*
US: cake) lukrowany.
frosting ['frɔstɪŋ] *n* (*esp US*) lukier *m*.
frosty ['frɔstɪ] *adj* (*weather, night*) mroźny;
(*welcome, look*) lodowaty; (*grass, window*)
oszroniony.
froth ['frɔθ] *n* piana *f*.
frothy ['frɔθɪ] *adj* pienisty.
frown [fraun] *n* zmarszczenie *nt* brwi ♦ *vi*
marszczyć (zmarszczyć *perf*) brwi.
►**frown on** *vt fus* (*fig*) patrzeć z dezaprobatą
na +*acc*.
froze [frəuz] *pt of* **freeze**.
frozen ['frəuzn] *pp of* **freeze** ♦ *adj* (*food*)
mrożony; (*lake*) zamarznięty; (*fingers*)
zmarznięty; (*COMM: assets*) zamrożony.
FRS *n abbr* (*BRIT:* = *Fellow of the Royal*

Society); (*US*: = *Federal Reserve System*)
bank centralny Stanów Zjednoczonych.

rugal ['fru:gl] *adj* (*person*) oszczędny; (*meal*)
skromny.

ruit [fru:t] *n inv* owoc *m*; (*fig: results*) owoce *pl*.

ruiterer ['fru:tərə*] *n* handlarz (-arka) *m(f)*
owoców.

ruitful ['fru:tful] *adj* owocny.

ruition [fru:'ɪʃən] *n*: **to come to fruition**
(*actions, efforts*) owocować (zaowocować
perf); (*plan, hope*) ziszczać się (ziścić się *perf*).

ruit juice *n* sok *m* owocowy.

ruitless ['fru:tlɪs] *adj* (*fig*) bezowocny.

ruit machine (*BRIT*) *n* automat *m* do gry.

ruit salad *n* sałatka *f* owocowa.

ruity ['fru:tɪ] *adj* owocowy; (*laugh etc*)
soczysty.

rump [frʌmp] (*pej*) *n* czupiradło *nt*.

ustrate [frʌs'treɪt] *vt* (*person*) frustrować
(sfrustrować *perf*); (*plan, attempt*) udaremniać
(udaremnić *perf*).

ustrated [frʌs'treɪtɪd] *adj* sfrustrowany.

ustrating [frʌs'treɪtɪŋ] *adj* frustrujący.

ustration [frʌs'treɪʃən] *n* (*irritation*) frustracja
f, złość *f*; (*of hope, plan*) fiasko *nt*.

y [fraɪ] (*pt* **fried**) *vt* smażyć (usmażyć *perf*);
see also **small**.

ying pan ['fraɪɪŋ-] *n* patelnia *f*.

T (*BRIT*) *n abbr* (= *Financial Times*) *gazeta
finansowa*; **the FT index** (*BRIT*) indeks *or*
wskaźnik FT, *wskaźnik kursów giełdy
londyńskiej publikowany przez The Financial
Times.*

. *abbr* = **foot, feet**.

TC (*US*) *n abbr* (= *Federal Trade
Commission*) *Federalna Komisja do Spraw
Handlu.*

ıchsia ['fju:ʃə] *n* fuksja *f*.

ıck [fʌk] (*inf!*) *vt* pierdolić (*inf!*) ♦ *vi* pierdolić
się (*inf!*); **fuck off!** odpierdol się (*inf!*).

ıddled ['fʌdld] *adj* zamroczony.

ıddy-duddy ['fʌdɪdʌdɪ] (*pej*) *n* (*stary*)
nudziarz *m* (*pej*).

ıdge [fʌdʒ] *n* krówka *f* (*cukierek*) ♦ *vt* (*issue,
problem*) omijać (ominąć *perf*).

ıel ['fjuəl] *n* opał *m*; (*for vehicles, industry*)
paliwo *nt* ♦ *vt* (*furnace etc*) dostarczać paliwa
do +*gen*; (*fig: rumours, dispute*) podsycać
(podsycić *perf*); **to fuel an aircraft/ship etc**
tankować (zatankować *perf*).

ıel oil *n* (*for engines*) olej *m* napędowy; (*for
heating*) olej *m* opałowy.

ıel pump *n* pompa *f* paliwowa.

ıel tank *n* zbiornik *m* paliwowy.

ıg [fʌg] (*BRIT*) *n* zaduch *m*.

ıgitive ['fju:dʒɪtɪv] *n* zbieg *m*, uciekinier(ka) *m(f)*.

ılfil [ful'fɪl] (*US* **fulfill**) *vt* spełniać (spełnić *perf*).

ılfilled [ful'fɪld] *adj* (*person*) zaspokojony;
(*life*) spełniony.

ılfilment [ful'fɪlmənt] (*US* **fulfillment**) *n*

satysfakcja *f*, zaspokojenie *nt*; (*of promise,
desire*) spełnienie *nt*.

full [ful] *adj* pełny; (*skirt, sleeve*) szeroki ♦
adv: **to know full well that ...** w pełni
zdawać sobie sprawę (z tego), że ...; **full up**
(*hotel etc*) wypełniony; **I'm full (up)** jestem
najedzony; **a full week** okrągły tydzień; **in
full view of sb** na czyichś oczach; **full marks**
maksymalna liczba punktów; **at full speed** z
pełną *or* maksymalną prędkością; **full of**
pełen +*gen*; **in full** w całości; **to write one's
name in full** podpisywać się (podpisać się
perf) pełnym imieniem i nazwiskiem; **full in
the face** prosto w twarz; **to the full** w (całej)
pełni.

fullback ['fulbæk] *n* (*RUGBY, FOOTBALL*)
cofnięty obrońca *m*.

full-blooded ['ful'blʌdɪd] *adj* (*attack, support*)
pełen zaangażowania; (*person, animal*) czystej
krwi *post*; (*virile: man*) z krwi i kości *post*,
prawdziwy.

full board *n* pełne wyżywienie *nt*.

full-cream ['ful'kri:m] *adj*: **full-cream milk**
(*BRIT*) mleko *nt* pełne *or* pełnotłuste.

full employment pełne zatrudnienie *nt*.

full grown *adj* dorosły.

full-length ['ful'leŋθ] *adj* (*film*)
pełnometrażowy; (*coat*) długi; (*portrait, mirror*)
obejmujący całą postać.

full moon *n* pełnia *f* księżyca.

fullness ['fulnɪs] *n*: **in the fullness of time** w
swoim czasie.

full-page ['fulpeɪdʒ] *adj* całostronicowy.

full-scale ['fulskeɪl] *adj* (*attack, war*) totalny;
(*model*) naturalnej wielkości; (*negotiations*) na
pełną skalę *post*.

full-sized ['ful'saɪzd] *adj* naturalnej wielkości.

full stop *n* kropka *f*; **to come to a full stop**
(*fig*) zatrzymywać się (zatrzymać się *perf*).

full-time ['ful'taɪm] *adj* pełnoetatowy, na pełen
etat *post* ♦ *adv* (*work*) na pełen etat; (*study*)
w pełnym wymiarze godzin; **a full time
student** ≈ student stacjonarny.

fully ['fulɪ] *adv* (*completely*) w pełni; (*in full*)
dokładnie, wyczerpująco; (*as many as*) aż.

fully-fledged ['fulɪ'fledʒd] *adj* (*teacher, doctor*)
wykwalifikowany; (*member, partner*)
pełnoprawny; (*atheist*) stuprocentowy; (*bird*)
wypierzony.

fulsome ['fulsəm] (*pej*) *adj* (*praise, apologies*)
przesadny; (*manner*) wylewny.

fumble ['fʌmbl] *vt* (*ball*) nieczysto
zatrzymywać (zatrzymać *perf*); **to fumble a
catch** zepsuć (*perf*) podanie.

►**fumble for** *vt fus* grzebać w poszukiwaniu +*gen*.

►**fumble with** *vt fus* (*key, pen*) bawić się
+*instr*.

fume [fju:m] *vi* wściekać się.

fumes [fju:mz] *npl* (*of fire*) dymy *pl*; (*of fuel,*

alcohol) opary *pl*; (*of factories*) wyziewy *pl*; (*of car*) spaliny *pl*.

fumigate ['fjuːmɪgeɪt] *vt* odkażać (odkazić *perf*).

fun [fʌn] *n* zabawa *f*; **to have fun** dobrze się bawić; **to get a lot of fun out of** czerpać wiele przyjemności z +*gen*; **he's good fun (to be with)** jest świetnym kumplem; **for fun** dla przyjemności; **in fun** w żartach; **it's not much fun** to nie jest zbyt zabawne; **to make fun of** wyśmiewać +*acc*; **to poke fun at** żartować z +*gen*.

function ['fʌŋkʃən] *n* funkcja *f*; (*social occasion*) uroczystość *f* ♦ *vi* działać, funkcjonować; **to function as** pełnić rolę +*gen*.

functional ['fʌŋkʃənl] *adj* (*operational*) na chodzie *post*; (*practical*) funkcjonalny.

function key *n* (*COMPUT*) klawisz *m* funkcyjny.

fund [fʌnd] *n* (*of money*) fundusz *m*; (*source, store*) zapas *m* ♦ *vt* finansować (sfinansować *perf*); **funds** *npl* fundusze *pl*.

fundamental [fʌndə'mɛntl] *adj* (*essential*) podstawowy; (*basic, elementary*) zasadniczy, fundamentalny.

fundamentalist [fʌndə'mɛntəlɪst] *n* fundamentalista (-tka) *m(f)*.

fundamentally [fʌndə'mɛntəlɪ] *adv* (*basically*) w zasadzie; (*radically*) zasadniczo.

fundamentals [fʌndə'mɛntlz] *npl* podstawowe zasady *pl*.

fund-raising ['fʌndreɪzɪŋ] *n* zbiórka *f* pieniędzy, zdobywanie *f* funduszy.

funeral ['fjuːnərəl] *n* pogrzeb *m*.

funeral director *n* przedsiębiorca *m* pogrzebowy.

funeral parlour *n* dom *m* pogrzebowy.

funeral service *n* uroczystość *f* pogrzebowa.

funereal [fjuː'nɪərɪəl] *adj* (*atmosphere*) pogrzebowy; (*pace*) ślimaczy.

funfair ['fʌnfɛə*] (*BRIT*) *n* wesołe miasteczko *nt*.

fungi ['fʌŋgaɪ] *npl of* **fungus**.

fungus ['fʌŋgəs] (*pl* **fungi**) *n* grzyb *m*.

funicular [fjuː'nɪkjulə*] *n* (*also*: **funicular railway**) kolejka *f* linowo-terenowa.

funnel ['fʌnl] *n* (*for pouring*) lejek *m*; (*of ship*) komin *m*.

funnily ['fʌnɪlɪ] *adv* dziwnie; **funnily enough** dziwnym trafem.

funny ['fʌnɪ] *adj* (*amusing*) zabawny; (*strange*) dziwny.

funny bone (*inf*) *n* czułe miejsce *nt* (*w łokciu*).

fur [fəː*] *n* (*of animal*) futro *nt*, sierść *f*; (*garment*) futro *nt*; (*BRIT: in kettle etc*) osad *m*, kamień *m* kotłowy.

fur coat *n* futro *nt*.

furious ['fjuərɪəs] *adj* (*person*) wściekły; (*row, argument*) zażarty; (*effort, speed*) szaleńczy, szalony; **to be furious with sb** wściekać się na kogoś.

furiously ['fjuərɪəslɪ] *adv* (*angrily*) wściekle; (*vigorously*) gwałtownie.

furl [fəːl] *vt* (*sails, flag*) zwijać (zwinąć *perf*); (*umbrella*) składać (złożyć *perf*).

furlong ['fəːlɔŋ] *n* (*HORSE-RACING*) 220 jardów (201,2m).

furlough ['fəːləu] *n* (*MIL*) urlop *m*.

furnace ['fəːnɪs] *n* (*in foundry, power plant*) piec *m*.

furnish ['fəːnɪʃ] *vt* (*room, building*) meblować (umeblować *perf*); (*supply*) dostarczać (dostarczyć *perf*); **to furnish sb with sth** dostarczać (dostarczyć *perf*) komuś czegoś, wyposażać (wyposażyć *perf*) kogoś w coś; **furnished flat** *or* (*US*) **apartment** umeblowane mieszkanie.

furnishings ['fəːnɪʃɪŋz] *npl* wyposażenie *nt*.

furniture ['fəːnɪtʃə*] *n* meble *pl*; **piece of furniture** mebel *m*.

furniture polish *n* politura *f*.

furore [fjuə'rɔːrɪ] *n* wrzawa *f*.

furrier ['fʌrɪə*] *n* kuśnierz *m*.

furrow ['fʌrəu] *n* bruzda *f* ♦ *vt* (*brow*) marszczyć (zmarszczyć *perf*).

furry ['fəːrɪ] *adj* (*tail, animal*) puszysty; (*coat, toy*) futrzany.

further ['fəːðə*] *adj* dalszy ♦ *adv* (*in distance, time*) dalej; (*in degree*) dalej, jeszcze bardziej; (*in addition*) ponadto, w dodatku ♦ *vt* (*project, cause*) popierać (poprzeć *perf*), wspierać (wesprzeć *perf*); **I have nothing further to say** nie mam nic więcej do powiedzenia; **to further one's interests/one's career** troszczyć się o swoje sprawy/swoją karierę; **until further notice** (aż) do odwołania; **how much further is it?** jak daleko jeszcze?; **further to your letter of ...** (*COMM*) w nawiązaniu do Pana/Pani listu z ...

further education (*BRIT*) *n* ≈ kształcenie pomaturalne.

furthermore [fəːðə'mɔː*] *adv* ponadto, co więcej.

furthermost ['fəːðəməust] *adj* najdalszy.

furthest ['fəːðɪst] *adv* (*in distance, time*) najdalej; (*in degree*) najdalej, najbardziej ♦ *adj* najdalszy.

furtive ['fəːtɪv] *adj* potajemny, ukradkowy.

furtively ['fəːtɪvlɪ] *adv* potajemnie, ukradkiem.

fury ['fjuərɪ] *n* furia *f*; **in a fury** w furii.

fuse [fjuːz] (*US* **fuze**) *n* (*in plug, circuit*) bezpiecznik *m*; (*for bomb etc*) zapalnik *m* ♦ *vt* (*metal*) stapiać (stopić *perf*); (*fig: ideas, systems*) łączyć (połączyć *perf*) ♦ *vi* (*metal*) stapiać się (stopić się *perf*); (*fig: ideas, systems*) łączyć się (połączyć się *perf*); **to fuse the lights** (*BRIT*) robić (zrobić *perf*) zwarcie; **the lights have fused** (*BRIT*) światło wysiadło (*inf*); **a fuse has blown** bezpiecznik się przepalił.

fuse box *n* skrzynka *f* bezpiecznikowa.

fuselage ['fjuːzəlɑːʒ] *n* kadłub *m* samolotu.

fuse wire n drut m topikowy.
fusillade [fju:zɪ'leɪd] n strzelanina f; (fig) ostrzał m.
fusion ['fju:ʒən] n połączenie nt; (also: **nuclear fusion**) synteza f jądrowa.
fuss [fʌs] n (bother) zamieszanie nt; (annoyance) awantura f ♦ vi panikować (inf) ♦ vt zawracać głowę +dat; **to make a fuss (about sth)** robić (zrobić perf) zamieszanie (z powodu or wokół czegoś); **to make a fuss of sb** nadskakiwać komuś, robić dużo hałasu wokół kogoś.
►**fuss over** vt fus trząść się nad +instr;
fussy ['fʌsɪ] adj (person) grymaśny, wybredny; (clothes, curtains) przeładowany ozdobami; **I'm not fussy** nie jestem wybredny.
futile ['fju:taɪl] adj (attempt) daremny; (remark) płytki, powierzchowny.
futility [fju:'tɪlɪtɪ] n (of attempt) daremność f; (remark) płytkość f, powierzchowność f.
future ['fju:tʃə*] adj przyszły ♦ n przyszłość f; (LING) czas m przyszły; **futures** npl (COMM) sprzedaż f terminowa; **in future** w przyszłości; **in the future** w przyszłości; **in the near/foreseeable future** w najbliższej/przewidywalnej przyszłości.
futuristic [fju:tʃə'rɪstɪk] adj futurystyczny.
fuze (US) n, vt, vi = fuse.
fuzz [fʌz] n (on face, arms etc) meszek m; **the fuzz** (inf) gliny pl (inf).
fuzzy ['fʌzɪ] adj (photo, image) zamazany, nieostry; (hair) kędzierzawy; (thoughts, ideas) mętny.
fwd. abbr = forward.
fwy (US) abbr = freeway.
FY abbr (= fiscal year) rok m budżetowy.
FYI abbr (= for your information).

G, g

G¹, g [dʒi:] n (letter) G nt, g nt; **G for George** ≈ G jak Genowefa.
G² [dʒi:] n (MUS) G nt, g nt.
G³ n abbr (BRIT: SCOL: = good) db; (US: FILM: = general (audience)) b.o.; (PHYSICS): **G-force** siła ciężkości.
g abbr = gram g; (PHYSICS) = gravity.
G7 n abbr (POL: = Group of Seven) Grupa f Siedmiu, Wielka Siódemka f.
GA (US: POST) n abbr (= Georgia).
gab [gæb] (inf) n: **to have the gift of the gab** mieć dar przekonywania.
gabble ['gæbl] vi trajkotać (zatrajkotać perf).
gaberdine [gæbə'di:n] n gabardyna f.
gable ['geɪbl] n szczyt m (domu).

Gabon [gə'bɔn] n Gabon m.
gad about [gæd-] (inf) vi szwendać się (inf).
gadget ['gædʒɪt] n urządzenie nt, gadget m (inf).
gadgetry ['gædʒɪtrɪ] n sprzęty pl mechaniczne.
Gaelic ['geɪlɪk] adj celtycki ♦ n (język m) gaëlicki (używany w Irlandii i Szkocji).
gaffe [gæf] n gafa f.
gag [gæg] n (on mouth) knebel m; (joke) gag m ♦ vt kneblować (zakneblować perf) ♦ vi krztusić się (zakrztusić się perf).
gaga ['gɑ:gɑ:] (inf) adj: **to go gaga** (old person) ramoleć (zramoleć perf) (inf); **to be/go gaga over sb** mieć/dostawać (dostać perf) fioła na czyimś punkcie (inf).
gage [geɪdʒ] (US) n, vt = gauge.
gaiety ['geɪtɪ] n wesołość f.
gaily ['geɪlɪ] adv wesoło; **gaily coloured** bardzo kolorowy.
gain [geɪn] n (increase, improvement) przyrost m; (profit) korzyść f ♦ vt (speed, confidence) nabierać (nabrać perf) +gen; (weight) przybierać (przybrać perf) na +loc ♦ vi (benefit): **to gain from sth** zyskiwać (zyskać perf) na czymś; (clock, watch) śpieszyć się; **to gain in** zyskiwać (zyskać perf) na +loc; **to gain ground** zyskiwać (zyskać perf) popularność; **to gain on sb** doganiać (dogonić perf) kogoś; **to gain 3lbs (in weight)** przybierać (przybrać perf) 3 funty (na wadze); **to do sth for gain** robić (zrobić perf) coś dla zysku.
gainful ['geɪnful] adj: **gainful employment** praca f zarobkowa.
gainsay [geɪn'seɪ] (irreg like: say) vt polemizować z +instr, kwestionować (zakwestionować perf).
gait [geɪt] n chód m, sposób m chodzenia; **to walk with a slow/confident gait** chodzić powolnym/pewnym krokiem.
gala ['gɑ:lə] n gala f; **swimming gala** pokaz pływacki.
Galapagos (Islands) npl: **(the) Galapagos (Islands)** Galapagos nt inv, Wyspy pl Żółwie.
galaxy ['gæləksɪ] n galaktyka f.
gale [geɪl] n wichura f; **gale force 10** siła wiatru 10 stopni.
gall [gɔ:l] n (ANAT) żółć f; (fig) tupet m, czelność f ♦ vt irytować, drażnić.
gall. abbr = gallon.
gallant ['gælənt] adj (brave) waleczny; (polite) szarmancki.
gallantry ['gæləntrɪ] n (bravery) waleczność f; (politeness) galanteria f.
gall bladder n pęcherzyk m or woreczek m żółciowy.
galleon ['gælɪən] n galeon m.
gallery ['gælərɪ] n (of art, at Parliament) galeria f; (in theatre) balkon m, galeria f; (in church) chór m, balkon m.
galley ['gælɪ] n (ship's kitchen) kuchnia f

okrętowa, kambuz m (inf); (ship) galera f, (also: **galley proof**) korekta f (szpaltowa).

Gallic ['gælɪk] adj (of Gaul) galijski; (French) francuski.

galling ['gɔ:lɪŋ] adj irytujący, drażniący.

gallon ['gæln] n (BRIT = 4.5l; US = 3.8l) galon m.

gallop ['gæləp] n galop m ♦ vi galopować; **galloping inflation** galopująca inflacja.

gallows ['gæləuz] n szubienica f.

gallstone ['gɔ:lstəun] n kamień m żółciowy.

galore [gə'lɔ:*] adv w bród; **there were restaurants and night clubs galore** restauracji i nocnych lokali było tam w bród.

galvanize ['gælvənaɪz] vt (fig) elektryzować (zelektryzować perf); **to galvanize sb into action** zdopingować (perf) kogoś do działania, porwać (perf) kogoś do czynu (literary).

Gambia ['gæmbɪə] n Gambia f.

gambit ['gæmbɪt] n (fig): (opening) gambit zagrywka f.

gamble ['gæmbl] n ryzyko nt ♦ vt: **to gamble away** (money, profits) przegrywać (przegrać perf), przepuszczać (przepuścić perf) (inf) ♦ vi (risk) ryzykować (zaryzykować perf); (bet) uprawiać hazard; **to gamble on** stawiać (postawić perf) na +acc; **to gamble on the Stock Exchange** spekulować na giełdzie papierów wartościowych; **he used to gamble on the horses** grywał na wyścigach.

gambler ['gæmblə*] n hazardzista (-tka) m(f).

gambling ['gæmblɪŋ] n hazard m.

gambol ['gæmbl] vi hasać.

game [geɪm] n (lit, fig) gra f, (of football etc) mecz m; (part of tennis match) gem m; (HUNTING) zwierzyna f, (CULIN) dziczyzna f ♦ adj odważny; **games** npl (SCOL) ≈ wychowanie nt fizyczne; **big game hunting** polowanie na grubego zwierza; **I'm game to try/for anything** jestem gotów spróbować/na wszystko; **who's game for ...?** kto ma ochotę na +acc?

gamebird ['geɪmbə:d] n kogut m do walk na arenie.

gamekeeper ['geɪmki:pə*] n leśnik m.

gamely ['geɪmlɪ] adv odważnie.

game reserve n łowisko nt, teren m łowiecki.

gamesmanship ['geɪmzmənʃɪp] n nieczysta gra f.

gammon ['gæmən] n (bacon) bekon m; (ham) szynka f.

gamut ['gæmət] n gama f, **to run the gamut of** (experience) przechodzić (przejść perf) (przez) wszystkie stadia +gen; (express) wyrażać (wyrazić perf) wszystkie odcienie +gen; **she ran the gamut of all baby illnesses** przeszła wszystkie choroby wieku niemowlęcego.

gander ['gændə*] n gąsior m (ptak).

gang [gæŋ] n (of criminals) gang m; (of hooligans) banda f, (of friends) paczka f, (of

workmen) brygada f, **gang warfare** wojna między gangami.

▶**gang up** vi: **to gang up on sb** sprzysięgać się (sprzysiąc się perf) przeciwko komuś.

Ganges ['gændʒi:z] n: **the Ganges** Ganges m.

gangling ['gæŋglɪŋ] adj patykowaty.

gangplank ['gæŋplæŋk] n trap m.

gangrene ['gæŋgri:n] n gangrena f, zgorzel m.

gangster ['gæŋstə*] n gangster m.

gangway ['gæŋweɪ] n (from ship) trap m; (BRIT: in cinema, bus, plane) przejście nt.

gantry ['gæntrɪ] n (for crane, railway signal) portal m; (for rocket) wyrzutnia f.

GAO (US) n abbr (= General Accounting Office) rządowe biuro rewidentów ksiąg handlowych.

gaol [dʒeɪl] (BRIT) n, vt = **jail**.

gap [gæp] n (in mountains) szczelina f, (in teeth) szpara f, (in time) przerwa f, (in market, records) luka f, (fig) przepaść f.

gape [geɪp] vi (person) gapić się (inf); (shirt, lips) rozchylać się; (hole) ziać.

gaping ['geɪpɪŋ] adj (hole) ziejący; (wound) otwarty; (mouth) rozdziawiony (inf).

garage ['gæra:ʒ] n (of private house) garaż m; (for car repairs) warsztat m; (petrol station) stacja f benzynowa.

garb [ga:b] n ubiór m, strój m.

garbage ['ga:bɪdʒ] n (US: rubbish) śmieci pl; (inf. nonsense) bzdury pl (inf); (fig: film, book) szmira f.

garbage can (US) n pojemnik m na śmieci.

garbage disposal (unit) n młynek m zlewozmywakowy, kuchenny rozdrabniacz m odpadków.

garbled ['ga:bld] adj przekręcony, przeinaczon

garden ['ga:dn] n ogród m ♦ vi pracować w ogrodzie; **gardens** npl (public) park m; (botanical, private) ogród m; **she was busy gardening** pracowała w ogrodzie.

garden centre n centrum m ogrodnicze.

gardener ['ga:dnə*] n ogrodnik m.

gardening ['ga:dnɪŋ] n ogrodnictwo nt.

gargle ['ga:gl] vi płukać gardło ♦ n płyn m d płukania gardła.

gargoyle ['ga:gɔɪl] n (ARCHIT) gargulec m, rzygacz m.

garish ['gɛərɪʃ] adj jaskrawy.

garland ['ga:lənd] n (on head) wianek m; (round neck) girlanda f.

garlic ['ga:lɪk] n czosnek m.

garment ['ga:mənt] n część m garderoby.

garner ['ga:nə*] vt (information) zbierać (zebrać perf).

garnish ['ga:nɪʃ] vt (CULIN) przybierać (przybrać perf), garnirować.

garret ['gærɪt] n pokój m na poddaszu.

garrison ['gærɪsn] n garnizon m.

garrulous ['gærjuləs] adj gadatliwy.

garter ['ga:tə*] n (BRIT) podwiązka f (opaska

podtrzymująca pończochę lub skarpetkę); (*US*) podwiązka *f* (*część pasa do pończoch*).

garter belt (*US*) *n* pas *m* do pończoch.

gas [gæs] *n* gaz *m*; (*US: gasoline*) benzyna *f*; (*MED*) gaz *m* rozweselający (*używany dawniej do znieczulania i narkozy*) ♦ *vt* (*kill*) zagazowywać (zagazować *perf*); (*MIL*) przeprowadzać (przeprowadzić *perf*) atak gazowy.

Gascony ['gæskənɪ] *n* Gaskonia *f*.

gas chamber *n* komora *f* gazowa.

gas cooker *n* kuchenka *f* gazowa.

gas cylinder *n* butla *f* gazowa.

gaseous ['gæsɪəs] *adj* lotny.

gas fire (*BRIT*) *n* piecyk *m* gazowy.

gash [gæʃ] *n* (*wound*) (głęboka) rana *f* cięta; (*tear*) rozdarcie *nt* ♦ *vt* (*arm etc*) rozciąć (*perf*).

gasket ['gæskɪt] *n* uszczelka *f*.

gas mask *n* maska *f* gazowa.

gas meter *n* licznik *m* gazowy.

gasoline ['gæsəliːn] (*US*) *n* benzyna *f*.

gasp [gɑːsp] *n*: **to breathe in gasps** mieć przerywany oddech ♦ *vi* (*pant*) łapać (złapać *perf*) (z trudem) powietrze; (*say while panting*) wykrztusić (*perf*); **she let out a gasp of amazement** zachłysnęła się ze zdumienia; **I am gasping for a drink** umieram z pragnienia.

gas ring *n* palnik *m* gazowy.

gas station (*US*) *n* stacja *f* benzynowa.

gas stove *n* kuchnia *f* gazowa.

gassy ['gæsɪ] *adj* (*beer etc*) gazowany.

gas tank *n* zbiornik *m* gazowy.

gastric ['gæstrɪk] *adj* żołądkowy, gastryczny.

gastric ulcer *n* wrzód *m* żołądka.

gastroenteritis ['gæstrəuentə'raɪtɪs] *n* zapalenie *nt* żołądka i jelit.

gastronomy [gæs'trɔnəmɪ] *n* gastronomia *f*.

gasworks ['gæswəːks] *n* gazownia *f*.

gate [geɪt] *n* (*of building*) brama *f*; (*of garden, field*) furtka *f*; (*at airport*) wyjście *nt*; (*of level-crossing etc*) bariera *f*, szlaban *m*.

gateau ['gætəu] (*pl* **gateaux**) *n* torcik *m*.

gatecrash ['geɪtkræʃ] (*BRIT*) *vt* wchodzić (wejść *perf*) bez zaproszenia na +*acc* ♦ *vi* wchodzić (wejść *perf*) bez zaproszenia.

gatecrasher ['geɪtkræʃə*] *n* nieproszony gość *m*.

gateway ['geɪtweɪ] *n* brama *f*; (*fig*) droga *f*; **the gateway to the city** wjazd do miasta.

gather ['gæðə*] *vt* zbierać (zebrać *perf*), gromadzić (zgromadzić *perf*); (*SEWING*) marszczyć (zmarszczyć *perf*) ♦ *vi* (*people, clouds*) zbierać się (zebrać się *perf*), gromadzić się (zgromadzić się *perf*); (*dust*) zbierać się; **to gather (from/that)** wnioskować (wywnioskować *perf*) (z +*gen*/, że); **as far as I can gather** o ile się orientuję; **to gather speed** nabierać (nabrać *perf*) prędkości.

gathering ['gæðərɪŋ] *n* zgromadzenie *nt*.

GATT [gæt] *n abbr* (= *General Agreement on Tariffs and Trade*) GATT *m inv*, Układ *m* Ogólny w Sprawie Taryf Celnych i Handlu.

gauche [gəuʃ] *adj* niezdarny.

gaudy ['gɔːdɪ] *adj* (*clothes etc*) krzykliwy.

gauge [geɪdʒ] *n* (*instrument*) przyrząd *m* pomiarowy; (*RAIL*) szerokość *m* toru ♦ *vt* (*amount, quantity*) określać (określić *perf*); (*fig: feelings, character*) oceniać (ocenić *perf*); **petrol gauge, fuel gauge,** (*US*) **gas gauge** wskaźnik poziomu paliwa.

Gaul [gɔːl] *n* (*country*) Galia *f*; (*person*) Galijczyk (-jka) *m(f)*.

gaunt [gɔːnt] *adj* (*haggard*) wymizerowany; (*stark*) nagi.

gauntlet ['gɔːntlɪt] *n* rękawica *f*; **to run the gauntlet of** być wystawionym *or* narażonym na +*acc*; **to throw down the gauntlet** rzucać (rzucić *perf*) wyzwanie *or* rękawicę.

gauze [gɔːz] *n* gaza *f*.

gave [geɪv] *pt of* **give**.

gavel ['gævl] *n* młotek *m* (*sędziego, przewodniczącego itp*).

gawk [gɔːk] (*inf*) *vi* gapić się (*inf*).

gawky ['gɔːkɪ] *adj* niezdarny, niezgrabny.

gawp [gɔːp] *vi*: **to gawp at** gapić się na +*acc*.

gay [geɪ] *adj* (*person*): **to be gay** być homoseksualistą; (*organization, rights*) homoseksualistów *post*; (*bar, magazine*) gejowski, dla homoseksualistów *or* gejów *post*; (*old: cheerful*) wesoły; (*colour, music*) żywy; (*dress*) barwny ♦ *n* gej *m*.

gaze [geɪz] *n* wzrok *m*, spojrzenie *nt* ♦ *vi*: **to gaze at sth** wpatrywać się w coś.

gazelle [gə'zel] *n* gazela *f*.

gazette [gə'zet] *n* (*newspaper*) gazeta *f*; (*official publication*) dziennik *m* urzędowy.

gazetteer [gæzə'tɪə*] *n* (*index*) wykaz *m or* indeks *m* nazw geograficznych; (*book*) słownik *m* nazw geograficznych.

gazumping [gə'zʌmpɪŋ] (*BRIT*) *n* odmowa *sprzedaży domu pomimo wcześniejszych uzgodnień, ponieważ pojawił się klient oferujący wyższą cenę.*

GB *abbr* = **Great Britain**.

GBH (*BRIT: JUR*) *n abbr* (= *grievous bodily harm*) ciężkie uszkodzenie *nt* ciała.

GC (*BRIT*) *n abbr* (= *George Cross*) *brytyjski order za odwagę.*

GCE *n abbr* (*BRIT*: = *General Certificate of Education*) *świadectwo ukończenia szkoły średniej*, ≈ *świadectwo dojrzałości*, ≈ *matura*.

GCHQ (*BRIT*) *n abbr* (= *Government Communications Headquarters*).

GCSE (*BRIT*) *n abbr* (= *General Certificate of Secondary Education*) *świadectwo ukończenia szkoły średniej, nie uprawniające do podjęcia studiów wyższych.*

Gdns. *abbr* (*in street names*) = **Gardens**.

GDP *n abbr* = **gross domestic product** PKB *m inv*, = produkt krajowy brutto.

GDR *(formerly) n abbr (= German Democratic Republic)* NRD *nt inv.*

gear [gɪə*] *n (equipment)* sprzęt *m*; *(clothing)* strój *m*; *(belongings)* rzeczy *pl*; *(TECH)* przekładnia *f*, *(AUT)* bieg *m* ♦ *vt:* **to be geared to** *or* **for** być nastawionym na *+acc*; **top** *or (US)* **high/low/bottom gear** wysokie/niskie/najniższe obroty; **in gear** na biegu; **our service is geared to meet the needs of the disabled** jesteśmy nastawieni na zaspokajanie potrzeb osób niepełnosprawnych.

▸**gear up** *vi:* **to gear up (to sth/to do sth)** szykować się (do czegoś/zrobienia czegoś) ♦ *vt:* **to gear oneself up (to sth/to do sth)** szykować się (do czegoś/zrobienia czegoś).

gearbox ['gɪəbɔks] *n* skrzynia *f* biegów.

gear lever *(US* **gear shift***) n* dźwignia *f* zmiany biegów.

GED *(US: SCOL) n abbr (= general educational development).*

geese [gi:s] *npl of* **goose**.

Geiger counter ['gaɪgə-] *n* licznik *m* geigerowski *or* Geigera-Müllera.

gel [dʒɛl] *n* żel *m* ♦ *vi (liquid)* tężeć (stężeć *perf*); *(fig: thought, idea)* krystalizować się, wykrystalizowywać się (wykrystalizować się *perf*).

gelatin(e) ['dʒɛləti:n] *n* żelatyna *f*.

gelignite ['dʒɛlɪgnaɪt] *n* plastyczny materiał *m* wybuchowy, plastik *m* *(inf)*.

gem [dʒɛm] *n* kamień *m* szlachetny, klejnot *m*; *(fig: person)* skarb *m*; (: *idea, house*) klejnot *m*, perła *f*.

Gemini ['dʒɛmɪnaɪ] *n* Bliźnięta *pl*; **to be Gemini** być spod znaku Bliźniąt.

gen [dʒɛn] *(BRIT: inf) n:* **to give sb the gen on sth** wprowadzać (wprowadzić *perf*) kogoś w szczegóły czegoś.

Gen. *(MIL) abbr =* **general** gen.

gen. *abbr =* **general**; **generally** og.

gender ['dʒɛndə*] *n (sex)* płeć *f*, *(LING)* rodzaj *m*.

gene [dʒi:n] *n* gen *m*.

genealogy [dʒi:nɪ'ælədʒɪ] *n* genealogia *f*.

general ['dʒɛnərl] *n* generał *m* ♦ *adj* ogólny; *(secretary etc)* generalny; **in general** *(on the whole)* ogólnie *or* generalnie (rzecz) biorąc; *(as a whole)* w ogóle; *(ordinarily)* na ogół; **the general public** ogół społeczeństwa; **general audit** *(COMM)* kontrola ogólna.

general anaesthetic *n* znieczulenie *nt* ogólne.

general delivery *(US) n* poste restante *nt inv.*

general election *n* wybory *pl* powszechne.

generalization ['dʒɛnrəlaɪ'zeɪʃən] *n* uogólnienie *nt*, generalizacja *f*.

generalize ['dʒɛnrəlaɪz] *vi* uogólniać (uogólnić *perf*), generalizować.

generally ['dʒɛnrəlɪ] *adv* ogólnie *or* generalnie (rzecz) biorąc.

general manager *n* dyrektor *m* naczelny *or* generalny.

general practitioner *n* lekarz *m* ogólny.

general strike *n* strajk *m* generalny.

generate ['dʒɛnəreɪt] *vt (energy, electricity)* wytwarzać (wytworzyć *perf*); *(jobs)* stwarzać (stworzyć *perf*); *(profits)* przynosić (przynieść *perf*).

generation [dʒɛnə'reɪʃən] *n (people)* pokolenie *nt*, generacja *f*, *(period of time)* pokolenie *nt*; *(of electricity etc)* wytwarzanie *nt*.

generator ['dʒɛnəreɪtə*] *n* generator *m*.

generic [dʒɪ'nɛrɪk] *adj* ogólny; *(BIO)* gatunkowy.

generosity [dʒɛnə'rɔsɪtɪ] *n (of spirit)* wspaniałomyślność *f*, wielkoduszność *f*, *(with money, gifts)* hojność *f*, szczodrość *f*.

generous ['dʒɛnərəs] *adj (magnanimous)* wspaniałomyślny, wielkoduszny; *(lavish, liberal)* hojny, szczodry.

genesis ['dʒɛnɪsɪs] *n* geneza *f*.

genetic [dʒɪ'nɛtɪk] *adj* genetyczny.

genetic engineering *n* inżynieria *f* genetyczna.

genetics [dʒɪ'nɛtɪks] *n* genetyka *f*.

Geneva [dʒɪ'ni:və] *n* Genewa *f*.

genial ['dʒi:nɪəl] *adj* miły, przyjazny.

genitals ['dʒɛnɪtlz] *npl* genitalia *pl*.

genitive ['dʒɛnɪtɪv] *n (LING)* dopełniacz *m*.

genius ['dʒi:nɪəs] *n (person)* geniusz *m*; *(ability, skill):* **a genius for (doing) sth** (wielki) talent do (robienia) czegoś.

Genoa ['dʒɛnəuə] *n* Genua *f*.

genocide ['dʒɛnəusaɪd] *n* ludobójstwo *nt*.

Genoese [dʒɛnəu'i:z] *adj* genueński ♦ *n inv* genueńczyk (-enka) *m(f)*.

gent [dʒɛnt] *(BRIT: inf) n abbr =* **gentleman**.

genteel [dʒɛn'ti:l] *adj* dystyngowany; *(pej)* afektowany, z pretensjami *post*.

gentle ['dʒɛntl] *adj* łagodny; **a gentle hint** delikatna aluzja.

gentleman ['dʒɛntlmən] *(irreg like* **man***) n (man)* pan *m*; *(referring to social position)* człowiek *m* szlachetnie *or* wysoko urodzony, ≈ szlachcic *m (old)*; *(well-mannered man)* dżentelmen *m*; **gentleman's agreement** dżentelmeńska umowa.

gentlemanly ['dʒɛntlmənlɪ] *adj (person)* dobrze wychowany; *(behaviour)* dżentelmeński.

gentleness ['dʒɛntlnɪs] *n* łagodność *f*.

gently ['dʒɛntlɪ] *adv* łagodnie; *(lightly)* delikatnie.

gentry *n inv:* **the gentry** ≈ szlachta *f*.

gents [dʒɛnts] *n:* ˙the gents męska toaleta *f*.

genuine ['dʒɛnjuɪn] *adj (real)* prawdziwy; *(sincere)* szczery.

genuinely ['dʒɛnjuɪnlɪ] *adv* prawdziwie.

geographer [dʒɪ'ɔgrəfə*] *n* geograf *m*.

geographic(al) [dʒɪə'græfɪk(l)] *adj* geograficzny.

geography [dʒɪ'ɔgrəfɪ] *n* geografia *f*.

geological [dʒɪə'lɔdʒɪkl] *adj* geologiczny.

geologist [dʒɪ'ɔlədʒɪst] *n* geolog *m*.
geology [dʒɪ'ɔlədʒɪ] *n* geologia *f*.
geometric(al) [dʒɪə'mɛtrɪk(l)] *adj* geometryczny.
geometry [dʒɪ'ɔmətrɪ] *n* geometria *f*.
Geordie ['dʒɔːdɪ] (*BRIT*: *inf*) *n* osoba lub akcent z *Newcastle*.
geranium [dʒɪ'reɪnɪəm] *n* pelargonia *f*.
geriatric [dʒɛrɪ'ætrɪk] *adj* geriatryczny ♦ *n* osoba *f* w podeszłym wieku.
germ [dʒɜːm] *n* (*MED*) zarazek *m*; (*fig*): **the germ of an idea** zalążek *m* pomysłu.
German ['dʒɜːmən] *adj* niemiecki ♦ *n* (*person*) Niemiec (-mka) *m(f)*; (*LING*) (język *m*) niemiecki.
German Democratic Republic (*formerly*) *n* Niemiecka Republika *f* Demokratyczna.
German measles (*BRIT*) *n* różyczka *f*.
Germany ['dʒɜːmənɪ] *n* Niemcy *pl*.
germinate ['dʒɜːmɪneɪt] *vi* kiełkować (zakiełkować *perf*).
germination [dʒɜːmɪ'neɪʃən] *n* kiełkowanie *nt*.
germ warfare *n* broń *f* biologiczna.
gerrymandering ['dʒɛrɪmændərɪŋ] *n* przedwyborcza manipulacja podziałem na okręgi wyborcze.
gestation [dʒɛs'teɪʃən] *n* ciąża *f*.
gesticulate [dʒɛs'tɪkjuleɪt] *vi* gestykulować.
gesture ['dʒɛstjə*] *n* (*movement*) gest *m*; (*symbol, token*) gest *m*, akt *m*; **as a gesture of friendship** na znak przyjaźni.

KEYWORD
---

get [gɛt] (*pt, pp* **got**) (*US*: *pp* **gotten**) *vi* **1** (*become, be*) stawać się (stać się *perf*), robić się (zrobić się *perf*); (*+past partciple*) zostać (*perf*); **this is getting more and more difficult** to się staje coraz trudniejsze; **it's getting late** robi się późno; **to get elected** zostać (*perf*) wybranym. **2** (*go*): **to get from/to** dostawać się (dostać się *perf*) z +*gen*/do +*gen*; **to get home** docierać (dotrzeć *perf*) do domu. **3** (*begin*) zaczynać (zacząć *perf*); **I'm getting to like him** zaczynam go lubić; **to get to know sb** poznawać (poznać *perf*) kogoś (bliżej); **let's get going** *or* **started** zaczynajmy ♦ *modal aux vb*: **you've got to do it** musisz to zrobić ♦ *vt* **1**: **to get sth done** (*do oneself*) zrobić (*perf*) coś; (*have done*) (od)dać (*perf*) coś do zrobienia; **to get the washing done** zrobić (*perf*) pranie; **to get one's hair cut** obciąć (*perf*) włosy; **to get sb to do sth** nakłonić (*perf*) kogoś, żeby coś zrobił; **to get sb into trouble** wpakować (*perf*) kogoś w tarapaty. **2** (*obtain, find, receive, acquire*) dostawać (dostać *perf*); **how much did you get for the painting?** ile dostałeś za ten obraz? **3** (*fetch: person, doctor*) sprowadzać (sprowadzić *perf*); (: *object*) przynosić (przynieść *perf*); **to get sth for sb** (*obtain*) zdobyć (*perf*) coś dla kogoś; (*fetch*) przynieść

(*perf*) coś komuś. **4** (*catch*) łapać (złapać *perf*); **get him!** łapać go! **5** (*hit*) trafić (*perf*); **the bullet got him in the leg** kula trafiła go w nogę. **6** (*take, move*): **to get sth to sb** dostarczyć (*perf*) coś komuś. **6** (*take: plane, bus etc*): **we got a plane to London and then a train to Colchester** do Londynu polecieliśmy samolotem, a potem pojechaliśmy pociągiem do Colchester. **7** (*understand*) rozumieć (zrozumieć *perf*); **I get it** rozumiem. **8** (*have, possess*): **how may have you got?** ile (ich) masz?
▸**get about** *vi* (*person*) przenosić się z miejsca na miejsce; (*news, rumour*) rozchodzić się (rozejść się *perf*).
▸**get across** *vi* (*meaning, message*) docierać (dotrzeć *perf*) ♦ *vt*: **to get sth across (to sb)** znaleźć (*perf*) zrozumienie dla czegoś (u kogoś).
▸**get along** *vi* (*be friends*) być w dobrych stosunkach; (*depart*) pójść (*perf*) (sobie).
▸**get around** = **get round**.
▸**get at** *vt fus* (*attack, criticize*) naskakiwać (naskoczyć *perf*) na +*acc*; (*reach*) dosięgać (dosięgnąć *perf*) +*gen*; **what are you getting at?** do czego zmierzasz?
▸**get away** *vi* (*leave*) odchodzić (odejść *perf*), wyrywać się (wyrwać się *perf*) (*inf*); (*on holiday*) wyjeżdżać (wyjechać *perf*); (*escape*) uciekać (uciec *perf*).
▸**get away with** *vt fus*: **he'll never get away with it!** nie ujdzie mu to na sucho!
▸**get back** *vi* wracać (wrócić *perf*) ♦ *vt* odzyskiwać (odzyskać *perf*); **get back!** odsuń się!
▸**get back at** (*inf*) *vt fus*: **to get back at sb (for sth)** odpłacić się (*perf*) komuś (za coś).
▸**get back to** *vt fus* powracać (powrócić *perf*) do +*gen*; **to get back to sb on sth** skontaktować się (*perf*) z kimś ponownie w jakiejś sprawie; **to get back to sleep** zasypiać (zasnąć *perf*) ponownie *or* z powrotem.
▸**get by** *vi* (*pass*) przechodzić (przejść *perf*); (*manage*) radzić (poradzić *perf*) sobie (jakoś), dawać (dać *perf*) sobie (jakoś) radę; **I can get by in Dutch** potrafię się dogadać po holendersku.
▸**get down** *vi* (*descend*) schodzić (zejść *perf*); (*on floor, ground*) siadać (siąść (*perf*)), usiąść *perf* ♦ *vt* (*depress*) przygnębiać (przygnębić *perf*); (*write*) notować (zanotować *perf*), zapisywać (zapisać *perf*).
▸**get down to** *vt fus* zabierać się (zabrać się *perf*) do +*gen*; **to get down to business** (*fig*) przechodzić (przejść *perf*) do rzeczy.
▸**get in** *vi* (*be elected*) wchodzić (wejść *perf*) (*do parlamentu itp*); (*train*) wjeżdżać (wjechać *perf*) (na stację), przyjeżdżać (przyjechać *perf*) (na miejsce); (*arrive home*) wchodzić (wejść

perf) do domu ♦ *vt* (*harvest*) zbierać (zebrać
perf); (*supplies*) gromadzić (zgromadzić *perf*).

►**get into** *vt fus* (*conversation, fight*) wdawać
się (wdać się *perf*) w +*acc*; (*vehicle*) wsiadać
(wsiąść *perf*) do +*gen*; (*clothes*) wchodzić
(wejść *perf*) w +*acc*; **to get into the habit of
doing sth** nabierać (nabrać *perf*) zwyczaju
robienia czegoś.

►**get off** *vi* (*from train etc*) wysiadać (wysiąść
perf); (*escape*) wykpić się *(perf)*; **he got off
with a 50-pound fine** wykpił się 50-funtową
grzywną ♦ *vt* (*clothes*) zdejmować (zdjąć
perf); (*stain*) wywabiać (wywabić *perf*) ♦ *vt
fus* (*train, bus*) wysiadać (wysiąść *perf*) z
+*gen*; **we get three days off at Christmas** na
Boże Narodzenie mamy trzy dni wolnego; **to
get off to a good start** (*fig: person*) dobrze
zaczynać (zacząć *perf*); (*event*) dobrze się
zaczynać (zacząć *perf*).

►**get on** *vi* (*be friends*) być w dobrych
stosunkach ♦ *vt fus* (*bus, train*) wsiadać (wsiąść
perf) do +*gen*; **how are you getting on?** jak ci
idzie?; **time is getting on** czas nagli.

►**get on to** (*BRIT*) *vt fus* (*subject*) przechodzić
(przejść *perf*) do +*gen*; (*person*) skontaktować
się *(perf)* z +*instr*.

►**to get on with** *vt fus* (*person*) być w
dobrych stosunkach z +*instr*; (*meeting, work*)
kontynuować +*acc*.

►**get out** *vi* (*of place*) wychodzić (wyjść *perf*);
(: *with effort*) wydostawać się (wydostać się
perf); (*of vehicle*) wysiadać (wysiąść *perf*);
(*news etc*) wychodzić (wyjść *perf*) na jaw ♦
vt (*object*) wyciągać (wyciągnąć *perf*),
wyjmować (wyjąć *perf*); (*stain*) wywabiać
(wywabić *perf*).

►**get out of** *vt fus* (*duty etc*) wymigiwać się
(wymigać się *perf*) od +*gen*; **to get money
out of the bank** podejmować (podjąć *perf*)
pieniądze z banku ♦ *vt* (*confession etc*)
wydobywać (wydobyć *perf*); (*pleasure,
benefit*) czerpać.

►**get over** *vt fus* (*illness, shock*) wychodzić
(wyjść *perf*) z +*gen*; (*idea etc*) przekazywać
(przekazać *perf*) ♦ *vt*: **to get it over with** raz
z tym skończyć *(perf)*.

►**get round** *vt fus* (*law, rule*) obchodzić
(obejść *perf*); (*person*) przekonać *(perf)*.

►**get round to** *vt fus* (w końcu) zabrać się
(perf) za +*acc*.

►**get through** *vi* (*TEL*) uzyskiwać (uzyskać
perf) połączenie ♦ *vt fus* (*work*) uporać się
(perf) z +*instr*; (*book*) przebrnąć *(perf)* przez
+*acc*.

►**get through to** (*TEL*) *vt fus* dodzwonić się
(perf) do +*gen*.

►**get together** *vi* spotykać się (spotkać się
perf) ♦ *vt* (*people*) zbierać (zebrać *perf*);
(*project, plan etc*) sporządzać (sporządzić *perf*).

►**get up** *vi* wstawać (wstać *perf*) ♦ *vt*: **to get**

up enthusiasm for sth rozbudzać (rozbudzić
perf) entuzjazm dla czegoś.

►**get up to** *vt fus* wyprawiać *or* wyrabiać +*acc*.

getaway ['gɛtəweɪ] *n*: **to make a** *or* **one's
getaway** zbiec *(perf)*, uciec *(perf)*.

getaway car *n samochód, którym sprawcy
uciekają z miejsca przestępstwa.*

get-together ['gɛtəgɛðə*] *n* spotkanie *nt*.

get-up ['gɛtʌp] (*inf*) *n* strój *m* (*zwłaszcza
dziwaczny lub nieodpowiedni na daną okazję*).

get-well card [gɛt'wɛl-] *n* kartka *f* z
życzeniami powrotu do zdrowia.

geyser ['giːzə*] *n* (*GEOL*) gejzer *m*;
(*BRIT*: *water heater*) bojler *m*.

Ghana ['gɑːnə] *n* Ghana *f*.

Ghanaian [gɑːˈneɪən] *adj* ghański ♦ *n*
Ghańczyk/Ghanka *m/f*.

ghastly ['gɑːstlɪ] *adj* koszmarny; (*complexion,
whiteness*) upiorny; **you look ghastly!**
wyglądasz okropnie *or* strasznie!

gherkin ['gəːkɪn] *n* korniszon *m*.

ghetto ['gɛtəʊ] *n* getto *nt*.

ghetto blaster [-'blɑːstə*] (*inf*) *n* przenośny
radiomagnetofon *m*.

ghost [gəʊst] *n* duch *m* ♦ *vt*: **to ghost sb's
books** pisać za kogoś książki; **to give up the
ghost** (*fig*) wyzionąć *(perf)* ducha; **ghost story**
historia o duchach.

ghost town *n* wymarłe miasto *nt*.

ghostwriter ['gəʊstraɪtə*] *n* autor *f* piszący za
kogoś, murzyn *m* (*inf*).

ghoul [guːl] *n* (*ghost*) upiór *m*.

ghoulish ['guːlɪʃ] *adj* makabryczny.

GHQ (*MIL*) *n abbr* (= *general headquarters*)
KG, = Kwatera Główna.

GI (*US*: *inf*) *n abbr* (= *government issue*)
*popularny skrót oznaczający żołnierza armii
amerykańskiej.*

giant ['dʒaɪənt] *n* (*in stories*) olbrzym *m*,
wielkolud *m*; (*fig: large company*) gigant *m*,
potentat *m* ♦ *adj* gigantyczny; **giant (size)
packet** wielkie opakowanie.

gibber ['dʒɪbə*] *vi* bełkotać (wybełkotać *perf*).

gibberish ['dʒɪbərɪʃ] *n* bełkot *m*, bzdury *pl*; **to
talk gibberish** gadać od rzeczy.

gibe [dʒaɪb] *n* szydercza uwaga *f*, kpina *f* ♦
vi: **to gibe at** szydzić *or* kpić z +*gen*.

giblets ['dʒɪblɪts] *npl* podroby *pl* drobiowe.

Gibraltar [dʒɪˈbrɔːltə*] *n* Gibraltar *m*.

giddiness ['gɪdɪnɪs] *n* zawroty *pl* głowy.

giddy ['gɪdɪ] *adj* (*dizzy*): **to be/feel giddy**
mieć/odczuwać zawroty głowy; (*fig*)
przyprawiający o zawrót głowy; **giddy with
success** oszołomiony *or* upojony
powodzeniem.

gift [gɪft] *n* (*present*) prezent *m*, upominek *m*;
(*COMM*: *also*: **free gift**) darmowy *or*

gratisowy upominek *m*; **gift of** dar *m* +*gen*;
gift for talent *m* do +*gen*.

gifted ['gɪftɪd] *adj* utalentowany.

gift token *n* talon *m or* bon *m* na zakupy.

gift voucher *n* = **gift token**.

gig [gɪg] (*inf*) *n* koncert *m*.

gigantic [dʒaɪ'gæntɪk] *adj* gigantyczny.

giggle ['gɪgl] *vi* chichotać (zachichotać *perf*) ♦
n chichot *m*; **a fit of the giggles** atak
wesołości; **to do sth for a giggle** robić
(zrobić *perf*) coś dla śmiechu.

GIGO ['gaɪgəu] (*COMPUT*: *inf*) *abbr* (=
garbage in, garbage out) błędne dane *pl* –
błędne wyniki *pl*.

gild [gɪld] *vt* złocić, pozłacać (pozłocić *perf*).

gill [dʒɪl] *n* (*BRIT* = *0.14l, US* = *0.12l*) ćwierć
f kwarty.

gills [gɪlz] *npl* skrzela *pl*.

gilt [gɪlt] *adj* złocony, pozłacany ♦ *n* złocenie
nt, pozłota *f*; **gilts** *npl* (*COMM*) obligacje *pl*
państwowe.

gilt-edged ['gɪltedʒd] (*COMM*) *adj*: **gilt-edged
stocks/securities** obligacje *pl* państwowe.

gimlet ['gɪmlɪt] *n* świder *m* ręczny.

gimmick ['gɪmɪk] *n* sztuczka *f*.

gin [dʒɪn] *n* dżin *m*.

ginger ['dʒɪndʒə*] *n* imbir *m* ♦ *adj* rudy.

ginger ale *n* napój *m* imbirowy.

ginger beer *n* napój *m* imbirowy; (*alcoholic*)
piwo *nt* imbirowe.

gingerbread ['dʒɪndʒəbred] *n* (*cake*) piernik
m; (*biscuit*) pierniczek *m*.

ginger group (*BRIT*) *n* grupa *f* nacisku.

gingerly ['dʒɪndʒəlɪ] *adv* ostrożnie.

gingham ['gɪŋəm] *n* *tkanina bawełniana w
drobną białą kratkę*.

gipsy ['dʒɪpsɪ] *n* Cygan(ka) *m(f)*.

gipsy caravan *n* wóz *m* cygański.

giraffe [dʒɪ'rɑːf] *n* żyrafa *f*.

girder ['gə:də*] *n* dźwigar *m*.

girdle ['gə:dl] *n* (*corset*) gorset *m*; (*belt*) pasek
m ♦ *vt* opasywać (opasać *perf*).

girl [gə:l] *n* (*child, daughter*) dziewczynka *f*;
(*young woman*) dziewczyna *f*; **this is my little
girl** to moja córeczka; **an English girl**
(młoda) Angielka; **a girls' school** szkoła dla
dziewcząt.

girlfriend ['gə:lfrend] *n* (*of girl*) koleżanka *f*;
(: *close*) przyjaciółka *f*; (*of boy*) dziewczyna *f*.

Girl Guide *n* ≈ harcerka *f*.

girlish ['gə:lɪʃ] *adj* dziewczęcy.

Girl Scout (*US*) *n* ≈ harcerka *f*.

Giro ['dʒaɪrəu] *n*: **the National Giro** *brytyjski
system pocztowych rachunków czekowych*.

giro ['dʒaɪrəu] *n* (*bank giro*) bankowy system
m przelewowy; (*post office giro*) pocztowy
system *m* przelewowy; (*BRIT: welfare
cheque*) *przekaz pocztowy z zasiłkiem*.

girth [gə:θ] *n* (*circumference*) obwód *m*; (*of
horse*) popręg *m*.

gist [dʒɪst] *n* (*general meaning*) esencja *f*,
sedno *nt*; (*main points*) najważniejsze *pl*
punkty.

┌─────── **KEYWORD** ───────┐

give [gɪv] (*pt* **gave**, *pt* **given**) *vt* **1**: **to give
sb sth, give sth to sb** dawać (dać *perf*)
komuś coś. **2** (*used with noun to replace
verb*): **to give a sigh** westchnąć (*perf*); **to
give a cry** zapłakać (*perf*). **3** (*deliver. news,
message etc*) podawać (podać *perf*),
przekazywać (przekazać *perf*); (: *advice*)
dawać (dać *perf*); **to give the right/wrong
answer** udzielać (udzielić *perf*)
prawidłowej/nieprawidłowej odpowiedzi. **4**
(*provide: opportunity, job etc*) dawać (dać
perf); (: *surprise*) sprawiać (sprawić *perf*). **5**
(*bestow: title, honour*) nadawać (nadać *perf*);
(: *right*) dawać (dać *perf*); **that's given me an
idea** to podsunęło mi (pewien) pomysł. **6**
(*devote: time, attention*) poświęcać (poświęcić
perf); (: *one's life*) oddawać (oddać *perf*). **7**
(*organize*): **to give a party/dinner** wydawać
(wydać *perf*) przyjęcie/obiad ♦ *vi* **1** (*also*: **give
way**) załamywać się (załamać się *perf*); **the
roof gave as I stepped on it** dach załamał
się, gdy na nim stanąłem; **his legs gave
beneath him** nogi się pod nim ugięły. **2**
(*stretch*) rozciągać się (rozciągnąć się *perf*).

▶**give away** *vt* (*money, prizes*) rozdawać
(rozdać *perf*); (*opportunity*) pozbawiać się
(pozbawić się *perf*) +*gen*; (*secret, information*)
wyjawiać (wyjawić *perf*); (*bride*) poprowadzić
(*perf*) do ołtarza (*do pana młodego*); **that
immediately gave him away** to go
natychmiast zdradziło.

▶**give back** *vt* oddawać (oddać *perf*).

▶**give in** *vi* poddawać się (poddać się *perf*),
ustępować (ustąpić *perf*) ♦ *vt* (*essay etc*)
składać (złożyć *perf*), oddawać (oddać *perf*).

▶**give off** *vt* (*heat, smoke*) wydzielać
(wydzielić *perf*).

▶**give out** *vt* rozdawać (rozdać *perf*) ♦ *vi* (*be
exhausted: supplies*) wyczerpywać się
(wyczerpać się *perf*), kończyć się (skończyć
się *perf*); (*fail*) psuć się (popsuć się *perf*).

▶**give up** *vi* poddawać się (poddać się *perf*),
rezygnować (zrezygnować *perf*) ♦ *vt* (*job,
boyfriend, habit*) rzucać (rzucić *perf*); (*idea,
hope*) porzucać (porzucić *perf*); **to give o.s.
up** oddawać się (oddać się *perf*) +*dat*.

▶**give way** *vi* (*yield*) ustępować (ustąpić *perf*)
(miejsca); (*rope, ladder etc*) nie wytrzymać
(*perf*), puścić (*perf*) (*inf*); (*BRIT: AUT*)
ustępować (ustąpić *perf*) pierwszeństwa
przejazdu.

└─────────────────────────┘

give-and-take ['gɪvənd'teɪk] *n* kompromis *m*,
(wzajemne) ustępstwa *pl*.

give-away (*inf*) *n*: **her expression was a giveaway** wyraz twarzy zdradzał ją; **giveaway prices** śmiesznie niskie ceny.

given ['gɪvn] *pp of* **give** ♦ *adj* dany ♦ *conj*: **given the circumstances, ...** wziąwszy pod uwagę okoliczności, ...; **given that...** zważywszy, że... .

glacial ['gleɪsɪəl] *adj* (*period*) lodowcowy; (*landscape*) polodowcowy; (*fig: person*) oziębły; (: *smile, stare*) lodowaty.

glacier ['glæsɪə*] *n* lodowiec *m*.

glad [glæd] *adj* zadowolny; **to be glad about sth/that** cieszyć się z czegoś/, że; **I was glad of his help** byłem wdzięczny za jego pomoc.

gladden ['glædn] *vt* cieszyć (ucieszyć *perf*), radować (uradować *perf*); **it gladdened his heart to see her well again** serce mu się radowało, że znów widzi ją w dobrym zdrowiu.

glade [gleɪd] *n* polana *f*, (*small*) polanka *f*.

gladioli [glædɪ'əulaɪ] *npl* gladiole *pl*, mieczyki *pl*.

gladly ['glædlɪ] *adv* chętnie.

glamorous ['glæmərəs] *adj* olśniewający.

glamour ['glæmə*] *n* blask *m*, świetność *f*.

glance [glɑːns] *n* zerknięcie *nt*, rzut *m* oka ♦ *vi*: **to glance at** zerkać (zerknąć *perf*) na +*acc*, rzucać (rzucić *perf*) okiem na +*acc*.

►**glance off** *vt fus* odbijać się (odbić się (*perf*)) od +*gen*.

glancing ['glɑːnsɪŋ] *adj* (*blow*) ukośny, z boku *post*.

gland [glænd] *n* gruczoł *m*.

glandular ['glændjulə*] *adj*: **glandular fever** (*BRIT*) mononukleoza *f* zakaźna.

glare [gleə*] *n* (*look*) piorunujące spojrzenie *nt*; (*light*) oślepiające światło *nt*; (*fig: of publicity*) blask *m* ♦ *vi* świecić oślepiającym blaskiem; **to glare at** patrzyć z wściekłością na +*acc*.

glaring ['gleərɪŋ] *adj* (*mistake*) rażący.

glass [glɑːs] *n* (*substance*) szkło *nt*; (*for/of milk, water etc*) szklanka *f*; (*for/of beer*) kufel *m*; (*for/of wine, champagne*) lampka *f*; (*for/of other alcoholic drink*) kieliszek *m*; **glasses** *npl* okulary *pl*.

glass-blowing ['glɑːsbləuɪŋ] *n* dmuchanie *nt* szkła.

glass fibre *n* włókno *nt* szklane.

glasshouse ['glɑːshaus] *n* szklarnia *f*.

glassware ['glɑːsweə*] *n* wyroby *pl* szklane, szkło *nt*.

glassy ['glɑːsɪ] *adj* (*eyes, stare*) szklisty, szklany.

Glaswegian [glæs'wiːdʒən] *adj* z Glasgow *post* ♦ *n* mieszkaniec (-nka) *m(f)* Glasgow.

glaze [gleɪz] *vt* (*window etc*) szklić (oszklić *perf*); (*pottery*) glazurować ♦ *n* glazura *f*.

glazed [gleɪzd] *adj* (*eyes*) szklisty, szklany; (*pottery*) glazurowany.

glazier ['gleɪzɪə*] *n* szklarz *m*.

gleam [gliːm] *vi* błyszczeć, świecić się; **a gleam of hope** promyk nadziei.

gleaming ['gliːmɪŋ] *adj* błyszczący, świecący.

glean [gliːn] *vt* (*information*) z trudem gromadzić (zgromadzić *perf*).

glee [gliː] *n* radość *f*.

gleeful ['gliːful] *adj* rozradowany.

glen [glen] *n* dolina *f* (górska).

glib [glɪb] *adj* (*person*) wygadany; (*promise*) (zbyt) łatwy; (*response*) bez zająknienia *post*.

glibly ['glɪblɪ] *adv* gładko, bez zająknienia.

glide [glaɪd] *vi* (*snake*) ślizgać się, sunąć; (*dancer, boat*) sunąć; (*bird, aeroplane*) szybować ♦ *n* ślizg *m*.

glider ['glaɪdə*] *n* szybowiec *m*.

gliding ['glaɪdɪŋ] *n* (*sport*) szybownictwo *nt*; (*activity*) szybowanie *nt*.

glimmer ['glɪmə*] *n* (*of light*) (wątły) promyk *m*, migotanie *nt*; (*fig*) przebłysk *m*; **not a glimmer of hope/interest** ani odrobiny nadziei/zainteresowania ♦ *vi* świecić (zaświecić *perf*) słabym światłem, migotać (zamigotać *perf*).

glimpse [glɪmps] *n* mignięcie *nt* ♦ *vt* ujrzeć (*perf*) przelotnie; **to catch a glimpse of** ujrzeć (*perf*) przelotnie +*acc*; **a village they had glimpsed through the trees** wioska, która mignęła im między drzewami.

glint [glɪnt] *vi* błyskać, iskrzyć się ♦ *n* (*of light, metal*) błysk *m*; (*in eyes*) błysk *m*, iskra *f*.

glisten ['glɪsn] *vi* lśnić, połyskiwać.

glitter ['glɪtə*] *vi* błyszczeć, skrzyć się ♦ *n* blask *m*.

glittering ['glɪtərɪŋ] *adj* błyszczący, skrzący się; (*career*) błyskotliwy.

glitz [glɪts] (*inf*) *n* blichtr *m*.

gloat [gləut] *vi* tryumfować; **to gloat over** (*one's own success*) napawać się +*instr*; (*sb else's failure*) cieszyć się z +*gen*.

global ['gləubl] *adj* (*worldwide*) (ogólno)światowy; (*overall*) globalny.

globe [gləub] *n* (*world*) kula *f* ziemska, świat *m*; (*model*) globus *m*; (*shape*) kula *f*.

globetrotter ['gləubtrɔtə*] *n* globtroter *m*, obieżyświat *m*.

globule ['glɔbjuːl] *n* (*of blood, water*) kropelka *f*; (*of gold*) kuleczka *f*.

gloom [gluːm] *n* (*dark*) mrok *m*; (*sadness*) ponurość *f*, posępność *f*.

gloomily ['gluːmɪlɪ] *adv* ponuro, posępnie.

gloomy ['gluːmɪ] *adj* (*dark: place*) mroczny; (: *sky, day*) pochmurny; (*sad: person, place*) ponury, posępny; (: *situation*) przygnębiający.

glorification [glɔːrɪfɪ'keɪʃən] *n* wysławianie *nt*, gloryfikacja *f*.

glorify ['glɔːrɪfaɪ] *vt* wysławiać, gloryfikować.

glorious ['glɔːrɪəs] *adj* wspaniały.

glory ['glɔːrɪ] *n* (*prestige*) sława *f*, chwała *f*; (*splendour*) wspaniałość *f* ♦ *vi*: **to glory in** rozkoszować się +*instr*.

glory hole (*inf*) *n* rupieciarnia *f*.
Glos (*BRIT: POST*) *abbr* = **Gloucestershire**.
gloss [glɔs] *n* (*shine*) połysk *m*; (*also*: **gloss paint**) emalia *f*.
▸**gloss over** *vt fus* (*error*) tuszować +*acc*, zatuszowywać (zatuszować *perf*) +*acc*; (*problem*) przechodzić (przejść *perf*) do porządku dziennego nad +*instr*.
glossary ['glɔsərɪ] *n* słowniczek *m* (*w książce*).
glossy ['glɔsɪ] *adj* (*hair*) lśniący; (*photograph*) z połyskiem *post* ♦ *n*: **glossy magazine** ilustrowane czasopismo *nt* (*drukowane na lśniącym papierze*).
glove [glʌv] *n* rękawiczka *f*, (*boxer's, surgeon's*) rękawica *f*.
glove compartment (*AUT*) *n* schowek *m* na rękawiczki.
glow [gləu] *vi* (*embers*) żarzyć się, jarzyć się; (*stars*) jarzyć się; (*eyes*) błyszczeć; (*face*) różowić się ♦ *n* (*of embers*) żar *m*; (*of stars*) poświata *f*, (*of eyes*) blask *m*; (*of face*) zaróżowienie *nt*.
glower ['glauə*] *vi*: **to glower (at sb)** patrzyć (popatrzyć *perf*) wilkiem (na kogoś).
glowing ['gləuɪŋ] *adj* (*fire*) żarzący się; (*complexion*) zaróżowiony; (*fig*) pochlebny, pochwalny.
glow-worm ['gləuwə:m] *n* świetlik *m*, robaczek *m* świętojański.
glucose ['glu:kəus] *n* glukoza *f*.
glue [glu:] *n* klej *m* ♦ *vt*: **to glue sth onto sth** naklejać (nakleić *perf*) coś na coś; **to glue sth into place** przyklejać (przykleić *perf*) coś.
glue-sniffing ['glu:snɪfɪŋ] *n* wąchanie *nt* kleju.
glum [glʌm] *adj* przybity.
glut [glʌt] *n* przesycenie *nt* ♦ *vt* przesycony; **to be glutted with** (*market etc*) być zalanym +*instr*.
glutinous ['glu:tɪnəs] *adj* kleisty, lepki.
glutton ['glʌtn] *n* żarłok *m*, obżartuch *m* (*inf*): **a glutton for work/punishment** tytan pracy/masochista.
gluttonous ['glʌtənəs] *adj* żarłoczny.
gluttony ['glʌtənɪ] *n* (*act*) obżarstwo *nt*; (*habit*) żarłoczność *f*.
glycerin(e) ['glɪsəri:n] *n* gliceryna *f*.
gm *abbr* = **gram** g.
GMAT (*US*) *n abbr* (= *Graduate Management Admissions Test*) *egzamin, którego zdanie uprawnia do podjęcia studiów magisterskich w dziedzinie handlu i zarządzania.*
GMB (*BRIT*) *n abbr* (= *General Municipal and Boilermakers (Union)*).
GMT *abbr* (= *Greenwich Mean Time*) (czas *m*) GMT, czas *m* Greenwich.
gnarled [nɑ:ld] *adj* sękaty.
gnash [næʃ] *vt*: **to gnash one's teeth** zgrzytać zębami.
gnat [næt] *n* komar *m*.
gnaw [nɔ:] *vt* o(b)gryzać (o(b)gryźć *perf*); (*fig*):

to gnaw at (*desires, doubts etc*) szarpać +*instr*, targać +*instr*.
gnome [nəum] *n* krasnal *m*, krasnoludek *m*.
GNP *n abbr* = **gross national product** PNB *m inv*, = produkt narodowy brutto.

┌──────────── *KEYWORD* ────────────┐

go [gəu] (*pt* **went**, *pp* **gone**, *pl* **goes**) *vi* **1** (*on foot*) iść (pójść *perf*); (: *habitually, regularly*) chodzić; (*by car etc*) jechać (pojechać *perf*); (: *habitually, regularly*) jeździć; **she went to the kitchen** poszła do kuchni; **I go to see her whenever I can** chodzę do niej, kiedy tylko mogę; **shall we go by car or by train?** pojedziemy samochodem czy pociągiem?; **they go to Tunisia every winter** co roku w zimie jeżdżą do Tunezji. **2** (*depart: on foot*) wychodzić (wyjść *perf*), iść (pójść *perf*); (: *by car etc*) odjeżdżać (odjechać *perf*), wyjeżdżać (wyjechać *perf*). **3** (*attend*) chodzić; **she goes to her dancing class on Tuesdays** we wtorki chodzi na swój kurs tańca. **4** (*take part in an activity*) iść (pójść *perf*); (: *habitually, regularly*) chodzić; **to go for a walk** iść (pójść *perf*) na spacer; **we go dancing on Saturdays** w soboty chodzimy potańczyć. **5** (*work*) chodzić; **the tape recorder was still going** magnetofon ciągle chodził; **the bell went just then** właśnie wtedy zadzwonił dzwonek. **6** (*become*): **to go pale** blednąć (zblednąć *perf*);: **to go mouldy** pleśnieć (spleśnieć *perf*). **7** (*be sold*): **to go for 10 pounds** pójść (*perf*) za 10 funtów. **8** (*intend to*): **we're going to leave in an hour** wyjdziemy za godzinę. **9** (*be about to*): **it's going to rain** będzie padać. **10** (*time*) mijać (minąć *perf*), płynąć; **time went very slowly** czas mijał *or* płynął bardzo wolno. **11** (*event, activity*) iść (pójść *perf*); **how did it go?** jak poszło? **12** (*be given*): **to go to sb** dostać się (*perf*) komuś. **13** (*break etc*) pójść (*perf*) (*inf*); **the fuse went** poszedł bezpiecznik. **14** (*be placed*) **the milk goes in the fridge** mleko trzymamy w lodówce ♦ *n* **1** (*try*): **to have a go (at)** próbować (spróbować *perf*) (+*gen*); **I'll have a go at mending it** spróbuję to zreperować. **2** (*turn*) kolej *f*; **whose go is it?** czyja (teraz) kolej? **3** (*move*): **to be on the go** być w ruchu.
▸**go about** *vi* (*also*: **go around**) krążyć ♦ *vt fus*: **how do I go about this?** jak (mam) się za to zabrać?; **to go about one's business** zajmować się swoimi sprawami.
▸**go after** *vt fus* (*person*) ruszać (ruszyć *perf*) w pogoń za +*instr*; (*job*) szukać +*gen*; (*record*) próbować (spróbować *perf*) pobić +*acc*.
▸**go against** *vt fus* (*advice, sb's wishes*) postępować (postąpić *perf*) wbrew +*dat*; (*be*

unfavourable to): **when things go against me,** ... kiedy sprawy nie idą po mojej myśli, ...

►**go ahead** *vi* (*proceed*) przebiegać (przebiec *perf*); **to go ahead (with)** przystępować (przystąpić *perf*) (do +*gen*); **do you mind if I smoke? – go ahead!** czy mogę zapalić? – proszę (bardzo)!

►**go along** *vi* przechodzić (przejść *perf*).

►**go along with** *vt fus* (*agree with: plan, decision*) postępować (postąpić *perf*) zgodnie z +*instr*; (: *person, idea*) zgadzać się (zgodzić się *perf*) z +*instr*; (*accompany*) towarzyszyć +*dat*.

►**go away** *vi* odchodzić (odejść *perf*); **"go away!"** „idź sobie!".

►**go back** *vi* wracać (wrócić *perf*).

►**go back on** *vt fus* (*promise etc*) nie dotrzymywać (nie dotrzymać *perf*) +*gen*.

►**go by** *vi* płynąć *or* upływać (upłynąć *perf*), mijać (minąć *perf*) ♦ *vt fus* (*rule etc*) kierować się +*instr*.

►**go down** *vi* (*descend: on foot*) schodzić (zejść *perf*) (na dół); (: *in lift etc*) zjeżdżać (zjechać *perf*); (*ship*) iść (pójść *perf*) na dno; (*sun*) zachodzić (zajść *perf*); (*price, level*) obniżać się (obniżyć się *perf*) ♦ *vt fus* (*stairs, ladder*) schodzić (zejść *perf*) po +*loc*; **the speech went down well** przemówienie zostało dobrze przyjęte.

►**go for** *vt fus* (*fetch*) iść (pójść *perf*) po +*acc*; (*favour*) woleć +*acc*; (*attack*) rzucać się (rzucić się *perf*) na +*acc*; (*apply to*) dotyczyć +*gen*.

►**go in** *vi* wchodzić (wejść *perf*) (do środka).

►**go in for** *vt fus* (*competition*) startować (wystartować *perf*) w +*loc*; (*activity*) uprawiać +*acc*.

►**go into** *vt fus* (*enter*) wchodzić (wejść *perf*) do +*gen*; (*investigate*) zagłębiać się (zagłębić się *perf*) w +*acc*; (*career*) zająć się (*perf*) +*instr*.

►**go off** *vi* (*person*) wychodzić (wyjść *perf*); (*food*) psuć się (zepsuć się *perf*); (*bomb*) eksplodować (eksplodować *perf*); (*gun*) wypalić (*perf*); (*event*) przebiegać (przebiec *perf*), iść (pójść *perf*) (*inf*); (*lights etc*) gasnąć (zgasnąć *perf*) ♦ *vt fus* (*inf: person, place, food*) przestawać (przestać *perf*) lubić +*acc*; **she's gone off the idea** przestał jej się podobać ten pomysł; **to go off to sleep** zasypiać (zasnąć *perf*); **the party went off well** przyjęcie się udało.

►**go on** *vi* (*continue: on foot*) iść (pójść *perf*) dalej; (: *in a vehicle*) jechać (pojechać *perf*) dalej; (*happen*) dziać się, odbywać się; (*lights*) zapalać się (zapalić się *perf*) ♦ *vt fus* (*evidence etc*) opierać się (oprzeć się *perf*) na +*loc*; **to go on doing sth** robić coś dalej; **what's going on here?** co się tu dzieje?

►**go on at** (*inf*) *vt fus* marudzić +*dat* (*inf*).

►**go on with** *vt fus* kontynuować +*acc*.

►**go out** *vt fus* wychodzić (wyjść *perf*) ♦ *vi* (*fire, light*) gasnąć (zgasnąć *perf*); (*for entertainment*): **are you going out tonight?** wychodzisz dziś wieczorem?; (*couple*): **they went out for 3 years** chodzili ze sobą (przez) trzy lata.

►**go over** *vi* przechodzić (przejść *perf*) ♦ *vt* sprawdzać (sprawdzić *perf*); **go over and help him** idź tam i pomóż mu; **to go over sth in one's mind** rozważać (rozważyć *perf*) coś w myślach.

►**go round** *vi* (*circulate*) krążyć; (*revolve*) obracać się; (*visit*): **to go round (to sb's house)** zachodzić (zajść *perf*) (do kogoś); **there was never enough food to go round** nigdy nie starczało jedzenia dla wszystkich.

►**go through** *vt fus* (*undergo*) przechodzić (przejść *perf*) (przez) +*acc*; (*search through*) przeszukiwać (przeszukać +*acc*) *perf*; (*discuss*) omawiać (omówić +*acc*) *perf*; (*perform*) wykonywać (wykonać *perf*) (po kolei) +*acc*; **could you go through the names again?** czy mógłbyś jeszcze raz wymienić wszystkie nazwiska?

►**go through with** *vt fus* przeprowadzić (*perf*), doprowadzić (*perf*) do końca; **I couldn't go through with it** nie mogłem się na to zdobyć.

►**go under** *vi* iść (pójść *perf*) na dno; (*fig: business, project*) padać (paść *perf*).

►**go up** *vi* (*on foot*) iść (pójść *perf*) na górę; (*in lift etc*) wjeżdżać (wjechać *perf*) (na górę); (*price, level*) iść (pójść *perf*) w górę; **to go up in flames** stawać (stanąć *perf*) w płomieniach.

►**go with** *vt fus* (*suit*) pasować do +*gen*.

►**go without** *vt fus* (*food*) nie mieć +*gen*; (*treats, luxury*) obywać się (obyć się *perf*) bez +*gen*.

goad [gəud] *vt* podjudzać (podjudzić *perf*).

►**goad on** *vt fus* pobudzać (pobudzić *perf*) do działania +*acc*.

go-ahead ['gəuəhɛd] *adj* (*person*) przedsiębiorczy, rzutki; (*organization*) postępowy ♦ *n* zgoda *f*; **to give sb the go-ahead (for sth)** dawać (dać *perf*) komuś zgodę (na coś).

goal [gəul] *n* (SPORT: *point gained*) bramka *f*, gol *m*; (: *space*) bramka *f*; (*aim*) cel *m*; **to score a goal** zdobywać (zdobyć *perf*) bramkę.

goalkeeper ['gəulki:pə*] *n* bramkarz *m*.

goalpost ['gəulpəust] *n* słupek *m* (bramki).

goat [gəut] *n* koza *f*, (*male*) kozioł *m*.

gobble ['gɔbl] *vt* (*also*: **gobble down, gobble up**) pożerać (pożreć *perf*).

go-between ['gəubitwi:n] *n* (*intermediary*) pośrednik (-iczka) *m(f)*; (*messenger*) posłaniec *m*

Gobi Desert ['gəubı-] *n*: **the Gobi Desert** Pustynia *f* Gobi.

goblet ['gɔblɪt] *n* puchar *m*, kielich *m*.
goblin ['gɔblɪn] *n* chochlik *m*.
go-cart ['gəukɑːt] *n* wózek *m*.
God [gɔd] *n* Bóg *m* ♦ *excl* Boże *(voc)*.
god [gɔd] *n* (*MYTH, REL*) bóg *m*, bóstwo *nt*;
(: *less important*) bożek *m*; (*fig*) bóstwo *nt*,
bożyszcze *nt*.
godchild ['gɔdtʃaɪld] (*irreg like*: **child**) *n*
chrześniak (-aczka) *m(f)*.
goddaughter ['gɔddɔːtə*] *n* chrześniaczka *f*.
goddess ['gɔdɪs] *n* bogini *f*.
godfather ['gɔdfɑːðə*] *n* ojciec *m* chrzestny.
god-forsaken ['gɔdfəseɪkən] *adj* (*place*)
opuszczony.
godmother ['gɔdmʌðə*] *n* matka *f* chrzestna.
godparent ['gɔdpɛərənt] *n* (*godmother*) matka
f chrzestna; (*godfather*) ojciec *m* chrzestny.
godsend ['gɔdsɛnd] *n* dar *m* niebios.
godson ['gɔdsʌn] *n* chrześniak *m*.
goes [gəuz] *vb see* **go**.
go-getter ['gəugɛtə*] *n* osoba *f* przebojowa.
goggle ['gɔgl] *vi* (*inf*): **to goggle at**
wybałuszać (wybałuszyć *perf*) oczy na +*acc*.
goggles ['gɔglz] *npl* gogle *pl*.
going ['gəuɪŋ] *n* sytuacja *f*, warunki *pl* ♦ *adj*:
the going rate aktualna stawka *f*; **a going
concern** prosperujące przedsiębiorstwo; **it was
slow going** szło opornie.
goings-on ['gəuɪŋz'ɔn] (*inf*) *npl*: **the goings-on
at that bar** to, co się wyprawia w tym barze.
go-kart ['gəukɑːt] *n* gokart *m*.
gold [gəuld] *n* złoto *nt*; **gold reserves** rezerwy
w złocie ♦ *adj* złoty.
golden ['gəuldən] *adj* (*gold*) złoty; (*in colour*)
złoty, złocisty; (*fig: opportunity, future*) wielki.
golden age *n* złoty wiek *m*.
golden handshake (*BRIT*) *n* ≈ odprawa *f*.
golden rule *n* najważniejsze przykazanie *nt*.
goldfish ['gəuldfɪʃ] *n* złota rybka *f*.
gold leaf *n* folia *f* złota.
gold medal *n* złoty medal *m*.
goldmine ['gəuldmaɪn] *n* kopalnia *f* złota.
gold-plated ['gəuld'pleɪtɪd] *adj* pozłacany,
złocony.
goldsmith ['gəuldsmɪθ] *n* złotnik *m*.
gold standard *n*: **the gold standard** waluta *f*
or standard *m* złota.
golf [gɔlf] *n* golf *m*.
golf ball *n* piłka *f* do golfa; (*on typewriter*)
głowica *f* kulista.
golf club *n* (*organization*) klub *m* golfowy;
(*stick*) kij *m* do golfa.
golf course *n* pole *nt* golfowe.
golfer ['gɔlfə*] *n* gracz *m* w golfa.
gondola ['gɔndələ] *n* gondola *f*.
gondolier [gɔndə'lɪə*] *n* gondolier *m*.
gone [gɔn] *pp of* **go** ♦ *adj* miniony.
gong [gɔŋ] *n* gong *m*.
good [gud] *adj* dobry; (*valid*) ważny;
(*well-behaved*) grzeczny ♦ *n* dobro *nt*; **goods**

npl towary *pl*, towar *m*; **good!** dobrze!; **to be
good at** być dobrym w +*loc*; **to be good for
sth/sb** być dobrym do czegoś/dla kogoś; **it's
good for you** to (jest) zdrowe; **it's a good
thing you were there** dobrze, że tam byłeś;
she is good with children dobrze sobie radzi
z dziećmi; **to feel good** czuć się dobrze; **it's
good to see you** miło cię widzieć; **he's up
to no good** nie ma dobrych zamiarów; **for
the common good** dla dobra ogółu; **would
you be good enough to ...?** czy zechciałbyś
+*infin*?; **that's very good of you** to bardzo
uprzejmie z twojej strony; **is this any good?**
(*will it do?*) czy to będzie dobre?; (*what's it
like?*) czy to coś dobrego?; **a good deal (of)**
dużo (+*gen*); **a good many** bardzo wiele; **take
a good look** przyjrzyj się dobrze; **a good
while ago** dość dawno (temu); **to make good**
(*damage*) naprawiać (naprawić *perf*); (*loss*)
rekompensować (zrekompensować *perf*); **it's
no good complaining** nie ma co narzekać; **for
good** na dobre; **good morning/afternoon!**
dzień dobry!; **good evening!** dobry wieczór!;
good night! dobranoc!; **goods and chattels**
dobytek.
goodbye [gud'baɪ] *excl* do widzenia; **to say
goodbye** żegnać się (pożegnać się *perf*).
good-for-nothing ['gudfənʌθɪŋ] *n* nicpoń *m*.
Good Friday *n* Wielki Piątek *m*.
good-humoured ['gud'hjuːməd] *adj*
dobroduszny.
good-looking ['gud'lukɪŋ] *adj* atrakcyjny.
good-natured ['gud'neɪtʃəd] *adj* (*person, pet*)
o łagodnym usposobieniu *post*; (*discussion*)
uprzejmy.
goodness ['gudnɪs] *n* dobroć *f*; **for goodness
sake!** na litość *or* miłość boską!; **goodness
gracious!** Boże (drogi)!; **out of the goodness
of one's heart** z dobrego serca.
goods train (*BRIT*) *n* pociąg *m* towarowy.
goodwill [gud'wɪl] *n* dobra wola *f*; (*COMM*)
reputacja *f* przedsiębiorstwa.
goody-goody ['gudɪgudɪ] (*inf, pej*) *n*
świętoszek (-szka) *m(f)* (*pej*).
goose [guːs] (*pl* **geese**) *n* gęś *f*.
gooseberry ['guzbərɪ] *n* agrest *m*; **to play
gooseberry** (*BRIT*) służyć za przyzwoitkę.
gooseflesh ['guːsfleʃ] *n* = **goose pimples**.
goose pimples *npl* gęsia skórka *f*.
goose step *n* krok *m* defiladowy.
GOP (*US: POL: inf*) *n abbr* (= *Grand Old
Party*) Partia *f* Republikańska.
gore [gɔː*] *vt* brać (wziąć *perf*) na rogi ♦ *n*
(rozlana) krew *f*.
gorge [gɔːdʒ] *n* wąwóz *m* ♦ *vt*: **to gorge o.s.
(on)** objadać się (objeść się *perf*) (+*instr*).
gorgeous ['gɔːdʒəs] *adj* wspaniały, cudowny.
gorilla [gə'rɪlə] (*ZOOL*) *n* goryl *m*.
gormless ['gɔːmlɪs] (*BRIT: inf*) *adj* ciężko
myślący.

gorse [gɔːs] (*BOT*) *n* janowiec *m*.

gory ['gɔːrɪ] *adj* krwawy.

go-slow ['gəu'sləu] (*BRIT*) *n* strajk polegający na obniżeniu wydajności pracy.

gospel ['gɔspl] *n* (*REL*) ewangelia *f*; (*doctrine*) doktryna *f*.

gossamer ['gɔsəmə*] *n* nić *f* pajęcza; (*fabric*) cieniuteńka tkanina *f*.

gossip ['gɔsɪp] *n* (*rumours, chat*) plotki *pl*; (*person*) plotkarz (-arka) *m(f)* ◆ *vi* plotkować (poplotkować *perf*); **a piece of gossip** plotka.

gossip column (*PRESS*) *n* kronika *f* towarzyska.

got [gɔt] *pt, pp of* **get**.

Gothic ['gɔθɪk] *adj* gotycki.

gotten ['gɔtn] (*US*) *pp of* **get**.

gouge [gaudʒ] *vt* (*also*: **gouge out**) dłubać (wydłubać *perf*); **to gouge sb's eyes out** wyłupiać (wyłupić *perf*) komuś oczy.

gourd [guəd] *n* tykwa *f*.

gourmet ['guəmeɪ] *n* smakosz *m*.

gout [gaut] (*MED*) *n* dna *f*, skaza *f* moczanowa.

govern ['gʌvən] *vt* rządzić +*instr*.

governess ['gʌvənɪs] *n* guwernantka *f*.

governing ['gʌvənɪŋ] *adj* rządzący.

governing body *n* ciało *nt* zarządzające, zarząd *m*.

government ['gʌvnmənt] *n* (*act*) rządzenie *nt*, zarządzanie *nt*; (*body*) rząd *m*; (*BRIT: ministers*) rada *f* ministrów, rząd *m* ◆ *cpd* rządowy; **local government** samorząd terytorialny.

governmental [gʌvn'mentl] *adj* rządowy.

government housing (*US*) *n* ≈ mieszkania *pl* komunalne *or* kwaterunkowe.

government stock *n* państwowe papiery *pl* wartościowe.

governor ['gʌvənə*] *n* (*of state, colony*) gubernator *m*; (*of bank, school etc*) członek (-nkini) *m(f)* zarządu; (*BRIT: of prison*) naczelnik *m*; **the Board of Governors** zarząd.

Govt *abbr* = **government**.

gown [gaun] *n* (*dress*) suknia *f*; (*BRIT: of teacher, judge*) toga *f*.

GP *n abbr* = **general practitioner**.

GPMU (*BRIT*) *n abbr* (= *Graphical Media and Paper Union*).

GPO *n abbr* (*BRIT: formerly*: = *General Post Office*); (*US*: = *Government Printing Office*) *drukarnia rządowa*.

gr. (*COMM*) *abbr* = **gross**.

grab [græb] *vt* chwytać (chwycić *perf*); (*chance, opportunity*) korzystać (skorzystać *perf*) z +*gen*; **I grabbed some sleep/food** udało mi się trochę przespać/coś zjeść ◆ *vi*: **to grab at** porywać (porwać *perf*) +*acc*, rzucać się (rzucić się *perf*) na +*acc*.

grace [greɪs] *n* (*REL*) łaska *f*; (*gracefulness*) gracja *f* ◆ *vt* (*honour*) zaszczycać (zaszczycić *perf*); (*adorn*) zdobić, ozdabiać (ozdobić *perf*);

5 days' grace 5 dni wytchnienia; **with (a) good grace** nie okazując niechęci; **with (a) bad grace** nie kryjąc niechęci; **his sense of humour is his saving grace** ratuje go poczucie humoru; **to say grace** odmawiać (odmówić *perf*) modlitwę (*przed posiłkiem*).

graceful ['greɪsful] *adj* pełen wdzięku; (*refusal*) taktowny.

gracious ['greɪʃəs] *adj* (*person, smile*) łaskawy; (*living etc*) wytworny ◆ *excl*: **(good) gracious!** Boże (drogi)!

gradation [grə'deɪʃən] *n* stopniowanie *nt*, gradacja *f*.

grade [greɪd] *n* (*COMM*) jakość *f*; (*in hierarchy*) ranga *f*; (*mark*) stopień *m*, ocena *f*; (*US: SCOL*) klasa *f*; (: *gradient*) pochyłość *f*, nachylenie *nt* ◆ *vt* klasyfikować (sklasyfikować *perf*); **to make the grade** (*fig*) radzić (poradzić *perf*) sobie.

grade crossing (*US*) *n* przejazd *m* kolejowy.

grade school (*US*) *n* ≈ szkoła *f* podstawowa.

gradient ['greɪdɪənt] *n* (*of road, slope*) nachylenie *nt*; (*MATH*) gradient *m*.

gradual ['grædjuəl] *adj* stopniowy.

gradually ['grædjuəlɪ] *adv* stopniowo.

graduate [*n* 'grædjuɪt, *vb* 'grædjueɪt] *n* absolwent(ka) *m(f)* ◆ *vi* kończyć (skończyć *perf*) studia; (*US*) kończyć (skończyć *perf*) szkołę średnią.

graduated pension ['grædjueɪtɪd-] *n* emerytura *f* krocząca *or* progresywna.

graduation [grædju'eɪʃən] *n* uroczystość *f* wręczenia świadectw.

graffiti [grə'fiːtɪ] *n, npl* graffiti *pl*.

graft [grɑːft] *n* (*AGR*) szczep *m*; (*MED*) przeszczep *m*; (*BRIT: inf*) harówka *f* (*inf*); (*US*) łapówka *f* ◆ *vt*: **to graft (onto)** (*AGR*) zaszczepiać (zaszczepić *perf*) (na +*loc*); (*MED*) przeszczepiać (przeszczepić *perf*) (na +*acc*), wszczepiać (wszczepić *perf*) (do +*gen*); (*fig*) doczepiać (doczepić *perf*) (na siłę) (do +*gen*).

grain [greɪn] *n* (*seed*) ziarno *nt*; (*no pl*: *cereals*) zboże *nt*; (*of sand, salt*) ziar(e)nko *nt*; (*of wood*) słoje *pl*; **it goes against the grain** (*fig*) to się kłóci z zasadami.

gram [græm] *n* gram *m*.

grammar ['græmə*] *n* gramatyka *f*.

grammar school (*BRIT*) *n* ≈ liceum *nt* (ogólnokształcące).

grammatical [grə'mætɪkl] *adj* gramatyczny.

gramme [græm] *n* = **gram**.

gramophone ['græməfəun] (*BRIT: old*) *n* gramofon *m*, adapter *m*.

granary ['grænərɪ] *n* spichlerz *m*; **granary bread** *or* **loaf** ® chleb pełnoziarnisty.

grand [grænd] *adj* (*splendid, impressive*) okazały; (*inf: great, wonderful*) świetny; (*gesture*) wielkopański; (*scale, plans*) wielki ◆ *n* (*inf*) tysiąc *m* (*dolarów lub funtów*).

grandchild ['græntʃaɪld] (*irreg like*: **child**) *n* wnuk *m*.

granddad ['grændæd] (*inf*) *n* dziadek *m*, dziadzio *m*.

granddaughter ['grændɔːtə*] *n* wnuczka *f*.

grandeur ['grændjə*] *n* okazałość *f*, wspaniałość *f*.

grandfather ['grændfɑːðə*] *n* dziadek *m*.

grandiose ['grændɪəus] (*pej*) *adj* (*scheme*) wielce ambitny; (*building*) pretensjonalny.

grand jury (*US*) *n* sąd przysięgłych decydujący, czy sprawa ma być skierowana do dalszego rozpatrywania.

grandma ['grænmɑː] (*inf*) *n* babcia *f*.

grandmother ['grænmʌðə*] *n* babka *f*.

grandpa ['grænpɑː] (*inf*) *n* = **granddad**.

grandparents ['grændpɛərənts] *npl* dziadkowie *pl*.

grand piano *n* fortepian *m*.

Grand Prix ['grɑ̃ː'priː] (*AUT*) *n* Grand Prix *nt inv*.

grandson ['grænsʌn] *n* wnuk *m*.

grandstand ['grændstænd] (*SPORT*) *n* trybuna *f* główna.

grand total *n* (całkowita) suma *f*.

granite ['grænɪt] *n* granit *m*.

granny ['grænɪ] (*inf*) *n* babcia *f*, babunia *f*.

grant [grɑːnt] *vt* (*money*) przyznawać (przyznać *perf*); (*request*) spełniać (spełnić *perf*); (*visa*) udzielać (udzielić *perf*) +*gen* ♦ *n* (*SCOL*) stypendium *m*; (*ADMIN*) dotacja *f*; **to take sb for granted** zaniedbywać kogoś; **to take sth for granted** przyjmować (przyjąć *perf*) coś za pewnik; **to grant that** przyznawać (przyznać *perf*), że; **it was silly, I grant you** to było głupie, przyznaję.

granulated sugar ['grænjuleɪtɪd-] *n* cukier *m* kryształ *m*.

granule ['grænjuːl] *n* ziar(e)nko *nt*.

grape [greɪp] *n* (*fruit*) winogrono *nt*; (*plant*) winorośl *f*; **a bunch of grapes** kiść winogron.

grapefruit ['greɪpfruːt] (*pl* **grapefruit** *or* **grapefruits**) *n* grejpfrut *m*.

grapevine ['greɪpvaɪn] *n* winorośl *f*; **I heard it on the grapevine** doszło to do mnie pocztą pantoflową.

graph [grɑːf] *n* wykres *m*.

graphic ['græfɪk] *adj* (*account, description*) obrazowy; (: *of sth unpleasant*) drastyczny; (*art, design*) graficzny; *see also* **graphics**.

graphic designer *n* grafik *m*.

graphics ['græfɪks] *n* (*art*) grafika *f* ♦ *npl* (*drawings*) grafika *f*.

graphite ['græfaɪt] *n* grafit *m*.

graph paper *n* papier *m* milimetrowy.

grapple ['græpl] *vi*: **to grapple with sb/sth** mocować się z kimś/czymś; (*fig*) zmagać się z kimś/czymś.

grasp [grɑːsp] *vt* (*hold, seize*) chwytać (chwycić *perf*); (*understand*) pojmować (pojąć *perf*) ♦ *n* (*grip*) (u)chwyt *m*; (*understanding*)

pojmowanie *nt*; **it slipped from my grasp** wyślizgnęło mi się (z ręki); **to have sth within one's grasp** mieć coś w zasięgu ręki; **to have a good grasp of sth** (*fig*) dobrze się w czymś orientować.

►**grasp at** *vt fus* chwytać (chwycić *perf*) (za) +*acc*; (*fig: opportunity*) nie przepuszczać (nie przepuścić *perf*) +*gen*.

grasping ['grɑːspɪŋ] *adj* zachłanny.

grass [grɑːs] *n* trawa *f*; (*BRIT: inf: informer*) kapuś *m* (*inf*).

grasshopper ['grɑːshɔpə*] *n* konik *m* polny, pasikonik *m*.

grass-roots ['grɑːsruːts] *cpd*: **grass-roots support** poparcie *nt* zwykłych ludzi.

grass snake *n* zaskroniec *m*.

grassy ['grɑːsɪ] *adj* trawiasty.

grate [greɪt] *n* palenisko *nt* (*w kominku*) ♦ *vi*: **to grate (on)** (*metal, chalk*) zgrzytać (zazgrzytać *perf*) (na +*loc*); (*fig: noise, laughter*) działać na nerwy (+*dat*) ♦ *vt* (*CULIN*) trzeć (zetrzeć *perf*).

grateful ['greɪtful] *adj* (*person*) wdzięczny; (*thanks*) pełen wdzięczności.

gratefully ['greɪtfəlɪ] *adv* z wdzięcznością.

grater ['greɪtə*] *n* tarka *f*.

gratification [grætɪfɪ'keɪʃən] *n* zadowolenie *nt*, satysfakcja *f*; (*of desire, appetite*) zaspokojenie *nt*.

gratify ['grætɪfaɪ] *vt* (*person*) zadowalać (zadowolić *perf*), satysfakcjonować (usatysfakcjonować *perf*); (*desire, appetite*) zaspokajać (zaspokoić *perf*).

gratifying ['grætɪfaɪɪŋ] *adj* zadowalający, satysfakcjonujący.

grating ['greɪtɪŋ] *n* krata *f* ♦ *adj* zgrzytliwy.

gratitude ['grætɪtjuːd] *n* wdzięczność *f*.

gratuitous [grə'tjuːɪtəs] *adj* niepotrzebny, nieuzasadniony.

gratuity [grə'tjuːɪtɪ] *n* napiwek *m*.

grave [greɪv] *n* grób *m* ♦ *adj* poważny.

gravedigger ['greɪvdɪgə*] *n* grabarz *m*.

gravel ['grævl] *n* żwir *m*.

gravely ['greɪvlɪ] *adv* poważnie.

gravestone ['greɪvstəun] *n* nagrobek *m*.

graveyard ['greɪvjɑːd] *n* cmentarz *m*.

gravitate ['grævɪteɪt] *vi*: **to gravitate (towards)** ciążyć (ku +*dat*); (*fig*) skłaniać się (ku +*dat*).

gravity ['grævɪtɪ] *n* (*PHYS*) ciążenie *nt*, grawitacja *f*; (*seriousness*) powaga *f*.

gravy ['greɪvɪ] *n* sos *m* (mięsny).

gravy boat *n* sosjerka *f*.

gravy train (*inf*) *n*: **to ride the gravy train** zbijać łatwe pieniądze.

gray [greɪ] (*US*) *adj* = **grey**.

graze [greɪz] *vi* paść się ♦ *vt* (*scrape*) otrzeć (*perf*) (do krwi); (*touch lightly*) muskać (musnąć *perf*) ♦ *n* otarcie *nt* naskórka.

grazing ['greɪzɪŋ] *n* pastwisko *nt*.

grease [griːs] *n* (*lubricant*) smar *m*; (*fat*)

tłuszcz *m* ∤ *vt* (*lubricate*) smarować
(nasmarować *perf*); (*CULIN*) smarować
(posmarować *perf*) tłuszczem, natłuszczać
(natłuścić *perf*); **to grease the skids** (*US: fig*)
posmarować (*perf*) (*inf*).

grease gun *n* smarownica *f*.

greasepaint ['gri:speɪnt] *n* szminka *f* (aktorska).

greaseproof paper ['gri:spru:f-] (*BRIT*) *n*
papier *m* woskowany.

greasy ['gri:sɪ] *adj* (*full of grease*) tłusty;
(*covered with grease*) zatłuszczony;
(*BRIT: slippery*) śliski; (*hair*) tłusty,
przetłuszczający się.

great [greɪt] *adj* wielki; (*idea*) świetny; **they're
great friends** są wielkimi przyjaciółmi; **we
had a great time** świetnie się bawiliśmy; **it
was great!** było świetnie!; **the great thing is
that ...** najlepsze jest to, że ... .

Great Barrier Reef *n*: **the Great Barrier Reef**
Wielka Rafa *f* Koralowa.

Great Britain *n* Wielka Brytania *f*.

greater ['greɪtə*] *adj*: **Greater
London/Manchester** Wielki
Londyn/Manchester, konurbacja *f*
londyńska/manchesterska.

great-grandchild [greɪt'græntʃaɪld] (*irreg like:
child*) *n* (*male*) prawnuk *m*; (*female*)
prawnuczka *f*.

great-grandfather [greɪt'grænfɑ:ðə*] *n*
pradziadek *m*, pradziad *m* (*fml*).

great-grandmother [greɪt'grænmʌðə*] *n*
prababka *f*.

Great Lakes *npl*: **the Great Lakes** Wielkie
Jeziora *pl*.

greatly ['greɪtlɪ] *adv* wielce.

greatness ['greɪtnɪs] *n* wielkość *f*.

Grecian ['gri:ʃən] *adj* grecki.

Greece [gri:s] *n* Grecja *f*.

greed [gri:d] *n* (*also*: **greediness**) chciwość *f*,
zachłanność *f*; (*for power, wealth*) żądza *f*.

greedily ['gri:dɪlɪ] *adv* chciwie, zachłannie.

greedy ['gri:dɪ] *adj* chciwy, zachłanny; **greedy
for power/wealth** żądny władzy/bogactw.

Greek [gri:k] *adj* grecki ∤ *n* (*person*)
Grek/Greczynka *m/f*; (*LING*) (język *m*) grecki;
ancient/modern Greek greka
starożytna/współczesna.

green [gri:n] *adj* zielony ∤ *n* (*colour*) (kolor
m) zielony, zieleń *f*; (*grass*) zieleń *f*; (*GOLF*)
pole *nt* puttingowe; (*also*: **village green**)
błonia *pl* wiejskie; **greens** *npl* warzywa *pl*
zielone; (*POL*): **the Greens** zieloni *pl*; **to
have green fingers** *or* (*US*) **a green thumb**
(*fig*) mieć dobrą rękę do roślin; **to give sb
the green light** zapalać (zapalić *perf*) komuś
zielone światło.

green belt *n* pas *m* *or* pierścień *m* zieleni.

green card *n* (*AUT*) ubezpieczenie *nt*
międzynarodowe; (*US: ADMIN*) zielona karta *f*.

greenery ['gri:nərɪ] *n* zieleń *f*.

greenfly ['gri:nflaɪ] (*BRIT*) *n* mszyca *f*.

greengage ['gri:ngeɪdʒ] *n* renkloda *f*.

greengrocer ['gri:ngrəʊsə*] (*BRIT*) *n* (*person*)
kupiec *m* warzywny, zieleniarz (-arka) *m(f)*;
(*shop*) sklep *m* warzywny, warzywniak *m* (*inf*).

greenhouse ['gri:nhaʊs] *n* szklarnia *f*,
cieplarnia *f*.

greenhouse effect *n*: **the greenhouse effect**
efekt *m* cieplarniany.

greenhouse gas *n* jeden z gazów
powodujących efekt cieplarniany.

greenish ['gri:nɪʃ] *adj* zielonkawy.

Greenland ['gri:nlənd] *n* Grenlandia *f*.

Greenlander ['gri:nləndə*] *n* Grenlandczyk
(-dka) *m(f)*.

green pepper *n* zielona papryka *f*.

greet [gri:t] *vt* (*in the street etc*) pozdrawiać
(pozdrowić *perf*); (*welcome*) witać (powitać
perf); (*receive: news*) przyjmować (przyjąć
perf).

greeting ['gri:tɪŋ] *n* (*salutation*) pozdrowienie
nt; (*welcome*) powitanie *nt*; **Christmas/birthday
greetings** życzenia świąteczne/urodzinowe;
Season's greetings ≈ (życzenia) Wesołych
Świąt i Szczęśliwego Nowego Roku.

greetings card *n* kartka *f* z życzeniami,
kartka *f* okolicznościowa.

gregarious [grə'gɛərɪəs] *adj* (*person*)
towarzyski; (*animal*) stadny.

grenade [grə'neɪd] *n* (*also*: **hand grenade**)
granat *m*.

grew [gru:] *pt of* **grow**.

grey [greɪ] (*US* **gray**) *adj* (*colour*) szary,
popielaty; (*hair*) siwy; (*dismal*) szary ∤ *n*
(kolor *m*) szary *or* popielaty, popiel *m*; **to go
grey** (*person*) siwieć (osiwieć *perf*); (*hair*)
siwieć (posiwieć *perf*).

grey-haired [greɪ'hɛəd] *adj* siwy.

greyhound ['greɪhaʊnd] *n* chart *m* angielski.

grid [grɪd] *n* (*pattern*) kratka *f*, siatka *f*;
(*ELEC*) sieć *f*, (*US*) pasy *pl* (*dla pieszych*).

griddle [grɪdl] *n* okrągła blacha do pieczenia
ciastek na wolnym ogniu.

gridiron ['grɪdaɪən] *n* ruszt *m*.

grief [gri:f] *n* (*distress*) zmartwienie *nt*,
zgryzota *f*; (*sorrow*) żal *m*; **to come to grief**
(*plan*) spełzać (spełznąć *perf*) na niczym;
(*person*): **I ran away once but came to grief**
raz uciekłem, ale źle się to dla mnie
skończyło; **good grief!** Boże drogi!

grievance ['gri:vəns] *n* (*feeling*) żal *m*,
pretensja *f*; (*complaint*) skarga *f*; (*cause for
complaint*) krzywda *f*.

grieve [gri:v] *vi* martwić się, smucić się ∤ *vt*
martwić (zmartwić *perf*), zasmucać (zasmucić
perf); **to grieve for sb** opłakiwać kogoś; **it
grieves me to say this, but ...** przykro mi to
mówić, ale ... .

grievous ['gri:vəs] *adj* (*mistake*) poważny;
(*shock, situation*) ciężki; (*injury*) ciężki,

poważny; **grievous bodily harm** (*JUR*) ciężkie uszkodzenie ciała.

rill [grɪl] n (*on cooker*) ruszt m, grill m; (*also:* **mixed grill**) mięso nt z rusztu ♦ vt (*BRIT: food*) piec (upiec *perf*) (na ruszcie); (*inf: person*) maglować (wymaglować *perf*) (*inf*).

rille [grɪl] n (*screen: on window, counter*) krata f; (*AUT*) osłona f.

rill(room) ['grɪl(rum)] n restauracja f specjalizująca się w daniach z rusztu, grill m.

rim [grɪm] adj (*unpleasant*) ponury; (*serious, stern*) groźny, surowy.

rimace [grɪ'meɪs] n grymas m ♦ vi wykrzywiać się (wykrzywić się *perf*).

rime [graɪm] n brud m.

rimy ['graɪmɪ] adj brudny.

rin [grɪn] n szeroki uśmiech m ♦ vi: **to grin (at)** uśmiechać się (uśmiechnąć się *perf*) szeroko (do +*gen*), szczerzyć się *or* szczerzyć zęby (do +*gen*) (*inf*).

rind [graɪnd] (*pt, pp* **ground**) vt (*tablet etc*) kruszyć, rozkruszać (rozkruszyć *perf*); (*coffee, pepper, meat*) mielić (zmielić *perf*); (*knife*) ostrzyć (naostrzyć *perf*); (*gem, lens*) szlifować (oszlifować *perf*) ♦ vi zgrzytać (zazgrzytać *perf*) ♦ n harówka f; **to grind one's teeth** zgrzytać (zazgrzytać *perf*) zębami; **to grind to a halt** (*vehicle*) zatrzymywać się (zatrzymać się *perf*) powoli; (*talks, scheme*) zabrnąć (*perf*) w ślepy zaułek; (*work, production*) stawać (stanąć *perf*) w miejscu; **the daily grind** (*inf*) codzienna harówka (*inf*).

rinder ['graɪndə*] n (*for coffee*) młynek m; (*for sharpening*) szlifierka f; (*for waste disposal*) kuchenny rozdrabniacz m odpadków.

rindstone ['graɪndstəun] n: **to keep one's nose to the grindstone** harować bez wytchnienia.

rip [grɪp] n (*hold*) (u)chwyt m, uścisk m; (*control, grasp*) kontrola f, panowanie nt; (*of tyre, shoe*) przyczepność f; (*handle*) rękojeść f, uchwyt m; (*holdall*) torba f (podróżna) ♦ vt (*object*) chwytać (chwycić *perf*); (*person*) pasjonować, fascynować; (*attention*) przyciągać (przyciągnąć *perf*); **to come to grips with** zmierzyć się (*perf*) z +*instr*; **to grip the road** (*car*) trzymać się szosy; **to lose one's grip** (*fig*) tracić (stracić *perf*) kontrolę.

ripe [graɪp] n (*inf*) bolączka f ♦ vi (*inf*) biadolić (*inf*); **the gripes** (*MED*) kolka f.

ripping ['grɪpɪŋ] adj pasjonujący, fascynujący.

risly ['grɪzlɪ] adj makabryczny, potworny.

rist [grɪst] n: **it's all grist to his mill** wszystko to (jest) woda na jego młyn.

ristle ['grɪsl] n chrząstka f.

rit [grɪt] n (*stone*) żwirek m, grys m; (*of person*) zacięcie nt, determinacja f ♦ vt posypywać (posypać *perf*) żwirkiem; **grits** npl (*US*) kasza f; **to grit one's teeth** zaciskać

(zacisnąć *perf*) zęby; **I've got a piece of grit in my eye** wpadł mi do oka (jakiś) pyłek.

grizzle ['grɪzl] (*BRIT*) vi popłakiwać.

grizzly ['grɪzlɪ] n (*also:* **grizzly bear**) niedźwiedź m północnoamerykański *or* siwy.

groan [grəun] n (*of pain*) jęk m; (*of disapproval*) pomruk m ♦ vi (*in pain*) jęczeć (jęknąć *perf or* zajęczeć *perf*); (*in disapproval*) mruczeć (zamruczeć *perf*); (*tree, floorboard*) trzeszczeć (zatrzeszczeć *perf*).

grocer ['grəusə*] n właściciel(ka) m(f) sklepu spożywczego.

groceries ['grəusərɪz] npl artykuły pl spożywcze.

grocer's (shop) n sklep m spożywczy.

grog [grɔg] n grog m.

groggy ['grɔgɪ] adj oszołomiony, odurzony.

groin [grɔɪn] n pachwina f.

groom [gru:m] n (*for horse*) stajenny m; (*also:* **bridegroom**) pan m młody ♦ vt (*horse*) oporządzać (oporządzić *perf*); **to groom sb for** sposobić *or* przysposabiać (przysposobić *perf*) kogoś do +*gen*; **well-groomed** zadbany.

groove [gru:v] n (*in record etc*) rowek m.

grope [grəup] vi: **to grope for** szukać po omacku +*gen*; (*fig*) (*words*) szukać +*gen*.

gross [grəus] adj (*neglect, injustice*) rażący; (*behaviour*) grubiański, ordynarny; (*income, weight*) brutto *post*; (*earrings etc*) toporny ♦ n inv gros m (*dwanaście tuzinów*) ♦ vt: **to gross 500,000 pounds** zarabiać (zarobić *perf*) 500.000 funtów brutto.

gross domestic product n produkt m krajowy brutto.

grossly ['grəuslɪ] adv rażąco.

gross national product n produkt m narodowy brutto.

grotesque [grə'tɛsk] adj groteskowy.

grotto ['grɔtəu] n grota f.

grotty ['grɔtɪ] (*inf*) adj okropny.

grouch [grautʃ] (*inf*) vi gderać, zrzędzić ♦ n zrzęda m/f.

ground [graund] pt, pp *of* **grind** ♦ n (*earth, soil*) ziemia f; (*floor*) podłoga f; (*land*) grunt m; (*area*) teren m; (*US: also:* **ground wire**) uziemienie nt; (*usu pl: reason*) podstawa f ♦ vt (*plane, pilot*) odmawiać (odmówić *perf*) zgody na start +*dat*; (*US: ELEC*) uziemiać (uziemić *perf*) ♦ adj mielony ♦ vi (*ship*) osiadać (osiąść *perf*) (*na mieliźnie, skałach*); **grounds** npl (*of coffee etc*) fusy pl; (*gardens etc*) teren m; **football grounds** tereny do gry w piłkę nożną; **on the ground** na ziemi; **to the ground** na ziemię; **below ground** pod ziemią; **to gain/lose ground** zyskiwać (zyskać *perf*)/tracić (stracić *perf*) poparcie; **common ground** (*fig*) punkty wspólne; **he declined on the grounds of ill health** *or* **on the grounds that he was ill** odmówił, podając jako powód zły stan zdrowia.

ground cloth (*US*) *n* = **groundsheet**.
ground control *n* (*AVIAT, SPACE*) kontrola *f* naziemna.
ground floor *n* parter *m*.
grounding ['graundɪŋ] *n*: **grounding (in)** (podstawowe) przygotowanie *nt* (z zakresu +*gen*).
groundless ['graundlɪs] *adj* bezpodstawny.
groundnut ['graundnʌt] *n* orzeszek *m* ziemny.
ground rent (*BRIT*) *n* opłata *f* za dzierżawę gruntu.
groundsheet ['graundʃi:t] (*BRIT*) *n* nieprzemakalny podkład pod namiot.
groundskeeper ['graundzki:pə*] (*US*) *n* = **groundsman**.
groundsman ['graundzmən] (*SPORT*) *n* dozorca *m* or opiekun *m* terenów sportowych.
ground staff (*SPORT*) *n* personel zajmujący się utrzymaniem obiektu sportowego.
groundswell ['graundswɛl] *n*: **groundswell of opinion against/in favour of** narastająca fala *f* sprzeciwu wobec +*gen*/poparcia dla +*gen*.
ground-to-ground ['grauntə'graund] *adj*: **ground-to-ground missile** pocisk *m* (klasy) ziemia-ziemia.
groundwork ['graundwə:k] *n* podwaliny *pl*.
group [gru:p] *n* grupa *f*; (*also*: **pop-group**) zespół *m* ♦ *vt* (*also*: **group together**) grupować (zgrupować *perf*) ♦ *vi* (*also*: **group together**) łączyć się (połączyć się *perf*) w grupy; **newspaper group** koncern prasowy.
grouse [graus] *n inv* pardwa *f* ♦ *vi* gderać.
grove [grəuv] *n* gaj *m*.
grovel ['grɔvl] *vi* (*be humble*) płaszczyć się; (*crawl*) czołgać się.
grow [grəu] (*pt* **grew**, *pp* **grown**) *vi* (*plant, tree*) rosnąć (wyrosnąć *perf*); (*person, animal*) rosnąć (urosnąć *perf*); (*increase*) rosnąć (wzrosnąć *perf*) ♦ *vt* (*roses, vegetables*) hodować; (*crops*) uprawiać; (*beard*) zapuszczać (zapuścić *perf*); **to grow rich** bogacić się (wzbogacić się *perf*); **to grow weak** słabnąć (osłabnąć *perf*); **to grow out of/from** brać się (wziąć się *perf*) z +*gen*; **she grew tired of waiting** zmęczyło ją czekanie.
►**grow apart** *vi* (*fig*) oddalać się (oddalić się *perf*) od siebie.
►**grow away from** *vt fus* (*fig*) oddalać się (oddalić się *perf*) od +*gen*.
►**grow on** *vt fus*: **that painting is growing on me** ten obraz coraz bardziej mi się podoba.
►**grow out of** *vt fus* wyrastać (wyrosnąć *perf*) z +*gen*; **he'll grow out of it** wyrośnie z tego.
►**grow up** *vi* (*child*) dorastać (dorosnąć *perf*); (*idea, friendship*) rozwijać się (rozwinąć się *perf*).
grower ['grəuə*] *n* hodowca *m*.
growing ['grəuɪŋ] *adj* rosnący; **growing pains** (*MED*) bóle wzrostowe; (*fig*) początkowe trudności.

growl [graul] *vi* warczeć (warknąć *perf*).
grown [grəun] *pp of* **grow**.
grown-up [grəun'ʌp] *n* dorosły *m*.
growth [grəuθ] *n* (*growing, development*) wzrost *m*; (*increase in amount*) przyrost *m*; (*MED*) narośl *f*; **a week's growth of beard** tygodniowy zarost.
growth rate *n* tempo *nt* wzrostu.
grub [grʌb] *n* larwa *f*; (*inf: food*) żarcie *nt* (*inf*) ♦ *vi*: **to grub about/around (for)** grzebać (w poszukiwaniu +*gen*).
grubby ['grʌbɪ] *adj* niechlujny; (*fig*) odrażający
grudge [grʌdʒ] *n* uraza *f* ♦ *vt*: **to grudge sb sth** zazdrościć komuś czegoś; **to bear sb a grudge** żywić do kogoś urazę.
grudging ['grʌdʒɪŋ] *adj* (*action*) niechętny; (*respect, praise*) wymuszony.
grudgingly ['grʌdʒɪŋlɪ] *adv* niechętnie.
gruelling ['gruəlɪŋ] (*US* **grueling**) *adj* wyczerpujący.
gruesome ['gru:səm] *adj* makabryczny.
gruff [grʌf] *adj* szorstki.
grumble ['grʌmbl] *vi* zrzędzić.
grumpy ['grʌmpɪ] *adj* zrzędliwy.
grunt [grʌnt] *vi* (*pig*) chrząkać (chrząknąć *perf*); (*person*) burknąć (*perf*) ♦ *n* (*of pig*) chrząknięcie *nt*; (*of person*) burknięcie *nt*.
G-string ['dʒi:strɪŋ] *n* tangi *pl*.
GSUSA *n abbr* (= *Girl Scouts of the United States of America*) dziewczęca organizacja skautowska.
GT (*AUT*) *abbr* (= *gran turismo*) GT.
GU (*US: POST*) *abbr* (= *Guam*).
guarantee [gærən'ti:] *n* gwarancja *f* ♦ *vt* (*assure*) gwarantować (zagwarantować *perf*); (*COMM*) dawać (dać *perf*) gwarancję na +*acc*; **he can't guarantee (that) he'll come** nie może zagwarantować, że przyjdzie.
guarantor [gærən'tɔ:*] (*COMM*) *n* gwarant *m*.
guard [ga:d] *n* (*one person*) strażnik *m*; (*squad*) straż *f*; (*on machine*) osłona *f*; (*also*: **fireguard**) krata *f* przed kominkiem; (*BRIT: RAIL*) konduktor(ka) *m(f)*; (*BOXING, FENCING*) garda *f* ♦ *vt* strzec +*gen*; **to be on one's guard** mieć się na baczności.
►**guard against** *vt fus* chronić od +*gen*.
guard dog *n* pies *m* obronny.
guarded ['ga:dɪd] *adj* ostrożny.
guardian ['ga:dɪən] *n* (*JUR*) opiekun(ka) *m(f)*; (*defender*) stróż *m*, obrońca *m*.
guardian angel *n* anioł *m* stróż *m*.
guard-rail ['ga:dreɪl] *n* (*along road*) bariera *f* (ochronna); (*on staircase*) poręcz *f*, balustrada *f*
guard's van (*BRIT: RAIL*) *n* ≈ wagon *m* służbowy.
Guatemala [gwa:tɪ'ma:lə] *n* Gwatemala *f*.
Guatemalan [gwa:tɪ'ma:lən] *adj* gwatemalski.
Guernsey ['gə:nzɪ] *n* wyspa *f* Guernsey.
guerrilla [gə'rɪlə] *n* partyzant(ka) *m(f)*.

guerrilla warfare n wojna f partyzancka, partyzantka f.

guess [gɛs] vt (number, distance etc) zgadywać (zgadnąć perf); (correct answer) odgadywać (odgadnąć perf) ♦ vi domyślać się (domyślić się perf) ♦ n: **I'll give you three guesses** możesz zgadywać trzy razy; **to take** or **have a guess** zgadywać; **my guess is that** ... sądzę or przypuszczam, że...; **I guess...** (esp US) sądzę or przypuszczam, że ...; **I guess so** chyba tak; **I guess you're right** chyba masz rację; **to keep sb guessing** trzymać kogoś w niewiedzy.

guesstimate ['gɛstɪmɪt] (inf) n szacunkowe określenie nt (zwłaszcza ilości).

guesswork ['gɛswə:k] n domysły pl, spekulacje pl; **I got the answer by guesswork** (przypadkowo) odgadłem odpowiedź.

guest [gɛst] n gość m; **be my guest** (inf) proszę bardzo, nie krępuj się.

guest-house ['gɛsthaus] n pensjonat m.

guest room n pokój m gościnny.

guffaw [gʌ'fɔ:] vi śmiać się (roześmiać się perf) głośno ♦ n głośny śmiech m.

guidance ['gaɪdəns] n porada f; **under the guidance of** pod przewodnictwem +gen; **vocational/marriage guidance** poradnictwo zawodowe/małżeńskie.

guide [gaɪd] n (person) przewodnik (-iczka) m(f); (book) przewodnik m; (BRIT: also: **girl guide**) ≈ harcerka f ♦ vt (round city, museum) oprowadzać (oprowadzić perf); (lead, direct) prowadzić (poprowadzić perf); **to be guided by sth** kierować się czymś.

guidebook ['gaɪdbuk] n przewodnik m.

guided missile n pocisk m zdalnie sterowany.

guide dog n pies m przewodnik m.

guidelines ['gaɪdlaɪnz] npl wskazówki pl.

guild [gɪld] n cech m.

guildhall ['gɪldhɔ:l] (BRIT) n siedziba f cechu.

guile [gaɪl] n przebiegłość f.

guileless ['gaɪllɪs] adj prostoduszny.

guillotine ['gɪləti:n] n (for execution) gilotyna f; (for paper) gilotynka f.

guilt [gɪlt] n wina f.

guilty ['gɪltɪ] adj (to blame) winny; (expression) zmieszany; (secret, conscience) nieczysty; **to plead guilty/not guilty** przyznawać się (przyznać się perf)/nie przyznawać się (nie przyznać się perf) do winy; **to feel guilty about doing sth** czuć się (poczuć się perf) winnym z powodu zrobienia czegoś.

Guinea ['gɪnɪ] n: **Republic of Guinea** Republika f Gwinei.

guinea ['gɪnɪ] (BRIT: old) n gwinea f.

guinea pig n świnka f morska; (fig) królik m doświadczalny.

guise [gaɪz] n: **in** or **under the guise of** pod płaszczykiem +gen.

guitar [gɪ'tɑ:*] n gitara f.

guitarist [gɪ'tɑ:rɪst] n gitarzysta (-tka) m(f).

gulch [gʌltʃ] (US) n parów m.

gulf [gʌlf] n (bay) zatoka f; (abyss, difference) przepaść f; **the (Persian) Gulf** Zatoka Perska.

Gulf States npl: **the Gulf States** kraje pl Zatoki Perskiej.

Gulf Stream n: **the Gulf Stream** Prąd m Zatokowy, Golfsztrom m.

gull [gʌl] n mewa f.

gullet ['gʌlɪt] n przełyk m.

gullibility [gʌlɪ'bɪlɪtɪ] n łatwowierność f.

gullible ['gʌlɪbl] adj łatwowierny.

gully ['gʌlɪ] n (ravine) wąwóz m (bardzo stromy i wąski).

gulp [gʌlp] vt (also: **gulp down**) (w pośpiechu) połykać (połknąć perf) ♦ vi (from nerves, excitement) przełykać (przełknąć perf) ślinę; **at** or **in one gulp** jednym haustem.

gum [gʌm] n (ANAT) dziąsło nt; (glue) klej m; (also: **gumdrop**) żelatynka f (cukierek); (also: **chewing-gum**) guma f (do żucia) ♦ vt: **to gum together** sklejać (skleić perf).

►**gum up** vt: **to gum up the works** (inf) powodować (spowodować perf) zastój w pracy.

gumboots ['gʌmbu:ts] (BRIT) npl gumowce pl.

gumption ['gʌmpʃən] (inf) n olej m w głowie.

gum tree n: **to be up a gum tree** (fig: inf) znajdować się (znaleźć się perf) w kropce.

gun [gʌn] n (revolver, pistol) pistolet m; (rifle, airgun) strzelba f; (cannon) działo nt ♦ vt (also: **gun down**) kill) zastrzelić (perf); **they have guns** mają broń; **to stick to one's guns** (fig) upierać się przy swoim.

gunboat ['gʌnbəut] n kanonierka f.

gun dog n pies m myśliwski.

gunfire ['gʌnfaɪə*] n ogień m armatni or z broni palnej.

gung-ho ['gʌŋhəu] (inf) adj nadgorliwy, napalony (inf).

gunk [gʌŋk] (inf) n maź f.

gunman ['gʌnmən] (irreg like **man**) n uzbrojony bandyta m.

gunner ['gʌnə*] n artylerzysta m.

gunpoint ['gʌnpɔɪnt] n: **to hold sb at gunpoint** trzymać kogoś na muszce.

gunpowder ['gʌnpaudə*] n proch m (strzelniczy).

gunrunner ['gʌnrʌnə*] n przemytnik m broni.

gunrunning ['gʌnrʌnɪŋ] n przemyt m broni.

gunshot ['gʌnʃɔt] n wystrzał m.

gunsmith ['gʌnsmɪθ] n rusznikarz m.

gurgle ['gə:gl] vi (baby) gaworzyć; (water) bulgotać (zabulgotać perf).

guru ['guru:] n guru m inv.

gush [gʌʃ] vi tryskać (trysnąć perf) ♦ n (of water etc) wytrysk m; **to gush over** rozpływać się nad +instr.

gusset ['gʌsɪt] n (SEWING) klin m, wstawka f.

gust [gʌst] n podmuch m, powiew m.

gusto ['gʌstəu] *n*: **with gusto** z zapałem *or* upodobaniem.

gut [gʌt] *n* (*ANAT*) jelito *nt*; (*also*: **catgut**: *MUS*) struna *f*; (: *TENNIS*) naciąg *m* ♦ *vt* (*poultry, fish*) patroszyć (wypatroszyć *perf*); **guts** *npl* (*ANAT*) wnętrzności *pl*, trzewia *pl*; (*fig*: *inf*) odwaga *f*; **to hate sb's guts** serdecznie kogoś nienawidzić; **the whole house was gutted by fire** ogień strawił cały dom.

gut reaction *n* instynktowna reakcja *f*.

gutted ['gʌtɪd] (*inf*) *adj*: **I was gutted** byłem załamany.

gutter ['gʌtə*] *n* (*in street*) rynsztok *m*; (*of roof*) rynna *f*.

guttural ['gʌtərl] *adj* gardłowy.

guy [gaɪ] *n* (*inf*: *man*) gość *m* (*inf*), facet *m* (*inf*); (*also*: **guyrope**) naciąg *m* (namiotu); (*also*: **Guy Fawkes**) *kukła Guya Fawkesa, palona 5 listopada na pamiątkę nieudanej próby podpalenia parlamentu.*

Guyana [gaɪ'ænə] *n* Gujana *f*.

guzzle ['gʌzl] *vt* (*drink*) żłopać (wyżłopać *perf*) (*inf*); (*food*) żreć (zeżreć *perf*) (*inf*).

gym [dʒɪm] *n* (*also*: **gymnasium**) sala *f* gimnastyczna; (*also*: **gymnastics**) gimnastyka *f*.

gymkhana [dʒɪm'kɑːnə] *n* zawody *pl* hipiczne.

gymnasium [dʒɪm'neɪzɪəm] *n* sala *f* gimnastyczna.

gymnast ['dʒɪmnæst] *n* gimnastyk (-yczka) *m(f)*.

gymnastics [dʒɪm'næstɪks] *n* gimnastyka *f*.

gym shoes *npl* trampki *pl*.

gym slip (*BRIT*) *n* mundurek *m* szkolny (*dziewczęcy, bez rękawów*).

gynaecologist [gaɪnɪ'kɔlədʒɪst] (*US* **gynecologist**) *n* ginekolog *m*.

gynaecology [gaɪnə'kɔlədʒɪ] (*US* **gynecology**) *n* ginekologia *f*.

gypsy ['dʒɪpsɪ] *n* = **gipsy**.

gyrate [dʒaɪ'reɪt] *vi* wirować.

gyroscope ['dʒaɪərəskəup] *n* żyroskop *m*.

H,h

H, h [eɪtʃ] *n* (*letter*) H *nt*, h *nt*; **H for Harry**, (*US*) **H for How** ≈ H jak Henryk.

habeas corpus ['heɪbɪəs'kɔːpəs] *n* ustawa *zabraniająca aresztowania obywatela bez zgody sądu.*

haberdashery [hæbə'dæʃərɪ] (*BRIT*) *n* pasmanteria *f*.

habit ['hæbɪt] *n* (*custom*) zwyczaj *m*; (*addiction*) nałóg *m*; (*REL*) habit *m*; **a marijuana/cocaine habit** uzależnienie od marihuany/kokainy; **to get into the habit of**

doing sth przyzwyczajać się (przyzwyczaić się *perf*) do robienia czegoś; **to get out of the habit of doing sth** odzwyczajać się (odzwyczaić się *perf*) od robienia czegoś; **to be in the habit of doing sth** mieć w zwyczaju robić coś.

habitable ['hæbɪtəbl] *adj* nadający się do zamieszkania.

habitat ['hæbɪtæt] *n* (naturalne) środowisko *nt*.

habitation [hæbɪ'teɪʃən] *n* domostwo *nt*; **fit for human habitation** nadający się do zamieszkania przez ludzi.

habitual [hə'bɪtjuəl] *adj* (*action*) charakterystyczny; (*drinker, smoker*) nałogowy; (*liar, criminal*) notoryczny.

habitually [hə'bɪtjuəlɪ] *adv* stale, notorycznie.

hack [hæk] *vt* rąbać (porąbać *perf*) ♦ *n* (*pej*: *writer*) pismak *m* (*pej*); (*horse*) wynajmowany koń *m* ♦ *vi* przesiadywać przy komputerze.

►**hack into** *vt fus* (*COMPUT*) włamywać się (włamać się *perf*) do +*gen*.

hacker ['hækə*] (*COMPUT*) *n* maniak *m* komputerowy, haker *m* (*pej*).

hackles ['hæklz] *npl*: **to make sb's hackles rise** (*fig*) doprowadzać (doprowadzić *perf*) kogoś do szału.

hackney cab ['hæknɪ-] *n* taksówka *f* (*zwłaszcza tradycyjna londyńska*).

hackneyed ['hæknɪd] *adj* (*phrase*) wyświechtany, wytarty.

had [hæd] *pt, pp of* **have**.

haddock ['hædək] (*pl* **haddock** *or* **haddocks**) *n* łupacz *m*.

hadn't ['hædnt] = **had not**.

haematology ['hiːmə'tɔlədʒɪ] (*US* **hematology**) *n* hematologia *f*.

haemoglobin ['hiːmə'gləubɪn] (*US* **hemoglobin**) *n* hemoglobina *f*.

haemophilia ['hiːmə'fɪlɪə] (*US* **hemophilia**) *n* hemofilia *f*.

haemorrhage ['hɛmərɪdʒ] (*US* **hemorrhage**) *n* krwotok *m*.

haemorroids ['hɛmərɔɪdz] (*US* **hemorrhoids**) *npl* hemoroidy *pl*.

hag [hæg] *n* wiedźma *f*.

haggard ['hægəd] *adj* zabiedzony, wymizerowany.

haggis ['hægɪs] (*SCOTTISH*) *n podobna do kaszanki potrawa z podróbek baranich, łoju owsa.*

haggle ['hægl] *vi* targować się; **to haggle over** targować się o +*acc*.

haggling ['hæglɪŋ] *n* targowanie się *nt*.

Hague [heɪg] *n*: **The Hague** Haga *f*.

hail [heɪl] *n* grad *m* ♦ *vt* (*call*) przywoływać (przywołać *perf*); (*acclaim*): **to hail sb/sth as** okrzykiwać (okrzyknąć *perf*) kogoś/coś +*instr*, obwoływać (obwołać *perf*) kogoś/coś +*instr* *vi*: **it hailed** padał grad; **he hails from Scotland** on pochodzi ze Szkocji.

hailstone ['heɪlstəʊn] *n* kulka *f* gradu.

hailstorm ['heɪlstɔːm] *n* burza *f* gradowa.

hair [hɛə*] *n* (*of person*) włosy *pl*; (*of animal*) sierść *f*; (*single hair*) włos *m*, włosek *m*; **to do one's hair** układać (ułożyć *perf*) sobie włosy; **by a hair's breadth** (*fig*) (dosłownie) o włos.

hairbrush ['hɛəbrʌʃ] *n* szczotka *f* do włosów.

haircut ['hɛəkʌt] *n* (*action*) strzyżenie *nt*, obcięcie *nt* włosów; (*style*) fryzura *f*; **to have/get a haircut** (dać sobie) obciąć (*perf*) *or* ostrzyc (*perf*) włosy.

hairdo ['hɛədu:] *n* fryzura *f*, uczesanie *nt*.

hairdresser ['hɛədrɛsə*] *n* fryzjer(ka) *m(f)*.

hairdresser's ['hɛədrɛsəz] *n* zakład *m* fryzjerski, fryzjer *m*.

hair dryer *n* suszarka *f* do włosów.

-haired [hɛəd] *suff*: **fair-/long-haired** jasno-/długowłosy, o jasnych/długich włosach *post*.

hairgrip ['hɛəgrɪp] *n* klamra *f* do włosów.

hairline ['hɛəlaɪn] *n* linia *f* *or* granica *f* włosów (*z przodu*); **his hairline was receding** robiły mu się zakola.

hairline fracture *n* włoskowate pęknięcie *nt*.

hairnet ['hɛənɛt] *n* siatka *f* na włosy.

hair oil *n* brylantyna *f*.

hairpiece ['hɛəpi:s] *n* peruka *f*.

hairpin ['hɛəpɪn] *n* wsuwka *f* *or* spinka *f* do włosów.

hairpin bend (*US* **hairpin curve**) *n* zakręt *m* o 180 stopni.

hair-raising ['hɛəreɪzɪŋ] *adj* jeżący włos na głowie.

hair remover *n* depilator *m*.

hair slide *n* klamra *f* do włosów.

hair spray *n* lakier *m* do włosów.

hairstyle ['hɛəstaɪl] *n* fryzura *f*, uczesanie *nt*.

hairy ['hɛərɪ] *adj* (*person, arms*) owłosiony; (*animal*) włochaty, kosmaty; (*inf: situation*) gorący (*inf*).

Haiti ['heɪtɪ] *n* Haiti *nt inv*.

hake [heɪk] (*pl* **hake** *or* **hakes**) *n* szczupak *m* morski.

halcyon ['hælsɪən] *adj* błogi.

hale [heɪl] *adj*: **hale and hearty** krzepki.

half [hɑ:f] (*pl* **halves**) *n* (*of amount, object*) połowa *f*; (*TRAVEL*) połówka *f* (*inf*) ♦ *adj*: **half bottle** pół *nt inv* butelki; **half pay** połowa zapłaty ♦ *adv* do połowy, w połowie; **first/second half** (*SPORT*) pierwsza/druga połowa; **a half of beer** pół kufla piwa; **two and a half** dwa i pół; **half-an-hour** pół godziny; **half a dozen** sześć, pół tuzina (*fml*); **a week and a half** półtora tygodnia; **half (of it)** połowa (z tego); **half (of)** połowa (+*gen*); **half as much** o połowę mniej; **to cut sth in half** przecinać (przeciąć *perf*) coś na pół; **half**

past three (w)pół do czwartej; **half empty** w połowie opróżniony; **half closed** (w)półprzymknięty; **to go halves (with sb)** dzielić się (podzielić się *perf*) (z kimś) po połowie; **she never does things by halves** (ona) nigdy niczego nie robi połowicznie; **he's too clever by half** jest o wiele za sprytny.

half-baked ['hɑ:f'beɪkt] *adj* nie w pełni przemyślany, niedopracowany.

half board *n* zakwaterowanie *nt* ze śniadaniem i kolacją.

half-breed ['hɑ:fbri:d] *n* = **halfcaste**.

half-brother ['hɑ:fbrʌðə*] *n* brat *m* przyrodni.

half-caste ['hɑ:fkɑ:st] (*pej*) *n* mieszaniec *m*.

half day *n* dzień *m* pracy skrócony o połowę.

half-hearted ['hɑ:f'hɑ:tɪd] *adj* wymuszony, bez przekonania *or* entuzjazmu *post*.

half-hour [hɑ:f'auə*] *n* pół *nt inv* godziny.

half-life ['hɑ:flaɪf] *n* (*TECH*) okres *m* połowicznego rozpadu.

half-mast ['hɑ:f'mɑ:st] *adv*: **to fly at half-mast** być opuszczonym do połowy masztu.

halfpenny ['heɪpnɪ] (*BRIT*) *n dawna moneta półpensowa*.

half-price ['hɑ:f'praɪs] *adj* o połowę tańszy ♦ *adv* za pół ceny.

half-sister ['hɑ:fsɪstə*] *n* siostra *f* przyrodnia.

half term (*BRIT*) *n krótkie ferie w połowie semestru*.

half-timbered building *adj* budynek *m* z muru pruskiego.

half-time [hɑ:f'taɪm] (*SPORT*) *n* przerwa *f* (*po pierwszej połowie meczu*).

halfway ['hɑ:f'weɪ] *adv* (*in space*) w połowie drogi; (*in time*) w połowie; **to meet sb halfway** (*fig*) wychodzić (wyjść *perf*) komuś naprzeciw.

half-yearly [hɑ:f'jɪəlɪ] *adj* półroczny.

halibut ['hælɪbət] *n inv* halibut *m*.

halitosis [hælɪ'təʊsɪs] *n* cuchnący oddech *m*.

hall [hɔ:l] *n* (*of flat*) przedpokój *m*; (*of building*) hall *m*, hol *m*; (*town/city hall*) ratusz *m*; (*mansion*) dwór *m*; (*for concerts*) sala *f*; (*for meetings*) aula *f*, sala *f*; **to live in hall** (*BRIT*) ≈ mieszkać w akademiku.

hallmark ['hɔ:lmɑ:k] *n* (*on metal*) próba *f*, znak *m* stempla probierczego (*fml*); (*of writer, artist*) cecha *f* charakterystyczna.

hallo [hə'ləʊ] *excl* = **hello**.

hall of residence (*BRIT: pl* **halls of residence**) *n* ≈ dom *m* studencki; ≈ akademik *m* (*inf*).

hallowed ['hæləʊd] *adj* (*REL: ground*) święty; (*fig: old building etc*) otaczany (wielkim) szacunkiem.

Hallowe'en ['hæləʊ'i:n] *n* wigilia *f* Wszystkich Świętych.

hallucination [həlu:sɪ'neɪʃən] *n* halucynacja *f*.

hallway ['hɔ:lweɪ] *n* hall *m*, hol *m*.

halo ['heɪləu] *n* aureola *f.*

halt [hɔ:lt] *n*: **to come to a halt** zatrzymać się *(perf)* ♦ *vt* powstrzymać *(perf)*, zatrzymać *(perf)* ♦ *vi* przystanąć *(perf)*, zatrzymać się *(perf)*; **to call a halt to sth** zarzucić *(perf)* coś, zaniechać *(perf)* czegoś.

halter ['hɔ:ltə*] *n* uździenica *f.*

halterneck ['hɔ:ltənɛk] *adj*: **halterneck dress** suknia *f* bez ramion i pleców.

halve [hɑ:v] *vt* (*reduce*) zmniejszać (zmniejszyć *perf*) o połowę; (*divide*) dzielić (podzielić *perf*) na pół, przepoławiać (przepołowić *perf*).

halves [hɑ:vz] *pl of* **half.**

ham [hæm] *n* (*meat*) szynka *f*, (*inf. also*: **radio ham**) radioamator(ka) *m(f)*; (: *actor*) szmirus(ka) *m(f)* (*inf*) ♦ *vt*: **to ham it up** zgrywać się (*o aktorze*).

Hamburg ['hæmbə:g] *n* Hamburg *m.*

hamburger ['hæmbə:gə*] *n* hamburger *m.*

ham-fisted ['hæm'fɪstɪd] (*US* **ham-handed**) *adj* niezręczny.

hamlet ['hæmlɪt] *n* wioska *f*, sioło *nt* (*old*).

hammer ['hæmə*] *n* młot *m*; (*small*) młotek *m* ♦ *vt* (*nail*) wbijać (wbić *perf*); (*fig: criticize*) gromić (zgromić *perf*) ♦ *vi* walić; **to hammer sth into sb** wbijać (wbić *perf*) coś komuś do głowy.

►**hammer out** *vt* (*dent etc*) wyklepywać (wyklepać *perf*); (*fig: agreement etc*) dopracować się *(perf)* +*gen*, wynegocjować *(perf)*.

hammock ['hæmək] *n* hamak *m.*

hamper ['hæmpə*] *vt* (*person*) przeszkadzać +*dat*; (*movement, effort*) utrudniać ♦ *n* kosz(yk) *m* (z przykrywką).

hamster ['hæmstə*] *n* chomik *m.*

hamstring ['hæmstrɪŋ] *n* (*ANAT*) ścięgno *nt* podkolanowe ♦ *vt* (*fig*) paraliżować (sparaliżować *perf*).

hand [hænd] *n* (*ANAT*) ręka *f*; (*of clock*) wskazówka *f*, (*handwriting*) pismo *nt*, charakter *m* pisma; (*worker*) robotnik (-ica) *m(f)*; (*deal of cards*) rozdanie *nt*; (*cards held in hand*) karty *pl*; (*of horse*) *jednostka pomiaru wysokości konia w kłębie* ♦ *vt* podawać (podać *perf*); **to give** *or* **lend sb a hand** pomóc *(perf)* komuś; **at hand** pod ręką; **by hand** ręcznie; **time in hand** czas do dyspozycji; **the job in hand** praca do wykonania *or* zrobienia; **we have the matter in hand** panujemy nad sytuacją; **to be on hand** być *or* pozostawać do dyspozycji; **out of hand** z miejsca; **to have sth to hand** mieć coś pod ręką *or* na podorędziu; **on the one hand ..., on the other hand ...** z jednej strony ..., z drugiej strony ...; **to force sb's hand** zmuszać (zmusić *perf*) kogoś do ujawnienia zamiarów; **to give sb a free hand** dawać (dać *perf*) komuś wolną rękę; **to change**

hands zmieniać (zmienić *perf*) właściciela; **hands-on experience** doświadczenie praktyczne; **"hands off!"** „ręce przy sobie!".

►**hand down** *vt* przekazywać (przekazać *perf*).

►**hand in** *vt* (*essay, work*) oddawać (oddać *perf*).

►**hand out** *vt* (*things*) wydawać (wydać *perf*), rozdawać (rozdać *perf*); (*information*) udzielać (udzielić *perf*) +*gen*; (*punishment*) wymierzać (wymierzyć *perf*).

►**hand over** *vt* przekazywać (przekazać *perf*).

►**hand round** *vt* (*distribute*) rozdawać (rozdać *perf*); (*cakes etc*) częstować (poczęstować *perf*) wszystkich +*instr*.

handbag ['hændbæg] *n* torebka *f* (damska).

handball ['hændbɔ:l] *n* piłka *f* ręczna.

handbasin ['hændbeɪsn] *n* umywalka *f.*

handbook ['hændbuk] *n* (*for school*) podręcznik *m*; (*of practical advice*) poradnik *m*

handbrake ['hændbreɪk] *n* ręczny hamulec *m.*

h & c (*BRIT*) *abbr* (= *hot and cold (water)*) gorąca i zimna woda *f.*

hand cream *n* krem *m* do rąk.

handcuff ['hændkʌf] *vt* zakładać (założyć *perf*) kajdanki +*dat*.

handcuffs ['hændkʌfs] *npl* kajdanki *pl.*

handful ['hændful] *n* (*of soil, stones*) garść *f*; (*of people*) garstka *f.*

handicap ['hændɪkæp] *n* (*disability*) ułomność *f*, upośledzenie *nt*; (*disadvantage*) przeszkoda *f*, utrudnienie *nt*; (*horse racing, golf*) handicap *m*, wyrównanie *nt* ♦ *vt* utrudniać (utrudnić *perf*); **mentally/physically handicapped** umysłowo/fizycznie niepełnosprawny; **people with handicaps, handicapped people** (ludzie) niepełnosprawni.

handicraft ['hændɪkrɑ:ft] *n* (*activity*) rękodzielnictwo *nt*, rękodzieło *nt*; (*object*) wyrób *m* rękodzielniczy, rękodzieło *nt.*

handiwork ['hændɪwə:k] *n* własne *or* własnoręczne dzieło *nt.*

handkerchief ['hæŋkətʃɪf] *n* chusteczka *f* (do nosa).

handle ['hændl] *n* rączka *f*, (*of door*) klamka *f*, (*of drawer*) uchwyt *m*; (*of cup, mug*) ucho *nt*; (*CB RADIO: name*) pseudo *nt* ♦ *vt* (*touch*) dotykać (dotknąć *perf*) +*gen*; (*deal with*) obchodzić się (obejść się *perf*) z +*instr*; (: *successfully*) radzić (poradzić *perf*) sobie z +*instr*; **"handle with care"** „ostrożnie"; **to fly off the handle** dostawać (dostać *perf*) szału; **I couldn't get a handle on it** (*inf*) nie wiedziałem, z której strony się do tego zabrać (*inf*).

handlebar(s) ['hændlbɑ:(z)] *n(pl)* kierownica *f* (roweru).

handling charges *npl* opłaty *pl* manipulacyjne

hand luggage *n* bagaż *m* ręczny.

handmade ['hænd'meɪd] *adj* robiony ręcznie; **it's handmade** to ręczna robota.

handout ['hændaut] *n* (*money, food etc*)

jałmużna *f*; (*publicity leaflet*) ulotka *f* reklamowa; (*at lecture, meeting*) konspekt *m*.

and-picked ['hænd'pɪkt] *adj* (*fruit*) ręcznie zbierany; (*staff*) starannie wyselekcjonowany.

andrail ['hændreɪl] *n* (*on stair, ledge*) poręcz *f*.

andshake ['hændʃeɪk] *n* uścisk *m* dłoni.

andsome ['hænsəm] *adj* (*person*) przystojny; (*building, garden*) ładny; (*fig: profit*) pokaźny.

andstand ['hændstænd] *n*: **to do a handstand** stawać (stanąć *perf*) na rękach.

and-to-mouth ['hændtə'mauθ] *adj* (*existence*) nędzny ♦ *adv* (*live*) z dnia na dzień.

andwriting ['hændraɪtɪŋ] *n* charakter *m* pisma, pismo *nt*.

andwritten ['hændrɪtn] *adj* napisany ręcznie.

andy ['hændɪ] *adj* (*useful*) przydatny; (*easy to use*) poręczny; (*skilful*) zręczny; (*close at hand*) pod ręką *post*; **to come in handy** przydawać się (przydać się *perf*).

andyman ['hændɪmæn] (*irreg like* man) *n* majster *m* do wszystkiego, złota rączka *f*.

ang [hæŋ] (*pt, pp* **hung**) *vt* (*painting*) zawieszać (zawiesić *perf*); (*head*) zwieszać (zwiesić *perf*); (*criminal*) (*pt, pp* **hanged**) wieszać (powiesić *perf*) ♦ *vi* (*painting, coat*) wisieć; (*drapery*) zwisać; (*hair*) opadać; **once you have got the hang of it, ...** (*inf*) jak już raz chwycisz, o co chodzi, ... (*inf*).

▸**hang about** *vi* pałętać się (*inf*).

▸**hang around** *vi* = hang about.

▸**hang back** *vi* (*hesitate*) ociągać się.

▸**hang on** *vi* poczekać (*perf*) ♦ *vt fus* (*depend on*) zależeć od +*gen*.

▸**to hang onto** *vt fus* (*grasp*) kurczowo ściskać +*acc* (w ręce); (*keep*) przechowywać +*acc*.

▸**hang out** *vt* (*washing*) rozwieszać (rozwiesić *perf*) ♦ *vi*: **the sheets are hanging out to dry** prześcieradła się suszą; (*inf*): **where do they usually hang out?** gdzie zwykle spędzają czas?

▸**hang together** *vi* trzymać się kupy (*inf*).

▸**hang up** *vi*: **to hang up (on sb)** odkładać (odłożyć *perf*) słuchawkę ♦ *vt* (*coat*) wieszać (powiesić *perf*); (*painting*) zawieszać (zawiesić *perf*).

angar ['hæŋə*] *n* hangar *m*.

angdog ['hæŋdɔg] *adj* (*look, expression*) winny.

anger ['hæŋə*] *n* (*also*: **coat hanger**) wieszak *m*.

anger-on [hæŋər'ɔn] (*pl* **hangers-on**) *n* pieczeniarz *m*.

ang-gliding ['hæŋglaɪdɪŋ] *n* lotniarstwo *nt*.

anging ['hæŋɪŋ] *n* (*execution*) powieszenie *nt*; (*for wall*) draperia *f*.

angman ['hæŋmən] (*irreg like* man) *n* kat *m*.

angover ['hæŋəuvə*] *n* (*after drinking*) kac *m*; (*from past*) przeżytek *m*.

ang-up ['hæŋʌp] *n* zahamowanie *nt*.

ank [hæŋk] *n* motek *m*.

hanker ['hæŋkə*] *vi*: **to hanker after** wzdychać do +*gen*.

hankie ['hæŋkɪ] *n abbr* = **handkerchief**.

hanky ['hæŋkɪ] *n abbr* = **hankie**.

Hants [hænts] (*BRIT: POST*) *abbr* (= Hampshire).

haphazard [hæp'hæzəd] *adj* przypadkowy, niesystematyczny; **in a haphazard way** na chybił trafił.

hapless ['hæplɪs] *adj* nieszczęsny.

happen ['hæpən] *vi* zdarzać się (zdarzyć się *perf*), wydarzać się (wydarzyć się *perf*); **if you happen to see Jane, ...** gdybyś przypadkiem zobaczył Jane, ...; **as it happens, ...** tak się (akurat) składa, że ...; **what's happening?** co się dzieje?; **what happened?** co się stało?; **she happened to be free** akurat była wolna; **if anything happened to him ...** gdyby coś mu się stało, ...

▸**happen (up)on** *vt fus* natrafić (*perf*) or natknąć się (*perf*) na +*acc*.

happening ['hæpnɪŋ] *n* wydarzenie *nt*.

happily ['hæpɪlɪ] *adv* (*luckily*) na szczęście, szczęśliwie; (*cheerfully*) wesoło.

happiness ['hæpɪnɪs] *n* szczęście *nt*.

happy ['hæpɪ] *adj* szczęśliwy; **to be happy with** być zadowolonym z +*gen*; **we'll be happy to help you** chętnie or z przyjemnością ci pomożemy; **happy birthday!** wszystkiego najlepszego w dniu urodzin!

happy-go-lucky ['hæpɪgəu'lʌkɪ] *adj* niefrasobliwy.

harangue [hə'ræŋ] *vt* prawić kazanie +*dat*.

harass ['hærəs] *vt* nękać.

harassed ['hærəst] *adj* znękany.

harassment ['hærəsmənt] *n* nękanie *nt*; **sexual harassment** napastowanie (seksualne).

harbour ['hɑ:bə*] (*US* **harbor**) *n* port *m* ♦ *vt* (*hope, fear*) żywić; (*criminal, fugitive*) dawać (dać *perf*) schronienie +*dat*; **to harbour a grudge against sb** żywić do kogoś urazę.

harbo(u)r dues *npl* opłaty *pl* portowe.

harbo(u)r master *n* komendant *m* portu.

hard [hɑ:d] *adj* (*object, surface, drugs*) twardy; (*question, problem*) trudny; (*work, life*) ciężki; (*person*) surowy; (*evidence*) niepodważalny, niezbity; (*drink*) mocny ♦ *adv* (*work*) ciężko; (*think*) intensywnie; (*try*) mocno; **to look hard at** poważnie przyglądać się (przyjrzeć się *perf*) +*dat*; **hard luck!** a to pech!; **no hard feelings!** bez urazy!; **to be hard of hearing** mieć słaby słuch; **to feel hard done by** czuć się oszukanym; **I find it hard to believe that ...** trudno mi uwierzyć, że ... .

hard-and-fast ['hɑ:dən'fɑ:st] *adj* (*rule*) żelazny; (*information*) pewny.

hardback ['hɑ:dbæk] *n* książka *f* w twardej or sztywnej oprawie.

hardboard ['hɑ:dbɔ:d] *n* płyta *f* pilśniowa twarda.

hard-boiled egg ['hɑ:d'bɔɪld-] *n* jajko *nt* na twardo.
hard cash *n* gotówka *f*.
hard copy (*COMPUT*) *n* wydruk *m*.
hard core *n* (*of group*) trzon *m*.
hard-core ['hɑ:d'kɔ:*] *adj* (*pornography*) twardy (*inf*); (*supporters*) najzagorzalszy.
hard court *n* twardy kort *m*.
hard disk *n* dysk *m* twardy *or* stały.
harden ['hɑ:dn] *vt* (*wax, glue*) utwardzać (utwardzić *perf*); (*person*) hartować (zahartować *perf*) ♦ *vi* (*wax, glue*) twardnieć (stwardnieć *perf*).
hardened ['hɑ:dnd] *adj* (*criminal*) zatwardziały; **to get** *or* **become hardened to sth** uodparniać się (uodpornić się *perf*) na coś.
hardening ['hɑ:dnɪŋ] *n* (*of attitude*) usztywnienie *nt*; (*of opposition*) nasilenie *nt*.
hard graft *n*: **by sheer hard graft** tylko dzięki wytężonej pracy.
hard-headed ['hɑ:d'hɛdɪd] *adj* wyrachowany.
hard-hearted ['hɑ:d'hɑ:tɪd] *adj* bezwzględny.
hard labour *n* ciężkie roboty *pl*.
hardliner [hɑ:d'laɪnə*] (*POL*) *n* dogmatyk *m*.
hardly ['hɑ:dlɪ] *adv* ledwie, ledwo; **hardly anywhere/ever** prawie nigdzie/nigdy; **hardly anyone knows that ...** mało kto wie, że ...; **it's hardly likely** to mało prawdopodobne; **I can hardly believe it** ledwie mogę w to uwierzyć.
hard sell *n* nachalna reklama *f*.
hardship ['hɑ:dʃɪp] *n* trudności *pl*.
hard shoulder (*BRIT: AUT*) *n* pobocze *nt* (drogi).
hard up (*inf*) *adj* spłukany (*inf*).
hardware ['hɑ:dwɛə*] *n* (*ironmongery*) towary *pl* żelazne; (*COMPUT*) hardware *m*; (*MIL*) ciężkie uzbrojenie *nt*.
hardware shop *n* sklep *m* żelazny.
hard-wearing [hɑ:d'wɛərɪŋ] *adj* (*shoes etc*) mocny, nie do zdarcia *post*.
hard-working [hɑ:d'wə:kɪŋ] *adj* pracowity.
hardy ['hɑ:dɪ] *adj* odporny.
hare [hɛə*] *n* zając *m*.
hare-brained ['hɛəbreɪnd] *adj* (*person*) postrzelony; (*scheme, idea*) niedorzeczny.
harelip ['hɛəlɪp] *n* zajęcza warga *f*.
harem [hɑ:'ri:m] *n* harem *m*.
hark back [hɑ:k-] *vt fus*: **to hark back to** nawiązywać (nawiązać *perf*) do +*gen*.
harm [hɑ:m] *n* (*physical*) uszkodzenie *nt* ciała; (*damage*) szkoda *f*; (: *to person*) krzywda *f* ♦ *vt* (*person*) krzywdzić (skrzywdzić *perf*); (*object*) uszkadzać (uszkodzić *perf*); **to mean no harm** nie mieć złych zamiarów; **out of harm's way** w bezpiecznym miejscu; **there's no harm in trying** nie zaszkodzi spróbować.
harmful ['hɑ:mful] *adj* szkodliwy.
harmless ['hɑ:mlɪs] *adj* (*person, animal*) nieszkodliwy; (*joke, pleasure*) niewinny.

harmonic [hɑ:'mɔnɪk] *adj* harmoniczny.
harmonica [hɑ:'mɔnɪkə] *n* harmonijka *f* (ustna), organki *pl*.
harmonics [hɑ:'mɔnɪks] *npl* harmonika *f*.
harmonious [hɑ:'məunɪəs] *adj* harmonijny.
harmonium [hɑ:'məunɪəm] *n* fisharmonia *f*.
harmonize ['hɑ:mənaɪz] (*also spelled* **harmonise**) *vi* (*MUS*) harmonizować; **to harmonize (with)** harmonizować (z +*instr*).
harmony ['hɑ:mənɪ] *n* (*accord*) zgoda *f*, (*MUS*) harmonia *f*; **in harmony** (*live*) w zgodzie; (*work*) zgodnie; (*sing*) na głosy.
harness ['hɑ:nɪs] *n* (*for horse*) uprząż *f*, (*for child*) szelki *pl*; (*also*: **safety harness**) pas *m* bezpieczeństwa (*np. do pracy na wysokości*) ♦ *vt* (*resources, energy*) wykorzystywać (wykorzystać *perf*); (*horse, dog*) zaprzęgać (zaprząc *perf*).
harp [hɑ:p] *n* harfa *f* ♦ *vi*: **to harp on (about)** (*pej*) nudzić (o +*loc*) (*pej, inf*).
harpist ['hɑ:pɪst] *n* harfista (-tka) *m(f)*.
harpoon [hɑ:'pu:n] *n* harpun *m*.
harpsichord ['hɑ:psɪkɔ:d] *n* klawesyn *m*.
harried ['hærɪd] *adj* udręczony.
harrow ['hærəu] *n* brona *f*.
harrowing ['hærəuɪŋ] *adj* wstrząsający.
harry ['hærɪ] *vt* zadręczać.
harsh [hɑ:ʃ] *adj* (*judge, criticism, winter*) surowy; (*sound, light, colour*) ostry.
harshly ['hɑ:ʃlɪ] *adv* surowo.
harshness ['hɑ:ʃnɪs] *n* (*of judge, criticism, winter*) surowość *f*, (*of sound, light, colour*) ostrość *f*.
harvest ['hɑ:vɪst] *n* (*harvest time*) żniwa *pl*; (*crops*) zbiory *pl* ♦ *vt* zbierać (zebrać *perf*).
harvester ['hɑ:vɪstə*] *n* (*also*: **combine harvester**) kombajn *m* (żniwny).
has [hæz] *vb see* **have**.
has-been ['hæzbi:n] (*inf*) *n*: **he's/she's a has-been** jego/jej czas (już) minął.
hash [hæʃ] *n* (*CULIN*) potrawa *z siekanego mięsa zasmażanego z cebulą, ziemniakami itp*; **to make a hash of sth** zawalić (*perf*) coś (*inf*).
hash [hæʃ] (*inf*) *n abbr* = **hashish**.
hashish ['hæʃɪʃ] *n* haszysz *m*.
hasn't ['hæznt] = **has not**.
hassle ['hæsl] (*inf*) *n* (*bother*) kłopot *m*, zawracanie *nt* głowy (*inf*) ♦ *vt* dokuczać +*dat*.
haste [heɪst] *n* pośpiech *m*; **in haste** w pośpiechu; **to make haste (to)** śpieszyć się (pośpieszyć się *perf*) (, żeby +*infin*).
hasten ['heɪsn] *vt* przyśpieszać (przyśpieszyć *perf*) ♦ *vi*: **he hastened to increase the prize** pośpiesznie zwiększył wysokość nagrody; **I hasten to add** od razu dodam, śpieszę dodać (*literary*); **she hastened back to the house** pośpieszyła z powrotem do domu.
hastily ['heɪstɪlɪ] *adv* (*hurriedly*) pośpiesznie; (*rashly*) pochopnie.
hasty ['heɪstɪ] *adj* pośpieszny; (*rash*) pochopny

hat [hæt] n kapelusz m; **to keep sth under one's hat** zachowywać (zachować perf) coś dla siebie.

hatbox ['hætbɒks] n pudło nt na kapelusze.

hatch [hætʃ] n (NAUT) luk m, właz m; (also: **service hatch**) okienko nt ♦ vi wylęgać się (wylęgnąć się perf), wykluwać się (wykluć się perf) ♦ vt (plot etc) knuć (uknuć perf); **after ten days, the eggs hatch** po dziesięciu dniach (z jaj) wykluwają się pisklęta; **we've hatched fourteen birds in the incubator** wyhodowaliśmy w inkubatorze czternaście piskląt.

hatchback ['hætʃbæk] n (AUT) hatchback m.

hatchet ['hætʃɪt] n topór m; **to bury the hatchet** (fig) zakopywać (zakopać perf) topór wojenny.

hate [heɪt] vt nienawidzić (znienawidzić perf) ♦ n nienawiść f; **to hate to do/doing sth** bardzo niechętnie coś (z)robić; **I hate to trouble you, but ...** przepraszam, że cię niepokoję, ale ... .

hateful ['heɪtful] adj (person) pełen nienawiści; (week etc) okropny.

hatred ['heɪtrɪd] n nienawiść f.

hat trick (SPORT) n trzy punkty (np. bramki) zdobyte w meczu przez jednego zawodnika.

haughty ['hɔːtɪ] adj wyniosły.

haul [hɔːl] vt (pull) ciągnąć, wyciągać (wyciągnąć perf); (by lorry) przewozić (przewieźć perf); (NAUT) holować ♦ n (stolen goods etc) łup m, zdobycz f; (of fish) połów m; **he hauled himself out of the pool** wygramolił się z basenu.

haulage ['hɔːlɪdʒ] n przewóz m.

haulage contractor (BRIT) n przedsiębiorca m przewozowy, przewoźnik m.

hauler ['hɔːlə*] (US) n = haulier.

haulier ['hɔːlɪə*] (BRIT) n przewoźnik m.

haunch [hɔːntʃ] n (ANAT) pośladek m (razem z biodrem i górną częścią uda); (of meat) udziec m, comber m; **to sit on one's haunches** przykucać (przykucnąć perf).

haunt [hɔːnt] vt (ghost, spirit) straszyć, nawiedzać; (fig: mystery, memory) nie dawać spokoju +dat, prześladować; (problem, fear) nękać ♦ n ulubione miejsce nt (spotkań).

haunted ['hɔːntɪd] adj (expression, look) udręczony, znękany; **haunted house** dom, w którym straszy.

haunting ['hɔːntɪŋ] adj zapadający w pamięć, nie dający spokoju.

Havana [hə'vænə] n Hawana f.

┌─────────── KEYWORD ───────────┐

have [hæv] (pt, pp had) aux vb 1 (usu) to **have arrived** przybyć (perf); **to have gone** odejść (perf); **she has been promoted** dostała awans; **has he told you?** powiedział ci?; **having finished** or **when he had finished, he left** skończywszy or kiedy skończył, wyszedł.

2 (in tag questions) prawda; **you've done it, haven't you?** zrobiłeś to, prawda? 3 (in short answers and questions): **you've made a mistake – no I haven't/so I have** pomyliłeś się – nie/tak (, rzeczywiście); **we haven't paid – yes we have!** nie zapłaciliśmy – ależ tak!; **I've been there before – have you?** już kiedyś tam byłem – naprawdę? ♦ modal aux vb: **to have (got) to do sth** musieć coś robić (zrobić perf); **I haven't got** or **I don't have to wear glasses** nie muszę nosić okularów ♦ vt 1 (possess) mieć; **he has (got) blue eyes** ma niebieskie oczy; **do you have** or **have you got a car?** (czy) masz samochód? 2 (eat) jeść (zjeść perf); (drink) pić (wypić perf); **to have breakfast** jeść (zjeść perf) śniadanie. 3 (receive, obtain etc) mieć, dostawać (dostać perf); **you can have it for 5 pounds** możesz to dostać or mieć za pięć funtów. 4 (allow) pozwalać (pozwolić perf) na +acc; **I won't have it!** nie pozwolę na to! 5: **to have sth done** dawać (dać perf) or oddawać (oddać perf) coś do zrobienia, kazać (nakazać perf) (sobie) coś zrobić; **to have one's hair cut** obcinać (obciąć perf) włosy; **I must have my jacket cleaned** muszę oddać marynarkę do czyszczenia; **to have sb doing sth** sprawiać (sprawić perf), że ktoś coś robi; **he soon had them all laughing** wkrótce sprawił, że wszyscy się śmiali. 6 (experience, suffer) mieć; **to have a cold** być przeziębionym; **to have flu** mieć grypę; **he had his arm broken** złamali mu rękę; **she had her bag stolen** ukradli jej torebkę. 7 (+noun): **to have a swim** popływać (perf); **to have a walk** przespacerować się (perf); **to have a rest** odpocząć (perf); **to have a baby** urodzić (perf) dziecko; **let's have a look** spójrzmy, popatrzmy; **let me have a try** daj mi spróbować. 8 (inf): **you've been had** dałeś się nabrać (inf).

►**have in** (inf) vt: **to have it in for sb** uwziąć się (perf) na kogoś.

►**have on** vt (BRIT: inf: tease) nabierać (nabrać perf) (inf); (wear) mieć na sobie; **I don't have any money on me** nie mam przy sobie (żadnych) pieniędzy; **have you anything on tomorrow?** masz coś jutro w planie?

►**have out** vt: **to have it out with sb** zagrać (perf) z kimś w otwarte karty.

└────────────────────────────┘

haven ['heɪvn] n schronienie nt, przystań f.

haven't ['hævnt] = have not.

haversack ['hævəsæk] n chlebak m.

haves [hævz] (inf) npl: **the haves and have-nots** bogaci i biedni.

havoc ['hævək] n (devastation) spustoszenia pl; (confusion) zamęt m, zamieszanie nt; **to play havoc with** wprowadzać (wprowadzić perf)

zamęt w +*loc*; **to wreak havoc (with)** siać
(posiać *perf*) spustoszenie (w +*loc*).

Hawaii [hə'waiı:] *n* Hawaje *pl*.

Hawaiian [hə'waıjən] *adj* hawajski ♦ *n*
(*person*) Hawajczyk (-jka) *m(f)*; (*LING*) (język
m) hawajski.

hawk [hɔːk] *n* jastrząb *m*.

hawker ['hɔːkə*] *n* domokrążca *m*.

hawthorn ['hɔːθɔːn] *n* głóg *m*.

hay [heı] *n* siano *nt*.

hay fever *n* katar *m* sienny.

haystack ['heıstæk] *n* stóg *m* siana; **it's like
looking for a needle in a haystack** to (jest)
jak szukanie igły w stogu siana.

haywire ['heıwaıə*] (*inf*) *adj*: **to go haywire**
(*computer, watch*) fiksować (sfiksować *perf*)
(*inf*); (*plans*) brać (wziąć *perf*) w łeb (*inf*).

hazard ['hæzəd] *n* zagrożenie *nt*,
niebezpieczeństwo *nt* ♦ *vt* ryzykować
(zaryzykować *perf*); **to be a fire/health hazard**
stanowić zagrożenie pożarowe/dla zdrowia; **I
will hazard a guess that** zaryzykuję
twierdzenie, że.

hazardous ['hæzədəs] *adj* (*dangerous*)
niebezpieczny; (*risky*) ryzykowny.

hazard pay (*US*) *n* dodatek *m* za pracę w
niebezpiecznych warunkach.

hazard (warning) lights (*AUT*) *npl* światła *pl*
awaryjne.

haze [heız] *n* (*light mist*) mgiełka *f*; (*of smoke,
fumes*) opary *pl*.

hazel [heızl] *n* leszczyna *f* ♦ *adj* (*eyes*) piwny.

hazelnut ['heızlnʌt] *n* orzech *m* laskowy.

hazy ['heızı] *adj* (*sky, view*) zamglony; (*idea,
memory*) mglisty; **I'm rather hazy about the
details** mam dość mgliste pojęcie o
szczegółach.

H-bomb ['eıtʃbɔm] *n* bomba *f* wodorowa.

HE *abbr* (*REL, DIPLOMACY*: = *His* (*or Her*)
Excellency) JE, = Jego (*or* Jej) Ekscelencja;
(*REL*: = *His Eminence*) JE, = Jego Eminencja;
= **high explosive**.

he [hiː] *pron* on; **he who ...** ten, kto ...; **here
he is** oto (i) on; **he-bear** samiec niedźwiedzia.

head [hɛd] *n* (*lit, fig*) głowa *f*; (*of table*) szczyt
m; (*of company*) dyrektor *m*; (*of country,
organization*) przywódca (-czyni) *m(f)*; (*of
school*) dyrektor(ka) *m(f)*; (*of list, queue*)
czoło *nt*; (*on coin*) reszka *f*; (*on tape
recorder, computer*) głowica *f* ♦ *vt* (*list,
group*) znajdować się na czele +*gen*;
(*company*) prowadzić, kierować +*instr*; (*ball*)
odbijać (odbić *perf*) głową; **heads or tails?**
orzeł czy reszka?; **head first** (*fall*) głową
naprzód *or* do przodu; (*dive*) na główkę;
head over heels in love zakochany po uszy;
10 pounds a *or* **per head** 10 funtów na
głowę; **to sit at the head of the table**
siedzieć u szczytu stołu; **to have a head for
business** mieć głowę do interesu; **to have no**

head for heights mieć lęk wysokości; **to
come to a head** (*fig: situation etc*) osiągać
(osiągnąć *perf*) punkt krytyczny; **let's put our
heads together** zastanówmy się wspólnie; **off
the top of my head** (tak) z głowy; **on your
own head be it!** na twoją odpowiedzialność!;
to bite *or* **snap sb's head off** warczeć
(warknąć *perf*) na kogoś (*inf*); **the
brandy/success went to his head**
koniak/sukces uderzył mu do głowy; **to keep
one's head** nie tracić (nie stracić *perf*) głowy;
to lose one's head tracić (stracić *perf*) głowę;
I can't make head nor tail of this nie mogę
się w tym połapać; **he's off his head!** (*inf*)
odbiło mu! (*inf*).

►**head for** *vt fus* (*place*) zmierzać *or* kierować
się do +*gen or* ku +*dat*; (*disaster*) zmierzać
(prosto) do +*gen or* ku +*dat*.

►**head off** *vt* zażegnywać (zażegnać *perf*).

headache ['hɛdeık] *n* ból *m* głowy; (*fig*)
utrapienie *nt*; **I have a headache** boli mnie
głowa.

head cold *n* katar *m*.

headdress ['hɛddrɛs] (*BRIT*) *n* przybranie *nt*
głowy (*np. pióropusz*).

header ['hɛdə*] (*BRIT: FOOTBALL*) *n* główka *f*.

headgear ['hɛdgıə*] *n* nakrycie *nt* głowy.

head-hunter ['hɛdhʌntə*] *n* łowca *m* głów.

heading ['hɛdıŋ] *n* nagłówek *m*.

headlamp ['hɛdlæmp] (*BRIT*) *n* = **headlight**.

headland ['hɛdlənd] *n* cypel *m*, przylądek *m*.

headlight ['hɛdlaıt] *n* reflektor *m*.

headline ['hɛdlaın] (*PRESS, TV*) *n* nagłówek
m; (*RADIO, TV*) skrót *m* (najważniejszych)
wiadomości; **it was headline news** była to
najważniejsza wiadomość.

headlong ['hɛdlɔŋ] *adv* (*fall*) głową naprzód;
(*run*) na łeb, na szyję; (*rush*) na oślep, bez
namysłu.

headmaster [hɛd'mɑːstə*] *n* dyrektor *m*
(szkoły).

headmistress [hɛd'mıstrıs] *n* dyrektorka *f*
(szkoły).

head office *n* centrala *f*, siedziba *f* główna.

head of state (*pl* **heads of state**) *n* głowa
f państwa.

head-on [hɛd'ɔn] *adj* (*collision*) czołowy;
(*confrontation*) twarzą w twarz *post*.

headphones ['hɛdfəunz] *npl* słuchawki *pl*.

headquarters ['hɛdkwɔːtəz] *npl* (*of company,
organization*) centrala *f*, siedziba *f* główna;
(*MIL*) kwatera *f* główna, punkt *m* dowodzenia.

headrest ['hɛdrɛst] *n* zagłówek *m*.

headroom ['hɛdrum] *n* (*under bridge etc*)
prześwit *m*; **"max. headroom: 3.4 metres"**
„dopuszczalna wysokość pojazdu: 3,4 metra".

headscarf ['hɛdskɑːf] *n* chustka *f* na głowę.

headset ['hɛdsɛt] *n* = **headphones**.

head start *n*: **to give sb a head start** (*in*

race) dawać (dać *perf*) komuś fory; (*fig*) zapewniać (zapewnić *perf*) komuś przewagę.

headstone ['hɛdstəun] *n* nagrobek *m*, płyta *f* nagrobkowa.

headstrong ['hɛdstrɔŋ] *adj* zawzięty, nieustępliwy.

head waiter *n* kierownik *m* sali (*w restauracji*).

headway ['hɛdweɪ] *n*: **to make headway** robić (zrobić *perf*) postępy, posuwać się (posunąć się *perf*) naprzód.

headwind ['hɛdwɪnd] *n* wiatr *m* przeciwny.

heady ['hɛdɪ] *adj* (*experience, time*) ekscytujący, podniecający; (*drink, atmosphere*) idący *or* uderzający do głowy.

heal [hi:l] *vt* leczyć (wyleczyć *perf*); (*esp miraculously*) uzdrawiać (uzdrowić *perf*) ♦ *vi* goić się (zagoić się *perf*).

health [hɛlθ] *n* zdrowie *nt*.

health centre (*BRIT*) *n* ośrodek *m* zdrowia.

health food *n* zdrowa *f* żywność.

health food shop *n* sklep *m* ze zdrową żywnością.

health hazard *n* zagrożenie *nt* dla zdrowia.

the (National) Health Service (*BRIT*) *n* (państwowa) służba *f* zdrowia.

healthy ['hɛlθɪ] *adj* zdrowy; (*fig: profit, majority*) znaczący, pokaźny.

heap [hi:p] *n* stos *m*, sterta *f* ♦ *vt*: **to heap (up)** (*sand etc*) usypywać (usypać *perf*) stos z +*gen*; (*stones etc*) układać (ułożyć *perf*) w stos ♦ *vt*: **to heap sth on sth** układać (ułożyć *perf*) coś w stos na czymś; **my plate was heaped with food** na talerzu miałam górę jedzenia; **we've got heaps of time/money** (*inf*) mamy kupę czasu/pieniędzy (*inf*); **to heap praises/gifts on sb** obsypywać (obsypać *perf*) kogoś pochwałami/prezentami.

hear [hɪə*] (*pt, pp* **heard**) *vt* (*sound, information*) słyszeć (usłyszeć *perf*); (*lecture, concert*) słuchać (wysłuchać *perf*) +*gen*; (*orchestra, player*) słuchać (posłuchać *perf*) +*gen*; (*JUR: case*) rozpoznawać (rozpoznać *perf*); **have you heard about ...?** (czy) słyszałeś o +*loc*?; **to hear from sb** mieć wiadomości od kogoś; **I've never heard of that book** nigdy nie słyszałam o tej książce; **I wouldn't hear of it!** (nawet) nie chcę o tym słyszeć.

►**hear out** *vt* wysłuchiwać (wysłuchać *perf*) +*gen* (do końca).

heard [hə:d] *pt, pp of* **hear**.

hearing ['hɪərɪŋ] *n* (*sense*) słuch *m*; (*JUR*) rozprawa *f*; **within sb's hearing** w zasięgu czyichś uszu; **to give sb a (fair) hearing** (*BRIT*) wysłuchać (*perf*) kogoś (bezstronnie).

hearing aid *n* aparat *m* słuchowy.

hearsay ['hɪəseɪ] *n* pogłoski *pl*.

hearse [hə:s] *n* karawan *m*.

heart [hɑ:t] *n* (*lit, fig*) serce *nt*; (*of lettuce etc*) środek *m*; **hearts** *npl* kiery *pl*; **to lose heart**

tracić (stracić *perf*) ducha; **to take heart** nabierać (nabrać *perf*) otuchy; **at heart** w głębi serca; **by heart** na pamięć; **to have a weak heart** mieć słabe serce; **to set one's heart on sth** pragnąć (zapragnąć *perf*) czegoś z całej duszy; **the heart of the matter** sedno sprawy.

heart attack *n* atak *m* serca, zawał *m*.

heartbeat ['hɑ:tbi:t] *n* bicie *nt* serca; (*single*) uderzenie *nt* serca.

heartbreak ['hɑ:tbreɪk] *n* zawód *m* miłosny.

heartbreaking ['hɑ:tbreɪkɪŋ] *adj* rozdzierający serce.

heartbroken ['hɑ:tbrəukən] *adj*: **to be heartbroken** mieć złamane serce.

heartburn ['hɑ:tbə:n] *n* zgaga *f*.

-hearted ['hɑ:tɪd] *suff*: **kind-hearted** dobrotliwy, z sercem *post*.

heartening ['hɑ:tnɪŋ] *adj* podnoszący na duchu.

heart failure *n* niewydolność *f* serca.

heartfelt ['hɑ:tfɛlt] *adj* (płynący) z głębi serca.

hearth [hɑ:θ] *n* palenisko *nt*.

heartily ['hɑ:tɪlɪ] *adv* serdecznie; (*eat*) z apetytem.

heartland ['hɑ:tlænd] *n* centrum *nt*; **Britain's industrial heartland** centrum przemysłowe Wielkiej Brytanii.

heartless ['hɑ:tlɪs] *adj* bez serca *post*, nieczuły.

heart-to-heart ['hɑ:t'tə'hɑ:t] *n* szczera rozmowa *f* ♦ *adj* szczery.

heart transplant *n* przeszczep *m* serca.

heartwarming ['hɑ:twɔ:mɪŋ] *adj* podnoszący na duchu, radujący serce.

hearty ['hɑ:tɪ] *adj* serdeczny; (*appetite*) zdrowy.

heat [hi:t] *n* (*warmth*) gorąco *nt*, ciepło *nt*; (*temperature*) ciepło *nt*, temperatura *f*; (*weather*) upał *m*; (*excitement*) gorączka *f*; (*also: qualifying heat*) wyścig *m* eliminacyjny; **in** *or* (*BRIT*) **on heat** w okresie rui ♦ *vt* (*food*) pogrzewać (podgrzać *perf*); (*water*) zagrzewać (zagrzać *perf*); (*room*) ogrzewać (ogrzać *perf*).

►**heat up** *vi* (*water*) zagrzewać się (zagrzać się *perf*); (*room*) ogrzewać się (ogrzać się *perf*) ♦ *vt* podgrzewać (podgrzać *perf*).

heated ['hi:tɪd] *adj* (*room*) ogrzewany; (*pool*) podgrzewany; (*argument*) gorący.

heater ['hi:tə*] *n* (*electric, gas etc*) grzejnik *m*; (*in car*) ogrzewanie *nt*.

heath [hi:θ] *n* wrzosowisko *nt*.

heathen ['hi:ðn] *n* poganin (-anka) *m(f)*.

heather ['hɛðə*] *n* wrzos *m*.

heating ['hi:tɪŋ] *n* ogrzewanie *nt*.

heat-resistant ['hi:trɪzɪstənt] *adj* żaroodporny, termoodporny.

heat-stroke *n* udar *m* cieplny.

heatwave ['hi:tweɪv] *n* fala *f* upałów.

heave [hi:v] *vt* (*pull*) przeciągać (przeciągnąć *perf*); (*push*) przepychać (przepchnąć *perf*); (*lift*) podźwignąć (*perf*) ♦ *vi* (*chest*) falować;

(*person*) mieć nudności ♦ *n* (*pull*)
przeciągnięcie *nt*; (*push*) pchnięcie *nt*; (*lift*)
dźwignięcie *nt*; **to heave a sigh** westchnąć
(*perf*) ciężko.

►**heave to** (*pt, pp* **hove**) (*NAUT*) *vi* dobić
(*perf*) do brzegu.

heaven ['hεvn] *n* niebo *nt*, raj *m*; **thank
heaven!** dzięki Bogu!; **heaven forbid!** niech
(Pan) Bóg broni!; **for heaven's sake!** na
miłość boską!

heavenly ['hεvnlɪ] *adj* (*REL*) niebiański, boski;
(*body*) niebieski; (*fig*) boski.

heaven-sent [hεvn'sεnt] *adj* opatrznościowy,
zesłany przez los.

heavily ['hεvɪlɪ] *adv* ciężko; (*drink, smoke*)
dużo; (*depend*) w dużym stopniu.

heavy ['hεvɪ] *adj* (*lit*) ciężki; (*rain, snow*)
obfity; (*responsibility*) wielki; (*drinker, smoker*)
nałogowy; (*schedule*) obciążony, przeciążony;
(*food*) ciężko strawny; **heavy casualties** duże
straty w ludziach; **how heavy are you?** ile
ważysz?; **it's heavy going** to (jest) trudne *or*
ciężkie.

heavy cream (*US*) *n* kremówka *f* (*śmietana*).

heavy duty *adj* trwały, wytrzymały.

heavy goods vehicle *n* ciężarówka *f*.

heavy-handed ['hεvɪ'hændɪd] *adj* (*fig*) grubo
ciosany.

heavy industry *n* przemysł *m* ciężki.

heavyweight ['hεvɪweɪt] (*BOXING*) *n* waga *f*
ciężka.

Hebrew ['hi:bru:] *adj* hebrajski ♦ *n* (język *m*)
hebrajski.

Hebrides ['hεbrɪdi:z] *npl*: **the Hebrides**
Hebrydy *pl*.

heckle ['hεkl] *vt* (*speaker, performer*)
przeszkadzać (przeszkodzić *perf*) +*dat* (*w
wystąpieniu*).

heckler ['hεklə*] *n* warchoł *m* (*przerywający
wystąpienie*).

hectare ['hεktɑ:*] (*BRIT*) *n* hektar *m*.

hectic ['hεktɪk] *adj* gorączkowy.

hector ['hεktə*] *vt* napastować.

he'd [hi:d] = **he would; he had.**

hedge [hεdʒ] *n* żywopłot *m* ♦ *vi* wykręcać się
(wykręcić się *perf*); **to hedge one's bets** (*fig*)
zabezpieczać się (zabezpieczyć się *perf*) na
dwie strony; **as a hedge against inflation**
jako zabezpieczenie przeciwko inflacji.

►**hedge in** *vt* paraliżować (sparaliżować *perf*).

hedgehog ['hεdʒhɔg] *n* jeż *m*.

hedgerow ['hεdʒrəu] *n* rząd *m* krzewów *or*
drzew.

hedonism ['hi:dənɪzəm] *n* hedonizm *m*.

heed [hi:d] *vt* (*also:* **take heed of**) brać (wziąć
perf) pod uwagę ♦ *n*: **to pay (no) heed to,
take (no) heed of** (nie) zważać na +*acc*.

heedless ['hi:dlɪs] *adj*: **to be heedless of** nie
zważać na +*acc*, nie dbać o +*acc*.

heel [hi:l] *n* (*of foot*) pięta *f*; (*of shoe*) obcas

m ♦ *vt* dorabiać (dorobić *perf*) obcas *or*
obcasy do +*gen*; **to bring to heel**
przywoływać (przywoływać *perf*) do nogi;
(*fig*) zmuszać (zmusić *perf*) do posłuszeństwa;
to take to one's heels (*inf*) brać (wziąć *perf*)
nogi za pas, dawać (dać *perf*) nogę (*inf*).

hefty ['hεftɪ] *adj* (*person*) masywny, zwalisty;
(*parcel*) ciężki; (*profit*) ogromny.

heifer ['hεfə*] *n* jałówka *f*.

height [haɪt] *n* (*of person*) wzrost *m*; (*of
building, plane*) wysokość *f*; (*of terrain*)
wzniesienie *nt*; (*fig*) szczyt *m*; **what height
are you?** ile masz wzrostu?, ile mierzysz?; **of
average height** średniego wzrostu; **to be
afraid of heights** mieć lęk wysokości; **it's the
height of fashion** to jest szczyt mody; **at the
height of the tourist season** w szczycie
sezonu turystycznego.

heighten ['haɪtn] *vt* wzmagać (wzmóc *perf*),
potęgować (spotęgować *perf*).

heinous ['heɪnəs] *adj* haniebny, ohydny.

heir [εə*] *n* (*to throne*) następca *m*; (*to
fortune*) spadkobierca *m*.

heir apparent *n* prawowity następca *m or*
spadkobierca *m*.

heiress ['εərεs] *n* (*to throne*) następczyni *f*; (*to
fortune*) spadkobierczyni *f*.

heirloom ['εəlu:m] *n* pamiątka *f* rodowa.

heist [haɪst] (*US: inf*) *n* skok *m* (*inf*).

held [hεld] *pt, pp of* **hold.**

helicopter ['hεlɪkɔptə*] *n* helikopter *m*.

heliport ['hεlɪpɔ:t] *n* lądowisko *nt* dla
helikopterów.

helium ['hi:lɪəm] *n* hel *m*.

hell [hεl] *n* piekło *nt*; **hell!** (*inf!*) do diabła!
(*inf*); **a hell of a mess/noise** (*inf*) piekielny *or*
potworny bałagan/hałas; **a hell of a
player/writer** (*inf*) świetny gracz/pisarz.

he'll [hi:l] = **he will; he shall.**

hellish ['hεlɪʃ] (*inf*) *adj* piekielny.

hello [hə'ləu] *excl* (*as greeting*) cześć, witam;
(*to attract attention*) halo; (*expressing
surprise*) no no.

helm [hεlm] *n* koło *nt* sterowe, ster *m*; **at the
helm** (*fig*) u steru.

helmet ['hεlmɪt] *n* kask *m*; (*of soldier*) hełm *m*.

helmsman ['hεlmzmən] *n* sternik *m*.

help [hεlp] *n* pomoc *f*; (*charwoman*) pomoc *f*
domowa ♦ *vt* pomagać (pomóc *perf*) +*dat*;
with the help of (*person*) przy pomocy +*gen*;
(*tool etc*) za pomocą +*gen*; **to be of help to
sb** być komuś pomocnym; **help!** pomocy!,
ratunku!; **can I help you?** czym mogę
służyć?; **help yourself** poczęstuj się; **he can't
help it** nie może nic na to poradzić; **I can't
help thinking that ...** coś mi się zdaje, że ...;
she couldn't help laughing nie mogła
powstrzymać (się od) śmiechu.

helper ['hεlpə*] *n* pomocnik (-ica) *m(f)*.

helpful ['hεlpful] *adj* pomocny, przydatny.

helping ['hɛlpɪŋ] *n* porcja *f*.

helpless ['hɛlplɪs] *adj* (*incapable*) bezradny; (*defenceless*) bezbronny.

helplessly ['hɛlplɪslɪ] *adv* bezradnie.

Helsinki ['hɛlsɪŋkɪ] *n* Helsinki *pl*.

helter-skelter ['hɛltə'skɛltə*] (*BRIT*) *n* zjeżdżalnia *f* (*w wesołym miasteczku*).

hem [hɛm] *n* rąbek *m*, brzeg *m* ♦ *vt* obrębiać (obrębić *perf*), obszywać (obszyć *perf*).

►**hem in** *vt* otaczać (otoczyć *perf*), okrążać (okrążyć *perf*); **to feel hemmed in** (*fig*) czuć się (poczuć się *perf*) osaczonym.

hematology ['hi:mə'tɔlədʒɪ] (*US*) *n* = **haematology**.

hemisphere ['hɛmɪsfɪə*] *n* półkula *f*.

hemlock ['hɛmlɔk] *n* cykuta *f*.

hemoglobin ['hi:mə'gləubɪn] (*US*) *n* = **haemoglobin**.

hemophilia ['hi:mə'fɪlɪə] (*US*) *n* = **haemophilia**.

hemorrhage ['hɛmərɪdʒ] (*US*) *n* = **haemorrhage**.

hemorrhoids ['hɛmərɔɪdz] (*US*) *npl* = **haemorrhoids**.

hemp [hɛmp] *n* konopie *pl*.

hen [hɛn] *n* (*female chicken*) kura *f*; (*female bird*) samica *f* (*ptaka*).

hence [hɛns] *adv* stąd, w związku z tym; **2 years hence** za 2 lata.

henceforth [hɛns'fɔ:θ] *adv* odtąd.

henchman ['hɛntʃmən] (*pej*) (*irreg like* **man**) *n* poplecznik *m*.

henna ['hɛnə] *n* henna *f*.

hen party (*inf*) *n* babski wieczór *m* (*inf*).

henpecked ['hɛnpɛkt] *adj* (*husband*) pod pantoflem *post*.

hepatitis [hɛpə'taɪtɪs] *n* zapalenie *nt* wątroby.

her [hə:*] *adj* jej ♦ *pron* (*direct*) ją; (*indirect*) jej; **not her again!** tylko nie ona!; **I saw her** widziałem ją; **give her a book** daj jej książkę; **after/with her** za/z nią; **about/to her** o/do niej; *see also* **my**, **me**.

herald ['hɛrəld] *n* zwiastun *m* ♦ *vt* zwiastować.

heraldic [hɛ'rældɪk] *adj* heraldyczny.

heraldry ['hɛrəldrɪ] *n* heraldyka *f*.

herb [hə:b] *n* ziele *nt*, zioło *nt*.

herbaceous [hə:'beɪʃəs] *adj* zielny.

herbal ['hə:bl] *adj* ziołowy; **herbal tea** herbata ziołowa.

herbicide ['hə:bɪsaɪd] *n* środek *m* chwastobójczy, herbicyd *m*.

herd [hə:d] *n* stado *nt* ♦ *vt* spędzać (spędzić *perf*), zaganiać (zagonić *perf*); **herded together** stłoczeni.

here [hɪə*] *adv* tu(taj); **she left here yesterday** wyjechała stąd wczoraj; **"here!"** „obecny (-na)!" *m(f)*; **here is the news** oto wiadomości; **here you are** proszę bardzo; **here we are!** (*finding*) o, tu(taj) (jest/są)!; **here she is!** otóż i ona!; **here's my sister** oto moja siostra; **here she comes** właśnie

nadchodzi; **come here!** chodź tu(taj)!; **here and there** tu i tam; **"here's to ..."** (*toast*) „za +*acc*".

hereabouts ['hɪərə'bauts] *adv* gdzieś tutaj, w okolicy *or* pobliżu.

hereafter [hɪər'ɑ:ftə*] *adv* odtąd ♦ *n* (*REL*): **the hereafter** życie *nt* przyszłe.

hereby [hɪə'baɪ] (*fml*) *adv* niniejszym.

hereditary [hɪ'rɛdɪtrɪ] *adj* dziedziczny.

heredity [hɪ'rɛdɪtɪ] *n* dziedziczność *f*.

heresy ['hɛrəsɪ] *n* herezja *f*.

heretic ['hɛrətɪk] *n* heretyk (-yczka) *m(f)*.

heretical [hɪ'rɛtɪkl] *adj* (*unorthodox*) nieprawomyślny; (*REL*) heretycki.

herewith [hɪə'wɪð] (*fml*) *adv* (*in letter*) w załączeniu.

heritage ['hɛrɪtɪdʒ] *n* dziedzictwo *nt*, spuścizna *f* ♦ *cpd*: **heritage trail** szlak *m* historyczny; **our national heritage** nasze narodowe dziedzictwo.

hermetically [hə:'mɛtɪklɪ] *adv* hermetycznie.

hermit ['hə:mɪt] *n* pustelnik (-ica) *m(f)*.

hernia ['hə:nɪə] *n* przepuklina *f*.

hero ['hɪərəu] (*pl* **heroes**) *n* bohater *m*; (*idol*) idol *m*.

heroic [hɪ'rəuɪk] *adj* bohaterski, heroiczny.

heroin ['hɛrəuɪn] *n* heroina *f* (*narkotyk*).

heroin addict *n* uzależniony (-na) *m(f)* od heroiny.

heroine ['hɛrəuɪn] *n* (*in book, film*) bohaterka *f*, heroina *f* (*literary*); (*of battle, struggle*) bohaterka *f*; (*idol*) idol *m*.

heroism ['hɛrəuɪzəm] *n* bohaterstwo *nt*, heroizm *m*.

heron ['hɛrən] *n* czapla *f*.

hero worship *n* kult *m* idola.

herring ['hɛrɪŋ] *n* śledź *m*.

hers [hə:z] *pron* jej; **a friend of hers** (pewien) jej znajomy; **this is hers** to jest jej; *see also* **mine**.

herself [hə:'sɛlf] *pron* (*reflexive*) się; (*after prep*) siebie (*gen, acc*), sobie (*dat, loc*), sobą (*instr*); (*after conj*) ona; (*emphatic*) sama; *see also* **oneself**.

Herts [hɑ:ts] (*BRIT: POST*) *abbr* (= *Hertfordshire*).

he's [hi:z] = **he is**; **he has**.

hesitant ['hɛzɪtənt] *adj* (*smile*) niepewny; (*reaction*) niezdecydowany; **to be hesitant about doing sth** nie móc się zdecydować na zrobienie czegoś.

hesitate ['hɛzɪteɪt] *vi* wahać się (zawahać się *perf*); **don't hesitate to ask** nie wahaj się pytać; **don't hesitate to see a doctor if you are worried** nie zwlekaj z wizytą u lekarza, jeśli coś cię niepokoi.

hesitation [hɛzɪ'teɪʃən] *n* wahanie *nt*; **I have no hesitation in saying (that) ...** bez wahania mogę powiedzieć (, że) ... .

hessian ['hɛsɪən] *n* juta *f* (*tkanina*).

heterogenous [hɛtə'rɔdʒınəs] *adj*
niejednorodny, heterogeniczny.
heterosexual ['hɛtərəu'sɛksjuəl] *adj*
heteroseksualny ♦ *n* heteroseksualista (-tka) *m(f)*.
het up [hɛt-] (*inf*) *adj*: **to get het up (about)**
przejmować się (przejąć się *perf*) (+*instr*).
HEW (*US*) *n abbr* (= *Department of Health,
Education and Welfare*) Ministerstwo *nt*
Zdrowia, Edukacji i Opieki Społecznej.
hew [hju:] (*pp* **hewed** *or* **hewn**) *vt* rąbać
(porąbać *perf*), ciosać.
hex [hɛks] (*US*) *n* (zły) urok *m or* czar *m* ♦ *vt*
rzucać (rzucić *perf*) urok na +*acc*.
hexagon ['hɛksəgən] *n* sześciokąt *m*.
hexagonal [hɛk'sægənl] *adj* sześciokątny.
hey [heı] *excl* hej.
heyday ['heıdeı] *n*: **the heyday of** okres *m*
rozkwitu +*gen*.
HF *n abbr* (= *high frequency*) w.cz., = wielka
częstotliwość.
HGV (*BRIT*) *n abbr* (= *heavy goods vehicle*)
samochód *m* ciężarowy.
HI (*US: POST*) *abbr* (= *Hawaii*).
hi [haı] *excl* (*as greeting*) cześć, witam; (*to
attract attention*) hej.
hiatus [haı'eıtəs] *n* przerwa *f*, (*LING*) rozziew
m.
hibernate ['haıbəneıt] *vi* (*animal*) zapadać
(zapaść *perf*) w sen zimowy.
hibernation [haıbə'neıʃən] *n* hibernacja *f*, sen
m zimowy.
hiccough ['hıkʌp] *vi* mieć czkawkę, czkać
(czknąć *perf*) ♦ *n* (*fig*) (drobna) przeszkoda *f*.
hiccoughs ['hıkʌps] *npl* czkawka *f*; **to have
(the) hiccoughs** mieć czkawkę.
hiccup ['hıkʌp] *vi* = **hiccough**.
hiccups ['hıkʌps] *npl* = **hiccoughs**.
hid [hıd] *pt of* **hide**.
hidden ['hıdn] *pp of* **hide** ♦ *adj*: **there are no
hidden extras** nie ma żadnych ukrytych
kosztów dodatkowych; **hidden agenda** ukryte
motywy.
hide [haıd] (*pt* **hid**, *pp* **hidden**) *n* skóra *f*
(*zwierzęca*); (*of birdwatcher etc*) stanowisko *nt*
(obserwacyjne) ♦ *vt* (*object, person, feeling*)
ukrywać (ukryć *perf*); (*sun, view*) zasłaniać
(zasłonić *perf*) ♦ *vi*: **to hide (from sb)**
ukrywać się (ukryć się *perf*) (przed kimś); **to
hide sth (from sb)** ukrywać (ukryć *perf*) coś
(przed kimś).
hide-and-seek ['haıdən'si:k] *n* zabawa *f* w
chowanego.
hideaway ['haıdəweı] *n* kryjówka *f*.
hideous ['hıdıəs] *adj* (*painting, face*) ohydny,
szkaradny; (*conditions*) okropny; (*mistake*)
paskudny.
hideously ['hıdıəslı] *adv* (*ugly*) ohydnie,
szkaradnie; (*difficult*) okropnie, paskudnie.
hideout ['haıdaut] *n* kryjówka *f*.
hiding ['haıdıŋ] *n* (*beating*) lanie *nt*;

(*seclusion*): **to be in hiding** pozostawać w
ukryciu, ukrywać się.
hiding place *n* (*for person*) kryjówka *f*, (*for
money etc*) schowek *m*.
hierarchy ['haıərɑ:kı] *n* (*system*) hierarchia *f*,
(*people*) władze *pl*.
hieroglyphic [haıərə'glıfık] *adj* hieroglificzny.
hieroglyphics [haıərə'glıfıks] *npl* hieroglify *pl*.
hi-fi ['haıfaı] *n abbr* (= *high fidelity*) hi-fi ♦ *n*
zestaw *m* hi-fi ♦ *cpd*: **hi-fi equipment/system**
sprzęt *m*/system *m* hi-fi.
higgledy-piggledy ['hıgldı'pıgldı] *adj* w
nieładzie *post* ♦ *adv* bezładnie.
high [haı] *adj* wysoki; (*speed*) duży; (*wind*)
silny; (*inf: on drugs*) na haju *post* (*inf*); (: *on
drink*) pod gazem *post* (*inf*); (*CULIN: meat,
game*) skruszały; (: *cheese etc*) zbyt
dojrzały, nadpsuty ♦ *adv* wysoko ♦ *n*:
exports have reached a new high eksport
osiągnął nie notowany dotąd poziom; **it is 20
m high** (to) ma 20 metrów wysokości; **high
in the air** wysoko w powietrzu; **to pay a
high price for sth** płacić (zapłacić *perf*) za
coś wysoką cenę; **it's high time you learned
how to do it** najwyższy czas, żebyś nauczył
się to robić.
highball ['haıbɔ:l] (*US*) *n* whisky *f inv* z wodą
(*w wysokiej szklance*).
highboy ['haıbɔı] (*US*) *n* (wysoka) komoda *f*
(*na nóżkach*).
highbrow ['haıbrau] *n* intelektualista (-tka) *m(f)*
♦ *adj* intelektualny; (*pej*)
przeintelektualizowany (*pej*).
high chair *n* wysokie krzesełko *nt* (*do
sadzania dziecka podczas posiłków*).
high-class ['haı'klɑ:s] *adj* ekskluzywny.
High Court *n*: **the High Court** Wysoki
Trybunał *m*.
higher ['haıə*] *adj* wyższy ♦ *adv* wyżej.
higher education *n* wyższe wykształcenie *nt*.
high finance *n* wielka finansjera *f*.
high-flier [haı'flaıə*] *n*: **to be a high-flier**
wysoko mierzyć.
high-flying [haı'flaıŋ] *adj* mierzący wysoko.
high-handed [haı'hændıd] *adj* władczy.
high-heeled [haı'hi:ld] *adj* na wysokim
obcasie *post*.
high heels *npl* buty *pl* na wysokim obcasie.
high jump *n* skok *m* wzwyż; **you'll be for the
high jump** (*fig*) dostaniesz za swoje.
Highlands ['haıləndz] *npl*: **the Highlands**
pogórze w północnej Szkocji.
high-level ['haılɛvl] *adj* (*talks etc*) na wysokim
szczeblu *post*; **high-level language** (*COMPUT*)
język wysokiego poziomu.
highlight ['haılaıt] *n* (*fig*) główna atrakcja *f* ♦
vt (*problem, need*) zwracać (zwrócić *perf*)
uwagę na +*acc*; (*piece of text*) zakreślać
(zakreślić *perf*); **highlights** *npl* (*in hair*)
pasemka *pl*.

ighlighter ['haɪlaɪtə*] *n* marker *m*, zakreślacz *m*.

ighly ['haɪlɪ] *adv* (*placed, skilled*) wysoko; (*improbable, complex*) wysoce, wielce; (*paid*) bardzo dobrze; (*critical*) bardzo; (*confidential*) ściśle; **to speak highly of** wyrażać się (bardzo) pochlebnie o +*loc*; **to think highly of** mieć wysokie mniemanie o +*loc*.

ighly strung *adj* nerwowy.

igh Mass *n* suma *f*.

ighness ['haɪnɪs] *n*: **Her/His Highness** Jego/Jej Wysokość.

igh-pitched [haɪ'pɪtʃt] *adj* (*tone*) wysoki; (*voice*) cienki.

igh-powered ['haɪ'pauəd] *adj* (*rifle*) o dużym zasięgu *post*; (*microscope*) (o) dużej mocy *post*; (*fig: course*) zaawansowany; (: *businessman, advertising*) dynamiczny.

igh-pressure ['haɪprɛʃə*] *adj* pod wysokim ciśnieniem *post*.

igh-rise ['haɪraɪz] *adj* (*building*) wielopiętrowy; (*flats*) w wieżowcu *post* ♦ *n* wieżowiec *m*, wysokościowiec *m*.

igh school *n* ≈ szkoła *f* średnia.

igh season (*BRIT*) *n*: **the high season** szczyt *m or* środek *m* sezonu.

igh spirits *npl* świetny *or* doskonały humor *m*; **to be in high spirits** być w świetnym *or* doskonałym humorze.

igh street (*BRIT*) *n* główna ulica *f*.

igh tide *n* przypływ *m*.

ighway ['haɪweɪ] *n* (*US*) autostrada *f*; (*public road*) szosa *f*.

ighway Code (*BRIT*) *n*: **the Highway Code** kodeks *m* drogowy.

ighwayman ['haɪweɪmən] (*irreg like* **man**) *n* rozbójnik *m*.

ijack ['haɪdʒæk] *vt* (*plane etc*) porywać (porwać *perf*) ♦ *n* (*also:* **hijacking**) porwanie *nt*.

ijacker ['haɪdʒækə*] *n* porywacz(ka) *m(f)*.

ike [haɪk] *vi* wędrować (pieszo) ♦ *n* piesza wycieczka *f*; (*inf. in prices*) podwyżka *f*.

-**hike up** *vt* (*inf. trousers etc*) podciągać (podciągnąć *perf*).

iker ['haɪkə*] *n* turysta (-tka) *m(f)* pieszy (-sza) *m(f)*.

iking ['haɪkɪŋ] *n* wycieczki *pl* piesze.

ilarious [hɪ'lɛərɪəs] *adj* komiczny.

ilarity [hɪ'lærɪtɪ] *n* wesołość *f*.

ill [hɪl] *n* (*small*) pagórek *m*, wzniesienie *nt*; (*fairly high*) wzgórze *nt*; **up/down the hill** pod górę/z góry.

illbilly ['hɪlbɪlɪ] (*US: pej*) *n* niewykształcony *farmer z południowo-wschodnich Stanów.*

illock ['hɪlək] *n* górka *f*.

illside ['hɪlsaɪd] *n* stok *m*.

ill start (*AUT*) *n* start *m* pod górkę.

illtop ['hɪltɔp] *n* szczyt *m*.

illy ['hɪlɪ] *adj* pagórkowaty.

ilt [hɪlt] *n* rękojeść *f*; **to back sb to the hilt** (*fig*) dawać (dać *perf*) komuś pełne poparcie.

him [hɪm] *pron* (*direct*) (je)go; (*indirect*) (je)mu; (*after prep*) niego (*gen*), nim (*instr, loc*); (*after conj*) on; **not him!** (tylko) nie on!; *see also* **me**.

Himalayas [hɪmə'leɪəz] *npl*: **the Himalayas** Himalaje *pl*.

himself [hɪm'sɛlf] *pron* (*reflexive*) się; (*after prep*) siebie (*gen, acc*), sobie (*dat, loc*), sobą (*instr*); (*after conj*) on; (*emphatic*) sam; **it was easy for a man like himself to...** człowiekowi takiemu jak on łatwo było +*infin*; *see also* **oneself**.

hind [haɪnd] *adj* tylny, zadni ♦ *n* łania *f*.

hinder ['hɪndə*] *vt* utrudniać (utrudnić *perf*); **to hinder sb from doing sth** przeszkadzać (przeszkodzić *perf*) komuś coś robić.

hindquarters ['haɪnd'kwɔːtəz] *npl* zad *m*.

hindrance ['hɪndrəns] *n* przeszkoda *f*.

hindsight ['haɪndsaɪt] *n*: **with hindsight** po fakcie.

Hindu ['hɪnduː] *adj* hinduski.

hinge [hɪndʒ] *n* zawias *m* ♦ *vi*: **to hinge on** (*fig*) zależeć (całkowicie) od +*gen*.

hint [hɪnt] *n* (*indirect suggestion*) aluzja *f*; (*advice*) wskazówka *f*; (*sign, glimmer*) cień *m*, ślad *m* ♦ *vt*: **to hint that** sugerować (zasugerować *perf*), że ♦ *vi*: **to hint at** dawać (dać *perf*) do zrozumienia +*acc*; **to drop a hint** napomykać (napomknąć *perf*), robić (zrobić *perf*) aluzję; **give me a hint** naprowadź mnie; **white with a hint of pink** biały z odcieniem różu.

hip [hɪp] *n* biodro *nt*.

hip flask *n* piersiówka *f*.

hippie ['hɪpɪ] *n* hipis(ka) *m(f)*.

hippo ['hɪpəu] *n* hipopotam *m*.

hip pocket *n* tylna kieszeń *f* (spodni).

hippopotamus [hɪpə'pɔtəməs] (*pl* **hippopotamuses** *or* **hippopotami**) *n* hipopotam *m*.

hippy ['hɪpɪ] *n* = **hippie**.

hire ['haɪə*] *vt* (*BRIT: car, equipment, hall*) wynajmować (wynająć *perf*) (*od kogoś*); (*worker*) najmować (nająć *perf*) ♦ *n* (*BRIT*) wynajęcie *nt*; **for hire** (*boat etc*) do wynajęcia; (*taxi*) wolny; **on hire** wynajęty.

▸**hire out** *vt* wynajmować (wynająć *perf*) (*komuś*).

hire(d) car (*BRIT*) *n* wynajmowany samochód *m*.

hire purchase (*BRIT*) *n* sprzedaż *f* ratalna; **to buy sth on hire purchase** kupować (kupić *perf*) coś na raty.

his [hɪz] *pron* jego ♦ *adj* jego; **he sold his house** sprzedał (swój) dom; *see also* **my**, **mine**.

hiss [hɪs] *vi* (*snake, gas, fat*) syczeć (zasyczeć *perf*); (*person*) syczeć (syknąć *perf*); (*audience*) syczeć ♦ *n* syk *m*, syczenie *nt*.

histogram ['hɪstəgræm] *n* histogram *m*.

historian [hɪ'stɔːrɪən] *n* historyk (-yczka) *m(f)*.

historic [hɪ'stɔrɪk] *adj* historyczny, wiekopomny.

historic(al) [hɪ'stɔrɪk(əl)] *adj* (*person, novel*) historyczny.

history ['hɪstəri] *n* historia *f*; **medical history** wywiad chorobowy; **there's a long history of asthma in his family** wiele osób w jego rodzinie chorowało na astmę.

hit [hɪt] (*pt, pp* **hit**) *vt* (*strike*) uderzać (uderzyć *perf*); (*reach*) trafiać (trafić *perf*) w +*acc*; (*collide with, affect*) uderzać (uderzyć *perf*) w +*acc* ♦ *n* (*knock, blow*) uderzenie *nt*; (*shot*) trafienie *nt*; (*play, film, song*) hit *m*, przebój *m*; **to hit it off with sb** zaprzyjaźnić się (*perf*) kimś; **to hit the headlines** trafiać (trafić *perf*) na pierwsze strony gazet; **to hit the road** (*inf*) (wy)ruszyć (*perf*) w drogę; **to hit the roof** (*inf*) wściec się (*perf*) (*inf*); **to give sb a hit on the head** uderzyć (*perf*) kogoś w głowę.

►**hit back** *vi*: **to hit back (at sb)** oddawać (oddać *perf*) (komuś) cios *or* uderzenie, oddawać (oddać *perf*) (komuś) (*inf*).

►**hit out at** *vt fus* walić (walnąć *perf*) na oślep w +*acc*; (*fig*) (ostro) atakować (zaatakować *perf*).

►**hit (up)on** *vt fus* (*answer, solution*) wpadać (wpaść *perf*) na +*acc*.

hit-and-run driver ['hɪtən'rʌn-] *n* kierowca *m* zbiegły z miejsca wypadku.

hitch [hɪtʃ] *vt* (*fasten*) przyczepiać (przyczepić *perf*); (*also*: **hitch up**: *trousers, skirt*) podciągać (podciągnąć *perf*) ♦ *n* komplikacja *f*; **to hitch a lift** łapać (złapać *perf*) okazję (*inf*); **a technical hitch** problem natury technicznej.

►**hitch up** *vt* zaprzęgać (zaprząc *perf or* zaprzęgnąć *perf*); *see also* **hitch**.

hitch-hike ['hɪtʃhaɪk] *vi* (*travel around*) jeździć *or* podróżować autostopem; (*to a place*) jechać (pojechać *perf*) autostopem.

hitch-hiker ['hɪtʃhaɪkə*] *n* autostopowicz(ka) *m(f)*.

hi-tech ['haɪ'tɛk] *adj* supernowoczesny.

hitherto [hɪðə'tuː] *adv* dotychczas.

hitman ['hɪtmæn] (*irreg like* **man**) *n* płatny morderca *m*.

hit-or-miss ['hɪtə'mɪs] *adj* na oślep *post*, na chybił trafił *post*; **it's hit-or-miss whether ...** trudno przewidzieć, czy ... .

hit parade (*old*) *n* lista *f* przebojów.

HIV *n abbr* (= *human immunodeficiency virus*) (wirus *m*) HIV; **HIV-negative** nie zarażony wirusem HIV; **HIV-positive** zarażony wirusem HIV.

hive [haɪv] *n* ul *m*; (*fig*) dynamiczny *or* prężny ośrodek *m*.

►**hive off** (*inf*) *vt* przesuwać (przesunąć *perf*) (*zwłaszcza do sektora prywatnego*).

hl *abbr* (= *hectolitre*) hl.

HM *abbr* (= *His (or Her) Majesty*) JKM.

HMG (*BRIT*) *abbr* (= *His (or Her) Majesty's Government*) Rząd *m* Jego (*or* Jej) Królewskiej Mości.

HMI (*BRIT*: *SCOL*) *n abbr* (= *His (or Her) Majesty's Inspector*) rządowy wizytator *m* szkolny.

HMO (*US*) *n abbr* (= *health maintenance organization*).

HMS (*BRIT*) *abbr* (= *His (or Her) Majesty's Ship*) skrót stanowiący część nazwy brytyjskich okrętów wojennych.

HMSO (*BRIT*) *n abbr* (= *His (or Her) Majesty's Stationery Office*) drukarnia rządowa.

HNC (*BRIT*) *n abbr* (= *Higher National Certificate*) rodzaj uprawnień zawodowych.

HND (*BRIT*) *n abbr* (= *Higher National Diploma*) rodzaj uprawnień zawodowych.

hoard [hɔːd] *n* zapasy *pl*, zasoby *pl* ♦ *vt* gromadzić (zgromadzić *perf*).

hoarding ['hɔːdɪŋ] (*BRIT*) *n* billboard *m*.

hoarfrost ['hɔːfrɔst] *n* szron *m*.

hoarse [hɔːs] *adj* zachrypły, ochrypły.

hoax [həʊks] *n* (głupi) żart *m or* kawał *m* (*inf*: *zwykle mający na celu wywołanie fałszywego alarmu*).

hob [hɔb] *n* płyta *f* grzejna (*kuchenki*).

hobble ['hɔbl] *vi* kuśtykać.

hobby ['hɔbɪ] *n* hobby *nt inv*.

hobby-horse ['hɔbɪhɔːs] *n* (*fig*) konik *m*.

hobnob ['hɔbnɔb] *vt*: **to hobnob with** zadawać się z +*instr*.

hobo ['həʊbəʊ] (*US*) *n* włóczęga *m*.

hock [hɔk] *n* (*BRIT*: *drink*) (wino *nt*) reńskie; (*of horse*) staw *m* skokowy; (*CULIN*) golonka *f*, (*inf*): **in hock** (*person*) zadłużony; (*object*) zastawiony, oddany w zastaw.

hockey ['hɔkɪ] *n* hokej *m*.

hocus-pocus ['həʊkəs'pəʊkəs] *n* (*trickery*) sztuczki *pl*; (*of magician*) czary-mary *pl*, hokus-pokus *nt inv*; (*jargon*) bełkot *m*.

hodgepodge ['hɔdʒpɔdʒ] (*US*) *n* = **hotchpotch**.

hoe [həʊ] *n* motyka *f* ♦ *vt* okopywać (okopać *perf*).

hog [hɔg] *n* wieprz *m* ♦ *vt* (*fig: telephone, bathroom*) okupować; **to hog the road** blokować jezdnię; **to go the whole hog** iść (pójść *perf*) na całego.

hoist [hɔɪst] *n* dźwig *m*, wyciąg *m* ♦ *vt* (*heavy object*) podnosić (podnieść *perf*); (*flag, sail*) wciągać (wciągnąć *perf*) (na maszt); **he hoisted the rope over the branch** przerzucił linę nad gałęzią.

hold [həʊld] (*pt, pp* **held**) *vt* (*in hand*) trzymać; (*contain*) mieścić (pomieścić *perf*); (*qualifications*) posiadać; (*power, permit, opinion*) mieć; (*meeting, conversation*) odbywać (odbyć *perf*); (*prisoner, hostage*) przetrzymywać (przetrzymać *perf*) ♦ *vi* (*glue etc*) trzymać (mocno); (*argument etc*) zachowywać (zachować *perf*) ważność, pozostawać w mocy; (*offer, invitation*) być aktualnym; (*luck, weather*) utrzymywać się (utrzymać się *perf*); (*TEL*) czekać (zaczekać *perf)* ♦ *n (grasp)* chwyt *m; (of ship, plane)* ładownia *f;* **to hold sb responsible/liable** obarczać (obarczyć *perf)* kogoś odpowiedzialnością; **to hold one's head up** trzymać *or* nosić głowę wysoko; **to have a hold over sb** trzymać kogoś w garści; **to get hold of** *(fig: object, information)* zdobywać (zdobyć *perf)* +*acc; (person)* łapać (złapać *perf)* +*acc (inf);* **to get hold of o.s.** brać (wziąć *perf)* się w garść; **hold the line!** proszę nie odkładać słuchawki!; **to hold one's own** *(fig)* nie poddawać się; **to catch** *or* **get (a) hold of** chwycić się *(perf)* +*gen,* złapać *(perf)* za +*acc (inf);* **to hold firm** *or* **fast** trzymać się mocno; **he holds the view that ...** jest zdania, że ...; **I don't hold with ...** nie popieram +*gen;* **hold it!** zaczekaj!; **hold still** *or* **hold steady** nie ruszaj się.

►**hold back** *vt (person, thing)* powstrzymywać (powstrzymać *perf); (information)* zatajać (zataić *perf).*

►**hold down** *vt (person)* przytrzymywać (przytrzymać *perf); (job)* utrzymywać (utrzymać *perf).*

►**hold forth** *vi* rozwodzić się *(na jakiś temat).*

►**hold off** *vt (enemy)* powstrzymywać (powstrzymać *perf); (decision)* wstrzymywać się (wstrzymać się *perf)* z +*instr* ♦ *vi:* **if the rain holds off** jeżeli nie zacznie padać.

►**hold on** *vi (hang on)* przytrzymywać się (przytrzymać się *perf); (wait)* czekać (poczekać *perf* or zaczekać *perf).*

►**hold on to** *vt fus (for support)* przytrzymywać się (przytrzymać się *perf)* +*gen; (keep: for oneself)* nie oddawać (nie oddać *perf)* +*gen; (: for sb)* przechowywać (przechować *perf)* +*acc.*

►**hold out** *vt (hand)* wyciągać (wyciągnąć *perf); (hope)* dawać (dać *perf)* ♦ *vi:* **to hold out for** domagać się *or* żądać +*gen.*

►**hold over** *vt (meeting etc)* odkładać (odłożyć *perf),* odraczać (odroczyć *perf).*

►**hold up** *vt (raise)* unosić (unieść *perf); (support)* podtrzymywać (podtrzymać *perf),* podpierać (podeprzeć *perf); (delay)* zatrzymywać (zatrzymać *perf); (bank, person)* napadać (napaść *perf)* (na +*acc) (przy użyciu broni palnej).*

holdall ['həuldɔ:l] *(BRIT) n* (duża) torba *f* podróżna.

holder ['həuldə*] *n (of lamp etc)* uchwyt *m; (person)* posiadacz *m.*

holding ['həuldɪŋ] *n (share)* udziały *pl; (small farm)* gospodarstwo *nt* rolne ♦ *adj (operation, tactic)* mający na celu utrzymanie istniejącego stanu rzeczy.

holding company *n* towarzystwo *nt* holdingowe, holding *m.*

hold-up ['həuldʌp] *n (robbery)* napad *m*

rabunkowy; *(delay)* komplikacje *pl; (BRIT: in traffic)* zator *m* (drogowy), korek *m* (uliczny).

hole [həul] *n (lit, fig)* dziura *f* ♦ *vt (make holes)* dziurawić (podziurawić *perf); (make a hole)* przedziurawiać (przedziurawić *perf);* **hole in the heart** *(MED)* otwór *m* w przegrodzie międzykomorowej; **to pick holes (in)** *(fig)* wyszukiwać (wyszukać *perf)* słabe punkty (w +*loc).*

►**hole up** *vi* zaszywać się (zaszyć się *perf).*

holiday ['hɔlɪdeɪ] *n (BRIT: vacation)* wakacje *pl; (leave)* urlop *m; (public holiday)* święto *nt;* **to be/go on holiday** być na wakacjach/wyjeżdżać (wyjechać *perf)* na wakacje; **tomorrow is a holiday** jutro jest święto.

holiday camp *(BRIT) n* ośrodek *m* wypoczynkowy *or* wczasowy.

holidaymaker ['hɔlɪdeɪmeɪkə*] *(BRIT) n* wczasowicz(ka) *m(f).*

holiday pay *n* wynagrodzenie *nt* w okresie urlopu.

holiday resort *n* miejscowość *f* wypoczynkowa *or* wczasowa.

holiday season *n* sezon *m* wakacyjny.

holiness ['həulɪnɪs] *n* świętość *f.*

Holland ['hɔlənd] *n* Holandia *f.*

hollow ['hɔləu] *adj (container, log, tree)* pusty, wydrążony; *(cheeks, eyes)* zapadnięty; *(claim, promise, laugh)* pusty; *(sound)* głuchy; *(doctrine, opinion)* płytki ♦ *n* wgłębienie *nt,* zagłębienie *nt* ♦ *vt:* **to hollow out** wydrążać (wydrążyć *perf).*

holly ['hɔlɪ] *n (BOT)* ostrokrzew *m.*

hollyhock ['hɔlɪhɔk] *n* malwa *f.*

holocaust ['hɔləkɔ:st] *n* zagłada *f;* **the Holocaust** Holocaust.

hologram ['hɔləgræm] *n* hologram *m.*

holster ['həulstə*] *n* kabura *f,* pochwa *f (rewolweru).*

holy ['həulɪ] *adj (picture, place)* święty; *(water)* święcony; *(person)* świątobliwy.

Holy Communion *n* Komunia *f* Święta.

Holy Father *n* Ojciec *m* Święty.

Holy Ghost *n* Duch *m* Święty.

Holy Land *n:* **the Holy Land** Ziemia *f* Święta.

holy orders *npl* święcenia *pl.*

Holy Spirit *n =* **Holy Ghost.**

homage ['hɔmɪdʒ] *n* hołd *m,* cześć *f;* **to pay homage to** składać (złożyć *perf)* hołd *or* oddawać (oddać *perf)* cześć +*dat.*

home [həum] *n* dom *m* ♦ *cpd (employment)* chałupniczy; *(ECON, POL)* wewnętrzny, krajowy; *(SPORT: team)* miejscowy; *(: game, win)* na własnym boisku *post,* u siebie *post* ♦ *adv (be)* w domu; *(go, travel)* do domu; *(press, push)* do środka, na swoje miejsce; **at home** *(in house)* w domu; *(in country)* w kraju; *(comfortable)* swojsko, jak u siebie; **make yourself at home** czuj się jak u siebie

(w domu); **to make one's home somewhere**
zamieszkać *(perf)* gdzieś; **the home of free
enterprise/jazz** kolebka wolnej
przedsiębiorczości/jazzu; **we're home and dry**
udało (nam) się; **a home from home** drugi
dom; **to bring sth home to sb** uświadamiać
(uświadomić *perf*) coś komuś.

►**home in on** *vt fus* namierzać (namierzyć
perf) +*acc*.

home address *n* adres *m* domowy.

home-brew [həum'bru:] *n* piwo *nt* domowej
roboty, podpiwek *m*.

homecoming ['həumkʌmɪŋ] *n* powrót *m* do
domu.

home computer *n* komputer *m* domowy.

Home Counties *(BRIT) npl*: **the Home
Counties** hrabstwa położone wokół *Londynu*.

home economics *n (SCOL)* zajęcia z
gospodarstwa domowego.

home-grown ['həumgrəun] *adj (not foreign)*
hodowany w kraju, krajowy; *(from garden)* z
własnego ogródka *post*.

homeland ['həumlænd] *n* ziemia *f* ojczysta *or*
rodzinna.

homeless ['həumlɪs] *adj* bezdomny.

home loan *n* ≈ kredyt *m* mieszkaniowy.

homely ['həumlɪ] *adj* prosty, skromny.

home-made [həum'meɪd] *adj (bread)* domowej
roboty *post*; *(bomb)* wykonany domowym
sposobem.

Home Office *(BRIT) n*: **the Home Office** ≈
Ministerstwo *nt* Spraw Wewnętrznych.

homeopathy [həumɪ'ɔpəθɪ] *(US) n* =
homoeopathy.

home rule *n (POL)* samorządność *f*.

Home Secretary *(BRIT) n*: **the Home
Secretary** ≈ Minister *m* Spraw Wewnętrznych.

homesick ['həumsɪk] *adj*: **to be** *or* **feel
homesick** tęsknić za domem.

homestead ['həumstɛd] *n* gospodarstwo *nt*
rolne.

home town *n* miasto *nt* rodzinne.

homeward ['həumwəd] *adj*: **homeward journey**
droga *f* powrotna *or* do domu.

homeward(s) ['həumwəd(z)] *adv* do domu.

homework ['həumwə:k] *n* zadanie *nt* domowe,
praca *f* domowa; **he never did any homework**
nigdy nie odrabiał zadań domowych.

homicidal [hɔmɪ'saɪdl] *adj (maniac)*
niebezpieczny dla otoczenia; *(instincts)*
morderczy.

homicide ['hɔmɪsaɪd] *(US) n* zabójstwo *nt*.

homily ['hɔmɪlɪ] *n* kazanie *nt*.

homing ['həumɪŋ] *adj (device)*
(samo)naprowadzający; *(missile)*
samosterujący; *(pigeon)* pocztowy.

homoeopath ['həumɪəupæθ] *(US*
homeopath) *n* homeopata (-tka) *m(f)*.

homoeopathy [həumɪ'ɔpəθɪ] *(US*
homeopathy) *n* homeopatia *f*.

homogeneous [hɔməu'dʒi:nɪəs] *adj*
jednorodny, homogeniczny.

homogenized [hə'mɔdʒənaɪzd] *adj*:
homogenized milk mleko *nt* homogenizowane.

homosexual [hɔməu'sɛksjuəl] *adj*
homoseksualny ♦ *n* homoseksualista (-tka)
m(f); **to be homosexual** być homoseksualistą.

Hon. *abbr* = **honourable**; **honorary**.

Honduras [hɔn'djuərəs] *n* Honduras *m*.

hone [həun] *vt* ostrzyć (zaostrzyć *perf*).

honest ['ɔnɪst] *adj (truthful, trustworthy)*
uczciwy; *(sincere)* szczery; **to be quite
honest with you** ... jeśli mam być z tobą
zupełnie szczery, ...

honestly ['ɔnɪstlɪ] *adv (truthfully)* uczciwie;
(sincerely) szczerze.

honesty ['ɔnɪstɪ] *n (truthfulness)* uczciwość *f*;
(sincerity) szczerość *f*.

honey ['hʌnɪ] *n* miód *m*; *(US: inf. form of
address)* kochanie *nt*.

honeycomb ['hʌnɪkəum] *n* plaster *m* miodu ♦
vt (fig): **honeycombed with** *(passages etc)*
poprzecinany +*instr*; *(holes etc)* usiany +*instr*.

honeymoon ['hʌnɪmu:n] *n (trip)* podróż *f*
poślubna; *(period)* miodowy miesiąc *m*.

honeysuckle ['hʌnɪsʌkl] *n* kapryfolium *nt*,
przewiercień *m*.

Hong Kong ['hɔŋ'kɔŋ] *n* Hongkong *m*.

honk [hɔŋk] *vi (AUT)* trąbić (zatrąbić *perf*) ♦
vt: **to honk the horn** trąbić (zatrąbić *perf*),
dawać (dać *perf*) znak klaksonem.

Honolulu [hɔnə'lu:lu:] *n* Honolulu *nt inv*.

honor ['ɔnə*] *(US) vt, n* = **honour**.

honorary ['ɔnərərɪ] *adj (job, title)* honorowy.

honour ['ɔnə*] *(US* **honor**) *vt (person)*
uhonorować *(perf)*; *(commitment, agreement)*
honorować; *(promise)* dotrzymywać
(dotrzymać *perf*) +*gen* ♦ *n (pride, self-respect)*
honor *m*; *(tribute)* zaszczyt *m*; **in honour of**
na cześć +*gen*.

hono(u)rable ['ɔnərəbl] *adj (person, action)*
honorowy.

hono(u)r-bound ['ɔnə'baund] *adj*: **to be
honour-bound to** czuć się moralnie
zobowiązanym do +*gen*.

hono(u)rs degree *n* ≈ dyplom *m* z
wyróżnieniem.

Hons. *(UNIV) abbr* = **hono(u)rs degree**.

hood [hud] *n (of coat)* kaptur *m*; *(of cooker)*
pokrywa *f*; *(BRIT: AUT)* składany dach *m*;
(US:) maska *f*.

hooded ['hudɪd] *adj (robber)* zakapturzony;
(jacket) z kapturem *post*.

hoodlum ['hu:dləm] *n* bandzior *m (inf)*.

hoodwink ['hudwɪŋk] *vt* nabierać (nabrać *perf*).

hoof [hu:f] *(pl* **hooves**) *n* kopyto *nt*.

hook [huk] *n (for coats, curtains)* hak *m*; *(for
fishing)* haczyk *m*; *(on dress)* haftka *f (jej
haczykowata część)* ♦ *vt (fasten)* przyczepiać
(przyczepić *perf*); *(fish)* łapać (złapać *perf*) *(na*

haczyk); **by hook or by crook** nie przebierając w środkach; **to be hooked on** (*inf: addicted*) być uzależnionym od +*gen*; (*attracted*) przepadać za +*instr*.

hook up *vt* (*RADIO, TV etc*) podłączać (podłączyć *perf*).

hook and eye (*pl* **hooks and eyes**) *n* haftka *f*.

hooligan ['hu:lɪgən] *n* chuligan *m*.

hooliganism ['hu:lɪgənɪzəm] *n* chuligaństwo *nt*.

hoop [hu:p] *n* obręcz *f*; (*CROQUET*) jeden z metalowych łuków, przez które przeprowadza się piłkę w grze w krokieta.

hooray [hu:'reɪ] *excl* = **hurrah**.

hoot [hu:t] *vi* (*AUT*) trąbić (zatrąbić *perf*); (*siren*) wyć (zawyć *perf*); (*owl*) hukać (zahukać *perf*); (*jeer*) wyć (zawyć *perf*) ♦ *vt* (*AUT*) trąbić (zatrąbić *perf*) +*instr* ♦ *n* (*AUT*) trąbienie *nt*, klakson *m*; (*of owl*) hukanie *nt*; **to hoot with laughter** zanosić się od śmiechu; **to give a hoot of laughter** parsknąć (*perf*) śmiechem.

hooter ['hu:tə*] *n* (*AUT*) klakson *m*; (*NAUT, INDUSTRY*) syrena *f*.

hoover ['hu:və*] ® (*BRIT*) *n* odkurzacz *m* ♦ *vt* odkurzać (odkurzyć *perf*).

hooves [hu:vz] *npl of* **hoof**.

hop [hɔp] *vi* (*person*) podskakiwać *or* skakać na jednej nodze; (*bird*) skakać, podskakiwać ♦ *n* (*of person*) podskok *m* (na jednej nodze); (*of animal*) skok *m*.

hope [həup] *n* nadzieja *f* ♦ *vi* mieć nadzieję ♦ *vt*: **to hope that** mieć nadzieję, że; **to hope to do sth** mieć nadzieję, że się coś zrobi; **I hope so/not** mam nadzieję, że tak/nie; **to hope for the best** być dobrej myśli; **to have no hope of sth/doing sth** nie liczyć na coś/zrobienie czegoś; **in the hope that/of** w nadziei, że/na +*acc*.

hopeful ['həupful] *adj* (*person*) pełen nadziei; (*situation*) napawający nadzieją, rokujący nadzieje; **I'm hopeful that...** żywię nadzieję, że ... .

hopefully ['həupfulɪ] *adv* (*expectantly*) z nadzieją; (*one hopes*) o ile szczęście dopisze; **hopefully, he'll come back** miejmy nadzieję, że wróci.

hopeless ['həuplɪs] *adj* (*desperate: situation*) beznadziejny; (: *person*) zrozpaczony; (: *grief*) rozpaczliwy; (*useless*) beznadziejny.

hopper ['hɔpə*] *n* zsypnia *f*.

hops [hɔps] *npl* chmiel *m*.

horde [hɔ:d] *n* horda *f*.

horizon [hə'raɪzn] *n* horyzont *m*.

horizontal [hɔrɪ'zɔntl] *adj* poziomy.

hormone ['hɔ:məun] *n* hormon *m*.

horn [hɔ:n] *n* róg *m*; (*also:* **French horn**) waltornia *f*, róg *m*; (*AUT*) klakson *m*.

horned [hɔ:nd] *adj* rogaty.

hornet ['hɔ:nɪt] *n* szerszeń *m*.

horn-rimmed ['hɔ:n'rɪmd] *adj*: **horn-rimmed spectacles** okulary *pl* w rogowych oprawkach.

horny ['hɔ:nɪ] (*inf*) *adj* napalony (*inf*).

horoscope ['hɔrəskəup] *n* horoskop *m*.

horrendous [hə'rɛndəs] *adj* (*crime, error*) straszliwy; (*price, cost*) horrendalny.

horrible ['hɔrɪbl] *adj* (*colour, food, mess*) okropny; (*scream, dream*) straszny.

horrid ['hɔrɪd] *adj* obrzydliwy, wstrętny.

horrific [hɔ'rɪfɪk] *adj* przerażający.

horrify ['hɔrɪfaɪ] *vt* przerażać (przerazić *perf*).

horrifying ['hɔrɪfaɪɪŋ] *adj* przerażający.

horror ['hɔrə*] *n* (*alarm*) przerażenie *nt*; (*of battle, warfare*) groza *f*; (*abhorrence*): **horror of** wstręt *m* do +*gen*.

horror film *n* film *m* grozy, horror *m*.

horror-stricken ['hɔrəstrɪkn] *adj* = **horror-struck**.

horror-struck ['hɔrəstrʌk] *adj* struchlały z przerażenia, zdjęty grozą.

hors d'oeuvre [ɔ:'də:vrə] *n* przystawka *f*.

horse [hɔ:s] *n* koń *m*.

horseback ['hɔ:sbæk] *adv* konno, wierzchem (*old*); **on horseback** na koniu.

horse box *n* wóz *m* do przewozu koni.

horse chestnut *n* (*tree*) kasztan(owiec) *m*; (*nut*) kasztan *m*.

horse-drawn ['hɔ:sdrɔ:n] *adj* konny.

horsefly ['hɔ:sflaɪ] *n* giez *m* (koński), mucha *f* końska.

horseman ['hɔ:smən] (*irreg like* **man**) *n* jeździec *m*.

horsemanship ['hɔ:smənʃɪp] *n* umiejętności *pl* jeździeckie.

horseplay ['hɔ:spleɪ] *n* (dzikie) harce *pl*.

horsepower ['hɔ:spauə*] *n* ≈ koń *m* mechaniczny.

horse-racing ['hɔ:sreɪsɪŋ] *n* wyścigi *pl* konne.

horseradish ['hɔ:srædɪʃ] *n* chrzan *m*.

horseshoe ['hɔ:sʃu:] *n* podkowa *f*.

horse show *n* zawody *pl* jeździeckie *or* hipiczne.

horse-trading ['hɔ:streɪdɪŋ] *n* przetargi *pl*.

horse trials *npl* = **horse show**.

horsewhip ['hɔ:swɪp] *n* szpicruta *f* ♦ *vt* bić (zbić *perf*) szpicrutą.

horsewoman ['hɔ:swumən] (*irreg like* **woman**) *n* amazonka *f*.

horsey ['hɔ:sɪ] *adj* (*person*) kochający konie; (*face*) koński.

horticulture ['hɔ:tɪkʌltʃə*] *n* ogrodnictwo *nt*.

hose [həuz] *n* (*also:* **hosepipe**) wąż *m*; (*TECH*) wężyk *m*; (*also:* **garden hose**) wąż *m* (ogrodowy).

▶**hose down** *vt* polewać (polać *perf*) wężem.

hosiery ['həuzɪərɪ] *n* wyroby *pl* pończosznicze.

hospice ['hɔspɪs] *n* hospicjum *nt*.

hospitable ['hɔspɪtəbl] *adj* (*person*) gościnny; (*invitation, welcome*) serdeczny; (*climate*) przyjazny.

hospital ['hɔspɪtl] *n* szpital *m*; **in hospital,** *(US)* **in the hospital** w szpitalu.

hospitality [hɔspɪ'tælɪtɪ] *n* (*of person*) gościnność *f*; (*of welcome*) serdeczność *f*.

hospitalize ['hɔspɪtəlaɪz] *vt* umieszczać (umieścić *perf*) w szpitalu, hospitalizować.

host [həust] *n* (*at party, dinner*) gospodarz *m*; (*TV, RADIO*) gospodarz *m* (programu); (*REL*) hostia *f* ♦ *adj* (*organization*) pełniący rolę gospodarza; (*country, community*): **his host country** goszczący go kraj ♦ *vt* (*TV programme*) prowadzić, być gospodarzem +*gen*; **a host of** mnóstwo +*gen*.

hostage ['hɔstɪdʒ] *n* zakładnik (-iczka) *m(f)*; **he was taken/held hostage** wzięto/trzymano go jako zakładnika.

hostel ['hɔstl] *n* (*for homeless*) schronisko *nt*; (*also*: **youth hostel**) schronisko *nt* (młodzieżowe).

hostelling ['hɔstlɪŋ] *n*: **we went (youth) hostelling round England** podróżowaliśmy po Anglii, zatrzymując się w schroniskach (młodzieżowych).

hostess ['həustɪs] *n* (*at party, dinner*) gospodyni *f*; (*BRIT*: *also*: **air hostess**) stewardessa *f*; (*TV, RADIO*) gospodyni *f* (programu); (*in night-club*) fordanserka *f*.

hostile ['hɔstaɪl] *adj* (*person*) nieprzyjazny, wrogo nastawiony *or* usposobiony; (*attitude*) wrogi; (*conditions, environment*) niesprzyjający; **hostile to** *or* **towards** wrogo nastawiony do +*gen or* w stosunku do +*gen*.

hostility [hɔ'stɪlɪtɪ] *n* wrogość *f*; **hostilities** *npl* działania *pl* wojenne.

hot [hɔt] *adj* gorący; (*spicy*) ostry, pikantny; (*contest, argument*) zawzięty; (*temper*) porywczy; **I am hot** jest mi gorąco; **it was terribly hot yesterday** wczoraj było okropnie gorąco; **to be hot on sth** (*inf*. *knowledgable, skilful*) być świetnym w czymś; (*interested*) pasjonować się czymś; **not so hot** (*inf*) nieszczególny.

►**hot up** (*BRIT*: *inf*) *vi* (*party*) rozkręcać się (rozkręcić się *perf*) (*inf*); (*situation, events*): **the situation was hotting up** robiło się gorąco (*inf*) ♦ *vt* (*pace*) podkręcać (podkręcić *perf*) (*inf*); (*engine*) podrasowywać (podrasować *perf*) (*inf*).

hot air *n* czcza gadanina *f*.

hot-air balloon [hɔt'ɛə-] *n* balon *m* na gorące powietrze.

hotbed ['hɔtbɛd] *n* (*fig*: *of evil*) siedlisko *nt*; (*of criminals*) wylęgarnia *f*.

hot-blooded [hɔt'blʌdɪd] *adj* krewki.

hotchpotch ['hɔtʃpɔtʃ] (*BRIT*) *n* mieszanina *f*, miszmasz *m* (*inf*).

hot dog *n* hot-dog *m*.

hotel [həu'tɛl] *n* hotel *m*.

hotelier [həu'tɛlɪə*] *n* hotelarz (-arka) *m(f)*.

hotel industry *n* hotelarstwo *nt*.

hotel room *n* pokój *m* hotelowy.

hotfoot ['hɔtfut] *adv* ochoczo, żwawo.

hot-headed [hɔt'hɛdɪd] *adj* w gorącej wodzie kąpany.

hothouse ['hɔthaus] *n* cieplarnia *f*.

hot line *n* gorąca linia *f*.

hotly ['hɔtlɪ] *adv* (*contest*) ostro, zawzięcie; (*speak, deny*) stanowczo, kategorycznie.

hotplate ['hɔtpleɪt] *n* płytka *f* grzejna (*kuchenki elektrycznej*).

hotpot ['hɔtpɔt] (*BRIT*) *n* potrawka *f* z jarzynami.

hot seat *n* (*fig*): **to be in the hot seat** zajmować odpowiedzialne stanowisko.

hot spot (*POL*) *n* punkt *m* zapalny.

hot spring *n* gorące źródło *nt*.

hot stuff (*inf*) *n* (*woman*) laska *f* (*inf*); (*activity*): **skateboarding is hot stuff now** jest teraz szał na jazdę na deskorolce.

hot-tempered ['hɔt'tɛmpəd] *adj* porywczy.

hot-water bottle [hɔt'wɔːtə-] *n* termofor *m*.

hound [haund] *vt* napastować ♦ *n* pies *m* gończy, ogar *m*.

hour ['auə*] *n* godzina *f*; **60 miles an hour** 60 mil na godzinę; **lunch hour** ≈ przerwa obiadowa; **to pay sb by the hour** płacić komuś od godziny.

hourly ['auəlɪ] *adj* (*service*) cogodzinny; (*rate*) godzinny ♦ *adv* (*each hour*) co godzinę; (*soon*) w każdej chwili.

house [*n* haus, *vb* hauz] *n* dom *m*; (*POL*) izba *f*; (*THEAT*) sala *f*, widownia *f*; (*of Windsor etc*) dynastia *f* ♦ *vt* (*person*) przydzielać (przydzielić *perf*) mieszkanie +*dat*; (*collection, library*) mieścić; **at my house** u mnie w domu; **publishing house** wydawnictwo; **fashion house** dom mody; **royal house** rodzina królewska; **the House of Commons** (*BRIT*) Izba Gmin; **the House of Representatives** (*US*) Izba Reprezentantów; **on the house** (*fig*) na koszt firmy.

house arrest *n* areszt *m* domowy.

houseboat ['hausbəut] *n* łódź *f* mieszkalna.

housebound ['hausbaund] *adj*: **to be housebound** nie móc wychodzić (z domu).

housebreaking ['hausbreɪkɪŋ] *n* włamanie *nt*.

house-broken ['hausbrəukn] (*US*) *adj* = **house-trained**.

housecoat ['hauskəut] *n* podomka *f*.

household ['haushəuld] *n* (*people*) rodzina *f*; (*home*) gospodarstwo *nt* (domowe); **household name** powszechnie znane nazwisko.

householder ['haushəuldə*] *n* (*owner*) właściciel(ka) *m(f)*; (*tenant*) lokator(ka) *m(f)*.

househunting ['haushʌntɪŋ] *n* szukanie *nt* mieszkania.

housekeeper ['hauskiːpə*] *n* gosposia *f*.

housekeeping ['hauskiːpɪŋ] *n* (*work*) prowadzenie *nt* gospodarstwa (domowego); (*money*) pieniądze *pl* na życie.

houseman ['hausmən] (*BRIT*) (*irreg like* **man**) *n* lekarz *m* stażysta *m*.

houseplant ['hauspla:nt] *n* roślina *f* domowa *or* doniczkowa.

house-proud ['hauspraud] *adj*: **to be house-proud** pedantycznie dbać o wygląd domu.

house-to-house ['haustə'haus] *adj* (*enquiries*) po domach *post*; (*selling*) obwoźny, domokrążny.

house-trained ['haustreɪnd] (*BRIT*) *adj*: **my dog is house-trained** mój pies nie brudzi (w domu).

house-warming (party) ['hauswɔ:mɪŋ-] *n* oblewanie *nt* nowego mieszkania/domu, parapetówa *f* (*inf*).

housewife ['hauswaɪf] (*irreg like* **wife**) *n* gospodyni *f* domowa.

housework ['hauswə:k] *n* prace *pl* domowe.

housing ['hauzɪŋ] *n* (*buildings*) zakwaterowanie *nt*; (*conditions*) warunki *pl* mieszkaniowe; (*provision*) gospodarka *f* mieszkaniowa ♦ *cpd* (*problem*) mieszkaniowy; **housing shortage** brak mieszkań.

housing association *n* ≈ spółdzielnia *f* mieszkaniowa.

housing conditions *npl* warunki *pl* mieszkaniowe.

housing development (*BRIT*) *n* = **housing estate**.

housing estate *n* osiedle *nt* (mieszkaniowe).

hovel ['hɔvl] *n* (nędzna) chałupa *f*; (*fig*) nora *f*.

hover ['hɔvə*] *vi* (*bird, insect*) wisieć *or* unosić się w powietrzu; (*person*) stać wyczekująco, ociągać się; **to hover round sb** kręcić się koło kogoś.

hovercraft ['hɔvəkra:ft] *n* poduszkowiec *m*.

hoverport ['hɔvəpɔ:t] *n* przystań *f* dla poduszkowców.

how [hau] *adv* jak; **how are you?** jak się masz?; **how is school?** jak tam szkoła *or* w szkole?; **how long have you been here?** jak długo (już) tu jesteś?; **how lovely/awful!** jak cudownie/okropnie!; **how many people?** ilu ludzi?; **how much milk?** ile mleka?

however [hau'ɛvə*] *conj* jednak(że) ♦ *adv* jakkolwiek; (*in questions*) jakże.

howl [haul] *vi* (*animal, person*) wyć; (*baby*) głośno płakać; (*wind*) wyć, zawodzić ♦ *n* wycie *nt*; (*of baby*) głośny płacz *m*.

howler ['haulə*] (*inf*) *n* wsypa *f* (*inf*).

HP (*BRIT*) *n abbr* = **hire purchase**.

h.p. (*AUT*) *abbr* = **horsepower** KM.

HQ *abbr* = **headquarters** KG.

HR (*US: POL*) *n abbr* (= *House of Representatives*) Izba *f* Reprezentantów.

HRH (*BRIT*) *abbr* (= *His (or Her) Royal Highness*) JKW.

hr(s) *abbr* = **hour(s)** godz.

HS (*US*) *abbr* = **high school**.

HST (*US*) *abbr* (= *Hawaiian Standard Time*).

hub [hʌb] *n* (*of wheel*) piasta *f*; (*fig*) centrum *nt*; **to be the hub of the universe** być najważniejszym na świecie.

hubbub ['hʌbʌb] *n* wrzawa *f*, zgiełk *m*.

hubcap ['hʌbkæp] *n* (*AUT*) kołpak *m*.

HUD (*US*) *n abbr* (= *Department of Housing and Urban Development*) Ministerstwo *nt* Gospodarki Mieszkaniowej i Rozwoju Miast.

huddle ['hʌdl] *vi*: **to huddle together** skupiać się (skupić się *perf*), ścieśniać się (ścieśnić się *perf*) ♦ *n* bezładna masa *f*, kupa *f* (*inf*).

hue [hju:] *n* (*colour*) barwa *f*; (*shade*) odcień *m*.

hue and cry *n* wrzawa *f*, krzyk *m* (*protestu*).

huff [hʌf] *n*: **in a huff** wzburzony ♦ *vi*: **to huff and puff** ciężko dyszeć.

hug [hʌg] *vt* (*person*) ściskać (uściskać *perf*), przytulać (przytulić *perf*) (do siebie); (*thing*) obejmować (objąć *perf*) (rękoma), przyciskać (przycisnąć *perf*) (do siebie) ♦ *n* uścisk *m*; **to give sb a hug** przytulić (*perf*) *or* uściskać (*perf*) kogoś.

huge [hju:dʒ] *adj* ogromny.

hugely ['hju:dʒlɪ] *adv* ogromnie.

hulk [hʌlk] *n* (*ship*) kadłub *m* rozbitego statku; (*person, building etc*) kolos *m*.

hulking ['hʌlkɪŋ] *adj*: **hulking great** olbrzymi.

hull [hʌl] *n* (*of ship*) kadłub *m*; (*of nut*) łupina *f*; (*of strawberry*) szypułka *f* ♦ *vt* (*strawberries etc*) obierać (obrać *perf*).

hullaballoo ['hʌləbə'lu:] (*inf*) *n* harmider *m*.

hullo [hə'ləu] *excl* = **hello**.

hum [hʌm] *vt* nucić (zanucić *perf*) ♦ *vi* (*person*) nucić (sobie); (*machine*) (głośno) buczeć; (*insect*) bzykać, bzyczeć ♦ *n* (*of traffic*) szum *m*; (*of machines*) buczenie *nt*; (*of voices*) szmer *m*.

human ['hju:mən] *adj* ludzki ♦ *n* (*also*: **human being**) człowiek *m*, istota *f* ludzka; **the human race** rasa ludzka.

humane [hju:'meɪn] *adj* (*treatment*) humanitarny, ludzki; (*slaughter*) humanitarny.

humanism ['hju:mənɪzəm] *n* humanizm *m*.

humanitarian [hju:mænɪ'tɛərɪən] *adj* humanitarny.

humanity [hju:'mænɪtɪ] *n* (*mankind*) ludzkość *f*; (*condition*) człowieczeństwo *nt*; (*humaneness, kindness*) człowieczeństwo *nt*, humanitaryzm *m*; **humanities** *npl*: **(the) humanities** nauki *pl* humanistyczne; (*SCOL*) przedmioty *pl* humanistyczne.

humanly ['hju:mənlɪ] *adv*: **humanly possible** w ludzkiej mocy.

humanoid ['hju:mənɔɪd] *adj* człekopodobny, humanoidalny ♦ *n* humanoid *m*.

humble ['hʌmbl] *adj* (*modest*) skromny; (*deferential*) pokorny; (*background, birth*) niski ♦ *vt* upokarzać (upokorzyć *perf*).

humbly ['hʌmblɪ] *adv* (*modestly*) skromnie; (*deferentially*) pokornie.

humbug ['hʌmbʌg] n blaga f, (BRIT: sweet) twardy, czarno-biały cukierek o smaku miętowym.

humdrum ['hʌmdrʌm] adj nudny, monotonny.

humid ['hju:mɪd] adj wilgotny.

humidifier [hju:'mɪdɪfaɪə*] n nawilżacz m (powietrza).

humidity [hju:'mɪdɪtɪ] n wilgotność f.

humiliate [hju:'mɪlɪeɪt] vt poniżać (poniżyć perf), upokarzać (upokorzyć perf).

humiliating [hju:'mɪlɪeɪtɪŋ] adj poniżający, upokarzający.

humiliation [hju:mɪlɪ'eɪʃən] n poniżenie nt, upokorzenie nt.

humility [hju:'mɪlɪtɪ] n (modesty) skromność f, (deference) pokora f.

humor ['hju:mə*] (US) n = humour.

humorist ['hju:mərɪst] n (writer) humorysta (-tka) m(f); (performer) komik (-iczka) m(f).

humorous ['hju:mərəs] adj (book) humorystyczny; (person, remark) dowcipny.

humour ['hju:mə*] (US **humor**) n humor m ∤ vt spełniać (spełnić perf) zachcianki +gen; **sense of humour** poczucie humoru; **to be in good/bad humour** być w dobrym/złym humorze.

humo(u)rless ['hju:məlɪs] adj pozbawiony poczucia humoru.

hump [hʌmp] n garb m.

humpbacked ['hʌmpbækt] adj: **humpbacked bridge** mostek m w kształcie łuku.

humus ['hju:məs] n humus m, próchnica f.

hunch [hʌntʃ] n przeczucie nt; **I have a hunch that ...** mam przeczucie, że ... .

hunchback ['hʌntʃbæk] n garbus m.

hunched [hʌntʃt] adj zgarbiony.

hundred ['hʌndrəd] num sto; **hundreds of** setki +gen; **I'm a hundred per cent sure** jestem w stu procentach pewny.

hundredth ['hʌndrədθ] num setny.

hundredweight ['hʌndrɪdweɪt] n cetnar m (BRIT = 50.8 kg; 112 lb; US = 45.3 kg; 100 lb).

hung [hʌŋ] pt, pp of **hang**.

Hungarian [hʌŋ'gɛərɪən] adj węgierski ∤ n (person) Węgier(ka) m(f); (LING) (język m) węgierski.

Hungary ['hʌŋgərɪ] n Węgry pl.

hunger ['hʌŋgə*] n głód m ∤ vi: **to hunger for** łaknąć or być złaknionym +gen.

hunger strike n strajk m głodowy.

hungrily ['hʌŋgrəlɪ] adv łapczywie.

hungry ['hʌŋgrɪ] adj głodny; **hungry for** złakniony +gen; **to go hungry** głodować.

hung up (inf) adj: **to be hung up on** or **about** być przeczulonym na punkcie +gen.

hunk [hʌŋk] n (of bread etc) kawał m; (inf: man) (wielkie) chłopisko nt (inf).

hunt [hʌnt] vt (animals) polować na +acc; (criminal) ścigać, tropić ∤ vi polować ∤ n (for animals) polowanie nt; (search) poszukiwanie nt; (SPORT) klub myśliwych polujących na lisa; **to hunt for** (right word etc) szukać +gen.

▸**hunt down** vt ścigać.

hunter ['hʌntə*] n myśliwy m.

hunting ['hʌntɪŋ] n myślistwo nt; (SPORT) polowanie nt na lisa.

hurdle ['hə:dl] n przeszkoda f; (SPORT) płotek m

hurl [hə:l] vt ciskać (cisnąć perf).

hurrah [hu'rɑ:] excl hur(r)a.

hurray [hu'reɪ] n = **hurrah**.

hurricane ['hʌrɪkən] n huragan m.

hurried ['hʌrɪd] adj pośpieszny.

hurriedly ['hʌrɪdlɪ] adv pośpiesznie, w pośpiechu.

hurry ['hʌrɪ] n pośpiech m ∤ vi śpieszyć się (pośpieszyć się perf) ∤ vt (person) popędzać (popędzić perf); (work) wykonywać (wykonać perf) w pośpiechu; **to be in a hurry** śpieszyć się; **to do sth in a hurry** robić (zrobić perf) coś w pośpiechu; **to hurry in/out** wchodzić (wejść perf)/wychodzić (wyjść perf) pośpiesznie; **they hurried to help him** pośpieszyli mu z pomocą; **to hurry home** śpieszyć się do domu; **there's no hurry** nie ma pośpiechu; **what's the hurry?** po co ten pośpiech?

▸**hurry along** vi śpieszyć się (pośpieszyć się perf).

▸**hurry away** vi odchodzić (odejść perf) pośpiesznie.

▸**hurry off** vi = **hurry away**.

▸**hurry up** vt popędzać (popędzić perf) ∤ vi śpieszyć się (pośpieszyć się perf).

hurt [hə:t] (pt, pp **hurt**) vt (cause pain to) sprawiać (sprawić perf) ból +dat; (injure: lit, fig) ranić (zranić perf) ∤ vi boleć (zaboleć perf) ∤ adj ranny; **I've hurt my arm** zraniłem się w rękę; **where does it hurt?** gdzie (Pana/Panią) boli?

hurtful ['hə:tful] adj bolesny.

hurtle ['hə:tl] vi: **to hurtle past** przemknąć (perf) (obok); **the plane hurtled down the runway** samolot popędził po pasie startowym.

husband ['hʌzbənd] n mąż m ∤ vt (resources etc) gospodarować oszczędnie +instr.

hush [hʌʃ] n cisza f ∤ vi uciszać się (uciszyć się perf); **hush!** sza!

▸**hush up** vt (scandal etc) zatuszowywać (zatuszować perf).

hushed [hʌʃt] adj (place) cichy; (voice) przyciszony, przytłumiony.

hush-hush [hʌʃ'hʌʃ] (inf) adj poufny.

husk [hʌsk] n łuska f.

husky ['hʌskɪ] adj (voice) chrypiący, chrapliwy ∤ n (dog) husky m.

hustings ['hʌstɪŋz] (BRIT) npl kampania f wyborcza.

hustle ['hʌsl] vt wypychać (wypchnąć perf) ∤ n: **hustle and bustle** zgiełk m.

hut [hʌt] n (house) chata f, (shed) szopa f.

hutch [hʌtʃ] *n* klatka *f*.

hyacinth ['haɪəsɪnθ] *n* hiacynt *m*.

hybrid ['haɪbrɪd] *n* (*plant, animal*) mieszaniec *m*, hybryd *m*; (*fig*) skrzyżowanie *nt* ♦ *adj* hybrydowy.

hydrant ['haɪdrənt] *n* (*also*: **fire hydrant**) hydrant *m*.

hydraulic [haɪ'drɔːlɪk] *adj* hydrauliczny.

hydraulics [haɪ'drɔːlɪks] *n* hydromechanika *f* techniczna.

hydrochloric ['haɪdrəʊ'klɔrɪk] *adj*: **hydrochloric acid** kwas *m* chlorowodorowy *or* solny.

hydro-electric *adj* (*power*) hydroelektryczny; **hydro-electric power station** elektrownia wodna, hydroelektrownia.

hydrofoil ['haɪdrəfɔɪl] *n* wodolot *m*.

hydrogen ['haɪdrədʒən] *n* wodór *m*.

hydrogen bomb *n* bomba *f* wodorowa.

hydrophobia ['haɪdrə'fəubɪə] *n* wodowstręt *m*.

hydroplane ['haɪdrəpleɪn] *n* ślizgacz *m* ♦ *vi* ślizgać się (po wodzie).

hyena [haɪ'iːnə] *n* hiena *f*.

hygiene ['haɪdʒiːn] *n* higiena *f*.

hygienic [haɪ'dʒiːnɪk] *adj* higieniczny.

hymn [hɪm] *n* hymn *m*.

hype [haɪp] (*inf*) *n* szum *m* ♦ *vt* robić szum (narobić *perf* szumu) wokół +*gen*.

hyperactive ['haɪpər'æktɪv] *adj* nadczynny, nadmiernie ruchliwy.

hypermarket ['haɪpəmɑːkɪt] *n* olbrzymi *supermarket*.

hypertension ['haɪpə'tɛnʃən] *n* nadciśnienie *nt*.

hyphen ['haɪfn] *n* łącznik *m*.

hyphenated ['haɪfəneɪtɪd] *adj* pisany z łącznikiem.

hypnosis [hɪp'nəusɪs] *n* hipnoza *f*.

hypnotic [hɪp'nɔtɪk] *adj* hipnotyczny.

hypnotism ['hɪpnətɪzəm] *n* hipnoza *f*.

hypnotist ['hɪpnətɪst] *n* hipnotyzer(ka) *m(f)*.

hypnotize ['hɪpnətaɪz] *vt* hipnotyzować (zahipnotyzować *perf*); (*fig*) fascynować (zafascynować *perf*).

hypoallergenic ['haɪpəuælə'dʒɛnɪk] *adj* hipoalergiczny.

hypochondriac [haɪpə'kɔndrɪæk] *n* hipochondryk (-yczka) *m(f)*.

hypocrisy [hɪ'pɔkrɪsɪ] *n* hipokryzja *f*, obłuda *f*.

hypocrite ['hɪpəkrɪt] *n* hipokryta (-tka) *m(f)*, obłudnik (-ica) *m(f)*.

hypocritical [hɪpə'krɪtɪkl] *adj* obłudny.

hypodermic [haɪpə'dəːmɪk] *adj* podskórny ♦ *n* strzykawka *f* podskórna.

hypothermia [haɪpə'θəːmɪə] *n* hipotermia *f*.

hypothesis [haɪ'pɔθɪsɪs] (*pl* **hypotheses**) *n* hipoteza *f*.

hypothetical [haɪpə'θɛtɪk(l)] *adj* hipotetyczny.

hysterectomy [hɪstə'rɛktəmɪ] *n* wycięcie *nt* macicy, histerektomia *f*.

hysteria [hɪ'stɪərɪə] *n* histeria *f*.

hysterical [hɪ'stɛrɪkl] *adj* histeryczny; (*inf*: *hilarious*) komiczny.

hysterically [hɪ'stɛrɪklɪ] *adv* histerycznie; **hysterically funny** komiczny.

hysterics [hɪ'stɛrɪks] (*inf*) *npl*: **to be in/have hysterics** (*panic, get angry*) histeryzować/wpadać (wpaść *perf*) w histerię; (*laugh loudly*) zaśmiewać się, zanosić się od śmiechu.

Hz *abbr* (= *hertz*) Hz.

I, i

I¹, i [aɪ] *n* (*letter*) I *nt*, i *nt*; **I for Isaac**, (*US*) **I for Item** ≈ I jak Irena.

I² [aɪ] *pron* ja.

I. *abbr* = **island, isle** w.

IA (*US*: *POST*) *abbr* (= *Iowa*).

IAEA *n abbr* = **International Atomic Energy Agency**.

IBA (*BRIT*) *n abbr* (= *Independent Broadcasting Authority*).

Iberian [aɪ'bɪərɪən] *adj*: **the Iberian Peninsula** Półwysep *m* Iberyjski.

IBEW (*US*) *n abbr* (= *International Brotherhood of Electrical Workers*) *związek zawodowy elektryków*.

ib(id) *abbr* (= *ibidem*) tamże.

i/c (*BRIT*) *abbr* (= *in charge*) *see* **charge**.

ICBM *n abbr* (= *intercontinental ballistic missile*) międzykontynentalny pocisk *m* balistyczny.

ICC *n abbr* = **International Chamber of Commerce**; (*US*: = *Interstate Commerce Commission*) *komisja sprawująca kontrolę nad transportem towarów między stanami USA*.

ice [aɪs] *n* lód *m* ♦ *vt* (*cake*) lukrować (polukrować *perf*) ♦ *vi* (*also*: **ice over, ice up**) pokrywać się (pokryć się *perf*) lodem; **to put sth on ice** (*fig*) odkładać (odłożyć *perf*) coś na później.

ice Age *n* epoka *f* lodowa *or* lodowcowa.

ice axe *n* toporek *m* do lodu.

iceberg ['aɪsbəːg] *n* góra *f* lodowa; **the tip of the iceberg** (*fig*) wierzchołek góry lodowej.

icebox ['aɪsbɔks] *n* (*US*) lodówka *f*; (*BRIT*) zamrażalnik *m*; (*insulated box*) lodówka *f* turystyczna.

icebreaker ['aɪsbreɪkə*] *n* lodołamacz *m*.

ice bucket *n* wiaderko *nt* z lodem.

ice-cold [aɪs'kəuld] *adj* lodowato zimny.

ice cream *n* lody *pl*.

ice-cream soda ['aɪskriːm-] *n* lody z syropem owocowym i wodą sodową.

ice cube n kostka f lodu.
iced [aɪst] adj (cake) lukrowany; (beer)
schłodzony; (tea) mrożony.
ice hockey n hokej m (na lodzie).
Iceland ['aɪslənd] n Islandia f.
Icelander ['aɪsləndə*] n Islandczyk (-dka) m(f).
Icelandic [aɪs'lændɪk] adj islandzki ♦ n (język m) islandzki.
ice lolly (BRIT) n lizak z mrożonej wody z sokiem owocowym.
ice pick n szpikulec m do lodu.
ice rink n lodowisko nt.
ice-skate ['aɪsskeɪt] n łyżwa f ♦ vi jeździć na łyżwach.
ice-skating ['aɪsskeɪtɪŋ] n łyżwiarstwo nt.
icicle ['aɪsɪkl] n sopel m.
icing ['aɪsɪŋ] n (CULIN) lukier m; (AVIAT etc) oblodzenie nt.
icing sugar (BRIT) n ≈ cukier m puder m.
ICJ n abbr = International Court of Justice.
icon ['aɪkɔn] n ikona f.
ICR (US) n abbr (= Institute for Cancer Research).
ICU (MED) n abbr (= intensive care unit) IOM m, oddział m intensywnej opieki medycznej.
icy ['aɪsɪ] adj (water) lodowaty; (road) oblodzony.
ID (US: POST) abbr (= Idaho).
I'd [aɪd] = I would; I had.
ID card n = identity card.
IDD (BRIT: TEL) n abbr (= international direct dialling) międzynarodowe połączenie nt automatyczne.
idea [aɪ'dɪə] n (scheme) pomysł m; (opinion) pogląd m; (notion) pojęcie nt; (objective) założenie nt, idea f; **good idea!** dobry pomysł!; **to have a good idea of** mieć dobre pojęcie o +loc; **I haven't the least** or **faintest idea** nie mam najmniejszego or zielonego pojęcia; **that's not my idea of ...** nie tak wyobrażam sobie +acc.
ideal [aɪ'dɪəl] n ideał m ♦ adj idealny.
idealist [aɪ'dɪəlɪst] n idealista (-tka) m(f).
ideally [aɪ'dɪəlɪ] adv idealnie; **ideally the book should have ...** najlepiej (byłoby), gdyby książka miała ...; **she's ideally suited for the job** ona się idealnie nadaje do tej pracy.
identical [aɪ'dentɪkl] adj identyczny.
identification [aɪdentɪfɪ'keɪʃən] n rozpoznanie nt; (of person, dead body) identyfikacja f; **(means of) identification** dowód tożsamości.
identify [aɪ'dentɪfaɪ] vt rozpoznawać (rozpoznać perf); (suspect, dead body) identyfikować (zidentyfikować perf); **this will identify him** po tym będzie można go rozpoznać; **to identify sb/sth (with)** utożsamiać (utożsamić perf) kogoś/coś (z +instr).
Identikit [aɪ'dentɪkɪt] ® n: **Identikit (picture)** portret m pamięciowy.
identity [aɪ'dentɪtɪ] n tożsamość f.

identity card n ≈ dowód m osobisty.
identity papers npl dowody pl tożsamości.
identity parade (BRIT) n konfrontacja f (mająca na celu zidentyfikowanie podejrzanego).
ideological [aɪdɪə'lɔdʒɪkl] adj ideologiczny.
ideology [aɪdɪ'ɔlədʒɪ] n ideologia f.
idiocy ['ɪdɪəsɪ] n idiotyzm m.
idiom ['ɪdɪəm] n (in architecture, music) styl m; (LING) idiom m.
idiomatic [ɪdɪə'mætɪk] adj idiomatyczny.
idiosyncrasy [ɪdɪəu'sɪŋkrəsɪ] n dziwactwo nt.
idiosyncratic [ɪdɪəusɪŋ'krætɪk] adj specyficzny.
idiot ['ɪdɪət] n idiota (-tka) m(f).
idiotic [ɪdɪ'ɔtɪk] adj idiotyczny.
idle ['aɪdl] adj (inactive) bezczynny; (lazy) leniwy; (unemployed) bezrobotny; (machinery, factory) nieczynny; (conversation) jałowy; (threat, boast) pusty ♦ vi (machine, engine) pracować na wolnych obrotach; **to be idle** próżnować; **to lie idle** być nieczynnym.
►**idle away** vt: **to idle away the time** trwonić czas.
idleness ['aɪdlnɪs] n (inactivity) bezczynność f; (laziness) próżniactwo nt.
idler ['aɪdlə*] n próżniak m.
idle time (COMM) n przestój m.
idly ['aɪdlɪ] adv (sit) bezczynnie, z założonymi rękami; (glance) nieuważnie.
idol ['aɪdl] n idol m.
idolize ['aɪdəlaɪz] vt ubóstwiać.
idyllic [ɪ'dɪlɪk] adj idylliczny, sielankowy.
i.e. abbr (= id est) tj.

── **KEYWORD** ──

if [ɪf] conj 1 (conditional use) jeżeli, jeśli; (: with unreal or unlikely conditions, in polite requests) gdyby; **I'll go if you come with me** pójdę, jeśli or jeżeli pójdziesz ze mną; **if we had known** gdybyśmy wiedzieli; **if only I could** gdybym tylko mógł; **I'd be pleased if you could do it** cieszyłbym się, gdybyś mógł to zrobić; **if necessary** w razie konieczności; **if I were you** (ja) na twoim miejscu. 2 (whenever) gdy tylko, zawsze gdy or kiedy; **if we are in Scotland, we always go to see her** gdy tylko jesteśmy w Szkocji, zawsze ją odwiedzamy. 3 (although): **(even) if** choćby (nawet); **I am determined to finish it, (even) if it takes all week** zamierzam to skończyć, choćby (nawet) miało to zabrać cały tydzień. 4 (whether) czy; **ask him if he can come** zapytaj go, czy może przyjść. 5: **if so/not** jeśli tak/nie; **if only to** choćby po to, (że)by +infin; see also **as**.
---

igloo ['ɪglu:] n igloo nt inv.
ignite [ɪg'naɪt] vt zapalać (zapalić perf) ♦ vi zapalać się (zapalić się perf).
ignition [ɪg'nɪʃən] n (AUT) zapłon m; **to switch**

on/off the ignition włączać (włączyć
perf)/wyłączać (wyłączyć *perf*) zapłon.
ignition key (*AUT*) *n* kluczyk *m* zapłonu.
ignoble [ɪgˈnəubl] *adj* niegodziwy.
ignominious [ɪgnəˈmɪnɪəs] *adj* haniebny.
ignoramus [ɪgnəˈreɪməs] *n* ignorant(ka) *m(f)*.
ignorance [ˈɪgnərəns] *n* niewiedza *f*,
ignorancja *f*; **to keep sb in ignorance of sth**
utrzymywać kogoś w nieświadomości czegoś.
ignorant [ˈɪgnərənt] *adj* niedouczony; **to be
ignorant of** (*subject*) nie znać *+gen*; (*events*)
nie wiedzieć o *+loc*.
ignore [ɪgˈnɔ:*] *vt* (*pay no attention to*)
ignorować (zignorować *perf*); (*fail to take into
account*) nie brać (nie wziąć *perf*) pod uwagę
+gen.
ikon [ˈaɪkɔn] *n* = **icon**.
IL (*US: POST*) *abbr* (= *Illinois*).
ILA (*US*) *n abbr* (= *International Longshore
Association*) *związek zawodowy dokerów*.
I'll [aɪl] = **I will**; **I shall**.
ill [ɪl] *adj* (*person*) chory; (*effects*) szkodliwy ♦
n (*evil*) zło *nt*; (*trouble*) dolegliwość *f* ♦ *adv*:
to speak/think ill (of sb) źle (o kimś)
mówić/myśleć; **to be taken ill** (nagle)
zachorować *(perf)*.
ill-advised [ɪləd'vaɪzd] *adj* nierozważny,
nierozsądny.
ill-at-ease [ɪlət'i:z] *adj* skrępowany.
ill-considered [ɪlkən'sɪdəd] *adj* nie
przemyślany.
ill-disposed [ɪldɪs'pəuzd] *adj*: **ill-disposed
toward sb/sth** nieprzychylnie nastawiony do
kogoś/czegoś.
illegal [ɪ'li:gl] *adj* (*activity*) sprzeczny z
prawem, nielegalny; (*immigrant, organization*)
nielegalny.
illegally [ɪ'li:gəlɪ] *adv* (*in breach of law*)
nielegalnie; (*in breach of rules*) nieprzepisowo.
illegible [ɪ'ledʒɪbl] *adj* nieczytelny.
illegitimate [ɪlɪ'dʒɪtɪmət] *adj* (*child*) nieślubny;
(*activity*) bezprawny.
ill-fated [ɪl'feɪtɪd] *adj* fatalny.
ill-favoured [ɪl'feɪvəd] (*US* **ill-favored**) *adj*
niezbyt urodziwy.
ill feeling *n* uraza *f*.
ill-gotten [ˈɪlgɔtn] *adj*: **ill-gotten gains**
nieuczciwie zdobyte zyski *pl*.
illicit [ɪ'lɪsɪt] *adj* (*sale*) nielegalny; (*substance*)
zakazany, niedozwolony; **illicit association**
romans.
ill-informed [ɪlɪn'fɔ:md] *adj* (*judgement*)
mylny; (*person*) źle poinformowany.
illiterate [ɪ'lɪtərət] *adj* niepiśmienny; **to be
illiterate** być analfabetą (-tką) *m(f)*.
ill-mannered [ɪl'mænəd] *adj* źle wychowany.
illness [ˈɪlnɪs] *n* choroba *f*.
illogical [ɪ'lɔdʒɪkl] *adj* (*argument*) nielogiczny;
(*fear*) niedorzeczny.
ill-suited [ɪl'su:tɪd] *adj* (*couple*) niedobrany; **he**

is ill-suited to the job on się nie nadaje do
tej pracy.
ill-timed [ɪl'taɪmd] *adj* nie w porę *post*.
ill-treat [ɪl'tri:t] *vt* (*treat badly*) źle traktować;
(*treat cruelly*) maltretować, znęcać się nad
+instr.
ill-treatment [ɪl'tri:tmənt] *n* (*bad treatment*) złe
traktowanie *nt*; (*cruelty*) maltretowanie *nt*,
znęcanie się *nt*.
illuminate [ɪ'lu:mɪneɪt] *vt* oświetlać (oświetlić
perf).
illuminated sign [ɪ'lu:mɪneɪtɪd-] *n*
podświetlony znak *m*.
illuminating [ɪ'lu:mɪneɪtɪŋ] *adj* pouczający.
illumination [ɪlu:mɪ'neɪʃən] *n* (*lighting*)
oświetlenie *nt*; (*illustration*) iluminacja *f*;
illuminations *npl* dekoracje *pl* świetlne.
illusion [ɪ'lu:ʒən] *n* (*false idea, belief*)
złudzenie *nt*, iluzja *f*; (*trick*) sztuczka *f*
magiczna; **to be under the illusion that ...**
łudzić się, że ... .
illusive [ɪ'lu:sɪv] *adj* = **illusory**.
illusory [ɪ'lu:sərɪ] *adj* złudny, iluzoryczny.
illustrate [ˈɪləstreɪt] *vt* ilustrować (zilustrować
perf).
illustration [ɪlə'streɪʃən] *n* (*picture, example*)
ilustracja *f*; (*act of illustrating*) ilustrowanie *nt*.
illustrator [ˈɪləstreɪtə*] *n* ilustrator(ka) *m(f)*.
illustrious [ɪ'lʌstrɪəs] *adj* znakomity.
ill will *n* wrogość *f*.
ILO *n abbr* = **International Labour Organization**.
ILWU (*US*) *n abbr* (= *International
Longshoremen's and Warehousemen's Union*).
I'm [aɪm] = **I am**.
image [ˈɪmɪdʒ] *n* (*picture, public face*)
wizerunek *m*; (*reflection*) odbicie *nt*.
imagery [ˈɪmɪdʒərɪ] *n* (*in writing, painting*)
symbolika *f*.
imaginable [ɪ'mædʒɪnəbl] *adj* wyobrażalny;
we've tried every imaginable solution
próbowaliśmy wszystkich rozwiązań, jakie
można sobie wyobrazić; **she had the prettiest
hair imaginable** miała prześliczne włosy.
imaginary [ɪ'mædʒɪnərɪ] *adj* wyimaginowany.
imagination [ɪmædʒɪ'neɪʃən] *n* (*inventiveness,
part of mind*) wyobraźnia *f*; (*illusion*) urojenie
nt; **it's just your imagination** to tylko wytwór
twojej wyobraźni.
imaginative [ɪ'mædʒɪnətɪv] *adj* (*person*)
twórczy; (*solution*) pomysłowy.
imagine [ɪ'mædʒɪn] *vt* (*visualize*) wyobrażać
(wyobrazić *perf*) sobie; (*suppose*): **I imagine
that ...** zdaje mi się, że ...; **you must have
imagined it** zdawało ci się.
imbalance [ɪm'bæləns] *n* brak *m* równowagi.
imbecile [ˈɪmbəsi:l] *n* imbecyl *m*.
imbue [ɪm'bju:] *vt*: **to be imbued with** być
przepojonym *+instr*.
IMF *n abbr* (= *International Monetary Fund*)

MFW *m inv*, = Międzynarodowy Fundusz
Walutowy.

imitate ['ımıteıt] *vt* (*copy*) naśladować; (*mimic*)
naśladować, imitować.

imitation [ımı'teıʃən] *n* (*act*) naśladowanie *nt*;
(*instance*) imitacja *f*.

imitator ['ımıteıtə*] *n* naśladowca (-wczyni)
m(f), imitator(ka) *m(f)*.

immaculate [ı'mækjulət] *adj* (*spotless*)
nieskazitelnie czysty; (*flawless*) nieskazitelny;
(*REL*) niepokalany.

immaterial [ımə'tıərıəl] *adj* nieistotny.

immature [ımə'tjuə*] *adj* niedojrzały.

immaturity [ımə'tjuərıtı] *n* niedojrzałość *f*.

immeasurable [ı'mеʒrəbl] *adj* niezmierzony.

immediacy [ı'mi:dıəsı] *n* (*of events*)
bezpośredniość *f*; (*of reaction*)
natychmiastowość *f*.

immediate [ı'mi:dıət] *adj* (*reaction, answer*)
natychmiastowy; (*need*) pilny; (*vicinity,
predecessor*) bezpośredni; (*family,
neighbourhood*) najbliższy.

immediately [ı'mi:dıətlı] *adv* (*at once*)
natychmiast; (*directly*) bezpośrednio;
immediately behind/next to tuż za +*instr*/przy
+*loc.*

immense [ı'mens] *adj* ogromny.

immensely [ı'menslı] *adv* ogromnie,
niezmiernie.

immensity [ı'mensıtı] *n* ogrom *m*.

immerse [ı'mə:s] *vt*: **to immerse sth (in)**
zanurzać (zanurzyć *perf*) coś w (+*loc*); **to be
immersed in thought/work** (*fig*) być
zatopionym w myślach/pochłoniętym pracą.

immersion heater [ı'mə:ʃən-] (*BRIT*) *n*
grzejnik *m* nurkowy.

immigrant ['ımıgrənt] *n* imigrant(ka) *m(f)*.

immigration [ımı'greıʃən] *n* (*process*)
imigracja *f*, (*also*: **immigration control**)
kontrola *f* paszportowa *or* graniczna ♦ *cpd*:
immigration officer przedstawiciel(ka) *m(f)*
urzędu imigracyjnego; **immigration laws**
prawo przesiedleńcze.

imminent ['ımınənt] *adj* (*war, disaster*)
nieuchronny; (*arrival*) bliski.

immobile [ı'məubaıl] *adj* nieruchomy.

immobilize [ı'məubılaız] *vt* unieruchamiać
(unieruchomić *perf*).

immoderate [ı'mɔdərət] *adj* nieumiarkowany.

immodest [ı'mɔdıst] *adj* nieskromny.

immoral [ı'mɔrl] *adj* niemoralny.

immorality [ımə'rælıtı] *n* niemoralność *f*.

immortal [ı'mɔ:tl] *adj* nieśmiertelny.

immortality [ımɔ:'tælıtı] *n* nieśmiertelność *f*.

immortalize [ı'mɔ:tlaız] *vt* uwieczniać
(uwiecznić *perf*), unieśmiertelniać
(unieśmiertelnić *perf*).

immovable [ı'mu:vəbl] *adj* (*object*)
nieruchomy; (*opinion*) niewzruszony,
niezachwiany.

immune [ı'mju:n] *adj*: **immune (to)** (*disease*)
odporny (na +*acc*); (*flattery, criticism*) nieczuły
(na +*acc*).

immunity [ı'mju:nıtı] *n* (*to disease*) odporność *f*;
(*of diplomat etc*) immunitet *m*, nietykalność *f*.

immunization [ımjunaı'zeıʃən] *n* (*MED*)
uodpornienie *nt*.

immunize ['ımjunaız] *vt* (*MED*): **to immunize
(against)** uodparniać (uodpornić *perf*)
(przeciwko +*dat*).

imp [ımp] *n* diabełek *m*.

impact ['ımpækt] *n* (*of bullet, crash*: *contact*)
uderzenie *nt*; (: *force*) siła *f* uderzenia; (*of
law, measure*) wpływ *m*; **on impact** przy
uderzeniu.

impair [ım'pεə*] *vt* osłabiać (osłabić *perf*).

impale [ım'peıl] *vt*: **to impale sth (on)**
nadziewać (nadziać *perf*) coś (na +*acc*).

impart [ım'pɑ:t] *vt*: **to impart (to)** (*information*)
przekazywać (przekazać *perf*) (+*dat*); (*flavour*)
nadawać (nadać *perf*) (+*dat*).

impartial [ım'pɑ:ʃl] *adj* bezstronny.

impartiality [ımpɑ:ʃı'ælıtı] *n*· bezstronność *f*.

impassable [ım'pɑ:səbl] *adj* (*road*)
nieprzejezdny; (*river*) nieżeglowny.

impasse [æm'pɑ:s] *n* impas *m*.

impassive [ım'pæsıv] *adj* beznamiętny.

impatience [ım'peıʃəns] *n* (*annoyance,
irritation*) zniecierpliwienie *nt*; (*eagerness*)
niecierpliwość *f*.

impatient [ım'peıʃənt] *adj* (*annoyed*)
zniecierpliwiony; (*irritable, eager, in a hurry*)
niecierpliwy; **to be impatient to do sth**
niecierpliwić się, żeby coś zrobić; **to get** *or*
grow impatient zaczynać (zacząć *perf*) się
niecierpliwić.

impatiently [ım'peıʃəntlı] *adv* niecierpliwie.

impeach [ım'pi:tʃ] *vt* stawiać (postawić *perf*) w
stan oskarżenia.

impeachment [ım'pi:tʃmənt] *n* postawienie *nt*
w stan oskarżenia.

impeccable [ım'pεkəbl] *adj* nienaganny.

impecunious [ımpı'kju:nıəs] (*fml*) *adj* ubogi.

impede [ım'pi:d] *vt* utrudniać (utrudnić *perf*).

impediment [ım'pεdımənt] *n* utrudnienie *nt*,
przeszkoda *f*; **speech impediment** wada
wymowy.

impel [ım'pεl] *vt*: **to impel sb to do sth**
zmuszać (zmusić *perf*) kogoś do zrobienia
czegoś.

impending [ım'pεndıŋ] *adj* zbliżający się.

impenetrable [ım'pεnıtrəbl] *adj* (*jungle*)
niedostępny, nie do przebycia *post*; (*fortress*)
nie do zdobycia *post*; (*fig*: *text*) nieprzystępny;
(: *look, expression*) nieprzenikniony;
(: *mystery*) niezgłębiony.

imperative [ım'pεrətıv] *adj*: **it's imperative that
we do it, it's imperative to do it** zrobienie
tego jest sprawą nadrzędną ♦ *n* (*LING*) tryb
m rozkazujący; (*moral*) imperatyw *m*.

mperceptible [ˌɪmpəˈsɛptɪbl] *adj* niezauważalny.

mperfect [ɪmˈpəːfɪkt] *adj* wadliwy ♦ *n* (*LING*: *also*: **imperfect tense**) czas *m* przeszły o aspekcie niedokonanym.

mperfection [ˌɪmpəˈfɛkʃən] *n* (*failing*) wada *f*; (*blemish*) skaza *f*.

mperial [ɪmˈpɪərɪəl] *adj* imperialny; (*BRIT*): **imperial system** *tradycyjny brytyjski system miar i wag*.

mperialism [ɪmˈpɪərɪəlɪzəm] *n* imperializm *m*.

mperil [ɪmˈpɛrɪl] *vt* narażać (narazić *perf*) na niebezpieczeństwo.

mperious [ɪmˈpɪərɪəs] *adj* władczy.

mpersonal [ɪmˈpəːsənl] *adj* bezosobowy.

mpersonate [ɪmˈpəːsəneɪt] *vt* (*pass o.s. off as*) podawać się (podać się *perf*) za +*acc*; (*THEAT*) wcielać się (wcielić się *perf*) w postać +*gen*.

mpersonation [ˌɪmpəːsəˈneɪʃən] *n*: **impersonation of** (*JUR*) podawanie się *nt* za +*acc*; (*THEAT*) wcielenie się *nt* w postać +*gen*.

mpertinent [ɪmˈpəːtɪnənt] *adj* impertynencki.

mperturbable [ˌɪmpəˈtəːbəbl] *adj* niewzruszony.

mpervious [ɪmˈpəːvɪəs] *adj* (*fig*): **impervious to** nieczuły na +*acc*.

mpetuous [ɪmˈpɛtjuəs] *adj* porywczy.

mpetus [ˈɪmpətəs] *n* (*of runner*) rozpęd *m*, impet *m*; (*fig*) bodziec *m*.

mpinge [ɪmˈpɪndʒ] *vt fus*: **to impinge on** (*sb's life*) rzutować na +*acc*; (*sb's rights*) naruszać +*acc*.

mplacable [ɪmˈplækəbl] *adj* (*hatred*) zaciekły; (*opposition*) nieprzejednany.

mplant [ɪmˈplɑːnt] *vt* (*MED*) wszczepiać (wszczepić *perf*); (*fig*) zaszczepiać (zaszczepić *perf*).

mplausible [ɪmˈplɔːzɪbl] *adj* mało prawdopodobny.

mplement [*n* ˈɪmplɪmənt, *vb* ˈɪmplɪmɛnt] *n* narzędzie *nt* ♦ *vt* wprowadzać (wprowadzić *perf*) w życie.

mplicate [ˈɪmplɪkeɪt] *vt*: **to be implicated in** być zamieszanym w +*acc*.

mplication [ˌɪmplɪˈkeɪʃən] *n* (*inference*) implikacja *f*; (*involvement*): **implication in** zamieszanie *nt* w +*acc*; **by implication** tym samym.

mplicit [ɪmˈplɪsɪt] *adj* (*threat, meaning*) ukryty; (*belief, trust*) bezgraniczny.

mplicitly [ɪmˈplɪsɪtlɪ] *adv* (*indirectly*) pośrednio; (*totally*) bezgranicznie, bez zastrzeżeń.

mplore [ɪmˈplɔː*] *vt*: **to implore sth (from sb)** błagać (kogoś) o coś; **to implore sb (to do sth)** błagać kogoś (, żeby coś zrobił).

mply [ɪmˈplaɪ] *vt* (*hint*) sugerować (zasugerować *perf*), dawać (dać *perf*) do zrozumienia; (*mean*) implikować.

mpolite [ˌɪmpəˈlaɪt] *adj* niegrzeczny.

mponderable [ɪmˈpɔndərəbl] *adj* nieogarniony ♦ *n* imponderabilia *pl* (*no sg*).

import [*vb* ɪmˈpɔːt, *n*, *cpd* ˈɪmpɔːt] *vt* importować (importować *perf*) ♦ *n* (*article*) towar *m* importowany; (*importation*) import *m*, przywóz *m* ♦ *cpd*: **import duty** cło *nt* przywozowe; **import licence** licencja importowa.

importance [ɪmˈpɔːtns] *n* znaczenie *nt*, waga *f*; **to be of great/little importance** mieć duże/małe znaczenie; **a person/position of importance** ważna osoba/pozycja.

important [ɪmˈpɔːtnt] *adj* ważny; **it's not important** to nieważne, to nie ma znaczenia.

importantly [ɪmˈpɔːtntlɪ] *adv* znacznie; **more importantly, ...** co ważniejsze, ...

importation [ˌɪmpɔːˈteɪʃən] *n* import *m*, przywóz *m*.

imported [ɪmˈpɔːtɪd] *adj* importowany.

importer [ɪmˈpɔːtə*] *n* importer *m*.

impose [ɪmˈpəuz] *vt* (*sanctions, restrictions*) nakładać (nałożyć *perf*); (*discipline*) narzucać (narzucić *perf*) ♦ *vi*: **to impose on sb** nadużywać czyjejś uprzejmości.

imposing [ɪmˈpəuzɪŋ] *adj* imponujący.

imposition [ˌɪmpəˈzɪʃən] *n* (*of tax, sanctions*) nałożenie *nt*; (*of discipline*) narzucenie *nt*; **it would be an imposition to ask him that** proszenie go o to byłoby nadużywaniem jego uprzejmości.

impossibility [ɪmpɔsəˈbɪlɪtɪ] *n* niemożliwość *f*.

impossible [ɪmˈpɔsɪbl] *adj* niemożliwy; (*situation*) beznadziejny; **it's impossible for me to leave now** nie mogę teraz wyjść.

impossibly [ɪmˈpɔsɪblɪ] *adv* niemożliwie.

imposter [ɪmˈpɔstə*] *n* = **impostor**.

impostor [ɪmˈpɔstə*] *n* oszust(ka) *m(f)* (*podający się za kogoś*).

impotence [ˈɪmpətns] *n* niemoc *f*; (*MED*) impotencja *f*.

impotent [ˈɪmpətnt] *adj* (*powerless*) bezsilny; (*MED*): **he's impotent** jest impotentem.

impound [ɪmˈpaund] *vt* konfiskować (skonfiskować *perf*).

impoverished [ɪmˈpɔvərɪʃt] *adj* zubożały.

impracticable [ɪmˈpræktɪkəbl] *adj* niewykonalny (w praktyce).

impractical [ɪmˈpræktɪkl] *adj* (*plan, expectation*) nierealny; (*person*) niepraktyczny.

imprecise [ˌɪmprɪˈsaɪs] *adj* nieścisły, nieprecyzyjny.

impregnable [ɪmˈprɛgnəbl] *adj* (*castle, fortress*) nie do zdobycia *post*; (*fig*: *person*) niewzruszony.

impregnate [ˈɪmprɛgneɪt] *vt* (*saturate*) nasączać (nasączyć *perf*); (*fertilize*) zapładniać (zapłodnić *perf*).

impresario [ˌɪmprɪˈsɑːrɪəu] (*THEAT*) *n* impresario *m*.

impress [ɪmˈprɛs] *vt* (*person*) wywierać (wywrzeć *perf*) wrażenie na +*loc*, imponować (zaimponować *perf*) +*dat*; (*imprint*) odciskać

(odcisnąć *perf*); **to impress sth on sb**
uzmysłowić *(perf)* coś komuś.
impression [ɪm'prɛʃən] *n (of situation, person)*
wrażenie *nt*; *(of stamp, seal)* odcisk *m*; *(idea)*
wrażenie *nt*, impresja *f*; *(imitation)* parodia *f*;
to make a good/bad impression on sb
wywierać (wywrzeć *perf*) na kimś dobre/złe
wrażenie; **to be under the impression that ...**
mieć wrażenie, że ... .
impressionable [ɪm'prɛʃnəbl] *adj* łatwowierny,
bezkrytyczny.
impressionist [ɪm'prɛʃənɪst] *n (ART)*
impresjonista (-tka) *m(f)*; *(entertainer)*
parodysta (-tka) *m(f)*.
impressive [ɪm'prɛsɪv] *adj* imponujący,
robiący wrażenie.
imprint ['ɪmprɪnt] *n (of hand etc)* odcisk *m*;
(fig) piętno *nt*; *(TYP)* metryczka *f (książki)*.
imprinted [ɪm'prɪntɪd] *adj:* **to be imprinted on**
(fig) tkwić głęboko w *+loc*.
imprison [ɪm'prɪzn] *vt* zamykać (zamknąć *perf*)
w więzieniu, wtrącać (wtrącić *perf*) do
więzienia.
imprisonment [ɪm'prɪznmənt] *n (form of
punishment)* kara *f* więzienia, więzienie *nt*;
(act) uwięzienie *nt*, wtrącenie *nt* do więzienia.
improbable [ɪm'prɔbəbl] *adj* nieprawdopodobny.
impromptu [ɪm'prɔmptju:] *adj* improwizowany,
zaimprowizowany.
improper [ɪm'prɔpə*] *adj (conduct, procedure)*
niestosowny, niewłaściwy; *(activities)*
niedozwolony.
impropriety [ɪmprə'praɪətɪ] *n* niestosowność *f*.
improve [ɪm'pru:v] *vt* poprawiać (poprawić
perf), ulepszać (ulepszyć *perf*) ♦ *vi* poprawiać
się (poprawić się *perf*), polepszać się
(polepszyć się *perf*); **she may improve with
treatment** po leczeniu stan jej zdrowia może
się poprawić.
►**improve (up)on** *vt fus (one's own
achievement)* robić (zrobić *perf*) postęp(y) w
+loc; *(sb else's achievement)* przewyższać
(przewyższyć *perf*).
improvement [ɪm'pru:vmənt] *n:* **improvement
(in)** poprawa *f (+gen)*; **to make improvements
to** ulepszać (ulepszyć *perf*) *+acc*, udoskonalać
(udoskonalić *perf*) *+acc*.
improvisation [ɪmprəvaɪ'zeɪʃən] *n (of meal,
bed)* prowizorka *f (pej)*; *(THEAT, MUS)*
improwizacja *f*.
improvise ['ɪmprəvaɪz] *vt* robić (zrobić *perf*)
naprędce *or* prowizorycznie ♦ *vi*
improwizować (zaimprowizować *perf*).
imprudence [ɪm'pru:dns] *n* nieroztropność *f*.
imprudent [ɪm'pru:dnt] *adj* nieroztropny.
impudent ['ɪmpjudnt] *adj* zuchwały.
impugn [ɪm'pju:n] *(fml)* *vt* kwestionować
(zakwestionować *perf*), poddawać (poddać
perf) w wątpliwość.
impulse ['ɪmpʌls] *n (urge)* (nagła) ochota *f or*

chęć *f*, poryw *m*; *(ELEC)* impuls *m*; **to act
on impulse** działać pod wpływem impulsu.
impulse buy *n* nie zamierzony *or* nie
planowany zakup *m*.
impulsive [ɪm'pʌlsɪv] *adj (purchase)* nie
zamierzony; *(gesture)* odruchowy; *(person)*
impulsywny, porywczy.
impunity [ɪm'pju:nɪtɪ] *n:* **with impunity**
bezkarnie.
impure [ɪm'pjuə*] *adj (substance)*
zanieczyszczony; *(thoughts)* nieczysty.
impurity [ɪm'pjuərɪtɪ] *n* zanieczyszczenie *nt*.
IN *(US: POST)* *abbr (= Indiana)*.

┌──────────── *KEYWORD* ────────────┐

in [ɪn] *prep* **1** *(indicating place)* w *+loc*; **in
town** w mieście; **in the country** na wsi; **in
here/there** tu/tam (wewnątrz); **in London** w
Londynie. **2** *(indicating time: during)* w *+loc*;
in winter/summer w zimie/lecie, zimą/latem;
in the afternoon po południu. **3** *(indicating
time: in the space of)* w *+acc*; **I did it in
three hours/days** zrobiłem to w trzy
godziny/dni. **4** *(indicating time: after)* za *+acc*;
I'll see you in 2 weeks *or* **in 2 weeks' time**
do zobaczenia za dwa tygodnie. **5** *(indicating
manner etc):* **in a loud voice** głośno; **in
pencil** ołówkiem; **in English/French** po
angielsku/francusku. **6** *(indicating
circumstances, mood, state)* w *+loc*; **in the
sun/rain** w słońcu/deszczu; **in
anger/despair/haste** w
gniewie/rozpaczy/pośpiechu; **a change in
policy** zmiana polityki. **7** *(with ratios,
numbers)* na *+acc*; **one in ten men** jeden
mężczyzna na dziesięciu; **you can save up to
20 pence in the pound** można zaoszczędzić
do 20 pensów na (każdym) funcie. **8**
(referring to people, works) u *+gen*; **the
disease is common in children** ta choroba
często występuje u dzieci; **in Dickens** u
Dickensa; **in the works of Dickens** w
dziełach Dickensa. **9** *(indicating profession
etc):* **to be in teaching/publishing** zajmować
się nauczaniem/działalnością wydawniczą. **10**
(with present participle): **in saying this**
mówiąc to ♦ *adv:* **to be in** *(person: at home)*
być w domu; *(: at work)* być w pracy, być
obecnym; *(train)* przyjechać *(perf)*; *(ship)*
przypłynąć *(perf)*; *(plane)* przylecieć *(perf)*; *(in
fashion)* być popularnym *or* w modzie; **to ask
sb in** prosić (poprosić *perf*) kogoś do środka;
to march in wmaszerowywać (wmaszerować
perf) (do środka) ♦ *n:* **the ins and outs**
szczegóły *pl*, zawiłości *pl*.

└──────────────────────────────────┘

in. *abbr* = **inch**.
inability [ɪnə'bɪlɪtɪ] *n:* **inability (to do sth)**
niemożność *f* (zrobienia czegoś).

inaccessible [ɪnək'sɛsɪbl] *adj* (*place*)
niedostępny; (*fig: text etc*) nieprzystępny.
inaccuracy [ɪn'ækjurəsɪ] *n* (*quality*)
niedokładność *f*, (*mistake*) nieścisłość *f*.
inaccurate [ɪn'ækjurət] *adj* niedokładny,
nieścisły.
inaction [ɪn'ækʃən] *n* bezczynność *f*.
inactive [ɪn'æktɪv] *adj* (*person*) bezczynny;
(*volcano*) nieczynny.
inactivity [ɪnæk'tɪvɪtɪ] *n* bezczynność *f*.
inadequacy [ɪn'ædɪkwəsɪ] *n* (*of preparations
etc*) niedostateczność *f*, (*of person*)
niedociągnięcie *nt*.
inadequate [ɪn'ædɪkwət] *adj* (*amount*)
niedostateczny, niewystarczający; (*reply*)
niepełny, niezadowalający; (*person*)
nieodpowiedni.
inadmissible [ɪnəd'mɪsəbl] *adj* niedopuszczalny.
inadvertently [ɪnəd'və:tntlɪ] *adv* nieumyślnie.
inadvisable [ɪnəd'vaɪzəbl] *adj* niewskazany,
nie zalecany; **it is inadvisable to ring him
too early** zbyt wczesne telefonowanie do
niego nie jest wskazane.
inane [ɪ'neɪn] *adj* bezmyślny.
inanimate [ɪn'ænɪmət] *adj* nieożywiony.
inapplicable [ɪn'æplɪkəbl] *adj* (*description,
comment*) nieadekwatny; **to be inapplicable to
sb/sth** nie stosować się do kogoś/czegoś.
inappropriate [ɪnə'prəuprɪət] *adj* (*unsuitable*)
nieodpowiedni; (*improper*) niewłaściwy,
niestosowny.
inapt [ɪn'æpt] *adj* niestosowny, niewłaściwy.
inarticulate [ɪnɑ:'tɪkjulət] *adj* (*person*) nie
potrafiący się wysłowić; (*speech*) niewyraźny,
nieartykułowany.
inasmuch as [ɪnəz'mʌtʃ-] *adv* (*in that*) przez
to, że; (*insofar as*) o tyle, o ile ..., w
(takim) stopniu, w jakim.
inattention [ɪnə'tɛnʃən] *n* (*lack of attention*)
nieuwaga *f*, (*neglect*) niedbałość *f*.
inattentive [ɪnə'tɛntɪv] *adj* nieuważny.
inaudible [ɪn'ɔ:dɪbl] *adj* niesłyszalny.
inaugural [ɪ'nɔ:gjurəl] *adj* inauguracyjny.
inaugurate [ɪ'nɔ:gjureɪt] *vt* (*official*)
wprowadzać (wprowadzić *perf*) na stanowisko
or urząd; (*system*) wprowadzać (wprowadzić
perf); (*festival*) inaugurować (zainaugurować
perf).
inauguration [ɪnɔ:gju'reɪʃən] *n* (uroczyste)
wprowadzenie *nt* na stanowisko *or* urząd.
inauspicious [ɪnɔ:s'pɪʃəs] *adj* nie wróżący
sukcesu.
in-between [ɪnbɪ'twi:n] *adj* przejściowy,
pośredni.
inborn [ɪn'bɔ:n] *adj* wrodzony.
inbred [ɪn'brɛd] *adj* (*quality*) wrodzony,
przyrodzony; (*family: of people*)
endogamiczny, wewnętrznie skoligacony; (: *of
animals*) wsobny.
inbreeding [ɪn'bri:dɪŋ] *n* (*of people*)

endogamia *f*, (*of animals*) rozmnażanie *nt*
wsobne.
inbuilt [ɪn'bɪlt] *adj* wrodzony, właściwy z
natury.
Inc. *abbr* = **incorporated**.
Inca ['ɪŋkə] *adj* (*also*: **Incan**) Inków *post*,
inkaski ♦ *n* Inka *m/f*, Inkas(ka) *m(f)*.
incalculable [ɪn'kælkjuləbl] *adj* nieobliczalny,
nieoszacowany.
incapable [ɪn'keɪpəbl] *adj* nieporadny; **to be
incapable of sth/doing sth** (*incompetent*) nie
potrafić czegoś/(z)robić czegoś; (*not bad
enough*) nie być zdolnym do czegoś/zrobienia
czegoś.
incapacitate [ɪnkə'pæsɪteɪt] *vt*: **to incapacitate
sb** czynić (uczynić *perf*) kogoś niesprawnym.
incapacitated [ɪnkə'pæsɪteɪtɪd] (*JUR*) *adj*
pozbawiony zdolności prawnej.
incapacity [ɪnkə'pæsɪtɪ] *n* (*weakness*)
niesprawność *f*, niemoc *f*, (*inability*)
nieumiejętność *f*.
incarcerate [ɪn'kɑ:səreɪt] *vt* więzić (uwięzić *perf*).
incarnate [ɪn'kɑ:nɪt] *adj* wcielony,
ucieleśniony; **evil incarnate** ucieleśnienie zła.
incarnation [ɪnkɑ:'neɪʃən] *n* (*of beauty, evil*)
ucieleśnienie *nt*; (*REL*) wcielenie *nt*.
incendiary [ɪn'sɛndɪərɪ] *adj* zapalający.
incense [*n* 'ɪnsɛns, *vb* ɪn'sɛns] *n* kadzidło *nt* ♦
vt rozwścieczać (rozwścieczyć *perf*).
incense burner *n* kadzielnica *f*.
incentive [ɪn'sɛntɪv] *n* bodziec *m*, zachęta *f* ♦
cpd (*COMM: bonus etc*) motywacyjny.
inception [ɪn'sɛpʃən] *n* (*of institution*)
powstanie *nt*; (*of activity*) rozpoczęcie *nt*.
incessant [ɪn'sɛsnt] *adj* ustawiczny, nieustający.
incessantly [ɪn'sɛsntlɪ] *adv* nieprzerwanie, bez
przerwy.
incest ['ɪnsɛst] *n* kazirodztwo *nt*.
inch [ɪntʃ] *n* cal *m*; **he didn't give an inch**
(*fig*) nie ustąpił ani trochę.
▶**inch forward** *vi* posuwać się powoli (do
przodu).
incidence ['ɪnsɪdns] *n* (*frequency*) częstość *f*
or częstotliwość *f* (występowania); (*extent*)
zasięg *m* (występowania).
incident ['ɪnsɪdnt] *n* wydarzenie *nt*; (*involving
violence etc*) incydent *m*, zajście *nt*.
incidental [ɪnsɪ'dɛntl] *adj* uboczny; **to be
incidental to** wiązać się z +*instr*; **incidental
expenses** wydatki uboczne.
incidentally [ɪnsɪ'dɛntəlɪ] *adv* nawiasem
mówiąc.
incidental music *n* podkład *m* muzyczny (*do
filmu itp*).
incinerate [ɪn'sɪnəreɪt] *vt* spalać (spalić *perf*).
incinerator [ɪn'sɪnəreɪtə*] *n* piec *m* do
spalania śmieci.
incipient [ɪn'sɪpɪənt] *adj* w stadium
początkowym *post*, rozpoczynający się.
incision [ɪn'sɪʒən] (*MED*) *n* cięcie *nt*, nacięcie *nt*.

incisive [ɪnˈsaɪsɪv] *adj* cięty, zjadliwy.

incisor [ɪnˈsaɪzə*] (*ANAT*) *n* siekacz *m*.

incite [ɪnˈsaɪt] *vt* (*rioters*) podburzać (podburzyć *perf*); (*hatred*) wzniecać (wzniecić *perf*).

incl. *abbr* = **including, inclusive (of)** wł.

inclement [ɪnˈklɛmənt] *adj*: **inclement weather** niepogoda *f*.

inclination [ɪnklɪˈneɪʃən] *n* (*tendency*) skłonność *f*; (*disposition*) upodobanie *nt*, inklinacja *f*.

incline [*n* ˈɪnklaɪn, *vb* ɪnˈklaɪn] *n* (*of terrain*) pochyłość *f*, spadek *m*; (*of mountain*) zbocze *nt* ♦ *vt* pochylać (pochylić *perf*) ♦ *vi* być nachylonym; **to be inclined to do sth** mieć skłonność *or* skłonności do robienia czegoś; **to be well inclined towards sb** być przyjaźnie nastawionym do kogoś.

include [ɪnˈkluːd] *vt* zawierać (zawrzeć *perf*), obejmować (objąć *perf*); **the crew included two Britons** w skład załogi wchodziło dwóch Brytyjczyków; **the tip is not included in the price** napiwek nie jest wliczony w cenę.

including [ɪnˈkluːdɪŋ] *prep* w tym +*acc*, wliczając (w to) +*acc*; **including service charge** łącznie z opłatą za obsługę.

inclusion [ɪnˈkluːʒən] *n* włączenie *nt*.

inclusive [ɪnˈkluːsɪv] *adj* globalny, łączny; **inclusive of** z wliczeniem *or* włączeniem +*gen*; **Monday to Friday inclusive** od poniedziałku do piątku włącznie.

incognito [ɪnkɔgˈniːtəu] *adv* incognito.

incoherent [ɪnkəuˈhɪərənt] *adj* (*argument*) niespójny; (*speech*) nieskładny, nie trzymający się kupy (*inf*); (*person*): **he was incoherent** mówił bez ładu i składu (*inf*).

income [ˈɪnkʌm] *n* (*earned*) dochód *m*; (*from property, investment, pension*) dochody *pl*; **gross/net income** dochód brutto/netto; **income and expenditure account** rachunek przychodów i rozchodów; **income bracket** grupa dochodu.

income tax *n* podatek *m* dochodowy ♦ *cpd* (*COMM*: *inspector, return*) podatkowy.

incoming [ˈɪnkʌmɪŋ] *adj* (*passengers*) przybywający; (: *by air*) przylatujący; (*call*) z zewnątrz *post*; (*mail*) przychodzący, napływający; (*official*) obejmujący urząd; (*government*) nowy; (*wave*) nadciągający, nadchodzący; **incoming flights** przyloty; **incoming tide** przypływ.

incommunicado [ˈɪnkəmjunɪˈkɑːdəu] *adj*: **to hold sb incommunicado** izolować kogoś.

incomparable [ɪnˈkɔmpərəbl] *adj* niezrównany.

incompatible [ɪnkəmˈpætɪbl] *adj* (*aims*) nie do pogodzenia (ze sobą) *post*; (*COMPUT*) niekompatybilny.

incompetence [ɪnˈkɔmpɪtns] *n* brak *m* kompetencji, nieudolność *f*.

incompetent [ɪnˈkɔmpɪtnt] *adj* nieudolny.

incomplete [ɪnkəmˈpliːt] *adj* (*unfinished*) niedokończony, nie skończony; (*partial*) niepełny, niekompletny.

incomprehensible [ɪnkɔmprɪˈhɛnsɪbl] *adj* niezrozumiały.

inconceivable [ɪnkənˈsiːvəbl] *adj* niepojęty, nie do pomyślenia *post*; **it is inconceivable that ...** jest nie do pomyślenia, żeby ... .

inconclusive [ɪnkənˈkluːsɪv] *adj* (*experiment*) nie dowodzący niczego; (*evidence*) nieprzekonujący; (*discussion*) nie prowadzący do niczego, nie przynoszący rozstrzygnięcia.

incongruous [ɪnˈkɔŋgruəs] *adj* (*situation, figure*) osobliwy, absurdalny; (*remark, act*) niestosowny, nie na miejscu *post*.

inconsequential [ɪnkɔnsɪˈkwɛnʃl] *adj* mało ważny, błahy.

inconsiderable [ɪnkənˈsɪdərəbl] *adj*: **not inconsiderable** niemały, pokaźny.

inconsiderate [ɪnkənˈsɪdərət] *adj* nie liczący się z innymi.

inconsistency [ɪnkənˈsɪstənsɪ] *n* brak *m* konsekwencji, niekonsekwencja *f*.

inconsistent [ɪnkənˈsɪstnt] *adj* (*behaviour, person*) niekonsekwentny; (*work*) nierówny; (*statement*) wewnętrznie sprzeczny; **inconsistent with** niezgodny z +*instr*.

inconsolable [ɪnkənˈsəuləbl] *adj* niepocieszony.

inconspicuous [ɪnkənˈspɪkjuəs] *adj* niepozorny, nie rzucający się w oczy; **to make o.s. inconspicuous** starać się (postarać się *perf*) nie zwracać na siebie uwagi.

incontinence [ɪnˈkɔntɪnəns] *n* nietrzymanie *nt* moczu/stolca.

incontinent [ɪnˈkɔntɪnənt] *adj* nie trzymający moczu/stolca.

inconvenience [ɪnkənˈviːnjəns] *n* (*problem*) niedogodność *f*; (*trouble*) kłopot *m* ♦ *vt* przysparzać (przysporzyć *perf*) kłopotu +*dat*; **don't inconvenience yourself** nie rób sobie kłopotu.

inconvenient [ɪnkənˈviːnjənt] *adj* (*time, place*) niedogodny; (*visitor*) uciążliwy, kłopotliwy; **that time is very inconvenient for me** to bardzo niedogodna dla mnie pora.

incorporate [ɪnˈkɔːpəreɪt] *vt* (*include*) włączać (włączyć *perf*); (*contain*) zawierać (w sobie); **safety features have been incorporated in the design** w projekcie uwzględniono wymogi bezpieczeństwa.

incorporated company [ɪnˈkɔːpəreɪtɪd-] (*US*) *n* spółka *f* posiadająca osobowość prawną.

incorrect [ɪnkəˈrɛkt] *adj* (*information, predictions*) błędny; (*answer*) nieprawidłowy, błędny; (*behaviour*) niestosowny; (*attitude*) niewłaściwy.

incorrigible [ɪnˈkɔrɪdʒɪbl] *adj* niepoprawny.

incorruptible [ɪnkəˈrʌptɪbl] *adj* nieprzekupny.

increase [*n* ˈɪnkriːs, *vb* ɪnˈkriːs] *n*: **increase (in/of)** wzrost *m* (+*gen*) ♦ *vi* wzrastać (wzrosnąć *perf*), zwiększać się (zwiększyć

perf) ♦ *vt* (*number, size*) zwiększać
(zwiększyć *perf*); (*prices, wages*) podwyższać
(podwyższyć *perf*); **an increase of 5%** wzrost
o 5%; **to be on the increase** wzrastać.

ıcreasing [ɪn'kriːsɪŋ] *adj* rosnący.

ıcreasingly [ɪn'kriːsɪŋlɪ] *adv* (*more and
more*): **increasingly strong/difficult** coraz
mocniejszy/trudniejszy; (*more often*) coraz
częściej.

ıcredible [ɪn'krɛdɪbl] *adj* niewiarygodny.

ıcredulity [ɪnkrɪ'djuːlɪtɪ] *n* niedowierzanie *nt*.

ıcredulous [ɪn'krɛdjuləs] *adj* (*person*) nie
dowierzający; (*tone, expression*) pełen
niedowierzania *post*.

ıcrement ['ɪnkrɪmənt] *n* przyrost *m*.

ıcriminate [ɪn'krɪmɪneɪt] *vt* (*JUR*) obciążać
(obciążyć *perf*).

ıcriminating [ɪn'krɪmɪneɪtɪŋ] (*JUR*) *adj*
obciążający.

ıcrust [ɪn'krʌst] *vt* = **encrust**.

ıcubate ['ɪnkjubeɪt] *vt* wysiadywać ♦ *vi*
(*eggs*) dojrzewać (dojrzeć *perf*) (*do momentu
wylęgu*); (*disease*) rozwijać się (rozwinąć się
perf).

ıcubation [ɪnkju'beɪʃən] *n* wyleganie *nt*,
inkubacja *f*.

ıcubation period *n* okres *m* wylęgania *or*
inkubacyjny.

ıcubator ['ɪnkjubeɪtə*] *n* inkubator *m*.

ıculcate ['ɪnkʌlkeɪt] (*fml*) *vt*: **to inculcate sth
in sb** wpajać (wpoić *perf*) coś komuś.

ıcumbent [ɪn'kʌmbənt] *n* osoba *f* sprawująca
urząd ♦ *adj*: **it is incumbent on him to ...**
jest zobowiązany +*infin*.

ıcur [ɪn'kəː*] *vt* (*expenses, loss*) ponosić
(ponieść *perf*); (*debt*) zaciągać (zaciągnąć
perf); (*disapproval, anger*) wywoływać
(wywołać *perf*).

ıcurable [ɪn'kjuərəbl] *adj* nieuleczalny.

ıcursion [ɪn'kəːʃən] (*MIL*) *n* wtargnięcie *nt*.

ıdebted [ɪn'dɛtɪd] *adj*: **to be indebted to sb**
być komuś wdzięcznym *or* zobowiązanym.

ıdecency [ɪn'diːsnsɪ] *n* nieprzyzwoitość *f*.

ıdecent [ɪn'diːsnt] *adj* nieprzyzwoity, gorszący.

ıdecent assault (*BRIT*) *n* czyn *m* lubieżny.

ıdecent exposure *n* obnażenie się *nt* w
miejscu publicznym.

ıdecipherable [ɪndɪ'saɪfərəbl] *adj* (*writing*) nie
do odcyfrowania *post*; (*expression, glance*)
nieodgadniony.

ıdecision [ɪndɪ'sɪʒən] *n* niezdecydowanie *nt*.

ıdecisive [ɪndɪ'saɪsɪv] *adj* niezdecydowany.

ıdeed [ɪn'diːd] *adv* (*certainly, in fact*) istotnie;
(*furthermore*) wręcz, (a) nawet; **yes indeed!**
ależ oczywiście!; **thank you very much
indeed** dziękuję bardzo; **we have very little
information indeed** mamy naprawdę bardzo
mało informacji.

ıdefatigable [ɪndɪ'fætɪgəbl] *adj* (*person*)

niestrudzony, niezmordowany; (*rhythm, pulse*)
nie słabnący.

indefensible [ɪndɪ'fɛnsɪbl] *adj* niewybaczalny.

indefinable [ɪndɪ'faɪnəbl] *adj* nieuchwytny,
nieokreślony.

indefinite [ɪn'dɛfɪnɪt] *adj* (*answer, view*)
niejasny; (*period, number*) nieokreślony.

indefinite article (*LING*) *n* przedimek *m or*
rodzajnik *m* nieokreślony.

indefinitely [ɪn'dɛfɪnɪtlɪ] *adv* (*continue, wait*)
bez końca; (*closed, postponed*) na czas
nieokreślony.

indelible [ɪn'dɛlɪbl] *adj* (*mark, stain*)
nieusuwalny, nie dający się usunąć; (*pen*)
kopiowy, chemiczny.

indelicate [ɪn'dɛlɪkɪt] *adj* nietaktowny.

indemnify [ɪn'dɛmnɪfaɪ] (*COMM*) *vt*
gwarantować (zagwarantować *perf*)
rekompensatę +*dat*.

indemnity [ɪn'dɛmnɪtɪ] *n* (*insurance*) gwarancja
f rekompensaty; (*compensation*)
odszkodowanie *nt*, (re)kompensata *f*;
indemnity fund fundusz kompensacyjny.

indent [ɪn'dɛnt] *vt* (*text*) zaczynać (zacząć *perf*)
akapitem *or* od akapitu.

indentation [ɪndɛn'teɪʃən] *n* (*TYP*) akapit *m*;
(*in surface*) wgłębienie *nt*.

indenture [ɪn'dɛntʃə*] *n* umowa *f* terminatorska.

independence [ɪndɪ'pɛndns] *n* (*of country*)
niepodległość *f*, (*of person, thinking*)
niezależność *f*, samodzielność *f*.

independent [ɪndɪ'pɛndnt] *adj* (*country*)
niepodległy; (*person, thought*) niezależny,
samodzielny; (*business, inquiry*) niezależny;
(*school, broadcasting company*) ≈ prywatny.

independently [ɪndɪ'pɛndntlɪ] *adv*:
independently (of) niezależnie (od +*gen*).

indescribable [ɪndɪs'kraɪbəbl] *adj* nieopisany.

indestructible [ɪndɪs'trʌktəbl] *adj*
niezniszczalny.

indeterminate [ɪndɪ'təːmɪnɪt] *adj* nieokreślony.

index ['ɪndɛks] (*pl* **indexes**) *n* (*in book*)
indeks *m*, skorowidz *m*; (*in library*) katalog *m*
(alfabetyczny); (*pl* **indices**: *ratio, sign*)
wskaźnik *m*.

index card *n* karta *f* katalogowa, fiszka *f*.

indexed ['ɪndɛkst] (*US*) *adj* = **index-linked**.

index finger *n* palec *m* wskazujący.

index-linked ['ɪndɛks'lɪŋkt] *adj* objęty
indeksacją.

India ['ɪndɪə] *n* Indie *pl*.

Indian ['ɪndɪən] *adj* (*of India*) indyjski;
(*American Indian*) indiański ♦ *n* (*from India*)
Hindus(ka) *m(f)*; (*American Indian*)
Indianin(anka) *m(f)*; **Red Indian** czerwonoskóry.

Indian Ocean *n*: **the Indian Ocean** Ocean *m*
Indyjski.

Indian Summer *n* (*fig*) babie lato *nt*.

India paper *n* papier *m* biblijny.

India rubber *n* kauczuk *m*.

indicate ['ɪndɪkeɪt] vt (show, point to) wskazywać (wskazać perf); (mention) sygnalizować (zasygnalizować perf) ♦ vi (BRIT: AUT): **to indicate left/right** sygnalizować (zasygnalizować perf) skręt w lewo/prawo.

indication [ɪndɪ'keɪʃən] n znak m.

indicative [ɪn'dɪkətɪv] adj: **to be indicative of** być przejawem +gen ♦ n (LING) tryb m oznajmujący.

indicator ['ɪndɪkeɪtə*] n (marker, signal) oznaka f; (AUT) kierunkowskaz m; (device, gauge) wskaźnik m.

indices ['ɪndɪsi:z] npl of **index**.

indict [ɪn'daɪt]: **to indict sb (for)** vt stawiać (postawić perf) kogoś w stan oskarżenia (pod zarzutem +gen).

indictable [ɪn'daɪtəbl] adj (offence) podlegający formalnemu oskarżeniu.

indictment [ɪn'daɪtmənt] n (JUR) akt m oskarżenia; **to be an indictment of** wystawiać złe świadectwo +dat.

indifference [ɪn'dɪfrəns] n obojętność f.

indifferent [ɪn'dɪfrənt] adj (uninterested) obojętny; (mediocre) mierny.

indigenous [ɪn'dɪdʒɪnəs] adj (population) rdzenny; **animals indigenous to Africa** zwierzęta zamieszkujące Afrykę.

indigestible [ɪndɪ'dʒestɪbl] adj niestrawny.

indigestion [ɪndɪ'dʒestʃən] n niestrawność f.

indignant [ɪn'dɪgnənt] adj: **to be indignant at sth/with sb** być oburzonym na coś/na kogoś.

indignation [ɪndɪg'neɪʃən] n oburzenie nt.

indignity [ɪn'dɪgnɪtɪ] n upokorzenie nt.

indigo ['ɪndɪgəu] n kolor m indygo.

indirect [ɪndɪ'rɛkt] adj (way, effect) pośredni; (answer) wymijający; (flight) z przesiadką post.

indirectly [ɪndɪ'rɛktlɪ] adv pośrednio.

indiscreet [ɪndɪs'kri:t] adj niedyskretny.

indiscretion [ɪndɪs'krɛʃən] n niedyskrecja f.

indiscriminate [ɪndɪs'krɪmɪnət] adj (bombing) masowy; (taste, person) niewybredny.

indispensable [ɪndɪs'pɛnsəbl] adj (tool) nieodzowny, niezbędny; (worker) niezastąpiony.

indisposed [ɪndɪs'pəuzd] adj niedysponowany.

indisputable [ɪndɪs'pju:təbl] adj niezaprzeczalny, bezsprzeczny.

indistinct [ɪndɪs'tɪŋkt] adj niewyraźny.

indistinguishable [ɪndɪs'tɪŋgwɪʃəbl] adj: **indistinguishable from** nie dający się odróżnić od +gen.

individual [ɪndɪ'vɪdjuəl] n osoba f; (as opposed to group, society) jednostka f ♦ adj (personal) osobisty; (single) pojedynczy; (unique) indywidualny.

individualist [ɪndɪ'vɪdjuəlɪst] n indywidualista (-tka) m(f).

individuality [ɪndɪvɪdju'ælɪtɪ] n indywidualność f.

individually [ɪndɪ'vɪdjuəlɪ] adv (work) indywidualnie; (packed, wrapped) osobno.

indivisible [ɪndɪ'vɪzɪbl] adj niepodzielny.

Indo-China ['ɪndəu'tʃaɪnə] n Indochiny pl.

indoctrinate [ɪn'dɔktrɪneɪt] vt indoktrynować.

indoctrination [ɪndɔktrɪ'neɪʃən] n indoktrynacja.

indolence ['ɪndələns] n lenistwo nt.

indolent ['ɪndələnt] adj leniwy.

Indonesia [ɪndə'ni:zɪə] n Indonezja f.

Indonesian [ɪndə'ni:zɪən] adj indonezyjski ♦ n (person) Indonezyjczyk (-jka) m(f); (LING) (język m) indonezyjski.

indoor ['ɪndɔ:*] adj (plant) pokojowy; (swimming pool) kryty; (games, sport) halowy

indoors [ɪn'dɔ:z] adv (be) wewnątrz; (go) do środka; **she stayed indoors all day** przez cały dzień nie wychodziła z domu.

indubitable [ɪn'dju:bɪtəbl] adj niewątpliwy.

indubitably [ɪn'dju:bɪtəblɪ] adv niewątpliwie.

induce [ɪn'dju:s] vt (feeling, birth) wywoływać (wywołać perf); **to induce sb to do sth** nakłaniać (nakłonić perf) kogoś do zrobienia czegoś.

inducement [ɪn'dju:smənt] n (incentive) bodziec m; (pej: bribe) łapówka f.

induct [ɪn'dʌkt] vt powierzać (powierzyć perf) stanowisko +dat; (US: MIL) powoływać (powołać perf) (do wojska).

induction [ɪn'dʌkʃən] n (of birth) wywołanie n

induction course (BRIT) n kurs m wprowadzający (dla nowo przyjętych studentów itp

indulge [ɪn'dʌldʒ] vt (desire, whim) zaspokajać (zaspokoić perf); (person, child) spełniać zachcianki (spełnić zachciankę perf) +gen; (also: **indulge in**: vice, hobby) oddawać się +dat.

indulgence [ɪn'dʌldʒəns] n (pleasure) słabostka f; (leniency) pobłażliwość f.

indulgent [ɪn'dʌldʒənt] adj pobłażliwy.

industrial [ɪn'dʌstrɪəl] adj przemysłowy; **industrial accident** wypadek w miejscu pracy.

industrial action n akcja f protestacyjna or strajkowa.

industrial design n wzór m przemysłowy.

industrial estate (BRIT) n teren m fabryczny or przemysłowy.

industrialist [ɪn'dʌstrɪəlɪst] n przemysłowiec m

industrialize [ɪn'dʌstrɪəlaɪz] vt uprzemysławiać (uprzemysłowić perf), industrializować (zindustrializować perf).

industrial park (US) n = **industrial estate**.

industrial relations npl stosunki pl między pracownikami a pracodawcą.

industrial tribunal (BRIT) n ≈ sąd m pracy.

industrial unrest (BRIT) n zagrożenie nt akcją strajkową.

industrious [ɪn'dʌstrɪəs] adj pracowity.

industry ['ɪndəstrɪ] n (COMM) przemysł m; (diligence) pracowitość f.

inebriated [ɪ'ni:brɪeɪtɪd] (fml) adj nietrzeźwy.

inedible [ɪn'ɛdɪbl] adj niejadalny.

ineffective [ɪnɪ'fɛktɪv] adj nieskuteczny.

effectual [ɪnɪ'fɛktʃuəl] *adj* = **ineffective**.
efficiency [ɪnɪ'fɪʃənsɪ] *n* (*of person*) nieudolność *f*; (*of machine, system*) niewydolność *f*.
efficient [ɪnɪ'fɪʃənt] *adj* (*person*) nieudolny; (*machine, system*) niewydolny.
elegant [ɪn'ɛlɪgənt] *adj* mało elegancki.
eligible [ɪn'ɛlɪdʒɪbl] *adj* (*candidate*) nie spełniający wymogów *or* warunków; **he's ineligible for** ... nie przysługuje mu prawo do +*gen*.
ept [ɪ'nɛpt] *adj* niekompetentny.
eptitude [ɪ'nɛptɪtjuːd] *n* niekompetencja *f*.
equality [ɪnɪ'kwɔlɪtɪ] *n* nierówność *f*.
equitable [ɪn'ɛkwɪtəbl] *adj* niesprawiedliwy.
ert [ɪ'nəːt] *adj* bezwładny; (*gas*) obojętny.
ertia [ɪ'nəːʃə] *n* bezwład *m*, inercja *f*.
ertia-reel seat belt [ɪ'nəːʃə'riːl-] *n* pas *m* bezwładnościowy.
escapable [ɪnɪ'skeɪpəbl] *adj* nieunikniony.
essential [ɪnɪ'sɛnʃl] *adj* niepotrzebny.
essentials [ɪnɪ'sɛnʃlz] *npl* rzeczy *pl* nieważne.
estimable [ɪn'ɛstɪməbl] *adj* nieoceniony.
evitability [ɪnevɪtə'bɪlɪtɪ] *n* nieuchronność *f*; **it is an inevitability** jest to nieuchronne.
evitable [ɪn'evɪtəbl] *adj* nieuchronny, nieunikniony.
evitably [ɪn'evɪtəblɪ] *adv* nieuchronnie; **as inevitably happens** ... jak to zwykle (w takich wypadkach) bywa, ...
exact [ɪnɪg'zækt] *adj* niedokładny.
excusable [ɪnɪks'kjuːzəbl] *adj* niewybaczalny.
exhaustible [ɪnɪg'zɔːstɪbl] *adj* niewyczerpany.
exorable [ɪn'ɛksərəbl] *adj* nieuchronny.
expensive [ɪnɪk'spɛnsɪv] *adj* niedrogi.
experience [ɪnɪk'spɪərɪəns] *n* brak *m* doświadczenia.
experienced [ɪnɪk'spɪərɪənst] *adj* niedoświadczony; **to be inexperienced in** nie mieć doświadczenia w +*loc*.
explicable [ɪnɪk'splɪkəbl] *adj* niewytłumaczalny.
expressible [ɪnɪk'sprɛsɪbl] *adj* niewysłowiony.
extricable [ɪnɪk'strɪkəbl] *adj* (*union*) nierozerwalny; (*knot*) nie do rozwiązania *post*.
extricably [ɪnɪk'strɪkəblɪ] *adv* nierozerwalnie.
fallibility [ɪnfælə'bɪlɪtɪ] *n* nieomylność *f*.
fallible [ɪn'fælɪbl] *adj* nieomylny.
famous ['ɪnfəməs] *adj* niesławny.
famy ['ɪnfəmɪ] *n* niesława *f*.
fancy ['ɪnfənsɪ] *n* (*of person*) wczesne dzieciństwo *nt*; (*of movement, firm*) stadium *m* początkowe.
fant ['ɪnfənt] *n* (*baby*) niemowlę *nt*; (*young child*) małe dziecko *nt* ♦ *cpd*: **infant mortality** śmiertelność *m* noworodków; **infant foods** odżywki dla niemowląt.
fantile ['ɪnfəntaɪl] *adj* (*disease etc*) dziecięcy; (*childish*) dziecinny, infantylny.
fantry ['ɪnfəntrɪ] *n* piechota *f*.

infantryman ['ɪnfəntrɪmən] (*irreg like* **wife**) *n* żołnierz *m* piechoty.
infant school (*BRIT*) *n* szkoła dla dzieci w wieku 5-7 lat.
infatuated [ɪn'fætjueɪtɪd] *adj*: **infatuated with** zadurzony w +*loc*; **to become infatuated with** zadurzyć się (*perf*) w +*loc*.
infatuation [ɪnfætjuˈeɪʃən] *n* zadurzenie *nt*.
infect [ɪn'fɛkt] *vt* (*lit, fig*) zarażać (zarazić *perf*); (*food*) zakażać (zakazić *perf*); **to become infected** (*wound*) ulegać (ulec *perf*) zakażeniu; **her pessimism infected everyone** jej pesymizm udzielił się wszystkim.
infection [ɪn'fɛkʃən] (*MED*) *n* (*disease*) infekcja *f*; (*contagion*) zakażenie *nt*.
infectious [ɪn'fɛkʃəs] *adj* (*disease*) zaraźliwy, zakaźny; (*fig*) zaraźliwy; **to be infectious** (*person, animal*) roznosić zarazki.
infer [ɪn'fəː*] *vt* (*deduce*) wnioskować (wywnioskować *perf*); (*imply*) dawać (dać *perf*) do zrozumienia.
inference ['ɪnfərəns] *n* (*result*) wniosek *m*; (*process*) wnioskowanie *nt*.
inferior [ɪn'fɪərɪə*] *adj* (*in rank*) niższy; (*in quality*) gorszy, pośledniejszy ♦ *n* (*subordinate*) podwładny (-na) *m(f)*; (*junior*) młodszy (-sza) *m(f)* rangą; **to feel inferior (to)** czuć się gorszym (od +*gen*).
inferiority [ɪnfɪərɪ'ɔrətɪ] *n* (*in rank*) niższość *f*; (*in quality*) pośledniość *f*.
inferiority complex *n* kompleks *m* niższości.
infernal [ɪn'fəːnl] *adj* piekielny.
inferno [ɪn'fəːnəu] *n* piekło *nt*.
infertile [ɪn'fəːtaɪl] *adj* (*soil*) nieurodzajny; (*person, animal*) niepłodny, bezpłodny.
infertility [ɪnfəː'tɪlɪtɪ] *n* (*of soil*) nieurodzajność *f*; (*of person, animal*) niepłodność *f*, bezpłodność *f*.
infested [ɪn'fɛstɪd] *adj*: **infested (with vermin)** zaatakowany (przez szkodniki).
infidelity [ɪnfɪ'dɛlɪtɪ] *n* niewierność *f*.
in-fighting ['ɪnfaɪtɪŋ] *n* walki *pl or* konflikty *pl* wewnętrzne (*w ramach partii politycznej itp*).
infiltrate ['ɪnfɪltreɪt] *vt* infiltrować.
infinite ['ɪnfɪnɪt] *adj* (*without limits*) nieskończony; (*very great*) ogromny.
infinitely ['ɪnfɪnɪtlɪ] *adv* nieskończenie.
infinitesimal [ɪnfɪnɪ'tɛsɪməl] *adj* znikomy.
infinitive [ɪn'fɪnɪtɪv] *n* (*LING*) bezokolicznik *m*.
infinity [ɪn'fɪnɪtɪ] *n* nieskończoność *f*; (*infinite number*) nieskończona liczba *f*.
infirm [ɪn'fəːm] *adj* (*weak*) niedołężny; (: *from old age*) zniedołężniały; (*ill*) chory.
infirmary [ɪn'fəːmərɪ] *n* szpital *m*.
infirmity [ɪn'fəːmɪtɪ] *n* (*weakness*) niedołęstwo *nt*; (: *from old age*) zniedołężnienie *nt*; (*illness*) choroba *f*.
inflame [ɪn'fleɪm] *vt* (*person*) wzburzać (wzburzyć *perf*); (*emotions*) rozpalać (rozpalić *perf*).

inflamed [ɪnˈfleɪmd] *adj* (*throat, appendix*) w stanie zapalnym *post*.

inflammable [ɪnˈflæməbl] *adj* łatwopalny.

inflammation [ɪnfləˈmeɪʃən] *n* zapalenie *nt*.

inflammatory [ɪnˈflæmətərɪ] *adj* (*speech*) podburzający.

inflatable [ɪnˈfleɪtəbl] *adj* nadmuchiwany.

inflate [ɪnˈfleɪt] *vt* (*tyre*) pompować (napompować *perf*); (*balloon*) nadmuchiwać (nadmuchać *perf*); (*price*) (sztucznie) zawyżać (zawyżyć *perf*); (*expectations*) rozdmuchiwać (rozdmuchać *perf*).

inflated [ɪnˈfleɪtɪd] *adj* (*price, statistics*) (sztucznie) zawyżony; (*expectations, opinion of o.s.*) wygórowany; (*style, language*) nadęty, napuszony.

inflation [ɪnˈfleɪʃən] *n* inflacja *f*.

inflationary [ɪnˈfleɪʃənərɪ] *adj* inflacyjny.

inflexible [ɪnˈflɛksɪbl] *adj* (*rules, hours*) sztywny; (*person*) mało elastyczny; (*: in particular matter*) nieugięty.

inflict [ɪnˈflɪkt] *vt*: **to inflict on sb** (*damage*) wyrządzać (wyrządzić *perf*) komuś; (*pain*) zadawać (zadać *perf*) komuś; (*punishment*) wymierzać (wymierzyć *perf*) komuś.

infliction [ɪnˈflɪkʃən] *n* (*of damage*) wyrządzanie *nt*; (*of pain*) zadawanie *nt*.

in-flight [ˈɪnflaɪt] *adj* (*refuelling*) w powietrzu *post*; (*entertainment*) podczas lotu *post*.

inflow [ˈɪnfləu] *n* napływ *m*.

influence [ˈɪnfluəns] *n* wpływ *m* ♦ *vt* wpływać (wpłynąć *perf*) na +*acc*; **under the influence of alcohol** pod wpływem alkoholu.

influential [ɪnfluˈɛnʃl] *adj* wpływowy.

influenza [ɪnfluˈɛnzə] *n* grypa *f*.

influx [ˈɪnflʌks] *n* (*of refugees*) napływ *m*; (*of funds*) dopływ *m*.

inform [ɪnˈfɔːm] *vt*: **to inform sb of sth** powiadamiać (powiadomić *perf*) *or* informować (poinformować *perf*) kogoś o czymś ♦ *vi*: **to inform on sb** donosić (donieść *perf*) na kogoś.

informal [ɪnˈfɔːml] *adj* (*manner*) bezpośredni; (*language*) potoczny; (*discussion, clothes*) swobodny; (*visit, invitation, announcement*) nieoficjalny.

informality [ɪnfɔːˈmælɪtɪ] *n* (*of manner*) bezpośredniość *f*; (*of language*) potoczność *f*; (*of discussion*) swoboda *f*; (*of clothes*) swobodny styl *m*; (*of visit, gathering*) nieoficjalny charakter *m*.

informally [ɪnˈfɔːməlɪ] *adv* (*talk, dress*) swobodnie; (*invite, agree*) nieoficjalnie.

informant [ɪnˈfɔːmənt] *n* informator(ka) *m(f)*.

information [ɪnfəˈmeɪʃən] *n* informacja *f*; **to get information on** otrzymywać (otrzymać *perf*) informacje o +*loc*; **a piece of information** informacja; **for your information,** ... jeśli chcesz wiedzieć, ...; **for your**

information only wyłącznie do twojej wiadomości.

information bureau *n* = **information office**.

information office *n* biuro *nt* informacji.

information processing *n* przetwarzanie *nt* informacji.

information retrieval *n* wyszukiwanie *nt* informacji.

information science *n* informatyka *f*.

information technology *n* technika *f* informacyjna.

informative [ɪnˈfɔːmətɪv] *adj* (*providing useful facts*) zawierający dużo informacji; (*providing useful ideas*) pouczający.

informed [ɪnˈfɔːmd] *adj* (*guess, opinion*) uzasadniony; (*person*): **to be well informed** być dobrze zorientowanym.

informer [ɪnˈfɔːmə*] *n* (*also*: **police informer**) informator(ka) *m(f)*.

infra dig [ˈɪnfrəˈdɪg] (*inf*) *adj abbr* (= *infra dignitatem*) poniżej mojej/twojej *etc.* godności.

infra-red [ɪnfrəˈrɛd] *adj* podczerwony.

infrastructure [ˈɪnfrəstrʌktʃə*] *n* infrastruktura *f*.

infrequent [ɪnˈfriːkwənt] *adj* rzadki.

infringe [ɪnˈfrɪndʒ] *vt* naruszać (naruszyć *perf*) ♦ *vi*: **to infringe on** naruszać (naruszyć *perf*) +*acc*.

infringement [ɪnˈfrɪndʒmənt] *n* naruszenie *nt*.

infuriate [ɪnˈfjuərɪeɪt] *vt* rozwścieczać (rozwścieczyć *perf*).

infuriating [ɪnˈfjuərɪeɪtɪŋ] *adj* (*habit, noise*) denerwujący.

infuse [ɪnˈfjuːz] *vt* zaparzać (zaparzyć *perf*); **to infuse sb with sth** (*fig*) natchnąć (*perf*) kogoś czymś.

infusion [ɪnˈfjuːʒən] *n* napar *m*.

ingenious [ɪnˈdʒiːnjəs] *adj* pomysłowy.

ingenuity [ɪndʒɪˈnjuːɪtɪ] *n* pomysłowość *f*.

ingenuous [ɪnˈdʒɛnjuəs] *adj* prostoduszny.

ingot [ˈɪŋgət] *n* sztaba *f*.

ingrained [ɪnˈgreɪnd] *adj* zakorzeniony.

ingratiate [ɪnˈgreɪʃɪeɪt] *vt*: **to ingratiate o.s. with** przypochlebiać się *or* przymilać się +*dat*.

ingratiating [ɪnˈgreɪʃɪeɪtɪŋ] *adj* przypochlebny, przymilny.

ingratitude [ɪnˈgrætɪtjuːd] *n* niewdzięczność *f*.

ingredient [ɪnˈgriːdɪənt] *n* (*of cake*) składnik *m*; (*of situation*) element *m*.

ingrowing [ˈɪngrəuɪŋ] *adj*: **ingrowing toenail** wrastający paznokieć *m* (u nogi).

inhabit [ɪnˈhæbɪt] *vt* zamieszkiwać.

inhabitant [ɪnˈhæbɪtnt] *n* mieszkaniec (-nka) *m(f)*.

inhale [ɪnˈheɪl] *vt* wdychać ♦ *vi* (*breathe in*) robić (zrobić *perf*) wdech; (*when smoking*) zaciągać się (zaciągnąć się *perf*).

inherent [ɪnˈhɪərənt] *adj* (*innate*) wrodzony; **inherent in** *or* **to** właściwy dla +*gen*, nierozłącznie związany z +*instr*.

inherently [ɪnˈhɪərəntlɪ] *adv* z natury.

herit [ɪn'hɛrɪt] vt dziedziczyć (odziedziczyć perf).

heritance [ɪn'hɛrɪtəns] n spadek m; (cultural, political) dziedzictwo nt, spuścizna f; (genetic) dziedziczenie nt.

hibit [ɪn'hɪbɪt] vt (growth) hamować (zahamować perf); (person): **to inhibit sb from** powstrzymywać (powstrzymać perf) kogoś przed +instr.

hibited [ɪn'hɪbɪtɪd] (PSYCH) adj cierpiący na zahamowania.

hibiting [ɪn'hɪbɪtɪŋ] adj (factor) hamujący; (situation) powodujący zahamowania.

hibition [ɪnhɪ'bɪʃən] n zahamowanie nt.

hospitable [ɪnhɔs'pɪtəbl] adj (person) niegościnny; (place, climate) nieprzyjazny; (weather) niesprzyjający.

human [ɪn'hju:mən] adj nieludzki.

humane [ɪnhju:'meɪn] adj niehumanitarny.

imitable [ɪ'nɪmɪtəbl] adj niepowtarzalny, nie do podrobienia post (inf).

iquitous [ɪ'nɪkwɪtəs] (fml) adj niesprawiedliwy.

iquity [ɪ'nɪkwɪtɪ] (fml) n (wickedness) niegodziwość f; (injustice) niesprawiedliwość f.

itial [ɪ'nɪʃl] adj początkowy ♦ n pierwsza litera f ♦ vt parafować (parafować perf); **initials** npl inicjały pl; **can I have your initial, Mrs Jones?** poproszę o pierwszą literę Pani imienia, Pani Jones.

itialize [ɪ'nɪʃəlaɪz] (COMPUT) vt inicjować.

itially [ɪ'nɪʃəlɪ] adv (at first) początkowo; (originally) pierwotnie.

itiate [ɪ'nɪʃɪeɪt] vt (talks, process) zapoczątkowywać (zapoczątkować perf), inicjować (zainicjować perf); **to initiate sb into** (club, society) wprowadzać (wprowadzić perf) kogoś do +gen; (new skill) zapoznawać (zapoznać perf) kogoś z +instr; **to initiate proceedings against sb** (JUR) wszczynać (wszcząć perf) przeciwko komuś postępowanie.

itiation [ɪnɪʃɪ'eɪʃən] n (beginning) zapoczątkowanie nt; (into secret) wtajemniczenie nt; (into adulthood) inicjacja f.

itiative [ɪ'nɪʃətɪv] n inicjatywa f; **to take the initiative** podejmować (podjąć perf) inicjatywę.

ject [ɪn'dʒɛkt] vt wstrzykiwać (wstrzyknąć perf); **to inject sb with sth** robić (zrobić perf) komuś zastrzyk z czegoś, wstrzykiwać (wstrzyknąć perf) komuś coś; **to inject money into** pompować pieniądze w +acc.

jection [ɪn'dʒɛkʃən] n (lit, fig) zastrzyk m; **to give/have an injection** robić (zrobić perf)/dostawać (dostać perf) zastrzyk.

judicious [ɪndʒu'dɪʃəs] adj nieroztropny.

junction [ɪn'dʒʌŋkʃən] (JUR) n nakaz m sądowy.

jure ['ɪndʒə*] vt (person, feelings) ranić (zranić perf); (reputation) szargać (zszargać perf); **to injure o.s.** zranić się (perf); **to injure one's arm** zranić się (perf) w ramię.

injured ['ɪndʒəd] adj (person) ranny; (arm, feelings) zraniony; (tone) urażony; **injured party** (JUR) strona poszkodowana.

injurious [ɪn'dʒuərɪəs] adj: **injurious to** szkodliwy dla +gen.

injury ['ɪndʒərɪ] n uraz m; (SPORT) kontuzja f; **severe injuries** ciężkie obrażenia; **to escape without injury** wychodzić (wyjść perf) bez szwanku.

injury time n dodatkowy czas gry dla wyrównania przerw spowodowanych kontuzjami zawodników.

injustice [ɪn'dʒʌstɪs] n niesprawiedliwość f; **you do me an injustice** jesteś wobec mnie niesprawiedliwy.

ink [ɪŋk] n atrament m.

ink-jet printer ['ɪŋkdʒɛt-] n drukarka f atramentowa.

inkling ['ɪŋklɪŋ] n: **to have an inkling of** mieć pojęcie o +loc.

ink-pad ['ɪŋkpæd] n poduszka f do pieczątek.

inky ['ɪŋkɪ] adj (blackness, sky) atramentowy; (object) poplamiony atramentem.

inlaid ['ɪnleɪd] adj: **inlaid (with)** inkrustowany (+instr).

inland [adj 'ɪnlənd, adv ɪn'lænd] adj śródlądowy ♦ adv w głąb lądu.

Inland Revenue (BRIT) n ≈ Urząd m Skarbowy.

in-laws ['ɪnlɔ:z] npl teściowie pl.

inlet ['ɪnlɛt] n (wąska) zatoczka f.

inlet pipe n rura f wlotowa.

inmate ['ɪnmeɪt] n (of prison) więzień/więźniarka m(f); (of asylum) pacjent(ka) m(f).

inmost ['ɪnməust] adj najskrytszy.

inn [ɪn] n gospoda f.

innards ['ɪnədz] (inf) npl wnętrzności pl.

innate [ɪ'neɪt] adj wrodzony.

inner ['ɪnə*] adj wewnętrzny.

inner city n zamieszkana przez ubogich część śródmieścia, borykająca się z problemami ekonomicznymi i społecznymi.

innermost ['ɪnəməust] adj = inmost.

inner tube n dętka f.

innings ['ɪnɪŋz] n runda meczu krykietowego, w której gracze jednej drużyny bronią po kolei swojej bramki; **he's had a good innings** (fig) dobrze przeżył życie.

innocence ['ɪnəsns] n niewinność f.

innocent ['ɪnəsnt] adj niewinny.

innocuous [ɪ'nɔkjuəs] adj nieszkodliwy.

innovation [ɪnəu'veɪʃən] n innowacja f.

innuendo [ɪnju'ɛndəu] (pl innuendoes) n insynuacja f.

innumerable [ɪ'nju:mrəbl] adj niezliczony.

inoculate [ɪ'nɔkjuleɪt] vt: **to inoculate sb against sth** szczepić (zaszczepić perf) kogoś przeciwko czemuś; **to inoculate sb with sth** zaszczepiać (zaszczepić perf) komuś coś.

inoculation [ɪnɔkju'leɪʃən] *n* szczepienie *nt*.
inoffensive [ɪnə'fɛnsɪv] *adj* nieszkodliwy.
inopportune [ɪn'ɔpətju:n] *adj* niefortunny.
inordinate [ɪ'nɔːdɪnət] *adj* (*pleasure*) niezwykły; (*amount*) nadmierny.
inordinately [ɪ'nɔːdɪnətlɪ] *adv* (*pleasant*) niezwykle; (*large*) nadmiernie.
inorganic [ɪnɔː'gænɪk] *adj* nieorganiczny.
in-patient ['ɪnpeɪʃənt] *n* chory(ra) *m(f)* hospitalizowany (-na) *m(f)*.
input ['ɪnput] *n* (*of resources*) wkład *m*; (*COMPUT*) dane *pl* wejściowe.
inquest ['ɪnkwɛst] *n* dochodzenie *nt* (*zwłaszcza mające na celu ustalenie przyczyny zgonu*).
inquire [ɪn'kwaɪə*] *vi* pytać (zapytać *perf or* spytać *perf*) ♦ *vt* **to inquire (about)** pytać (zapytać *perf or* spytać *perf*) o +*acc*; **to inquire when/where/whether** dowiadywać się, kiedy/gdzie/czy.
▸**inquire after** *vt fus* pytać (zapytać *perf*) o +*acc*.
▸**inquire into** *vt fus* badać (zbadać *perf*) +*acc*.
inquiring [ɪn'kwaɪərɪŋ] *adj* dociekliwy.
inquiry [ɪn'kwaɪərɪ] *n* (*question*) zapytanie *nt*; (*investigation*) dochodzenie *nt*; **to hold an inquiry into** przeprowadzać (przeprowadzić *perf*) dochodzenie w sprawie +*gen*.
inquiry desk (*BRIT*) *n* punkt *m* informacyjny.
inquiry office (*BRIT*) *n* biuro *nt* informacji.
inquisition [ɪnkwɪ'zɪʃən] *n* (*interrogation*) przesłuchanie *nt*; (*REL*): **the Inquisition** inkwizycja *f*.
inquisitive [ɪn'kwɪzɪtɪv] *adj* dociekliwy.
inroads ['ɪnrəudz] *npl*: **to make inroads into** (*savings, supplies*) naruszać (naruszyć *perf*) +*acc*.
ins *abbr* (= *inches*).
insane [ɪn'seɪn] *adj* (*MED*) chory umysłowo; (*foolish, crazy*) szalony.
insanitary [ɪn'sænɪtərɪ] *adj* niehigieniczny.
insanity [ɪn'sænɪtɪ] *n* (*MED*) choroba *f* umysłowa; (*of idea etc*) niedorzeczność *f*.
insatiable [ɪn'seɪʃəbl] *adj* nienasycony.
inscribe [ɪn'skraɪb] *vt*: **to inscribe sth on a wall, to inscribe a wall with sth** (*write*) pisać (napisać *perf*) coś na ścianie; (*carve*) ryć (wyryć *perf*) coś na ścianie; **to inscribe a book** pisać (napisać *perf*) dedykację w książce; **to inscribe a ring/monogram** grawerować (wygrawerować *perf*) pierścionek/monogram.
inscription [ɪn'skrɪpʃən] *n* (*on gravestone, memorial*) napis *m*, inskrypcja *f*; (*in book*) dedykacja *f*.
inscrutable [ɪn'skru:təbl] *adj* (*comment*) zagadkowy; (*expression*) nieodgadniony.
inseam ['ɪnsi:m] (*US*) *n*: **inseam measurement** wewnętrzna długość *f* nogawki.
insect ['ɪnsɛkt] *n* owad *m*.
insect bite *n* ukąszenie *nt* owada.

insecticide [ɪn'sɛktɪsaɪd] *n* środek *m* owadobójczy.
insect repellent *n* środek *m* odstraszający owady.
insecure [ɪnsɪ'kjuə*] *adj* (*structure, job*) niepewny; (*person*): **to be insecure** nie wierzyć w siebie; (): **to feel insecure** nie czuć się pewnie.
insecurity [ɪnsɪ'kjuərɪtɪ] *n* niepewność *f*; **job insecurity** niebezpieczeństwo utraty pracy.
insemination [ɪnsɛmɪ'neɪʃən] *n*: **artificial insemination** sztuczne zapłodnienie *nt*.
insensible [ɪn'sɛnsɪbl] *adj* (*unconscious*) nieprzytomny; (*unaffected*): **insensible to** obojętny *or* niewrażliwy na +*acc*; (*unaware*): **insensible of** nieświadomy +*gen*; **to render a patient insensible** usypiać (uśpić *perf*) pacjenta
insensitive [ɪn'sɛnsɪtɪv] *adj* (*uncaring*) nieczuły; (*to pain etc*) niewrażliwy.
insensitivity [ɪnsɛnsɪ'tɪvɪtɪ] *n* (*of person*) nieczułość *f*, brak *m* wrażliwości; (*to pain etc*) niewrażliwość *f*.
inseparable [ɪn'sɛprəbl] *adj* (*friends*) nierozłączny; (*ideas etc*): **to be inseparable (from)** być nierozłącznie *or* nierozerwalnie związanym z (+*instr*).
insert [*vb* ɪn'sə:t, *n* 'ɪnsə:t] *vt* wkładać (włożyć *perf*) ♦ *n* wkładka *f*.
insertion [ɪn'sə:ʃən] *n* (*of needle*) wprowadzenie *nt*; (*of peg etc*) włożenie *nt*; (*of comment*) wtrącenie *nt*.
in-service ['ɪn'sə:vɪs] *adj*: **in-service training** doskonalenie *nt* zawodowe; **in-service course** kurs doskonalenia zawodowego.
inshore [ɪn'ʃɔ:*] *adj* przybrzeżny ♦ *adv* (*be*) przy brzegu; (*move*) ku brzegowi.
inside ['ɪnsaɪd] *n* (*interior*) wnętrze *nt*; (*of road*: *BRIT*) lewa strona *f*, (: *US, Europe*) prawa strona *f* ♦ *adj* wewnętrzny ♦ *adv* (*go*) do środka; (*be*) w środku, wewnątrz ♦ *prep* (*location*) wewnątrz +*gen*; (*time*) w ciągu +*gen*; **insides** *npl* (*inf*) wnętrzności *pl*.
inside forward *n* środkowy napastnik *m*.
inside information *n* informacja *f* z pierwszej ręki.
inside lane (*AUT*) *n* (*BRIT*) lewy pas *m*; (*US, Europe*) prawy pas *m*.
inside leg measurement (*BRIT*) *n* wewnętrzna długość *f* nogawki.
inside out *adv* na lewą stronę; (*fig: know*) na wylot.
insider [ɪn'saɪdə*] *n* osoba *f* dobrze poinformowana.
insider dealing *or* **trading** *n* handel akcjami *w oparciu o nielegalne wykorzystanie informacji posiadanych z racji zajmowanego stanowiska*.
inside story *n* relacja *f* z pierwszej ręki.
insidious [ɪn'sɪdɪəs] *adj* zdradziecki, podstępny

insight ['ɪnsaɪt] n (dogłębne) zrozumienie nt; (PSYCH) wgląd m; **to gain an insight into sth** zgłębić (perf) coś; **a flash of insight** olśnienie; **a number of interesting insights** szereg interesujących spostrzeżeń.

insignia [ɪn'sɪgnɪə] n inv insygnia pl.

insignificant [ɪnsɪg'nɪfɪknt] adj (unimportant) mało znaczący, bez znaczenia post; (small) nieznaczny.

insincere [ɪnsɪn'sɪə*] adj nieszczery.

insincerity [ɪnsɪn'sɛrɪtɪ] n nieszczerość f.

insinuate [ɪn'sɪnjueɪt] vt (imply) insynuować.

insinuation [ɪnsɪnju'eɪʃən] n insynuacja f.

insipid [ɪn'sɪpɪd] adj mdły, bez smaku post; (fig: person, style) bezbarwny.

insist [ɪn'sɪst] vi upierać się, nalegać; **to insist on sth** upierać się przy czymś; **to insist that ...** (demand) upierać się or nalegać, żeby ...; (claim) utrzymywać or uparcie twierdzić, że ... .

insistence [ɪn'sɪstəns] n nalegania pl; **insistence on** upieranie się przy +loc.

insistent [ɪn'sɪstənt] adj (resolute) stanowczy; (continual) uporczywy; **he was insistent that we should have a drink** nalegał, żebyśmy się napili.

insole ['ɪnsəul] n brandzel m.

insolence ['ɪnsələns] n bezczelność f.

insolent ['ɪnsələnt] adj bezczelny.

insoluble [ɪn'sɔljubl] adj nierozwiąz(yw)alny, nie do rozwiązania post.

insolvency [ɪn'sɔlvənsɪ] n niewypłacalność f.

insolvent [ɪn'sɔlvənt] adj niewypłacalny.

insomnia [ɪn'sɔmnɪə] n bezsenność f.

insomniac [ɪn'sɔmnɪæk] n osoba f cierpiąca na bezsenność.

inspect [ɪn'spɛkt] vt (examine) badać (zbadać perf); (premises, equipment) kontrolować (skontrolować perf), robić (zrobić perf) przegląd or inspekcję +gen; (troops) dokonywać (dokonać perf) przeglądu or inspekcji +gen.

inspection [ɪn'spɛkʃən] n (examination) badanie nt; (of premises, equipment, troops) przegląd m, inspekcja f.

inspector [ɪn'spɛktə*] n (ADMIN, POLICE) inspektor m; (BRIT: on bus, train) kontroler(ka) m(f) (biletów).

inspiration [ɪnspə'reɪʃən] n (encouragement) inspiracja f; (influence, source) źródło nt inspiracji; (idea) natchnienie nt.

inspire [ɪn'spaɪə*] vt (person) inspirować (zainspirować perf); (confidence, hope) wzbudzać (wzbudzić perf).

inspired [ɪn'spaɪəd] adj (writer, book etc) natchniony; **in an inspired moment** w chwili natchnienia.

inspiring [ɪn'spaɪərɪŋ] adj porywający; (for artist) inspirujący, budzący natchnienie.

inst. (BRIT: COMM) abbr (= instant): **of the 16th inst.** 16 bm., = 16 bieżącego miesiąca.

instability [ɪnstə'bɪlɪtɪ] n brak m stabilności, chwiejność f.

install [ɪn'stɔ:l] vt (machine) instalować (zainstalować perf); (official) wprowadzać (wprowadzić perf) na stanowisko.

installation [ɪnstə'leɪʃən] n instalacja f; **military/industrial installations** obiekty militarne/przemysłowe.

installment plan (US) n system m ratalny.

instalment [ɪn'stɔ:lmənt] (US **installment**) n (of payment) rata f; (of story, TV serial) odcinek m; **in instalments** w ratach.

instance ['ɪnstəns] n przypadek m; **for instance** na przykład; **in that instance** w tym przypadku or wypadku; **in many instances** w wielu wypadkach; **in the first instance** w pierwszej kolejności.

instant ['ɪnstənt] n chwila f, moment m ♦ adj (reaction, success) natychmiastowy; (coffee) rozpuszczalny, instant post; (potatoes, rice) błyskawiczny; **the 10th instant** 10-tego bieżącego miesiąca.

instantaneous [ɪnstən'teɪnɪəs] adj natychmiastowy.

instantly ['ɪnstəntlɪ] adv natychmiast; **he was killed instantly** zginął na miejscu.

instant replay (TV) n powtórka f.

instead [ɪn'stɛd] adv zamiast tego; **instead of** zamiast +gen.

instep ['ɪnstɛp] n podbicie nt.

instigate ['ɪnstɪgeɪt] vt (rebellion) wzniecać (wzniecić perf); (search) wszczynać (wszcząć perf); (talks) doprowadzać (doprowadzić perf) do +gen.

instigation [ɪnstɪ'geɪʃən] n namowa f; **at sb's instigation** za czyjąś namową.

instil [ɪn'stɪl] vt: **to instil fear etc into sb** wzbudzać (wzbudzić perf) w kimś strach etc.

instinct ['ɪnstɪŋkt] n (BIO) instynkt m; (reaction) odruch m.

instinctive [ɪn'stɪŋktɪv] adj instynktowny, odruchowy.

instinctively [ɪn'stɪŋktɪvlɪ] adv instynktownie, odruchowo.

institute ['ɪnstɪtju:t] n instytut m ♦ vt (system, rule) ustanawiać (ustanowić perf); (scheme, course of action) wprowadzać (wprowadzić perf); (proceedings, inquiry) wszczynać (wszcząć perf).

institution [ɪnstɪ'tju:ʃən] n (esablishment) ustanowienie nt; (custom, tradition, organization) instytucja f; (mental home etc) zakład m.

institutional [ɪnstɪ'tju:ʃənl] adj (education) formalny; (value, quality) tradycyjny; **to be in institutional care** (mental patient, child) przebywać w zakładzie.

instruct [ɪn'strʌkt] vt (teach): **to instruct sb in**

sth szkolić (wyszkolić *perf*) kogoś w czymś; (*order*): **to instruct sb to do sth** instruować (poinstruować *perf*) kogoś, żeby coś zrobił.

instruction [ɪn'strʌkʃən] *n* szkolenie *nt*, instruktaż *m* ♦ *cpd*: **instruction manual/leaflet** instrukcja *f*; **instructions** *npl* instrukcje *pl*; **instructions (for use)** instrukcja (obsługi).

instructive [ɪn'strʌktɪv] *adj* pouczający.

instructor [ɪn'strʌktə*] *n* instruktor(ka) *m(f)*.

instrument ['ɪnstrumənt] *n* narzędzie *nt*; (*MUS*) instrument *m*.

instrumental [ɪnstru'mɛntl] *adj* (*MUS*) instrumentalny; **to be instrumental in** odgrywać (odegrać *perf*) znaczącą rolę w +*loc*.

instrumentalist [ɪnstru'mɛntəlɪst] *n* instrumentalista (-tka) *m(f)*.

instrument panel *n* tablica *f* rozdzielcza.

insubordination [ɪnsəbɔ:də'neɪʃən] *n* niesubordynacja *f*.

insufferable [ɪn'sʌfrəbl] *adj* nieznośny, nie do zniesienia *post*.

insufficient [ɪnsə'fɪʃənt] *adj* niewystarczający.

insufficiently [ɪnsə'fɪʃəntlɪ] *adv* niewystarczająco.

insular ['ɪnsjulə*] *adj* (*outlook*) ciasny; (*person*) zasklepiony w sobie.

insulate ['ɪnsjuleɪt] *vt* izolować (odizolować *perf*); (*against electricity*) izolować (zaizolować *perf*).

insulating tape ['ɪnsjuleɪtɪŋ-] *n* taśma *f* izolacyjna.

insulation [ɪnsju'leɪʃən] *n* izolacja *f*.

insulator ['ɪnsjuleɪtə*] *n* izolator *m*.

insulin ['ɪnsjulɪn] *n* insulina *f*.

insult [*n* 'ɪnsʌlt, *vb* ɪn'sʌlt] *n* zniewaga *f*, obelga *f* ♦ *vt* znieważać (znieważyć *perf*), obrażać (obrazić *perf*).

insulting [ɪn'sʌltɪŋ] *adj* obelżywy.

insuperable [ɪn'sju:prəbl] *adj* nie do pokonania *post*.

insurance [ɪn'ʃuərəns] *n* ubezpieczenie *nt*; **fire/life insurance** ubezpieczenie na wypadek pożaru/na życie; **to take out insurance (against)** ubezpieczać się (ubezpieczyć się *perf*) (od +*gen*).

insurance agent *n* agent(ka) *m(f)* ubezpieczeniowy (-wa) *m(f)*.

insurance broker *n* makler *m or* broker *m* ubezpieczeniowy.

insurance policy *n* polisa *f* ubezpieczeniowa.

insurance premium *n* składka *f* ubezpieczeniowa.

insure [ɪn'ʃuə*] *vt*: **to insure (against)** ubezpieczać (ubezpieczyć *perf*) (od +*gen*); **to insure (o.s.) against sth** (*to prevent it from happenning*) zabezpieczać się (zabezpieczyć się *perf*) przed czymś; (*in case it happens*) zabezpieczać się (zabezpieczyć się *perf*) na wypadek czegoś; **to be insured for 5,000 pounds** być ubezpieczonym na 5,000 funtów.

insured [ɪn'ʃuəd] *n*: **the insured** ubezpieczony (-na) *m(f)*.

insurer [ɪn'ʃuərə*] *n* ubezpieczyciel *m*.

insurgent [ɪn'sə:dʒənt] *adj* rebeliancki ♦ *n* powstaniec *m*, rebeliant *m*.

insurmountable [ɪnsə'mauntəbl] *adj* nie do pokonania *post*.

insurrection [ɪnsə'rɛkʃən] *n* powstanie *nt*.

intact [ɪn'tækt] *adj* nietknięty, nienaruszony.

intake ['ɪnteɪk] *n* (*of food, drink*) spożycie *nt*; (*of air, oxygen*) zużycie *nt*; (*BRIT: SCOL*) nabór *m*.

intangible [ɪn'tændʒɪbl] *adj* (*idea, quality*) nieuchwytny; (*benefit*) nienamacalny.

integer ['ɪntɪdʒə*] *n* liczba *f* całkowita.

integral ['ɪntɪgrəl] *adj* integralny.

integrate ['ɪntɪgreɪt] *vt* (*newcomer*) wprowadzać (wprowadzić *perf*); (*ideas, systems*) łączyć (połączyć *perf*) (w jedną całość), integrować (zintegrować *perf*) ♦ *vi* integrować się (zintegrować się *perf*).

integrated circuit ['ɪntɪgreɪtɪd-] *n* układ *m or* obwód *m* scalony.

integration [ɪntɪ'greɪʃən] *n* integracja *f*.

integrity [ɪn'tɛgrɪtɪ] *n* (*of person*) prawość *f*; (*of culture, group*) integralność *f*.

intellect ['ɪntəlɛkt] *n* (*intelligence*) inteligencja *f*; (*cleverness*) intelekt *m*.

intellectual [ɪntə'lɛktjuəl] *adj* intelektualny ♦ *n* intelektualista (-tka) *m(f)*.

intelligence [ɪn'tɛlɪdʒəns] *n* inteligencja *f*; (*MIL etc*) wywiad *m*.

intelligence quotient *n* iloraz *m* inteligencji.

intelligence service *n* służba *f* wywiadowcza.

intelligence test *n* test *m* na inteligencję.

intelligent [ɪn'tɛlɪdʒənt] *adj* inteligentny.

intelligently [ɪn'tɛlɪdʒəntlɪ] *adv* inteligentnie.

intelligentsia [ɪntɛlɪ'dʒɛntsɪə] *n*: **the intelligentsia** inteligencja *f*, inteligenci *vir pl*.

intelligible [ɪn'tɛlɪdʒɪbl] *adj* zrozumiały.

intemperate [ɪn'tɛmpərət] *adj* nieumiarkowany, przesadny.

intend [ɪn'tɛnd] *vt*: **to intend sth for sb** przeznaczać (przeznaczyć *perf*) coś dla kogoś; **to intend to do sth** zamierzać coś (z)robić.

intended [ɪn'tɛndɪd] *adj* (*effect, insult*) zamierzony; (*journey*) planowany.

intense [ɪn'tɛns] *adj* (*heat*) wielki; (*effort, activity*) intensywny; (*effect, emotion, experience*) silny, głęboki; (*person: serious*) poważny; (: *emotional*) uczuciowy.

intensely [ɪn'tɛnslɪ] *adv* (*extremely*) wielce; (*feel, experience*) silnie, głęboko.

intensify [ɪn'tɛnsɪfaɪ] *vt* nasilać (nasilić *perf*).

intensity [ɪn'tɛnsɪtɪ] *n* (*of heat, anger*) nasilenie *nt*; (*of effort*) intensywność *f*.

intensive [ɪn'tɛnsɪv] *adj* intensywny.

intensive care *n*: **to be in intensive care** przebywać na oddziale intensywnej opieki medycznej.

tensive care unit n oddział m intensywnej
opieki medycznej.

tent [ɪnˈtent] n (fml) intencja f ♦ adj
skupiony; **intent on** skupiony na +loc; **to be
intent on doing sth** być zdecydowanym coś
(z)robić; **to all intents and purposes**
praktycznie rzecz biorąc.

tention [ɪnˈtenʃən] n zamiar m.

tentional [ɪnˈtenʃənl] adj zamierzony, celowy.

tentionally [ɪnˈtenʃnəlɪ] adv celowo.

tently [ɪnˈtentlɪ] adv w skupieniu, uważnie.

ter [ɪnˈtəː*] vt chować (pochować perf).

teract [ɪntərˈækt] vi odziaływać na siebie
(wzajemnie); **to interact (with sb)** (co-operate)
współdziałać (z kimś).

teraction [ɪntərˈækʃən] n wzajemne
oddziaływanie nt; (co-operation)
współdziałanie nt; (social) interakcja f.

teractive [ɪntərˈæktɪv] adj interakcyjny.

tercede [ɪntəˈsiːd] vi: **to intercede with sb/on
behalf of sb** or **for sb** wstawiać się (wstawić
się perf) u kogoś/za kimś.

tercept [ɪntəˈsept] vt (message)
przechwytywać (przechwycić perf); (person,
car) zatrzymywać (zatrzymać perf).

terception [ɪntəˈsepʃən] n (of message)
przechwycenie nt.

terchange [ˈɪntətʃeɪndʒ] n (of information
etc) wymiana f; (AUT) rozjazd m (na
autostradzie).

terchangeable [ɪntəˈtʃeɪndʒəbl] adj zamienny.

tercity [ɪntəˈsɪtɪ] adj: **intercity train** pociąg m
InterCity.

tercom [ˈɪntəkɔm] n telefon m komunikacji
wewnętrznej, intercom m.

terconnect [ɪntəkəˈnekt] vi łączyć się (ze
sobą).

tercontinental [ˈɪntəkɔntɪˈnentl] adj
międzykontynentalny.

tercourse [ˈɪntəkɔːs] n (sexual) stosunek m,
zbliżenie nt; (social, verbal) kontakty pl.

terdependence [ɪntədɪˈpendəns] n
współzależność f.

terdependent [ɪntədɪˈpendənt] adj
współzależny.

terest [ˈɪntrɪst] n (desire to know, pastime):
interest (in) zainteresowanie nt (+instr);
(advantage, profit) interes m; (COMM: in
company) udział m; (: sum of money) odsetki
pl, procent m ♦ vt interesować (zainteresować
perf); **controlling interest** pakiet kontrolny;
compound/simple interest procent
składany/zwykły; **British interests in the
Middle East** interesy brytyjskie na Bliskim
Wschodzie; **his main interest is ...** interesuje
się głównie +instr; **it is in our interest to ...**
jest or leży w naszym interesie, żeby +infin.

terested [ˈɪntrɪstɪd] adj zainteresowany; **to be
interested in sth/sb** interesować się

czymś/kimś; **to be interested in doing sth**
być zainteresowanym robieniem czegoś.

interest-free [ˈɪntrɪstˈfriː] adj bezprocentowy,
nie oprocentowany ♦ adv bezprocentowo, bez
oprocentowania.

interesting [ˈɪntrɪstɪŋ] adj interesujący, ciekawy.

interest rate n stopa f procentowa.

interface [ˈɪntəfeɪs] n (COMPUT) interfejs m;
(fig) obszar m wzajemnego oddziaływania.

interfere [ɪntəˈfɪə*] vi: **to interfere in** wtrącać
się (wtrącić się perf) do +gen or w +acc; **to
interfere with** (object) majstrować przy +loc;
(career) przeszkadzać (przeszkodzić perf) w
+loc; (plans) kolidować z +instr; **don't
interfere** nie wtrącaj się.

interference [ɪntəˈfɪərəns] n (in sb's affairs)
wtrącanie się nt, ingerencja f; (RADIO, TV)
interferencja f.

interfering [ɪntəˈfɪərɪŋ] adj wścibski.

interim [ˈɪntərɪm] adj tymczasowy ♦ n: **in the
interim** w międzyczasie.

interim dividend n dywidenda f tymczasowa.

interior [ɪnˈtɪərɪə*] n wnętrze nt ♦ adj
wewnętrzny; **(in)to/in the interior of** (country,
continent) w głąb/w głębi +gen; **interior
minister/department** minister/departament
spraw wewnętrznych.

interior decorator n dekorator(ka) m(f) wnętrz.

interior designer n projektant(ka) m(f) wnętrz.

interjection [ɪntəˈdʒekʃən] n (interruption)
wtrącenie nt; (LING) wykrzyknik m.

interlock [ɪntəˈlɔk] vi łączyć się (ze sobą),
zazębiać się (o siebie).

interloper [ˈɪntələupə*] n intruz m.

interlude [ˈɪntəluːd] n (break) przerwa f;
(THEAT) antrakt m.

intermarry [ɪntəˈmærɪ] vi żenić się między sobą.

intermediary [ɪntəˈmiːdɪərɪ] n pośrednik
(-iczka) m(f).

intermediate [ɪntəˈmiːdɪət] adj (stage)
pośredni; (student) średniozaawansowany.

interminable [ɪnˈtəːmɪnəbl] adj nie kończący
się, bez końca post.

intermission [ɪntəˈmɪʃən] n przerwa f;
(THEAT) antrakt m.

intermittent [ɪntəˈmɪtnt] adj (noise)
przerywany; (publication) nieregularny.

intermittently [ɪntəˈmɪtntlɪ] adv nieregularnie.

intern [vb ɪnˈtəːn, n ˈɪntəːn] vt internować
(internować perf) ♦ n (US) lekarz m stażysta m.

internal [ɪnˈtəːnl] adj wewnętrzny.

internally [ɪnˈtəːnəlɪ] adv: **"not to be taken
internally"** „do użytku zewnętrznego".

Internal Revenue Service (US) n ≈ Izba f
Skarbowa.

international [ɪntəˈnæʃənl] adj międzynarodowy
♦ n (BRIT: SPORT) mecz m
międzypaństwowy.

International Atomic Energy Agency n
Międzynarodowa Agencja f Energii Atomowej.

International Chamber of Commerce n
Międzynarodowa Izba f Handlowa.
International Court of Justice n
Międzynarodowy Trybunał m Sprawiedliwości.
international date line n linia f zmiany daty.
International Labour Organization n
Międzynarodowa Organizacja f Pracy.
internationally [ɪntə'næʃnəlɪ] adv na arenie
międzynarodowej.
International Monetary Fund n
Międzynarodowy Fundusz m Walutowy.
internecine [ɪntə'niːsaɪn] adj (war, quarrel)
wyniszczający dla obu stron.
internee [ɪntə:'niː] n internowany (-na) m(f).
internment [ɪn'tə:nmənt] n internowanie nt.
interplay ['ɪntəpleɪ] n: **interplay (of/between)**
(wzajemne) oddziaływanie nt (+gen/między
+instr).
Interpol ['ɪntəpɔl] n Interpol m.
interpret [ɪn'tə:prɪt] vt (explain, understand)
interpretować (zinterpretować perf); (translate)
tłumaczyć (przetłumaczyć perf) (ustnie) ♦ vi
tłumaczyć (ustnie).
interpretation [ɪntə:prɪ'teɪʃən] n interpretacja f.
interpreter [ɪn'tə:prɪtə*] n tłumacz(ka) m(f).
interpreting [ɪn'tə:prɪtɪŋ] n tłumaczenie nt.
interrelated [ɪntərɪ'leɪtɪd] adj powiązany (ze
sobą).
interrogate [ɪn'tɛrəʊgeɪt] vt przesłuchiwać
(przesłuchać perf).
interrogation [ɪntɛrəʊ'geɪʃən] n przesłuchanie nt.
interrogative [ɪntə'rɔgətɪv] (LING) adj pytajny.
interrogator [ɪn'tɛrəgeɪtə*] n przesłuchujący
(-ca) m(f), śledczy m.
interrupt [ɪntə'rʌpt] vt (speaker) przerywać
(przerwać perf) +dat; (conversation) przerywać
(przerwać perf) ♦ vi przerywać (przerwać perf).
interruption [ɪntə'rʌpʃən] n: **there were several
interruptions** kilka razy przerywano; **she
hates interruptions** nie znosi, kiedy się jej
przerywa.
intersect [ɪntə'sɛkt] vi przecinać się (przeciąć
się perf) ♦ vt przecinać (przeciąć perf).
intersection [ɪntə'sɛkʃən] n (of roads)
przecięcie nt, skrzyżowanie nt; (MATH: point)
punkt m przecięcia; (: set) część f wspólna
(zbiorów).
intersperse [ɪntə'spə:s] vt: **to intersperse with**
urozmaicać (urozmaicić perf) +instr.
intertwine [ɪntə'twaɪn] vi splatać się (spleść się
perf).
interval ['ɪntəvl] n przerwa f; (MUS) interwał
m; **sunny intervals** przejaśnienia; **at six-month
intervals** w sześciomiesięcznych odstępach.
intervene [ɪntə'viːn] vi (in situation)
interweniować (zainterweniować perf); (in
speech) wtrącać się (wtrącić się perf); (event)
przeszkadzać (przeszkodzić perf); (years,
months) upływać (upłynąć perf).

intervening [ɪntə'viːnɪŋ] adj: **in the intervening
period/years** od tamtego czasu.
intervention [ɪntə'vɛnʃən] n interwencja f.
interview ['ɪntəvjuː] n (for job) rozmowa f
kwalifikacyjna; (RADIO, TV) wywiad m ♦ vt
(for job) przeprowadzać (przeprowadzić perf)
rozmowę kwalifikacyjną z +instr; (RADIO,
TV) przeprowadzać (przeprowadzić perf)
wywiad z +instr.
interviewer ['ɪntəvjuə*] n (of candidate, job
applicant) przeprowadzający (-ca) m(f)
rozmowę kwalifikacyjną; (RADIO, TV)
dziennikarz (-arka) m(f) przeprowadzający
(-ca) m(f) wywiad.
intestate adv: **to die intestate** umrzeć (perf)
nie pozostawiwszy testamentu.
intestinal [ɪn'tɛstɪnl] adj jelitowy.
intestine [ɪn'tɛstɪn] n jelito nt.
intimacy ['ɪntɪməsɪ] n bliskość f.
intimate [adj 'ɪntɪmət, vb 'ɪntɪmeɪt] adj (friend)
bliski; (relations, matter, detail) intymny;
(restaurant, atmosphere) kameralny;
(knowledge) gruntowny ♦ vt napomykać
(napomknąć perf) o +loc; **to intimate that ...**
dawać (dać perf) do zrozumienia, że... .
intimately ['ɪntɪmətlɪ] adv (acquainted) blisko;
(inside out) gruntownie; (sexually) intymnie;
to talk intimately about zwierzać się sobie z
+gen.
intimation [ɪntɪ'meɪʃən] n: **to feel** or **have an
intimation of** mieć przeczucie +gen.
intimidate [ɪn'tɪmɪdeɪt] vt zastraszać (zastraszyć
perf).
intimidation [ɪntɪmɪ'deɪʃən] n zastraszenie nt.

┌─────────── KEYWORD ───────────

into ['ɪntu] prep **1** (indicating motion or
direction) do +gen; **to go into town** iść (pójść
perf) do miasta; **throw it into the fire** wrzuć
to do ognia or w ogień; **research into cancer**
badania nad rakiem. **2** (indicating change of
condition, result): **the vase broke into pieces**
wazon rozbił się na kawałki; **she burst into
tears** wybuchła płaczem; **they got into
trouble** wpadli w tarapaty.

└────────────────────────────

intolerable [ɪn'tɔlərəbl] adj (life, situation)
nieznośny, nie do zniesienia post; (quality,
methods) nie do przyjęcia post.
intolerance [ɪn'tɔlərns] n nietolerancja f.
intolerant [ɪn'tɔlərnt] adj: **intolerant (of)**
nietolerancyjny (wobec or w stosunku do
+gen).
intonation [ɪntəʊ'neɪʃən] n intonacja f.
intoxicated [ɪn'tɔksɪkeɪtɪd] adj odurzony or
upojony (alkoholem).
intoxication [ɪntɔksɪ'keɪʃən] n upojenie nt
(alkoholowe), odurzenie nt (alkoholem).

intractable [ɪn'træktəbl] *adj* (*person*)
nieustępliwy; (*problem*) trudny do rozwiązania.
intransigence [ɪn'trænsɪdʒəns] *n*
nieprzejednanie *nt*.
intransigent [ɪn'trænsɪdʒənt] *adj* nieprzejednany.
intransitive [ɪn'trænsɪtɪv] *adj* (*LING*)
nieprzechodni.
intra-uterine device ['ɪntrə'juːtəraɪn-] *n*
wkładka *f* domaciczna *or* wewnątrzmaciczna.
intravenous [ɪntrə'viːnəs] *adj* dożylny.
in-tray ['ɪntreɪ] *n* tacka *f* na korespondencję
przychodzącą.
intrepid [ɪn'trɛpɪd] *adj* nieustraszony.
intricacy ['ɪntrɪkəsɪ] *n* zawiłość *f*.
intricate ['ɪntrɪkət] *adj* zawiły.
intrigue [ɪn'triːg] *n* (*plotting*) intrygi *pl*;
(*instance*) intryga *f* ♦ *vt* intrygować
(zaintrygować *perf*).
intriguing [ɪn'triːgɪŋ] *adj* intrygujący.
intrinsic [ɪn'trɪnsɪk] *adj* (*goodness, superiority*)
wrodzony; (*part*) nieodłączny; **these objects
have no intrinsic value** przedmioty te nie
przedstawiają sobą żadnej wartości; **it is a
problem of great intrinsic interest** jest to
problem wielce interesujący sam w sobie.
introduce [ɪntrə'djuːs] *vt* (*new idea, method*)
wprowadzać (wprowadzić *perf*); (*speaker*)
przedstawiać (przedstawić *perf*); **to introduce
sb (to sb)** przedstawiać (przedstawić *perf*)
kogoś (komuś); **to introduce sb to sth**
zaznajamiać (zaznajomić *perf*) kogoś z czymś;
may I introduce ...? Pan/Pani pozwoli, że
przedstawię ... .
introduction [ɪntrə'dʌkʃən] *n* (*of new idea,
measure*) wprowadzenie *nt*; (*of person*)
przedstawienie *nt*, prezentacja *f*; (*to new
experience*) zapoznanie *nt*, zaznajomienie *nt*;
(*in book*) wstęp *m*, wprowadzenie *nt*; **a letter
of introduction** list polecający.
introductory [ɪntrə'dʌktərɪ] *adj* wstępny;
introductory remarks uwagi wstępne; **an
introductory offer** oferta wstępna.
introspection [ɪntrəu'spɛkʃən] *n* introspekcja *f*.
introspective [ɪntrəu'spɛktɪv] *adj* introspekcyjny.
introvert ['ɪntrəuvəːt] *n* introwertyk (-yczka)
m(f) ♦ *adj* (*also*: **introverted**: *behaviour*)
introwersyjny; (*child*) introwertyczny.
intrude [ɪn'truːd] *vi* przeszkadzać (przeszkodzić
perf); **to intrude on** zakłócać (zakłócić *perf*)
+*acc*; **am I intruding?** czy nie przeszkadzam?
intruder [ɪn'truːdə*] *n* intruz *m*.
intrusion [ɪn'truːʒən] *n* (*of person*) wtargnięcie
nt; (*of outside influences*) wpływ *m*.
intrusive [ɪn'truːsɪv] *adj* niepożądany.
intuition [ɪntju:'ɪʃən] *n* intuicja *f*; **an intuition**
przeczucie *nt*.
intuitive [ɪn'tjuːɪtɪv] *adj* intuicyjny.
inundate ['ɪnʌndeɪt] *vt*: **to inundate sb/sth with**
zasypywać (zasypać *perf*) kogoś/coś +*instr*.
inure [ɪn'juə*] *vt*: **to inure o.s. to**

przyzwyczajać się (przyzwyczaić się *perf*) do
+*gen*, uodparniać się (uodpornić się *perf*) na
+*acc*.
invade [ɪn'veɪd] *vt* (*MIL*) najeżdżać (najechać
perf); (*fig*: *people*) robić (zrobić *perf*) najazd na
+*acc*; (*pests etc*) atakować (zaatakować *perf*).
invader [ɪn'veɪdə*] *n* (*MIL*) najeźdźca *m*.
invalid [*n* 'ɪnvəlɪd, *adj* ɪn'vælɪd] *n* inwalida
(-dka) *m(f)* ♦ *adj* (*ticket*) nieważny; (*argument*)
oparty na błędnych przesłankach.
invalidate [ɪn'vælɪdeɪt] *vt* (*law, marriage*)
unieważniać (unieważnić *perf*); (*argument*)
obalać (obalić *perf*).
invaluable [ɪn'væljuəbl] *adj* nieoceniony.
invariable [ɪn'vɛərɪəbl] *adj* niezmienny.
invariably [ɪn'vɛərɪəblɪ] *adv* niezmiennie; **she
is invariably late** ona zawsze się spóźnia.
invasion [ɪn'veɪʒən] *n* (*lit, fig*) najazd *m*,
inwazja *f*; **an invasion of privacy** naruszenie
prywatności.
invective [ɪn'vɛktɪv] *n* obelga *f*, inwektywa *f*.
inveigle [ɪn'viːgl] *vt*: **to inveigle sb into
(doing) sth** nakłaniać (nakłonić *perf*) kogoś
do (zrobienia) czegoś.
invent [ɪn'vɛnt] *vt* (*machine, system*)
wynajdywać (wynaleźć *perf*); (*game, phrase*)
wymyślać (wymyślić *perf*); (*fabricate*) zmyślać
(zmyślić *perf*), wymyślać (wymyślić *perf*).
invention [ɪn'vɛnʃən] *n* (*machine, system*)
wynalazek *m*; (*untrue story*) wymysł *m*; (*act
of inventing*) wynalezienie *nt*.
inventive [ɪn'vɛntɪv] *adj* pomysłowy.
inventiveness [ɪn'vɛntɪvnɪs] *n* pomysłowość *f*.
inventor [ɪn'vɛntə*] *n* wynalazca (-czyni) *m(f)*.
inventory ['ɪnvəntrɪ] *n* spis *m* inwentarza.
inventory control *n* kontrola *f* zapasów.
inverse [ɪn'vəːs] *adj* odwrotny; **to vary in
inverse proportion (to)** być odwrotnie
proporcjonalnym (do +*gen*).
invert [ɪn'vəːt] *vt* odwracać (odwrócić *perf*).
invertebrate [ɪn'vəːtɪbrət] *n* bezkręgowiec *m*.
inverted commas [ɪn'vəːtɪd-] (*BRIT*) *npl*
cudzysłów *m*.
invest [ɪn'vɛst] *vt* inwestować (zainwestować
perf) ♦ *vi*: **invest in** inwestować
(zainwestować *perf*) w +*acc*; **to invest sb
with sth** obdarzać (obdarzyć *perf*) kogoś
czymś.
investigate [ɪn'vɛstɪgeɪt] *vt* badać (zbadać
perf); (*POLICE*) prowadzić (poprowadzić *perf*)
dochodzenie w sprawie +*gen*.
investigation [ɪnvɛstɪ'geɪʃən] *n* dochodzenie *nt*.
investigative [ɪn'vɛstɪgeɪtɪv] *adj*: **investigative
journalism** dziennikarstwo *nt* dochodzeniowe.
investigator [ɪn'vɛstɪgeɪtə*] *n* badacz(ka) *m(f)*;
(*POLICE*) oficer *m* śledczy; **private
investigator** prywatny detektyw.
investiture [ɪn'vɛstɪtʃə*] *n* (*of chancellor*)
mianowanie *nt*; (*of prince*) nadanie *nt* tytułu.
investment [ɪn'vɛstmənt] *n* (*activity*)

inwestowanie *pl*; (*amount of money*)
inwestycja *f*.
investment income *n* dochód *m* z inwestycji
kapitałowych.
investment trust *n* spółka *f* inwestycyjna.
investor [ɪn'vɛstə*] *n* inwestor *m*.
inveterate [ɪn'vɛtərət] *adj* niepoprawny,
zatwardziały.
invidious [ɪn'vɪdɪəs] *adj* (*task*) niewdzięczny;
(*comparison, decision*) krzywdzący.
invigilator [ɪn'vɪdʒɪleɪtə*] *n osoba nadzorująca
przebieg egzaminu.*
invigorating [ɪn'vɪɡəreɪtɪŋ] *adj* orzeźwiający;
(*fig*) ożywczy.
invincible [ɪn'vɪnsɪbl] *adj* (*army*) niepokonany,
niezwyciężony; (*belief*) niezachwiany.
inviolate [ɪn'vaɪələt] (*fml*) *adj* nietknięty.
invisible [ɪn'vɪzɪbl] *adj* niewidoczny; (*in fairy
tales etc*) niewidzialny; **invisible earnings**
(*COMM*) wpływy z eksportu niewidocznego.
invisible mending *n* cerowanie *nt* artystyczne.
invitation [ɪnvɪ'teɪʃən] *n* zaproszenie *nt*; **by
invitation only** wyłącznie za okazaniem
zaproszenia; **at sb's invitation** na czyjeś
zaproszenie.
invite [ɪn'vaɪt] *vt* zapraszać (zaprosić *perf*);
(*discussion, criticism*) zachęcać (zachęcić *perf*)
do +*gen*; **to invite sb to do sth** poprosić
(*perf*) kogoś, żeby coś zrobił; **to invite sb to
dinner** zapraszać (zaprosić *perf*) kogoś na
obiad.
▸**invite out** *vt* umawiać się (umówić się *perf*)
z +*instr*.
inviting [ɪn'vaɪtɪŋ] *adj* kuszący.
invoice ['ɪnvɔɪs] *n* (*COMM*) faktura *f* ▸ *vt*
fakturować (zafakturować *perf*); **to invoice sb
for goods** wystawiać (wystawić *perf*) komuś
fakturę na towar.
invoke [ɪn'vəuk] *vt* (*law*) powoływać się
(powołać się *perf*) na +*acc*; (*memories*)
wywoływać (wywołać *perf*).
involuntary [ɪn'vɔləntrɪ] *adj* mimowolny.
involve [ɪn'vɔlv] *vt* (*entail*) wymagać +*gen*;
(*concern, affect*) dotyczyć +*gen*; **to involve sb
(in sth)** angażować (zaangażować *perf*) kogoś
(w coś).
involved [ɪn'vɔlvd] *adj* (*complicated*) zawiły;
(*required*) wymagany; **to be involved in** być
zaangażowanym w +*acc*; **to become involved
with sb** wiązać się (związać się *perf*) z kimś.
involvement [ɪn'vɔlvmənt] *n* zaangażowanie *nt*.
invulnerable [ɪn'vʌlnərəbl] *adj* (*person*)
niewrażliwy (*na ciosy, krytykę itp*); (*ship,
building*) niezniszczalny.
inward ['ɪnwəd] *adj* (*thought, feeling*) skryty;
(*concentration*) wewnętrzny; (*movement*) do
wewnątrz *post*.
inwardly ['ɪnwədlɪ] *adv* wewnętrznie, w duchu.
inward(s) ['ɪnwəd(z)] *adv* do wewnątrz *or*
środka.

I/O (*COMPUT*) *abbr* (= *input/output*) we/wy.
IOC *n abbr* (= *International Olympic
Committee*) MKOl *m*, = Międzynarodowy
Komitet Olimpijski.
iodine ['aɪəudiːn] *n* jodyna *f*.
IOM (*BRIT: POST*) *abbr* (= *Isle of Man*).
ion ['aɪən] *n* jon *m*.
Ionian Sea [aɪ'əunɪən-] *n*: **the Ionian Sea**
Morze *nt* Jońskie.
iota [aɪ'əutə] *n* odrobina *f*, jota *f*.
IOU *n abbr* (= *I owe you*) rewers *m*, skrypt *m*
dłużny.
IOW (*BRIT: POST*) *abbr* (= *Isle of Wight*).
IPA *n abbr* (= *International Phonetic Alphabet*)
międzynarodowy alfabet *m* fonetyczny, alfabet
m IPA.
IQ *n abbr* (= *intelligence quotient*) IQ *nt inv*,
współczynnik *m* inteligencji.
IRA *n abbr* (= *Irish Republican Army*) IRA *f
inv*; (*US*: = *individual retirement account*).
Iran [ɪ'rɑːn] *n* Iran *m*.
Iranian [ɪ'reɪnɪən] *adj* irański ▸ *n* (*person*)
Irańczyk (-anka) *m(f)*; (*LING*) (język *m*) irański.
Iraq [ɪ'rɑːk] *n* Irak *m*.
Iraqi [ɪ'rɑːkɪ] *adj* iracki ▸ *n* Irakijczyk (-jka)
m(f).
irascible [ɪ'ræsɪbl] *adj* wybuchowy.
irate [aɪ'reɪt] *adj* gniewny.
Ireland ['aɪələnd] *n* Irlandia *f*; **the Republic of
Ireland** Republika Irlandii.
iris ['aɪrɪs] (*pl* **irises**) *n* (*ANAT*) tęczówka *f*;
(*BOT*) irys *m*.
Irish ['aɪrɪʃ] *adj* irlandzki ▸ *npl*: **the Irish**
Irlandczycy *vir pl*.
Irishman ['aɪrɪʃmən] (*irreg like* **wife**) *n*
Irlandczyk *m*.
Irish Sea *n*: **the Irish Sea** Morze *nt* Irlandzkie.
Irishwoman ['aɪrɪʃwumən] (*irreg like* **woman**) *n*
Irlandka *f*.
irk [əːk] *vt* drażnić.
irksome ['əːksəm] *adj* drażniący.
IRN *n abbr* (= *Independent Radio News*).
IRO (*US*) *n abbr* (= *International Refugee
Organization*).
iron ['aɪən] *n* żelazo *nt*; (*for clothes*) żelazko *nt* ▸
cpd żelazny ▸ *vt* prasować (wyprasować *perf*).
▸**iron out** *vt* (*fig*) rozwiązywać (rozwiązać *perf*).
Iron Curtain *n*: **the Iron Curtain** żelazna
kurtyna *f*.
iron foundry *n* odlewnia *f* żeliwa.
ironic(al) [aɪ'rɔnɪk(l)] *adj* ironiczny; (*situation*)
paradoksalny.
ironically [aɪ'rɔnɪklɪ] *adv* ironicznie; **ironically,
the intelligence chief was the last to find out**
jak na ironię, szef wywiadu dowiedział się
ostatni.
ironing ['aɪənɪŋ] *n* prasowanie *nt*.
ironing board *n* deska *f* do prasowania.
iron lung (*MED*) *n* żelazne płuco *nt* (*w którym
umieszczało się całego chorego*).

ironmonger ['aɪənmʌŋgə*] (*BRIT*) *n* właściciel(ka) *m(f)* sklepu z wyrobami żelaznymi.

ironmonger's (shop) ['aɪənmʌŋgəz-] *n* sklep *m* z wyrobami żelaznymi.

iron ore *n* ruda *f* żelaza.

irons ['aɪəns] *npl* kajdany *pl*; **to clap sb in irons** zakuwać (zakuć *perf*) kogoś w kajdany.

ironworks ['aɪənwə:ks] *n* huta *f* stali.

irony ['aɪrənɪ] *n* ironia *f*.

irrational [ɪ'ræʃnl] *adj* irracjonalny.

irreconcilable [ɪrɛkən'saɪləbl] *adj* (*ideas, views*) nie do pogodzenia *post*; (*conflict*) nierozwiązywalny.

irredeemable [ɪrɪ'di:məbl] *adj* (*selfishness etc*) nieuleczalny.

irrefutable [ɪrɪ'fju:təbl] *adj* niezbity.

irregular [ɪ'rɛgjulə*] *adj* (*action, pattern, verb*) nieregularny; (*surface*) nierówny; (*behaviour*) nieodpowiedni.

irregularity [ɪrɛgju'lærɪtɪ] *n* (*of action, pattern, verb*) nieregularność *f*, (*of surface*) nierówność *f*, (*anomaly*) nieprawidłowość *f*.

irrelevance [ɪ'rɛləvəns] *n* brak *m* związku (z tematem); **an irrelevance** rzecz nieistotna.

irrelevant [ɪ'rɛləvənt] *adj* nieistotny.

irreligious [ɪrɪ'lɪdʒəs] *adj* niewierzący.

irreparable [ɪ'rɛprəbl] *adj* nieodwracalny.

irreplaceable [ɪrɪ'pleɪsəbl] *adj* niezastąpiony.

irrepressible [ɪrɪ'prɛsəbl] *adj* (*good humour*) wieczny; (*laughter*) niepohamowany; (*person*): **to be irrepressible** być niepoprawnym optymistą.

irreproachable [ɪrɪ'prəutʃəbl] *adj* nienaganny.

irresistible [ɪrɪ'zɪstɪbl] *adj* nieodparty.

irresolute [ɪ'rɛzəlu:t] *adj* niezdecydowany.

irrespective [ɪrɪ'spɛktɪv]: **irrespective of** *prep* bez względu na +*acc*.

irresponsible [ɪrɪ'spɔnsɪbl] *adj* nieodpowiedzialny.

irretrievable [ɪrɪ'tri:vəbl] *adj* nieodwracalny.

irreverent [ɪ'rɛvərnt] *adj* lekceważący.

irrevocable [ɪ'rɛvəkəbl] *adj* nieodwołalny.

irrigate ['ɪrɪgeɪt] *vt* nawadniać (nawodnić *perf*).

irrigation [ɪrɪ'geɪʃən] *n* nawadnianie *nt*.

irritable ['ɪrɪtəbl] *adj* drażliwy.

irritant ['ɪrɪtənt] *n* czynnik *m* drażniący.

irritate ['ɪrɪteɪt] *vt* drażnić (rozdrażnić *perf*), irytować (zirytować *perf*); (*MED*) drażnić (podrażnić *perf*).

irritating ['ɪrɪteɪtɪŋ] *adj* drażniący, irytujący.

irritation [ɪrɪ'teɪʃən] *n* (*feeling*) rozdrażnienie *nt*, irytacja *f*; (*MED*) podrażnienie *nt*; (*thing*) utrapienie *nt*.

IRS (*US*) *n abbr* = **Internal Revenue Service**.

is [ɪz] *vb see* **be**.

ISBN *n abbr* (= *International Standard Book Number*) ISBN *m inv*, numer *m* ISBN.

Islam ['ɪzlɑ:m] *n* islam *m*.

Islamic [ɪz'læmɪk] *adj* islamski.

island ['aɪlənd] *n* wyspa *f*, (*also*: **traffic island**) wysepka *f*.

islander ['aɪləndə*] *n* wyspiarz (-arka) *m(f)*.

isle [aɪl] *n* wyspa *f*.

isn't ['ɪznt] = **is not**.

isobar ['aɪsəubɑ:*] *n* izobara *f*.

isolate ['aɪsəleɪt] *vt* izolować (izolować *perf*), odizolowywać (odizolować *perf*); (*substance*) izolować (wyizolować *perf*).

isolated ['aɪsəleɪtɪd] *adj* (*place, incident*) odosobniony; (*person*) wyobcowany.

isolation [aɪsə'leɪʃən] *n* izolacja *f*, odosobnienie *nt*.

isolationism [aɪsə'leɪʃənɪzəm] *n* izolacjonizm *m*.

isotope ['aɪsəutəup] *n* izotop *m*.

Israel ['ɪzreɪl] *n* Izrael *m*.

Israeli [ɪz'reɪlɪ] *adj* izraelski ♦ *n* Izraelczyk (-lka) *m(f)*.

issue ['ɪʃu:] *n* (*problem*) sprawa *f*, kwestia *f*, (*of magazine*: *edition*) wydanie *nt*; (: *number*) numer *m*; (*old*: *offspring*) potomstwo *nt* ♦ *vt* wydawać (wydać *perf*) ♦ *vi*: **to issue (from)** wypływać (wypłynąć *perf*) (z +*gen*); **that's just not the issue** po prostu nie o to chodzi; **the point at issue is ...** chodzi o +*acc*; **he avoided the issue** unikał tego tematu; **to confuse** *or* **cloud the issue** zaciemniać (zaciemnić *perf*) sprawę; **to issue sth to sb/issue sb with sth** wydawać (wydać *perf*) coś komuś; **to take issue with sb (over)** nie zgadzać się (zgodzić się *perf*) z kimś (w kwestii +*gen*); **to make an issue of sth** robić (zrobić *perf*) z czegoś (wielką) sprawę.

Istanbul [ɪstæn'bu:l] *n* Stambuł *m*, Istambuł *m*.

isthmus ['ɪsməs] *n* przesmyk *m*.

IT *n abbr* = **Information Technology**.

┌──────── *KEYWORD* ────────┐

it [ɪt] *pron* **1** (*specific*) ono *nt* (*also*: on, ona, *depending on grammatical gender of replaced noun*), to *nt*; **give it to me** daj mi to; **I can't find it** nie mogę go znaleźć; **about/in/on/with it** o/w/na/z tym; **from/to/without it** z/do/bez tego. **2** (*impersonal*): **it's raining** pada (deszcz); **it's six o'clock/the 10th of August** jest szósta/dziesiąty sierpnia; **how far is it?** jak to daleko?; **who is it? – it's me** kto tam? – to ja.

└────────────────────────┘

ITA (*BRIT*) *n abbr* (= *initial teaching alphabet*) *uproszczony, częściowo fonetyczny alfabet używany w nauce czytania w języku angielskim.*

Italian [ɪ'tæljən] *adj* włoski ♦ *n* (*person*) Włoch (-oszka) *m(f)*; (*LING*) (język *m*) włoski; **the Italians** Włosi *vir pl*.

italics [ɪ'tælɪks] *npl* kursywa *f*.

Italy ['ɪtəlɪ] *n* Włochy *pl*.

ITC (*BRIT*) *n abbr* (= *Independent Televison*

Commission) *komisja sprawująca kontrolę*
nad sektorem prywatnym telewizji brytyjskiej.

itch [ɪtʃ] *n* swędzenie *nt* ♦ *vi*: **I itch** swędzi
mnie; **my toes are itching** swędzą mnie palce
u nóg; **to be itching to do sth** mieć chętkę
coś zrobić.

itchy ['ɪtʃɪ] *adj* swędzący; **my back is itchy**
swędzą mnie plecy; **I'm all itchy** wszystko
mnie swędzi; **to have itchy feet** (*fig*) nie móc
usiedzieć na miejscu.

it'd ['ɪtd] = **it would**; **it had**.

item ['aɪtəm] *n* rzecz *f*; (*on list, agenda*) punkt
m, pozycja *f*; (*also*: **news item**) wiadomość *f*;
items of clothing rzeczy.

itemize ['aɪtəmaɪz] *vt* wyszczególniać
(wyszczególnić *perf*).

itinerant [ɪ'tɪnərənt] *adj* wędrowny.

itinerary [aɪ'tɪnərərɪ] *n* plan *m* podróży.

it'll ['ɪtl] = **it will**; **it shall**.

ITN (*BRIT*: *TV*) *n abbr* (= *Independent
Television News*).

its [ɪts] *adj* swój, jego; **the baby was lying in
its room** dziecko leżało w swoim pokoju; **he
liked London for its exotic quality** lubił
Londyn za jego egzotykę; **the creature lifted
its head** stworzenie uniosło głowę ♦ *pron*
swój.

it's [ɪts] = **it is**; **it has**.

itself [ɪt'self] *pron* (*reflexive*) się; (*after prep*)
siebie (*gen, acc*), sobie (*dat, loc*), sobą (*instr*);
(*emphatic*) samo.

ITV (*BRIT*: *TV*) *n abbr* (= *Independent
Television*).

IUD *n abbr* (= *intra-uterine device*) wkładka *f*
wewnątrzmaciczna.

I've [aɪv] = **I have**.

ivory ['aɪvərɪ] *n* kość *f* słoniowa.

Ivory Coast *n*: **the Ivory Coast** Wybrzeże *nt*
Kości Słoniowej.

ivory tower *n* (*fig*) wieża *f* z kości słoniowej.

ivy ['aɪvɪ] *n* bluszcz *m*.

Ivy League *n grupa ośmiu prestiżowych
uniwersytetów we wschodniej części Stanów
Zjednoczonych.*

J, j

J, j [dʒeɪ] *n* (*letter*) J *nt*, j *nt*; **J for Jack,** (*US*)
J for Jig ≈ J jak Jadwiga.

JA *n abbr* = **judge advocate**.

J/A *abbr* = **joint account**.

jab [dʒæb] *vt* (*person*) dźgać (dźgnąć *perf*);
(*finger, stick etc*): **to jab a finger at sb** dźgać
(dźgnąć *perf*) kogoś palcem ♦ *n* (*inf: injection*)
szczepienie *nt*; (*poke*) dźgnięcie *nt*; **to jab at**

stukać w +*acc*; **to jab sth into sth** wbijać
(wbić *perf*) coś w coś.

jack [dʒæk] *n* (*AUT*) podnośnik *m*, lewarek *m*;
(*CARDS*) walet *m*; (*BOWLS*) *biała kula, do
której celują grający.*

▶**jack in** (*inf*) *vt* rzucać (rzucić *perf*) w diabły (*inf*)

▶**jack up** *vt* (*AUT*) podnosić (podnieść *perf*)
(lewarkiem *or* na podnośniku).

jackal ['dʒækl] *n* szakal *m*.

jackass ['dʒækæs] (*inf*) *n* osioł *m* (*inf*).

jackdaw ['dʒækdɔ:] *n* kawka *f*.

jacket ['dʒækɪt] *n* (*men's*) marynarka *f*;
(*women's*) żakiet *m*; (*coat*) kurtka *f*; (*of book*)
obwoluta *f*; **potatoes in their jackets, jacket
potatoes** ziemniaki w mundurkach.

jack-in-the-box ['dʒækɪnðəbɔks] *n zabawka w
formie pudełka, z którego po otwarciu
wyskakuje figurka na sprężynie.*

jack-knife ['dʒæknaɪf] *vi* składać się (złożyć
się *perf*) jak scyzoryk ♦ *n* (duży) składany
nóż *m*.

jack-of-all-trades ['dʒækəv'ɔ:ltreɪdz] *n* majster
m do wszystkiego.

jack plug *n* wtyczka *f* typu jack.

jackpot ['dʒækpɔt] *n* najwyższa stawka *f*, cała
pula *f*; **to hit the jackpot** (*fig*) wygrać (*perf*)
los na loterii.

jacuzzi [dʒə'ku:zɪ] *n* wanna *f* z masażem
wodnym, jacuzzi *nt inv*.

jade [dʒeɪd] *n* nefryt *m*.

jaded ['dʒeɪdɪd] *adj* znudzony.

JAG *n abbr* (= *Judge Advocate General*)
*zwierzchnik wojskowego wymiaru
sprawiedliwości.*

jagged ['dʒægɪd] *adj* (*outline, edge*)
postrzępiony; (*blade*) wyszczerbiony.

jaguar ['dʒægjuə*] *n* jaguar *m*.

jail [dʒeɪl] *n* więzienie *nt* ♦ *vt* wsadzać
(wsadzić *perf*) do więzienia.

jailbird ['dʒeɪlbə:d] *n* kryminalista (-tka) *m(f)*.

jailbreak ['dʒeɪlbreɪk] *n* ucieczka *f* z więzienia.

jalopy [dʒə'lɔpɪ] (*inf*) *n* gruchot *m* (*inf*).

jam [dʒæm] *n* (*food*) dżem *m*; (*also*: **traffic
jam**) korek *m*; (*inf. difficulty*) tarapaty *pl* ♦ *vt*
(*passage, road*) tarasować (zatarasować *perf*);
(*mechanism, drawer*) zablokowywać
(zablokować *perf*); (*RADIO*) zagłuszać
(zagłuszyć *perf*) ♦ *vi* (*mechanism, drawer etc*)
zacinać się (zaciąć się *perf*), zablokowywać
się (zablokować się *perf*); (*MUS*)
improwizować; **to be in a jam** (*inf*) być w
tarapatach; **to get sb out of a jam** (*inf*)
wyciągać (wyciągnąć *perf*) kogoś z tarapatów;
the switchboard was jammed centrala
(telefoniczna) się zablokowała; **to jam sth
into sth** wpychać (wepchnąć *perf*) coś do
czegoś.

Jamaica [dʒə'meɪkə] *n* Jamajka *f*.

Jamaican [dʒə'meɪkən] *adj* jamajski ♦ *n*
Jamajczyk (-jka) *m(f)*.

jamb ['dʒæm] n (ARCHIT) węgar m.
jamboree [dʒæmbə'ri:] n wielka zabawa f.
jam-packed [dʒæm'pækt] adj: **jam-packed (with)** zapchany (+instr).
jam session n jam session nt inv.
Jan. abbr = **January** stycz.
jangle ['dʒæŋgl] vi pobrzękiwać.
janitor ['dʒænɪtə*] n (esp US) stróż m; (SCOL) woźny (-na) m(f).
January ['dʒænjuərɪ] n styczeń m; see also **July**.
Japan [dʒə'pæn] n Japonia f.
Japanese [dʒæpə'ni:z] adj japoński ♦ n inv (person) Japończyk (-onka) m(f); (LING) (język m) japoński.
jar [dʒɑ:*] n słoik m; (large) słój m ♦ vi (sound) drażnić ♦ vt: **to jar one's bones** poobijać (perf) sobie kości.
jargon ['dʒɑ:gən] n żargon m.
jarring ['dʒɑ:rɪŋ] adj (sound) drażniący; (colour, contradiction) rażący.
Jas. abbr (= James).
jasmine ['dʒæzmɪn] n jaśmin m.
jaundice ['dʒɔ:ndɪs] n żółtaczka f.
jaundiced ['dʒɔ:ndɪst] adj (fig: attitude) cyniczny.
jaunt [dʒɔ:nt] n wypad m.
jaunty ['dʒɔ:ntɪ] adj raźny.
Java ['dʒɑ:və] n Jawa f.
javelin ['dʒævlɪn] n oszczep m.
jaw [dʒɔ:] n szczęka f; **the panther held a snake in its jaws** pantera trzymała w zębach węża.
jawbone ['dʒɔ:bəun] n kość f szczękowa (dolna), żuchwa f.
jay [dʒeɪ] n sójka f.
jaywalker ['dʒeɪwɔ:kə*] n pieszy m nieprawidłowo przechodzący przez jezdnię.
jazz [dʒæz] n jazz m; **and all that jazz** (inf) i cała reszta.
▶**jazz up** vt (inf) ożywiać (ożywić perf).
jazz band n orkiestra f jazzowa.
JCS (US) n abbr (= Joint Chiefs of Staff) Kolegium nt Szefów Sztabów.
JD (US) n abbr (= Doctor of Laws) stopień naukowy; ≈ dr; (= Justice Department) ≈ Ministerstwo nt Sprawiedliwości.
jealous ['dʒeləs] adj: **jealous (of)** zazdrosny (o +acc); **they may feel jealous of your success** mogą ci zazdrościć sukcesu.
jealously ['dʒeləslɪ] adv zazdrośnie.
jealousy ['dʒeləsɪ] n zazdrość f, zawiść f.
jeans [dʒi:nz] npl dżinsy pl.
jeep [dʒi:p] ® n jeep m.
jeer [dʒɪə*] vi: **to jeer (at)** wyszydzać (wyszydzić perf) (+acc), drwić (z +gen); **jeers** npl gwizdy pl.
jeering ['dʒɪərɪŋ] adj (remark) szyderczy, drwiący; (crowd) szydzący ♦ n gwizdy pl.
jelly ['dʒelɪ] n galaretka f.
jellyfish ['dʒelɪfɪʃ] n meduza f.

jeopardize ['dʒepədaɪz] vt (circumstances, opinion) zagrażać (zagrozić perf) +dat; (person) narażać (narazić perf) na szwank; **to jeopardize sb's/one's job** narażać (narazić perf) kogoś/się na utratę pracy.
jeopardy ['dʒepədɪ] n: **to be in jeopardy** być zagrożonym or w niebezpieczeństwie.
jerk [dʒə:k] n szarpnięcie nt; (inf. idiot) palant m (inf) ♦ vt szarpać (szarpnąć perf) ♦ vi szarpać (szarpnąć perf); **to give sth a jerk** szarpnąć (perf) coś.
jerkin ['dʒə:kɪn] n kabat m.
jerky ['dʒə:kɪ] adj szarpany, urywany.
jerry-built ['dʒerɪbɪlt] adj zbudowany byle jak.
jerry can ['dʒerɪ-] n kanister m.
Jersey ['dʒə:zɪ] n Jersey nt (wyspa).
jersey ['dʒə:zɪ] n (garment) pulower m; (fabric) dżersej m.
Jerusalem [dʒə'ru:sləm] n Jerozolima f.
jest [dʒest] n żart m; **in jest** żartem.
jester ['dʒestə*] n: **(court) jester** błazen m (królewski).
Jesus ['dʒi:zəs] n Jezus m; **Jesus Christ** Jezus Chrystus.
jet [dʒet] n (of gas, liquid) silny strumień m; (AVIAT) odrzutowiec m; (stone) gagat m.
jet-black ['dʒet'blæk] adj czarny jak węgiel; (hair) kruczoczarny.
jet engine n silnik m odrzutowy.
jet lag n zmęczenie nt spowodowane różnicą czasu (po długiej podróży samolotem).
jet-propelled ['dʒet'prəpeld] adj odrzutowy.
jetsam ['dʒetsəm] n = **flotsam**.
jettison ['dʒetɪsn] vt (fuel, cargo) wyrzucać (wyrzucić perf) za burtę; (fig: idea, chance) odrzucać (odrzucić perf).
jetty ['dʒetɪ] n pirs m.
Jew [dʒu:] n Żyd m.
jewel ['dʒu:əl] n (lit, fig) klejnot m; (in watch) kamień m.
jeweller ['dʒu:ələ*] (US **jeweler**) n jubiler m.
jeweller's (shop) n sklep m jubilerski, jubiler m.
jewellery ['dʒu:əlrɪ] (US **jewelry**) n biżuteria f.
Jewess ['dʒu:ɪs] n Żydówka f.
Jewish ['dʒu:ɪʃ] adj żydowski.
JFK (US) n abbr (= John Fitzgerald Kennedy International Airport) lotnisko nt im. Johna F. Kennedy'ego (w Nowym Jorku).
jib [dʒɪb] n (NAUT) kliwer m; (of crane) ramię nt, wysięgnik m ♦ vi zapierać się (zaprzeć perf); **to jib at sth/doing sth** wzdragać się przed czymś/zrobieniem czegoś.
jibe [dʒaɪb] n = **gibe**.
jiffy ['dʒɪfɪ] (inf) n: **in a jiffy** za sekundkę or momencik.
jig [dʒɪg] n (dance) giga f.
jigsaw ['dʒɪgsɔ:] n (also: **jigsaw puzzle**) układanka f; (: fig) łamigłówka f; (tool) wyrzynarka f, laubzega f.
jilt [dʒɪlt] vt porzucać (porzucić perf).

jingle ['dʒɪŋgl] n (for advert) dżingiel m ♦ vi
(bells) dzwonić; (bracelets, keys) pobrzękiwać.
jingoism ['dʒɪŋgəʊɪzəm] n dżingoizm m,
szowinizm m.
jinx [dʒɪŋks] (inf) n (złe) fatum nt ♦ vt: **that
car is jinxed** ten samochód jest pechowy.
jitters ['dʒɪtəz] (inf) npl: **to get the jitters**
dostawać (dostać perf) trzęsiączki (inf).
jittery ['dʒɪtərɪ] (inf) adj roztrzęsiony.
jiujitsu [dʒuːˈdʒɪtsuː] n dż(i)u-dżitsu or ju-jitsu
nt inv.
job [dʒɔb] n praca f; **it's a good job that ...**
(to) dobrze, że ...; **it's not my job** to nie
należy do mnie; **I had a job finding it**
miałem trudności ze znalezieniem go; **a
part-time/full-time job** praca na pół etatu/cały
etat; **he's only doing his job** on tylko robi,
co do niego należy; **just the job!** (inf) o to
właśnie chodziło!
jobber ['dʒɔbə*] (BRIT) n makler m.
jobbing ['dʒɔbɪŋ] (BRIT) adj (builder, plumber)
pracujący na zlecenie.
job centre (BRIT) n ≈ biuro nt pośrednictwa
pracy.
job creation scheme n program m tworzenia
nowych miejsc pracy.
job description n zakres m obowiązków.
jobless ['dʒɔblɪs] adj bez pracy post ♦ npl: **the
jobless** bezrobotni.
job lot n partia f (taniego, używanego towaru,
np. na aukcji).
job satisfaction n satysfakcja f z pracy.
job security n gwarancja f stałego zatrudnienia.
job sharing n dzielenie się nt etatem (przez
dwóch półetatowych pracowników).
jockey ['dʒɔkɪ] n dżokej m ♦ vi: **to jockey for
position** walczyć (o pierwszeństwo) nie
przebierając w środkach.
jockey box (US: AUT) schowek m na
rękawiczki.
jocular ['dʒɔkjʊlə*] adj (person) dowcipny;
(remark) żartobliwy.
jog [dʒɔg] vt trącać (trącić perf), potrącać
(potrącić perf) ♦ vi uprawiać jogging; ... **to
jog your memory** ... żeby ci pomóc sobie
przypomnieć.
►**jog along** vi biec (przebiec perf).
jogger ['dʒɔgə*] n osoba f uprawiająca jogging.
jogging ['dʒɔgɪŋ] n jogging m.
join [dʒɔɪn] vt (queue) dołączać (dołączyć perf)
do +gen; (club, organization) wstępować
(wstąpić perf) do +gen; (things, places) łączyć
(połączyć perf); (person: meet) spotykać się
(spotkać się perf) z +instr; (: in an activity)
przyłączać się (przyłączyć się perf) do +gen;
(road, river) łączyć się z +instr ♦ vi (roads,
rivers) łączyć się ♦ n złączenie nt; **to join
forces (with)** (fig) połączyć (perf) siły (z
+instr); **will you join us for dinner?** (czy)

zjesz z nami obiad?; **I'll join you later**
dołączę do was później.
►**join in** vi włączać się (włączyć się perf) ♦ vt
fus (work, discussion) włączać się (włączyć
się perf) do +gen.
►**join up** vi (MIL) wstępować (wstąpić perf) do
wojska; **they all joined up in X for the rest
of the holiday** wszyscy spotkali się w X,
gdzie razem spędzili resztę wakacji.
joiner ['dʒɔɪnə*] (BRIT) n stolarz m (robiący
drzwi, framugi itp).
joinery ['dʒɔɪnərɪ] (BRIT) n stolarka f.
joint [dʒɔɪnt] n (TECH) złącze nt, spoina f;
(ANAT) staw m; (BRIT: CULIN) sztuka f
mięsa; (inf. place) lokal m; (: of cannabis)
skręt m (inf) ♦ adj wspólny; **joint owners**
współwłaściciele.
joint account n wspólny rachunek m (w
banku).
jointly adj wspólnie.
joint ownership n współwłasność f.
joint-stock company n spółka f akcyjna.
joint venture n spółka f typu joint-venture.
joist [dʒɔɪst] n (in ceiling) belka f stropowa;
(in floor) legar m podłogowy.
joke [dʒəʊk] n (gag) dowcip m, kawał m (inf);
(sth not serious) żart m; (also: **practical joke**)
psikus m, kawał m (inf) ♦ vi żartować; **to
play a joke on sb** robić (zrobić perf) komuś
kawał; **you must be joking!** (inf) chyba
żartujesz!
joker ['dʒəʊkə*] n (CARDS) joker m, dżoker m
joking ['dʒəʊkɪŋ] n żarty pl.
jokingly ['dʒəʊkɪŋlɪ] adv żartem, w żartach.
jollity ['dʒɔlɪtɪ] n wesołość f.
jolly ['dʒɔlɪ] adj wesoły ♦ adv (BRIT: inf)
naprawdę ♦ vt (BRIT): **to jolly sb along**
podbudowywać (podbudować perf) kogoś;
jolly good! świetnie!
jolt [dʒəʊlt] n (jerk) szarpnięcie nt; (shock)
wstrząs m ♦ vt (physically) szarpnąć (perf),
potrząsnąć (perf) +instr; (emotionally)
wstrząsnąć (perf) +instr; **with a jolt**
gwałtownie; **to give sb a jolt** wstrząsnąć
(perf) kimś.
Jordan [dʒɔːdən] n Jordania f; **the (river)
Jordan** Jordan m.
Jordanian [dʒɔːˈdeɪnɪən] adj jordański ♦ n
Jordańczyk (-anka) m(f).
joss stick ['dʒɔs-] n kadzidełko nt.
jostle ['dʒɔsl] vt potrącać, popychać ♦ vi
rozpychać się.
jot [dʒɔt] n: **not a jot** ani trochę.
►**jot down** vt notować (zanotować perf).
jotter ['dʒɔtə*] (BRIT) n notes m.
journal ['dʒəːnl] n (magazine) czasopismo nt;
(: in titles) magazyn m; (diary) dziennik m.
journalese [dʒəːnəˈliːz] (pej) n żargon m
dziennikarski.
journalism ['dʒəːnəlɪzəm] n dziennikarstwo nt.

journalist ['dʒə:nəlıst] *n* dziennikarz (-arka) *m(f)*.

journey ['dʒə:nı] *n* podróż *f* ♦ *vi* podróżować; **as they journeyed north ...** w miarę jak posuwali się na północ, ...; **a five-hour/six-mile journey** pięciogodzinna/sześciomilowa podróż; **it's a five-hour journey** to pięć godzin drogi; **return journey** droga powrotna.

jovial ['dʒəʊvıəl] *adj* jowialny.

jowls [dʒaulz] *npl* policzki *pl* (*część przykrywająca żuchwę*).

joy [dʒɔı] *n* radość *f*.

joyful ['dʒɔıful] *adj* (*mood, laugh*) radosny; (*person*) uradowany.

joyrider ['dʒɔıraıdə*] *n* amator(ka) *m(f)* przejażdżek kradzionymi samochodami.

joystick ['dʒɔıstık] *n* (*AVIAT*) drążek *m* sterowy; (*COMPUT*) joystick *m*, dżojstik *m*.

JP *n abbr* = **Justice of the Peace**.

Jr *abbr* (*in names*) = **junior** jr.

JTPA (*US*) *n abbr* (= *Job Training Partnership Act*).

jubilant ['dʒu:bılnt] *adj* rozradowany.

jubilation [dʒu:bı'leıʃən] *n* rozradowanie *nt*.

jubilee ['dʒu:bıli:] *n* jubileusz *m*; **silver/golden jubilee** srebrny/złoty jubileusz.

judge [dʒʌdʒ] *n* (*JUR*) sędzia (-ina) *m(f)*; (*in competition*) sędzia (-ina) *m(f)*, juror(ka) *m(f)*; (*fig*) ekspert *m* ♦ *vt* (*competition, match*) sędziować; (*estimate*) określać (określić *perf*), oceniać (ocenić *perf*); (*evaluate*) oceniać; (*consider*) uznawać (uznać *perf*) za +*acc* ♦ *vi* wydawać (wydać *perf*) opinię; **she's a good judge of character** ona zna się na ludziach; **I'll be the judge of that** ja to ocenię; **judging** *or* **to judge by his expression** sądząc z jego wyrazu twarzy; **as far as I can judge** o ile się orientuję; **I judged it necessary to inform him** uznałem za konieczne poinformować go.

judge advocate *n* (*BRIT*) asesor *m* sądu; (*US*) prokurator *m* wojskowy.

judg(e)ment ['dʒʌdʒmənt] *n* (*JUR*) orzeczenie *nt*, wyrok *m*; (*view, opinion*) pogląd *m*, opinia *f*; (*discernment*) ocena *f* sytuacji; (*REL*) kara *f*; **in my judg(e)ment** w moim mniemaniu *or* odczuciu; **to pass judg(e)ment (on)** (*JUR*) wydawać (wydać *perf*) wyrok (na +*acc*); (*fig*) wydawać opinię (na temat +*gen*).

judicial [dʒu:'dıʃl] *adj* sądowy; **judicial review** rewizja (procesu).

judiciary [dʒu:'dıʃıərı] *n*: **the judiciary** sądownictwo *nt*, władza *f* sądownicza.

judicious [dʒu:'dıʃəs] *adj* rozważny, rozsądny.

judo ['dʒu:dəu] *n* judo *nt inv*, dżudo *nt inv*.

jug [dʒʌg] *n* dzbanek *m*.

jugged hare ['dʒʌgd-] (*BRIT*) *n* potrawka *f* z zająca.

juggernaut ['dʒʌgənɔ:t] (*BRIT*) *n* wielka ciężarówka *f*.

juggle ['dʒʌgl] *vi* żonglować ♦ *vt* (*fig*) zmieniać (zmienić *perf*), przesuwać (przesunąć *perf*); **to juggle with sth** żonglować czymś.

juggler ['dʒʌglə*] *n* żongler(ka) *m(f)*.

Jugoslav *etc* = **Yugoslav** *etc*.

jugular ['dʒʌgjulə*] *n* żyła *f* szyjna; **to go for the jugular** (*fig*) uderzać (uderzyć *perf*) w najsłabszy punkt.

juice [dʒu:s] *n* sok *m*; (*inf: petrol*) benzyna *f*.

juicy ['dʒu:sı] *adj* soczysty; (*inf: scandalous*) pikantny.

jukebox ['dʒu:kbɔks] *n* szafa *f* grająca.

Jul. *abbr* = **July** lip.

July [dʒu:'laı] *n* lipiec *m*; **the first of July** pierwszy lipca; **on the eleventh of July** jedenastego lipca; **in the month of July** w miesiącu lipcu; **at the beginning/end of July** na początku/pod koniec lipca; **in the middle of July** w środku lipca; **during July** w lipcu, przez lipiec; **in July of next year** w lipcu przyszłego roku; **each** *or* **every July** co roku w lipcu; **July was wet this year** lipiec był w tym roku deszczowy.

jumble ['dʒʌmbl] *n* (*of things, colours, qualities*) (bezładna) mieszanina *f*; (*BRIT: items for sale*) rzeczy *pl* używane (*przeznaczone na wyprzedaż*) ♦ *vt* (*also*: **jumble up**) mieszać (pomieszać *perf*).

jumble sale (*BRIT*) *n* wyprzedaż *f* rzeczy używanych (*zwykle na cele dobroczynne*).

jumbo ['dʒʌmbəu] *n* (*also*: **jumbo jet**) wielki odrzutowiec *m*, Jumbo Jet *m* ♦ *adj* (*also*: **jumbo-sized**) olbrzymi.

jump [dʒʌmp] *vi* skakać (skoczyć *perf*); (*with fear, surprise*) (aż) podskoczyć (*perf*) ♦ *vt* przeskakiwać (przeskoczyć *perf*) (przez) ♦ *n* (*leap*) skok *m*; (*increase*) skok *m* (w górę); **to jump the queue** (*BRIT*) wpychać się (wepchnąć się *perf*) poza kolejką *or* kolejnością.

▶**jump at** *vt fus* skwapliwie skorzystać (*perf*) z +*gen*.

▶**jump down** *vi* zeskakiwać (zeskoczyć *perf*).

▶**jump up** *vi* zrywać się (zerwać się *perf*).

jumped-up ['dʒʌmptʌp] (*BRIT: pej*) *adj* nadęty (*pej*), napuszony (*pej*).

jumper ['dʒʌmpə*] *n* (*BRIT*) pulower *m*; (*US*) fartuch *m* (*kobiecy, bez rękawów*); (*person, animal*) skoczek *m*.

jumper cables (*US*) *npl* = **jump leads**.

jump leads (*BRIT*) *npl* (*AUT*) przewody *pl* rozruchowe.

jump suit *n* jednoczęściowy kombinezon *m*.

jumpy ['dʒʌmpı] *adj* zdenerwowany.

Jun. *abbr* = **June** czerw.

junction ['dʒʌŋkʃən] (*BRIT*) *n* (*of roads*) skrzyżowanie *nt*; (*RAIL*) rozjazd *m*, stacja *f* węzłowa.

junction box n (ELEC) skrzynka f
przyłączeniowa.

juncture ['dʒʌŋktʃə*] n: **at this juncture** w
tym momencie or punkcie.

June [dʒuːn] n czerwiec m; see also **July**.

jungle ['dʒʌŋgl] n dżungla f, puszcza f, (fig)
dżungla f.

junior ['dʒuːnɪə*] adj niższy rangą, młodszy ♦
n (subordinate) podwładny (-na) m(f); (BRIT)
≈ uczeń/uczennica m/f szkoły podstawowej (w
wieku 7-11 lat); **he's my junior by 2 years,
he's 2 years my junior** jest ode mnie o 2
lata młodszy; **he's junior to me** jest ode
mnie niższy rangą; **Douglas Fairbanks Junior**
Douglas Fairbanks junior or młodszy.

junior executive n samodzielny pracownik m
niższego szczebla.

junior high school (US) n szkoła średnia
obejmująca siódmą, ósmą i czasami dziewiątą
klasę.

junior minister (BRIT) n ≈ podsekretarz m stanu.

junior partner n młodszy wspólnik m.

junior school (BRIT) n czteroletnia szkoła
podstawowa.

juniper ['dʒuːnɪpə*] n jałowiec m.

juniper berry n owoc m jałowca.

junk [dʒʌŋk] n (rubbish) graty pl, rupiecie pl;
(cheap goods) starzyzna f, (ship) dżonka f ♦
vt (inf) wyrzucać (wyrzucić perf) (na śmietnik).

junket ['dʒʌŋkɪt] n (CULIN) legumina f, **to go
on a junket** (inf) przejechać się (perf) za
państwowe pieniądze.

junk food n niezdrowe jedzenie nt.

junkie ['dʒʌŋkɪ] (inf) n ćpun(ka) m(f) (inf).

junk mail n przesyłki pl reklamowe.

junk shop n sklep m ze starzyzną.

Junr abbr (in names) = **junior** jr.

junta ['dʒʌntə] n junta f.

Jupiter ['dʒuːpɪtə*] n Jowisz m.

jurisdiction [dʒuərɪs'dɪkʃən] n jurysdykcja f, **it
falls** or **comes within/outside my jurisdiction**
to leży/nie leży w moich kompetencjach.

jurisprudence [dʒuərɪs'pruːdəns] n
prawoznawstwo nt.

juror ['dʒuərə*] n (JUR) przysięgły (-ła) m(f);
(in competition) juror(ka) m(f).

jury ['dʒuərɪ] n (JUR) sąd m or ława f
przysięgłych; (in competition) jury nt.

jury box n ława f przysięgłych (miejsce).

juryman ['dʒuərɪmən] (irreg like **woman**) n =
juror.

just [dʒʌst] adj (decision, person, society)
sprawiedliwy; (reward) zasłużony; (cause)
słuszny ♦ adv (exactly) właśnie, dokładnie;
(merely) tylko, jedynie; **he's just left** właśnie
wyszedł; **just as I expected** dokładnie tak,
jak się spodziewałem; **just right** w sam raz;
just now (a moment ago) dopiero co; (at the
present time) w tej chwili; **we were just
going** właśnie wychodziliśmy; **I was just**

about to phone właśnie miałem
zatelefonować or zadzwonić; **she's just as
clever as you** jest nie mniej inteligentna niż
ty; **it's just as well (that)** ... dobrze się
składa, (że) ...; **just as he was leaving** w
chwili gdy wychodził; **just before/after** krótko
przed +instr/po +loc; **just after you called**
krótko po tym, jak zadzwoniłeś; **just enough**
akurat tyle, ile (po)trzeba; **just here** o tutaj;
he just missed minimalnie chybił, omal nie
trafił; **it's just me** to tylko ja; **it's just a
mistake** to zwykła pomyłka; **just listen**
posłuchaj tylko; **just ask someone the way**
po prostu zapytaj kogoś o drogę; **not just
now** nie w tej chwili; **just a minute!, just
one moment!** chwileczkę!, momencik!

justice ['dʒʌstɪs] n (JUR) sprawiedliwość f,
wymiar m sprawiedliwości; (of cause)
słuszność f, (of complaint) zasadność f,
(fairness) sprawiedliwość f, (US: judge)
sędzia m; **Lord Chief Justice** (BRIT: JUR)
przewodniczący Ławy Królewskiej Sądu
Najwyższego i Prezes (Wydziału
Kryminalnego) Sądu Apelacyjnego.; **to do
justice to** (fig: represent, capture) dobrze
oddawać (oddać perf) +acc; (deal properly
with) dawać (dać perf) sobie radę z +instr,
uporać się (perf) z +instr; **she didn't do
herself justice** nie pokazała, na co ją stać; **to
bring sb to justice** oddawać (oddać perf)
kogoś w ręce sprawiedliwości.

Justice of the Peace n sędzia m pokoju.

justifiable [dʒʌstɪ'faɪəbl] adj uzasadniony,
słuszny.

justifiably [dʒʌstɪ'faɪəblɪ] adv słusznie, ze
słusznych względów.

justification [dʒʌstɪfɪ'keɪʃən] n (reason)
uzasadnienie nt; (TYP) justowanie nt.

justify ['dʒʌstɪfaɪ] vt (action, decision)
uzasadniać (uzasadnić perf), tłumaczyć
(wytłumaczyć perf); (TYP: text) justować; **to
be justified in doing sth** mieć słuszne
powody, żeby coś (z)robić.

justly ['dʒʌstlɪ] adv (fairly) sprawiedliwie;
(deservedly) słusznie.

jut [dʒʌt] vi (also: **jut out**) wystawać, sterczeć.

jute [dʒuːt] n juta f.

juvenile ['dʒuːvənaɪl] adj (offender) nieletni,
młodociany; (mentality, person) dziecinny ♦ n
nieletni(a) m(f); **juvenile crime** przestępczość
nieletnich; **juvenile court** sąd dla nieletnich.

juvenile delinquency n przestępczość f
nieletnich.

juvenile delinquent n młodociany przestępca m.

juxtapose ['dʒʌkstəpəuz] vt zestawiać
(zestawić perf) (ze sobą).

juxtaposition ['dʒʌkstəpə'zɪʃən] n zestawienie nt.

K,k

K[1], k [keɪ] *n* (*letter*) K *nt*, k *nt*; **K for King** ≈ K jak Karol.

K[2] *abbr* (= *one thousand*); (*COMPUT*) = **kilobyte** kB; (*BRIT: in titles*) = **Knight**.

kaftan ['kæftæn] *n* kaftan *m*.

Kalahari Desert [kælə'hɑːrɪ-] *n*: **the Kalahari Desert** pustynia *f* Kalahari.

kale [keɪl] *n* kapusta *f* włoska.

kaleidoscope [kə'laɪdəskəup] *n* kalejdoskop *m*.

Kampala [kæm'pɑːlə] *n* Kampala *f*.

Kampuchea [kæmpu'tʃɪə] *n* Kampucza *f*.

Kampuchean [kæmpu'tʃɪən] *adj* kampuczański.

kangaroo [kæŋgə'ruː] *n* kangur (-urzyca) *m(f)*.

kaput [kə'put] (*inf*) *adj* zepsuty.

karate [kə'rɑːtɪ] *n* karate *nt inv*.

Kashmir [kæʃ'mɪə*] *n* Kaszmir *m*.

kayak ['kaɪæk] *n* kajak *m* eskimoski.

KC (*BRIT: JUR*) *n abbr* (= *King's Counsel*) *stopień w hierarchii sądowej*.

kd (*US: COMM*) *abbr* (= *knocked down*) zdemontowany.

kebab [kə'bæb] *n* kebab *m*.

keel [kiːl] *n* kil *m*; **on an even keel** (*fig*) w stanie równowagi.

keel over *vi* (*NAUT*) przewracać się (przewrócić się *perf*) na burtę; (*person*) przewracać się (przewrócić się *perf*), przekręcić się (*perf*) (*inf*).

keen [kiːn] *adj* (*person*) zapalony, gorliwy; (*interest, desire*) żywy; (*eye, intelligence*) bystry, przenikliwy; (*competition*) zawzięty; (*edge, blade*) ostry; **to be keen to do** *or* **on doing sth** palić się do (robienia) czegoś; **to be keen on sth/sb** interesować się czymś/kimś; **I'm not keen on going** nie mam ochoty iść.

keenly ['kiːnlɪ] *adv* (*interested*) żywo; (*feel*) dotkliwie; (*watch*) bacznie; (*compete*) zawzięcie.

keenness ['kiːnnɪs] *n* zapał *m*, gorliwość *f*.

keep [kiːp] (*pt* **kept**) *vt* (*retain: receipt*) zachowywać (zachować *perf*); (: *money*) zatrzymywać (zatrzymać *perf*); (: *job*) utrzymywać (utrzymać *perf*); (*preserve, store*) przechowywać (przechować *perf*), trzymać; (*detain*) zatrzymywać (zatrzymać *perf*); (*hold back*) powstrzymywać (powstrzymać *perf*); (*shop, accounts, notes*) prowadzić; (*chickens etc*) hodować, trzymać (*inf*); (*family*) utrzymywać; (*promise*) dotrzymywać (dotrzymać *perf*) +*gen* ♦ *vi* trzymać się ♦ *n* (*expenses*) utrzymanie *nt*; (*of castle*) wieża *f* warowna; **I keep thinking about it** ciągle o tym myślę; **keep walking/trying** idź/próbuj dalej; **to keep sb happy** zadowalać

(zadowolić *perf*) kogoś; **keep the kitchen tidy** utrzymuj kuchnię w czystości; **to keep sb waiting** kazać (kazać *perf*) komuś czekać; **to keep an appointment** przychodzić (przyjść *perf*) na (umówione) spotkanie; **to keep a record of** notować *or* rejestrować +*acc*; **to keep sth to o.s.** zachowywać (zachować *perf*) coś dla siebie; **to keep sth (back) from sb** zatajać (zataić *perf*) coś przed kimś; **to keep sb from doing sth** powstrzymywać (powstrzymać *perf*) kogoś od (z)robienia czegoś; **to keep sth from happening** zapobiegać (zapobiec *perf*) czemuś; **to keep time** (*clock*) wskazywać czas; **to keep warm** trzymać się ciepło; **keep to the path** trzymaj się ścieżki; **how are you keeping?** (*inf*) jak (ci) leci? (*inf*).

►**keep away** *vt*: **to keep sth/sb away from sth/sb** trzymać coś/kogoś z dala *or* daleka od czegoś/kogoś.

►**keep away** *vi*: **to keep away (from)** trzymać się z dala *or* daleka (od +*gen*).

►**keep back** *vt* (*crowds, tears*) powstrzymywać (powstrzymać *perf*); (*money*) zostawiać (zostawić *perf*) sobie; (*information*) zatajać (zataić *perf*) ♦ *vi* nie zbliżać się.

►**keep down** *vt* (*costs, spending*) ograniczać (ograniczyć *perf*); (*food*) nie zwymiotować (*perf*) +*gen* ♦ *vi* nie podnosić się.

►**keep in** *vt* (*invalid, child*) zatrzymywać (zatrzymać *perf*) w domu; **to keep sb in at school** zostawiać (zostawić *perf*) kogoś po lekcjach.

►**keep in with** *vt* utrzymywać dobre stosunki z +*instr*.

►**keep off** *vt* zabraniać (zabronić *perf*) wstępu +*dat*, nie wpuszczać (nie wpuścić *perf*) +*gen* ♦ *vi* (*rain, snow*) nie zaczynać (nie zacząć *perf*) padać; **"keep off the grass"** „nie deptać trawy"; **"keep your hands off"** „ręce przy sobie".

►**keep on** *vi*: **to keep on doing sth** nadal coś robić; **to keep on (about sth)** nudzić (o czymś).

►**keep out** *vt* (*intruder etc*) trzymać z daleka; **"keep out"** (*do not enter*) „wstęp wzbroniony"; (*stay away*) „nie zbliżać się".

►**keep up** *vt* (*standards etc*) utrzymywać (utrzymać *perf*); (*person*) nie pozwalać (nie pozwolić *perf*) spać +*dat* ♦ *vi*: **to keep up (with)** nadążać (nadążyć *perf*) (za +*instr*).

keeper ['kiːpə*] *n* (*in zoo, park*) dozorca *m*.

keep fit *n* zajęcia *pl* sportowe.

keeping ['kiːpɪŋ] *n* opieka *f*; **in keeping with** zgodnie z +*instr*; **to be in/out of keeping with** harmonizować/nie harmonizować z +*instr*; **I'll leave this in your keeping** zostawię to pod twoją opieką.

keeps [kiːps] *n*: **for keeps** (*inf*) na zawsze.

keepsake ['kiːpseɪk] *n* pamiątka *f*.

keg [kɛg] n (barrel) beczułka f; (also: **keg beer**) piwo nt beczkowe.
kennel ['kɛnl] n psia buda f.
kennels ['kɛnlz] npl schronisko nt dla psów.
Kenya ['kɛnjə] n Kenia f.
Kenyan ['kɛnjən] adj kenijski ♦ N Kenijczyk (-jka) m(f).
kept pt, pp of **keep**.
kerb [kə:b] (BRIT) n krawężnik m.
kernel ['kə:nl] n (of nut) jądro nt; (fig: of idea) sedno nt, istota f.
kerosene ['kɛrəsi:n] (US) n nafta f.
kestrel ['kɛstrəl] n pustułka f.
ketchup ['kɛtʃəp] n keczup m.
kettle ['kɛtl] n czajnik m.
kettledrum ['kɛtldrʌm] n (MUS) kotły pl.
key [ki:] n (lit, fig) klucz m; (MUS) tonacja f; (of piano, computer) klawisz m ♦ adj kluczowy ♦ vt (also: **key in**) wpisywać (wpisać perf) (za pomocą klawiatury).
keyboard ['ki:bɔ:d] n klawiatura f; **keyboards** npl instrumenty pl klawiszowe.
keyed up [ki:d'] adj (person) spięty.
keyhole ['ki:həul] n dziurka f od klucza.
keynote ['ki:nəut] n (of speech) myśl f przewodnia; (MUS) tonika f.
keypad ['ki:pæd] (COMPUT, ELEC) n klawiatura f pomocnicza.
key ring n kółko nt na klucze.
keystroke ['ki:strəuk] n uderzenie nt w klawisz.
kg abbr = **kilogram** kg.
KGB (POL) n abbr (formerly) KGB nt inv.
khaki ['kɑ:ki] n khaki nt inv.
kHz abbr (= kilohertz) kHz.
kibbutz [ki'buts] n kibuc m.
kick [kik] vt kopać (kopnąć perf); (inf: addiction) rzucać (rzucić perf) ♦ vi wierzgać (wierzgnąć perf) ♦ n (of person) kopnięcie nt, kopniak m; (of animal) wierzgnięcie nt, kopnięcie nt; (of ball) rzut m wolny; (thrill) frajda f (inf); (of rifle) odrzut m; **to do sth for kicks** (inf) robić (zrobić perf) coś dla frajdy (inf); **I could kick myself** (inf) pluję sobie w brodę (inf).
▸**kick around** (inf) vi poniewierać się ♦ vt (ideas) obgadywać (obgadać perf).
▸**kick off** (SPORT) vi rozpoczynać (rozpocząć perf) mecz.
kick-off ['kikɔf] (SPORT) n rozpoczęcie nt meczu.
kick start (AUT) n (also: **kick starter**) rozrusznik m nożny.
kid [kid] n (inf: child) dzieciak m, dziecko nt; (goat) koźlę nt; (leather) kozia skóra f ♦ vi (inf) żartować; **kid brother** (inf) młodszy brat.
kidnap ['kidnæp] vt porywać (porwać perf).
kidnapper ['kidnæpə*] n porywacz(ka) m(f).
kidnapping ['kidnæpiŋ] n porwanie nt.
kidney ['kidni] n (ANAT) nerka f; (CULIN) cynaderka f.

kidney bean n fasola f kidney.
kidney machine n dializator m.
Kilimanjaro [kilimən'dʒɑ:rəu] n: **Mount Kilimanjaro** Kilimandżaro nt inv.
kill [kil] vt zabijać (zabić perf); (fig: conversation) ucinać (uciąć perf); (: inf: lights, motor) gasić (zgasić perf); (: pain) uśmierzać (uśmierzyć perf) ♦ n (animal killed) zdobycz f; (act of killing) zabicie nt; **to kill time** zabijać (zabić perf) czas; **to kill o.s. to do sth** (inf) wypruwać sobie żyły, żeby coś zrobić (inf); **to kill o.s. laughing** or **with laughter** (inf) umierać (umrzeć perf) ze śmiechu; **my back's killing me** (inf) plecy bardzo mi dokuczają; **to be in at the kill** (fig) być świadkiem zajścia.
▸**kill off** vt (bacteria, rats) tępić (wytępić perf); (fig: characters in book etc) wykańczać (wykończyć perf) (inf).
killer ['kilə*] n zabójca (-czyni) m(f).
killing ['kiliŋ] n zabójstwo nt; **to make a killing** (inf) obławiać się (obłowić się perf) (inf).
killjoy ['kildʒɔi] n: **to be a killjoy** psuć innym zabawę.
kiln [kiln] n piec m do wypalania.
kilo ['ki:ləu] n kilo nt inv.
kilobyte ['ki:ləubait] n kilobajt m.
kilogram(me) ['kiləugræm] n kilogram m.
kilohertz ['kiləuhə:ts] n inv kiloherc m.
kilometre ['kiləmi:tə*] (US **kilometer**) n kilometr m.
kilowatt ['kiləuwɔt] n kilowat m.
kilt [kilt] n spódnica f szkocka.
kilter ['kiltə*] n: **to be out of kilter** nie działać.
kimono [ki'məunəu] n kimono nt.
kin [kin] n see **kith**, **next**.
kind [kaind] adj uprzejmy, życzliwy ♦ n rodzaj m; **of some kind** jakiś; **that kind of thing** coś w tym rodzaju; **in kind** (COMM) w towarze; **I'm a kind of anarchist** jestem swego rodzaju anarchistą; **they're two of a kind** (obaj) są ulepieni z tej samej gliny; **would you be kind enough to ...?** czy byłbyś uprzejmy +infin?; **would you be so kind as to help me?** czy byłbyś tak miły i pomógł mi?; **it's very kind of you** (to) bardzo miło z twojej strony.
kindergarten ['kindəgɑ:tn] n przedszkole nt.
kind-hearted [kaind'hɑ:tid] adj życzliwy.
kindle ['kindl] vt rozpalać (rozpalić perf).
kindling ['kindliŋ] n drewno nt na rozpałkę.
kindly ['kaindli] adj (person) dobrotliwy; (tone, interest) życzliwy ♦ adv uprzejmie, życzliwie; **will you kindly ...** czy mógłbyś łaskawie +infin?; **he didn't take kindly to being criticized** źle znosił krytykę.
kindness ['kaindnis] n (quality) uprzejmość f, życzliwość f; (act) uprzejmość f, przysługa f.
kindred ['kindrid] adj: **kindred spirit** bratnia dusza f.

inetic [kɪ'nɛtɪk] *adj* (*energy*) kinetyczny; (*art*) ruchomy.

ing [kɪŋ] *n* król *m*.

ingdom ['kɪŋdəm] *n* królestwo *nt*.

ingfisher ['kɪŋfɪʃə*] *n* zimorodek *m*.

ingpin ['kɪŋpɪn] *n* (*TECH*) sworzeń *m*; (*fig*) oś *f*.

ing-size(d) ['kɪŋsaɪz(d)] *adj* olbrzymi; (*cigarette*) długi.

ink [kɪŋk] *n* (*in rope*) supeł *m*; (*in wire*) skręt *m*; (*fig*) dziwactwo *nt*; (: *sexual*) perwersja *f*, zboczenie *nt*.

inky ['kɪŋkɪ] (*inf, pej*) *adj* (*person*) zboczony (*inf, pej*); (*underwear, tastes*) perwersyjny.

inship ['kɪnʃɪp] *n* (*relations*) pokrewieństwo *nt*; (*affinity*) więź *f*.

insman ['kɪnzmən] (*irreg like* **man**) *n* krewniak *m*, krewny *m*.

inswoman ['kɪnzwumən] (*irreg like* **woman**) *n* krewniaczka *f*, krewna *f*.

iosk ['kiːɔsk] *n* (*shop*) kiosk *m* spożywczy; (*BRIT: TEL*) budka *f* (telefoniczna); (*also:* **newspaper kiosk**) kiosk *m* (z gazetami).

ipper ['kɪpə*] *n* śledź *m* wędzony.

iss [kɪs] *n* pocałunek *m*, całus *m* ♦ *vt* całować (pocałować *perf*) ♦ *vi* całować się (pocałować się *perf*); **to kiss sb goodbye** całować (pocałować *perf*) kogoś na pożegnanie.

iss of life (*BRIT*) *n*: **the kiss of life** usta – usta *nt inv*.

it [kɪt] *n* (*sports kit etc*) strój *m*, kostium *m*; (*MIL*) ekwipunek *m*; (*of tools etc*) komplet *m*, zestaw *m*; (*for assembly*) zestaw *m*.

kit out (*BRIT*) *vt* wyposażać (wyposażyć *perf*), wyekwipować (*perf*).

itbag ['kɪtbæg] *n* (*MIL*) plecak *m* wojskowy; (*NAUT*) worek *m* marynarski.

itchen ['kɪtʃɪn] *n* kuchnia *f*.

itchen garden *n* ogród *m* warzywny.

itchen sink *n* zlewozmywak *m*.

itchen unit (*BRIT*) *n* szafka *f* kuchenna.

itchenware ['kɪtʃɪnwɛə*] *n* naczynia *pl* kuchenne.

ite [kaɪt] *n* (*toy*) latawiec *m*; (*ZOOL*) kania *f*.

ith [kɪθ] *n*: **kith and kin** przyjaciele *vir pl* i krewni *vir pl*.

itten ['kɪtn] *n* kotek *m*, kociątko *nt*.

itty ['kɪtɪ] *n* wspólna kasa *f*.

KKK (*US*) *n abbr* (= *Ku Klux Klan*) Ku Klux Klan *m*.

leenex ['kliːnɛks] ® *n* chusteczka *f* higieniczna.

leptomaniac [klɛptəu'meɪnɪæk] *n* kleptoman(ka) *m(f)*.

m *abbr* = **kilometre** km.

m/h *abbr* (= *kilometres per hour*) km/h *or* km/godz.

nack [næk] *n*: **to have the knack of/for** mieć talent do +*gen*; **there's a knack to doing this** potrzeba talentu, żeby to zrobić.

knapsack ['næpsæk] *n* mały plecak *m*, chlebak *m*.

knead [niːd] *vt* (*dough, clay*) wyrabiać (wyrobić *perf*).

knee [niː] *n* kolano *nt*.

kneecap ['niːkæp] *n* (*ANAT*) rzepka *f*.

knee-deep ['niː'diːp] *adj, adv*: **the water was knee-deep** wody było po kolana; **knee-deep in mud** po kolana w błocie.

kneel [niːl] (*pt* **knelt**) *vi* (*also:* **kneel down**) klękać (klęknąć *perf or* uklęknąć *perf*).

kneepad ['niːpæd] *n* nakolannik *m*.

knell [nɛl] *n*: **death knell** ostatnia godzina *f*.

knelt [nɛlt] *pt, pp of* **kneel**.

knew [njuː] *pt of* **know**.

knickers ['nɪkəz] (*BRIT*) *npl* figi *pl*.

knick-knacks ['nɪknæks] *npl* bibeloty *pl*.

knife [naɪf] (*pl* **knives**) *n* nóż *m* ♦ *vt* pchnąć (*perf*) nożem; **knife, fork and spoon** sztućce.

knight [naɪt] *n* rycerz *m*; (*CHESS*) skoczek *m*, konik *m* ♦ *vt* nadawać (nadać *perf*) tytuł szlachecki +*dat*.

knighthood ['naɪthud] (*BRIT*) *n*: **to be given a knighthood** otrzymywać (otrzymać *perf*) tytuł szlachecki.

knit [nɪt] *vt* robić (zrobić *perf*) na drutach ♦ *vi* robić na drutach; (*bones*) zrastać się (zrosnąć się *perf*); **to knit one's brows** marszczyć (zmarszczyć *perf*) brwi.

knitted ['nɪtɪd] *adj* (z)robiony na drutach *post*, dziany.

knitting ['nɪtɪŋ] *n* (*activity*) robienie *nt* na drutach; (*garment being knitted*) robótka *f*.

knitting machine *n* maszyna *f* dziewiarska.

knitting needle *n* drut *m* (do robót dzianych).

knitting pattern *n* wzór *m* dzianiny.

knitwear ['nɪtwɛə*] *n* wyroby *pl* z dzianiny.

knives [naɪvz] *npl of* **knife**.

knob [nɔb] *n* gałka *f*; **a knob of butter** (*BRIT*) ≈ odrobina masła.

knobbly ['nɔblɪ] (*US* **knobby**) *adj* guz(k)owaty.

knock [nɔk] *vt* (*strike*) uderzać (uderzyć *perf*); (*hole*) wybijać (wybić *perf*); (*inf: criticize*) najeżdżać (najechać *perf*) na +*acc* (*inf*) ♦ *vi* (*at door etc*) pukać (zapukać *perf*), stukać (zastukać *perf*); (*engine*) stukać ♦ *n* (*blow, bump*) uderzenie *nt*; (*on door*) pukanie *nt*, stukanie *nt*; **to knock sb to the ground** powalić (*perf*) kogoś na ziemię; **she knocked at the door** zapukała do drzwi; **he knocked the drink out of my hand** wytrącił mi drinka z ręki; **to knock a nail into sth** wbijać (wbić *perf*) gwóźdź w coś; **to knock some sense into sb** wbić (*perf*) komuś trochę rozumu do głowy.

▸**knock about** (*inf*) *vt* poniewierać ♦ *vi*: **knock about with** włóczyć się z +*instr*.

▸**knock around** *vt, vi* = **knock about**.

▸**knock back** (*inf*) *vt* (*drink*) obciągać (obciągnąć *perf*) (*inf*).

►**knock down** vt (AUT) potrącić (perf);
(: fatally) przejechać (perf); (building) burzyć
(zburzyć perf); (wall) wyburzać (wyburzyć
perf); (price) obniżać (obniżyć perf).

►**knock off** vi (inf) kończyć (skończyć perf)
(pracę) ♦ vt (from price) spuszczać (spuścić
perf); (inf. steal) podprowadzać (podprowadzić
perf) (inf); (: murder) sprzątnąć (perf) (inf);
knock it off! (inf) przestań!

►**knock out** vt (person) pozbawiać (pozbawić
perf) przytomności; (drug) zwalać (zwalić
perf) z nóg; (BOXING) nokautować
(znokautować perf); (in game, competition)
eliminować (wyeliminować perf).

►**knock over** vt przewracać (przewrócić perf);
(AUT) potrącić (perf).

knockdown ['nɔkdaun] adj (price) śmiesznie
niski.

knocker ['nɔkə*] n kołatka f.

knocking ['nɔkɪŋ] n pukanie nt, stukanie nt.

knock-kneed [nɔk'ni:d] adj: **to be
knock-kneed** mieć iksowate nogi.

knockout ['nɔkaut] n nokaut m ♦ adj
(competition etc) rozgrywany systemem
pucharowym.

knock-up ['nɔkʌp] (TENNIS) n: **to have a
knock-up** rozgrywać (rozegrać perf) parę
wolnych.

knot [nɔt] n (in rope) węzeł m, supeł m; (in
wood) sęk m; (NAUT) węzeł m ♦ vt
związywać (związać perf); **to tie a knot**
zawiązywać (zawiązać perf) węzeł or supeł.

knotty ['nɔtɪ] adj zawiły.

know [nəu] (pt **knew**, pp **known**) vt (be
aware of/that/how etc) wiedzieć; (be
acquainted with, have experience of) znać;
(recognize) poznawać (poznać perf); **to know
how to swim** umieć pływać; **to know English**
znać angielski; **to know about** or **of sth/sb**
wiedzieć o czymś/kimś; **to get to know sb**
poznawać (poznać perf) kogoś; **I don't know
him** nie znam go; **to know right from wrong**
odróżniać dobro od zła; **as far as I know** o
ile wiem; **yes, I know** tak, wiem; **I don't
know** nie wiem.

know-all ['nəuɔ:l] (BRIT: inf, pej) n mądrala m/f.

know-how ['nəuhau] n wiedza f
(technologiczna).

knowing ['nəuɪŋ] adj (look) porozumiewawczy.

knowingly ['nəuɪŋlɪ] adv (intentionally)
świadomie; (smile, look) porozumiewawczo.

know-it-all ['nəuɪtɔ:l] (US) n = **know-all**.

knowledge ['nɔlɪdʒ] n wiedza f; (of language
etc) znajomość f; **to have no knowledge of** nic
nie wiedzieć na temat +gen; **not to my
knowledge** nic mi o tym nie wiadomo; **without
my knowledge** bez mojej wiedzy; **she has a
working knowledge of French** potrafi się
porozumieć po francusku; **it is common
knowledge that ...** powszechnie wiadomo, że ... .

knowledgeable ['nɔlɪdʒəbl] adj: **to be
knowledgeable about** dobrze znać się na +loc.

known [nəun] pp of **know** ♦ adj znany.

knuckle ['nʌkl] n kostka f (u ręki).

►**knuckle under** (inf) vi podporządkowywać
się (podporządkować się perf).

knuckle-duster ['nʌkldʌstə*] n kastet m.

KO n abbr (= knockout) KO nt inv, nokaut m
♦ vt nokautować (znokautować perf).

koala [kəu'ɑ:lə] n (also: **koala bear**)
(niedźwiadek m) koala m.

kook [ku:k] (US: inf) n czubek m(f) (inf).

Koran [kɔ'rɑ:n] n: **the Koran** Koran m.

Korea [kə'rɪə] n Korea f; **North/South Korea**
Korea Północna/Południowa.

Korean [kə'rɪən] adj koreański ♦ n (person)
Koreańczyk (-anka) m(f); (LING) (język m)
koreański.

kosher ['kəuʃə*] adj koszerny.

kowtow ['kau'tau] vi: **to kowtow to sb**
płaszczyć się przed kimś.

Kremlin ['krɛmlɪn] n: **the Kremlin** Kreml m.

KS (US: POST) abbr (= Kansas).

Kt (BRIT) abbr (in titles) = **Knight**.

Kuala Lumpur ['kwɑ:lə'lumpuə*] n Kuala
Lumpur nt inv.

kudos ['kju:dɔs] n prestiż m.

Kuwait [ku'weɪt] n Kuwejt m.

Kuwaiti [ku'weɪtɪ] adj kuwejcki ♦ n
Kuwejtczyk (-tka) m(f).

kW abbr = **kilowatt** kW.

KY (US: POST) abbr (= Kentucky).

L, l

L¹, l [ɛl] n (letter) L nt, l nt; **L for Lucy,** (US)
L for Love ≈ L jak Leon.

L² abbr (BRIT: AUT: = learner) L; = **lake** jez.;
= **large**; **left** l.

l² abbr = **litre** l.

LA (US) n abbr (= Los Angeles) abbr
(POST: = Louisiana).

lab [læb] n abbr = **laboratory** lab.

label ['leɪbl] n (adhesive) etykieta f, nalepka f;
(tie-on) etykieta f, przywieszka f; (of record)
znak m wytwórni płytowej ♦ vt (goods)
znakować or oznakowywać (oznakować perf);
(: with adhesive labels) naklejać (nakleić perf)
etykiety or nalepki na +acc; (fig: person)
określać (określić perf) mianem +gen.

labor etc (US) n = **labour** etc.

laboratory [lə'bɔrətərɪ] n (scientific)
laboratorium nt; (school) pracownia f.

abor Day (*US*) *n* święto pracy obchodzone w pierwszy poniedziałek września.

aborious [lə'bɔːrɪəs] *adj* mozolny, żmudny.

abor union (*US*) *n* związek *m* zawodowy.

abour ['leɪbə*] (*US* **labor**) *n* (*hard work*) ciężka praca *f*; (*work force*) siła *f* robocza; (*work done by work force*) praca *f*; (*MED*): **to be in labour** rodzić ♦ *vi*: **to labour (at sth)** mozolić się (nad czymś) ♦ *vt*: **to labour a point** (zbytnio) rozwodzić się nad zagadnieniem; **Labour, the Labour Party** (*BRIT*) Partia Pracy; **hard labour** (*toil*) harówka (*inf*); (*punishment*) ciężkie roboty.

abo(u)r camp *n* obóz *m* pracy.

abo(u)r cost *n* koszt *m* robocizny.

abo(u)r dispute *n* spór *m* o warunki pracy.

abo(u)red ['leɪbəd] *adj* (*breathing*) ciężki; (*movement*) ciężki, ociężały; (*style, writing*) niezdarny, wymęczony; **his breathing was laboured** oddychał z trudem.

abo(u)rer ['leɪbərə*] *n* robotnik (-ica) *m(f)*; **farm labourer** robotnik rolny.

abo(u)r force *n* siła *f* robocza.

abo(u)r intensive *adj* pracochłonny.

abo(u)r market *n* rynek *m* pracy.

abo(u)r pains *npl* bóle *pl* porodowe.

abo(u)r relations *npl* stosunki *pl* pracy (*między kierownictwem a pracownikami*).

abo(u)r-saving ['leɪbəseɪvɪŋ] *adj* usprawniający *or* ułatwiający pracę.

aburnum [lə'bəːnəm] (*BOT*) *n* złotokap *m* zwyczajny.

abyrinth ['læbɪrɪnθ] *n* labirynt *m*.

ace [leɪs] *n* (*fabric*) koronka *f*; (*of shoe etc*) sznurowadło *nt* ♦ *vt* (*also*: **lace up**: *shoe etc*) sznurować (zasznurować *perf*); (*coffee*) wzmacniać (wzmocnić *perf*) (*alkoholem*).

acemaking ['leɪsmeɪkɪŋ] *n* koronkarstwo *nt*.

acerate ['læsəreɪt] *vt* poranić (*perf*), pokaleczyć (*perf*).

aceration [læsə'reɪʃən] *n* rana *f* (*darta lub szarpana*).

ace-up ['leɪsʌp] *adj* (*shoes etc*) sznurowany, wiązany.

ack [læk] *n* brak *m* ♦ *vt*: **he lacks money/confidence** brak(uje) mu pieniędzy/pewności siebie; **through** *or* **for lack of** ze względu na brak +*gen*; **something is lacking here** czegoś tu brak(uje); **to be lacking in** być pozbawionym +*gen*.

ackadaisical [lækə'deɪzɪkl] *adj* nieobecny duchem, bujający w obłokach.

ackey ['lækɪ] (*pej*) *n* lokaj *m* (*pej*).

acklustre ['læklʌstə*] (*US* **lackluster**) *adj* bezbarwny, bez życia *post*.

aconic [lə'kɔnɪk] *adj* lakoniczny.

acquer ['lækə*] *n* (*paint*) lakier *m*; (*also*: **hair lacquer**) lakier *m* (do włosów).

acrosse [lə'krɔs] *n* gra zespołowa, w której do odbijania piłeczki i strzelania bramek służą zakończone siatką kijki.

lacy ['leɪsɪ] *adj* koronkowy.

lad [læd] *n* (*boy*) chłopak *m*; (*young man*) młodzieniec *m*.

ladder ['lædə*] *n* (*metal, wood*) drabina *f*; (*rope*) drabinka *f*; (*BRIT: in tights*) oczko *nt*; (*fig*) drabina *f* społeczna ♦ *vt fus* (*BRIT*): **I laddered my tights/my tights laddered** poszło *or* poleciało mi oczko w rajstopach.

laden ['leɪdn] *adj*: **to be laden (with)** uginać się (od +*gen*); **fully laden** z pełnym ładunkiem.

ladle ['leɪdl] *n* chochla *f*, łyżka *f* wazowa ♦ *vt* (*soup*) nalewać (nalać *perf*) (chochlą); (*stew*) nakładać (nałożyć *perf*).

►**ladle out** *vt* (*fig: money*) rozdawać (rozdać *perf*) (na prawo i lewo); (*advice, information*) serwować (zaserwować *perf*) (*inf*); (*compliments, praise*) szafować +*instr*.

lady ['leɪdɪ] *n* kobieta *f*, pani *f* (*polite*); (*dignified etc*) dama *f*; (*BRIT: title*) lady *f inv*; **ladies and gentlemen, ...** Panie i Panowie, ..., Szanowni Państwo, ...; **young lady** młoda dama; **the ladies' (room)** toaleta damska.

ladybird ['leɪdɪbəːd] *n* biedronka *f*.

ladybug ['leɪdɪbʌg] (*US*) *n* = **ladybird**.

lady-in-waiting ['leɪdɪɪn'weɪtɪŋ] *n* dama *f* dworu.

ladykiller ['leɪdɪkɪlə*] *n* pożeracz *m or* pogromca *m* serc (niewieścich).

ladylike ['leɪdɪlaɪk] *adj* (*behaviour*) dystyngowany, wytworny; **she's ladylike** zachowuje się jak (prawdziwa) dama.

ladyship ['leɪdɪʃɪp] *n*: **your ladyship** ≈ jaśnie pani *f*.

lag [læg] *n* opóźnienie *nt* ♦ *vi* (*also*: **lag behind**) pozostawać (pozostać *perf*) w tyle; (*trade etc*) podupadać (podupaść *perf*) ♦ *vt* (*pipes etc*) izolować (izolować *perf*); **old lag** (*inf: prisoner*) recydywa (*inf, pej*).

lager ['laːgə*] *n* piwo *nt* pełne jasne.

lagging ['lægɪŋ] *n* izolacja *f*, otulina *f*.

lagoon [lə'guːn] *n* laguna *f*.

Lagos ['leɪgɔs] *n* Lagos *nt inv*.

laid [leɪd] *pt, pp of* **lay**.

laid-back [leɪd'bæk] (*inf*) *adj* (*person*) na luzie *post* (*inf*), wyluzowany (*inf*); (*atmosphere*) swobodny.

laid up *adj*: **to be laid up with** być złożonym +*instr*.

lain [leɪn] *pp of* **lie**.

lair [lɛə*] (*ZOOL*) *n* matecznik *m*, legowisko *nt*.

laissez-faire [lɛseɪ'fɛə*] *n* (*COMM*) polityka *f* nieinterwencji *or* wolnej ręki.

laity ['leɪɪtɪ] *n or npl* świeccy *pl*, laikat *m*;

lake [leɪk] *n* jezioro *nt*.

Lake District (*BRIT*) *n*: **the Lake District** ≈ Kraina *f* Jezior (*w północno-zachodniej Anglii*).

lamb [læm] *n* (*ZOOL*) jagnię *nt*; (*REL: fig*)

baranek *m*; (*in nursery rhymes etc*) owieczka *f*; (*CULIN*) mięso *nt* z jagnięcia.

lambada [læm'bɑːdə] *n* lambada *f*.

lamb chop *n* kotlet *m* z jagnięcia.

lambskin ['læmskɪn] *n* skóra *f* jagnięca.

lambswool ['læmzwul] *n* wełna *f* jagnięca.

lame [leɪm] *adj* (*person, animal*) kulawy, chromy (*literary*); (*excuse, argument*) lichy, kiepski; **to be lame** kuleć.

lame duck *n* (*person*) nieudacznik *m* (*pej*); (*business*) bankrut *m*.

lamely ['leɪmlɪ] *adv* (*explain, apologize*) nieprzekonująco.

lament [lə'mɛnt] *n* (*mourning*) opłakiwanie *nt*; (*complaining*) lament *m*, biadanie *nt* ♦ *vt* (*mourn*) opłakiwać; (*complain about*) lamentować *or* biadać nad +*instr*.

lamentable ['læməntəbl] *adj* opłakany, pożałowania godny.

laminated ['læmɪneɪtɪd] *adj* (*metal, wood*) wielowarstwowy; (*book cover*) laminowany.

lamp [læmp] *n* lampa *f*.

lamplight ['læmplaɪt] *n*: **by lamplight** przy (zapalonej) lampie.

lampoon [læm'puːn] *n* satyra *f* ♦ *vt* ośmieszać (ośmieszyć *perf*) (*zwykle za pomocą satyry w prasie*).

lamppost ['læmppəust] (*BRIT*) *n* latarnia *f* (uliczna).

lampshade ['læmpʃeɪd] *n* abażur *m*; (*glass*) klosz *m*.

lance [lɑːns] *n* lanca *f* ♦ *vt* (*MED*) nacinać (naciąć *perf*) (*ropień itp*).

lance corporal (*BRIT*) *n* ≈ starszy szeregowy *m*.

lancet ['lɑːnsɪt] *n* lancet *m*.

Lancs [læŋks] (*BRIT: POST*) *abbr* (= *Lancashire*).

land [lænd] *n* (*area of open ground*) ziemia *f*; (*property, estate*) ziemia *f*, grunty *pl*; (*as opposed to sea*) ląd *m*; (*country*) kraj *m*, ziemia *f* (*literary*) ♦ *vi* (*lit, fig*) lądować (wylądować *perf*) ♦ *vt* (*passengers*) wysadzać (wysadzić *perf*); (*goods*) wyładowywać (wyładować *perf*); **to own land** być właścicielem ziemskim; **to go/travel by land** jechać (pojechać *perf*)/podróżować lądem; **to land on one's feet** (*fig*) spadać (spaść *perf*) na cztery łapy (*inf*); **to land sb with sth** (*inf*) zwalać (zwalić *perf*) komuś coś na głowę (*inf*).

▸**land up** *vi*: **to land up in** lądować (wylądować *perf*) w +*loc*.

landed gentry ['lændɪd-] *n* ziemiaństwo *nt*, ziemianie *vir pl*.

landfill site ['lændfɪl-] *n* ≈ wysypisko *nt* (śmieci).

landing ['lændɪŋ] *n* (*of house*) półpiętro *nt*; (*AVIAT*) lądowanie *nt*.

landing card *n* (*AVIAT*) karta *f* lądowania; (*NAUT*) karta *f* zejścia na ląd.

landing craft *n inv* okręt *m* desantowy.

landing gear (*AVIAT*) *n* podwozie *nt*.

landing stage *n* pomost *m*.

landing strip *n* lądowisko *nt*, pas *m* do lądowania.

landlady ['lændleɪdɪ] *n* (*of rented house, flat*) właścicielka *f*; (*of rented room*) gospodyni *f*; (*of pub: owner*) właścicielka *f*; (: *manageress*) kierowniczka *f*.

landlocked ['lændlɔkt] *adj* nie posiadający dostępu do morza, bez dostępu do morza *pos*

landlord ['lændlɔːd] *n* (*of rented house, flat*) właściciel *m*; (*of rented room*) gospodarz *m*; (*of pub: owner*) właściciel *m*; (: *manager*) kierownik *m*.

landlubber ['lændlʌbə*] (*old*) *n* szczur *m* lądowy (*inf*).

landmark ['lændmɑːk] *n* punkt *m* orientacyjny; (*fig*) kamień *m* milowy.

landowner ['lændəunə*] *n* właściciel(ka) *m(f)* ziemski (-ka) *m(f)*.

landscape ['lænskeɪp] *n* krajobraz *m*; (*ART*) pejzaż *m* ♦ *vt* (*park, garden*) projektować (zaprojektować *perf*).

landscape architect *n* architekt *m* krajobrazu, projektant(ka) *m(f)* terenów zielonych.

landscape gardener *n* = **landscape architect**.

landscape painting *n* malarstwo *nt* pejzażowe

landslide ['lændslaɪd] *n* osunięcie się *nt* ziemi; (*fig*): **a landslide victory** przygniatające zwycięstwo *nt*.

lane [leɪn] *n* (*in country*) dróżka *f*; (*in town*) uliczka *f*; (*AUT*) pas *m* (ruchu); (*of race course, swimming pool*) tor *m*; **shipping lane** szlak żeglugowy.

language ['læŋgwɪdʒ] *n* język *m*; **bad language** wulgarny język.

language laboratory *n* laboratorium *nt* językowe.

languid ['læŋgwɪd] *adj* (*person*) powolny; (*movement*) leniwy.

languish ['læŋgwɪʃ] *vi* (*person*) marnieć, usychać; (*project, case*) wlec się.

lank [læŋk] *adj* (*hair*) w strąkach *post*.

lanky ['læŋkɪ] *adj* tyczkowaty, patykowaty.

lanolin(e) ['lænəlɪn] *n* lanolina *f*.

lantern ['læntən] *n* lampion *m*.

Laos [laus] *n* Laos *m*.

lap [læp] *n* (*in race*) okrążenie *nt*; (*of person*): **in his/my lap** u niego/u mnie na kolanach ♦ *vt* (*also*: **lap up**) chłeptać (wychłeptać *perf*) ♦ *vi* (*water*) pluskać.

▸**lap up** *vt* (*fig*) przyjmować (przyjąć *perf*) za dobrą monetę.

La Paz [læ'pæz] *n* La Paz *nt inv*.

lapdog ['læpdɔg] (*pej*) *n* (*lit, fig*) piesek *m* salonowy.

lapel [lə'pɛl] *n* klapa *f*, wyłóg *m*.

Lapland ['læplænd] *n* Laponia *f*.

Lapp [læp] *adj* lapoński ♦ *n* (*person*)

Lapończyk (-onka) *m(f)*; (*LING*) (język *m*)
lapoński.

apse [læps] *n* (*bad behaviour*) uchybienie *nt*;
(*of time*) upływ *m* ♦ *vi* (*contract, membership*)
wygasać (wygasnąć *perf*); (*passport*) tracić
(stracić *perf*) ważność; **a lapse of
attention/concentration** chwila nieuwagi; **I had
a memory lapse** chwilowo zawiodła mnie
pamięć; **to lapse into bad habits** popadać
(popaść *perf*) w złe nawyki.

aptop (computer) *n* laptop *m*.

arceny ['lɑ:sənɪ] *n* kradzież *f*.

arch [lɑ:tʃ] *n* modrzew *m*.

ard [lɑ:d] *n* smalec *m*.

arder ['lɑ:də*] *n* spiżarnia *f*.

arge [lɑ:dʒ] *adj* duży, wielki; **to make larger**
powiększać (powiększyć *perf*); **a large number
of people** wielu ludzi; **on a large scale** na
dużą *or* wielką skalę; **at large** (*at liberty*) na
wolności; **people at large** ogół (ludzi); **the
country at large** cały kraj; **by and large** na
ogół.

argely ['lɑ:dʒlɪ] *adv* w dużej mierze.

arge-scale ['lɑ:dʒ'skeɪl] *adj* (*event*) na dużą
skalę *post*; (*map*) w dużej skali *post*.

argesse [lɑ:'ʒes] *n* szczodrość *f*.

ark [lɑ:k] *n* (*bird*) skowronek *m*; (*joke*) kawał *m*.

lark about *vi* dokazywać.

arva ['lɑ:və] (*pl* **larvae**) *n* larwa *f*.

aryngitis [lærɪn'dʒaɪtɪs] *n* zapalenie *nt* krtani.

arynx ['lærɪŋks] *n* krtań *f*.

ascivious [lə'sɪvɪəs] *adj* lubieżny.

aser ['leɪzə*] *n* laser *m*.

aser beam *n* wiązka *f* laserowa.

aser printer *n* drukarka *f* laserowa.

ash [læʃ] *n* (*also*: **eyelash**) rzęsa *f*; (*of whip*)
uderzenie *nt* (*batem*) ♦ *vt* (*whip*) chłostać
(wychłostać *perf*); (*wind*) smagać; (*rain*)
zacinać; **to lash to** przywiązywać (przywiązać
perf) do +*gen*; **to lash together** związywać
(związać *perf*).

lash down *vt* przywiązywać (przywiązać
perf) ♦ *vi* (*rain*) lać.

lash out *vi*: **to lash out (at sb)** (*with
weapon, hands*) bić (kogoś) na oślep; (*with
feet*) kopać (kogoś) na oślep; **to lash out at
or against sb** (*criticize*) naskakiwać
(naskoczyć *perf*) na kogoś.

ashing ['læʃɪŋ] *n*: **lashings of** (*BRIT*: *inf*)
masa +*gen* (*inf*).

ass [læs] (*BRIT*) *n* dziewczyna *f*.

asso [læ'su:] *n* lasso *nt* ♦ *vt* chwytać
(schwytać *perf*) na lasso.

ast [lɑ:st] *adj* ostatni ♦ *adv* (*most recently*)
ostatnio, ostatni raz; (*finally*) na końcu ♦ *vi*
(*continue*) trwać; (*food*) zachowywać
(zachować *perf*) świeżość; (*money,
commodity*) wystarczać (wystarczyć *perf*),
starczać (starczyć *perf*); **last week** w zeszłym
tygodniu; **last night** zeszłej nocy; **at last**

wreszcie, w końcu; **last but one** przedostatni;
the last time ostatni raz; **the film lasts (for)
two hours** film trwa dwie godziny.

last-ditch ['lɑ:st'dɪtʃ] *adj* (*attempt*) ostatni,
ostateczny.

lasting ['lɑ:stɪŋ] *adj* trwały.

lastly ['lɑ:stlɪ] *adv* na koniec.

last-minute ['lɑ:stmɪnɪt] *adj* (*decision etc*) w
ostatniej chwili *post*.

latch [lætʃ] *n* (*metal bar*) zasuwa *f*, (*automatic
lock*) zatrzask *m*; **the door was on the latch**
drzwi nie były zatrzaśnięte, drzwi były
zamknięte (tylko) na klamkę.

latch on to *vt fus* uczepić się (*perf*) +*gen*.

latchkey ['lætʃki:] *n* klucz *m* (od drzwi
wejściowych).

latchkey child *n* dziecko *nt* z kluczem (na szyi).

late [leɪt] *adj* (*far on in time*) późny; (*not on
time*) spóźniony; (*deceased*) świętej pamięci
♦ *adv* (*far on in time*) późno; (*behind time*) z
opóźnieniem; **to be (10 minutes) late** spóźniać
się (spóźnić się *perf*) (o 10 minut); **to work
late** pracować do późna; **late in life** w
późnym wieku; **of late** ostatnio; **in late May**
pod koniec maja; **Jane Smith, late of X** Jane
Smith, do niedawna zamieszkała w X.

latecomer ['leɪtkʌmə*] *n* spóźnialski (-ka) *m(f)*.

lately ['leɪtlɪ] *adv* ostatnio.

lateness ['leɪtnɪs] *n* (*of person*) spóźnienie *nt*; (*of
event, train*) opóźnienie *nt*; **owing to the
lateness of the hour** ze względu na późną porę.

latent ['leɪtnt] *adj* ukryty.

later ['leɪtə*] *adj* późniejszy ♦ *adv* później;
later on później.

lateral ['lætərl] *adj* boczny; **lateral thinking**
myślenie lateralne.

latest ['leɪtɪst] *adj* ostatni, najnowszy; **at the
latest** najpóźniej.

latex ['leɪteks] *n* lateks *m*.

lathe [leɪð] *n* tokarka *f*.

lather ['lɑ:ðə*] *n* piana *f* ♦ *vt* namydlać
(namydlić *perf*).

Latin ['lætɪn] *n* (*LING*) łacina *f*, (*person*) osoba
*pochodząca z Hiszpanii, Włoch lub
południowej Francji* ♦ *adj* łaciński.

Latin America *n* Ameryka *f* Łacińska.

Latin American *adj* latynoamerykański,
latynoski ♦ *n* Latynos(ka) *m(f)*.

latitude ['lætɪtju:d] *n* szerokość *f* geograficzna;
(*fig*) swoboda *f*.

latrine [lə'tri:n] *n* latryna *f*.

latter ['lætə*] *adj* (*of two*) drugi; (*recent*)
ostatni ♦ *n*: **the latter** ten ostatni *m*/ta ostatnia
f/to ostatnie *nt*; **the latter part of the week**
druga połowa tygodnia; **in the latter years of
his life** na starość.

latter-day ['lætədeɪ] *adj* dzisiejszy, współczesny.

latterly ['lætəlɪ] *adv* ostatnio.

lattice ['lætɪs] *n* kratownica *f*.

lattice window *n okno z szybkami osadzonymi w kratownicy z ołowiu.*

Latvia ['lætvɪə] *n* Łotwa *f.*

laudable ['lɔːdəbl] *adj* chwalebny, godny pochwały.

laudatory ['lɔːdətrɪ] *adj* pochwalny.

laugh [lɑːf] *n* śmiech *m* ♦ *vi* śmiać się (zaśmiać się *perf*); **for a laugh** dla śmiechu.

►**laugh at** *vt fus* śmiać się z +*gen.*

►**laugh off** *vt* obracać (obrócić *perf*) w żart.

laughable ['lɑːfəbl] *adj* śmieszny.

laughing gas ['lɑːfɪŋ-] *n* gaz *m* rozweselający.

laughing matter *n*: **this is no laughing matter** to nie (są) żarty.

laughing stock *n*: **to be the laughing stock of** być pośmiewiskiem +*gen.*

laughter ['lɑːftə*] *n* śmiech *m.*

launch [lɔːntʃ] *n* (*of ship*) wodowanie *nt*; (*of rocket, satellite*) wystrzelenie *nt*; (*COMM*) wprowadzenie *nt or* wypuszczenie *nt* na rynek; (*motorboat*) motorówka *f* ♦ *vt* (*ship*) wodować (zwodować *perf*); (*rocket, satellite*) wystrzeliwać (wystrzelić *perf*); (*COMM*) wprowadzać (wprowadzić *perf*) *or* wypuszczać (wypuścić *perf*) na rynek; (*fig*) zapoczątkowywać (zapoczątkować *perf*).

►**launch into** *vt fus* (*activity*) angażować się (zaangażować się *perf*) w +*acc*; (*description*) wdawać się (wdać się *perf*) w +*acc.*

►**launch out** *vi*: **to launch out (into)** (*new activity, job*) angażować się (zaangażować się *perf*) (w +*acc*).

launching ['lɔːntʃɪŋ] *n* (*of rocket, satellite*) wystrzelenie *nt*; (*of ship*) wodowanie *nt*; (*COMM*) wprowadzenie *nt or* wypuszczenie *nt* na rynek; (*fig*) zapoczątkowanie *nt.*

launch(ing) pad *n* płyta *f* wyrzutni rakietowej.

launder ['lɔːndə*] *vt* (*clothes, sheets*) prać i prasować (wyprać *perf* i wyprasować *perf*); (*pej: money*) prać (wyprać *perf*).

laundrette [lɔːn'drɛt] (*BRIT*) *n* pralnia *f* samoobsługowa.

Laundromat ['lɔːndrəmæt] ® (*US*) *n* = **laundrette.**

laundry ['lɔːndrɪ] *n* (*clothes, linen*) pranie *nt*; (*place*) pralnia *f*; **to do the laundry** robić (zrobić *perf*) pranie.

laureate ['lɔːrɪət] *adj see* **poet laureate.**

laurel ['lɔrl] *n* laur *m*, wawrzyn *m*; **to rest on one's laurels** spoczywać (spocząć *perf*) na laurach.

Lausanne [ləu'zæn] *n* Lozanna *f.*

lava ['lɑːvə] *n* lawa *f.*

lavatory ['lævətərɪ] *n* toaleta *f.*

lavatory paper *n* papier *m* toaletowy.

lavender ['lævəndə*] *n* lawenda *f.*

lavish ['lævɪʃ] *adj* (*amount, hospitality*) szczodry; (*person*) szczodry, hojny; (*surroundings*) urządzony z przepychem ♦ *vt*: **to lavish gifts/praise on sb** obsypywać

(obsypać *perf*) kogoś prezentami/pochwałami; **to lavish time/attention on sb** poświęcać (poświęcić *perf*) komuś wiele czasu/uwagi; **to be lavish with** nie skąpić +*gen.*

lavishly ['lævɪʃlɪ] *adv* (*generously*) szczodrze, hojnie; (*sumptuously*) z przepychem.

law [lɔː] *n* prawo *nt*; **against the law** niezgodny z prawem; **to go to law** iść (pójść *perf*) do sądu; **to break the law** łamać (złamać *perf*) prawo.

law-abiding ['lɔːəbaɪdɪŋ] *adj* przestrzegający prawa.

law and order *n* prawo *nt* i porządek *m.*

lawbreaker ['lɔːbreɪkə*] *n*: **to be a lawbreaker** łamać prawo.

law court *n* sąd *m.*

lawful ['lɔːful] *adj* legalny.

lawfully ['lɔːfəlɪ] *adv* legalnie.

lawless ['lɔːlɪs] *adj* bezprawny.

lawn [lɔːn] *n* trawnik *m.*

lawnmower ['lɔːnməuə*] *n* kosiarka *f* (do trawy).

lawn tennis *n* tenis *m* ziemny.

law school (*US*) *n* wydział *m* prawa.

law student *n* student(ka) *m(f)* prawa.

lawsuit ['lɔːsuːt] *n* proces *m* (sądowy).

lawyer ['lɔːjə*] *n* (*solicitor*) prawnik (-iczka) *m(f)*, radca *m* prawny; (*barrister*) adwokat *m.*

lax [læks] *adj* (*behaviour*) zbyt swobodny, niedbały; (*discipline, security*) rozluźniony.

laxative ['læksətɪv] *n* środek *m* przeczyszczający.

laxity ['læksɪtɪ] *n* (*of laws, rules*) nieprecyzyjność *f*; (*moral*) rozprężenie *nt.*

lay [leɪ] (*pt, pp* **laid**) *pt of* **lie** ♦ *adj* (*REL*) świecki; (*not expert*): **lay person** laik *m* ♦ *vt* (*put*) kłaść (położyć *perf*); (*table*) nakrywać (nakryć *perf*), nakrywać (nakryć *perf*) do +*gen*; (*plans*) układać (ułożyć *perf*); (*trap*) zastawiać (zastawić *perf*); (*egg: insect, frog*) składać (złożyć *perf*); (: *bird*) znosić (znieść *perf*); **to lay facts/proposals before sb** przedstawiać (przedstawić *perf*) komuś fakty/propozycje; **she reads anything she can lay her hands on** czyta wszystko, co wpadnie jej w ręce; **to get laid** (*inf!*) przelecieć (*perf*) kogoś (*inf!*).

►**lay aside** *vt* odkładać (odłożyć *perf*) (na bok

►**lay by** *vt* (*money*) odkładać (odłożyć *perf*).

►**lay down** *vt* (*pen, book*) odkładać (odłożyć *perf*); (*rules etc*) ustanawiać (ustanowić *perf*); (*arms*) składać (złożyć *perf*); **to lay down the law** rządzić się (*pej*); **to lay down one's life (for)** oddawać (oddać *perf*) życie (za +*acc*).

►**lay in** *vt* robić (zrobić *perf*) zapasy +*gen.*

►**lay into** *vt fus* (*lit, fig*) rzucać się (rzucić się *perf*) na +*acc.*

►**lay off** *vt* zwalniać (zwolnić *perf*) (z pracy).

►**lay on** *vt* (*meal, entertainment*) zadbać (*perf*) *or* zatroszczyć się (*perf*) o +*acc*; (*water, gas*) doprowadzać (doprowadzić *perf*); (*paint*) kłaść (położyć *perf*).

lay out *vt* wykładać (wyłożyć *perf*).

lay up *vt* (*illness: person*) złożyć (*perf*), rozkładać (rozłożyć *perf*) (*inf*); = **lay by**.

layabout ['leɪəbaut] (*inf*, *pej*) *n* obibok *m* (*pej*), leser(ka) *m(f)* (*pej*).

lay-by ['leɪbaɪ] (*BRIT: AUT*) *n* zato(cz)ka *f*.

lay-days ['leɪdeɪz] (*NAUT*) *npl* dni *pl* postoju w porcie.

layer ['leɪə*] *n* warstwa *f*.

layette [leɪ'ɛt] *n* wyprawka *f* niemowlęca.

layman ['leɪmən] (*irreg like* **woman**) *n* laik *m*.

lay-off ['leɪɔf] *n* zwolnienie *nt* (*z pracy*).

layout ['leɪaut] *n* (*of garden, building*) rozkład *m*; (*of piece of writing*) układ *m* (graficzny).

laze [leɪz] *vi* (*also:* **laze about**) leniuchować.

laziness ['leɪzɪnɪs] *n* lenistwo *nt*.

lazy ['leɪzɪ] *adj* leniwy.

LB (*CANADA*) *abbr* (= *Labrador*).

lb. *abbr* (= *pound (weight)*) funt *m* (*jednostka wagi*).

lbw (*CRICKET*) *abbr* (= *leg before wicket*) *rodzaj błędu w grze*.

LC (*US*) *n abbr* (= *Library of Congress*) Biblioteka *f* Kongresu.

lc (*TYP*) *abbr* = **lower case**.

L/C *abbr* (= *letter of credit*) akredytywa *f*.

LCD *n abbr* = **liquid crystal display**.

Ld (*BRIT*) *abbr* (*in titles*) = **lord**.

LDS *n abbr* (*BRIT*: = *Licentiate in Dental Surgery*) *stopień naukowy* ♦ *abbr* (= *Latter-day Saints*) Kościół *m* Jezusa Chrystusa Świętych Dni Ostatnich.

LEA (*BRIT*) *n abbr* (= *Local Education Authority*) ≈ Kuratorium *nt* Oświaty i Wychowania.

lead[1] [li:d] (*pt, pp* **led**) *n* (*SPORT*) prowadzenie *nt*; (*fig*) przywództwo *nt*; (*piece of information, clue*) trop *m*; (*in play, film*) główna rola *f*; (*for dog*) smycz *f*; (*ELEC*) przewód *m* ♦ *vt* (*walk in front, guide*) prowadzić (poprowadzić *perf*); (*organization, activity*) kierować (pokierować *perf*) +*instr*; (*BRIT*): **to lead the orchestra** grać (zagrać *perf*) partię pierwszych skrzypiec (w orkiestrze) ♦ *vi* prowadzić; **one-minute lead** jednominutowa przewaga; **in the lead** na prowadzeniu; **to take the lead** obejmować (objąć *perf*) prowadzenie; **to lead the way** prowadzić (poprowadzić *perf*); **to lead sb astray** (*mislead*) zwieść (*perf*) kogoś; (*corrupt*) sprowadzić (*perf*) kogoś na manowce *or* złą drogę; **to lead sb to believe that** dawać (dać *perf*) komuś powody sądzić, że ...; **to lead sb to do sth** sprawić (*perf*), że ktoś coś zrobi.

lead away *vt*: **to be led away** dać (*perf*) się poprowadzić (bezmyślnie).

lead back *vt* zaprowadzać (zaprowadzić *perf*) z powrotem.

lead off *vi* (*in game, conversation*): **to lead off with** rozpoczynać (rozpocząć *perf*) +*instr or* od +*gen*; (*road*): **to lead off from** odchodzić od +*gen* ♦ *vt fus* (*room*) wychodzić na +*acc*; (*corridor*) prowadzić do +*gen*.

►**lead on** *vt* zwodzić.

►**lead to** *vt fus* prowadzić (doprowadzić *perf*) do +*gen*.

►**lead up to** *vt fus* (*events*) prowadzić (doprowadzić *perf*) do +*gen*; (*person*) starać się skierować rozmowę na +*acc*.

lead[2] [lɛd] *n* (*metal*) ołów *m*; (*in pencil*) grafit *m* ♦ *cpd* ołowiany.

leaded ['lɛdɪd] *adj* (*window*) witrażowy; (*petrol*) ołowiowy.

leaden ['lɛdn] *adj* (*sky, sea*) ołowiany; (*fig: steps etc*) ciężki, jak z ołowiu *post*.

leader ['li:də*] *n* (*of group, organization*) przywódca (-czyni) *m(f)*, lider(ka) *m(f)*; (*SPORT*) lider(ka) *m(f)*, prowadzący (-ca) *m(f)*; (*in newspaper*) artykuł *m* wstępny, wstępniak *m* (*inf*); **the Leader of the House** (*BRIT*) Przewodniczący Izby.

leadership ['li:dəʃɪp] *n* (*group*) kierownictwo *nt*; (*position*) stanowisko *nt* przywódcy; (*quality*) umiejętność *f* przewodzenia.

lead-free ['lɛdfri:] (*old*) *adj* bezołowiowy.

leading ['li:dɪŋ] *adj* (*most important*) czołowy; (*first, front*) prowadzący, znajdujący się na czele; (*role*) główny.

leading lady (*THEAT*) *n* odtwórczyni *f* głównej roli.

leading light *n* czołowa postać *f*.

leading man (*irreg like* **woman**) (*THEAT*) *n* odtwórca *m* głównej roli.

leading question *n* (*pej*) pytanie *nt* sugerujące odpowiedź (*np. w sądzie*).

lead pencil [lɛd-] *n* ołówek *m*.

lead poisoning [lɛd-] *n* zatrucie *nt* ołowiem.

lead singer [li:d-] *n* główny (-na) *m(f)* wokalista (-tka) *m(f)*.

lead time [li:d-] (*COMM*) *n* okres *projektowania i wdrażania towaru do produkcji*.

leaf [li:f] (*pl* **leaves**) *n* liść *m*; (*of table*) dodatkowy blat *m*; **to turn over a new leaf** rozpoczynać (rozpocząć *perf*) nowe życie; **to take a leaf out of sb's book** brać (wziąć *perf*) z kogoś przykład.

►**to leaf through** *vt fus* przekartkowywać (przekartkować *perf*).

leaflet ['li:flɪt] *n* ulotka *f*.

leafy ['li:fɪ] *adj* (*branch*) pokryty liśćmi; (*suburb*) zielony.

league [li:g] *n* liga *f*; **to be in league with sb** być z kimś w zmowie.

leak [li:k] *n* (*of liquid, gas*) wyciek *m*; (*in pipe etc*) dziura *f*; (*piece of information*) przeciek *m* ♦ *vi* (*ship, roof*) przeciekać; (*shoes*) przemakać; (*liquid*) wyciekać (wyciec *perf*), przeciekać (przeciec *perf*); (*gas*) ulatniać się (ulotnić się *perf*) ♦ *vt* (*information*) ujawniać (ujawnić *perf*).

►**leak out** *vi* (*liquid*) wyciekać (wyciec *perf*); (*information*) wychodzić (wyjść *perf*) na jaw.

leakage ['li:kɪdʒ] *n* wyciek *m*.

leaky ['li:kɪ] *adj* nieszczelny.

lean [li:n] (*pt, pp* **leaned** *or* **leant**) *adj* (*person*) szczupły; (*meat, year*) chudy ♦ *vt*: **to lean sth on sth** opierać (oprzeć *perf*) coś na czymś ♦ *vi* pochylać się (pochylić się *perf*); **to lean against** opierać się (oprzeć się *perf*) o +*acc*; **to lean on** (*rely on*) polegać na +*loc*; (*pressurize*) wywierać (wywrzeć *perf*) nacisk na +*acc*; **to lean forward/back** pochylać się (pochylić się *perf*) do przodu/do tyłu; **to lean towards** skłaniać się ku +*dat*.

►**lean out** *vi* wychylać się (wychylić się *perf*).

►**lean over** *vi* przechylać się (przechylić się *perf*).

leaning ['li:nɪŋ] *n* skłonności *pl* ♦ *adj*: **the leaning Tower of Pisa** krzywa wieża *f* w Pizie.

leant [lɛnt] *pt, pp of* **lean**.

lean-to ['li:ntu:] *n* przybudówka *f* (*gospodarcza*).

leap [li:p] (*pt, pp* **leaped** *or* **leapt**) *n* (*lit, fig*) skok *m* ♦ *vi* (*jump*) skakać (skoczyć *perf*); (*move*): **to leap into/out of** wskakiwać (wskoczyć *perf*) do/wyskakiwać (wyskoczyć +*gen*) z *perf*; (*price, number etc*) skakać (skoczyć *perf*), podskoczyć (*perf*).

►**leap at** *vt fus* skwapliwie skorzystać (*perf*) z +*gen*.

►**leap up** *vi* zrywać się (zerwać się *perf*), skoczyć (*perf*) na równe nogi.

leapfrog ['li:pfrɔg] *n zabawa, w której osoby stojące w rzędzie po kolei przeskakują przez siebie jak przez kozioł.*

leapt [lɛpt] *pt, pp of* **leap**.

leap year *n* rok *m* przestępny.

learn [lə:n] (*pt, pp* **learned** *or* **learnt**) *vt* uczyć się (nauczyć się *perf*) +*gen* ♦ *vi* uczyć się; **to learn about** *or* **of sth** (*hear, read*) dowiadywać się (dowiedzieć się *perf*) o czymś; **to learn about sth** (*study*) uczyć się o czymś; **to learn that ...** dowiedzieć się (*perf*), że ...; **to learn to do sth** uczyć się (nauczyć się *perf*) coś robić.

learned ['lə:nɪd] *adj* uczony.

learner ['lə:nə*] (*BRIT*) *n* uczący (-ca) *m(f)* się; (*also*: **learner driver**) zdający (-ca) *m(f)* na prawo jazdy; **to be a slow learner** wolno się uczyć.

learning ['lə:nɪŋ] *n* (*knowledge*) wiedza *f*.

learnt [lə:nt] *pt, pp of* **learn**.

lease [li:s] *n* umowa *f* o dzierżawę *or* najem ♦ *vt* dzierżawić (wydzierżawić *perf*); **on lease (to)** wydzierżawiony (+*dat*).

►**lease back** *vt dzierżawić dobra inwestycyjne od firmy, której wcześniej się te dobra sprzedało.*

leaseback ['li:sbæk] *n dzierżawa dóbr od firmy, której wcześniej się te dobra sprzedało.*

leasehold ['li:shəuld] *n* dzierżawa *f* ♦ *adj* (wy)dzierżawiony.

leash [li:ʃ] *n* smycz *f*.

least [li:st] *adj*: **the least** (*smallest amount of*) najmniej +*gen*; (*slightest*) najmniejszy ♦ *adv* (+*verb*) najmniej; (+*adjective*): **the least** najmniej; **at least** (*in expressions of quantity, comparisons*) co najmniej, przynajmniej; (*still, or rather*) przynajmniej; **you could at least have written** mogłeś przynajmniej napisać; **I do not mind in the least** absolutnie mi to nie przeszkadza; **it was the least I could do** przynajmniej to mogłem zrobić.

leather ['lɛðə*] *n* skóra *f* (*zwierzęca, wyprawiona*)

leather goods *npl* wyroby *pl* skórzane *or* ze skóry.

leave [li:v] (*pt, pp* **left**) *vt* (*place: on foot*) wychodzić (wyjść *perf*) z +*gen*; (: *in a vehicle*) wyjeżdżać (wyjechać *perf*) z +*gen*; (*place, institution: permanently*) opuszczać (opuścić *perf*), odchodzić (odejść *perf*) z +*gen*; (*person, thing, space, time*) zostawiać (zostawić *perf*); (*mark, stain*) zostawiać (zostawić *perf*), pozostawiać (pozostawić *perf*); (*husband, wife*) opuszczać (opuścić *perf*), odchodzić (odejść *perf*) od +*gen*, zostawiać (zostawić *perf*) (*inf*) ♦ *vi* (*person: on foot*) odchodzić (odejść *perf*); (: *in a vehicle*) wyjeżdżać (wyjechać *perf*); (: *permanently*) odchodzić (odejść *perf*); (*bus, train*) odjeżdżać (odjechać *perf*), odchodzić (odejść *perf*); (*plane*) odlatywać (odlecieć *perf*) ♦ *n* urlop *m*; **to leave sth to sb** zostawiać (zostawić *perf*) coś komuś; **they were left with nothing** nic im nie zostało; **you have/there was ten minutes left** zostało ci/zostało (jeszcze) dziesięć minut; **to be left over** (*food, drink*) zostawać (zostać *perf*); **to take one's leave of sb** żegnać się (pożegnać się *perf*) z kimś; **on leave** na urlopie; **on sick leave** na zwolnieniu (lekarskim).

►**leave behind** *vt* zostawiać (zostawić *perf*).

►**leave off** *vt*: **to leave the heating/lights off** zostawiać (zostawić *perf*) wyłączone ogrzewanie/światła; **she left the saucepan lid off** nie przykryła rondla (pokrywką) ♦ *vi* (*inf: stop*) przestać (*perf*).

►**leave on** *vt*: **to leave the heating/lights on** zostawiać (zostawić *perf*) włączone ogrzewanie/światła.

►**leave out** *vt* opuszczać (opuścić *perf*), pomijać (pominąć *perf*).

leave of absence *n* urlop *m*.

leaves [li:vz] *npl of* **leaf**.

Lebanese [lɛbə'ni:z] *adj* libański ♦ *n inv* Libańczyk (-anka) *m(f)*.

Lebanon ['lɛbənən] *n* Liban *m*.

lecherous ['lɛtʃərəs] (*pej*) *adj* lubieżny.

ectern ['lɛktə:n] *n* pulpit *m*.

ecture ['lɛktʃə*] *n* wykład *m* ♦ *vi* prowadzić
wykłady, wykładać ♦ *vt*: **to lecture sb on** *or*
about sth robić komuś uwagi na temat
czegoś; **to give a lecture on** wygłaszać
(wygłosić *perf*) wykład na temat +*gen*.

ecture hall *n* sala *f* wykładowa.

ecturer ['lɛktʃərə*] (*BRIT*) *n* (*at university*)
wykładowca *m*; (*speaker*) mówca *m*.

ED (*ELEC*) *n abbr* (= *light-emitting diode*)
LED *m inv*.

ed [lɛd] *pt, pp of* lead[1].

edge [lɛdʒ] *n* (*of mountain*) występ *m* skalny,
półka *f* skalna; (*of window*) parapet *m*; (*on
wall*) półka *f*.

edger ['lɛdʒə*] (*COMM*) *n* księga *f* główna.

ee [li:] *n* osłona *f*.

eech [li:tʃ] *n* pijawka *f*; (*fig*) pasożyt *m*.

eek [li:k] *n* por *m*.

eer [lɪə*] *vi*: **to leer at sb** uśmiechać się
(uśmiechnąć się *perf*) lubieżnie do kogoś.

eeward ['li:wəd] (*NAUT*) *adj* zawietrzny ♦ *adv*
na zawietrzną ♦ *n*: **to leeward** na zawietrzną.

eeway ['li:weɪ] *n* (*fig*): **to have some leeway**
mieć pewną swobodę działania; **there's a lot
of leeway to make up** jest mnóstwo
zaległości do odrobienia.

eft [lɛft] *pt, pp of* leave ♦ *adj* (*of direction,
position*) lewy; (*remaining*) pozostawiony,
pozostały; **to be left** zostawać (zostać *perf*),
pozostawać (pozostać *perf*) ♦ *n*: **the left** lewa
strona *f* ♦ *adv* (*turn, look etc*) w lewo; **on/to
the left** na lewo; **the Left** (*POL*) lewica.

eft-hand drive ['lɛfthænd-] *adj* z
lewostronnym układem kierowniczym *post*.

eft-handed [lɛft'hændɪd] *adj* leworęczny.

he left-hand side *n* lewa strona *f*.

eftist ['lɛftɪst] *n* lewicowiec *m* ♦ *adj* lewicowy.

eft-luggage (office) [lɛft'lʌgɪdʒ(-)] (*BRIT*) *n*
przechowalnia *f* bagażu.

eftovers ['lɛftəuvəz] *npl* resztki *pl*.

eft-wing ['lɛft'wɪŋ] *adj* lewicowy.

eft-winger ['lɛft'wɪŋgə*] *n* lewicowiec *m*.

eg [lɛg] *n* (*of person, animal, table*) noga *f*;
(*of trousers*) nogawka *f*; (*CULIN: of lamb,
pork*) udziec *m*; (: *of chicken*) udko *nt*; (*of
journey etc*) etap *m*; **1st/2nd/final leg** (*SPORT*)
pierwsza/druga/ostatnia runda; **to stretch one's
legs** roprostowywać (rozprostować *perf*) nogi;
to get one's leg over (*inf*) zaliczyć (*perf*)
dziewczynę/chłopaka.

egacy ['lɛgəsɪ] *n* spadek *m*; (*fig*) spuścizna *f*,
dziedzictwo *nt*.

egal ['li:gl] *adj* (*of the law*) prawny; (*allowed
by law*) legalny, zgodny z prawem; **to take
legal action/proceedings against sb** wytaczać
(wytoczyć *perf*) komuś sprawę.

egal adviser *n* radca *m* prawny.

egal holiday (*US*) *n* święto *nt* państwowe.

egality [lɪ'gælɪtɪ] *n* legalność *f*.

legalize ['li:gəlaɪz] *vt* legalizować
(zalegalizować *perf*).

legally ['li:gəlɪ] *adv* (*with regard to the law*)
prawnie; (*in accordance with the law*)
legalnie, prawnie; **legally binding** prawnie
wiążący.

legal tender *n* prawny środek *m* płatniczy.

legation [lɪ'geɪʃən] *n* poselstwo *nt*.

legend ['lɛdʒənd] *n* legenda *f*; (*fig: person*)
(żywa) legenda *f*.

legendary ['lɛdʒəndərɪ] *adj* legendarny.

-legged ['lɛgɪd] *suff* -nożny.

leggings ['lɛgɪŋz] *npl* (*woman's*) leginsy *pl*;
(*protective*) getry *pl* (*ze skóry, grubej tkaniny itp*).

legibility [lɛdʒɪ'bɪlɪtɪ] *n* czytelność *f*.

legible ['lɛdʒəbl] *adj* czytelny.

legibly ['lɛdʒəblɪ] *adv* czytelnie.

legion ['li:dʒən] *n* legion *m*, legia *f*; **stories
about him are legion** krążą o nim niezliczone
opowieści.

legionnaire [li:dʒə'nɛə*] *n* legionista *m*.

legionnaire's disease *n* choroba *f*
legionistów.

legislate ['lɛdʒɪsleɪt] *vi* uchwalać (uchwalić
perf) ustawę.

legislation [lɛdʒɪs'leɪʃən] *n* legislacja *f*,
ustawodawstwo *nt*.

legislative ['lɛdʒɪslətɪv] *adj* legislacyjny,
ustawodawczy.

legislator ['lɛdʒɪsleɪtə*] *n* członek (-nkini) *m(f)*
ciała ustawodawczego.

legislature ['lɛdʒɪslətʃə*] *n* ciało *nt*
ustawodawcze.

legitimacy [lɪ'dʒɪtɪməsɪ] *n* (*validity*) zasadność
f; (*legality*) legalność *f*.

legitimate [lɪ'dʒɪtɪmət] *adj* (*valid*) uzasadniony;
(*legal*) legalny.

legitimize [lɪ'dʒɪtɪmaɪz] *vt* sankcjonować
(usankcjonować *perf*) prawnie.

leg-room ['lɛgru:m] *n* (*on plane etc*) miejsce
nt na nogi.

Leics (*BRIT: POST*) *abbr* (= *Leicestershire*).

leisure ['lɛʒə*] *n* wolny czas *m*; **at leisure** bez
pośpiechu, w spokoju.

leisure centre *n* kompleks *m* rekreacyjny
(*budynek mieszczący halę sportową, sale
konferencyjne, kawiarnię itp*).

leisurely ['lɛʒəlɪ] *adj* spokojny, zrelaksowany.

leisure suit *n* dres *m*.

lemon ['lɛmən] *n* cytryna *f* ♦ *adj* cytrynowy.

lemonade [lɛmə'neɪd] *n* lemoniada *f*.

lemon cheese *n* = lemon curd.

lemon curd *n* krem *m* cytrynowy.

lemon juice *n* sok *m* cytrynowy.

lemon squeezer *n* wyciskacz *m* do cytryn.

lemon tea *n* herbata *f* cytrynowa.

lend [lɛnd] (*pt, pp* lent) *vt*: **to lend sth to sb**
pożyczać (pożyczyć *perf*) coś komuś; **it lends
itself to ...** to nadaje się do +*gen*; **the
problem doesn't lend itself to simple**

solutions tego problemu nie da się rozwiązać w prosty sposób; **to lend sb a hand (with sth)** pomagać (pomóc *perf*) komuś (przy czymś).

lender ['lɛndə*] *n* pożyczkodawca *m*.

lending library ['lɛndɪŋ-] *n* wypożyczalnia *f* (*książek*).

length [lɛŋθ] *n* długość *f*; (*piece of wood, string etc*) kawałek *m*; **2 metres in length** 2 metry długości; **at length** (*at last*) wreszcie; (*fully*) szczegółowo; **they travelled the length of the island** przejechali wzdłuż całą wyspę; **he fell/was lying full-length** przewrócił się/leżał jak długi; **they went to great lengths to please us** nie szczędzili starań, by nas zadowolić.

lengthen ['lɛŋθn] *vt* (*workday*) wydłużać (wydłużyć *perf*); (*tramline, cord*) przedłużać (przedłużyć *perf*); (*dress*) podłużać (podłużyć *perf*) ♦ *vi* (*queue, waiting list*) wydłużać się (wydłużyć się *perf*); (*silence*) przedłużać się (przedłużyć się *perf*).

lengthways ['lɛŋθweɪz] *adv* wzdłuż.

lengthy ['lɛŋθɪ] *adj* przydługi, rozwlekły.

leniency ['liːnɪənsɪ] *n* łagodność *f*, pobłażliwość *f*.

lenient ['liːnɪənt] *adj* (*person, attitude*) pobłażliwy; (*judge's sentence*) łagodny.

leniently ['liːnɪəntlɪ] *adv* łagodnie, pobłażliwie.

lens [lɛnz] *n* (*of spectacles*) soczewka *f*; (*of camera, telescope*) obiektyw *m*.

Lent [lɛnt] *n* wielki post *m*.

lent [lɛnt] *pt, pp of* **lend**.

lentil ['lɛntl] *n* soczewica *f*.

Leo ['liːəu] (*ASTROLOGY*) *n* Lew *m*; **to be Leo** być spod znaku Lwa.

leopard ['lɛpəd] *n* lampart *m*.

leotard ['liːətɑːd] *n* trykot *m*.

leper ['lɛpə*] *n* trędowaty (-ta) *m(f)*.

leper colony *n* osada *f* trędowatych.

leprosy ['lɛprəsɪ] *n* trąd *m*.

lesbian ['lɛzbɪən] *adj* lesbijski ♦ *n* lesbijka *f*.

lesion ['liːʒən] (*MED*) *n* uszkodzenie *nt*.

Lesotho [lɪ'suːtuː] *n* Lesoto *nt inv*.

less [lɛs] *adj* mniej (*+gen*) ♦ *pron* mniej ♦ *adv* mniej ♦ *prep*: **less tax/10% discount** minus podatek/10% rabatu; **less than half** mniej niż połowa; **less than ever** mniej niż kiedykolwiek; **less and less** coraz mniej; **the less he works ...** im mniej pracuje, ...; **the Prime Minister, no less** ni mniej, ni więcej, tylko premier.

lessee [lɛ'siː] *n* (*of land*) dzierżawca *m*; (*of flat*) najemca *m*.

lessen ['lɛsn] *vi* zmniejszać się (zmniejszyć się *perf*), maleć (zmaleć *perf*) ♦ *vt* zmniejszać (zmniejszyć *perf*).

lesser ['lɛsə*] *adj* (*in degree, amount*) mniejszy; (*in importance*) pomniejszy; **to a lesser extent** w mniejszym stopniu.

lesson ['lɛsn] *n* (*class*) lekcja *f*; (*example, warning*) nauka *f*, nauczka *f*; **to teach sb a lesson** (*fig*) dawać (dać *perf*) komuś nauczkę.

lessor ['lɛsə*] *n* (*of land*) wydzierżawiający *m*; (*of flat*) wynajmujący *m*.

lest [lɛst] *conj* żeby nie.

let [lɛt] (*pt, pp* **let**) *vt* (*allow*) pozwalać (pozwolić *perf*); (*BRIT: lease*) wynajmować (wynająć *perf*); **to let sb do sth** pozwalać (pozwolić *perf*) komuś coś robić; **to let sb know sth** powiadamiać (powiadomić *perf*) kogoś o czymś; **let's go** chodźmy; **let him come** niech przyjdzie; **"to let"** „do wynajęcia"; **to let go** *vi* (*release one's grip*) puszczać się (puścić się *perf*) ♦ *vt* wypuszczać (wypuścić *perf*); **to let go of sth** puszczać (puścić *perf*) coś; **to let o.s. go** (*relax*) rozluźniać się (rozluźnić się *perf*); (*neglect o.s.*) zaniedbywać się (zaniedbać się *perf*).

▶**let down** *vt* (*tyre*) spuszczać (spuścić *perf*) powietrze z +*gen*; (*person*) zawodzić (zawieść *perf*); (*dress*) podłużać (podłużyć *perf*); **to let one's hair down** (*fig*) wyluzowywać się (wyluzować się *perf*) (*inf*).

▶**let in** *vt* (*water, air*) przepuszczać (przepuścić *perf*); (*person*) wpuszczać (wpuścić *perf*).

▶**let off** *vt* (*culprit*) puszczać (puścić *perf*) wolno; (*gun*) wystrzelić (*perf*) z +*gen*; (*bomb*) detonować (zdetonować *perf*); (*firework*) puszczać (puścić *perf*); **to let sb off housework** *etc* zwalniać (zwolnić *perf*) kogoś z prac domowych *etc*; **to let off steam** (*inf. fig*) wyładowywać się (wyładować się *perf*).

▶**let on** *vi* wygadywać się (wygadać się *perf*).

▶**let out** *vt* (*person, air, water*) wypuszczać (wypuścić *perf*); (*sound*) wydawać (wydać *perf*); (*house, room*) wynajmować (wynająć *perf*).

▶**let up** *vi* (*cease*) ustawać (ustać *perf*); (*diminish*) zelżeć (*perf*).

letdown ['lɛtdaun] *n* zawód *m*, rozczarowanie *nt*.

lethal ['liːθl] *adj* śmiercionośny.

lethargic [lɛ'θɑːdʒɪk] *adj* (*sleep*) letargiczny; (*person*) ospały.

lethargy ['lɛθədʒɪ] *n* letarg *m*.

letter ['lɛtə*] *n* (*correspondence*) list *m*; (*of alphabet*) litera *f*; **small/capital letter** mała/wielka litera.

letter bomb *n* przesyłka *f* z bombą.

letterbox ['lɛtəbɔks] (*BRIT*) *n* (*on door, at entrance*) skrzynka *f* na listy; (*mailbox*) skrzynka *f* pocztowa *or* na listy.

letterhead ['lɛtəhɛd] *n* nagłówek *m* (*na papierze firmowym*).

lettering ['lɛtərɪŋ] *n* liternictwo *nt*, krój *m* liter.

letter of credit *n* akredytywa *f*.

letter-opener ['lɛtə'əupnə*] *n* nóż *m* do (rozcinania) listów.

tterpress ['letəprɛs] n typografia f (technika).
tter-quality printer (COMPUT) n drukarka f wysokiej jakości druku.
tters patent npl zaświadczenie nt patentowe o wynalazku.
ttuce ['lɛtɪs] n sałata f.
t-up ['lɛtʌp] n (in violence etc) spadek m.
ukaemia [lu:'ki:mɪə] (US **leukemia**) n białaczka f.
vel ['lɛvl] adj równy ♦ adv: **to draw level with** zrównywać się (zrównać się perf) z +instr ♦ n (lit, fig) poziom m; (also: **spirit level**) poziomnica f ♦ vt zrównywać (zrównać perf) z ziemią ♦ vi: **to level with sb** (inf) być z kimś szczerym; **to be/keep level with** być/utrzymywać się na tym samym poziomie co +nom; **on the level** (fig) uczciwy; **to level a gun at sb** celować (wycelować perf) do kogoś z pistoletu; **to level an accusation/a criticism at** or **against sb** kierować (skierować perf) oskarżenie/krytykę pod czyimś adresem; **to do one's level best** dokładać (dołożyć perf) wszelkich starań; **'A' levels** (BRIT) egzaminy końcowe z poszczególnych przedmiotów w szkole średniej na poziomie zaawansowanym; **'O' levels** (BRIT) egzaminy z poszczególnych przedmiotów na poziomie średnio zaawansowanym, do których uczniowie przystępują w wieku 15 – 16 lat.
level off vi stabilizować się (ustabilizować się perf).
level out vi = **level off**.
vel crossing (BRIT) n przejazd m kolejowy.
vel-headed [lɛvl'hɛdɪd] adj zrównoważony.
velling ['lɛvlɪŋ] n wyrównanie nt.
ver ['li:və*] n dźwignia f; (fig) środek m nacisku ♦ vt: **to lever up** podważać (podważyć perf); **to lever out** wyważać (wyważyć perf); **to lever o. s. up**
verage ['li:vərɪdʒ] n nacisk m; (fig) wpływ m.
vity ['lɛvɪtɪ] n beztroska f.
vy ['lɛvɪ] n pobór m ♦ vt (tax: impose) nakładać (nałożyć perf); (: collect) pobierać (pobrać perf), ściągać (ściągnąć perf).
wd [lu:d] adj lubieżny.
.I (US) abbr (= Long Island).
ability [laɪə'bɪlətɪ] n (person, thing) ciężar m, kłopot m; (JUR) odpowiedzialność f; **liabilities** npl (COMM) pasywa pl.
able ['laɪəbl] adj (prone): **liable to** podatny na +acc; (responsible): **liable for** odpowiedzialny za +acc; (likely): **she's liable to cry when she gets upset** ma tendencję do płaczu, kiedy się zdenerwuje; **these houses are liable to collapse** te domy narażone są na zawalenie.
aise [li:'eɪz] vi: **to liaise (with)** współpracować or współdziałać (z +instr).
aison [li:'eɪzɔn] n (cooperation) współpraca f,

współdziałanie nt; (sexual) związek m, romans m.
liar ['laɪə*] n kłamca m, łgarz m; (in small matters) kłamczuch(a) m(f).
libel ['laɪbl] n zniesławienie nt ♦ vt zniesławiać (zniesławić perf).
libellous ['laɪbləs] (US **libelous**) adj zniesławiający.
liberal ['lɪbərl] adj (open-minded) liberalny; (generous) hojny, szczodry ♦ n liberał m; **to be liberal with** (generous) nie żałować +gen.
liberalize ['lɪbərəlaɪz] vt liberalizować (zliberalizować perf).
liberally ['lɪbrəlɪ] adv (generously) hojnie, suto.
liberal-minded ['lɪbərl'maɪndɪd] adj o liberalnych poglądach post.
liberate ['lɪbəreɪt] vt (people, country) wyzwalać (wyzwolić perf); (hostage, prisoner) uwalniać (uwolnić perf).
liberation [lɪbə'reɪʃən] n wyzwolenie nt.
Liberia [laɪ'bɪərɪə] n Liberia f.
Liberian [laɪ'bɪərɪən] adj liberyjski ♦ n Liberyjczyk (-jka) m(f).
liberty ['lɪbətɪ] n (of individual) wolność f; (of movement) swoboda f; **to be at liberty** być or przebywać na wolności; **to be at liberty to do sth** mieć przyzwolenie na (z)robienie czegoś; **to take the liberty of doing sth** pozwalać (pozwolić perf) sobie zrobić coś.
libido [lɪ'bi:dəu] n libido nt inv.
Libra ['li:brə] (ASTROLOGY) n Waga f; **to be Libra** być spod znaku Wagi.
librarian [laɪ'brɛərɪən] n bibliotekarz (-arka) m(f).
library ['laɪbrərɪ] n (institution, collection of books) biblioteka f; (of gramophone records) płytoteka f.
library book n książka f z biblioteki.
libretto [lɪ'brɛtəu] n libretto nt.
Libya ['lɪbɪə] n Libia f.
Libyan ['lɪbɪən] adj libijski ♦ n Libijczyk (-jka) m(f).
lice [laɪs] npl of **louse**.
licence ['laɪsns] (US **license**) n (official document) pozwolenie nt, zezwolenie nt; (COMM) licencja f, koncesja f; (excessive freedom) rozpusta f, rozwiązłość f; **a driving/driver's licence** prawo jazdy; **to manufacture sth under licence** wytwarzać or produkować coś na licencji.
license ['laɪsns] n (US) = **licence** ♦ vt udzielać (udzielić perf) pozwolenia or zezwolenia +dat.
licensed ['laɪsnst] adj (car etc) zarejestrowany; (hotel, restaurant) posiadający koncesję na sprzedaż alkoholu.
licensee [laɪsən'si:] n licencjobiorca (-czyni) m(f), koncesjonariusz (-szka) m(f).
license plate (US) n tablica f rejestracyjna.
licensing hours ['laɪsnsɪŋ] (BRIT) npl godziny pl otwarcia pubu.

licentious [laɪ'sɛnʃəs] *adj* rozpustny, rozwiązły.
lichen ['laɪkən] *n* (*BOT*) porost *m*, porosty *pl*.
lick [lɪk] *vt* lizać (polizać *perf*) ♦ *n* liźnięcie *nt*;
to get licked (*inf*) dostawać (dostać *perf*)
cięgi; **a lick of paint** odrobina farby; **to lick
one's lips** oblizywać (oblizać *perf*) się; (*fig*)
zacierać ręce.
licorice ['lɪkərɪs] (*US*) *n* = **liquorice**.
lid [lɪd] *n* (*of case, large box*) wieko *nt*; (*of
jar, small box*) wieczko *nt*; (*of pan*) pokrywka
f; (*of large container*) pokrywa *f*, (*eyelid*)
powieka *f*; **to take the lid off sth** (*fig*)
demaskować (zdemaskować *perf*) coś.
lido ['laɪdəu] (*BRIT*) *n* kąpielisko *nt*.
lie [laɪ] (*pt* **lay**, *pp* **lain**) *vi* (*lit, fig*) leżeć; (*pt,
pp* **lied**) kłamać (skłamać *perf*) ♦ *n* kłamstwo
nt; **to tell lies** kłamać; **France and Britain lie
third and fourth respectively** Francja i Wielka
Brytania plasują się odpowiednio na trzeciej i
czwartej pozycji; **to lie low** (*fig*) przeczekiwać
(przeczekać *perf*) (w ukryciu).
▶**lie about** *vi* (*things*) poniewierać się; (*people*)
rozkładać się, rozwalać się (*inf*).
▶**lie around** *vi* = **lie about**.
▶**lie back** *vi* kłaść się (położyć się *perf*) na
plecach; (*fig*) dawać (dać *perf*) sobie luz (*inf*).
▶**lie up** *vi* zostawać (zostać *perf*) w łóżku.
Liechtenstein ['lɪktənstaɪn] *n* Liechtenstein *m*,
Księstwo *nt* Liechtenstein.
lie detector *n* wykrywacz *m* kłamstw.
lie-down ['laɪdaun] (*BRIT*) *n*: **to have a
lie-down** położyć się (*perf*) (do łóżka).
lie-in ['laɪɪn] (*BRIT*) *n*: **to have a lie-in** poleżeć
(*perf*) sobie (w łóżku).
lieu [luː]: **in lieu of** *prep* zamiast *or* w miejsce
+*gen*.
Lieut. (*MIL*) *abbr* = **lieutenant** por.
lieutenant [lɛf'tɛnənt] *n* porucznik *m*.
lieutenant-colonel *n* podpułkownik *m*.
life [laɪf] (*pl* **lives**) *n* życie *nt*; **true to life**
realistyczny; **to paint from life** malować z
natury; **to be sent to prison for life** zostać
(*perf*) skazanym na dożywocie; **to come to
life** (*fig*) ożywiać się (ożywić się *perf*).
life annuity *n* renta *f* dożywotnia.
life assurance (*BRIT*) *n* = **life insurance**.
lifebelt ['laɪfbɛlt] (*BRIT*) *n* koło *nt* ratunkowe.
lifeblood ['laɪfblʌd] *n* (*fig*) siła *f* napędowa.
lifeboat ['laɪfbəut] *n* łódź *f* ratunkowa.
lifebuoy ['laɪfbɔɪ] *n* koło *nt* ratunkowe.
life expectancy *n* średnia długość *f* życia.
lifeguard ['laɪfgɑːd] *n* ratownik (-iczka) *m(f)*
(*na plaży, basenie*).
life imprisonment *n* dożywocie *nt*.
life insurance *n* ubezpieczenie *nt* na życie.
life jacket *n* kamizelka *f* ratunkowa.
lifeless ['laɪflɪs] *adj* martwy; (*fig*) bez życia *post*.
lifelike ['laɪflaɪk] *adj* (*model etc*) jak żywy
post; (*painting, performance*) realistyczny.
lifeline ['laɪflaɪn] *n* (*means of surviving*)

(ostatnia) deska *f* ratunku; (*rope*) lina *f*
ratunkowa.
lifelong ['laɪflɔŋ] *adj* (*friend*) na całe życie
post; (*ambition*) życiowy.
life preserver (*US*) *n* = **lifebelt**; **life jacket**.
life raft *n* tratwa *f* ratunkowa.
life-saver ['laɪfseɪvə*] *n* ratownik (-iczka) *m(f)*.
life science *n* nauki *pl* biologiczne.
life sentence *n* kara *f* dożywocia *or*
dożywotniego więzienia.
life-size(d) ['laɪfsaɪz(d)] *adj* naturalnych
rozmiarów *post*, naturalnej wielkości *post*.
life-span ['laɪfspæn] *n* długość *f* życia; (*fig: of
product etc*) żywotność *f*.
life style ['laɪfstaɪl] *n* styl *m* życia.
life support system (*MED*) *n* respirator *m*.
lifetime ['laɪftaɪm] *n* (*of person*) życie *nt*; (*of
thing*) okres *m* istnienia; **once in a lifetime**
raz w życiu; **the chance of a lifetime**
życiowa szansa.
lift [lɪft] *vt* (*thing, part of body*) ponosić (podnieść
perf), unosić (unieść *perf*); (*ban, requirement*)
znosić (znieść *perf*); (*plagiarize*) przepisywać
(przepisać *perf*), zwalać (zwalić *perf*) (*inf*);
(*inf: steal*) podwędzić (*perf*) (*inf*), gwizdnąć (*perf*)
(*inf*) ♦ *vi* (*fog*) podnosić się (podnieść się *perf*) ♦
n (*BRIT*) winda *f*; **to give sb a lift** (*BRIT*)
podwozić (podwieźć *perf*) kogoś, podrzucać
(podrzucić *perf*) kogoś (*inf*).
▶**lift off** *vi* (*rocket*) startować (wystartować *perf*).
▶**lift up** *vt* podnosić (podnieść *perf*).
lift-off ['lɪftɔf] *n* start *m* (*samolotu lub rakiety*).
ligament ['lɪgəmənt] *n* (*ANAT*) wiązadło *nt*.
light [laɪt] (*pt, pp* **lit**) *n* światło *nt*; (*for
cigarette etc*) ogień *m* ♦ *vt* (*candle, cigarette*)
zapalać (zapalić *perf*); (*fire*) rozpalać (rozpalić
perf); (*room*) oświetlać (oświetlić *perf*); (*sky*)
rozświetlać (rozświetlić *perf*) ♦ *adj* lekki;
(*pale, bright*) jasny; **lights** *npl* (*also*: **traffic
lights**) światła *pl*; **to turn the light on/off**
zapalać (zapalić *perf*)/gasić (zgasić *perf*)
światło; **to come to light** wychodzić (wyjść
perf) na jaw; **to cast/shed/throw light on** (*fig*)
rzucać (rzucić *perf*) światło na +*acc*; **in the
light of** w świetle +*gen*; **to make light of sth**
(*fig*) bagatelizować (zbagatelizować *perf*) coś;
to travel light podróżować z małą ilością
bagażu.
▶**light up** *vi* rozjaśniać się (rozjaśnić się *perf*).
light bulb *n* żarówka *f*.
lighten ['laɪtn] *vt* zmniejszać (zmniejszyć *perf*)
♦ *vi* przejaśniać się (przejaśnić się *perf*).
lighter ['laɪtə*] *n* (*also*: **cigarette lighter**)
zapalniczka *f*.
light-fingered [laɪt'fɪŋgəd] (*inf*) *adj*: **to be
light-fingered** mieć długie *or* lepkie palce (*inf*).
light-headed [laɪt'hɛdɪd] *adj* (*excited*)
beztroski; (*dizzy*): **to be/feel light headed**
mieć zawroty głowy.

light-hearted [laɪt'hɑːtɪd] *adj* (*person*) beztroski; (*question, remark*) niefrasobliwy.
lighthouse ['laɪthaus] *n* latarnia *f* morska.
lighting ['laɪtɪŋ] *n* oświetlenie *nt*.
lighting-up time [laɪtɪŋ'ʌp-] *n czas włączania oświetlenia ulicznego*.
lightly ['laɪtlɪ] *adv* lekko; **to get off lightly** wykręcić się (*perf*) sianem.
light meter *n* światłomierz *m*.
lightness ['laɪtnɪs] *n* lekkość *f*.
lightning ['laɪtnɪŋ] *n* błyskawica *f* ♦ *adj* błyskawiczny.
lightning conductor *n* piorunochron *m*.
lightning rod (*US*) *n* = **lightning conductor**.
light pen *n* pióro *nt* świetlne.
lightship ['laɪtʃɪp] *n* latarniowiec *m*.
lightweight ['laɪtweɪt] *adj* lekki ♦ *n* bokser *m* wagi lekkiej.
light year *n* rok *m* świetlny.
like [laɪk] *vt* lubić (polubić *perf*) ♦ *prep* (taki) jak +*nom* ♦ *n*: **and the like** i tym podobne; **I would like, I'd like** chciał(a)bym; **if you like** jeśli chcesz; **to be/look like sb/sth** być/wyglądać jak ktoś/coś; **something like that** coś w tym rodzaju; **what does it look/taste/sound like?** jak to wygląda/smakuje/brzmi?; **what's he like?** jaki on jest?; **what's the weather like?** jaka jest pogoda?; **I feel like a drink** mam ochotę się napić; **there's nothing like ...** nie ma (to) jak...; **that's just like him** to do niego pasuje; **do it like this** rób to tak/w ten sposób; **it is nothing like ...** to zupełnie nie to samo, co...; **his likes and dislikes** jego sympatie i antypatie.
likeable ['laɪkəbl] *adj* przyjemny.
likelihood ['laɪklɪhud] *n* prawdopodobieństwo *nt*; **there is every likelihood that ...** istnieje wszelkie prawdopodobieństwo, że...; **in all likelihood** najprawdopodobniej.
likely ['laɪklɪ] *adj* prawdopodobny; **he is likely to do it** on prawdopodobnie to zrobi; **not likely!** (*inf*) na pewno nie!
like-minded ['laɪk'maɪndɪd] *adj*: **to be like-minded** mieć podobne zapatrywania.
liken ['laɪkən] *vt*: **to liken sth to sth** porównywać (porównać *perf*) coś do czegoś.
likeness ['laɪknɪs] *n* podobieństwo *nt*; **that's a good likeness** podobieństwo zostało dobrze uchwycone.
likewise ['laɪkwaɪz] *adv* podobnie; **to do likewise** robić (zrobić *perf*) to samo.
liking ['laɪkɪŋ] *n*: **liking (for)** (*thing*) upodobanie *nt* (do +*gen*); (*person*) sympatia *f* (do +*gen*); **to be to sb's liking** odpowiadać komuś; **to take a liking to sb** polubić (*perf*) kogoś.
lilac ['laɪlək] *n* bez *m* ♦ *adj* liliowy.
lilt [lɪlt] *n* melodyjna intonacja *f*.
lilting ['lɪltɪŋ] *adj* melodyjny, śpiewny.
lily ['lɪlɪ] *n* lilia *f*.

lily of the valley *n* konwalia *f*.
Lima ['liːmə] *n* Lima *f*.
limb [lɪm] *n* (*ANAT*) kończyna *f*; (*of tree*) konar *m*; **to go out on a limb** (*fig*) wychylać się (wychylić się *perf*).
limber up ['lɪmbə*-] (*SPORT*) *vi* przygotowywać się (przygotować się *perf*) (*przed startem*).
limbo ['lɪmbəu] *n*: **in limbo** (*fig*) w stanie zawieszenia.
lime [laɪm] *n* (*citrus fruit*) limona *f*; (*also*: **lime juice**) sok *m* z limony; (*linden*) lipa *f*; (*for soil*) wapno *nt*; (*rock*) wapień *m*.
limelight ['laɪmlaɪt] *n*: **to be in the limelight** znajdować się w centrum zainteresowania.
limerick ['lɪmərɪk] *n* limeryk *m*.
limestone ['laɪmstəun] *n* wapień *m*.
limit ['lɪmɪt] *n* (*greatest amount, extent*) granica *f*, kres *m*; (*on time, money etc*) ograniczenie *nt*, limit *m*; (*of area*) granica *f*, kraniec *m* ♦ *vt* ograniczać (ograniczyć *perf*); **within limits** w pewnych granicach.
limitation [lɪmɪ'teɪʃən] *n* ograniczenie *nt*; **limitations** *npl* ograniczenia *pl*.
limited ['lɪmɪtɪd] *adj* ograniczony; **to be limited to** być ograniczonym do +*gen*.
limited edition *n* ograniczony nakład *m*.
limited (liability) company (*BRIT*) *n* spółka *f* z ograniczoną odpowiedzialnością.
limitless ['lɪmɪtlɪs] *adj* (*resources etc*) nieograniczony; (*fascination etc*) bezgraniczny.
limousine ['lɪməziːn] *n* limuzyna *f*.
limp [lɪmp] *n*: **to have a limp** utykać, kuleć ♦ *vi* utykać, kuleć ♦ *adj* bezwładny.
limpet ['lɪmpɪt] *n* (*ZOOL*) skałoczep *m*; (*fig*) rzep *m*.
limpid ['lɪmpɪd] *adj* przezroczysty, przejrzysty.
limply ['lɪmplɪ] *adv* bezwładnie.
linchpin ['lɪntʃpɪn] (*also spelled* **lynchpin**) *n* (*fig*) podpora *f*.
Lincs [lɪŋks] (*BRIT*: *POST*) *abbr* (= *Lincolnshire*).
line [laɪn] *n* (*mark*) linia *f*, kreska *f*; (*wrinkle*) zmarszczka *f*; (*of people*) kolejka *f*; (*of things*) rząd *m*, szpaler *m*; (*of writing, song*) linijka *f*, wiersz *m*; (*rope*) lina *f*, sznur *m*; (*for fishing*) żyłka *f*; (*wire*) przewód *m*; (*TEL*) linia *f*, połączenie *nt*; (*railway track*) tor *m*; (*bus, train route*) linia *f*; (*fig*: *attitude, policy*) linia *f*, kurs *m*; (: *business, work*) dziedzina *f*, branża *f*; (*COMM*: *of product(s)*) typ *m*, model *m* ♦ *vt* (*road*) ustawiać się (ustawić się *perf*) wzdłuż +*gen*, tworzyć (utworzyć *perf*) szpaler wzdłuż +*gen*; (*clothing*) podszywać (podszyć *perf*); (*container*) wykładać (wyłożyć *perf*); **to line sth with sth** wykładać (wyłożyć *perf*) coś czymś; **to line the streets** wypełniać (wypełnić *perf*) ulice; **hold the line please!** (*TEL*) proszę nie odkładać słuchawki!; **to cut in line** (*US*) wpychać się (wepchnąć się *perf*)

do kolejki; **in line** rzędem, w szeregu; **in line with** w zgodzie z +*instr*; **to be in line for sth** być następnym w kolejce do czegoś; **to bring sth into line with sth** dostosowywać (dostosować *perf*) coś do czegoś; **on the right lines** na właściwej drodze; **to draw the line at doing sth** stanowczo sprzeciwiać się (sprzeciwić się *perf*) robieniu czegoś.

▶**line up** *vi* ustawiać się (ustawić się *perf*) w rzędzie *or* rzędem ♦ *vt* (*people*) zbierać (zebrać *perf*); (*event*) przygotowywać (przygotować *perf*); **to have sth lined up** mieć coś (starannie) zaplanowane.

linear ['lɪnɪə*] *adj* (*process, sequence*) liniowy, linearny; (*shape, form*) linearny.

lined [laɪnd] *adj* (*face*) pomarszczony, pokryty zmarszczkami; (*paper*) w linie *post*, liniowany; (*jacket*) na podszewce *post*.

line editing (*COMPUT*) *n* edycja *f* wierszowa.

line feed (*COMPUT*) *n* znak *m* wysuwu wiersza.

linen ['lɪnɪn] *n* (*cloth*) płótno *nt*; (*sheets etc*) bielizna *f* (*pościelowa lub stołowa*).

line printer (*COMPUT*) *n* drukarka *f* wierszowa.

liner ['laɪnə*] *n* (*ship*) liniowiec *m*; (*also*: **bin liner**) worek *m* na śmieci (*wkładany do kosza*).

linesman ['laɪnzmən] (*irreg like* **woman**) (*SPORT*) *n* sędzia *m* liniowy.

line-up ['laɪnʌp] *n* (*US*) kolejka *f*; (*SPORT*) skład *m* (*zespołu*); (*at concert, festival*) obsada *f*, lista *f* wykonawców; (*identity parade*) konfrontacja *f*.

linger ['lɪŋgə*] *vi* (*smell, tradition*) utrzymywać się (utrzymać się *perf*); (*person: remain long*) zasiedzieć się (*perf*); (: *tarry*) zwlekać, ociągać się.

lingerie ['lænʒəri:] *n* bielizna *f* damska.

lingering ['lɪŋgərɪŋ] *adj* utrzymujący się.

lingo ['lɪŋgəu] (*pl* **lingoes**) (*inf*) *n* mowa *f*.

linguist ['lɪŋgwɪst] *n* (*specialist*) językoznawca *m*, lingwista (-tka) *m(f)*; **she's a good linguist** (*speaks several languages*) zna (obce) języki.

linguistic [lɪŋ'gwɪstɪk] *adj* językoznawczy, lingwistyczny.

linguistics [lɪŋ'gwɪstɪks] *n* językoznawstwo *nt*, lingwistyka *f*.

liniment ['lɪnɪmənt] *n* mazidło *nt*.

lining ['laɪnɪŋ] *n* (*cloth*) podszewka *f*; (*ANAT*) wyściółka *f*; (*TECH, AUT*) okładzina *f*.

link [lɪŋk] *n* więź *f*, związek *m*; (*communications link*) połączenie *nt*; (*of a chain*) ogniwo *nt* ♦ *vt* łączyć (połączyć *perf*); **links** *npl* pole *nt* golfowe (*nad morzem*); **rail link** połączenie kolejowe.

▶**link up** *vt* podłączać (podłączyć *perf*) ♦ *vi* łączyć się (połączyć się *perf*).

link-up ['lɪŋkʌp] *n* (*also RADIO, TV*) połączenie *nt*.

lino ['laɪnəu] *n* = **linoleum**.

linoleum [lɪ'nəulɪəm] *n* linoleum *nt*.

linseed oil ['lɪnsi:d-] *n* olej *m* lniany.

lint [lɪnt] *n* płótno *nt* opatrunkowe.

lintel ['lɪntl] *n* nadproże *nt*.

lion ['laɪən] *n* lew *m*.

lion cub *n* lwiątko *nt*.

lioness ['laɪənɪs] *n* lwica *f*.

lip [lɪp] *n* (*ANAT*) warga *f*; (*of cup etc*) brzeg *m*, krawędź *f*; (*inf*) pyskowanie *nt* (*inf*).

lip-read ['lɪpri:d] *vi* czytać z (ruchu) warg.

lip salve *n* maść *f* do warg.

lip service (*pej*) *n*: **to pay lip service to sth** składać (złożyć *perf*) gołosłowne deklaracje poparcia dla czegoś.

lipstick ['lɪpstɪk] *n* pomadka *f* (do ust), szminka *f*.

liquefy ['lɪkwɪfaɪ] *vt* skraplać (skroplić *perf*) ♦ *vi* skraplać się (skroplić się *perf*).

liqueur [lɪ'kjuə*] *n* likier *m*.

liquid ['lɪkwɪd] *adj* płynny ♦ *n* płyn *m*, ciecz *f*.

liquid assets *npl* środki *pl* płynne.

liquidate ['lɪkwɪdeɪt] *vt* likwidować (zlikwidować *perf*).

liquidation [lɪkwɪ'deɪʃən] (*COMM*) *n* likwidacja *f*.

liquidation sale (*US*) *n* sprzedaż *f* likwidacyjna.

liquidator ['lɪkwɪdeɪtə*] *n* likwidator *m*.

liquid crystal display *n* wyświetlacz *m* ciekłokrystaliczny.

liquidity [lɪ'kwɪdɪtɪ] *n* płynność *f*.

liquidize ['lɪkwɪdaɪz] *vt* miksować (zmiksować *perf*).

liquidizer ['lɪkwɪdaɪzə*] *n* mikser *m*.

liquor ['lɪkə*] *n* wysokoprocentowy napój *m* alkoholowy, (silny) trunek *m*.

liquorice ['lɪkərɪs] (*BRIT*) *n* lukrecja *f*.

liquor store (*US*) *n* sklep *m* monopolowy.

Lisbon ['lɪzbən] *n* Lizbona *f*.

lisp [lɪsp] *n* seplenienie *nt* ♦ *vi* seplenić.

lissom(e) ['lɪsəm] *adj* smukły.

list [lɪst] *n* lista *f*, spis *m* ♦ *vt* (*record*) wyliczać (wyliczyć *perf*), wymieniać (wymienić *perf*); (*COMPUT*) listować (wylistować *perf*); (*write down*) robić (zrobić *perf*) listę +*gen*, spisywać (spisać *perf*); (*put down on list*) umieszczać (umieścić *perf*) na liście ♦ *vi* (*ship*) mieć przechył.

listed building (*BRIT*) *n zabytkowy budynek znajdujący się w rejestrze obiektów prawnie chronionych.*

listed company *n* przedsiębiorstwo *nt* notowane na giełdzie.

listen ['lɪsn] *vi* słuchać; **to listen (out) for** nasłuchiwać +*gen*; **to listen to sb/sth** słuchać kogoś/czegoś; **listen!** posłuchaj!

listener ['lɪsnə*] *n* słuchacz(ka) *m(f)*; (*RADIO*) (radio)słuchacz(ka) *m(f)*.

listing [lɪstɪŋ] *n* (*entry*) pozycja *f*, hasło *nt*; (*list*) lista *f*, wykaz *m*.

listless ['lɪstlɪs] *adj* apatyczny.

stlessly ['lɪstlɪslɪ] *adv* apatycznie.

st price *n* cena *f* według cennika.

t [lɪt] *pt, pp of* **light**.

tany ['lɪtənɪ] *n* litania *f*.

ter ['liːtə*] (*US*) *n* = **litre**.

teracy ['lɪtərəsɪ] *n* umiejętność *f* czytania i pisania.

teracy campaign *n* akcja *f* walki z analfabetyzmem.

teral ['lɪtərl] *adj* dosłowny.

terally ['lɪtrəlɪ] *adv* dosłownie.

terary ['lɪtərərɪ] *adj* literacki.

terate ['lɪtərət] *adj* (*able to read etc*) piśmienny, umiejący czytać i pisać; (*educated*) oczytany.

terature ['lɪtrɪtʃə*] *n* literatura *f*.

the [laɪð] *adj* gibki, giętki.

thograph ['lɪθəgrɑːf] *n* litografia *f* (*odbitka*).

thography [lɪ'θɔgrəfɪ] *n* litografia *f* (*technika*).

ithuania [lɪθjuˈeɪnɪə] *n* Litwa *f*.

tigation [lɪtɪˈgeɪʃən] *n* (*JUR*) spór *m*.

tmus ['lɪtməs] *n*: **litmus paper** papierek *m* lakmusowy.

tre ['liːtə*] (*US* **liter**) *n* litr *m*.

tter ['lɪtə*] *n* (*rubbish*) śmieci *pl*; (*young animals*) miot *m*.

tter bin (*BRIT*) *n* kosz *m* na śmieci.

tterbug ['lɪtəbʌg] *n osoba zaśmiecająca miejsca publiczne*.

ttered ['lɪtəd] *adj*: **littered with** zawalony +*instr*.

tter lout *n* = **litterbug**.

ttle ['lɪtl] *adj* mały; (*brother etc*) młodszy; (*distance, time*) krótki ♦ *adv* mało, niewiele; **a little** trochę, troszkę; **a little bit** troszkę, troszeczkę; **little by little** po trochu;: **to have little time/money** mieć mało czasu/pieniędzy.

ttle finger *n* mały palec *m*.

turgy ['lɪtədʒɪ] *n* liturgia *f*.

ive [*vb* lɪv, *adj* laɪv] *vi* żyć; (*reside*) mieszkać ♦ *adj* żywy; (*performance etc*) na żywo *post*; (*ELEC*) pod napięciem *post*; (*bullet, bomb*) ostry; **to live with sb** żyć z kimś.

live down *vt* odkupywać (odkupić *perf*), zmazywać (zmazać *perf*); **you'd never live it down** nigdy by ci tego nie zapomniano.

live for *vt* żyć dla +*gen*.

live in *vi* mieszkać na miejscu.

live off *vt fus* (*food*) żyć na +*loc*; (*land*) żyć z +*gen*; (*parents etc*) pasożytować *or* żerować na +*loc*.

live on *vt fus* (*food*) żyć na +*loc*; (*salary*) żyć z +*gen*.

live out *vi* (*BRIT*) mieszkać poza miejscem nauki/pracy ♦ *vt*: **to live out one's days** *or* **life** przeżywać (przeżyć *perf*) swoje dni *or* życie.

live together *vi* mieszkać (zamieszkać *perf*) ze sobą.

live up *vt*: **to live it up** używać sobie, żyć na całego.

►live up to *vt fus* spełniać (spełnić *perf*) +*acc*.

livelihood ['laɪvlɪhud] *n* środki *pl* do życia, środki *pl* egzystencji.

liveliness ['laɪvlɪnɪs] *n* żwawość *f*, ożywienie *nt*.

lively ['laɪvlɪ] *adj* (*person*) żwawy, pełen życia; (*place*) tętniący życiem, pełen życia; (*interest*) żywy; (*conversation*) ożywiony; (*book*) zajmujący.

liven up ['laɪvn-] *vt* ożywiać (ożywić *perf*) ♦ *vi* ożywiać się (ożywić się *perf*).

liver ['lɪvə*] *n* (*ANAT*) wątroba *f*; (*CULIN*) wątróbka *f*.

liverish ['lɪvərɪʃ] *adj* niedysponowany (*zwłaszcza z przejedzenia lub przepicia*).

Liverpudlian [lɪvə'pʌdlɪən] *adj* liverpoolski ♦ *n* mieszkaniec (-nka) *m(f)* Liverpoolu.

livery ['lɪvərɪ] *n* liberia *f*.

lives [laɪvz] *npl of* **life**.

livestock ['laɪvstɔk] *n* żywy inwentarz *m*.

livid ['lɪvɪd] *adj* (*colour*) siny; (*inf: person*) wściekły.

living ['lɪvɪŋ] *adj* żyjący ♦ *n*: **to earn** *or* **make a living** zarabiać (zarobić *perf*) na życie; **within living memory** za ludzkiej pamięci; **the cost of living** koszty utrzymania.

living conditions *npl* warunki *pl* życia.

living expenses *npl* wydatki *pl* na życie *or* utrzymanie.

living room *n* salon *m*.

living standards *npl* stopa *f* życiowa.

living wage *n* płaca *f* wystarczająca na utrzymanie.

lizard ['lɪzəd] *n* jaszczurka *f*.

llama ['lɑːmə] *n* lama *f*.

LLB *n abbr* (= *Bachelor of Laws*) stopień naukowy.

LLD *n abbr* (= *Doctor of Laws*) stopień naukowy; ≈ dr hab.

LMT (*US*) *abbr* (= *Local Mean Time*) czas lokalny.

load [ləud] *n* (*thing carried*) ładunek *m*; (*weight*) obciążenie *nt* ♦ *vt* ładować, załadowywać (załadować *perf*); **a load of rubbish** (*inf*) stek bzdur; **loads of** *or* **a load of** (*fig*) mnóstwo +*gen*.

loaded ['ləudɪd] *adj* (*vehicle*) załadowany; (*question*) podchwytliwy; (*inf: person*) nadziany (*inf*); (*dice*) fałszowany.

loading bay ['ləudɪŋ-] *n* hala *f* wsadowa.

loaf [ləuf] (*pl* **loaves**) *n* bochenek *m* ♦ *vi* (*also*: **loaf about, loaf around**) obijać się; byczyć się (*inf*); **use your loaf!** (*inf*) rusz łbem! (*inf*).

loam [ləum] *n* ił *m*, gleba *f* ilasta.

loan [ləun] *n* pożyczka *f*; (*from bank*) kredyt *m* ♦ *vt* pożyczać (pożyczyć *perf*); **on loan** pożyczony, wypożyczony.

loan account *n* rachunek *m* kredytowy.

loan capital *n* kapitał *m* pożyczkowy.

loath [ləuθ] (*also spelled* **loth**) *adj*: **to be loath to do sth** nie mieć ochoty czegoś (z)robić.

loathe [ləuð] *vt* nie cierpieć +*gen*.

loathing ['ləuðɪŋ] *n* odraza *f*, obrzydzenie *nt*.

loathsome ['ləuðsəm] *adj* wstrętny, obmierzły.

loaves [ləuvz] *npl of* **loaf**.

lob [lɔb] *vt* (*ball*) lobować.

lobby ['lɔbɪ] *n* (*of building*) westybul *m*, hall *m*; (*POL*) lobby *nt inv* ♦ *vt* (*MP etc*) wywierać nacisk na +*acc*.

lobbyist ['lɔbɪɪst] *n* członek (-nkini) *m(f)* lobby.

lobe [ləub] *n* (*of ear*) płatek *m*; (*of brain, lung*) płat *m*.

lobster ['lɔbstə*] *n* homar *m*.

lobster pot *n* sieć *f* na homary.

local ['ləukl] *adj* lokalny, miejscowy ♦ *n* pub *m* (*pobliski, często odwiedzany*); **the locals** *npl* miejscowi *pl*.

local anaesthetic *n* znieczulenie *nt* miejscowe.

local authority *n* władze *pl* lokalne.

local call *n* (*TEL*) rozmowa *f* miejscowa.

local government *n* samorząd *m* terytorialny.

locality [ləu'kælɪtɪ] *n* rejon *m*.

localize ['ləukəlaɪz] *vt* lokalizować (zlokalizować *perf*), umiejscawiać (umiejscowić *perf*).

locally ['ləukəlɪ] *adv* lokalnie, miejscowo.

locate [ləu'keɪt] *vt* lokalizować (zlokalizować *perf*), umiejscawiać (umiejscowić *perf*); **located in** umiejscowiony *or* położony w +*loc*.

location [ləu'keɪʃən] *n* położenie *nt*; **on location** (*FILM*) w plenerach.

loch [lɔx] *n* jezioro *nt*.

lock [lɔk] *n* (*of door, suitcase*) zamek *m*; (*on canal*) śluza *f*; (*of hair*) lok *m*, loczek *m* ♦ *vt* (*door etc*) zamykać (zamknąć *perf*) na klucz; (*immobilize*) unieruchamiać (unieruchomić *perf*) ♦ *vi* (*door etc*) zamykać się (zamknąć się *perf*) na klucz; (*knee, mechanism*) blokować się (zablokować się *perf*); **the battery locked into place** bateria wskoczyła na miejsce; **(on) full lock** (*AUT*) pełen promień skrętu; **lock, stock and barrel** w całości.

▸**lock away** *vt* trzymać pod kluczem.

▸**lock in** *vt* zamykać (zamknąć *perf*) na klucz, brać (wziąć *perf*) pod klucz.

▸**lock out** *vt* (*person*) zamykać (zamknąć *perf*) drzwi na klucz przed +*instr*/za +*instr*; (*INDUSTRY*) stosować (zastosować *perf*) lokaut wobec +*gen*.

▸**lock up** *vt* (*criminal, mental patient*) zamykać (zamknąć *perf*) ♦ *vi* pozamykać (*perf*).

locker ['lɔkə*] *n* (*in school*) szafka *f*, (*at railway station*) schowek *m* na bagaż.

locker room *n* (*in sports club etc*) szatnia *f*.

locket ['lɔkɪt] *n* medalion *m*.

lockjaw ['lɔkdʒɔ:] *n* szczękościsk *m*.

lockout ['lɔkaut] *n* lokaut *m*.

locksmith ['lɔksmɪθ] *n* ślusarz *m*.

lockup ['lɔkʌp] *n* (*US: inf*) areszt *m*, paka *f* (*inf*); (*also*: **lock-up garage**) (wynajęty) garaż *m*.

locomotive [ləukə'məutɪv] *n* lokomotywa *f*.

locum ['ləukəm] (*MED*) *n* zastępstwo *nt*.

locust ['ləukəst] *n* szarańcza *f*.

lodge [lɔdʒ] *n* (*small house*) stróżówka *f*; (*hunting lodge*) domek *m* myśliwski; (*masons' lodge*) loża *f* ♦ *vi* (*bullet*) utkwić (*perf*); (*person*): **to lodge (with)** mieszkać (zamieszkać *perf*) (u +*gen*) ♦ *vt* (*complaint etc*) wnosić (wnieść *perf*).

lodger ['lɔdʒə*] *n* lokator(ka) *m(f)*.

lodging ['lɔdʒɪŋ] *n* zakwaterowanie *nt*.

lodging house *n* pensjonat *m*.

lodgings ['lɔdʒɪŋz] *npl* wynajęte mieszkanie *nt*.

loft [lɔft] *n* strych *m*.

lofty ['lɔftɪ] *adj* (*ideal, aim*) wzniosły; (*manner*) wyniosły; (*position*) wysoki.

log [lɔg] *n* (*piece of wood*) kłoda *f*, (*written account*) dziennik *m* ♦ *n abbr* (*MATH*) = **logarithm** log, lg ♦ *vt* zapisywać (zapisać *perf*) w dzienniku.

▸**log in, log on** *vi* (*COMPUT*) zalogowywać się (zalogować się *perf*).

▸**log into** (*COMPUT*) *vt fus* zalogowywać się (zalogować się *perf*) do +*gen*.

▸**log out, log off** (*COMPUT*) *vi* wylogowywać się (wylogować się *perf*).

logarithm ['lɔgərɪðm] *n* logarytm *m*.

logbook ['lɔgbuk] *n* (*NAUT*) dziennik *m* okrętowy; (*AVIAT*) dziennik *m* pokładowy; (*of car*) dowód *m* rejestracyjny; (*of lorry driver*) książka *f* pracy kierowcy; (*of events*) dziennik *m*.

log fire *n* kominek *m*.

loggerheads ['lɔgəhɛdz] *npl*: **to be at loggerheads (with)** drzeć koty (z +*instr*).

logic ['lɔdʒɪk] *n* logika *f*.

logical ['lɔdʒɪkl] *adj* logiczny.

logically ['lɔdʒɪkəlɪ] *adv* logicznie.

logistics [lɔ'dʒɪstɪks] logistyka *f*.

logo ['ləugəu] *n* logo *nt inv*.

loin [lɔɪn] *n* polędwica *f*, **loins** *npl* (*old: ANAT*) lędźwie *pl*.

loincloth ['lɔɪnklɔθ] *n* przepaska *f* na biodra.

loiter ['lɔɪtə*] *vi* wałęsać się.

loll [lɔl] *vi* (*also*: **loll about**: *person*) rozkładać się (rozłożyć się *perf*), rozwalać się (rozwalić się *perf*) (*inf*); (*head*) zwisać (zwisnąć *perf*); **the dog's tongue lolled out** pies miał wywieszony język.

lollipop ['lɔlɪpɔp] *n* lizak *m* ♦ *cpd*: **lollipop lady/man** (*BRIT*) osoba zaopatrzona w duży znak w kształcie lizaka, pomagająca dzieciom w przejściu przez ruchliwe skrzyżowanie.

lollop ['lɔləp] *vi* podskakiwać (podskoczyć *perf*)

Lombardy ['lɔmbədɪ] *n* Lombardia *f*.

London ['lʌndən] *n* Londyn *m*.

ondoner ['lʌndənə*] n londyńczyk m, mieszkaniec (-nka) m(f) Londynu.

one [ləun] adj samotny.

oneliness ['ləunlınıs] n samotność f.

onely ['ləunlı] adj (person, period of time) samotny; (place) odludny.

oner ['ləunə*] n samotnik (-iczka) m(f).

ong [lɔŋ] adj długi ♦ adv długo ♦ vi: **to long for sth** tęsknić do czegoś; **in the long run** na dłuższą metę; **so** or **as long as** (on condition that) pod warunkiem, że; (while) jak długo, dopóki; **don't be long!** pośpiesz się!; **to be 6 metres long** mieć 6 metrów długości; **to be 6 months long** trwać 6 miesięcy; **all night long** (przez) całą noc; **he no longer comes** już nie przychodzi; **long ago** dawno temu; **long before** na długo przed +instr; **long after** długo po +loc; **they'll catch him before long** niedługo go złapią; **before long we were back home** niedługo potem byliśmy z powrotem w domu; **at long last** wreszcie; **the long and the short of it is that** ... krótko mówiąc, ...

ong-distance [lɔŋ'dıstəns] adj (travel) daleki; (race) długodystansowy; (phone call: within same country) międzymiastowy; (: international) międzynarodowy.

ongevity [lɔn'dʒevıtı] n długowieczność f.

ong-haired ['lɔŋ'heəd] adj długowłosy.

onghand ['lɔŋhænd] n pismo nt ręczne.

onging ['lɔŋıŋ] n tęsknota f.

ongingly ['lɔŋıŋlı] adv tęsknie.

ongitude ['lɔŋgıtjuːd] n długość f geograficzna.

ong johns [-dʒɔnz] npl kalesony pl.

ong jump n skok m w dal.

ong-life ['lɔŋlaıf] adj o przedłużonej trwałości post.

ong-lost ['lɔŋlɔst] adj (relative, friend) dawno nie widziany.

ong-playing record ['lɔŋpleıŋ-] n płyta f długogrająca.

ong-range ['lɔŋ'reındʒ] adj (plan) długookresowy; (forecast) długoterminowy; (missile) dalekiego zasięgu post.

ongshoreman ['lɔŋʃɔːmən] (US) (irreg like woman) n doker m.

ong-sighted ['lɔŋ'saıtıd] adj: **to be long-sighted** być dalekowidzem.

ong-standing ['lɔŋ'stændıŋ] adj (offer, invitation) dawny; (reputation) (dawno) ugruntowany.

ong-suffering [lɔŋ'sʌfərıŋ] adj anielsko cierpliwy.

ong-term ['lɔŋtəːm] adj długoterminowy.

ong wave n fale pl długie.

ong-winded [lɔŋ'wındıd] adj rozwlekły.

oo [luː] (BRIT: inf) n ubikacja f.

oofah ['luːfə] n gąbka f (z luffy).

ook [luk] vi patrzeć (popatrzeć perf) ♦ n (glance) spojrzenie nt; (appearance, expression) wygląd m; **looks** npl uroda f, **he looked scared** wyglądał na przestraszonego; **to look south/(out) onto the sea** (building etc) wychodzić na południe/na morze; **look!** patrz!; **look (here)!** słuchaj (no)!; **to look like sb/sth** wyglądać jak ktoś/coś; **it looks like** or **as if he's not coming** wygląda na to, że nie przyjdzie; **it looks about 4 metres long** na oko ma ze 4 metry (długości); **everything looks all right to me** moim zdaniem wszystko jest w porządku; **let's have a look** spójrzmy, popatrzmy; **to have a look at sth** przyglądać się (przyjrzeć się perf) czemuś; **to have a look for sth** szukać (poszukać perf) czegoś; **to look ahead** patrzeć (popatrzeć perf) przed siebie; (fig) patrzeć (popatrzeć perf) w przyszłość.

▶**look after** vt fus (care for) opiekować się (zaopiekować się perf) +instr; (deal with) zajmować się (zająć się perf) +instr.

▶**look at** vt fus patrzeć (popatrzeć perf) na +acc; (read quickly) przeglądać (przejrzeć perf) +acc; (study, consider) przyglądać się (przyjrzeć się perf) +dat.

▶**look back** vi patrzeć (popatrzeć perf) or spoglądać (spojrzeć perf) wstecz; **to look back at sth/sb** oglądać się (obejrzeć się perf) na coś/kogoś; **to look back on** wspominać (wspomnieć perf) +acc.

▶**look down on** vt fus (fig) spoglądać z góry na +acc.

▶**look for** vt fus szukać (poszukać perf) +gen.

▶**look forward to** vt fus z niecierpliwością czekać na +acc or oczekiwać +gen; **we look forward to hearing from you** (in letter) czekamy na wiadomości od was.

▶**look in** vi: **to look in on sb** zaglądać (zajrzeć perf) do kogoś.

▶**look into** vt fus (investigate) badać (zbadać perf) +acc.

▶**look on** vi przyglądać się.

▶**look out** vi uważać.

▶**look out for** vt fus wypatrywać +gen.

▶**look over** vt (essay) przeglądać (przejrzeć perf); (person) lustrować (zlustrować perf); (view, window: town, sea etc) wychodzić na +acc.

▶**look round** vi rozglądać się (rozejrzeć się perf).

▶**look through** vt fus przeglądać (przejrzeć perf).

▶**look to** vt fus: **to look to sb for sth** oczekiwać od kogoś czegoś.

▶**look up** vi podnosić (podnieść perf) wzrok, spoglądać (spojrzeć perf) w górę; **things are looking up** idzie ku lepszemu ♦ vt (in dictionary, timetable etc) sprawdzać (sprawdzić perf).

▶**look up to** vt fus (hero, idol) podziwiać.

look-alike ['lukəlaık] n sobowtór m.

look-in ['lukın] *n*: **to get a look-in** (*inf*) mieć okazję się odezwać.

lookout ['lukaut] *n* (*tower etc*) punkt *m* obserwacyjny; (*person*) obserwator *m*; **to be on the lookout for** (*work*) rozglądać się za +*instr*; (*mistakes, explosives*) uważać na +*acc*.

loom [lu:m] *vi* (*also*: **loom up**: *object, shape*) wyłaniać się (wyłonić się *perf*); (*event*) zbliżać się, nadchodzić ♦ *n* krosno *nt*.

loony ['lu:nı] (*inf*) *adj* pomylony (*inf*) ♦ *n* pomyleniec *m* (*inf*).

loop [lu:p] *n* pętla *f* ♦ *vt*: **to loop sth around sth** obwiązywać (obwiązać *perf*) coś czymś.

loophole ['lu:phəul] *n* luka *f* (*prawna*).

loose [lu:s] *adj* luźny; (*hair*) rozpuszczony; (*life*) rozwiązły ♦ *n*: **to be on the loose** być na wolności ♦ *vt* (*free*) uwalniać (uwolnić *perf*); (*set off, unleash*) wywoływać (wywołać *perf*).

loose change *n* drobne *pl*.

loose chippings *npl* sypki żwir *m*.

loose end *n*: **to be at a loose end** *or* (*US*) **at loose ends** nie mieć nic do roboty; **to tie up loose ends** wyjaśniać (wyjaśnić *perf*) szczegóły.

loose-fitting ['lu:sfıtıŋ] *adj* luźny.

loose-leaf ['lu:sli:f] *adj* z luźnymi kartkami *post*.

loose-limbed [lu:s'lımd] *adj* gibki.

loosely ['lu:slı] *adv* luźno.

loosen ['lu:sn] *vt* (*screw etc*) poluzowywać (poluzować *perf*); (*clothing, belt*) rozluźniać (rozluźnić *perf*).

loosen up *vi* rozluźniać się (rozluźnić się *perf*).

loot [lu:t] *n* (*inf*) łup *m* ♦ *vt* grabić (ograbić *perf*), plądrować (splądrować *perf*).

looter ['lu:tə*] *n* (*during war*) grabieżca *m*; (*during riot*) złodziej(ka) *m(f)*.

looting ['lu:tıŋ] *n* grabież *m*.

lop off [lɔp-] *vt* obcinać (obciąć *perf*).

lopsided ['lɔp'saıdıd] *adj* krzywy.

lord [lɔ:d] *n* (*BRIT*) lord *m*; **the Lord** (*REL*) Pan (Bóg); **my lord** (*to noble*) milordzie; (*to bishop, judge*) ekscelencjo; **good Lord!** dobry Boże!; **the (House of) Lords** (*BRIT*) Izba Lordów.

lordly ['lɔ:dlı] *adj* wielkopański.

lordship ['lɔ:dʃıp] *n*: **your Lordship** wasza lordowska mość.

lore [lɔ:*] *n* tradycja *f* (*ustna*).

lorry ['lɔrı] (*BRIT*) *n* ciężarówka *f*.

lorry driver (*BRIT*) *n* kierowca *m* ciężarówki.

lose [lu:z] (*pt, pp* **lost**) *vt* (*object, pursuers*) gubić (zgubić *perf*); (*job, money, patience, voice, father*) tracić (stracić *perf*); (*game, election*) przegrywać (przegrać *perf*) ♦ *vi* przegrywać (przegrać *perf*); **my watch loses about 5 minutes a day** mój zegarek spóźnia się jakieś 5 minut dziennie; **to lose sight of** (*person, object*) tracić (stracić *perf*) z oczu +*acc*; (*moral values etc*) zatracać (zatracić *perf*) +*acc*.

loser ['lu:zə*] *n* (*in contest*) przegrywający (-ca) *m(f)*; (*inf*: *failure*) ofiara *f* (*życiowa*); **to be a good/bad loser** umieć/nie umieć przegrywać.

loss [lɔs] *n* (*no pl*: *of memory, blood, consciousness*) utrata *f*; (*of time, money, person through death*) strata *f*; (*COMM*): **to make a loss** (*business*) przynosić (przynieść *perf*) straty; (*company*) ponosić (ponieść *perf*) straty; **to sell sth at a loss** sprzedawać (sprzedać *perf*) coś ze stratą; **heavy losses** (*MIL*) ciężkie straty; **to cut one's losses** zapobiegać (zapobiec *perf*) dalszym stratom; **I'm at a loss** nie wiem, co robić; **I'm at a loss for words** nie wiem, co powiedzieć.

loss adjuster *n pracownik towarzystwa ubezpieczeniowego zajmujący się oceną roszczeń z tytułu szkody.*

loss leader (*COMM*) *n towar sprzedawany tanio, aby przyciągnąć klientów.*

lost [lɔst] *pt, pp of* **lose** ♦ *adj* (*person, animal*) zaginiony; (*object*) zgubiony; **to get lost** gubić się (zgubić się *perf*); **we're lost** zgubiliśmy się; **get lost!** (*inf*) spadaj! (*inf*); **lost in thought** zatopiony w myślach.

lost and found (*US*) *n* = **lost property**.

lost cause *n* przegrana *or* beznadziejna sprawa *f*.

lost property *n* biuro *nt* rzeczy znalezionych.

lot [lɔt] *n* (*of things*) zestaw *m*; (*of people*) grupa *f*; (*of merchandise*) partia *f*; (*at auctions*) artykuł *m*; (*destiny*) los *m*; **the (whole) lot** wszystko; **a lot (of)** dużo (+*gen*); **quite a lot (of)** sporo (+*gen*); **lots of** mnóstwo +*gen*; **a lot bigger/more expensive** dużo większy/droższy; **this happens a lot** to się często zdarza; **have you been seeing a lot of each other?** (*czy*) często się widujecie?; **thanks a lot!** dziękuję bardzo!; **to draw lots** ciągnąć losy.

lotion ['ləuʃən] *n* płyn *m* kosmetyczny.

lottery ['lɔtərı] *n* loteria *f*.

loud [laud] *adj* (*noise, voice*) głośny; (*clothes*) krzykliwy ♦ *adv* głośno; **out loud** na głos; **to be loud in one's support/disapproval of** głośno wyrażać swoje poparcie/dezaprobatę dla +*gen*.

loudhailer [laud'heılə*] (*BRIT*) *n* megafon *m*.

loudly ['laudlı] *adv* głośno.

loud-mouthed ['laudmauθt] *adj* głośny.

loudspeaker [laud'spi:kə*] *n* głośnik *m*.

lounge [laundʒ] *n* (*in house*) salon *m*; (*in hotel*) hall *m*; (*at station*) poczekalnia *f*; (*BRIT*: *also*: **lounge bar**) bar *m* (*w hotelu lub pubie*) ♦ *vi* rozpierać się.

▶**lounge about** *vi* próżnować.

▶**lounge around** *vi* = **lounge about**;

arrivals/departures lounge (*at airport*) hala przylotów/odlotów.

lounge suit (*BRIT*) *n* garnitur *m*.

se [laus] (*pl* **lice**) *n* wesz *f*.

use up (*inf*) *vt* paprać (spaprać *perf*) (*inf*).

sy ['lauzi] (*inf*) *adj* (*show, meal*) nędzny; (*person, behaviour*) podły, wstrętny; **to feel usy** czuć się (poczuć się *perf*) podle.

t [laut] *n* cham *m*, prostak *m*.

vre ['lu:və*] (*US* **louver**) *n* (*window*) okno żaluzjowe.

able ['lʌvəbl] *adj* miły, sympatyczny.

e [lʌv] *n* miłość *f*; (*for sport, activity*) miłowanie *nt* ♦ *vt* kochać (pokochać *perf*); **ove (from) Anne** „uściski *or* ściskam, nna"; **I'd love to come** przyszedłbym z zyjemnością; **I love chocolate** uwielbiam zekoladę; **to be in love with sb** być w kimś kochanym; **to fall in love with sb** kochiwać się (zakochać się *perf*) w kimś; **make love** kochać się; **love at first sight** iłość od pierwszego wejrzenia; **to send ne's love to sb** przesyłać (przesłać *perf*) muś pozdrowienia; **"15 love"** (*TENNIS*) 5: 0".

e affair *n* romans *m*.

e letter *n* list *m* miłosny.

e life *n* życie *nt* intymne.

ely ['lʌvli] *adj* (*place, person*) śliczny, oczy; (*meal, holiday*) cudowny.

er ['lʌvə*] *n* (*sexual partner*) kochanek nka) *m(f)*; (*person in love*) zakochany (-na) (*f*); **a lover of art/music** miłośnik (-iczka) (*f*) sztuki/muzyki.

esick ['lʌvsik] *adj* chory z miłości.

e song *n* pieśń *f* miłosna.

ing ['lʌviŋ] *adj* (*person*) kochający; (*action*) łen miłości.

' [ləu] *adj* niski; (*quiet*) cichy; (*depressed*) zygnębiony ♦ *adv* (*speak*) cicho; (*fly*) nisko n (*METEOR*) niż *m*; **we're running low on ilk kończy nam się mleko; **to reach a new an all-time low** spadać (spaść *perf*) do kordowo niskiego poziomu.

-alcohol ['ləu'ælkəhɔl] *adj* o niskiej wartości alkoholu *post*.

brow ['ləubrau] *adj* niewyszukany.

-calorie ['ləu'kæləri] *adj* niskokaloryczny.

-cut ['ləukʌt] *adj* głęboko wycięty, z użym dekoltem *post*.

down ['ləudaun] *n* (*inf*): **he gave me the wdown on it** podał mi wszystkie szczegóły a ten temat.

er ['ləuə*] *adj* (*bottom*) dolny; (*less nportant*) niższy ♦ *vt* (*object*) opuszczać puścić *perf*); (*prices, level*) obniżać (obniżyć erf); (*voice*) zniżać (zniżyć *perf*); (*eyes*) uszczać (spuścić *perf*).

-fat ['ləufæt] *adj* o niskiej zawartości uszczu *post*.

-key ['ləuki:] *adj* (*manner*) powściągliwy; speech) stonowany.

lands ['ləuləndz] *npl* niziny *pl*.

low-level language ['ləulɛvl-] (*COMPUT*) *n* język *m* niskiego poziomu.

low-loader ['ləuləudə*] *n* pojazd *m* niskopodwoziowy.

lowly ['ləuli] *adj* skromny.

low-lying [ləu'laiiŋ] *adj* nizinny.

low-paid [ləu'peid] *adj* (*worker*) nisko opłacany; (*job*) źle płatny.

loyal ['lɔiəl] *adj* lojalny.

loyalist ['lɔiəlist] *n* lojalista (-tka) *m(f)*.

loyalty ['lɔiəlti] *n* lojalność *f*.

lozenge ['lɔzindʒ] *n* (*tablet*) tabletka *f* do ssania; (*shape*) romb *m*.

LP *n abbr* = **long-playing record**.

L-plates ['ɛlpleits] (*BRIT*) *npl* tablice z literą „L" umieszczane na samochodach osób uczących się jeździć.

LPN (*US*) *n abbr* (= *Licensed Practical Nurse*) ≈ pielęgniarka (-arz) *f(m)* dyplomowana (-ny) *f(m)*.

LRAM (*BRIT*) *n abbr* (= *Licentiate of the Royal Academy of Music*).

LSAT (*US*) *n abbr* (= *Law School Admissions Test*) egzamin, którego zdanie umożliwia podjęcie magisterskich studiów prawniczych.

LSD *n abbr* (= *lysergic acid diethylamide*) LSD *nt inv*; (*BRIT*: = *pounds, shillings and pence*) system monetarny w Wielkiej Brytanii do roku 1971.

LSE (*BRIT*) *n abbr* (= *London School of Economics*).

LT (*ELEC*) *abbr* (= *low tension*) niskie napięcie *nt*.

Lt (*MIL*) *abbr* = **lieutenant** por.

Ltd (*COMM*) *abbr* = **limited company** ≈ Sp. z o.o.

lubricant ['lu:brikənt] *n* smar *m*.

lubricate ['lu:brikeit] *vt* smarować (nasmarować *perf*).

lucid ['lu:sid] *adj* (*writing, speech*) klarowny; (*person, mind*) przytomny.

lucidity [lu:'siditi] *n* (*of writing, speech*) klarowność *f*; (*of person, mind*) przytomność *f*.

luck [lʌk] *n* szczęście *nt*; **good luck** szczęście; **bad luck** pech; **good luck!** powodzenia!; **bad** *or* **hard** *or* **tough luck!** a to pech!; **to be in luck** mieć szczęście; **to be out of luck** nie mieć szczęścia.

luckily ['lʌkili] *adv* na szczęście.

lucky ['lʌki] *adj* szczęśliwy; **she's lucky** ma szczęście.

lucrative ['lu:krətiv] *adj* intratny, lukratywny.

ludicrous ['lu:dikrəs] *adj* śmieszny, śmiechu warty.

ludo ['lu:dəu] (*game*) *n* chińczyk *m*.

lug [lʌg] (*inf*) *vt* taszczyć (zataszczyć *perf*) (*inf*).

luggage ['lʌgidʒ] *n* bagaż *m*.

luggage car (*US*) *n* wagon *m* bagażowy.

luggage rack *n* (*AUT*) bagażnik *m* (*na dachu samochodu*); (*in train*) półka *f* bagażowa.

luggage van *n* wagon *m* bagażowy.

lugubrious [lu'gu:briəs] *adj* smętny.

lukewarm ['lu:kwɔ:m] *adj* (*lit, fig*) letni.
lull [lʌl] *n* okres *m* ciszy ♦ *vt*: **to lull sb (to sleep)** kołysać (ukołysać *perf*) kogoś (do snu); **they were lulled into a false sense of security** ich czujność została uśpiona.
lullaby ['lʌləbaɪ] *n* kołysanka *f*.
lumbago [lʌm'beɪgəu] *n* lumbago *nt inv*.
lumber ['lʌmbə*] *n* (*wood*) tarcica *f*; (*junk*) rupiecie *pl* ♦ *vi*: **to lumber about/along** wlec się (powlec się *perf*).
▶**lumber with** *vt*: **to be/get lumbered with sth** być/zostawać (zostać *perf*) czymś obarczonym.
lumberjack ['lʌmbədʒæk] *n* drwal *m*.
lumber room (*BRIT*) *n* rupieciarnia *f*.
lumberyard ['lʌmbəjɑ:d] (*US*) *n* skład *m* drzewny.
luminous ['lu:mɪnəs] *adj* (*fabric*) świecący; (*dial*) fosforyzujący.
lump [lʌmp] *n* (*of clay etc*) bryła *f*; (*on body*) guzek *m*; (*also*: **sugar lump**) kostka *f* (cukru) ♦ *vt*: **to lump together** traktować (potraktować *perf*) jednakowo, wrzucać (wrzucić *perf*) do jedego worka (*inf*); **a lump sum** okrągła sum(k)a, *jednorazowa wypłata dużej sumy pieniędzy*.
lumpy ['lʌmpɪ] *adj* (*sauce*) grudkowaty; (*bed*) nierówny.
lunacy ['lu:nəsɪ] *n* (*strange behaviour*) szaleństwo *nt*; (*old*: *mental illness*) obłęd *m*.
lunar ['lu:nə*] *adj* księżycowy.
lunatic ['lu:nətɪk] *adj* szalony ♦ *n* (*foolish person*) szaleniec *m*; (*old*: *mad person*) obłąkany (-na) *m(f)*.
lunatic asylum *n* zakład *m* dla umysłowo chorych.
lunatic fringe *n*: **the lunatic fringe** (*of organization*) skrajne elementy *pl*.
lunch [lʌntʃ] *n* lunch *m* ♦ *vi* jeść (zjeść *perf*) lunch.
lunch break *n* przerwa *f* na lunch.
luncheon ['lʌntʃən] *n* uroczysty lunch *m*.
luncheon meat *n* mielonka *f* (*konserwa*).
luncheon voucher (*BRIT*) *n* kupon *m* na lunch.
lunch hour *n* przerwa *f* na lunch.
lunchtime ['lʌntʃtaɪm] *n* pora *f* lunchu.
lung [lʌŋ] *n* płuco *nt*.
lunge [lʌndʒ] *vi* (*also*: **lunge forward**) rzucać się (rzucić się *perf*) naprzód; **to lunge at** rzucać się (rzucić się *perf*) na +*acc*.
lupin ['lu:pɪn] *n* łubin *m*.
lurch [lə:tʃ] *vi* (*vehicle*) szarpnąć (*perf*); (*person*) zatoczyć się (*perf*) ♦ *n* szarpnięcie *nt*; **to leave sb in the lurch** zostawiać (zostawić *perf*) kogoś na lodzie (*inf*); **he fell with a lurch** zatoczywszy się, upadł.
lure [luə*] *n* powab *m* ♦ *vt* wabić (zwabić *perf*).
lurid ['luərɪd] *adj* (*violent, graphic*) brutalny, drastyczny; (*brightly coloured*) krzykliwy.
lurk [lə:k] *vi* czaić się (zaczaić się *perf*).

luscious ['lʌʃəs] *adj* (*person*) pociągający; (*food*) soczysty.
lush [lʌʃ] *adj* (*vegetation*) bujny; (*restaurant*) luksusowy.
lust [lʌst] (*pej*) *n* (*sexual*) pożądanie *nt*, żądza *f*; (*for money, power*) żądza *f*.
▶**lust after** *vt fus* (*desire sexually*) pożądać +*gen*; (*crave*) pragnąć +*gen*.
▶**lust for** *vt fus* = **lust after**.
lustful ['lʌstful] *adj* pożądliwy.
lustre ['lʌstə*] (*US* **luster**) *n* połysk *m*.
lusty ['lʌstɪ] *adj* krzepki.
lute [lu:t] *n* lutnia *f*.
Luxembourg ['lʌksəmbə:g] *n* Luksemburg *m*.
luxuriant [lʌg'zjuərɪənt] *adj* bujny.
luxuriate [lʌg'zjuərɪeɪt] *vi*: **to luxuriate in sth** rozkoszować się czymś.
luxurious [lʌg'zjuərɪəs] *adj* luksusowy.
luxury ['lʌkʃərɪ] *n* luksus *m* ♦ *cpd* luksusowy.
LV *n abbr* = **luncheon voucher**.
LW (*RADIO*) *abbr* = **long wave** f.dł.
lying ['laɪɪŋ] *n* kłamstwo *nt* ♦ *adj* kłamliwy.
lynch [lɪntʃ] *vt* linczować (zlinczować *perf*).
lynx [lɪŋks] *n* ryś *m*.
lyric ['lɪrɪk] *adj* liryczny.
lyrical ['lɪrɪkl] *adj* liryczny; (*fig*): **to grow/wax lyrical about** rozpływać się nad +*instr*.
lyricism ['lɪrɪsɪzəm] *n* liryzm *m*.
lyrics ['lɪrɪks] *npl* (*of song*) słowa *pl*, tekst *m*.

M,m

M[1], m [ɛm] *n* (*letter*) M *nt*, m *nt*; **M for Mary**, (*US*) **M for Mike** ≈ M jak Maria.
M[2] *n abbr* (*BRIT*: = *motorway*): **the M8** autostrada *f* M8 ♦ *abbr* = **medium**.
m. *abbr* = **metre** m; = **mile**; **million** mln.
MA *n abbr* (= *Master of Arts*) *stopień naukowy*; ≈ mgr; (= *military academy*) akademia *f* wojskowa ♦ *abbr* (*US*: *POST*: = *Massachusetts*).
mac [mæk] (*BRIT*) *n* płaszcz *m* nieprzemakalny
macabre [mə'kɑ:brə] *adj* makabryczny.
macaroni [mækə'rəunɪ] *n* makaron *m* rurki.
macaroon [mækə'ru:n] *n* makaronik *m*.
mace [meɪs] *n* (*weapon*) maczuga *f*; (*ceremonial*) buława *f*; (*spice*) gałka *f* muszkatołowa.
machinations [mækɪ'neɪʃənz] *npl* knowania *pl*, machinacje *pl*.
machine [mə'ʃi:n] *n* maszyna *f*; (*fig*) machina *f* ♦ *vt* (*TECH*) obrabiać (obrobić *perf*); (*dress etc*) szyć (uszyć *perf*) na maszynie.
machine code *n* (*COMPUT*) kod *m* maszynowy.

machine gun n karabin m maszynowy.

machine language n (COMPUT) język m maszynowy.

machine-readable [mə'ʃi:nri:dəbl] adj (COMPUT) nadający się do przetwarzania automatycznego.

machinery [mə'ʃi:nərı] n (equipment) maszyny pl; (fig: of government etc) mechanizm m (funkcjonowania +gen).

machine shop n warsztat m mechaniczny.

machine tool n obrabiarka f.

machine washable adj nadający się do prania w pralce.

machinist [mə'ʃi:nɪst] n operator m (maszyny).

macho ['mætʃəu] adj: **macho man** macho m inv.

mackerel ['mækrl] n inv makrela f.

mackintosh ['mækɪntɔʃ] (BRIT) n płaszcz m nieprzemakalny.

macro... ['mækrəu] pref makro... .

macro-economics ['mækrəui:kə'nɔmɪks] npl makroekonomia f.

mad [mæd] adj (insane) szalony, obłąkany; (foolish) szalony, pomylony; (angry) wściekły; **to be mad about** szaleć za +instr; **to go mad** (insane) szaleć (oszaleć perf), wariować (zwariować perf); (angry) wściekać się (wściec się perf).

madam ['mædəm] n (form of address) proszę pani (voc); **yes, madam** tak, proszę pani; **Madam Chairman** pani przewodnicząca; **Dear Madam,** Szanowna Pani!

madden ['mædn] vt rozwścieczać (rozwścieczyć perf).

maddening ['mædnɪŋ] adj nieznośny, doprowadzający do szału.

made [meɪd] pt, pp of **make**.

Madeira [mə'dɪərə] n (GEOG) Madera f; (wine) madera f.

made-to-measure ['meɪdtə'mɛʒə*] (BRIT) adj szyty na miarę.

madly ['mædlı] adv (frantically) jak szalony; (very) szalenie; **madly in love** zakochany do szaleństwa.

madman ['mædmən] (irreg like **man**) n szaleniec m.

madness ['mædnıs] n (insanity) szaleństwo nt, obłęd m; (foolishness) szaleństwo nt.

Madrid [mə'drɪd] n Madryt m.

Mafia ['mæfɪə] n: **the Mafia** mafia f.

mag [mæg] (BRIT: inf) n abbr = **magazine**.

magazine [mægə'zi:n] n (PRESS) (czaso)pismo nt; (RADIO, TV) magazyn m; (of firearm) magazynek m; (MIL) skład m.

maggot ['mægət] n larwa f muchy.

magic ['mædʒɪk] n (supernatural power) magia f, czary pl; (conjuring) sztu(cz)ki pl magiczne ♦ adj (powers, ritual, formula) magiczny; (fig: place, moment, experience) cudowny.

magical ['mædʒɪkl] adj (powers, ritual) magiczny; (experience, evening) cudowny.

magician [mə'dʒɪʃən] n (wizard) czarodziej m, czarnoksiężnik m; (conjurer) magik m, sztukmistrz m.

magistrate ['mædʒɪstreɪt] n (JUR) sędzia m pokoju.

magnanimous [mæg'nænɪməs] adj wspaniałomyślny.

magnate ['mægneɪt] n magnat m.

magnesium [mæg'ni:zɪəm] n magnez m.

magnet ['mægnɪt] n magnes m.

magnetic [mæg'nɛtɪk] adj (PHYS) magnetyczny; (personality, appeal) zniewalający.

magnetic disk n dysk m magnetyczny.

magnetic tape n taśma f magnetyczna.

magnetism ['mægnɪtɪzəm] n magnetyzm m.

magnification [mægnɪfɪ'keɪʃən] n powiększenie nt.

magnificence [mæg'nɪfɪsns] n wspaniałość f.

magnificent [mæg'nɪfɪsnt] adj wspaniały.

magnify ['mægnɪfaɪ] vt (enlarge) powiększać (powiększyć perf); (increase: sound) wzmacniać (wzmocnić perf); (fig: exaggerate) wyolbrzymiać (wyolbrzymić perf).

magnifying glass ['mægnɪfaɪɪŋ-] n szkło nt powiększające.

magnitude ['mægnɪtju:d] n (size) rozmiary pl; (importance) waga f.

magnolia [mæg'nəulɪə] n magnolia f.

magpie ['mægpaɪ] n sroka f.

mahogany [mə'hɔgənɪ] n mahoń m ♦ cpd mahoniowy.

maid [meɪd] n pokojówka f, **old maid** (pej) stara panna.

maiden ['meɪdn] n (literary) panna f, dziewica f (old, literary) ♦ adj (aunt) niezamężny; (voyage) dziewiczy; (speech) pierwszy.

maiden name n nazwisko nt panieńskie.

mail [meɪl] n poczta f ♦ vt wysyłać (wysłać perf) (pocztą).

mailbox ['meɪlbɔks] n (US) skrzynka f pocztowa (przed domem); (COMPUT) skrzynka f.

mailing list ['meɪlɪŋ-] n lista f adresowa.

mailman ['meɪlmæn] (US) (irreg like **woman**) n listonosz m.

mail order n sprzedaż f wysyłkowa ♦ cpd: **mail-order** wysyłkowy.

mailshot ['meɪlʃɔt] (BRIT) n przesyłki pl reklamowe.

mail train n pociąg m pocztowy.

mail truck (US) n furgonetka f pocztowa.

mail van (BRIT) n (AUT) furgonetka f pocztowa; (RAIL) wagon m pocztowy.

maim [meɪm] vt okaleczać (okaleczyć perf).

main [meɪn] adj główny ♦ n: **gas/water main** magistrala f gazowa/wodna; **the mains** npl (ELEC etc) sieć f; **in the main** na ogół.

main course n danie nt główne.

mainframe ['meɪnfreɪm] n komputer m dużej mocy.

mainland ['meɪnlənd] *n*: the mainland ląd *m* stały.

mainline ['meɪnlaɪn] *adj* położony przy magistrali (kolejowej) *post* ♦ *vt, vi* (*drugs slang*) wstrzykiwać (wstrzyknąć *perf*) sobie.

main line *n* magistrala *f* (kolejowa).

mainly ['meɪnlɪ] *adv* głównie.

main road *n* droga *f* główna.

mainstay ['meɪnsteɪ] *n* podstawa *f*.

mainstream ['meɪnstriːm] *n* główny *or* dominujący nurt *m* ♦ *adj*: mainstream cinema *etc* główny nurt *m* kinematografii *etc*.

maintain [meɪn'teɪn] *vt* utrzymywać (utrzymać *perf*); (*friendship, good relations*) podtrzymywać (podtrzymać *perf*); to maintain one's innocence zapewniać o swej niewinności; to maintain that ... utrzymywać, że ... .

maintenance ['meɪntənəns] *n* utrzymanie *nt*; (*JUR*) alimenty *pl*.

maintenance contract *n* umowa *f* serwisowa.

maintenance order *n* (*JUR*) nakaz *m* alimentacji.

maisonette [meɪzə'nɛt] (*BRIT*) *n* mieszkanie *nt* dwupoziomowe.

maize [meɪz] *n* kukurydza *f*.

Maj. (*MIL*) *abbr* = major mjr.

majestic [mə'dʒɛstɪk] *adj* majestatyczny.

majesty ['mædʒɪstɪ] *n* (*splendour*) majestatyczność *f*; Your Majesty (*form of address*) Wasza Królewska Mość.

major ['meɪdʒə*] *n* (*MIL*) major *m* ♦ *adj* ważny, znaczący; (*MUS*) dur *post* ♦ *vi* (*US: SCOL*): to major (in) specjalizować się (w +*loc*); a major operation (*MED*) duża *or* rozległa operacja; (*fig*) poważna operacja.

Majorca [mə'jɔːkə] *n* Majorka *f*.

major general *n* (*BRIT*) ≈ generał *m* brygady; (*US*) ≈ generał *m* dywizji.

majority [mə'dʒɔrɪtɪ] *n* większość *f* ♦ *cpd*: majority verdict orzeczenie *nt* podjęte większością głosów; majority (share)holding kontrolny pakiet akcji.

make [meɪk] (*pt, pp* **made**) *vt* (*object, mistake, remark*) robić (zrobić *perf*); (*clothes*) szyć (uszyć *perf*); (*cake*) piec (upiec *perf*); (*noise*) robić, narobić (*perf*) +*gen*; (*speech*) wygłaszać (wygłosić *perf*); (*goods*) produkować (wyprodukować *perf*), wytwarzać; (*money*) zarabiać (zarobić *perf*); (*cause to be*): to make sb sad/happy zasmucać (zasmucić *perf*)/uszczęśliwiać (uszczęśliwić *perf*) kogoś; (*force*): to make sb do sth zmuszać (zmusić *perf*) kogoś do (z)robienia czegoś; (*equal*): 2 and 2 make 4 dwa i dwa jest cztery ♦ *n* marka *f*; to make the bed słać (posłać *perf*) łóżko; to make a fool of sb ośmieszać (ośmieszyć *perf*) kogoś; to make a profit osiągać (osiągnąć *perf*) zysk; to make a loss ponosić (ponieść *perf*) stratę;

may I make a suggestion? czy mogę coś zaproponować?; he made it (*arrived*) dotarł na miejsce; (*arrived in time*) zdążył; (*succeeded*) udało mu się; what time do you make it? którą masz godzinę?; to make good *vt* (*threat, promise*) spełniać (spełnić *perf*); (*damage*) naprawiać (naprawić *perf*); (*loss*) nadrabiać (nadrobić *perf*); he has made good powiodło mu się, odniósł sukces; to make do with zadowalać się (zadowolić się *perf*) +*instr*.

▸**make for** *vt fus* kierować się (skierować się *perf*) do +*gen or* ku +*dat*.

▸**make off** *vi* umykać (umknąć *perf*).

▸**make out** *vt* (*decipher*) odczytać (*perf*); (*understand*) zorientować się (*perf*) w +*loc*; (*see*) dostrzegać (dostrzec *perf*); (*write: cheque*) wypisywać (wypisać *perf*); (*claim, imply*) twierdzić; (*pretend*) udawać; to make out a case for sth znajdować (znaleźć *perf*) uzasadnienie dla czegoś.

▸**make over** *vt*: to make over (to) przekazywać (przekazać *perf*) (prawnie) (+*dat*).

▸**make up** *vt* (*constitute*) stanowić; (*invent*) wymyślać (wymyślić *perf*); (*prepare*) przygotowywać (przygotować *perf*) ♦ *vi* (*after quarrel*) godzić się (pogodzić się *perf*); (*with cosmetics*) robić (zrobić *perf*) (sobie) makijaż, malować się (umalować się *perf*); to make up one's mind decydować się (zdecydować się *perf*); to be made up of składać się z +*gen*.

▸**make up for** *vt fus* nadrabiać (nadrobić *perf*) +*acc*.

make-believe ['meɪkbɪliːv] *n* pozory *pl*; a world of make-believe świat iluzji *or* fantazji; it's just make-believe to zwykła fikcja.

maker ['meɪkə*] *n* producent *m*.

makeshift ['meɪkʃɪft] *adj* prowizoryczny.

make-up ['meɪkʌp] *n* (*cosmetics*) kosmetyki *pl* upiększające; (*on sb*) makijaż *m*; (*also*: stage make-up) charakteryzacja *f*.

make-up bag *n* kosmetyczka *f*.

make-up remover *n* płyn *m* do demakijażu.

making ['meɪkɪŋ] *n* (*fig*): he's a linguist in the making będzie z niego językoznawca; to have the makings of mieć (wszelkie) zadatki na +*acc*.

maladjusted [mælə'dʒʌstɪd] *adj* (społecznie) nie przystosowany.

maladroit [mælə'drɔɪt] *adj* niezręczny.

malaise [mæ'leɪz] *n* (*MED*) (ogólne) złe samopoczucie *nt*; (*fig*) niemoc *f*, apatia *f*.

malaria [mə'lɛərɪə] *n* malaria *f*.

Malawi [mə'lɑːwɪ] *n* Malawi *nt inv*.

Malay [mə'leɪ] *adj* malajski ♦ *n* Malaj(ka) *m(f)*; (*LING*) (język *m*) malajski.

Malaya [mə'leɪə] *n* Malaje *pl*.

Malayan [mə'leɪən] *adj, n* = Malay.

Malaysia [mə'leɪzɪə] *n* Malezja *f*.

Malaysian [mə'leɪzɪən] *adj* malezyjski ♦ *n* Malezyjczyk (-jka) *m(f)*.

Maldives ['mɔːldaɪvz] *npl*: **the Maldives**
Malediwy *pl*.

male [meɪl] *n* (*BIO*) samiec *m*; (*man*)
mężczyzna *m* ♦ *adj* (*sex, attitude*) męski;
(*child*) płci męskiej *post*; (*ELEC*): **male plug**
wtyczka *f* z bolcem *or* męska; **male and**
female students studenci i studentki, studenci
obojga płci.

male chauvinist *n* męski szowinista *m*.

male nurse *n* pielęgniarz *m*.

malevolence [mə'lɛvələns] *n* wrogość *f*.

malevolent [mə'lɛvələnt] *adj* wrogi.

malfunction [mæl'fʌŋkʃən] *n* (*of computer,
machine*) niesprawność ♦ *vi* nie działać.

malice ['mælɪs] *n* złośliwość *f*.

malicious [mə'lɪʃəs] *adj* (*person, gossip,
accusation*) złośliwy; **malicious intent** (*JUR*)
zły zamiar.

malign [mə'laɪn] *vt* rzucać oszczerstwa na +*acc*
♦ *adj* (*influence*) szkodliwy, zły;
(*interpretation*) wrogi, pełen złej woli.

malignant [mə'lɪgnənt] *adj* (*tumour, growth*)
złośliwy; (*behaviour, intention*) wrogi.

malingerer [mə'lɪŋgərə*] *n* symulant(ka) *m(f)*.

mall [mɔːl] *n* (*also*: **shopping mall**) centrum *nt*
handlowe.

malleable ['mælɪəbl] *adj* (*substance*)
plastyczny; (*person*) podatny na wpływy.

mallet ['mælɪt] *n* drewniany młotek *m*, pobijak *m*.

malnutrition [mælnjuː'trɪʃən] *n* (*eating too
little*) niedożywienie *nt*; (*eating wrong food*)
niewłaściwe *or* złe odżywianie *nt*.

malpractice [mæl'præktɪs] *n* postępowanie *nt*
niezgodne z etyką zawodową.

malt [mɔːlt] *n* (*grain*) słód *m*; (*also*: **malt
whisky**) whisky *f inv* słodowa.

Malta ['mɔːltə] *n* Malta *f*.

Maltese [mɔːl'tiːz] *adj* maltański ♦ *n inv*
(*person*) Maltańczyk (-anka) *m(f)*; (*LING*)
(język *m*) maltański.

maltreat [mæl'triːt] *vt* maltretować.

mammal ['mæml] *n* ssak *m*.

mammoth ['mæməθ] *n* mamut *m* ♦ *adj*
gigantyczny.

man [mæn] (*pl* **men**) *n* (*male*) mężczyzna *m*;
(*human being, mankind*) człowiek *m*;
(*CHESS*) pionek *m* ♦ *vt* (*post*) obsadzać
(obsadzić *perf*); (*machine*) obsługiwać; **man
and wife** mąż i żona.

manage ['mænɪdʒ] *vi* (*get by financially*)
dawać (dać *perf*) sobie radę; (*succeed*): **he
managed to find her** udało mu się ją
odnaleźć, zdołał ją odnaleźć ♦ *vt* (*business,
organization*) zarządzać +*instr*; (*object, device,
person*) radzić (poradzić *perf*) sobie z +*instr*;
to manage without sb/sth radzić (poradzić
perf) sobie bez kogoś/czegoś, dawać (dać
perf) sobie radę bez kogoś/czegoś.

manageable ['mænɪdʒəbl] *adj* (*task*)
wykonalny; **documents are manageable in**

small numbers z niewielką liczbą
dokumentów można sobie poradzić.

management ['mænɪdʒmənt] *n* (*control,
organization*) zarządzanie *nt*; (*persons*) zarząd
m, dyrekcja *f*; **"under new management"**
napis informujący o zmianie dyrekcji.

management accounting *n* księgowość *f*.

management consultant *n* konsultant *m* do
spraw zarządzania.

manager ['mænɪdʒə*] *n* (*of large business,
institution, department*) dyrektor *m*; (*of smaller
business, unit, institution*) kierownik *m*; (*of
pop star, sports team*) menażer *m*; **sales
manager** dyrektor handlowy; **an educated
class of managers and bureaucrats**
wykształcona klasa menedżerów i biurokratów.

manageress [mænɪdʒə'rɛs] *n* kierowniczka *f*.

managerial [mænɪ'dʒɪərɪəl] *adj* (*role, post,
staff*) kierowniczy; (*skills*) menedżerski;
(*decisions*) dotyczący zarzadzania.

managing director ['mænɪdʒɪŋ-] *n* dyrektor *m*
(główny *or* naczelny).

Mancunian [mæŋ'kjuːnɪən] *n* mieszkaniec
(-nka) *m(f)* Manchesteru.

mandarin ['mændərɪn] *n* (*also*: **mandarin
orange**) mandarynka *f*; (*official*) szycha *f* (*inf*);
(: *Chinese*) mandaryn *m*.

mandate ['mændeɪt] *n* (*POL*) mandat *m*; (*task*)
zadanie *nt*.

mandatory ['mændətərɪ] *adj* obowiązkowy.

mandolin(e) ['mændəlɪn] *n* mandolina *f*.

mane [meɪn] *n* grzywa *f*.

maneuver [mə'nuːvə*] (*US*) = **manoeuvre**.

manfully ['mænfəlɪ] *adv* mężnie.

manganese [mæŋgə'niːz] *n* mangan *m*.

mangle ['mæŋgl] *vt* zniekształcać (zniekształcić
perf) ♦ *n* magiel *m* (*przyrząd*).

mango ['mæŋgəʊ] (*pl* **mangoes**) *n* mango *nt inv*.

mangrove ['mæŋgrəʊv] *n* namorzyn *m*,
mangrowe *nt inv*.

mangy ['meɪndʒɪ] *adj* wyliniały.

manhandle ['mænhændl] *vt* (*mistreat*)
poniewierać +*instr*; (*move by hand*) przenosić
(przenieść *perf*).

manhole ['mænhəʊl] *n* właz *m* kanalizacyjny.

manhood ['mænhud] *n* (*age*) wiek *m* męski
(*fml*); (*state*) męskość *f*; **in his early manhood**
we wczesnej młodości.

man-hour ['mænauə*] *n* roboczogodzina *f*.

manhunt ['mænhʌnt] *n* obława *f*.

mania ['meɪnɪə] *n* mania *f*.

maniac ['meɪnɪæk] *n* (*lunatic*) maniak *m*,
szaleniec *m*; (*fig*) maniak (-aczka) *m(f)*.

manic ['mænɪk] *adj* szaleńczy.

manic-depressive ['mænɪkdɪ'presɪv] *n* chory
(-ra) *m(f)* z zespołem maniakalno-depresyjnym
♦ *adj* maniakalno-depresyjny.

manicure ['mænɪkjuə*] *n* manicure *m* ♦ *vt*
robić (zrobić *perf*) manicure +*dat*.

manicure set n zestaw m (przyborów) do manicure'u.

manifest ['mænɪfɛst] vt manifestować (zamanifestować perf) ♦ adj oczywisty, wyraźny ♦ n (AVIAT, NAUT) manifest m, wykaz m ładunków.

manifestation [mænɪfɛs'teɪʃən] n przejaw m, oznaka f.

manifesto [mænɪ'fɛstəu] n manifest m.

manifold ['mænɪfəuld] adj różnoraki, różnorodny ♦ n: **exhaust manifold** rura f wydechowa.

Manila [mə'nɪlə] n Manila f.

manila [mə'nɪlə] adj: **manila envelope** szara koperta f.

manipulate [mə'nɪpjuleɪt] vt manipulować +instr.

manipulation [mənɪpju'leɪʃən] n manipulacja f, manipulowanie nt.

mankind [mæn'kaɪnd] n ludzkość f.

manliness ['mænlɪnɪs] n męskość f.

manly ['mænlɪ] adj męski.

man-made ['mæn'meɪd] adj sztuczny.

manna ['mænə] n manna f.

mannequin ['mænɪkɪn] n (dummy) manekin m; (old: fashion model) model(ka) m(f).

manner ['mænə*] n (way) sposób m; (behaviour) zachowanie nt; (type, sort): **all manner of things/people** wszelkiego rodzaju rzeczy/ludzie; **manners** npl maniery pl.

mannerism ['mænərɪzəm] n maniera f.

mannerly ['mænəlɪ] adj dobrze ułożony or wychowany.

manoeuvrable [mə'nu:vrəbl] (US **maneuverable**) adj ruchomy.

manoeuvre [mə'nu:və*] (US **maneuver**) vt (car etc) manewrować (wymanewrować perf) +instr; (person, situation) vi manewrować ♦ n (fig) manewr m; **manoeuvres** npl manewry pl; **to manoeuvre sth into** ulokować (perf) coś w +loc; **to manoeuvre sth out of** wydostać (perf) or wydobyć (perf) coś z +gen; **to manoeuvre sb into doing sth** pokierować (perf) kimś tak, żeby coś zrobił.

manor ['mænə*] n (also: **manor house**) rezydencja f ziemska, dwór m.

manpower ['mænpauə*] n siła f robocza.

Manpower Services Commission (BRIT) n urząd d/s tworzenia nowych miejsc pracy, pośrednictwa i kształcenia zawodowego.

manservant ['mænsə:vənt] (pl **menservants**) n służący m.

mansion ['mænʃən] n rezydencja f.

manslaughter ['mænslɔ:tə*] (JUR) n nieumyślne spowodowanie nt śmierci.

mantelpiece ['mæntlpi:s] n gzyms m kominka.

mantle ['mæntl] n (layer) powłoka f, (garment) opończa f; (fig) obowiązki pl.

man-to-man ['mæntə'mæn] adj otwarty, szczery ♦ adv otwarcie, szczerze.

manual ['mænjuəl] adj (work, worker) fizyczny; (controls) ręczny ♦ n podręcznik m.

manufacture [mænju'fæktʃə*] vt produkować (wyprodukować perf) ♦ n produkcja f.

manufactured goods npl wyroby pl gotowe, produkty pl.

manufacturer [mænju'fæktʃərə*] n wytwórca m, producent m.

manufacturing [mænju'fæktʃərɪŋ] n wytwarzanie nt, produkcja f (przemysłowa).

manure [mə'njuə*] n nawóz m (naturalny).

manuscript ['mænjuskrɪpt] n rękopis m; (ancient) manuskrypt m.

many ['mɛnɪ] adj wiele (+gen nvir pl), wielu (+gen vir pl), dużo (+gen pl) (inf) ♦ pron wiele nvir, wielu vir; **a great many men/women** bardzo wielu mężczyzn/wiele kobiet; **how many?** ile?; **too many difficulties** zbyt wiele trudności; **twice as many** dwa razy tyle; **many a time** niejeden raz.

map [mæp] n mapa f ♦ vt sporządzać (sporządzić perf) mapę +gen.

►**map out** vt (plan, task) nakreślać (nakreślić perf); (career, holiday) planować (zaplanować perf).

maple ['meɪpl] n klon m.

mar [mɑ:*] vt (appearance) szpecić (zeszpecić perf), oszpecać (oszpecić perf); (day, event) psuć (zepsuć perf).

Mar. abbr = **March** marz.

marathon ['mærəθən] n maraton m ♦ adj długi i wyczerpujący.

marathon runner n maratończyk m.

marauder [mə'rɔ:də*] n (robber) rabuś m; (killer) bandyta m; (animal) drapieżnik m.

marble ['mɑ:bl] n (stone) marmur m; (toy) kulka f (do gry).

marbles ['mɑ:blz] n (game) kulki pl.

March [mɑ:tʃ] n marzec m; see also **July**.

march [mɑ:tʃ] vi (soldiers, protesters) maszerować (przemaszerować perf); (walk briskly) maszerować (pomaszerować perf) ♦ n marsz m; **to march out of** wymaszerowywać (wymaszerować perf) z +gen; **to march into** wmaszerowywać (wmaszerować perf) do +gen.

marcher ['mɑ:tʃə*] n maszerujący (-ca) m(f).

marching orders ['mɑ:tʃɪŋ-] npl: **to give sb his marching orders** (fig) odprawiać (odprawić perf) kogoś.

march past n defilada f.

mare [mɛə*] n klacz f.

margarine [mɑ:dʒə'ri:n] n margaryna f.

marge [mɑ:dʒ] (BRIT: inf) n abbr = **margarine**.

margin ['mɑ:dʒɪn] n (on page, of society, for error, safety) margines m; (of votes) różnica f; (of wood etc) skraj m; (COMM) marża f.

marginal ['mɑ:dʒɪnl] adj marginesowy, marginalny.

marginally ['mɑ:dʒɪnəlɪ] adv (different) (tylko) nieznacznie; (kinder etc) (tylko) trochę.

marginal (seat) (*POL*) *n* mandat wyborczy, o
którym decyduje minimalna większość głosów.

marigold ['mærɪgəuld] *n* nagietek *m*.

marijuana [mærɪ'wɑːnə] *n* marihuana *f*.

marina [mə'riːnə] *n* przystań *f*.

marinade [*n* mærɪ'neɪd, *vb* 'mærɪneɪd] *n*
zalewa *f* octowa, marynata *f* ♦ *vt* = **marinate**.

marinate ['mærɪneɪt] *vt* marynować
(zamarynować *perf*).

marine [mə'riːn] *adj* (*life, plant*) morski;
(*engineering*) okrętowy ♦ *n* (*BRIT*) żołnierz *m*
służący w marynarce; (*also*: **US marine**)
żołnierz *m* piechoty morskiej.

marine insurance *n* ubezpieczenie *nt* morskie.

marital ['mærɪtl] *adj* małżeński; **marital status**
stan cywilny.

maritime ['mærɪtaɪm] *adj* morski; **maritime
nation** naród żeglarzy.

marjoram ['mɑːdʒərəm] *n* majeranek *m*.

mark [mɑːk] *n* (*sign*) znak *m*; (: *of friendship,
respect*) oznaka *f*; (*trace*) ślad *m*; (*stain*)
plama *f*; (*point*) punkt *m*; (*level*) poziom *m*;
(*BRIT*: *SCOL*: *grade*) stopień *m*, ocena *f*;
(: : *point*) punkt *m*; (*BRIT*: *TECH*) wersja *f*;
(*currency*): **the German Mark** marka *f*
niemiecka ♦ *vt* (*label*) znakować (oznakować
perf), oznaczać (oznaczyć *perf*); (*stain*) plamić
(poplamić *perf*); (*characterise*) cechować; (*with
shoes, tyres*) zostawiać (zostawić *perf*) ślad(y)
na +*loc*; (*passage, page in book*) zaznaczać
(zaznaczyć *perf*); (*place, time*) wyznaczać
(wyznaczyć *perf*); (*event, occasion*)
upamiętniać (upamiętnić *perf*); (*BRIT*: *SCOL*)
oceniać (ocenić *perf*); (*SPORT*: *player*) kryć;
punctuation marks znaki przestankowe; **to
mark time** (*MIL*) maszerować w miejscu; (*fig*)
dreptać w miejscu; **to be quick off the mark
(in doing sth)** (*fig*) nie zwlekać (ze
zrobieniem czegoś); **up to the mark** na
poziomie.

▶**mark down** *vt* (*prices*) obniżać (obniżyć
perf); (*goods*) przeceniać (przecenić *perf*).

mark off *vt* odhaczać (odhaczyć *perf*) (*inf*),
odfajkowywać (odfajkować *perf*) (*inf*).

▶**mark out** *vt* (*area, land*) wytyczać (wytyczyć
perf) granice +*gen*; (*person*) wyróżniać
(wyróżnić *perf*).

▶**mark up** *vt* (*price*) podnosić (podnieść *perf*);
(*goods*) podnosić (podnieść *perf*) cenę +*gen*.

marked [mɑːkt] *adj* wyraźny.

markedly ['mɑːkɪdlɪ] *adv* wyraźnie.

marker ['mɑːkə*] *n* (*sign*) znak *m*; (*bookmark*)
zakładka *f*; (*pen*) mazak *m*.

market ['mɑːkɪt] *n* (*for vegetables etc*) targ *m*;
(*COMM*) rynek *m* (zbytu) ♦ *vt* sprzedawać;
(*new product*) wprowadzać (wprowadzić *perf*)
na rynek; **on the market** dostępny na rynku,
w sprzedaży; **on the open market** na wolnym
rynku; **to play the market** grać na giełdzie.

marketable ['mɑːkɪtəbl] *adj* znajdujący zbyt.

market analysis (*COMM*) *n* analiza *f* or
badanie *nt* rynku.

market day *n* dzień *m* targowy.

market demand (*COMM*) *n* popyt *m* rynkowy.

market forces *npl* siły *pl* rynkowe.

market garden (*BRIT*) *n* ogród, w którym
uprawia się warzywa i owoce na sprzedaż.

marketing ['mɑːkɪtɪŋ] *n* marketing *m*.

marketing manager *n* dyrektor *m* do spraw
marketingu.

marketplace ['mɑːkɪtpleɪs] *n* rynek *m*, plac *m*
targowy; (*COMM*) rynek *m*.

market price (*COMM*) *n* cena *f* rynkowa.

market research *n* badanie *nt* rynku.

market value *n* wartość *f* rynkowa.

marking ['mɑːkɪŋ] *n* (*on animal*) plam(k)a *f*;
(*for identification*) oznakowanie *nt*; (*on road*)
znakowanie *nt* poziome.

marksman ['mɑːksmən] (*irreg like* **man**) *n*
(dobry) strzelec *m*.

marksmanship ['mɑːksmənʃɪp] *n* umiejętności
pl strzeleckie.

mark-up ['mɑːkʌp] *n* (*margin*) narzut *m*, marża
f; (*increase*) podwyżka *f*.

marmalade ['mɑːməleɪd] *n* marmolada *f*.

maroon [mə'ruːn] *adj* bordowy ♦ *vt*: **marooned**
wyrzucony (na brzeg) (*np. bezludnej wyspy*);
(*fig*) pozostawiony sam(emu) sobie.

marquee [mɑː'kiː] *n* (duży) namiot *m* (*na
festynie itp*).

marquess ['mɑːkwɪs] *n* markiz *m*.

marquis ['mɑːkwɪs] *n* = **marquess**.

Marrakech, Marrakesh [mærə'keʃ] *n*
Marrakesz *m*.

marriage ['mærɪdʒ] *n* (*relationship, institution*)
małżeństwo *nt*; (*wedding*) ślub *m*.

marriage bureau *n* biuro *nt* matrymonialne.

marriage certificate *n* akt *m* małżeństwa or
ślubu.

marriage guidance (*US* **marriage
counseling**) *n* poradnictwo *nt* małżeńskie.

married ['mærɪd] *adj* (*man*) żonaty; (*woman*)
zamężny; (*life, love*) małżeński; **to get
married** (*man*) żenić się (ożenić się *perf*);
(*woman*) wychodzić (wyjść *perf*) za mąż;
(*couple*) pobierać się (pobrać się *perf*), brać
(wziąć *perf*) ślub.

marrow ['mærəu] *n* (*vegetable*) kabaczek *m*;
(*bone marrow*) szpik *m* kostny.

marry ['mærɪ] *vt* (*man*) żenić się (ożenić się
perf) z +*instr*; (*woman*) wychodzić (wyjść
perf) za mąż za +*acc*; (*registrar, priest*)
udzielać (udzielić *perf*) ślubu +*dat* ♦ *vi*
(*couple*) pobierać się (pobrać się *perf*), brać
(wziąć *perf*) ślub.

Mars [mɑːz] *n* Mars *m*.

Marseilles [mɑː'seɪlz] *n* Marsylia *f*.

marsh [mɑːʃ] *n* bagna *pl*, moczary *pl*.

marshal ['mɑːʃl] *n* (*MIL*) marszałek *m*; (*US: of
police, fire department*) ≈ komendant *m*; (*at*

sports meeting etc) organizator *m* ♦ *vt*
(*thoughts, soldiers*) zbierać (zebrać *perf*);
(*support*) zdobywać (zdobyć *perf*).

marshalling yard ['mɑːʃlɪŋ-] (*RAIL*) *n* stacja *f*
rozrządowa.

marshmallow [mɑːʃ'mæləu] *n* (*BOT*)
prawoślaz *m* lekarski; (*sweet*) cukierek *m*
ślazowy.

marshy ['mɑːʃɪ] *adj* bagnisty, grząski.

marsupial [mɑːˈsuːpɪəl] (*ZOOL*) *n* torbacz *m*.

martial ['mɑːʃl] *adj* (*music*) wojskowy;
(*behaviour*) żołnierski.

martial arts *npl* (wschodnie) sztuki *pl* walki.

martial law *n* stan *m* wojenny.

Martian ['mɑːʃən] *n* Marsjanin (-anka) *m(f)*.

martin ['mɑːtɪn] *n* (*also*: **house martin**)
jaskółka *f* (oknówka).

martyr ['mɑːtə*] *n* męczennik (-ica) *m(f)* ♦ *vt*
męczyć, zamęczać (zamęczyć *perf*).

martyrdom ['mɑːtədəm] *n* męczeństwo *nt*.

marvel ['mɑːvl] *n* cud *m* ♦ *vi*: **to marvel (at)**
(*in admiiration*) zachwycać się (zachwycić się
perf) (+*instr*); (*in surprise*) zdumiewać się
(zdumieć się *perf*) (+*instr*).

marvellous ['mɑːvləs] (*US* **marvelous**) *adj*
cudowny.

Marxism ['mɑːksɪzəm] *n* marksizm *m*.

Marxist ['mɑːksɪst] *adj* marksistowski ♦ *n*
marksista (-tka) *m(f)*.

marzipan ['mɑːzɪpæn] *n* marcepan *m*.

mascara [mæsˈkɑːrə] *n* tusz *m* do rzęs.

mascot ['mæskət] *n* maskotka *f*.

masculine ['mæskjulɪn] *adj* (*characteristics,
pride, gender*) męski; (*noun, pronoun*) rodzaju
męskiego *post*; **she looks masculine** wygląda
jak mężczyzna.

masculinity [mæskjuˈlɪnɪtɪ] *n* męskość *f*.

MASH [mæʃ] (*US*) *n abbr* (= *mobile army
surgical hospital*) szpital *m* polowy.

mash [mæʃ] (*CULIN*) *vt* tłuc (utłuc *perf*).

mashed potatoes [mæʃt-] *npl* purée *nt inv*
ziemniaczane.

mask [mɑːsk] *n* maska *f* ♦ *vt* (*face*) zakrywać
(zakryć *perf*), zasłaniać (zasłonić *perf*);
(*feelings*) maskować, zamaskowywać
(zamaskować *perf*).

masking tape ['mɑːskɪŋ-] *n* taśma *f* maskująca.

masochism ['mæsəukɪzəm] *n* masochizm *m*.

masochist ['mæsəukɪst] *n* masochista (-tka) *m(f)*.

mason ['meɪsn] *n* (*also*: **stone mason**) kamieniarz
m; (*also*: **freemason**) mason(ka) *m(f)*.

masonic [məˈsɔnɪk] *adj* masoński.

masonry ['meɪsnrɪ] *n* konstrukcje *pl* z
kamienia.

masquerade [mæskəˈreɪd] *vi*: **to masquerade
as** udawać +*acc* ♦ *n* maskarada *f*.

mass [mæs] *n* (*usu*) masa *f*; (*of air*) masy *pl*;
(*of land*) połacie *pl*; (*REL*): **Mass** msza *f* ♦
cpd masowy ♦ *vi* gromadzić się (zgromadzić
się *perf*) masowo *or* licznie; **the masses** *npl*

masy *pl*; **to go to Mass** iść (pójść *perf*) na
mszę; **masses of** (*inf*) (cała) masa *f* +*gen* (*inf*).

massacre ['mæsəkə*] *n* masakra *f* ♦ *vt*
urządzać (urządzić *perf*) masakrę +*gen*.

massage ['mæsɑːʒ] *n* masaż *m* ♦ *vt* masować
(wymasować *perf*).

masseur [mæˈsəː*] *n* masażysta *m*.

masseuse [mæˈsəːz] *n* masażystka *f*.

massive ['mæsɪv] *adj* masywny; (*fig: changes,
increase etc*) ogromny.

mass market *n* rynek *m* masowego odbiorcy.

mass media *n inv*: **the mass media** mass
media *pl*, środki *pl* masowego przekazu.

mass meeting *n* wiec *m*.

mass-produce ['mæsprəˈdjuːs] *vt* produkować
(wyprodukować *perf*) na skalę masową.

mass-production ['mæsprəˈdʌkʃən] *n*
produkcja *f* masowa.

mast [mɑːst] *n* maszt *m*.

master ['mɑːstə*] *n* (*of servant, animal,
situation*) pan *m*; (*secondary school teacher*) ≈
profesor *m*; (*title for boys*): **Master X** panicz
m X; (*artist, craftsman*) mistrz *m* ♦ *cpd*:
master carpenter/builder mistrz *m*
stolarski/murarski ♦ *vt* (*overcome*)
przezwyciężać (przezwyciężyć *perf*); (*learn,
understand*) opanowywać (opanować *perf*);
Master's degree tytuł magistra.

master disk (*COMPUT*) *n* dysk *m* główny.

masterful ['mɑːstəful] *adj* władczy.

master key *n* klucz *m* uniwersalny.

masterly ['mɑːstəlɪ] *adj* mistrzowski.

mastermind ['mɑːstəmaɪnd] *n* mózg *m* (*fig*) ♦
vt sterować +*instr*; (*robbery etc*) zaplanować
(*perf*).

Master of Arts *n* (*degree*) ≈ stopień *m*
magistra (nauk humanistycznych); (*person*) ≈
magister *m* (nauk humanistycznych).

Master of Ceremonies *n* mistrz *m* ceremonii.

Master of Science *n* (*degree*) ≈ tytuł *m*
magistra (nauk ścisłych lub przyrodniczych);
(*person*) ≈ magister *m* (nauk ścisłych lub
przyrodniczych).

masterpiece ['mɑːstəpiːs] *n* arcydzieło *nt*.

master plan *n* wielki plan *m*.

masterstroke ['mɑːstəstrəuk] *n* mistrzowskie
pociągnięcie *nt*.

mastery ['mɑːstərɪ] *n* biegłe opanowanie *nt*.

mastiff ['mæstɪf] *n* mastif *m*.

masturbate ['mæstəbeɪt] *vi* onanizować się.

masturbation [mæstəˈbeɪʃən] *n* onanizm *m*,
masturbacja *f*.

mat [mæt] *n* (*on floor*) dywanik *m*; (*also*:
doormat) wycieraczka *f*; (*also*: **table mat**)
podkładka *f* (*pod nakrycie*) ♦ *adj* = **matt**.

match [mætʃ] *n* (*game*) mecz *m*; (*for lighting
fire*) zapałka *f*; (*equivalent*): **to be a good** *etc*
match dobrze *etc* pasować ♦ *vt* (*go well with*)
pasować do +*gen*; (*equal*) dorównywać
(dorównać *perf*) +*dat*; (*correspond to*)

odpowiadać +*dat*; (*also*: **match up**)
dopasowywać (dopasować *perf*) (do siebie) ♦
vi pasować (do siebie); **they are a good
match** tworzą dobraną parę; **to be no match
for** nie móc się równać z +*instr*; **she had on
a yellow dress with yellow shoes to match**
miała na sobie żółtą sukienkę i buty pod
kolor.

match up *vi* pasować (do siebie).

matchbox ['mætʃbɒks] *n* pudełko *nt* od zapałek.

matching ['mætʃɪŋ] *adj* dobrze dobrany; (*in
colour*) pod kolor *post*.

matchless ['mætʃlɪs] *adj* niezrównany.

mate [meɪt] *n* (*inf: friend*) kumpel *m* (*inf*);
(*assistant*) pomocnik *m*; (*NAUT*) oficer *m* (*na
statku handlowym*); (*animal, spouse*) partner(ka)
m(f); (*in chess*) mat *m* ♦ *vi* (*animals*) łączyć
się *or* kojarzyć się w pary.

material [mə'tɪərɪəl] *n* materiał *m* ♦ *adj*
(*possessions, existence*) materialny;
(*evidence*) istotny, mający znaczenie dla
sprawy; **materials** *npl* materiały *pl*; **writing
materials** przybory do pisania.

materialistic [mətɪərɪə'lɪstɪk] *adj*
materialistyczny.

materialize [mə'tɪərɪəlaɪz] *vi* (*event*) zaistnieć
(*perf*); (*person*) pojawiać się (pojawić się
perf); (*hopes, plans*) materializować się
(zmaterializować się *perf*).

maternal [mə'tə:nl] *adj* macierzyński.

maternity [mə'tə:nɪtɪ] *n* macierzyństwo *nt* ♦
cpd (*ward etc*) położniczy.

maternity benefit *n* zasiłek *m* macierzyński.

maternity dress *n* suknia *f* ciążowa.

maternity hospital *n* szpital *m* położniczy.

maternity leave *n* urlop *m* macierzyński.

matey ['meɪtɪ] (*BRIT: inf*) *adj* koleżeński,
równy (*inf*).

math [mæθ] (*US*) *n abbr* = **mathematics**.

mathematical [mæθə'mætɪkl] *adj*
matematyczny.

mathematician [mæθəmə'tɪʃən] *n* matematyk
(-yczka) *m(f)*.

mathematics [mæθə'mætɪks] *n* matematyka *f*.

maths [mæθs] (*US* **math**) *n abbr* =
mathematics.

matinée ['mætɪneɪ] *n* (*FILM*) seans *m*
popołudniowy; (*THEAT*) spektakl *m*
popołudniowy, popołudniówka *f* (*inf*).

mating ['meɪtɪŋ] *n* łączenie się *nt* w pary,
parzenie się *nt*.

mating call *n* godowe wołanie *nt* samca.

mating season *n* okres *m* godowy, pora *f*
godowa.

matriarchal [meɪtrɪ'ɑ:kl] *adj* matriarchalny.

matrices ['meɪtrɪsi:z] *npl of* **matrix**.

matriculation [mətrɪkju'leɪʃən] *n*
immatrykulacja *f*.

matrimonial [mætrɪ'məunɪəl] *adj* małżeński.

matrimony ['mætrɪmənɪ] *n* małżeństwo *nt*.

matrix ['meɪtrɪks] (*pl* **matrices**) *n* (*social,
cultural etc*) kontekst *m*; (*TECH*) matryca *f*;
(*MATH*) macierz *f*.

matron ['meɪtrən] *n* (*in hospital*) przełożona *f*
pielęgniarek; (*in school*) pielęgniarka *f*
(szkolna).

matronly ['meɪtrənlɪ] *adj* przy kości *post*.

matt [mæt] (*also spelled* **mat**) *adj* matowy.

matted ['mætɪd] *adj* splątany.

matter ['mætə*] *n* (*situation, problem*) sprawa
f, (*PHYS*) materia *f*, (*substance*) substancja *f*;
(*MED: pus*) ropa *f* ♦ *vi* liczyć się, mieć
znaczenie; **matters** *npl* sytuacja *f*; **it doesn't
matter** (*is not important, makes no difference*)
to nie ma znaczenia; (*never mind*) (nic) nie
szkodzi; **what's the matter?** o co chodzi?; **no
matter what** cokolwiek się stanie, bez
względu na to, co się stanie; **that's another
matter** to inna sprawa; **as a matter of course**
automatycznie; **as a matter of fact** właściwie;
it's a matter of habit to kwestia
przyzwyczajenia; **printed matter** druki; **reading
matter** (*BRIT*) lektura.

matter-of-fact ['mætərəv'fækt] *adj* rzeczowy.

matting ['mætɪŋ] *n* mata *f* (podłogowa).

mattress ['mætrɪs] *n* materac *m*.

mature [mə'tjuə*] *adj* dojrzały ♦ *vi* dojrzewać
(dojrzeć *perf*); **this policy is due to mature
next year** płatności z tytułu tej polisy
rozpoczną się w przyszłym roku.

maturity [mə'tjuərɪtɪ] *n* dojrzałość *f*.

maudlin ['mɔ:dlɪn] *adj* (*voice*) płaczliwy,
rzewny; **to get maudlin** rozklejać się (rozkleić
się *perf*) (*zwłaszcza pod wpływem alkoholu*).

maul [mɔ:l] *vt* poturbować (*perf*),
pokiereszować (*perf*).

Mauritania [mɔ:rɪ'teɪnɪə] *n* Mauretania *f*.

Mauritius [mə'rɪʃəs] *n* Mauritius *m*.

mausoleum [mɔ:sə'lɪəm] *n* mauzoleum *nt*.

mauve [məuv] *adj* jasnofioletowy.

maverick ['mævrɪk] *n* (*fig*) indywidualista
(-tka) *m(f)*.

mawkish ['mɔ:kɪʃ] *adj* ckliwy, czułostkowy.

max. *abbr* = **maximum** maks.

maxim ['mæksɪm] *n* maksyma *f*.

maxima ['mæksɪmə] *npl of* **maximum**.

maximize ['mæksɪmaɪz] *vt* maksymalnie
zwiększać (zwiększyć *perf*), maksymalizować
(zmaksymalizować *perf*).

maximum ['mæksɪməm] (*pl* **maxima** *or*
maximums) *adj* maksymalny ♦ *n* maksimum *nt*.

May [meɪ] *n* maj *m*; *see also* **July**.

may [meɪ] (*conditional* **might**) *vi* (*indicating
possibility, permission*) móc; (*indicating
wishes*): **may he justify our hopes** oby
spełnił nasze nadzieje; **may I smoke?** czy
mogę zapalić?; **he might be there** (on) może
tam być; **you might like to try** może
chciałbyś spróbować; **you may as well go**

(właściwie) możesz iść; **may God bless you!** niech cię Bóg błogosław!

maybe ['meɪbi:] *adv* (być) może.

May Day *n* 1 Maja.

mayhem ['meɪhem] *n* chaos *m*.

mayonnaise [meɪə'neɪz] *n* majonez *m*.

mayor [mɛə*] *n* burmistrz *m*.

mayoress ['mɛərɛs] *n* (*also*: **lady mayor**) pani *f* burmistrz; (*wife*) żona *f* burmistrza.

maypole ['meɪpəul] *n* ≈ gaik *m* (*zwyczaj ludowy*).

maze [meɪz] *n* labirynt *m*.

MB *abbr* (*COMPUT*) = **megabyte** MB; (*CANADA*: = *Manitoba*).

MBA *n abbr* (= *Master of Business Administration*) *stopień naukowy*; ≈ mgr.

MBBS (*BRIT*) *n abbr* (= *Bachelor of Medicine and Surgery*) *stopień naukowy*.

MBChB (*BRIT*) *n abbr* (= *Bachelor of Medicine and Surgery*) *stopień naukowy*.

MBE (*BRIT*) *n abbr* (= *Member of the Order of the British Empire*) *order brytyjski*.

MC *n abbr* = **Master of Ceremonies**.

MCAT (*US*) *n abbr* (= *Medical College Admissions Test*) *egzamin, którego zdanie uprawnia do podjęcia studiów medycznych*.

MCP (*BRIT*: *inf*) *n abbr* = **male chauvinist pig**.

MD *n abbr* (= *Doctor of Medicine*) *stopień naukowy*; ≈ dr; (*COMM*) = **managing director** ♦ *abbr* (*US*: *POST*: = *Maryland*).

MDT (*US*) *abbr* (= *Mountain Daylight Time*).

ME *n abbr* (*US*: = *medical examiner*) ekspert *m* medycyny sądowej; (*MED*: = *myalgic encephalomyelitis*) zapalenie *nt* mózgu i rdzenia z mialgią ♦ *abbr* (*US*: *POST*: = *Maine*).

┌─────── *KEYWORD* ───────┐

me [mi:] *pron* **1** (*direct object*) mnie; **can you hear me?** słyszysz mnie?; **it's me** to ja. **2** (*indirect object*) mi; (: *stressed*) mnie; **he gave me the money** dał mi pieniądze; **he gave the money to me, not to her** dał pieniądze mnie, nie jej; **give them to me** daj mi je. **3** (*after prep*): **it's for me** to dla mnie; **without me** beze mnie; **with me** ze mną; **about me** o mnie.

└──────────────────────┘

meadow ['mɛdəu] *n* łąka *f*.

meagre ['mi:gə*] (*US* **meager**) *adj* skąpy, skromny.

meal [mi:l] *n* (*occasion, food*) posiłek *m*; (*flour*) mąka *f* razowa; **to go out for a meal** wychodzić (wyjść *perf*) do restauracji; **to make a meal of sth** (*fig*) robić (zrobić *perf*) z czegoś problem.

mealtime ['mi:ltaɪm] *n* pora *f* posiłku.

mealy-mouthed ['mi:lɪmauðd] *adj* (*person*) mówiący półsłówkami.

mean [mi:n] (*pt, pp* **meant**) *adj* (*with money*)

skąpy; (*unkind*: *person, trick*) podły; (*US*: *inf*. *vicious*: *person, animal*) złośliwy; (*shabby*) nędzny; (*average*) średni ♦ *vt* (*signify*) znaczyć, oznaczać; (*refer to*): **I thought you meant her** sądziłem, że miałeś na myśli ją; (*intend*): **to mean to do sth** zamierzać *or* mieć zamiar coś zrobić ♦ *n* (*average*) średnia *f*; **means** (*pl* **means**) *n* środek *m*, sposób *m* ♦ *npl* środki *pl*; **by means of sth** za pomocą czegoś; **by all means!** jak najbardziej!; **do you mean it?** mówisz poważnie?; **what do you mean?** co masz na myśli?; **to be meant for sb** być przeznaczonym dla kogoś; **to be meant for sth** zostać (*perf*) stworzonym z myślą o czymś.

meander [mɪ'ændə*] *vi* (*river*) meandrować, wić się; (*person*) błąkać się, włóczyć się.

meaning ['mi:nɪŋ] *n* (*of word, gesture, book*) znaczenie *nt*; (*purpose, value*) sens *m*.

meaningful ['mi:nɪŋful] *adj* (*result, explanation*) sensowny; (*glance, remark*) znaczący; (*relationship, experience*) głęboki.

meaningless ['mi:nɪŋlɪs] *adj* (*incomprehensible*) niezrozumiały; (*of no importance or relevance*) bez znaczenia *post*; (*futile*) bezsensowny.

meanness ['mi:nnɪs] *n* (*with money*) skąpstwo *nt*; (*unkindness*) podłość *f*; (*shabbiness*) nędza *f*.

means test [mi:nz-] *n* ocena *f* dochodów (*dla ustalenia prawa do zasiłku*).

means-tested ['mi:nztɛstɪd] *adj*: **means-tested benefit** zasiłek *m* o wysokości uzależnionej od dochodu.

meant [mɛnt] *pt, pp of* **mean**.

meantime ['mi:ntaɪm] *adv* (*also*: **in the meantime**) tymczasem.

meanwhile ['mi:nwaɪl] *adv* = **meantime**.

measles ['mi:zlz] *n* odra *f*.

measly ['mi:zlɪ] (*inf*) *adj* marny, nędzny.

measurable ['mɛʒərəbl] *adj* wymierny.

measure ['mɛʒə*] *vt* mierzyć (zmierzyć *perf*) ♦ *vi* mierzyć ♦ *n* (*degree*) stopień *m*; (*portion*) porcja *f*; (*ruler*) miar(k)a *f*; (*standard*) miara *f*; (*action*) środek *m* (zaradczy); **a litre measure** miarka litrowa; **measures have been taken to limit the economic decline** podjęto kroki mające na celu ograniczenie spadku gospodarczego.

▸**measure up** *vi*: **to measure up to** (*standards, expectations*) spełniać (spełnić *perf*) +*acc*.

measured ['mɛʒəd] *adj* (*tone*) wyważony; (*step*) miarowy.

measurement ['mɛʒəmənt] *n* pomiar *m*; **chest/hip measurement** obwód klatki piersiowej/bioder.

measurements ['mɛʒəmənts] *npl* wymiary *pl*; **to take sb's measurements** brać (wziąć *perf*) *or* zdejmować (zdjąć *perf*) z kogoś miarę.

meat [mi:t] *n* mięso *nt*; **cold meats** (*BRIT*) wędliny.

meatball ['mi:tbɔ:l] *n* klopsik *m*.

meat pie *n* mięso zapiekane w cieście.

Mecca ['mɛkə] *n* (*GEOG*) Mekka *f*; (*fig*) mekka *f*.

mechanic [mɪ'kænɪk] *n* mechanik *m*.

mechanical [mɪ'kænɪkl] *adj* mechaniczny.

mechanical engineering *n* budowa *f* maszyn.

mechanics [mɪ'kænɪks] *n* (*PHYS*) mechanika *f* ♦ *npl*: **the mechanics of the market** mechanizmy *pl* rynkowe; **the mechanics of reading** przebieg *m* procesu czytania.

mechanism ['mɛkənɪzəm] *n* (*device, automatic reaction*) mechanizm *m*; (*procedure*) tryb *m*.

mechanization [mɛkənaɪ'zeɪʃən] *n* mechanizacja *f*.

mechanize ['mɛkənaɪz] *vt* mechanizować (zmechanizować *perf*) ♦ *vi* wprowadzać (wprowadzić *perf*) mechanizację.

MEd *n abbr* (= *Master of Education*) stopień *naukowy*; ≈ mgr.

medal ['mɛdl] *n* medal *m*.

medallion [mɪ'dælɪən] *n* medalion *m*.

medallist ['mɛdlɪst] (*US* **medalist**) *n* medalista (-tka) *m(f)*.

meddle ['mɛdl] *vi*: **to meddle in** *or* **with** mieszać się w +*acc or* do +*gen*.

meddlesome ['mɛdlsəm] *adj* wścibski.

media ['mi:dɪə] *npl* (*mass*) media *pl*, środki *pl* (masowego) przekazu.

mediaeval [mɛdɪ'i:vl] *adj* = **medieval**.

median ['mi:dɪən] (*US*) *n* (*also*: **median strip**) pas *m* zieleni.

mediate ['mi:dɪeɪt] *vi* pośredniczyć, występować (wystąpić *perf*) w roli mediatora.

mediation [mi:dɪ'eɪʃən] *n* mediacja *f*.

mediator ['mi:dɪeɪtə*] *n* mediator(ka) *m(f)*.

Medicaid ['mɛdɪkeɪd] (*US*) *n rządowy program pomagający osobom o niskich dochodach pokryć koszty leczenia*.

medical ['mɛdɪkl] *adj* medyczny ♦ *n* badania *pl* (*kontrolne lub okresowe*).

medical certificate *n* zaświadczenie *nt* lekarskie.

medical examiner (*US*) *n* (*JUR*) ekspert *m* medycyny sądowej.

medical student *n* student(ka) *m(f)* medycyny.

Medicare ['mɛdɪkɛə*] (*US*) *n rządowy program pomagający osobom w podeszłym wieku w pokryciu kosztów leczenia*.

medicated ['mɛdɪkeɪtɪd] *adj* leczniczy.

medication [mɛdɪ'keɪʃən] *n* leki *pl*.

medicinal [mɛ'dɪsɪnl] *adj* leczniczy.

medicine ['mɛdsɪn] *n* (*science*) medycyna *f*; (*drug*) lek *m*.

medicine ball *n* piłka *f* lekarska.

medicine chest *n* apteczka *f*.

medicine man *n* czarownik *m*, szaman *m*.

medieval [mɛdɪ'i:vl] *adj* średniowieczny.

mediocre [mi:dɪ'əukə*] *adj* mierny, pośledni.

mediocrity [mi:dɪ'ɔkrɪtɪ] *n* (*quality*) mierność *f*; (*person*) miernota *f*.

meditate ['mɛdɪteɪt] *vi* (*think carefully*): **to meditate (on)** rozmyślać *or* medytować (nad +*instr or* o +*loc*); (*REL*) oddawać się medytacji.

meditation [mɛdɪ'teɪʃən] *n* rozmyślania *pl*, medytacja *f*; (*REL*) medytacja *f*.

Mediterranean [mɛdɪtə'reɪnɪən] *adj* śródziemnomorski; **the Mediterranean (Sea)** Morze Śródziemne.

medium ['mi:dɪəm] (*pl* **media** *or* **mediums**) *adj* (*size, level*) średni; (*colour*) pośredni ♦ *n* (*of communication*) środek *m* przekazu; (*ART*) forma *f* przekazu; (*environment*) ośrodek *m*, środowisko *nt*; (*pl* **mediums**: *person*) medium *nt*; **English is the medium of instruction** językiem wykładowym jest angielski; **to strike a happy medium** znajdować (znaleźć *perf*) złoty środek.

medium-sized ['mi:dɪəm'saɪzd] *adj* (*object*) średniej wielkości *post*; (*clothes*) w średnich rozmiarach *post*; (*person*) średniej postury *post*.

medium wave (*RADIO*) *n* fale *pl* średnie.

medley ['mɛdlɪ] *n* mieszanka *f*; (*MUS*) składanka *f*.

meek [mi:k] *adj* potulny.

meet [mi:t] (*pt, pp* **met**) *vt* (*accidentally*) spotykać (spotkać *perf*); (*by arrangement*) spotykać się (spotkać się *perf*) z +*instr*; (*for the first time*) poznawać (poznać *perf*); (*condition*) spełniać (spełnić *perf*); (*need*) zaspokajać (zaspokoić *perf*); (*problem, challenge*) sprostać (*perf*) +*dat*; (*expenses*) ponosić (ponieść *perf*); (*bill*) płacić (zapłacić *perf*); (*join: line, road*) łączyć się (połączyć się *perf*) z +*instr* ♦ *vi* spotykać się (spotkać się *perf*); (*for the first time*) poznawać się (poznać się *perf*) ♦ *n* (*BRIT: HUNTING*) zbiórka *f* (*przed rozpoczęciem polowania*); (*US: SPORT*) mityng *m*; **pleased to meet you!** miło mi Pana/Panią poznać; **he came to the station to meet me** (*on foot*) wyszedł po mnie na stację; (*by car*) wyjechał po mnie na stację.

▶**meet up** *vi*: **to meet up (with sb)** spotykać się (spotkać się *perf*) (z kimś).

▶**meet with** *vt fus* (*difficulties*) napotykać (napotkać *perf*); (*success*) odnosić (odnieść *perf*).

meeting ['mi:tɪŋ] *n* spotkanie *nt*; (*COMM*) zebranie *nt*; (*SPORT*) mityng *m*; **she's at a meeting** (*COMM*) jest na zebraniu; **to call a meeting** zwoływać (zwołać *perf*) zebranie.

meeting-place ['mi:tɪŋpleɪs] *n* miejsce *nt* spotkania.

megabyte ['mɛgəbaɪt] *n* megabajt *m*.

megalomaniac [mɛgələ'meɪnɪæk] *n* megaloman(ka) *m(f)*.

megaphone ['mɛgəfəun] *n* megafon *m*.
melancholy ['mɛlənkəlɪ] *n* melancholia *f* ♦ *adj* melancholijny.
mellow ['mɛləu] *adj* (*sound, light, person*) łagodny; (*voice*) aksamitny; (*colour*) spokojny; (*stone, building*) pokryty patyną wieków; (*wine*) dojrzały ♦ *vi* (*person*) łagodnieć (złagodnieć *perf*).
melodious [mɪ'ləudɪəs] *adj* melodyjny.
melodrama ['mɛləudrɑːmə] *n* melodramat *m*.
melodramatic [mɛlədrə'mætɪk] *adj* melodramatyczny.
melody ['mɛlədɪ] *n* melodia *f*.
melon ['mɛlən] *n* melon *m*.
melt [mɛlt] *vi* (*metal*) topić się (stopić się *perf*); (*snow*) topnieć (stopnieć *perf*) ♦ *vt* (*metal*) topić (stopić *perf*); (*snow, butter*) roztapiać (roztopić *perf*); **my heart melted as he told his tale** jego opowieść chwyciła mnie za serce.
▸**melt down** *vt* (*metal*) przetapiać (przetopić *perf*).
meltdown ['mɛltdaun] *n* topnienie *nt* (*rdzenia reaktora atomowego*).
melting point ['mɛltɪŋ-] *n* temperatura *f* topnienia.
melting pot *n* (*fig*) tygiel *m*; **to be in the melting pot** (*plans etc*) być w stadium krystalizacji.
member ['mɛmbə*] *n* członek *m* ♦ *cpd*: **member country** kraj *m* członkowski; **Member of Parliament** (*BRIT*) poseł/posłanka *m/f* (do parlamentu).
membership ['mɛmbəʃɪp] *n* (*state*) członkostwo *nt*; (*members*) członkowie *pl*; (*number of members*) liczba *f* członków.
membership card *n* legitymacja *f* członkowska.
membrane ['mɛmbreɪn] (*ANAT, BIO*) *n* błona *f*.
memento [mə'mɛntəu] *n* pamiątka *f*.
memo ['mɛməu] *n* notatka *f* (*zwłaszcza służbowa*).
memoir ['mɛmwɑː*] *n* wspomnienie *nt* (*artykuł itp*).
memoirs ['mɛmwɑːz] *npl* wspomnienia *pl*, pamiętniki *pl*.
memo pad *n* notatnik *m*.
memorable ['mɛmərəbl] *adj* pamiętny.
memorandum [mɛmə'rændəm] (*pl* **memoranda**) *n* (*memo*) notatka *f* (*zwłaszcza służbowa*); (*POL*) memorandum *nt*.
memorial [mɪ'mɔːrɪəl] *n* pomnik *m* ♦ *adj* (*plaque etc*) pamiątkowy; **memorial service** nabożeństwo żałobne.
memorize ['mɛməraɪz] *vt* uczyć się (nauczyć się *perf*) na pamięć +*gen*.
memory ['mɛmərɪ] *n* (*also COMPUT*) pamięć *f*; (*recollection*) wspomnienie *nt*; **in memory of** ku pamięci +*gen*; **to have a good/bad memory** mieć dobrą/złą pamięć; **loss of memory** utrata pamięci.
men [mɛn] *npl of* **man**.

menace ['mɛnɪs] *n* (*threat*) groźba *f*; (*nuisance*) zmora *f* ♦ *vt* zagrażać (zagrozić *perf*) +*dat*; **a public menace** zagrożenie dla społeczeństwa; **a menace to democracy** zagrożenie dla demokracji.
menacing ['mɛnɪsɪŋ] *adj* groźny.
menagerie [mɪ'nædʒərɪ] *n* menażeria *f*.
mend [mɛnd] *vt* (*repair*) naprawiać (naprawić *perf*); (*darn*) cerować (zacerować *perf*) ♦ *n*: **to be on the mend** wracać do zdrowia; **to mend one's ways** poprawiać się (poprawić się *perf*).
mending ['mɛndɪŋ] *n* (*repairing*) naprawa *f*; (*clothes*) cerowanie *nt*.
menial ['miːnɪəl] (*often pej*) *adj* (*work*) służebny, czarny (*pej*).
meningitis [mɛnɪn'dʒaɪtɪs] *n* zapalenie *nt* opon mózgowych.
menopause ['mɛnəupɔːz] (*MED*) *n*: **the menopause** menopauza *f*, klimakterium *nt*.
menservants ['mɛnsəːvənts] *npl of* **manservant**.
menstrual ['mɛnstruəl] *adj* miesiączkowy, menstruacyjny.
menstruate ['mɛnstrueɪt] *vi* miesiączkować.
menstruation [mɛnstru'eɪʃən] *n* miesiączka *f*, menstruacja *f*.
mental ['mɛntl] *adj* umysłowy; **mental arithmetic** rachunek pamięciowy.
mentality [mɛn'tælɪtɪ] *n* mentalność *f*.
mentally ['mɛntlɪ] *adv*: **mentally handicapped** upośledzony umysłowo.
menthol ['mɛnθɔl] *n* mentol *m*.
mention ['mɛnʃən] *n* wzmianka *f* ♦ *vt* wspominać (wspomnieć *perf*) o +*loc*; **thank you – don't mention it!** dziękuję – nie ma za co!; **she mentioned that ...** wspomniała, że ...; **not to mention ...** nie mówiąc (już) o +*loc*
mentor ['mɛntɔː*] *n* mentor(ka) *m(f)*.
menu ['mɛnjuː] *n* (*selection of dishes*) zestaw *m*; (*printed*) menu *nt inv*, karta *f* (dań *or* potraw); (*COMPUT*) menu *nt inv*.
menu-driven ['mɛnjuːdrɪvn] (*COMPUT*) *adj* sterowany za pomocą menu.
MEP (*BRIT*) *n abbr* (= *Member of the European Parliament*) poseł/posłanka *m/f* do Parlamentu Europejskiego.
mercantile ['məːkəntaɪl] *adj* (*class, society*) kupiecki; (*law*) handlowy.
mercenary ['məːsɪnərɪ] *adj* wyrachowany ♦ *n* najemnik *m* (*żołnierz*).
merchandise ['məːtʃəndaɪz] *n* towar *m*, towary *p*
merchandiser ['məːtʃəndaɪzə*] *n* handlowiec *m*
merchant ['məːtʃənt] *n* kupiec *m*; **timber/wine merchant** kupiec drewnem/winem.
merchant bank (*BRIT*) *n* bank *m* handlowy.
merchantman ['məːtʃəntmən] (*irreg like* **woman**) *n* statek *m* handlowy.
merchant navy (*US* **merchant marine**) *n* marynarka *f* handlowa.
merciful ['məːsɪful] *adj* litościwy, miłosierny; **a merciful release**

ercifully ['mɜːsɪflɪ] adv (fortunately) na szczęście.

erciless ['mɜːsɪlɪs] adj bezlitosny.

ercurial [mɜːˈkjuərɪəl] adj (unpredictable) zmienny, nieprzewidywalny; (lively) żywy.

ercury ['mɜːkjʊrɪ] n rtęć f.

ercy ['mɜːsɪ] n litość f; **to have mercy on sb** mieć litość nad kimś; **to be at the mercy of** być zdanym na łaskę +gen.

ercy killing n eutanazja f.

ere [mɪə*] adj zwykły; **his mere presence irritates her** sama jego obecność denerwuje ją; **by mere chance** przez czysty przypadek; **she's a mere child** jest tylko dzieckiem; **a mere one hundred metres** zaledwie sto metrów.

erely ['mɪəlɪ] adv tylko, jedynie.

erge [mɜːdʒ] vt łączyć (połączyć perf); (COMPUT: files) scalać (scalić perf) ♦ vi (roads, companies) łączyć się (połączyć się perf); (colours, sounds) zlewać się (zlać się perf).

erger ['mɜːdʒə*] (COMM) n fuzja f.

eridian [məˈrɪdɪən] n południk m.

eringue [məˈræŋ] n beza f.

erit ['mɛrɪt] n (worth, value) wartość f; (advantage) zaleta f ♦ vt zasługiwać (zasłużyć perf) na +acc.

eritocracy [mɛrɪˈtɔkrəsɪ] n merytrokracja f.

ermaid ['mɜːmeɪd] n syrena f.

errily ['mɛrɪlɪ] adv wesoło.

erriment ['mɛrɪmənt] n wesołość f.

erry ['mɛrɪ] adj wesoły; **Merry Christmas!** Wesołych Świąt!

erry-go-round ['mɛrɪgəuraund] n karuzela f.

esh [mɛʃ] n (net) siatka f; **wire mesh** siatka druciana.

esmerize ['mɛzməraɪz] vt hipnotyzować (zahipnotyzować perf).

ess [mɛs] n (in room) bałagan m; (dirt) brud m; (MIL) kantyna f; (: officers') kasyno nt; (NAUT) mesa f; **in a mess** (untidy) w nieładzie; (in difficulty) w kłopotach; **my life is a dreadful mess** moje życie jest straszliwie pogmatwane; **to get o.s. in a mess** pakować się (wpakować się perf) w kłopoty.

mess about (inf) vi (fool around) wygłupiać się.

mess about with (inf) vt fus (thing) grzebać przy +loc; (person) nie traktować poważnie +gen.

mess around (inf) vi = mess about.

mess around with (inf) vt fus = mess about with.

mess up (inf) vt (spoil) spaprać (perf) (inf); (dirty) zapaprać (perf) (inf).

essage ['mɛsɪdʒ] n (piece of information) wiadomość f; (meaning) przesłanie nt; **he finally got the message** (inf. fig) wreszcie do niego dotarło (inf).

message switching [-ˈswɪtʃɪŋ] (COMPUT) n rozsyłanie nt komunikatów w sieci.

messenger ['mɛsɪndʒə*] n posłaniec m.

Messiah [mɪˈsaɪə] n Mesjasz m.

Messrs ['mɛsəz] abbr (on letters: = messieurs) Panowie.

messy ['mɛsɪ] adj (dirty) brudny; (untidy) niechlujny.

Met [mɛt] (US) n abbr (= Metropolitan Opera).

met [mɛt] pt, pp of meet ♦ adj abbr (= meteorological): **the Met Office** ≈ IMGW m inv.

metabolism [mɛˈtæbəlɪzəm] n przemiana f materii, metabolizm m.

metal ['mɛtl] n metal m.

metalled ['mɛtld] adj (road) tłuczniowy.

metallic [mɪˈtælɪk] adj metaliczny.

metallurgy [mɛˈtælədʒɪ] n metalurgia f.

metalwork ['mɛtlwɜːk] n (craft) obróbka f metali.

metamorphosis [mɛtəˈmɔːfəsɪs] (pl **metamorphoses**) n metamorfoza f.

metaphor ['mɛtəfə*] n przenośnia f, metafora f.

metaphorical [mɛtəˈfɔrɪkl] adj przenośny, metaforyczny.

metaphysics [mɛtəˈfɪzɪks] n metafizyka f.

meteor ['miːtɪə*] n meteor m.

meteoric [miːtɪˈɔrɪk] adj (fig) błyskawiczny.

meteorite ['miːtɪəraɪt] n meteoryt m.

meteorological [miːtɪərəˈlɔdʒɪkl] adj meteorologiczny.

meteorology [miːtɪəˈrɔlədʒɪ] n meteorologia f.

mete out [miːt-] vt wymierzać (wymierzyć perf).

meter ['miːtə*] n licznik m; (parking meter) parkometr m; (US) = metre.

methane ['miːθeɪn] n metan m.

method ['mɛθəd] n metoda f; **method of payment** sposób zapłaty.

methodical [mɪˈθɔdɪkl] adj metodyczny.

Methodist ['mɛθədɪst] n metodysta (-tka) m(f).

methodology [mɛθəˈdɔlədʒɪ] n (of research) metodologia f; (of teaching) metodyka f.

meths [mɛθs] (BRIT) n = methylated spirit.

methylated spirit ['mɛθɪleɪtɪd-] (BRIT) n denaturat m.

meticulous [mɪˈtɪkjuləs] adj skrupulatny.

metre ['miːtə*] (US **meter**) n metr m.

metric ['mɛtrɪk] adj metryczny; **to go metric** przechodzić (przejść perf) na system metryczny.

metrical ['mɛtrɪkl] adj metryczny.

metrication [mɛtrɪˈkeɪʃən] n przechodzenie nt na system metryczny.

metric system n system m metryczny.

metric ton n tona f.

metronome ['mɛtrənəum] n metronom m.

metropolis [mɪˈtrɔpəlɪs] n metropolia f.

metropolitan [mɛtrəˈpɔlɪtn] adj wielkomiejski; (POL) metropolitalny.

Metropolitan Police (BRIT) n: the
Metropolitan Police policja londyńska.

mettle ['mɛtl] n: to be on one's mettle chcieć
się jak najlepiej zaprezentować; to
show/prove one's mettle wykazać się (perf).

mew [mju:] vi miauczeć (zamiauczeć perf).

mews [mju:z] (BRIT) n: mews flat mieszkanie
w budynku przerobionym z dawnych stajni.

Mexican ['mɛksɪkən] adj meksykański ♦ n
Meksykanin (-anka) m(f).

Mexico ['mɛksɪkəu] n Meksyk m.

Mexico City n Meksyk m.

mezzanine ['mɛtsəni:n] n antresola f.

MFA (US) n abbr (= Master of Fine Arts)
stopień naukowy; ≈ mgr.

mfr abbr = manufacture; manufacturer.

mg abbr = milligram mg.

Mgr abbr (= Monseigneur, Monsignor) tytuł
przysługujący wysokim dostojnikom
kościelnym; (COMM) = manager ≈ dyr.

MHR (US) n abbr (= Member of the House of
Representatives) członek m Izby
Reprezentantów.

MHz abbr (= megahertz) MHz.

MI (US: POST) abbr (= Michigan).

MI5 (BRIT) n abbr (= Military Intelligence 5)
kontrwywiad brytyjski.

MI6 (BRIT) n abbr (= Military Intelligence 6)
wywiad brytyjski.

MIA (MIL) abbr (= missing in action) zaginiony
(-na) m(f) w toku działań.

miaow [mi:'au] vi miauczeć (zamiauczeć perf).

mice [maɪs] npl of mouse.

micro... ['maɪkrəu] pref mikro... .

microbe ['maɪkrəub] n mikrob m.

microbiology [maɪkrəbaɪ'ɔlədʒɪ] n
mikrobiologia f.

microchip ['maɪkrəutʃɪp] n układ m scalony.

micro(computer) ['maɪkrəu(kəm'pju:tə*)] n
(mikro)komputer m.

microcosm ['maɪkrəukɔzəm] n mikrokosmos m.

microeconomics ['maɪkrəui:kə'nɔmɪks] n
mikroekonomia f.

microelectronics ['maɪkrəuɪlek'trɔnɪks] n
mikroelektronika f.

microfiche ['maɪkrəufi:ʃ] n mikrofisza f.

microfilm ['maɪkrəufɪlm] n mikrofilm m.

microlight ['maɪkrəulaɪt] n mały, lekki samolot
silnikowy dla dwóch osób.

micrometer [maɪ'krɔmɪtə*] n mikrometr m.

microphone ['maɪkrəfəun] n mikrofon m.

microprocessor ['maɪkrəu'prəusɛsə*] n
mikroprocesor m.

microscope ['maɪkrəskəup] n mikroskop m;
under the microscope pod mikroskopem.

microscopic [maɪkrə'skɔpɪk] adj mikroskopijny.

microwave ['maɪkrəuweɪv] n (also: microwave
oven) kuchenka f mikrofalowa, mikrofalówka
f (inf).

mid- [mɪd] adj: in mid-May w połowie maja;

in mid-afternoon po południu; in mid-air w
powietrzu; he's in his mid-thirties ma około
trzydziestu pięciu lat.

midday [mɪd'deɪ] n południe nt.

middle ['mɪdl] n (centre) środek m; (half-way
point) połowa f; (midriff) brzuch m ♦ adj
(place, position) środkowy; (course) pośredni;
in the middle of the night w środku nocy;
I'm in the middle of... jestem w trakcie +gen.

middle age n wiek m średni.

middle-aged [mɪdl'eɪdʒd] adj w średnim
wieku post.

Middle Ages npl: the Middle Ages
średniowiecze nt, wieki pl średnie.

middle-class [mɪdl'klɑ:s] adj z klasy średniej
post.

middle class(es) n(pl): the middle class(es)
klasa f or warstwa f średnia, (klasy pl or
warstwy pl średnie).

Middle East n: the Middle East Bliski
Wschód m.

middleman ['mɪdlmæn] (irreg like man) n
pośrednik m.

middle management n kadra f kierownicza
średniego szczebla.

middle name n drugie imię nt.

middle-of-the-road ['mɪdləvðə'rəud] adj (POL)
umiarkowany; middle-of-the-road music
muzyka środka.

middleweight ['mɪdlweɪt] (BOXING) n waga f
średnia.

middling ['mɪdlɪŋ] adj przeciętny.

Middx (BRIT: POST) abbr (= Middlesex).

midge [mɪdʒ] n komar f.

midget ['mɪdʒɪt] n karzeł (-rlica) m(f).

Midlands ['mɪdləndz] (BRIT) npl: the Midlands
środkowa Anglia.

midnight ['mɪdnaɪt] n północ f ♦ cpd:
midnight party etc nocne przyjęcie nt etc; at
midnight o północy.

midriff ['mɪdrɪf] n talia f.

midst [mɪdst] n: in the midst of (crowd) wśród
or pośród +gen; (event) w (samym) środku
+gen; (action) w trakcie +gen.

midsummer [mɪd'sʌmə*] n pełnia f or środek
m lata; Midsummer('s) Day dzień św. Jana.

midway [mɪd'weɪ] adj w połowie drogi post ♦
adv: midway (between) (in space) w połowie
drogi (między +instr); midway (through) (in
time) w połowie (+gen).

midweek [mɪd'wi:k] adv w środku or połowie
tygodnia ♦ adj w środku or połowie tygodnia
post.

midwife ['mɪdwaɪf] (pl midwives) n położna
f, akuszerka f.

midwifery ['mɪdwɪfərɪ] n położnictwo nt.

midwinter [mɪd'wɪntə*] n: in midwinter w
środku zimy.

might [maɪt] vb see may ♦ n moc f, potęga f;
with all one's might z całej siły, z całych sił

mighty ['maɪtɪ] *adj* potężny.

migraine ['miːgreɪn] *n* migrena *f*.

migrant ['maɪgrənt] *adj* wędrowny ♦ *n* (*bird*) ptak *m* wędrowny; (*person*) tułacz *m*.

migrate [maɪ'greɪt] *vi* migrować.

migration [maɪ'greɪʃən] *n* migracja *f*.

mike [maɪk] *n abbr* = **microphone**.

Milan [mɪ'læn] *n* Mediolan *m*.

mild [maɪld] *adj* (*gentle*) łagodny; (*slight*) umiarkowany.

mildew ['mɪldjuː] *n* pleśń *f*.

mildly ['maɪldlɪ] *adv* (*gently*) łagodnie; (*slightly*) umiarkowanie, w miarę; **to put it mildly** delikatnie mówiąc.

mildness ['maɪldnɪs] *n* łagodność *f*.

mile [maɪl] *n* mila *f*; **how many miles per gallon does your car do?** ≈ ile spala *or* pali twój samochód?

mileage ['maɪlɪdʒ] *n* (przebyta) odległość *f or* droga *f* (*w milach*); (*fig*) (potencjalna) przydatność *f*.

mileage allowance *n* zwrot *m* kosztów podróży (*na podstawie ilości przebytych mil*).

mileometer [maɪ'lɔmɪtə*] *n* szybkościomierz *m*.

milestone ['maɪlstəun] *n* kamień *m* milowy.

milieu ['miːljəː] *n* środowisko *nt*.

militant ['mɪlɪtnt] *adj* wojowniczy, wojujący ♦ *n* bojownik (-iczka) *m(f)*.

militarism ['mɪlɪtərɪzəm] *n* militaryzm *m*.

militaristic [mɪlɪtə'rɪstɪk] *adj* militarystyczny.

military ['mɪlɪtərɪ] *adj* militarny, wojskowy ♦ *n*: **the military** wojsko *nt*.

military police *n* żandarmeria *f* wojskowa.

militate ['mɪlɪteɪt] *vi*: **to militate against** stawać (stanąć *perf*) na przeszkodzie +*dat*.

militia [mɪ'lɪʃə] *n* milicja *f*.

milk [mɪlk] *n* mleko *nt* ♦ *vt* doić (wydoić *perf*); (*fig*) eksploatować (wyeksploatować *perf*).

milk chocolate *n* czekolada *f* mleczna.

milk float (*BRIT*) *n* pojazd *m* rozwożący mleko.

milking ['mɪlkɪŋ] *n* dojenie *nt*.

milkman ['mɪlkmən] (*irreg like* **man**) *n* mleczarz *m*.

milkshake ['mɪlkʃeɪk] *n* koktajl *m* mleczny.

milk tooth *n* ząb *m* mleczny.

milk truck (*US*) *n* = **milk float**.

milky ['mɪlkɪ] *adj* (*colour*) mleczny; (*drink*) z mlekiem *post*.

Milky Way *n*: **the Milky Way** Droga *f* Mleczna.

mill [mɪl] *n* (*for grain*) młyn *m*; (*also:* **coffee mill**) młynek *m* (do kawy); (*also:* **pepper mill**) młynek *f* (do pieprzu); (*factory*) zakład *m* (przemysłowy) ♦ *vt* mielić (zmielić *perf*) ♦ *vi* (*also:* **mill about**: *crowd etc*) falować.

millennium [mɪ'lɛnɪəm] (*pl* **millenniums** *or* **millennia**) *n* tysiąclecie *nt*, mil(l)enium *nt*.

miller ['mɪlə*] *n* młynarz *m*.

millet ['mɪlɪt] *n* proso *nt*.

milli... ['mɪlɪ] *pref* mili... .

milligram(me) ['mɪlɪgræm] *n* miligram *m*.

millilitre ['mɪlɪliːtə*] (*US* **milliliter**) *n* mililitr *m*.

millimetre ['mɪlɪmiːtə*] (*US* **millimeter**) *n* milimetr *m*.

millinery ['mɪlɪnərɪ] *n* damskie kapelusze *pl*.

million ['mɪljən] *n* milion *m*; **a million times** setki razy.

millionaire [mɪljə'nɛə*] *n* milioner(ka) *m(f)*.

millipede ['mɪlɪpiːd] *n* (*ZOOL*) krocionóg *m*.

millstone ['mɪlstəun] *n* (*fig*): **to be a millstone round sb's neck** być komuś kamieniem u szyi.

millwheel ['mɪlwiːl] *n* koło *nt* młyńskie.

milometer [maɪ'lɔmɪtə*] *n* = **mileometer**.

mime [maɪm] *n* (*communicating*): **in mime** na migi; (*ART*) pantomima *f*; (*actor*) mim *m* ♦ *vt* pokazywać (pokazać *perf*) na migi.

mimic ['mɪmɪk] *n* imitator *m* ♦ *vt* imitować, naśladować.

mimicry ['mɪmɪkrɪ] *n* imitowanie *nt*, naśladowanie *nt*; (*BIO*) mimikra *f*.

Min. (*BRIT: POL*) *abbr* = **ministry** Min.

min. *abbr* = **minute** min.; = **minimum** min.

minaret [mɪnə'rɛt] *n* minaret *m*.

mince [mɪns] *vt* (*in mincer*) mielić (zmielić *perf*); (*with knife*) siekać (posiekać *perf*) ♦ *vi* dreptać ♦ *n* (*BRIT*) (mięso *nt*) mielone; **he does not mince (his) words** (on) nie przebiera w słowach.

mincemeat ['mɪnsmiːt] *n* (*BRIT*) słodkie nadzienie z bakalii, tłuszczu i przypraw korzennych; (*US*) (mięso *nt*) mielone; **to make mincemeat of sb** rozbić (*perf*) *or* zgnieść (*perf*) kogoś na miazgę.

mince pie *n* rodzaj okrągłego pierożka z nadzieniem z bakalii spożywanego tradycyjnie w okresie Świąt Bożego Narodzenia.

mincer ['mɪnsə*] *n* maszynka *f* do (mielenia) mięsa.

mincing ['mɪnsɪŋ] *adj* (*steps*) drobny; (*way of talking*) zmanierowany.

mind [maɪnd] *n* (*intellect*) umysł *m*; (*thoughts*) myśli *pl*; (*head*) głowa *f* ♦ *vt* (*attend to, look after*) doglądać +*gen*; (*be careful of*) uważać na +*acc*; (*object to*) mieć coś przeciwko +*dat*; **do you mind if I smoke?** czy nie będzie Panu/Pani przeszkadzało, jeżeli zapalę?; **to my mind** według mnie; **he must be out of his mind** chyba postradał zmysły; **it's constantly on my mind** ciągle mi to chodzi po głowie; **to keep** *or* **bear sth in mind** pamiętać o czymś; **to make up one's mind** zdecydować się (*perf*); **to change one's mind** zmieniać (zmienić *perf*) zdanie, rozmyślić się (*perf*); **I'm in two minds (about it)** nie mogę się zdecydować; **to have it in mind to do sth** nosić się z zamiarem zrobienia czegoś; **to have sb/sth in mind** mieć kogoś/coś na myśli; **it completely slipped my mind** całkiem mi to wyleciało z głowy; **to bring** *or* **call sth to mind** przywodzić (przywieść *perf*) coś na myśl; **I don't mind** (*when choosing*) wszystko

(mi) jedno; (*when offered drink etc*) chętnie;
mind you, ... zwróć uwagę, że ...; **never
mind!** (nic) nie szkodzi!; **"mind the step"**
„uwaga stopień".

-minded ['maɪndɪd] *adj*:
marriage-/career-minded nastawiony na
małżeństwo/karierę; **liberally-minded** liberalnie
nastawiony.

minder ['maɪndə*] *n* (*also*: **childminder**)
opiekun(ka) *m(f)* do dziecka; (*inf*: *bodyguard*)
goryl *m* (*inf*).

mindful ['maɪndful] *adj*: **to be mindful of** mieć
na względzie +*acc*.

mindless ['maɪndlɪs] *adj* bezmyślny.

mine¹ *pron* mój; **that book is mine** ta(mta)
książka jest moja; **a friend of mine** (pewien)
(mój) kolega *m*/(pewna) (moja) koleżanka *f*.

mine² *n* (*coal etc*) kopalnia *f*, (*bomb*) mina *f* ♦
vt (*coal*) wydobywać (wydobyć *perf*); (*beach*)
minować (zaminować *perf*).

mine detector *n* wykrywacz *m* min.

minefield ['maɪnfiːld] *n* pole *nt* minowe; (*fig*)
niebezpieczny grunt *m*.

miner ['maɪnə*] *n* górnik *m*.

mineral ['mɪnərəl] *adj* mineralny ♦ *n* minerał
m; **minerals** *npl* (*BRIT*) napoje *pl* gazowane.

mineralogy [mɪnə'rælədʒɪ] *n* mineralogia *f*.

mineral water *n* woda *f* mineralna.

minesweeper ['maɪnswiːpə*] *n* trałowiec *m*.

mingle ['mɪŋgl] *vi* (*person*) bywać wśród ludzi;
(): **to mingle with** obracać się wśród +*gen*;
(*sounds, smells*): **to mingle (with)** mieszać się
(zmieszać się *perf*) (z +*instr*).

mingy ['mɪndʒɪ] (*inf*) *adj* skąpy.

mini... ['mɪnɪ] *pref* mini... .

miniature ['mɪnətʃə*] *adj* miniaturowy ♦ *n*
miniatura *f*.

minibus ['mɪnɪbʌs] *n* mikrobus *m*.

minicab ['mɪnɪkæb] (*AUT*) *n* taksówka *f*
(*prywatna, wzywana wyłącznie przez telefon*).

minicomputer ['mɪnɪkəm'pjuːtə*] *n*
minikomputer *m*.

minim ['mɪnɪm] *n* (*MUS*) półnuta *f*.

minima ['mɪnɪmə] *npl of* **minimum**.

minimal ['mɪnɪml] *adj* minimalny.

minimize ['mɪnɪmaɪz] *vt* (*reduce*)
minimalizować (zminimalizować *perf*); (*play
down*) umniejszać (umniejszyć *perf*).

minimum ['mɪnɪməm] (*pl* **minima**) *n*
minimum *nt* ♦ *adj* minimalny; **to reduce sth
to a minimum** redukować (zredukować *perf*)
coś do minimum; **minimum wage** płaca
minimalna.

minimum lending rate *n* minimalne
oprocentowanie *nt* kredytu.

mining ['maɪnɪŋ] *n* górnictwo *nt* ♦ *cpd* (*town*)
górniczy; (*industry*) wydobywczy.

minion ['mɪnjən] (*pej*) *n* sługus *m* (*inf*).

miniskirt ['mɪnɪskəːt] *n* minispódniczka *f*.

minister ['mɪnɪstə*] *n* (*BRIT*: *POL*) minister *m*;
(*REL*) duchowny *m* (*protestancki*) ♦ *vi*: **to
minister to sb/sb's needs** służyć komuś.

ministerial [mɪnɪs'tɪərɪəl] (*BRIT*) *adj*
ministerialny.

ministry ['mɪnɪstrɪ] *n* (*BRIT*: *POL*)
ministerstwo *nt*; (*REL*) stan *m* duchowny.

Ministry of Defence (*BRIT*) *n* ≈ Ministerstwo
nt Obrony Narodowej.

mink [mɪŋk] (*pl* **minks** *or* **mink**) *n* (*fur*)
norki *pl*; (*animal*) norka *f*.

mink coat *n* futro *nt* z norek.

minnow ['mɪnəu] *n* *nazwa wspólna dla wielu
gatunków małych rybek z rodziny
karpiowatych*; (*fig*: *person*) płotka *f*.

minor ['maɪnə*] *adj* (*repairs, injuries*) drobny;
(*poet*) pomniejszy; (*MED*: *operation*) mały;
(*MUS*) moll *post* ♦ *n* nieletni(a) *m(f)*.

Minorca [mɪ'nɔːkə] *n* Minorka *f*.

minority [maɪ'nɔrɪtɪ] *n* mniejszość *f*, **to be in
a minority** być w mniejszości.

minster ['mɪnstə*] *n* kościół *m* katedralny.

minstrel ['mɪnstrəl] *n* minstrel *m*.

mint [mɪnt] *n* (*BOT, CULIN*) mięta *f*, (*sweet*)
miętówka *f*, (*factory*) mennica *f* ♦ *vt* (*coins*)
bić, wybijać (wybić *perf*); **in mint condition**
w idealnym stanie.

mint sauce *n* sos *m* miętowy.

minuet [mɪnju'et] *n* menuet *m*.

minus ['maɪnəs] *n* (*also*: **minus sign**) minus *m*
♦ *prep*: **12 minus 6 equals 6** 12 minus 6
równa się 6; **minus 24 (degrees)** minus 24
(stopnie Celsjusza).

minuscule ['mɪnəskjuːl] *adj* maluteńki,
malusieńki.

minute¹ [maɪ'njuːt] *adj* (*search*) drobiazgowy;
(*amount*) minimalny; **in minute detail** z
najdrobniejszymi szczegółami.

minute² ['mɪnɪt] *n* minuta *f*, (*fig*) minu(t)ka *f*,
minutes *npl* (*of meeting*) protokół *m*; **it is
five minutes past three** jest pięć (minut) po
trzeciej; **wait a minute!, just a minute!**
chwileczkę!; **up-to-the-minute** (*news*)
najświeższy; (*machine, technology*) najnowszy,
najnowocześniejszy; **at the last minute** w
ostatniej chwili.

minute book *n* księga *f* protokołów.

minute hand *n* wskazówka *f* minutowa.

minutely [maɪ'njuːtlɪ] *adv* (*in detail*)
drobiazgowo; (*by a small amount*) (bardzo)
nieznacznie.

miracle ['mɪrəkl] *n* cud *m*.

miraculous [mɪ'rækjuləs] *adj* cudowny.

mirage ['mɪrɑːʒ] *n* miraż *m*.

mire ['maɪə*] *n* bagno *nt*, grzęzawisko *nt*.

mirror ['mɪrə*] *n* (*in bedroom, bathroom*)
lustro *nt*; (*in car*) lusterko *nt* ♦ *vt* (*fig*)
odzwierciedlać (odzwierciedlić *perf*).

mirror image *n* lustrzane odbicie *nt*.

mirth [məːθ] *n* rozbawienie *nt*, wesołość *f*.

misadventure [mɪsəd'ventʃə*] *n* nieszczęśliwy

wypadek *m*, nieszczęście *nt*; **death by misadventure** (*BRIT*) śmierć na skutek nieszczęśliwego wypadku.

misanthropist [mɪˈzænθrəpɪst] *n* mizantrop *m*.

misapply [mɪsəˈplaɪ] *vt* źle *or* niewłaściwie stosować (zastosować *perf*).

misapprehension [ˈmɪsæprɪˈhɛnʃən] *n* (*wrong idea*) błędne mniemanie *nt*; (*misunderstanding*) nieporozumienie *nt*.

misappropriate [mɪsəˈprəuprɪeɪt] *vt* sprzeniewierzać (sprzeniewierzyć *perf*).

misappropriation [ˈmɪsəprəuprɪˈeɪʃən] *n* sprzeniewierzenie *nt*.

misbehave [mɪsbɪˈheɪv] *vi* źle się zachowywać.

misbehaviour [mɪsbɪˈheɪvjə*] (*US* **misbehavior**) *n* złe zachowanie *nt*.

misc. *abbr* = **miscellaneous**.

miscalculate [mɪsˈkælkjuleɪt] *vt* źle *or* błędnie ocenić (*perf*) ♦ *vi* przeliczyć się (*perf*).

miscalculation [ˈmɪskælkjuˈleɪʃən] *n* błędna ocena *f*.

miscarriage [ˈmɪskærɪdʒ] *n* poronienie *nt*; **miscarriage of justice** pomyłka sądowa.

miscarry [mɪsˈkærɪ] *vi* (*MED*) ronić (poronić *perf*); (*plans*) nie powieść się (*perf*).

miscellaneous [mɪsɪˈleɪnɪəs] *adj* różny, rozmaity; **miscellaneous expenses** wydatki różne *or* inne.

mischance [mɪsˈtʃɑːns] *n* (*bad luck*) pech *m*; (*misfortune*) nieszczęście *nt*.

mischief [ˈmɪstʃɪf] *n* (*naughtiness: of child*) psoty *pl*; (*playfulness*) figlarność *f*; (*maliciousness*) intrygi *pl*; **to get into mischief** psocić (napsocić *perf*); **to do sb/o.s. a mischief** robić (zrobić *perf*) komuś/sobie krzywdę.

mischievous [ˈmɪstʃɪvəs] *adj* (*naughty*) psotny; (*playful*) figlarny.

misconception [ˈmɪskənˈsɛpʃən] *n* błędne mniemanie *nt or* przekonanie *nt*.

misconduct [mɪsˈkɔndʌkt] *n* (*bad behaviour*) złe prowadzenie się *nt*; (*instance*) występek *m*; **professional misconduct** zachowanie niezgodne z etyką zawodową.

misconstrue [mɪskənˈstruː] *vt* błędnie interpretować (zinterpretować *perf*).

miscount [mɪsˈkaunt] *vt* źle policzyć (*perf*) ♦ *vi* mylić się (pomylić się *perf*) w liczeniu.

misdemeanour [mɪsdɪˈmiːnə*] (*US* **misdemeanor**) *n* występek *m*, wykroczenie *nt*.

misdirect [mɪsdɪˈrɛkt] *vt* (*person*) źle *or* mylnie kierować (skierować *perf*); (*talent*) niewłaściwie wykorzystywać (wykorzystać *perf*).

miser [ˈmaɪzə*] *n* skąpiec *m*, sknera *m/f* (*inf*).

miserable [ˈmɪzərəbl] *adj* (*unhappy*) nieszczęśliwy; (*unpleasant: weather*) ponury; (: *person*) nieprzyjemny; (*wretched: conditions*) nędzny; (*contemptible: donation*

etc) nędzny, marny; (: *failure*) sromotny; **to feel miserable** być bardzo przygnębionym.

miserably [ˈmɪzərəblɪ] *adv* (*fail*) sromotnie; (*live*) nędznie; (*smile, say*) ponuro; (*small*) żałośnie.

miserly [ˈmaɪzəlɪ] *adj* skąpy.

misery [ˈmɪzərɪ] *n* (*unhappiness*) nieszczęście *nt*; (*wretchedness*) nędza *f*; (*inf: person*) maruda *m/f* (*inf*).

misfire [mɪsˈfaɪə*] *vi* (*plan*) spełznąć na niczym (*perf*), nie wypalić (*perf*) (*inf*); (*car engine*) nie zapalać (nie zapalić *perf*).

misfit [ˈmɪsfɪt] *n* odmieniec *m*.

misfortune [mɪsˈfɔːtʃən] *n* nieszczęście *nt*.

misgiving [mɪsˈgɪvɪŋ] *n* (*often pl*) obawy *pl*, złe przeczucia *pl*.

misguided [mɪsˈgaɪdɪd] *adj* (*opinion*) błędny, mylny.

mishandle [mɪsˈhændl] *vt* (*instrument*) nieumiejętnie obchodzić się z +*instr*; (*situation*) źle rozgrywać (rozegrać *perf*); (*case, negotiations*) źle prowadzić (poprowadzić *perf*).

mishap [ˈmɪshæp] *n* niefortunny wypadek *m*.

mishear [mɪsˈhɪə*] (*irreg like*: **hear**) *vt* źle usłyszeć (*perf*) ♦ *vi* przesłyszeć się (*perf*).

misheard [mɪsˈhəːd] *pt, pp of* **mishear**.

mishmash [ˈmɪʃmæʃ] (*inf*) *n* bezładna mieszanina *f*, miszmasz *m* (*inf*).

misinform [mɪsɪnˈfɔːm] *vt* wprowadzać (wprowadzić *perf*) w błąd.

misinterpret [mɪsɪnˈtəːprɪt] *vt* źle *or* błędnie interpretować (zinterpretować *perf*).

misinterpretation [ˈmɪsɪntəːprɪˈteɪʃən] *n* błędna interpretacja *f*.

misjudge [mɪsˈdʒʌdʒ] *vt* (*person*) źle osądzić (*perf*); (*situation, action*) źle *or* niewłaściwie ocenić (*perf*).

mislay [mɪsˈleɪ] (*irreg like* **lay**) *vt* zapodziać (*perf*), zawieruszyć (*perf*).

mislead [mɪsˈliːd] (*irreg like*: **lead**) *vt* wprowadzać (wprowadzić *perf*) w błąd, zmylić (*perf*).

misleading [mɪsˈliːdɪŋ] *adj* mylący, wprowadzający w błąd.

misled *pt, pp of* **mislead**.

mismanage [mɪsˈmænɪdʒ] *vt* źle *or* niewłaściwie zarządzać +*instr*.

mismanagement [mɪsˈmænɪdʒmənt] *n* niewłaściwe zarządzanie *nt*, niegospodarność *f*.

misnomer [mɪsˈnəumə*] *n* błędna *or* niewłaściwa nazwa *f*.

misogynist [mɪˈsɔdʒɪnɪst] *n* mizogin(ista) *m*.

misplaced [mɪsˈpleɪst] *adj* (*feeling: inappropriate*) nie na miejscu *post*; (: *directed towards wrong person*) źle *or* niewłaściwie ulokowany; (*accent etc*) źle *or* niewłaściwie umieszczony.

misprint [ˈmɪsprɪnt] *n* literówka *f*..

mispronounce vt źle or niewłaściwie wymawiać (wymówić perf).

misquote ['mɪs'kwəut] vt błędnie cytować (zacytować perf).

misread [mɪs'riːd] (irreg like read) vt błędnie odczytywać (odczytać perf).

misrepresent [mɪsreprɪ'zent] vt przeinaczać (przeinaczyć perf).

Miss [mɪs] n (with surname) pani f, panna f (old); (SCOL: as form of address) proszę pani (voc); (beauty queen) miss f inv; **Dear Miss Smith** Droga Pani Smith.

miss [mɪs] vt (train etc) spóźniać się (spóźnić się perf) na +acc; (target) nie trafiać (nie trafić perf) w +acc; (chance) tracić (stracić perf); (meeting) opuszczać (opuścić perf); (notice loss of) zauważać (zauważyć perf) brak +gen; (regret absence of) tęsknić za +instr ♦ vi chybiać (chybić perf), nie trafiać (nie trafić perf), pudłować (spudłować perf) (inf) ♦ n chybienie nt, pudło nt (inf); **you can't miss it** nie można tego przeoczyć or nie zauważyć; **the bus just missed the wall** autobus omal nie wpadł na mur; **you're missing the point** nie rozumiesz istoty sprawy.

▸**miss out** (BRIT) vt opuszczać (opuścić perf).

▸**miss out on** vt fus tracić (stracić perf) +acc, nie załapać się (perf) na +acc (inf).

missal ['mɪsl] n mszał m.

misshapen [mɪs'ʃeɪpən] adj zniekształcony.

missile ['mɪsaɪl] n pocisk m; **missiles** (objects thrown) amunicja.

missile base n baza f rakietowa.

missile launcher [-'lɔːntʃə*] n wyrzutnia f pocisków rakietowych.

missing ['mɪsɪŋ] adj (lost) zaginiony; (removed: tooth, wheel) brakujący; (MIL): **missing in action** zaginiony w toku działań; **sb/sth is missing** kogoś/czegoś brakuje; **to go missing** (object) zginąć (perf); (person) zaginąć (perf); **missing person** osoba zaginiona.

mission ['mɪʃən] n misja f, (MIL) lot m bojowy; **to be on a secret mission** odbywać (odbyć perf) tajną misję.

missionary ['mɪʃənrɪ] n misjonarz (-arka) m(f).

missive ['mɪsɪv] (fml) n pismo nt, list m.

misspell ['mɪs'spel] (irreg like: spell) vt źle or błędnie pisać (napisać perf).

misspent ['mɪs'spent] adj: **his misspent youth** jego zmarnowana młodość f.

mist [mɪst] n mgła f, (light) mgiełka f ♦ vi (also: **mist over**: eyes) zachodzić (zajść perf) mgłą, zamglić się (perf); (BRIT: also: **mist over, mist up**: windows) zaparowywać (zaparować perf).

mistake [mɪs'teɪk] (irreg like: take) n (error) błąd m; (misunderstanding) pomyłka f ♦ vt (address etc) pomylić (perf); (intentions) źle rozumieć (zrozumieć perf); **by mistake** przez pomyłkę, omyłkowo; **to make a mistake** (in writing, calculation) popełniać (popełnić perf) or robić (zrobić perf) błąd, mylić się (pomylić się perf); **to make a mistake about sb/sth** mylić się (pomylić się perf) co do kogoś/czegoś; **to mistake sb/sth for** mylić (pomylić perf) kogoś/coś z +instr, brać (wziąć perf) kogoś/coś za +acc.

mistaken [mɪs'teɪkən] pp of **mistake** ♦ adj mylny, błędny; **to be mistaken** mylić się.

mistaken identity n: **it was a case of mistaken identity** wzięto go/ją za kogo innego.

mistakenly [mɪs'teɪkənlɪ] adv mylnie, błędnie.

mister ['mɪstə*] n (inf) proszę pana (voc); see **Mr**.

mistletoe ['mɪsltəu] n jemioła f.

mistook [mɪs'tuk] pt of **mistake**.

mistranslation [mɪstræns'leɪʃən] n błędne tłumaczenie nt.

mistreat [mɪs'triːt] vt znęcać się nad +instr.

mistress ['mɪstrɪs] n (lover) kochanka f, (of servant, dog, situation) pani f, (BRIT: SCOL) nauczycielka f.

mistrust [mɪs'trʌst] vt nie ufać +dat, nie dowierzać +dat ♦ n: **mistrust of** nieufność f (w stosunku) do +gen.

mistrustful [mɪs'trʌstful] adj: **mistrustful (of)** nieufny (w stosunku do +gen).

misty ['mɪstɪ] adj (day) mglisty; (glasses, windows) zamglony.

misty-eyed ['mɪstɪ'aɪd] adj (fig): **she goes misty-eyed at the sight/thought of ...** oczy zachodzą jej mgłą na widok +gen/myśl o +loc.

misunderstand [mɪsʌndə'stænd] (irreg like stand) vt źle rozumieć (zrozumieć perf) ♦ vi nie rozumieć (nie zrozumieć perf).

misunderstanding ['mɪsʌndə'stændɪŋ] n nieporozumienie nt.

misunderstood pt, pp of **misunderstand**.

misuse [n mɪs'juːs, vb mɪs'juːz] n (of power, funds) nadużywanie nt; (of tool, word) niewłaściwe używanie nt ♦ vt (power) nadużywać (nadużyć perf) +gen; (word) niewłaściwie używać (użyć perf) +gen.

MIT (US) n abbr (= Massachusetts Institute of Technology).

mite [maɪt] n (small quantity) ździebko nt; (BRIT: small child) kruszyn(k)a f.

miter ['maɪtə*] (US) n = **mitre**.

mitigate ['mɪtɪgeɪt] vt łagodzić (złagodzić perf); **mitigating circumstances** okoliczności łagodzące.

mitigation [mɪtɪ'geɪʃən] n złagodzenie nt.

mitre ['maɪtə*] (US **miter**) n (REL) mitra f, infuła f, (also: **mitre joint**) połączenie nt narożnikowe (na ucios).

mitt(en) ['mɪt(n)] n rękawiczka f (z jednym palcem).

mix [mɪks] vt (ingredients, colours) mieszać (zmieszać perf); (drink, sauce) przyrządzać (przyrządzić perf); (cake) kręcić (ukręcić perf); (cement) mieszać (wymieszać perf) ♦ vi: **to**

mix (with) utrzymywać kontakty towarzyskie (z perf); ♦ n (combination) połączenie nt; (powder) mieszanka f; **to mix business with pleasure** łączyć (połączyć perf) przyjemne z pożytecznym; .**cake mix** ciasto w proszku.

mix in (CULIN) vt dodawać (dodać perf).

mix up vt (confuse) mylić (pomylić perf) (ze sobą); (muddle up) mieszać (pomieszać perf); **to be mixed up in sth** być w coś zamieszanym; **I got (all) mixed up** wszystko mi się pomieszało.

mixed [mɪkst] adj mieszany.

mixed doubles npl gra f mieszana, mikst m.

mixed economy n gospodarka f mieszana.

mixed grill (BRIT) n danie z rusztu złożone z różnych gatunków mięsa i wędlin.

mixed-up [mɪkstʌp] adj (person) zagubiony; (papers) pomieszany.

mixer ['mɪksə*] n (machine) mikser m; (tonic, juice etc) dodatek m do drinków; **he is a good mixer** łatwo nawiązuje (nowe) znajomości.

mixture ['mɪkstʃə*] n mieszanka f; (MED) mikstura f (old).

mix-up ['mɪksʌp] n zamieszanie nt, nieporozumienie nt.

MK (BRIT: TECH) abbr = **mark**.

mk (FIN) abbr = **mark**.

mkt abbr = **market**.

MLitt n abbr (= Master of Literature, Master of Letters) stopień naukowy; ≈ mgr.

MLR (BRIT) n abbr (= minimum lending rate) stopa f dyskontowa Banku Anglii.

mm abbr = **millimetre** mm.

MN abbr (BRIT) = **Merchant Navy**; (US: POST: = Minnesota).

MO n abbr (= medical officer); (US: inf. = modus operandi) modus m operandi ♦ abbr (US: POST: = Missouri).

m.o. abbr = **money order**.

moan [məun] n jęk m ♦ vi (inf): **to moan (about)** jęczeć (z powodu +gen) (inf).

moat [məut] n fosa f.

mob [mɔb] n (disorderly) tłum m, motłoch m (pej); (orderly) paczka f (inf) ♦ vt oblegać (oblec perf) (tłumnie).

mobile ['məubaɪl] adj (workforce, social group) mobilny; (able to move): **to be mobile** móc się poruszać ♦ n (decoration) mobile pl; **applicants must be mobile** kandydat musi posiadać samochód.

mobile home n dom f na kółkach.

mobile phone n przenośny aparat m telefoniczny.

mobility [məu'bɪlɪtɪ] n (physical) możliwość f poruszania się; (social) mobilność f.

mobility allowance n zapomoga wypłacana w Wielkiej Brytanii osobom niepełnosprawnym na pokrycie wydatków związanych z transportem.

mobilize ['məubɪlaɪz] vt (work force) organizować (zorganizować perf); (country, army, organization) mobilizować (zmobilizować perf) ♦ vi (MIL) mobilizować się (zmobilizować się perf).

moccasin ['mɔkəsɪn] n mokasyn m.

mock [mɔk] vt kpić z +gen; (by imitating) przedrzeźniać ♦ adj (exam, battle) próbny; (terror, disbelief) udawany; **mock crystal** etc imitacja kryształu etc.

mockery ['mɔkərɪ] n kpina f; **to make a mockery of** wystawiać (wystawić perf) na pośmiewisko +acc.

mocking ['mɔkɪŋ] adj kpiący.

mockingbird ['mɔkɪŋbə:d] n przedrzeźniacz m (ptak).

mock-up ['mɔkʌp] n makieta f.

MOD (BRIT) n abbr (= Ministry of Defence) Ministerstwo nt Obrony, ≈ MON m.

mod cons ['mɔd'kɔnz] (BRIT) npl abbr (= modern conveniences) wygody pl.

mode [məud] n (of life) tryb m; (of action) sposób m; (of transport) forma f; (COMPUT) tryb m.

model ['mɔdl] n (of boat, building etc) model m; (fashion model, artist's model) model(ka) m(f); (example) wzór m, model m ♦ adj (excellent) wzorowy; (small scale) miniaturowy ♦ vt (clothes) prezentować; (object) wykonywać (wykonać perf) model +gen ♦ vi (for designer) pracować jako model(ka) m(f); (for painter, photographer) pozować; **to model o.s. on** wzorować się na +loc.

modeller ['mɔdlə*] (US **modeler**) n modelarz m.

model railway n miniaturowa kolejka f.

modem ['məudɛm] n modem m.

moderate [adj, n 'mɔdərət, vb 'mɔdəreɪt] adj umiarkowany; (change) nieznaczny ♦ n osoba f o umiarkowanych poglądach ♦ vi (wind etc) słabnąć (osłabnąć perf) ♦ vt łagodzić (złagodzić perf).

moderately ['mɔdərətlɪ] adv (difficult etc) umiarkowanie; (pleased) w miarę; (drink etc) z umiarem; **moderately priced goods** towary po przystępnych cenach.

moderation [mɔdə'reɪʃən] n umiar m; **in moderation** z umiarem.

modern ['mɔdən] adj (contemporary) współczesny; (up-to-date) nowoczesny; **modern languages** języki nowożytne.

modernization [mɔdənaɪ'zeɪʃən] n modernizacja f, unowocześnianie nt.

modernize ['mɔdənaɪz] vt modernizować (zmodernizować perf), unowocześniać (unowocześnić perf).

modest ['mɔdɪst] adj skromny.

modestly ['mɔdɪstlɪ] adv skromnie.

modesty ['mɔdɪstɪ] n skromność f.

modicum ['mɔdɪkəm] *n*: **a modicum of**
odrobina *f* +*gen.*
modification [mɔdɪfɪ'keɪʃən] *n* modyfikacja *f*;
to make modifications to modyfikować
(zmodyfikować *perf*) +*acc.*
modify ['mɔdɪfaɪ] *vt* modyfikować
(zmodyfikować *perf*).
Mods [mɔdz] (*BRIT: SCOL*) *n abbr* (=
(Honour) Moderations) *egzamin na
Uniwersytecie Oksfordzkim.*
modular ['mɔdjulə*] *adj* modularny.
modulate ['mɔdjuleɪt] *vt* (*voice*) modulować;
(*process, activity*) przekształcać (przekształcić
perf).
modulation [mɔdju'leɪʃən] *n* modulacja *f*; (*of
process, activity*) modyfikacja *f*,
przekształcenie *nt.*
module ['mɔdjuːl] *n* moduł *m*; (*SPACE*) człon
m (statku kosmicznego).
modus operandi ['məudəsɔpə'rændiː] *n*
sposób *m* działania.
Mogadishu [mɔgə'dɪʃuː] *n* Mogadiszu *nt inv.*
mogul ['məugl] *n* (*fig*) magnat *m.*
MOH (*BRIT*) *n abbr* (= *Medical Officer of
Health*).
mohair ['məuhɛə*] *n* moher *m.*
Mohammed [mə'hæmɛd] (*REL*) *n* Mahomet *m.*
moist [mɔɪst] *adj* wilgotny.
moisten ['mɔɪsn] *vt* zwilżać (zwilżyć *perf*).
moisture ['mɔɪstʃə*] *n* wilgoć *f*; (*on glass*) para *f.*
moisturize ['mɔɪstʃəraɪz] *vt* nawilżać (nawilżyć
perf).
moisturizer ['mɔɪstʃəraɪzə*] *n* krem *m*
nawilżający.
molar ['məulə*] *n* ząb *m* trzonowy.
molasses [məu'læsɪz] *n* melasa *f.*
mold (*US*) *n, vt* = **mould.**
mole [məul] *n* (*on skin*) pieprzyk *m*; (*ZOOL*)
kret *m*; (*fig: spy*) wtyczka *f.*
molecular [məu'lɛkjulə*] *adj* molekularny.
molecule ['mɔlɪkjuːl] *n* cząsteczka *f*, molekuła *f.*
molehill ['məulhɪl] *n* kretowisko *nt.*
molest [mə'lɛst] *vt* napastować.
mollusc ['mɔləsk] (*ZOOL*) *n* mięczak *m.*
mollycoddle ['mɔlɪkɔdl] *vt* rozpieszczać
(rozpieścić *perf*).
molt [məult] (*US*) *vi* = **moult.**
molten ['məultən] *adj* roztopiony.
mom [mɔm] (*US*) *n* = **mum.**
moment ['məumənt] *n* chwila *f*, moment *m*; **at
the moment** w tej chwili; **for a moment** (*go
out*) na chwilę; (*hesitate*) przez chwilę; **for
the moment** na razie, chwilowo; **in a moment**
za chwilę; **"one moment please"** (*TEL*)
„chwileczkę"; **a matter of great moment**
sprawa wielkiej wagi.
momentarily ['məuməntrɪlɪ] *adv* przez chwilę
or moment; (*US: very soon*) lada chwila *or*
moment; **I had momentarily forgotten** przez
chwilę nie mogłem sobie przypomnieć.

momentary ['məuməntərɪ] *adj* chwilowy.
momentous [məu'mɛntəs] *adj* doniosły,
wielkiej wagi *post.*
momentum [məu'mɛntəm] *n* (*PHYS*) pęd *m*;
(*fig: of change*) tempo *nt*; **to gather
momentum** nabierać (nabrać *perf*) rozpędu;
(*fig: change*) nabierać (nabrać *perf*) impetu;
(: *movement, struggle*) przybierać (przybrać
perf) na sile.
mommy ['mɔmɪ] (*US*) *n* = **mummy.**
Mon. *abbr* = **Monday** pon.
Monaco ['mɔnəkəu] *n* Monako *nt inv.*
monarch ['mɔnək] *n* monarcha *m.*
monarchist ['mɔnəkɪst] *n* monarchista (-tka)
m(f).
monarchy ['mɔnəkɪ] *n* monarchia *f.*
monastery ['mɔnəstərɪ] *n* klasztor *m.*
monastic [mə'næstɪk] *adj* klasztorny; **a
monastic life** (*fig*) żywot mnicha/mniszki.
Monday ['mʌndɪ] *n* poniedziałek *m*; *see also*
Tuesday.
Monegasque [mɔnə'gæsk] *adj*: **Monegasque
casinos** kasyna *pl* Monte Carlo ♦ *n*
mieszkaniec (-nka) *m(f)* Monte Carlo.
monetarist ['mʌnɪtərɪst] *n* monetarysta (-tka)
m(f) ♦ *adj* monetarystyczny.
monetary ['mʌnɪtərɪ] *adj* (*system*) walutowy,
pieniężny; (*policy*) walutowy, monetarny;
(*control*) dewizowy.
money ['mʌnɪ] *n* pieniądze *pl*; **to make money**
(*person*) zarabiać (zarobić *perf*); (*business*)
przynosić (przynieść *perf*) zysk; **danger
money** (*BRIT*) ≈ dodatek za pracę w
szkodliwych warunkach; **I've got no money
left** nie mam już pieniędzy.
moneyed ['mʌnɪd] (*fml*) *adj* majętny.
moneylender ['mʌnɪlɛndə*] *n* lichwiarz (-arka)
m(f).
moneymaking ['mʌnɪmeɪkɪŋ] *adj* dochodowy,
zyskowny.
money market *n* rynek *m* pieniężny.
money order *n* przekaz *m* (pieniężny).
money-spinner ['mʌnɪspɪnə*] (*inf*) *n*: **this
business is a real money-spinner** to bardzo
dochodowy interes.
money supply *n* podaż *f* pieniądza.
Mongol ['mɔŋgəl] *n* (*person*) Mongoł(ka) *m(f)*;
(*LING*) (język *m*) mongolski.
mongol ['mɔŋgəl] (*inf!*) *n* mongoł *m* (*inf!*).
Mongolia [mɔŋ'gəulɪə] *n* Mongolia *f.*
Mongolian [mɔŋ'gəulɪən] *adj* mongolski ♦ *n*
(*person*) Mongoł(ka) *m(f)*; (*LING*) (język *m*)
mongolski.
mongoose ['mɔŋguːs] *n* mangusta *f.*
mongrel ['mʌŋgrəl] *n* kundel *m.*
monitor ['mɔnɪtə*] *n* monitor *m* ♦ *vt*
monitorować; (*heartbeat,
progress: broadcasts*) wsłuchiwać się w +*acc.*
monk [mʌŋk] *n* mnich *m*, zakonnik *m.*
monkey ['mʌŋkɪ] *n* małpa *f.*

monkey business (*inf*) *n* machlojki *pl* (*inf*).
monkey nut (*BRIT*) *n* orzeszek *m* ziemny.
monkey tricks *npl* = **monkey business**.
monkey wrench *n* klucz *m* nastawny.
mono ['mɔnəu] *adj* monofoniczny, mono *post*.
monochrome ['mɔnəkrəum] *adj* monochromatyczny.
monogram ['mɔnəgræm] *n* monogram *m*.
monolith ['mɔnəlɪθ] *n* monolit *m*.
monolithic [mɔnə'lɪθɪk] *adj* monolityczny.
monologue ['mɔnəlɔg] *n* monolog *m*.
monoplane ['mɔnəpleɪn] *n* jednopłatowiec *m*, jednopłat *m*.
monopolize [mə'nɔpəlaɪz] *vt* monopolizować (zmonopolizować *perf*).
monopoly [mə'nɔpəlɪ] *n* monopol *m*; **Monopolies and Mergers Commission** (*BRIT*) ≈ Urząd Antymonopolowy.
monorail ['mɔnəureɪl] *n* kolej *f* jednoszynowa.
monosodium glutinate *n* glutaminian *m* sodowy.
monosyllabic [mɔnəsɪ'læbɪk] *adj* (*word*) monosylabiczny, jednozgłoskowy; (*person, reply*) burkliwy.
monosyllable ['mɔnəsɪləbl] *n* monosylaba *f*.
monotone ['mɔnətəun] *n*: **to speak in a monotone** mówić monotonnie.
monotonous [mə'nɔtənəs] *adj* monotonny.
monotony [mə'nɔtənɪ] *n* monotonia *f*.
monsoon [mɔn'su:n] *n* monsun *m*.
monster ['mɔnstə*] *n* (*animal, person, imaginary creature*) potwór *m*; (*monstrosity*) monstrum *nt*.
monstrosity [mɔn'strɔsɪtɪ] *n* monstrum *nt*.
monstrous ['mɔnstrəs] *adj* (*ugly, atrocious*) potworny, monstrualny; (*huge*) monstrualnie wielki.
montage [mɔn'tɑ:ʒ] (*FILM, ART, MUS*) *n* montaż *m*.
Mont Blanc [mɔ̃ 'blɑ̃] *n* Mont Blanc *m inv*.
month [mʌnθ] *n* miesiąc *m*; **every month** co miesiąc; **300 dollars a month** 300 dolarów na miesiąc *or* miesięcznie.
monthly ['mʌnθlɪ] *adj* (*ticket, installment, income*) miesięczny; (*meeting*) comiesięczny ♦ *adv* co miesiąc; (*paid*) miesięcznie; **twice monthly** dwa razy w miesiącu.
Montreal [mɔntrɪ'ɔ:l] *n* Montreal *m*.
monument ['mɔnjumənt] *n* pomnik *m*, monument *m* (*literary*).
monumental [mɔnju'mɛntl] *adj* (*building, work*) monumentalny; (*storm, row*) straszny.
moo [mu:] *vi* ryczeć (zaryczeć *perf*).
mood [mu:d] *n* (*of person*) nastrój *m*, humor *m*; (*of crowd, group*) nastrój *m*; **to be in a good/bad mood** być w dobrym/złym nastroju *or* humorze; **I'm not in the mood for** nie jestem w nastroju do +*gen*; **I'm in the mood for a drink/to watch TV** mam ochotę się napić/pooglądać telewizję.

moodily ['mu:dɪlɪ] *adv* (*sit*) ponuro, markotnie; (*behave*) kapryśnie.
moody ['mu:dɪ] *adj* (*temperamental*) kapryśny, humorzasty (*inf*); (*sullen*) markotny, w złym humorze *post*.
moon [mu:n] *n* księżyc *m*.
moonlight ['mu:nlaɪt] *n* światło *nt* księżyca ♦ *vi* (*inf*) dorabiać na boku (*inf*).
moonlighting ['mu:nlaɪtɪŋ] (*inf*) *n* dorabianie *nt* na boku (*inf*).
moonlit ['mu:nlɪt] *adj*: **a moonlit night** księżycowa noc *f*.
moonshot ['mu:nʃɔt] *n* lot *m* na Księżyc.
moor [muə*] *n* wrzosowisko *nt* ♦ *vt* cumować (zacumować *perf or* przycumować *perf*) ♦ *vi* cumować (zacumować *perf*).
mooring ['muərɪŋ] *n* (*place*) miejsce *nt* cumowania; **moorings** *npl* cumy *pl*.
Moorish ['muərɪʃ] *adj* mauretański.
moorland ['muələnd] *n* wrzosowisko *nt*.
moose [mu:s] *n inv* łoś *m*.
moot [mu:t] *vt*: **to be mooted** zostawać (zostać *perf*) poddanym pod dyskusję ♦ *adj*: **moot point** punkt *m* sporny.
mop [mɔp] *n* (*for floor*) mop *m*; (*for dishes*) zmywak *m* (*na rączce*); (*of hair*) czupryna *f* ♦ *vt* (*floor*) myć (umyć *perf*), zmywać (zmyć *perf*); (*eyes, face*) ocierać (otrzeć *perf*).
▶**mop up** *vt* (*liquid*) ścierać (zetrzeć *perf*).
mope [məup] *vi* rozczulać się nad sobą.
▶**mope about** *vi* snuć się z nieszczęśliwą miną.
▶**mope around** *vi* = **mope about**.
moped ['məupɛd] *n* motorower *m*.
moquette [mɔ'kɛt] *n* tkanina *f* pluszowa (*stosowana zwłaszcza w tapicerce*).
MOR *adj abbr* (*MUS*) = **middle-of-the-road**.
moral ['mɔrl] *adj* moralny ♦ *n* morał *m*; **morals** *npl* moralność *f*; **moral support** wsparcie moralne.
morale [mɔ'rɑ:l] *n* morale *nt inv*.
morality [mə'rælɪtɪ] *n* moralność *f*.
moralize ['mɔrəlaɪz] *vi*: **to moralize (about)** moralizować (na temat +*gen*).
morally ['mɔrəlɪ] *adv* moralnie.
morass [mə'ræs] *n* bagno *nt*, mokradło *nt*; (*fig*) gąszcz *m*.
moratorium [mɔrə'tɔ:rɪəm] *n* moratorium *nt*.
morbid ['mɔ:bɪd] *adj* (*imagination, interest*) niezdrowy, chorobliwy; (*subject, joke*) makabryczny.

┌──────── *KEYWORD* ────────┐

more [mɔ:*] *adj* **1** (*greater in number etc*) więcej +*gen*; **more people/work than we expected** więcej ludzi/pracy niż się spodziewaliśmy; **more and more problems** coraz więcej kłopotów. **2** (*additional*) jeszcze; (: *in negatives*) już; **do you want (some) more tea?** chcesz jeszcze (trochę) herbaty?; I

have no or **I don't have any more money** nie mam już więcej pieniędzy ♦ *pron* **1** (*greater amount*) więcej; **more than 10** więcej niż dziesięć; **it cost more than we expected** kosztowało więcej, niż się spodziewaliśmy. **2** (*further or additional amount*) jeszcze (trochę); (: *in negatives*) już; **is there any more?** czy jest jeszcze trochę?; **there's no more** nie ma już (ani trochę); **this cost much more** to kosztowało znacznie więcej; **you can take this pen; I have many more** możesz wziąć ten długopis – mam (ich) jeszcze dużo ♦ *adv* bardziej; **more lonely (than you)** bardziej samotny (niż ty or od ciebie); **more difficult** trudniejszy; **more easily** łatwiej; **more economically** oszczędniej; **more and more** coraz bardziej; **more and more excited** coraz bardziej podniecony; **more or less** mniej więcej; **more beautiful than ever** piękniejsza niż kiedykolwiek.

moreover [mɔ:'rəuvə*] *adv* ponadto, poza tym.
morgue [mɔ:g] *n* kostnica *f*.
MORI ['mɔ:rɪ] (*BRIT*) *n abbr* (= *Market & Opinion Research Institute*) ośrodek badania rynku i opinii społecznej.
moribund ['mɔrɪbʌnd] *adj* chylący się ku upadkowi.
Mormon ['mɔ:mən] *n* mormon(ka) *m(f)*.
morning ['mɔ:nɪŋ] *n* poranek *m*, ranek *m* ♦ *cpd* (*sun, walk*) ranny, poranny; (*paper*) poranny; **this morning** dziś rano; **in the early hours of this morning** (dziś) we wczesnych godzinach rannych; **in the morning** (*between midnight and 3 o'clock*) w nocy; **in the morning** (*shortly before dawn*) nad ranem; (*around waking time*) rano; (*before noon*) przed południem; **three o'clock in the morning** trzecia w nocy; **seven o'clock in the morning** siódma rano.
morning sickness *n* mdłości *pl* poranne.
Moroccan [mə'rɔkən] *adj* marokański ♦ *n* Marokańczyk (-anka) *m(f)*.
Morocco [mə'rɔkəu] *n* Maroko *nt*.
moron ['mɔ:rɔn] (*inf*) *n* kretyn(ka) *m(f)* (*inf*).
moronic [mə'rɔnɪk] (*inf*) *adj* (*person*) psychiczny (*inf*); (*behaviour*) kretyński (*inf*).
morose [mə'rəus] *adj* posępny, ponury.
morphine ['mɔ:fi:n] *n* morfina *f*.
Morse [mɔ:s] *n* (*also*: **Morse code**) alfabet *m* Morse'a, mors *m* (*inf*).
morsel ['mɔ:sl] *n* (*tasty piece of food*) kąsek *m*; (*small piece or quantity*) odrobina *f*.
mortal ['mɔ:tl] *adj* śmiertelny ♦ *n* śmiertelnik *m*; **mortal combat** walka na śmierć i życie.
mortality [mɔ:'tælɪtɪ] *n* (*being mortal*) śmiertelność *f*; (*number of deaths*) umieralność *f*, śmiertelność *f*.
mortality rate *n* współczynnik *m* umieralności.

mortar ['mɔ:tə*] *n* (*MIL, CULIN*) moździerz *m*; (*CONSTR*) zaprawa *f* (murarska).
mortgage ['mɔ:gɪdʒ] *n* (*loan*) kredyt *m* hipoteczny (*na budowę lub zakup domu*) ♦ *vt* zastawiać (zastawić *perf*), oddawać (oddać *perf*) w zastaw hipoteczny (*fml*); **to take out a mortgage** zaciągać (zaciągnąć *perf*) kredyt hipoteczny.
mortgage company (*US*) *n towarzystwo udzielające kredytów hipotecznych*.
mortgagee [mɔ:gə'dʒi:] *n* wierzyciel *m* hipoteczny.
mortgagor ['mɔ:gədʒə*] *n* dłużnik *m* hipoteczny.
mortician [mɔ:'tɪʃən] (*US*) *n* pracownik *m* zakładu pogrzebowego.
mortified ['mɔ:tɪfaɪd] *adj*: **to be mortified** czuć się potwornie zawstydzonym or zażenowanym.
mortify ['mɔ:tɪfaɪ] *vt* zawstydzać (zawstydzić *perf*).
mortise lock ['mɔ:tɪs-] *n* zamek *m* (drzwiowy) wpuszczany.
mortuary ['mɔ:tjuərɪ] *n* kostnica *f*.
mosaic [məu'zeɪk] *n* mozaika *f*.
Moscow ['mɔskəu] *n* Moskwa *f*.
Moslem ['mɔzləm] *adj, n* = **Muslim**.
mosque [mɔsk] *n* meczet *m*.
mosquito [mɔs'ki:təu] (*pl* **mosquitoes**) *n* (*in damp places*) komar *m*; (*in tropics*) moskit *m*.
mosquito net *n* moskitiera *f*.
moss [mɔs] *n* mech *m*.
mossy ['mɔsɪ] *adj* omszały.

─────── KEYWORD ───────

most [məust] *adj* **1** (*people, things*) większość *f* +*gen*; **most men behave like that** większość mężczyzn tak się zachowuje. **2** (*interest, money etc*) najwięcej +*gen*; **he derived the most pleasure from her visit** jej wizyta sprawiła mu najwięcej przyjemności ♦ *pron* większość; **most of it/them** większość (tego)/z nich; **the most** najwięcej; **to make the most of sth** maksymalnie coś wykorzystywać (wykorzystać *perf*); **at the (very) most** (co) najwyżej ♦ *adv* (+*verb: spend, eat, work etc*) najwięcej; (+*adjective*): **the most expensive** najbardziej kosztowny, najkosztowniejszy; (+*adverb: carefully, easily etc*) najbardziej; (*very: polite, interesting etc*) wysoce, wielce.

---

mostly ['məustlɪ] *adv* (*chiefly*) głównie; (*for the most part*) przeważnie.
MOT (*BRIT*) *n abbr* (= *Ministry of Transport*): **MOT (test)** ≈ przegląd *m* techniczny (*pojazdu samochodowego*).
motel [məu'tɛl] *n* motel *m*.
moth [mɔθ] *n* ćma *f*, (*also*: **clothes moth**) mól *m*.
mothball ['mɔθbɔ:l] *n* kulka *f* naftalinowa.
moth-eaten ['mɔθi:tn] (*pej*) *adj* zniszczony przez mole.

mother ['mʌðə*] n matka f ♦ cpd (country) ojczysty; (company) macierzysty ♦ vt (act as mother to) wychowywać; (pamper, protect) matkować +dat.

mother board ['mʌðəbɔːd] (COMPUT) n płyta f główna.

motherhood ['mʌðəhud] n macierzyństwo nt.

mother-in-law ['mʌðərɪnlɔː] n teściowa f.

motherly ['mʌðəlɪ] adj (attitude) macierzyński; (hands. care) matczyny.

mother-of-pearl ['mʌðərəv'pɜːl] n macica f perłowa.

mother's help n pomoc f domowa.

mother-to-be ['mʌðətə'biː] n przyszła matka f.

mother tongue n język m ojczysty.

mothproof ['mɔθpruːf] adj moloodporny.

motif [məu'tiːf] n (design) wzór m; (theme) motyw m.

motion ['məuʃən] n (movement, gesture) ruch m; (proposal) wniosek m; (BRIT: also: bowel motion: act) wypróżnienie nt; (: : faeces) stolec m ♦ vt, vi: to motion (to) sb to do sth skinąć (perf) na kogoś, żeby coś zrobił; to be in motion (vehicle) być w ruchu; to set in motion (machine) uruchamiać (uruchomić perf); (process) nadawać (nadać perf) bieg +dat; he went through the motions of clapping (fig) udawał, że klaszcze.

motionless ['məuʃənlɪs] adj nieruchomy, w bezruchu post.

motion picture n film m.

motivate ['məutɪveɪt] vt (act, decision) powodować (spowodować perf); (person) zwiększać (zwiększyć perf) motywację +gen.

motivated ['məutɪveɪtɪd] adj: to be (highly) motivated mieć (silną) motywację; motivated by (envy, desire) powodowany +instr; he was motivated by envy powodowała nim zawiść.

motivation [məutɪ'veɪʃən] n motywacja f.

motive ['məutɪv] n motyw m, pobudka f ♦ adj (force) napędowy; from the best (of) motives w najlepszej wierze.

motley ['mɔtlɪ] adj: motley collection/crew etc zbieranina f.

motor ['məutə*] n (of machine, vehicle) silnik m; (BRIT: inf. car) maszyna f (inf) ♦ cpd (industry) motoryzacyjny; (mechanic, accident) samochodowy.

motorbike ['məutəbaɪk] n motor m.

motorboat ['məutəbəut] n motorówka f.

motorcar ['məutəkɑː] (BRIT) n samochód m.

motorcoach ['məutəkəutʃ] (BRIT) n autokar m.

motorcycle ['məutəsaɪkl] n motocykl m.

motorcycle racing n wyścigi pl motocyklowe.

motorcyclist ['məutəsaɪklɪst] n motocyklista (-tka) m(f).

motoring ['məutərɪŋ] (BRIT) n jazda f or kierowanie nt samochodem ♦ cpd (accident) samochodowy, drogowy; (offence) drogowy.

motorist ['məutərɪst] n kierowca m.

motorized ['məutəraɪzd] adj (transport) samochodowy; (barge etc) motorowy; (regiment) zmotoryzowany.

motor oil n olej m silnikowy.

motor racing (BRIT) n wyścigi pl samochodowe.

motor scooter n skuter m.

motor vehicle n pojazd m mechaniczny.

motorway ['məutəweɪ] (BRIT) n autostrada f.

mottled ['mɔtld] adj cętkowany, w cętki post.

motto ['mɔtəu] (pl **mottoes**) n (of school, in book) motto nt; (watchword) motto nt (życiowe), dewiza f.

mould [məuld] (US **mold**) n (cast) forma f; (mildew) pleśń f ♦ vt (plastic, clay etc) modelować; (fig: public opinion, character) kształtować, urabiać; clay moulded into battleships okręty wojenne wymodelowane z gliny.

mo(u)lder ['məuldə*] vi rozkładać się, gnić.

mo(u)lding ['məuldɪŋ] (ARCHIT) n sztukateria f.

mo(u)ldy ['məuldɪ] adj (bread, cheese) spleśniały; (smell) stęchły.

moult [məult] (US **molt**) vi linieć (wylinieć perf).

mound [maund] n (of earth) kopiec m; (of blankets, leaves) stos m.

mount [maunt] n (in proper names): Mount Carmel Mount m inv Carmel; (horse) wierzchowiec m; (for picture, jewel) oprawa f ♦ vt (horse) dosiadać (dosiąść perf) +gen; (exhibition, display) urządzać (urządzić perf); (machine, engine) zamocowywać (zamocować perf), zamontowywać (zamontować perf); (jewl, picture) oprawiać (oprawić perf); (staircase) wspinać się (wspiąć się perf) na +acc; (stamp) umieszczać (umieścić perf); (attack, campaign) przeprowadzać (przeprowadzić perf) ♦ vi (inflation, tension, problems) nasilać się (nasilić się perf), narastać (narosnąć perf); (person) dosiadać (dosiąść perf) konia.

▸**mount up** vi (costs) rosnąć, wzrastać (wzrosnąć perf); (savings) rosnąć (urosnąć perf).

mountain ['mauntɪn] n góra f ♦ cpd górski; a mountain of (papers) góra +gen; (work) nawał +gen; to make a mountain out of a molehill robić z igły widły.

mountain bike n rower m górski.

mountaineer [mauntɪ'nɪə*] n alpinista (-tka) m(f), ≈ taternik (-iczka) m(f).

mountaineering [mauntɪ'nɪərɪŋ] n wspinaczka f górska; to go mountaineering wybierać się (wybrać się perf) na wspinaczkę.

mountainous ['mauntɪnəs] adj górzysty.

mountain rescue team n górskie pogotowie nt ratunkowe.

mountainside ['mauntɪnsaɪd] n stok m (górski), zbocze nt (górskie).

mounted ['mauntɪd] *adj* (*police*) konny; (*soldiers*) na koniach *post*.

Mount Everest *n* Mount Everest *m inv*.

mourn [mɔːn] *vt* opłakiwać ∤ *vi*: **to mourn for sb** opłakiwać kogoś; **to mourn for** *or* **over sth** żałować czegoś.

mourner ['mɔːnə*] *n* żałobnik *m*.

mournful ['mɔːnful] *adj* zasmucony, (bardzo) smutny.

mourning ['mɔːnɪŋ] *n* żałoba *f*; **in mourning** w żałobie.

mouse [maus] (*pl* **mice**) *n* (*ZOOL, COMPUT*) mysz *f*; (*fig: person*) tchórz *m*.

mousetrap ['maustræp] *n* (pu)łapka *f* na myszy.

mousse [muːs] *n* (*CULIN*) mus *m*; (*cosmetic*) pianka *f*.

moustache [məs'tɑːʃ] (*US* **mustache**) *n* wąsy *pl*.

mousy ['mausɪ] *adj* (*hair*) mysi.

mouth [mauθ] (*pl* **mouths**) *n* (*ANAT*) usta *pl*; (*of cave, hole*) wylot *m*; (*of river*) ujście *nt*; (*of bottle*) otwór *m*.

mouthful ['mauθful] *n* (*of drink*) łyk *m*; (*of food*) kęs *m*.

mouth organ *n* harmonijka *f* ustna, organki *pl*.

mouthpiece ['mauθpiːs] *n* (*of musical instrument*) ustnik *m*; (*spokesperson*) rzecznik (-iczka) *m(f)*.

mouth-to-mouth ['mauθtə'mauθ] *adj*: **mouth-to-mouth resuscitation** oddychanie *nt* metodą usta-usta, sztuczne oddychanie *nt*.

mouthwash ['mauθwɔʃ] *n* płyn *m* do płukania jamy ustnej.

mouth-watering ['mauθwɔːtərɪŋ] *adj* (bardzo) apetyczny, smakowity.

movable ['muːvəbl] *adj* ruchomy; **movable feast** święto ruchome.

move [muːv] *n* (*movement*) ruch *m*; (*action*) posunięcie *nt*; (*of house*) przeprowadzka *f*; (*of employee*) przesunięcie *nt* ∤ *vt* (*furniture, car*) przesuwać (przesunąć *perf*); (*in game*) przesuwać (przesunąć *perf*), ruszać (ruszyć *perf*); (*emotionally*) wzruszać (wzruszyć *perf*), poruszać (poruszyć *perf*) ∤ *vi* (*person, animal*) ruszać się (ruszyć się *perf*); (*traffic*) posuwać się (posunąć się *perf*); (*in game*) wykonywać (wykonać *perf*) ruch; (*also:* **move house**) przeprowadzać się (przeprowadzić się *perf*); (*develop: events*) biec; (: *situation*) rozwijać się; **to move towards** zbliżać się (zbliżyć się *perf*) do +*gen*; **to move sb to do sth** skłaniać (skłonić *perf*) kogoś do zrobienia czegoś; **she moved that the meeting be adjourned** zgłosiła wniosek o odroczenie posiedzenia; **get a move on!** rusz się!

▸**move about** *vi* (*change position*) ruszać się; (*travel*) jeździć; (*change residence, job*) przenosić się.

▸**move along** *vi* przesuwać się (przesunąć się *perf*).

▸**move around** *vi* = **move about**.

▸**move away** *vi* (*leave*) wyprowadzać się (wyprowadzić się *perf*); (*step away*) odsuwać się (odsunąć się *perf*).

▸**move back** *vi* (*return*) wracać (wrócić *perf*); (*to the rear*) cofać się (cofnąć się *perf*).

▸**move forward** *vi* posuwać się (posunąć się *perf*) naprzód *or* do przodu.

▸**move in** *vi* (*to house*) wprowadzać się (wprowadzić się *perf*); (*police, soldiers*) wkraczać (wkroczyć *perf*).

▸**move off** *vi* (*car*) odjeżdżać (odjechać *perf*).

▸**move on** *vi* ruszać (ruszyć *perf*) ∤ *vt* (*police: onlookers etc*) usuwać (usunąć *perf*).

▸**move out** *vi* wyprowadzać się (wyprowadzić się *perf*).

▸**move over** *vi* (*to make room*) przesuwać się (przesunąć się *perf*).

▸**move up** *vi* (*employee*) awansować (awansować *perf*).

moveable ['muːvəbl] *adj* = **movable**.

movement ['muːvmənt] *n* ruch *m*; (*of goods*) przewóz *m*; (*in attitude, policy*) tendencja *f*; (*of symphony etc*) część *f*; (*also:* **bowel movement**) wypróżnienie *nt*.

mover ['muːvə*] *n* (*proposer*) wnioskodawca (-czyni) *m(f)*.

movie ['muːvɪ] *n* film *m*; **to go to the movies** iść (pójść *perf*) do kina.

movie camera *n* kamera *f* filmowa.

moviegoer ['muːvɪgəuə*] (*US*) *n* kinoman(ka) *m(f)*.

moving ['muːvɪŋ] *adj* (*emotional*) wzruszający; (*mobile*) ruchomy; (*force*) sprawczy, napędowy; (*spirit*) przewodni.

mow [məu] (*pt* **mowed**, *pp* **mowed** *or* **mown**) *vt* kosić (skosić *perf*).

▸**mow down** *vt* (*kill*) kosić (skosić *perf*) (*inf*).

mower ['məuə*] *n* (*also:* **lawnmower**) kosiarka *f* (do trawy).

Mozambique [məuzəm'biːk] *n* Mozambik *m*.

MP *n abbr* (= *Member of Parliament*) poseł/posłanka *m/f*; (= *Military Police*) ≈ ŻW; (*CANADA:* = *Mounted Police*) policja *f* konna.

mpg *n abbr* (= *miles per gallon*).

mph *abbr* (= *miles per hour*).

MPhil *n abbr* (= *Master of Philosophy*) stopień *naukowy*; ≈ mgr.

MPS (*BRIT*) *n abbr* (= *Member of the Pharmaceutical Society*).

Mr ['mɪstə*] (*US* **Mr.**) *n*: **Mr Smith** pan *m* Smith.

MRC (*BRIT*) *n abbr* (= *Medical Research Council*).

MRCP (*BRIT*) *n abbr* (= *Member of the Royal College of Physicians*).

MRCS (*BRIT*) *n abbr* (= *Member of the Royal College of Surgeons*).

RCVS (*BRIT*) *n abbr* (= *Member of the Royal College of Veterinary Surgeons*).

Rs ['mɪsɪz] (*US* **Mrs.**) *n*: **Mrs Smith** pani *f* Smith.

Is [mɪz] (*US* **Ms.**) *n*: **Ms Smith** pani *f* Smith.

IS *n abbr* = **multiple sclerosis**; *JS*: = *Master of Science*) stopień naukowy; ≈ mgr ♦ *abbr* (*US*: *POST*: = *Mississippi*).

IS. *n abbr* = **manuscript**.

ISA (*US*) *n abbr* (= *Master of Science in Agriculture*) stopień naukowy; ≈ mgr.

ISc *n abbr* (= *Master of Science*) stopień naukowy; ≈ mgr.

ISG *n abbr* (= *monosodium glutamate*).

IST (*US*) *abbr* (= *Mountain Standard Time*).

ISW (*US*) *n abbr* (= *Master of Social Work*) stopień naukowy; ≈ mgr.

IT *n abbr* (*COMPUT, LING*: = *machine translation*) tłumaczenie *nt* maszynowe *or* automatyczne ♦ *abbr* (*US*: *POST*: = *Montana*).

It (*GEOG*) *abbr* = **mount** G.

ITV (*US*) *n abbr* (= *music television*) MTV *f inv*.

───── KEYWORD ─────

much [mʌtʃ] *adj* (*time, money, effort*) dużo +*gen*, wiele +*gen*; **we haven't got much time/money** nie mamy dużo *or* wiele czasu/pieniędzy; **I have as much money/intelligence as you** mam tyle samo pieniędzy/rozumu co ty; **as much as 50 pounds** aż 50 funtów ♦ *pron* dużo, wiele; **there isn't much to do** nie ma dużo *or* wiele do zrobienia; **how much is it?** ile to kosztuje? ♦ *adv* **1** (*greatly, a great deal*) bardzo; **thank you very much** dziękuję bardzo; **I read as much as possible/as ever** czytam tyle, ile to możliwe/co zawsze; **he is as much a part of the community as you** jest w takim samym stopniu częścią tej społeczności co i ty. **2** (*by far.* +*comparative*) znacznie; (: +*superlative*) zdecydowanie; **I'm much better now** czuję się teraz znacznie lepiej; **it's much the biggest publishing company in Europe** jest to zdecydowanie największe wydawnictwo w Europie. **3** (*almost*): **the view is much as it was ten years ago** widok jest w dużym stopniu taki, jak dziesięć lat temu; **how are you feeling? – much the same** jak się czujesz? – prawie tak samo.

───────

muck [mʌk] *n* (*dirt*) brud *m*; (*manure*) gnój *m*.

▸**muck about** (*inf*) *vi* wygłupiać się ♦ *vt*: **to muck sb about** traktować kogoś niepoważnie.

▸**muck around** *vi* = **muck about**.

muck in (*BRIT*: *inf*) *vi*: **to muck in (with)** przyłączać się (przyłączyć się *perf*) (do +*gen*).

▸**muck out** *vt* (*stable etc*) wyrzucać (wyrzucić *perf*) gnój z +*gen*.

▸**muck up** (*inf*) *vt* (*test, exam*) zawalać (zawalić *perf*) (*inf*).

muckraking ['mʌkreɪkɪŋ] (*inf*) *n* (*fig*) pranie *nt* brudów ♦ *adj* (*fig*: *reporters etc*) szukający sensacji.

mucky ['mʌkɪ] *adj* (*boots*) bardzo brudny; (*field*) błotnisty.

mucus ['mju:kəs] *n* śluz *m*.

mud [mʌd] *n* błoto *nt*.

muddle ['mʌdl] *n* (*mess*) bałagan *m*; (*confusion*) zamieszanie *nt*, zamęt *m* ♦ *vt* (*person*) mieszać (namieszać *perf*) w głowie +*dat*; (*also*: **muddle up**: *things*) mieszać (pomieszać *perf*); (: *names etc*) mylić (pomylić *perf*); **I'm in a muddle** mam zamęt w głowie; **to get in a muddle** (*while explaining etc*) plątać się (zaplątać się *perf*).

▸**muddle along** *vi* brnąć na oślep.

▸**muddle through** *vi* jakoś sobie radzić (poradzić *perf*).

muddle-headed [mʌdl'hedɪd] *adj* nierozgarnięty.

muddy ['mʌdɪ] *adj* (*field*) błotnisty; (*floor*) zabłocony.

mud flats *npl* tereny przybrzeżne zalewane podczas przypływów.

mudguard ['mʌdgɑːd] *n* błotnik *m*.

mudpack ['mʌdpæk] *n* maseczka *f* błotna.

mud-slinging ['mʌdslɪŋɪŋ] *n* (*fig*) obrzucanie się *nt* błotem.

muesli ['mju:zlɪ] *n* muesli *nt inv*.

muffin ['mʌfɪn] *n rodzaj bułeczki jadanej na ciepło*.

muffle ['mʌfl] *vt* (*sound*) tłumić (stłumić *perf*); (*against cold*) opatulać (opatulić *perf*).

muffled ['mʌfld] *adj* (*sound*) stłumiony; (*against cold*) opatulony.

muffler ['mʌflə*] *n* (*US*: *AUT*) tłumik *m*; (*scarf*) szalik *m*.

mufti ['mʌftɪ] *n*: **in mufti** po cywilnemu.

mug [mʌg] *n* (*cup*) kubek *m*; (*for beer*) kufel *m*; (*inf*. *face*) gęba *f* (*inf*); (: *fool*) frajer *m* (*inf*) ♦ *vt* napadać (napaść *perf*) (*na ulicy*); **it's a mug's game** (*BRIT*) to robota dla frajerów.

▸**mug up** (*BRIT*: *inf*) *vt* (*also*: **mug up on**) wkuwać *or* zakuwać +*acc* (*inf*).

mugger ['mʌgə*] *n* (*uliczny*) bandyta *m*.

mugging ['mʌgɪŋ] *n* napad *m* (*uliczny*).

muggy ['mʌgɪ] *adj* parny.

mulatto [mju:'lætəu] (*pl* **mulattoes**) *n* mulat(ka) *m(f)*.

mulberry ['mʌlbrɪ] *n* morwa *f*.

mule [mju:l] *n* muł *m*.

mulled [mʌld] *adj*: **mulled wine** grzane wino *nt*.

mullioned ['mʌlɪənd] *adj*: **mullioned window** okno *nt* wielodzielne.

mull over [mʌl-] *vt* rozmyślać nad +*instr*.

multi... ['mʌltɪ] *pref* wielo..., multi... .

multi-access ['mʌltɪ'ækses] (*COMPUT*) *adj* wielodostępny.

multicoloured ['mʌltɪkʌləd] (*US* **multicolored**) *adj* wielobarwny, różnokolorowy.

multifarious [mʌltɪ'fɛərɪəs] *adj* różnoraki.

multilateral [mʌltɪ'lætərl] *adj* wielostronny.

multi-level ['mʌltɪlɛvl] (*US*) *adj* wielopoziomowy.

multimillionaire [mʌltɪmɪljə'nɛə*] *n* multimilioner(ka) *m(f)*.

multinational [mʌltɪ'næʃənl] *adj* (*company*) międzynarodowy; (*state*) wielonarodowościowy ♦ *n* (wielkie) przedsiębiorstwo *nt* międzynarodowe.

multiple ['mʌltɪpl] *adj* (*collision*) zbiorowy; (*injuries*) wielokrotny; (*interests, causes*) wieloraki ♦ *n* wielokrotność *f*.

multiple-choice ['mʌltɪpltʃɔɪs] *adj*: **multiple-choice test** test *m* wielokrotnego wyboru.

multiple sclerosis *n* stwardnienie *nt* rozsiane.

multiplication [mʌltɪplɪ'keɪʃən] *n* (*MATH*) mnożenie *nt*; (*increase*) pomnożenie się *nt*.

multiplication table *n* tabliczka *f* mnożenia.

multiplicity [mʌltɪ'plɪsɪtɪ] *n*: **a multiplicity of** mnogość *f* +*gen*.

multiply ['mʌltɪplaɪ] *vt* mnożyć (pomnożyć *perf*) ♦ *vi* (*animals*) rozmnażać się (rozmnożyć się *perf*); (*problems*) mnożyć się.

multiracial [mʌltɪ'reɪʃl] *adj* wielorasowy.

multi-storey (*BRIT*) *adj* wielopiętrowy.

multitude ['mʌltɪtjuːd] *n* (*crowd*) rzesza *f*; **a multitude of** mnóstwo +*gen*; **for a multitude of reasons** z wielu (różnych) powodów.

mum [mʌm] (*BRIT: inf*) *n* mama *f* ♦ *adj*: **to keep mum** nie puszczać (nie puścić *perf*) pary z ust; **mum's the word!** ani mru-mru! (*inf*).

mumble ['mʌmbl] *vt* mamrotać (wymamrotać *perf*) ♦ *vi* mamrotać (wymamrotać *perf*).

mummify ['mʌmɪfaɪ] *vt* mumifikować (zmumifikować *perf*).

mummy ['mʌmɪ] *n* (*BRIT: mother*) mamusia *f*; (*corpse*) mumia *f*.

mumps [mʌmps] (*MED*) *n* świnka *f*.

munch [mʌntʃ] *vt* żuć ♦ *vi* żuć.

mundane [mʌn'deɪn] *adj* przyziemny.

Munich ['mjuːnɪk] *n* Monachium *nt inv*.

municipal [mju:'nɪsɪpl] *adj* miejski, municypalny (*fml*).

municipality [mju:nɪsɪ'pælɪtɪ] *n* (*city, town*) miasto *nt*.

munitions [mju:'nɪʃənz] *npl* amunicja i sprzęt bojowy.

mural ['mjuərl] *n* malowidło *nt* ścienne.

murder ['mə:də*] *n* morderstwo *nt* ♦ *vt* mordować (zamordować *perf*); **to commit murder** popełniać (popełnić *perf*) morderstwo.

murderer ['mə:dərə*] *n* morderca *m*.

murderess ['mə:dərɪs] *n* morderczyni *f*.

murderous ['mə:dərəs] *adj* (*tendencies*) zbrodniczy; (*attack, instinct*) morderczy.

murk [mə:k] *n* mrok *m*.

murky ['mə:kɪ] *adj* (*street*) mroczny; (*water*) mętny.

murmur ['mə:mə*] *n* szmer *m* ♦ *vt* mruczeć (mruknąć *perf*) ♦ *vi* mruczeć (mruknąć *perf*); **heart murmur** (*MED*) szmer w sercu.

MusB(ac) *n abbr* (= Bachelor of Music) stopień naukowy.

muscle ['mʌsl] *n* (*ANAT*) mięsień *m*; (*fig*) siła *f*.
►**muscle in** *vi* pchać się (wepchać się *perf*) (na siłę).

muscular ['mʌskjulə*] *adj* (*pain*) mięśniowy; (*person*) umięśniony, muskularny; (*build*) muskularny.

MusD(oc) *n abbr* (= Doctor of Music) stopień naukowy; ≈ dr.

muse [mjuːz] *vi* dumać ♦ *n* muza *f*.

museum [mju:'zɪəm] *n* muzeum *nt*.

mush [mʌʃ] *n* breja *f*; (*fig: pej*) ckliwe bzdury *pl*.

mushroom ['mʌʃrum] *n* grzyb *m* ♦ *vi* (*fig: town, organization*) szybko się rozrastać (rozrosnąć *perf*).

music ['mju:zɪk] *n* muzyka *f*.

musical ['mju:zɪkl] *adj* (*career, skills*) muzyczny; (*person*) muzykalny; (*sound, tune*) melodyjny ♦ *n* musical *m*.

music(al) box *n* pozytywka *f*.

musical instrument *n* instrument *m* muzyczn

music hall *n* wodewil *m*.

musician [mju:'zɪʃən] *n* muzyk *m*.

music stand *n* pulpit *m* do nut.

musk [mʌsk] *n* piżmo *nt*.

musket ['mʌskɪt] *n* muszkiet *m*.

muskrat ['mʌskræt] *n* piżmak *m*, szczur *m* piżmowy.

musk rose (*BOT*) *n* róża *f* piżmowa.

Muslim ['mʌzlɪm] *adj* muzułmański ♦ *n* muzułmanin (-anka) *m(f)*.

muslin ['mʌzlɪn] *n* muślin *m*.

musquash ['mʌskwɔʃ] *n* (*ZOOL*) = **muskrat**; (*fur*) futro *nt* z piżmaków.

mussel ['mʌsl] *n* małż *m* (jadalny).

must [mʌst] *aux vb* (*necessity, obligation*): **I must do it** muszę to zrobić; (*prohibition*): **you mustn't do it** nie wolno ci tego robić; (*probability*): **he must be there by now** musi już tam być, pewnie już tam jest; (*suggestion, invitation*): **you must come and see me** (koniecznie) musisz mnie odwiedzić; (*guess, assumption*): **I must have made a mistake** musiałam się pomylić; (*indicating sth unwelcome*): **why must he always call so late?** dlaczego zawsze musi dzwonić tak późno? ♦ *n* konieczność *f*, **it's a must** to konieczne.

mustache ['mʌstæʃ] (*US*) *n* = **moustache**.

mustard ['mʌstəd] *n* musztarda *f*.

mustard gas *n* iperyt *m*, gaz *m* musztardowy.

muster ['mʌstə*] *vt* (*energy, troops*) zbierać (zebrać *perf*); (*support*) uzyskiwać (uzyskać

perf); *(also:* **muster up**: *enthusiasm etc)*
wykrzesać *(perf)* z siebie; *(: courage)*
zdobywać się (zdobyć się *perf)* na +*acc* ♦ *n*:
to pass muster sprostać *(perf)* wymaganiom.

ustiness ['mʌstınıs] *n* stęchlizna *f*.

ustn't ['mʌsnt] = **must not**.

usty ['mʌstı] *adj (smell)* stęchły; *(place)*
pachnący stęchlizną.

utant ['mju:tənt] *n* mutant *m*.

utate [mju:'teıt] *vi* mutować, ulegać (ulec
perf) mutacji.

utation [mju:'teıʃən] *n (BIO)* mutacja *f*;
(alteration) zmiana *f*.

ute [mju:t] *adj* niemy.

uted ['mju:tıd] *adj* przytłumiony; **muted
trumpet** trąbka z tłumikiem.

utilate ['mju:tıleıt] *vt (person)* okaleczać
(okaleczyć *perf)*; *(thing)* uszkadzać (uszkodzić
perf).

utilation [mju:tı'leıʃən] *n* okaleczenie *nt*.

utinous ['mju:tınəs] *adj (troops)* zbuntowany;
(attitude) buntowniczy.

utiny ['mju:tını] *n* bunt *m* ♦ *vi* buntować się
(zbuntować się *perf)*.

utter ['mʌtə*] *vt* mamrotać (wymamrotać
perf) ♦ *vi* mamrotać (wymamrotać *perf)*.

utton ['mʌtn] *n* baranina *f*.

utual ['mju:tʃuəl] *adj (help, respect)*
wzajemny; *(friend, interest)* wspólny.

utually ['mju:tʃuəlı] *adv (exclusive, respectful)*
wzajemnie; **mutually beneficial** korzystny dla
obu stron.

uzzle ['mʌzl] *n (of dog)* pysk *m*; *(of gun)*
wylot *m* lufy; *(for dog)* kaganiec *m* ♦ *vt*
zakładać (założyć *perf)* kaganiec +*dat*; *(fig)*
ograniczać (ograniczyć *perf)* swobodę
wypowiedzi +*gen*.

MV *abbr* (= *motor vessel)*.

MVP *(US: SPORT)* *n abbr* (= *most valuable
player)*.

MW *(RADIO)* *abbr* = **medium wave** f.śr.

my [maı] *adj* mój; **this is my house/brother** to
(jest) mój dom/brat; **I've washed my hair**
umyłem włosy; **I've cut my finger**
skaleczyłam się w palec.

myopic [maı'ɔpık] *adj (person)*: **to be myopic**
być krótkowidzem; *(fig)* krótkowzroczny.

myriad ['mırıəd] *n* miriady *pl*.

myrrh [mə:*] *n* mirra *f*.

myself [maı'sɛlf] *pron (reflexive)* się;
(emphatic): **I dealt with it myself** sam sobie z
tym poradziłem; *(after prep)* siebie *(gen, acc)*,
sobie *(dat, loc)*, sobą *(instr)*; **he's a Pole, like
myself** jest Polakiem, podobnie jak ja; *see
also* **oneself**.

mysterious [mıs'tıərıəs] *adj* tajemniczy.

mysteriously [mıs'tıərıəslı] *adv (smile)*
tajemniczo; *(disappear)* w tajemniczy sposób;
(die) w tajemniczych okolicznościach.

mystery ['mıstərı] *n (puzzle)* tajemnica *f*;
(strangeness) tajemniczość *f* ♦ *cpd* tajemniczy.

mystery story *n* opowiadanie, w którym
niezwykłe wydarzenia znajdują wytłumaczenie
dopiero w zakończeniu.

mystic ['mıstık] *n* mistyk (-yczka) *m(f)*.

mystic(al) ['mıstık(l)] *adj* mistyczny.

mystify ['mıstıfaı] *vt* zadziwiać (zadziwić *perf)*.

mystique [mıs'ti:k] *n*: **the mystique
surrounding sb/sth** aura *f* tajemniczości
otaczająca kogoś/coś.

myth [mıθ] *n* mit *f*.

mythical ['mıθıkl] *adj* mityczny.

mythological [mıθə'lɔdʒıkl] *adj* mitologiczny.

mythology [mı'θɔlədʒı] *n* mitologia *f*.

N,n

N¹, n [ɛn] *n (letter)* N *nt*, n *nt*; **N for Nellie**,
(US) **N for Nan** ≈ N jak Natalia.

N² *abbr* = **north** płn.

NA *(US)* *n abbr* (= *Narcotics Anonymous)*
*organizacja niosąca pomoc osobom
uzależnionym od narkotyków*; (= *National
Academy)*.

n/a *abbr* (= *not applicable)* nie dot.; *(COMM
etc*: = *no account)* brak rachunku *(bieżącego)*.

NAACP *(US)* *n abbr* (= *National Association
for the Advancement of Colored People)*.

NAAFI ['næfı] *(BRIT)* *n abbr* (= *Navy, Army &
Air Force Institute)* *instytucja prowadząca
sklepy, stołówki itp dla żołnierzy brytyjskich*.

NACU *(US)* *n abbr* (= *National Association of
Colleges and Universities)*.

nadir ['neıdıə*] *n (ASTRON)* nadir *m*; *(fig)*
najniższy punkt *m*.

nag [næg] *vt* strofować ♦ *vi* zrzędzić ♦ *n*
(pej: horse) szkapa *f (pej)*; *(: person)* zrzęda
f (pej); **to nag at sb** dręczyć kogoś.

nagging ['nægıŋ] *adj (doubt, suspicion)*
dręczący; *(pain)* dokuczliwy; **I have a
nagging suspicion/doubt that...** dręczy mnie
podejrzenie/wątpliwość, że... .

nail [neıl] *n (on finger)* paznokieć *m*; *(metal)*
gwóźdź *m* ♦ *vt (inf. thief etc)* nakrywać
(nakryć *perf)*; *(inf)*: **to nail sth to sth**
przybijać (przybić *perf)* coś do czegoś; **to
nail sb down (to sth)** przyciskać (przycisnąć
perf) kogoś (w jakiejś sprawie).

nailbrush ['neılbrʌʃ] *n* szczoteczka *f* do
paznokci.

nailfile ['neılfaıl] *n* pilnik *m* do paznokci.

nail polish *n* lakier *m* do paznokci.

nail polish remover *n* zmywacz *m* do
paznokci.

nail scissors *npl* nożyczki *pl* do paznokci.
nail varnish (*BRIT*) *n* = **nail polish**.
Nairobi [naɪˈrəubɪ] *n* Nairobi *nt inv*.
naïve [naɪˈiːv] *adj* naiwny.
naïveté [naɪˈiːvteɪ] *n* = **naivety**.
naivety [naɪˈiːvteɪ] *n* naiwność *f*.
naked [ˈneɪkɪd] *adj* (*person*) nagi; (*flame*) odkryty; **with/to the naked eye** gołym okiem.
nakedness [ˈneɪkɪdnɪs] *n* nagość *f*.
NAM (*US*) *n abbr* (= *National Association of Manufacturers*).
name [neɪm] *n* (*first name*) imię *nt*; (*surname*) nazwisko *nt*; (*of animal, place, illness*) nazwa *f*; (*of pet*) imię *nt*; (*reputation*) reputacja *f*, dobre imię *nt* ♦ *vt* (*baby*) dawać (dać *perf*) na imię +*dat*; (*ship etc*) nadawać (nadać *perf*) imię +*dat*; (*criminal etc*) wymieniać (wymienić *perf*) z nazwiska; (*price, date etc*) podawać (podać *perf*); **what's your name?** (*surname*) jak się Pan/Pani nazywa?; (*first name*) jak masz na imię?, jak ci na imię?; **by name** z nazwiska; **in the name of** na nazwisko +*nom*; (*fig*) w imię +*gen*; **in sb's name** na czyjeś nazwisko; **my name is Peter** mam na imię Peter; **to give one's name and address** podać (*perf*) (swoje) nazwisko i adres; **to make a name for o.s.** zdobyć (*perf*) sławę; **to give sb a bad name** psuć (popsuć *perf*) komuś opinię *or* reputację; **to call sb names** obrzucać (obrzucić *perf*) kogoś wyzwiskami; **the college is named after her...** kolegium nazwano jej imieniem... .
name-dropping [ˈneɪmdrɒpɪŋ] *n* rzucanie *nt* znanymi nazwiskami (*żeby zrobić na kimś wrażenie*).
nameless [ˈneɪmlɪs] *adj* (*anonymous*) nieznany, bezimienny; (*vague*) nieokreślony; **who/which shall remain nameless** którego nie wymienię.
namely [ˈneɪmlɪ] *adv* (a) mianowicie.
nameplate [ˈneɪmpleɪt] *n* tabliczka *f* z nazwiskiem.
namesake [ˈneɪmseɪk] *n* imiennik (-iczka) *m(f)*.
nanny [ˈnænɪ] *n* niania *f*.
nanny-goat [ˈnænɪgəut] *n* koza *f*.
nap [næp] *n* (*sleep*) drzemka *f*; (*of fabric*) włos *m* ♦ *vi*: **to be caught napping** (*fig*) dać się (*perf*) zaskoczyć; **to have a nap** ucinać (uciąć *perf*) sobie drzemkę.
NAPA (*US*) *n abbr* (= *National Association of Performing Artists*) ≈ ZASP.
napalm [ˈneɪpɑːm] *n* napalm *m*.
nape [neɪp] *n*: **the nape of the neck** kark *m*.
napkin [ˈnæpkɪn] *n* serwetka *f*.
Naples [ˈneɪplz] *n* Neapol *m*.
Napoleonic [nəpəulɪˈɒnɪk] *adj* napoleoński.
nappy [ˈnæpɪ] (*BRIT*) *n* pieluszka *f*.
nappy liner (*BRIT*) *n* wkładka wchłaniająca do tetrowej pieluszki.
nappy rash *n* odparzenie *nt* (*od pieluszki*).
narcissistic [nɑːsɪˈsɪstɪk] *adj* narcystyczny.

narcissus [nɑːˈsɪsəs] (*pl* **narcissi**) *n* (*BOT*) narcyz *m*.
narcotic [nɑːˈkɒtɪk] *adj* narkotyczny ♦ *n* narkotyk *m*; **narcotics** *npl* narkotyki *pl*.
nark [nɑːk] (*BRIT: inf*) *vt*: **to be narked at sth** być czymś wkurzonym (*inf*).
narrate [nəˈreɪt] *vt* (*story*) opowiadać; (*film, programme*) występować w roli narratora +*gen*.
narration [nəˈreɪʃən] *n* (*in novel etc*) narracja *f*; (*to film etc*) komentarz *m*.
narrative [ˈnærətɪv] *n* (*in novel etc*) narracja *f*; (*of journey etc*) relacja *f*.
narrator [nəˈreɪtə*] *n* narrator(ka) *m(f)*.
narrow [ˈnærəu] *adj* (*space, sense*) wąski; (*majority, defeat*) nieznaczny; (*ideas, view*) ograniczony ♦ *vi* (*road*) zwężać się (zwęzyć się *perf*); (*gap*) zmniejszać się (zmniejszyć się *perf*) ♦ *vt* (*gap*) zmniejszać (zmniejszyć *perf*); (*eyes*) mrużyć (zmrużyć *perf*); **to have a narrow escape** ledwo ujść (*perf*) cało; **to narrow sth down (to sth)** zawężać (zawęzić *perf*) coś (do czegoś).
narrow gauge [ˈnærəugeɪdʒ] *adj* (*RAIL*) wąskotorowy.
narrowly [ˈnærəulɪ] *adv* ledwo, z ledwością; **he narrowly missed the target** minimalnie chybił.
narrow-minded [nærəuˈmaɪndɪd] *adj* (*person*) ograniczony, o wąskich horyzontach (umysłowych) *post*; (*attitude*) pełen uprzedzeń.
NAS (*US*) *n abbr* (= *National Academy of Sciences*).
NASA [ˈnæsə] (*US*) *n abbr* (= *National Aeronautics and Space Administration*) NASA *f inv*.
nasal [ˈneɪzl] *adj* nosowy.
Nassau [ˈnæsɔ:] *n* Nassau *nt inv*.
nastily [ˈnɑːstɪlɪ] *adv* złośliwie.
nastiness [ˈnɑːstɪnɪs] *n* (*of person, remark*) złośliwość *f*.
nasturtium [nəsˈtəːʃəm] *n* (*BOT*) nasturcja *f*.
nasty [ˈnɑːstɪ] *adj* (*remark*) złośliwy; (*person*) złośliwy, niemiły; (*taste, smell*) nieprzyjemny; (*wound, accident, weather, temper*) paskudny; (*shock*) niemiły, przykry; (*problem*) trudny; (*question*) podstępny, podchwytliwy; **to turn nasty** stawać się (stać się *perf*) nieprzyjemnym; **it's a nasty business** to paskudna sprawa.
NAS/UWT (*BRIT*) *n abbr* (= *National Association of Schoolmasters/Union of Women Teachers*) *związek zawodowy nauczycieli*.
nation [ˈneɪʃən] *n* (*people*) naród *m*; (*country*) państwo *nt*.
national [ˈnæʃənl] *adj* (*newspaper*) (ogólno)krajowy; (*monument, characteristic*) narodowy; (*interests*) państwowy ♦ *n* obywatel(ka) *m(f)*.
national anthem *n* hymn *m* państwowy.
national debt *n* (*ECON*) dług *m* publiczny.

ational dress n strój m narodowy.
ational Guard (US) n Gwardia f Narodowa.
ational Health Service (BRIT) n ≈ służba f zdrowia.
ational Insurance (BRIT) n ≈ Zakład m Ubezpieczeń Społecznych.
ationalism ['næʃnəlɪzəm] n nacjonalizm m.
ationalist ['næʃnəlɪst] adj nacjonalistyczny ♦ n nacjonalista (-tka) m(f).
ationality [næʃə'nælɪtɪ] n narodowość f; (dual etc) obywatelstwo nt.
ationalization [næʃnəlaɪ'zeɪʃən] n nacjonalizacja f, upaństwowienie nt.
ationalize ['næʃnəlaɪz] vt nacjonalizować (znacjonalizować perf), upaństwawiać (upaństwowić perf).
ationally ['næʃnəlɪ] adv na szczeblu centralnym.
ational park n park m narodowy.
ational press n prasa f krajowa.
ational Security Council (US) n Rada f Bezpieczeństwa Narodowego.
ational service n obowiązkowa służba f wojskowa.
ationwide ['neɪʃənwaɪd] adj ogólnokrajowy ♦ adv w całym kraju.
ative ['neɪtɪv] n tubylec m ♦ adj (population) rodowity; (country, language) ojczysty; (ability) wrodzony; **a native of Ireland** rodowity Irlandczyk; **native to** rodem z +gen.
ative speaker n rodzimy użytkownik m języka.
ativity [nə'tɪvɪtɪ] n (REL): **the Nativity** narodzenie nt Chrystusa.
ATO ['neɪtəu] n abbr (= North Atlantic Treaty Organization) NATO nt inv.
atter ['nætə*] (BRIT) vi paplać ♦ n: **to have a natter** ucinać (uciąć perf) sobie pogawędkę, plotkować (poplotkować perf).
atural ['nætʃrəl] adj naturalny; (disaster) żywiołowy; (performer, hostess etc) urodzony; (MUS) niealterowany; **to die of natural causes** umierać (umrzeć perf) śmiercią naturalną.
atural childbirth n poród m naturalny.
atural gas n gaz m ziemny.
aturalist ['nætʃrəlɪst] n przyrodnik (-iczka) m(f).
aturalize ['nætʃrəlaɪz] vt: **to become naturalized** naturalizować się (perf).
aturally ['nætʃrəlɪ] adv naturalnie; (result, happen) w sposób naturalny; (die) śmiercią naturalną; (cheerful, talented) z natury; **she is naturally blonde** jest naturalną blondynką.
aturalness ['nætʃrəlnɪs] n naturalność f.
atural resources npl bogactwa pl naturalne.
atural wastage n (INDUSTRY) odpady pl naturalne.
ature ['neɪtʃə*] n (also: **Nature**) natura f, przyroda f; (kind, sort) natura f; (character: of thing) istota f, właściwość f; (: of person) usposobienie nt, natura f; **by nature** z natury;

by its (very) nature z natury rzeczy; **documents of a confidential nature** dokumenty o charakterze poufnym; **something of that nature** coś w tym rodzaju.
-natured ['neɪtʃəd] suff: **ill-natured** złośliwy; **good-natured** dobroduszny.
nature reserve (BRIT) n rezerwat m przyrody.
nature trail n szlak m przyrodoznawczy.
naturist ['neɪtʃərɪst] n naturysta (-tka) m(f).
naught [nɔ:t] n = **nought**.
naughtiness ['nɔ:tɪnɪs] n (of child) niegrzeczne zachowanie nt, krnąbrność f; (of story etc) nieprzyzwoitość f.
naughty ['nɔ:tɪ] adj (child) niegrzeczny, krnąbrny; (story) nieprzyzwoity.
nausea ['nɔ:sɪə] n mdłości pl.
nauseate ['nɔ:sɪeɪt] vt przyprawiać (przyprawić perf) o mdłości; (fig) budzić (wzbudzić perf) wstręt or obrzydzenie w +instr.
nauseating ['nɔ:sɪeɪtɪŋ] adj (smell, sight) przyprawiający o mdłości; (fig) budzący or wzbudzający obrzydzenie.
nauseous ['nɔ:sɪəs] adj przyprawiający o mdłości; **to feel nauseous** mieć mdłości.
nautical ['nɔ:tɪkl] adj żeglarski; **a nautical man** człowiek morza.
nautical mile n mila f morska (= 1853 m).
naval ['neɪvl] adj (uniform) marynarski; (battle, forces) morski.
naval officer n oficer m marynarki.
nave [neɪv] n (ARCHIT) nawa f główna.
navel ['neɪvl] n (ANAT) pępek m.
navigable ['nævɪgəbl] adj żeglowny, spławny.
navigate ['nævɪgeɪt] vt (river, path) pokonywać (pokonać perf) ♦ vi (birds etc) odnajdywać drogę; (NAUT, AVIAT) nawigować; (AUT) pilotować.
navigation [nævɪ'geɪʃən] n (activity) nawigowanie nt, pilotowanie nt; (science) nawigacja f.
navigator ['nævɪgeɪtə*] n (NAUT, AVIAT) nawigator m; (AUT) pilot m.
navvy ['nævɪ] (BRIT) n robotnik m niewykwalifikowany.
navy ['neɪvɪ] n (branch of military) marynarka f (wojenna); (ships) flota f (wojenna); **Department of the Navy** (US) Departament m Marynarki Wojennej.
navy(-blue) ['neɪvɪ('blu:)] adj granatowy.
Nazareth ['næzərɪθ] n Nazaret m.
Nazi ['nɑ:tsɪ] n nazista (-tka) m(f).
NB abbr (= nota bene) nb.; (CANADA: = New Brunswick).
NBA (US) n abbr (= National Basketball Association);
(= National Boxing Association).
NBC (US) n abbr (= National Broadcasting Company).
NBS (US) n abbr (= National Bureau of Standards) urząd normalizacyjny.

NC abbr (COMM etc: = no charge) bezpł.;
(US: POST: = North Carolina).

NCC n abbr (BRIT: = Nature Conservancy
Council); (US: = National Council of
Churches).

NCCL (BRIT) n abbr (= National Council for
Civil Liberties) organizacja występująca w
obronie praw obywatelskich.

NCO (MIL) n abbr = **non-commissioned officer**.

ND (US: POST) abbr (= North Dakota).

NE (US: POST) abbr (= New England);
(= Nebraska).

NEA (US) n abbr (= National Education
Association).

neap [ni:p] n (also: **neap tide**) pływ m mały
or kwadrowy.

Neapolitan [nɪə'pɔlɪtən] adj neapolitański ♦ n
Neapolitańczyk (-anka) m(f).

near [nɪə*] adj (in space, time) bliski,
niedaleki; (relative) bliski; (darkness) prawie
zupełny ♦ adv (in space) blisko; (perfect,
impossible) prawie, niemal ♦ prep (also: **near
to**: in space) blisko +gen; (: in time) około
+gen; (: in situation, intimacy) bliski +gen ♦
vt zbliżać się (zbliżyć się perf) do +gen;
Christmas is quite near now już niedaleko do
Świąt Bożego Narodzenia; **twenty five
thousand pounds or nearest offer** (BRIT)
dwadzieścia pięć tysięcy funtów lub oferta
najbliższa tej sumie; **in the near future** w
niedalekiej przyszłości; **near the beginning of
the play** krótko po rozpoczęciu sztuki; **near
the end of the year** (na) krótko przed
końcem roku; **near here/there** tutaj/tam
niedaleko, niedaleko stąd/stamtąd; **none of us
could really get near her** nikt z nas nie mógł
się naprawdę do niej zbliżyć; **this has
brought her nearer to me** to zbliżyło nas do
siebie; **the building is nearing completion**
budowa jest na ukończeniu, budowa dobiega
końca; **confusion nearing hysteria** zamieszanie
graniczące z histerią.

nearby [nɪə'baɪ] adj pobliski ♦ adv w pobliżu.

Near East n: **the Near East** Bliski Wschód m.

nearer ['nɪərə*] adj, adv comp of **near**.

nearest ['nɪərɛst] adj, adv superl of **near**.

nearly ['nɪəlɪ] adv prawie; **I nearly fell** o mało
nie upadłem; **it's not nearly big enough** jest
o wiele za mały; **she was nearly crying** była
bliska płaczu.

near miss n (shot) minimalnie chybiony strzał
m; (accident avoided) sytuacja f grożąca
wypadkiem; **it was a near miss** o mało (co)
nie doszło do wypadku.

nearness ['nɪənɪs] n bliskość f.

nearside ['nɪəsaɪd] (AUT) n (with left-hand
drive) prawa strona f (pojazdu); (with
right-hand drive) lewa strona f (pojazdu).

near-sighted [nɪə'saɪtɪd] adj krótkowzroczny.

neat [ni:t] adj (person, room) schludny;
(handwriting) staranny; (plan) zgrabny;
(solution, description) elegancki; (spirits)
czysty; **I drink it neat** piję to bez
rozcieńczania.

neatly ['ni:tlɪ] adv (tidily) starannie;
(conveniently) zgrabnie.

neatness ['ni:tnɪs] n (of person, place)
schludność f; (of solution) elegancja f.

nebulous ['nɛbjuləs] adj mglisty.

necessarily ['nɛsɪsrɪlɪ] adv z konieczności; **not
necessarily** niekoniecznie.

necessary ['nɛsɪsrɪ] adj (skill, item) niezbędny;
(effect) nieunikniony; (connection, condition)
konieczny; **if necessary** jeśli to konieczne,
jeśli trzeba; **it is necessary to/that** trzeba
+infin.

necessitate [nɪ'sɛsɪteɪt] vt wymagać +gen.

necessity [nɪ'sɛsɪtɪ] n (inevitability) konieczność
f; (compelling need) potrzeba f, konieczność
f; (essential item) artykuł m pierwszej
potrzeby; **of necessity** z konieczności; **out of
necessity** z konieczności.

neck [nɛk] n szyja f; (of shirt, dress)
wykończenie nt przy szyi, kołnierz m; (of
bottle) szyjka f ♦ vi (inf) całować się; **neck
and neck** łeb w łeb; **to stick one's neck out**
(inf) wychylać się (wychylić się perf) (fig).

necklace ['nɛklɪs] n naszyjnik m.

neckline ['nɛklaɪn] n dekolt m.

necktie ['nɛktaɪ] (esp US) n krawat m.

nectar ['nɛktə*] n nektar m.

nectarine ['nɛktərɪn] n nektarynka f.

NEDC (BRIT) n abbr (= National Economic
Development Council).

Neddy ['nɛdɪ] (BRIT: inf) n abbr = **NEDC**.

née [neɪ] prep: **née Scott** z domu Scott.

need [ni:d] n (necessity) potrzeba f,
konieczność f; (demand) potrzeba f,
zapotrzebowanie nt; (poverty) ubóstwo nt,
bieda f ♦ vt (want) potrzebować +gen; (could
do with) wymagać +gen; **in need** w potrzebie;
to be in need of wymagać +gen, potrzebować
+gen; **ten pounds will meet my immediate
needs** dziesięć funtów zaspokoi moje
najpilniejsze potrzeby; **(there's) no need** nie
trzeba; **there's no need to** nie ma potrzeby
+infin; **he had no need to...** nie musiał +infin;
you need a haircut powinieneś iść do
fryzjera; **I need to do it** muszę to zrobić;
you don't need to go, you needn't go nie
musisz iść; **a signature is needed** potrzebny
jest podpis.

needle ['ni:dl] n igła f; (for knitting) drut m ♦
vt (fig: inf) dokuczać +dat.

needless ['ni:dlɪs] adj niepotrzebny; **needless
to say** rzecz jasna.

needlessly ['ni:dlɪslɪ] adv niepotrzebnie.

needlework ['ni:dlwə:k] n (object) robótka f;
(activity) robótki pl ręczne.

needn't ['ni:dnt] = **need not**.

needy ['niːdɪ] *adj* ubogi ♦ *npl*: **the needy** ubodzy *vir pl*.

negation [nɪ'geɪʃən] *n* negowanie *nt*.

negative ['nɛgətɪv] *adj* (*answer*) odmowny, negatywny; (*attitude, experience*) negatywny; (*pregnancy test, electrical charge*) ujemny ♦ *n* (PHOT) negatyw *m*; (LING) przeczenie *nt*, negacja *f*; **to answer in the negative** odpowiadać (odpowiedzieć *perf*) przecząco.

neglect [nɪ'glɛkt] *vt* (*leave undone*) zaniedbywać (zaniedbać *perf*); (*ignore*) nie dostrzegać (nie dostrzec *perf*) +*gen*, lekceważyć (zlekceważyć *perf*) ♦ *n* zaniedbanie *nt*.

neglected [nɪ'glɛktɪd] *adj* (*child, garden*) zaniedbany; (*artist*) niedostrzegany, niedoceniany.

neglectful [nɪ'glɛktful] *adj* zaniedbujący (swoje) obowiązki; **to be neglectful of** zaniedbywać +*acc*.

negligee ['nɛglɪʒeɪ] *n* negliż *m*.

negligence ['nɛglɪdʒəns] *n* niedbalstwo *nt*.

negligent ['nɛglɪdʒənt] *adj* (*person*) niedbały; (*attitude*) nonszalancki; **to be negligent of sb** zaniedbywać kogoś.

negligently ['nɛglɪdʒəntlɪ] *adv* nonszalancko, od niechcenia.

negligible ['nɛglɪdʒɪbl] *adj* nieistotny.

negotiable [nɪ'gəuʃɪəbl] *adj* (*salary*) do uzgodnienia *post*; (*path*) przejezdny; (*river*) spławny; **not negotiable** (*cheque etc*) nie podlegający realizacji w gotówce.

negotiate [nɪ'gəuʃɪeɪt] *vi* negocjować ♦ *vt* (*treaty etc*) negocjować (wynegocjować *perf*); (*obstacle, bend*) pokonywać (pokonać *perf*); **to negotiate with sb (for sth)** pertraktować z kimś (w sprawie czegoś).

negotiation [nɪgəuʃɪ'eɪʃən] *n* negocjacje *pl*; **under negotiation** w fazie negocjacji.

negotiator [nɪ'gəuʃɪeɪtə*] *n* negocjator(ka) *m(f)*.

Negress ['niːgrɪs] *n* Murzynka *f*.

Negro ['niːgrəu] *n* (*pl* **Negroes**) Murzyn *m* ♦ *adj* murzyński.

neigh [neɪ] *vi* rżeć (zarżeć *perf*).

neighbour ['neɪbə*] (US **neighbor**) *n* sąsiad(ka) *m(f)*; (REL) bliźni *m*.

neighbourhood ['neɪbəhud] *n* (*place*) okolice *pl*; (*part of town*) dzielnica *f*; (*people*) sąsiedzi *vir pl*; **in the neighbourhood of** (*place*) w sąsiedztwie +*gen*; (*sum of money*) około +*gen*.

neighbouring ['neɪbərɪŋ] *adj* sąsiedni.

neighbourly ['neɪbəlɪ] *adj* życzliwy, przyjazny.

neither ['naɪðə*] *conj*: **I didn't move and neither did John** nie ruszyłem się i John też nie ♦ *pron* żaden (*z dwóch*), ani jeden, ani drugi ♦ *adv*: **neither ... nor ...** ani ..., ani ...; **neither story is true** żadna z tych dwóch historii nie jest prawdziwa; **neither is true**

ani jedno, ani drugie nie jest prawdą; **neither do I/have I** ja też nie.

neo... ['niːəu] *pref* neo... .

neolithic [niːəu'lɪθɪk] *adj* neolityczny.

neologism [nɪ'ɔlədʒɪzəm] *n* neologizm *m*.

neon ['niːɔn] *n* neon *m*.

neon light *n* neonówka *f*.

neon sign *n* neon *m*.

Nepal [nɪ'pɔːl] *n* Nepal *m*.

nephew ['nɛvjuː] *n* (*sister's son*) siostrzeniec *m*; (*brother's son*) bratanek *m*.

nepotism ['nɛpətɪzəm] *n* nepotyzm *m*.

nerve [nəːv] *n* (ANAT) nerw *m*; (*courage*) odwaga *f*; (*impudence*) czelność *f*; **nerves** *npl* nerwy *pl*; **he gets on my nerves** on działa mi na nerwy; **to lose one's nerve** tracić (stracić *perf*) zimną krew.

nerve-centre ['nəːvsɛntə*] *n* (*fig*) ośrodek *m* decyzyjny.

nerve gas *n* gaz *m* paraliżujący.

nerve-racking ['nəːvrækɪŋ] *adj* wykańczający nerwowo (*inf*).

nervous ['nəːvəs] *adj* (*also* MED) nerwowy; (*anxious*) zdenerwowany; **to be nervous of/about** obawiać się +*gen*.

nervous breakdown *n* załamanie *nt* nerwowe.

nervously ['nəːvəslɪ] *adv* nerwowo.

nervousness ['nəːvəsnɪs] *n* zdenerwowanie *nt*, niepokój *m*.

nervous system *n* układ *m* nerwowy.

nest [nɛst] *n* gniazdo *nt* ♦ *vi* gnieździć się; **nest of tables** *zestaw stolików wsuwanych jeden pod drugi*.

nest egg *n* oszczędności *pl* (*gromadzone z zamiarem przeznaczenia na konkretny cel*).

nestle ['nɛsl] *vi* przytulać się (przytulić się *perf*); **a house nestling in the hills** dom wtulony we wzgórza.

nestling ['nɛstlɪŋ] *n* pisklę *nt*.

net [nɛt] *n* siatka *f*; (*for fish*) podbierak *m*; (*also*: **fishing net**) sieć *f* (rybacka); (*fabric*) tiul *m*; (*fig*) sieć *f* ♦ *adj* (COMM) netto *post*; (*result*) ostateczny, końcowy ♦ *vt* (*fish, butterfly*) łapać (złapać *perf*) (*w sieć, siatkę*); (*profit*) przynosić (przynieść *perf*) na czysto; (*deal, sale*) zdobywać (zdobyć *perf*); (*fortune*) zbijać (zbić *perf*); **net of tax** po odliczeniu podatku; **he earns ten thousand pounds net per year** zarabia na czysto dziesięć tysięcy funtów rocznie; **it weighs 250g net** to waży 250g netto.

netball ['nɛtbɔːl] *n gra podobna do koszykówki*.

net curtains *npl* firanki *pl*.

Netherlands ['nɛðələndz] *npl*: **the Netherlands** Holandia *f*.

nett [nɛt] *adj* = **net**.

netting ['nɛtɪŋ] *n* siatka *f*.

nettle ['nɛtl] *n* pokrzywa *f*; **to grasp the nettle** (*fig*) brać (wziąć *perf*) byka za rogi.

network ['nɛtwəːk] *n* sieć *f*; (*of veins*)

siateczka *f* ♦ *vt* (*TV*, *RADIO*) transmitować
jednocześnie (przez różne stacje); (*computers*)
łączyć (połączyć *perf*) w sieć.
neuralgia [njuə'ræld3ə] *n* nerwoból *m*.
neurotic [njuə'rɔtɪk] *adj* przewrażliwiony;
(*MED*) neurotyczny ♦ *n* neurotyk (-yczka) *m(f)*.
neuter ['nju:tə*] *adj* (*LING*) nijaki ♦ *vt*
(*animal*) sterylizować (wysterylizować *perf*).
neutral ['nju:trəl] *adj* (*country*) neutralny;
(*view*, *person*) neutralny, bezstronny; (*colour*)
niezdecydowany, bliżej nieokreślony;
(*ELEC*: *wire*) zerowy ♦ *n* (*AUT*) bieg *m*
jałowy; **a neutral shoe cream** bezbarwna
pasta do butów.
neutrality [nju:'trælɪtɪ] *n* (*of country*)
neutralność *f*; (*of view*, *person*) neutralność *f*,
bezstronność *f*.
neutralize ['nju:trəlaɪz] *vt* neutralizować
(zneutralizować *perf*).
neutron ['nju:trɔn] *n* neutron *m*.
neutron bomb *n* bomba *f* neutronowa.
never ['nɛvə*] *adv* (*not at any time*) nigdy;
(*not*) wcale nie; **never in my life** nigdy w
życiu; **never again** nigdy więcej; **well I never!**
nie do wiary!; *see also* **mind**.
never-ending [nɛvər'ɛndɪŋ] *adj* nie kończący się.
nevertheless [nɛvəðə'lɛs] *adv* pomimo to,
niemniej jednak.
new [nju:] *adj* nowy; (*country*, *parent*) młody;
as good as new jak nowy; **to be new to sb**
być nowym dla kogoś.
newborn ['nju:bɔ:n] *adj* nowo narodzony.
newcomer ['nju:kʌmə*] *n* przybysz *m*, nowy
(-wa) *m(f)* (*inf*).
new-fangled ['nju:fæŋgld] *adj* nowomodny.
new-found ['nju:faund] *adj* świeżo odkryty.
Newfoundland ['nju:fənlənd] *n* Nowa
Fundlandia *f*.
New Guinea *n* Nowa Gwinea *f*.
newly ['nju:lɪ] *adv* nowo.
newly-weds ['nju:lɪwɛdz] *npl* nowożeńcy *vir*
pl, państwo *vir pl* młodzi.
new moon *n* nów *m*.
newness ['nju:nɪs] *n* nowość *f*.
New Orleans [-'ɔ:li:ənz] *n* Nowy Orlean *m*.
news [nju:z] *n* wiadomość *f*, wiadomości *pl*; **a**
piece of news wiadomość *f*; **the news**
(*RADIO*, *TV*) wiadomości *pl*; **good/bad news**
dobra/zła wiadomość *f*.
news agency *n* agencja *f* prasowa.
newsagent ['nju:zeɪdʒənt] (*BRIT*) *n* (*person*)
kioskarz (-arka) *m(f)*; (*shop*) kiosk *m* z
gazetami.
news bulletin *n* serwis *m* informacyjny.
newscaster ['nju:zkɑ:stə*] *n* prezenter(ka) *m(f)*
wiadomości.
newsdealer ['nju:zdi:lə*] (*US*) *n* = **newsagent**.
newsflash ['nju:zflæʃ] *n* wiadomości *pl* z
ostatniej chwili.
newsletter ['nju:zlɛtə*] *n* biuletyn *m*.

newspaper ['nju:zpeɪpə*] *n* gazeta *f*; **daily**
newspaper dziennik *m*; **weekly newspaper**
tygodnik *m*.
newsprint ['nju:zprɪnt] *n* papier *m* gazetowy.
newsreader ['nju:zri:də*] *n* = **newscaster**.
newsreel ['nju:zri:l] *n* kronika *f* filmowa.
newsroom ['nju:zru:m] *n* (*PRESS*, *RADIO*,
TV) pokój *m* redakcji informacyjnej.
news stand ['nju:zstænd] *n* stoisko *nt* z
gazetami.
newt [nju:t] *n* traszka *f*.
New Year *n* Nowy Rok *m*; **Happy New Year!**
Szczęśliwego Nowego Roku!; **to wish sb a**
happy new year życzyć komuś szczęśliwego
nowego roku.
New Year's Day *n* Nowy Rok *m*.
New Year's Eve *n* sylwester *m*.
New York [-'jɔ:k] *n* Nowy Jork *m*; (*also*: **New**
York State) stan *m* Nowy Jork.
New Zealand [-'zi:lənd] *n* Nowa Zelandia *f* ♦
adj nowozelandzki.
New Zealander [-'zi:ləndə*] *n*
Nowozelandczyk (-dka) *m(f)*.
next [nɛkst] *adj* (*in space*) sąsiedni, znajdujący
się obok; (*in time*) następny, najbliższy ♦ *adv*
(*in space*) obok; (*in time*) następnie, potem;
the next day następnego dnia, nazajutrz
(*literary*); **next time** następnym razem; **next**
year w przyszłym roku; **next to** obok +*gen*;
next to nothing tyle co nic; **next please!**
następny, proszę!; **who's next?** kto następny?;
"turn to the next page" „proszę przewrócić
stronę"; **the week after next** za dwa tygodnie;
the next on the right/left pierwsza w
prawo/lewo; **the next best** drugi w
kolejności; **the next thing I knew** nim się
spostrzegłem; **when do we meet next?** kiedy
się znowu spotkamy?
next door *adv* obok ♦ *adj* (*flat*) sąsiedni;
(*neighbour*) najbliższy, zza ściany *post*.
next-of-kin ['nɛkstəv'kɪn] *n* najbliższa rodzina ♦
NF (*BRIT*: *POL*) *n abbr* (= *National Front*)
radykalna partia prawicowa ♦ *abbr*
(*CANADA*: = *Newfoundland*).
NFL (*US*) *n abbr* (= *National Football League*).
NG (*US*) *abbr* = **National Guard**.
NGO (*US*) *n abbr* (= *non-governmental*
organization) organizacja *f* pozarządowa.
NH (*US*: *POST*) *abbr* (= *New Hampshire*).
NHL (*US*) *n abbr* (= *National Hockey League*).
NHS (*BRIT*) *n abbr* = **National Health Service**.
NI *abbr* = **Northern Ireland**;
(*BRIT*) = **National Insurance**.
Niagara Falls [naɪ'ægərə-] *npl* wodospad *m*
Niagara.
nib [nɪb] *n* stalówka *f*.
nibble ['nɪbl] *vt* (*eat*) skubać (skubnąć *perf*);
(*bite*) przygryzać (przygryźć *perf*) ♦ *vi*: **to**
nibble at skubać (skubnąć *perf*) +*acc*.
Nicaragua [nɪkə'rægjuə] *n* Nikaragua *f*.

Nicaraguan [nɪkə'rægjuən] *adj* nikaraguański ♦
n Nikaraguańczyk (-anka) *m(f)*.

Nice [ni:s] *n* Nicea *f*.

nice [naɪs] *adj* (*kind, friendly*) miły; (*pleasant*)
przyjemny; (*attractive*) ładny.

nicely ['naɪslɪ] *adv* (*attractively*) ładnie;
(*satisfactorily*) dobrze; **that will do nicely** to w
zupełności wystarczy.

niceties ['naɪsɪtɪz] *npl*: **the niceties** subtelności *pl*.

niche [ni:ʃ] *n* nisza *f*; **to find one's niche in**
znajdować (znaleźć *perf*) swoje miejsce w +*loc*.

nick [nɪk] *n* (*on face etc*) zadraśnięcie *nt*; (*in
metal, wood*) nacięcie *nt* ♦ *vt*
(*BRIT: inf: steal*) zwędzić (*perf*) (*inf*);
(: : *arrest*) przymykać (przymknąć *perf*) (*inf*);
(*cut*): **to nick o.s.** zacinać się (zaciąć się
perf); **in good nick** (*BRIT: inf*) w dobrej
formie; **in the nick** (*BRIT: inf*) w pace (*inf*);
in the nick of time w samą porę.

nickel ['nɪkl] *n* (*metal*) nikiel *m*; (*US*)
pięciocentówka *f*.

nickname ['nɪkneɪm] *n* przezwisko *nt*,
przydomek *m* ♦ *vt* przezywać, nadawać
przydomek +*dat*.

Nicosia [nɪkə'si:ə] *n* Nikozja *f*.

nicotine ['nɪkəti:n] *n* nikotyna *f*.

niece [ni:s] *n* (*sister's daughter*) siostrzenica *f*;
(*brother's daughter*) bratanica *f*.

nifty ['nɪftɪ] (*inf*) *adj* (*car, jacket*) świetny;
(*gadget, tool*) zmyślny (*inf*).

Niger ['naɪdʒə*] *n* Niger *m*.

Nigeria [naɪ'dʒɪərɪə] *n* Nigeria *f*.

Nigerian [naɪ'dʒɪərɪən] *adj* nigeryjski ♦ *n*
Nigeryjczyk (-jka) *m(f)*.

niggardly ['nɪgədlɪ] *adj* skąpy.

nigger [nɪgə*] (*inf!*) *n* czarnuch *m* (*inf!*).

niggle ['nɪgl] *vt* męczyć ♦ *vi* czepiać się (*inf*).

niggling ['nɪglɪŋ] *adj* (*doubt, anxiety*) dręczący;
(*pain*) uporczywy.

night [naɪt] *n* noc *f*; (*evening*) wieczór *m*; **the
night before last** przedwczoraj w nocy; **at
night** w nocy; **by night** nocą; **nine o'clock at
night** dziewiąta wieczór; **we didn't go out
last night** wczoraj wieczorem nigdzie nie
wychodziliśmy; **in the night, during the night**
w nocy; **night and day** dzień i noc.

nightcap ['naɪtkæp] *n* kieliszek *m* przed snem.

nightclub ['naɪtklʌb] *n* nocny lokal *m*.

nightdress ['naɪtdrɛs] *n* koszula *f* nocna.

nightfall ['naɪtfɔ:l] *n* zmrok *m*.

nightgown ['naɪtgaun] *n* = **nightdress**.

nightie ['naɪtɪ] *n* = **nightdress**.

nightingale ['naɪtɪŋgeɪl] *n* słowik *m*.

nightlife ['naɪtlaɪf] *n* nocne życie *nt*.

nightly ['naɪtlɪ] *adj* wieczorny ♦ *adv* (*every
night*) co noc; (*every evening*) co wieczór.

nightmare ['naɪtmɛə*] *n* koszmarny sen *m*;
(*fig*) koszmar *m*.

night porter *n* nocny portier *m* (*w hotelu*).

night safe *n* (*COMM*) trezor *m*, wrzutnia *f*.

night school *n* szkoła *f* wieczorowa.

nightshade ['naɪtʃeɪd] *n*: **deadly nightshade**
(*BOT*) wilcza jagoda *f*.

night shift *n* nocna zmiana *f*.

night-time ['naɪttaɪm] *n* noc *f*.

night watchman (*irreg like* **man**) *n* nocny
stróż *m*.

nihilism ['naɪɪlɪzəm] *n* nihilizm *m*.

nil [nɪl] *n* nic *nt*; (*BRIT: SPORT*) zero *nt*.

Nile [naɪl] *n*: **the Nile** Nil *m*.

nimble ['nɪmbl] *adj* (*person, movements*)
zwinny; (*mind*) bystry.

nine [naɪn] *num* dziewięć.

nineteen ['naɪn'ti:n] *num* dziewiętnaście.

nineteenth ['naɪn'ti:nθ] *num* dziewiętnasty.

ninety ['naɪntɪ] *num* dziewięćdziesiąt.

ninth [naɪnθ] *num* dziewiąty.

nip [nɪp] *vt* szczypać (szczypnąć *perf*),
uszczypnąć (*perf*) ♦ *n* (*bite*) uszczypnięcie *nt*;
(*drink*) łyk *m*; **to nip out** (*BRIT: inf*)
wyskakiwać (wyskoczyć *perf*) (*inf*); **to nip
downstairs/upstairs** (*BRIT: inf*) wyskoczyć
(*perf*) na dół/na górę (*inf*); **to nip into a shop**
(*BRIT: inf*) wskoczyć (*perf*) do sklepu (*inf*).

nipple ['nɪpl] *n* (*ANAT*) brodawka *f* sutkowa.

nippy ['nɪpɪ] (*BRIT*) *adj* (*person*) żwawy; (*car*)
szybki; (*air*) mroźny.

nit [nɪt] *n* (*in hair*) gnida *f*; (*inf: idiot*) dureń *m*.

nitpicking ['nɪtpɪkɪŋ] (*inf*) *n* szukanie *nt* dziury
w całym.

nitrogen ['naɪtrədʒən] *n* azot *m*.

nitroglycerin(e) ['naɪtrəu'glɪsəri:n] *n*
nitrogliceryna *f*.

nitty-gritty ['nɪtɪ'grɪtɪ] (*inf*) *n*: **to get down to
the nitty-gritty** przechodzić (przejść *perf*) do
konkretów.

nitwit ['nɪtwɪt] (*inf*) *n* przygłup *m* (*inf*).

NJ (*US: POST*) *abbr* (= *New Jersey*).

NLF *n abbr* (= *National Liberation Front*) FWN
m, = Front Wyzwolenia Narodowego.

NLQ (*COMPUT, TYP*) *abbr* (= *near letter
quality*) NLQ.

NLRB (*US*) *n abbr* (= *National Labor Relations
Board*) *rada regulująca stosunki między
pracodawcami a pracobiorcami*.

NM (*US: POST*) *abbr* (= *New Mexico*).

┌─────────────── KEYWORD ───────────────┐

no [nəu] *adv* nie ♦ *adj*: **I have no
money/books** nie mam (żadnych)
pieniędzy/książek; **there is no time/bread left**
nie zostało ani trochę czasu/chleba; **"no
entry"** „wstęp wzbroniony"; **"no smoking"**
„palenie wzbronione" ♦ *n* (*pl* **noes**) (*in
voting*) głos *m* przeciw; (*refusal*) odmowa *f*; **I
won't take no for an answer** nie przyjmę
odmowy.

└─────────────────────────────────────┘

no. *abbr* = **number**.

nobble [nɔbl] (*BRIT: inf*) *vt* (*bribe*) dawać (dać *perf*) w łapę +*dat* (*inf*); (*buttonhole*) łapać (złapać *perf*); (*RACING: horse, dog*) podtruć (*perf*).

Nobel Prize [nəu'bɛl-] *n* Nagroda *f* Nobla.

nobility [nəu'bɪlɪtɪ] *n* (*aristocracy*) szlachta *f*; (*dignity*) godność *f*; (*virtue*) szlachetność *f*.

noble ['nəubl] *adj* (*admirable*) szlachetny; (*aristocratic*) szlachecki; (*impressive*) wspaniały, imponujący; **of noble birth** szlachetnie urodzony.

nobleman ['nəublmən] (*irreg like* **man**) *n* szlachcic *m*.

nobly ['nəublɪ] *adv* szlachetnie.

nobody ['nəubədɪ] *pron* nikt ♦ *n*: **he's a nobody** on nic nie znaczy.

no-claims bonus ['nəukleɪmz-] *n* (*AUT: INSURANCE*) zniżka *f* za bezszkodowość.

nocturnal [nɔk'tə:nl] *adj* nocny.

nod [nɔd] *vi* (*in agreement*) przytakiwać (przytaknąć *perf*); (*as greeting*) kłaniać się (ukłonić się *perf*); (*gesture*) wskazywać (wskazać *perf*) ruchem głowy; (*fig: flowers etc*) kołysać się ♦ *vt*: **to nod one's head** skinąć (*perf*) głową ♦ *n* kiwnięcie *nt*, skinienie *nt*; **to give sb a nod** kiwać (kiwnąć *perf*) do kogoś głową; **they nodded their agreement** kiwnęli głowami na znak zgody.

▶**nod off** *vi* przysypiać (przysnąć *perf*) (*inf*).

noise [nɔɪz] *n* (*sound*) dźwięk *m*, odgłos *m*; (*din*) hałas *m*.

noiseless ['nɔɪzlɪs] *adj* bezgłośny.

noisily ['nɔɪzɪlɪ] *adv* hałaśliwie.

noisy ['nɔɪzɪ] *adj* (*audience, machine*) hałaśliwy; (*place*) pełen zgiełku.

nomad ['nəumæd] *n* koczownik (-iczka) *m(f)*.

nomadic [nəu'mædɪk] *adj* koczowniczy.

no-man's-land ['nəumænzlænd] *n* ziemia *f* niczyja.

nominal ['nɔmɪnl] *adj* (*leader*) tytularny; (*price*) nominalny.

nominate ['nɔmɪneɪt] *vt* (*propose*) wysuwać kandydaturę +*gen*, nominować +*acc*; (*appoint*) mianować.

nomination [nɔmɪ'neɪʃən] *n* (*proposal*) kandydatura *f*; (*appointment*) mianowanie *nt*.

nominee [nɔmɪ'ni:] *n* kandydat(ka) *m(f)*.

non... [nɔn] *pref* nie..., bez... .

non-alcoholic [nɔnælkə'hɔlɪk] *adj* bezalkoholowy.

non-aligned [nɔnə'laɪnd] *adj* niezaangażowany, neutralny.

non-breakable [nɔn'breɪkəbl] *adj* nietłukący.

nonce word ['nɔns-] *n słowo wymyślone na daną okazję.*

nonchalant ['nɔnʃələnt] *adj* nonszalancki.

non-commissioned officer *n* (*MIL*) podoficer *m*.

non-committal [nɔnkə'mɪtl] *adj* (*person*) nie

zajmujący zdecydowanego stanowiska; (*answer*) wymijający.

nonconformist [nɔnkən'fɔ:mɪst] *n* nonkonformista (-tka) *m(f)* ♦ *adj* nonkonformistyczny.

non-cooperation ['nɔnkəuɔpə'reɪʃən] *n* odmowa *f* współpracy.

nondescript ['nɔndɪskrɪpt] *adj* (*person, clothes*) nijaki; (*colour*) nieokreślony, nijaki.

none [nʌn] *pron* (*not one*) żaden, ani jeden; (*not any*) ani trochę; **none of sth** ani trochę z +*gen*; **none of us** żaden z nas; **I've none left** (*not any*) nie zostało mi ani trochę; (*not one*) nie został mi ani jeden; **none at all** (*not any*) ani trochę; (*not one*) absolutnie żaden; **I was none the wiser** nie byłem ani trochę mądrzejszy; **she would have none of it** nie chciała o tym słyszeć; **it was none other than X** był to nie kto inny tylko X.

nonentity [nɔ'nɛntɪtɪ] *n* miernota *f*.

non-essential [nɔnɪ'sɛnʃl] *adj* zbędny ♦ *n*: **non-essentials** rzeczy *pl* zbędne.

nonetheless ['nʌnðə'les] *adv* pomimo to.

non-existent [nɔnɪg'zɪstənt] *adj* nie istniejący.

non-fiction [nɔn'fɪkʃən] *n* literatura *f* faktu ♦ *adj* niebeletrystyczny.

non-flammable [nɔn'flæməbl] *adj* niepalny.

non-intervention ['nɔnɪntə'vɛnʃən] *n* nieinterwencja *f*, nieingerowanie *nt*.

non obst. *abbr* (= *non obstante*) pomimo.

non-payment [nɔn'peɪmənt] *n* niepłacenie *nt*.

nonplussed [nɔn'plʌst] *adj* skonsternowany.

non-profit making *adj* niedochodowy.

nonsense ['nɔnsəns] *n* nonsens *m*; **nonsense!** nonsens!, bzdura!; **it is nonsense to say that ...** to nonsens twierdzić, że ...; **to make (a) nonsense of sth** odbierać (odebrać *perf*) czemuś sens, czynić (uczynić *perf*) coś bezsensownym.

non-shrink [nɔn'ʃrɪŋk] (*BRIT*) *adj* niekurczliwy.

non-smoker ['nɔn'sməukə*] *n* niepalący (-ca) *m(f)*.

non-stick ['nɔn'stɪk] *adj* teflonowy.

non-stop ['nɔn'stɔp] *adj* (*unceasing*) nie kończący się; (*without pauses*) nieprzerwany; (*flight*) bezpośredni ♦ *adv* (*speak*) bez przerwy; (*fly*) bezpośrednio.

non-taxable [nɔn'tæksəbl] *adj* (*COMM*) nie podlegający opodatkowaniu.

non-U ['nɔnju:] (*BRIT: inf*) *adj abbr* (= *non-upper class*) pospolity.

non-white ['nɔn'waɪt] *adj* kolorowy ♦ *n* kolorowy (-wa) *m(f)*.

noodles ['nu:dlz] *npl* makaron *m*.

nook [nuk] *n*: **every nook and cranny** każdy kąt, wszystkie zakamarki.

noon [nu:n] *n* południe *nt*.

no-one ['nəuwʌn] *pron* = **nobody**.

noose [nu:s] *n* pętla *f*.

nor [nɔ:*] *conj* = **neither** ♦ *adv see* **neither**.

Norf (*BRIT*: *POST*) *abbr* (= *Norfolk*).
norm [nɔːm] *n* norma *f*; **to be the norm** być
regułą.
normal ['nɔːml] *adj* normalny ♦ *n*: **to return to
normal** wracać (wrócić *perf*) do normy.
normality [nɔː'mælɪtɪ] *n* normalność *f*.
normally ['nɔːməlɪ] *adv* normalnie.
Normandy ['nɔːməndɪ] *n* Normandia *f*.
north [nɔːθ] *n* północ *f* ♦ *adj* północny ♦ *adv*
na północ; **north of** na północ od +*gen*.
North Africa *n* Afryka *f* Północna.
North African *adj* północnoafrykański ♦ *n*
mieszkaniec (-nka) *m(f)* Afryki Północnej.
North America *n* Ameryka *f* Północna.
North American *adj* północnoamerykański ♦ *n*
mieszkaniec (-nka) *m(f)* Ameryki Północnej.
Northants [nɔː'θænts] (*BRIT*: *POST*) *abbr* (=
Northamptonshire).
northbound ['nɔːθbaund] *adj* (*traffic*) zdążający
na północ; (*carriageway*) prowadzący na
północ.
Northd (*BRIT*: *POST*) *abbr* (= *Northumberland*).
north-east [nɔːθ'iːst] *n* północny wschód *m* ♦
adj północno-wschodni ♦ *adv* na północny
wschód; **north-east of** na północny wschód
od +*gen*.
northerly ['nɔːðəlɪ] *adj* północny.
northern ['nɔːðən] *adj* północny.
Northern Ireland *n* Irlandia *f* Północna.
North Korea *n* Korea *f* Północna.
North Pole *n*: **the North Pole** biegun *m*
północny.
North Sea *n*: **the North Sea** Morze *nt*
Północne.
North Sea oil ['nɔːθsiː-] *n* ropa *f* z Morza
Północnego.
northward(s) ['nɔːθwəd(z)] *adv* na północ.
north-west [nɔːθ'wɛst] *n* północny zachód *m* ♦
adj północno-zachodni ♦ *adv* na północny
zachód; **north-west of** na północny zachód od
+*gen*.
Norway ['nɔːweɪ] *n* Norwegia *f*.
Norwegian [nɔː'wiːdʒən] *adj* norweski ♦ *n*
(*person*) Norweg (-eżka) *m(f)*; (*LING*) (język
m) norweski.
nos. *abbr* (= *numbers*) nry, = numery.
nose [nəuz] *n* nos *m*; (*of aircraft*) dziób *m*; (*of
car*) przód *m* ♦ *vi* (*also*: **nose one's way**)
sunąć powoli; **to follow one's nose** (*go
straight ahead*) iść (pójść *perf*) prosto przed
siebie; (*be guided by instinct*) zdawać się
(zdać *perf*) się na wyczucie; **it gets up my
nose** (*inf*) to mnie wkurza (*inf*); **to have a
(good) nose for sth** mieć (dobrego) nosa do
czegoś; **to keep one's nose clean** (*inf*) nie
mieszać się w nic; **to look down one's nose
at sb/sth** (*inf*) nie mieć o kimś/czymś
wysokiego mniemania; **to pay through the
nose (for sth)** (*inf*) zapłacić (*perf*) kupę
pieniędzy (za coś) (*inf*); **to rub sb's nose in**
sth (*inf*) wypominać komuś coś; **to turn
one's nose up at sth** (*inf*) gardzić (wzgardzić
perf) czymś; **under sb's nose** pod czyimś
nosem.
►**nose about** *vi* węszyć.
►**nose around** *vi* = nose about.
nosebleed ['nəuzbliːd] *n* krwawienie *nt* z nosa.
nose-dive ['nəuzdaɪv] *n* (*of plane*) lot *m*
nurkowy; (*of prices*) gwałtowny spadek *m* ♦
vi (*plane*) pikować; (*prices*) gwałtownie
spadać (spaść *perf*).
nose drops *npl* krople *pl* do nosa.
nosey ['nəuzɪ] (*inf*) *adj* = nosy.
nostalgia [nɔs'tældʒɪə] *n* tęsknota *f* za
przeszłością.
nostalgic [nɔs'tældʒɪk] *adj* nostalgiczny.
nostril ['nɔstrɪl] *n* nozdrze *nt*.
nosy ['nəuzɪ] (*inf*) *adj* wścibski.
not [nɔt] *adv* nie; **he is not** *or* **isn't here** nie
ma go tu(taj); **you must not** *or* **you mustn't
do that** nie wolno (ci) tego robić; **he asked
me not to do it** (po)prosił, żebym tego nie
robił; **it's not that I don't like him...** to nie
to, że go nie lubię...; **not yet** jeszcze nie;
not now nie teraz; *see also* all, only.
notable ['nəutəbl] *adj* godny uwagi.
notably ['nəutəblɪ] *adv* (*particularly*) w
szczególności, zwłaszcza; (*markedly*) wyraźnie.
notary ['nəutərɪ] *n* (*JUR*: *also*: **notary public**)
notariusz *m*.
notation [nəu'teɪʃən] *n* (*MUS, MATH*) zapis *m*,
notacja *f*.
notch [nɔtʃ] *n* nacięcie *nt*, karb *m*; **to be
several notches above sth** znacznie coś
przewyższać.
►**notch up** *vt* (*score, votes*) zdobyć (*perf*);
(*victory*) osiągnąć (*perf*).
note [nəut] *n* (*MUS*) nuta *f*; (*of lecturer,
secretary*) notatka *f*; (*in book*) przypis *m*;
(*letter*) wiadomość *f* (*na piśmie*); (*banknote*)
banknot *m* ♦ *vt* (*notice*) zauważyć (*perf*);
(*also*: **note down**) notować (zanotować *perf*),
zapisywać (zapisać *perf*); (*fact*) odnotowywać
(odnotować *perf*); **of note** znaczący; **to make
a note of sth** zapamiętywać (zapamiętać *perf*)
coś; **to take notes** robić (zrobić *perf*) notatki;
to take note of sth brać (wziąć *perf*) coś pod
uwagę.
notebook ['nəutbuk] *n* notatnik *m*, notes *m*.
noted ['nəutɪd] *adj* znany.
notepad ['nəutpæd] *n* (*for letters*) blok *m*
listowy; (*for notes*) blok *m* biurowy.
notepaper ['nəutpeɪpə*] *n* papier *m* listowy.
noteworthy ['nəutwəːðɪ] *adj* znaczący, godny
uwagi.
nothing ['nʌθɪŋ] *n* nic *nt*; **nothing new/worse**
etc nic nowego/gorszego *etc*; **nothing much**
nic wielkiego; **nothing else** nic innego; **for
nothing** (*free*) za darmo, za nic; (*in vain*) na
próżno; **nothing at all** absolutnie nic.

notice ['nəutɪs] n (announcement) ogłoszenie nt; (dismissal) wymówienie nt; (BRIT: review) recenzja f ♦ vt zauważać (zauważyć perf); **to bring sth to sb's notice** zwrócić (zwracać perf) na coś czyjąś uwagę; **to take no notice of** nie zwracać (nie zwrócić perf) uwagi na +acc; **to escape sb's notice** umykać (umknąć perf) czyjejś uwadze; **it has come to my notice that ...** (I have been told) dotarło do mnie, że...; (I have noticed) zwróciło moją uwagę, że...; **to give sb notice of sth** powiadamiać (powiadomić perf) kogoś o czymś z wyprzedzeniem; **without notice** bez uprzedzenia or ostrzeżenia; **advance notice** wcześniejsze powiadomienie; **at short notice** (leave etc) bezzwłocznie; **at a moment's notice** natychmiast; **until further notice** (aż) do odwołania; **to hand in one's notice** składać (złożyć perf) wymówienie; **to be given one's notice** dostawać (dostać perf) wymówienie.

noticeable ['nəutɪsəbl] adj zauważalny, widoczny.

noticeboard ['nəutɪsbɔ:d] (BRIT) n tablica f ogłoszeń.

notification [nəutɪfɪ'keɪʃən] n zawiadomienie nt.

notify ['nəutɪfaɪ] vt: **to notify sb (of sth)** powiadamiać (powiadomić perf) kogoś (o czymś).

notion ['nəuʃən] n (idea) pojęcie nt; (belief) pogląd m; **notions** (US) npl galanteria f.

notoriety [nəutə'raɪətɪ] n zła sława f.

notorious [nəu'tɔ:rɪəs] adj (liar etc) notoryczny; (place) cieszący się złą sławą.

notoriously [nəu'tɔ:rɪəslɪ] adv notorycznie.

Notts [nɔts] (BRIT: POST) abbr (= Nottinghamshire).

notwithstanding [nɔtwɪθ'stændɪŋ] adv jednak, mimo wszystko ♦ prep pomimo +gen.

nougat ['nu:gɑ:] n nugat m.

nought [nɔ:t] n zero nt.

noun [naun] n rzeczownik m.

nourish ['nʌrɪʃ] vt (feed) odżywiać; (fig: foster) żywić.

nourishing ['nʌrɪʃɪŋ] adj pożywny.

nourishment ['nʌrɪʃmənt] n pożywienie nt.

Nov. abbr = **November** list., listop.

Nova Scotia ['nəuvə'skəuʃə] n Nowa Szkocja f.

novel ['nɔvl] n powieść f ♦ adj nowatorski.

novelist ['nɔvəlɪst] n powieściopisarz (-arka) m(f).

novelty ['nɔvəltɪ] n nowość f.

November [nəu'vɛmbə*] n listopad m; see also **July**.

novice ['nɔvɪs] n nowicjusz(ka) m(f).

NOW [nau] (US) n abbr (= National Organization for Women).

now [nau] adv teraz ♦ conj: **now (that)** teraz, gdy; **right now** w tej chwili; **by now** teraz, w tej chwili; **that's the fashion just now** to jest aktualnie w modzie; **I saw her just now** widziałem ją przed chwilą; **(every) now and then, (every) now and again** od czasu do czasu, co jakiś czas; **from now on** od tej pory; **in 3 days from now** za trzy dni; **between now and Monday** do poniedziałku; **that's all for now** to wszystko na teraz; **any day now** lada dzień; **now then** a więc, a zatem.

nowadays ['nauədeɪz] adv obecnie, dzisiaj.

nowhere ['nəuwɛə*] adv (be) nigdzie; (go) donikąd; **there was nowhere to hide** nie było się gdzie schować; **nowhere else** nigdzie indziej; **she had nowhere to go** nie miała dokąd pójść.

noxious ['nɔkʃəs] adj (gas) trujący; (smell) obrzydliwy.

nozzle ['nɔzl] n końcówka f wylotowa, dysza f

NP (JUR) n abbr = **notary public**.

NS (CANADA) abbr (= Nova Scotia).

NSC (US) n abbr (= National Security Council) rada wchodząca w skład w skład biura prezydenta i zajmująca się sprawami bezpieczeństwa państwa.

NSF (US) n abbr (= National Science Foundation).

NSPCC (BRIT) n abbr (= National Society for the Prevention of Cruelty to Children).

NSW (AUSTRALIA) abbr (= New South Wales).

NT (BIBLE) n abbr (= New Testament) NT.

nth [ɛnθ] (inf) adj: **to the nth degree** do n-tej potęgi.

nuance ['nju:ɑ:ns] n niuans m.

nubile ['nju:baɪl] adj na wydaniu post.

nuclear ['nju:klɪə*] adj jądrowy.

nuclear disarmament n rozbrojenie nt nuklearne.

nuclear family n rodzina f dwupokoleniowa.

nuclei ['nju:klɪaɪ] npl of **nucleus**.

nucleus ['nju:klɪəs] (pl **nuclei**) n (of atom, cell) jądro nt; (fig: of group) zaczątek m.

NUCPS (BRIT) n abbr (= National Union of Civil and Public Servants).

nude [nju:d] adj nagi ♦ n (ART) akt m; **in the nude** nagi.

nudge [nʌdʒ] vt szturchać (szturchnąć perf).

nudist ['nju:dɪst] n nudysta (-tka) m(f).

nudist colony n kolonia f nudystów.

nudity ['nju:dɪtɪ] n nagość f.

nugget ['nʌgɪt] n (of gold) bryłka f; (fig) cenna informacja f.

nuisance ['nju:sns] n (situation) niedogodność f; (thing, person) utrapienie nt; **it's a nuisance** to prawdziwe utrapienie; **to be a nuisance** sprawiać kłopot, być utrapieniem; **what a nuisance!** a niech to! (inf).

NUJ (BRIT) n abbr (= National Union of Journalists).

null [nʌl] adj: **null and void** nieważny, nie posiadający mocy prawnej.

nullify ['nʌlɪfaɪ] vt (advantage, power) odbierać

(odebrać *perf*); (*law*) unieważniać (unieważnić *perf*).

UM (*BRIT*) *n abbr* (= *National Union of Mineworkers*).

numb [nʌm] *adj* zdrętwiały ♦ *vt* (*fingers etc*) powodować drętwienie +*gen*; (*pain*) uśmierzać (uśmierzyć *perf*); (*fig: mind*) paraliżować (sparaliżować *perf*).

number ['nʌmbə*] *n* liczba *f*; (*of house, bus etc*) numer *m* ♦ *vt* (*pages etc*) numerować (ponumerować *perf*); (*amount to*) liczyć; **a number of** kilka +*gen*; **any number of** wiele (różnych) +*gen*; **wrong number** (*TEL*) pomyłka *f*; **to be numbered among** zaliczać się do +*gen*.

number plate ['nʌmbəpleɪt] (*BRIT*) *n* tablica *f* rejestracyjna.

Number Ten (*BRIT*) *n*

numbness ['nʌmnɪs] *n* zdrętwienie *nt*; (*fig*) odrętwienie *nt*, otępienie *nt*.

numeral ['nju:mərəl] *n* liczebnik *m*.

numerate ['nju:mərɪt] (*BRIT*) *adj*: **to be numerate** umieć liczyć.

numerical [nju:'merɪkl] *adj* liczbowy.

numerous ['nju:mərəs] *adj* liczny.

nun [nʌn] *n* zakonnica *f*.

nuptial ['nʌpʃəl] *adj* (*ceremony*) ślubny; (*bliss*) małżeński.

nurse [nə:s] *n* (*in hospital*) pielęgniarka (-arz) *f(m)*; (*also*: **nursemaid**) opiekunka *f* do dzieci ♦ *vt* (*patient*) opiekować się +*instr*, pielęgnować; (*cold, toothache etc*) odleżeć (*perf*); (*baby*) karmić (piersią); (*fig: desire, grudge*) żywić.

nursery ['nə:sərɪ] *n* (*institution*) żłobek *m*; (*room*) pokój *m* dziecięcy; (*for plants*) szkółka *f*.

nursery rhyme *n* wierszyk *m* dla dzieci.

nursery school *n* przedszkole *nt*.

nursery slope (*BRIT*) *n* ośla łączka *f*.

nursing ['nə:sɪŋ] *n* (*profession*) pielęgniarstwo *nt*; (*care*) opieka *f* pielęgniarska.

nursing home *n* (*hospital*) klinika *f* prywatna; (*residential home*) ≈ dom *m* pogodnej starości.

nursing mother *n* matka *f* karmiąca.

nurture ['nə:tʃə*] *vt* (*child*) wychowywać; (*plant*) hodować; (*fig: ideas, creativity*) kultywować.

NUS (*BRIT*) *n abbr* (= *National Union of Students*).

NUT (*BRIT*) *n abbr* (= *National Union of Teachers*).

nut [nʌt] *n* (*TECH*) nakrętka *f*; (*BOT*) orzech *m*; (*inf: lunatic*) świr *m* (*inf*).

nutcase ['nʌtkeɪs] (*inf*) *n* świr *m* (*inf*).

nutcrackers ['nʌtkrækəz] *npl* dziadek *m* do orzechów.

nutmeg ['nʌtmeg] *n* gałka *f* muszkatołowa.

nutrient ['nju:trɪənt] *n* składnik *m* pokarmowy.

nutrition [nju:'trɪʃən] *n* (*diet*) odżywianie *nt*; (*nourishment*) wartość *f* odżywcza.

nutritionist [nju:'trɪʃənɪst] *n* dietetyk (-yczka) *m(f)*.

nutritious [nju:'trɪʃəs] *adj* pożywny.

nuts [nʌts] (*inf*) *adj* stuknięty (*inf*).

nutshell ['nʌtʃel] *n* łupina *f* orzecha; **in a nutshell** (*fig*) w (dużym) skrócie.

nuzzle ['nʌzl] *vi*: **to nuzzle up to** łasić się do +*gen*.

NV (*US: POST*) *abbr* (= *Nevada*).

NWT (*CANADA*) *abbr* (= *Northwest Territories*).

NY (*US: POST*) *abbr* (= *New York*).

NYC (*US: POST*) *abbr* (= *New York City*).

nylon ['naɪlɔn] *n* nylon *m* ♦ *adj* nylonowy; **nylons** *npl* (*stockings*) nylony *pl*.

nymph [nɪmf] *n* (*MYTH*) nimfa *f*; (*BIO*) poczwarka *f*.

nymphomaniac ['nɪmfəu'meɪnɪæk] *n* nimfomanka *f*.

NYSE (*US*) *n abbr* (= *New York Stock Exchange*).

NZ *abbr* (= *New Zealand*).

O, o

O, o [əu] *n* (*letter*) O *nt*, o *nt*; (*US: SCOL*) celujący *m*; (*TEL etc*) zero *nt*; **O for Olive**, (*US*) **O for oboe** ≈ O jak Olga.

oaf [əuf] *n* (*stupid person*) prostak *m*; (*clumsy person*) niezdara *m/f*.

oak [əuk] *n* (*tree*) dąb *m*; (*wood*) dąb *m*, dębina *f* ♦ *adj* dębowy.

O & M *n abbr* (= *organization and method*).

OAP (*BRIT*) *n abbr* = **old-age pensioner**.

oar [ɔ:*] *n* wiosło *nt*; **to put** *or* **shove one's oar in** (*inf: fig*) wtrącać (wtrącić *perf*) swoje trzy grosze.

OAS *n abbr* (= *Organization of American States*).

oasis [əu'eɪsɪs] (*pl* **oases**) *n* oaza *f*.

oath [əuθ] *n* (*promise*) przysięga *f*; (*swear word*) przekleństwo *nt*; **on** (*BRIT*) *or* **under oath** pod przysięgą; **to take the oath** składać (złożyć *perf*) przysięgę.

oatmeal ['əutmi:l] *n* płatki *pl* owsiane ♦ *adj* (*colour*) jasnokremowy.

oats [əuts] *n* owies *m*.

OAU *n abbr* (= *Organization of African Unity*).

obdurate ['ɔbdjurɪt] *adj* (*person*) uparty; (*leadership*) nieugięty.

OBE (*BRIT*) *n abbr* (= *Order of the British Empire*) *order brytyjski*.

obedience [ə'bi:dɪəns] *n* posłuszeństwo *nt*; **in obedience to** zgodnie z +*instr*.

obedient [ə'bi:dɪənt] *adj* posłuszny; **to be obedient to sb/sth** być posłusznym komuś/czemuś.

obelisk [ˈɔbɪlɪsk] *n* obelisk *m*.

obesity [əuˈbiːsɪtɪ] *n* otyłość *f*.

obey [əˈbeɪ] *vt* (*person*) słuchać (usłuchać *perf* or posłuchać *perf*) +*gen*; (*order*) wykonywać (wykonać *perf*); (*instructions, law*) przestrzegać +*gen* ♦ *vi* być posłusznym.

obituary [əˈbɪtjuərɪ] *n* nekrolog *m*.

object [*n* ˈɔbdʒɪkt, *vb* əbˈdʒɛkt] *n* (*thing*) przedmiot *m*, obiekt *m*; (*aim, purpose*) cel *m*; (*LING*) dopełnienie *nt* ♦ *vi*: **to object (to)** sprzeciwiać się (sprzeciwić się *perf*) (+*dat*); **money is no object** pieniądze nie grają roli; **he objected that ...** wysunął zarzut, że ...; **I object!** sprzeciw!, protestuję!; **do you object to my smoking?** czy nie przeszkadza ci, że palę?

objection [əbˈdʒɛkʃən] *n* (*expression of opposition*) sprzeciw *m*; (*argument*) zarzut *m*; **I have no objection to** nie mam nic przeciwko +*dat*; **if you have no objection** jeśli nie masz nic przeciwko temu; **to raise** or **voice an objection** zgłaszać (zgłosić *perf*) or wyrażać (wyrazić *perf*) sprzeciw.

objectionable [əbˈdʒɛkʃənəbl] *adj* nie do przyjęcia *post*.

objective [əbˈdʒɛktɪv] *adj* obiektywny ♦ *n* cel *m*.

objectively [əbˈdʒɛktɪvlɪ] *adv* obiektywnie.

objectivity [ɔbdʒɪkˈtɪvɪtɪ] *n* obiektywność *f*, obiektywizm *m*.

object lesson *n* (*fig*) pokazowa lekcja *f*.

objector [əbˈdʒɛktə*] *n* przeciwnik (-iczka) *m(f)*.

obligation [ɔblɪˈgeɪʃən] *n* obowiązek *m*; **to be under an obligation to sb** być komuś zobowiązanym; **to be under an obligation to do sth** być zobowiązanym coś (z)robić; **"no obligation to buy"** (*COMM*) „bez obowiązku kupna".

obligatory [əˈblɪgətərɪ] *adj* obowiązkowy.

oblige [əˈblaɪdʒ] *vt*: **to oblige sb to do sth** zobowiązywać (zobowiązać *perf*) kogoś do zrobienia czegoś; **to oblige sb** wyświadczać (wyświadczyć *perf*) komuś przysługę; **to be obliged to sb for sth** być zobowiązanym komuś za coś; **anything to oblige!** (*inf*) zawsze do usług! (*inf*); **I'd be very obliged** byłbym Panu/Pani bardzo wdzięczny or zobowiązany.

obliging [əˈblaɪdʒɪŋ] *adj* uczynny.

oblique [əˈbliːk] *adj* (*line*) ukośny, pochyły; (*compliment*) ukryty; (*reference*) niewyraźny ♦ *n* (*BRIT: TYP: also:* **oblique stroke**) kreska *f* pochyła.

obliterate [əˈblɪtəreɪt] *vt* (*village*) zrównywać (zrównać *perf*) z ziemią; (*traces*) zacierać (zatrzeć *perf*); (*fig: thought, error*) wymazywać (wymazać *perf*) z pamięci.

oblivion [əˈblɪvɪən] *n* (*unconsciousness*) stan *m* nieświadomości; (*being forgotten*) niepamięć *f*, zapomnienie *nt*; **to sink into oblivion** odchodzić (odejść *perf*) w niepamięć or zapomnienie.

oblivious [əˈblɪvɪəs] *adj*: **oblivious of** or **to** nieświadomy +*gen*.

oblong [ˈɔblɔŋ] *adj* prostokątny ♦ *n* prostokąt *m*.

obnoxious [əbˈnɔkʃəs] *adj* (*behaviour, person*) okropny; (*smell*) ohydny.

o.b.o. (*US*) *abbr* (*in classified adds*: = *or best offer*) lub najwyższa oferta.

oboe [ˈəubəu] *n* obój *m*.

obscene [əbˈsiːn] *adj* nieprzyzwoity.

obscenity [əbˈsɛnɪtɪ] *n* nieprzyzwoitość *f*.

obscure [əbˈskjuə*] *adj* (*place, author etc*) mało znany; (*point, issue*) niejasny; (*shape*) niewyraźny, słabo widoczny ♦ *vt* przysłaniać (przysłonić *perf*).

obscurity [əbˈskjuərɪtɪ] *n* niejasność *f*; **to rise from obscurity** zyskiwać (zyskać *perf*) rozgłos, wypływać (wypłynąć *perf*) (*inf*).

obsequious [əbˈsiːkwɪəs] *adj* służalczy.

observable [əbˈzəːvəbl] *adj* widoczny, zauważalny.

observance [əbˈzəːvns] *n* przestrzeganie *nt* (*prawa, zwyczajów itp*); **religious observances** obrzędy religijne.

observant [əbˈzəːvnt] *adj* spostrzegawczy.

observation [ɔbzəˈveɪʃən] *n* obserwacja *f*; (*remark*) uwaga *f*; **she's under observation** (*MED*) jest pod obserwacją.

observation post *n* punkt *m* obserwacyjny.

observatory [əbˈzəːvətrɪ] *n* obserwatorium *nt*.

observe [əbˈzəːv] *vt* (*watch*) obserwować; (*notice*) zauważyć (*perf*), spostrzec (*perf*); (*remark*) zauważać (zauważyć *perf*); (*rule, convention*) przestrzegać +*gen*.

observer [əbˈzəːvə*] *n* obserwator(ka) *m(f)*.

obsess [əbˈsɛs] *vt* prześladować, dręczyć; **to be obsessed by** or **with sb/sth** mieć obsesję na punkcie kogoś/czegoś.

obsession [əbˈsɛʃən] *n* obsesja *f*.

obsessive [əbˈsɛsɪv] *adj* obsesyjny, chorobliwy; (*person*): **to be obsessive about** mieć obsesję na punkcie +*gen*.

obsolescence [ɔbsəˈlɛsns] *n* starzenie się *nt*; **built-in** or **planned obsolescence** (*COMM*) żywotność.

obsolete [ˈɔbsəliːt] *adj* przestarzały.

obstacle [ˈɔbstəkl] *n* przeszkoda *f*.

obstacle race *n* bieg *m* z przeszkodami.

obstetrics [ɔbˈstɛtrɪks] *n* położnictwo *nt*.

obstinacy [ˈɔbstɪnəsɪ] *n* upór *m*.

obstinate [ˈɔbstɪnɪt] *adj* uparty; (*cough*) uporczywy.

obstruct [əbˈstrʌkt] *vt* (*road, path, traffic*) blokować (zablokować *perf*); (*fig*) utrudniać (utrudnić *perf*).

obstruction [əbˈstrʌkʃən] *n* przeszkoda *f*; (*POL*) obstrukcja *f*.

obstructive [əbˈstrʌktɪv] *adj*: **to be obstructive** stwarzać trudności.

obtain [əb'teɪn] vt (book etc) dostawać (dostać perf), nabywać (nabyć perf) (fml); (degree, information) uzyskiwać (uzyskać perf), otrzymywać (otrzymać perf) ♦ vi (fml: situation, custom) istnieć, panować; (: regulations) obowiązywać.

obtainable [əb'teɪnəbl] adj osiągalny.

obtrusive [əb'truːsɪv] adj natrętny.

obtuse [əb'tjuːs] adj (person) tępy, ograniczony; (MATH) rozwarty.

obverse ['ɔbvəːs] n odwrotność f, przeciwieństwo nt.

obviate ['ɔbvɪeɪt] vt usuwać (usunąć perf), eliminować (wyeliminować perf).

obvious ['ɔbvɪəs] adj oczywisty.

obviously ['ɔbvɪəslɪ] adv (clearly) wyraźnie; (of course) oczywiście; **obviously!** (ależ) oczywiście!; **obviously not** najwyraźniej nie; **he was obviously not drunk** najwyraźniej nie był pijany; **he was not obviously drunk** nie był wyraźnie pijany.

OCAS n abbr (= Organization of Central American States).

occasion [ə'keɪʒən] n (point in time) sytuacja f; (event, celebration etc) wydarzenie nt; (opportunity) okazja f ♦ vt (fml) powodować (spowodować perf); **on occasion** czasami; **on that occasion** tym razem; **to rise to the occasion** stawać (stanąć perf) na wysokości zadania.

occasional [ə'keɪʒənl] adj sporadyczny; (rain, showers) przelotny; **architects, planners, and the occasional sociologist** architekci, planiści i niektórzy socjologowie.

occasionally [ə'keɪʒənəlɪ] adv czasami; **very occasionally** (bardzo) rzadko.

occasional table n stolik m, stoliczek m.

occult [ɔ'kʌlt] n: **the occult** okultyzm m ♦ adj (subject) okultystyczny; (powers) tajemny.

occupancy ['ɔkjupənsɪ] n zajmowanie nt (pomieszczenia, budynku).

occupant ['ɔkjupənt] n (of house) mieszkaniec (-nka) m(f), lokator(ka) m(f); (of room) sublokator(ka) m(f); (of office) użytkownik (-iczka) m(f); (of vehicle) pasażer(ka) m(f).

occupation [ɔkju'peɪʃən] n (job) zawód m; (pastime) zajęcie nt; (of building, country) okupacja f.

occupational guidance (BRIT) n poradnictwo nt zawodowe.

occupational hazard n ryzyko nt zawodowe.

occupational pension scheme n zawodowy system m emerytalny.

occupational therapy n (MED) terapia f zajęciowa.

occupier ['ɔkjupaɪə*] n (of house, flat) najemca m; (of land etc) dzierżawca m; **"to the occupier"** „do najemcy lokalu".

occupy ['ɔkjupaɪ] vt zajmować (zająć perf); **to occupy o.s. (in** or **with sth/doing sth)**

zajmować się czymś/robieniem czegoś; **to be occupied in** or **with sth/doing sth** być zajętym czymś/robieniem czegoś.

occur [ə'kəː*] vi (event) zdarzać się (zdarzyć się perf), wydarzać się (wydarzyć się perf), mieć miejsce; (phenomenon) występować (wystąpić perf); **to occur to sb** przychodzić (przyjść perf) komuś do głowy.

occurrence [ə'kʌrəns] n (event) wydarzenie nt; (incidence) występowanie nt.

ocean ['əuʃən] n ocean m; **oceans of** (inf) morze +gen.

ocean bed n dno nt oceanu.

ocean-going ['əuʃəngəuɪŋ] adj (ship, vessel) pełnomorski.

Oceania [əuʃɪ'eɪnɪə] n Oceania f.

ocean liner n liniowiec m.

ochre ['əukə*] (US **ocher**) adj żółtobrunatny, w kolorze ochry post.

o'clock [ə'klɔk] adv: **it is five o'clock** jest (godzina) piąta.

OCR (COMPUT) n abbr = optical character recogniton; optical character reader OCR nt.

Oct. abbr = October październik.

octagonal [ɔk'tægənl] adj ośmiokątny.

octane ['ɔkteɪn] n oktan m; **high-octane petrol** or (US) **gas** benzyna wysokooktanowa.

octave ['ɔktɪv] n oktawa f.

October [ɔk'təubə*] n październik m; see also **July**.

octogenarian ['ɔktəudʒɪ'nɛərɪən] n osiemdziesięciolatek (-tka) m(f).

octopus ['ɔktəpəs] n ośmiornica f.

odd [ɔd] adj (strange) dziwny; (uneven) nieparzysty; (not paired) nie do pary post; (some) jakiś; (miscellaneous) różne +pl; **we had the odd sunny day** czasem trafił się słoneczny dzień; **sixty-odd** sześćdziesiąt kilka or **parę; at odd times** co jakiś czas; **to be the odd one out** wyróżniać się.

oddball ['ɔdbɔːl] (inf) n dziwak m.

oddity ['ɔdɪtɪ] n osobliwość f.

odd-job man [ɔd'dʒɔb-] n złota rączka f.

odd jobs npl prace pl dorywcze.

oddly ['ɔdlɪ] adv dziwnie; see also **enough**.

oddments ['ɔdmənts] npl resztki pl (pojedyncze egzemplarze pozostałe z większej partii towaru).

odds [ɔdz] npl (in betting) szanse pl wygranej; (fig) szanse pl powodzenia; **the odds are that...** wszystko wskazuje na to, że...; **the odds are in favour of/against his coming** wszystko wskazuje na to, że przyjdzie/nie przyjdzie; **to succeed against all the odds** odnieść (perf) sukces mimo wszelkich przeciwności; **it makes no odds** (to) nie ma znaczenia, bez różnicy; **to be at odds (with)** (in disagreement) nie zgadzać się (z +instr); (at variance) nie pasować (do +gen), kłócić się (z +instr).

odds and ends npl różności pl.

ode [əud] *n* oda *f.*
odious ['əudɪəs] *adj* wstrętny.
odometer [ɔ'dɔmɪtə*] (*US*) *n* hodometr *m*,
drogomierz *m.*
odour ['əudə*] (*US* **odor**) *n* zapach *m.*
odo(u)rless ['əudəlɪs] *adj* bez zapachu *post,*
bezwonny.
OECD *n abbr* (= *Organization for Economic
Cooperation and Development*) OECD *f inv*,
Organizacja *f* Współpracy Gospodarczej i
Rozwoju.
oesophagus [i:'sɔfəgəs] (*US* **esophagus**) *n*
przełyk *m.*
oestrogen ['i:strəudʒən] (*US* **estrogen**) *n*
estrogen *m.*

┌─────────── KEYWORD ───────────┐

of [ɔv, əv] *prep* **1** (*usu*): **the history of Europe**
historia Europy; **the winter of 1987** zima
roku 1987; **the 5th of July** 5 lipca; **the four
of us** nas czworo; **a friend of ours** (pewien
nasz) kolega; **a boy of 10** dziesięcioletni
chłopiec; **that was kind of you** to było
uprzejme z twojej strony; **the city of New
York** (miasto) Nowy Jork. **2** (*from, out of*) z
+gen; **a bracelet of solid gold** bransoletka ze
szczerego złota; **made of wood** zrobiony z
drewna. **3** (*about*) o *+loc*; **I've never heard of
him** nigdy o nim nie słyszałam. **4** (*indicating
source, direction*) od *+gen*; **don't expect too
much of him** nie oczekuj od niego zbyt
wiele; **south of London** na południe od
Londynu.

└──────────────────────────────┘

┌─────────── KEYWORD ───────────┐

off [ɔf] *adv* **1** (*referring to distance*): **it's a
long way off** to daleko (stąd). **2** (*referring to
time*) za *+acc*; **the game is 3 days off** mecz
jest za trzy dni. **3** (*departure*): **to go off to
Paris** wyjeżdżać (wyjechać *perf*) do Paryża; **I
must be off** muszę (już) iść. **4** (*removal*): **to
take off one's hat/clothes** zdejmować (zdjąć
perf) kapelusz/ubranie; **the button came off**
guzik odpadł; **10% off** (*COMM*) 10% zniżki.
5: **to be off** (*not at work: on holiday*) mieć
wolne *or* urlop; (: *due to sickness*) być na
zwolnieniu (lekarskim); **to have a day off**
mieć dzień wolny; **to be off sick** być na
zwolnieniu (lekarskim); **to be well off** być
dobrze sytuowanym ♦ *adj* **1** (*not turned
on: machine, light, engine*) wyłączony;
(: *water, gas, tap*) zakręcony. **2**
(*cancelled: meeting, match*) odwołany;
(: *agreement, negotiations*) zerwany. **3**
(*BRIT: not fresh: milk, cheese, meat*)
nieświeży, zepsuty. **4**: **on the off chance** na
wypadek, gdyby; **to have an off day** mieć
gorszy dzień ♦ *prep* **1** (*indicating motion,*

removal etc): **he fell off a cliff** spadł ze
skały; **the button came off my coat** ten guzik
odpadł od mojego płaszcza. **2** (*distant from*)
(w bok) od *+gen*; **it's 5 km off the main
road** to pięć kilometrów (w bok) od głównej
drogi. **3**: **I am off meat/beer** (już) nie lubię
mięsa/piwa.

└──────────────────────────────┘

offal ['ɔfl] *n* podroby *pl.*
off-beat ['ɔfbi:t] *adj* ekscentryczny.
off-centre [ɔf'sɛntə*] (*US* **off-center**) *adj*
skrzywiony; (*TECH*) niewspółosiowy,
mimośrodowy ♦ *adv* nie pośrodku; (*TECH*)
niewspółosiowo, mimośrodowo.
off-colour ['ɔf'kʌlə*] (*BRIT*) *adj* nie w formie
post, niedysponowany.
offence [ə'fɛns] (*US* **offense**) *n* (*crime*)
przestępstwo *nt*, wykroczenie *nt*; (*insult*)
obraza *f*; **to commit an offence** popełnić
(*perf*) przestępstwo; **to take offence (at)**
obrażać się (obrazić się *perf*) (na *+acc*); **to
give offence (to)** obrażać (obrazić *perf*) *or*
urażać (urazić *perf*) (*+acc*); **no offence** bez
obrazy.
offend [ə'fɛnd] *vt* obrażać (obrazić *perf*),
urażać (urazić *perf*); **to offend against** (*law,
rule*) naruszać (naruszyć *perf*) *+acc.*
offender [ə'fɛndə*] *n* przestępca (-czyni) *m(f).*
offense [ə'fɛns] (*US*) *n* = **offence**.
offensive [ə'fɛnsɪv] *adj* (*remark, behaviour*)
obraźliwy; (*smell etc*) wstrętny, ohydny;
(*weapon*) zaczepny ♦ *n* ofensywa *f.*
offer ['ɔfə*] *n* oferta *f*; (*of assistance etc*)
propozycja *f* ♦ *vt* (*cigarette, seat etc*)
proponować (zaproponować *perf*); (*service,
product*) oferować (zaoferować *perf*); (*help,
friendship*) ofiarować (zaofiarować *perf*);
(*advice, praise*) udzielać (udzielić *perf*) *+gen*;
(*congratulations*) składać (złożyć *perf*);
(*opportunity, prospect*) dawać (dać *perf*),
stwarzać (stworzyć *perf*); **to make an offer for
sth** składać (złożyć *perf*) ofertę na coś; **to
offer sth to sb** proponować (zaproponować
perf) coś komuś; **he offered to take us...**
zaofiarował się zabrać nas...; **"on offer"**
(*COMM: available*) oferowany; (: *cheaper*)
przeceniony.
offering ['ɔfərɪŋ] *n* propozycja *f*, oferta *f*;
(*REL*) ofiara *f.*
off-hand [ɔf'hænd] *adj* bezceremonialny,
obcesowy ♦ *adv* (tak) od razu *or* od ręki; **I
can't tell you off-hand** nie umiem
odpowiedzieć ci na poczekaniu.
office ['ɔfɪs] *n* (*room, workplace*) biuro *nt*;
(*position*) urząd *m*; **doctor's office** (*US*)
gabinet lekarski; **to take office** (*government*)
obejmować (objąć *perf*) władzę; (*minister*)
obejmować (objąć *perf*) urząd; **in office**
(*government, party*) u władzy; (*minister*) na

stanowisku *or* urzędzie; **through his good offices** dzięki jego uprzejmości; **Office of Fair Trading** (*BRIT*) departament rządu kontrolujący uczciwość handlu i reklamy.

office block (*US* **office building**) *n* budynek *m* biurowy, biurowiec *m*.

office boy *n* goniec *m*.

office holder *n* osoba *f* piastująca urząd.

office hours *npl* (*COMM*) godziny *pl* urzędowania; (*US: MED*) godziny *pl* przyjęć.

office manager *n* kierownik (-iczka) *m(f)* biura.

officer ['ɔfɪsə*] *n* (*MIL*) oficer *m*; (*also:* **police officer**) policjant(ka) *m(f)*; (*of organization*) przedstawiciel(ka) *m(f)*; **regional officer** przedstawiciel regionalny.

office work *n* praca *f* biurowa.

office worker *n* urzędnik (-iczka) *m(f)*.

official [ə'fɪʃl] *adj* oficjalny ♦ *n* urzędnik *m* (*w rządzie, związkach zawodowych itp*).

officialdom [ə'fɪʃldəm] (*pej*) *n* biurokracja *f* (*pej*).

officially [ə'fɪʃəlɪ] *adv* oficjalnie.

official receiver *n* (*COMM*) niezależny likwidator *m*.

officiate [ə'fɪʃɪeɪt] *vi* pełnić obowiązki gospodarza; (*REL*) odprawiać *or* celebrować nabożeństwo *or* mszę.

officious [ə'fɪʃəs] *adj* nadgorliwy.

offing ['ɔfɪŋ] *n*: **in the offing** bliski.

off-key [ɔf'ki:] *adj* (*MUS*) fałszywy.

off-licence ['ɔflaɪsns] (*BRIT*) *n* ≈ (sklep) monopolowy *m*.

off-limits [ɔf'lɪmɪts] *adj* niedostępny, zakazany.

off-line [ɔf'laɪn] *adj* (*COMPUT*) autonomiczny, rozłączny; (*switched off*) odłączony.

off-load ['ɔfləud] *vt* (*work, duties*) przerzucać (przerzucić *perf*) (*na kogoś*).

off-peak ['ɔf'pi:k] *adj* poza godzinami szczytu *post*.

off-putting ['ɔfputɪŋ] (*BRIT*) *adj* odpychający.

off-season ['ɔf'si:zn] *adj* poza sezonem *post* ♦ *adv* poza sezonem.

offset ['ɔfsɛt] (*irreg like* **set**) *vt* równoważyć (zrównoważyć *perf*).

offshoot ['ɔfʃu:t] *n* (*of organization etc*) gałąź *f*, odgałęzienie *nt*.

offshore [ɔf'ʃɔ:*] *adj* (*breeze*) od lądu *post*; (*oilrig, fishing*) przybrzeżny.

offside [ɔf'saɪd] *adj* (*SPORT*): **to be offside** być na spalonym; (*AUT: with right-hand drive*) prawy; (: *with left-hand drive*) lewy ♦ *n*: **the offside** (*AUT: with right-hand drive*) prawa strona *f*; (: *with left-hand drive*) lewa strona *f*.

offspring ['ɔfsprɪŋ] *n inv* potomstwo *nt*.

offstage [ɔf'steɪdʒ] *adv* za sceną; (*of actors' behaviour*) prywatnie.

off-the-cuff [ɔfðə'kʌf] *adj* (*remark*) spontaniczny.

off-the-job [ɔfðə'dʒɔb] *adj*: **off-the-job training** szkolenie *nt* zawodowe poza miejscem pracy.

off-the-peg [ɔfðə'pɛg] (*US* **off-the-rack**) *adj* gotowy ♦ *adv*: **to buy clothes off-the-peg** kupować gotową odzież.

off-the-record ['ɔfðə'rɛkɔ:d] *adj* nieoficjalny, poza protokołem *post* ♦ *adv* nieoficjalnie, między nami (mówiąc).

off-white ['ɔfwaɪt] *adj* w kolorze złamanej bieli *post*.

often ['ɔfn] *adv* często; **how often have you been there?** jak często tam bywasz?; **more often than not** najczęściej; **as often as not** dość często; **every so often** co jakiś czas.

ogle ['əugl] *vt* przyglądać się (pożądliwie) +*dat*.

ogre ['əugə*] *n* (*in fairy tales*) ludojad *m*.

OH (*US: POST*) *abbr* (= Ohio).

oh [əu] *excl* ach.

ohm [əum] *n* (*ELEC*) om *m*.

OHMS (*BRIT*) *abbr* (= On His (*or* Her) Majesty's Service) napis na przesyłkach urzędowych.

oil [ɔɪl] *n* (*CULIN*) olej *m*, oliwa *f*; (*petroleum*) ropa *f* (naftowa); (*for heating*) paliwo *nt* olejowe ♦ *vt* oliwić (naoliwić *perf*).

oilcan ['ɔɪlkæn] *n* oliwiarka *f*.

oil change *n* (*AUT*) zmiana *f* oleju.

oilcloth ['ɔɪlklɔθ] *n* cerata *f*.

oilfield ['ɔɪlfi:ld] *n* pole *nt* naftowe.

oil filter *n* (*AUT*) filtr *m* oleju.

oil-fired ['ɔɪlfaɪəd] *adj* opalany paliwem olejowym.

oil gauge *n* (*AUT*) wskaźnik *m* oleju.

oil painting *n* obraz *m* olejny.

oil refinery *n* rafineria *f* (ropy naftowej).

oil rig *n* szyb *m* naftowy; (*at sea*) platforma *f* wiertnicza.

oilskins ['ɔɪlskɪnz] *npl* ubranie *nt* sztormowe.

oil slick *n* plama *f* ropy naftowej.

oil tanker *n* (*ship*) tankowiec *m*, zbiornikowiec *m*; (*truck*) cysterna *f*.

oil well *n* szyb *m* naftowy.

oily ['ɔɪlɪ] *adj* (*substance*) oleisty; (*rag*) zatłuszczony; (*food*) tłusty.

ointment ['ɔɪntmənt] *n* maść *f*.

OK (*US: POST*) *abbr* (= Oklahoma).

O.K. ['əu'keɪ] (*inf*) *excl* (*showing agreement*) w porządku; (*in questions*) dobrze?, zgoda?; (*granted*) zgoda ♦ *adj* (*average*) w porządku *post*; (*acceptable*) do przyjęcia *post* ♦ *vt* zgadzać się (zgodzić się *perf*) na +*acc* ♦ *n*: **to give sb the O.K. (to ...)** pozwalać (pozwolić *perf*) komuś (+*infin*); **to give sth the O.K.** wyrażać (wyrazić *perf*) zgodę na coś; **if that's okay** jeśli można; **is it O.K.?** może być?; **are you O.K.?** (czy) wszystko w porządku?; **are you O.K. for money?** (czy) masz dosyć pieniędzy?; **it's O.K. with** *or* **by me** mnie to nie przeszkadza.

okay ['əu'keɪ] = **O.K.**.

old [əuld] *adj* stary; (*former*) stary, dawny;
how old are you? ile masz lat?; **he's ten
years old** ma dziesięć lat; **older brother**
starszy brat; **any old thing will do** wystarczy
byle co.

old age *n* starość *f*.

old age pension *n* emerytura *f*.

old age pensioner (*BRIT*) *n* emeryt(ka) *m(f)*.

old-fashioned ['əuld'fæ∫nd] *adj* (*style, design,
clothes*) staromodny, niemodny; (*person,
values*) staroświecki.

old hand *n* stary wyga *m*.

old hat *adj* już niemodny.

old maid *n* stara panna *f*.

old people's home *n* ≈ dom *m* starców *or*
spokojnej starości.

old-time dancing *n* przedwojenne tańce *pl*
(*walce, fokstroty itp*).

old-timer [əuld'taɪmə*] (*esp US*) *n* weteran(ka)
m(f).

old wives' tale *n* przesąd *m*, babskie gadanie *nt*.

oleander [əulɪ'ændə*] *n* oleander *m*.

olive ['ɔlɪv] *n* (*fruit*) oliwka *f*; (*tree*) drzewo *nt*
oliwne ♦ *adj* (*also*: **olive-green**) oliwkowy; **to
offer an olive branch to sb** (*fig*) przyjść (*perf*)
do kogoś z gałązką oliwną.

olive oil *n* oliwa *f* z oliwek.

Olympic [əu'lɪmpɪk] *adj* olimpijski.

Olympic Games *npl*: **the Olympic Games**
(*also*: **the Olympics**) igrzyska *pl* olimpijskie,
olimpiada *f*.

OM (*BRIT*) *n abbr* (= *Order of Merit*) *order
brytyjski*.

Oman [əu'mɑːn] *n* Oman *m*.

OMB (*US*) *n abbr* (= *Office of Management
and Budget*).

ombudsman ['ɔmbudzmən] *n* rzecznik *m*
praw obywatelskich.

omelette ['ɔmlɪt] (*US* **omelet**) *n* omlet *m*;
ham/cheese omelette omlet z szynką/serem.

omen ['əumən] *n* omen *m*.

ominous ['ɔmɪnəs] *adj* (*silence*) złowrogi,
złowieszczy; (*clouds, smoke*) złowróżbny,
złowieszczy.

omission [əu'mɪ∫ən] *n* (*thing omitted*)
przeoczenie *nt*; (*act of omitting*) pominięcie *nt*.

omit [əu'mɪt] *vt* pomijać (pominąć *perf*) ♦ *vi*:
to omit to do sth nie zrobić (*perf*) czegoś.

omnivorous [ɔm'nɪvrəs] *adj* wszystkożerny.

ON (*CANADA*) *abbr* (= *Ontario*).

┌────────── *KEYWORD* ──────────┐

on [ɔn] *prep* **1** (*indicating position*) na +*loc*; **on
the wall** na ścianie; **on the left** na lewo; **the
house is on the main road** dom stoi przy
głównej drodze. **2** (*indicating means, method,
condition etc*): **on foot** pieszo; **on the
train/plane** (*go*) pociągiem/samolotem; (*be*) w
pociągu/samolocie; **she's on the telephone**
rozmawia przez telefon; **I heard it on the**

radio/saw him on television słyszałam to w
radiu/widziałam go w telewizji; **to be on
tranquilizers** brać leki uspokajające; **to be on
holiday** być na wakacjach. **3** (*referring to
time*) w +*acc*; **on Friday** w piątek; **on June
20th** dwudziestego czerwca; **a week on Friday**
od piątku za tydzień; **on arrival** po
przyjeździe; **on seeing this** widząc *or*
ujrzawszy to. **4** (*about, concerning*) o +*loc*,
na temat +*gen*; **books on philosophy** książki
o *or* na temat filozofii; **information on train
services** informacja kolejowa ♦ *adv* **1**
(*referring to clothes*) na sobie; **to have one's
coat on** mieć na sobie płaszcz; **she put her
boots/gloves/hat on** założyła
kozaczki/rękawiczki/kapelusz. **2** (*referring to
covering*): **screw the lid on tightly** przykręć
mocno pokrywę. **3** (*further, continuously*)
dalej; **to walk on** iść (pójść *perf*) dalej ♦ *adj*
1 (*functioning, in operation: machine, radio,
TV, light*) włączony; (: *tap*) odkręcony;
(: *handbrake*) zaciągnięty; (: *meeting*) w toku
post. **2** (*not cancelled*) aktualny; **is the
meeting still on?** czy (to) zebranie jest nadal
aktualne? **3**: **that's not on!** (*inf*) to (jest) nie
do przyjęcia!

└─────────────────────────────┘

ONC (*BRIT*) *n abbr* (= *Ordinary National
Certificate*) *świadectwo odpowiadające w
przybliżeniu GCE A level*.

once [wʌns] *adv* (*on one occasion*) (jeden)
raz; (*formerly*) dawniej, kiedyś; (*a long time
ago*) kiedyś, swego czasu ♦ *conj* zaraz po
tym, jak, gdy tylko; **at once** (*immediately*) od
razu; (*simultaneously*) na raz; **once a week**
raz w tygodniu *or* na tydzień; **once more** *or*
again jeszcze raz; **once and for all** raz na
zawsze; **once upon a time** pewnego razu;
once in a while raz na jakiś czas; **all at
once** naraz, ni z tego, ni z owego; **for once
she was able to relax** chociaż raz mogła
odpocząć; **for once I am completely lost** tym
razem jestem całkowicie zagubiony; **once or
twice** raz czy dwa.

oncoming ['ɔnkʌmɪŋ] *adj* (*traffic*)
nadjeżdżający (z przeciwka); (*winter*)
nadchodzący.

OND (*BRIT*) *n abbr* (= *Ordinary National
Diploma*) *uprawnienia zawodowe uzyskiwane
po dwuletnim kursie*.

┌────────── *KEYWORD* ──────────┐

one [wʌn] *num* jeden; **I asked for two coffees,
not one** prosiłam o dwie kawy, nie jedną;
one hundred and fifty sto pięćdziesiąt; **one
day there was a knock at the door** któregoś
or pewnego dnia rozległo się pukanie do
drzwi; **one by one** pojedynczo ♦ *adj* **1** (*sole*)
jedyny; **that is my one worry** to moje jedyne

zmartwienie. **2** (*same*) (ten) jeden; **they came in the one car** przyjechali (tym) jednym samochodem ♦ *pron* **1**: **this one** ten *m*/ta *f*/to *nt*; **that one** (tam)ten *m*/(tam)ta *f*/(tam)to *nt*; **she chose the black dress, though I liked the red one better** wybrała tę czarną sukienkę, choć mnie bardziej podobała się ta czerwona. **2**: **one another** się; **do you two ever see one another?** czy wy dwoje w ogóle się widujecie?; **the boys didn't dare look at one another** chłopcy nie mieli odwagi spojrzeć na siebie. **3** (*impersonal*): **one never knows** nigdy nie wiadomo; **to cut one's finger** skaleczyć się (*perf*) w palec.

ne-day excursion ['wʌndeɪ-] (*US*) *n* bilet *m* powrotny (*ważny jeden dzień*).

ne-man ['wʌn'mæn] *adj* (*show*) jednoosobowy; (*business*) indywidualny.

ne-man band *n* człowiek *m* – orkiestra *f*.

ne-off [wʌn'ɔf] (*BRIT: inf*) *n* fuks *m* (*inf*).

ne-piece ['wʌnpiːs] *adj*: **one-piece swimsuit** strój *m* (kąpielowy) jednoczęściowy.

nerous ['ɔnərəs] *adj* uciążliwy.

──────── KEYWORD ────────

neself [wʌn'sɛlf] *pron* (*reflexive*) się; (*after prep*) siebie (*gen, acc*), sobie (*dat, loc*), sobą (*instr*); (*emphatic*) samemu; **to hurt oneself** ranić (zranić *perf*) się; **to talk to oneself** mówić do siebie; **to talk about oneself** mówić o sobie; **to be oneself** być sobą; **others might find odd what one finds normal oneself** to, co samemu uważa się za normalne, inni mogą uznać za dziwne.

ne-shot ['wʌnʃɔt] (*US*) *n* = **one-off**.

ne-sided [wʌn'saɪdɪd] *adj* jednostronny; (*contest*) nierówny.

ne-time ['wʌntaɪm] *adj* były.

ne-to-one ['wʌntəwʌn] *adj* (*tuition etc*) indywidualny.

ne-upmanship [wʌn'ʌpmənʃɪp] *n*: **the art of one-upmanship** umiejętność *f* zdobywania i utrzymywania przewagi.

ne-way ['wʌnweɪ] *adj* (*street, traffic*) jednokierunkowy; (*ticket, trip*) w jedną stronę *post*.

ngoing ['ɔngəʊɪŋ] *adj* (*discussion*) toczący się; (*crisis*) trwający.

nion ['ʌnjən] *n* cebula *f*.

n-line ['ɔnlaɪn] (*COMPUT*) *adj* (*mode, processing*) bezpośredni; (*database*) dostępny bezpośrednio; (*switched on*) włączony ♦ *adv* w trybie bezpośrednim.

nlooker ['ɔnlukə*] *n* widz *m*, obserwator(ka) *m(f)*.

nly ['əʊnlɪ] *adv* (*solely*) jedynie; (*merely, just*) tylko ♦ *adj* jedyny ♦ *conj* tylko; **an only child** jedynak (-aczka) *m(f)*; **I only took one** wziąłem tylko jedno; **I saw her only yesterday** widziałam ją dopiero wczoraj; **I'd be only too pleased to help** z przyjemnością pomógłbym; **I would come, only I'm busy** przyszedłbym, tylko (że) jestem zajęty; **not only ... but (also)** nie tylko..., lecz (także).

ono (*BRIT*) *abbr* (*in classified ads*: = **or near(est) offer**) *see* **near**.

onset ['ɔnsɛt] *n* początek *m*.

onshore ['ɔnʃɔ:*] *adj* (*wind*) od morza *post*.

onslaught ['ɔnslɔ:t] *n* szturm *m*.

on-the-job ['ɔnðə'dʒɔb] *adj*: **on-the-job training** szkolenie *nt* w czasie pracy.

onto ['ɔntu] *prep* = **on to**.

onus ['əʊnəs] *n* ciężar *m*, brzemię *nt*; **the onus is on him to prove it** na nim spoczywa ciężar udowodnienia tego.

onward(s) ['ɔnwəd(z)] *adv* (*move, travel*) dalej ♦ *adj* postępujący; **from that time onward(s)** od tego czasu.

onyx ['ɔnɪks] *n* onyks *m*.

ooze [u:z] *vi* wyciekać, sączyć się.

opacity [əu'pæsɪtɪ] *n* nieprzezroczystość *f*.

opal ['əupl] *n* opal *m*.

opaque [əu'peɪk] *adj* nieprzezroczysty.

OPEC ['əupɛk] *n abbr* (= *Organization of Petroleum-Exporting Countries*) OPEC *f inv*, Organizacja *f* Państw-Eksporterów Ropy Naftowej.

open ['əupn] *adj* otwarty; (*vacancy*) wolny ♦ *vt* otwierać (otworzyć *perf*) ♦ *vi* otwierać się (otworzyć się *perf*); (*debate etc*) rozpoczynać się (rozpocząć się *perf*); **in the open (air)** na wolnym powietrzu; **the open sea** otwarte morze; **I have an open mind on that** nie mam wyrobionego zdania na ten temat; **he didn't open his mouth once** ani razu nie otworzył ust; **to be open to** (*suggestions*) być otwartym na +*acc*; (*criticism*) być narażonym na +*acc*; **the palace is open to the public** pałac jest otwarty dla publiczności; **the film/play has recently opened in New York** niedawno odbyła się premiera filmu/sztuki w Nowym Jorku.

▸**open on to** *vt fus* (*room, door*) wychodzić na +*acc*.

▸**open up** *vi* otwierać (otworzyć *perf*); **he never opens up** nigdy nie mówi, co czuje.

open-air [əupn'ɛə*] *adj* na wolnym powietrzu *post*.

open-and-shut ['əupnən'ʃʌt] *adj*: **open-and-shut case** oczywisty przypadek *m*.

open day *n* dzień *m* otwarty.

open-ended [əupn'ɛndɪd] *adj* (*discussion*) luźny.

opener ['əupnə*] *n* (*also*: **tin opener, can opener**) otwieracz *m* (do puszek).

open-heart [əupn'hɑ:t] *adj*: **open-heart surgery** operacja *f* na otwartym sercu.

opening ['əupnɪŋ] *adj* początkowy ◊ *n* (*gap, hole*) otwór *m*; (*of play, book*) początek *m*; (*of new building*) otwarcie *nt*; (*job*) wakat *m*; **the opening ceremony** uroczytość *or* ceremonia otwarcia.

opening hours *npl* (*of shop, library, pub*) godziny *pl* otwarcia; (*of office, bank*) godziny *pl* urzędowania.

opening night *n* (*THEAT*) premiera *f*.

openly ['əupnlɪ] *adv* otwarcie.

open-minded [əupn'maɪndɪd] *adj* (*person*) otwarty; (*approach*) wolny od uprzedzeń.

open-necked ['əupnnɛkt] *adj* nie zapięty pod szyją.

openness ['əupnnɪs] *n* otwartość *f*.

open-plan ['əupn'plæn] *adj* (*office*) bez ścianek działowych *post*.

open sandwich *n* kanapka *f*.

open shop *n* *przedsiębiorstwo zatrudniające robotników bez względu na przynależność do związków zawodowych.*

Open University (*BRIT*) *n* uniwersytet *m* otwarty.

open verdict *n* (*JUR*) *orzeczenie stwierdzające, że nie wykryto sprawcy lub że zgon mógł nastąpić w wyniku nieszczęśliwego wypadku.*

opera ['ɔpərə] *n* opera *f*.

opera glasses *npl* lornetka *f* teatralna.

opera house *n* opera *f*.

opera singer *n* śpiewak (-aczka) *m(f)* operowy (-wa) *m(f)*.

operate ['ɔpəreɪt] *vt* (*machine*) obsługiwać; (*tool, method*) posługiwać się +*instr* ◊ *vi* działać; (*MED*) operować; **to operate on sb** operować (zoperować *perf*) kogoś.

operatic [ɔpə'rætɪk] *adj* operowy.

operating system *n* (*COMPUT*) system *m* operacyjny.

operating table *n* stół *m* operacyjny.

operating theatre *n* sala *f* operacyjna.

operation [ɔpə'reɪʃən] *n* operacja *f*; (*of machine, vehicle*) obsługa *f*; (*of company*) działanie *nt*; **to be in operation** (*scheme, regulation*) być stosowanym; **I had an operation on my spine** miałem operację kręgosłupa; **to perform an operation** (*MED*) przeprowadzać (przeprowadzić *perf*) operację.

operational [ɔpə'reɪʃənl] *adj* sprawny.

operative ['ɔpərətɪv] *adj* działający ◊ *n* (*in factory*) operator *m*; **"if" being the operative word** z akcentem na (słowo) „jeżeli".

operator ['ɔpəreɪtə*] *n* (*TEL*) telefonista (-tka) *m(f)*; (*of machine*) operator(ka) *m(f)*.

operetta [ɔpə'rɛtə] *n* operetka *f*.

ophthalmic [ɔf'θælmɪk] *adj* okulistyczny.

ophthalmic optician *n* optyk *m* – okulista *m*.

ophthalmologist [ɔfθæl'mɔlədʒɪst] *n* okulista (-tka) *m(f)*.

opinion [ə'pɪnjən] *n* opinia *f*, zdanie *nt*; **in my**

opinion moim zdaniem; **to have a good** *or* **high opinion of sb** mieć dobrą opinię o kimś; **to have a good** *or* **high opinion of o.s.** mieć wysokie mniemanie o sobie; **to be of the opinion that ...** być zdania, że...; **to get a second opinion** zasięgać (zasięgnąć *perf*) opinii innego spejalisty.

opinionated [ə'pɪnjəneɪtɪd] (*pej*) *adj* zadufany (w sobie) (*pej*).

opinion poll *n* badanie *nt* opinii publicznej.

opium ['əupɪəm] *n* opium *nt inv*.

opponent [ə'pəunənt] *n* przeciwnik (-iczka) *m(f)*.

opportune ['ɔpətjuːn] *adj* dogodny.

opportunism [ɔpə'tjuːnɪsəm] *n* oportunizm *m*.

opportunist [ɔpə'tjuːnɪst] *n* oportunista (-tka) *m(f)*.

opportunity [ɔpə'tjuːnɪtɪ] *n* (*chance*) okazja *f*, sposobność *f*; (*prospects*) możliwości *pl*; **I took the opportunity of visiting her** skorzystałem z okazji i odwiedziłem ją.

oppose [ə'pəuz] *vt* sprzeciwiać się (sprzeciwić się *perf*) +*dat*; **to be opposed to sth** być przeciwnym czemuś; **(there is a need for) X as opposed to Y** (potrzebne jest) X, a nie Y.

opposing [ə'pəuzɪŋ] *adj* (*side, team*) przeciwny; (*ideas, tendencies*) przeciwstawny.

opposite ['ɔpəzɪt] *adj* (*house, door*) naprzeciw(ko) *post*; (*end*) przeciwległy; (*direction, point of view, effect*) przeciwny ◊ *adv* naprzeciw(ko) ◊ *prep* (*in front of*) naprzeciw(ko) +*gen*; (*next to: on list etc*) przy +*loc* ◊ *n*: **the opposite** przeciwieństwo *nt*; **he says one thing and does the opposite** on mówi jedno, a robi coś (wręcz) odwrotnego; **the opposite sex** płeć przeciwna; **"see opposite page"** „patrz sąsiednia strona".

opposite number *n* odpowiednik (-iczka) *m(f)*.

opposition [ɔpə'zɪʃən] *n* (*resistance*) opozycja *f*, opór *m*; (*SPORT*) przeciwnik *m*; **the Opposition** (*POL*) opozycja.

oppress [ə'prɛs] *vt* uciskać, gnębić.

oppressed [ə'prɛst] *adj* uciskany, gnębiony.

oppression [ə'prɛʃən] *n* ucisk *m*.

oppressive [ə'prɛsɪv] *adj* (*weather, heat*) przytłaczający; (*political regime*) oparty na ucisku.

opprobrium [ə'prəubrɪəm] *n* (*fml*) potępienie *nt*.

opt [ɔpt] *vi*: **to opt for** optować za +*instr*; **he opted to fight** zdecydował się walczyć.

▸**opt out (of)** *vi* (*not participate*) wycofywać się (wycofać się *perf*) (z +*gen*); (*POL: hospital, school*) uniezależniać się (uniezależnić się *perf*) (od +*gen*).

optical ['ɔptɪkl] *adj* optyczny.

optical character reader *n* (*COMPUT*) optyczny czytnik *m* znaków.

optical character recognition *n* (*COMPUT*) optyczne rozpoznawanie *nt* znaków.

optical illusion *n* złudzenie *nt* optyczne.

optician [ɔp'tɪʃən] *n* optyk (-yczka) *m(f)*.
optics ['ɔptɪks] *n* optyka *f*.
optimism ['ɔptɪmɪzəm] *n* optymizm *m*.
optimist ['ɔptɪmɪst] *n* optymista (-tka) *m(f)*.
optimistic [ɔptɪ'mɪstɪk] *adj* optymistyczny.
optimum ['ɔptɪməm] *adj* optymalny.
option ['ɔpʃən] *n* opcja *f*, (SCOL) kurs *m* (*z wybranego przedmiotu*); **they have no option** nie mają wyboru; **keep your options open** nie podejmuj (jeszcze) ostatecznej decyzji.
optional ['ɔpʃənl] *adj* nadobowiązkowy, fakultatywny; **optional extras** (COMM) dodatki.
opulence ['ɔpjuləns] *n* bogactwo *nt*.
opulent ['ɔpjulənt] *adj* bardzo bogaty.
OR (US: POST) *abbr* (= Oregon).
or [ɔ:*] *conj* (*linking alternatives*) czy; (*otherwise: also*: **or else**) bo inaczej; (*qualifying previous statement*) albo; **he hasn't seen or heard anything** niczego nie widział ani nie słyszał; **fifty or sixty people** pięćdziesiąt czy sześćdziesiąt osób.
oracle ['ɔrəkl] *n* wyrocznia *f*.
oral ['ɔ:rəl] *adj* (*spoken*) ustny; (MED) doustny ♦ *n* (SCOL) egzamin *m* ustny.
orange ['ɔrɪndʒ] *n* pomarańcza *f* ♦ *adj* pomarańczowy.
orangeade [ɔrɪndʒ'eɪd] *n* oranżada *f*.
oration [ɔ:'reɪʃən] *n* mowa *f*, oracja *f*.
orator ['ɔrətə*] *n* mówca (-czyni) *m(f)*, orator *m*.
oratorio [ɔrə'tɔ:rɪəu] *n* oratorium *nt*.
orb [ɔ:b] *n* (*sphere*) kula *f*; (*of monarch*) jabłko *nt*.
orbit ['ɔ:bɪt] *n* orbita *f* ♦ *vt* okrążać (okrążyć *perf*).
orchard ['ɔ:tʃəd] *n* sad *m*; **apple orchard** sad jabłkowy.
orchestra ['ɔ:kɪstrə] *n* orkiestra *f*; (US: *seating*) parter *m*.
orchestral [ɔ:'kɛstrəl] *adj* orkiestralny.
orchestrate ['ɔ:kɪstreɪt] *vt* (MUS) orkiestrować, aranżować (zaaranżować *perf*) na orkiestrę; (*campaign etc*) wyreżyserować (*perf*).
orchid ['ɔ:kɪd] *n* orchidea *f*, storczyk *m*.
ordain [ɔ:'deɪn] *vt* (REL) wyświęcać (wyświęcić *perf*); (*decree*) zarządzać (zarządzić *perf*).
ordeal [ɔ:'di:l] *n* przeprawa *f*, ciężka próba *f*.
order ['ɔ:də*] *n* (*command*) rozkaz *m*; (*from shop, company, in restaurant*) zamówienie *nt*; (*sequence, organization, discipline*) porządek *m*; (REL) zakon *m* ♦ *vt* (*command*) nakazywać (nakazać *perf*), rozkazywać (rozkazać *perf*); (*from shop, company, in restaurant*) zamawiać (zamówić *perf*); (*also*: **put in order**) porządkować (uporządkować *perf*); **in order** w porządku; **in (working) order** na chodzie; **in order to/that** żeby +*infin*; **in order of size** według wielkości; **the equipment is already on order** (COMM) sprzęt jest już zamówiony; **out of order** (*not working*) niesprawny; (*in wrong sequence*) nie

po kolei; (*resolution, behaviour*) niezgodny z przepisami; **to order sb to do sth** kazać (kazać *perf*) komuś coś zrobić; **to place an order for sth with sb** składać (złożyć *perf*) u kogoś zamówienie na coś; **made to order** wykonany na zamówienie; **to be under orders to do sth** mieć rozkaz coś (z)robić; **to take orders from sb** wykonywać czyjeś rozkazy; **I'd like to raise a point of order** chciałabym zabrać głos w kwestii formalnej; **a cheque to the order of** czek (opiewający) na kwotę +*gen*; **of** *or* **in the order of** rzędu +*gen*.
▸**order around** *vt* (*also*: **order about**) pomiatać +*instr*.
order book *n* (COMM) księga *f* zamówień.
order form *n* (COMM) formularz *m* zamówieniowy.
orderly ['ɔ:dəlɪ] *n* (MIL) ordynans *m*; (MED) sanitariusz *m* ♦ *adj* (*sequence*) uporządkowany; (*system*) sprawny; (*manner*) zorganizowany.
order number *n* (COMM) numer *m* zamówienia.
ordinal ['ɔ:dɪnl] *adj*: **ordinal number** liczebnik *m* porządkowy.
ordinarily ['ɔ:dnrɪlɪ] *adv* zazwyczaj, zwykle.
ordinary ['ɔ:dnrɪ] *adj* zwyczajny, zwykły; (*pej*) pospolity; **out of the ordinary** niezwykły, niepospolity.
ordinary seaman (BRIT) *n* marynarz *m* drugiej klasy.
ordinary shares *npl* akcje *pl* zwyczajne.
ordination [ɔ:dɪ'neɪʃən] *n* święcenia *pl* (kapłańskie).
ordnance ['ɔ:dnəns] *n* (MIL) zaopatrzenie *nt* ♦ *adj* zaopatrzeniowy.
Ordnance Survey (BRIT) *n* brytyjski urząd kartograficzny.
ore [ɔ:*] *n* ruda *f*.
organ ['ɔ:gən] *n* (ANAT) narząd *m*, organ *m*; (MUS) organy *pl*.
organic [ɔ:'gænɪk] *adj* organiczny.
organism ['ɔ:gənɪzəm] *n* organizm *m*.
organist ['ɔ:gənɪst] *n* organista *m*.
organization [ɔ:gənaɪ'zeɪʃən] *n* organizacja *f*.
organization chart *n* schemat *m* organizacyjny.
organize ['ɔ:gənaɪz] *vt* organizować (zorganizować *perf*); **get organized, we're leaving in five minutes** zbierajcie się, za pięć minut wychodzimy.
organized labour *n* związki *pl* zawodowe.
organizer ['ɔ:gənaɪzə*] *n* organizator(ka) *m(f)*.
orgasm ['ɔ:gæzəm] *n* orgazm *m*.
orgy ['ɔ:dʒɪ] *n* orgia *f*; **an orgy of destruction** szał niszczycielski.
Orient ['ɔ:rɪənt] *n*: **the Orient** Orient *m*.
orient ['ɔ:rɪənt] *vt*: **to orient o.s.** nabierać

(nabrać *perf*) orientacji *or* rozeznania; **to be oriented towards** być nastawionym na +*acc.*

oriental [ɔːrɪˈentl] *adj* orientalny, dalekowschodni.

orientate [ˈɔːrɪənteɪt] *vt*: **to orientate o.s.** (*with map, compass etc*) orientować się (zorientować *perf* się) w swoim położeniu; (*fig*) nabierać (nabrać *perf*) orientacji *or* rozeznania; **to be orientated towards** być nastawionym na +*acc.*

orifice [ˈɔrɪfɪs] *n* (*ANAT*) otwór *m.*

origin [ˈɔrɪdʒɪn] *n* początek *m*, źródło *nt*; (*of person*) pochodzenie *nt*; **country of origin** kraj pochodzenia.

original [əˈrɪdʒɪnl] *adj* (*first*) pierwotny, pierwszy; (*genuine*) oryginalny, autentyczny; (*imaginative*) oryginalny ♦ *n* oryginał *m*, autentyk *m.*

originality [ərɪdʒɪˈnælɪtɪ] *n* oryginalność *f.*

originally [əˈrɪdʒɪnəlɪ] *adv* pierwotnie, początkowo.

originate [əˈrɪdʒɪneɪt] *vi*: **to originate in** powstawać (powstać *perf*) w +*loc*, pochodzić z +*gen*; **to originate with** *or* **from sb** pochodzić od kogoś.

originator [əˈrɪdʒɪneɪtə*] *n* twórca (-czyni) *m(f)*, pomysłodawca (-czyni) *m(f).*

Orkneys [ˈɔːknɪz] *npl*: **the Orkneys** (*also*: **the Orkney Islands**) Orkady *pl.*

ornament [ˈɔːnəmənt] *n* (*object*) ozdoba *f*, (*decoration*) ornament *m.*

ornamental [ɔːnəˈmentl] *adj* ozdobny.

ornamentation [ɔːnəmenˈteɪʃən] *n* ornamentacja *f.*

ornate [ɔːˈneɪt] *adj* ozdobny.

ornithologist [ɔːnɪˈθɔlədʒɪst] *n* ornitolog *m.*

ornithology [ɔːnɪˈθɔlədʒɪ] *n* ornitologia *f.*

orphan [ˈɔːfn] *n* sierota *f* ♦ *vt*: **to be orphaned** zostawać (zostać *perf*) sierotą.

orphanage [ˈɔːfənɪdʒ] *n* sierociniec *m.*

orthodox [ˈɔːθədɔks] *adj* ortodoksyjny; **orthodox medicine** medycyna konwencjonalna.

orthodoxy [ˈɔːθədɔksɪ] *n* (*view*) dominujący pogląd *m*; (*trend*) dominujący kierunek *m*; (*in ideology, religion*) ortodoksja *f.*

orthopaedic [ɔːθəˈpiːdɪk] (*US* **orthopedic**) *adj* ortopedyczny.

OS *abbr* (*BRIT*) = **Ordnance Survey**; (*NAUT*) = **ordinary seaman**; (*DRESS*) = **outsize.**

O/S (*COMM*) *abbr* (= *out of stock*) brak na składzie, zapas towaru wyczerpany.

oscillate [ˈɔsɪleɪt] *vi* oscylować.

OSHA (*US*) *n abbr* (= *Occupational Safety and Health Administration*).

Oslo [ˈɔzləu] *n* Oslo *nt inv.*

ostensible [ɔsˈtensɪbl] *adj* rzekomy.

ostensibly [ɔsˈtensɪblɪ] *adv* rzekomo.

ostentation [ɔstenˈteɪʃən] *n* ostentacja *f*, zbytek *m.*

ostentatious [ɔstenˈteɪʃəs] *adj* (*showy*)

wystawny; (*deliberately conspicuous*) ostentacyjny; (*person*) chełpliwy.

osteopath [ˈɔstɪəpæθ] *n* kręgarz *m.*

ostracize [ˈɔstrəsaɪz] *vt* bojkotować (towarzysko).

ostrich [ˈɔstrɪtʃ] *n* struś *m.*

OT (*BIBLE*) *abbr* (= *Old Testament*) ST.

OTB (*US*) *n abbr* (= *off-track betting*) *zakłady zawierane poza terenem wyścigów konnych.*

OTE (*COMM*) *abbr* (= *on-target earnings*) osiągalne zarobki *pl.*

other [ˈʌðə*] *adj* inny; (*opposite*) przeciwny, drugi ♦ *pron*: **the other (one)** (ten) drugi; **others** (*other people*) inni; (*other ones*) inne; **the others** (*the other people*) pozostali; (*the other ones*) pozostałe; **there is no choice other than to...** nie ma innego wyjścia jak tylko +*infin*; **she never discussed it with anyone other than Tom** nie rozmawiała o tym z nikim oprócz Toma; **the other day** parę dni temu; **some actor or other** jakiś (tam) aktor; **somebody or other** ktoś (tam); **it was none other than Robert** był to nie kto inny jak Robert.

otherwise [ˈʌðəwaɪz] *adv* (*differently*) inaczej; (*apart from that*) poza tym; (*if not*) w przeciwnym razie; **in an otherwise good piece of work** w skądinąd dobrej pracy.

OTT (*inf*) *abbr* (= *over the top*) *see* **top.**

otter [ˈɔtə*] *n* (*ZOOL*) wydra *f.*

OU (*BRIT*) *n abbr* = **Open University.**

ouch [autʃ] *excl* au.

ought [ɔːt] (*pt* **ought**) *aux vb*: **I ought to do it** powinienem to zrobić; **this ought to have been corrected** to powinno było zostać poprawione; **he ought to win** powinien wygrać; **you ought to go and see it** powinieneś pójść to zobaczyć.

ounce [auns] *n* uncja *f*; (*fig*) odrobina *f.*

our [ˈauə*] *adj* nasz; *see also* **my.**

ours [auəz] *pron* nasz; *see also* **mine**[1].

ourselves *pron pl* (*reflexive*) się; siebie (*gen, acc*), sobie (*dat, loc*), sobą (*instr*); (*emphatic*) sami; **we did it (all) by ourselves** zrobiliśmy to (zupełnie) sami; **with the exception of a few tourists and ourselves** z wyjątkiem kilku turystów i nas; *see also* **oneself.**

oust [aust] *vt* usuwać (usunąć *perf*).

KEYWORD
---

out [aut] *adv* **1** (*not in*) na zewnątrz, na dworze; **(to stand) out in the rain/snow** (stać) (na dworze *or* na zewnątrz) w deszczu/śniegu; **they're out in the garden** są w ogrodzie; **it's hot out here** gorąco tutaj; **to go/come out** wychodzić (wyjść *perf*) (na zewnątrz); **(to speak) out loud** (mówić) głośno *or* na głos. **2** (*not at home, absent*): **she's out at the moment** nie ma jej w tej chwili; **to have a day/night out** spędzać

(spędzić *perf*) dzień/wieczór poza domem. **3**
(*indicating distance*) (o) +*acc* dalej; **the boat
was 10 km out** łódź była (o) dziesięć
kilometrów dalej; **three days out from
Plymouth** trzy dni drogi z Plymouth. **4**
(*SPORT*) na aut; **the ball is/has gone out**
piłka jest na aucie/wyszła na aut ♦ *adj* **1: to
be out** (*unconscious*) być nieprzytomnym; (*of
game*) wypaść (*perf*) z gry; (*of fashion*) wyjść
(*perf*) z mody. **2** (*have appeared: flowers*)
zakwitnąć (*perf*); (: *news, secret*) wyjść (*perf*)
na jaw. **3** (*extinguished: fire, light, gas*) nie
palić się. **3** (*finished*) skończyć się (*perf*);
before the week was out zanim tydzień się
skończył. **4: to be out to do sth** mieć
zamiar coś robić (zrobić *perf*). **5: to be out
in one's calculations** mylić się (pomylić się
perf) w obliczeniach.

outage ['autɪdʒ] *n* (*esp US*) przerwa *f* w
dopływie energii elektrycznej.

out-and-out ['autəndaut] *adj* absolutny.

outback ['autbæk] *n* (*in Australia*): **in the
outback** w głębi kraju.

outbid [aut'bɪd] *vt* przelicytowywać
(przelicytować *perf*).

outboard ['autbɔːd] *n* (*also:* **outboard motor**)
silnik *m* przyczepny (*na łodzi motorowej*).

outbreak ['autbreɪk] *n* (*of war*) wybuch *m*; (*of
disease*) epidemia *f*.

outbuilding ['autbɪldɪŋ] *n* budynek *m*
gospodarczy.

outburst ['autbəːst] *n* wybuch *m*.

outcast ['autkɑːst] *n* wyrzutek *m*.

outclass [aut'klɑːs] *vt* przewyższać
(przewyższyć *perf*) o klasę.

outcome ['autkʌm] *n* wynik *m*.

outcrop ['autkrɔp] *n* odsłonięta skała *f*.

outcry ['autkraɪ] *n* głosy *pl* protestu.

outdated [aut'deɪtɪd] *adj* przestarzały.

outdo [aut'duː] (*irreg like* **do**) *vt* prześcigać
(prześcignąć *perf*), przewyższać (przewyższyć
perf).

outdoor [aut'dɔː*] *adj* (*activities, work*) na
świeżym powietrzu *post*; (*swimming pool*)
odkryty; (*clothes*) wierzchni; **I'm an outdoor
person** lubię przebywać na świeżym
powietrzu.

outdoors [aut'dɔːz] *adv* na dworze, na
świeżym powietrzu.

outer ['autə*] *adj* zewnętrzny; **outer suburbs**
odległe przedmieścia.

outer space *n* przestrzeń *f* kosmiczna,
kosmos *m*.

outfit ['autfɪt] *n* (*clothes*) strój *m*; (*inf: team*)
ekipa *f* (*inf*).

outfitter's ['autfɪtəz] (*BRIT*) *n* sklep *m* z
odzieżą męską.

outgoing ['autgəuɪŋ] *adj* (*extrovert*) otwarty;
(*retiring*) ustępujący; (*mail*) wychodzący.

outgoings ['autgəuɪŋz] (*BRIT*) *npl* wydatki *pl*.

outgrow [aut'grəu] (*irreg like* **grow**) *vt* (*lit, fig*)
wyrastać (wyrosnąć *perf*) z +*gen*.

outhouse ['authaus] *n* (*outbuilding*) budynek *m*
gospodarczy; (*US: outer toilet*) ubikacja *f* na
dworze.

outing ['autɪŋ] *n* wycieczka *f*.

outlandish [aut'lændɪʃ] *adj* dziwaczny.

outlast [aut'lɑːst] *vt* przeżyć (*perf*).

outlaw ['autlɔː] *n* osoba *f* wyjęta spod prawa,
banita *m* (*old*) ♦ *vt* (*person, organization*)
wyjmować (wyjąć *perf*) spod prawa; (*activity*)
zakazywać (zakazać *perf*) +*gen*.

outlay ['autleɪ] *n* nakład *m* (finansowy).

outlet ['autlɛt] *n* (*hole*) wylot *m*; (*pipe*) odpływ
m; (*US: ELEC*) gniazdo *nt* wtykowe; (*also:*
retail outlet) punkt *m* sprzedaży detalicznej;
(*fig: for grief, anger*) ujście *nt*.

outline ['autlaɪn] *n* (*lit, fig*) zarys *m*; (*rough
sketch*) szkic *m* ♦ *vt* (*fig*) szkicować
(naszkicować *perf*), przedstawiać (przedstawić
perf) w zarysie.

outlive [aut'lɪv] *vt* przeżyć (*perf*).

outlook ['autluk] *n* (*view, attitude*) pogląd *m*;
(*prospects*) perspektywy *pl*; (*for weather*)
prognoza *f*.

outlying ['autlaɪɪŋ] *adj* oddalony.

outmanoeuvre [autmə'nuːvə*] (*US*
outmaneuver) *vt* przechytrzać (przechytrzyć
perf), wymanewrowywać (wymanewrować
perf) (*inf*).

outmoded [aut'məudɪd] *adj* przestarzały.

outnumber [aut'nʌmbə*] *vt* przewyższać
(przewyższyć *f*) liczebnie; **we were
outnumbered (by) 5 to 1** było nas 5 razy
mniej.

┌─────────── *KEYWORD* ───────────┐

out of *prep* **1** (*outside*) z +*gen*; **to go out of
the house** wychodzić (wyjść *perf*) z domu. **2**
(*beyond*): **out of reach** poza zasięgiem; **out
of town** za miastem; **she is out of danger**
nie zagraża jej już niebezpieczeństwo. **3**
(*indicating cause, motive, origin, material*) z
+*gen*; **out of curiosity/greed** z
ciekawości/chciwości; **to drink out of a cup**
pić z filiżanki; **made of glass** zrobiony ze
szkła. **4** (*from among*) na +*acc*; **one out of
every three smokers** jeden palacz na trzech.
5 (*without*) bez +*gen*; **out of breath** bez tchu;
to be out of milk/sugar/petrol nie mieć
mleka/cukru/benzyny.

└─────────────────────────────┘

out of bounds *adj*: **this area is out of
bounds** to jest teren zakazany.

out-of-date [autəv'deɪt] *adj* (*passport, ticket*)

nieważny; (*dictionary, concept*) przestarzały;
(*clothes*) niemodny.

out-of-doors [autəv'dɔːz] *adv* na dworze *or*
powietrzu.

out-of-the-way ['autəvðə'weɪ] *adj* (*place*)
odległy; (*pub, restaurant*) mało znany.

out-of-work ['autəvwəːk] *adj* bezrobotny.

outpatient ['autpeɪʃənt] *n* pacjent(ka) *m(f)*
ambulatoryjny (-na) *m(f)*.

outpost ['autpəust] *n* placówka *f*.

output ['autput] *n* (*of factory*) produkcja *f*; (*of
writer*) twórczość *f*; (*COMPUT*) dane *pl*
wyjściowe ♦ *vt* (*COMPUT*) przetwarzać
(przetworzyć *perf*).

outrage ['autreɪdʒ] *n* (*anger*) oburzenie *nt*;
(*atrocity*) akt *m* przemocy; (*scandal*) skandal
m ♦ *vt* oburzać (oburzyć *perf*); **bomb outrage**
zamach bombowy; **to be an outrage against**
stanowić obrazę +*gen*.

outrageous [aut'reɪdʒəs] *adj* oburzający.

outrider ['autraɪdə*] *n* członek *m* eskorty
(*motocyklowej lub konnej*).

outright [*adv* aut'raɪt, *adj* 'autraɪt] *adv* (*win*)
bezapelacyjnie; (*ban*) całkowicie; (*buy*) za
gotówkę; (*ask*) wprost; (*deny*) otwarcie ♦ *adj*
(*winner, victory*) bezapelacyjny; (*denial,
hostility*) otwarty; **he was killed outright**
zginął na miejscu.

outrun [aut'rʌn] (*irreg like* **run**) *vt* prześcigać
(prześcignąć *perf*).

outset ['autset] *n* początek *m*; **from the outset**
od (samego) początku; **at the outset** na
(samym) początku.

outshine [aut'ʃaɪn] (*irreg like* **shine**) *vt* (*fig*)
zaćmiewać (zaćmić *perf*).

outside [aut'saɪd] *n* zewnętrzna strona *f* ♦ *adj*
(*wall*) zewnętrzny; (*lavatory*) na zewnątrz *post*
♦ *adv* na zewnątrz ♦ *prep* (*building*) przed
+*instr*; (*door*) za +*instr*; (*office hours,
organization, country*) poza +*instr*; (*city*) pod
+*instr*; **an outside chance** niewielkie szanse;
at the outside (*at the most*) najwyżej; (*at the
latest*) najdalej; **you're wearing your shirt-tails
outside your trousers** tył koszuli wystaje ci
ze spodni.

outside broadcast *n* (*RADIO, TV*) transmisja *f*.

outside lane *n* zewnętrzny pas *m* ruchu.

outside line *n* (*TEL*): **dial 0 for an outside
line** wyjście na miasto przez 0.

outsider [aut'saɪdə*] *n* (*person not involved*)
osoba *f* postronna; (*in race etc*) autsajder *m*;
they felt like outsiders czuli się obco.

outsize ['autsaɪz] *adj*: **outsize clothes** odzież *f*
ponadrozmiarowa.

outskirts ['autskəːts] *npl* peryferie *pl*.

outsmart [aut'smɑːt] *vt* przechytrzać
(przechytrzyć *perf*).

outspoken [aut'spəukən] *adj* otwarty.

outspread [aut'spred] *adj* rozpostarty.

outstanding [aut'stændɪŋ] *adj* (*actor, work*)

wybitny; (*debt, problem*) zaległy; **your
account is still outstanding** do tej pory nie
uregulował/a Pan/Pani rachunku.

outstay [aut'steɪ] *vt*: **to outstay one's welcome**
nadużywać (nadużyć *perf*) czyjejś gościnności.

outstretched [aut'stretʃt] *adj* (*hand*)
wyciągnięty; (*arms*) wyciągnięty, rozpostarty;
(*body*) rozciągnięty; (*wings*) rozpostarty.

outstrip [aut'strip] *vt* przewyższać
(przewyższyć *perf*).

out tray *n* tacka *f* na korespondencję
wychodzącą.

outvote [aut'vəut] *vt* (*person*) przegłosowywać
(przegłosować *perf*); (*proposal*) odrzucać
(odrzucić *perf*) (w głosowaniu).

outward ['autwəd] *adj* (*sign, appearances*)
zewnętrzny; (*journey*) w tamtą stronę *post*.

outwardly ['autwədlɪ] *adv* pozornie, na pozór.

outward(s) *adv* na zewnątrz.

outweigh [aut'weɪ] *vt* przeważać (przeważyć
perf).

outwit [aut'wɪt] *vt* przechytrzać (przechytrzyć
perf).

ova ['əuvə] *npl of* **ovum**.

oval ['əuvl] *adj* owalny ♦ *n* owal *m*.

ovary ['əuvərɪ] *n* jajnik *m*.

ovation [əu'veɪʃən] *n* owacja *f*.

oven ['ʌvn] *n* piekarnik *m*.

ovenproof ['ʌvnpruːf] *adj* żaroodporny.

oven-ready ['ʌvnredɪ] *adj* do podgrzania w
piekarniku *post*.

ovenware ['ʌvnwɛə*] *n* naczynia *pl*
żaroodporne.

KEYWORD
---

over ['əuvə*] *adv* **1** (*across*): **to cross over to
the other side** przechodzić (przejść *perf*) na
drugą stronę; **you can come over tonight**
możesz przyjść dziś wieczorem; **to ask sb over**
zapraszać (zaprosić *perf*) kogoś (do domu *or* do
siebie); **over here/there** tu/tam. **2** (*indicating
movement from upright*): **to fall over** przewracać
się (przewrócić się *perf*). **3** (*finished*): **to be over**
skończyć się (*perf*). **4** (*excessively*) zbyt,
nadmiernie; **she's not over intelligent, is she?**
nie jest zbyt *or* nadmiernie inteligentna,
prawda? **5** (*remaining*): **there are three over**
zostały (jeszcze) trzy. **6**: **all over** wszędzie; **over
and over (again)** wielokrotnie, w kółko (*inf*) ♦
prep **1** (*above*) nad +*instr*; (*on top of*) na +*loc*;
canopy over the bed baldachim nad łóżkiem; **to
spread a sheet over sth** rozkładać (rozłożyć
perf) na czymś prześcieradło. **2** (*on the other
side of*) po drugiej stronie +*gen*; (*to the other
side of*) przez +*acc*, na drugą stronę +*gen*; **the
pub over the road** pub po drugiej stronie ulicy;
he jumped over the wall przeskoczył przez mur
or na drugą stronę muru. **3** (*more than*) ponad
+*acc*; **over 200 people came** przyszło ponad
dwieście osób; **over and above** poza +*instr*, w

dodatku do +*gen*. **4** (*during*) przez +*acc*, podczas +*gen*; **over the last few years** przez parę ostatnich lat; **over the winter** podczas zimy; **let's discuss it over dinner** porozmawiajmy o tym przy obiedzie.

over… ['əuvə*] *pref przedrostek, któremu w języku polskim odpowiada prze…, nad… lub zbyt.*

overact [əuvər'ækt] *vi* (*THEAT*) szarżować (przeszarżować *perf*).

overall [*adj, n* 'əuvərɔ:l, *adv* əuvər'ɔ:l] *adj* (*length, cost*) całkowity; (*impression, view*) ogólny ♦ *adv* (*measure, cost*) w sumie; (*generally*) ogólnie (biorąc) ♦ *n* (*BRIT*) kitel *m*; **overalls** *npl* kombinezon *m* (*roboczy*).

overanxious [əuvər'æŋkʃəs] *adj*: **to be overanxious** zbytnio się przejmować.

overawe [əuvər'ɔ:] *vt*: **to be overawed (by)** być onieśmielonym (+*instr*).

overbalance [əuvə'bæləns] *vi* tracić (stracić *perf*) równowagę.

overbearing [əuvə'bɛərɪŋ] *adj* władczy.

overboard ['əuvəbɔ:d] *adv* (*be*) za burtą; (*fall*) za burtę; **to go overboard** (*fig*) popadać (popaść *perf*) w przesadę.

overbook [əuvə'buk] *vt*: **to overbook a show/holiday** sprzedawać (sprzedać *perf*) na przedstawienie/wczasy więcej biletów niż jest miejsc.

overcame [əuvə'keɪm] *pt of* **overcome**.

overcapitalize [əuvə'kæpɪtəlaɪz] *vt* przeinwestować (*perf*).

overcast ['əuvəka:st] *adj* pochmurny.

overcharge [əuvə'tʃɑ:dʒ] *vt* liczyć (policzyć *perf*) za dużo +*dat*.

overcoat ['əuvəkəut] *n* płaszcz *m*.

overcome [əuvə'kʌm] (*irreg like* **come**) *vt* przezwyciężać (przezwyciężyć *perf*) ♦ *adj*: **overcome with** ogarnięty *or* owładnięty +*instr*; **overcome with grief** pogrążony w smutku; **I was overcome by a sense of failure** ogarnęło mnie poczucie klęski.

overconfident [əuvə'kɔnfɪdənt] *adj* zbyt pewny siebie.

overcrowded [əuvə'kraudɪd] *adj* przepełniony.

overcrowding [əuvə'kraudɪŋ] *n* przepełnienie *f*.

overdo [əuvə'du:] (*irreg like* **do**) *vt* przesadzać (przesadzić *perf*) z +*instr*; **don't overdo it** (*don't exaggerate*) nie przesadzaj; (*when ill, weak etc*) nie przemęczaj się.

overdose ['əuvədəus] *n* przedawkowanie *nt*; **to take an overdose** przedawkowywać (przedawkować *perf*).

overdraft ['əuvədra:ft] *n* przekroczenie *nt* stanu konta, debet *m*.

overdrawn [əuvə'drɔ:n] *adj*: **he is** *or* **his account is overdrawn** przekroczył stan konta, ma debet.

overdrive ['əuvədraɪv] *n* najwyższy bieg *m*.

overdue [əuvə'dju:] *adj* (*bill, library book*) zaległy; **to be overdue** (*person, bus, train*) spóźniać się; (*change, reform*) opóźniać się; **that change was long overdue** tę zmianę należało przeprowadzić o wiele wcześniej.

overestimate [əuvər'ɛstɪmeɪt] *vt* przeceniać (przecenić *perf*).

overexcited [əuvərɪk'saɪtɪd] *adj* zbyt *or* nadmiernie podniecony.

overexertion [əuvərɪg'zə:ʃən] *n* nadmierny wysiłek *m*.

overexpose [əuvərɪk'spəuz] *vt* (*PHOT*) prześwietlać (prześwietlić *perf*).

overflow [əuvə'fləu] *vi* (*river*) wylewać (wylać *perf*); (*sink, bath*) przelewać się (przelać się *perf*) ♦ *n* (*also*: **overflow pipe**) rurka *f* przelewowa.

overgenerous [əuvə'dʒenərəs] *adj* zbyt hojny.

overgrown [əuvə'grəun] *adj* (*garden*) zarośnięty; **he's just an overgrown schoolboy** (*fig*) to taki duży dzieciak.

overhang ['əuvə'hæŋ] (*irreg like* **hang**) *vt* wisieć nad +*instr* ♦ *vi* zwisać ♦ *n* nawis *m*.

overhaul [*vb* əuvə'hɔ:l, *n* 'əuvəhɔ:l] *vt* dokonywać (dokonać *perf*) przeglądu i remontu kapitalnego +*gen* ♦ *n* przegląd *m* i remont *m* kapitalny.

overhead [*adv* əuvə'hɛd, *adj, n* 'əuvəhɛd] *adv* (*above*) na górze, nad głową; (*in the sky*) w górze ♦ *adj* (*light, lighting*) górny; (*cables, wires*) napowietrzny ♦ *n* (*US*) = **overheads**; **overheads** *npl* koszty *pl* stałe.

overhear [əuvə'hɪə*] (*irreg like* **hear**) *vt* podsłuchać (*perf*), przypadkiem usłyszeć (*perf*).

overheat [əuvə'hi:t] *vi* (*engine*) przegrzewać się (przegrzać się *perf*).

overjoyed [əuvə'dʒɔɪd] *adj* uradowany, zachwycony; **to be overjoyed (at)** być zachwyconym (+*instr*).

overkill ['əuvəkɪl] *n* (*fig*) przesada *f*;: **it would be overkill** to by była przesada.

overland ['əuvəlænd] *adj* (*journey*) lądowy ♦ *adv*: **to travel overland** podróżować lądem *or* drogą lądową.

overlap [əuvə'læp] *vi* (*edges, figures*) zachodzić (zajść *perf*) na siebie; (*fig: ideas, activities*) zazębiać się (zazębić się *perf*) (o siebie).

overleaf [əuvə'li:f] *adv* na odwrocie strony.

overload [əuvə'ləud] *vt* przeładowywać (przeładować *perf*), przeciążać (przeciążyć *perf*).

overlook [əuvə'luk] *vt* (*building, hill*) wznosić się *or* górować nad +*instr*; (*window*) wychodzić na +*acc*; (*fail to notice*) nie zauważać (nie zauważyć *perf*) +*gen*, przeoczyć (*perf*); (*excuse, forgive*) przymykać (przymknąć *perf*) oczy na +*acc*, nie zwracać (nie zwrócić *perf*) uwagi na +*acc*.

overlord ['əuvəlɔ:d] *n* suweren *m*, pan *m*.

overmanning [əuvə'mænɪŋ] *n* nadmiar *m* siły roboczej.

overnight [əuvə'naɪt] *adv* na *or* przez (całą) noc; (*fig*) z dnia na dzień; **overnight stay/stop** nocleg; **to travel overnight** podróżować nocą; **he'll be away overnight** nie wróci na noc; **to stay overnight** zostawać (zostać *perf*) na noc.

overnight bag *n* torba *f* podróżna.

overpass ['əuvəpɑːs] *n* (*esp US*) estakada *f*.

overpay [əuvə'peɪ] *vt*: **to overpay sb by 50 pounds** wypłacić (*perf*) komuś o 50 funtów za dużo.

overpower [əuvə'pauə*] *vt* obezwładniać (obezwładnić *perf*).

overpowering [əuvə'pauərɪŋ] *adj* (*heat, smell*) obezwładniający; (*feeling*) przytłaczający; (*desire*) przemożny.

overproduction ['əuvəprə'dʌkʃən] *n* nadprodukcja *f*.

overrate [əuvə'reɪt] *vt* przeceniać (przecenić *perf*), przereklamowywać (przereklamować *perf*).

overreach [əuvə'riːtʃ] *vt*: **to overreach o.s.** przeliczyć się (*perf*), przecenić (*perf*) swoje siły *or* możliwości.

overreact [əuvəriː'ækt] *vi* reagować (zareagować *perf*) zbyt mocno.

override [əuvə'raɪd] (*irreg like* **ride**) *vt* unieważniać (unieważnić *perf*), uchylać (uchylić *perf*).

overriding [əuvə'raɪdɪŋ] *adj* nadrzędny.

overrule [əuvə'ruːl] *vt* (*decision*) unieważniać (unieważnić *perf*); (*claim*) odrzucać (odrzucić *perf*); (*JUR: objection*) uchylać (uchylić *perf*).

overrun [əuvə'rʌn] (*irreg like* **run**) *vt* (*country etc*) opanowywać (opanować *perf*) ♦ *vi* (*meeting etc*) przedłużać się (przedłużyć się *perf*); **the town is overrun with tourists** miasto zostało opanowane przez turystów.

overseas [əuvə'siːz] *adv* (*live, work*) za granicą; (*travel*) za granicę ♦ *adj* zagraniczny.

overseer ['əuvəsɪə*] *n* nadzorca *m*.

overshadow [əuvə'ʃædəu] *vt* wznosić się *or* górować nad +*instr*; (*fig*) usuwać (usunąć *perf*) w cień.

overshoot [əuvə'ʃuːt] (*irreg like* **shoot**) *vt* minąć (*perf*), przejechać (*perf*).

oversight ['əuvəsaɪt] *n* niedopatrzenie *nt*; **due to an oversight** z powodu niedopatrzenia.

oversimplify [əuvə'sɪmplɪfaɪ] *vt* nadmiernie upraszczać (uprościć *perf*).

oversleep [əuvə'sliːp] (*irreg like* **sleep**) *vi* zaspać (*perf*).

overspend [əuvə'spend] (*irreg like* **spend**) *vi* wydawać (wydać *perf*) za dużo; **we have overspent by 5,000 dollars** przekroczyliśmy budżet o 5.000 dolarów.

overspill ['əuvəspɪl] *n* odpływ *ludności z przeludnionego miasta na peryferie*.

overstaffed [əuvə'stɑːft] *adj*: **to be overstaffed** mieć zbyt wielu pracowników.

overstate [əuvə'steɪt] *vt* wyolbrzymiać (wyolbrzymić *perf*), przeceniać (przecenić *perf*); **to overstate the case** przesadzać (przesadzić *perf*).

overstatement [əuvə'steɪtmənt] *n* przesada *f*.

overstep [əuvə'step] *vt*: **to overstep the mark** przekraczać (przekroczyć *perf*) dopuszczalne granice.

overstock [əuvə'stɔk] *vt* zaopatrywać (zaopatrzyć *perf*) zbyt obficie.

overstrike [*n* 'əuvəstraɪk, *vb* əuvə'straɪk] (*irreg like* **strike**) *n* (*on printer*) nadrukowywanie *nt* ♦ *vt* nadrukowywać (nadrukować *perf*).

oversubscribed [əuvəsəb'skraɪbd] *adj*: **the shares are oversubscribed** popyt na akcje przekracza podaż.

overt [əu'vəːt] *adj* otwarty, jawny.

overtake [əuvə'teɪk] (*irreg like* **take**) *vt* (*AUT*) wyprzedzać (wyprzedzić *perf*); (*event, change*) zaskakiwać (zaskoczyć *perf*); (*emotion, weakness*) ogarniać (ogarnąć *perf*) ♦ *vi* (*AUT*) wyprzedzać.

overtaking [əuvə'teɪkɪŋ] *n* (*AUT*) wyprzedzanie *nt*.

overtax [əuvə'tæks] *vt* (*ECON*) nadmiernie obkładać (obłożyć *perf*) podatkami; (*strength, patience*) nadwerężać (nadwerężyć *perf*); **to overtax o.s.** przeforsowywać się (przeforsować się *perf*).

overthrow [əuvə'θrəu] (*irreg like* **throw**) *vt* obalać (obalić *perf*).

overtime ['əuvətaɪm] *n* nadgodziny *pl*; **to do** *or* **work overtime** pracować w nadgodzinach.

overtime ban *n* zakaz *m* pracy w nadgodzinach.

overtone ['əuvətəun] *n* (*also*: **overtones**) zabarwienie *nt*, podtekst *m*.

overture ['əuvətʃuə*] *n* (*MUS*) uwertura *f*; (*fig*) wstęp *m*; **overtures of friendship** przyjazne gesty.

overturn [əuvə'təːn] *vt* przewracać (przewrócić *perf*); (*fig: decision*) unieważniać (unieważnić *perf*); (*: government*) obalać (obalić *perf*) ♦ *vi* wywracać się (wywrócić się *perf*).

overweight [əuvə'weɪt] *adj*: **to be overweight** mieć nadwagę.

overwhelm [əuvə'welm] *vt* (*defeat*) obezwładniać (obezwładnić *perf*); (*affect deeply*) przytłaczać (przytłoczyć *perf*).

overwhelming [əuvə'welmɪŋ] *adj* (*majority, feeling*) przytłaczający; (*heat*) obezwładniający; (*desire*) przemożny; **one's overwhelming impression is of heat** dominuje wrażenie gorąca.

overwhelmingly [əuvə'welmɪŋlɪ] *adv* (*decide*) przytłaczającą *or* miażdżącą większością głosów; (*generous etc*) ogromnie; (*predominantly*) w przeważającej części.

verwork [əuvə'wə:k] n przepracowanie nt ♦ vt (person) przeciążać (przeciążyć perf) pracą; (word) nadużywać (nadużyć perf) +gen ♦ vi przepracowywać się (przepracować się perf).

verwrite [əuvə'raɪt] vt (COMPUT) kasować (skasować perf) przez wpisanie nowego tekstu.

verwrought [əuvə'rɔːt] adj wyczerpany nerwowo.

vulate ['ɔvjuleɪt] vi (BIO) przechodzić owulację, jajeczkować.

vulation [ɔvju'leɪʃən] n owulacja f, jajeczkowanie nt.

vum ['əuvəm] (pl **ova**) n (MED, ANAT) jajo nt.

we [əu] vt: **to owe sb sth, to owe sth to sb** (money, explanation) być komuś coś winnym; (life, talent) zawdzięczać coś komuś.

wing to ['əuɪŋ-] prep z powodu +gen.

wl [aul] n (ZOOL) sowa f.

wn [əun] vt posiadać ♦ vi (BRIT: fml): **to own to sth** przyznawać się (przyznać się perf) do czegoś ♦ adj własny; **a room of my/his** etc **own** (swój) własny pokój; **to make one's own bed** słać (posłać perf) sobie łóżko; **to get one's own back on sb** odpłacić się (perf) komuś; **to live on one's own** mieszkać samotnie; **to do sth on one's own** robić (zrobić perf) coś samemu; **from now on, you're on your own** od tej chwili jesteś zdany na własne siły; **he'll come into his own** pokaże, na co go stać.

own up vi przyznać się (perf).

wn brand n (COMM) produkt m firmowy.

wner ['əunə*] n właściciel(ka) m(f).

wner-occupier ['əunər'ɔkjupaɪə*] n lokator(ka) m(f) mieszkania własnościowego.

wnership ['əunəʃɪp] n posiadanie nt, własność f, **to be under new ownership** mieć nowego właściciela.

x [ɔks] (pl **oxen**) n wół m.

)XFAM (BRIT) n abbr (= Oxford Committee for Famine Relief) organizacja dobroczynna.

xide ['ɔksaɪd] n tlenek m.

xidize ['ɔksɪdaɪz] vi utleniać się (utlenić się perf).

)xon. ['ɔksn] (BRIT) abbr (POST: = Oxfordshire); (in degree titles: = Oxoniensis) Uniwersytetu Oxfordzkiego.

xtail ['ɔksteɪl] n: **oxtail soup** zupa f ogonowa.

xyacetylene ['ɔksɪə'setɪliːn] adj acetylenowo-tlenowy.

xygen ['ɔksɪdʒən] n tlen m.

xygen mask n maska f tlenowa.

xygen tent n namiot m tlenowy.

yster ['ɔɪstə*] n ostryga f.

z. abbr = ounce.

zone ['əuzəun] n ozon m.

)zone layer n: **the ozone layer** powłoka f or warstwa f ozonowa.

P,p

P, p [piː] n (letter) P nt, p nt; **P for Peter** ≈ P jak Paweł.

P. abbr = **president** prez.; = **prince** ks.

p² (BRIT) abbr = **penny; pence**.

p. abbr = **page** s.

PA n abbr = **personal assistant; public address system** ♦ abbr (US: POST: = Pennsylvania).

pa [pɑː] (inf) n tata m.

p.a. abbr (= per annum) roczn.

PAC (US) n abbr (= political action committee).

pace [peɪs] n (step, manner of walking) krok m; (speed) tempo nt ♦ vi: **to pace up and down** chodzić tam i z powrotem; **to keep pace with** (person) dotrzymywać (dotrzymać perf) kroku +dat; (events) nadążać (nadążyć perf) za +instr; **to set the pace** narzucać (narzucić perf) tempo; **to put sb through his/her paces** (fig) kazać (kazać perf) komuś pokazać, co potrafi.

pacemaker ['peɪsmeɪkə*] n (MED) stymulator m serca; (SPORT) nadający (-ca) m(f) tempo.

Pacific [pə'sɪfɪk] n: **the Pacific (Ocean)** Ocean m Spokojny, Pacyfik m.

pacific [pə'sɪfɪk] adj (intentions etc) pokojowy.

pacifier ['pæsɪfaɪə*] (US) n smoczek m.

pacifist ['pæsɪfɪst] n pacyfista (-tka) m(f).

pacify ['pæsɪfaɪ] vt uspokajać (uspokoić perf).

pack [pæk] n (packet) paczka f; (back pack) plecak m; (of hounds) sfora f; (of people) paczka f (inf); (of cards) talia f ♦ vt pakować (spakować perf); (press down) przyciskać (przycisnąć perf); (COMPUT) upakowywać (upakować perf) ♦ vi pakować się (spakować się perf); **to pack into** wpakowywać (wpakować perf) (inf); **to send sb packing** (inf) odprawiać (odprawić perf) kogoś, przeganiać (przegonić perf) kogoś (inf).

▶**pack in** (BRIT: inf) vt (boyfriend, job) rzucać (rzucić perf); **pack it in!** przestań!

▶**pack off** vt (person: to school etc) wyprawiać (wyprawić perf); (: to bed) zapakować (perf).

▶**pack up** vi (BRIT: inf: machine) nawalać (nawalić perf) (inf); (: : person) zbierać się (zebrać się perf) ♦ vt spakować (perf).

package ['pækɪdʒ] n (parcel) paczka f; (also: **package deal**) umowa f wiązana; (COMPUT) pakiet m ♦ vt (goods) pakować.

package holiday (BRIT) n wczasy pl zorganizowane.

package tour (BRIT) n wycieczka f zorganizowana.

packaging ['pækɪdʒɪŋ] n opakowania pl.

packed [pækt] *adj*: **packed (with)** wypełniony (+*instr*), pełen (+*gen*).

packed lunch (*BRIT*) *n* (*taken to school*) drugie śniadanie *nt*; (*taken on outing*) suchy prowiant *m*.

packer ['pækə*] *n* pakowacz(ka) *m(f)*.

packet ['pækɪt] *n* (*of cigarettes, crisps*) paczka *f*; (*of washing powder etc*) opakowanie *nt*; **to make a packet (out of)** (*BRIT*: *inf*) robić (zrobić *perf*) duże pieniądze (na +*loc*) (*inf*).

packet switching (*COMPUT*) *n* komutacja *f* pakietów.

pack ice ['pækaɪs] *n* lód *m* spiętrzony, pak *m* polarny.

packing ['pækɪŋ] *n* (*act*) pakowanie *nt*; (*paper, plastic etc*) opakowanie *nt*.

packing case *n* skrzynia *f*.

pact [pækt] *n* pakt *m*, układ *m*.

pad [pæd] *n* (*of paper*) blok *m*, bloczek *m*; (*of cotton wool*) tampon *m*; (*shoulder pad*: *in jacket, dress*) poduszka *f*; (*SPORT*) ochraniacz *m*; (*inf*: *home*) cztery ściany *pl* ♦ *vt* (*upholster*) obijać (obić *perf*); (*stuff*) wypychać (wypchać *perf*) ♦ *vi*: **to pad about/in/out** chodzić/wchodzić (wejść *perf*)/wychodzić (wyjść *perf*) po cichu.

padding ['pædɪŋ] *n* (*of coat etc*) podszycie *nt*; (*of door*) obicie *nt*; (*fig*) wodolejstwo *nt* (*inf*).

paddle ['pædl] *n* wiosło *nt*; (*US*: *for table tennis*) rakietka *f* ♦ *vi* (*at seaside*) brodzić; (*row*) wiosłować ♦ *vt*: **to paddle a boat** płynąć (popłynąć *perf*) łódką.

paddle steamer *n* parowiec *m* (rzeczny).

paddling pool ['pædlɪŋ-] (*BRIT*) *n* brodzik *m*.

paddock ['pædək] *n* wybieg *m* (dla koni); (*at race course*) padok *m*.

paddy field ['pædɪ-] *n* pole *nt* ryżowe.

padlock ['pædlɔk] *n* kłódka *f* ♦ *vt* zamykać (zamknąć *perf*) na kłódkę.

padre ['pɑːdrɪ] *n* kapelan *m*; (*as form of address*) ojcze (*voc*).

Padua ['pædʒuə] *n* Padwa *f*.

paediatrics [piːdɪˈætrɪks] (*US* **pediatrics**) *n* pediatria *f*.

pagan ['peɪgən] *adj* pogański ♦ *n* poganin (-anka) *m(f)*.

page [peɪdʒ] *n* (*of book etc*) strona *f*; (*knight's servant*) paź *m*; (*also*: **page boy**: *in hotel*) boy *m or* chłopiec *m* hotelowy; (: *at wedding*) jeden z chłopców usługujących pannie młodej ♦ *vt* wzywać (wezwać *perf*) (*przez głośnik etc*); **Paging Peter Smith. Would you please go to ...** Pan Peter Smith proszony jest o zgłoszenie się do +*gen*.

pageant ['pædʒənt] *n* (*historical procession*) widowisko *nt* historyczne (*w formie parady, żywych obrazów itp na świeżym powietrzu*); (*show*) pokaz *m*.

pageantry ['pædʒəntrɪ] *n* (wielka) gala *f*.

pager ['peɪdʒə*] *n* pager *m*.

paginate ['pædʒɪneɪt] *vt* numerować (ponumerować *perf*) strony +*gen*.

pagination [pædʒɪˈneɪʃən] *n* numeracja *f* stron.

pagoda [pəˈgəudə] *n* pagoda *f*.

paid [peɪd] *pt, pp of* **pay** ♦ *adj* (*work, holiday*) płatny; (*staff*) opłacany; **to put paid to** (*BRIT*) niweczyć (zniweczyć *perf*) +*acc*.

paid-up ['peɪdʌp] (*US* **paid-in**) *adj* (*member*) płacący składki; (*COMM*: *shares*) spłacony; **paid-up capital** kapitał wpłacony.

pail [peɪl] *n* wiadro *nt*.

pain [peɪn] *n* ból *m*; (*inf*: *nuisance*) utrapienie *nt*; **I have a pain in the chest/arm** mam bóle w klatce piersiowej/ramieniu; **to be in pain** cierpieć (ból); **to take pains to do sth** zadawać (zadać *perf*) sobie trud, żeby coś zrobić; **on pain of death** pod karą *or* groźbą śmierci.

pained [peɪnd] *adj* (*look etc*) urażony.

painful ['peɪnful] *adj* (*sore*) obolały; (*causing pain*) bolesny; (*laborious*) żmudny, mozolny.

painfully ['peɪnfəlɪ] *adv* (*fig*) boleśnie, dotkliwie.

painkiller ['peɪnkɪlə*] *n* środek *m* przeciwbólowy.

painless ['peɪnlɪs] *adj* bezbolesny.

painstaking ['peɪnzteɪkɪŋ] *adj* staranny, skrupulatny.

paint [peɪnt] *n* farba *f* ♦ *vt* (*wall etc*) malować (pomalować *perf*); (*person, picture*) malować (namalować *perf*); **to paint the door blue** malować (pomalować *perf*) drzwi na niebiesko; **to paint in oils** malować farbami olejnymi; **to paint a gloomy picture of sth** malować (namalować *perf*) coś w czarnych barwach.

paint box *n* pudełko *nt* z farbami.

paintbrush ['peɪntbrʌʃ] *n* pędzel *m*.

painter ['peɪntə*] *n* (*artist*) malarz (-arka) *m(f)*; (*decorator*) malarz *m* (pokojowy).

painting ['peɪntɪŋ] *n* (*activity*) malowanie *nt*; (*art*) malarstwo *nt*; (*picture*) obraz *m*.

paint-stripper ['peɪntstrɪpə*] *n* zmywacz *m* do farby.

paintwork ['peɪntwəːk] *n* farba *f*; (*of car*) lakier *m*.

pair [pɛə*] *n* para *f*; **a pair of scissors/trousers** para nożyczek/spodni.

▶**pair off** *vi*: **to pair off with sb** tworzyć (utworzyć *perf*) z kimś parę.

pajamas [pəˈdʒɑːməz] (*US*) *npl* piżama *f*.

Pakistan [pɑːkɪˈstɑːn] *n* Pakistan *m*.

Pakistani [pɑːkɪˈstɑːnɪ] *adj* pakistański ♦ *n* Pakistańczyk (-anka) *m(f)*.

PAL (*TV*) *n abbr* (= *phase alternation line*) PAL *m*.

pal [pæl] (*inf*) *n* kumpel *m* (*inf*).

palace ['pæləs] *n* pałac *m*.

palatable ['pælɪtəbl] *adj* (*food*) smaczny; (*fig*: *truth etc*) miły.

palate ['pælɪt] *n* podniebienie *nt*.

palatial [pə'leɪʃəl] *adj* (*residence etc*) wspaniały, imponujący.

palaver [pə'lɑ:və*] (*inf*) *n* zawracanie *nt* głowy (*inf*).

pale [peɪl] *adj* blady ♦ *n*: **beyond the pale** nie do przyjęcia ♦ *vi* poblednąć (*perf*); **to grow** *or* **turn pale** blednąć (zblednąć *perf*); **pale blue** bladoniebieski; **to pale into insignificance (beside)** schodzić (zejść *perf*) na dalszy plan (wobec +*gen*).

paleness ['peɪlnɪs] *n* bladość *f*.

Palestine ['pælɪstaɪn] *n* Palestyna *f*.

Palestinian [pælɪs'tɪnɪən] *adj* palestyński ♦ *n* Palestyńczyk (-tynka) *m(f)*.

palette ['pælɪt] *n* paleta *f*.

palings ['peɪlɪŋz] *npl* parkan *m*, płot *m*.

palisade [pælɪ'seɪd] *n* palisada *f*.

pall [pɔ:l] *n* obłok *m* dymu ♦ *vi* przykrzyć się (sprzykrzyć się *perf*).

pallet ['pælɪt] *n* paleta *f* (*rodzaj platformy*).

palliative ['pælɪətɪv] *n* (*MED*) środek *m* uśmierzający; (*fig*) półśrodek *m*.

pallid ['pælɪd] *adj* blady; (*fig*) bezbarwny.

pallor ['pælə*] *n* bladość *f* (*niezdrowa*).

pally ['pælɪ] *adj*: **to be pally with sb** być z kimś w zażyłych stosunkach.

palm [pɑ:m] *n* (*also*: **palm tree**) palma *f*; (*of hand*) dłoń *f* ♦ *vt*: **to palm sth off on sb** (*inf*) wcisnąć (*perf*) *or* opchnąć (*perf*) coś komuś (*inf*).

palmistry ['pɑ:mɪstrɪ] *n* wróżenie *nt* z ręki.

Palm Sunday *n* Niedziela *f* Palmowa.

palpable ['pælpəbl] *adj* ewidentny.

palpitations [pælpɪ'teɪʃənz] *npl* palpitacje *pl*, kołatanie *nt* serca.

paltry ['pɔ:ltrɪ] *adj* marny.

pamper ['pæmpə*] *vt* rozpieszczać (rozpieścić *perf*).

pamphlet ['pæmflət] *n* broszur(k)a *f*.

pan [pæn] *n* (*also*: **saucepan**) rondel *m*; (*also*: **frying pan**) patelnia *f* ♦ *vi* (*film camera*) panoramować ♦ *vt* (*inf*: *criticize*) zjechać (*perf*) (*inf*); **to pan for gold** wypłukiwać złoto.

panacea [pænə'sɪə] *n* panaceum *nt*.

panache [pə'næʃ] *n* szyk *f*.

Panama ['pænəmɑ:] *n* Panama *f*.

Panama Canal *n*: **the Panama Canal** Kanał *m* Panamski.

panama *n* (*also*: **panama hat**) panama *f*.

Panamanian [pænə'meɪnɪən] *adj* panamski ♦ *n* Panamczyk (-mka) *m(f)*.

pancake ['pænkeɪk] *n* naleśnik *m*.

Pancake Day (*BRIT*) *n* ≈ ostatki *pl* (*ostatni dzień karnawału*).

pancreas ['pæŋkrɪəs] *n* trzustka *f*.

panda ['pændə] *n* panda *f*.

panda car (*BRIT*) *n* radiowóz *m* (policyjny).

pandemonium [pændɪ'məʊnɪəm] *n* zamieszanie *nt*, wrzawa *f*.

pander ['pændə*] *vi*: **to pander to** (*person*) hołubić +*acc*; (*sb's whim*) folgować +*dat*.

p & h (*US*) *abbr* (= *postage and handling*) wysyłka *f*.

P & L *abbr* (= *profit and loss*) rachunek *m* zysków i strat.

p & p (*BRIT*) *abbr* (= *postage and packing*) pakowanie *nt* i wysyłka *f*.

pane [peɪn] *n* szyba *f*.

panel ['pænl] *n* (*of wood, glass etc*) płycina *f*; (*of experts*) zespół *m* ekspertów; (*of judges*) komisja *f*.

panel game (*BRIT*: *TV, RADIO*) *n* quiz *m*.

panelling ['pænəlɪŋ] (*US* **paneling**) *n* boazeria *f*.

panellist ['pænəlɪst] (*US* **panelist**) (*TV, RADIO*) *n* uczestnik (-iczka) *m(f)* dyskusji.

pang [pæŋ] *n*: **a pang of regret** ukłucie *nt* żalu; **hunger pangs** skurcze głodowe (żołądka).

panic ['pænɪk] *n* panika *f* ♦ *vi* wpadać (wpaść *perf*) w panikę.

panicky ['pænɪkɪ] *adj* (*behaviour*) panikarski (*pej*); **a panicky feeling** uczucie paniki.

panic-stricken ['pænɪkstrɪkən] *adj* ogarnięty (panicznym) strachem.

pannier ['pænɪə*] *n* (*on bicycle*) sakwa *f*; (*on animal*) kosz *m* (*juczny*).

panorama [pænə'rɑ:mə] *n* panorama *f*.

panoramic [pænə'ræmɪk] *adj* panoramiczny.

pansy ['pænzɪ] *n* (*BOT*) bratek *m*; (*inf*: *pej*) mięczak *m* (*inf*: *pej*).

pant [pænt] *vi* (*person*) dyszeć; (*dog*) ziajać.

pantechnicon [pæn'teknɪkən] (*BRIT*) *n* meblowóz *m*.

panther ['pænθə*] *n* pantera *f*.

panties ['pæntɪz] *npl* majtki *pl*, figi *pl*.

pantomime ['pæntəmaɪm] *n* (*also*: **mime**) pantomima *f*; (*BRIT*) *bajka muzyczna dla dzieci wystawiana w okresie Gwiazdki*.

pantry ['pæntrɪ] *n* spiżarnia *f*.

pants [pænts] *npl* (*BRIT*: *woman's*) majtki *pl*; (: *man's*) slipy *pl*; (*US*) spodnie *pl*.

panty hose *n* rajstopy *pl*.

papacy ['peɪpəsɪ] *n* papiestwo *nt*.

papal ['peɪpəl] *adj* papieski.

paparazzi [pæpə'rætsi:] *npl* ≈ paparazzi *vir pl*.

paper ['peɪpə*] *n* papier *m*; (*also*: **newspaper**) gazeta *f*; (*exam*) egzamin *m* (pisemny); (*academic essay*) referat *m*; (*wallpaper*) tapeta *f* ♦ *adj* papierowy, z papieru *post* ♦ *vt* tapetować (wytapetować *perf*); **papers** *npl* (*documents, identity papers*) papiery *pl*; **a piece of paper** (*odd bit*) kawałek *m* papieru; (*sheet*) kartka *f* (papieru); **to put sth down on paper** zapisywać (zapisać *perf*) coś na papierze.

paper advance *n* (*COMPUT*) przesuw *m* papieru.

paperback ['peɪpəbæk] *n* książka *f* w miękkiej

okładce ♦ adj: **paperback edition** wydanie nt
w miękkiej okładce.

paper bag n torebka f papierowa.
paperboy ['peɪpəbɔɪ] n gazeciarz m.
paper clip n spinacz m.
paper hankie n chusteczka f higieniczna.
paper mill n papiernia f.
paper money n pieniądze pl papierowe.
paperweight ['peɪpəweɪt] n przycisk m (do
papieru).
paperwork ['peɪpəwəːk] n papierkowa robota f.
papier-mâché ['pæpɪeɪˈmæʃeɪ] n masa f
papierowa, papier mąché nt inv.
paprika ['pæprɪkə] n papryka f (przyprawa).
Pap Smear n wymaz m z szyjki macicy.
Pap Test (MED) n = Pap Smear.
par [pɑː*] n (GOLF) norma f, **to be on a par
with** stać na równi z +instr; **at/above/below
par** (COMM) według/powyżej/poniżej parytetu
or nominału; **above** or **over par/below** or
under par (GOLF) powyżej/poniżej normy; **to
feel below** or **under par** nie czuć się w
formie; **it's par for the course** (fig) to było
do przewidzenia.
parable ['pærəbl] n przypowieść f.
parabola [pəˈræbələ] n parabola f.
parachute ['pærəʃuːt] n spadochron m.
parachute jump n skok m spadochronowy.
parachutist ['pærəʃuːtɪst] n spadochroniarz
(-arka) m(f).
parade [pəˈreɪd] n (public procession)
(uroczysty) pochód m; (MIL) parada f ♦ vt
(troops etc) przeprowadzać (przeprowadzić
perf); (wealth etc) afiszować się z +instr ♦ vi
defilować (przedefilować perf); **fashion parade**
rewia mody.
parade ground n plac m apelowy.
paradise ['pærədaɪs] n raj m.
paradox ['pærədɔks] n paradoks m.
paradoxical [pærəˈdɔksɪkl] adj paradoksalny.
paradoxically [pærəˈdɔksɪklɪ] adv paradoksalnie.
paraffin ['pærəfɪn] (BRIT) n (also: **paraffin oil**)
nafta f; **liquid paraffin** parafina płynna.
paraffin heater (BRIT) n grzejnik m naftowy.
paraffin lamp (BRIT) n lampa f naftowa.
paragon ['pærəgən] n (niedościgniony) wzór m.
paragraph ['pærəgrɑːf] n akapit m, ustęp m;
to begin a new paragraph rozpoczynać
(rozpocząć perf) od nowego akapitu.
Paraguay ['pærəgwaɪ] n Paragwaj m.
Paraguayan [pærəˈgwaɪən] adj paragwajski ♦
n Paragwajczyk (-jka) m(f).
parallel ['pærəlɛl] adj (also COMPUT)
równoległy; (fig) zbliżony, podobny ♦ n
(similarity) podobieństwo nt, paralela f (fml);
(sth similar) odpowiednik m; (GEOG)
równoleżnik m; **to draw parallels between/with**
wykazywać (wykazać perf) podobieństwa
między +instr/z +instr; **to run parallel (with** or
to) biec równolegle (do +gen); (fig)

występować (wystąpić perf) równolegle (z
+instr); **in parallel** (ELEC) równolegle.
paralyse ['pærəlaɪz] (BRIT) vt paraliżować
(sparaliżować perf).
paralysis [pəˈrælɪsɪs] (pl **paralyses**) n paraliż m.
paralytic [pærəˈlɪtɪk] adj sparaliżowany;
(BRIT: inf. drunk) ululany (inf).
paralyze ['pærəlaɪz] (US) vt = **paralyse**.
parameter [pəˈræmɪtə*] n parametr m.
paramilitary [pærəˈmɪlɪtərɪ] adj paramilitarny.
paramount ['pærəmaunt] adj najważniejszy; **of
paramount importance** pierwszorzędnej or
najwyższej wagi.
paranoia [pærəˈnɔɪə] n paranoja f.
paranoid ['pærənɔɪd] adj paranoidalny,
paranoiczny; (person): **he's paranoid** to
paranoik.
paranormal [pærəˈnɔːml] adj paranormalny ♦
n: **the paranormal** zjawiska pl paranormalne.
parapet ['pærəpɪt] n gzyms m.
paraphernalia [pærəfəˈneɪlɪə] n akcesoria pl.
paraphrase ['pærəfreɪz] vt parafrazować
(sparafrazować perf).
paraplegic [pærəˈpliːdʒɪk] n: **to be paraplegic**
cierpieć na porażenie kończyn dolnych.
parapsychology [pærəsaɪˈkɔlədʒɪ] n
parapsychologia f.
parasite ['pærəsaɪt] n (lit, fig) pasożyt m.
parasol ['pærəsɔl] n parasolka f (od słońca);
(at café etc) parasol m.
paratrooper ['pærətruːpə*] (MIL) n
spadochroniarz m.
parcel ['pɑːsl] n paczka f ♦ vt (also: **parcel
up**) pakować, zapakowywać (zapakować perf).
►**parcel out** vt rozparcelowywać
(rozparcelować perf).
parcel bomb (BRIT) n przesyłka zawierająca
ładunek wybuchowy.
parcel post n: **to send sth by parcel post**
wysyłać (wysłać perf) coś jako paczkę.
parch [pɑːtʃ] vt spiekać (spiec perf).
parched [pɑːtʃt] adj (lips, skin) spieczony; **I'm
parched** (inf) zaschło mi w gardle.
parchment ['pɑːtʃmənt] n pergamin m.
pardon ['pɑːdn] n (JUR) ułaskawienie nt ♦ vt
(person) wybaczać (wybaczyć perf) +dat; (sin,
error) wybaczać (wybaczyć perf); (JUR)
ułaskawiać (ułaskawić perf); **pardon me!, I
beg your pardon!** przepraszam!; **(I beg your)
pardon?,** (US) **pardon me?** słucham?
pare [pɛə*] vt (BRIT: nails) obcinać (obciąć
perf); (fruit) obierać (obrać perf); (fig: costs,
expenses) redukować (zredukować perf).
parent ['pɛərənt] n (mother) matka f, (father)
ojciec m; **parents** npl rodzice vir pl.
parentage ['pɛərəntɪdʒ] n pochodzenie nt; **of
unknown parentage** nieznanego pochodzenia.
parental [pəˈrɛntl] adj rodzicielski.
parent company (COMM) n firma f
macierzysta.

parentheses [pə'rɛnθɪsiːz] *npl of* **parenthesis**.
parenthesis [pə'rɛnθɪsɪs] (*pl* **parentheses**) *n* (*phrase*) zdanie *nt* wtrącone; (*word*) wyraz *m* wtrącony; **parentheses** *npl* (*brackets*) nawiasy *pl*; **in parenthesis** (*say, add*) w nawiasie.
parenthood ['pɛərənthud] *n* rodzicielstwo *nt*.
parenting ['pɛərəntɪŋ] *n* wychowanie *nt*.
Paris ['pærɪs] *n* Paryż *m*.
parish ['pærɪʃ] *n* (*REL*) parafia *f*; (*BRIT: civil*) ≈ gmina *f*.
parish council (*BRIT*) *n* rada *f* gminy.
parishioner [pə'rɪʃənə*] *n* parafianin (-anka) *m(f)*.
Parisian [pə'rɪzɪən] *adj* paryski ♦ *n* Paryżanin (-anka) *m(f)*.
parity ['pærɪtɪ] *n* równość *f*; (*ECON*) parytet *m*.
park [pɑːk] *n* park *m* ♦ *vt* parkować (zaparkować *perf*) ♦ *vi* parkować (zaparkować *perf*).
parka ['pɑːkə] *n* długa kurtka z kapturem, zwykle na futrze.
parking ['pɑːkɪŋ] *n* (*action*) parkowanie *nt*; **"no parking"** „zakaz parkowania".
parking lights *npl* światła *pl* postojowe.
parking lot (*US*) *n* parking *m*.
parking meter *n* parkometr *m*.
parking offence (*BRIT*) *n* niedozwolone parkowanie *nt*.
parking place *n* miejsce *nt* do parkowania.
parking ticket *n* mandat *m* za niedozwolone parkowanie.
parking violation (*US*) *n* = **parking offence**.
parkway ['pɑːkweɪ] (*US*) *n* aleja *f*.
parlance ['pɑːləns] *n*: **in common parlance** w mowie potocznej.
parliament ['pɑːləmənt] (*BRIT*) *n* parlament *m*.
parliamentary [pɑːlə'mɛntərɪ] *adj* parlamentarny.
parlour ['pɑːlə*] (*US* **parlor**) *n* salon *m*.
parlous ['pɑːləs] *adj* (*state*) opłakany.
Parmesan [pɑːmɪ'zæn] *n* (*also*: **Parmesan cheese**) parmezan *m*.
parochial [pə'rəukɪəl] (*pej*) *adj* zaściankowy.
parody ['pærədɪ] *n* parodia *f* ♦ *vt* parodiować (sparodiować *perf*).
parole [pə'rəul] (*JUR*) *n* zwolnienie *nt* warunkowe; **he was released on parole** został zwolniony warunkowo.
paroxysm ['pærəksɪzəm] *n* paroksyzm *m*.
parquet ['pɑːkeɪ] *n*: **parquet floor(ing)** parkiet *m*.
parrot ['pærət] *n* papuga *f*.
parrot fashion *adv* jak papuga.
parry ['pærɪ] *vt* (*blow*) odparowywać (odparować *perf*); (*argument*) odpierać (odeprzeć *perf*).
parsimonious [pɑːsɪ'məunɪəs] *adj* skąpy.
parsley ['pɑːslɪ] *n* pietruszka *f*.
parsnip ['pɑːsnɪp] *n* pasternak *m*.
parson ['pɑːsn] *n* duchowny *m*; (*Church of England*) pastor *m*.
part [pɑːt] *n* (*section, division, component*) część *f*; (*role*) rola *f*; (*episode*) odcinek *m*;

(*US: in hair*) przedziałek *m*; (*MUS*) partia *f* ♦ *adv* = **partly** ♦ *vt* rozdzielać (rozdzielić *perf*) ♦ *vi* (*two people*) rozstawać się (rozstać się *perf*); (*crowd*) rozstępować się (rozstąpić się *perf*); (*fig: roads*) rozchodzić się (rozejść się *perf*); **to take part in** brać (wziąć *perf*) udział w +*loc*; **to take sth in good part** przyjmować (przyjąć *perf*) coś w dobrej wierze; **to take sb's part** stawać (stanąć *perf*) po czyjejś stronie; **on his part** z jego strony; **for my part** jeśli o mnie chodzi; **for the most part** (*usually*) przeważnie; (*generally*) w przeważającej części; **for the better** *or* **best part of the day** przez większą część dnia; **to be part and parcel of** stanowić nieodłączną część +*gen*; **part of speech** część mowy.
▸**part with** *vt fus* rozstawać się (rozstać się *perf*) z +*instr*.
partake [pɑː'teɪk] (*irreg like* **take**) (*fml*) *vi*: **to partake of** (*food, drink*) spożywać (spożyć *perf*) +*acc*; (*activity*) brać (wziąć *perf*) udział w +*loc*.
part exchange (*BRIT: COMM*) *n*: **in part exchange** w rozliczeniu.
partial ['pɑːʃl] *adj* (*not complete*) częściowy; (*unjust*) stronniczy; **to be partial to** mieć słabość do +*gen*.
partially ['pɑːʃəlɪ] *adv* częściowo.
participant [pɑː'tɪsɪpənt] *n* uczestnik (-iczka) *m(f)*.
participate [pɑː'tɪsɪpeɪt] *vi* udzielać się; **to participate in** uczestniczyć w +*loc*.
participation [pɑːtɪsɪ'peɪʃən] *n* udział *m*, uczestnictwo *nt*.
participle ['pɑːtɪsɪpl] *n* imiesłów *m*.
particle ['pɑːtɪkl] *n* cząsteczka *f*.
particular [pə'tɪkjulə*] *adj* szczególny; **particulars** *npl* (*details*) szczegóły *pl*; (*name, address etc*) dane *pl* osobiste; **in particular** w szczególności; **to be very particular about** być bardzo wymagającym jeśli idzie o +*acc*.
particularly [pə'tɪkjulərlɪ] *adv* szczególnie.
parting ['pɑːtɪŋ] *n* (*farewell*) rozstanie *nt*; (*of crowd etc*) rozstąpienie się *nt*; (*of roads*) rozejście się *nt*; (*BRIT: in hair*) przedziałek *m* ♦ *adj* pożegnalny; **his parting shot was ...** (*fig*) na odchodnym rzucił ... .
partisan [pɑːtɪ'zæn] *adj* (*politics, views*) stronniczy ♦ *n* (*fighter*) partyzant *m*; (*supporter*) zwolennik (-iczka) *m(f)*.
partition [pɑː'tɪʃən] *n* (*wall, screen*) przepierzenie *nt*; (*of country*) podział *m*; (: *among foreign powers*) rozbiór *m* ♦ *vt* dzielić (podzielić *perf*).
partly ['pɑːtlɪ] *adv* częściowo.
partner ['pɑːtnə*] *n* partner(ka) *m(f)*; (*COMM*) wspólnik (-iczka) *m(f)* ♦ *vt* być partnerem +*gen*, partnerować +*dat*.
partnership ['pɑːtnəʃɪp] *n* partnerstwo *nt*; (*COMM*) spółka *f*; **to go into partnership**

(with), form a partnership (with) wchodzić (wejść *perf*) w spółkę (z +*instr*).

part payment n (*COMM*) częściowe rozliczenie *nt* płatności.

partridge ['pɑːtrɪdʒ] n kuropatwa f.

part-time ['pɑːt'taɪm] *adj* niepełnoetatowy ♦ *adv* na niepełen etat.

part-timer [pɑːt'taɪmə*] n (*also*: **part-time worker**) pracownik m niepełnoetatowy.

party ['pɑːtɪ] n (*POL*) partia f; (*celebration, social event*) przyjęcie *nt*; (*of people*) grupa f; (*JUR*) strona f ♦ *cpd* (*POL*) partyjny; **dinner party** proszony obiad; **to give** *or* **throw a party** wydawać (wydać *perf*) przyjęcie; **we're having a party next Saturday** w przyszłą sobotę urządzamy przyjęcie; **our son's birthday party** przyjęcie urodzinowe naszego syna; **to be (a) party to a crime** być zamieszanym w przestępstwo.

party dress n suknia f wieczorowa.

party line n (*TEL*) wspólna linia f telefoniczna; (*POL*) linia f partyjna.

par value (*COMM*) n (*of share, bond*) wartość f pierwotna.

pass [pɑːs] *vt* (*time*) spędzać (spędzić *perf*); (*salt, glass etc*) podawać (podać *perf*); (*place, person*) mijać (minąć *perf*); (*car*) wyprzedzać (wyprzedzić *perf*); (*exam*) zdawać (zdać *perf*); (*law*) uchwalać (uchwalić *perf*); (*proposal*) przyjmować (przyjąć *perf*); (*fig: limit, mark*) przekraczać (przekroczyć *perf*) ♦ *vi* (*person*) przechodzić (przejść *perf*); (: *in exam etc*) zdawać (zdać *perf*); (*time*) mijać (minąć *perf*); (*vehicle*) przejeżdżać (przejechać *perf*) ♦ n (*permit*) przepustka f; (*in mountains*) przełęcz f; (*SPORT*) podanie *nt*; **to get a pass in** (*SCOL*) otrzymywać (otrzymać *perf*) zaliczenie z +*gen*; **pass the thread through the needle** nawlecz igłę; **could you pass the vegetables round?** czy mógłbyś podać warzywa?; **things have come to a pretty pass** (*BRIT: inf*) sprawy mają się kiepsko (*inf*); **to make a pass at sb** (*inf*) przystawiać się do kogoś (*inf*).

▶**pass away** *vi* umrzeć (*perf*).

▶**pass by** *vi* przechodzić (przejść *perf*) ♦ *vt* (*lit, fig*) przechodzić (przejść *perf*) obok +*gen*.

▶**pass down** *vt* (*traditions etc*) przekazywać (przekazać *perf*).

▶**pass for** *vt* uchodzić za +*acc*.

▶**pass on (to)** *vt* (*news, object*) przekazywać (przekazać *perf*) (+*dat*); (*illness*) zarażać (zarazić *perf*) +*instr* (+*acc*); (*costs, price rises*) przerzucać (przerzucić *perf*) (na +*acc*) ♦ *vi* umrzeć (*perf*).

▶**pass out** *vi* mdleć (zemdleć *perf*); (*BRIT: MIL*) zostawać (zostać *perf*) promowanym.

▶**pass over** *vt* (*ignore*) pomijać (pominąć *perf*) ♦ *vi* umrzeć (*perf*).

▶**pass up** *vt* (*opportunity*) przepuszczać (przepuścić *perf*).

passable ['pɑːsəbl] *adj* (*road*) przejezdny; (*acceptable*) znośny.

passage ['pæsɪdʒ] n (*also*: **passageway**) korytarz m; (*in book*) fragment m, ustęp m; (*way through crowd etc*) przejście *nt*; (*ANAT*) przewód m; (*act of passing*) przejazd m; (*journey*) przeprawa f.

passenger ['pæsɪndʒə*] n pasażer(ka) m(f).

passer-by [pɑːsə'baɪ] (*pl* **passers-by**) n przechodzień m.

passing ['pɑːsɪŋ] *adj* przelotny; **in passing** mimochodem; **to mention sth in passing** napomykać (napomknąć *perf*) o czymś mimochodem.

passing place (*AUT*) n mijanka f.

passion ['pæʃən] n namiętność f; (*fig*) pasja f; **to have a passion for sth** mieć zamiłowanie do czegoś.

passionate ['pæʃənɪt] *adj* namiętny.

passive ['pæsɪv] *adj* bierny ♦ n (*LING*) strona f bierna.

passive smoking n bierne palenie *nt*.

passkey ['pɑːskiː] n klucz m uniwersalny.

Passover ['pɑːsəuvə*] n Pascha f.

passport ['pɑːspɔːt] n paszport m; (*fig*) klucz m, przepustka f.

passport control n kontrola f paszportowa.

password ['pɑːswəːd] n hasło *nt*.

past [pɑːst] *prep* (*in front of*) obok +*gen*; (*beyond: be*) za *or* poza +*instr*; (: *go*) za *or* poza +*acc*; (*later than*) po +*loc* ♦ *adj* (*previous: government*) poprzedni; (: *week, month*) ubiegły, miniony; (*experience*) wcześniejszy; (*LING*) przeszły ♦ n przeszłość f; **he's past forty** jest po czterdziestce; **ten/quarter past eight/midnight** dziesięć/kwadrans po ósmej/północy; **for the past few days** przez kilka ostatnich dni; **to run past (sb/sth)** przebiegać (przebiec *perf*) obok (kogoś/czegoś); **in the past** w przeszłości; (*LING*) w czasie przeszłym; **I'm past caring** przestało mi zależeć; **he's past it** (*BRIT: inf*) to już nie te lata.

pasta ['pæstə] n makaron m.

paste [peɪst] n (*wet mixture*) papka f; (*glue*) klej m mączny, klajster m; (*jewellery*) stras m; (*CULIN*) pasta f ♦ *vt* smarować (posmarować *perf*) klejem; **to paste sth on sth** naklejać (nakleić *perf*) coś na coś; **to paste together** sklejać (skleić *perf*); **paste emeralds** sztuczne szmaragdy.

pastel ['pæstl] *adj* pastelowy.

pasteurized ['pæstʃəraɪzd] *adj* pasteryzowany.

pastille ['pæstl] n pastylka f (*cukierek*).

pastime ['pɑːstaɪm] n hobby *nt inv*.

past master (*BRIT*) n: **to be a past master at** być mistrzem w +*loc*.

pastor ['pɑːstə*] n pastor m.

astoral ['pɑ:stərl] (REL) adj duszpasterski.

astry ['peɪstrɪ] n (dough) ciasto nt; (cake) ciastko nt.

asture ['pɑ:stʃə*] n pastwisko nt.

asty [n 'pæstɪ, adj 'peɪstɪ] n pasztecik m ♦ adj (niezdrowo) blady.

at [pæt] vt klepać (klepnąć perf), poklepywać (poklepać perf) ♦ adj (answer etc) bez zająknienia post; **to give sb/o.s. a pat on the back** (fig) chwalić (pochwalić perf) kogoś/się; **he knows it off pat,** (US) **he has it down pat** zna to na wyrywki.

atch [pætʃ] n (piece of material) łata f; (also: eye patch) przepaska f na oko; (damp, black etc) plama f; (of land) zagon m ♦ vt łatać (załatać perf or połatać perf); **a bald patch** łysina; **to go through a bad patch** przechodzić (przejść perf) zły okres.

patch up vt (clothes) łatać (załatać perf or połatać perf); (quarrel) łagodzić (załagodzić perf); (relationship) naprawiać (naprawić perf).

atchwork ['pætʃwə:k] n patchwork m.

atchy ['pætʃɪ] adj (colour) niejednolity; (information, knowledge) wyrywkowy.

ate [peɪt] n: **a bald pate** łysina f.

âté ['pæteɪ] n pasztet m.

atent ['peɪtnt] n patent m ♦ vt opatentowywać (opatentować perf) ♦ adj oczywisty, ewidentny.

atent leather n skóra f lakierowana; **patent leather shoes** lakierki.

atently ['peɪtntlɪ] adv ewidentnie.

atent medicine n (produced by one firm) specyfik m; (cure-all) cudowny lek m.

atent office n urząd m patentowy.

aternal [pə'tə:nl] adj (love, duty) ojcowski; (grandmother) ze strony ojca post.

aternalistic [pətə:nə'lɪstɪk] adj paternalistyczny.

aternity [pə'tə:nɪtɪ] n ojcostwo nt.

aternity leave n urlop przysługujący ojcu z tytułu narodzin dziecka.

aternity suit n postępowanie nt o ustalenie ojcostwa.

ath [pɑ:θ] n ścieżka f, dróżka f; (trajectory) tor m; (fig) droga f.

athetic [pə'θetɪk] adj żałosny.

athological [pæθə'lɔdʒɪkl] adj patologiczny.

athologist [pə'θɔlədʒɪst] n patolog m.

athology [pə'θɔlədʒɪ] n patologia f.

athos ['peɪθɔs] n patos m.

athway ['pɑ:θweɪ] n ścieżka f; (fig) droga f.

atience ['peɪʃns] n cierpliwość f; (BRIT: CARDS) pasjans m; **to lose (one's) patience** tracić (stracić perf) cierpliwość.

atient ['peɪʃnt] n pacjent(ka) m(f) ♦ adj cierpliwy; **to be patient with sb** mieć do kogoś cierpliwość.

atiently ['peɪʃntlɪ] adv cierpliwie.

atio ['pætɪəu] n patio nt.

atriot ['peɪtrɪət] n patriota (-tka) m(f).

atriotic [pætrɪ'ɔtɪk] adj (song, speech)

patriotyczny; (person): **he/she is patriotic** jest patriotą/patriotką.

patriotism ['pætrɪətɪzəm] n patriotyzm m.

patrol [pə'trəul] n patrol m ♦ vt patrolować; **to be on patrol** odbywać patrol.

patrol boat n łódź f patrolowa.

patrol car n wóz m patrolowy.

patrolman [pə'trəulmən] (US) (irreg like **man**) n policjant m na patrolu.

patron ['peɪtrən] n (of shop) stały (-ła) m(f); (of hotel, restaurant) gość m (zwłaszcza częsty); (benefactor) patron m; **patron of the arts** mecenas sztuki.

patronage ['pætrənɪdʒ] n: **patronage (of)** (artist, charity etc) patronat m (nad +instr).

patronize ['pætrənaɪz] vt (pej: look down on) traktować protekcjonalnie; (artist) być patronem +gen; (shop) kupować w +loc; (restaurant etc) (często) bywać w +loc; (firm) korzystać z usług +gen.

patronizing ['pætrənaɪzɪŋ] adj protekcjonalny.

patron saint (REL) n patron(ka) m(f).

patter ['pætə*] n (of feet) tupot m; (of rain) bębnienie nt; (sales talk etc) gadka f (inf) ♦ vi (footsteps) tupać (zatupać perf); (rain) bębnić (zabębnić perf).

pattern ['pætən] n (design) wzór m; (sample) próbka f; **behaviour patterns** wzory zachowań.

patterned ['pætənd] adj wzorzysty; **patterned with flowers** (z wzorem) w kwiatki.

paucity ['pɔ:sɪtɪ] n niedostatek m.

paunch [pɔ:ntʃ] n brzuch m.

pauper ['pɔ:pə*] n nędzarz (-arka) m(f); **pauper's grave** grób komunalny.

pause [pɔ:z] n przerwa f; (MUS) fermata f ♦ vi (stop temporarily) zatrzymywać się (zatrzymać się perf); (: while speaking) przerywać (przerwać perf); **to pause for breath** zatrzymywać się (zatrzymać się perf) dla nabrania oddechu; **without pausing for breath** (fig) bez wytchnienia.

pave [peɪv] vt (with stone) brukować (wybrukować perf); (with concrete) betonować (wybetonować perf); **to pave the way for** (fig) torować (utorować perf) drogę +dat or dla +gen.

pavement ['peɪvmənt] n (BRIT) chodnik m; (US) nawierzchnia f drogi.

pavilion [pə'vɪlɪən] n (SPORT) szatnia f; (at exhibition) pawilon m.

paving ['peɪvɪŋ] n nawierzchnia f.

paving stone n płyta f chodnikowa.

paw [pɔ:] n łapa f ♦ vt (cat etc) skrobać (łapą or łapami) w +acc; (pej: person) obłapywać, obmacywać; **the horse was pawing the ground** koń darł kopytami ziemię.

pawn [pɔ:n] n pionek m ♦ vt zastawiać (zastawić perf).

pawnbroker ['pɔ:nbrəukə*] n właściciel(ka) m(f) lombardu.

pawnshop ['pɔ:nʃɔp] n lombard m.

pay [peɪ] (*pt* **paid**) *n* płaca *f* ♦ *vt* (*sum of money, bill*) płacić (zapłacić *perf*); (*person*) płacić (zapłacić *perf*) +*dat* ♦ *vi* opłacać się (opłacić się *perf*); (*fig*) opłacać się (opłacić się *perf*), popłacać; **how much did you pay for it?** ile za to zapłaciłaś?; **to pay one's way** płacić (zapłacić *perf*) za siebie; **to pay dividends** (*fig*) procentować (zaprocentować *perf*); **to pay a high price for sth** (*fig*) płacić (zapłacić *perf*) za coś wysoką cenę; **to pay the penalty for sth** ponosić (ponieść *perf*) karę za coś; **to pay sb a compliment** powiedzieć (*perf*) komuś komplement; **to pay attention (to)** zwracać (zwrócić *perf*) uwagę (na +*acc*); **to pay sb a visit** składać (złożyć *perf*) komuś wizytę; **to pay one's respects to sb** składać (złożyć *perf*) komuś wyrazy szacunku.
▶**pay back** *vt* (*money*) zwracać (zwrócić *perf*), oddawać (oddać *perf*); (*loan*) spłacać (spłacić *perf*); (*person*) zwracać (zwrócić *perf*) *or* oddawać (oddać *perf*) pieniądze +*dat*.
▶**pay for** *vt fus* (*lit, fig*) płacić (zapłacić *perf*) za +*acc*.
▶**pay in** *vt* wpłacać (wpłacić *perf*).
▶**pay off** *vt* (*debt, creditor*) spłacać (spłacić *perf*); (*person: before dismissing*) dać (dawać *perf*) odprawę +*dat*; (*person: bribe*) przekupywać (przekupić *perf*) ♦ *vi* opłacać się (opłacić się *perf*); **to pay sth off in instalments** spłacać (spłacić *perf*) coś w ratach.
▶**pay out** *vt* (*money*) wydawać (wydać *perf*); (*rope*) popuszczać (popuścić *perf*).
▶**pay up** *vi* oddawać (oddać *perf*) pieniądze (*zwłaszcza niechętnie lub po terminie*).
payable ['peɪəbl] *adj* (*tax etc*) do zapłaty *post*; **cheques should be made payable to** czeki powinny być wystawione na +*acc*.
pay day *n* dzień *m* wypłaty.
PAYE (*BRIT*) *n abbr* (= *pay as you earn*) *płacenie podatku dochodowego przy otrzymywaniu płacy.*
payee [peɪ'i:] *n* (*of postal order*) odbiorca *m*; (*of cheque*) beneficjant *m*, remitent *m*.
pay envelope (*US*) *n* = **pay packet**.
paying guest ['peɪɪŋ-] *n* sublokator(ka) *m(f)*.
payload ['peɪləud] *n* ładunek *m* handlowy *or* użyteczny.
payment ['peɪmənt] *n* (*act*) zapłata *f*; (*of bill*) płatność *f*; (*sum of money*) wypłata *f*; **advance payment** (*part sum*) zaliczka; (*total sum*) wypłata z góry; **deferred payment** zaległa wypłata; **payment by installments** wypłata w ratach; **monthly payment** miesięczna wypłata; **on payment of** po opłaceniu +*gen*.
pay packet (*BRIT*) *n* koperta *f* z wypłatą.
pay phone *n* automat *m* telefoniczny (*na monety*).
payroll ['peɪrəul] *n* lista *f* płac; **to be on a**

firm's payroll być na liście płac przedsiębiorstwa.
pay slip (*BRIT*) *n* odcinek *m* (od) wypłaty.
pay station (*US*) *n* = **pay phone**.
PBS (*US*) *n abbr* (= *Public Broadcasting Service*).
PC *n abbr* = **personal computer** pecet *m* (*inf*); (*BRIT*) = **police constable** ♦ *adj abbr* = **politically correct** ♦ *abbr* (*BRIT*) = **Privy Councillor**.
pc *abbr* = **per cent** proc.; = **postcard**.
p/c *abbr* = **petty cash**.
PCB *n abbr* (*ELEC, COMPUT*: = *printed circuit board*) płytka *f* drukowana; (= *polychlorinated biphenyl*) dwufenyl *m* polichlorowany (*ciecz izolacyjna*).
pcm *abbr* (= *per calendar month*) za miesiąc kalendarzowy.
PD (*US*) *n abbr* = **police department**.
pd *abbr* (= *paid*) zapł.
pdq (*inf*) *adv abbr* (= *pretty damn quick*) cholernie szybko (*inf*).
PDSA (*BRIT*) *n abbr* (= *People's Dispensary for Sick Animals*) *darmowa lecznica dla zwierząt domowych.*
PDT (*US*) *abbr* (= *Pacific Daylight Time*).
PE *n abbr* (*SCOL*) = **physical education** WF *m* ♦ *abbr* (*CANADA*: = *Prince Edward Island*).
pea [pi:] *n* groch *m*, groszek *m*.
peace [pi:s] *n* (*not war*) pokój *m*; (*calm*) spokój *m*; **to be at peace with sb/sth** żyć w przyjaźni z kimś/czymś; **to keep the peace** utrzymywać spokój.
peaceable ['pi:səbl] *adj* (*person*) pokojowo nastawiony; (*attitude*) pokojowy.
peaceful ['pi:sful] *adj* (*calm*) spokojny; (*without violence*) pokojowy.
peace offering *n* (*fig*) pojednawczy gest *m*.
peach [pi:tʃ] *n* brzoskwinia *f*.
peacock ['pi:kɔk] *n* paw *m*.
peak [pi:k] *n* (*lit, fig*) szczyt *m*; (*of cap*) daszek *m*.
peak hours *npl* godziny *pl* szczytu.
peak period *n* okres *m* szczytowy.
peaky ['pi:kɪ] (*BRIT: inf*) *adj* mizerny.
peal [pi:l] *n* (*of bells*) bicie *nt*; **peals of laughter** salwy śmiechu.
peanut ['pi:nʌt] *n* orzeszek *m* ziemny.
peanut butter *n* masło *nt* orzechowe.
pear [pɛə*] *n* gruszka *f*.
pearl [pə:l] *n* perła *f*.
peasant ['pɛznt] *n* chłop(ka) *m(f)*.
peat [pi:t] *n* torf *m*.
pebble ['pɛbl] *n* kamyk *m*, otoczak *m*.
peck [pɛk] *vt* dziobać (dziobnąć *perf*); (*also*: **peck at**) dziobać (podziobać *perf*) ♦ *n* (*of bird*) dziobnięcie *nt*; (*kiss*) muśnięcie *nt* (wargami); **to peck a hole in sth** wydziobywać (wydziobać *perf*) w czymś dziurę.

ecking order ['pɛkɪŋ-] *n* (*fig*) hierarchia *f* (*w obrębie danej grupy*).

eckish ['pɛkɪʃ] (*BRIT: inf*) *adj* głodnawy.

eculiar [pɪ'kju:lɪə*] *adj* osobliwy; **peculiar to** właściwy (szczególnie) +*dat*.

eculiarity [pɪkju:lɪ'ærɪtɪ] *n* (*strange habit, characteristic*) osobliwość *f*; (*distinctive feature*) cecha *f* szczególna.

eculiarly [pɪ'kju:lɪəlɪ] *adv* (*oddly*) osobliwie; (*distinctively*) szczególnie.

ecuniary [pɪ'kju:nɪərɪ] *adj* pieniężny.

edal ['pɛdl] *n* pedał *m* ♦ *vi* pedałować.

edal bin (*BRIT*) *n* kosz *m* na śmieci (*z pedałem*).

edant ['pɛdənt] *n* pedant(ka) *m(f)*.

edantic [pɪ'dæntɪk] *adj* pedantyczny.

eddle ['pɛdl] *vt* (*goods, drugs*) handlować +*instr*; (*gossip*) rozpowszechniać.

eddler ['pɛdlə*] *n* (*also*: **drug peddler**) handlarz (-arka) *m(f)* narkotyków.

edestal ['pɛdəstl] *n* piedestał *m*.

edestrian [pɪ'dɛstrɪən] *n* pieszy (-sza) *m(f)* ♦ *adj* pieszy; (*fig*) przeciętny.

edestrian crossing (*BRIT*) *n* przejście *nt* dla pieszych.

edestrian precinct (*BRIT*) *n* strefa *f* ruchu pieszego.

ediatrics [pi:dɪ'ætrɪks] (*US*) *n* = **paediatrics**.

edigree ['pɛdɪgri:] *n* (*lit, fig*) rodowód *m* ♦ *cpd*: **pedigree dog** pies *m* z rodowodem.

ee [pi:] (*inf*) *vi* siusiać.

eek [pi:k] *vi*: **to peek at/over** zerkać (zerknąć *perf*) na +*acc*/ponad +*instr* ♦ *n*: **to have or take a peek (at)** rzucać (rzucić *perf*) okiem (na +*acc*).

eel [pi:l] *n* (*of orange etc*) skórka *f* ♦ *vt* obierać (obrać *perf*) ♦ *vi* (*paint*) łuszczyć się; (*wallpaper*) odpadać (płatami); (*skin*) schodzić; **my back's peeling** schodzi mi skóra z pleców.

peel back *vt* odrywać (oderwać *perf*).

eeler ['pi:lə*] *n* *nóż do obierania warzyw i owoców*.

eelings ['pi:lɪŋz] *npl* obierki *pl*.

eep [pi:p] *n* (*look*) zerknięcie *nt*; (*sound*) pisk *m* ♦ *vi* (*look*) zerkać (zerknąć *perf*); **to have or take a peep (at)** zerkać (zerknąć *perf*) (na +*acc*).

peep out *vi* wyglądać (wyjrzeć *perf*).

eephole ['pi:phəul] *n* wizjer *m*, judasz *m* (*inf*).

eer [pɪə*] *n* (*noble*) par *m*; (*equal*) równy (-na) *m(f)*; (*contemporary*) rówieśnik (-iczka) *m(f)* ♦ *vi*: **to peer at** przyglądać się (przyjrzeć się *perf*) +*dat*.

eerage ['pɪərɪdʒ] *n*: **a peerage** godność *f* para; **the peerage** parowie *vir pl*.

eerless ['pɪəlɪs] *adj* nie mający sobie równych.

eeved [pi:vd] *adj* (*inf*) wkurzony (*inf*).

eevish ['pi:vɪʃ] *adj* drażliwy.

eg [pɛg] *n* (*for coat*) wieszak *m*; (*BRIT: also*:

clothes peg) klamerka *f*; (*also*: **tent peg**) śledź *m* ♦ *vt* (*washing*) wieszać; (*prices*) ustalać (ustalić *perf*); **off the peg** (*clothes*) gotowy.

pejorative [pɪ'dʒɔrətɪv] *adj* pejoratywny.

Pekin [pi:'kɪn] *n* = **Peking**.

Peking [pi:'kɪŋ] *n* Pekin *m*.

Pekin(g)ese [pi:kɪ'ni:z] *n* pekińczyk *m*.

pelican ['pɛlɪkən] *n* pelikan *m*.

pelican crossing (*BRIT*) *n* przejście *nt* dla pieszych;

pellet ['pɛlɪt] *n* (*of paper*) kulka *f*; (*of mud*) grudka *f*; (*for shotgun*) ziarno *nt* or kulka *f* śrutu.

pell-mell ['pɛl'mɛl] *adv* (*without order*) bezładnie; (*hurriedly*) pośpiesznie.

pelmet ['pɛlmɪt] *n* lambrekin *m*.

pelt [pɛlt] *vt*: **to pelt sb with sth** obrzucać (obrzucić *perf*) kogoś czymś ♦ *vi* (*rain: also*: **pelt down**) lać; (*inf: run*) pędzić (popędzić *perf*) ♦ *n* skóra *f* (zwierzęca).

pelvis ['pɛlvɪs] (*ANAT*) *n* miednica *f*.

pen [pɛn] *n* (*also*: **fountain pen**) wieczne pióro *nt*; (*also*: **ballpoint pen**) długopis *m*; (*also*: **felt-tip pen**) pisak *m*; (*for sheep etc*) zagroda *f*; (*US: inf: prison*) pudło *nt* (*inf*); **to put pen to paper** (*start to write*) zabrać się (*perf*) do pisania; (*write sth*) napisać (*perf*) coś.

penal ['pi:nl] *adj* karny.

penalize ['pi:nəlaɪz] *vt* karać (ukarać *perf*); (*fig*) pokrzywdzić (*perf*).

penal servitude [-'sə:vɪtju:d] (*JUR*) *n* ciężkie roboty *pl*.

penalty ['pɛnltɪ] *n* (*punishment*) kara *f*; (*fine*) grzywna *f*; (*SPORT: disadvantage*) kara *f*; (: **penalty kick**) rzut *m* karny.

penalty area (*BRIT: SPORT*) *n* pole *nt* karne.

penalty clause (*COMM*) *n* klauzula *f* dotycząca kar umownych.

penalty kick *n* rzut *m* karny.

penance ['pɛnəns] (*REL*) *n* pokuta *f*; **to do penance for one's sins** odprawiać (odprawić *perf*) pokutę za grzechy.

pence [pɛns] *npl of* **penny**.

penchant ['pɑ̃:ʃɑ̃:ŋ] *n* skłonność *f*; **to have a penchant for** mieć skłonność do +*gen*.

pencil ['pɛnsl] *n* ołówek *m* ♦ *vt*: **to pencil sb/sth in** wpisywać (wpisać *perf*) kogoś/coś wstępnie.

pencil case *n* piórnik *m*.

pencil sharpener *n* temperówka *f*.

pendant ['pɛndnt] *n* wisiorek *m*.

pending ['pɛndɪŋ] *prep* (*until*) do czasu +*gen*; (*during*) podczas +*gen* ♦ *adj* (*exam*) zbliżający się; (*lawsuit*) w toku *post*; (*question etc*) nie rozstrzygnięty; (*business*) do załatwienia *post*.

pendulum ['pɛndjuləm] *n* wahadło *nt*.

penetrate ['pɛnɪtreɪt] *vt* (*person: territory*) przedostawać się (przedostać się *perf*) na

+*acc*; (*light, water*) przenikać (przeniknąć *perf*)
przez +*acc*.

penetrating ['pɛnɪtreɪtɪŋ] *adj* (*sound, gaze*)
przenikliwy; (*observation*) wnikliwy.

penetration [pɛnɪ'treɪʃən] *n* przedostanie się *nt*,
przeniknięcie *nt*.

penfriend ['pɛnfrɛnd] (*BRIT*) *n*
korespondencyjny (-na) przyjaciel (-iółka) *m(f)*.

penguin ['pɛŋgwɪn] *n* pingwin *m*.

penicillin [pɛnɪ'sɪlɪn] *n* penicylina *f*.

peninsula [pə'nɪnsjulə] *n* półwysep *m*.

penis ['pi:nɪs] *n* członek *m*, prącie *nt*.

penitence ['pɛnɪtns] *n* skrucha *f*; (*REL*) żal *m*
za grzechy.

penitent ['pɛnɪtnt] *adj* skruszony.

penitentiary [pɛnɪ'tɛnʃərɪ] (*US*) *n* więzienie *nt*.

penknife ['pɛnnaɪf] *n* scyzoryk *m*.

pen name *n* pseudonim *m* literacki.

pennant ['pɛnənt] *n* proporczyk *m*.

penniless ['pɛnɪlɪs] *adj* bez grosza *post*.

Pennines ['pɛnaɪnz] *npl*: **the Pennines** Góry *pl*
Pennińskie.

penny ['pɛnɪ] (*pl* **pennies** *or BRIT* **pence**) *n*
(*BRIT*) pens *m*; (*US*) moneta *f* jednocentowa,
jednocentówka *f*; **it was worth every penny**
to było warte swojej ceny; **it won't cost you
a penny** nie będzie cię to kosztowało ani
pensa/grosza.

pen pal *n* = **penfriend**.

pension ['pɛnʃən] *n* (*when retired*) emerytura *f*;
(*when disabled*) renta *f*.

►**pension off** *vt* przenosić (przenieść *perf*) na
emeryturę.

pensionable ['pɛnʃnəbl] *adj* (*age*) emerytalny;
(*job*) uprawniający do emerytury *post*.

pensioner ['pɛnʃənə*] (*BRIT*) *n* emeryt(ka) *m(f)*.

pension fund *n* fundusz *m* emerytalny.

pensive ['pɛnsɪv] *adj* zamyślony.

pentagon ['pɛntəgən] (*US*) *n*: **the Pentagon**
Pentagon *m*.

Pentecost ['pɛntɪkɔst] *n* (*in Judaism*) Święto
nt Pierwszych Płodów, Święto *nt* Koszenia;
(*in Christianity*) Zielone Świątki *pl*, Zesłanie
nt Ducha Świętego.

penthouse ['pɛnthaus] *n* apartament *m* na
ostatnim piętrze.

pent-up ['pɛntʌp] *adj* (*feelings*) zdławiony.

penultimate [pɛ'nʌltɪmət] *adj* przedostatni.

penury ['pɛnjurɪ] *n* nędza *f*.

people ['pi:pl] *npl* ludzie *pl* ♦ *n* (*tribe, race*)
lud *m*; (*nation*) naród *m*; **the people** (*POL*)
lud *m*; **old people** starzy ludzie, starcy;
young people młodzież; **a man of the people**
człowiek ludu; **the room was full of people**
pokój był pełen ludzi; **people say that ...**
mówią *or* mówi się, że... .

pep [pɛp] (*inf*) *n* werwa *f*, wigor *m*.

►**pep up** *vt* (*person*) ożywiać (ożywić *perf*);
(*food*) dodawać (dodać *perf*) smaku +*dat*.

pepper ['pɛpə*] *n* (*spice*) pieprz *m*; (*green,*

red etc) papryka *f* ♦ *vt*: **to pepper with**
(*fig: bullets, questions*) zasypywać (zasypać
perf) +*instr*.

peppercorn ['pɛpəkɔ:n] *n* ziarno *nt* pieprzu.

pepper mill *n* młynek *m* do pieprzu.

peppermint ['pɛpəmɪnt] *n* (*sweet*) miętówka *f*;
(*plant*) mięta *f* pieprzowa.

pepperpot ['pɛpəpɔt] *n* pieprzniczka *f*.

pep talk (*inf*) *n* przemówienie *nt* podnoszące
na duchu.

per [pə:*] *prep* na +*acc*; **per day/person** na
dzień/osobę; **per hour** (*miles etc*) na godzinę;
(*fee*) za godzinę; **per kilo** za kilogram; **as
per your instructions** według twoich
instrukcji; **per annum** na rok.

per capita *adj* na głowę *post*, na jednego
mieszkańca *post* ♦ *adv* na głowę, na jednego
mieszkańca.

perceive [pə'si:v] *vt* (*sound, light*) postrzegać;
(*difference*) dostrzegać (dostrzec *perf*); (*view,
understand*) widzieć, postrzegać.

per cent *n* procent *m*; **a 20 per cent discount**
dwudziestoprocentowa zniżka.

percentage [pə'sɛntɪdʒ] *n* procent *m*; **on a
percentage basis** procentowo.

perceptible [pə'sɛptɪbl] *adj* dostrzegalny.

perception [pə'sɛpʃən] *n* (*insight*) wnikliwość
f, (*impression*) wrażenie *nt*; (*opinion, belief*)
opinia *f*, (*observation*) spostrzeżenie *nt*;
(*understanding*) rozumienie *nt*; (*faculty*)
postrzeganie *nt*, percepcja *f*.

perceptive [pə'sɛptɪv] *adj* (*person*)
spostrzegawczy; (*analysis*) wnikliwy.

perch [pə:tʃ] *n* (*for bird*) grzęda *f*, (*fish*) okoń
m ♦ *vi*: **to perch (on)** przysiadać (przysiąść
perf) (na +*loc*).

percolate ['pə:kəleɪt] *vt* (*coffee*) zaparzać
(zaparzyć *perf*) ♦ *vi* (*coffee*) zaparzać się
(zaparzyć się *perf*); **to percolate through/into**
etc (*idea*) rozpowszechniać się
(rozpowszechnić się *perf*) powoli w +*loc*;
(*light*) sączyć się przez +*acc* /do +*gen*,
przesączać się (przesączyć się *perf*) przez
+*acc* /do +*gen*.

percolator ['pə:kəleɪtə*] *n* dzbanek *m* do
parzenia kawy.

percussion [pə'kʌʃən] *n* perkusja *f*,
instrumenty *pl* perkusyjne.

peremptory [pə'rɛmptərɪ] (*pej*) *adj* nie
znoszący sprzeciwu.

perennial [pə'rɛnɪəl] *adj* (*BOT: plant*)
wieloletni; (*fig: problem*) wieczny; (: *feature*)
nieodłączny ♦ *n* (*BOT*) bylina *f*.

perfect [*adj, n* 'pə:fɪkt, *vb* pə'fɛkt] *adj*
(*faultless, ideal*) doskonały; (*utter*) zupełny ♦
vt doskonalić (udoskonalić *perf*) ♦ *n*: **the
perfect** (*also*: **the perfect tense**) czas *m*
dokonany; **he's a perfect stranger to me** w
ogóle go nie znam.

■rfection [pə'fɛkʃən] *n* perfekcja *f*,
doskonałość *f*.

■rfectionist [pə'fɛkʃənɪst] *n* perfekcjonista
(-tka) *m(f)*.

■rfectly ['pə:fɪktlɪ] *adv* (*honest etc*) zupełnie;
(*perform, do etc*) doskonale; (*agree*)
całkowicie, w zupełności; **I'm perfectly happy
with the situation** jestem całkowicie
zadowolony z sytuacji; **you know perfectly
well** doskonale wiesz; **I understood it
perfectly** rozumiałem to doskonale.

■rforate ['pə:fəreɪt] *vt* perforować.

■rforated ulcer ['pə:fəreɪtəd-] (*MED*) *n*
pęknięty wrzód *m*.

■rforation [pə:fə'reɪʃən] *n* (*small hole*) otwór
m; (*line of holes*) perforacja *f*.

■rform [pə'fɔ:m] *vt* (*task, piece of music etc*)
wykonywać (wykonać *perf*); (*ceremony*)
prowadzić (poprowadzić *perf*); (: *REL*)
odprawiać (odprawić *perf*) ♦ *vi* (*well, badly*)
wypadać (wypaść *perf*); **the ceremony will be
performed next week** ceremonia odbędzie się
w przyszłym tygodniu.

■rformance [pə'fɔ:məns] *n* (*of actor, athlete*)
występ *m*; (*of play*) przedstawienie *nt*; (*of car,
engine*) osiągi *pl*; (*of company*) wyniki *pl*
działalności; **performance of the economy**
stan gospodarki; **the team put up a good
performance** zespół miał dobry występ.

■rformer [pə'fɔ:mə*] *n* wykonawca (-czyni)
m(f).

■rforming [pə'fɔ:mɪŋ] *adj* (*animal*) tresowany.

■rfume ['pə:fju:m] *n* (*cologne etc*) perfumy
pl; (*fragrance*) woń *f*, zapach *m* ♦ *vt* (*air,
room etc*) przesycać (przesycić *perf*)
zapachem *+gen*; (*apply perfume*) perfumować.

■rfunctory [pə'fʌŋktərɪ] *adj* (*search*)
pobieżny; (*kiss, remark*) niedbały.

■rhaps [pə'hæps] *adv* może; **perhaps not**
może nie.

■ril ['pɛrɪl] *n* niebezpieczeństwo *nt*.

■rilous ['pɛrɪləs] *adj* niebezpieczny.

■rilously ['pɛrɪləslɪ] *adv* niebezpiecznie.

■rimeter [pə'rɪmɪtə*] *n* (*length of edge*)
obwód *m*; (*of camp, clearing*) granice *pl*.

■rimeter fence *n* ogrodzenie *nt*.

■riod ['pɪərɪəd] *n* (*length of time*) okres *m*,
czas *m*; (*era*) okres *m*; (*SCOL*) lekcja *f*; (*esp
US: full stop*) kropka *f*; (*MED*) okres *m*,
miesiączka *f* ♦ *adj* stylowy, z epoki *post*; **for
a period of three weeks** na okres trzech
tygodni; **the holiday period** (*BRIT*) okres
urlopowy; **I won't do it. Period.** nie zrobię
tego i kropka.

■riodic [pɪərɪ'ɔdɪk] *adj* okresowy.

■riodical [pɪərɪ'ɔdɪkl] *n* czasopismo *nt* ♦ *adj*
okresowy.

■riodically [pɪərɪ'ɔdɪklɪ] *adv* okresowo.

■riod pains (*BRIT: MED*) *npl* bóle *pl*
miesiączkowe.

peripatetic [pɛrɪpə'tɛtɪk] *adj* wędrowny;
peripatetic teacher (*BRIT*) nauczyciel
zatrudniony w dwu lub więcej szkołach i
podróżujący między nimi.

peripheral [pə'rɪfərəl] *adj* uboczny; **peripheral
vision** widzenie obwodowe ♦ *n* (*COMPUT*)
urządzenie *nt* peryferyjne.

periphery [pə'rɪfərɪ] *n* skraj *m*.

periscope ['pɛrɪskəup] *n* peryskop *m*.

perish ['pɛrɪʃ] *vi* (*die*) ginąć (zginąć *perf*);
(*rubber, leather*) rozpadać się (rozpaść się
perf).

perishable ['pɛrɪʃəbl] *adj* (*food*) łatwo psujący się.

perishables ['pɛrɪʃəblz] *npl* produkty *pl* łatwo
psujące się.

perishing ['pɛrɪʃɪŋ] *adj*: **it's perishing cold** jest
przeraźliwie zimno.

peritonitis [pɛrɪtə'naɪtɪs] *n* zapalenie *nt*
otrzewnej.

perjure ['pə:dʒə*] (*JUR*) *vt*: **to perjure o.s.**
krzywoprzysięgać (krzywoprzysiąc *perf*).

perjury ['pə:dʒərɪ] (*JUR*) *n* krzywoprzysięstwo *nt*.

perks [pə:ks] (*inf*) *npl* korzyści *pl* uboczne.

perk up *vi* ożywiać się (ożywić się *perf*).

perky ['pə:kɪ] *adj* żwawy.

perm [pə:m] *n* trwała *f* ♦ *vt*: **to have one's
hair permed** robić (zrobić *perf*) sobie trwałą
(ondulację).

permanence ['pə:mənəns] *n* trwałość *f*.

permanent ['pə:mənənt] *adj* (*lasting forever*)
trwały; (*present all the time*) ciągły; (*job,
address*) stały; **I'm not permanent here** nie
jestem tu na stałe.

permanently ['pə:mənəntlɪ] *adv* (*damage*)
trwale; (*stay, live*) na stałe; (*locked etc*) stale.

permeable ['pə:mɪəbl] *adj* przepuszczalny.

permeate ['pə:mɪeɪt] *vt* przenikać (przeniknąć
perf) ♦ *vi*: **to permeate through** (*liquid*)
przesiąkać (przesiąknąć *perf*) przez *+acc*;
(*idea*) przenikać (przeniknąć *perf*) do *+gen*.

permissible [pə'mɪsɪbl] *adj* dopuszczalny,
dozwolony.

permission [pə'mɪʃən] *n* (*consent*) pozwolenie
nt; (*authorization*) zezwolenie *nt*; **to give sb
permission to do sth** dawać (dać *perf*) komuś
zezwolenie na zrobienie czegoś.

permissive [pə'mɪsɪv] *adj* pobłażliwy,
permisywny (*fml*).

permit [*n* 'pə:mɪt, *vb* pə'mɪt] *n* (*authorization*)
zezwolenie *nt*; (*entrance pass*) przepustka *f* ♦
vt pozwalać (pozwolić *perf*) na *+acc*; **to
permit sb to do sth** pozwalać (pozwolić *perf*)
komuś coś (z)robić; **weather permitting** jeśli
pogoda dopisze; **fishing permit** (*for a year*)
karta wędkarska; (*for a week etc*) zezwolenie
wędkarskie.

permutation [pə:mju'teɪʃən] *n* (*MATH*)
permutacja *f*; (*fig*) kombinacja *f*.

pernicious [pə:'nɪʃəs] *adj* (*lie, nonsense*)
szkodliwy; (*effect*) zgubny.

pernickety [pə'nɪkɪtɪ] (*inf*) *adj* drobiazgowy.
perpendicular [pə:pən'dɪkjulə*] *adj* pionowy ♦
n: the perpendicular pion *m*; perpendicular to
prostopadły do +*gen*.
perpetrate ['pə:pɪtreɪt] *vt* popełniać (popełnić
perf).
perpetual [pə'pɛtjuəl] *adj* (*motion, darkness*)
wieczny; (*noise, questions*) nieustanny.
perpetuate [pə'pɛtjueɪt] *vt* zachowywać
(zachować *perf*).
perpetuity [pə:pɪ'tju:ɪtɪ] *n*: in perpetuity po
wieczne czasy.
perplex [pə'plɛks] *vt* mieszać (zmieszać *perf*),
kłopotać (zakłopotać *perf*).
perplexing [pə'plɛksɪŋ] *adj* wprawiający w
zakłopotanie.
perquisites ['pə:kwɪzɪts] (*fml*) *npl* uboczne
korzyści *pl*.
per se [-seɪ] *adv* jako taki.
persecute ['pə:sɪkju:t] *vt* prześladować.
persecution [pə:sɪ'kju:ʃən] *n* prześladowanie *nt*.
perseverance [pə:sɪ'vɪərns] *n* wytrwałość *f*.
persevere [pə:sɪ'vɪə*] *vi* wytrwać (*perf*), nie
ustawać.
Persia ['pə:ʃə] *n* Persja *f*.
Persian ['pə:ʃən] *adj* perski ♦ *n* (język *m*)
perski; the (Persian) Gulf Zatoka Perska.
persist [pə'sɪst] *vi* (*pain, weather etc*)
utrzymywać się; (*person*) upierać się; to
persist with sth obstawać przy czymś; to
persist in doing sth wciąż coś robić, nie
przestawać czegoś robić.
persistence [pə'sɪstəns] *n* wytrwałość *f*.
persistent [pə'sɪstənt] *adj* (*noise, smell, cough*)
uporczywy; (*person*) wytrwały; (*lateness,
rain*) bezustanny; persistent offender (*JUR*)
recydywista (-tka) *m(f)*.
persnickety [pə'snɪkɪtɪ] (*US*: *inf*) *adj* =
pernickety.
person ['pə:sn] *n* osoba *f*; in person osobiście;
on *or* about one's person przy sobie; person
to person call (*TEL*) ≈ rozmowa z
przywołaniem.
personable ['pə:snəbl] *adj* przystojny.
personal ['pə:snl] *adj* (*belongings, account,
appeal etc*) osobisty; (*opinion, life, habits*)
prywatny; to be/get personal robić osobiste
wycieczki; nothing personal! bez obrazy!
personal allowance *n* kwota *f* dochodu
osobistego nie podlegająca opodatkowaniu.
personal assistant *n* osobisty (-ta) *m(f)*
asystent(ka) *m(f)*.
personal column *n* ogłoszenia *pl* drobne.
personal computer *n* komputer *m* osobisty.
personal details *npl* dane *pl* osobowe.
personal hygiene *n* higiena *f* osobista.
personal identification number *n* numer *m*
PIN (*używany przy elektronicznych przelewach
płatności i przy poborze pieniędzy z bankomatów*).

personality [pə:sə'nælɪtɪ] *n* (*character*)
osobowość *f*; (*famous person*) osobistość *f*.
personal loan (*BANKING*) *n* kredyt *m*
konsumpcyjny.
personally ['pə:snlɪ] *adv* osobiście; to take
sth personally brać (wziąć *perf*) coś do siebie
personal organizer *n* terminarz *m*.
personal stereo *n* walkman *m*.
personify [pə:'sɔnɪfaɪ] *vt* (*LITERATURE*)
personifikować; (*embody*) uosabiać (uosobić
perf).
personnel [pə:sə'nɛl] *n* personel *m*,
pracownicy *vir pl*.
personnel department *n* dział *m* kadr.
personnel manager *n* kierownik (-iczka) *m(f)*
działu kadr.
perspective [pə'spɛktɪv] *n* (*ARCHIT, ART*)
perspektywa *f*; (*way of thinking*) punkt *m*
widzenia, pogląd *m*; to get sth into
perspective (*fig*) spojrzeć (*perf*) na coś z
właściwej perspektywy.
Perspex ['pə:spɛks] ® *n* pleksiglas *m*.
perspicacity [pə:spɪ'kæsɪtɪ] *n* bystrość *f*.
perspiration [pə:spɪ'reɪʃən] *n* (*sweat*) pot *m*;
(*act of sweating*) pocenie się *nt*.
perspire [pə'spaɪə*] *vi* pocić się (spocić się *perf*).
persuade [pə'sweɪd] *vt*: to persuade sb to do
sth przekonywać (przekonać *perf*) kogoś, by
coś zrobił; to persuade sb that przekonywać
(przekonać *perf*) kogoś, że; to be persuaded
of sth być przekonanym o czymś.
persuasion [pə'sweɪʒən] *n* (*act*) perswazja *f*;
(*creed*) wyznanie *nt*.
persuasive [pə'sweɪsɪv] *adj* przekonujący.
pert [pə:t] *adj* (*person*) zuchwały; (*nose*)
zadarty; (*buttocks*) jędrny; (*hat*) zawadiacki.
pertaining [pə:'teɪnɪŋ]: pertaining to *prep*
odnoszący się do +*gen*.
pertinent ['pə:tɪnənt] *adj* adekwatny, na temat
post.
perturb [pə'tə:b] *vt* niepokoić (zaniepokoić *perf*)
Peru [pə'ru:] *n* Peru *nt inv*.
perusal [pə'ru:zl] *n* przejrzenie *nt*.
peruse [pə'ru:z] *vt* przeglądać (przejrzeć *perf*).
Peruvian [pə'ru:vjən] *adj* peruwiański ♦ *n*
Peruwiańczyk (-anka) *m(f)*.
pervade [pə'veɪd] *vt* przenikać (przeniknąć *per*
pervasive [pə'veɪzɪv] *adj* (*smell*)
wszechobecny; (*influence*) szeroki;
(*atmosphere*) szerzący się.
perverse [pə'və:s] *adj* (*wayward*) przekorny,
przewrotny; (*devious*) perwersyjny.
perversion [pə'və:ʃən] *n* (*sexual*) zboczenie *nt*
perwersja *f*; (*of truth, justice*) wypaczenie *nt*.
perversity [pə'və:sɪtɪ] *n* przekora *f*.
pervert [*n* 'pə:və:t, *vb* pə'və:t] *n* zboczeniec *m*
♦ *vt* (*person, mind*) deprawować
(zdeprawować *perf*); (*truth, sb's words*)
wypaczać (wypaczyć *perf*).
pessimism ['pɛsɪmɪzəm] *n* pesymizm *m*.

essimist ['pɛsɪmɪst] *n* pesymista (-tka) *m(f)*.

essimistic [pɛsɪ'mɪstɪk] *adj* pesymistyczny.

est [pɛst] *n* (*insect*) szkodnik *m*; (*fig: nuisance*) utrapienie *nt*.

est control *n* zwalczanie *nt* szkodników.

ester ['pɛstə*] *vt* męczyć.

esticide ['pɛstɪsaɪd] *n* pestycyd *m*.

estilence ['pɛstɪləns] *n* zaraza *f*.

estle ['pɛsl] *n* tłuczek *m*.

et [pɛt] *n* zwierzę *nt* domowe ♦ *adj* ulubiony ♦ *vt* pieścić ♦ *vi* (*inf: sexually*) pieścić się; **pet rabbit** *etc* domowy *or* oswojony królik *etc*; **teacher's pet** pupilek (-lka) *m(f)* nauczyciela.

etal ['pɛtl] *n* płatek *m*.

eter out ['pi:tə-] *vi* (*stopniowo*) kończyć się (skończyć się *perf*).

etite [pə'ti:t] *adj* drobny.

etition [pə'tɪʃən] *n* (*signed document*) petycja *f*; (*JUR*) pozew *m* ♦ *vt* wnosić (wnieść *perf*) petycję do +*gen* ♦ *vi*: **to petition for divorce** wnosić (wnieść *perf*) pozew o rozwód.

et name (*BRIT*) *n* pieszczotliwe przezwisko *nt*.

etrified ['pɛtrɪfaɪd] *adj* skamieniały.

etrify ['pɛtrɪfaɪ] *vt* paraliżować (sparaliżować *perf*), przerażać (przerazić *perf*).

etrochemical [pɛtrə'kɛmɪkl] *adj* petrochemiczny.

etrodollars ['pɛtrəudɔləz] *npl* petrodolary *pl*.

etrol ['pɛtrəl] (*BRIT*) *n* benzyna *f*; **two/four-star petrol** benzyna niebieska/żółta; **unleaded petrol** benzyna bezołowiowa.

etrol can *n* kanister *m*.

etrol engine (*BRIT*) *n* silnik *m* benzynowy.

etroleum [pə'trəuliəm] *n* ropa *f* naftowa.

etroleum jelly *n* wazelina *f*.

etrol pump (*BRIT*) *n* (*in garage*) dystrybutor *m*; (*in engine*) pompa *f* paliwowa.

etrol station (*BRIT*) *n* stacja *f* benzynowa.

etrol tank (*BRIT*) *n* zbiornik *m* paliwa.

etticoat ['pɛtɪkəut] *n* (*full length*) halka *f*; (*waist*) półhalka *f*.

ettifogging ['pɛtɪfɔgɪŋ] *adj* drobnostkowy.

ettiness ['pɛtɪnɪs] *n* drobnostkowość *f*, małostkowość *f*.

etty ['pɛtɪ] *adj* (*detail, problem*) drobny, nieistotny; (*crime*) drobny; (*person*) małostkowy.

etty cash *n* kasa *f* podręczna.

etty officer *n* podoficer *m* (*w marynarce wojennej*).

etulant ['pɛtjulənt] *adj* (*person*) nieznośny; (*expression*) nadąsany.

ew [pju:] *n* ławka *f* kościelna.

ewter ['pju:tə*] *n* stop *m* cyny z ołowiem; **pewter plate** talerz cynowy.

fc (*US: MIL*) *abbr* (= *private first class*) ≈ st. szer.

'G (*FILM*) *n abbr* (= *parental guidance*) ≈ kategoria filmów, które dzieci mogą oglądać za zgodą rodziców.

PGA *n abbr* (= *Professional Golfers Association*).

PH (*US: MIL*) *n abbr* (= *Purple Heart*) amerykańskie odznaczenie wojskowe nadawane za rany odniesione w walce.

pH *n abbr* (= *potential of hydrogen*) pH *nt inv*.

PHA (*US*) *n abbr* (= *Public Housing Administration*).

phallic ['fælɪk] *adj* falliczny.

phantom ['fæntəm] *n* zjawa *f*, widmo *nt*, fantom *m* ♦ *adj* (*fig*) tajemniczy.

Pharaoh ['fɛərəu] *n* faraon *m*.

pharmaceutical [fɑːmə'sjuːtɪkl] *adj* farmaceutyczny; **pharmaceuticals** *npl* środki *pl* farmaceutyczne.

pharmacist ['fɑːməsɪst] *n* farmaceuta (-tka) *m(f)*.

pharmacy ['fɑːməsɪ] *n* (*shop*) apteka *f*; (*science*) farmacja *f*.

phase [feɪz] *n* faza *f* ♦ *vt*: **to phase sth in** wprowadzać (wprowadzić *perf*) coś; **to phase sth out** wycofywać (wycofać *perf*) coś.

PhD *n abbr* (= *Doctor of Philosophy*) stopień naukowy; ≈ dr.

pheasant ['fɛznt] *n* bażant *m*.

phenomena [fə'nɔmɪnə] *npl of* **phenomenon**.

phenomenal [fə'nɔmɪnl] *adj* fenomenalny.

phenomenon [fə'nɔmɪnən] (*pl* **phenomena**) *n* zjawisko *nt*.

phew [fju:] *excl* uff.

phial ['faɪəl] *n* fiolka *f*.

philanderer [fɪ'lændərə*] *n* flirciarz *m*.

philanthropic [fɪlən'θrɔpɪk] *adj* filantropijny.

philanthropist [fɪ'lænθrəpɪst] *n* filantrop(ka) *m(f)*.

philatelist [fɪ'lætəlɪst] *n* filatelista (-tka) *m(f)*.

philately [fɪ'lætəlɪ] *n* filatelistyka *f*.

Philippines ['fɪlɪpi:nz] *npl*: **the Philippines** Filipiny *pl*.

Philistine ['fɪlɪstaɪn] *n* filister *m*.

philosopher [fɪ'lɔsəfə*] *n* filozof *m*.

philosophical [fɪlə'sɔfɪkl] *adj* filozoficzny.

philosophize [fɪ'lɔsəfaɪz] *vi* filozofować.

philosophy [fɪ'lɔsəfɪ] *n* filozofia *f*.

phlegm [flɛm] *n* flegma *f*.

phlegmatic [flɛg'mætɪk] *adj* flegmatyczny.

phobia ['fəubjə] *n* fobia *f*, chorobliwy lęk *m*.

phone [fəun] *n* telefon *m* ♦ *vt* dzwonić (zadzwonić *perf*) *or* telefonować (zatelefonować *perf*) do +*gen*; **to be on the phone** (*possess phone*) mieć telefon; (*be calling*) rozmawiać przez telefon.

► **phone back** *vt* zadzwonić (*perf*) później do +*gen* ♦ *vi* zadzwonić (*perf*) później, oddzwonić (*perf*).

► **phone up** *vt* dzwonić (zadzwonić *perf*) do +*gen* ♦ *vi* dzwonić (zadzwonić *perf*).

phone book *n* książka *f* telefoniczna.

phone booth *n* kabina *f* telefoniczna.

phone box (*BRIT*) *n* budka *f* telefoniczna.

phone call n rozmowa f telefoniczna.
phonecard ['fəunkɑ:d] n karta f telefoniczna.
phone-in ['fəunɪn] (BRIT) n program m z telefonicznym udziałem słuchaczy/widzów.
phonetics [fə'nɛtɪks] n fonetyka f.
phoney ['fəunɪ] adj (address, person) fałszywy; (accent) sztuczny.
phonograph ['fəunəgrɑ:f] (US) n gramofon m.
phony ['fəunɪ] adj = phoney.
phosphate ['fɔsfeɪt] n fosforan m.
phosphorus ['fɔsfərəs] n fosfor m.
photo ['fəutəu] n fotografia f, zdjęcie nt.
photo... ['fəutəu] pref foto... .
photocopier ['fəutəukɔpɪə*] n fotokopiarka f.
photocopy ['fəutəukɔpɪ] n fotokopia f ♦ vt robić (zrobić perf) fotokopię +gen.
photoelectric [fəutəuɪ'lɛktrɪk] adj fotoelektryczny.
photo finish (RACING) n sytuacja, gdy dla ustalenia kolejności zawodników na mecie konieczne jest odwołanie się do fotokomórki.
photogenic [fəutəu'dʒɛnɪk] adj fotogeniczny.
photograph ['fəutəgræf] n fotografia f, zdjęcie nt ♦ vt fotografować (sfotografować perf); **to take a photograph of sb** robić (zrobić perf) komuś zdjęcie.
photographer [fə'tɔgrəfə*] n fotograf m.
photographic [fəutə'græfɪk] adj fotograficzny.
photography [fə'tɔgrəfɪ] n (subject) fotografia f; (art) fotografika f.
photostat ['fəutəustæt] n fotokopia f.
photosynthesis [fəutəu'sɪnθəsɪs] (BIO) n fotosynteza f.
phrase [freɪz] n (group of words, expression) zwrot m, określenie nt; (LING) zwrot m; (MUS) fraza f ♦ vt (thought, idea) wyrażać (wyrazić perf); (letter) układać (ułożyć perf).
phrase book n rozmówki pl.
physical ['fɪzɪkl] adj (geography, properties) fizyczny; (world, universe, object) materialny; (law, explanation) naukowy; **physical examination** badanie lekarskie; **the physical sciences** nauki fizyczne.
physical education n wychowanie nt fizyczne.
physically ['fɪzɪklɪ] adv fizycznie.
physician [fɪ'zɪʃən] n lekarz (-arka) m(f).
physicist ['fɪzɪsɪst] n fizyk m.
physics ['fɪzɪks] n fizyka f.
physiological ['fɪzɪə'lɔdʒɪkl] adj fizjologiczny.
physiology [fɪzɪ'ɔlədʒɪ] n fizjologia f.
physiotherapist [fɪzɪəu'θɛrəpɪst] n fizjoterapeuta (-tka) m(f).
physiotherapy [fɪzɪəu'θɛrəpɪ] n fizjoterapia f.
physique [fɪ'zi:k] n budowa f (ciała), konstytucja f.
pianist ['pi:ənɪst] n pianista (-tka) m(f).
piano [pɪ'ænəu] n pianino nt; **grand piano** fortepian.
piano accordion (BRIT) n akordeon m.
Picardy ['pɪkədɪ] n Pikardia f.

piccolo ['pɪkələu] n pikolo nt.
pick [pɪk] n kilof m, oskard m ♦ vt (select) wybierać (wybrać perf); (fruit, flowers) zrywać (zerwać perf); (mushrooms) zbierać (zebrać perf); (book from shelf etc) zdejmować (zdjąć perf); (lock) otwierać (otworzyć perf); (spot) wyciskać (wycisnąć perf); (scab) zrywać (zerwać perf); **take your pick** wybieraj; **the pick of** najlepsza część +gen; **to pick one's nose/teeth** dłubać w nosie/zębach; **to pick sb's brains** radzić się (poradzić się perf) kogoś; **to pick sb's pocket** dobierać się (dobrać się perf) do czyjejś kieszeni; **to pick a quarrel (with sb)** wywoływać (wywołać perf) kłótnię (z kimś).
▸**pick at** vt fus (food) dziobać (dziobnąć perf).
▸**pick off** vt wystrzelać (perf).
▸**pick on** vt fus czepiać się +gen.
▸**pick out** vt (distinguish) dostrzegać (dostrzec perf); (select) wybierać (wybrać perf).
▸**pick up** vi (health) poprawiać się (poprawić się perf); (economy, trade) polepszać się (polepszyć się perf) ♦ vt (lift) podnosić (podnieść perf); (arrest) przymykać (przymknąć perf) (inf); (collect: person, parcel) odbierać (odebrać perf); (hitchhiker) zabierać (zabrać perf); (girl) podrywać (poderwać perf); (language, skill) nauczyć się (perf) +gen; (RADIO) łapać (złapać perf) (inf); **to pick up speed** nabierać (nabrać perf) szybkości; **to pick o.s. up** zbierać się (pozbierać się perf), podnosić się (perf); **let's pick up where we left off** zacznijmy tam, gdzie przerwaliśmy.
pickaxe ['pɪkæks] (US **pickax**) n kilof m, oskard m.
picket ['pɪkɪt] n pikieta f ♦ vt pikietować.
picketing ['pɪkɪtɪŋ] n pikietowanie.
picket line n linia f pikiety.
pickings ['pɪkɪŋz] npl: **there are rich pickings to be had here** można się tu nieźle obłowić (inf).
pickle ['pɪkl] n (also: **pickles**) pikle pl ♦ vt (in vinegar) marynować (zamarynować perf); (in salt water) kwasić (zakwasić perf), kisić (zakisić perf); **to get in a pickle** urządzić się (perf) (inf).
pick-me-up ['pɪkmi:ʌp] n (nonalcoholic) napój m orzeźwiający; (alcoholic) kieliszek m na wzmocnienie.
pickpocket ['pɪkpɔkɪt] n złodziej m kieszonkowy, kieszonkowiec m.
pick-up ['pɪkʌp] n (also: **pick-up truck**) furgonetka f; (BRIT: on record player) ramię nt gramofonu.
picnic ['pɪknɪk] n piknik m ♦ vi urządzać (urządzić perf) piknik.
picnicker ['pɪknɪkə*] n uczestnik (-iczka) m(f) pikniku.
pictorial [pɪk'tɔ:rɪəl] adj obrazkowy.
picture ['pɪktʃə*] n (lit, fig) obraz m; (photo) zdjęcie nt; (film) film m, obraz m (fml); **the**

economic picture sytuacja gospodarcza ♦ vt wyobrażać (wyobrazić perf) sobie; **the pictures** (BRIT: inf) kino nt; **to take a picture of sb/sth** robić (zrobić perf) komuś/czemuś zdjęcie; **to put sb in the picture** wprowadzać (wprowadzić perf) kogoś w sytuację.

cture book n książeczka f obrazkowa.

cturesque [pɪktʃə'rɛsk] adj malowniczy.

cture window n okno nt panoramiczne.

ddling ['pɪdlɪŋ] (inf) adj błahy.

dgin ['pɪdʒɪn] n (język) pidgin m.

e [paɪ] n placek m (z nadzieniem mięsnym, warzywnym lub owocowym).

ebald ['paɪbɔːld] adj (horse) srokaty.

ece [piːs] n (bit) kawałek m; (part) część f; (CHESS etc) figura f; **in pieces** w kawałkach or częściach; **a piece of clothing** część garderoby; **a piece of furniture** mebel; **a piece of advice** rada; **a piece of music** utwór; **to take sth to pieces** rozkładać (rozłożyć perf) or rozbierać (rozebrać perf) coś na części; **in one piece** cały; **a 10p piece** (BRIT) moneta dziesięciopensowa; **piece by piece** kawałek po kawałku, część po części; **a six-piece band** sześcioosobowy zespół; **I've said my piece** powiedziałem, co miałem do powiedzenia.

piece together vt układać (ułożyć perf) w całość, poskładać (perf) (w całość).

ecemeal ['piːsmiːl] adv po kawałku.

ecework ['piːswəːk] n praca f na akord.

e chart (MATH) n diagram m kołowy.

edmont ['piːdmɔnt] n Piemont m.

er [pɪə*] n molo nt, pomost m.

erce [pɪəs] vt przebijać (przebić perf), przekłuwać (przekłuć perf); **to have one's ears pierced** przekłuwać (przekłuć perf) sobie uszy.

ercing ['pɪəsɪŋ] adj (fig) przeszywający.

ety ['paɪətɪ] n pobożność f.

ffling ['pɪflɪŋ] (inf) adj śmiesznie błahy.

g [pɪg] n (lit, fig) świnia f.

geon ['pɪdʒən] n gołąb m.

geonhole ['pɪdʒənhəul] n (for letters, messages) przegródka f, dziupla f (inf); (fig) przypisane miejsce nt ♦ vt szufladkować (zaszufladkować perf).

ggy bank ['pɪgɪ-] n skarbonka f.

g-headed ['pɪg'hɛdɪd] (pej) adj (głupio) uparty.

glet ['pɪglɪt] n prosię nt, prosiak m.

gment ['pɪgmənt] n barwnik m, pigment m.

gmentation [pɪgmən'teɪʃən] n ubarwienie nt, pigmentacja f.

gmy ['pɪgmɪ] n = **pygmy**.

gskin ['pɪgskɪn] n świńska skóra f.

gsty ['pɪgstaɪ] n (lit, fig) chlew m.

gtail ['pɪgteɪl] n warkoczyk m.

ke [paɪk] n (fish) szczupak m; (spear) pika f.

lchard ['pɪltʃəd] n sardynka f (europejska).

le [paɪl] n (heap, stack) stos m, sterta f; (of carpet, velvet) włos m; (pillar) pal m ♦ vt (also: **pile up**) układać (ułożyć perf) w stos; **arranged in a pile** ułożone w stos; **to pile into** ładować się (władować się perf) do +gen; **to pile out of** wylewać się or wysypywać się z +gen.

►**pile on** vt: **to pile it on** (inf) przesadzać (przesadzić perf).

►**pile up** vi gromadzić się (nagromadzić się perf).

piles [paɪlz] (MED) npl hemoroidy pl.

pile-up ['paɪlʌp] (AUT) n karambol m.

pilfer ['pɪlfə*] vt kraść (ukraść perf) (rzecz drobną lub mało wartościową) ♦ vi kraść.

pilfering ['pɪlfərɪŋ] n drobne kradzieże pl.

pilgrim ['pɪlgrɪm] n pielgrzym m.

pilgrimage ['pɪlgrɪmɪdʒ] n pielgrzymka f.

pill [pɪl] n pigułka f; **the pill** pigułka antykoncepcyjna; **to be on the pill** stosować pigułkę antykoncepcyjną or antykoncepcję doustną.

pillage ['pɪlɪdʒ] n grabież f ♦ vt grabić (ograbić perf).

pillar ['pɪlə*] n (lit, fig) filar m.

pillar box (BRIT) n skrzynka f pocztowa.

pillion ['pɪljən] n: **to ride pillion** (on motorcycle) jechać na tylnym siodełku; (on horse) jechać na koniu, siedząc za plecami jeźdźca.

pillory ['pɪlərɪ] vt stawiać (postawić perf) pod pręgierzem ♦ n pręgierz m.

pillow ['pɪləu] n poduszka f.

pillowcase ['pɪləukeɪs] n poszewka f (na poduszkę).

pillowslip ['pɪləuslɪp] n = **pillowcase**.

pilot ['paɪlət] n pilot(ka) m(f) ♦ adj pilotażowy ♦ vt pilotować; (fig: new law, scheme) nadzorować wprowadzenie w życie +gen.

pilot boat n łódź f pilota portowego.

pilot light n (on cooker, boiler) płomyk m zapalacza.

pimento [pɪ'mɛntəu] n piment m, ziele nt angielskie.

pimp [pɪmp] n sutener m, alfons m (inf).

pimple ['pɪmpl] n pryszcz m.

pimply ['pɪmplɪ] adj pryszczaty.

PIN n abbr = **personal identification number**.

pin [pɪn] n (for clothes, papers) szpilka f; (in engine, machine) zatyczka f, sworzeń m; (BRIT: also: **drawing pin**) pinezka f; (: ELEC) bolec m; (in grenade) zawleczka f ♦ vt przypinać (przypiąć perf); **pins and needles** mrowienie; **to pin sb against/to** przyciskać (przycisnąć perf) kogoś do +gen; **to pin the blame on sb** (fig) zrzucać (zrzucić perf) winę na kogoś.

►**pin down** vt (fig): **to pin sb down (to sth)** zmuszać (zmusić perf) kogoś do zajęcia stanowiska (w jakiejś sprawie); **there's something strange here but I can't quite pin**

it down coś tu jest dziwnego, ale nie potrafię (dokładnie) powiedzieć, co.

pinafore ['pınəfɔ:*] *n* (*also*: **pinafore dress**) bezrękawnik *m*.

pinball ['pınbɔ:l] *n* bilard *m* (elektryczny).

pincers ['pınsəz] *npl* (*tool*) obcęgi *pl*, szczypce *pl*; (*of crab, lobster*) szczypce *pl*.

pinch [pıntʃ] *n* szczypta *f* ♦ *vt* szczypać (uszczypnąć *perf*); (*inf. thing, money*) zwędzić (*perf*), zwinąć (*perf*) (*inf*); (*idea*) podkradać (podkraść *perf*) ♦ *vi* (*shoe*) cisnąć, uwierać; **at a pinch** w razie potrzeby; **he feels the pinch** (*fig*) brak pieniędzy daje mu się we znaki.

pinched [pıntʃt] *adj* (*face*) ściągnięty; **pinched with cold** ściągnięty z zimna.

pincushion ['pınkuʃən] *n* poduszeczka *f* na igły.

pine [paın] *n* sosna *f* ♦ *vi*: **to pine for** usychać z tęsknoty za +*instr*.

▶**pine away** *vi* marnieć (zmarnieć *perf*) (z żalu).

pineapple ['paınæpl] *n* ananas *m*.

pine-cone ['paınkəun] *n* szyszka *f* sosnowa.

pine-needles ['paınni:dlz] *npl* igliwie *nt* sosnowe.

ping [pıŋ] *n* (*of bell*) brzęk *m*; (*of bullet*) świst *m*, gwizd *m*.

ping-pong ['pıŋpɔŋ] ® *n* ping-pong *m*.

pink [pıŋk] *adj* różowy ♦ *n* (*colour*) (kolor *m*) różowy, róż *m*; (*BOT*) goździk *m*.

pinking shears *npl* nożyce *pl* ząbkowane.

pin money (*BRIT: inf*) *n* pieniądze *pl* na drobne wydatki.

pinnacle ['pınəkl] *n* (*of building, mountain*) iglica *f*; (*fig*) szczyt *m*.

pinpoint ['pınpɔınt] *vt* wskazywać (wskazać *perf*) (dokładnie).

pinstripe ['pınstraıp] *adj*: **pinstripe suit** garnitur *m* w prążki.

pint [paınt] *n* (*measure*) pół *nt inv* kwarty (*BRIT = 0,568 l, US = 0,473 l*); (*BRIT: inf*) ≈ duże piwo *nt*.

pin-up ['pınʌp] *n* plakat *m* ze zdjęciem idola.

pioneer [paıə'nıə*] *n* pionier(ka) *m(f)* ♦ *vt* być pionierem +*gen*.

pious ['paıəs] *adj* pobożny.

pip [pıp] *n* pestka *f* ♦ *vt*: **to be pipped at the post** (*BRIT: fig*) zostać (*perf*) pokonanym w ostatniej chwili; **the pips** *npl* (*BRIT: RADIO*) sygnał *m* czasu.

pipe [paıp] *n* (*for water, gas*) rura *f*; (*for smoking*) fajka *f*; (*MUS*) piszczałka *f*, fujarka *f* ♦ *vt* doprowadzać (doprowadzić *perf*) (rurami); **pipes** *npl* (*also*: **bagpipes**) kobza *f*.

▶**pipe down** (*inf*) *vi* przymykać się (przymknąć się *perf*) (*inf*).

pipe cleaner *n* wycior *m* do fajki.

piped music [paıpt-] *n* muzyka *f* z głośników (*w supermarkecie, na dworcu itp*).

pipe dream *n* marzenie *nt* ściętej głowy.

pipeline ['paıplaın] *n* (*for oil*) rurociąg *m*; (*for*

gas) gazociąg *m*; **to be in the pipeline** (*fig*) być w przygotowaniu.

piper ['paıpə*] *n* kobziarz *m*.

pipe tobacco *n* tytoń *m* fajkowy.

piping ['paıpıŋ] *adv*: **piping hot** wrzący.

piquant ['pi:kənt] *adj* pikantny; (*fig*) intrygujący.

pique ['pi:k] *n*: **in a fit of pique** w poczuciu urażonej dumy.

piracy ['paıərəsı] *n* piractwo *nt*.

pirate ['paıərət] *n* pirat *m* ♦ *vt* nielegalnie kopiować (skopiować *perf*); **pirated video tapes** pirackie kasety wideo.

pirate radio (*BRIT*) *n* radiostacja *f* piracka.

pirouette [pıru'ɛt] *n* piruet *m* ♦ *vi* robić (zrobić *perf*) piruet.

Pisces ['paısi:z] *n* Ryby *pl*; **to be Pisces** być spod znaku Ryb.

piss [pıs] (*inf!*) *vi* sikać (*inf*) ♦ *n* siki *pl* (*inf*); **piss off!** odpieprz się! (*inf!*); **to be pissed off with sb/sth** mieć kogoś/czegoś po dziurki w nosie; **to take the piss (out of sb)** (*BRIT*) robić sobie jaja (z kogoś) (*inf!*); **it's pissing down** (*BRIT*) leje.

pissed [pıst] (*inf!*) *adj* zalany (*inf*).

pistol ['pıstl] *n* pistolet *m*.

piston ['pıstən] *n* tłok *m*.

pit [pıt] *n* (*hole dug*) dół *m*, wykop *m*; (*in road, face*) dziura *f*; (*coal mine*) kopalnia *f*, (*also*: **orchestra pit**) kanał *m* dla orkiestry ♦ *vt*: **to pit one's wits against sb** mierzyć się (zmierzyć się *perf*) (intelektualnie) z kimś; **the pits** *npl* (*AUT*) boks *m*, kanał *m*; **the pit of one's stomach** dołek; **to pit o.s. against** mierzyć się (zmierzyć się *perf*) z +*instr*; **to pit sb against sb** rzucać (rzucić *perf*) kogoś przeciw komuś.

pit-a-pat ['pıtə'pæt] (*BRIT*) *adv*: **to go pit-a-pat** (*heart*) kołatać; (*rain*) bębnić.

pitch [pıtʃ] *n* (*BRIT: SPORT*) boisko *nt*; (*of note, voice*) wysokość *f*, (*fig*) poziom *m*; (*tar*) smoła *f*, (*of boat*) rzucanie *nt*, kiwanie *nt*; (*also*: **sales pitch**) nawijka *f* (*inf*) ♦ *vt* (*throw*) rzucać (rzucić *perf*); (*set*) ustawiać (ustawić *perf*) poziom *or* wysokość +*gen* ♦ *vi* (*person*) upaść (*perf*) *or* runąć (*perf*) (głową do przodu); (*NAUT*) rzucać (rzucić *perf*); **to pitch a tent** rozbijać (rozbić *perf*) namiot.

pitch-black ['pıtʃ'blæk] *adj* czarny jak smoła.

pitched battle [pıtʃt-] *n* zażarty bój *m*.

pitcher ['pıtʃə*] *n* dzban *m*; (*US: BASEBALL*) zawodnik *m* rzucający piłkę.

pitchfork ['pıtʃfɔ:k] *n* widły *pl*.

piteous ['pıtıəs] *adj* żałosny.

pitfall ['pıtfɔ:l] *n* pułapka *f*.

pith [pıθ] *n* (*of orange, lemon*) miękisz *m* (skórki); (*of plant*) rdzeń *m*; (*fig*) sedno *nt*, istota *f*.

pithead ['pıthɛd] *n* nadszybie *nt*.

pithy ['pıθı] *adj* zwięzły, treściwy.

iable ['pɪtɪəbl] adj żałosny, godny
ɔożałowania or politowania.
tiful ['pɪtɪful] adj żałosny.
tifully ['pɪtɪfəlɪ] adv żałośnie.
tiless ['pɪtɪlɪs] adj bezlitosny.
ttance ['pɪtns] n grosze pl, psie pieniądze pl.
tted ['pɪtɪd] adj: **pitted with** (chicken pox)
ɔodziobany +instr; (craters, caves) usiany
+instr; (rust) przeżarty +instr.
ty ['pɪtɪ] n litość f, współczucie nt ♦ vt
wspólczuć +dat, żałować +gen; **I pity you** żal
ni cię; **what a pity!** jaka szkoda!; **it is a pity**
hat **you can't come** szkoda, że nie możesz
ɔrzyjść; **to take pity on sb** litować się
zlitować się perf) nad kimś.
tying ['pɪtɪŋ] adj współczujący.
vot ['pɪvət] n (TECH) sworzeń m, oś f; (fig) oś f
♦ vi obracać się (obrócić się perf) wokół osi.
ivot on zależeć od +gen.
xel ['pɪksl] (COMPUT) n piksel m.
xie ['pɪksɪ] n elf m, skrzat m.
zza ['pi:tsə] n pizza f.
acard ['plækɑ:d] n (outside newsagent's)
afisz m; (in march) transparent m.
acate [plə'keɪt] vt (person) udobruchać (perf);
anger) załagodzić (perf).
acatory [plə'keɪtərɪ] adj łagodzący,
uspokajający.
ace [pleɪs] n miejsce nt; (in street names) ≈
ulica f ♦ vt (put) umieszczać (umieścić perf);
(identify: person) przypominać (przypomnieć
ɔerf) sobie; **to take place** mieć miejsce; **at**
his place u niego (w domu); **to his place** do
niego (do domu); **from place to place** z
miejsca na miejsce; **all over the place**
wszędzie; **in places** miejscami; **in sb's place**
na czyimś miejscu; **in sth's place** na miejscu
czegoś; **to take sb's/sth's place** zajmować
(zająć perf) czyjeś miejsce/miejsce czegoś; **to**
get a place at college/university dostawać się
(dostać się perf) do kolegium/na uniwersytet;
out of place nie na miejscu; **I feel out of**
place here zupełnie tu nie pasuję; **in the first**
place po pierwsze; **to be placed first/third**
plasować się (uplasować się perf) na
pierwszym/trzecim miejscu; **to change places**
with sb zamieniać się (zamienić się perf)
(miejscami) z kimś; **to put sb in their place**
(fig) pokazywać (pokazać perf) komuś, gdzie
jest jego miejsce; **he's going places** on
daleko zajdzie; **it was not my place to say**
so nie wypadało mi tego powiedzieć; **to**
place an order with sb (for sth) składać
(złożyć perf) u kogoś zamówienie (na coś);
how are you placed next week? jak
wyglądasz w przyszłym tygodniu (z czasem)?
acebo [plə'si:bəu] n (MED) placebo nt inv;
(fig) coś nt na pocieszenie.
ace mat n podkładka f pod nakrycie.
acement ['pleɪsmənt] n (job) posada f.

place name n nazwa f miejscowa.
placenta [plə'sɛntə] n (ANAT) łożysko nt.
place of birth n miejsce nt urodzenia.
place setting n nakrycie nt (stołowe).
placid ['plæsɪd] adj spokojny.
plagiarism ['pleɪdʒjərɪzəm] n (activity)
plagiatorstwo nt; (instance) plagiat m.
plagiarist ['pleɪdʒjərɪst] n plagiator(ka) m(f).
plagiarize ['pleɪdʒjəraɪz] vt dokonywać
(dokonać perf) plagiatu +gen.
plague [pleɪg] n (disease) dżuma f; (epidemic)
zaraza f; (fig: of locusts etc) plaga f ♦ vt
(fig: problems etc) nękać; **to plague sb with**
questions męczyć or zamęczać kogoś
pytaniami.
plaice n inv płastuga f.
plaid [plæd] n materiał m w kratę.
plain [pleɪn] adj (unpatterned) gładki; (simple)
prosty; (clear, easily understood) jasny; (not
beautiful) nieładny; (frank) otwarty ♦ adv po
prostu ♦ n (area of land) równina f;
(KNITTING) prawe oczko nt; **to make sth**
plain to sb dawać (dać perf) coś komuś
jasno do zrozumienia.
plain chocolate n ≈ czekolada f deserowa.
plain-clothes ['pleɪnkləuðz] adj (police officer)
ubrany po cywilnemu.
plainly ['pleɪnlɪ] adv wyraźnie.
plainness ['pleɪnnɪs] n prostota f.
plaintiff ['pleɪntɪf] n (JUR) powód(ka) m(f).
plaintive ['pleɪntɪv] adj (cry, voice) zawodzący,
żałosny; (song, look) tęskny.
plait [plæt] n (hair) warkocz m; (rope) (pleciona)
lina f ♦ vt (hair) pleść, zaplatać (zapleść perf);
(rope) pleść, splatać (spleść perf).
plan [plæn] n plan m ♦ vt planować
(zaplanować perf) ♦ vi planować; **to plan to**
do sth/on doing sth planować coś (z)robić;
how long do you plan to stay? jak długo
planujesz zostać?; **to plan for** or **on**
spodziewać się +gen.
plane [pleɪn] n (AVIAT) samolot m; (MATH)
płaszczyzna f; (tool) strug m, hebel m; (also:
plane tree) platan m; (fig) poziom m ♦ vt
(wood) heblować (oheblować perf) ♦ vi: **to**
plane across water ślizgać się po wodzie.
planet ['plænɪt] n planeta f.
planetarium [plænɪ'tɛərɪəm] n planetarium nt.
plank [plæŋk] n (of wood) deska f; (fig: of
policy, campaign) punkt m (programowy).
plankton ['plæŋktən] n plankton m.
planner ['plænə*] n (town planner) urbanista
(-tka) m(f); (of project etc) planista (-tka) m(f).
planning ['plænɪŋ] n planowanie nt; (also:
town planning) planowanie nt przestrzenne,
urbanistyka f.
planning permission (BRIT) n zezwolenie nt
na budowę.
plant [plɑ:nt] n (BOT) roślina f; (machinery)
maszyny pl; (factory) fabryka f; (also: **power**

plant) elektrownia *f* ♦ *vt* (*plants, trees*) sadzić (zasadzić *perf*); (*seed, crops*) siać (zasiać *perf*); (*field, garden: with plants*) obsadzać (obsadzić *perf*); (*: with crops*) obsiewać (obsiać *perf*); (*microphone, bomb, incriminating evidence*) podkładać (podłożyć *perf*); (*fig: object*) ulokowywać (ulokować *perf*); (*: kiss*) składać (złożyć *perf*).

plantation [plæn'teɪʃən] *n* plantacja *f*.

plant pot (*BRIT*) *n* doniczka *f*.

plaque [plæk] *n* (*on building*) tablica *f* (pamiątkowa); (*on teeth*) płytka *f* nazębna.

plasma ['plæzmə] *n* plazma *f*.

plaster ['plɑːstə*] *n* (*for walls*) tynk *m*; (*also*: **plaster of Paris**) gips *m*; (*BRIT: also*: **sticking plaster**) plaster *m*, przylepiec *m* ♦ *vt* tynkować (otynkować *perf*); **in plaster** (*BRIT*) w gipsie; **the walls were plastered with posters** ściany były oblepione plakatami.

plaster cast *n* (*MED*) opatrunek *m* gipsowy, gips *m*; (*model, statue*) odlew *m* gipsowy.

plastered ['plɑːstəd] *adj* (*inf: drunk*) zaprawiony (*inf*).

plasterer ['plɑːstərə*] *n* tynkarz *m*.

plastic ['plæstɪk] *n* plastik *m* ♦ *adj* (*made of plastic*) plastikowy; (*flexible*) plastyczny; **the plastic arts** sztuki plastyczne.

plastic bag *n* (*shopping bag*) torba *f* plastikowa; (*lunch bag*) woreczek *m* plastikowy *or* foliowy.

plastic explosive *n* plastik *m*.

Plasticine ['plæstɪsiːn] ® *n* plastelina *f*.

plastic surgery *n* (*branch of medicine*) chirurgia *f* plastyczna; (*operation*) operacja *f* plastyczna.

plate [pleɪt] *n* (*dish, plateful*) talerz *m*; (*metal cover*) płyta *f*, pokrywa *f*; (*gold plate, silver plate*) platery *pl*; (*TYP*) płyta *f* drukująca; (*AUT*) tablica *f* (rejestracyjna); (*in book*) rycina *f*; (*dental plate*) proteza *f* (stomatologiczna); (*on door*) tabliczka *f*; **a car with Irish plates** samochód z irlandzką rejestracją.

plateau ['plætəu] (*pl* **plateaus** *or* **plateaux**) *n* (*GEOG*) plateau *nt inv*; (*fig*): **to reach a plateau** stawać (stanąć *perf*) w miejscu.

plateful ['pleɪtful] *n* (pełen) talerz *m*.

plate glass *n* szkło *nt* płaskie walcowane.

platen ['plætən] *n* (*TYP*) wałek *m*.

plate rack *n* suszarka *f* (do naczyń).

platform ['plætfɔːm] *n* (*for speaker*) podium *nt*, trybuna *f*; (*for landing, loading*) platforma *f*; (*RAIL*) peron *m*; (*BRIT: of bus*) pomost *m*, platforma *f*; (*POL*) program *m*; **the train leaves from platform seven** pociąg odjeżdża z peronu siódmego.

platform ticket (*BRIT: RAIL*) *n* bilet *m* peronowy, peronówka *f*.

platinum ['plætɪnəm] *n* platyna *f*.

platitude ['plætɪtjuːd] *n* frazes *m*.

platonic [plə'tɔnɪk] *adj* platoniczny.

platoon [plə'tuːn] *n* (*MIL*) pluton *m*.

platter ['plætə*] *n* półmisek *m*.

plaudits ['plɔːdɪts] *npl* uznanie *nt*, aplauz *m*.

plausible ['plɔːzɪbl] *adj* (*theory, excuse, statement*) prawdopodobny; (*person*) budzący zaufanie.

play [pleɪ] *n* (*THEAT etc*) sztuka *f*; (*activity*) zabawa *f* ♦ *vt* (*hide-and-seek etc*) bawić się w +*acc*; (*football, chess*) grać (zagrać *perf*) w +*acc*; (*team, opponent*) grać (zagrać *perf*) z +*instr*; (*role, piece of music, note*) grać (zagrać *perf*); (*instrument*) grać (zagrać *perf*) na +*loc*; (*tape, record*) puszczać (puścić *perf*) ♦ *vi* (*children*) bawić się (pobawić się *perf*); (*orchestra, band*) grać (zagrać *perf*); (*record, tape, radio*) grać; **to bring sth into play** posłużyć się (*perf*) czymś; **a play on words** gra słów; **he played a trick on us** zrobił nam kawał; **to play for time** (*fig*) grać na zwłokę *or* czas; **to play a part/role in** (*fig*) odgrywać (odegrać *perf*) rolę w +*loc*; **to play safe** nie ryzykować; **to play into sb's hands** podkładać się (podłożyć się *perf*) komuś (*inf*)

►**play about with** *vt fus* = **play around with**.

►**play along with** *vt fus* (*person*) iść (pójść *perf*) na rękę +*dat*; (*plan*) (chwilowo) przystać (*perf*) na +*acc*.

►**play around with** *vt fus* bawić się +*instr*.

►**play at** *vt fus* (*politics etc*) bawić się w +*acc*; **they played at being soldiers** bawili się w żołnierzy.

►**play back** *vt* (*recording*) odtwarzać (odtworzyć *perf*).

►**play down** *vt* pomniejszać (pomniejszyć *perf*) znaczenie +*gen*.

►**play on** *vt fus* (*sb's feelings*) grać (zagrać *perf*) na +*loc*; (*sb's credulity, prejudices*) wykorzystywać (wykorzystać *perf*) +*acc*; **to play on sb's mind** zatruwać komuś spokój.

►**play up** *vi* (*machine, knee*) nawalać (*inf*); (*children*) szaleć.

play-act ['pleɪækt] *vi* udawać.

playboy ['pleɪbɔɪ] *n* playboy *m*.

player ['pleɪə*] *n* (*in sport, game*) gracz *m*; (*THEAT*) aktor(ka) *m(f)*; (*MUS*): **guitar** *etc* **player** gitarzysta (-tka) *m(f) etc*.

playful ['pleɪful] *adj* (*remark, gesture*) żartobliwy; (*person*) figlarny; (*animal*) rozbrykany.

playgoer ['pleɪgəuə*] *n* teatroman(ka) *m(f)*.

playground ['pleɪgraund] *n* (*in park*) plac *m* zabaw; (*in school*) boisko *nt*.

playgroup ['pleɪgruːp] *n* rodzaj środowiskowego przedszkola organizowanego przez grupę zaprzyjaźnionych rodziców.

playing card ['pleɪɪŋ-] *n* karta *f* do gry.

playing field *n* boisko *nt* sportowe.

playmate ['pleɪmeɪt] *n* towarzysz(ka) *m(f)* zabaw.

play-off ['pleɪɔf] *n* baraż *m*.

playpen ['pleɪpɛn] *n* kojec *m*.

playroom ['pleɪruːm] *n* pokój *m* do zabawy.

playschool ['pleɪskuːl] *n* = **playgroup**.

plaything ['pleɪθɪŋ] *n* zabawka *f*, (*fig*): **we are the playthings of fate** jesteśmy igraszką losu.

playtime ['pleɪtaɪm] *n* przerwa *f* (*w szkole*).

playwright ['pleɪraɪt] *n* dramaturg *m*, dramatopisarz (-arka) *m(f)*.

plc (*BRIT*) *abbr* (= *public limited company*) duża spółka akcyjna, której akcje mogą być kupowane na giełdzie; ≈ S.A.

plea [pliː] *n* (*request*) błaganie *nt*, apel *m*; (*JUR*): **plea of (not) guilty** (nie)przyznanie się *nt* do winy; (*excuse*) usprawiedliwienie *nt*.

plead [pliːd] *vt* (*ignorance, ill health*) tłumaczyć się +*instr*; (*JUR*): **to plead sb's case** bronić czyjejś sprawy ♦ *vi* (*JUR*) odpowiadać na zarzuty przedstawione w akcie oskarżenia; **to plead with sb to do sth** błagać kogoś, żeby coś (z)robił; **to plead for sth** apelować o coś; **to plead (not) guilty** (nie) przyznawać się ((nie) przyznać się *perf*) do winy.

pleasant ['plɛznt] *adj* przyjemny; (*person*) miły, sympatyczny.

pleasantly ['plɛzntlɪ] *adv* (*surprised*) mile, przyjemnie; (*say, behave*) uprzejmie.

pleasantries ['plɛzntrɪz] *npl* uprzejmości *pl*.

please [pliːz] *excl* proszę ♦ *vt* (*satisfy*) zadowalać (zadowolić *perf*); (*give pleasure*) sprawiać (sprawić *perf*) przyjemność +*dat* ♦ *vi*: **to be eager/anxious to please** bardzo się starać; **yes, please** tak, poproszę; **could I speak to Sue, please?** czy mógłbym rozmawiać z Sue?, czy mogę prosić Sue?; **please miss, ...** (*to teacher*) proszę pani, ...; **he's difficult/impossible to please** trudno/nie sposób mu dogodzić; **do as you please** rób, jak uważasz; **my bill, please** poproszę o rachunek; **please don't cry!** proszę, nie płacz!; **please yourself!** (*inf*) rób, co chcesz! (*inf*).

pleased [pliːzd] *adj*: **pleased (with/about)** zadowolony (z +*gen*); **pleased to meet you** bardzo mi miło; **we are pleased to inform you that ...** miło nam poinformować Pana/Panią, że ... .

pleasing ['pliːzɪŋ] *adj* przyjemny.

pleasurable ['plɛʒərəbl] *adj* przyjemny.

pleasure ['plɛʒə*] *n* (*happiness, satisfaction*) zadowolenie *nt*; (*fun, enjoyable experience*) przyjemność *f*; **it's a pleasure, my pleasure** cała przyjemność po mojej stronie; **with pleasure** z przyjemnością; **to take pleasure in** (*activity*) znajdować przyjemność w +*loc*; (*sb's progress, success*) czerpać zadowolenie z +*gen*, cieszyć się z +*gen*; **is this trip for business or pleasure?** czy to podróż służbowa, czy dla przyjemności?

pleasure boat *n* statek *f* spacerowy.

pleasure cruise *n* wycieczka *f* statkiem.

pleat [pliːt] *n* plisa *f*.

pleb [plɛb] (*inf, pej*) *n* prostak (-aczka) *m(f)*; **plebs** *npl* plebs *m*.

plebiscite ['plɛbɪsɪt] *n* plebiscyt *m*.

plectrum ['plɛktrəm] *n* kostka *f* (*do gry na gitarze itp*).

pledge [plɛdʒ] *n* przyrzeczenie *nt*, zobowiązanie *nt* ♦ *vt* przyrzekać (przyrzec *perf*); **to pledge sb to secrecy** zobowiązywać (zobowiązać *perf*) kogoś do zachowania tajemnicy.

plenary ['pliːnərɪ] *adj* plenarny; **plenary powers** pełnomocnictwo.

plentiful ['plɛntɪful] *adj* (*abundant, copious*) obfity; (*amount*) olbrzymi; **food was plentiful** jedzenia było w bród.

plenty ['plɛntɪ] *n*: **plenty of** (*food, people*) pełno *or* dużo +*gen*; (*money, jobs, houses*) dużo +*gen*; **there had been plenty going on** bardzo dużo się działo; **we've got plenty of time to get there** mamy dużo czasu (na to), żeby tam dotrzeć; **five should be plenty** pięć powinno (w zupełności) wystarczyć.

plethora ['plɛθərə] *n*: **a plethora of** mrowie *nt* +*gen*.

pleurisy ['pluərɪsɪ] *n* zapalenie *nt* opłucnej.

Plexiglas ['plɛksɪglɑːs] ® (*US*) *n* pleksiglas *m*.

pliable ['plaɪəbl] *adj* giętki; (*fig: easily controlled*) uległy; (: *easily influenced*) podatny na wpływy.

pliant ['plaɪənt] *adj* = **pliable**.

pliers ['plaɪəz] *npl* szczypce *pl*, kombinerki *pl*.

plight [plaɪt] *n* ciężkie położenie *nt*.

plimsolls ['plɪmsəlz] (*BRIT*) *npl* tenisówki *pl*.

plinth [plɪnθ] *n* cokół *m*, postument *m*.

PLO *n abbr* (= *Palestine Liberation Organization*) OWP *nt inv*.

plod [plɔd] *vi* wlec się (powlec się *perf*); (*fig*) harować.

plodder ['plɔdə*] (*pej*) *n*: **to be a plodder** guzdrać się (z robotą).

plonk [plɔŋk] (*inf*) *n* (*BRIT: wine*) bełt *m* (*inf*) ♦ *vt*: **he plonked himself down on the sofa** walnął się na kanapę (*inf*); **just plonk it down here** po prostu rzuć to tutaj.

plot [plɔt] *n* (*secret plan*) spisek *m*; (*of story, play, film*) fabuła *f*; (*of land*) działka *f* ♦ *vt* knuć (uknuć *perf*); (*AVIAT, NAUT*) nanosić (nanieść *perf*) na mapę; (*MATH*) nanosić (nanieść *perf*) (*na wykres itp*) ♦ *vi* spiskować; **vegetable plot** (*BRIT*) działka (warzywna).

plotter ['plɔtə*] *n* (*instrument*) koordynatograf *m*; (*COMPUT*) ploter *m*.

plough [plau] (*US* **plow**) *n* pług *m* ♦ *vt* orać (zaorać *perf*); **to plough money into** wkładać (włożyć *perf*) pieniądze w +*acc*.

▶**plough back** *vt* (*COMM*) reinwestować.

▶**plough into** *vt fus* (*car, crowd*) wjeżdżać (wjechać *perf*) w +*acc*.

ploughman ['plaumən] (*US* **plowman**) *n* oracz *m*.

ploughman's lunch ['plaumənz-] (*BRIT*) *n* posiłek składający się z chleba, sera i marynowanych warzyw.

plow (*US*) = **plough**.

ploy [plɔɪ] *n* chwyt *m*, sztuczka *f*.

pluck [plʌk] *vt* (*fruit, flower, leaf*) zrywać (zerwać *perf*); (*bird*) skubać (oskubać *perf*); (*eyebrows*) wyskubywać (wyskubać *perf*); (*strings*) uderzać (uderzyć *perf*) w +*acc* ♦ *n* odwaga *f*; **to pluck up courage** zbierać się (zebrać się *perf*) na odwagę.

plucky ['plʌkɪ] (*inf*) *adj* odważny.

plug [plʌg] *n* (*ELEC*) wtyczka *f*; (*in sink, bath*) korek *m*; (*AUT: also:* **spark(ing) plug**) świeca *f* ♦ *vt* zatykać (zatkać *perf*); (*inf*) zachwalać; **to give sb/sth a plug** reklamować (zareklamować *perf*) kogoś/coś.

►**plug in** *vt* (*ELEC*) włączać (włączyć *perf*) (do kontaktu) ♦ *vi*: **where does this plug in?** gdzie to się włącza?

plughole ['plʌghəul] (*BRIT*) *n* otwór *m* odpływowy, odpływ *m*.

plum [plʌm] *n* śliwka *f* ♦ *adj* (*inf*): **a plum job** świetna praca *f*.

plumage ['plu:mɪdʒ] *n* (*of bird*) upierzenie *nt*.

plumb [plʌm] *vt*: **to plumb the depths of bad taste** być skrajnym przykładem złego smaku.

►**plumb in** *vt* przyłączać (przyłączyć *perf*) do instalacji wodociągowej.

plumber ['plʌmə*] *n* hydraulik *m*, instalator *m*.

plumbing ['plʌmɪŋ] *n* (*piping*) instalacja *f or* sieć *f* wodno-kanalizacyjna; (*trade*) instalatorstwo *nt*.

plumb line *n* pion *m* (*przyrząd*).

plume [plu:m] *n* (*of bird*) pióro *nt*; (*on helmet, horse's head*) pióropusz *m*; **plume of smoke** słup dymu.

plummet ['plʌmɪt] *vi* (*bird*) spadać (spaść *perf*); (*aircraft*) runąć (*perf*); (*price, amount, rate*) gwałtownie spadać (spaść *perf*).

plump [plʌmp] *adj* pulchny.

►**plump for** (*inf*) *vt fus* wybierać (wybrać *perf*) +*acc*.

►**plump up** *vt* (*cushion, pillow*) poprawiać (poprawić *perf*).

plunder ['plʌndə*] *n* (*activity*) grabież *f*; (*stolen things*) łup *m* ♦ *vt* plądrować (splądrować *perf*).

plunge [plʌndʒ] *n* (*of bird*) nurkowanie *nt*; (*of person*) skok *m* (*do morza itp*); (*fig: of prices, rates*) gwałtowny spadek *m* ♦ *vt* (*hand: into pocket*) wkładać (włożyć *perf*); (*knife*) zatapiać (zatopić *perf*) ♦ *vi* (*fall*) wpadać (wpaść *perf*); (*dive: bird*) nurkować (zanurkować *perf*); (: *person*) wskakiwać (wskoczyć *perf*); (*fig: prices, rates*) spadać (spaść *perf*) (gwałtownie); **to take the plunge** (*fig*) podejmować (podjąć *perf*) życiową

decyzję; **the room was plunged into darkness** pokój ogarnęły ciemności.

plunger ['plʌndʒə*] *n* (*for sink*) przepychacz *m*

plunging ['plʌndʒɪŋ] *adj*: **plunging neckline** głęboki dekolt *m*.

pluperfect [plu:'pə:fɪkt] *n*: **the pluperfect** czas *m* zaprzeszły.

plural ['pluərl] *n* liczba *f* mnoga ♦ *adj* (*number*) mnogi *m*; **the plural form of the noun** rzeczownik w liczbie mnogiej; **the first person plural** pierwsza osoba liczby mnogiej.

plus [plʌs] *n* (*lit, fig*) plus *m* ♦ *prep* plus +*nom*; (*MATH*): **two plus three** dwa dodać *or* plus trzy; **ten/twenty plus** ponad dziesięć/dwadzieścia, powyżej dziesięciu/dwudziestu; **B plus** (*SCOL*) ≈ dobry plus.

plus fours *npl* rodzaj bryczesów do gry w golfa

plush [plʌʃ] *adj* (*hotel etc*) luksusowy ♦ *n* plusz *m*.

plutonium [plu:'təunɪəm] *n* (*CHEM*) pluton *m*.

ply [plaɪ] *vt* (*trade*) uprawiać; (*tool*) posługiwać się +*instr* ♦ *vi* (*ship*) kursować ♦ *n* (*of wool, rope*) grubość *f*; (*plywood*) sklejka *f*; **to ply sb with questions** zasypywać (zasypać *perf*) kogoś pytaniami; **to ply sb with drink** wlewać w kogoś alkohol.

plywood ['plaɪwud] *n* sklejka *f*.

PM (*BRIT*) *abbr* = **Prime Minister**.

p.m. *adv abbr* (= *post meridiem*) po południu.

PMT *abbr* = **premenstrual tension**.

pneumatic [nju:'mætɪk] *adj* pneumatyczny.

pneumatic drill *n* młot *m* pneumatyczny.

pneumonia [nju:'məunɪə] *n* zapalenie *nt* płuc.

PO *n abbr* = **Post Office**;

(*MIL*) = **petty officer**.

p.o. *abbr* = **postal order**.

POA (*BRIT*) *n abbr* (= *Prison Officers' Association*) związek zawodowy pracowników więziennictwa.

poach [pəutʃ] *vt* (*steal*) kłusować na +*acc*; (*cook: egg*) gotować (ugotować *perf*) bez skorupki; (: *fish etc*) gotować (ugotować *perf*) we wrzątku ♦ *vi* kłusować.

poached [pəutʃt] *adj* (*egg*) w koszulce *post*; (*fish*) gotowany we wrzątku.

poacher ['pəutʃə*] *n* kłusownik (-iczka) *m(f)*.

PO Box *n abbr* = **Post Office Box** skr. poczt.

pocket ['pɔkɪt] *n* kieszeń *f*; (*fig: small area*) ognisko *nt* ♦ *vt* wkładać (włożyć *perf*) do kieszeni; (*steal*) przywłaszczać (przywłaszczyć *perf*) sobie; **to be out of pocket** (*BRIT*) ponosić (ponieść *perf*) stratę.

pocketbook ['pɔkɪtbuk] *n* (*US: wallet*) portfel *m*; (*notebook*) notes *m* kieszonkowy; (*US: handbag*) kopertówka *f*.

pocket calculator *n* kalkulator *m* kieszonkow

pocket knife *n* scyzoryk *m*.

pocket money *n* kieszonkowe *nt*.

pocket-sized ['pɔkɪtsaɪzd] *adj* kieszonkowy.

ockmarked ['pɔkmɑ:kt] *adj* ospowaty, dziobaty.

od [pɔd] *n* strączek *m*.

odgy ['pɔdʒɪ] (*inf*) *adj* pękaty, tłusty.

odiatrist [pɔ'di:ətrɪst] (*US*) *n* podiatra *m* (*lekarz leczący choroby stóp*).

odiatry [pɔ'di:ətrɪ] (*US*) *n* podiatria *f* (*leczenie chorób stóp*).

odium ['pəudɪəm] *n* podium *nt*.

OE *n abbr* (= *port of embarkation*) port *m* załadunku; (= *port of entry*) port *m* przywozowy.

oem ['pəuɪm] *n* wiersz *m*.

oet ['pəuɪt] *n* poeta (-tka) *m(f)*.

oetic [pəu'ɛtɪk] *adj* poetycki; (*fig*) poetyczny.

oetic justice *n*: **it was poetic justice** sprawiedliwości stało się zadość.

oetic licence *n* licencja *f* poetycka, licentia *f* poetica.

oet laureate *n* poeta *m* narodowy.

oetry ['pəuɪtrɪ] *n* poezja *f*.

oignant ['pɔɪnjənt] *adj* (*emotion*) przejmujący; (*pain*) dojmujący; (*moment*) wzruszający; (*taste, remark*) cierpki; (*smell*) ostry.

oint [pɔɪnt] *n* (*also GEOM*) punkt *m*; (*sharpened tip*) czubek *m*, szpic *m*; (*purpose*) sens *m*; (*significant part*) cecha *f*, istota *f*; (*subject, idea*) kwestia *f*; (*ELEC*: *also*: **power point**) gniazdko *nt*; (*also*: **decimal point**) przecinek *m* ♦ *vt* wskazywać (wskazać *perf*) ♦ *vi* (*with finger etc*) wskazywać (wskazać *perf*); **points** *npl* (*AUT*) styki *pl*; (*RAIL*) zwrotnica *f*; **at this point** w tym momencie; **to point at** wskazywać (wskazać *perf*) na +*acc*; **to point sth at sb** celować (wycelować *perf*) czymś w kogoś, skierować (*perf*) coś w stronę kogoś; **two point five** (= **2.5**) dwa przecinek pięć (= 2,5); **good/bad points** mocne/słabe punkty; **to be on the point of doing sth** mieć właśnie coś zrobić; **to make a point of doing sth** dokładać (dołożyć *perf*) starań, aby coś zrobić; **to get the point** pojmować (pojąć *perf*) istotę sprawy; **to miss the point** nie dostrzegać (nie dostrzec *perf*) istoty sprawy; **to come/get to the point** przechodzić (przejść *perf*) do sedna sprawy; **to make one's point** przedstawiać (przedstawić *perf*) swoje argumenty; **that's the whole point!** w tym cały problem!; **to be beside the point** nie mieć nic do rzeczy; **there's no point (in doing it)** nie ma sensu (tego robić); **you've got a point there!** w tym masz rację!; **in point of fact** właściwie, w rzeczy samej; **point of sale** (*COMM*) punkt sprzedaży.

point out *vt* (*person, object*) wskazywać (wskazać *perf*); (*in debate etc*) wykazywać (wykazać *perf*), zwracać (zwrócić *perf*) uwagę na +*acc*.

point to *vt fus* wskazywać (wskazać *perf*) na +*acc*.

point-blank ['pɔɪnt'blæŋk] *adv* (*ask*) wprost, bez ogródek; (*refuse*) kategorycznie; (*also*: **at point-blank range**) z bliska.

point duty (*BRIT*) *n*: **to be on point duty** kierować ruchem drogowym.

pointed ['pɔɪntɪd] *adj* (*chin, nose*) spiczasty; (*stick, pencil*) ostry, zaostrzony; (*fig*: *remark*) uszczypliwy; (: *look*) znaczący.

pointedly ['pɔɪntɪdlɪ] *adv* (*remark*) uszczypliwie; (*look*) znacząco.

pointer ['pɔɪntə*] *n* (*on machine, scale*) wskaźnik *m*, strzałka *f*; (*fig*: *advice*) wskazówka *f*; (*stick*) wskaźnik *m*; (*dog*) pointer *m*.

pointing ['pɔɪntɪŋ] *n* spoinowanie *nt*.

pointless ['pɔɪntlɪs] *adj* bezcelowy.

point of view *n* punkt *m* widzenia; **from a practical point of view** z praktycznego punktu widzenia.

poise [pɔɪz] *n* (*composure*) opanowanie *nt*, pewność *f* siebie; (*balance*) równowaga *f*, postawa *f* ♦ *vt*: **to be poised for** (*fig*) być gotowym *or* przygotowanym do +*gen*.

poison ['pɔɪzn] *n* trucizna *f* ♦ *vt* truć (otruć *perf*).

poisoning ['pɔɪznɪŋ] *n* zatrucie *nt*.

poisonous ['pɔɪznəs] *adj* (*substance*) trujący; (*snake*) jadowity; (*fig*: *rumours*) obrzydliwy.

poison-pen letter [pɔɪzn'pɛn] *n* obrzydliwy anonim *m*.

poke [pəuk] *vt* szturchać (szturchnąć *perf*) ♦ *n* szturchnięcie *nt*; **to poke sth in(to)** wtykać (wetknąć *perf*) coś do +*gen*; **to poke the fire** grzebać w piecu; **to poke one's head out of the window** wystawiać (wystawić *perf*) głowę przez okno; **to poke fun at sb** robić pośmiewisko z kogoś.

▸**poke about** *vi* myszkować.

▸**poke out** *vi* wystawać.

poker ['pəukə*] *n* pogrzebacz *m*; (*CARDS*) poker *m*.

poker-faced ['pəukə'feɪst] *adj* z kamienną twarzą *post*.

poky ['pəukɪ] (*pej*) *adj* (*room etc*) przyciasny (*inf*).

Poland ['pəulənd] *n* Polska *f*.

polar ['pəulə*] *adj* polarny.

polar bear *n* niedźwiedź *m* polarny.

polarize ['pəuləraɪz] *vt* polaryzować (spolaryzować *perf*).

Pole [pəul] *n* Polak (-lka) *m(f)*.

pole [pəul] *n* (*post*) słup *m*; (*stick*) drąg *m*; (*flag pole*) maszt *m*; (*GEOG, ELEC*) biegun *m*; **to be poles apart** (*fig*) znajdować się na przeciwstawnych biegunach.

pole bean (*US*) *n* fasola *f* tyczkowa.

polecat ['pəulkæt] *n* (*ZOOL*) tchórz *m*.

Pol. Econ. ['pɔlɪkɔn] *n abbr* (= *political economy*) ekon. polit.

polemic [pɔ'lɛmɪk] *n* polemika *f*.

pole star ['pəulstɑ:*] *n* Gwiazda *f* Polarna.
pole vault ['pəulvɔ:lt] *n* skok *m* o tyczce.
police [pə'li:s] *npl* policja *f* ♦ *vt* patrolować; **a large number of police were hurt** wielu policjantów odniosło obrażenia.
police car *n* samochód *m or* radiowóz *m* policyjny.
police constable (*BRIT*) *n* policjant *m* (szeregowy).
police department (*US*) *n* wydział *m* policji.
police force *n* policja *f*.
policeman [pə'li:smən] (*irreg like* **man**) *n* policjant *m*.
police officer *n* = **police constable**.
police record *n*: **to have a police record** być notowanym (w kartotece policyjnej).
police state *n* państwo *nt* policyjne.
police station *n* komisariat *m* policji.
policewoman [pə'li:swumən] (*irreg like* **woman**) *n* policjantka *f*.
policy ['pɔlɪsɪ] *n* (*POL, ECON*) polityka *f*; (*also*: **insurance policy**) polisa *f* ubezpieczeniowa; **to take out a policy** ubezpieczać się (ubezpieczyć się *perf*).
policy holder *n* ubezpieczony (-na) *m(f)*, posiadacz(ka) *m(f)* polisy ubezpieczeniowej.
polio ['pəulɪəu] *n* choroba *f* Heinego-Medina, polio *nt inv*.
Polish ['pəulɪʃ] *adj* polski ♦ *n* (język *m*) polski.
polish ['pɔlɪʃ] *n* (*for shoes, floors*) pasta *f*; (*for furniture*) środek *m* do polerowania; (*shine*) połysk *m*; (*fig*) polor *m*, blask *m* ♦ *vt* (*shoes, furniture*) polerować (wypolerować *perf*); (*floor etc*) froterować (wyfroterować *perf*).
►**polish off** *vt* (*work*) wygładzać (wygładzić *perf*); (*food*) pałaszować (spałaszować *perf*).
polished ['pɔlɪʃt] *adj* (*fig*) wytworny.
polite [pə'laɪt] *adj* (*person*) uprzejmy, grzeczny; (*company*) kulturalny; **it's not polite to do that** to niegrzecznie robić coś takiego.
politely [pə'laɪtlɪ] *adv* uprzejmie, grzecznie.
politeness [pə'laɪtnɪs] *n* uprzejmość *f*, grzeczność.
politic ['pɔlɪtɪk] *adj*: **it would be politic to ...** byłoby rozsądnie +*infin*.
political [pə'lɪtɪkl] *adj* polityczny; (*person*) rozpolitykowany.
political asylum *n* azyl *m* polityczny.
politically [pə'lɪtɪklɪ] *adv* politycznie; **politically correct** politycznie poprawny.
politician [pɔlɪ'tɪʃən] *n* polityk *m*.
politics ['pɔlɪtɪks] *n* polityka *f* ♦ *npl* przekonania *pl* polityczne.
polka ['pɔlkə] *n* polka *f*.
poll [pəul] *n* (*also*: **opinion poll**) ankieta *f*, badanie *nt* opinii publicznej; (*election*) głosowanie *nt*, wybory *pl* ♦ *vt* (*people*) ankietować; (*votes*) zdobywać (zdobyć *perf*); **to go to the polls** (*voters*) iść (pójść *perf*) do

urn wyborczych; (*government*) stawać (stanąć *perf*) do wyborów.
pollen ['pɔlən] *n* pyłek *m* kwiatowy.
pollen count *n* stężenie *nt* pyłków w powietrzu.
pollinate ['pɔlɪneɪt] *vt* zapylać (zapylić *perf*).
polling booth ['pəulɪŋ-] (*BRIT*) *n* kabina *f* do głosowania.
polling day (*BRIT*) *n* dzień *m* wyborów.
polling station (*BRIT*) *n* lokal *m* wyborczy.
pollute [pə'lu:t] *vt* zanieczyszczać (zanieczyścić *perf*).
pollution [pə'lu:ʃən] *n* (*contamination*) zanieczyszczenie *nt*; (*substances*) zanieczyszczenia *pl*.
polo ['pəuləu] *n* polo *nt inv*.
polo neck *n* golf *m* (*sweter*).
polo-necked ['pəuləunɛkt] *adj* z golfem *post*.
poltergeist ['pɔ:ltəgaɪst] *n* złośliwy duch *m*.
poly ['pɔlɪ] (*BRIT*) *n abbr* = **polytechnic**.
poly... ['pɔlɪ] *pref* poli..., wielo... .
polyester [pɔlɪ'ɛstə*] *n* poliester *m*.
polygamy [pə'lɪgəmɪ] *n* poligamia *f*.
Polynesia [pɔlɪ'ni:zɪə] *n* Polinezja *f*.
Polynesian [pɔlɪ'ni:zɪən] *adj* polinezyjski ♦ *n* Polinezyjczyk (-jka) *m(f)*.
polyp ['pɔlɪp] (*MED*) *n* polip *m*.
polystyrene [pɔlɪ'staɪri:n] *n* polistyren *m*.
polytechnic [pɔlɪ'tɛknɪk] *n* politechnika *f*.
polythene ['pɔlɪθi:n] *n* polietylen *m*.
polythene bag *n* torba *f* polietylenowa.
polyurethane [pɔlɪ'juərɪθeɪn] *n* poliuretan *m*.
pomegranate ['pɔmɪgrænɪt] *n* owoc *m* granatu.
pommel ['pɔml] *n* kula *f* (*wzniesiony łęk siodła*) ♦ *vt* (*US*) = **pummel**.
pomp [pɔmp] *n* pompa *f*, przepych *m*.
pompom ['pɔmpɔm] *n* pompon *m*.
pompous ['pɔmpəs] (*pej*) *adj* pompatyczny (*pej*).
pond [pɔnd] *n* staw *m*.
ponder ['pɔndə*] *vt* rozważać ♦ *vi* rozmyślać.
ponderous ['pɔndərəs] *adj* (*style*) ciężki.
pong [pɔŋ] (*BRIT: inf*) *n* smród *m*, fetor *m* ♦ *vi* cuchnąć.
pontiff ['pɔntɪf] *n*: **the pontiff** papież *m*.
pontificate [pɔn'tɪfɪkeɪt] *vi* perorować.
pontoon [pɔn'tu:n] *n* ponton *m*; (*CARDS*) oko *nt*
pony ['pəunɪ] *n* kucyk *m*.
ponytail ['pəunɪteɪl] *n* (*hairstyle*) koński ogon *m*; **she had her hair in a ponytail** była uczesana w koński ogon.
pony trekking (*BRIT*) *n* wyprawa *f* konna.
poodle ['pu:dl] *n* pudel *m*.
pooh-pooh [pu:'pu:] *vt* wyśmiewać (wyśmiać *perf*).
pool [pu:l] *n* (*pond*) sadzawka *f*; (*also*: **swimming pool**) basen *m*; (*of light*) krąg *m*; (*of blood etc*) kałuża *f*; (*SPORT*) bilard *m*; (*of cash*) wspólny fundusz *m*; (*of labour*) zasoby *pl*, rezerwy *pl*; (*CARDS*) pula *f*; (*COMM*) kartel *m* ♦ *vt* (*money*) składać

(złożyć *perf*) do wspólnego funduszu;
(*knowledge, resources*) tworzyć (stworzyć
perf) (wspólny) bank +*gen*; **pools** *npl*
totalizator *m* sportowy; **typing pool,** *(US)*
secretary pool hala maszyn; **to do the**
(football) pools grać (zagrać *perf*) w
totalizatora.

poor [puə*] *adj* (*not rich*) biedny, ubogi; (*bad*)
słaby, kiepski ♦ *npl*: **the poor** biedni *vir pl*;
poor in ubogi w +*acc*; **poor thing** biedactwo.

poorly ['puəlɪ] *adj* chory ♦ *adv* słabo, kiepsko.

pop [pɔp] *n* (*MUS*) pop *m*; (*drink*) napój *m*
gazowany *or* musujący; (*US*: *inf*: *father*) tata
m; (*sound*) huk *m*, trzask *m* ♦ *vi* (*balloon*)
pękać (pęknąć *perf*); (*cork*) strzelać (strzelić
perf); (*eyes*) wychodzić (wyjść *perf*) na
wierzch ♦ *vt*: **to pop sth into/onto/on** *etc*
wsuwać (wsunąć *perf*) coś do +*gen*/na +*acc*;
she popped her head out of the window
wystawiła głowę przez okno.

➤**pop in** *vi* wpadać (wpaść *perf*).
➤**pop out** *vi* wyskakiwać (wyskoczyć *perf*).
➤**pop up** *vi* pojawiać się (pojawić się *perf*).

popcorn ['pɔpkɔːn] *n* prażona kukurydza *f*,
popkorn *m*.

pope [pəup] *n* papież *m*.

poplar ['pɔplə*] *n* topola *f*.

poplin ['pɔplɪn] *n* popelina *f*.

popper ['pɔpə*] (*BRIT*: *inf*) *n* zatrzask *m* (*przy
ubraniu, torebce itp*).

poppy ['pɔpɪ] *n* mak *m*.

poppycock ['pɔpɪkɔk] (*inf*) *n* banialuki *pl*.

Popsicle ['pɔpsɪkl] ® (*US*) *n* *lizak z mrożonej
wody z sokiem owocowym*.

pop star *n* gwiazda *f* muzyki pop.

populace ['pɔpjuləs] *n*: **the populace**
społeczeństwo *nt*.

popular ['pɔpjulə*] *adj* (*well-liked, fashionable,
non-specialist*) popularny; (*general*)
powszechny; (*POL*: *movement, cause*)
(ogólno)społeczny; **to be popular with** cieszyć
się popularnością wśród *or* u +*gen*.

popularity [pɔpju'lærɪtɪ] *n* popularność *f*.

popularize ['pɔpjuləraɪz] *vt* popularyzować
(spopularyzować *perf*).

popularly ['pɔpjuləlɪ] *adv* (*believed, held*)
powszechnie; (*called, known as*) potocznie.

population [pɔpju'leɪʃən] *n* (*inhabitants*)
ludność *f*; (*number of people*) liczba *f*
ludności *or* mieszkańców; (*of species*)
populacja *f*; **the civilian population** ludność
cywilna; **a prison population of 44,000** 44
tysiące osób przebywających w więzieniach.

population explosion *n* eksplozja *f*
demograficzna.

populous ['pɔpjuləs] *adj* gęsto zaludniony.

porcelain ['pɔːslɪn] *n* porcelana *f*.

porch [pɔːtʃ] *n* ganek *m*; (*US*) weranda *f*.

porcupine ['pɔːkjupaɪn] *n* jeżozwierz *m*.

pore [pɔː*] *n* por *m* ♦ *vi*: **to pore over** (*book,*

article) zagłębiać się w +*acc*; (*map, chart*)
studiować +*acc*.

pork [pɔːk] *n* wieprzowina *f*.

pork chop *n* kotlet *m* schabowy.

pornographic [pɔːnə'græfɪk] *adj* pornograficzny.

pornography [pɔː'nɔgrəfɪ] *n* pornografia *f*.

porous ['pɔːrəs] *adj* porowaty.

porpoise ['pɔːpəs] *n* morświn *m*.

porridge ['pɔrɪdʒ] *n* owsianka *f*.

port [pɔːt] *n* (*harbour*) port *m*; (*NAUT*) lewa
burta *f*; (*wine*) porto *nt inv*; (*COMPUT*) port
m, gniazdo *nt* wejściowe ♦ *adj* portowy; **to**
port (*NAUT*) z lewej; **port of call** (*NAUT*)
port zawinięcia *or* pośredni.

portable ['pɔːtəbl] *adj* przenośny.

portal ['pɔːtl] *n* portal *m*.

portcullis [pɔː'kʌlɪs] *n* (spuszczana) krata *f* (*w
bramie twierdzy*).

portend [pɔː'tɛnd] *vt* zwiastować.

portent ['pɔːtɛnt] *n* zwiastun *m*.

porter ['pɔːtə*] *n* (*for luggage*) bagażowy *m*,
tragarz *m*; (*doorkeeper*) portier(ka) *m(f)*; (*US*)
*pracownik kolei obsługujący pasażerów w
wagonie z miejscówkami lub sypialnym.*

portfolio [pɔːt'fəulɪəu] *n* (*for papers, drawings*)
teczka *f*; (*POL*) teka *f*; (*FIN*) portfel *m*.

porthole ['pɔːthəul] *n* luk *m*.

portico ['pɔːtɪkəu] *n* portyk *m*.

portion ['pɔːʃən] *n* (*part*) część *f*; (*helping*)
porcja *f*.

portly ['pɔːtlɪ] *adj* korpulentny.

portrait ['pɔːtreɪt] *n* portret *m*.

portray [pɔː'treɪ] *vt* (*depict*) przedstawiać
(przedstawić *perf*), portretować (sportretować
perf); (*actor*) odtwarzać (odtworzyć *perf*) rolę
+*gen*.

portrayal [pɔː'treɪəl] *n* (*depiction*)
przedstawienie *nt*, portret *m*; (*actor's*)
odtworzenie *nt* roli.

Portugal ['pɔːtjugl] *n* Portugalia *f*.

Portuguese [pɔːtju'giːz] *adj* portugalski ♦ *n*
inv (*person*) Portugalczyk (-lka) *m(f)*; (*LING*)
(język *m*) portugalski.

Portuguese man-of-war [-mænəv'wɔː*] *n*
(*ZOOL*) żeglarz *m* portugalski.

pose [pəuz] *n* poza *f* ♦ *vt* (*question*) stawiać
(postawić *perf*); (*problem, danger*) stanowić ♦
vi: **to pose as** podawać się za +*acc*; **to pose**
for (*painting etc*) pozować do +*gen*; **to strike**
a pose przybierać (przybrać *perf*) pozę.

poser ['pəuzə*] *n* (*problem, puzzle*)
łamigłówka *f*; (*person*) = **poseur**.

poseur [pəu'zə:*] (*pej*) *n* pozer(ka) *m(f)* (*pej*).

posh [pɔʃ] (*inf*) *adj* (*smart*) elegancki;
(*upper-class*) z wyższych sfer *post*; **to talk**
posh *mówić z akcentem charakterystycznym
dla wyższych sfer.*

position [pə'zɪʃən] *n* (*place, situation*)
położenie *nt*; (*of body, in competition, society*)
pozycja *f*; (*job, attitude*) stanowisko *nt* ♦ *vt*

umieszczać (umieścić *perf*); **to position o.s.**
lokować się (ulokować się *perf*); **to be in a
position to do sth** być w stanie coś (z)robić.
positive ['pɔzɪtɪv] *adj* (*certain*) pewny;
(*hopeful, confident, affirmative*) pozytywny;
(*decisive*) stanowczy; (*MATH, ELEC*) dodatni;
the current flows from positive to negative
prąd płynie od plusa do minusa.
positively ['pɔzɪtɪvlɪ] *adv* (*expressing
emphasis*) wręcz; (*encouragingly*) pozytywnie;
(*definitely*) stanowczo; (*ELEC*) dodatnio; **the
body has been positively identified** ciało
zostało zidentyfikowane.
posse ['pɔsɪ] (*US*) *n* oddział *m* pościgowy.
possess [pə'zɛs] *vt* (*have, own*) posiadać;
(*obsess*) opętywać (opętać *perf*); **like a man
possessed** jak opętany; **whatever possessed
you to do it?** co cię napadło, żeby to zrobić?
possession [pə'zɛʃən] *n* (*state of possessing*)
posiadanie *nt*; **possessions** *npl* dobytek *m*; **to
take possession of** brać (wziąć *perf*) w
posiadanie +*acc*.
possessive [pə'zɛsɪv] *adj* (*of another person*)
zaborczy; (*of things*) zazdrosny; (*LING*)
dzierżawczy.
possessiveness [pə'zɛsɪvnɪs] *n* zaborczość *f*.
possessor [pə'zɛsə*] *n* posiadacz(ka) *m(f)*.
possibility [pɔsɪ'bɪlɪtɪ] *n* możliwość *f*.
possible ['pɔsɪbl] *adj* możliwy; **it's possible**
(to jest) możliwe; **it's possible to do it** to się
da zrobić; **as far as possible** na tyle, na ile
(to) możliwe, w miarę możliwości; **if
possible** jeśli to możliwe; **as soon as
possible** (możliwie) jak najszybciej.
possibly ['pɔsɪblɪ] *adv* (*perhaps*) być może;
what could they possibly want? czegóż mogą
chcieć?; **if you possibly can** jeśli tylko
możesz; **he will do everything he possibly
can** zrobi wszystko, co tylko możliwe; **I
couldn't possibly afford it** w żaden sposób
nie mogłabym sobie na to pozwolić.
post [pəust] *n* (*BRIT*) poczta *f*; (*pole*) słup *m*,
pal *m*; (*job*) stanowisko *nt*; (*MIL*) posterunek
m; (*also*: **trading post**) faktoria *f*; (*also*:
goalpost) słupek *m* ♦ *vt* (*BRIT*: *letter*)
wysyłać (wysłać *perf*); (*MIL*: *guards*)
wystawiać (wystawić *perf*); **to post sb to**
oddelegowywać (oddelegować *perf*) kogoś do
+*gen*; **by post** (*BRIT*) pocztą; **by return of
post** (*BRIT*) odwrotną pocztą; **I'll keep you
posted** będę cię informować na bieżąco.
▸**post up** *vt* wywieszać (wywiesić *perf*).
post... [pəust] *pref* po... .
postage ['pəustɪdʒ] *n* opłata *f* pocztowa.
postage stamp *n* znaczek *m* pocztowy.
postal ['pəustl] *adj* pocztowy.
postal order (*BRIT*) *n* przekaz *m* pocztowy.
postbag ['pəustbæg] (*BRIT*) *n* listy *pl*,
korespondencja *f*; (*postman's*) torba *f*
(listonosza).

postbox ['pəustbɔks] (*BRIT*) *n* skrzynka *f*
pocztowa.
postcard ['pəustkɑ:d] *n* pocztówka *f*,
widokówka *f*.
postcode ['pəustkəud] (*BRIT*) *n* kod *m*
pocztowy.
postdate ['pəust'deɪt] *vt* postdatować *(perf)*.
poster ['pəustə*] *n* plakat *m*, afisz *m*.
poste restante [pəust'rɛstɑ̃:nt] (*BRIT*) *n* poste
restante *nt inv*.
posterior [pɔs'tɪərɪə*] (*hum*) *n* siedzenie *nt*,
tyłek *m* (*inf*).
posterity [pɔs'tɛrɪtɪ] *n* potomność *f*.
poster paint *n* farba *f* plakatowa.
post exchange (*US*) *n* sklep na terenie
jednostki wojskowej.
post-free [pəust'fri:] (*BRIT*) *adj* wolny od
opłaty pocztowej ♦ *adv* bez opłaty pocztowej.
postgraduate ['pəust'grædjuət] *n* (*working for
MA etc*) ≈ magistrant(ka) *m(f)*; (*working for
PhD etc*) ≈ doktorant(ka) *m(f)*.
posthumous ['pɔstjuməs] *adj* pośmiertny.
posthumously ['pɔstjuməslɪ] *adv* pośmiertnie.
posting ['pəustɪŋ] *n* posada *f* (*na którą jest się
oddelegowanym np. za granicę*).
postman ['pəustmən] (*irreg like* **man**) *n*
listonosz *m*.
postmark ['pəustmɑ:k] *n* stempel *m* pocztowy.
postmaster ['pəustmɑ:stə*] *n* naczelnik *m*
poczty.
Postmaster General *n* ≈ minister *m* łączności.
postmistress ['pəustmɪstrɪs] *n* naczelniczka *f*
poczty.
postmortem [pəust'mɔ:təm] *n* (*MED*) sekcja *f*
zwłok; (*fig*) analiza *f* or badanie *m* (*przyczyn
niepowodzenia*).
postnatal ['pəust'neɪtl] *adj* poporodowy.
post office *n* urząd *m* pocztowy; **the Post
Office** ≈ Poczta Polska.
Post Office Box *n* skrytka *f* pocztowa.
post-paid ['pəust'peɪd] (*US*) *adj, adv* =
post-free.
postpone [pəus'pəun] *vt* odraczać (odroczyć
perf), odkładać (odłożyć *perf*).
postscript ['pəustskrɪpt] *n* postscriptum *nt*.
postulate ['pɔstjuleɪt] *vt* postulować.
posture ['pɔstʃə*] *n* postura *f*, postawa *f*; (*fig*)
postawa *f* ♦ *vi* (*pej*) pozować.
postwar [pəust'wɔ:*] *adj* powojenny.
posy ['pəuzɪ] *n* bukiecik *m*.
pot [pɔt] *n* (*for cooking*) garnek *m*; (*teapot,
coffee pot, potful*) dzbanek *m*; (*for jam etc*)
słoik *m*; (*flowerpot*) doniczka *f*;
(*inf. marijuana*) traw(k)a *f* (*inf*) ♦ *vt* sadzić
(posadzić *perf*) w doniczce; **to go to pot** (*inf*)
schodzić (zejść *perf*) na psy; **pots of**
(*BRIT*: *inf*) masa +*gen*; **He's got pots of
money.** On ma masę pieniędzy.
potash ['pɔtæʃ] *n* potaż *m*.
potassium [pə'tæsɪəm] *n* potas *m*.

potato [pə'teɪtəu] (*pl* **potatoes**) *n* ziemniak *m*.
potato chips (*US*) *npl* = **potato crisps**.
potato crisps *npl* chipsy *pl* ziemniaczane.
potato flour *n* mąka *f* ziemniaczana.
potato peeler *n* nóż *m* do obierania ziemniaków.
potbellied ['pɒtbɛlɪd] *adj* (*from overeating*) brzuchaty; (*from malnutrition*) z rozdętym brzuchem *post*.
potency ['pəutnsɪ] *n* (*sexual*) potencja *f*; (*of drink, drug*) moc *f*.
potent ['pəutnt] *adj* (*weapon*) potężny; (*argument*) przekonujący; (*drink*) mocny; (*man*) sprawny seksualnie.
potentate ['pəutnteɪt] *n* potentat(ka) *m(f)*.
potential [pə'tenʃl] *adj* potencjalny ♦ *n* (*talent, ability*) potencjał *m*; (*promise, possibilities*) zadatki *pl*; **has she got executive potential?** czy ma zdolności kierownicze?; **many children do not achieve their full potential** wiele dzieci nie osiąga pełni swoich możliwości.
potentially [pə'tenʃəlɪ] *adv* potencjalnie; **it's potentially dangerous** to jest potencjalnie niebezpieczne.
pothole ['pɒthəul] *n* (*in road*) wybój *m*; (*cave*) jaskinia *f*.
potholing ['pɒthəulɪŋ] *n*: **to go potholing** chodzić po jaskiniach.
potion ['pəuʃən] *n* (*medicine*) płynny lek *m*; (*poison*) trujący napój *m*; (*charm*) napój *m* magiczny, eliksir *m*.
potluck [pɒt'lʌk] *n*: **to take potluck** zadowalać się (zadowolić się *perf*) tym, co jest.
potpourri [pəu'purɪ:] *n aromatyczna mieszanka suszonych płatków kwiatów, liści i ziół*; (*fig*) mieszanina *f*, zbieranina *f*.
pot roast *n* duszone mięso *nt*.
pot shot *n*: **to take a pot shot at** strzelać (strzelić *perf*) na chybił trafił do +*gen*.
potted ['pɒtɪd] *adj* (*food*) wekowany; (*plant*) doniczkowy; (*history, biography*) skrócony.
potter ['pɒtə*] *n* garncarz (-arka) *m(f)* ♦ *vi*: **to potter around, potter about** (*BRIT*) pałętać się; **to potter around the house** pałętać się po domu.
potter's wheel *n* koło *nt* garncarskie.
pottery ['pɒtərɪ] *n* (*pots, dishes*) wyroby *pl* garncarskie; (*work, hobby*) garncarstwo *nt*; (*factory, workshop*) garncarnia *f*; **a piece of pottery** naczynie gliniane.
potty ['pɒtɪ] *adj* (*inf*) stuknięty (*inf*) ♦ *n* nocniczek *m*.
potty-training ['pɒtɪtreɪnɪŋ] *n przyzwyczajanie dziecka do korzystania z nocniczka*.
pouch [pautʃ] *n* (*for tobacco*) kapciuch *m*; (*for coins*) sakiewka *f*; (*ZOOL*) torba *f*.
pouf(fe) [pu:f] *n* puf *m*.
poultice ['pəultɪs] *n* gorący okład *m*.
poultry ['pəultrɪ] *n* drób *m*.

poultry farm *n* ferma *f* drobiarska.
poultry farmer *n* hodowca *m* drobiu.
pounce [pauns] *vi*: **to pounce on** rzucać się (rzucić się *perf*) na +*acc*; (*fig: mistakes*) wytykać (wytknąć *perf*) +*acc*.
pound [paund] *n* (*unit of money, weight*) funt *m*; (*for cars*) miejsce odholowywania nieprawidłowo zaparkowanych samochodów; (*for dogs etc*) schronisko, w którym zwierzęta są przechowywane przez określony czas, a następnie usypiane, jeśli nie znajdą właściciela ♦ *vt* (*beat*) walić w +*acc*; (*crush*) tłuc (utłuc *perf*); (*with guns*) ostrzeliwać (ostrzelać *perf*) ♦ *vi* (*heart*) walić; **half a pound of** pół funta +*gen*; **a five-pound note** banknot pięciofuntowy; **my head is pounding** w głowie mi huczy.
pounding ['paundɪŋ] *n*: **to take a pounding** (*fig*) dostawać (dostać *perf*) lanie.
pound sterling *n* funt *m* szterling.
pour [pɔ:*] *vt* lać, nalewać (nalać *perf*) ♦ *vi* (*water, blood, sweat*) lać się; (*rain*) lać; **to pour sb some tea** nalewać (nalać *perf*) komuś herbaty; **it is pouring with rain** leje jak z cebra.
▸**pour away** *vt* wylewać (wylać *perf*).
▸**pour in** *vi* (*people, crowd*) wlewać się; (*letters*) (masowo) napływać.
▸**pour out** *vi* (*people, crowd*) wylewać się ♦ *vt* nalewać (nalać *perf*); (*fig: thoughts, feelings*) wylewać (wylać *perf*) z siebie.
pouring ['pɔ:rɪŋ] *adj*: **pouring rain** ulewny deszcz *m*.
pout [paut] *vi* wydymać (wydąć *perf*) wargi.
poverty ['pɒvətɪ] *n* bieda *f*, ubóstwo *nt*.
poverty-stricken ['pɒvətɪstrɪkn] *adj* dotknięty biedą *or* ubóstwem.
poverty trap (*BRIT*) *n* zamknięte *or* zaklęte koło *nt* ubóstwa.
POW *n abbr* = **prisoner of war**.
powder ['paudə*] *n* (*granules*) proszek *m*; (*face powder*) puder *m* (kosmetyczny) ♦ *vt*: **to powder one's face** pudrować *or* przypudrowywać (przypudrować *perf*) twarz; **I must powder my nose** (*euph*) muszę umyć ręce.
powder compact *n* puderniczka *f*.
powdered milk ['paudəd-] *n* mleko *nt* w proszku.
powder puff *n* puszek *m* do pudru.
powder room (*euph*) *n* toaleta *f* damska.
power ['pauə*] *n* (*control*) władza *f*; (*ability: of speech etc*) zdolność *f*; (*legal right*) uprawnienie *nt*; (*of engine, electricity*) moc *f*; (*strength: lit, fig*) siła *f*; **two to the power of three** dwa do potęgi trzeciej; **she did everything in her power to help** zrobiła wszystko, co było w jej mocy, by pomóc; **a world power** światowe mocarstwo; **the powers that be** prawowite władze; (*pej*) ci na górze

(*inf*); **to be in power** być u władzy; **to turn the power on** włączać (włączyć *perf*) zasilanie.

powerboat ['pauəbəut] *n* szybka łódź *f* motorowa.

power cut *n* przerwa *f* w dopływie energii elektrycznej.

powered ['pauəd] *adj*: **powered by** napędzany +*instr*; **nuclear-powered submarine** atomowa łódź podwodna.

power failure *n* przerwa *f* w dopływie energii elektrycznej.

powerful ['pauəful] *adj* (*strong*) mocny, silny; (*influential*) wpływowy; (*ruler*) potężny.

powerhouse ['pauəhaus] *n*: **to be a powerhouse of ideas** być niewyczerpanym w pomysłach.

powerless ['pauəlɪs] *adj* bezsilny; **to be powerless to do sth** nie być w stanie czegoś zrobić.

power line *n* linia *f* elektroenergetyczna.

power point (*BRIT*) *n* gniazdo *nt* sieciowe.

power station *n* elektrownia *f*.

power steering *n* (*AUT*) kierowanie *nt* ze wspomaganiem.

powwow ['pauwau] *n* narada *f*.

pp *abbr* (= *per procurationem*) z up., w/z.

pp. *abbr* (= *pages*) s.

PPE (*BRIT*: *UNIV*) *n abbr* (= *philosophy, politics and economics*).

PPS *n abbr* (= *post postscriptum*) PPS; (*BRIT*: = *parliamentary private secretary*) *poseł-pomocnik ministra*.

PQ (*CANADA*) *abbr* (= *Province of Quebec*).

PR *n abbr* = **public relations**; (*POL*) = **proportional representation** ♦ *abbr* (*US*: *POST*: = *Puerto Rico*).

Pr. *abbr* = **prince** ks.

practicability [præktɪkə'bɪlɪtɪ] *n* wykonalność *f*; (*of legislation etc*) możliwość *f* wprowadzenia w życie.

practicable ['præktɪkəbl] *adj* wykonalny; **as far as is practicable** w takim stopniu, w jakim jest to możliwe.

practical ['præktɪkl] *adj* praktyczny; (*good with hands*) sprawny manualnie; (*ideas, methods*) możliwy (do zastosowania) w praktyce.

practicality [præktɪ'kælɪtɪ] *n* praktyczność *f*; **practicalities** *npl* strona *f* praktyczna.

practical joke *n* psikus *m*, figiel *m*.

practically ['præktɪklɪ] *adv* praktycznie.

practice ['præktɪs] *n* praktyka *f*; (*custom*) zwyczaj *m*; (*exercise, training*) wprawa *f* ♦ *vt*, *vi* (*US*) = **practise**;
in practice w praktyce; **I am out of practice** wyszedłem z wprawy; **2 hours' piano practice** dwugodzinne ćwiczenie gry na pianinie; **it's common** *or* **standard practice** (jest) to powszechna *or* typowa praktyka; **to put sth into practice** stosować (zastosować

perf) coś w praktyce; **target practice** strzelanie ćwiczebne.

practice match (*SPORT*) *n* spotkanie *nt* kontrolne.

practise ['præktɪs] (*US* **practice**) *vt* ćwiczyć; (*SPORT*) trenować; (*custom, activity*) praktykować; (*profession*) wykonywać ♦ *vi* ćwiczyć; (*sportsman*) trenować; (*lawyer, doctor*) praktykować, prowadzić praktykę.

practised ['præktɪst] (*BRIT*) *adj* (*person*) doświadczony; (*performance*) przećwiczony, wyćwiczony; **with a practised eye** wprawnym okiem.

practising ['præktɪsɪŋ] *adj* (*Christian, lawyer*) praktykujący; (*homosexual*) aktywny.

practitioner [præk'tɪʃənə*] *n*: **a medical practitioner** lekarz (-arka) *m(f)* praktykujący (-ca) *m(f)*.

pragmatic [præg'mætɪk] *adj* pragmatyczny.

pragmatism ['prægmətɪzəm] *n* pragmatyzm *m*.

Prague [prɑːg] *n* Praga *f*.

prairie ['prɛərɪ] *n* preria *f*; **the prairies** (*US*) preria.

praise [preɪz] *n* pochwała *f* ♦ *vt* chwalić (pochwalić *perf*); (*REL*) chwalić.

praiseworthy ['preɪzwə:ðɪ] *adj* (*behaviour*) godny pochwały; (*attempt*) chwalebny.

pram [præm] (*BRIT*) *n* wózek *m* dziecięcy.

prance [prɑːns] *vi* (*horse*) tańczyć; **to prance along/up and down/about** (*person*) paradować.

prank [præŋk] *n* psikus *m*.

prattle ['prætl] *vi* paplać.

prawn [prɔːn] *n* krewetka *f*; **prawn cocktail** koktajl z krewetek.

pray [preɪ] *vi* modlić się (pomodlić się *perf*); **to pray for/that** (*REL*) modlić się (pomodlić się *perf*) o +*accl*, żeby; (*fig*) błagać o +*accl*, żeby.

prayer [prɛə*] *n* modlitwa *f*; **to say one's prayers** modlić się (pomodlić się *perf*).

prayer book *n* modlitewnik *m*.

pre... ['priː] *pref* pre..., przed...; **pre-1970** sprzed 1970 roku.

preach [priːtʃ] *vi* wygłaszać (wygłosić *perf*) kazanie ♦ *vt* (*sermon*) wygłaszać (wygłosić *perf*); (*ideology etc*) propagować; **to preach (at sb)** (*fig*) prawić (komuś) kazanie; **to preach to the converted** (*fig*) nawracać nawróconych; **don't preach!** nie truj! (*inf*).

preacher ['priːtʃə*] *n* kaznodzieja *m*.

preamble [prɪ'æmbl] *n* wstęp *m*; (*in document*) preambuła *f* (*fml*).

prearranged [priːə'reɪndʒd] *adj* umówiony.

precarious [prɪ'kɛərɪəs] *adj* niebezpieczny; (*position*) niepewny.

precaution [prɪ'kɔːʃən] *n* zabezpieczenie *nt*; **to take precautions** przedsiębrać (przedsięwziąć *perf*) środki ostrożności.

precautionary [prɪ'kɔːʃənrɪ] *adj*: **precautionary measure** środek *m* ostrożności.

precede [prɪ'si:d] *vt* (*event, words*) poprzedzać (poprzedzić *perf*); (*person*) iść przed +*instr*; **she preceded us/we were preceded by her** szła przed nami.

precedence ['prɛsɪdəns] *n* pierwszeństwo *nt*; **to take precedence over** mieć pierwszeństwo przed +*instr*.

precedent ['prɛsɪdənt] *n* precedens *m*; **to establish** *or* **set a precedent** ustanawiać (ustanowić *perf*) *or* stwarzać (stworzyć *perf*) precedens.

preceding [prɪ'si:dɪŋ] *adj* poprzedni.

precept ['pri:sɛpt] *n* zasada *f*.

precinct ['pri:sɪŋkt] *n* (*US*) dzielnica *f*; **precincts** *npl* (*of cathedral, palace*) teren *m*; **pedestrian precinct** (*BRIT*) strefa ruchu pieszego; **shopping precinct** (*BRIT*) dzielnica handlowa (*zamknięta dla ruchu samochodowego*).

precious ['prɛʃəs] *adj* cenny; (*pej*) afektowany; (*ironic*): **your precious brother** twój kochany braciszek ♦ *adv* (*inf*): **precious little/few** bardzo niewiele/niewielu.

precious stone *n* kamień *m* szlachetny.

precipice ['prɛsɪpɪs] *n* urwisko *nt*, przepaść *f*; (*fig*): **at the edge of an economic precipice** na skraju katastrofy ekonomicznej.

precipitate [*vb* prɪ'sɪpɪteɪt, *adj* prɪ'sɪpɪtɪt] *vt* przyśpieszać (przyśpieszyć *perf*) ♦ *adj* pośpieszny.

precipitation [prɪsɪpɪ'teɪʃən] *n* opad *m* atmosferyczny.

precipitous [prɪ'sɪpɪtəs] *adj* (*steep*) urwisty; (*hasty*) pośpieszny.

précis ['preɪsi:] *n inv* streszczenie *nt*.

precise [prɪ'saɪs] *adj* (*nature, position*) dokładny; (*instructions, definition*) precyzyjny, dokładny; **to be precise** ściśle(j) mówiąc.

precisely [prɪ'saɪslɪ] *adv* dokładnie; **precisely!** (no) właśnie!, dokładnie!

precision [prɪ'sɪʒən] *n* precyzja *f*, dokładność *f*.

preclude [prɪ'klu:d] *vt* wykluczać (wykluczyć *perf*); **to preclude sb from doing sth** uniemożliwiać (uniemożliwić *perf*) komuś (z)robienie czegoś.

precocious [prɪ'kəuʃəs] *adj* (*child*) rozwinięty nad wiek; (*talent*) wcześnie rozwinięty.

preconceived [pri:kən'si:vd] *adj* z góry przyjęty *or* założony.

preconception ['pri:kən'sɛpʃən] *n* z góry przyjęta opinia *f*; (*negative*) uprzedzenie *nt*.

precondition ['pri:kən'dɪʃən] *n* warunek *m* wstępny.

precursor [pri:'kə:sə*] *n* prekursor *m*.

predate ['pri:'deɪt] *vt* poprzedzać (poprzedzić *perf*), być wcześniejszym od +*gen*.

predator ['prɛdətə*] *n* drapieżnik *m*; (*fig*) sęp *m*.

predatory ['prɛdətərɪ] *adj* drapieżny.

predecessor ['pri:dɪsɛsə*] *n* poprzednik (-iczka) *m(f)*.

predestination [pri:dɛstɪ'neɪʃən] *n* predestynacja *f*.

predetermine [pri:dɪ'tə:mɪn] *vt* ustalać (ustalić *perf*) z góry.

predicament [prɪ'dɪkəmənt] *n* kłopotliwe położenie *nt*.

predicate ['prɛdɪkɪt] *n* (*LING*) orzeczenie *nt*.

predict [prɪ'dɪkt] *vt* przewidywać (przewidzieć *perf*).

predictable [prɪ'dɪktəbl] *adj* przewidywalny, do przewidzenia *post*.

predictably [prɪ'dɪktəblɪ] *adv* w sposób możliwy do przewidzenia; **predictably she didn't arrive** jak można było przewidzieć, nie przyjechała.

prediction [prɪ'dɪkʃən] *n* przewidywanie *nt*.

predispose ['pri:dɪs'pəuz] *vt* usposabiać (usposobić *perf*).

predominance [prɪ'dɔmɪnəns] *n* przewaga *f*.

predominant [prɪ'dɔmɪnənt] *adj* dominujący; **to become predominant** zaczynać (zacząć *perf*) dominować.

predominantly [prɪ'dɔmɪnəntlɪ] *adv* w przeważającej mierze *or* części, przeważnie.

predominate [prɪ'dɔmɪneɪt] *vi* przeważać.

pre-eminent [pri:'ɛmɪnənt] *adj* wyróżniający się.

pre-empt [pri:'ɛmt] *vt* (*plan*) udaremniać (udaremnić *perf*); (*decision*) uprzedzać (uprzedzić *perf*).

pre-emptive [pri:'ɛmtɪv] *adj*: **pre-emptive strike** uderzenie *nt* wyprzedzające.

preen [pri:n] *vt*: **to preen o.s.** (*bird*) muskać się; (*person*) stroić się.

prefab ['pri:fæb] *n* dom *m* z prefabrykatów.

prefabricated [pri:'fæbrɪkeɪtɪd] *adj* prefabrykowany.

preface ['prɛfəs] *n* przedmowa *f* ♦ *vt*: **to preface with/by** poprzedzać (poprzedzić *perf*) +*instr*.

prefect ['pri:fɛkt] (*BRIT*) *n* starszy uczeń pełniący dodatkowe obowiązki, m.in. pomagający w utrzymaniu porządku.

prefer [prɪ'fə:*] *vt* woleć, preferować (*fml*); **prefer charges** (*JUR*) stawiać (postawić *perf*) zarzut; **to prefer doing sth** *or* **to do sth** woleć coś robić; **I prefer coffee to tea** wolę kawę od herbaty.

preferable ['prɛfrəbl] *adj* bardziej pożądany.

preferably ['prɛfrəblɪ] *adv* najlepiej.

preference ['prɛfrəns] *n* preferencja *f*; **to have a preference for** woleć *or* preferować +*acc*; **in preference to sth** zamiast czegoś; **to give preference to** dawać (dać *perf*) preferencje +*dat*; **by preference** z wyboru.

preference shares (*BRIT*) *npl* akcje *pl* uprzywilejowane.

preferential [prɛfə'rɛnʃəl] *adj*: **preferential treatment** traktowanie *nt* preferencyjne.

preferred stock [prɪ'fəd-] (*US*) *npl* = **preference shares**.

prefix ['pri:fɪks] *n* przedrostek *m*.
pregnancy ['prɛgnənsɪ] *n* ciąża *f*.
pregnancy test *n* test *m* ciążowy.
pregnant ['prɛgnənt] *adj* w ciąży *post*,
ciężarny; (*pause etc*) znaczący; **pregnant with**
(*fig*) nabrzmiały +*instr*; **three months pregnant**
w trzecim miesiącu ciąży.
prehistoric ['pri:hɪs'tɔrɪk] *adj* prehistoryczny.
prehistory [pri:'hɪstərɪ] *n* prehistoria *f*.
prejudge [pri:'dʒʌdʒ] *vt* przedwcześnie osądzać
(osądzić *perf*).
prejudice ['prɛdʒudɪs] *n* (*against*) uprzedzenie
nt; (*in favour*) przychylne nastawienie *nt* ♦ *vt*
(*sb's chances*) pogarszać (pogorszyć *perf*);
without prejudice to (*fml*) bez szkody dla
+*gen*; **to prejudice sb in favour of** nastawiać
(nastawiać *perf*) kogoś przychylnie do +*gen*;
to prejudice sb against uprzedzać (uprzedzić
perf) kogoś do +*gen*.
prejudiced ['prɛdʒudɪst] *adj* (*person: against*)
uprzedzony; (: *in favour*) przychylnie
nastawiony; (*view*) stronniczy.
prelate ['prɛlət] *n* prałat *m*.
preliminaries [prɪ'lɪmɪnərɪz] *npl* wstęp *m*.
preliminary [prɪ'lɪmɪnərɪ] *adj* wstępny.
prelude ['prɛlju:d] *n* preludium *nt*; **a prelude
to** (*fig*) wstęp do +*gen*.
premarital [pri:'mærɪtl] *adj* przedmałżeński.
premature ['prɛmətʃuə*] *adj* przedwczesny;
you are being a little premature działasz
nieco zbyt pochopnie; **premature baby**
wcześniak.
premeditated [pri:'mɛdɪteɪtɪd] *adj* (*act*)
przemyślany; (*crime*) z premedytacją *post*.
premeditation [pri:mɛdɪ'teɪʃən] *n* premedytacja *f*.
premenstrual tension [pri:'mɛnstruəl-] *n*
napięcie *nt* przedmiesiączkowe.
premier ['prɛmɪə*] *adj* główny ♦ *n* premier *m*.
première ['prɛmɪɛə*] *n* premiera *f*.
premise ['prɛmɪs] *n* (*of argument*) przesłanka
f; **premises** *npl* teren *m*, siedziba *f*; **on the
premises** na miejscu.
premium ['pri:mɪəm] *n* (*extra money*) premia
f; (*INSURANCE*) składka *f* ubezpieczeniowa;
at a premium (*expensive*) sprzedawany po
wyższej cenie; (*hard to get*) poszukiwany.
premium bond (*BRIT*) *n* obligacja *f* pożyczki
premiowej.
premium deal *n* oferta *f* specjalna.
premium gasoline (*US*) *n* etylina *f* super.
premonition [prɛmə'nɪʃən] *n* przeczucie *nt*.
preoccupation [pri:ɔkju'peɪʃən] *n*:
preoccupation with zaabsorbowanie *nt* +*instr*.
preoccupied [pri:'ɔkjupaɪd] *adj* zaabsorbowany.
prep [prɛp] (*BRIT: SCOL*) *adj abbr*. **prep
school** (= *preparatory school*) prywatna
szkoła podstawowa ♦ *n abbr* (= *preparation*)
przygotowanie *nt*.
prepaid [pri:'peɪd] *adj* opłacony; **pre-paid
envelope** koperta zwrotna (*ze znaczkiem*).

preparation [prɛpə'reɪʃən] *n* (*activity*)
przygotowanie *nt*; (*medicine, cosmetic*)
preparat *m*; (*food*) przetwór *m*; **preparations**
npl przygotowania *pl*; **in preparation for sth**
w przygotowaniu na +*acc*.
preparatory [prɪ'pærətərɪ] *adj* przygotowawczy;
preparatory to sth/to doing sth przed +*instr*.
preparatory school *n* (*BRIT*) prywatna
szkoła podstawowa; (*US*) prywatna szkoła
średnia przygotowująca do studiów wyższych.
prepare [prɪ'pɛə*] *vt* przygotowywać
(przygotować *perf*) ♦ *vi*: **to prepare for** (*action,
exam*) przygotowywać się (przygotować się
perf) do +*gen*; (*sth new or unpleasant*)
przygotowywać się (przygotować się *perf*) na
+*acc*.
prepared [prɪ'pɛəd] *adj*: **prepared to** gotowy
+*infin*; **prepared for** (*action, exam*)
przygotowany do +*gen*; (*sth new or
unpleasant*) przygotowany na +*acc*.
preponderance [prɪ'pɔndərns] *n* przewaga *f*.
preposition [prɛpə'zɪʃən] *n* przyimek *m*.
prepossessing [pri:pə'zɛsɪŋ] *adj* ujmujący.
preposterous [prɪ'pɔstərəs] *adj* niedorzeczny.
prep school *n* = **preparatory school**.
prerecorded ['pri:rɪ'kɔ:dɪd] *adj* (*broadcast*)
nagrany wcześniej; (*cassette*) nagrany.
prerequisite [pri:'rɛkwɪzɪt] *n* warunek *m*
wstępny.
prerogative [prɪ'rɔgətɪv] *n* przywilej *m*,
prerogatywa *f* (*fml*).
Presbyterian [prɛzbɪ'tɪərɪən] *adj* prezbiteriański
♦ *n* prezbiterianin (-anka) *m(f)*.
presbytery ['prɛzbɪtərɪ] *n* prezbiterium *nt*.
preschool ['pri:'sku:l] *adj* (*age*) przedszkolny;
(*child*) w wieku przedszkolnym *post*.
prescribe [prɪ'skraɪb] *vt* (*MED*) przepisywać
(przepisać *perf*); (*demand*) nakazywać
(nakazać *perf*).
prescribed [prɪ'skraɪbd] *adj* nakazany.
prescription [prɪ'skrɪpʃən] *n* (*slip of paper*)
recepta *f*; (*medicine*) przepisane lekarstwo *nt*;
to make up *or* (*US*) **fill a prescription**
realizować (zrealizować *perf*) receptę; "**only
available on prescription**" „wydaje się z
przepisu lekarza".
prescription charges (*BRIT*) *npl* opłata *f* za
realizację recepty.
prescriptive [prɪ'skrɪptɪv] *adj* (*system*)
nakazowy; (*LING*) preskryptywny.
presence ['prɛzns] *n* (*being somewhere*)
obecność *f*; (*personality*) prezencja *f*; (*spirit*)
istota *f*; **in sb's presence** w czyjejś obecności.
presence of mind *n* przytomność *f* umysłu.
present ['prɛznt] *adj* obecny ♦ *n* (*gift*) prezent
m; (*LING: also*: **present tense**) czas *m*
teraźniejszy; (*actuality*): **the present**
teraźniejszość *f* ♦ *vt* (*prize*) wręczać (wręczyć
perf); (*difficulty, threat*) stanowić; (*person,
information*) przedstawiać (przedstawić *perf*);

(*radio/tv programme*) prowadzić (poprowadzić *perf*); **to present sth to sb, to present sb with sth** wręczać (wręczyć *perf*) coś komuś; **to present sb to** przedstawiać (przedstawić *perf*) kogoś +*dat*; **to give sb a present** dawać (dać *perf*) komuś prezent; **to be present at** być obecnym na +*loc*; **those present** obecni; **if an opportunity presented itself** gdyby nadarzyła się okazja; **at present** obecnie.

presentable [prɪ'zɛntəbl] *adj* (*person*) o dobrej prezencji *post*; **to be/look presentable** dobrze się prezentować.

presentation [prɛzn'teɪʃən] *n* (*of plan etc*) przedstawienie *nt*, prezentacja *f*; (*appearance*) wygląd *m*; (*lecture*) wystąpienie *nt*; **on presentation of** za okazaniem +*gen*.

present-day ['prɛzntdeɪ] *adj* dzisiejszy, współczesny.

presenter [prɪ'zɛntə*] *n* prezenter(ka) *m(f)*.

presently ['prɛzntlɪ] *adv* (*soon, soon after*) wkrótce; (*currently*) obecnie.

present participle *n* imiesłów *m* czynny.

preservation [prɛzə'veɪʃən] *n* (*of peace*) zachowanie *nt*; (*of standards*) utrzymanie *nt*.

preservative [prɪ'zə:vətɪv] *n* (*for food*) konserwant *m*; (*for wood, metal*) środek *m* konserwujący.

preserve [prɪ'zə:v] *vt* (*customs, independence etc*) zachowywać (zachować *perf*); (*building, manuscript, food*) konserwować (zakonserwować *perf*) ♦ *n* (*often pl: jam etc*) zaprawy *pl*; (*for game, fish*) rezerwat *m*; **a male/working class preserve** (*fig*) dziedzina zdominowana przez mężczyzn/klasę robotniczą.

preshrunk ['pri:'ʃrʌŋk] *adj* (*jeans etc*) zdekatyzowany.

preside [prɪ'zaɪd] *vi*: **to preside over** (*meeting*) przewodniczyć +*dat*; (*event*) kierować (pokierować *perf*) +*instr*.

presidency ['prɛzɪdənsɪ] *n* (*POL: position*) urząd *m* prezydenta; (: *function, period of time*) prezydentura *f*; (*US: of company*) kierownictwo *nt*, prezesura *f*.

president ['prɛzɪdənt] *n* (*POL*) prezydent *m*; (*of organization*) prezes *m*, przewodniczący(ca) *m(f)*.

presidential [prɛzɪ'dɛnʃl] *adj* (*election, campaign*) prezydencki; **a presidential adviser/representative** doradca/przedstawiciel prezydenta.

press [prɛs] *n* (*printing press*) prasa *f* (drukarska); (*of switch, bell*) naciśnięcie *nt*; (*for wine*) prasa *f* ♦ *vt* (*one thing against another*) przyciskać (przycisnąć *perf*); (*button, switch*) naciskać (nacisnąć *perf*); (*clothes*) prasować (wyprasować *perf*); (*person*) naciskać (nacisnąć *perf*) (na +*acc*); (*idea, demand*) forsować (przeforsować *perf*); (*squeeze*) ściskać (ścisnąć *perf*) ♦ *vi* przeciskać się (przecisnąć się *perf*); **the Press** prasa *f*; **to press sth (up)on sb** wciskać

(wcisnąć *perf*) coś komuś; **to press for** domagać się +*gen*; **we are pressed for time/money** mamy mało czasu/pieniędzy; **to press sb for an answer** żądać (zażądać *perf*) od kogoś odpowiedzi; **to press sb to do** *or* **into doing sth** (*urge*) zmuszać (zmusić *perf*) kogoś do zrobienia czegoś; **to press charges (against sb)** wnosić (wnieść *perf*) oskarżenie (przeciwko komuś); **to go to press** zaczynać się (zacząć się *perf*) drukować; **to be in press** być w druku; **to be in the press** być w gazetach.

►**press on** *vi* nie ustawać w wysiłkach.

press agency *n* agencja *f* prasowa.

press clipping *n* wycinek *m* prasowy.

press conference *n* konferencja *f* prasowa.

press cutting *n* = press clipping.

press-gang ['prɛsgæŋ] *vt*: **to press-gang sb into doing sth** zmuszać (zmusić *perf*) kogoś do zrobienia czegoś.

pressing ['prɛsɪŋ] *adj* pilny, nie cierpiący zwłoki.

press release *n* oświadczenie *nt* prasowe.

press stud (*BRIT*) *n* zatrzask *m*.

press-up ['prɛsʌp] (*BRIT*) *n* pompka *f* (*ćwiczenie*).

pressure ['prɛʃə*] *n* (*physical force*) nacisk *m*, ucisk *m*; (*of air, water*) ciśnienie *nt*; (*fig: demand*) naciski *pl*; (: *stress*) napięcie *nt* ♦ *vt*: **to pressure sb (to do sth)** zmuszać (zmusić *perf*) kogoś (do zrobienia czegoś); **to put pressure on sb (to do sth)** wywierać (wywrzeć *perf*) presję na kogoś (, by coś zrobił); **high/low pressure** wysokie/niskie ciśnienie.

pressure cooker *n* szybkowar *m*.

pressure gauge *n* ciśnieniomierz *m*.

pressure group *n* grupa *f* nacisku.

pressurize ['prɛʃəraɪz] *vt*: **to pressurize sb (to do/into doing sth)** wywierać (wywrzeć *perf*) nacisk(i) na kogoś (, by coś zrobił).

pressurized ['prɛʃəraɪzd] *adj* ciśnieniowy.

Prestel ['prɛstɛl] ® *n* wideotekst *m*.

prestige [prɛs'ti:ʒ] *n* prestiż *m*.

prestigious [prɛs'tɪdʒəs] *adj* prestiżowy.

presumably [prɪ'zju:məblɪ] *adv* przypuszczalnie; **presumably he did it** prawdopodobnie to zrobił.

presume [prɪ'zju:m] *vt*: **to presume (that)** przyjmować (przyjąć *perf*) (, że); **to presume to do** odważać się (odważyć się *perf*) +*infin*; **I presume so** tak przypuszczam, przypuszczam, że tak.

presumption [prɪ'zʌmpʃən] *n* (*supposition*) założenie *nt*, domniemanie *nt*; (*audacity*) arogancja *f*.

presumptuous [prɪ'zʌmpʃəs] *adj* arogancki.

presuppose [pri:sə'pəuz] *vt* zakładać.

presupposition [pri:sʌpə'zɪʃən] *n* założenie *nt*, presupozycja *f* (*fml*).

pre-tax [priːˈtæks] *adj* przed opodatkowaniem *post.*

pretence [prɪˈtɛns] (*US* **pretense**) *n* pozory *pl*; **under false pretences** pod fałszywym pretekstem; **she is devoid of all pretence** jest całkowicie bezpretensjonalna; **to make a pretence of doing sth** udawać (udać *perf*), że się coś robi.

pretend [prɪˈtɛnd] *vt* udawać (udać *perf*) ♦ *vi* udawać; **I don't pretend to understand it** nie twierdzę, że to rozumiem.

pretense [prɪˈtɛns] (*US*) *n* = **pretence**.

pretentious [prɪˈtɛnʃəs] *adj* pretensjonalny.

preterite [ˈprɛtərɪt] (*LING*) *n* czas *m* przeszły.

pretext [ˈpriːtɛkst] *n* pretekst *m*; **on** *or* **under the pretext of doing sth** pod pretekstem robienia czegoś.

pretty [ˈprɪtɪ] *adj* ładny ♦ *adv.* **pretty clever/good** całkiem bystry/dobry.

prevail [prɪˈveɪl] *vi* (*be current*) przeważać, dominować; (*triumph*) brać (wziąć *perf*) górę; **to prevail (up)on sb to do** nakłonić (*perf*) kogoś, żeby coś zrobił.

prevailing [prɪˈveɪlɪŋ] *adj* (*wind*) przeważający; (*fashion, view*) panujący, powszechny.

prevalent [ˈprɛvələnt] *adj* powszechny.

prevaricate [prɪˈværɪkeɪt] *vi* lawirować.

prevarication [prɪværɪˈkeɪʃən] *n* lawirowanie *nt*, wykręty *pl*.

prevent [prɪˈvɛnt] *vt* zapobiegać (zapobiec *perf*) +*dat*; **to prevent sb from doing sth** uniemożliwiać (uniemożliwić *perf*) komuś zrobienie czegoś; **to prevent sth from happening** zapobiegać (zapobiec *perf*) czemuś, nie dopuszczać (dopuścić *perf*) do czegoś.

preventable [prɪˈvɛntəbl] *adj* do uniknięcia *post*; **preventable diseases** choroby, którym można zapobiegać.

preventative [prɪˈvɛntətɪv] *adj* = **preventive**.

prevention [prɪˈvɛnʃən] *n* zapobieganie *nt*, profilaktyka *f*.

preventive [prɪˈvɛntɪv] *adj* zapobiegawczy, profilaktyczny.

preview [ˈpriːvjuː] *n* pokaz *m* przedpremierowy.

previous [ˈpriːvɪəs] *adj* poprzedni; **previous to** przed +*instr*.

previously [ˈpriːvɪəslɪ] *adv* (*before*) wcześniej; (*formerly*) poprzednio.

prewar [priːˈwɔː*] *adj* przedwojenny.

prey [preɪ] *n* zdobycz *f*; **to fall prey to** (*fig*) padać (paść *perf*) ofiarą +*gen*.

►**prey on** *vt fus* polować na +*acc*; **it was preying on his mind** nie dawało mu to spokoju.

price [praɪs] *n* cena *f* ♦ *vt* wyceniać (wycenić *perf*); **what is the price of...?** ile kosztuje +*nom*?; **to go up** *or* **rise in price** drożeć (zdrożeć *perf*); **to put a price on sth** (*fig*) przeliczać (przeliczyć *perf*) coś na pieniądze; **to price o.s. out of the market** nie utrzymać

się (*perf*) na rynku ze względu na zawyżone ceny; **what price his promises now?** cóż są teraz warte jego obietnice?; **he regained his freedom, but at a price** odzyskał wolność, ale drogo za to zapłacił.

price control *n* regulacja *f* cen.

price-cutting [ˈpraɪskʌtɪŋ] *n* obniżanie *nt* cen.

priceless [ˈpraɪslɪs] *adj* bezcenny; (*inf. amusing*) kapitalny (*inf*).

price list *n* cennik *m*.

price range *n* rozpiętość *f* cen; **it's within my price range** stać mnie na to.

price tag *n* metka *f*, (*fig*) cena *f*.

price war *n* wojna *f* cenowa.

pricey [ˈpraɪsɪ] (*inf*) *adj* drogawy (*inf*).

prick [prɪk] *n* ukłucie *nt*; (*inf!*) kutas *m* (*inf!*) ♦ *vt* (*make hole in*) nakłuwać (nakłuć *perf*); (*scratch*) kłuć (pokłuć *perf*); **to prick up one's ears** nadstawiać (nadstawić *perf*) uszu.

prickle [ˈprɪkl] *n* (*of plant*) kolec *m*; (*sensation*) ciarki *pl*.

prickly [ˈprɪklɪ] *adj* (*plant*) kłujący, kolczasty; (*fabric*) kłujący, szorstki.

prickly heat *n* potówki *pl*.

prickly pear *n* opuncja *f*.

pride [praɪd] *n* duma *f*; (*pej*) pycha *f* ♦ *vt*: **to pride o.s. on** szczycić się +*instr*; **to take (a) pride in** być dumnym z +*gen*; **to have** *or* **take pride of place** (*BRIT*) znajdować się (znaleźć się *perf*) na honorowym miejscu.

priest [priːst] *n* (*Christian*) ksiądz *m*, kapłan *m*; (*non-Christian*) kapłan *m*.

priestess [ˈpriːstɪs] *n* kapłanka *f*.

priesthood [ˈpriːsthud] *n* (*position, office*) kapłaństwo *nt*; (*clergy*) duchowieństwo *nt*.

prig [prɪg] *n* zarozumialec *m*.

prim [prɪm] (*pej*) *adj* (*person, avoidance of issue*) pruderyjny (*pej*); (*voice*) afektowany; (*manner*) wymuszony, sztywny.

prima facie [ˈpraɪməˈfeɪʃɪ] *adj* (*JUR*) oparty na domniemaniu faktycznym.

primarily [ˈpraɪmərɪlɪ] *adv* w pierwszym rzędzie, głównie.

primary [ˈpraɪmərɪ] *adj* podstawowy ♦ *n* (*US*) wybory *pl* wstępne.

primary colour *n* barwa *f* podstawowa.

primary school (*BRIT*) *n* szkoła *f* podstawowa.

primate [ˈpraɪmɪt] *n* (*ZOOL*) naczelny *m*, ssak *m* z rzędu naczelnych; (*REL*) prymas *m*.

prime [praɪm] *adj* pierwszorzędny ♦ *n* najlepsze lata *pl* ♦ *vt* (*wood*) zagruntowywać (zagruntować *perf*); (*fig: person*) instruować (poinstruować (*perf*)); (*gun*) uzbrajać (uzbroić *perf*); (*pump*) zalewać (zalać *perf*); **in the prime of life** w kwiecie wieku; **prime example** klasyczny przykład.

Prime Minister *n* premier *m*, Prezes *m* Rady Ministrów.

prime time (*RADIO, TV*) *n* najlepszy czas *m* antenowy.

primeval [praɪ'miːvl] adj (forest, beast) pradawny; (fig: feelings) odwieczny.
primitive ['prɪmɪtɪv] adj prymitywny.
primrose ['prɪmrəuz] n pierwiosnek m.
primula ['prɪmjulə] n prymul(k)a f.
primus (stove) ® ['praɪməs-] (BRIT) n kuchenka f turystyczna.
prince [prɪns] n książę m, królewicz m.
Prince Charming (hum) n książę m or królewicz m z bajki.
princess [prɪn'sɛs] n księżniczka f, królewna f.
principal ['prɪnsɪpl] adj główny ♦ n (SCOL) dyrektor(ka) m(f); (THEAT) odtwórca (-czyni) m(f) głównej roli; (FIN) suma f główna, kapitał m.
principality [prɪnsɪ'pælɪtɪ] n księstwo nt.
principally ['prɪnsɪplɪ] adv głównie.
principle ['prɪnsɪpl] n zasada f; in principle w zasadzie; on principle z or dla zasady.
print [prɪnt] n (TYP) druk m; (ART) sztych m, rycina f; (PHOT) odbitka f; (fabric) tkanina f drukowana ♦ vt (books etc) drukować (wydrukować perf); (cloth, pattern) drukować; (write in capitals) pisać (napisać perf) drukowanymi literami; **prints** npl odciski pl palców; **the book is out of print** nakład książki jest wyczerpany; **in print** w sprzedaży (o książce itp); **the fine** or **small print** tekst wypisany drobnym drukiem, zawierający szczegóły i warunki ważności dokumentu.
►print out vt (COMPUT) drukować (wydrukować perf).
printed circuit n obwód m drukowany.
printed matter n materiały pl drukowane.
printer ['prɪntə*] n (person) drukarz m; (firm) drukarnia f; (machine) drukarka f.
printhead ['prɪnthɛd] (COMPUT) n głowica f drukująca.
printing ['prɪntɪŋ] n (activity) drukowanie nt; (profession) drukarstwo nt.
printing press n prasa f drukarska.
printout ['prɪntaut] (COMPUT) n wydruk m.
print wheel (COMPUT) n głowica f wirująca drukarki.
prior ['praɪə*] adj (previous) uprzedni, wcześniejszy; (more important) ważniejszy ♦ n (REL) przeor m; **without prior notice** bez wcześniejszego powiadomienia; **to have a prior claim on sth** mieć większe prawo do czegoś; **prior to** przed +instr.
priority [praɪ'ɔrɪtɪ] n sprawa f nadrzędna; **priorities** npl priorytety pl, hierarchia f ważności; **to take** or **have priority (over)** być nadrzędnym (w stosunku do +gen); **to give priority to sb/sth** dawać (dać perf) pierwszeństwo komuś/czemuś.
priory ['praɪərɪ] n (mały) klasztor m.
prise [praɪz] (BRIT) vt: **to prise open** wyważać (wyważyć perf).
prism ['prɪzəm] n pryzmat m.

prison ['prɪzn] n (lit, fig) więzienie nt; (imprisonment) kara f więzienia ♦ cpd więzienny.
prison camp n obóz m jeniecki.
prisoner ['prɪznə*] n (in prison) więzień/więźniarka m/f; (during war etc) jeniec m; **the prisoner at the bar** oskarżony przed sądem; **to take sb prisoner** brać (wziąć perf) kogoś do niewoli.
prisoner of war n jeniec m wojenny.
prissy ['prɪsɪ] (pej) adj afektowany (pej).
pristine ['prɪstiːn] adj nieskazitelny; **in pristine condition** w nienaruszonym stanie.
privacy ['prɪvəsɪ] n prywatność f; **in the privacy of one's own home** w zaciszu własnego domu.
private ['praɪvɪt] adj (personal, confidential, not public) prywatny; (secluded) ustronny; (secretive) skryty ♦ n (MIL) szeregowy (-wa) m(f); **"private"** (on envelope) „poufne", „do rąk własnych"; (on door) „obcym wstęp wzbroniony"; **in private** na osobności, bez świadków; **in (his) private life** w życiu prywatnym, prywatnie; **to be in private practice** (MED) prowadzić prywatną praktykę; **private hearing** (JUR) przesłuchanie niejawne.
private enterprise n prywatna przedsiębiorczość f.
private eye n prywatny detektyw m.
private limited company (BRIT) n prywatna spółka f z ograniczoną odpowiedzialnością.
privately ['praɪvɪtlɪ] adv (in private) prywatnie; (secretly) w głębi duszy; **to be privately owned** mieć prywatnego właściciela.
private parts npl intymne części pl ciała.
private property n własność f prywatna.
private school n szkoła f prywatna.
privation [praɪ'veɪʃən] n niedostatek m.
privatize ['praɪvɪtaɪz] vt prywatyzować (sprywatyzować perf).
privet ['prɪvɪt] n ligustr m.
privilege ['prɪvɪlɪdʒ] n (advantage) przywilej m; (honour) zaszczyt m.
privileged ['prɪvɪlɪdʒd] adj uprzywilejowany; **to be privileged to do sth** mieć zaszczyt coś robić (zrobić perf).
privy ['prɪvɪ] adj: **to be privy to** być wtajemniczonym w +acc.
Privy Council (BRIT) n Tajna Rada f.
Privy Councillor (BRIT) n członek m Tajnej Rady.
prize [praɪz] n (in competition, sports) nagroda f; (at lottery) wygrana f ♦ adj (first-class) pierwszorzędny, przedni; (example) klasyczny; (inf: idiot) wyjątkowy ♦ vt wysoko (sobie) cenić.
prize-fighter ['praɪzfaɪtə*] n bokser m zawodowy.
prize-giving ['praɪzgɪvɪŋ] n rozdanie nt nagród.
prize money n wygrana f pieniężna.

prizewinner ['praɪzwɪnə*] n zdobywca (-czyni) m(f) nagrody, laureat(ka) m(f).

prizewinning ['praɪzwɪnɪŋ] adj nagrodzony.

PRO n abbr = public relations officer.

pro [prəu] n (SPORT) zawodowiec m ♦ prep za +instr; the pros and cons za i przeciw.

pro- [prəu] pref pro; pro-Soviet prosowiecki.

probability [prɔbə'bɪlɪtɪ] n: probability that/of prawdopodobieństwo nt, że/+gen; in all probability według wszelkiego prawdopodobieństwa.

probable ['prɔbəbl] adj prawdopodobny; it seems probable that ... wydaje się prawdopodobne, że ... .

probably ['prɔbəblɪ] adv prawdopodobnie.

probate ['prəubɪt] (JUR) n poświadczenie nt autentyczności testamentu.

probation [prə'beɪʃən] n: to be on probation (law-breaker) odbywać wyrok w zawieszeniu; (employee) odbywać staż.

probationary [prə'beɪʃənrɪ] adj (period) próbny.

probationer [prə'beɪʃənə*] n (nurse) praktykant(ka) m(f).

probation officer n opiekun(ka) m(f) sądowy (-wa) m(f), kurator(ka) m(f).

probe [prəub] n (MED) sonda f, zgłębnik m; (SPACE) sonda f kosmiczna; (enquiry) dochodzenie nt ♦ vt badać (zbadać perf).

probity ['prəubɪtɪ] n prawość f.

problem ['prɔbləm] n problem m; (MATH) zadanie nt; to have problems with the car mieć kłopoty z samochodem; what's the problem? w czym problem?; I had no problem finding her znalazłem ją bez problemu; no problem! nie ma sprawy! (inf).

problematic(al) [prɔblə'mætɪk(l)] adj skomplikowany.

procedural [prə'si:djurəl] adj (agreement) formalny; (obstacle) formalny, proceduralny.

procedure [prə'si:dʒə*] n procedura f.

proceed [prə'si:d] vi (carry on) kontynuować; (go) iść; to proceed to do sth przystępować (przystąpić perf) do robienia czegoś; to proceed with sth kontynuować coś; I am not sure how to proceed nie jestem pewien, co (mam) robić dalej; to proceed against sb (JUR) wszczynać (wszcząć perf) postępowanie przeciwko komuś.

proceedings [prə'si:dɪŋz] npl (organized events) przebieg m (uroczystości, obchodów itp); (JUR) postępowanie nt prawne; (written records) sprawozdanie nt, protokół m.

proceeds ['prəusi:dz] npl dochód m.

process ['prəusɛs] n proces m ♦ vt (raw materials, food) przerabiać (przerobić perf), przetwarzać (przetworzyć perf); (application) rozpatrywać (rozpatrzyć perf); (data) przetwarzać (przetworzyć perf); in the process w tym samym czasie, równocześnie; to be in

the process of doing sth być w trakcie robienia czegoś.

processed cheese ['prəusɛst-] (US process cheese) n ≈ ser m topiony.

processing ['prəusɛsɪŋ] (PHOT) n obróbka f (fotograficzna).

procession [prə'sɛʃən] n pochód m; (REL) procesja f; wedding procession orszak ślubny; funeral procession kondukt żałobny.

proclaim [prə'kleɪm] vt proklamować.

proclamation [prɔklə'meɪʃən] n proklamacja f.

proclivity [prə'klɪvɪtɪ] (fml) n skłonność f.

procrastinate [prəu'kræstɪneɪt] vi zwlekać.

procrastination [prəukræstɪ'neɪʃən] n zwłoka f.

procreation [prəukrɪ'eɪʃən] n prokreacja f.

procure [prə'kjuə*] vt zdobywać (zdobyć perf).

procurement [prə'kjuəmənt] (COMM) n zaopatrzenie nt.

prod [prɔd] vt szturchać (szturchnąć perf); (with sth sharp) dźgać (dźgnąć perf); (fig) popychać (popchnąć perf) ♦ n szturchnięcie nt; (with sth sharp) dźgnięcie nt; (fig) przypomnienie nt.

prodigal ['prɔdɪgl] adj: prodigal son syn m marnotrawny.

prodigious [prə'dɪdʒəs] adj kolosalny.

prodigy ['prɔdɪdʒɪ] n cudowne dziecko nt.

produce [n 'prɔdju:s, vb prə'dju:s] n płody pl rolne ♦ vt (effect etc) przynosić (przynieść perf); (goods) produkować (wyprodukować perf); (BIO, CHEM) wytwarzać (wytworzyć perf); (fig: evidence etc) przedstawiać (przedstawić perf); (play) wystawiać (wystawić perf); (film, programme) być producentem +gen; (bring or take out) wyjmować (wyjąć perf).

producer [prə'dju:sə*] n producent m.

product ['prɔdʌkt] n (goods) produkt m; (result) wytwór m.

production [prə'dʌkʃən] n produkcja f; (THEAT) wystawienie nt (sztuki), inscenizacja f; to go into production zostawać (zostać perf) wdrożonym do produkcji; on production of za okazaniem +gen.

production agreement (US) n umowa f w sprawie premii za wydajność.

production line n linia f produkcyjna.

production manager n kierownik m produkcji

productive [prə'dʌktɪv] adj wydajny; (fig) owocny.

productivity [prɔdʌk'tɪvɪtɪ] n wydajność f.

productivity agreement (BRIT) n umowa f w sprawie premii za wydajność.

productivity bonus n premia f za wydajność.

Prof. n abbr (= professor) prof.

profane [prə'feɪn] adj (language etc) bluźnierczy; (secular) świecki.

profess [prə'fɛs] vt (feelings, opinions) wyrażać (wyrazić perf); I do not profess to be an expert nie twierdzę, że jestem znawcą; he professed ignorance/not to know anything utrzymywał, że nic nie wie.

professed [prə'fɛst] *adj* zdeklarowany.

profession [prə'fɛʃən] *n* zawód *m*; **the professions** wolne zawody; **the medical/teaching profession** (*occupation*) zawód lekarza/nauczyciela; (*people*) lekarze/nauczyciele.

professional [prə'fɛʃənl] *adj* (*not amateur*) zawodowy; (*skilful*) fachowy, profesjonalny ♦ *n* (*not amateur*) zawodowiec *m*; (*skilled person*) fachowiec *m*, profesjonalista (-tka) *m(f)*; **to seek professional advice** szukać fachowej porady.

professionalism [prə'fɛʃnəlɪzəm] *n* fachowość *f*, profesjonalizm *m*.

professionally [prə'fɛʃnəlɪ] *adv* (*qualified*) zawodowo; (*SPORT, MUS*) profesjonalnie; **I only know him professionally** znam go jedynie z pracy.

professor [prə'fɛsə*] *n* (*BRIT*) profesor *m*; (*US, CANADA*) nauczyciel *m* akademicki.

professorship [prə'fɛsəʃɪp] *n* profesura *f*.

proffer ['prɔfə*] *vt* (*help, drink*) oferować (zaoferować *perf*); (*apologies, resignation*) składać (złożyć *perf*); (*one's hand*) wyciągać (wyciągnąć *perf*).

proficiency [prə'fɪʃənsɪ] *n* biegłość *f*, wprawa *f*.

proficient [prə'fɪʃənt] *adj* biegły, wprawny; **to be proficient at** *or* **in** być biegłym w +*loc*.

profile ['prəufaɪl] *n* profil *m*; (*fig*) rys *m* biograficzny; **to keep a low profile** (*fig*) starać się nie zwracać na siebie uwagi; **to have a high profile** (*fig*) być bardzo widocznym.

profit ['prɔfɪt] *n* zysk *m* ♦ *vi*: **to profit by** *or* **from** (*fig*) odnosić (odnieść *perf*) korzyść *or* korzyści z +*gen*, mieć pożytek z +*gen*; **profit and loss** zyski i straty; **to make a profit** osiągać (osiągnąć *perf*) zysk, zarabiać (zarobić *perf*); **to sell (sth) at a profit** sprzedawać (sprzedać *perf*) (coś) z zyskiem.

profitability [prɔfɪtə'bɪlɪtɪ] *n* opłacalność *f*.

profitable ['prɔfɪtəbl] *adj* opłacalny, dochodowy; (*fig*) korzystny, pożyteczny.

profit centre *n* centrum *nt* zysku *or* zysków.

profiteering [prɔfɪ'tɪərɪŋ] (*pej*) *n* paskarstwo *nt* (*pej*).

profit-making ['prɔfɪtmeɪkɪŋ] *adj* dochodowy.

profit margin *n* marża *f*.

profit-sharing ['prɔfɪtʃɛərɪŋ] *n* udział *m* w zysku.

profits tax (*BRIT*) *n* podatek *m* od zysku.

profligate ['prɔflɪgɪt] *adj* rozrzutny; **to be profligate with** nie liczyć się z +*instr*.

pro forma ['prəu'fɔ:mə] *adj*: **pro forma invoice** faktura *f* tymczasowa *or* pro forma.

profound [prə'faund] *adj* głęboki.

profuse [prə'fju:s] *adj* wylewny.

profusely [prə'fju:slɪ] *adv* wylewnie.

profusion [prə'fju:ʒən] *n* obfitość *f*.

progeny ['prɔdʒɪnɪ] *n* potomstwo *nt*.

prognoses [prɔg'nəusi:z] *npl of* **prognosis**.

prognosis [prɔg'nəusɪs] (*pl* **prognoses**) *n* (*MED*) rokowanie *nt*; (*fig*) prognoza *f*.

programme ['prəugræm] *n* program *m*. *vt* programować (zaprogramować *perf*).

programmer ['prəugræmə*] (*COMPUT*) *n* programista (-tka) *m(f)*.

programming ['prəugræmɪŋ] (*US* **programing**) (*COMPUT*) *n* programowanie *nt*.

programming language *n* język *m* programowania.

progress [*n* 'prəugrɛs, *vb* prə'grɛs] *n* (*improvement, advances*) postęp *m*; (*development*) rozwój *m* ♦ *vi* (*advance*) robić (zrobić *perf*) postęp(y); (*become higher in rank*) awansować (awansować *perf*); (*continue*) postępować *or* posuwać się naprzód; **in progress** w toku; **to make progress** robić (zrobić *perf*) postęp(y).

progression [prə'grɛʃən] *n* (*development*) postęp *m*; (*series*) ciąg *m*.

progressive [prə'grɛsɪv] *adj* (*enlightened*) postępowy; (*gradual*) postępujący.

progressively [prə'grɛsɪvlɪ] *adv* (stopniowo) coraz (to).

progress report *n* (*MED*) karta *f* choroby; (*ADMIN*) sprawozdanie *nt*, raport *m*.

prohibit [prə'hɪbɪt] *vt* zakazywać (zakazać *perf*) +*gen*; **to prohibit sb from doing sth** zakazywać (zakazać *perf*) komuś robienia czegoś; **"smoking prohibited"** „palenie wzbronione".

prohibition [prəuɪ'bɪʃən] *n* zakaz *m*; **Prohibition** (*US*) prohibicja *f*.

prohibitive [prə'hɪbɪtɪv] *adj* (*cost etc*) wygórowany.

project [*n* 'prɔdʒɛkt, *vb* prə'dʒɛkt] *n* projekt *m*; (*SCOL*) referat *m* ♦ *vt* (*plan*) projektować (zaprojektować *perf*); (*estimate*) przewidywać (przewidzieć *perf*); (*film*) wyświetlać (wyświetlić *perf*) ♦ *vi* wystawać.

projectile [prə'dʒɛktaɪl] *n* pocisk *m*.

projection [prə'dʒɛkʃən] *n* (*estimate*) przewidywanie *nt*; (*overhang*) występ *m*; (*FILM*) projekcja *f*.

projectionist [prə'dʒɛkʃənɪst] *n* kinooperator(ka) *m(f)*.

projection room *n* kabina *f* projekcyjna.

projector [prə'dʒɛktə*] *n* rzutnik *m*.

proletarian [prəulɪ'tɛərɪən] *adj* proletariacki.

proletariat [prəulɪ'tɛərɪət] *n*: **the proletariat** proletariat *m*.

proliferate [prə'lɪfəreɪt] *vi* mnożyć się.

proliferation [prəlɪfə'reɪʃən] *n* rozprzestrzenianie *nt*.

prolific [prə'lɪfɪk] *adj* (*writer etc*) płodny.

prologue ['prəulɔg] (*US* **prolog**) *n* prolog *m*.

prolong [prə'lɔŋ] *vt* przedłużać (przedłużyć *perf*).

prom [prɔm] *n* *abbr* = **promenade**; (*MUS*) = **promenade concert**; (*US*) *bal w szkole średniej lub college'u.*

promenade [prɔmə'nɑːd] *n* promenada *f.*

promenade concert (*BRIT*) *n* koncert *m* na świeżym powietrzu.

promenade deck (*NAUT*) *n* pokład *m* spacerowy.

prominence ['prɔmɪnəns] *n* ważność *f;* **to rise to prominence** osiągać (osiągnąć *perf*) znaczącą pozycję.

prominent ['prɔmɪnənt] *adj* (*important*) wybitny; (*very noticeable*) widoczny; **he is prominent in the field of ...** jest wybitny w dziedzinie +*gen.*

prominently ['prɔmɪnəntlɪ] *adv* na widocznym miejscu; **he figured prominently in the case** odegrał znaczącą rolę w tej sprawie.

promiscuity [prɔmɪs'kjuːɪtɪ] *n* rozwiązłość *f.*

promiscuous [prə'mɪskjuəs] *adj* rozwiązły.

promise ['prɔmɪs] *n* (*vow*) przyrzeczenie *nt,* obietnica *f;* (*potential*) zadatki *pl;* (*hope*) nadzieja *f* ♦ *vi* przyrzekać (przyrzec *perf*), obiecywać (obiecać *perf*) ♦ *vt:* **to promise sb sth, promise sth to sb** przyrzekać (przyrzec *perf*) coś komuś, obiecywać (obiecać *perf*) coś komuś; **to promise (sb) to do sth** obiecywać (obiecać *perf*) (komuś) coś zrobić; **to promise (sb) that** dawać (dać *perf*) (komuś) słowo, że; **to make a promise** składać (złożyć *perf*) obietnicę; **to break a promise** łamać (złamać *perf*) obietnicę; **to keep a promise** dotrzymywać (dotrzymać *perf*) obietnicy; **a young man of promise** dobrze zapowiadający się młody człowiek; **she shows promise** ona się dobrze zapowiada; **it promises to be lively** zapowiada się ciekawie.

promising ['prɔmɪsɪŋ] *adj* obiecujący.

promissory note ['prɔmɪsərɪ-] (*COMM*) *n* skrypt *m* dłużny.

promontory ['prɔməntrɪ] *n* cypel *m.*

promote [prə'məut] *vt* (*employee*) awansować (awansować *perf*), dawać (dać *perf*) awans +*dat;* (*product*) promować (wypromować *perf*); (*understanding, peace*) przyczyniać się (przyczynić *perf*) się do +*gen;* **the team was promoted to the first division** (*BRIT*) zespół awansował do pierwszej ligi.

promoter [prə'məutə*] *n* (*of concert, sporting event*) sponsor *m;* (*of cause, idea*) rzecznik (-iczka) *m(f).*

promotion [prə'məuʃən] *n* (*at work*) awans *m;* (*of product*) reklama *f,* (*of idea*) propagowanie *nt;* (*publicity campaign*) promocja *f.*

prompt [prɔmpt] *adj* natychmiastowy ♦ *adv* punktualnie ♦ *n* (*COMPUT*) znak *m* zachęty *or* systemu ♦ *vt* (*cause*) powodować (spowodować *perf*); (*when talking*) zachęcać (zachęcić *perf*) (do kontynuowania wypowiedzi); (*THEAT*) podpowiadać (podpowiedzieć *perf*) +*dat;* **they're very prompt** są bardzo punktualni; **at eight o'clock**

prompt punktualnie o ósmej; **he was prompt to accept it** przyjął to natychmiast; **to prompt sb to do sth** skłonić *perf or* nakłonić *perf* kogoś do zrobienia czegoś.

prompter ['prɔmptə*] (*THEAT*) *n* sufler(ka) *m(f).*

promptly ['prɔmptlɪ] *adv* (*immediately*) natychmiast; (*exactly*) punktualnie.

promptness ['prɔmptnɪs] *n* szybkość *f,* **with promptness** szybko.

promulgate ['prɔməlgeɪt] *vt* obwieszczać (obwieścić *perf*).

prone [prəun] *adj* leżący twarzą w dół *or* na brzuchu; **to be prone to** mieć skłonność do +*gen;* **she is prone to burst into tears** ma skłonność do wybuchania płaczem.

prong [prɔŋ] *n* (*of fork*) ząb *m.*

pronoun ['prəunaun] *n* zaimek *m.*

pronounce [prə'nauns] *vt* (*word*) wymawiać (wymówić *perf*); (*sb guilty/dead etc*) uznawać (uznać *perf*) za +*acc;* (*verdict, opinion*) ogłaszać (ogłosić *perf*) ♦ *vi:* **to pronounce (up)on** wydawać (wydać *perf*) opinię na temat +*gen;* **they pronounced him unfit to drive** uznali go za niezdolnego do prowadzenia pojazdu.

pronounced [prə'naunst] *adj* wyraźny.

pronouncement [prə'naunsmənt] *n* oświadczenie *nt.*

pronto ['prɔntəu] (*inf*) *adv* migiem (*inf*).

pronunciation [prənʌnsɪ'eɪʃən] *n* wymowa *f.*

proof [pruːf] *n* dowód *m;* (*TYP*) korekta *f* ♦ *adj:* **proof against** odporny na +*acc;* **to be 70% proof** (*alcohol*) mieć 70%.

proofreader ['pruːfriːdə*] *n* korektor(ka) *m(f).*

prop [prɔp] *n* podpora *f,* (*fig*) podpora *f,* ostoja *f* ♦ *vt:* **to prop sth against** opierać (oprzeć *perf*) coś o +*acc.*

▸**prop up** *vt* podpierać (podeprzeć *perf*), podtrzymywać (podtrzymać *perf*); (*fig*) wspierać (wesprzeć *perf*), wspomagać (wspomóc *perf*).

Prop. (*COMM*) *abbr* = **proprietor** wł., = właściciel.

propaganda [prɔpə'gændə] *n* propaganda *f.*

propagate ['prɔpəgeɪt] *vt* (*ideas*) propagować, szerzyć; (*plants*) rozmnażać (rozmnożyć *perf*).

propagation [prɔpə'geɪʃən] *n* (*of ideas*) propagowanie *nt,* szerzenie *nt;* (*of plants*) rozmnażanie *nt.*

propel [prə'pɛl] *vt* (*machine*) napędzać (napędzić *perf*); (*fig: person*) popychać (popchnąć *perf*).

propeller [prə'pɛlə*] *n* śmigło *nt.*

propelling pencil [prə'pɛlɪŋ-] (*BRIT*) *n* ołówek *m* automatyczny.

propensity [prə'pɛnsɪtɪ] *n:* **a propensity for** *or* **to sth** skłonność *f* do czegoś; **a propensity to do sth** skłonność do robienia czegoś.

proper ['prɔpə*] *adj* (*genuine*) prawdziwy; (*correct*) właściwy; (*socially acceptable*)

stosowny; **in the town/city proper** w samym
mieście; **a proper fool** (*inf*) skończony idiota
(*inf*); **to go through the proper channels**
przechodzić (przejść *perf*) właściwymi
kanałami.

properly ['prɔpəlɪ] *adv* (*eat, work*)
odpowiednio, właściwie; (*behave*) stosownie.

proper noun *n* nazwa *f* własna.

property ['prɔpətɪ] *n* (*possessions*) własność *f*,
mienie *nt*; (*building and its land*) posiadłość *f*,
nieruchomość *f*; (*quality*) własność *f* ♦ *cpd*:
property market handel *m* nieruchomościami;
property owner właściciel nieruchomości.

prophecy ['prɔfɪsɪ] *n* proroctwo *nt*,
przepowiednia *f*.

prophesy ['prɔfɪsaɪ] *vt* prorokować
(wyprorokować *perf*), przepowiadać
(przepowiedzieć *perf*) ♦ *vi* prorokować.

prophet ['prɔfɪt] *n* prorok *m*; **prophet of doom**
czarnowidz.

prophetic [prə'fetɪk] *adj* proroczy.

proportion [prə'pɔ:ʃən] *n* (*part*) odsetek *m*;
(*quantity*) liczba *f*, ilość *f*; (*ratio*) stosunek *m*;
(*MATH*) proporcja *f*; **in proportion to** (*at the
same rate as*) proporcjonalnie do *+gen*; (*in
relation to*) w stosunku do *+gen*; **to be out of
all proportion to** być niewspółmiernym do
+gen; **to get sth out of proportion**
wyolbrzymiać (wyolbrzymić *perf*) coś; **a
sense of proportion** wyczucie proporcji.

proportional [prə'pɔ:ʃənl] *adj*: **proportional to**
proporcjonalny do *+gen*.

proportional representation *n*
przedstawicielstwo *nt* proporcjonalne.

proportionate [prə'pɔ:ʃənɪt] *adj* = **proportional**.

proposal [prə'pəuzl] *n* propozycja *f*; (*of
marriage*) oświadczyny *pl*.

propose [prə'pəuz] *vt* (*plan*) proponować
(zaproponować *perf*); (*motion*) składać (złożyć
perf), przedkładać (przedłożyć *perf*); (*toast*)
wznosić (wznieść *perf*) ♦ *vi* oświadczać się
(oświadczyć się *perf*); **to propose to do** *or*
doing sth zamierzać coś (z)robić.

proposer [prə'pəuzə*] *n* wnioskodawca
(-czyni) *m(f)*.

proposition [prɔpə'zɪʃən] *n* (*statement*)
twierdzenie *nt*; (*offer*) propozycja *f*; **to make
sb a proposition** składać (złożyć *perf*) komuś
propozycję.

propound [prə'paund] *vt* przedkładać
(przedłożyć *perf*).

proprietary [prə'praɪətərɪ] *adj* (*brand*) firmowy,
(prawnie) zastrzeżony; (*tone*) władczy.

proprietor [prə'praɪətə*] *n* właściciel(ka) *m(f)*.

propriety [prə'praɪətɪ] *n* stosowność *f*.

propulsion [prə'pʌlʃən] *n* napęd *m*.

pro rata [prəu'rɑ:tə] *adv* proporcjonalnie ♦ *adj*
proporcjonalny.

prosaic [prəu'zeɪɪk] *adj* prozaiczny.

Pros. Atty. (*US*) *abbr* = **prosecuting attorney**
prok.

proscribe [prə'skraɪb] (*fml*) *vt* zakazywać
(zakazać *perf*) *+gen*.

prose [prəuz] *n* proza *f*; (*BRIT: SCOL*) praca *f*
pisemna w języku obcym.

prosecute ['prɔsɪkju:t] *vt* podawać (podać *perf*)
do sądu, wnosić (wnieść *perf*) oskarżenie
przeciwko *+dat*; **who prosecuted the case?**
kto oskarżał w tej sprawie?

prosecuting attorney ['prɔsɪkju:tɪŋ-] (*US*) *n*
oskarżyciel *m* publiczny, prokurator *m*.

prosecution [prɔsɪ'kju:ʃən] *n* (*action*)
zaskarżenie *nt*, wniesienie *nt* oskarżenia;
(*accusing side*) oskarżenie *nt*.

prosecutor ['prɔsɪkju:tə*] *n* oskarżyciel *m*,
prokurator *m*; (*also*: **public prosecutor**)
oskarżyciel *m* publiczny, prokurator *m*.

prospect ['prɔspɛkt] *n* (*likelihood*) perspektywa
f; (*thought*) myśl *f* ♦ *vi*: **to prospect (for)**
poszukiwać (*+gen*); **prospects** *npl*
perspektywy *pl*; **we are faced with the
prospect of having to leave** stoimy przed
perspektywą przymusowego wyjazdu.

prospecting ['prɔspɛktɪŋ] *n* (*for gold, oil*)
poszukiwanie *nt*.

prospective [prə'spɛktɪv] *adj* (*son-in-law,
legislation*) przyszły; (*customer*) potencjalny.

prospectus [prə'spɛktəs] *n* prospekt *m*
(*informator*).

prosper ['prɔspə*] *vi* prosperować.

prosperity [prɔ'spɛrɪtɪ] *n* (*of business*) (dobra)
koniunktura *f*; (*of person*) powodzenie *nt*.

prosperous ['prɔspərəs] *adj* (*business*)
(dobrze) prosperujący; **is he prosperous?** czy
dobrze mu się powodzi?

prostate ['prɔsteɪt] *n* (*also*: **prostate gland**)
gruczoł *m* krokowy, prostata *f*.

prostitute ['prɔstɪtju:t] *n* prostytutka *f*.

prostitution [prɔstɪ'tju:ʃən] *n* prostytucja *f* ♦
vt: **to prostitute o.s.** (*fig*) prostytuować się.

prostrate [*adj* 'prɔstreɪt, *vb* prɔ'streɪt] *adj*
leżący twarzą ku ziemi; (*fig*) załamany ♦ *vt*:
to prostrate o.s. before padać (paść *perf*) na
twarz przed *+instr*; **prostrate with grief**
pogrążony w smutku.

protagonist [prə'tægənɪst] *n* (*of idea*)
szermierz *m*; (*LITERATURE*) protagonista *m*.

protect [prə'tɛkt] *vt* chronić, ochraniać
(ochronić *perf*).

protection [prə'tɛkʃən] *n* ochrona *f*; **to offer
police protection** proponować (zaproponować
perf) ochronę policyjną.

protectionism [prə'tɛkʃənɪzəm] *n*
protekcjonizm *m*.

protection racket *n* wyłudzanie *nt* pieniędzy
w zamian za ochronę.

protective [prə'tɛktɪv] *adj* ochronny; (*person*)
opiekuńczy; **protective custody** areszt
zapobiegawczy *or* prewencyjny.

protector [prə'tɛktə*] n (person) opiekun(ka) m(f); (device) ochraniacz m.
protégé ['prəutɛʒeɪ] n protegowany m.
protégée ['prəutɛʒeɪ] n protegowana f.
protein ['prəuti:n] n białko nt, proteina f.
pro tem [prəu'tɛm] adv abbr (= pro tempore) tymczasowo.
protest [n 'prəutɛst, vb prə'tɛst] n protest m ♦ vi: **to protest about/against/at** protestować przeciw(ko) +dat ♦ vt: **to protest (that)** zapewniać (zapewnić perf) (, że).
Protestant ['prɒtɪstənt] adj protestancki ♦ n protestant(ka) m(f).
protester [prə'tɛstə*] n protestujący (-ca) m(f).
protest march n marsz m protestacyjny.
protestor [prə'tɛstə*] n = **protester**.
protocol ['prəutəkɒl] n protokół m.
prototype ['prəutətaɪp] n prototyp m.
protracted [prə'træktɪd] adj przedłużający się.
protractor [prə'træktə*] n kątomierz m.
protrude [prə'tru:d] vi wystawać, sterczeć.
protuberance [prə'tju:bərəns] n wypukłość f.
proud [praud] adj dumny; (pej) pyszny, hardy; **proud of sb/sth** dumny z kogoś/czegoś; **to be proud to do sth** robić (zrobić perf) coś z dumą; **to do sb proud** (inf) ugaszczać (ugościć perf) kogoś po królewsku; **to do o.s. proud** (inf) niczego sobie nie odmawiać.
proudly ['praudlɪ] adv dumnie.
prove [pru:v] vt udowadniać (udowodnić perf), dowodzić (dowieść perf) +gen ♦ vi: **to prove (to be) correct/useful** okazywać się (okazać się perf) słusznym/użytecznym; **he was proved right in the end** ostatecznie okazało się, że miał rację.
Provençal [prɒvɒn'sɑ:l] adj prowansalski.
Provence [prɒ'vɑ̃:s] n Prowansja f.
proverb ['prɒvə:b] n przysłowie nt.
proverbial [prə'və:bɪəl] adj przysłowiowy.
provide [prə'vaɪd] vt dostarczać (dostarczyć perf) +gen; **to provide sb with** (food) zaopatrywać (zaopatrzyć perf) kogoś w +acc; (information) dostarczać (dostarczyć perf) komuś +gen; (job) zapewniać (zapewnić perf) komuś +acc; **to be provided with** (person) mieć do dyspozycji +acc; (thing) być wyposażonym w +acc.
▶**provide for** vt fus (person) utrzymywać (utrzymać perf) +acc; (future event) uwzględniać (uwzględnić perf) +acc.
provided [prə'vaɪdɪd] conj: **provided that** pod warunkiem, że.
Providence ['prɒvɪdəns] n opatrzność f.
providing [prə'vaɪdɪŋ] conj: **providing (that)** = **provided (that)**.
province ['prɒvɪns] n (ADMIN) prowincja f; (of person) kompetencje pl; **provinces** npl: **the provinces** prowincja f.
provincial [prə'vɪnʃəl] adj prowincjonalny.
provision [prə'vɪʒən] n (supplying) zaopatrywanie nt; (preparation) zabezpieczenie nt; (of contract, agreement) warunek m, klauzula f; **provisions** npl zapasy pl; **provision of services** świadczenie usług; **to make provision for** (the future) zabezpieczać się (zabezpieczyć się perf) na +acc; (one's family) zabezpieczać (zabezpieczyć perf) +acc; **there's no provision for this in the contract** umowa tego nie przewiduje.
provisional [prə'vɪʒənl] adj tymczasowy ♦ n: **Provisional** członek radykalnego skrzydła Irlandzkiej Armii Republikańskiej.
provisional licence (BRIT) n tymczasowe prawo nt jazdy.
provisionally [prə'vɪʒnəlɪ] adv tymczasowo.
proviso [prə'vaɪzəu] n zastrzeżenie nt; **with the proviso that ...** pod warunkiem, że... .
Provo ['prɒvəu] (IRISH: POL: inf) n abbr = **Provisional**.
provocation [prɒvə'keɪʃən] n prowokacja f; **to do sth under provocation** zostać (perf) sprowokowanym do zrobienia czegoś.
provocative [prə'vɒkətɪv] adj prowokacyjny; (sexually) prowokujący; (thought-provoking) skłaniający do zastanowienia.
provoke [prə'vəuk] vt (person, fight) prowokować (sprowokować perf); (reaction, criticism) wywoływać (wywołać perf); **to provoke sb to do** or **into doing sth** prowokować (sprowokować perf) kogoś do zrobienia czegoś.
provost ['prɒvəst] n (BRIT: of university) rektor m; (SCOTTISH) burmistrz m.
prow [prau] n (of boat) dziób m.
prowess ['prauɪs] n (wyjątkowa) biegłość f, (in battle) męstwo nt; (sexual) sprawność f; **his prowess as a footballer** jego wyjątkowe umiejętności piłkarskie.
prowl [praul] vi (also: **prowl about, prowl around**) grasować ♦ n: **to be on the prowl** (animal) polować; (fig: person) czaić się.
prowler ['praulə*] n: **there's a prowler outside** ktoś podejrzany kręci się koło domu.
proximity [prɒk'sɪmɪtɪ] n bliskość f.
proxy ['prɒksɪ] n: **by proxy** przez pełnomocnika.
prude [pru:d] n świętoszek (-szka) m(f).
prudence ['pru:dns] n rozwaga f, roztropność f.
prudent ['pru:dnt] adj rozważny, roztropny.
prudish ['pru:dɪʃ] adj pruderyjny, świętoszkowaty.
prune [pru:n] n suszona śliwka f ♦ vt (tree) przycinać (przyciąć perf).
pry [praɪ] vi węszyć; **to pry into** wścibiać nos w +acc.
PS abbr = **postscript** PS.
psalm [sɑ:m] n psalm m.
PSAT (US) n abbr (= Preliminary Scholastic Aptitude Test).
PSBR (BRIT: ECON) n abbr (= public sector

borrowing requirement) zapotrzebowanie *nt* na kredyty ze strony sektora państwowego.

pseud [sjuːd] (*BRIT: inf, pej*) *n* pozer(ka) *m(f)* (*pej*).

pseudo- ['sjuːdəu] *pref* pseudo... .

pseudonym ['sjuːdənɪm] *n* pseudonim *m*.

PST (*US*) *abbr* (= *Pacific Standard Time*).

PSV (*BRIT*) *n abbr* = **public service vehicle**.

psyche ['saɪkɪ] *n* psychika *f*.

psychedelic [saɪkə'dɛlɪk] *adj* psychodeliczny.

psychiatric [saɪkɪ'ætrɪk] *adj* psychiatryczny.

psychiatrist [saɪ'kaɪətrɪst] *n* psychiatra *m*.

psychiatry [saɪ'kaɪətrɪ] *n* psychiatria *f*.

psychic ['saɪkɪk] *adj* (*disorder*) psychiczny; (*person*) mający zdolności parapsychiczne ♦ *n* medium *nt*.

psychoanalyse [saɪkəu'ænəlaɪz] *vt* poddawać (poddać *perf*) psychoanalizie.

psychoanalysis [saɪkəuə'nælɪsɪs] (*pl* **psychoanalyses**) *n* psychoanaliza *f*.

psychoanalyst [saɪkəu'ænəlɪst] *n* psychoanalityk (-yczka) *m(f)*.

psychological [saɪkə'lɔdʒɪkl] *adj* (*mental*) psychiczny; (*relating to psychology*) psychologiczny.

psychologist [saɪ'kɔlədʒɪst] *n* psycholog *m*.

psychology [saɪ'kɔlədʒɪ] *n* (*science*) psychologia *f*; (*character*) psychika *f*.

psychopath ['saɪkəupæθ] *n* psychopata (-tka) *m(f)*.

psychosis [saɪ'kəusɪs] (*pl* **psychoses**) *n* psychoza *f*.

psychosomatic ['saɪkəusə'mætɪk] *adj* psychosomatyczny.

psychotherapy [saɪkəu'θerəpɪ] *n* psychoterapia *f*.

psychotic [saɪ'kɔtɪk] *adj* psychotyczny.

PT (*BRIT: SCOL*) *n abbr* (= *physical training*) WF *m*.

Pt *abbr* (*in place names*: = *Point*).

pt *abbr* = **pint**; **point** p.

PTA *n abbr* (= *Parent-Teacher Association*) *stowarzyszenie, którego celem jest poprawa wzajemnego zrozumienia rodziców i nauczycieli i wspólne podejmowanie działań.*

Pte (*BRIT: MIL*) *abbr* = **private** szer.

PTO *abbr* (= *please turn over*) verte.

PTV (*US*) *n abbr* (= *pay television*) *telewizja płatna*; (= *public television*) *telewizja publiczna*.

pub [pʌb] *n* = **public house**.

puberty ['pjuːbətɪ] *n* dojrzewanie *nt* płciowe.

pubic ['pjuːbɪk] *adj* łonowy.

public ['pʌblɪk] *adj* publiczny; (*support, interest*) społeczny; (*spending, official*) państwowy ♦ *n*: **the public** (*people in general*) społeczeństwo *nt*; (*particular set of people*) publiczność *f*; **in public** publicznie; **the general public** (*society*) ogół społeczeństwa; (*readers, viewers etc*) szeroka publiczność; **to be public knowledge** być powszechnie wiadomym; **to make sth public**

ujawniać (ujawnić *perf*) coś; **to go public** (*COMM*) wystawiać (wystawić *perf*) akcje na sprzedaż.

public address system *n* system *m* nagłaśniający.

publican ['pʌblɪkən] *n* właściciel(ka) *m(f)* pubu.

publication [pʌblɪ'keɪʃən] *n* (*act*) wydanie *nt*, publikacja *f*; (*book, magazine*) publikacja *f*.

public company *n* spółka *f* akcyjna.

public convenience (*BRIT*) *n* toaleta *f* publiczna.

public holiday *n* święto *nt* urzędowe *or* państwowe.

public house (*BRIT*) *n* pub *m*.

publicity [pʌb'lɪsɪtɪ] *n* (*information*) reklama *f*; (*attention*) rozgłos *m*.

publicize ['pʌblɪsaɪz] *vt* podawać (podać *perf*) do publicznej wiadomości.

public limited company *n* = **public company**.

publicly ['pʌblɪklɪ] *adv* publicznie; **publicly owned** w rękach publicznych akcjonariuszy.

public opinion *n* opinia *f* publiczna.

public ownership *n*: **taken into public ownership** upaństwowiony.

Public Prosecutor *n* oskarżyciel *m* publiczny, prokurator *m*.

public relations *n* kreowanie *nt* wizerunku firmy.

public relations officer *n* specjalista *m* od kreowania wizerunku firmy.

public school *n* (*BRIT*) szkoła *f* prywatna (średniego stopnia); (*US*) szkoła *f* państwowa.

public sector *n*: **the public sector** sektor *m* państwowy.

public service vehicle (*BRIT*) *n* pojazd *m* komunikacji miejskiej.

public-spirited [pʌblɪk'spɪrɪtɪd] *adj* społecznikowski.

public transport *n* komunikacja *f* publiczna.

public utility *n* zakład *m* użyteczności publicznej *or* usług komunalnych.

public works *npl* roboty *pl* publiczne.

publish ['pʌblɪʃ] *vt* (*book, magazine, newspaper*) wydawać (wydać *perf*); (*letter, article*) publikować (opublikować *perf*).

publisher ['pʌblɪʃə*] *n* wydawca *m*.

publishing ['pʌblɪʃɪŋ] *n* działalność *f* wydawnicza.

publishing company *n* wydawnictwo *nt*.

puce [pjuːs] *adj* fioletowobrązowy.

puck [pʌk] *n* krążek *m* (*do gry w hokeja*).

pucker ['pʌkə*] *vi* (*mouth, face*) wykrzywiać się (wykrzywić się *perf*); (*fabric etc*) marszczyć się (pomarszczyć się *perf*) ♦ *vt* (*mouth, face*) wykrzywiać (wykrzywić *perf*); (*fabric etc*) marszczyć (pomarszczyć *perf*).

pudding ['pudɪŋ] *n* pudding *m*; (*BRIT: dessert*) deser *m*; **black pudding,** (*US*) **blood pudding** kaszanka.

puddle ['pʌdl] *n* kałuża *f*.

puerile ['pjuəraıl] *adj* infantylny.
Puerto Rico ['pwɜ:təu'ri:kəu] *n* Porto Rico *nt inv.*
puff [pʌf] *n* (*of cigarette, pipe*) zaciągnięcie się *nt*; (*gasp*) sapnięcie *nt*; (*of air*) podmuch *m* ♦ *vt* (*also:* **puff on, puff at**: *pipe*) pykać (pyknąć *perf*) +*acc*; (*cigarette*) zaciągnąć się (zaciągać się *perf*) +*instr* ♦ *vi* sapać.
▶**puff out** *vt* (*one's chest*) wypinać (wypiąć *perf*); (*one's cheeks*) nadymać (nadąć *perf*).
puffed [pʌft] (*inf*) *adj* zasapany.
puffin ['pʌfın] *n* maskonur *m* (*ptak*).
puff pastry (*US* **puff paste**) *n* ciasto *nt* francuskie.
puffy ['pʌfı] *adj* (*face*) spuchnięty; (*eye*) podpuchnięty.
pugnacious [pʌg'neıʃəs] *adj* zaczepny, kłótliwy.
pull [pul] *vt* (*rope, hair etc*) ciągnąć (pociągnąć *perf*) za +*acc*; (*handle*) pociągać (pociągnąć *perf*) za +*acc*; (*trigger*) naciskać (nacisnąć *perf*) (na +*acc*); (*cart etc*) ciągnąć; (*curtain, blind*) zaciągać (zaciągnąć *perf*); (*inf: people*) przyciągać (przyciągnąć *perf*); (: *sexual partner*) podrywać (poderwać *perf*) (*inf*); (*pint of beer*) nalewać (nalać *perf*) (*z beczki*) ♦ *vi* ciągnąć (pociągnąć *perf*) ♦ *n* (*of moon, magnet*) przyciąganie *nt*; (*fig*) wpływ *m*; **to give sth a pull** pociągnąć (*perf*) (za) coś; **to pull a face** robić (zrobić *perf*) minę; **to pull a muscle** naciągnąć (*perf*) mięsień; **not to pull one's** *or* **any punches** (*fig*) walić prosto z mostu (*inf*); **to pull sth to pieces** (*fig*) nie zostawiać (nie zostawić *perf*) na czymś suchej nitki; **to pull one's weight** (*fig*) przykładać się (przyłożyć się *perf*) (do pracy); **to pull o.s. together** brać się (wziąć się *perf*) w garść; **to pull sb's leg** (*fig*) nabierać (nabrać *perf*) kogoś; **to pull strings (for sb)** używać (użyć *perf*) swoich wpływów (by komuś pomóc).
▶**pull apart** *vt* rozdzielać (rozdzielić *perf*).
▶**pull away** *vi* (*AUT*) odholowywać (odholować *perf*).
▶**pull back** *vi* wycofywac się (wycofać się *perf*); (*fig*) hamować się (pohamować się *perf*).
▶**pull down** *vt* (*building*) rozbierać (rozebrac *perf*).
▶**pull in** *vi* (*AUT: at the kerb*) zatrzymywać się (zatrzymać się *perf*); (*RAIL*) wjeżdżać (wjechać *perf*) (na peron *or* stację) ♦ *vt* (*inf: crowds*) przyciągać (przyciągnąć *perf*); (*inf: money, suspect*) zgarniać (zgarnąć *perf*) (*inf*).
▶**pull off** *vt* (*clothes*) ściągać (ściągnąć *perf*); (*fig: difficult thing*) dokonywać (dokonać *perf*) +*gen*.
▶**pull out** *vi* (*AUT: from kerb*) odjeżdżać (odjechać *perf*); (: *when overtaking*) zmieniać (zmienić *perf*) pas ruchu; (*RAIL*) odjeżdżać (odjechać *perf*) (z peronu *or* stacji); (*withdraw*) wycofywać się (wycofać się *perf*) ♦ *vt* wyciągać (wyciągnąć *perf*).

▶**pull over** *vi* (*AUT*) zjeżdżać (zjechać *perf*) na bok.
▶**pull through** *vi* wyzdrowieć (*perf*), wylizać się (*perf*) (*inf*).
▶**pull up** *vi* (*AUT, RAIL*) zatrzymywać się (zatrzymać się *perf*) ♦ *vt* (*object, clothing*) podciągać (podciągnąć *perf*); (*weeds*) wyrywać (wyrwać *perf*); (*chair*) przysuwać (przysunąć *perf*) (sobie).
pulley ['pulı] *n* blok *m*, wielokrążek *m*.
pull-out ['pulaut] *n* (*in magazine*) wkładka *f*.
pullover ['puləuvə*] *n* pulower *m*.
pulp [pʌlp] *n* (*of fruit*) miąższ *m*; (*for paper*) miazga *f*; (*LITERATURE: pej*) czytadła *pl* ♦ *adj*: **pulp fiction** tandetna powieść *f* sensacyjna; **to reduce sth to a pulp** ścierać (zetrzeć *perf*) coś na miazgę.
pulpit ['pulpıt] *n* ambona *f*.
pulsate [pʌl'seıt] *vi* (*heart*) bić; (*music*) tętnić, pulsować.
pulse [pʌls] *n* (*lit, fig*) tętno *nt*, puls *m*; (*TECH*) impuls *m* ♦ *vi* pulsować; **pulses** *npl* nasiona *pl* roślin strączkowych; **to take sb's pulse** mierzyć (zmierzyć (*perf*)) komuś tętno; **to have one's finger on the pulse** (*fig*) trzymać rękę na pulsie.
pulverize ['pʌlvəraız] *vt* proszkować (sproszkować *perf*); (*fig*) ścierać (zetrzeć *perf*) na proch.
puma ['pju:mə] *n* puma *f*.
pumice ['pʌmıs] *n* (*also:* **pumice stone**) pumeks *m*.
pummel ['pʌml] *yt* okładać pięściami.
pump [pʌmp] *n* pompa *f*; (*for bicycle*) pompka *f*, (*petrol pump*) dystrybutor *m* (paliwa), pompa *f* benzynowa; (*shoe*) czółenko *nt* ♦ *vt* pompować; **to pump sb for information** podpytywać (podpytać *perf*) kogoś; **he had his stomach pumped** zrobili mu płukanie żołądka.
▶**pump up** *vt* pompować (napompować *perf*).
pumpkin ['pʌmpkın] *n* dynia *f*.
pun [pʌn] *n* kalambur *m*, gra *f* słów.
punch [pʌntʃ] *n* (*blow*) uderzenie *nt* pięścią; (*fig*) siła *f*, (*tool*) dziurkacz *m*; (*drink*) poncz *m* ♦ *vt* (*person*) uderzać (uderzyć *perf*) pięścią; (*ticket*) kasować (skasować *perf*); **to punch a hole in** przedziurawiać (przedziurawić (*perf*)) +*acc*.
▶**punch in** (*US*) *vi* odbijać (odbić *perf*) kartę (po przyjściu do pracy).
▶**punch out** (*US*) *vi* odbijać (odbić *perf*) kartę (przy wyjściu z pracy).
Punch and Judy show *n* przedstawienie *kukiełkowe z parą stałych bohaterów, Punchem i Judy.*
punch-drunk ['pʌntʃdrʌŋk] (*BRIT*) *adj* (*MED*) cierpiący na encefalopatię bokserską; (*fig*) zamroczony, skołowany.

punch(ed) card (COMPUT) n karta f perforowana.

punchline ['pʌntʃlaɪn] n puenta f.

punch-up ['pʌntʃʌp] (BRIT: inf) n bijatyka f.

punctual ['pʌŋktjuəl] adj punktualny.

punctuality [pʌŋktju'ælɪtɪ] n punktualność f.

punctually ['pʌŋktjuəlɪ] adv punktualnie; **it will start punctually at six** zacznie się punktualnie o szóstej.

punctuation [pʌŋktju'eɪʃən] n interpunkcja f.

punctuation mark n znak m przestankowy.

puncture ['pʌŋktʃə*] (AUT) n przebicie nt dętki ♦ vt przebijać (przebić perf); **I have a puncture** złapałem gumę (inf).

pundit ['pʌndɪt] n mędrzec m hinduski.

pungent ['pʌndʒənt] adj (smell) gryzący; (taste) cierpki; (fig: article, speech) ostry; (: remark) cierpki.

punish ['pʌnɪʃ] vt karać (ukarać perf); **to punish sb for sth/for doing sth** karać (ukarać perf) kogoś za coś/za (z)robienie czegoś.

punishable ['pʌnɪʃəbl] adj (offence) karalny.

punishing ['pʌnɪʃɪŋ] adj (fig: exercise, ordeal) wyczerpujący.

punishment ['pʌnɪʃmənt] n kara f; **he took a lot of punishment** (fig) porządnie mu się dostało.

punitive ['pju:nɪtɪv] adj (action, measure) karny.

punk [pʌŋk] n (also: **punk rocker**) punk m; (also: **punk rock**) punk-rock m; (US: inf: hoodlum) chuligan m.

punnet ['pʌnɪt] n kobiałka f.

punt [pʌnt] n łódź f płaskodenna ♦ vi płynąć łodzią płaskodenną.

punter ['pʌntə*] (BRIT) n gracz m na wyścigach konnych; (inf) klient(ka) m(f).

puny ['pju:nɪ] adj mizerny.

pup [pʌp] n (young dog) szczenię nt; (young seal etc) młode nt.

pupil ['pju:pl] n (SCOL) uczeń/uczennica m(f); (of eye) źrenica f.

puppet ['pʌpɪt] n kukiełka f; (fig) marionetka f.

puppet government n rząd m marionetkowy.

puppy ['pʌpɪ] n szczenię nt, szczeniak m.

purchase ['pə:tʃɪs] n (act) zakup m, kupno nt; (item) zakup m, nabytek m ♦ vt nabywać (nabyć perf), zakupywać (zakupić perf); **to get or gain (a) purchase** znajdować (znaleźć perf) punkt podparcia or oparcia.

purchase order n zamówienie nt.

purchase price n cena f kupna.

purchaser ['pə:tʃɪsə*] n nabywca m, kupujący m.

purchase tax n podatek m od wartości dodanej (przy zakupie).

purchasing power ['pə:tʃɪsɪŋ-] n siła f nabywcza.

pure [pjuə*] adj (lit, fig) czysty; **a pure wool jumper** sweter z czystej wełny; **it's laziness pure and simple** to po prostu czyste lenistwo.

purebred ['pjuəbred] adj czystej krwi post.

purée ['pjuəreɪ] n przecier m.

purely ['pjuəlɪ] adv (wholly) całkowicie.

purgatory ['pə:gətərɪ] n czyściec m.

purge [pə:dʒ] n czystka f ♦ vt (organization, party) przeprowadzać (przeprowadzić perf) czystkę w +loc; **to purge sth of** (lit, fig) oczyszczać (oczyścić perf) coś z +gen; **they purged extremists from the party** oczyścili partię z ekstremistów; **she wanted to purge her heart of that love** pragnęła usunąć z serca tę miłość.

purification [pjuərɪfɪ'keɪʃən] n oczyszczenie nt.

purify ['pjuərɪfaɪ] vt oczyszczać (oczyścić perf).

purist ['pjuərɪst] n purysta (-tka) m(f).

puritan ['pjuərɪtən] n purytanin (-anka) m(f).

puritanical [pjuərɪ'tænɪkl] adj purytański.

purity ['pjuərɪtɪ] n czystość f.

purl [pə:l] (KNITTING) n lewe oczko nt.

purloin [pə:'lɔɪn] (fml) vt przywłaszczać (przywłaszczyć perf) sobie.

purple ['pə:pl] adj fioletowy.

purport [pə:'pɔ:t] vi: **they purport to be objective** utrzymują, że są obiektywni; **he purports not to care** twierdzi, że jakoby mu nie zależy.

purpose ['pə:pəs] n cel m; **on purpose** celowo; **for illustrative purposes** dla ilustracji; **for all practical purposes** z praktycznego punktu widzenia; **for the purposes of this meeting** dla celów tego spotkania; **to no purpose** na próżno; **it was all to little purpose** wszystko to nie na wiele się zdało; **a sense of purpose** poczucie celu.

purpose-built ['pə:pəs'bɪlt] (BRIT) adj specjalnie zbudowany.

purposeful ['pə:pəsful] adj celowy.

purposely ['pə:pəslɪ] adv celowo.

purr [pə:*] vi (cat) mruczeć.

purse [pə:s] n (BRIT) portmonetka f; (US) (damska) torebka f ♦ vt (lips) zaciskać (zacisnąć perf).

purser ['pə:sə*] (NAUT) n ochmistrz m; (MIL) n oficer m płatnik m.

purse-snatcher ['pə:ssnætʃə*] (US) n złodziej(ka) m(f) torebek.

pursue [pə'sju:] vt ścigać; (fig: policy, interest, plan) realizować; (: aim, objective) dążyć do osiągnięcia +gen.

pursuer [pə'sju:ə*] n ścigający m.

pursuit [pə'sju:t] n (pastime) zajęcie nt; (chase) pościg m; (: fig) pogoń f; **in pursuit of** w pościgu za +instr; (fig: happiness, pleasure) w pogoni za +instr.

purveyor [pə'veɪə*] (fml) n dostarczyciel(ka) m(f).

pus [pʌs] (MED) n ropa f.

push [puʃ] n (of button etc) naciśnięcie nt; (of door) pchnięcie nt; (of car, person) popchnięcie nt ♦ vt (button, knob) naciskać (nacisnąć perf); (door) pchać (pchnąć perf); (car, person) popychać (popchnąć perf);

(*fig: person: to work harder*) dopingować;
(: : *to reveal information*) naciskać;
(: *product*) reklamować; (*inf: drugs*)
handlować +*instr* ♦ *vi* (*press*) naciskać
(nacisnąć *perf*); (*shove*) pchać (pchnąć *perf*);
to push for domagać się +*gen*; **to push a
door open/shut** otwierać (otworzyć
perf)/zamykać (zamknąć *perf*) drzwi; **"push"**
(*on door*) „pchać"; (*on bell*) „dzwonić"; **to be
pushed for time/money** (*inf*) mieć mało
czasu/pieniędzy; **she is pushing fifty** (*inf*)
idzie jej piąty krzyżyk (*inf*); **at a push**
(*BRIT: inf*) na siłę.

▶**push around** *vt* pomiatać +*instr*.

▶**push aside** *vt* odpychać (odepchnąć *perf*);
(*fig*) odsuwać (odsunąć *perf*) na bok.

▶**push in** *vi* wpychać się (wepchnąć się *perf*).

▶**push off** (*inf*) *vi* spływać (spłynąć *perf*) (*inf*).

▶**push on** *vi* ciągnąć *or* jechać dalej (*fig*).

▶**push over** *vt* przewracać (przewrócić *perf*).

▶**push through** *vt* (*measure, scheme*)
przeprowadzać (przeprowadzić *perf*).

▶**push up** *vt* (*prices etc*) podnosić (podnieść
perf).

push-bike ['puʃbaɪk] (*BRIT*) *n* rower *m*.

push-button ['puʃbʌtn] *adj* obsługiwany przez
naciskanie przycisków.

pushchair ['puʃtʃɛə*] (*BRIT*) *n* spacerówka *f*.

pusher ['puʃə*] *n* handlarz *m* narkotykami.

pushover ['puʃəuvə*] (*inf*) *n*: **it's a pushover**
to łatwizna (*inf*).

push-up ['puʃʌp] (*US*) *n* pompka *f* (*ćwiczenie*).

pushy ['puʃɪ] (*pej*) *adj* natarczywy, natrętny.

puss [pus] (*inf*) *n* kiciuś *m*.

pussy(cat) ['pusɪ(kæt)] (*inf*) *n* = **puss**.

put [put] (*pt, pp* **put**) *vt* (*thing*) kłaść (położyć
perf); (*person: in room, institution*) umieszczać
(umieścić *perf*); (: *in position, situation*)
stawiać (postawić *perf*); (*idea, view, case*)
przedstawiać (przedstawić *perf*); (*question*)
stawiać (postawić *perf*); (*in class, category*)
zaliczać (zaliczyć *perf*); (*word, sentence*)
zapisywać (zapisać *perf*); **to put sb in a
good/bad mood** wprawiać (wprawić *perf*)
kogoś w dobry/zły nastrój; **to put sb to bed**
kłaść (położyć *perf*) kogoś do łóżka; **to put
sb to a lot of trouble** sprawiać (sprawić *perf*)
komuś wiele kłopotu; **how shall I put it?** jak
by to powiedzieć?; **to put a lot of time into
sth** poświęcać (poświęcić *perf*) czemuś wiele
czasu; **to put money on a horse** obstawiać
(obstawić *perf*) konia; **the cost is now put at
2 billion pounds** koszt szacuje się obecnie na
2 miliardy funtów; **I put it to you that ...**
(*BRIT*) mówię ci, że...; **to stay put** nie ruszać
się (z miejsca).

▶**put about** *vi* (*NAUT*) zmieniać (zmienić *perf*)
kurs na przeciwny ♦ *vt* (*rumour*) rozpuszczać
(rozpuścić *perf*).

▶**put across** *vt* (*ideas etc*) wyjaśniać
(wyjaśnić *perf*).

▶**put around** *vt* = **put about**.

▶**put aside** *vt* (*work, money*) odkładać
(odłożyć *perf*); (*idea, problem*) pomijać
(pominąć *perf*).

▶**put away** *vt* (*shoppping etc*) chować
(pochować *perf*); (*money*) odkładać (odłożyć
perf); (*imprison*) zamykać (zamknąć *perf*);
(*inf: consume*) sprzątnąć (*perf*) (*inf*).

▶**put back** *vt* (*replace*) odkładać (odłożyć
perf); (*postpone*) przekładać (przełożyć *perf*);
(*delay*) opóźniać (opóźnić *perf*).

▶**put by** *vt* (*money, supplies*) odkładać
(odłożyć *perf*).

▶**put down** *vt* (*book, spectacles*) odkładać
(odłożyć *perf*); (*cup, chair*) odstawiać
(odstawić *perf*); (*in writing*) zapisywać (zapisać
perf); (*riot, rebellion*) tłumić (stłumić *perf*);
(*humiliate*) poniżać (poniżyć *perf*);
(*kill: animal*) usypiać (uśpić *perf*).

▶**put down to** *vt* przypisywać (przypisać *perf*)
+*dat*.

▶**put forward** *vt* (*proposal*) wysuwać (wysunąć
perf), przedstawiać (przedstawić *perf*); (*ideas,
argument*) przedstawiać (przedstawić *perf*);
(*watch, clock*) przesuwać (przesunąć *perf*) do
przodu; (*date, meeting*) przesuwać (przesunąć
perf).

▶**put in** *vt* (*application, complaint*) składać
(złożyć *perf*); (*time, effort*) wkładać (włożyć
perf); (*gas, electricity*) instalować
(zainstalować *perf*) ♦ *vi* (*NAUT*) zawijać
(zawinąć *perf*) do portu.

▶**put in for** *vt fus* (*promotion, leave*) składać
(złożyć *perf*) podanie o +*acc*.

▶**put off** *vt* (*postpone*) odkładać (odłożyć *perf*);
(*discourage*) zniechęcać (zniechęcić *perf*);
(*distract*) rozpraszać (rozproszyć *perf*).

▶**put on** *vt* (*clothes, glasses*) zakładać (założyć
perf); (*make-up, ointment*) nakładać (nałożyć
perf); (*light, TV, record*) włączać (włączyć
perf); (*play*) wystawiać (wystawić *perf*);
(*brake*) naciskać (nacisnąć *perf*) na +*acc*;
(*kettle, dinner*) wstawiać (wstawić *perf*);
(*accent etc*) udawać; (*extra bus, train*)
puszczać (puścić *perf*); (*inf: tease*)
podpuszczać (podpuścić *perf*) (*inf*); **to put on
airs** wynosić się, wywyższać się; **to put on
weight** przybierać (przybrać *perf*) na wadze,
tyć (przytyć *perf*).

▶**put onto** *vt*: **could you put me onto a good
lawyer/doctor?** czy mógłbyś mi wskazać
dobrego adwokata/lekarza?

▶**put out** *vt* (*fire*) gasić (ugasić *perf*); (*candle,
cigarette, light*) gasić (zgasić *perf*); (*rubbish*)
wystawiać (wystawić *perf*) (*przed dom, do
zabrania przez służby oczyszczania miasta*); (*cat*)
wypuszczać (wypuścić *perf*); (*one's hand*)
wyciągać (wyciągnąć *perf*); (*one's tongue*)

wystawiać (wystawić *perf*); (*statement etc*)
ogłaszać (ogłosić *perf*); (*BRIT: shoulder etc*)
przemieszczać (przemieścić *perf*);
(*inf. inconvenience*) fatygować (pofatygować
perf) ♦ *vi*: **to put out to sea** wychodzić
(wyjść *perf*) w morze; **to put out from
Plymouth** wypływać (wypłynąć *perf*) z
Plymouth.

►**put through** *vt* (*TEL*) łączyć (połączyć *perf*);
(*plan, agreement*) przyjmować (przyjąć *perf*);
put me through to Miss Blair połącz mnie z
panną Blair.

►**put together** *vt* (*furniture, toy*) składać
(złożyć *perf*); (*plan, campaign*) organizować
(zorganizować *perf*); **more than the rest of
them put together** bardziej niż wszyscy
pozostali razem wzięci.

►**put up** *vt* (*fence, building, tent*) stawiać
(postawić *perf*); (*umbrella*) rozkładać (rozłożyć
perf); (*poster, sign*) wywieszać (wywiesić
perf); (*price, cost*) podnosić (podnieść *perf*);
(*person*) przenocowywać (przenocować *perf*);
(*resistance*) stawiać (stawić *perf*); **to put sb
up to sth/doing sth** namawiać (namówić *perf*)
kogoś do czegoś/(z)robienia czegoś; **to put
sth up for sale** wystawiać (wystawić *perf*)
coś na sprzedaż.

►**put upon** *vt fus* nadużywać uprzejmości +*gen*.
►**put up with** *vt fus* znosić (znieść *perf*) +*acc*.
putative ['pjuːtətɪv] *adj* domniemany.
putrid ['pjuːtrɪd] *adj* gnijący.
putt [pʌt] *n* uderzenie *nt* piłki w golfie.
putter ['pʌtə*] *n* (*GOLF*) putter *m* ♦ *vi* (*US*) =
potter.
putting green ['pʌtɪŋ-] *n* pole *f* puttingowe.
putty ['pʌtɪ] *n* kit *m*.
put-up ['pʌtʌp] *n*: **it was a put-up job** to było
wcześniej ukartowane.
puzzle ['pʌzl] *n* (*mystery*) zagadka *f*; (*game,
toy*) układanka *f* ♦ *vt* stanowić zagadkę dla
+*gen* ♦ *vi*: **to puzzle over sth** głowić się nad
czymś; **I'm puzzled as to why ...** nie
pojmuję, dlaczego... .
puzzling ['pʌzlɪŋ] *adj* zagadkowy.
PVC *n abbr* (= *polyvinyl chloride*) PCW *nt inv*.
Pvt. (*US: MIL*) *abbr* = **private** szer.
PW (*US*) *n abbr* = **prisoner of war**.
p.w. *abbr* (= *per week*) tyg.
PX (*US: MIL*) *n abbr* = **post exchange**.
pygmy ['pɪgmɪ] *n* Pigmej(ka) *m(f)*.
pyjamas [pɪ'dʒɑːməz] (*US* **pajamas**) *npl*: **(a
pair of) pyjamas** piżama *f*.
pylon ['paɪlən] *n* pylon *m*.
pyramid ['pɪrəmɪd] *n* (*ARCHIT*) piramida *f*;
(*GEOM*) ostrosłup *m*; (*pile*) stos *m*.
Pyrenean [pɪrə'niːən] *adj* pirenejski.
Pyrenees [pɪrə'niːz] *npl*: **the Pyrenees** Pireneje *pl*.
Pyrex ['paɪrɛks] ® *n* pyreks *m* (*szkło
żaroodporne*) ♦ *adj* żaroodporny.
python ['paɪθən] *n* pyton *m*.

Q, q

Q, q [kjuː] *n* (*letter*) Q *nt*, q *nt*; **Q for Queen**
≈ Q jak Quebec.
Qatar [kæ'tɑː*] (*GEOG*) *n* Katar *m*.
QC (*BRIT: JUR*) *n abbr* (= *Queen's Counsel*)
stopień w hierarchii sądowej.
QED *abbr* (= *quod erat demonstrandum*)
c.b.d.o., = co było do okazania,
c.n.d., = co należało dowieść.
QM *n abbr* (*MIL*) = **quartermaster**.
q.t. (*inf*) *n abbr* (= *quiet*): **on the q.t.** po
cichu, w tajemnicy.
qty *abbr* = **quantity**.
quack [kwæk] *n* (*of duck*) kwaknięcie *nt*; (*inf,
pej: doctor*) konował *m* (*inf, pej*) ♦ *vi* kwakać
(kwaknąć *perf or* zakwakać *perf*).
quad [kwɔd] *abbr* = **quadrangle**; **quadruplet**.
quadrangle ['kwɔdræŋgl] *n* (*courtyard*)
czworokątny dziedziniec *m*.
quadrilateral [kwɔdrɪ'lætərəl] (*GEOM*) *n*
czworobok *m*.
quadruped ['kwɔdrupɛd] *n* czworonóg *m*.
quadruple [kwɔ'druːpl] *vt* czterokrotnie
zwiększać (zwiększyć *perf*) ♦ *vi* wzrastać
(wzrosnąć *perf*) czterokrotnie.
quadruplets [kwɔ'druːplɪts] *npl* czworaczki *pl*.
quagmire ['kwægmaɪə*] *n* trzęsawisko *nt*; (*fig*)
gąszcz *m*.
quail [kweɪl] *n* (*bird*) przepiórka *f* ♦ *vi*: **to
quail at the thought of** drżeć (zadrżeć *perf*)
na myśl o +*loc*.
quaint [kweɪnt] *adj* oryginalny, ciekawy
(*najczęściej także staromodny*).
quake [kweɪk] *vi* trząść się, dygotać ♦ *n* =
earthquake.
Quaker ['kweɪkə*] *n* kwakier(ka) *m(f)*.
qualification [kwɔlɪfɪ'keɪʃən] *n* (*often
pl: degree, diploma*) kwalifikacje *pl*; (*attribute*)
zdolność *f*; (*reservation*) zastrzeżenie *nt*; **what
are your qualifications?** jakie ma Pan/Pani
kwalifikacje?
qualified ['kwɔlɪfaɪd] *adj* (*doctor, engineer*)
dyplomowany; (*worker*) wykwalifikowany;
(*agreement, success*) połowiczny; (*praise*)
powściągliwy; **to be/feel qualified to do sth**
być/czuć się kompetentnym, by coś (z)robić;
he's not qualified for the job on nie ma
kwalifikacji do tej pracy.
qualify ['kwɔlɪfaɪ] *vt* (*entitle*) upoważniać
(upoważnić *perf*); (*modify*) uściślać (uściślić
perf) ♦ *vi* zdobywać (zdobyć *perf*) dyplom; **to
qualify for** (*be eligible*) móc ubiegać się o
+*acc*; (*in competition*) kwalifikować się
(zakwalifikować się *perf*) do +*gen*; **to qualify
as an engineer** zdobywać (zdobyć *perf*)
dyplom inżyniera.

qualifying [ˈkwɔlɪfaɪɪŋ] *adj*: **qualifying exam** egzamin *m* kwalifikacyjny; **qualifying round** eliminacje.

qualitative [ˈkwɔlɪtətɪv] *adj* jakościowy.

quality [ˈkwɔlɪtɪ] *n* (*standard*) jakość *f*; (*characteristic: of person*) cecha *f* (charakteru), przymiot *m* (*usu pl*); (: *of wood, stone*) właściwość *f* ♦ *cpd* dobry jakościowo; **of good/poor quality** dobrej/złej jakości.

quality control *n* kontrola *f* jakości.

quality papers (*BRIT*) *npl*: **the quality papers** poważne gazety *pl*.

qualm [kwɑːm] *n* niepokój *m*; **to have qualms about sth** mieć skrupuły w związku z czymś.

quandary [ˈkwɔndrɪ] *n*: **to be in a quandary** być w rozterce.

quango [ˈkwæŋgəu] (*BRIT*) *n abbr* (= *quasi-autonomous non-governmental organization*).

quantitative [ˈkwɔntɪtətɪv] *adj* ilościowy.

quantity [ˈkwɔntɪtɪ] *n* ilość *f*; **in large/small quantities** w dużych/małych ilościach; **in quantity** w dużych ilościach; **an unknown quantity** (*fig*) niewiadoma.

quantity surveyor *n* kosztorysant(ka) *m(f)*.

quarantine [ˈkwɔrntiːn] *n* kwarantanna *f*; **to be in quarantine** przechodzić (przejść *perf*) kwarantannę.

quarrel [ˈkwɔrl] *n* kłótnia *f* ♦ *vi* kłócić się; **we had a quarrel with them** pokłóciliśmy się z nimi; **I've no quarrel with him** nic do niego nie mam; **I can't quarrel with that** nie mogę się z tym nie zgodzić.

quarrelsome [ˈkwɔrəlsəm] *adj* kłótliwy.

quarry [ˈkwɔrɪ] *n* (*for stone*) kamieniołom *m*; (*animal being hunted*) zwierzyna *f* ♦ *vt* wydobywać (wydobyć *perf*).

quart [kwɔːt] *n* kwarta *f* (*1.137 l*).

quarter [ˈkwɔːtə*] *n* (*fourth part*) ćwierć *f*; (*US: coin*) ćwierć *f* dolara; (*of year*) kwartał *m*; (*of city*) dzielnica *f* ♦ *vt* dzielić na ćwiartować (poćwiartować *perf*); (*MIL: lodge*) zakwaterowywać (zakwaterować *perf*); **quarters** *npl* (*MIL*) kwatery *pl*; (*for servants, for sleeping etc*) pomieszczenia *pl*; **he had to leave his previous quarters** musiał opuścić (swoje) poprzednie miejsce zamieszkania; **a quarter of an hour** kwadrans; **it's a quarter to 3**, (*US*) **it's a quarter of 3** jest za kwadrans trzecia; **it's a quarter past 3**, (*US*) **it's a quarter after 3** jest kwadrans po trzeciej; **from all quarters** ze wszystkich stron; **at close quarters** z bliska.

quarterdeck [ˈkwɔːtədɛk] (*NAUT*) *n* tylny pokład *m*.

quarterfinal [ˈkwɔːtəˈfaɪnl] *n* ćwierćfinał *m*.

quarterly [ˈkwɔːtəlɪ] *adj* kwartalny ♦ *adv* kwartalnie ♦ *n* kwartalnik *m*.

quartermaster [ˈkwɔːtəmɑːstə*] *n* kwatermistrz *m*.

quartet [kwɔːˈtɛt] *n* kwartet *m*.

quarto [ˈkwɔːtəu] *n* (*size of paper*) kwarto *nt* (*arkusz o wymiarach 20 na 26 cm*); (*book*) książka formatu kwarto.

quartz [kwɔːts] *n* kwarc *m* ♦ *cpd* kwarcowy.

quash [kwɔʃ] *vt* (*verdict etc*) unieważniać (unieważnić *perf*).

quasi- [ˈkweɪzaɪ] *pref* quasi-, niby.

quaver [ˈkweɪvə*] *n* (*BRIT: MUS*) ósemka *f* ♦ *vi* (*voice*) drżeć.

quay [kiː] *n* nabrzeże *nt*.

quayside [ˈkiːsaɪd] *n* nabrzeże *nt*.

queasiness [ˈkwiːzɪnɪs] *n* mdłości *pl*.

queasy [ˈkwiːzɪ] *adj*: **to feel queasy** mieć mdłości; (*fig*) czuć się niewyraźnie.

Quebec [kwɪˈbɛk] *n* Quebec *m*.

queen [kwiːn] *n* królowa *f*; (*CARDS*) dama *f*; (*CHESS*) hetman *m*, królowa *f*.

queen mother *n* królowa *f* matka *f*.

queer [kwɪə*] *adj* dziwny ♦ *n* (*inf!*) pedał *m* (*inf!*); **I feel queer** (*BRIT*) trochę źle się czuję.

quell [kwɛl] *vt* tłumić (stłumić *perf*).

quench [kwɛntʃ] *vt*: **to quench one's thirst** gasić (ugasić *perf*) pragnienie.

querulous [ˈkwɛruləs] *adj* (*person*) kwękający; (*voice*) płaczliwy.

query [ˈkwɪərɪ] *n* zapytanie *nt* ♦ *vt* kwestionować (zakwestionować *perf*).

quest [kwɛst] *n* poszukiwanie *nt*.

question [ˈkwɛstʃən] *n* (*query, problem in exam*) pytanie *nt*; (*doubt*) wątpliwość *f*; (*issue*) kwestia *f* ♦ *vt* (*interrogate*) pytać; (*doubt*) wątpić; **to ask sb a question, put a question to sb** zadawać (zadać *perf*) komuś pytanie; **to bring** *or* **call sth into question** poddawać (poddaać *perf*) coś w wątpliwość; **the question is, ...** problem w tym, ...; **there's no question of** nie ma mowy o *+loc*; **the person/night in question** osoba/noc, o której mowa; **it's beyond question** to nie ulega wątpliwości; **it's out of the question** (to) wykluczone.

questionable [ˈkwɛstʃənəbl] *adj* wątpliwy.

questioner [ˈkwɛstʃənə*] *n* osoba *f* zadająca pytanie.

questioning [ˈkwɛstʃənɪŋ] *adj* (*look, expression*) pytający; (*mind*) dociekliwy ♦ *n* (*POLICE*) przesłuchanie *nt*.

question mark *n* znak *m* zapytania, pytajnik *m*.

questionnaire [kwɛstʃəˈnɛə*] *n* kwestionariusz *m*, ankieta *f*.

queue [kjuː] (*BRIT*) *n* kolejka *f* ♦ *vi* (*also*: **queue up**) stać w kolejce; **to jump the queue** wpychać się (wepchać się *perf*) do kolejki.

quibble [ˈkwɪbl] *vi*: **to quibble about** *or* **over sth/with sb** sprzeczać się (posprzeczać się *perf*) o coś/z kimś ♦ *n* drobne zastrzeżenie *nt*.

quiche [kiːʃ] *n* tarta *f* (*z nadzieniem z jajek, sera, boczku itp*).

quick [kwɪk] *adj* (*fast, swift*) szybki;

(*sharp*: *mind*) bystry; (: *wit*) cięty; (*brief*) krótki ♦ *adv* szybko ♦ *n*: **to cut sb to the quick** (*fig*) dotykać (dotknąć *perf*) kogoś do żywego; **be quick!** szybko!, pospiesz się!; **to be quick to act** działać szybko; **she was quick to see that ...** szybko zauważyła, że...; **she has a quick temper** ma porywcze usposobienie.

quicken ['kwɪkən] *vt* (*pace, step*) przyśpieszać (przyśpieszyć *perf*) +*gen* ♦ *vi*: **his pace quickened** przyśpieszył kroku; **her heart would quicken when ...** serce zaczynało jej szybciej bić, gdy ... .

quick-fire ['kwɪkfaɪə*] *adj*: **quick-fire questions** grad *m* pytań.

quicklime ['kwɪklaɪm] *n* wapno *nt* niegaszone.

quickly ['kwɪklɪ] *adv* szybko.

quickness ['kwɪknɪs] *n* szybkość *f*; **quickness of mind** bystrość umysłu.

quicksand ['kwɪksænd] *n* lotny piasek *m*.

quickstep ['kwɪkstɛp] *n* szybki fokstrot *m*.

quick-tempered [kwɪk'tɛmpəd] *adj* porywczy, zapalczywy.

quick-witted [kwɪk'wɪtɪd] *adj* bystry.

quid [kwɪd] (*BRIT*: *inf*) *n inv* funciak *m* (*inf*).

quid pro quo ['kwɪdprəu'kwəu] *n* usługa *f* za usługę.

quiet ['kwaɪət] *adj* (*lit*, *fig*) cichy; (*peaceful, not busy*) spokojny; (*not speaking*) milczący; (*engine, aircraft*) cichobieżny ♦ *n* (*silence*) cisza *f*; (*peacefulness*) spokój *m* ♦ *vt*, *vi* (*US*) = **quieten**.

keep *or* be quiet! bądź *or* siedź cicho!; **on the quiet** po cichu, cichcem; **I'll have a quiet word with him** pomówię z nim na osobności.

quieten ['kwaɪətn] (*BRIT*: *also*: **quieten down**) *vi* (*grow calm*) uspokajać się (uspokoić się *perf*); (*grow silent*) cichnąć, ucichać (ucichnąć *perf*) ♦ *vt* (*make less active*) uspokajać (uspokoić *perf*); (*make less noisy*) uciszać (uciszyć *perf*).

quietly ['kwaɪətlɪ] *adv* (*not loudly*) cicho; (*without speaking*) w milczeniu; (*calmly*) spokojnie; **she's quietly confident** jest pewna siebie bez okazywania tego.

quietness ['kwaɪətnɪs] *n* (*peacefulness*) spokój *m*; (*silence*) cisza *f*.

quill [kwɪl] *n* (*pen*) gęsie pióro *nt*; (*of porcupine*) kolec *m*.

quilt [kwɪlt] *n* narzuta *f* (*na łóżko*); (*also*: **continental quilt**) kołdra *f*.

quin [kwɪn] (*BRIT*) *n abbr* = **quintuplet**.

quince [kwɪns] *n* pigwa *f*.

quinine [kwɪ'niːn] *n* chinina *f*.

quintet [kwɪn'tɛt] *n* kwintet *m*.

quintuplets [kwɪn'tjuːplɪts] *npl* pięcioraczki *pl*.

quip [kwɪp] *n* dowcipna uwaga *f* ♦ *vi*: ..., **he quipped.** ... – zażartował.

quire ['kwaɪə*] *n* libra *f* (*miara papieru*).

quirk [kwəːk] *n* dziwactwo *nt*; **a quirk of fate** kaprys losu.

quit [kwɪt] (*pt* **quit** *or* **quitted**) *vt* (*smoking, job*) rzucać (rzucić *perf*); (*premises*) opuszczać (opuścić *perf*) ♦ *vi* rezygnować (zrezygnować *perf*); **to quit doing sth** przestawać (przestać *perf*) coś robić; **quit stalling!** (*US*: *inf*) przestań kręcić! (*inf*); **notice to quit** (*BRIT*) wymówienie.

quite [kwaɪt] *adv* (*rather*) całkiem, dosyć *or* dość; (*entirely*) całkowicie, zupełnie; **it's not quite big enough** jest odrobinę za mały; **I quite like it** całkiem mi się podoba; **I quite understand** całkowicie rozumiem; **I don't quite remember** niezupełnie pamiętam; **not quite as many as the last time** trochę mniej niż ostatnio; **that dinner was quite something!** co to był za obiad!; **it was quite a sight** był to niezły widok; **quite a few** sporo; **quite (so)!** (no) właśnie!

Quito ['kiːtəu] *n* Quito *nt inv*.

quits [kwɪts] *adj*: **we're quits** jesteśmy kwita; **let's call it quits** niech będzie kwita.

quiver ['kwɪvə*] *vi* drżeć.

quiz [kwɪz] *n* (*game*) kwiz *m*, quiz *m* ♦ *vt* przepytywać (przepytać *perf*).

quizzical ['kwɪzɪkl] *adj* zagadkowy.

quoits [kwɔɪts] *npl* gra polegająca na zarzucaniu pierścieni na słupek.

quorum ['kwɔːrəm] *n* kworum *nt*.

quota ['kwəutə] *n* (*of imported goods*) kontyngent *m*; (*ration*) przydział *m*.

quotation [kwəu'teɪʃən] *n* (*from book etc*) cytat *m*; (*estimate*) wycena *f*; (*of shares*) notowanie *nt*.

quotation marks *npl* cudzysłów *m*.

quote [kwəut] *n* (*from book etc*) cytat *m*; (*estimate*) wycena *f* ♦ *vt* cytować (zacytować *perf*); (*price*) podawać (podać *perf*); **quotes** *npl* cudzysłów *m*; **in quotes** w cudzysłowie; **quote ... unquote** cytuję ... koniec cytatu.

quotient ['kwəuʃənt] *n* współczynnik *m*.

qv *abbr* (= *quod vide*) zob.

qwerty keyboard ['kwəːtɪ-] *n* klawiatura *f* QWERTY.

R,r

R[1], **r** [ɑː*] *n* (*letter*) R *nt*, r *nt*; **R for Robert**, (*US*) **R for Roger** ≈ R jak Roman.

R[2] *abbr* (= *Réaumur (scale)*) R; (*US*: *FILM*: = *restricted*) (od lat) 18.

R. *abbr* = **right** pr.; = **river** rz.; (*US*: *POL*) = **republican**; (*BRIT*: = *Rex*) Król *m*; (: = *Regina*) Królowa *f*.

RA *abbr (MIL)* = **rear admiral ♦** *n abbr*
(*BRIT*: = *Royal Academy*, = *Royal
Academician*).
RAAF *n abbr (MIL*: = *Royal Australian Air
Force*).
Rabat [rə'bɑːt] *n* Rabat *m*.
rabbi ['ræbaɪ] *n* rabin *m*.
rabbit ['ræbɪt] *n* królik *m* ♦ *vi (BRIT) (inf)*
(*also*: **to rabbit on**) `gędzić (inf)`.
rabbit hole *n* nora *f* królicza.
rabbit hutch klatka *f* dla królików.
rabble ['ræbl] *(pej) n* motłoch *m (pej)*.
rabid ['ræbɪd] *adj* wściekły; *(fig)* fanatyczny.
rabies ['reɪbiːz] *n* wścieklizna *f*.
RAC (*BRIT*) *n abbr* (= *Royal Automobile Club*).
raccoon [rə'kuːn] *n* szop *m* (pracz *m*).
race [reɪs] *n (species)* rasa *f*, *(competition)*
wyścig *m* ♦ *vt*: **to race horses/cars** *etc* brać
udział w wyścigach konnych/samochodowych
etc ♦ *vi (compete)* ścigać się; *(hurry)* pędzić
(popędzić *perf*), gnać (pognać *perf*); *(heart)*
bić szybko; *(engine)* pracować na
podwyższonych obrotach; **the human race**
rodzaj ludzki; **the arms race** wyścig zbrojeń;
a race against time wyścig z czasem; **to race
sb** *or* **against sb** ścigać się z kimś; **his pulse
raced** miał mocno przyśpieszony puls; **to
race in/out** wpadać (wpaść *perf*)/wypadać
(wypaść *perf*).
race car (*US*) *n* = **racing car**.
race car driver (*US*) *n* = **racing driver**.
racecourse ['reɪskɔːs] *n* tor *m* wyścigowy.
racehorse ['reɪshɔːs] *n* koń *m* wyścigowy.
race meeting *n* wyścigi *pl* konne.
race relations *npl* stosunki *pl* rasowe.
racetrack ['reɪstræk] *n (for people)* bieżnia *f*,
(*for cars*) tor *m* wyścigowy; *(US)* =
racecourse.
racial ['reɪʃl] *adj (discrimination, prejudice)*
rasowy; **racial equality** równouprawnienie ras.
racialism ['reɪʃlɪzəm] *n* rasizm *m*.
racialist ['reɪʃlɪst] *adj* rasistowski ♦ *n* rasista
(-tka) *m(f)*.
racing ['reɪsɪŋ] *n* wyścigi *pl*.
racing car (*BRIT*) *n* samochód *m* wyścigowy.
racing driver (*BRIT*) *n* kierowca *m* wyścigowy.
racism ['reɪsɪzəm] *n* rasizm *m*.
racist ['reɪsɪst] *adj* rasistowski ♦ *n* rasista
(-tka) *m(f)*.
rack [ræk] *n (also*: **luggage rack**) półka *f* (na
bagaż); *(also*: **roof rack**) bagażnik *m*
dachowy; *(for dresses)* wieszak *m*; *(for
dishes)* suszarka *f* ♦ *vt*: **racked by** (*pain,
anxiety*) dręczony *+instr*; *(doubts)* nękany
+instr; **to rack one's brains** łamać sobie
głowę; **magazine rack** stojak na czasopisma;
toast rack koszyczek na grzanki; **to go to
rack and ruin** *(building)* zamieniać się
(zamienić się *perf*) w ruinę; *(business)*
podupadać (podupaść *perf*).

racket ['rækɪt] *n (for tennis etc)* rakieta *f*,
(*noise*) hałas *m*; *(swindle)* kant *m*.
racketeer [rækɪ'tɪə*] *(esp US) n* kanciarz *m*.
racoon [rə'kuːn] *n* = **raccoon**.
racquet ['rækɪt] *n (for tennis etc)* rakieta *f*.
racy ['reɪsɪ] *adj (story etc)* pikantny.
RADA [rɑːdə] *(BRIT) n abbr* (= *Royal
Academy of Dramatic Art*).
radar ['reɪdɑː*] *n* radar *m* ♦ *cpd* radarowy.
radar trap *n* kontrola *f* radarowa.
radial ['reɪdɪəl] *adj* promienisty ♦ *n (AUT*: *also*:
radial tyre) opona *f* radialna; **radial roads**
drogi rozchodzące się promieniście.
radiance ['reɪdɪəns] *n* blask *m*.
radiant ['reɪdɪənt] *adj (smile)* promienny;
(*person*) rozpromieniony; *(PHYS*: *energy*)
promienisty; *(: element)* promieniujący.
radiate ['reɪdɪeɪt] *vt* promieniować,
wypromieniowywać (wypromieniować *perf*);
(fig) promieniować *+instr* ♦ *vi (lines, roads)*
rozchodzić się promieniście.
radiation [reɪdɪ'eɪʃən] *n* promieniowanie *nt*.
radiation sickness *n* choroba *f* popromienna.
radiator ['reɪdɪeɪtə*] *n (heater)* kaloryfer *m*;
(*AUT*) chłodnica *f*.
radiator cap *n* korek *m* chłodnicy.
radiator grill *n* okratowanie *nt* wlotu chłodnicy
radical ['rædɪkl] *adj* radykalny ♦ *n* radykał *m*.
radii ['reɪdɪaɪ] *npl of* **radius**.
radio ['reɪdɪəu] *n (broadcasting)* radio *nt*;
(*device*: *for receiving broadcasts*)
radioodbiornik *m*, radio *nt*; *(: for transmitting
and receiving*) radiostacja *f* ♦ *vi*: **to radio to
sb** łączyć się (połączyć się *perf*) z kimś
przez radio ♦ *vt (person)* łączyć się (połączyć
się *perf*) przez radio z *+instr*; *(information,
message)* nadawać (nadać *perf*) przez radio;
(*one's position*) podawać (podać *perf*) przez
radio; **on the radio** w radiu.
radio... ['reɪdɪəu] *pref* radio... .
radioactive ['reɪdɪəu'æktɪv] *adj*
promieniotwórczy, radioaktywny.
radioactivity ['reɪdɪəuæk'tɪvɪtɪ] *n (of substance)*
promieniotwórczość *f*, radioaktywność *f*;
(*radiation*) promieniowanie *nt*.
radio announcer *n* spiker(ka) *m(f)* radiowy
(-wa) *m(f)*.
radio-controlled ['reɪdɪəukən'trəuld] *adj*
sterowany radiowo.
radiographer [reɪdɪ'ɔgrəfə*] *n* technik *m*
rentgenowski.
radiography [reɪdɪ'ɔgrəfɪ] *n* radiografia *f*.
radiologist [reɪdɪ'ɔlədʒɪst] *n* radiolog *m*,
rentgenolog *m*.
radiology [reɪdɪ'ɔlədʒɪ] *n* radiologia *f*,
rentgenologia *f*.
radio station *n* stacja *f* radiowa.
radio taxi *n* radio-taxi *nt inv*.
radiotelephone ['reɪdɪəu'tɛlɪfəun] *n*
radiotelefon *m*.

dio telescope n radioteleskop m.

adiotherapist ['reɪdɪəu'θɛrəpɪst] n radioterapeuta (-tka) m(f).

adiotherapy ['reɪdɪəu'θɛrəpɪ] n radioterapia f.

adish ['rædɪʃ] n rzodkiewka f.

adium ['reɪdɪəm] n rad m.

adius ['reɪdɪəs] (pl **radii**) n promień m; **within a radius of 50 miles** w promieniu 50 mil; **from a 25-mile radius** z terenów w promieniu 25 mil.

AF (BRIT) n abbr = **Royal Air Force**.

affia ['ræfɪə] n rafia f.

affish ['ræfɪʃ] adj rozhukany.

affle ['ræfl] n loteria f fantowa ♦ vt wystawiać (wystawić perf) jako fant na loterii; **raffle ticket** los loterii fantowej.

aft [rɑːft] n (craft) tratwa f; (also: **life raft**) tratwa f ratunkowa.

after ['rɑːftə*] n krokiew f.

ag [ræg] n (piece of cloth) szmata f; (: small) szmatka f; (pej: newspaper) szmatławiec m (pej); (BRIT: SCOL) seria imprez studenckich, z których dochód przeznaczony jest na cele dobroczynne ♦ vt (BRIT) dokuczać +dat; **rags** npl łachmany pl; **in rags** (person) w łachmanach; (clothes) w strzępach; **a rags-to-riches story** historia zawrotnej kariery.

ag-and-bone man [rægən'bəun-] (BRIT) n handlarz m starzyzną, szmaciarz m (inf).

agbag ['rægbæg] n miszmasz m.

ag doll n szmaciana lalka f.

age [reɪdʒ] n wściekłość f ♦ vi (person) wściekać się; (storm) szaleć; (debate) wrzeć; **it's all the rage** to (jest) ostatni krzyk mody; **to fly into a rage** wpadać (wpaść perf) we wściekłość.

agged ['rægɪd] adj (edge, line) nierówny; (clothes) podarty; (person) obdarty; (beard) postrzępiony.

aging ['reɪdʒɪŋ] adj (sea) wzburzony; (storm) szalejący; (fever) bardzo wysoki; (thirst) dokuczliwy; (toothache) dotkliwy.

ag trade (inf) n: **the rag trade** przemysł m odzieżowy.

aid [reɪd] n (MIL) atak m; (by aircraft, police) nalot m; (by criminal) napad m ♦ vt (MIL) atakować; (by aircraft) dokonywać (dokonać perf) nalotu na +acc; (police) robić (zrobić perf) nalot na +acc; (criminal) napadać (napaść perf) na +acc.

ail [reɪl] n (on stairs, bridge) poręcz f; (on deck of ship) reling m; **rails** npl szyny pl; **by rail** koleją.

ailcard ['reɪlkɑːd] (BRIT) n legitymacja uprawniająca młodzież i emerytów do ulgowych przejazdów kolejowych.

ailing(s) ['reɪlɪŋ(z)] n(pl) płot m (z metalowych prętów).

ailroad ['reɪlrəud] (US) n = **railway**.

railway ['reɪlweɪ] (BRIT) n (system, company) kolej f; (track) linia f kolejowa.

railway engine (BRIT) n lokomotywa f.

railway line (BRIT) n linia f kolejowa.

railwayman ['reɪlweɪmən] (BRIT: irreg) n kolejarz m.

railway station (BRIT) n stacja f kolejowa.

rain [reɪn] n deszcz m ♦ vi: **it's raining** pada (deszcz); **in the rain** w or na deszczu; **it's raining cats and dogs** leje jak z cebra; **as right as rain** zdrów jak ryba.

rainbow ['reɪnbəu] n tęcza f.

rain check (US) n: **I'll take a rain check (on it)** może później skorzystam.

raincoat ['reɪnkəut] n płaszcz m przeciwdeszczowy.

raindrop ['reɪndrɔp] n kropla f deszczu.

rainfall ['reɪnfɔːl] n opad m or opady pl deszczu.

rainforest ['reɪnfɔrɪst] n tropikalny las m deszczowy.

rainproof ['reɪnpruːf] adj nieprzemakalny.

rainstorm ['reɪnstɔːm] n ulewa f.

rainwater ['reɪnwɔːtə*] n woda f deszczowa, deszczówka f.

rainy ['reɪnɪ] adj (day, season) deszczowy; (area) z dużą ilością opadów post; **to save sth for a rainy day** odkładać (odłożyć perf) coś na czarną godzinę.

raise [reɪz] n (esp US: payrise) podwyżka f ♦ vt (hand, one's voice, salary, question) podnosić (podnieść perf); (siege) zakańczać (zakończyć perf); (embargo) znosić (znieść perf); (objection) wnosić (wnieść perf); (doubts, hopes) wzbudzać (wzbudzić perf); (cattle, plant) hodować (wyhodować perf); (crop) uprawiać; (child) wychowywać (wychować perf); (funds, army) zbierać (zebrać perf); (loan) zaciągać (zaciągnąć perf); **to raise a glass to sb/sth** wznosić (wznieść perf) toast za kogoś/coś; **to raise a laugh/smile** wywoływać (wywołać perf) śmiech/uśmiech.

raisin ['reɪzn] n rodzynek m, rodzynka f.

Raj [rɑːdʒ] n: **the Raj** okres panowania brytyjskiego w Indiach.

rajah ['rɑːdʒə] n radża m.

rake [reɪk] n (tool) grabie pl; (old: person) hulaka m ♦ vt (person: soil, lawn) grabić (zagrabić perf); (: leaves) grabić (zgrabić perf); (gun) ostrzeliwać (ostrzelać perf); (searchlight) przeczesywać (przeczesać perf); **he's raking it in** (inf) robi duże pieniądze (inf)

rake-off ['reɪkɔf] (inf) n działka f (inf).

rally ['rælɪ] n (POL) wiec m; (AUT) rajd m; (TENNIS etc) wymiana f piłek ♦ vt (support) pozyskiwać (pozyskać perf); (public opinion, supporters) mobilizować (zmobilizować perf) ♦ vi (sick person) dochodzić (dojść perf) do

siebie; (*Stock Exchange*) zwyżkować, ożywiać
się (ożywić się *perf*).
►**rally round** *vi* łączyć (połączyć *perf*) siły ♦
vt fus skupiać się (skupić się *perf*) wokół
+*gen*.
rallying point ['rælɪŋ-] *n* punkt *m* zborny.
RAM [ræm] (*COMPUT*) *n abbr* = **random
access memory** RAM *m*.
ram [ræm] *n* baran *m* ♦ *vt* (*crash into*)
taranować (staranować *perf*); (*force into
place: post, stick*) wbijać (wbić *perf*); (: *bolt*)
zasuwać (zasunąć *perf*).
ramble ['ræmbl] *n* wędrówka *f*, (piesza)
wycieczka *f* ♦ *vi* (*walk*) wędrować; (*also:
ramble on*) mówić bez ładu i składu.
rambler ['ræmblə*] *n* (*walker*) turysta (-tka)
m(f) pieszy (-sza) *m(f)*; (*BOT*) pnącze *nt*.
rambling ['ræmblɪŋ] *adj* (*speech, letter*)
bezładny, chaotyczny; (*house*) chaotycznie
zbudowany; (*BOT*) pnący.
rambunctious [ræm'bʌŋkʃəs] (*US*) *adj* =
rumbustious.
RAMC (*BRIT*) *n abbr* (= *Royal Army Medical
Corps*).
ramifications [ræmɪfɪ'keɪʃənz] *npl*
konsekwencje *pl*, implikacje *pl*.
ramp [ræmp] *n* podjazd *m*; **on ramp** (*US*)
wjazd na autostradę; **off ramp** (*US*) zjazd z
autostrady.
rampage [ræm'peɪdʒ] *n*: **to be/go on the
rampage** siać zniszczenie ♦ *vi*: **they went
rampaging through the town** przeszli przez
miasto, siejąc zniszczenie.
rampant ['ræmpənt] *adj*: **to be rampant**
szerzyć się.
rampart ['ræmpɑːt] *n* wał *m* obronny.
ramshackle ['ræmʃækl] *adj* (*house*) walący
się; (*cart, table*) rozklekotany.
RAN *n abbr* (= *Royal Australian Navy*).
ran [ræn] *pt of* **run**.
ranch [rɑːntʃ] *n* ranczo *nt*, rancho *nt*.
rancher ['rɑːntʃə*] *n* (*owner*) ranczer *m*;
(*worker*) pomocnik *m* (na ranczo).
rancid ['rænsɪd] *adj* zjełczały.
rancour ['ræŋkə*] (*US* **rancor**) *n* nienawiść *f*.
random ['rændəm] *adj* (*arrangement, selection*)
przypadkowy; (*COMPUT, MATH*) losowy ♦ *n*:
at random na chybił trafił.
random access (*COMPUT*) *n* dostęp *m*
swobodny.
random access memory (*COMPUT*) *n*
pamięć *f* o dostępie swobodnym.
randy ['rændɪ] (*BRIT*: *inf*) *adj* napalony (*inf*).
rang [ræŋ] *pt of* **ring**.
range [reɪndʒ] *n* (*of mountains*) łańcuch *m*; (*of
missile*) zasięg *m*; (*of voice*) skala *f*; (*of
subjects, possibilities*) zakres *m*; (*of products*)
asortyment *m*; (*also:* **rifle range**) strzelnica *f*;
(*also:* **kitchen range**) piec *m* (kuchenny) ♦ *vt*
ustawiać (ustawić *perf*) w rzędzie ♦ *vi*: **to**

range over obejmować +*acc*; **to range from
... to ...** wahać się od +*gen* do +*gen*; **do you
have anything else in this price range?** czy
ma Pan/Pani coś jeszcze w tym przedziale
cenowym?; **within (firing) range** w zasięgu
strzału; **ranged right/left** (*text*) wysunięty w
prawo/lewo; **at close range** z bliska.
ranger ['reɪndʒə*] *n* strażnik *m* leśny.
Rangoon [ræŋ'guːn] *n* Rangun *m*.
rank [ræŋk] *n* (*row*) szereg *m*; (*status*) ranga *f*;
(*MIL*) stopień *m*; (*of society*) warstwa *f*;
(*BRIT*: *also:* **taxi rank**) postój *m* (taksówek) ♦
vi: **to rank as/among** zaliczać się do +*gen* ♦
vt: **he is ranked third** jest klasyfikowany na
trzecim miejscu ♦ *adj* (*stinking*) cuchnący;
(*sheer*) czysty; **the ranks** *npl* (*MIL*) szeregowi
(żołnierze) *pl*; **the rank and file** (*of
organization*) szeregowi członkowie; **to close
ranks** (*fig*) zwierać (zewrzeć *perf*) szeregi.
rankle ['ræŋkl] *vi*: **to rankle with sb** napełniać
kogoś goryczą.
ransack ['rænsæk] *vt* (*search*) przetrząsać
(przetrząsnąć *perf*); (*plunder*) plądrować
(splądrować *perf*).
ransom ['rænsəm] *n* okup *m*; **to hold to
ransom** trzymać *or* przetrzymywać w
charakterze zakładnika; (*fig*) stawiać (postawić
perf) w przymusowej sytuacji.
rant [rænt] *vi*: **to rant (and rave)** wygłaszać
(wygłosić *perf*) tyradę; (*angrily*) rzucać gromy.
ranting ['ræntɪŋ] *n* tyrada *f*.
rap [ræp] *vi* (*on door, table*) pukać (zapukać
perf), stukać (zastukać *perf*) ♦ *n* (*at door*)
pukanie *nt*, stukanie *nt*; (*also:* **rap music**) rap
m; **to receive a rap on** *or* **over the knuckles**
dostawać (dostać *perf*) po łapach (*fig*).
rape [reɪp] *n* (*crime*) gwałt *m*; (*BOT*) rzepak *m*
♦ *vt* gwałcić (zgwałcić *perf*).
rape(seed) oil ['reɪp(siːd)-] *n* olej *m*
rzepakowy.
rapid ['ræpɪd] *adj* (*growth, change*) gwałtowny;
(*heartbeat, steps*) (bardzo) szybki.
rapidity [rə'pɪdɪtɪ] *n* (*of growth, change*)
gwałtowność *f*; (*of movement*) szybkość *f*.
rapidly ['ræpɪdlɪ] *adv* (*grow, increase*)
gwałtownie; (*walk, move*) (bardzo) szybko.
rapids ['ræpɪdz] *npl* progi *pl* (*rzeczne*).
rapist ['reɪpɪst] *n* gwałciciel *m*.
rapport [ræ'pɔː*] *n* porozumienie *nt*, wzajemne
zrozumienie *nt*.
rapprochement [ræ'prɔʃmãːŋ] *n* zbliżenie *nt*.
rapt [ræpt] *adj* (*attention*) wytężony, napięty;
she was rapt in contemplation była
pogrążona w myślach.
rapture ['ræptʃə*] *n* zachwyt *m*; **to go into
raptures over** unosić się (unieść się *perf*) z
zachwytu nad +*instr*.
rapturous ['ræptʃərəs] *adj* (*applause*) pełen
zachwytu *or* uniesienia; (*welcome*)
entuzjastyczny.

rare [rɛə*] *adj* rzadki; (*steak*) krwisty; **it is
rare to ..** rzadko udaje się +*infin*.
rarebit [ˈrɛəbɪt] *n see* **Welsh rarebit**.
rarefied [ˈrɛərɪfaɪd] *adj* rozrzedzony; (*fig*)
elitarny, ekskluzywny.
rarely [ˈrɛəlɪ] *adv* rzadko.
raring [ˈrɛərɪŋ] *adj*: **they are raring to go** (*inf*)
palą się, żeby zacząć.
rarity [ˈrɛərɪtɪ] *n* rzadkość *f*.
rascal [ˈrɑːskl] *n* (*child*) łobuz *m*; (*rogue*)
łajdak *m*.
rash [ræʃ] *adj* pochopny ♦ *n* (*MED*) wysypka
f; (*of events, robberies*) seria *f*; **to come out
in a rash** dostawać (dostać *perf*) wysypki.
rasher [ˈræʃə*] *n* (*of bacon*) plasterek *m*.
rashly [ˈræʃlɪ] *adv* pochopnie.
rasp [rɑːsp] *n* (*tool*) tarnik *m*, raszpla *f*;
(*sound*) zgrzyt *m*, zgrzytanie *nt* ♦ *vt* chrypieć
(wychrypieć *perf*).
raspberry [ˈrɑːzbərɪ] *n* malina *f*; **to blow a
raspberry** (*inf*) prychać (prychnąć *perf*)
(pogardliwie).
rasping [ˈrɑːspɪŋ] *adj* zgrzytliwy.
rat [ræt] *n* szczur *m*.
ratable [ˈreɪtəbl] *adj* = **rateable**.
ratchet [ˈrætʃɪt] *n* mechanizm *m* zapadkowy;
ratchet wheel koło zapadkowe.
rate [reɪt] *n* (*pace*) tempo *nt*; (*ratio*)
współczynnik *m* ♦ *vt* (*value*) cenić; (*estimate*)
oceniać (ocenić *perf*); **rates** *npl*
(*BRIT: property tax*) podatek *m* od
nieruchomości; (*fees*) składki *pl*; (*prices*) ceny
pl; **to rate sb/sth as** uważać kogoś/coś za
+*acc*; **to rate sb/sth among** zaliczać (zaliczyć
perf) kogoś/coś do +*gen*; **at a rate of 60 kph**
z szybkością 60 km/h; **rate of
taxation/interest** stopa podatkowa/procentowa;
an eight per cent inflation rate
ośmioprocentowa stopa inflacji; **rate of
growth** (*ECON*) tempo wzrostu
gospodarczego; **rate of return** stopa zysku;
mortgage rate oprocentowanie kredytu
hipotecznego; **birth rate** współczynnik
urodzeń; **pulse rate** częstość tętna; **at this/that
rate** w tym tempie; (*fig*) w ten sposób; **at
any rate** w każdym razie.
rateable value [ˈreɪtəbl-] (*BRIT*) *n* wartość *f*
opodatkowana (*nieruchomości*).
ratepayer [ˈreɪtpeɪə*] (*BRIT*) *n* osoba *f* płacąca
podatek od nieruchomości.
rather [ˈrɑːðə*] *adv* dość, dosyć; **rather a lot**
trochę (za) dużo; **it's rather expensive** to
(jest) trochę (zbyt) drogie; **it's rather a pity**
trochę szkoda; **I would rather go** wolałabym
pójść; **I'd rather not say** wolałabym nie
mówić; **rather than** zamiast +*gen*; **or rather**
czy (też) raczej; **I rather think he won't come**
mam wrażenie, że (raczej) nie przyjdzie.
ratification [rætɪfɪˈkeɪʃən] *n* ratyfikacja *f*.
ratify [ˈrætɪfaɪ] *vt* ratyfikować (ratyfikować *perf*).

rating [ˈreɪtɪŋ] *n* (*score*) wskaźnik *m*;
(*assessment*) ocena *f*; (*NAUT: BRIT*)
marynarz *m*; **ratings** *npl* (*RADIO, TV*)
notowania *pl*.
ratio [ˈreɪʃɪəu] *n* stosunek *m*; **in the ratio of
five to one** w stosunku pięć do jednego; **a
high pupil/teacher ratio** duża liczba uczniów
przypadających na jednego nauczyciela.
ration [ˈræʃən] *n* przydział *m*, racja *f* ♦ *vt*
racjonować, wydzielać; **rations** *npl* (*MIL*) racje
pl żywnościowe.
rational [ˈræʃənl] *adj* racjonalny.
rationale [ræʃəˈnɑːl] *n* racjonalna podstawa *f*.
rationalization [ræʃnəlaɪˈzeɪʃən] *n*
racjonalizacja *f*.
rationalize [ˈræʃnəlaɪz] *vt* racjonalizować
(zracjonalizować *perf*).
rationally [ˈræʃnəlɪ] *adv* racjonalnie.
rationing [ˈræʃnɪŋ] *n* reglamentacja *f*.
rat poison *n* trutka *f* na szczury.
rat race *n*: **the rat race** wyścig *m* szczurów
(*bezkompromisowa walka o sukces*).
rattan [ræˈtæn] *n* rattan *m*.
rattle [ˈrætl] *n* (*of window*) stukanie *nt*; (*of
train*) turkot *m*; (*of engine*) stukot *m*; (*of
coins*) brzęk *m*; (*of chain*) szczęk *m*; (*for
baby*) grzechotka *f*; (*of snake*) grzechotanie *nt*
♦ *vi* (*window*) stukać; (*train*) turkotać
(zaturkotać *perf*); (*engine*) stukać (zastukać
perf); (*coins, bottles*) brzęczeć (zabrzęczeć
perf); (*chains*) szczękać (szczęknąć *perf*) ♦ *vt*
trząść (zatrząść *perf*) +*instr*; (*fig*) wytrącać
(wytrącić *perf*) z równowagi; **to rattle along**
przejeżdżać (przejechać *perf*) z turkotem.
rattlesnake [ˈrætlsneɪk] *n* grzechotnik *m*.
ratty [ˈrætɪ] (*inf*) *adj* nerwowy, popędliwy.
raucous [ˈrɔːkəs] *adj* (*voice, laughter*)
chrapliwy; (*party*) hałaśliwy.
raucously [ˈrɔːkəslɪ] *adv* hałaśliwie.
raunchy [ˈrɔːntʃɪ] *adj* seksowny (*inf*).
ravage [ˈrævɪdʒ] *vt* pustoszyć (spustoszyć *perf*).
ravages [ˈrævɪdʒɪz] *npl* spustoszenia *pl*.
rave [reɪv] *vi* (*in anger*) wrzeszczeć ♦ *adj*
(*inf: review*) entuzjastyczny ♦ *n*
(*BRIT: inf: dance*) impreza *f* (*inf*).
▶**rave about** zachwycać się +*instr*.
raven [ˈreɪvən] *n* kruk *m*.
ravenous [ˈrævənəs] *adj* (*person*) wygłodniały;
(*appetite*) wilczy.
ravine [rəˈviːn] *n* wąwóz *m*.
raving [ˈreɪvɪŋ] *adj*: **raving lunatic** skończony
wariat *m*.
ravings [ˈreɪvɪŋz] *npl* bełkot *m*.
ravioli [rævɪˈəulɪ] *n* ravioli *nt inv*.
ravishing [ˈrævɪʃɪŋ] *adj* olśniewający.
raw [rɔː] *adj* (*meat, cotton*) surowy; (*sugar*)
nierafinowany; (*wound*) otwarty; (*skin*)
obtarty; (: *from sun*) spalony;
(*person: inexperienced*) zielony (*inf*); (*day*)

przenikliwie zimny; **to get a raw deal** zostać *(perf)* źle potraktowanym.

Rawalpindi [rɔːlˈpɪndɪ] *n* Rawalpindi *nt inv.*

raw material *n* surowiec *m.*

ray [reɪ] *n* promień *m*; **ray of hope** promyk nadziei.

rayon [ˈreɪɔn] *n* sztuczny jedwab *m.*

raze [reɪz] *vt* (*also:* **raze to the ground**) zrównywać (zrównać *perf*) z ziemią.

razor [ˈreɪzə*] *n* brzytwa *f*, (*safety razor*) maszynka *f* do golenia; (*electric*) golarka *f* elektryczna, elektryczna maszynka *f* do golenia.

razor blade *n* żyletka *f.*

razzle [ˈræzl] (*BRIT: inf*) *n*: **to go on the razzle** iść (pójść *perf*) się zabawić.

razzmatazz [ˈræzməˈtæz] (*inf*) *n* pompa *f.*

R & B *n abbr* (= *rhythm and blues*).

R & D *n abbr* (= *research and development*) prace *pl* badawczo-rozwojowe.

R & R (*US: MIL*) *n abbr* (= *rest and recreation*).

RC *abbr* = **Roman Catholic** rz.-kat.

RCAF *n abbr* (= *Royal Canadian Air Force*).

RCMP *n abbr* (= *Royal Canadian Mounted Police*).

RCN *n abbr* (= *Royal Canadian Navy*).

RD (*US: POST*) *abbr* (= *rural delivery*).

Rd *abbr* = **road** ul.

RDC (*BRIT*) *n abbr* (= *rural district council*).

RE (*BRIT*) *n abbr* (*SCOL*: = *religious education*) religia *f*; (*MIL*: = *Royal Engineers*) *królewscy saperzy.*

re [riː] *prep* (*in letter*) dotyczy +*gen*, w sprawie +*gen.*

reach [riːtʃ] *n* zasięg *m* ♦ *vt* (*destination*) docierać (dotrzeć *perf*) do +*gen*; (*conclusion*) dochodzić (dojść *perf*) do +*gen*; (*decision*) podejmować (podjąć *perf*); (*age, agreement*) osiągać (osiągnąć *perf*); (*extend to*) sięgać (sięgnąć *perf*) do +*gen*, dochodzić (dojść *perf*) do +*gen*; (*be able to touch*) dosięgać (dosięgnąć *perf*) (do) +*gen*; (*by telephone*) kontaktować się (skontaktować się *perf*) (telefonicznie) z +*instr* ♦ *vi* wyciągać (wyciągnąć *perf*) rękę; **reaches** *npl* (*of river*) dorzecze *nt*; **within reach** osiągalny; **out of reach** nieosiągalny; **within (easy) reach of the shops/station** (bardzo) blisko sklepów/dworca; **beyond the reach of** (*fig*) poza zasięgiem +*gen*; **"keep out of the reach of children"** „chronić przed dziećmi"; **can I reach you at your hotel?** czy można się z tobą skontaktować w hotelu?

▸**reach out** *vt* wyciągać (wyciągnąć *perf*) ♦ *vi* wyciągać (wyciągnąć *perf*) rękę; **to reach out for sth** sięgać (sięgnąć *perf*) po coś.

react [riːˈækt] *vi* (*respond*): **to react (to)** reagować (zareagować *perf*) (na +*acc*); (*rebel*): **to react (against)** buntować się (zbuntować

się *perf*) (przeciwko +*dat*); (*CHEM*): **to react (with)** reagować (z +*instr*).

reaction [riːˈækʃən] *n* reakcja *f*; **reactions** *npl* (*reflexes*) reakcje *pl*; **a reaction against sth** bunt przeciwko czemuś.

reactionary [riːˈækʃənrɪ] *adj* reakcyjny ♦ *n* reakcjonista (-tka) *m(f).*

reactor [riːˈæktə*] *n* (*also:* **nuclear reactor**) reaktor *m* (jądrowy).

read [riːd] (*pt* **read**) *vi* (*person*) czytać; (*piece of writing*) brzmieć ♦ *vt* (*book*) czytać (przeczytać *perf*); (*sb's mood*) odgadywać (odgadnąć *perf*); (*sb's thoughts*) czytać w +*loc*; (*sb's lips*) czytać z +*gen*; (*meter etc*) odczytywać (odczytać *perf*); (*subject at university*) studiować; **do you read music?** czy umiesz czytać nuty?; **to read sb's mind** czytać w czyichś myślach; **to read between the lines** czytać między wierszami; **thermometers are reading 108 degrees in the shade** termometry wskazują czterdzieści dwa stopnie w cieniu; **to take sth as read** brać (wziąć *perf*) coś za pewnik; **do you read me?** (*TEL*) słyszysz mnie?; **to read sth into sb's remarks** doszukiwać się (doszukać się *perf*) czegoś w czyichś uwagach.

▸**read out** *vt* odczytywać (odczytać *perf*) (na głos).

▸**read over** *vt* czytać (przeczytać *perf*) jeszcze raz.

▸**read through** *vt* (*quickly*) czytać (przeczytać *perf*) pobieżnie; (*thoroughly*) czytać (przeczytać *perf*) uważnie.

▸**read up on** *vt fus* poczytać (*perf*) na temat +*gen.*

readable [ˈriːdəbl] *adj* (*legible*) czytelny; (*worth reading*) wart przeczytania.

reader [ˈriːdə*] *n* (*person*) czytelnik (-iczka) *m(f)*; (*book*) wypisy *pl*; (: *for children*) czytanka *f*, (*BRIT: at university*) *starszy wykładowca, niższy o stopień od profesora*; **he is an avid reader** bardzo lubi czytać.

readership [ˈriːdəʃɪp] *n* czytelnicy *pl.*

readily [ˈrɛdɪlɪ] *adv* (*accept, agree*) chętnie; (*available*) łatwo.

readiness [ˈrɛdɪnɪs] *n* gotowość *f*; **in readiness for** gotowy do +*gen.*

reading [ˈriːdɪŋ] *n* (*of books etc*) czytanie *nt*, lektura *f*, (*understanding*) rozumienie *nt*; (*literary event*) czytanie *nt*; (*on meter etc*) odczyt *m.*

reading lamp *n* lampka *f* na biurko.

reading matter *n* materiały *pl* do czytania.

reading room *n* czytelnia *f.*

readjust [riːəˈdʒʌst] *vt* (*knob, focus*) ustawiać (ustawić *perf*); (*instrument*) regulować (wyregulować *perf*) ♦ *vi*: **to readjust (to)** przystosowywać się (przystosować się) *perf* (do +*gen*).

readjustment [riːəˈdʒʌstmənt] *n* aklimatyzacja *f*

eady ['rɛdɪ] *adj* gotowy; (*easy*) łatwy ♦ *n*: **at the ready** (*MIL*) gotowy do strzału; (*fig*) w pogotowiu; **ready for use** gotowy do użycia; **to get ready** *vi* przygotowywać się (przygotować się *perf*) ♦ *vt* przygotowywać (przygotować *perf*).

eady cash *n* gotówka *f*.

eady-cooked ['rɛdɪkʊkt] *adj* gotowy.

eady-made ['rɛdɪ'meɪd] *adj* (*clothes*) gotowy.

eady-mix ['rɛdɪmɪks] *n* (*for cakes*) ciasto *nt* w proszku; (*concrete*) masa *f* betonowa prefabrykowana.

ready money *n* = ready cash.

ready reckoner [-'rɛkənə*] (*BRIT*) *n* tablice *pl* obliczeniowe *or* przeliczeniowe.

ready-to-wear ['rɛdɪtə'wɛə*] *adj*: **ready-to-wear clothes** konfekcja *f*.

reaffirm [ri:ə'fə:m] *vt* potwierdzać (potwierdzić *perf*).

reagent [ri:'eɪdʒənt] *n*: **chemical reagent** odczynnik *m* (chemiczny).

real [rɪəl] *adj* prawdziwy ♦ *adv* (*US*: *inf*) naprawdę; **in real life** w rzeczywistości; **in real terms** faktycznie.

real estate *n* nieruchomość *f* ♦ *cpd* (*US*): **real estate business** handel *m* nieruchomościami.

realism ['rɪəlɪzəm] *n* realizm *m*.

realist ['rɪəlɪst] *n* realista (-tka) *m(f)*.

realistic [rɪə'lɪstɪk] *adj* realistyczny.

reality [ri:'ælɪtɪ] *n* rzeczywistość *f*; **in reality** w rzeczywistości.

realization [rɪəlaɪ'zeɪʃən] *n* (*understanding*) uświadomienie *nt* sobie, zrozumienie *nt*; (*of dreams, hopes*) spełnienie *nt*; (*FIN*: *of asset*) upłynnienie *nt*.

realize ['rɪəlaɪz] *vt* (*understand*) uświadamiać (uświadomić *perf*) sobie, zdawać (zdać *perf*) sobie sprawę z +*gen*; (*dreams, hopes*) spełniać (spełnić *perf*); (*ambition, project*) realizować (zrealizować *perf*); (*amount, profit*) przynosić (przynieść *perf*); **I realize that ...** zdaję sobie sprawę (z tego), że ... .

really ['rɪəlɪ] *adv* naprawdę, rzeczywiście; **really?** naprawdę?; **really!** coś podobnego!

realm [rɛlm] *n* (*fig*: *field*) dziedzina *f*, sfera *f*; (*kingdom*) królestwo *nt*.

real-time ['ri:ltaɪm] (*COMPUT*) *adj*: **real-time processing** przetwarzanie *nt* w czasie rzeczywistym.

realtor ['rɪəltɔ:*] (*US*) *n* pośrednik *m* handlu nieruchomościami.

ream [ri:m] *n* (*of paper*) ryza *f*; **reams** (*inf*. *fig*) (całe) masy *pl*, stosy *pl*.

reap [ri:p] *vt* (*crop, rewards*) zbierać (zebrać *perf*); (*benefits*) czerpać.

reaper ['ri:pə*] *n* (*machine*) żniwiarka *f*.

reappear [ri:ə'pɪə*] *vi* pojawiać się (pojawić się *perf*) ponownie.

reappearance [ri:ə'pɪərəns] *n* ponowne pojawienie się *nt*.

reapply [ri:ə'plaɪ] *vi*: **to reapply for** ponownie ubiegać się o +*acc*.

reappoint [ri:ə'pɔɪnt] *vt* ponownie mianować (mianować *perf*).

reappraisal [ri:ə'preɪzl] *n* ponowna analiza *f* *or* ocena *f*.

rear [rɪə*] *adj* tylny ♦ *n* (*back*) tył *m*; (*buttocks*) tyłek *m* (*inf*) ♦ *vt* (*cattle, chickens*) hodować; (*children*) wychowywać (wychować *perf*) ♦ *vi* (*also*: **rear up**) stawać (stanąć *perf*) dęba.

rear admiral *n* kontradmirał *m*.

rear-engined ['rɪər'ɛndʒɪnd] (*AUT*) *adj* z silnikiem z tyłu *post*.

rearguard ['rɪəgɑ:d] *n* straż *f* tylna; **to fight a rearguard action** (*fig*) bronić straconych pozycji.

rearm [ri:'ɑ:m] *vt* (*country*) remilitaryzować (zremilitaryzować *perf*) ♦ *vi* remilitaryzować się (zremilitaryzować się *perf*).

rearmament [ri:'ɑ:məmənt] *n* remilitaryzacja *f*.

rearrange [ri:ə'reɪndʒ] *vt* (*furniture*) przestawiać (przestawić *perf*); (*meeting*) przekładać (przełożyć *perf*).

rear-view mirror ['rɪəvju:-] (*AUT*) *n* lusterko *nt* wsteczne.

reason ['ri:zn] *n* (*cause*) powód *m*, przyczyna *f*; (*rationality*) rozum *m*; (*common sense*) rozsądek *m* ♦ *vi*: **to reason with sb** przemawiać (przemówić *perf*) komuś do rozsądku; **the reason for** przyczyna *or* powód +*gen*; **the reason why ...** przyczyna, dla której ..., powód, dla którego ...; **to have reason to believe** mieć powód przypuszczać, że...; **it stands to reason that ...** jest zrozumiałe, że ...; **she claims with good reason that ...** twierdzi, nie bez powodu, że ...; **all the more reason why you should ...** tym bardziej powinieneś +*infin*; **within reason** w granicach (zdrowego) rozsądku.

reasonable ['ri:znəbl] *adj* (*person*) rozsądny; (*explanation, request*) sensowny; (*amount, price*) umiarkowany; (*not bad*) znośny; **be reasonable!** bądź rozsądny!

reasonably ['ri:znəblɪ] *adv* (*fairly*) dość, dosyć; (*sensibly*) rozsądnie.

reasoned ['ri:znd] *adj* racjonalny.

reasoning ['ri:znɪŋ] *n* rozumowanie *nt*.

reassemble [ri:ə'sɛmbl] *vt* ponownie montować (zmontować *perf*) ♦ *vi* zbierać się (zebrać się *perf*) ponownie.

reassert [ri:ə'sə:t] *vt* (*one's authority*) ponownie zaznaczać (zaznaczyć *perf*); **he will reassert himself as soon as he gets back** jak tylko wróci, znowu da nam odczuć swoją władzę.

reassurance [ri:ə'ʃuərəns] *n* (*comfort*) wsparcie *nt* (duchowe), otucha *f*; (*guarantee*) zapewnienie *nt*.

reassure [ri:ə'ʃuə*] vt dodawać (dodać perf) otuchy +dat.

reassuring [ri:ə'ʃuərɪŋ] adj dodający otuchy.

reawakening [ri:ə'weɪknɪŋ] n (of feeling, idea) odrodzenie się nt.

rebate ['ri:beɪt] n zwrot m nadpłaty.

rebel [n 'rɛbl, vb rɪ'bɛl] n (POL) rebeliant(ka) m(f); (against society, parents) buntownik (-iczka) m(f) ♦ vi buntować się (zbuntować się perf).

rebellion [rɪ'bɛljən] n (POL) rebelia f; (against society, parents) bunt m.

rebellious [rɪ'bɛljəs] adj (subject, child) nieposłuszny; (behaviour) buntowniczy.

rebirth [ri:'bə:θ] n odrodzenie się nt.

rebound [vb rɪ'baund, n 'ri:baund] vi odbijać się (odbić się perf) ♦ n: **on the rebound** (ball) odbity; **she married him on the rebound** wyszła za niego po przeżyciu zawodu miłosnego.

rebuff [rɪ'bʌf] n odtrącenie nt ♦ vt (person) odtrącać (odtrącić perf); (offer) odrzucać (odrzucić perf).

rebuild [ri:'bɪld] (irreg like build) vt odbudowywać (odbudować perf).

rebuke [rɪ'bju:k] vt karcić (skarcić perf), upominać (upomnieć perf) ♦ n upomnienie nt.

rebut [rɪ'bʌt] (fml) vt (criticism) odpierać (odeprzeć perf); (theory) obalać (obalić perf).

rebuttal [rɪ'bʌtl] (fml) n (of charges, criticism) odparcie nt.

recalcitrant [rɪ'kælsɪtrənt] adj krnąbrny.

recall [vb rɪ'kɔ:l, n 'ri:kɔl] vt (remember) przypominać (przypomnieć perf) sobie; (ambassador) odwoływać (odwołać perf); (product) wycofywać (wycofać perf) (ze sprzedaży) ♦ n (of past event) przypomnienie nt (sobie), przywołanie nt; (of ambassador etc) odwołanie nt; **parliament was recalled from recess** odwołano parlament z wakacji; **beyond recall** nieodwołalny.

recant [rɪ'kænt] vi kajać się (pokajać się perf); (REL) wypierać się (wyprzeć się perf) swojej wiary.

recap ['ri:kæp] vt rekapitulować (zrekapitulować perf) ♦ vi rekapitulować ♦ n rekapitulacja f.

recapitulate [ri:kə'pɪtjuleɪt] vt, vi = recap.

recapture [ri:'kæptʃə*] vt (town) odbijać (odbić perf); (escaped prisoner) ponownie ująć (perf); (atmosphere, mood) odtwarzać (odtworzyć perf).

rec'd (COMM) abbr (= received).

recede [rɪ'si:d] vi (tide) cofać się (cofnąć się perf); (lights) oddalać się (oddalić się perf); (hope) wygasać (wygasnąć perf); (memory) słabnąć (osłabnąć perf); (hair) rzednąć (na skroniach).

receding [rɪ'si:dɪŋ] adj cofnięty.

receipt [rɪ'si:t] n (for goods purchased) pokwitowanie nt, paragon m; (for parcel etc) dowód m nadania; (act of receiving) odbiór m; **receipts** npl (COMM) wpływy pl; **on receipt of** po otrzymaniu +gen; **in receipt of** otrzymujący +acc.

receivable [rɪ'si:vəbl] adj należny, przypadający do zapłaty.

receive [rɪ'si:v] vt (money, letter) otrzymywać (otrzymać perf); (injury) odnosić (odnieść perf); (criticism, acclaim) spotykać się (spotkać się perf) z +instr; (visitor) przyjmować (przyjąć perf); **to receive treatment** być leczonym; **on the receiving end (of)** narażony (na +acc); **"received with thanks"** (COMM) ≈ „potwierdzam odbiór".

receiver [rɪ'si:və*] n (TEL) słuchawka f; (RADIO, TV) odbiornik m; (of stolen goods) paser m; (COMM) syndyk m, zarządca m masy upadłościowej.

recent ['ri:snt] adj niedawny, ostatni; **in recent years** w ostatnich latach.

recently ['ri:sntlɪ] adv (not long ago) niedawno; (lately) ostatnio; **as recently as yesterday** zaledwie wczoraj; **it was discovered as recently as 1903** odkryto go dopiero w roku 1903; **until recently** do niedawna.

receptacle [rɪ'sɛptɪkl] n pojemnik m.

reception [rɪ'sɛpʃən] n (in hotel) recepcja f; (in office) portiernia f; (in hospital) rejestracja f; (party, welcome) przyjęcie nt; (RADIO, TV) odbiór m.

reception centre (BRIT) n schronisko nt dla bezdomnych.

reception desk n (in hotel) recepcja f; (in hospital, at doctor's) rejestracja f; (in large building, offices) portiernia f.

receptionist [rɪ'sɛpʃənɪst] n (in hotel) recepcjonista (-tka) m(f); (in doctor's surgery) rejestrator(ka) m(f).

receptive [rɪ'sɛptɪv] adj (person, attitude) otwarty.

recess [rɪ'sɛs] n (in room) nisza f, wnęka f; (secret place) zakamarek m; (of parliament) wakacje pl, przerwa f (między sesjami); (US: JUR, SCOL) przerwa f.

recession [rɪ'sɛʃən] n recesja f.

recharge [ri:'tʃɑ:dʒ] vt (battery) ponownie ładować (naładować perf).

rechargeable [ri:'tʃɑ:dʒəbl] adj: **rechargeable battery** akumulatorek m.

recipe ['rɛsɪpɪ] n (CULIN) przepis m; **a recipe for success** recepta na sukces.

recipient [rɪ'sɪpɪənt] n odbiorca (-czyni) m(f).

reciprocal [rɪ'sɪprəkl] adj obustronny, obopólny.

reciprocate [rɪ'sɪprəkeɪt] vt odwzajemniać (odwzajemnić perf) ♦ vi odwzajemniać się (odwzajemnić się perf).

recital [rɪ'saɪtl] n recital m.

recitation [rɛsɪ'teɪʃən] n recytacja f.

ecite [rɪ'saɪt] vt (poem) recytować (wyrecytować perf), deklamować (zadeklamować perf); (complaints, grievances) wyliczać (wyliczyć perf).

eckless ['rɛkləs] adj lekkomyślny; (driver, driving) nieostrożny.

ecklessly ['rɛkləslɪ] adv lekkomyślnie; (drive) nieostrożnie.

eckon ['rɛkən] vt (consider): **to reckon sb/sth to be** uznawać (uznać perf) kogoś/coś za +acc; (calculate) obliczać (obliczyć perf) ♦ vi: **he is somebody to be reckoned with** z nim trzeba się liczyć; **to reckon without sth** nie przewidzieć (perf) czegoś; **I reckon that ...** myślę, że ... .

►**reckon on** vt fus liczyć na +acc.

reckoning ['rɛknɪŋ] n obliczenia pl, kalkulacje pl; **the day of reckoning** czas porachunków.

reclaim [rɪ'l'leɪm] vt (luggage: at airport etc) odbierać (odebrać perf); (money) żądać (zażądać perf) zwrotu +gen; (land: from sea, forest) rekultywować (zrekultywować perf); (waste materials) utylizować (zutylizować perf).

reclamation [rɛklə'meɪʃən] n (of land) rekultywacja f.

recline [rɪ'klaɪn] vi układać się (ułożyć się perf) w pozycji półleżącej.

reclining [rɪ'klaɪnɪŋ] adj (seat) z opuszczanym oparciem post.

recluse [rɪ'klu:s] n odludek m.

recognition [rɛkəg'nɪʃən] n (of person, place) rozpoznanie nt; (of fact, achievement) uznanie nt; **in recognition of** w uznaniu (dla) +gen; **to gain recognition** zdobywać (zdobyć perf) (sobie) uznanie; **to change beyond recognition** zmieniać się (zmienić się perf) nie do poznania.

recognizable ['rɛkəgnaɪzəbl] adj rozpoznawalny.

recognize ['rɛkəgnaɪz] vt (person, place, voice) rozpoznawać (rozpoznać perf), poznawać (poznać perf); (sign, symptom) rozpoznawać (rozpoznać perf); (problem, need) uznawać (uznać perf) istnienie +gen; (achievement, government) uznawać (uznać perf); (qualifications) honorować; **to recognize sb by/as** rozpoznawać (rozpoznać perf) kogoś po +loc /jako +acc.

recoil [vb rɪ'kɔɪl, n 'ri:kɔɪl] vi: **to recoil (from)** odsuwać się (odsunąć się perf) (od +gen); (fig) wzdrygać się (wzdrygnąć się perf) (na widok +gen) ♦ n (of gun) odrzut m.

recollect [rɛkə'lɛkt] vt przypominać (przypomnieć perf) sobie.

recollection [rɛkə'lɛkʃən] n wspomnienie nt; **she had a flash of recollection** nagle sobie przypomniała; **to the best of my recollection** o ile sobie przypominam.

recommend [rɛkə'mɛnd] vt (book, person) polecać (polecić perf); (course of action) zalecać (zalecić perf); **she has a lot to recommend her** wiele przemawia na jej korzyść.

recommendation [rɛkəmɛn'deɪʃən] n (act of recommending) rekomendacja f; (suggestion to follow) zalecenie nt; **on the recommendation of** na wniosek +gen.

recommended retail price (BRIT: COMM) n sugerowana cena f detaliczna.

recompense ['rɛkəmpɛns] n rekompensata f.

reconcilable ['rɛkənsaɪləbl] adj: **to be reconcilable** dawać (dać perf) się pogodzić.

reconcile ['rɛkənsaɪl] vt godzić (pogodzić perf); **to reconcile o.s. to sth** godzić się (pogodzić się perf) z czymś.

reconciliation [rɛkənsɪlɪ'eɪʃən] n (of people) pojednanie nt; (of facts, beliefs) pogodzenie nt.

recondite [rɪ'kɔndaɪt] adj (knowledge) tajemny, ezoteryczny; (style) zawiły.

recondition [ri:kən'dɪʃən] vt (machine) remontować (wyremontować perf).

reconditioned [ri:kən'dɪʃənd] adj wyremontowany.

reconnaissance [rɪ'kɔnɪsns] n rozpoznanie nt, rekonesans m.

reconnoitre [rɛkə'nɔɪtə*] (US **reconnoiter**) vt przeprowadzać (przeprowadzić perf) rozpoznanie or rekonesans +gen.

reconsider [ri:kən'sɪdə*] vt (decision) rozważać (rozważyć perf) ponownie; (opinion) rewidować (zrewidować perf) ♦ vi zastanawiać się (zastanowić się perf) ponownie.

reconstitute [ri:'kɔnstɪtju:t] vt (organization) zawiązywać (zawiązać perf) ponownie; (committee, board) ukonstytuować (perf) ponownie; (dried food) doprowadzać do pierwotnej postaci przez dodanie wody.

reconstruct [ri:kən'strʌkt] vt (building, policy) odbudowywać (odbudować perf); (event, crime) rekonstruować (zrekonstruować perf), odtwarzać (odtworzyć perf).

reconstruction [ri:kən'strʌkʃən] n (of building, country) odbudowa f; (of crime) rekonstrukcja f.

record [n 'rɛkɔ:d, vb rɪ'kɔ:d] n (written account) zapis m; (of meeting) protokół m; (of attendance) lista f; (file) akta pl; (COMPUT, SPORT) rekord m; (MUS) płyta f; (history: of person, company) przeszłość f ♦ vt (events etc) zapisywać (zapisać perf); (temperature, speed, time) wskazywać; (voice, song) nagrywać (nagrać perf) ♦ adj rekordowy; **he has a criminal record** był wcześniej karany; **I need to have a record of this decision** muszę mieć tę decyzję na piśmie; **public records** archiwum państwowe; **to keep a record of** zapisywać or notować +acc; **to set** or **put the record straight** (fig) prostować (sprostować perf) nieścisłości; **he is on record as saying that ...** stwierdził publicznie, że...; **off the record** (statement) nieoficjalny; (speak) nieoficjalnie.

recorded delivery [rɪ'kɔːdɪd-] (*BRIT*) *n*: **send the letter (by) recorded delivery** wyślij list jako polecony.

recorder [rɪ'kɔːdə*] *n* (*MUS*) flet *m* prosty; (*JUR*) sędzia z określonymi uprawnieniami do orzekania w sprawach cywilnych i karnych.

record holder *n* rekordzista (-tka) *m(f)*.

recording [rɪ'kɔːdɪŋ] *n* nagranie *nt*.

recording studio *n* studio *nt* nagrań.

record library *n* płytoteka *f*.

record player *n* gramofon *m*.

recount [rɪ'kaunt] *vt* (*story*) opowiadać (opowiedzieć *perf*); (*event*) opowiadać (opowiedzieć *perf*) o +*loc*.

re-count [*n* 'riːkaunt, *vb* riː'kaunt] *n* ponowne przeliczenie *nt* ♦ *vt* przeliczać (przeliczyć *perf*) ponownie.

recoup [rɪ'kuːp] *vt* odzyskiwać (odzyskać *perf*); **to recoup one's losses** wynagradzać (wynagrodzić *perf*) sobie straty, powetować (*perf*) sobie szkody.

recourse [rɪ'kɔːs] *n*: **to have recourse to** uciekać się (uciec się *perf*) do +*gen*.

recover [rɪ'kʌvə*] *vt* odzyskiwać (odzyskać *perf*); (*from dangerous place etc*) wydobywać (wydobyć *perf*) ♦ *vi* (*from illness*) zdrowieć (wyzdrowieć *perf*); (*from shock, experience*) dochodzić (dojść *perf*) do siebie; (*economy, country*) wychodzić (wyjść *perf*) z kryzysu.

re-cover [riː'kʌvə*] *vt* (*chair etc*) zmieniać (zmienić *perf*) obicie +*gen*.

recovery [rɪ'kʌvərɪ] *n* (*from illness*) wyzdrowienie *nt*; (*in economy*) ożywienie *nt*; (*of sth stolen*) odzyskanie *nt*.

recreate [riːkrɪ'eɪt] *vt* odtwarzać (odtworzyć *perf*).

recreation [rɛkrɪ'eɪʃən] *n* rekreacja *f*.

recreational [rɛkrɪ'eɪʃənl] *adj* rekreacyjny.

recreational drug *n* narkotyk używany dla wprowadzenia się w stan odprężenia i nie powodujący uzależnienia.

recreational vehicle (*US*) *n* samochód *m* kempingowy.

recrimination [rɪkrɪmɪ'neɪʃən] *n* (*also pl*) wzajemne oskarżenia *pl*.

recruit [rɪ'kruːt] *n* (*MIL*) rekrut *m*; (*in company*) nowicjusz(ka) *m(f)* ♦ *vt* (*MIL*) rekrutować; (*staff*) przyjmować (przyjąć *perf*) (do pracy); (*new members*) werbować (zwerbować *perf*).

recruiting office [rɪ'kruːtɪŋ-] (*MIL*) *n* ≈ wojskowa komenda *f* uzupełnień.

recruitment [rɪ'kruːtmənt] *n* nabór *m*.

rectangle ['rɛktæŋgl] *n* prostokąt *m*.

rectangular [rɛk'tæŋgjulə*] *adj* prostokątny.

rectify ['rɛktɪfaɪ] *vt* naprawiać (naprawić *perf*).

rector ['rɛktə*] (*REL*) *n* proboszcz *m* (*w kościele anglikańskim*).

rectory ['rɛktərɪ] *n* probostwo *nt* (*w kościele anglikańskim*).

rectum ['rɛktəm] *n* odbytnica *f*.

recuperate [rɪ'kjuːpəreɪt] *vi* wracać (wrócić *perf*) do zdrowia.

recur [rɪ'kəː*] *vi* (*error, event*) powtarzać się (powtórzyć się *perf*); (*illness, pain*) nawracać.

recurrence [rɪ'kəːrns] *n* (*of error, event*) powtórzenie się *nt*; (*of illness, pain*) nawrót *m*.

recurrent [rɪ'kəːrnt] *adj* (*error, event*) powtarzający się; (*illness, pain*) nawracający.

recurring [rɪ'kəːrɪŋ] *adj* (*problem*) powracający; (*dream*) powtarzający się; (*MATH*) okresowy.

recycle [riː'saɪkl] *vt* przerabiać (przerobić *perf*) (*na surowce wtórne*).

red [rɛd] *n* (*colour*) (kolor *m*) czerwony, czerwień *f*; (*pej: POL*) czerwony (-na) *m(f)* ♦ *adj* czerwony; (*hair*) rudy; **I'm** *or* **my bank account is in the red** mam debet na koncie; **his business is in the red** jego firma ma deficyt.

red carpet treatment *n*: **to give sb the red carpet treatment** przyjmować (przyjąć *perf*) kogoś z (wielkimi) honorami.

Red Cross *n* Czerwony Krzyż *m*.

redcurrant ['rɛdkʌrənt] *n* czerwona porzeczka *f*.

redden ['rɛdn] *vt* zabarwiać (zabarwić *perf*) na czerwono ♦ *vi* czerwienić się (zaczerwienić się *perf*), poczerwienieć (*perf*).

reddish ['rɛdɪʃ] *adj* czerwonawy; (*hair*) rudawy.

redecorate [riː'dɛkəreɪt] *vt* (*building*) remontować (wyremontować *perf*); (*room*) odnawiać (odnowić *perf*) ♦ *vi* robić (zrobić *perf*) remont.

redecoration [riːdɛkə'reɪʃən] *n* (*of building*) remont *m*; (*of room*) odnowienie *nt*.

redeem [rɪ'diːm] *vt* (*situation, reputation*) ratować (uratować *perf*); (*sth in pawn*) wykupywać (wykupić *perf*); (*loan*) spłacać (spłacić *perf*); (*REL*) odkupić (*perf*); **to redeem oneself** zrehabilitować się (*perf*).

redeemable [rɪ'diːməbl] *adj* (*voucher, gift certificate*) wymienialny na gotówkę lub towar o określonej wartości.

redeeming [rɪ'diːmɪŋ] *adj*: **redeeming feature** *or* **quality** jedyna zaleta *f*; **with no redeeming qualities** pozbawiony jakichkolwiek zalet.

redemption [rɪ'dɛmʃən] *n* (*REL*) odkupienie *nt*; **past** *or* **beyond redemption** nie do uratowania, stracony.

redeploy [riːdɪ'plɔɪ] *vt* (*staff*) przegrupowywać (przegrupować *perf*); (*resources*) przerzucać (przerzucić *perf*).

redeployment [riːdɪ'plɔɪmənt] *n* (*of staff*) przegrupowanie *nt*; (*of resources*) przerzucenie *nt*.

redevelop [riːdɪ'vɛləp] *vt* modernizować (zmodernizować *perf*).

redevelopment [riːdɪ'vɛləpmənt] *n* modernizacja *f*.

red-handed [rɛd'hændɪd] *adj*: **to be caught**

red-handed zostawać (zostać *perf*) złapanym *or* przyłapanym na gorącym uczynku.

redhead ['rɛdhɛd] *n* rudzielec *m* (*inf*), rudy (-da) *m(f)*.

red herring *n* (*fig*) manewr *m* dla odwrócenia uwagi.

red-hot [rɛd'hɔt] *adj* rozgrzany do czerwoności.

redirect [ri:daɪ'rɛkt] *vt* (*mail*) przeadresowywać (przeadresować *perf*); (*traffic*) skierowywać (skierować *perf*) inną trasą.

rediscover [ri:dɪs'kʌvə*] *vt* odkrywać (odkryć *perf*) na nowo.

redistribute [ri:dɪs'trɪbju:t] *vt* dokonywać (dokonać *perf*) redystrybucji +*gen*.

red-letter day ['rɛdlɛtə-] *n* pamiętny dzień *m*.

red light (*AUT*) *n*: **to go through a red light** przejeżdżać (przejechać *perf*) na czerwonym świetle.

red-light district ['rɛdlaɪt-] *n* dzielnica *f* domów publicznych.

red meat *n* mięso, które po ugotowaniu staje się ciemnobrązowe, np. wołowina lub baranina.

redness ['rɛdnɪs] *n* (*of rose*) czerwień *f*; (*of face, eyes*) zaczerwienienie *nt*; (*of hair*) rudość *f*.

redo [ri:'du:] (*irreg like* do) *vt* przerabiać (przerobić *perf*).

redolent ['rɛdələnt] *adj*: **redolent of** (*sth pleasant*) (intensywnie) pachnący +*instr*; (*sth unpleasant*) cuchnący +*instr*; (*fig*) przywodzący na myśl +*acc*.

redouble [ri:'dʌbl] *vt* podwajać (podwoić *perf*).

redraft [ri:'drɑ:ft] *vt* przeredagowywać (przeredagować *perf*).

redress [rɪ'drɛs] *n* zadośćuczynienie *nt* ♦ *vt* (*error, wrong*) naprawiać (naprawić *perf*); **to redress the balance** przywracać (przywrócić *perf*) równowagę.

Red Sea *n*: **the Red Sea** Morze *nt* Czerwone.

redskin ['rɛdskɪn] (*old: offensive*) *n* czerwonoskóry *m*.

red tape *n* (*fig*) biurokracja *f*.

reduce [rɪ'dju:s] *vt* zmniejszać (zmniejszyć *perf*), redukować (zredukować *perf*); **to reduce sth by/to** redukować (zredukować *perf*) coś o +*acc*/do +*gen*; **to reduce sb to** (*tears*) doprowadzać (doprowadzić *perf*) kogoś do +*gen*; (*begging, stealing, silence*) zmuszać (zmusić *perf*) kogoś do +*gen*; **"reduce speed now"** ≈ ograniczenie prędkości.

reduced [rɪ'dju:st] *adj* (*goods*) przeceniony; **"greatly reduced prices"** „wielka obniżka cen".

reduction [rɪ'dʌkʃən] *n* (*in price, cost*) obniżka *f*; (*in numbers*) obniżenie *nt*, redukcja *f*.

redundancy [rɪ'dʌndənsɪ] (*BRIT*) *n* (*dismissal*) zwolnienie *nt* z pracy (*w sytuacji nadmiaru zatrudnienia*); (*unemployment*) bezrobocie *nt*; **compulsory/voluntary redundancy** przymusowe

zwolnienie/dobrowolne zwolnienie się z pracy (*w sytuacji nadmiaru zatrudnienia*).

redundancy payment (*BRIT*) *n* odprawa *f*.

redundant [rɪ'dʌndnt] *adj* (*BRIT: worker*) zwolniony; (*superfluous*) zbędny, zbyteczny; **he was made redundant** zwolnili go (z pracy).

reed [ri:d] *n* (*BOT*) trzcina *f*; (*MUS*) stroik *m*.

reedy ['ri:dɪ] *adj* (*voice*) piskliwy.

reef [ri:f] *n* rafa *f*.

reek [ri:k] *vi* (*smell*): **to reek (of)** cuchnąć (+*instr*); (*fig*): **to reek of** trącić *or* zalatywać +*instr*.

reel [ri:l] *n* (*of thread*) szpulka *f*; (*of film, tape*) szpula *f*; (*PHOT*) rolka *f*; (*on fishing-rod*) kołowrotek *m*; (*dance*) skoczny taniec szkocki lub irlandzki ♦ *vi* (*person*) zataczać się (zatoczyć się *perf*); **my head is reeling** w głowie mi się kręci.

▸**reel in** *vt* (*fish*) wyciągać (wyciągnąć *perf*) (*za pomocą kołowrotka*); (*line*) wybierać (wybrać *perf*) (*za pomocą kołowrotka*).

▸**reel off** *vt* recytować (wyrecytować *perf*) (na zawołanie).

re-election [ri:ɪ'lɛkʃən] *n* ponowny wybór *m*.

re-enter [ri:'ɛntə*] *vt* (*country*) powtórnie przekraczać (przekroczyć *perf*) granicę +*gen*; (*earth's atmosphere*) wchodzić (wejść *perf*) (powtórnie) w +*acc*.

re-entry [ri:'ɛntrɪ] *n* powtórne przekroczenie *nt* granicy; (*SPACE*) (powtórne) wejście *nt* w atmosferę.

re-examine [ri:ɪg'zæmɪn] *vt* (*possibility, proposal*) ponownie badać (zbadać *perf*); (*witness*) ponownie przesłuchiwać (przesłuchać *perf*).

re-export [*vb* 'ri:ɪks'pɔ:t, *n* ri:'ɛkspɔ:t] (*COMM*) *vt* reeksportować (reeksportować *perf*) ♦ *n* reeksport *m*.

ref [rɛf] (*SPORT: inf*) *n abbr* = **referee**.

ref. (*COMM*) *abbr* (= with reference to) dot.

refectory [rɪ'fɛktərɪ] *n* refektarz *m*.

refer [rɪ'fə:*] *vt*: **to refer sb to** (*book*) odsyłać (odesłać *perf*) kogoś do +*gen*; (*doctor, hospital, manager*) kierować (skierować *perf*) kogoś do +*gen*; **to refer the matter to** kierować (skierować *perf*) sprawę do +*gen*; **to refer the task to** przekazywać (przekazać *perf*) zadanie +*dat*.

▸**refer to** *vt fus* (*mention*) wspominać (wspomnieć *perf*) o +*loc*; (*relate to: name, number*) oznaczać +*acc*; (: *remark*) odnosić się do +*gen*; (*consult: dictionary etc*) korzystać (skorzystać *perf*) z +*gen*.

referee [rɛfə'ri:] *n* (*SPORT*) sędzia *m*; (*BRIT: for job application*) osoba *f* polecająca ♦ *vt* sędziować.

reference ['rɛfrəns] *n* (*mention*) wzmianka *f*; (*idea, phrase*) odniesienie *nt*; (*for job application: letter*) list *m* polecający; (: *person*) osoba *f* polecająca; **references** *npl* (*list of books*) bibliografia *f*; (*for job* *application*) referencje *pl*; **with reference to** (*in letter*) w nawiązaniu do +*gen*; **"please quote this reference"** (*COMM*) „proszę powoływać się na ten numer".

reference book *n* encyklopedia, słownik, leksykon *itp*.

reference library *n* księgozbiór *m* podręczny.

reference number *n* numer *m* porządkowy.

referenda [rɛfə'rɛndə] *npl of* **referendum**.

referendum [rɛfə'rɛndəm] (*pl* **referenda**) *n* referendum *nt*.

refill [*vb* ri:'fɪl, *n* 'ri:fɪl] *vt* powtórnie napełniać (napełnić *perf*) ♦ *n* (*for pen etc*) wkład *m*; **would you like a refill?** (*another drink*) może jeszcze jednego?

refine [rɪ'faɪn] *vt* (*sugar, oil*) rafinować; (*theory*) udoskonalać (udoskonalić *perf*).

refined [rɪ'faɪnd] *adj* (*person, taste*) wytworny, wykwintny; (*sugar, oil*) rafinowany.

refinement [rɪ'faɪnmənt] *n* (*of person*) wytworność *f*, wykwintność *f*; (*of system, ideas*) udoskonalenie *nt*.

refinery [rɪ'faɪnərɪ] *n* rafineria *f*.

refit [*n* ri:'fɪt, *vb* 'ri:fɪt] (*NAUT*) *n* remont *m* ♦ *vt* (*ship*) remontować (wyremontować *perf*).

reflate [ri:'fleɪt] *vt*: **to reflate the economy** powodować (spowodować *perf*) reflację, zwiększać (zwiększyć *perf*) podaż pieniądza.

reflation [ri:'fleɪʃən] *n* reflacja *f*, zwiększenie *nt* podaży pieniądza.

reflationary [ri:'fleɪʃnrɪ] *adj* powodujący reflację, zwiększający podaż pieniądza.

reflect [rɪ'flɛkt] *vt* (*light, image*) odbijać (odbić *perf*); (*fig: situation, attitude*) odzwierciedlać (odzwierciedlić *perf*) ♦ *vi* zastanawiać się (zastanowić się *perf*).

▶**reflect on** *vt fus* (*discredit*) stawiać (postawić *perf*) w złym świetle +*acc*.

reflection [rɪ'flɛkʃən] *n* odbicie *nt*; (*fig: of situation, attitude*) odzwierciedlenie *nt*; (: *thought*) zastanawianie się *nt*, refleksja *f*; **on reflection** po zastanowieniu; **reflection on** refleksja nad +*instr*.

reflector [rɪ'flɛktə*] *n* (*on car, bicycle*) światło *nt* odblaskowe; (*for light, heat*) reflektor *m*.

reflex ['ri:flɛks] *adj* odruch *m*; **reflexes** *npl* odruchy *pl*; **to have slow/quick reflexes** mieć słaby/szybki refleks.

reflexive [rɪ'flɛksɪv] (*LING*) *adj* zwrotny.

reform [rɪ'fɔ:m] *n* reforma *f* ♦ *vt* reformować (zreformować *perf*) ♦ *vi* poprawiać się (poprawić się *perf*).

reformat [ri:'fɔ:mæt] (*COMPUT*) *vt* ponownie formatować (sformatować *perf*).

Reformation [rɛfə'meɪʃən] *n*: **the Reformation** reformacja *f*.

reformatory [rɪ'fɔ:mətərɪ] (*US*) *n* zakład *m* poprawczy.

reformed [rɪ'fɔ:md] *adj* nawrócony na dobrą drogę.

refrain [rɪ'freɪn] *vi*: **to refrain from doing sth** powstrzymywać się (powstrzymać się *perf*) od (z)robienia czegoś ♦ *n* refren *m*.

refresh [rɪ'frɛʃ] *vt* (*drink*) orzeźwiać (orzeźwić *perf*); (*swim*) odświeżać (odświeżyć *perf*); (*sleep, rest*) pokrzepiać (pokrzepić *perf*); **to refresh sb's memory** odświeżać (odświeżyć *perf*) komuś pamięć.

refresher course [rɪ'frɛʃə-] *n* ≈ kurs *m* doskonalenia zawodowego.

refreshing [rɪ'frɛʃɪŋ] *adj* (*drink*) orzeźwiający; (*swim*) odświeżający; (*sleep, rest*) pokrzepiający; (*fact, idea etc*) pokrzepiający, krzepiący.

refreshment [rɪ'frɛʃmənt] *n* (*resting*) odpoczynek *m*.

refreshments [rɪ'frɛʃmənts] *npl* przekąski *pl* i napoje *pl*.

refrigeration [rɪfrɪdʒə'reɪʃən] *n* chłodzenie *nt*.

refrigerator [rɪ'frɪdʒəreɪtə*] *n* lodówka *f*, chłodziarka *f*.

refuel [ri:'fjuəl] *vt, vi* tankować (zatankować *perf*).

refuelling [ri:'fjuəlɪŋ] *n* tankowanie *nt*.

refuge ['rɛfju:dʒ] *n* schronienie *nt*; (*fig*) ucieczka *f*; **to take refuge in** chronić się (schronić się *perf*) w +*loc*; **he sought refuge in silence** szukał ucieczki w milczeniu.

refugee [rɛfju'dʒi:] *n* uchodźca *m*; **a political refugee** uchodźca polityczny.

refugee camp *n* obóz *m* dla uchodźców.

refund [*n* 'ri:fʌnd, *vb* rɪ'fʌnd] *n* zwrot *m* pieniędzy ♦ *vt* zwracać (zwrócić *perf*); **tax refund** zwrot nadpłaconego podatku.

refurbish [ri:'fə:bɪʃ] *vt* odnawiać (odnowić *perf*).

refurnish [ri:'fə:nɪʃ] *vt* zmieniać (zmienić *perf*) umeblowanie +*gen*.

refusal [rɪ'fju:zəl] *n* odmowa *f*; **first refusal** prawo pierwokupu.

refuse¹ [rɪ'fju:z] *vt* (*permission, consent*) odmawiać (odmówić *perf*) +*gen*; (*request*) odmawiać (odmówić *perf*) +*dat*; (*invitation, gift, offer*) odrzucać (odrzucić *perf*) ♦ *vi* odmawiać (odmówić *perf*); (*horse*) zatrzymywać się (zatrzymać się *perf*) przed przeszkodą; **to refuse to do sth** odmawiać (odmówić *perf*) zrobienia czegoś.

refuse² ['rɛfju:s] *n* odpadki *pl*, śmieci *pl*.

refuse collection *n* wywóz *m* śmieci.

refuse disposal *n* usuwanie *nt* odpadków.

refute [rɪ'fju:t] *vt* obalać (obalić *perf*).

regain [rɪ'geɪn] *vt* odzyskiwać (odzyskać *perf*).

regal ['ri:gl] *adj* królewski.

regale [rɪ'geɪl] *vt*: **to regale sb with sth** raczyć (uraczyć *perf*) kogoś czymś.

regalia [rɪ'geɪlɪə] *n* insygnia *pl*.

regard [rɪ'gɑ:d] *n* szacunek *m* ♦ *vt* (*consider*) uważać; (*view*) patrzeć na +*acc*; **to give one's regards to** przekazywać (przekazać *perf*) pozdrowienia +*dat*; **"with kindest regards"** „łączę naserdeczniejsze pozdrowienia"; **as**

regards, with regard to co do +*gen*, jeśli idzie o +*acc*.

regarding [rɪ'gɑːdɪŋ] *prep* odnośnie +*gen*.

regardless [rɪ'gɑːdlɪs] *adv* mimo to; **regardless of** bez względu na +*acc*.

regatta [rɪ'gætə] *n* regaty *pl*.

regency ['riːdʒənsɪ] *n* regencja *f* ♦ *adj*: **Regency chair/building** krzesło *nt*/budynek *m* z okresu Regencji (*w przypadku Anglii z lat 1811-20*).

regenerate [rɪ'dʒɛnəreɪt] *vt* (*inner cities, feelings*) ożywiać (ożywić *perf*); (*arts, democracy*) odradzać (odrodzić *perf*) ♦ *vi* (*BIO*) regenerować się (zregenerować się *perf*).

regent ['riːdʒənt] *n* regent(ka) *m(f)*.

regime [reɪ'ʒiːm] *n* reżim *m*.

regiment [*n* 'rɛdʒɪmənt, *vb* 'rɛdʒɪment] *n* (*MIL*) pułk *m* ♦ *vt* (*people*) poddawać (poddać *perf*) surowej dyscyplinie; (*system*) sprawować ścisłą kontrolę nad +*instr*.

regimental [rɛdʒɪ'mɛntl] *adj* pułkowy.

regimentation [rɛdʒɪmɛn'teɪʃən] *n* surowa dyscyplina *f*.

region ['riːdʒən] *n* (*of land*) okolica *f*, rejon *m*; (: *geographical*) region *m*; (: *administrative*) okręg *m*; (*of body*) okolica *f*; **in the region of** około +*gen*.

regional ['riːdʒənl] *adj* (*committee etc*) okręgowy; (*accent, foods*) regionalny.

regional development *n* rozwój *m* regionalny.

register ['rɛdʒɪstə*] *n* (*ADMIN, MUS, LING*) rejestr *m*; (*also*: **electoral register**) spis *m* wyborców; (*SCOL*) dziennik *m* ♦ *vt* rejestrować (zarejestrować *perf*); (*letter*) nadawać (nadać *perf*) jako polecony ♦ *vi* (*person: at hotel, for work*) meldować się (zameldować się *perf*); (: *at doctor's*) rejestrować się (zarejestrować się *perf*); (*amount, measurement*) zostać (*perf*) zarejestrowanym; **to register a protest** zgłaszać (zgłosić *perf*) sprzeciw; **I told them, but I don't think it registered** mówiłam im, ale chyba (do nich) nie dotarło.

registered ['rɛdʒɪstəd] *adj* (*letter*) polecony; (*drug addict, childminder*) zarejestrowany.

registered company (*COMM*) *n* spółka *f* akcyjna wpisana do rejestru.

registered nurse (*US*) *n* ≈ pielęgniarka (-arz) *f(m)* dyplomowana (-ny) *f(m)*.

register office *n* = **registry office**.

registered trademark *n* znak *m* handlowy prawnie zastrzeżony.

registrar ['rɛdʒɪstrɑː*] *n* (*in registry office*) urzędnik (-iczka) *m(f)* stanu cywilnego; (*in college, university*) sekretarz *m* uniwersytetu; (*BRIT: in hospital*) ≈ lekarz *m* specjalista *m*.

registration [rɛdʒɪs'treɪʃən] *n* rejestracja *f*.

registration number (*BRIT: AUT*) *n* numer *m* rejestracyjny.

registry ['rɛdʒɪstrɪ] *n* archiwum *nt*.

registry office (*BRIT*) *n* urząd *m* stanu cywilnego; **to get married in a registry office** brać (wziąć *perf*) ślub cywilny.

regret [rɪ'grɛt] *n* żal *m* ♦ *vt* (*decision, action*) żałować +*gen*; (*loss, death*) opłakiwać; (*inconvenience*) wyrażać (wyrazić *perf*) ubolewanie z powodu +*gen*; **with regret** z żalem; **to have no regrets (about)** wcale nie żałować (+*gen*); **to regret that** żałować, że; **we regret to inform you that ...** z żalem zawiadamiamy, że... .

regretfully [rɪ'grɛtfəlɪ] *adv* z żalem.

regrettable [rɪ'grɛtəbl] *adj* (*causing sadness*) godny ubolewania; (*causing disapproval*) pożałowania godny, żałosny.

regrettably [rɪ'grɛtəblɪ] *adv* (*drunk, late*) bardzo mocno; **regrettably, ...** niestety, ...

Regt (*MIL*) *abbr* = **regiment**.

regular ['rɛgjulə*] *adj* (*breathing, features, exercise, verb*) regularny; (*time, doctor, customer*) stały; (*soldier*) zawodowy; (*size*) normalny ♦ *n* (*in shop*) stały (-ła) *m(f)* klient(ka) *m(f)*; (*in pub etc*) stały (-ła) *m(f)* bywalec (-lczyni) *m(f)*.

regularity [rɛgju'lærɪtɪ] *n* regularność *f*.

regularly ['rɛgjuləlɪ] *adv* regularnie.

regulate ['rɛgjuleɪt] *vt* (*control*) kontrolować; (*adjust*) regulować.

regulation [rɛgju'leɪʃən] *n* (*control*) kontrola *f*; (*rule*) przepis *m*.

rehabilitate [riːə'bɪlɪteɪt] *vt* (*criminal*) resocjalizować (zresocjalizować *perf*); (*invalid, drug addict*) poddawać (poddać *perf*) rehabilitacji; (*politician, dissident*) rehabilitować (zrehabilitować *perf*).

rehabilitation ['riːəbɪlɪ'teɪʃən] *n* (*of criminal*) resocjalizacja *f*; (*of invalid, drug addict, politician*) rehabilitacja *f*.

rehash [riː'hæʃ] (*inf*) *vt* (*old ideas etc*) odgrzewać (*inf, pej*).

rehearsal [rɪ'həːsəl] *n* próba *f*; **dress rehearsal** próba generalna.

rehearse [rɪ'həːs] *vt* (*play*) robić (zrobić *perf*) próbę +*gen*, próbować (*inf*); (*dance, speech*) ćwiczyć.

rehouse [riː'hauz] *vt* przesiedlać (przesiedlić *perf*).

reign [reɪn] *n* (*of monarch*) panowanie *nt*; (*fig: of terror etc*) rządy *pl* ♦ *vi* (*lit, fig*) panować, rządzić.

reigning ['reɪnɪŋ] *adj* (*monarch*) panujący; (*champion*) aktualny.

reimburse [riːɪm'bəːs] *vt*: **to reimburse sb for sth** zwracać (zwrócić *perf*) komuś koszty czegoś, refundować (zrefundować *perf*) komuś coś.

rein [reɪn] *n*: **reins** (*for horse*) lejce *pl*; (*for toddler*) szelki *pl*; **to give sb free rein** (*fig*) dawać (dać *perf*) komuś wolną rękę; **to keep a tight rein on** (*fig*) trzymać krótko +*acc*.

reincarnation [riːɪnkɑː'neɪʃən] *n* (*belief*)

reinkarnacja *f*; (*person, animal*) (ponowne) wcielenie *nt*.

reindeer ['reɪndɪə*] *n inv* renifer *m*.

reinforce [riːɪn'fɔːs] *vt* (*object*) wzmacniać (wzmocnić *perf*); (*belief, prejudice*) umacniać (umocnić *perf*).

reinforced concrete *n* żelazobeton *m*.

reinforcement [riːɪn'fɔːsmənt] *n* (*of object*) wzmocnienie *nt*; (*of attitude, prejudice*) umocnienie *nt*; **reinforcements** *pl* (*MIL*) posiłki *pl*.

reinstate [riːɪn'steɪt] *vt* (*employee*) przywracać (przywrócić *perf*) do pracy; (*tax, law*) przywracać (przywrócić *perf*).

reinstatement [riːɪn'steɪtmənt] *n* (*of employee*) przywrócenie *nt* do pracy.

reissue [riː'ɪʃuː] *vt* (*book etc*) wznawiać (wznowić *perf*).

reiterate [riː'ɪtəreɪt] *vt* (wielokrotnie) powtarzać (powtórzyć *perf*).

reject [*n* 'riːdʒɛkt, *vb* rɪ'dʒɛkt] *n* (*COMM*) odrzut *m* ♦ *vt* odrzucać (odrzucić *perf*); (*machine: coin*) nie przyjmować (nie przyjąć *perf*) +*gen*.

rejection [rɪ'dʒɛkʃən] *n* odrzucenie *nt*.

rejoice [rɪ'dʒɔɪs] *vi*: **to rejoice at** *or* **over** radować się +*instr or* z +*gen*.

rejoinder [rɪ'dʒɔɪndə*] *n* replika *f*, riposta *f*.

rejuvenate [rɪ'dʒuːvəneɪt] *vt* (*person*) odmładzać (odmłodzić *perf*); (*organization, economy*) ożywiać (ożywić *perf*).

rekindle [riː'kɪndl] *vt* (*interest, emotion*) rozpalać (rozpalić *perf*) na nowo.

relapse [rɪ'læps] *n* (*MED*) nawrót *m* ♦ *vi*: **to relapse into** (*depression etc*) popadać (popaść *perf*) w +*acc*; **to relapse into silence** (ponownie) zamilknąć (*perf*).

relate [rɪ'leɪt] *vt* (*tell*) relacjonować (zrelacjonować *perf*); (*connect*) wiązać (powiązać *perf*) ♦ *vi*: **to relate to** (*other people*) nawiązywać (nawiązać *perf*) kontakt z +*instr*, znajdować (znaleźć *perf*) wspólny język z +*instr*; (*idea*) identyfikować się z +*instr*; (*subject, thing*) odnosić się do +*gen*.

related [rɪ'leɪtɪd] *adj* (*people, species*) spokrewniony; (*languages, words*) pokrewny; (*questions, issues*) powiązany.

relating to [rɪ'leɪtɪŋ-] *prep* związany z +*instr*, odnoszący się do +*gen*.

relation [rɪ'leɪʃən] *n* (*member of family*) krewny(na) *m(f)*; (*connection*) relacja *f*, związek *m*; **relations** *npl* (*dealings*) relacje *pl*, stosunki *pl*; (*relatives*) krewni *vir pl*; **diplomatic/international relations** stosunki dyplomatyczne/międzynarodowe; **in relation to** w stosunku do +*gen*; **to bear no relation to** nie mieć żadnego związku z +*instr*.

relationship [rɪ'leɪʃənʃɪp] *n* (*between two people*) stosunek *m*; (*between two countries*) stosunki *pl*; (*between two things*) związek *m*, powiązanie *nt*; (*affair*) związek *m*; **they have**

a good relationship stosunki między nimi dobrze się układają.

relative ['rɛlətɪv] *n* krewny(na) *m(f)* ♦ *adj* (*not absolute*) względny; (*comparative*) względny, stosunkowy; **relative to** w stosunku do +*gen*; **it's all relative** to wszystko jest względne.

relatively ['rɛlətɪvlɪ] *adv* względnie, stosunkowo.

relative pronoun *n* zaimek *m* względny.

relax [rɪ'læks] *vi* (*unwind*) odprężać się (odprężyć się *perf*), relaksować się (zrelaksować się *perf*); (*calm down*) uspokajać się (uspokoić się *perf*); (*muscle*) rozluźniać się (rozluźnić się *perf*) ♦ *vt* (*one's grip*) rozluźniać (rozluźnić *perf*); (*mind, person*) relaksować (zrelaksować *perf*); (*rule, control*) łagodzić (złagodzić *perf*).

relaxation [riːlæk'seɪʃən] *n* (*rest, recreation*) odprężenie *nt*, relaks *m*; (*of rule, control*) złagodzenie *nt*.

relaxed [rɪ'lækst] *adj* (*person*) odprężony, rozluźniony; (*atmosphere*) spokojny.

relaxing [rɪ'læksɪŋ] *adj* odprężający, relaksujący.

relay [*n* 'riːleɪ, *vb* rɪ'leɪ] *n* sztafeta *f* ♦ *vt* (*message, news*) przekazywać (przekazać *perf*); (*programme, broadcast*) transmitować.

release [rɪ'liːs] *n* (*from prison, obligation*) zwolnienie *nt*; (*of documents*) udostępnienie *nt*; (*of funds*) uruchomienie *nt*; (*of gas, water*) spuszczenie *nt*; (*of book, record*) wydanie *nt*; (*of film*) wejście *nt* na ekrany; (*TECH*) mechanizm *m* wyzwalający ♦ *vt* (*from prison, obligation, responsibility*) zwalniać (zwolnić *perf*); (*from wreckage etc*) uwalniać (uwolnić *perf*), wyswobadzać (wyswobodzić *perf*); (*gas etc*) spuszczać (spuścić *perf*); (*catch, brake*) zwalniać (zwolnić *perf*); (*film, record*) wypuszczać (wypuścić *perf*); (*report, news, figures*) publikować (opublikować *perf*); **a new release** (*record*) nowa płyta, nowy album; (*film*) nowy film; **on general release** na ekranach kin; *see also* **press release**.

relegate ['rɛləgeɪt] *vt* degradować (zdegradować *perf*); (*BRIT: SPORT*): **to be relegated** spadać (spaść *perf*) do niższej ligi; **part of the text can be relegated to the footnotes** część tekstu można przenieść do przypisów.

relent [rɪ'lɛnt] *vi* ustępować (ustąpić *perf*).

relentless [rɪ'lɛntlɪs] *adj* (*heat, noise*) bezustanny; (*person*) nieustępliwy.

relevance ['rɛləvəns] *n* (*of remarks, information*) odniesienie *nt*; (*of action, question*) doniosłość *f*; **the relevance of sth to** znaczenie czegoś dla +*gen*.

relevant ['rɛləvənt] *adj* (*information, question*) istotny; (*chapter*) odnośny; (*area*) dany; **to be relevant to** mieć związek z +*instr*.

reliability [rɪlaɪə'bɪlɪtɪ] *n* (*of person, firm*) solidność *f*; (*of method, machine*) niezawodność *f*.

eliable [rɪ'laɪəbl] *adj* (*person, firm*) solidny; (*method, machine*) niezawodny; (*information, source*) wiarygodny, pewny.

eliably [rɪ'laɪəblɪ] *adv*: **we are reliably informed that ...** posiadamy pewne informacje, że... .

eliance [rɪ'laɪəns] *n*: **reliance (on)** (*person*) poleganie *nt* (na +*loc*); (*drugs, financial support*) uzależnienie *nt* (od +*gen*).

eliant [rɪ'laɪənt] *adj*: **to be reliant on sth/sb** być zależnym od czegoś/kogoś.

elic ['rɛlɪk] *n* (*REL*) relikwia *f*; (*of the past*) relikt *m*.

elief [rɪ'liːf] *n* (*feeling*) ulga *f*; (*aid*) pomoc *f*; (*ART*) relief *m*, płaskorzeźba *f*; (*GEOL*) rzeźba *f* terenu; **relief driver** zmiennik (-iczka) *m(f)*; **light relief** (*THEAT*) lekki przerywnik; **a globe of the world in relief** globus plastyczny.

elief map *n* mapa *f* plastyczna.

elief road (*BRIT*) *n* objazd *m*.

elieve [rɪ'liːv] *vt* (*pain, fear*) łagodzić (złagodzić *perf*); (*colleague, guard*) zmieniać (zmienić *perf*), zluzowywać (zluzować *perf*); **to relieve sb of** (*load*) uwalniać (uwolnić *perf*) kogoś od +*gen*; (*duties, post*) zwalniać (zwolnić *perf*) kogoś z +*gen*; **to relieve o.s.** załatwiać się (załatwić się *perf*).

elieved [rɪ'liːvd] *adj*: **to be** *or* **feel relieved** odczuwać (odczuć *perf*) ulgę; **he was relieved that ...** ulżyło mu, że...; **I'm relieved to hear it** kamień spadł mi z serca.

eligion [rɪ'lɪdʒən] *n* religia *f*.

eligious [rɪ'lɪdʒəs] *adj* religijny.

eligiously [rɪ'lɪdʒəslɪ] *adv* sumiennie, skrupulatnie.

elinquish [rɪ'lɪŋkwɪʃ] *vt* (*authority*) zrzekać się (zrzec się *perf*) +*gen*; (*claim*) zaniechać (*perf*); rezygnować (zrezygnować *perf*) z +*gen*.

elish ['rɛlɪʃ] *n* (*CULIN*) przyprawa *f* smakowa (*sos, marynata itp*); (*enjoyment*) rozkosz *f* ♦ *vt* rozkoszować się +*instr*; **to relish doing sth** rozkoszować się robieniem czegoś; **she didn't relish the prospect of** nie była zachwycona perspektywą +*gen*.

elive [riː'lɪv] *vt* przeżywać (przeżyć *perf*) na nowo.

eload [riː'ləud] *vt* (*gun*) załadowywać (załadować *perf*).

elocate [riː'ləu'keɪt] *vt* przenosić (przenieść *perf*) ♦ *vi*: **to relocate (in)** przenosić się (przenieść się *perf*) (do +*gen*).

eluctance [rɪ'lʌktəns] *n* niechęć *f*.

eluctant [rɪ'lʌktənt] *adj* niechętny; **he was reluctant to go** nie miał ochoty iść.

eluctantly [rɪ'lʌktəntlɪ] *adv* niechętnie.

ely on [rɪ'laɪ-] *vt fus* (*be dependent on*) zależeć od +*gen*; (*trust*) polegać na +*loc*.

emain [rɪ'meɪn] *vi* (*stay*) zostawać (zostać *perf*); (*survive, continue to be*) pozostawać (pozostać *perf*); **to remain silent** zachowywać (zachować *perf*) milczenie; **much remains to**

be done pozostaje wiele do zrobienia; **the fact remains that ...** nie zmienia to faktu, że...; **that remains to be seen** to się dopiero okaże.

remainder [rɪ'meɪndə*] *n* reszta *f* ♦ *vt* wyprzedawać po bardzo niskiej cenie;

remaining [rɪ'meɪnɪŋ] *adj* pozostały.

remains [rɪ'meɪnz] *npl* (*of meal*) resztki *pl*; (*of building etc*) pozostałości *pl*; (*of body, corpse*) szczątki *pl*.

remand [rɪ'mɑːnd] *n*: **to be on remand** przebywać w areszcie śledczym ♦ *vt*: **to be remanded in custody** przebywać w areszcie śledczym.

remand home (*BRIT*) *n* ≈ izba *f* zatrzymań dla nieletnich.

remark [rɪ'mɑːk] *n* uwaga *f* ♦ *vi*: **to remark (that)** zauważać (zauważyć *perf*) (, że); **to remark on sth** robić (zrobić *perf*) uwagę na temat czegoś.

remarkable [rɪ'mɑːkəbl] *adj* nadzwyczajny, niezwykły.

remarry [riː'mærɪ] *vi* (*woman*) ponownie wychodzić (wyjść *perf*) za mąż; (*man*) ponownie się żenić (ożenić *perf*).

remedial [rɪ'miːdɪəl] *adj* (*tuition, classes*) wyrównawczy; (*exercise*) rehabilitacyjny, korekcyjny.

remedy ['rɛmədɪ] *n* lekarstwo *nt*; (*fig*) środek *m* ♦ *vt* (*situation*) zaradzać (zaradzić *perf*) +*dat*; (*mistake*) naprawiać (naprawić *perf*).

remember [rɪ'membə*] *vt* (*recall*) przypominać (przypomnieć *perf*) sobie; (*bear in mind*) pamiętać (zapamiętać *perf*); **remember me to him** pozdrów go ode mnie; **I remember seeing it, I remember having seen it** pamiętam, że to widziałem; **she remembered to call me** pamiętała, żeby do mnie zadzwonić.

remembrance [rɪ'membrəns] *n* (*memory*) pamięć *f*; (*souvenir*) pamiątka *f*; **in remembrance of sb** dla uczczenia czyjejś pamięci; **in remembrance of sth** na pamiątkę czegoś.

remind [rɪ'maɪnd] *vt*: **to remind sb of sth/to do sth** przypominać (przypomnieć *perf*) komuś o czymś/, żeby coś zrobił; **to remind sb that ...** przypominać (przypomnieć *perf*) komuś, że...; **she reminds me of my mother** przypomina mi moją matkę; **that reminds me!** à propos!

reminder [rɪ'maɪndə*] *n* (*of person, event*) przypomnienie *nt*; (*letter*) upomnienie *nt*.

reminisce [rɛmɪ'nɪs] *vi*: **to reminisce (about)** wspominać (+*acc*).

reminiscences [rɛmɪ'nɪsnsɪz] *npl* wspomnienia *pl*.

reminiscent [rɛmɪ'nɪsnt] *adj*: **to be reminiscent of sth** przypominać coś.

remiss [rɪ'mɪs] *adj* niedbały; **it was remiss of him** było to niedbalstwo z jego strony.

remission [rɪ'mɪʃən] *n* (*of prison sentence*) zmniejszenie *nt* kary; (*MED*) remisja *f*; (*REL: of sins*) odpuszczenie *nt*.

remit [rɪ'mɪt] *vt* (*money*) przesyłać (przesłać *perf*) ∮ *n* kompetencje *pl*, zakres *m* obowiązków.

remittance [rɪ'mɪtns] *n* przekaz *m* (pocztowy).

remnant ['rɛmnənt] *n* pozostałość *f*; (*of cloth*) resztka *f*.

remonstrate ['rɛmənstreɪt] *vi*: **to remonstrate (with sb about sth)** protestować (zaprotestować *perf*) (u kogoś z powodu czegoś).

remorse [rɪ'mɔːs] *n* wyrzuty *pl* sumienia.

remorseful [rɪ'mɔːsful] *adj* skruszony.

remorseless [rɪ'mɔːslɪs] *adj* (*noise, pain*) niemiłosierny.

remote [rɪ'məut] *adj* (*place, time*) odległy; (*person*) nieprzystępny; (*possibility, chance*) niewielki; **there is a remote possibility that ...** istnieją niewielkie szanse (na to), że... .

remote control *n* zdalne sterowanie *nt*.

remote-controlled [rɪ'məutkən'trəuld] *adj* zdalnie sterowany.

remotely [rɪ'məutlɪ] *adv*: **I'm not even remotely interested** nie jestem w najmniejszym stopniu zainteresowany.

remoteness [rɪ'məutnɪs] *n* (*of place*) oddalenie *nt*; (*of person*) nieprzystępność *f*.

remould ['riːməuld] (*BRIT: AUT*) *n* opona *f* powtórnie bieżnikowana.

removable [rɪ'muːvəbl] *adj* ruchomy.

removal [rɪ'muːvəl] *n* (*of object, stain, kidney*) usunięcie *nt*; (*from office*) zwolnienie *nt*; (*BRIT*) przewóz *m* mebli.

removal man (*irreg: BRIT*) *n* pracownik firmy *zajmującej się przewozem mebli*.

removal van (*BRIT*) *n* samochód *m* do przewozu mebli.

remove [rɪ'muːv] *vt* (*obstacle, stain, kidney*) usuwać (usunąć *perf*); (*employee*) zwalniać (zwolnić *perf*); (*plates, debris*) uprzątać (uprzątnąć *perf*); (*clothing, bandage*) zdejmować (zdjąć *perf*); **my first cousin once removed** mój kuzyn w pierwszej linii.

remover [rɪ'muːvə*] *n* (*for paint*) rozpuszczalnik *m*; (*for varnish*) zmywacz *m*; **stain remover** odplamiacz; **make-up remover** płyn do demakijażu.

remunerate [rɪ'mjuːnəreɪt] *vt* wynagradzać (wynagrodzić *perf*).

remuneration [rɪmjuːnə'reɪʃən] *n* wynagrodzenie *nt*.

Renaissance [rɪ'neɪsɑ̃ːs] *n*: **the Renaissance** Renesans *m*, Odrodzenie *nt*.

renal ['riːnl] (*MED*) *adj* nerkowy.

renal failure *n* niewydolność *f* nerek.

rename [riː'neɪm] *vt* przemianowywać (przemianować *perf*).

rend [rɛnd] (*pt* **rent**) *vt* rozdzierać (rozedrzeć *perf*).

render ['rɛndə*] *vt* (*assistance, aid*) udzielać (udzielić *perf*) +*gen*; (*account, bill*) przedkładać (przedłożyć *perf*); **to render sth possible/invisible** czynić (uczynić *perf*) coś możliwym/niewidzialnym; **to render sb/sth harmless** unieszkodliwiać (unieszkodliwić *perf*) kogoś/coś; **the blow rendered him unconscious** od uderzenia stracił przytomność.

rendering ['rɛndərɪŋ] (*BRIT*) *n* = **rendition**.

rendezvous ['rɔndɪvuː] *n* (*meeting*) spotkanie *nt* (*zwłaszcza potajemne*); (: *of lovers*) schadzka *f*; (*haunt*) (ulubione) miejsce *nt* spotkań ∮ *vi*: **to rendezvous (with sb)** spotykać się (spotkać się *perf*) (z kimś) w umówionym miejscu.

rendition [rɛn'dɪʃən] *n* wykonanie *nt*, interpretacja *f*.

renegade ['rɛnɪgeɪd] *n* renegat *m*, odstępca *m*.

renew [rɪ'njuː] *vt* (*efforts, attack*) ponawiać (ponowić *perf*); (*loan*) przedłużać (przedłużyć *perf*) (termin płatności +*gen*); (*negotiations*) podejmować (podjąć *perf*) na nowo; (*acquaintance, contract*) odnawiać (odnowić *perf*).

renewal [rɪ'njuːəl] *n* (*of hostilities etc*) wznowienie *nt*; (*of licence etc*) odnowienie *nt*, przedłużenie *nt* ważności.

renounce [rɪ'nauns] *vt* (*belief, course of action*) wyrzekać się (wyrzec się *perf*) +*gen*; (*right, title*) zrzekać się (zrzec się *perf*) +*gen*.

renovate ['rɛnəveɪt] *vt* odnawiać (odnowić *perf*), przeprowadzać (przeprowadzić *perf*) renowację +*gen*.

renovation [rɛnə'veɪʃən] *n* renowacja *f*.

renown [rɪ'naun] *n* sława *f*.

renowned [rɪ'naund] *adj* sławny.

rent [rɛnt] *pt, pp of* **rend** ∮ *n* czynsz *m* ∮ *vt* (*house, room*) wynajmować (wynająć *perf*); (*television, car*) wypożyczać (wypożyczyć *perf*)

rental ['rɛntl] *n* (*for television, car*) opłata *f* (*kwartalna, miesięczna*).

renunciation [rɪnʌnsɪ'eɪʃən] *n* (*of belief, course of action*) wyrzeczenie się *nt*; (*of right, title*) zrzeczenie się *nt*; (*self-denial*) umartwianie się *nt*

reopen [riː'əupən] *vt* (*shop etc*) otwierać (otworzyć *perf*) ponownie; (*negotiations etc*) wznawiać (wznowić *perf*).

reopening [riː'əupnɪŋ] *n* (*of shop*) ponowne otwarcie *nt*; (*of negotiations*) wznowienie *nt*.

reorder [riː'ɔːdə*] *vt* (*papers*) przekładać (przełożyć *perf*); (*furniture*) przestawiać (przestawić *perf*).

reorganization ['riːɔːgənaɪ'zeɪʃən] *n* reorganizacja *f*.

reorganize [riː'ɔːgənaɪz] *vt* reorganizować (zreorganizować *perf*).

Rep. (US: POL) abbr = **representative**; **republican**.

ep [rɛp] n abbr (COMM) = **representative**; THEAT) = **repertory**.

epair [rɪ'pɛə*] n naprawa f ♦ vt naprawiać (naprawić perf), reperować (zreperować perf); (building) remontować (wyremontować perf); **in good/bad repair** w dobrym/złym stanie; **beyond repair** nie do naprawy; **under repair** w naprawie.

epair kit n zestaw m naprawczy.

epair man (irreg like **man**) n mechanik m.

epair shop (AUT, ELEC) n warsztat m naprawczy.

epartee [rɛpɑ:'ti:] n (banter) przekomarzanie się nt; (riposte) cięta odpowiedź f.

epast [rɪ'pɑ:st] (fml) n posiłek m.

epatriate [ri:'pætrɪeɪt] vt repatriować.

epay [ri:'peɪ] (irreg like **pay**) vt (money) oddawać (oddać perf), zwracać (zwrócić perf); (person) zwracać (zwrócić perf) pieniądze +dat; (sb's efforts) być wartym +gen; (favour) odwdzięczać się (odwdzięczyć się perf) or rewanżować się (zrewanżować się perf) za +acc.

epayment [ri:'peɪmənt] n spłata f.

epeal [rɪ'pi:l] n uchylenie nt, zniesienie nt ♦ vt uchylać (uchylić perf), znosić (znieść perf).

epeat [rɪ'pi:t] n (RADIO, TV) powtórka f ♦ vt powtarzać (powtórzyć perf); (order) ponawiać (ponowić perf) ♦ vi powtarzać (powtórzyć perf); **repeat performance** powtórka; **repeat order** ponowne zamówienie; **to repeat o.s.** powtarzać się (powtórzyć się perf); **to repeat itself** powtarzać się (powtórzyć się perf).

epeatedly [rɪ'pi:tɪdlɪ] adv wielokrotnie.

epel [rɪ'pɛl] vt (drive away) odpierać (odeprzeć perf); (disgust) odpychać.

epellent [rɪ'pɛlənt] adj (appearance, smell) odpychający, odrażający; (idea, thought) odrażający, wstrętny ♦ n: **insect repellent** (also: **insect repellant**) środek m odstraszający owady.

epent [rɪ'pɛnt] vi: **to repent (of)** żałować (+gen).

epentance [rɪ'pɛntəns] n żal m, skrucha f.

epercussions [ri:pə'kʌʃənz] npl reperkusje pl.

epertoire ['rɛpətwɑ:*] n (MUS, THEAT) repertuar m; (fig) repertuar m, zakres m.

epertory ['rɛpətərɪ] n (also: **repertory theatre**) teatr m stały.

epertory company n zespół aktorów zatrudnionych w teatrze stałym.

epetition [rɛpɪ'tɪʃən] n (repeat) powtórzenie nt, powtórka f; (COMM: of order etc) ponowienie nt.

epetitious [rɛpɪ'tɪʃəs] adj zawierający powtórzenia.

epetitive [rɪ'pɛtɪtɪv] adj (movement) powtarzający się; (noise, work) monotonny; (speech) zawierający powtórzenia.

replace [rɪ'pleɪs] vt (put back) odkładać (odłożyć perf) (na miejsce); (take the place of) zastępować (zastąpić perf); **to replace sth with sth else** zastępować (zastąpić perf) coś czymś innym; **"replace the receiver"** (TEL) „odłóż słuchawkę".

replacement [rɪ'pleɪsmənt] n (substitution) zastąpienie nt; (substitute) zastępca (-czyni) m(f).

replacement part n część f zamienna.

replay [n 'ri:pleɪ, vb ri:'pleɪ] n powtórny mecz m ♦ vt (game) rozgrywać (rozegrać perf) powtórnie; (track, song) odtwarzać (odtworzyć perf).

replenish [rɪ'plɛnɪʃ] vt (glass) dopełniać (dopełnić perf); (stock etc) uzupełniać (uzupełnić perf).

replete [rɪ'pli:t] adj syty; **replete with** pełen +gen.

replica ['rɛplɪkə] n kopia f, replika f.

reply [rɪ'plaɪ] n odpowiedź f ♦ vi odpowiadać (odpowiedzieć perf); **in reply to** w odpowiedzi na +acc; **there's no reply** (TEL) nikt nie odpowiada.

reply coupon n odcinek m na odpowiedź.

report [rɪ'pɔ:t] n (account) sprawozdanie nt, raport m; (PRESS, TV etc) doniesienie nt, relacja f; (BRIT: also: **school report**) świadectwo nt (szkolne); (of gun) huk m ♦ vt (state) komunikować (zakomunikować perf); (PRESS, TV etc) relacjonować (zrelacjonować perf); (casualties, damage etc) donosić (donieść perf) o +loc, odnotowywać (odnotować perf); (bring to notice: theft, accident) zgłaszać (zgłosić perf); (: person) donosić (donieść perf) na +acc ♦ vi sporządzać (sporządzić perf) raport; **to report to sb** (present o.s. to) zgłaszać się (zgłosić się perf) do kogoś; (be responsible to) podlegać komuś; **to report on sth** składać (złożyć perf) raport z czegoś; **to report sick** zgłaszać (zgłosić perf) niezdolność do pracy z powodu choroby; **it is reported that ...** mówi się, że ... .

report card (US, SCOTTISH) n świadectwo nt szkolne.

reportedly [rɪ'pɔ:tɪdlɪ] adv podobno; **he reportedly ordered them to ...** podobno kazał im +infin.

reported speech (LING) n mowa f zależna.

reporter [rɪ'pɔ:tə*] n reporter(ka) m(f).

repose [rɪ'pəuz] n: **in repose** (face, mouth) podczas spoczynku.

repository [rɪ'pɔzɪtərɪ] n (person: of knowledge) kopalnia f; (: of secrets) powiernik (-iczka) m(f); (place) składnica f.

repossess ['ri:pə'zɛs] vt (goods, building) przejmować (przejąć perf).

reprehensible [rɛprɪ'hɛnsɪbl] adj naganny.

represent [rɛprɪ'zɛnt] vt (person, nation, view) reprezentować; (symbolize: word, object) przedstawiać (przedstawić perf); (: idea, emotion) być symbolem +gen; (constitute)

stanowić; **to represent sth as** przedstawiać
(przedstawić *perf*) coś jako +*acc*.
representation [rɛprɪzɛn'teɪʃən] *n* (*state of
being represented*) reprezentacja *f*; (*picture,
statue*) przedstawienie *nt*; **representations** *npl*
zażalenia *pl*.
representative [rɛprɪ'zɛntətɪv] *n*
przedstawiciel(ka) *m(f)*; (*US: POL*) członek
*izby niższej Kongresu federalnego lub
jednego z kongresów stanowych* ♦ *adj*
reprezentatywny; **representative of**
reprezentatywny dla +*gen*.
repress [rɪ'prɛs] *vt* (*people*) utrzymywać
(utrzymać *perf*) w ryzach, poskramiać
(poskromić *perf*); (*revolt*) tłumić (stłumić *perf*);
(*feeling, impulse*) tłumić (stłumić *perf*),
pohamowywać (pohamować *perf*); (*desire*)
powstrzymywać (powstrzymać *perf*),
pohamowywać (pohamować *perf*).
repression [rɪ'prɛʃən] *n* (*of people, country*)
ucisk *m*; (*of feelings*) tłumienie *nt*.
repressive [rɪ'prɛsɪv] *adj* represyjny.
reprieve [rɪ'priːv] *n* (*JUR*) ułaskawienie *nt*; (*fig*)
ulga *f* ♦ *vt* (*JUR*) ułaskawiać (ułaskawić *perf*).
reprimand ['rɛprɪmɑːnd] *n* nagana *f*,
reprymenda *f* ♦ *vt* ganić (zganić *perf*),
udzielać (udzielić *perf*) nagany +*dat*.
reprint [*n* 'riːprɪnt, *vb* riː'prɪnt] *n* przedruk *m*,
wznowienie *nt* ♦ *vt* przedrukowywać
(przedrukować *perf*), wznawiać (wznowić *perf*).
reprisal [rɪ'praɪzl] *n* odwet *m*; **reprisals** *npl*
czyny *pl or* środki *pl* odwetowe; **to take
reprisals** stosować (zastosować *perf*) środki
odwetowe.
reproach [rɪ'prəʊtʃ] *n* wyrzut *m* ♦ *vt*: **to
reproach sb for sth** wyrzucać komuś coś;
beyond reproach bez zarzutu; **to reproach sb
with sth** zarzucać (zarzucić *perf*) komuś coś.
reproachful [rɪ'prəʊtʃful] *adj* pełen wyrzutu.
reproduce [riːprə'djuːs] *vt* (*copy*) powielać
(powielić *perf*); (*in newspaper etc*)
publikować (opublikować *perf*); (*sound*)
naśladować ♦ *vi* rozmnażać się (rozmnożyć
się *perf*).
reproduction [riːprə'dʌkʃən] *n* (*copy*)
powielenie *nt*; (*in newspaper*) opublikowanie
nt; (*of sound*) odtwarzanie *nt*; (*of painting*)
reprodukcja *f*; (*BIO*) rozmnażanie się *nt*.
reproductive [riːprə'dʌktɪv] *adj* rozrodczy.
reproof [rɪ'pruːf] *n* nagana *f*, **with reproof** z
naganą.
reprove [rɪ'pruːv] *vt* ganić (zganić *perf*); **to
reprove sb for sth** ganić (zganić *perf*) kogoś
za coś.
reproving [rɪ'pruːvɪŋ] *adj* pełen wyrzutu.
reptile ['rɛptaɪl] *n* gad *m*.
Repub. (*US: POL*) *abbr* = **republican**.
republic [rɪ'pʌblɪk] *n* republika *f*.
republican [rɪ'pʌblɪkən] *adj* republikański ♦ *n*

republikanin (-anka) *m(f)*; (*US: POL*):
Republican Republikanin (-anka) *m(f)*.
repudiate [rɪ'pjuːdɪeɪt] *vt* (*accusation*) odrzucać
(odrzucić *perf*); (*violence*) wyrzekać się
(wyrzec się *perf*) +*gen*, odcinać się (odciąć
się *perf*) od +*gen*; (*friend, wife etc*) wypierać
się (wyprzeć się *perf*) +*gen*.
repugnance [rɪ'pʌgnəns] *n* wstręt *m*, odraza *f*.
repugnant [rɪ'pʌgnənt] *adj* wstrętny, odrażający.
repulse [rɪ'pʌls] *vt* (*drive back*) odpierać
(odeprzeć *perf*); (*repel*) napełniać (napełnić
perf) odrazą.
repulsion [rɪ'pʌlʃən] *n* wstręt *m*, odraza *f*.
repulsive [rɪ'pʌlsɪv] *adj* odpychający.
reputable ['rɛpjutəbl] *adj* szanowany, cieszący
się poważaniem.
reputation [rɛpju'teɪʃən] *n* reputacja *f*, renoma
f, **to have a reputation for** być znanym z
+*gen*; **he has a reputation for being awkward**
jest znany ze swej niezdarności.
repute [rɪ'pjuːt] *n*: **of repute** renomowany; **to
be held in high repute** cieszyć się znakomitą
renomą.
reputed [rɪ'pjuːtɪd] *adj* rzekomy; **he is reputed
to be rich** podobno jest bogaty.
reputedly [rɪ'pjuːtɪdlɪ] *adv* rzekomo.
request [rɪ'kwɛst] *n* (*polite*) prośba *f*; (*fml*)
wniosek *m*; (*RADIO*) życzenie *nt* ♦ *vt* prosić
(poprosić *perf*) o +*acc*; **Mr and Mrs Oliver
Barrett request the pleasure of your company**
Państwo Barrettowie mają przyjemność
zaprosić Pana/Panią; **at the request of** na
prośbę +*gen*; **"you are requested not to
smoke"** „prosimy o niepalenie".
request stop (*BRIT*) *n* przystanek *m* na żądanie.
requiem ['rɛkwɪəm] *n* (*REL*: *also*: **requiem
mass**) msza *f* żałobna; (*MUS*) requiem *nt inv*,
rekwiem *nt inv*.
require [rɪ'kwaɪə*] *vt* (*need*: *person*)
potrzebować +*gen*, życzyć (zażyczyć *perf*)
sobie +*gen*; (: *thing, situation*) wymagać +*gen*;
(*demand*) wymagać +*gen*; **to require sb to do
sth** wymagać od kogoś, by coś zrobił; **if
required** w razie potrzeby; **what qualifications
are required?** jakie kwalifikacje są wymagane
required [rɪ'kwaɪəd] *adj* wymagany; **required
by law** wymagany przez prawo.
requirement [rɪ'kwaɪəmənt] *n* (*need*) potrzeba
f, (*condition*) wymaganie *nt*; **to meet sb's
requirements** odpowiadać czyimś wymaganion
requisite ['rɛkwɪzɪt] *adj* wymagany; **requisites**
npl (*COMM*): **toilet/travel requisites** przybory
pl toaletowe/do podróży.
requisition [rɛkwɪ'zɪʃən] *n*: **requisition (for)**
zapotrzebowanie *nt* (na +*acc*) ♦ *vt* (*MIL*)
rekwirować (zarekwirować *perf*).
reroute [riː'ruːt] *vt* kierować (skierować *perf*)
inną trasą.
resale [riː'seɪl] *n* odsprzedaż *f*, **"not for resale"**
„egzemplarz bezpłatny".

resale price maintenance (*COMM*) *n* utrzymanie *nt* ceny przy odsprzedaży.

rescind [rɪ'sɪnd] *vt* (*law*) uchylać (uchylić *perf*); (*decision, agreement*) unieważniać (unieważnić *perf*); (*order*) odwoływać (odwołać *perf*).

rescue ['rɛskjuː] *n* (*help*) ratunek *m*; (*from drowning etc*) akcja *f* ratownicza ♦ *vt* ratować (uratować *perf*); **to come to sb's rescue** przychodzić (przyjść *perf*) komuś na ratunek.

rescue party *n* ekipa *f* ratownicza.

rescuer ['rɛskjuə*] *n* ratownik (-iczka) *m(f)*.

research [rɪ'səːtʃ] *n* badanie *nt or* badania *pl* (naukowe) ♦ *vt* badać (zbadać *perf*) ♦ *vi*: **to research (into sth)** prowadzić badania (+*gen*); **to do research** prowadzić badania; **a piece of research** praca badawcza; **research and development** prace badawczo-rozwojowe.

researcher [rɪ'səːtʃə*] *n* badacz(ka) *m(f)*.

research work *n* praca *f* naukowo-badawcza.

research worker *n* pracownik *m* naukowy.

resell [riː'sɛl] (*irreg like* **sell**) *vt* odsprzedawać (odsprzedać *perf*).

resemblance [rɪ'zɛmbləns] *n* podobieństwo *nt*; **to bear a strong resemblance to** być bardzo podobnym do +*gen*, bardzo przypominać +*acc*; **it bears no resemblance to ...** to w ogóle nie przypomina +*gen*.

resemble [rɪ'zɛmbl] *vt* przypominać, być podobnym do +*gen*.

resent [rɪ'zɛnt] *vt* (*attitude, treatment*) czuć się urażonym +*instr*, oburzać się na +*acc*; (*person*) odczuwać urazę do +*gen*.

resentful [rɪ'zɛntful] *adj* urażony, pełen urazy.

resentment [rɪ'zɛntmənt] *n* uraza *f*.

reservation [rɛzə'veɪʃən] *n* (*booking*) rezerwacja *f*, (*doubt*) zastrzeżenie *nt*; (*land*) rezerwat *m*; **to make a reservation** robić (zrobić *perf*) rezerwację; **with reservation(s)** z (pewnymi) zastrzeżeniami.

reservation desk (*US*) *n* recepcja *f*.

reserve [rɪ'zəːv] *n* zapas *m*, rezerwa *f*, (*fig: of energy, talent etc*) rezerwa *f*, (*SPORT*) rezerwowy (-wa) *m(f)*; (*nature reserve*) rezerwat *m* przyrody; (*restraint*) powściągliwość *f*, rezerwa *f* ♦ *vt* rezerwować (zarezerwować *perf*); **reserves** *npl* (*MIL*) rezerwy *pl*; **in reserve** w rezerwie.

reserve currency *n* rezerwy *pl* dewizowe.

reserved [rɪ'zəːvd] *adj* (*person*) powściągliwy; (*seat*) zarezerwowany.

reserve price (*BRIT*) *n* cena *f* wywoławcza.

reserve team (*BRIT: SPORT*) *n* drużyna *f* rezerwowa.

reservist [rɪ'zəːvɪst] (*MIL*) *n* rezerwista *m*.

reservoir ['rɛzəvwɑː*] *n* (*of water*) rezerwuar *m*, zbiornik *m*; (*fig: of talent etc*) kopalnia *f*, skarbnica *f*.

reset [riː'sɛt] (*irreg like* **set**) *vt* (*clock, watch*) przestawiać (przestawić *perf*); (*broken bone*) nastawiać (nastawić *perf*); (*COMPUT*) zerować (wyzerować *perf*), resetować (zresetować *perf*) (*inf*).

reshape [riː'ʃeɪp] *vt* (*policy, view*) zmieniać (zmienić *perf*) kształt +*gen*.

reshuffle [riː'ʃʌfl] *n*: **Cabinet reshuffle** (*POL*) przetasowanie *nt* w gabinecie.

reside [rɪ'zaɪd] *vi* zamieszkiwać.

▸**reside in** *vt fus* tkwić w +*loc*.

residence ['rɛzɪdəns] *n* (*fml: home*) rezydencja *f*, (*length of stay*) pobyt *m*; **to take up residence** zamieszkać (*perf*); **to be in residence** (*queen etc*) rezydować; **in residence** (*writer, artist etc*) związany z daną instytucją lub uczelnią.

residence permit (*BRIT*) *n* pozwolenie *nt* na pobyt.

resident ['rɛzɪdənt] *n* (*of country, town*) mieszkaniec (-nka) *m(f)*; (*in hotel*) gość *m* ♦ *adj* (*population*) stały; (*doctor, landlord*) mieszkający na miejscu; **to be resident in** mieszkać w +*loc*.

residential [rɛzɪ'dɛnʃəl] *adj* (*area*) mieszkaniowy; (*staff*) mieszkający w miejscu pracy; **residential course** ≈ kurs wyjazdowy.

residue ['rɛzɪdjuː] *n* (*CHEM*) pozostałość *f*, (*fig*) posmak *m*.

resign [rɪ'zaɪn] *vt* rezygnować (zrezygnować *perf*) z +*gen* ♦ *vi* ustępować (ustąpić *perf*); **to resign o.s. to** pogodzić się (*perf*) z +*instr*.

resignation [rɛzɪg'neɪʃən] *n* rezygnacja *f*, **to tender one's resignation** składać (złożyć *perf*) (swoją) rezygnację.

resigned [rɪ'zaɪnd] *adj*: **resigned (to)** (*situation etc*) pogodzony (z +*instr*).

resilience [rɪ'zɪlɪəns] *n* (*of material*) sprężystość *f*, (*of person*) prężność *f*.

resilient [rɪ'zɪlɪənt] *adj* (*material*) sprężysty; (*person*) prężny.

resin ['rɛzɪn] *n* żywica *f*.

resist [rɪ'zɪst] *vt* opierać się (oprzeć się *perf*) +*dat*; **I couldn't resist it/doing it** nie mogłem oprzeć się temu/żeby tego nie zrobić.

resistance [rɪ'zɪstəns] *n* (*to change, attack*) opór *m*; (*to illness*) odporność *f*, (*ELEC*) oporność *f*.

resistant [rɪ'zɪstənt] *adj*: **resistant (to)** (*change etc*) przeciwny (+*dat*); (*antibiotics etc*) odporny (na +*acc*).

resolute ['rɛzəluːt] *adj* zdecydowany, stanowczy.

resolution [rɛzə'luːʃən] *n* (*decision*) rezolucja *f*, (*determination*) zdecydowanie *nt*, stanowczość *f*, (*of problem*) rozwiązanie *nt*; **to make a resolution** zrobić (*perf*) postanowienie.

resolve [rɪ'zɔlv] *n* zdecydowanie *nt*, postanowienie *nt* ♦ *vt* rozwiązywać (rozwiązać *perf*) ♦ *vi*: **to resolve to do sth** postanawiać (postanowić *perf*) coś zrobić.

resolved [rɪ'zɔlvd] *adj* zdecydowany.

resonance ['rɛzənəns] (*TECH*) *n* rezonans *m*.

resonant ['rɛzənənt] *adj* (*voice*) donośny;
(*place*) z (dużym) pogłosem *post.*

resort [rɪ'zɔːt] *n* (*town*) miejscowość *f*
wypoczynkowa; (*recourse*) uciekanie się *nt* ♦
vi: **to resort to** uciekać się (uciec się *perf*) do
+*gen*; **seaside/winter sports resort** ośrodek
sportów wodnych/zimowych; **as a last resort**
w ostateczności; **in the last resort** koniec
końców.

resound [rɪ'zaund] *vi*: **to resound (with)**
rozbrzmiewać (+*instr*).

resounding [rɪ'zaundɪŋ] *adj* (*voice*) głośny;
(*fig*: *success etc*) oszałamiający.

resource [rɪ'sɔːs] *n* surowiec *m*; **resources** *npl*
(*coal, oil etc*) zasoby *pl*; (*money*) zasoby *pl*
or środki *pl* (pieniężne); **natural resources**
bogactwa naturalne.

resourceful [rɪ'sɔːsful] *adj* pomysłowy, zaradny.

resourcefulness [rɪ'sɔːsfəlnɪs] *n* pomysłowość
f, zaradność *f*.

respect [rɪs'pɛkt] *n* szacunek *m* ♦ *vt* szanować
(uszanować *perf*); **respects** *npl* wyrazy *pl*
uszanowania; **to have respect for sb/sth** mieć
szacunek dla kogoś/czegoś; **to show sb/sth**
respect okazywać (okazać *perf*) komuś/czemuś
szacunek; **out of respect for** z szacunku dla
+*gen*, dla uszanowania +*gen*; **with respect to**
or **in respect of** pod względem +*gen*, w
związku z +*instr*; **in this respect** pod tym
względem; **in some/many respects** pod
kilkoma/wieloma względami; **with (all due)**
respect z całym szacunkiem.

respectability [rɪspɛktə'bɪlɪtɪ] *n* (*repute*)
poważanie *nt*; (*decency*) poczucie *nt*
przyzwoitości.

respectable [rɪs'pɛktəbl] *adj* (*reputable*)
poważany, szanowany; (*decent, adequate*)
przyzwoity, porządny.

respected [rɪs'pɛktɪd] *adj* poważany.

respectful [rɪs'pɛktful] *adj* pełen szacunku *or*
uszanowania.

respectfully [rɪs'pɛktfəlɪ] *adv* z szacunkiem *or*
uszanowaniem.

respective [rɪs'pɛktɪv] *adj*: **they returned to**
their respective homes wrócili każdy do
swego domu.

respectively [rɪs'pɛktɪvlɪ] *adv* odpowiednio;
France and Britain were third and fourth
respectively Francja i Wielka Brytania zajęły
odpowiednio trzecie i czwarte miejsce.

respiration [rɛspɪ'reɪʃən] *n see* **artificial**.

respirator ['rɛspɪreɪtə*] (*MED*) *n* respirator *m*.

respiratory ['rɛspərətərɪ] *adj* oddechowy.

respite ['rɛspaɪt] *n* wytchnienie *nt*.

resplendent [rɪs'plɛndənt] *adj* oszałamiający.

respond [rɪs'pɔnd] *vi* (*answer*) odpowiadać
(odpowiedzieć *perf*); (*react*) reagować
(zareagować *perf*).

respondent [rɪs'pɔndənt] (*JUR*) *n* pozwany
(-na) *m(f)*.

response [rɪs'pɔns] (*to question*) odpowiedź *f*;
(*to situation, event*) reakcja *f*; **in response to**
w odpowiedzi na +*acc.*

responsibility [rɪspɔnsɪ'bɪlɪtɪ] *n*
odpowiedzialność *f*; (*duty*) obowiązek *m*; **to**
have a responsibility to sb być
odpowiedzialnym przed kimś; **to take**
responsibility for przyjmować (przyjąć *perf*)
(na siebie) odpowiedzialność za +*acc.*

responsible [rɪs'pɔnsɪbl] *adj* odpowiedzialny;
to be responsible for sth odpowiadać za coś;
to be responsible to sb być
odpowiedzialnym przed kimś.

responsibly [rɪs'pɔnsɪblɪ] *adv* opowiedzialnie.

responsive [rɪs'pɔnsɪv] *adj*: **to be responsive**
(to) (żywo) reagować (na +*acc*).

rest [rɛst] *n* (*relaxation, pause*) odpoczynek *m*;
(*remainder*) reszta *f*; (*MUS*) pauza *f* ♦ *vi*
odpoczywać (odpocząć *perf*) ♦ *vt* (*eyes, legs*)
dawać (dać *perf*) odpoczynek +*dat*; **to rest**
sth on/against sth opierać (oprzeć *perf*) coś
na czymś/o coś; **to rest on sth** (*lit, fig*)
opierać się (oprzeć się *perf*) na czymś; **foot**
rest podnóżek; **the rest of them** reszta; **to**
put *or* **set sb's mind at rest** uspokoić (*perf*)
kogoś; **to come to rest** zatrzymać się (*perf*),
znieruchomieć (*perf*); **to lay sb to rest**
składać (złożyć *perf*) kogoś na wieczny
spoczynek; **to rest one's eyes** *or* **gaze on sth**
zatrzymywać (zatrzymać *perf*) wzrok na
czymś; **to let the matter rest** dawać (dać
perf) sprawie spokój; **rest assured that ...**
bądź pewny *or* spokojny, że...; **I won't rest**
until ... nie spocznę, dopóki...; **I rest my case**
na tym chciałbym skończyć; **may he/she rest**
in peace niech spoczywa w pokoju.

restart [riː'stɑːt] *vt* (*engine*) uruchamiać
(uruchomić *perf*) ponownie; (*work*) wznawiać
(wznowić *perf*).

restaurant ['rɛstərɔŋ] *n* restauracja *f*.

restaurant car (*BRIT*) *n* wagon *m*
restauracyjny.

rest cure *n* leczenie *nt* odpoczynkiem.

restful ['rɛstful] *adj* (*lighting, music*) kojący;
(*place*) spokojny.

rest home *n* ≈ dom *m* spokojnej starości.

restitution [rɛstɪ'tjuːʃən] *n*: **to make restitution**
to sb for sth rekompensować
(zrekompesować *perf*) komuś coś.

restive ['rɛstɪv] *adj* (*person, crew*)
zniecierpliwiony, niezadowolony; (*horse*)
narowisty.

restless ['rɛstlɪs] *adj* niespokojny; **to feel**
restless nie móc sobie znaleźć miejsca; **to**
get restless zaczynać (zacząć *perf*) się
niecierpliwić.

restlessly ['rɛstlɪslɪ] *adv* niespokojnie.

restock [riː'stɔk] *vt* (*shop, freezer*) uzupełniać
(uzupełnić *perf*) zapasy w +*loc*; (*lake, river*)
zarybiać (zarybić *perf*) na nowo.

restoration [rɛstə'reɪʃən] n (of painting, church) restauracja f; (of health, rights, order) przywrócenie nt; (of land, stolen property) zwrot m; (HIST): **the Restoration** restauracja f (Stuartów).

restorative [rɪ'stɔrətɪv] adj wzmacniający ♦ n (old) kieliszek m (czegoś) na wzmocnienie.

restore [rɪ'stɔ:*] vt (painting, building) odrestaurowywać (odrestaurować perf); (order, health, faith) przywracać (przywrócić perf); (land, stolen property) zwracać (zwrócić perf); **to restore sb to power** przywracać (przywrócić perf) komuś władzę; **to restore sth to its former state** przywracać (przywrócić perf) czemuś (jego) dawny kształt.

restorer [rɪ'stɔ:rə*] (ART etc) n restaurator(ka) m(f).

restrain [rɪs'treɪn] vt (person, feeling) hamować (pohamować perf); (growth, inflation) hamować (zahamować perf); **to restrain sb/o.s. from doing sth** powstrzymywać (powstrzymać perf) kogoś/się od zrobienia czegoś.

restrained [rɪs'treɪnd] adj (person, behaviour) powściągliwy; (style) surowy; (colours) spokojny.

restraint [rɪs'treɪnt] n (restriction) ograniczenie nt; (moderation) umiar m, powściągliwość f; **wage restraint** powstrzymywanie wzrostu płac.

restrict [rɪs'trɪkt] vt ograniczać (ograniczyć perf).

restricted area (BRIT: AUT) n strefa f ograniczonego ruchu.

restriction [rɪs'trɪkʃən] n ograniczenie nt.

restrictive [rɪs'trɪktɪv] adj (law, policy) restrykcyjny; (clothing) krępujący.

restrictive practices (BRIT: INDUSTRY) npl praktyki pl restrykcyjne.

rest room (US) n toaleta f.

restructure [ri:'strʌktʃə*] vt restrukturyzować (zrestrukturyzować perf).

result [rɪ'zʌlt] n (consequence) skutek m, rezultat m; (of exam, competition, calculation) wynik m ♦ vi: **to result in** prowadzić (doprowadzić perf) do +gen; **as a result of** na skutek or w wyniku +gen; **to result (from)** wynikać (wyniknąć perf) (z +gen); **as a result it is too expensive** w rezultacie jest zbyt drogi.

resultant [rɪ'zʌltənt] adj: **the resultant savings** powstałe w ten sposób oszczędności pl; **the resultant problems** wynikające stąd problemy.

resume [rɪ'zju:m] vt (work, journey) podejmować (podjąć perf) na nowo, kontynuować (po przerwie); (efforts) wznawiać (wznowić perf) ♦ vi rozpoczynać się (rozpocząć się perf) na nowo; **to resume one's seat** wracać (wrócić perf) na miejsce.

ésumé ['reɪzju:meɪ] n streszczenie nt; (US: curriculum vitae) życiorys m.

esumption [rɪ'zʌmpʃən] n (ponowne) podjęcie nt, wznowienie nt.

esurgence [rɪ'sə:dʒəns] n (of energy) (ponowny) przypływ m; (of activity) odrodzenie się nt.

resurrection [rɛzə'rɛkʃən] n (of fears, customs) wskrzeszenie nt; (of hopes) (ponowne) rozbudzenie nt; (of event, practice) wznowienie nt; (REL): **the Resurrection** Zmartwychwstanie nt.

resuscitate [rɪ'sʌsɪteɪt] vt (MED) reanimować; (fig) przywracać (przywrócić perf) do życia.

resuscitation [rɪsʌsɪ'teɪʃən] (MED) n reanimacja f.

retail ['ri:teɪl] adj detaliczny ♦ adv detalicznie, w detalu ♦ vt sprzedawać (sprzedać perf) detalicznie ♦ vi: **this product retails at 25 pounds** cena detaliczna tego produktu wynosi 25 funtów.

retailer ['ri:teɪlə*] n kupiec m detaliczny, detalista (-tka) m(f).

retail outlet n punkt m sprzedaży detalicznej.

retail price n cena f detaliczna.

retail price index n wskaźnik m cen detalicznych.

retain [rɪ'teɪn] vt (independence, souvenir, ticket) zachowywać (zachować perf); (heat, moisture) zatrzymywać (zatrzymać perf).

retainer [rɪ'teɪnə*] n zaliczka f dla adwokata.

retaliate [rɪ'tælɪeɪt] vi brać (wziąć perf) odwet.

retaliation [rɪtælɪ'eɪʃən] n odwet m; **in retaliation for** w odwecie za +acc.

retaliatory [rɪ'tælɪətərɪ] adj odwetowy.

retarded [rɪ'tɑ:dɪd] adj (also: **mentally retarded**) opóźniony w rozwoju.

retch [rɛtʃ] vi mieć torsje.

retention [rɪ'tɛnʃən] n (of organization, land) utrzymanie nt; (of traditions) podtrzymywanie nt; (of memories) przechowywanie nt; (of heat, fluid) zatrzymywanie nt.

retentive [rɪ'tɛntɪv] adj (memory) trwały.

rethink ['ri:'θɪŋk] vt przemyśliwać (przemyśleć perf) (na nowo).

reticence ['rɛtɪsns] n małomówność f.

reticent ['rɛtɪsnt] adj małomówny.

retina ['rɛtɪnə] n siatkówka f.

retinue ['rɛtɪnju:] n świta f.

retire [rɪ'taɪə*] vi (give up work) przechodzić (przejść perf) na emeryturę; (withdraw) oddalać się (oddalić się perf); (go to bed) udawać się (udać się perf) na spoczynek.

retired [rɪ'taɪəd] adj emerytowany.

retirement [rɪ'taɪəmənt] n (state) emerytura f; (act) przejście nt na emeryturę.

retirement age n wiek m emerytalny.

retiring [rɪ'taɪərɪŋ] adj (shy) nieśmiały; (official, MP) ustępujący.

retort [rɪ'tɔ:t] vi ripostować (zripostować perf) ♦ n riposta f.

retrace [ri:'treɪs] vt: **to retrace one's steps** wracać (wrócić perf) tą samą drogą; (fig) odtwarzać (odtworzyć perf) tok rozumowania.

retract [rɪ'trækt] vt (promise, confession) cofać

(cofnąć *perf*); (*claws*) chować (schować *perf*); (*undercarriage*) wciągać (wciągnąć *perf*).

retractable [rɪ'træktəbl] *adj* (*undercarriage*) wciągany; (*aerial*) wysuwany.

retrain [ri:'treɪn] *vt* przekwalifikowywać (przekwalifikować *perf*) ♦ *vi* przekwalifikowywać się (przekwalifikować się *perf*).

retraining [ri:'treɪnɪŋ] *n* przekwalifikowanie *nt*.

retread ['ri:trɛd] *n* opona *f* bieżnikowana.

retreat [rɪ'tri:t] *n* (*place*) ustronie *nt*; (*withdrawal*) ucieczka *f*; (*MIL*) odwrót *m* ♦ *vi* wycofywać się (wycofać się *perf*); **to beat a hasty retreat** pośpiesznie się wycofywać (wycofać *perf*).

retrial [ri:'traɪəl] (*JUR*) *n* rewizja *f* procesu.

retribution [rɛtrɪ'bju:ʃən] *n* kara *f*.

retrieval [rɪ'tri:vəl] *n* (*of object: regaining*) odzyskanie *nt*; (: *finding*) odnalezienie *nt*; (*COMPUT*) wyszukiwanie *nt*.

retrieve [rɪ'tri:v] *vt* (*person: object*) odzyskiwać (odzyskać *perf*); (: *situation*) ratować (uratować *perf*); (*dog*) aportować; (*COMPUT*) wyszukiwać (wyszukać *perf*); **to retrieve sth from somewhere** wydobyć (*perf*) *or* wydostać (*perf*) coś skądś.

retriever [rɪ'tri:və*] *n* pies *m* myśliwski.

retroactive [rɛtrəu'æktɪv] *adj* działający wstecz.

retrograde ['rɛtrəgreɪd] *adj* wsteczny; **a retrograde step** krok do tyłu *or* wstecz.

retrospect ['rɛtrəspɛkt] *n*: **in retrospect** z perspektywy czasu.

retrospective [rɛtrə'spɛktɪv] *adj* (*exhibition*) retrospektywny; (*law, tax*) działający wstecz; (*opinion*) z perspektywy czasu *post* ♦ *n* (*ART*) wystawa *f* retrospektywna, retrospektywa *f*; **I'm in a retrospective mood** mam ochotę powspominać.

return [rɪ'tə:n] *n* (*going or coming back*) powrót *m*; (*of sth stolen, borrowed, bought*) zwrot *m*; (*from land, shares, investment*) dochód *m*; (*tax etc*) zeznanie *nt* ♦ *cpd* (*journey, ticket*) powrotny; (*match*) rewanżowy ♦ *vi* (*person*) wracać (wrócić *perf*); (*feelings*) powracać (powrócić *perf*); (*illness, symptoms etc*): **if the illness/pain returns, ...** jeśli wystąpi nawrót choroby/bólu, ... ♦ *vt* (*greetings, sentiment*) odwzajemniać (odwzajemnić *perf*); (*sth borrowed, stolen, bought*) zwracać (zwrócić *perf*); (*verdict*) wydawać (wydać *perf*); (*ball: during game*) odsyłać (odesłać *perf*); (*POL*) wybierać (wybrać *perf*) (do parlamentu); **returns** *npl* (*COMM*) dochody *pl*; **in return (for)** w zamian (za +*acc*); **by return of post** odwrotną pocztą; **many happy returns (of the day)!** wszystkiego najlepszego! (*z okazji urodzin*); **I promise I'll return the favour some day** obiecuję, że kiedyś się odwdzięczę.

►**return to** *vt fus* powracać (powrócić *perf*) do +*gen*.

returnable [rɪ'tə:nəbl] *adj* (*bottle etc*) do zwrotu *post*.

return key (*COMPUT*) *n* klawisz *m* powrotu karetki.

reunion [ri:'ju:nɪən] *n* (*of school, class, family*) zjazd *m*; (*of two people*) spotkanie *nt* (po latach).

reunite [ri:ju:'naɪt] *vt* (*country*) (ponownie) jednoczyć (zjednoczyć *perf*); (*organization, movement*) przywracać (przywrócić *perf*) jedność w +*loc*; **to be reunited** (*friends etc*) spotykać się (spotkać się *perf*) (po latach); (*families*) łączyć się (połączyć się *perf*).

rev [rɛv] (*AUT*) *n abbr* (= *revolution*) obr.

revaluation [ri:vælju'eɪʃən] *n* (*of property*) rewaloryzacja *f*; (*of currency*) rewaluacja *f*; (*of attitudes*) przewartościowanie *nt*.

revamp [ri:'væmp] *vt* reformować (zreformować *perf*).

rev counter (*BRIT: AUT*) *n* obrotomierz *m*.

Rev(d). (*REL*) *abbr* = **reverend**.

reveal [rɪ'vi:l] *vt* (*make known*) ujawniać (ujawnić *perf*); (*make visible*) odsłaniać (odsłonić *perf*).

revealing [rɪ'vi:lɪŋ] *adj* odkrywczy; **she wore a revealing dress** miała na sobie sukienkę, która niewiele zakrywała.

reveille [rɪ'vælɪ] (*MIL*) *n* pobudka *f*.

revel ['rɛvl] *vi*: **to revel in sth/in doing sth** rozkoszować się czymś/robieniem czegoś.

revelation [rɛvə'leɪʃən] *n* rewelacja *f*; (*REL*) objawienie *nt*.

reveller ['rɛvlə*] *n* hałaśliwy biesiadnik *m*.

revelry ['rɛvlrɪ] *n* hulanka *f*.

revenge [rɪ'vɛndʒ] *n* zemsta *f* ♦ *vt* mścić (pomścić *perf*); **to get one's revenge (for sth)** mścić się (zemścić się *perf*) (za coś); **to take (one's) revenge (on sb)** dokonywać (dokonać *perf*) zemsty (na kimś); **to revenge o.s. (on sb)** mścić się (zemścić się *perf*) (na kimś).

revengeful [rɪ'vɛndʒful] *adj* mściwy.

revenue ['rɛvənju:] *n* dochody *pl*.

reverberate [rɪ'və:bəreɪt] *vi* (*sound*) rozlegać się (rozlec się *perf*); (*fig: ideas etc*) odbijać się (odbić się *perf*) szerokim echem; (*place*): **to reverberate with** rozbrzmiewać +*instr*.

reverberation [rɪvə:bə'reɪʃən] *n* pogłos *m*, echo *nt*; (*fig*) reperkusje *pl*.

revere [rɪ'vɪə*] *vt* czcić.

reverence ['rɛvərəns] *n* cześć *f*.

Reverend ['rɛvərənd] *adj* wielebny; **the Reverend John Smith** Wielebny John Smith.

reverent ['rɛvərənt] *adj* pełen czci.

reverie ['rɛvərɪ] *n* marzenia *pl*; **I fell into a reverie** pogrążyłem się w marzeniach.

reversal [rɪ'və:sl] *n* (*of decision, policy*) (radykalna) zmiana *f*; (*of roles*) odwrócenie *nt*.

reverse [rɪ'və:s] *n* (*opposite*) przeciwieństwo

nt; (of paper) odwrotna strona f; (of cloth) lewa strona f; (of coin, medal) rewers m; (also: **reverse gear**) (bieg m) wsteczny; (setback) niepowodzenie nt; (defeat) porażka f ♦ adj (side) odwrotny; (process) przeciwny; (direction) przeciwny, odwrotny ♦ vt (order, roles) odwracać (odwrócić perf); (decision, verdict) unieważniać (unieważnić perf); (car) cofać (cofnąć perf) ♦ vi (BRIT: AUT) cofać się (cofnąć się perf); **they may do quite the reverse (of what you want)** mogą postąpić dokładnie odwrotnie (niż chcesz); **in reverse order** w odwrotnej kolejności; **in reverse** zaczynając od końca; **their fortunes went into reverse** szczęście odwróciło się od nich.

reverse-charge call [rɪ'vəːstʃɑːdʒ-] (BRIT: TEL) n rozmowa f „R" (płatna przez wzywanego).

reverse video (COMPUT) n obraz m negatywowy.

reversible [rɪ'vəːsəbl] adj (garment) dwustronny; (decision, surgery) odwracalny.

reversing lights [rɪ'vəːsɪŋ-] (BRIT: AUT) npl światła pl cofania.

reversion [rɪ'vəːʃən] n (ZOOL) atawizm m; **reversion to** powrót do +gen.

revert [rɪ'vəːt] vi: **to revert to** (previous owner, topic, state) powracać (powrócić perf) do +gen; (less advanced state) cofać się (cofnąć się perf) do +gen.

review [rɪ'vjuː] n przegląd m; (of book, play etc) recenzja f; (of policy etc) rewizja f ♦ vt (MIL: troops) dokonywać (dokonać perf) przeglądu +gen; (book, play) recenzować (zrecenzować perf); (policy) rewidować (zrewidować perf); **to be under review** być ocenianym or poddawanym ocenie; **to come under review** zostawać (zostać perf) poddanym ocenie.

reviewer [rɪ'vjuːə*] n recenzent(ka) m(f).

revile [rɪ'vaɪl] vt obrzucać (obrzucić perf) obelgami.

revise [rɪ'vaɪz] vt (manuscript) poprawiać (poprawić perf); (opinion, attitude) rewidować (zrewidować perf); (price, procedure) korygować (skorygować perf) ♦ vi (for exam etc) powtarzać (materiał); **revised edition** wydanie poprawione.

revision [rɪ'vɪʒən] n (of manuscript) korekta f; (of schedule) zmiana f; (of law) rewizja f; (for exam) powtórka f.

revitalize [riː'vaɪtəlaɪz] vt ożywiać (ożywić perf).

revival [rɪ'vaɪvəl] n (ECON) ożywienie nt; (THEAT) wznowienie nt.

revive [rɪ'vaɪv] vt (person) cucić (ocucić perf); (economy) ożywiać (ożywić perf); (custom) wskrzeszać (wskrzesić perf); (hope, interest) (ponownie) rozbudzać (rozbudzić perf); (play) wznawiać (wznowić perf) ♦ vi (person) odzyskiwać (odzyskać perf) przytomność;

(activity, economy) ożywiać się (ożywić się perf); (hope, faith, interest) odradzać się (odrodzić się perf).

revoke [rɪ'vəuk] vt (treaty) unieważniać (unieważnić perf); (law) uchylać (uchylić perf); (promise, decision) cofać (cofnąć perf).

revolt [rɪ'vəult] n bunt m, rewolta f ♦ vi buntować się (zbuntować się perf) ♦ vt budzić (obudzić perf) odrazę w +loc; **to revolt against sb/sth** buntować się przeciwko komuś/czemuś.

revolting [rɪ'vəultɪŋ] adj odrażający, budzący odrazę.

revolution [rɛvə'luːʃən] n (in politics, industry, education) rewolucja f; (of wheel, earth) obrót m.

revolutionary [rɛvə'luːʃənrɪ] adj rewolucyjny ♦ n rewolucjonista (-tka) m(f).

revolutionize [rɛvə'luːʃənaɪz] vt rewolucjonizować (zrewolucjonizować perf).

revolve [rɪ'vɔlv] vi obracać się (obrócić się perf); **to revolve (a)round** obracać się wokół +gen.

revolver [rɪ'vɔlvə*] n rewolwer m.

revolving [rɪ'vɔlvɪŋ] adj obrotowy.

revolving door n drzwi pl obrotowe.

revue [rɪ'vjuː] (THEAT) n rewia f.

revulsion [rɪ'vʌlʃən] n odraza f, wstręt m.

reward [rɪ'wɔːd] n nagroda f ♦ vt nagradzać (nagrodzić perf); **the rewards of parenthood** satysfakcja z posiadania dzieci.

rewarding [rɪ'wɔːdɪŋ] adj (job) przynoszący satysfakcję; (experience) cenny; **financially rewarding** opłacający się.

rewind [riː'waɪnd] (irreg like **wind**) vt (tape, cassette) przewijać (przewinąć perf).

rewire [riː'waɪə*] vt (house) wymieniać (wymienić perf) instalację elektryczną w +loc.

reword [riː'wəːd] vt przeredagowywać (przeredagować perf).

rewrite [riː'raɪt] (irreg like **write**) vt przerabiać (przerobić perf); (completely) pisać (napisać perf) od nowa.

Reykjavik ['reɪkjəviːk] n Rejkiawik m.

RFD (US: POST) abbr (= rural free delivery).

Rh abbr (= rhesus) Rh nt inv.

rhapsody ['ræpsədɪ] n rapsodia f.

rhesus negative ['riːsəs-] adj: **to be rhesus negative** mieć ujemne Rh.

rhesus positive adj: **to be rhesus positive** mieć dodatnie Rh.

rhetoric ['rɛtərɪk] n retoryka f.

rhetorical [rɪ'tɔrɪkl] adj retoryczny.

rheumatic [ruː'mætɪk] adj (changes, pain) reumatyczny; (person): **to be rheumatic** mieć reumatyzm; **rheumatic fingers** palce zniekształcone reumatyzmem.

rheumatism ['ruːmətɪzəm] n reumatyzm m.

rheumatoid arthritis ['ruːmətɔɪd-] n reumatoidalne zapalenie nt stawów.

Rhine [raɪn] n: **the Rhine** Ren m.

rhinestone ['raɪnstəun] *n* kryształ *m* górski (*stosowany w jubilerstwie*).

rhinoceros [raɪ'nɔsərəs] *n* nosorożec *m*.

Rhodes [rəudz] *n* Rodos *nt inv*.

Rhodesia [rəu'di:ʒə] *n* Rodezja *f*.

Rhodesian [rəu'di:ʒən] *adj* rodezyjski ♦ *n* Rodezyjczyk (-jka) *m(f)*.

rhododendron [rəudə'dɛndrn] *n* rododendron *m*.

Rhone [rəun] *n*: **the Rhone** Rodan *m*.

rhubarb ['ru:bɑ:b] *n* rabarbar *m*.

rhyme [raɪm] *n* (*rhyming words*) rym *m*; (*verse*) wierszyk *m*, rymowanka *f*; (*technique*) rymowanie *nt* ♦ *vi*: **to rhyme (with)** rymować się (z +*instr*); **without rhyme or reason** ni stąd ni zowąd.

rhythm ['rɪðm] *n* rytm *m*.

rhythmic(al) ['rɪðmɪk(l)] *adj* rytmiczny.

rhythmically ['rɪðmɪklɪ] *adv* rytmicznie.

RI *n abbr* (*BRIT: SCOL: = religious instruction*) religia *f* ♦ *abbr* (*US: POST: = Rhode Island*).

rib [rɪb] *n* (*ANAT*) żebro *nt* ♦ *vt* (*inf*): **to rib sb (about sth)** przekomarzać się z kimuś (z jakiegoś powodu).

ribald ['rɪbəld] *adj* sprośny.

ribbed [rɪbd] *adj* prążkowany, w prążki *post*.

ribbon ['rɪbən] *n* (*for hair, decoration*) wstążka *f*; (*of typewriter*) taśma *f*; **in ribbons** w strzępach.

rice [raɪs] *n* ryż *m*.

ricefield ['raɪsfi:ld] *n* pole *nt* ryżowe.

rice pudding *n* pudding *m* ryżowy.

rich [rɪtʃ] *adj* (*person*) bogaty; (*life*) urozmaicony; (*soil*) żyzny; (*colour*) nasycony; (*voice*) głęboki; (*tapestries, silks*) kosztowny; (*food, diet*) *bogaty w tłuszcze i węglowodany* ♦ *npl*: **the rich** bogaci *vir pl*; **rich in** bogaty w +*acc*.

riches ['rɪtʃɪz] *npl* bogactwo *nt*, bogactwa *pl*.

richly ['rɪtʃlɪ] *adv* (*decorated*) bogato; (*deserved, earned*) w pełni; (*rewarded*) sowicie.

richness ['rɪtʃnɪs] *n* (*of person*) bogactwo *nt*; (*of soil*) żyzność *f*; (*of costumes, furnishings*) bogactwo *nt*, przepych *m*.

rickets ['rɪkɪts] *n* krzywica *f*.

rickety ['rɪkɪtɪ] *adj* chybotliwy.

rickshaw ['rɪkʃɔ:] *n* riksza *f*.

ricochet ['rɪkəʃeɪ] *vi* odbijać się (odbić się *perf*) rykoszetem ♦ *n* rykoszet *m*.

rid [rɪd] (*pt* **rid**) *vt*: **to rid sb/sth of** uwalniać (uwolnić *perf*) kogoś/coś od +*gen*; **to get rid of** pozbywać się (pozbyć się *perf*) +*gen*.

riddance ['rɪdns] *n*: **good riddance!** krzyżyk na drogę!

ridden ['rɪdn] *pp of* ride.

riddle ['rɪdl] *n* zagadka *f* ♦ *vt*: **riddled with** (*guilt, doubts*) pełen +*gen*; (*corruption*) przesiąknięty +*instr*; **riddled with holes** podziurawiony.

ride [raɪd] (*pt* **rode**, *pp* **ridden**) *n* jazda *f*; (*path*) leśna droga *f* (*po której można przejechać konno*) ♦ *vi* (*as sport*) jeździć konno; (*go somewhere, travel*) jechać (pojechać *perf*) ♦ *vt* (*horse, bicycle*) jeździć na +*loc*; (*distance*) przejeżdżać (przejechać *perf*); **we rode all day** jechaliśmy cały dzień; **we rode all the way** całą drogę jechaliśmy; **can you ride a bike?** (czy) umiesz jeździć na rowerze?; **(horse/car) ride** przejażdżka (konna/samochodem); **let's go for a ride** przejedźmy się; **to take sb for a ride** zabierać (zabrać *perf*) kogoś na przejażdżkę; (*fig*) nabierać (nabrać *perf*) kogoś; **to give sb a ride** podwozić (podwieźć *perf*) kogoś; **to ride at anchor** stać na kotwicy.

▸**ride out** *vt*: **to ride out the storm/recession** (*fig*) przetrzymywać (przetrzymać *perf*) burzę/recesję.

rider ['raɪdə*] *n* (*on horse*) jeździec *m*; (*on bicycle*) rowerzysta (-tka) *m(f)*; (*on motorcycle*) motocyklista (-tka) *m(f)*; (*in document etc*) uzupełnienie *nt*, poprawka *f*.

ridge [rɪdʒ] *n* (*of hill*) grzbiet *m*; (*of roof*) kalenica *f*; (*in ploughed land*) skiba *f*.

ridicule ['rɪdɪkju:l] *n* kpiny *pl* ♦ *vt* wyśmiewać (wyśmiać *perf*); **to be the object of ridicule** być przedmiotem kpin.

ridiculous [rɪ'dɪkjuləs] *adj* śmieszny.

riding ['raɪdɪŋ] *n* jazda *f* konna.

riding school *n* szkółka *f* jeździecka.

rife [raɪf] *adj*: **to be rife** (*corruption, superstition*) kwitnąć; (*disease*) srożyć się; **the office was rife with rumours** w biurze huczało od plotek.

riffraff ['rɪfræf] *n* hołota *f*.

rifle ['raɪfl] *n* karabin *m*; (*for hunting*) strzelba *f* ♦ *vt* (*sb's wallet, pocket*) opróżniać (opróżnić *perf*).

▸**rifle through** *vt fus* przetrząsać (przetrząsnąć *perf*) +*acc*.

rifle range *n* strzelnica *f*.

rift [rɪft] *n* szczelina *f*; (*fig*) rozdźwięk *m*.

rig [rɪg] *n* (*also*: **oil rig**: *at sea*) platforma *f* wiertnicza; (: *on land*) szyb *m* wiertniczy ♦ *vt* (*election, cards*) fałszować (sfałszować *perf*).

▸**rig out** (*BRIT*) *vt*: **to rig sb out as/in** przebierać (przebrać *perf*) kogoś za +*acc*/w +*acc*.

▸**rig up** *vt* (*device, net*) (naprędce) łatać (połatać *perf*).

rigging ['rɪgɪŋ] *n* olinowanie *nt*.

right [raɪt] *adj* (*correct*) dobry, poprawny; (*suitable*) właściwy, odpowiedni; (*morally good*) dobry; (*not left*) prawy ♦ *n* (*what is morally right*) dobro *nt*; (*entitlement*) prawo *nt*; (*not left*): **the right** prawa strona *f* ♦ *adv* dobrze; (*turn*) w prawo; (*swerve*) na prawo ♦ *vt* naprawiać (naprawić *perf*) ♦ *excl* dobrze; **the right time** (*exact*) dokładny czas; (*most suitable*) odpowiedni czas; **the Right** (*POL*) prawica; **you're right** masz rację; **you are French, is that right?** jesteś Francuzem,

prawda?; **is that clock right?** czy ten zegar
dobrze chodzi?; **let's get it right this time!**
tym razem zróbmy to jak należy!; **I got the
first question right** odpowiedziałam dobrze na
pierwsze pytanie; **you did the right thing**
postąpiłeś właściwie; **to put a mistake right**
naprawiać (naprawić *perf*) błąd; **right now** w
tej chwili; **right before/after** tuż przed
+*instr*/po +*loc*; **right ahead** (*walk etc*) prosto
przed siebie; **by rights** na dobrą sprawę; **he's
in the right** słuszność jest po jego stronie;
right away natychmiast; **right in the middle** w
samym środku; **right against the wall** przy
samej ścianie, tuż przy ścianie; **I'll be right
back** zaraz wracam; **to be within one's rights
to do sth** mieć (pełne) prawo coś (z)robić;
(as) right as rain zdrów jak ryba; **film rights**
prawo do ekranizacji; **on the right** z prawej
(strony); **from left to right** z lewa na prawo;
to right oneself (*ship*) wyprostowywać się
(wyprostować się *perf*).

right angle n kąt *m* prosty.

righteous ['raɪtʃəs] *adj* (*person*) prawy;
(*indignation*) słuszny.

righteousness ['raɪtʃəsnɪs] n prawość *f*.

rightful ['raɪtful] *adj* (*heir, owner*) prawowity,
prawny; (*place, share*) należny.

rightfully ['raɪtfəlɪ] *adv* prawowicie, prawnie.

right-hand drive ['raɪthænd-] n układ *m*
kierowniczy prawostronny ♦ *adj* z
prawostronnym układem kierowniczym *post*.

right-handed [raɪt'hændɪd] *adj* praworęczny.

right-hand man n prawa ręka *f*.

right-hand side n prawa strona *f*.

rightly ['raɪtlɪ] *adv* (*with reason*) słusznie; **if I
remember rightly** (*BRIT*) jeśli dobrze
pamiętam.

right-minded [raɪt'maɪndɪd] *adj* rozsądny.

right of way n (*AUT*) pierwszeństwo *nt*
przejazdu; (*on path etc*) *prawo przechodzenia
przez teren prywatny*.

rights issue (*STOCK EXCHANGE*) n emisja *f*
praw poboru.

right wing n prawe skrzydło *nt*.

right-wing [raɪt'wɪŋ] *adj* (*POL*) prawicowy.

right-winger [raɪt'wɪŋə*] n (*POL*) prawicowiec
m; (*SPORT*) prawoskrzydłowy (-wa) *m(f)*.

rigid ['rɪdʒɪd] *adj* (*structure, back*) sztywny;
(*attitude, views*) skostniały; (*control,
censorship*) ścisły; (*methods*) surowy.

rigidity [rɪ'dʒɪdɪtɪ] n sztywność *f*.

rigidly ['rɪdʒɪdlɪ] *adv* (*tightly*) sztywno; (*closely*)
ściśle.

rigmarole ['rɪgmərəʊl] n (*complicated
procedure*) korowody *pl*.

rigor ['rɪgə*] (*US*) n = **rigour**.

rigor mortis ['rɪgə'mɔːtɪs] n stężenie *nt*
pośmiertne.

rigorous ['rɪgərəs] *adj* rygorystyczny; (*training*)
wymagający.

rigorously ['rɪgərəslɪ] *adv* rygorystycznie.

rigour ['rɪgə*] (*US* **rigor**) n (*of law,
punishment*) surowość *f*; (*of argument*)
dyscyplina *f* logiczna; (*of research, methods*)
dokładność *f*, ścisłość *f*; **the rigours of life**
trudy życia.

rig-out ['rɪgaut] (*BRIT: inf*) n strój *m*.

rile [raɪl] *vt* drażnić (rozdrażnić *perf*).

rim [rɪm] n (*of glass, dish*) brzeg *m*; (*of
spectacles*) obwódka *f*; (*of wheel*) obręcz *f*.

rimless ['rɪmlɪs] *adj* (*spectacles*)
bezobwódkowy.

rimmed [rɪmd]: **rimmed with black/red** z
czarnymi/czerwonymi obwódkami.

rind [raɪnd] n skórka *f*.

ring [rɪŋ] (*pt* **rang**, *pp* **rung**) n (*on finger*)
pierścionek *m*; (: *large*) pierścień *m*; (*also*:
wedding ring) obrączka *f*; (*for keys, of
smoke*) kółko *nt*; (*of people, objects*) krąg *m*,
koło *nt*; (*of spies*) siatka *f*; (*of drug-dealers*)
gang *m*; (*for boxing*) ring *m*; (*of circus, for
bullfighting*) arena *f*; (*on cooker*) palnik *m*;
(*sound of bell*) dzwonek *m* ♦ *vi* dzwonić
(zadzwonić *perf*); (*also*: **ring out**)
rozbrzmiewać (rozbrzmieć *perf*) ♦ *vt*
(*BRIT: TEL*) dzwonić (zadzwonić *perf*) do
+*gen*; (*mark*) zakreślać (zakreślić *perf*), brać
(wziąć *perf*) w kółeczko (*inf*); **to give sb a
ring** (*BRIT*) dzwonić (zadzwonić *perf*) do
kogoś; **that has a ring of truth about it** to
brzmi wiarygodnie; **to ring the bell** dzwonić
(zadzwonić *perf*); **the name doesn't ring a
bell (with me)** to nazwisko nic mi nie mówi;
my ears are ringing dzwoni mi w uszach; **to
ring true/false** brzmieć szczerze/fałszywie; **to
run rings round sb** (*inf. fig*) bić (pobić *perf*)
kogoś na głowę (*inf*).

►**ring back** (*BRIT*) *vt* oddzwaniać (oddzwonić
perf) +*dat* ♦ *vi* oddzwaniać (oddzwonić *perf*).

►**ring off** (*BRIT*) *vi* odkładać (odłożyć *perf*)
słuchawkę.

►**ring up** (*BRIT*) *vt* dzwonić (zadzwonić *perf*)
do +*gen*.

ring binder n segregator *m*.

ring finger n palec *m* serdeczny.

ringing ['rɪŋɪŋ] n dzwonienie *nt*.

ringing tone (*BRIT: TEL*) n sygnał *m* wołania.

ringleader ['rɪŋliːdə*] n (*of gang*) przywódca
(-czyni) *m(f)*.

ringlets ['rɪŋlɪts] *npl* loki *pl*.

ring road (*BRIT*) n obwodnica *f*.

rink [rɪŋk] n (*also*: **ice rink**) lodowisko *nt*;
(*also*: **roller skating rink**) tor *m* do jazdy na
wrotkach.

rinse [rɪns] n (*act*) płukanie *nt*; (*hair dye*)
płukanka *f* do włosów ♦ *vt* (*dishes*) płukać
(opłukać *perf*); (*hands*) opłukiwać (opłukać
perf); (*hair*) płukać (spłukać *perf*); (*also*: **rinse
out**: *clothes*) płukać (wypłukać *perf*);
(: *mouth*) przepłukiwać (przepłukać *perf*).

Rio (de Janeiro) ['ri:əu(dədʒə'nıərəu)] *n* Rio de Janeiro *nt inv.*

riot ['raıət] *n* rozruchy *pl* ♦ *vi* burzyć się; **to be a riot of colours** mienić się wszystkimi kolorami; **to run riot** szaleć.

rioter ['raıətə*] *n* uczestnik (-iczka) *m(f)* rozruchów.

riotous ['raıətəs] *adj* (*mob, crowd*) wzburzony; (*living*) hulaszczy; (*party, welcome*) hałaśliwy.

riotously ['raıətəslı] *adv.* **riotously funny/comic** prześmieszny/przekomiczny.

riot police *n* ≈ oddziały *pl* prewencji; **hundreds of riot police** setki policjantów z oddziałów prewencji.

RIP *abbr* (= *rest in peace*) RIP.

rip [rıp] *n* rozdarcie *nt* ♦ *vt* drzeć (podrzeć *perf*) ♦ *vi* drzeć się (podrzeć się *perf*); **I ripped open the envelope** rozdarłem *or* rozerwałem kopertę.

▸**rip off** *vt* (*shirt etc*) zdzierać (zedrzeć *perf*); (*inf: person*) zdzierać (zedrzeć *perf*) skórę z +*gen* (*inf*).

▸**rip up** *vt* drzeć (podrzeć *perf*) (na kawałki).

ripcord ['rıpkɔ:d] *n* (*on parachute*) linka *f* wyzwalająca.

ripe [raıp] *adj* dojrzały; **to be ripe for sth** (*fig*) dojrzeć (*perf*) do czegoś; **he lived to a ripe old age** dożył sędziwego wieku.

ripen ['raıpn] *vi* dojrzewać (dojrzeć *perf*) ♦ *vt* (*fruit, crop etc*): **the sun will ripen them soon** na słońcu szybko dojrzeją.

ripeness ['raıpnıs] *n* dojrzałość *perf.*

rip-off ['rıpɔf] (*inf*) *n*: **it's a rip-off!** to zdzierstwo! (*inf*).

riposte [rı'pɔst] *n* riposta *f.*

ripple ['rıpl] *n* (*wave*) zmarszczka *f*; (*of applause*) szmer *m* ♦ *vi* (*water*) marszczyć się (zmarszczyć się *perf*); (*muscles*) prężyć się, drgać ♦ *vt* marszczyć (zmarszczyć *perf*).

rise [raız] (*pt* **rose**, *pp* **risen**) *n* (*incline*) wzniesienie *nt*; (*BRIT: salary increase*) podwyżka *f*; (*in prices, temperature*) wzrost *m*; (*fig*): **rise to power** dojście *nt* do władzy ♦ *vi* (*prices, numbers*) rosnąć, wzrastać (wzrosnąć *perf*); (*waters, voice, level*) podnosić się (podnieść się *perf*); (*sun, moon*) wschodzić (wzejść *perf*); (*wind*) przybierać (przybrać *perf*) na sile; (*sound*) wznosić się (wznieść się *perf*); (*from bed, knees*) wstawać (wstać *perf*); (*also:* **rise up**: *tower, building*) wznosić się; (: *rebel*) powstawać (powstać *perf*); **to rise in rank** awansować (awansować *perf*); **to rise to power** dochodzić (dojść *perf*) do władzy; **to give rise to** (*discussion, misunderstandings*) wywoływać (wywołać *perf*); (*life*) dawać (dać *perf*) początek +*dat*; **to rise to the occasion** stawać (stanąć *perf*) na wysokości zadania.

risen [rızn] *pp of* rise.

rising ['raızıŋ] *adj* (*number, prices*) rosnący; (*sun, film star*) wschodzący; (*politician, musician*) dobrze się zapowiadający; **rising tide** przypływ.

rising damp *n* wilgoć *f* (*przesuwająca się wzwyż po zewnętrznych ścianach budynku*).

risk [rısk] *n* ryzyko *nt*; (*danger*) niebezpieczeństwo *nt* ♦ *vt* ryzykować (zaryzykować *perf*); **to take a risk** podejmować (podjąć *perf*) ryzyko; **to run the risk of** narażać się na +*acc*; **at risk** w niebezpieczeństwie; **at one's own risk** na (swoje) własne ryzyko; **at the risk of sounding rude, I propose ...** być może zabrzmi to niegrzecznie, ale proponuję ...; **to be a fire/health risk** stanowić zagrożenie pożarowe/dla zdrowia; **I'll risk it** zaryzykuję.

risk capital *n* kapitał *m* spekulacyjny (*narażony za szczególne ryzyko*).

risky ['rıskı] *adj* ryzykowny.

risqué ['ri:skeı] *adj* (*joke, story*) nieprzyzwoity.

rissole ['rısəul] *n* kotlet *m* siekany (*z mięsa, ryb lub warzyw*).

rite [raıt] *n* obrządek *m*, obrzęd *m*; **last rites** (*REL*) ostatnie namaszczenie.

ritual ['rıtjuəl] *adj* rytualny ♦ *n* rytuał *m.*

rival ['raıvl] *n* (*in competition, love*) rywal(ka) *m(f)*; (*in business*) konkurent(ka) *m(f)* ♦ *adj* (*firm, newspaper*) konkurencyjny; (*team*) przeciwny ♦ *vt* równać się z +*instr*; **to rival sb/sth in** konkurować z kimś/czymś +*instr.*

rivalry ['raıvlrı] *n* rywalizacja *f*, współzawodnictwo *nt.*

river ['rıvə*] *n* (*lit, fig*) rzeka *f* ♦ *cpd* rzeczny; **up/down river** w górę/dół rzeki.

river bank *n* brzeg *m* rzeki.

river bed *n* koryto *nt* rzeki.

riverside ['rıvəsaıd] *n* brzeg *m* rzeki.

rivet ['rıvıt] *n* nit *m* ♦ *vt* (*fig: eyes, attention*) przykuwać (przykuć *perf*).

riveting ['rıvıtıŋ] *adj* (*fig*) pasjonujący, fascynujący.

Riviera [rıvı'eərə] *n*: **the (French) Riviera** Riwiera *f* (Francuska); **the Italian Riviera** Riwiera Włoska.

Riyadh [rı'ja:d] *n* Rijad *m.*

RN *n abbr* (*BRIT*) = **Royal Navy**; (*US*: = *registered nurse*) ≈ pielęgniarka (-arz) *f(m)* dyplomowana (-ny) *f(m).*

RNA *n abbr* (= *ribonucleic acid*) RNA *m inv.*

RNLI (*BRIT*) *n abbr* (= *Royal National Lifeboat Institution*) *organizacja zajmująca się ratownictwem wodnym.*

RNZAF *n abbr* (= *Royal New Zealand Air Force*).

RNZN *n abbr* (= *Royal New Zealand Navy*).

road [rəud] *n* (*lit, fig*) droga *f*; (*motorway etc*) szosa *f*, autostrada *f*; (*in town*) ulica *f* ♦ *cpd* drogowy; **main road** szosa główna; **it takes four hours by road** samochodem jedzie się tam cztery godziny; **let's hit the road**

ruszajmy (w drogę); **to be on the road** być
w trasie; **on the road to success** na drodze
do sukcesu; **major/minor road** droga
główna/boczna.

roadblock ['rəudblɔk] n blokada f drogi.

road haulage n transport m drogowy.

roadhog ['rəudhɔg] n zawalidroga m.

road map n mapa f samochodowa.

road safety n bezpieczeństwo nt na drodze.

roadside ['rəudsaɪd] n pobocze nt (drogi) ♦
cpd przydrożny; **by the roadside** na poboczu.

road sign n znak m drogowy.

roadsweeper ['rəudswi:pə*] (BRIT) n (person)
zamiatacz m ulic; (vehicle) maszyna f do
zamiatania ulic.

road user n użytkownik m drogi.

roadway ['rəudweɪ] n jezdnia f.

road works npl roboty pl drogowe.

roadworthy ['rəudwə:ðɪ] adj (car) zdatny do
jazdy.

roam [rəum] vi wędrować, włóczyć się ♦ vt
(streets) włóczyć się +instr; (countryside)
wędrować or włóczyć się po +loc.

roar [rɔ:*] n ryk m ♦ vi ryczeć (zaryczeć perf);
to roar with laughter ryczeć (ryknąć perf)
śmiechem.

roaring ['rɔ:rɪŋ] adj (fire) buzujący; (success)
oszałamiający; **to do a roaring trade (in sth)**
robić (zrobić perf) (na czymś) świetny interes.

roast [rəust] n pieczeń f ♦ vt (meat, potatoes)
piec (upiec perf); (coffee) palić.

roast beef n rostbef m, pieczeń f wołowa.

rob [rɔb] vt rabować (obrabować perf), okradać
(okraść perf); **to rob sb of sth** okradać
(okraść perf) kogoś z czegoś; (fig) pozbawiać
(pozbawić perf) kogoś czegoś.

robber ['rɔbə*] n rabuś m, bandyta m.

robbery ['rɔbərɪ] n rabunek m; (using force or
threats) napad m.

robe [rəub] n (for ceremony) toga f; (also:
bath robe) płaszcz m kąpielowy; (US)
szlafrok m, podomka f ♦ vt: **to be robed in**
(fml) być odzianym w +acc (fml).

robin ['rɔbɪn] n (European) rudzik m; (North
American) drozd m wędrowny.

robot ['rəubɔt] n robot m.

robotics [rə'bɔtɪks] n robotyka f.

robust [rəu'bʌst] adj (person) krzepki;
(appetite) zdrowy, tęgi; (economy) silny; **to
be in robust health** cieszyć się wyśmienitym
zdrowiem.

rock [rɔk] n (substance) skała f; (boulder)
skała f, głaz m; (US: small stone) kamień m;
(also: **rock music**) rock m; (BRIT: sweet)
twardy cukierek w kształcie spiralnej laseczki
♦ vt (person: baby, cradle) kołysać;
(waves: boat) kołysać +instr; (explosion,
news) wstrząsać (wstrząsnąć perf) +instr ♦ vi
kołysać się (zakołysać się perf); **on the rocks**
(drink) z lodem; (ship) na skałach; (marriage

etc) w rozsypce; **to rock the boat** (fig)
wprowadzać (wprowadzić perf) zamieszanie.

rock and roll n rock and roll m.

rock-bottom ['rɔk'bɔtəm] adj najniższy ♦ n: **to
reach** or **touch** or **hit rock-bottom** upaść (perf)
or stoczyć się (perf) na samo dno.

rock cake n rodzaj pierniczka
przypominającego kształtem odłamek skalny.

rock climber n alpinista (-tka) m(f).

rock climbing n wspinaczka f (górska),
alpinistyka f.

rockery ['rɔkərɪ] n ogród(ek) m skalny,
alpinarium nt.

rocket ['rɔkɪt] n rakieta f ♦ vi (prices, sales)
skakać (skoczyć perf) w górę.

rocket launcher n wyrzutnia f rakietowa.

rock face n ściana f skalna.

rock fall n obryw m skalny.

rocking chair ['rɔkɪŋ-] n fotel m bujany.

rocking horse n koń m na biegunach.

rocky ['rɔkɪ] adj skalisty; (fig) chwiejny,
niepewny.

Rocky Mountains npl: **the Rocky Mountains**
Góry pl Skaliste.

rod [rɔd] n (bar) pręt m; (stick) rózga f; (also:
fishing rod) wędka f.

rode [rəud] pt of **ride**.

rodent ['rəudnt] n gryzoń m.

rodeo ['rəudɪəu] (US) n rodeo nt.

roe [rəu] n: **hard roe** ikra f; **soft roe** mlecz m
(rybi).

roe deer n inv sarna f.

rogue [rəug] n łobuz m.

roguish ['rəugɪʃ] adj łobuzerski.

role [rəul] n rola f.

roll [rəul] n (of paper) rolka f; (of cloth) bela
f; (of banknotes) zwitek m; (of members etc)
lista f, wykaz m; (in parish etc) rejestr m,
archiwum nt; (of drums) werbel m; (also:
bread roll) bułka f ♦ vt (ball, dice) toczyć,
kulać; (also: **roll up**: string) zwijać (zwinąć
perf); (: sleeves) podwijać (podwinąć perf);
(cigarette) skręcać (skręcić perf); (eyes)
przewracać +instr; (also: **roll out**: pastry)
wałkować, rozwałkowywać (rozwałkować
perf); (road, lawn) walcować ♦ vi (ball, stone,
tears) toczyć się (potoczyć się perf); (thunder)
przetaczać się (przetoczyć się perf); (ship)
kołysać się (zakołysać się perf); (sweat)
spływać (spłynąć perf); (camera, printing
press) chodzić; **cheese/ham roll** bułka z
serem/szynką; **he's rolling in it** (inf) on leży
or siedzi or śpi na pieniądzach (inf).

▸**roll about** vi turlać się, tarzać się.

▸**roll around** vi = **roll about**.

▸**roll in** vi (money, invitations) napływać
(napłynąć perf).

▸**roll over** vi: **to roll over (on one's stomach)**
przewracać się (przewrócić się perf) (na
brzuch).

►**roll up** vi (inf) nadciągać (nadciągnąć perf), napływać (napłynąć perf) ♦ vt zwijać (zwinąć perf); **to roll o.s. up into a ball** zwijać się (zwinąć się perf) w kłębek.

roll call n odczytanie nt listy obecności.

rolled gold [rəuld-] adj: **the watch is rolled golled** zegarek jest platerowany złotem.

roller ['rəulə*] n (in machine) wałek m, rolka f, (for lawn, road) walec m; (for hair) wałek m.

roller blind n roleta f.

roller coaster n (at funfair) kolejka f górska.

roller skates npl wrotki pl.

rollicking ['rɔlıkıŋ] adj swawolny, rozhukany; **to have a rollicking time** hucznie się bawić.

rolling ['rəulıŋ] adj (hills) falisty.

rolling mill n walcownia f.

rolling pin n wałek m do ciasta.

rolling stock n tabor m kolejowy.

roll-on-roll-off ['rəulɔn'rəulɔf] (BRIT) adj statek m typu „ro-ro".

roly-poly ['rəulı'pəulı] (BRIT: CULIN) n legumina f.

ROM [rɔm] (COMPUT) n abbr (= read-only memory) ROM m.

Roman ['rəumən] adj rzymski ♦ n Rzymianin (-anka) m(f).

Roman Catholic adj rzymskokatolicki ♦ n rzymski (-ka) m(f) katolik (-iczka) m(f).

romance [rə'mæns] n (love affair, novel) romans m; (charm) urok m, czar m.

Romanesque [rəumə'nɛsk] (ARCHIT) adj romański.

Romania [rəu'meınıə] n Rumunia f.

Romanian [rəu'meınıən] adj rumuński ♦ n (person) Rumun(ka) m(f); (LING) (język m) rumuński.

Roman numeral n cyfra f rzymska.

romantic [rə'mæntık] adj romantyczny.

romanticism [rə'mæntısızəm] n romantyzm m.

Romany ['rɔmənı] adj cygański, Romów post ♦ n Rom/Romni m(f inv); (LING) (język m) cygański or romani.

Rome [rəum] n Rzym m.

romp [rɔmp] n igraszki pl ♦ vi (also: **romp about**) dokazywać, baraszkować; **to romp home** (horse) wygrywać (wygrać perf) bez wysiłku.

rompers ['rɔmpəz] npl (for baby) śpioszki pl; (for young child) kombinezon m.

rondo ['rɔndəu] (MUS) n rondo nt.

roof [ru:f] (pl **roofs**) n dach m ♦ vt pokrywać (pokryć perf) dachem, zadaszać (zadaszyć perf); **the roof of the mouth** podniebienie.

roof garden n ogród m na dachu.

roofing ['ru:fıŋ] n pokrycie nt dachowe; **roofing felt** papa f.

roof rack (AUT) n bagażnik m na dach.

rook [ruk] n (ZOOL) gawron m; (CHESS) wieża f.

room [ru:m] n (in house, hotel) pokój m; (in school etc) sala f, pomieszczenie nt; (space) miejsce nt; (for change, maneouvre) pole nt ♦ vi: **to room with sb** (esp US) wynajmować wspólnie z kimś pokój; **rooms** npl mieszkanie nt; **"rooms to let"**, (US) **"rooms for rent"** „pokoje do wynajęcia"; **single/double room** pokój jednoosobowy/dwuosobowy; **is there room for this?** czy jest na to miejsce?; **to make room for sb** robić (zrobić perf) miejsce dla kogoś; **there is plenty of room for improvement here** (jeszcze) wiele można tu ulepszyć.

rooming house ['ru:mıŋ-] (US) n blok m mieszkalny (z mieszkaniami lub pokojami do wynajęcia).

roommate ['ru:mmeıt] n współlokator(ka) m(f), współmieszkaniec (-nka) m(f).

room service n obsługa f kelnerska do pokojów; **to call room service** dzwonić (zadzwonić perf) po kelnera.

room temperature n temperatura f pokojowa; **"serve at room temperature"** „podawać w temperaturze pokojowej".

roomy ['ru:mı] adj przestronny.

roost [ru:st] vi siedzieć na grzędzie.

rooster ['ru:stə*] (esp US) n kogut m.

root [ru:t] n (of plant, tooth) korzeń m; (MATH) pierwiastek m; (of hair) cebulka f, (of problem, belief) źródło nt ♦ vi ukorzeniać się (ukorzenić się perf), wypuszczać (wypuścić perf) korzenie ♦ vt: **to be rooted in** być zakorzenionym w +loc; **roots** npl korzenie pl; **to take root** (lit, fig) zakorzeniać się (zakorzenić się perf); **the root cause of the problem** podstawowa przyczyna problemu.

►**root about** vi (fig) szperać.

►**root for** vt fus kibicować +dat, dopingować +acc.

►**root out** vt wykorzeniać (wykorzenić perf).

rope [rəup] n (thick string) sznur m, powróz m; (NAUT) cuma f, lina f, (for climbing) lina f ♦ vt (also: **rope together**) związywać (związać perf), powiązać (perf); (tie): **to rope sth (to)** przywiązywać (przywiązać perf) coś (do +gen); **to know the ropes** (fig) znać się na rzeczy.

►**rope in** vt (fig) werbować (zwerbować perf).

►**rope off** vt (area) odgradzać (odgrodzić perf) (liną).

rope ladder n drabina f sznurowa.

rosary ['rəuzərı] n różaniec m.

rose [rəuz] pt of **rise** ♦ n róża f, (on watering can) sitko nt ♦ adj różowy.

rosé ['rəuzeı] n różowe wino nt.

rosebed ['rəuzbɛd] n klomb m róż.

rosebud ['rəuzbʌd] n pączek m róży.

rosebush ['rəuzbuʃ] n krzew m różany.

rosemary ['rəuzmərı] n rozmaryn m.

rosette [rəu'zɛt] n rozetka f.

ROSPA ['rɔspə] (*BRIT*) *n abbr* (= *Royal Society for the Prevention of Accidents*).

roster ['rɔstə*] *n*: **duty roster** harmonogram *m* dyżurów.

rostrum ['rɔstrəm] *n* mównica *f*.

rosy ['rəuzɪ] *adj* (*colour*) różowy; (*cheeks*) zaróżowiony; (*situation*) obiecujący; **a rosy future** świetlana przyszłość.

rot [rɔt] *n* (*decay*) gnicie *nt*; (*fig*: *rubbish*) bzdury *pl* ♦ *vt* psuć (zepsuć *perf*), niszczyć (zniszczyć *perf*) ♦ *vi* (*teeth*) psuć się (popsuć się *perf*); (*wood, fruit, etc*) gnić (zgnić *perf*); **to stop the rot** (*BRIT*: *fig*) powstrzymywać (powstrzymać *perf*) proces rozkładu; **dry rot** mursz; **wet rot** zgnilizna.

rota ['rəutə] *n* rozkład *m* or harmonogram *m* dyżurów; **on a rota basis** według harmonogramu.

rotary ['rəutərɪ] *adj* (*motion*) obrotowy, rotacyjny; (*cutter*) krążkowy.

rotate [rəu'teɪt] *vt* (*spin*) obracać (obrócić *perf*) ♦ *vi* obracać się (obrócić się *perf*); **to rotate crops** stosować płodozmian; **to rotate jobs** zmieniać się (zmienić się *perf*) na stanowiskach pracy.

rotating [rəu'teɪtɪŋ] *adj* obrotowy.

rotation [rəu'teɪʃən] *n* (*of planet, drum*) obrót *m*; (*of crops*) płodozmian *m*; (*of jobs*) rotacja *f*; **in rotation** w określonej kolejności.

rote [rəut] *n*: **by rote** na pamięć.

rotor ['rəutə*] *n* (*also*: **rotor blade**) wirnik *m*.

rotten ['rɔtn] *adj* (*fruit*) zgniły; (*meat, eggs, teeth*) zepsuty; (*wood*) spróchniały, zmurszały; (*inf*: *unpleasant*) paskudny; (: *bad*) kiepski, marny; **to feel rotten** czuć się kiepsko.

rotund [rəu'tʌnd] *adj* pulchny.

rouble ['ru:bl] (*US* **ruble**) *n* rubel *m*.

rouge [ru:ʒ] *n* róż *m*.

rough [rʌf] *adj* (*surface*) szorstki, chropowaty; (*terrain*) nierówny, wyboisty; (*person, manner*) grubiański, obcesowy; (*town, area*) niespokojny; (*treatment*) brutalny; (*conditions, journey*) ciężki; (*sea*) wzburzony; (*sketch, plan*) schematyczny; (*estimate*) przybliżony ♦ *n* (*GOLF*): **in the rough** w zaroślach ♦ *vt*: **to rough it** żyć w prymitywnych warunkach, obywać się bez wygód; **to have a rough time** przeżywać (przeżyć *perf*) ciężkie chwile; **to play rough** (*fig*) grać (zagrać *perf*) brutalnie; **can you give me a rough idea of the cost?** czy może mi Pan/Pani podać orientacyjny koszt?; **to sleep rough** (*BRIT*) spać pod gołym niebem; **to feel rough** (*BRIT*) czuć się źle.

►**rough out** *vt* szkicować (naszkicować *perf*).

roughage ['rʌfɪdʒ] *n* niestrawiona część *f* pożywienia.

rough-and-ready ['rʌfən'rɛdɪ] *adj* prymitywny, prowizoryczny.

rough-and-tumble ['rʌfən'tʌmbl] *n* (*fighting*) bijatyka *f*, szamotanina *f*; (*fig*) przepychanki *pl*.

roughcast ['rʌfkɑ:st] *n* tynk *m* kamyczkowy.

rough copy *n* brudnopis *m*.

rough draft *n* szkic *m*.

rough justice *n* surowy, ale sprawiedliwy wyrok *m*.

roughly ['rʌflɪ] *adv* (*push, grab*) gwałtownie; (*make*) niestarannie; (*answer*) pobieżnie; (*approximately*) z grubsza, mniej więcej; **roughly speaking** mniej więcej.

roughness ['rʌfnɪs] *n* (*of surface*) szorstkość *f*, chropowatość *f*; (*of manner*) grubiaństwo *nt*.

roughshod ['rʌfʃɔd] *adv*: **to ride roughshod over** (*person*) poniewierać +*instr*; (*objections*) ignorować (zignorować *perf*) +*acc*.

roulette [ru:'lɛt] *n* ruletka *f*.

Roumania [ru:'meɪnɪə] *n* = **Rumania**.

round [raund] *adj* okrągły ♦ *n* (*by policeman, doctor*) obchód *m*; (*of competition, talks*) runda *f*; (*of golf*) partia *f*; (*of ammunition*) nabój *m*, pocisk *m*; (*of drinks*) kolejka *f*; (*of sandwiches*) porcja *f* ♦ *vt* (*lake etc*) okrążać (okrążyć *perf*); (*cape*) opływać (opłynąć *perf*) ♦ *prep*: **round his neck/the table** wokół jego szyi/stołu; **to sail round the world** płynąć (popłynąć *perf*) dookoła świata; **to move round a room** chodzić po pokoju; **round about 300** około 300 ♦ *adv*: **all round** dookoła; **the long way round** okrężną drogą; **all (the) year round** przez cały rok; **the wrong way round** na lewą stronę; **in round figures** w zaokrągleniu; **it's just round the corner** to jest tuż za rogiem; **to ask sb round** zapraszać (zaprosić *perf*) kogoś do siebie; **I'll be round at six o'clock** będę o szóstej; **to go round** obracać się; **to go round to sb's (house)** zachodzić (zajść *perf*) do kogoś; **to go round the back** wchodzić (wejść *perf*) od tyłu; **to go round an obstacle** obchodzić (obejść *perf*) przeszkodę; **there is enough to go round** wystarczy dla wszystkich; **round the clock** przez całą dobę; **the daily round** (*fig*) dzienny przydział; **a round of applause** owacja; **to round the corner** skręcać (skręcić *perf*) za róg.

►**round off** *vt* zakańczać (zakończyć *perf*).

►**round up** *vt* (*cattle*) spędzać (spędzić *perf*), zaganiać (zagonić *perf*); (*people*) spędzać (spędzić *perf*); (*price, figure*) zaokrąglać (zaokrąglić *perf*).

roundabout ['raundəbaut] (*BRIT*) *n* (*AUT*) rondo *nt*; (*at fair*) karuzela *f* ♦ *adj* okrężny; (*fig*: *way, means*) zawoalowany.

rounded ['raundɪd] *adj* (*hill*) łagodny; (*body, figure*) zaokrąglony.

rounders ['raundəz] *n* odmiana *palanta*.

roundly ['raundlɪ] *adv* (*fig*) otwarcie.

round-shouldered ['raund'ʃəuldəd] *adj* przygarbiony.

round trip *n* podróż *f* w obie strony.

roundup ['raundʌp] *n* (*of news*) przegląd *m*; (*of animals*) spęd *m*; (*of criminals*) obława *f*; **a roundup of the latest news** przegląd najświeższych wiadomości.

rouse [rauz] *vt* (*wake up*) budzić (obudzić *perf*); (*stir up*) wzbudzać (wzbudzić *perf*).

rousing ['rauzɪŋ] *adj* porywający.

rout [raut] (*MIL*) *n* pogrom *m* ♦ *vt* rozgromić (*perf*).

route [ru:t] *n* (*way*) szlak *m*, droga *f*; (*of bus, procession*) trasa *f*; (*of shipping*) szlak *m*; (*fig*) droga *f*; "**all routes**" (*AUT*) „wszystkie kierunki"; **the best route to London** najlepsza droga do Londynu; **en route for** po *or* w drodze do +*gen*; **en route from ... to ...** na *or* w drodze z +*gen* do +*gen*.

route map (*BRIT*) *n* (*for journey*) mapa *f* drogowa; (*for trains etc*) plan *m* trasy.

routine [ru:'ti:n] *adj* rutynowy ♦ *n* (*organization*) rozkład *m* zajęć; (*drudgery*) monotonna harówka *f*; (*THEAT*) układ *m*; **routine procedure** postępowanie rutynowe.

rove [rəuv] *vt* włóczyć się po +*loc*.

roving reporter *n* wędrowny reporter *m*.

row[1] [rəu] *n* rząd *m*; (*KNITTING*) rządek *m* ♦ *vi* wiosłować ♦ *vt*: **to row a boat** wiosłować; **in a row** (*fig*) z rzędu.

row[2] [rau] *n* (*din*) zgiełk *m*; (*dispute*) awantura *f*, (*quarrel*) kłótnia *f* ♦ *vi* kłócić się (pokłócić się *perf*); **to have a row** kłócić się (pokłócić się *perf*).

rowboat ['rəubəut] (*US*) *n* łódź *f* (wiosłowa).

rowdiness ['raudɪnɪs] *n* awanturnictwo *nt*.

rowdy ['raudɪ] *adj* awanturniczy.

rowdyism ['raudɪɪzəm] *n* awanturnictwo *nt*.

rowing ['rəuɪŋ] *n* wioślarstwo *nt*.

rowing boat (*BRIT*) *n* łódź *f* (wiosłowa).

rowlock ['rɔlək] (*BRIT*) *n* dulka *f*.

royal ['rɔɪəl] *adj* królewski.

Royal Air Force (*BRIT*) *n*: **the Royal Air Force** Królewskie Siły *pl* Powietrzne.

royal blue *adj* błękit *m* kobaltowy.

royalist ['rɔɪəlɪst] *n* rojalista (-tka) *m(f)* ♦ *adj* rojalistyczny.

Royal Navy (*BRIT*) *n*: **the Royal Navy** Królewska Marynarka *f* Wojenna.

royalty ['rɔɪəltɪ] *n* członkowie *vir pl* rodziny królewskiej; **royalties** *npl* tantiemy *pl*.

RP (*BRIT*) *n abbr* (= *received pronunciation*) *standard wymowy brytyjskiej*.

rpm *abbr* (= *revolutions per minute*) obr/min.

RR (*US*) *abbr* = **railroad**.

RRP (*BRIT*) *n abbr* = **recommended retail price**.

RSA (*BRIT*) *n abbr* (= *Royal Society of Arts*); (= *Royal Scottish Academy*).

RSI (*MED*) *n abbr* (= *repetitive strain injury*) uszkodzenie *nt* przeciążeniowe.

RSPB (*BRIT*) *n abbr* (= *Royal Society for the Protection of Birds*).

RSPCA (*BRIT*) *n abbr* (= *Royal Society for the Prevention of Cruelty to Animals*).

RSVP *abbr* (= *répondez s'il vous plaît*) uprasza się o odpowiedź.

RTA *n abbr* (= *road traffic accident*).

Rt Hon. (*BRIT*) *abbr* (= *Right Honourable*) *tytuł przysługujący niektórym sędziom i członkom Privy Council*.

Rt Rev. (*REL*) *abbr* (= *Right Reverend*) *tytuł przysługujący biskupowi*.

rub [rʌb] *vt* (*part of body*) pocierać (potrzeć *perf*); (*object*) przecierać (przetrzeć *perf*); (*hands*) zacierać (zatrzeć *perf*) ♦ *n*: **to give sth a rub** przecierać (przetrzeć *perf*) coś; **to rub sb up** *or* (*US*) **rub sb the wrong way** działać komuś na nerwy.

▸**rub down** *vt* wycierać (wytrzeć *perf*).

▸**rub in** *vt* wcierać (wetrzeć *perf*); **don't rub it in!** (*fig*) nie wypominaj mi tego bez końca!

▸**rub off** *vi* (*paint*) ścierać się (zetrzeć się *perf*).

▸**rub off on** *vt fus* udzielać się (udzielić się *perf*) +*dat*.

▸**rub out** *vt* wymazywać (wymazać *perf*), zmazywać (zmazać *perf*).

rubber ['rʌbə*] *n* (*substance*) guma *f*; (*BRIT: eraser*) gumka *f*; (*US: inf*) kondom *m* (*inf*).

rubber band *n* gumka *f*, recepturka *f*.

rubber plant *n* drzewo *nt* kauczukowe.

rubber ring *n* (nadmuchiwane) koło *nt* do pływania.

rubber stamp *n* pieczątka *f*.

rubber-stamp [rʌbə'stæmp] *vt* (*fig*) mechanicznie zatwierdzać (zatwierdzić *perf*).

rubbery ['rʌbərɪ] *adj* (*material*) gumowy; (*food*) gumowaty.

rubbish ['rʌbɪʃ] (*BRIT*) *n* śmieci *pl*, odpadki *pl*; (*fig: junk*) szmira *f*; (: *nonsense*) bzdury *pl*, brednie *pl* ♦ *vt* (*BRIT: inf*) mieszać (zmieszać *perf*) z błotem (*inf*); **rubbish!** bzdura!

rubbish bin (*BRIT*) *n* pojemnik *m* na śmieci *or* odpadki.

rubbish dump (*BRIT*) *n* wysypisko *nt* śmieci.

rubbishy ['rʌbɪʃɪ] (*BRIT: inf*) *adj* tandetny, szmirowaty.

rubble ['rʌbl] *n* (*debris*) gruz *m*; (*of house*) gruzy *pl*; (*CONSTR*) tłuczeń *m*.

ruble ['ru:bl] (*US*) *n* = **rouble**.

ruby ['ru:bɪ] *n* rubin *m* ♦ *adj* rubinowy.

RUC (*BRIT*) *n abbr* (= *Royal Ulster Constabulary*) policja północnoirlandzka.

rucksack ['rʌksæk] *n* plecak *m*.

ructions ['rʌkʃənz] (*inf*) *npl* afera *f* (*inf*).

rudder ['rʌdə*] *n* ster *m*.

ruddy ['rʌdɪ] *adj* (*face*) rumiany; (*glow*) czerwonawy; **ruddy!** (*inf*) do licha!

rude [ru:d] *adj* (*person, behaviour*) niegrzeczny; (*word, joke*) nieprzyzwoity; (*shock*) gwałtowny; (*shelter etc*) prymitywny; **to be rude to sb** być niegrzecznym wobec kogoś; **a rude awakening** gwałtowne przebudzenie.

rudely ['ru:dlı] *adv* niegrzecznie.

rudeness ['ru:dnıs] *n* niegrzeczność *f*.

rudimentary [ru:dı'mentərı] *adj* elementarny, podstawowy.

rudiments ['ru:dımənts] *npl* podstawy *pl*.

rueful ['ru:ful] *adj* smutny.

ruff [rʌf] *n* kreza *f*.

ruffian ['rʌfıən] *n* zbój *m*.

ruffle ['rʌfl] *vt* (*hair*) mierzwić (zmierzwić *perf*), wichrzyć (zwichrzyć *perf*); (*water*) marszczyć (zmarszczyć *perf*); (*bird: feathers*) stroszyć (nastroszyć *perf*); (*fig: person*) poruszać (poruszyć *perf*).

rug [rʌg] *n* (*on floor*) dywanik *m*; (*BRIT: blanket*) pled *m*.

rugby ['rʌgbı] *n* (*also:* **rugby football**) rugby *nt inv*.

rugged ['rʌgıd] *adj* (*landscape, features, face*) surowy; (*character*) szorstki; (*man, determination*) twardy.

rugger ['rʌgə*] (*BRIT: inf*) *n* rugby *nt inv*.

ruin ['ru:ın] *n* (*destruction, remains*) ruina *f*; (*downfall*) upadek *m*; (*bankruptcy*) upadek *m*, ruina *f* ♦ *vt* (*building, person, health*) rujnować (zrujnować *perf*); (*plans*) niweczyć (zniweczyć *perf*); (*prospects, relations*) psuć (popsuć *perf*); (*clothes, carpet*) niszczyć (zniszczyć *perf*); (*hopes*) pogrzebać (*perf*); **ruins** *npl* ruiny *pl*; **in ruins** w gruzach.

ruination [ru:ı'neıʃən] *n* (*of building, place*) zniszczenie *nt*; (*of person, life, career*) zrujnowanie *nt*.

ruinous ['ru:ınəs] *adj* rujnujący.

rule [ru:l] *n* (*norm*) reguła *f*, (*regulation*) przepis *m*; (*government*) rządy *pl*, panowanie *nt* ♦ *vt* rządzić +*instr* ♦ *vi:* **to rule (over sb/sth)** rządzić (kimś/czymś); **to rule in favour of/against/on** wydawać (wydać *perf*) orzeczenie na korzyść +*gen*/na niekorzyść +*gen*/w sprawie +*gen*; **to rule that** orzekać (orzec *perf*), że; **it's against the rules** to niedozwolone *or* niezgodne z przepisami; **as a rule of thumb** można przyjąć, że; **under British rule** pod panowaniem brytyjskim; **as a rule** z reguły.

▸**rule out** *vt* wykluczać (wykluczyć *perf*); **murder cannot be ruled out** nie można wykluczyć morderstwa.

ruled [ru:ld] *adj* (*paper*) liniowany, w linię *post*.

ruler ['ru:lə*] *n* (*sovereign*) władca (-czyni) *m(f)*; (*for measuring*) linijka *f*.

ruling ['ru:lıŋ] *adj* rządzący ♦ *n* (*JUR*) orzeczenie *nt*.

rum [rʌm] *n* rum *m* ♦ *adj* (*BRIT: inf*) dziwaczny.

Rumania *etc n* = **Romania** *etc*.

▸**rumble** ['rʌmbl] *n* (*of thunder, guns*) dudnienie *nt*; (*of voices*) gwar *m* ♦ *vi* dudnić (zadudnić

perf); (*also:* **rumble along**) toczyć się (potoczyć się *perf*) z łoskotem; **my stomach was rumbling** burczało mi w brzuchu.

rumbustious [rʌm'bʌstʃəs] *adj* rubaszny.

ruminate ['ru:mıneıt] *vi* (*person*) zastanawiać się; (*cow, sheep*) przeżuwać.

rummage ['rʌmıdʒ] *vi* grzebać, szperać.

rummage sale (*US*) *n* wyprzedaż *f* rzeczy używanych (*na cele dobroczynne*).

rumour ['ru:mə*] (*US* **rumor**) *n* pogłoska *f* ♦ *vt:* **it is rumoured that ...** chodzą słuchy, że ... .

rump [rʌmp] *n* (*of animal*) zad *m*; (*of group, political party*) niedobitki *pl* (*najwierniejsi członkowie*).

rumple ['rʌmpl] *vt* (*clothes, sheets*) miąć (pomiąć *perf*).

rump steak *n* wołowina *f* krzyżowa.

rumpus ['rʌmpəs] *n* wrzawa *f*, szum *m*; **to kick up a rumpus** podnosić (podnieść *perf*) wrzawę, robić szum (narobić *perf* szumu).

run [rʌn] (*pt* **ran**, *pp* **run**) *n* (*fast pace, race*) bieg *m*; (*in car*) przejażdżka *f*; (*of train, bus, for skiing*) trasa *f*; (*of victories, defeats*) seria *f*, (*in tights, stockings*) oczko *nt*; (*CRICKET, BASEBALL*) punkt za przebiegnięcie między oznaczonymi miejscami po uderzeniu piłki ♦ *vt* (*distance*) biec (przebiec *perf*); (*business, shop, hotel*) prowadzić; (*competition, course*) przeprowadzać (przeprowadzić *perf*); (*COMPUT: program*) uruchamiać (uruchomić *perf*); (*hand, fingers*) przesuwać (przesunąć *perf*); (*water*) puszczać (puścić *perf*); (*PRESS: article*) zamieszczać (zamieścić *perf*) ♦ *vi* (*move quickly*) biec (pobiec *perf*); (: *habitually, regularly*) biegać; (*flee*) uciekać (uciec *perf*); (*bus, train: operate*) kursować, jeździć; (: *travel*) jechać (pojechać *perf*); (*play, show*) być granym, iść (*inf*); (*contract*) być ważnym; (*river, tears*) płynąć (popłynąć *perf*); (*colours, washing*) farbować, puszczać; (*road, railway*) biec; (*horse: in race*) ścigać się; **to go for a run** iść (pójść *perf*) pobiegać; **to break into a run** zaczynać (zacząć *perf*) biec; **it's a 50-minute run from Glasgow to Edinburgh** z Glasgow do Edynburga jedzie się 50 minut; **the play had a 6 week run at the Apollo Theatre** sztuka szła w Teatrze Apollo przez 6 tygodni; **a run of good/bad luck** dobra/zła passa; **to have the run of sb's house** móc korzystać z czyjegoś domu; **there was a run on ...** był run na +*acc*; **in the long/short run** na dłuższą/krótką metę; **we'll have to make a run for it** będziemy musieli szybko (stąd) uciekać; **to be on the run** (*fugitive*) ukrywać się; **I'll run you to the station** zawiozę cię na dworzec; **to run the risk of** narażać się (narazić się *perf*) na +*acc*; **the baby's nose was running** niemowlę miało katar; **to run errands** załatwiać sprawy; **my car is very cheap to run** mój samochód jest

bardzo tani w eksploatacji; **to run on petrol**
jeździć na benzynę; **to run off batteries**
działać na baterie; **the engine/computer is
running** silnik/komputer jest włączony; **to run
for president/in an election** kandydować na
prezydenta/w wyborach; **the well has run dry**
studnia wyschła; **tempers were running high**
panowała nerwowa atmosfera; **unemployment
is running at twenty per cent** bezrobocie
kształtuje się na poziomie dwudziestu
procent; **to run a bath** przygotowywać
(przygotować *perf*) kąpiel; **blonde hair runs in
the family** jasne włosy są cechą rodzinną; **to
be run off one's feet** (*BRIT*) być bardzo
zabieganym.

▶**run across** *vt fus* (*find*) natykać się (natknąć
się *perf*) na +*acc*.

▶**run after** *vt fus* biec (pobiec *perf*) za +*instr*.

▶**run away** *vi* uciekać (uciec *perf*).

▶**run down** *vt* (*production*) ograniczać
(ograniczyć *perf*); (*company*) ograniczać
(ograniczyć *perf*) działalność +*gen*;
(*AUT*: *person*) potrącać (potrącić *perf*);
(*criticize*) źle mówić o +*loc* ♦ *vi* (*battery*)
wyczerpywać się (wyczerpać się *perf*); **she's
run down** jest wyczerpana.

▶**run in** (*BRIT*) *vt* (*car*) docierać (dotrzeć *perf*).

▶**run into** *vt fus* (*person, fence, post*) wpadać
(wpaść *perf*) na +*acc*; (*problems*) napotykać
(napotkać *perf*); (*another vehicle*) zderzać się
(zderzyć się *perf*) z +*instr*; **to run into
debt/trouble** wpadać (wpaść *perf*) w
długi/kłopoty; **their losses ran into millions**
ich straty sięgały milionów.

▶**run off** *vt* (*liquid*) wylewać (wylać *perf*);
(*copies*) robić (zrobić *perf*) ♦ *vi* uciekać
(uciec *perf*).

▶**run out** *vi* (*time, money*) kończyć się
(skończyć się *perf*); (*passport*) tracić (stracić
perf) ważność.

▶**run out of** *vt fus*: **we're running out of
money/ideas/matches** kończą nam się
pieniądze/pomysły/zapałki.

▶**run over** *vt* (*AUT*: *person*) przejechać (*perf*) ♦ *vt
fus* (*repeat*) powtarzać (powtórzyć *perf*) ♦ *vi*
(*bath, water*) przelewać się (przelać się *perf*).

▶**run through** *vt fus* (*discuss*) omawiać
(omówić *perf*); (*examine*) przeglądać
(przejrzeć *perf*); (*rehearse*) ćwiczyć
(przećwiczyć *perf*).

▶**run up** *vt* (*debt*) zaciągać (zaciągnąć *perf*).

▶**run up against** *vt fus* (*difficulties*) napotykać
(napotkać *perf*).

runabout ['rʌnəbaut] (*AUT*) *n* samochód *m*
miejski.

runaway ['rʌnəweɪ] *adj* (*slave, prisoner*)
zbiegły; (*inflation*) nie dający się opanować;
(*success*) spektakularny; **runaway child** mały
uciekinier; **runaway horse** koń, który poniósł.

rundown ['rʌndaun] *n* (*of company*)

ograniczenie *nt* działalności ♦ *adj*: **run-down**
(*person*) wyczerpany; (*building, area*)
zaniedbany, zapuszczony.

rung [rʌŋ] *pp of* **ring** ♦ *n* (*lit, fig*) szczebel *m*.

run-in ['rʌnɪn] (*inf*) *n* starcie *nt*.

runner ['rʌnə*] *n* (*in race*: *person*) biegacz(ka)
m(f); (: *horse*) koń *m* wyścigowy; (*on sledge*)
płoza *f*; (*on drawer*) prowadnica *f*.

runner bean (*BRIT*) *n* fasolka *f* szparagowa.

runner-up [rʌnər'ʌp] *n* zdobywca (-czyni) *m(f)*
drugiego miejsca.

running ['rʌnɪŋ] *n* (*sport*) bieganie *nt*; (*of
business, organization*) prowadzenie *nt*; (*of
machine*) eksploatacja *f*; (*of event*)
organizacja *f* ♦ *adj* (*stream*) płynący; (*water*)
bieżący; **to be in/out of the running for sth**
mieć szansę/nie mieć szansy na coś; **six days
running** sześć dni z rzędu; **to have a running
battle with sb** być z kimś w stanie ciągłej
wojny; **to give a running commentary on sth**
komentować coś na bieżąco; **a running sore**
jątrzący wrzód; **to make the running** (*in race*)
prowadzić; (*fig*) przewodzić, wieść prym.

running costs *npl* koszty *pl* eksploatacji *or*
użytkowania.

running head (*TYP*) *n* żywa pagina *f*.

running mate (*US: POL*) *n* kandydat(ka) *m(f)*
na wiceprezydenta.

runny ['rʌnɪ] *adj* (*honey, omelette*) (zbyt)
rzadki; (*eyes*) załzawiony; **his nose is runny**
cieknie mu z nosa.

run-off ['rʌnɔf] *n* (*in contest*) dogrywka *f*; (*in
election*) dodatkowa *or* rozstrzygająca tura *f*;
(*extra race*) dodatkowy bieg *m*.

run-of-the-mill ['rʌnəvðə'mɪl] *adj* tuzinkowy.

runt [rʌnt] *n* (*animal*) najsłabszy z miotu;
(*pej*: *person*) cherlak *m* (*pej*).

run-through ['rʌnθru:] *n* próba *f*.

run-up ['rʌnʌp] *n*: **the run-up to** okres *m*
poprzedzający +*acc*.

runway ['rʌnweɪ] *n* pas *m* startowy.

rupee [ru:'pi:] *n* rupia *f*.

rupture ['rʌptʃə*] *n* (*MED*: *hernia*) przepuklina
f; (: *of blood vessel, appendix*) pęknięcie *nt*;
(*between people, groups*) zerwanie *nt* ♦ *vt*: **to
rupture o.s.** (*MED*) dostawać (dostać *perf*)
przepukliny.

rural ['ruərl] *adj* (*area*) wiejski; (*economy*)
rolny; (*country*) rolniczy.

rural district council (*BRIT*) *n rada okręgu
wiejskiego*.

ruse [ru:z] *n* podstęp *m*.

rush [rʌʃ] *n* (*hurry*) pośpiech *m*; (*COMM*)
nagły popyt *m*; (*of air*) podmuch *m*; (*of
feeling, emotion*) przypływ *m* ♦ *vt* (*lunch, job*)
śpieszyć się (pośpieszyć się *perf*) z +*instr*;
(*supplies*) natychmiast wysyłać (wysłać *perf*)
♦ *vi* (*person*) pędzić (popędzić *perf*); (*air,
water*): **to rush in(to)** wdzierać się (wedrzeć
się *perf*) (do +*gen*); **rushes** *npl* (*BOT*) sitowie

nt; **is there any rush for this?** czy to pilne?; **I'm in a rush (to)** śpieszę się (, żeby +*infin*); **we've had a rush of orders** mieliśmy mnóstwo zamówień; **don't rush me!** nie poganiaj mnie!; **to rush sth off** wysyłać (wysłać *perf*) coś natychmiast; **they rushed her to hospital** natychmiast zawieźli ją do szpitala; **she rushed to book a seat** pośpieszyła zarezerwować miejsce; **to rush sb into doing sth** przynaglać kogoś do zrobienia czegoś; **gold rush** gorączka złota.

▶**rush through** *vt* (*order, application*) szybko załatwiać (załatwić *perf*).

rush hour *n* godzina *f* szczytu.

rush job *n*: **it was a rush job** to było robione w pośpiechu.

rush matting *n* mata *f*.

rusk [rʌsk] *n* sucharek *m*.

Russia ['rʌʃə] *n* Rosja *f*.

Russian ['rʌʃən] *adj* rosyjski ♦ *n* (*person*) Rosjanin (-anka) *m(f)*; (*LING*) (język *m*) rosyjski.

rust [rʌst] *n* rdza *f* ♦ *vi* rdzewieć (zardzewieć *perf*).

rustic ['rʌstɪk] *adj* wiejski; (*style, furniture*) rustykalny ♦ *n* (*pej*) prostak (-aczka) *m(f)*.

rustle ['rʌsl] *vi* szeleścić (zaszeleścić *perf*) ♦ *vt* (*paper etc*) szeleścić (zaszeleścić *perf*) +*instr*; (*US: cattle*) kraść (ukraść *perf*).

rustproof ['rʌstpru:f] *adj* odporny na rdzę.

rustproofing ['rʌstpru:fɪŋ] *n* ochrona *f* przed rdzą.

rusty ['rʌstɪ] *adj* zardzewiały; (*fig: skill*): **my German is pretty rusty** dużo zapomniałem z niemieckiego.

rut [rʌt] *n* (*in path, ground*) koleina *f*; (*ZOOL*) okres *m* godowy; **he is in a rut** (*fig*) popadł w rutynę.

rutabaga [ruːtəˈbeɪgə] (*US*) *n* brukiew *f*.

ruthless ['ruːθlɪs] *adj* bezwzględny.

ruthlessness ['ruːθlɪsnɪs] *n* bezwzględność *f*.

RV *abbr* (*BIBLE: = revised version*) *angielskie tłumaczenie Biblii z roku 1885* ♦ *n abbr* (*US*) = **recreational vehicle**.

rye [raɪ] *n* żyto *nt*.

rye bread *n* chleb *m* żytni.

S, s

S¹, s [ɛs] *n* (*letter*) S *nt*, s *nt*; (*US: SCOL*) ≈ dostateczny *nt inv*; **S for sugar** ≈ S jak Stanisław.

S² *abbr* = **south** płd.; = **small**; **saint** św.

SA *abbr* = **South Africa**; **South America**.

Sabbath ['sæbəθ] *n* (*Jewish*) sabat *m*, szabas *m*; (*Christian*) Dzień *m* Pański.

sabbatical [səˈbætɪkl] *n* (*also:* **sabbatical year**) urlop *m* naukowy.

sabotage ['sæbətɑːʒ] *n* sabotaż *m* ♦ *vt* (*machine, building*) niszczyć (zniszczyć *perf*) (*w akcie sabotażu*); (*plan, meeting*) sabotować.

sabre ['seɪbə*] *n* szabla *f*.

saccharin(e) ['sækərɪn] *n* sacharyna *f* ♦ *adj* (*fig*) cukierkowy.

sachet ['sæʃeɪ] *n* torebeczka *f*.

sack [sæk] *n* worek *m* ♦ *vt* (*dismiss*) zwalniać (zwolnić *perf*), wylewać (wylać *perf*) (*inf*); (*plunder*) łupić (złupić *perf*); **he got the sack** zwolnili *or* wylali (*inf*) go.

sackful ['sækful] *n*: **a sackful of** worek +*gen*.

sacking ['sækɪŋ] *n* (*dismissal*) zwolnienie *nt*; (*material*) płótno *nt* workowe.

sacrament ['sækrəmənt] *n* sakrament *m*.

sacred ['seɪkrɪd] *adj* (*music, writings*) sakralny; (*animal, calling, duty*) święty.

sacred cow *n* (*fig*) święta krowa *f*.

sacrifice ['sækrɪfaɪs] *n* (*offering*) składanie *nt* ofiary; (*animal etc offered*) ofiara *f*; (*fig*) poświęcenie *nt*, wyrzeczenie *nt* ♦ *vt* składać (złożyć *perf*) w ofierze, składać (złożyć *perf*) ofiarę z +*gen*; (*fig*) poświęcać (poświęcić *perf*); **to make sacrifices (for sb)** poświęcać się (dla kogoś).

sacrilege ['sækrɪlɪdʒ] *n* świętokradztwo *nt*.

sacrosanct ['sækrəusæŋkt] *adj* (*fig: custom*) uświęcony (tradycją); (*law*) święty, nienaruszalny; (*place, person*) święty, nietykalny.

sad [sæd] *adj* smutny.

sadden ['sædn] *vt* smucić, zasmucać (zasmucić *perf*).

saddle ['sædl] *n* (*for horse*) siodło *nt*; (*of bicycle*) siodełko *nt* ♦ *vt* (*horse*) siodłać (osiodłać *perf*); **to be saddled with** (*inf*) być obarczonym +*instr*.

saddlebag ['sædlbæg] *n* sakwa *f* (*przy siodle, rowerowa itp*).

sadism ['seɪdɪzəm] *n* sadyzm *m*.

sadist ['seɪdɪst] *n* sadysta (-tka) *m(f)*.

sadistic [sə'dɪstɪk] *adj* sadystyczny.

sadly ['sædlɪ] *adv* (*unhappily*) smutno, ze smutkiem; (*unfortunately*) niestety; (*mistaken, neglected*) poważnie; **the school is sadly lacking in equipment** szkoła odczuwa dotkliwe braki w wyposażeniu.

sadness ['sædnɪs] *n* smutek *m*.

sae (*BRIT*) *abbr* (= *stamped addressed envelope*) *see* **stamp**.

safari [sə'fɑːrɪ] *n* safari *nt inv*.

safari park *n* park *m* safari.

safe [seɪf] *adj* bezpieczny; (*POL: seat*) pewny ♦ *n* sejf *m*; **they are safe from attack** nie grozi im atak; **safe and sound** cały i zdrowy; **(just) to be on the safe side** (tak) na wszelki wypadek; **to play safe** nie ryzykować; **it is safe to say that ...** śmiało można powiedzieć, że ...; **safe journey!** szczęśliwej podróży!

safe-breaker ['seɪfbreɪkə*] (*BRIT*) *n* kasiarz *m* (*inf*).

safe-conduct [seɪf'kɔndʌkt] *n* (*document*) list *m* żelazny, glejt *m*.

safe-cracker ['seɪfkrækə*] = **safe-breaker**.

safe-deposit ['seɪfdɪpɔzɪt] *n* (*vault*) skarbiec *m* pancerny, sejf *m* bankowy; (*also*: **safe-deposit box**) skrytka *f* depozytowa *or* sejfowa *or* bankowa.

safeguard ['seɪfgɑ:d] *n* zabezpieczenie *nt* ♦ *vt* (*future*) zabezpieczać (zabezpieczyć *perf*); (*life, interests*) ochraniać, chronić.

safe house *n* kryjówka *f* (*agentów, konspiratorów itp*).

safekeeping ['seɪf'ki:pɪŋ] *n* przechowanie *nt*.

safely ['seɪflɪ] *adv* (*assume, say*) spokojnie, śmiało; (*drive, arrive*) bezpiecznie; (*shut, lock*) dokładnie.

safe sex *n* bezpieczny seks *m*.

safety ['seɪftɪ] *n* bezpieczeństwo *nt*; **safety first!** bezpieczeństwo przede wszystkim!

safety belt *n* pas *m* bezpieczeństwa.

safety catch *n* (*on gun*) bezpiecznik *m*; (*on window, door*) zapornica *f*.

safety net *n* siatka *f* asekuracyjna; (*fig*) zabezpieczenie *nt*.

safety pin *n* agrafka *f*.

safety valve *n* zawór *m* bezpieczeństwa.

saffron ['sæfrən] *n* szafran *m*.

sag [sæg] *vi* (*bed*) zapadać się; (*breasts*) obwisać; (*fig: demand*) spadać (spaść *perf*); **his spirits sagged** upadł na duchu.

saga ['sɑ:gə] *n* saga *f*.

sage [seɪdʒ] *n* (*BOT*) szałwia *f*; (*person*) mędrzec *m*.

Sagittarius [sædʒɪ'tɛərɪəs] *n* Strzelec *m*; **to be Sagittarius** być spod znaku Strzelca.

sago ['seɪgəu] (*CULIN*) *n* sago *nt inv*.

Sahara [sə'hɑ:rə] *n*: **the Sahara (Desert)** Sahara *f*.

Sahel [sæ'hɛl] *n* Sahel *m*.

said [sɛd] *pt, pp of* **say**.

Saigon [saɪ'gɔn] *n* Sajgon *m*.

sail [seɪl] *n* żagiel *m* ♦ *vt* (*ship, boat*) płynąć (popłynąć +*instr*); (: *regularly, as job*) pływać na +*loc*; (*ocean*) przepływać (przepłynąć *perf*) ♦ *vi* (*travel*) płynąć (popłynąć *perf*); (*SPORT*) uprawiać żeglarstwo, żeglować; (*also*: **set sail**) wypływać (wypłynąć *perf*); (*fig: ball etc*) szybować (poszybować *perf*); **to go for a sail** wybierać się (wybrać się *perf*) na żagle.

▸**sail through** *vt fus* (*fig*): **she sailed through the exam** śpiewająco zdała egzamin.

sailboat ['seɪlbəut] (*US*) *n* żaglówka *f*.

sailing ['seɪlɪŋ] *n* (*SPORT*) żeglarstwo *nt*;

(*voyage*) rejs *m*; **to go sailing** wybierać się (wybrać się *perf*) na żagle.

sailing boat *n* żaglówka *f*.

sailing ship *n* żaglowiec *m*.

sailor ['seɪlə*] *n* marynarz *m*; (*on sailing boat/ship*) żeglarz (-arka) *m(f)*.

saint [seɪnt] *n* święty (-ta) *m(f)*.

saintly ['seɪntlɪ] *adj* świątobliwy.

sake [seɪk] *n*: **for the sake of sb/sth** *or* **for sb's/sth's sake** ze względu *or* przez wzgląd na kogoś/coś; **he enjoys talking for talking's sake** lubi mówić dla samego mówienia; **for the sake of argument** (czysto) teoretycznie; **art for art's sake** sztuka dla sztuki; **for heaven's sake!** na miłość *or* litość boską!

salad ['sæləd] *n* sałatka *f*; **tomato salad** sałatka z pomidorów; **green salad** (zielona) sałata (*często z dodatkiem innych zielonych warzyw*).

salad bowl *n* salaterka *f*.

salad cream (*BRIT*) *n* sos *m* do sałatek (*na bazie majonezu*).

salad dressing *n* sos *m* do sałatek (*typu vinaigrette*).

salami [sə'lɑ:mɪ] *n* salami *nt inv*.

salaried ['sælərɪd] *adj* otrzymujący pensję.

salary ['sælərɪ] *n* pensja *f*, pobory *pl*.

salary scale *n* skala *f* płac.

sale [seɪl] *n* (*selling*) sprzedaż *f*; (*at reduced prices*) wyprzedaż *f*; (*auction*) aukcja *f*, licytacja *f*; **sales** *npl* obroty *pl*, ogół *m* transakcji ♦ *cpd* (*campaign*) reklamowy, promocyjny; (*conference*) handlowy; **sales figures** wysokość sprzedaży; **sales target** zakładana wysokość sprzedaży; **"for sale"** „na sprzedaż"; **on sale** (*available in shops*) w sprzedaży; **these goods are on sale or return** w razie niesprzedania towary te podlegają zwrotowi; **closing-down** *or* (*US*) **liquidation sale** wyprzedaż końcowa *or* likwidacyjna.

sale and lease back *n sprzedaż dóbr z zastrzeżeniem możliwości dalszego ich użytkowania przez pewien czas na zasadzie wynajmu.*

saleroom ['seɪlru:m] *n* sala *f or* hala *f* aukcyjna.

sales assistant [seɪlz-] (*US* **sales clerk**) *n* sprzedawca (-czyni) *m(f)*, ekspedient(ka) *m(f)*.

sales force *n* agenci *pl* handlowi.

salesman ['seɪlzmən] (*irreg like* **man**) *n* (*in shop*) sprzedawca *m*, ekspedient *m*; (*representative*) akwizytor *m*.

sales manager *n* kierownik *m* działu sprzedaży *or* zbytu; (*in big company*) dyrektor *m* handlowy.

salesmanship ['seɪlzmənʃɪp] *n* sztuka *f* pozyskiwania klienta.

sales tax (*US*) *n* podatek *m* od wartości dodanej (*przy zakupie*).

saleswoman ['seɪlzwumən] (*irreg like* **woman**)

n (*in shop*) sprzedawczyni *f*, ekspedientka *f*;
(*representative*) akwizytorka *f*.

salient ['seɪlɪənt] *adj* (*points*) najistotniejszy;
(*features*) (najbardziej) rzucający się w oczy.

saline ['seɪlaɪn] *adj* (*deposits*) solny; **saline
solution** roztwór soli.

saliva [sə'laɪvə] *n* ślina *f*.

sallow ['sæləu] *adj* ziemisty.

sally forth ['sælɪ-] (*o.f.*) *vi* wyruszać
(wyruszyć *perf*).

sally out *vi* = **sally forth**.

salmon ['sæmən] *n inv* łosoś *m*.

salmon trout *n* pstrąg *m* potokowy.

salon ['sælɔn] *n*: **beauty salon** gabinet *m*
kosmetyczny, salon *m* piękności; **hairdressing
salon** salon fryzjerski.

saloon [sə'lu:n] *n* (*US*) bar *m*; (*BRIT: AUT*)
sedan *m*; (*ship's lounge*) salon *m*.

SALT [sɔ:lt] *n abbr* (= *Strategic Arms Limitation
Talks/Treaty*) rokowania *pl*/układ *m* SALT.

salt [sɔ:lt] *n* sól *f* ♦ *vt* (*preserve*) solić, zasalać
(zasolić *perf*); (*potatoes, soup*) solić (posolić
perf); (*road*) posypywać (posypać *perf*) solą ♦
cpd (*lake*) słony; (*deposits*) solny, soli *post*;
(*CULIN*) solony; **the salt of the earth** (*fig*) sól
ziemi; **to take sth with a pinch** *or* **grain of
salt** (*fig*) podchodzić (podejść *perf*) do czegoś
z rezerwą.

salt cellar *n* solniczka *f*.

salt-free ['sɔ:lt'fri:] *adj* nie zawierający soli.

salt mine *n* kopalnia *f* soli.

saltwater ['sɔ:lt'wɔ:tə*] *adj* słonowodny.

salty ['sɔ:ltɪ] *adj* słony.

salubrious [sə'lu:brɪəs] *adj* (*air, living
conditions*) zdrowy; (*district etc*) porządny.

salutary ['sæljutərɪ] *adj* pożyteczny.

salute [sə'lu:t] *n* (*MIL*) honory *pl* (wojskowe);
(: *with guns*) salut *m*, salwa *f* (honorowa);
(*greeting*) pozdrowienie *nt* ♦ *vt* (*officer*)
salutować (zasalutować *perf*) +*dat*; (*flag*)
oddawać (oddać *perf*) honory (wojskowe)
+*dat*; (*fig*) oddawać (oddać *perf*) cześć *or*
hołd +*dat*.

salvage ['sælvɪdʒ] *n* (*saving*) ocalenie *nt*;
(*things saved*) ocalone mienie *nt* ♦ *vt* (*lit, fig*)
ratować (uratować *perf*), ocalać (ocalić *perf*);
salvage operation akcja ratunkowa *or*
ratownicza.

salvage vessel *n* statek *m or* okręt *m*
ratowniczy.

salvation [sæl'veɪʃən] *n* (*REL*) zbawienie *nt*;
(*fig*) ratunek *m*, wybawienie *nt*.

Salvation Army *n* Armia *f* Zbawienia.

salver ['sælvə*] *n* taca *f* (*ozdobna, najczęściej
srebrna*).

salvo ['sælvəu] (*pl* **salvoes**) *n* salwa *f*.

Samaritan [sə'mærɪtən] *n*: **the Samaritans**
Samarytanie (*organizacja niosąca pomoc osobom
znajdującym się w kryzysie życiowym*).

same [seɪm] *adj* ten sam; (*identical*) taki sam

♦ *pron*: **the same (is true of art)** to samo
(dotyczy sztuki); **(he will never be) the same
(again)** (już nigdy nie będzie) taki sam; **on
the same day** tego samego dnia; **at the same
time** (*simultaneously*) w tym samym
momencie, równocześnie; (*yet*) jednocześnie,
zarazem; **all** *or* **just the same** (po)mimo to,
niemniej jednak; **to do the same (as sb)**
robić (zrobić *perf*) to samo (co ktoś); **happy
New Year! – same to you!** szczęśliwego
Nowego Roku! – nawzajem!; **you're a fool! –
same to you!** głupi jesteś! – sam jesteś
głupi!; **I hate him – same here!** nienawidzę
go – ja też!; **they're one and the same
(person)** to jedna i ta sama osoba; **they're
one and the same (thing)** to jedno i to
samo; **same again!** (*in bar etc*) jeszcze raz to
samo!; **(no, but) thanks all the same** (nie,
ale) mimo to dziękuję.

sample ['sɑ:mpl] *n* próbka *f* ♦ *vt* (*food, wine*)
próbować (spróbować *perf*) +*gen*; **to take a
sample** brać (wziąć *perf*) próbkę; **free sample**
darmowa próbka.

sanatorium [sænə'tɔ:rɪəm] (*pl* **sanatoria**) *n*
sanatorium *nt*.

sanctify ['sæŋktɪfaɪ] *vt* uświęcać (uświęcić *perf*).

sanctimonious [sæŋktɪ'məunɪəs] *adj*
świętoszkowaty.

sanction ['sæŋkʃən] *n* (*approval*) poparcie *nt* ♦
vt sankcjonować (usankcjonować *perf*);
sanctions *npl* sankcje *pl*; **to impose economic
sanctions on** *or* **against** nakładać (nałożyć
perf) sankcje ekonomiczne na +*acc*.

sanctity ['sæŋktɪtɪ] *n* świętość *f*.

sanctuary ['sæŋktjuərɪ] *n* (*for birds, animals*)
rezerwat *m*; (*for person*) (bezpieczne)
schronienie *nt*, azyl *m*; (*in church*)
prezbiterium *nt*.

sand [sænd] *n* piasek *m* ♦ *vt* (*also*: **sand
down**) wygładzać (wygładzić *perf*) papierem
ściernym; *see also* **sands**.

sandal ['sændl] *n* sandał *m*.

sandbag ['sændbæg] *n* worek *m* z piaskiem.

sandblast ['sændblɑ:st] *vt* piaskować.

sandbox ['sændbɔks] (*US*) *n* = **sandpit**.

sandcastle ['sændkɑ:sl] *n* zamek *m* z piasku.

sand dune *n* wydma *f* (piaszczysta).

S & M *n abbr* (= *sadomasochism*)
sadomasochizm *m*.

sandpaper ['sændpeɪpə*] *n* papier *m* ścierny.

sandpit ['sændpɪt] *n* piaskownica *f*.

sands [sændz] *npl* piaski *pl*.

sandstone ['sændstəun] *n* piaskowiec *m*.

sandstorm ['sændstɔ:m] *n* burza *f* piaskowa.

sandwich ['sændwɪtʃ] *n* kanapka *f* ♦ *vt*:
sandwiched between wciśnięty (po)między
+*acc*; **cheese/ham sandwich** kanapka z
serem/szynką.

sandwich board *n* tablica *f* reklamowa

*(noszona na piersiach i plecach przez
człowieka-reklamę).*

sandwich course *(BRIT) n kurs, w którym
okresy nauki przeplatają się z okresami
praktyki zawodowej.*

sandwich man *(irreg like* **man**) *n* człowiek *m*
– reklama *f*.

sandy ['sændı] *adj (beach)* piaszczysty; *(hair)*
rudo-blond.

sane [seın] *adj (person: MED)* zdrowy
psychicznie; *(: fig)* zdrowy na umyśle, przy
zdrowych zmysłach *post*; *(decision, action)*
rozumny, rozsądny.

sang [sæŋ] *pt of* **sing**.

sanguine ['sæŋgwın] *adj (person)* ufny, pełen
optymizmu; *(attitude)* optymistyczny; **to be
sanguine of** *or* **about** ufać w *+acc.*

sanitarium [sænı'tɛərıəm] *(US: pl* **sanitaria**) *n*
= **sanatorium**.

sanitary ['sænıtərı] *adj (inspector, conditions,
facilities)* sanitarny; *(clean)* higieniczny.

sanitary towel *(US* **sanitary napkin**) *n*
podpaska *f* (higieniczna).

sanitation [sænı'teıʃən] *n (conditions)* warunki
f sanitarne; *(facilities)* urządzenia *pl* sanitarne.

sanitation department *(US) n* ≈
przedsiębiorstwo *nt* oczyszczania miasta.

sanity ['sænıtı] *n (of person)* zdrowie *nt*
psychiczne; *(common sense)* (zdrowy)
rozsądek *m*.

sank [sæŋk] *pt of* **sink**.

San Marino ['sænmə'riː'nəu] *n* San Marino *nt inv.*

Santa Claus [sæntə'klɔːz] *n* Święty Mikołaj *m*.

Santiago [sæntı'ɑːgəu] *n (also:* **Santiago de
Chile**) Santiago *nt inv.*

sap [sæp] *n* sok *m (z rośliny)* ♦ *vt* nadwątlać
(nadwątlić *perf).*

sapling ['sæplıŋ] *n* młode drzewko *nt.*

sapphire ['sæfaıə*] *n* szafir *m.*

sarcasm ['sɑːkæzm] *n* sarkazm *m.*

sarcastic [sɑː'kæstık] *adj* sarkastyczny.

sarcophagus [sɑː'kɔfəgəs] *(pl* **sarcophagi**) *n*
sarkofag *m.*

sardine [sɑː'diːn] *n* sardynka *f.*

Sardinia [sɑː'dınıə] *n* Sardynia *f.*

Sardinian [sɑː'dınıən] *adj* sardyński ♦ *n
(person)* Sardyńczyk (-ynka) *m(f)*; *(LING)*
(język *m*) sardyński.

sardonic [sɑː'dɔnık] *adj* sardoniczny.

sari ['sɑːrı] *n* sari *nt inv.*

sartorial [sɑː'tɔːrıəl] *adj:* **he was a man of
great sartorial elegance** odznaczał się wielką
elegancją stroju.

SAS *(BRIT: MIL) n abbr (= Special Air
Service) jednostka wojskowa do zadań
specjalnych.*

SASE *(US) n abbr (= self-addressed stamped
envelope)* koperta *f* zwrotna ze znaczkiem.

sash [sæʃ] *n (of garment)* szarfa *f*; *(of
window)* skrzydło *nt.*

sash window *n* okno *nt* otwierane pionowo
(przez przesuwanie do góry jednego ze skrzydeł).

SAT *(US) n abbr (= Scholastic Aptitude Test)
egzamin sprawdzający zdolności naukowe
kandydata na studia wyższe.*

sat [sæt] *pt, pp of* **sit**.

Sat. *abbr = Saturday* so., sob.

Satan ['seıtn] *n* szatan *m.*

satanic [sə'tænık] *adj (cult, rites)* sataniczny;
(smile) szatański.

satchel ['sætʃl] *n* tornister *m.*

sated ['seıtıd] *adj (person)* nasycony; *(appetite)*
zaspokojony; **to be sated with sth** *(fig)* mieć
przesyt czegoś.

satellite ['sætəlaıt] *n* satelita *m*; *(POL: also:*
satellite state) państwo *nt* satelitarne, satelita *m.*

satellite dish *n* antena *f* satelitarna.

satellite television *n* telewizja *f* satelitarna.

satiate ['seıʃıeıt] *vt* sycić (nasycić *perf*); *(fig)*
zaspokajać (zaspokoić *perf).*

satin ['sætın] *n* atłas *m*, satyna *f* ♦ *adj*
atłasowy, satynowy; **with a satin finish** *(wood
etc)* z połyskiem.

satire ['sætaıə*] *n* satyra *f.*

satirical [sə'tırıkl] *adj* satyryczny.

satirist ['sætırıst] *n* satyryk (-yczka) *m(f).*

satirize ['sætıraız] *vt* ośmieszać (ośmieszyć
perf) (posługując się satyrą).

satisfaction [sætıs'fækʃən] *n (contentment)*
zadowolenie *nt*, satysfakcja *f*; *(apology)*
zadośćuczynienie *nt*; *(refund)* rekompensata *f*;
has it been done to your satisfaction? czy
wszystko zostało zrobione tak, jak Pan/Pani
sobie życzył/a?

satisfactorily [sætıs'fæktərılı] *adv (perform)*
zadowalająco; *(recover)* dostatecznie.

satisfactory [sætıs'fæktərı] *adj* zadowalający;
(SCOL: grade) dostateczny.

satisfied ['sætısfaıd] *adj (customer)*
zadowolony; **to be satisfied (with sth)** być
zadowolonym (z czegoś).

satisfy ['sætısfaı] *vt (person)* zadowalać
(zadowolić *perf*); *(needs, demand)* zaspokajać
(zaspokoić *perf*); *(conditions)* spełniać (spełnić
perf); **to satisfy sb that ...** przekonać *(perf)*
kogoś, że...; **to satisfy o.s. that ...** upewniać
się (upewnić się *perf*), że... .

satisfying ['sætısfaıŋ] *adj (meal)* suty;
(feeling) przyjemny; *(job)* dający zadowolenie
or satysfakcję.

satsuma [sæt'suːmə] *n rodzaj mandarynki.*

saturate ['sætʃəreıt] *vt:* **to saturate (with)**
nasycać (nasycić *perf) (+instr)*; *(fig)* zarzucać
(zarzucić *perf) or* zasypywać (zasypać *perf)
(+instr)*; **his shirt was saturated with
blood/sweat** koszulę miał przesiąkniętą
krwią/potem.

saturation [sætʃə'reıʃən] *n* nasycenie *nt* ♦ *cpd
(bombing)* zmasowany; **saturation point** punkt
nasycenia.

Saturday ['sætədɪ] *n* sobota *f; see also* **Tuesday**.
sauce [sɔːs] *n* sos *m*.
saucepan ['sɔːspən] *n* rondel *m*.
saucer ['sɔːsə*] *n* spodek *m*, spodeczek *m*.
saucy ['sɔːsɪ] *adj* bezczelny.
Saudi ['saudi-] *adj* (*also*: **Saudi Arabian**) saudyjski.
Saudi Arabia ['saudi-] *n* Arabia *f* Saudyjska.
sauna ['sɔːnə] *n* sauna *f*.
saunter ['sɔːntə*] *vi* (*about a place*) przechadzać się; (*somewhere*) przespacerować się (*perf*).
sausage ['sɔsɪdʒ] *n* kiełbasa *f*.
sausage roll *n rodzaj pasztecika z kiełbaską.*
sauté ['səuteɪ] *vt* smażyć (usmażyć *perf*) (*bez panierowania*) ♦ *adj*: **sauté** *or* **sautéed potatoes** ziemniaki *pl* sauté; **sauté the onions until golden brown** (*in recipe*) podsmażać cebulę (aż) do zrumienienia.
savage ['sævɪdʒ] *adj* (*animal, tribe*) dziki; (*attack*) wściekły, brutalny; (*voice, criticism*) srogi, ostry ♦ *n* (*old, pej*) dzikus(ka) *m(f)* ♦ *vt* (mocno) pokiereszować (*perf*) *or* poturbować (*perf*); (*fig*) nie zostawiać (nie zostawić *perf*) suchej nitki na +*loc*.
savagely ['sævɪdʒlɪ] *adv* (*attack, beat*) brutalnie; (*criticize*) ostro.
savagery ['sævɪdʒrɪ] *n* brutalność *f*, okrucieństwo *nt*.
save [seɪv] *vt* (*person, sb's life, marriage*) ratować (uratować *perf*), ocalać (ocalić *perf*); (*food, wine*) zachowywać (zachować *perf*) (na później); (*money, time*) oszczędzać (oszczędzić *perf* or zaoszczędzić *perf*); (*work, trouble*) oszczędzać (oszczędzić *perf*) *or* zaoszczędzać (zaoszczędzić *perf*) +*gen*; (*receipt etc*) zachowywać (zachować *perf*); (*seat: for sb*) zajmować (zająć *perf*); (SPORT) bronić (obronić *perf*); (COMPUT) zapisywać (zapisać *perf*) ♦ *vi* (*also*: **save up**) oszczędzać ♦ *n* (SPORT): **he made a brilliant save** znakomicie obronił (piłkę) ♦ *prep* (*fml*) z wyjątkiem +*gen*, wyjąwszy +*acc* (*fml*); **it will save me an hour** dzięki temu zaoszczędzę godzinę; **to save face** ratować (uratować *perf*) twarz; **God save the Queen!** Boże zachowaj Królową!
saving ['seɪvɪŋ] *n* oszczędność *f* ♦ *adj*: **the saving grace of sth** jedyny plus *m* czegoś; **the play's saving grace was good acting** sztukę (u)ratowało dobre aktorstwo; **savings** *npl* oszczędności *pl*; **to make savings** robić (porobić *perf*) oszczędności.
savings account *n* rachunek *m* oszczędnościowy.
savings bank *n* ≈ kasa *f* oszczędności.
saviour ['seɪvjə*] (US **savior**) *n* zbawca *m*; (REL) Zbawiciel *m*.
savoir-faire ['sævwɑːfɛə*] *n* ogłada *f*.

savour ['seɪvə*] (US **savor**) *vt* delektować się +*instr* ♦ *n* aromat *m*.
savoury ['seɪvərɪ] (US **savory**) *adj* (*food, dish*) pikantny.
savvy ['sævɪ] (*inf*) *n* (*political etc*) zmysł *m*.
saw [sɔː] (*pt* **sawed**, *pp* **sawed** *or* **sawn**) *vt* piłować, przepiłowywać (przepiłować *perf*) ♦ *n* piła *f* ♦ *pt of* **see**;
to saw sth up ciąć (pociąć *perf*) coś (piłą) na kawałki.
sawdust ['sɔːdʌst] *n* trociny *pl*.
sawmill ['sɔːmɪl] *n* tartak *m*.
sawn [sɔːn] *pp of* **saw**.
sawn-off ['sɔːnɔf] (US **sawed-off**) *adj*: **sawn-off shotgun** obrzynek *m*.
saxophone ['sæksəfəun] *n* saksofon *m*.
say [seɪ] (*pt, pp* **said**) *vt* mówić (powiedzieć *perf*) ♦ *n*: **to have one's say** wypowiadać się (wypowiedzieć się *perf*); **to have a** *or* **some say in sth** mieć coś do powiedzenia w jakiejś sprawie, mieć na coś (pewien) wpływ; **to say yes** zgadzać się (zgodzić się *perf*); **to say no** odmawiać (odmówić *perf*); **could you say that again?** czy mógłbyś powtórzyć?; **you can say that again!** zgadza się!; **she said (that) I was to give you this** powiedziała, że mam ci to dać; **my watch says three o'clock** mój zegarek wskazuje trzecią; **it says on the sign "No Smoking"** na znaku napisane jest „Palenie wzbronione"; **(shall we) say 8 o'clock?** powiedzmy o 8-ej?; **that doesn't say much for him** to niezbyt dobrze o nim świadczy; **when all is said and done** koniec końców; **there is something/a lot to be said for this description** ten opis ma parę/wiele zalet; **that is to say** to znaczy *or* jest; **it goes without saying that ...** to oczywiste, że ...; **to say nothing of** nie mówiąc (już) o +*loc*; **say (that) you won a million pounds** powiedzmy, że wygrałeś milion funtów.
saying ['seɪɪŋ] *n* powiedzenie *nt*.
say-so ['seɪsəu] *n* zgoda *f*, zezwolenie *nt*; **to do sth on sb's say-so** robić (zrobić *perf*) coś za czyjąś zgodą.
SBA (US) *n abbr* (= *Small Business Administration*) *urząd federalny udzielający pomocy małym i średnim przedsiębiorstwom.*
SC (US) *n abbr* = **supreme court** ≈ SN ♦ *abbr* (POST: = *South Carolina*).
s/c *abbr* = **self-contained**.
scab [skæb] *n* (*on wound*) strup *m*; (*pej: person*) łamistrajk *m*.
scabby ['skæbɪ] (*pej*) *adj* pokryty strupami.
scaffold ['skæfəld] *n* (*for execution*) szafot *m*.
scaffolding ['skæfəldɪŋ] *n* rusztowanie *nt*.
scald [skɔːld] *n* poparzenie *nt* (wrzątkiem) ♦ *vt* parzyć (poparzyć *perf*) (wrzątkiem).
scalding ['skɔːldɪŋ] *adj* (*also*: **scalding hot**) bardzo gorący.

scale [skeɪl] n (of numbers, salaries, model) skala f; (of map) skala f, podziałka f; (of fish) łuska f; (MUS) gama f; (size, extent) rozmiary pl, wielkość f ♦ vt wdrapywać się (wdrapać się perf) na +acc; **scales** npl waga f, **pay scale** skala or tabela płac; **scale of charges** tabela or taryfa opłat; **to draw sth to scale** rysować (narysować perf) coś w skali; **a small-scale model** model małych rozmiarów; **on a large scale** na dużą or wielką skalę.
►**scale down** vt (proporcjonalnie) zmniejszać (zmniejszyć perf).
scale drawing n rysunek m w skali zmniejszonej.
scallion [ˈskæljən] (CULIN, BOT) n cebulka f; (US: shallot) szalotka f; (: leek) por m.
scallop [ˈskɔləp] n (ZOOL) przegrzebek m (małż morski); (SEWING) (ozdobny) obrębek m.
scalp [skælp] n skóra f głowy; (removed from dead body) skalp m ♦ vt skalpować (oskalpować perf).
scalpel [ˈskælpl] (MED) n skalpel m.
scalper [ˈskælpə*] (US: inf) n (ticket tout) konik m (inf).
scamp [skæmp] (inf) n urwis m, łobuziak m.
scamper [ˈskæmpə*] vi: **to scamper away** or **off** czmychać (czmychnąć perf).
scampi [ˈskæmpɪ] (BRIT) npl panierowane krewetki pl.
scan [skæn] vt (scrutinize) badawczo przyglądać się (przyjrzeć się perf) +dat; (look through) przeglądać (przejrzeć perf); (RADAR) badać, penetrować; (TV) składać ♦ vi (poetry) mieć rytm ♦ n (MED): **brain etc scan** obrazowanie nt mózgu etc (za pomocą tomografii, magnetycznego rezonansu jądrowego itp).
scandal [ˈskændl] n (shocking event, disgrace) skandal m; (gossip) plotki pl.
scandalize [ˈskændəlaɪz] vt gorszyć (zgorszyć perf), oburzać (oburzyć perf).
scandalous [ˈskændələs] adj skandaliczny.
Scandinavia [skændɪˈneɪvɪə] n Skandynawia f.
Scandinavian [skændɪˈneɪvɪən] adj skandynawski ♦ n Skandynaw(ka) m(f).
scanner [ˈskænə*] n (MED) skaner m; (RADAR) antena f radarowa or przeszukująca.
scant [skænt] adj niewielki.
scantily [ˈskæntɪlɪ] adv: **scantily clad** or **dressed** skąpo odziany.
scanty [ˈskæntɪ] adj skąpy.
scapegoat [ˈskeɪpɡəʊt] n kozioł m ofiarny.
scar [skɑː] n (on skin) blizna f, szrama f; (fig) piętno nt ♦ vt pokrywać (pokryć perf) bliznami; (fig) wywoływać (wywołać perf) (trwały) uraz u +gen.
scarce [skɛəs] adj: **water/food was scarce** brakowało or było za mało wody/jedzenia; **to make o.s. scarce** (inf) ulatniać się (ulotnić się perf) (inf).

scarcely [ˈskɛəslɪ] adv ledwo, (za)ledwie; **scarcely anybody** prawie nikt; **I can scarcely believe it** ledwo or z ledwością mogę w to uwierzyć; **there could scarcely be a worse environment for children** trudno o gorsze środowisko dla dzieci.
scarcity [ˈskɛəsɪtɪ] n niedobór m; (COMM): **their scarcity value makes them expensive** ich rzadkość sprawia, że są drogie.
scare [skɛə*] n (fright): **to give sb a scare** napędzać (napędzić perf) komuś strachu or stracha; (public fear) panika f ♦ vt przestraszać (przestraszyć perf); **bomb scare** panika wywołana informacją o podłożeniu bomby.
►**scare away** vt (animal) płoszyć (spłoszyć perf); (investor, buyer) odstraszać (odstraszyć perf).
►**scare off** vt = scare away.
scarecrow [ˈskɛəkrəʊ] n strach m na wróble.
scared [ˈskɛəd] adj przestraszony, wystraszony; **to be scared (to do sth** or **of doing sth)** bać się (coś zrobić); **I was scared stiff** śmiertelnie się bałam.
scaremonger [ˈskɛəmʌŋɡə*] n panikarz (-ara) m(f) (pej).
scarf [skɑːf] (pl **scarfs** or **scarves**) n (long) szal m, szalik m; (square, triangular) chusta f.
scarlet [ˈskɑːlɪt] adj jasnoczerwony.
scarlet fever n szkarlatyna f.
scarred [skɑːd] adj pokryty bliznami; (fig) naznaczony, napiętnowany.
scarves [skɑːvz] npl of **scarf**.
scary [ˈskɛərɪ] (inf) adj straszny.
scathing [ˈskeɪðɪŋ] adj (comment ect) cięty, zjadliwy; **to be scathing about sth** odnosić się do czegoś pogardliwie or z pogardą.
scatter [ˈskætə*] vt (seeds, papers) rozrzucać (rozrzucić or porozrzucać perf); (flock of birds, crowd) rozpędzać (rozpędzić perf) ♦ vi (crowd) rozpraszać się (rozproszyć się perf).
scatterbrained [ˈskætəbreɪnd] (inf) adj roztrzepany.
scattered [ˈskætəd] adj rozproszony, rozsiany; **scattered showers** przelotne opady.
scatty [ˈskætɪ] (BRIT: inf) adj roztrzepany.
scavenge [ˈskævəndʒ] vi: **to scavenge (for food)** grzebać w odpadkach (w poszukiwaniu jedzenia).
scavenger [ˈskævəndʒə*] n (person) osoba grzebiąca w odpadkach; (animal, bird) padlinożerca m.
SCE n abbr (= Scottish Certificate of Education) szkockie świadectwo ukończenia szkoły.
scenario [sɪˈnɑːrɪəʊ] n (lit, fig) scenariusz m.
scene [siːn] n (lit, fig) scena f; (of crime, accident) miejsce nt; (sight) obraz m; **behind the scenes** (lit, fig) za kulisami; **to make a scene** (inf) urządzać (urządzić perf) scenę; **to appear on the scene** (fig) pojawiać się

(pojawić się *perf*); **the political scene** scena polityczna.

scenery ['si:nərɪ] *n* (*THEAT*) dekoracje *pl*; (*landscape*) krajobraz *m*.

scenic ['si:nɪk] *adj* (*route, location*) malowniczy.

scent [sɛnt] *n* (*fragrance*) woń *f*, zapach *m*; (*perfume*) perfumy *pl*; (*track: lit, fig*) trop *m*; **to put** *or* **throw sb off the scent** (*fig*) zmylić (*perf*) kogoś.

sceptic ['skɛptɪk] (*US* **skeptic**) *n* sceptyk (-yczka) *m(f)*.

sceptical ['skɛptɪkl] (*US* **skeptical**) *adj* sceptyczny.

scepticism ['skɛptɪsɪzəm] (*US* **skepticism**) *n* sceptycyzm *m*.

sceptre ['sɛptə*] (*US* **scepter**) *n* berło *nt*.

schedule ['ʃɛdju:l] *n* (*of trains, buses*) rozkład *m* jazdy; (*of events and times*) harmonogram *m*, rozkład *m* (*zajęć*); (*of prices, details etc*) wykaz *m*, zestawienie *nt* ♦ *vt* planować (zaplanować *perf*); **he was scheduled to leave yesterday** (zgodnie z planem) miał wyjechać wczoraj; **on schedule** (dokładnie) według planu; **we are working to a very tight schedule** pracujemy według bardzo napiętego planu; **everything went according to schedule** wszystko poszło zgodnie z planem; **they arrived ahead of schedule** przybyli przed czasem; **we are behind schedule** mamy opóźnienie.

scheduled ['ʃɛdju:ld] *adj* (*date, time*) wyznaczony; (*visit, event*) zaplanowany; (*train, bus*) figurujący w rozkładzie.

scheduled flight *n* lot *m* rejsowy.

schematic [skɪ'mætɪk] *adj* schematyczny.

scheme [ski:m] *n* plan *m*; (*of government etc*) program *m* ♦ *vi* spiskować, knuć *or* snuć intrygi; **colour scheme** dobór kolorów.

scheming ['ski:mɪŋ] *adj* intrygancki ♦ *n* intrygi *pl*.

schism ['skɪzəm] *n* schizma *f*.

schizophrenia [skɪtsə'fri:nɪə] *n* schizofrenia *f*.

schizophrenic [skɪtsə'frɛnɪk] *adj* schizofreniczny ♦ *n* schizofrenik (-iczka) *m(f)*.

scholar ['skɔlə*] *n* (*learned person*) naukowiec *m*; (*scholarship holder*) stypendysta (-tka) *m(f)*.

scholarly ['skɔləlɪ] *adj* (*text, approach*) naukowy; (*person*) uczony.

scholarship ['skɔləʃɪp] *n* (*knowledge: of person*) uczoność *f*, erudycja *f*; (: *of period, area*) nauka *f*; (*grant*) stypendium *nt*.

school [sku:l] *n* (*primary, secondary*) szkoła *f*; (*faculty, college*) ≈ instytut *m*; (*US: inf*) uniwersytet *m*; (*of whales, fish*) stado *nt* ♦ *cpd* szkolny.

school age *n* wiek *m* szkolny.

schoolbook ['sku:lbuk] *n* podręcznik *m* (szkolny).

schoolboy ['sku:lbɔɪ] *n* uczeń *m*.

schoolchildren ['sku:ltʃɪldrən] *npl* uczniowie *vir pl*.

schooldays ['sku:ldeɪz] *npl* szkolne lata *pl*.

schoolgirl ['sku:lgə:l] *n* uczennica *f*.

schooling ['sku:lɪŋ] *n* nauka *f* szkolna; **they had no schooling at all** nie mieli żadnego wykształcenia.

school-leaver [sku:l'li:və*] (*BRIT*) *n* absolwent(ka) *m(f)* (szkoły).

schoolmaster ['sku:lmɑ:stə*] *n* (*old*) nauczyciel *m*.

schoolmistress ['sku:lmɪstrɪs] *n* (*old*) nauczycielka *f*.

school report (*BRIT*) *n* świadectwo *nt* szkolne.

schoolroom ['sku:lru:m] *n* sala *f* lekcyjna.

schoolteacher ['sku:lti:tʃə*] *n* nauczyciel(ka) *m(f)*.

schooner ['sku:nə*] *n* (*ship*) szkuner *m*; (*glass*) *duży, pękaty kieliszek do sherry lub piwa*.

sciatica [saɪ'ætɪkə] *n* rwa *f* kulszowa.

science ['saɪəns] *n* nauka *f*; **the sciences** nauki przyrodnicze; (*SCOL*) przedmioty ścisłe.

science fiction *n* fantastyka *f* naukowa, science fiction *f inv*.

scientific [saɪən'tɪfɪk] *adj* naukowy.

scientist ['saɪəntɪst] *n* naukowiec *m*; (*eminent*) uczony (-na) *m(f)*.

sci-fi ['saɪfaɪ] (*inf*) *n abbr* = **science fiction** SF.

Scillies ['sɪlɪz] *npl* = **Scilly Isles**.

Scilly Isles ['sɪlɪ'aɪlz] *npl*: **the Scilly Isles** Wyspy *pl* Scilly.

scintillating ['sɪntɪleɪtɪŋ] *adj* (*fig*) błyskotliwy.

scissors ['sɪzəz] *npl*: (**a pair of**) **scissors** nożyczki *pl*; (*large*) nożyce *pl*.

sclerosis [sklɪ'rəusɪs] *n* skleroza *f*.

scoff [skɔf] *vt* (*BRIT: inf: eat*) wsuwać (wsunąć *perf*) (*inf*) ♦ *vi*: **to scoff (at)** naśmiewać się (z +*gen*).

scold [skəuld] *vt* besztać (zbesztać *perf*), krzyczeć (nakrzyczeć *perf*) na +*acc*.

scolding ['skəuldɪŋ] *n* bura *f*.

scone [skɔn] *n* *rodzaj babeczki jadanej z masłem na podwieczorek*.

scoop [sku:p] *n* (*for flour etc*) łopatka *f*, (*for ice cream*) łyżka *f*, (*of ice cream*) gałka *f*, kulka *f*, (*PRESS*) sensacyjna wiadomość *f* (*opublikowana wcześniej niż w konkurencyjnych gazetach*).

►**scoop out** *vt* wybierać (wybrać *perf*), wyskrobywać (wyskrobać *perf*).

►**scoop up** *vt* nabierać (nabrać *perf*).

scooter ['sku:tə*] *n* (*also*: **motor scooter**) skuter *m*; (*toy*) hulajnoga *f*.

scope [skəup] *n* (*opportunity*) miejsce *nt*; (*range: of plan, undertaking*) zasięg *m*, zakres *m*; (: *of person*) możliwości *pl* (działania); **within the scope of** w ramach +*gen*; **there is plenty of scope for improvement** (*BRIT*) dużo (jeszcze) można poprawić.

scorch [skɔ:tʃ] *vt* (*iron: clothes*) przypalać

(przypalić *perf*); (*sun: earth, grass*) wypalać (wypalić *perf*).

scorched earth policy (*MIL*) *n* taktyka *f* spalonej ziemi.

scorcher ['skɔːtʃə*] (*inf*) *n* skwarny dzień *m*.

scorching ['skɔːtʃɪŋ] *adj* skwarny.

score [skɔː*] *n* (*total number of points*) wynik *m*; (*MUS*) partytura *f*, (*to film, play*) muzyka *f*; (*twenty*) dwudziestka *f* ♦ *vt* (*goal, point*) zdobywać (zdobyć *perf*); (*mark*) wydrapywać (wydrapać *perf*), wyryć (*perf*); (*leather, wood, card*) robić (zrobić *perf*) nacięcie w +*loc*; (*success*) odnosić (odnieść *perf*) ♦ *vi* (*in game*) zdobyć (*perf*) punkt; (*FOOTBALL etc*) zdobyć (*perf*) bramkę; (*keep score*) notować wyniki, liczyć punkty; **to settle an old score with sb** (*fig*) wyrównać (*perf*) z kimś stare porachunki; **scores of** dziesiątki +*gen*; **on that score** w tej mierze, w tym względzie; **to score well** osiągnąć (*perf*) dobry wynik; **to score six out of ten** uzyskać (*perf*) sześć punktów na dziesięć (możliwych); **to score (a point) over sb** (*fig*) zdobyć (*perf*) przewagę nad kimś.

►**score out** *vt* wykreślać (wykreślić *perf*).

scoreboard ['skɔːbɔːd] *n* tablica *f* wyników.

scorecard ['skɔːkɑːd] (*SPORT*) *n* karta *f* wyników *or* punktowa.

scorer ['skɔːrə*] *n* (*FOOTBALL etc*) strzelec *m*, zdobywca (-czyni) *m(f)* bramki; (*person keeping score*) osoba notująca punkty w czasie gry.

scorn [skɔːn] *n* pogarda *f* ♦ *vt* (*despise*) gardzić (wzgardzić *perf*) +*instr*, pogardzać +*instr*; (*reject*) gardzić +*instr*.

scornful ['skɔːnful] *adj* pogardliwy.

Scorpio ['skɔːpɪəu] *n* Skorpion *m*; **to be Scorpio** być spod znaku Skorpiona.

scorpion ['skɔːpɪən] *n* skorpion *m*.

Scot [skɔt] *n* Szkot(ka) *m(f)*.

Scotch [skɔtʃ] *n* (*whisky*) szkocka *f*.

scotch [skɔtʃ] *vt* zdusić (*perf*) w zarodku.

Scotch tape ® *n* ≈ taśma *f* klejąca.

scot-free ['skɔt'friː] *adv*: **he got off scot-free** uszło mu to płazem *or* na sucho.

Scotland ['skɔtlənd] *n* Szkocja *f*.

Scots [skɔts] *adj* (*accent*) szkocki.

Scotsman ['skɔtsmən] (*irreg like* **man**) *n* Szkot *m*.

Scotswoman ['skɔtswumən] (*irreg like* **woman**) *n* Szkotka *f*.

Scottish ['skɔtɪʃ] *adj* (*history, clans*) szkocki.

scoundrel ['skaundrl] *n* łajdak *m*.

scour ['skauə*] *vt* (*countryside etc*) przetrząsać (przetrząsnąć *perf*), przeszukiwać (przeszukać *perf*); (*book etc*) wertować (przewertować *perf*); (*floor, pan etc*) szorować (wyszorować *perf*).

scourer ['skauərə*] *n* druciak *m* (*do szorowania garnków*).

scourge [skɔːdʒ] *n* (*thing*) plaga *f*, zmora *f*; (*person*) utrapienie *nt*.

scout [skaut] *n* (*MIL*) zwiadowca *m*; (*also*: **boy scout**) skaut *m*, ≈ harcerz *m*; **girl scout** (*US*) ≈ harcerka *f*.

►**scout around** *vi* rozglądać się (rozejrzeć się *perf*).

scowl [skaul] *vi* krzywić się (skrzywić się *perf*), nachmurzyć się (*perf*) ♦ *n* nachmurzona mina *f*; **to scowl at sb** krzywić się (skrzywić się *perf*) na kogoś.

scrabble ['skræbl] *vi* macać rękami dokoła ♦ *n*: **Scrabble**® Scrabble *nt inv*; **to scrabble at sth** próbować dosięgnąć *or* uczepić się czegoś; **to scrabble about** *or* **around for sth** szukać czegoś po omacku.

scraggy ['skrægɪ] *adj* chudy.

scram [skræm] (*inf*) *vi* zwiewać (zwiać *perf*) (*inf*).

scramble ['skræmbl] *n* (*climb*) wdrapanie się *nt*; (*struggle, rush*) szamotanina *f*, (*SPORT*) motocross *m* ♦ *vi*: **to scramble up** wdrapywać się (wdrapać się *perf*); **to scramble over** przedzierać się (przedrzeć się *perf*) przez +*acc*; **to scramble for** rzucać się (rzucić się *perf*) na +*acc*, wydzierać sobie +*acc*.

scrambled eggs ['skræmbld-] *n* jajecznica *f*.

scrap [skræp] *n* (*of paper, material*) skrawek *m*; (*fig: of truth, evidence*) odrobina *f*, krzt(yn)a *f*; (*fight*) utarczka *f*, starcie *nt*; (*also*: **scrap metal**) złom *m* ♦ *vt* (*machines etc*) przeznaczać (przeznaczyć *perf*) na złom; (*fig: plans etc*) skasować (*perf*) (*inf*) ♦ *vi* gryźć się (pogryźć się *perf*) (*fig*); **scraps** *npl* (*of food*) resztki *pl*; (*of material*) skrawki *pl*, resztki *pl*; **to sell sth for scrap** sprzedawać (sprzedać *perf*) coś na złom.

scrapbook ['skræpbuk] *n* album *m* z wycinkami.

scrap dealer *n* handlarz *m* złomem.

scrape [skreɪp] *vt* (*mud, paint, etc*) zeskrobywać (zeskrobać *perf*), zdrapywać (zdrapać *perf*); (*potato, carrot*) skrobać (oskrobać *perf*); (*hand, car*) zadrapać (*perf*), zadrasnąć (*perf*) ♦ *n*: **to get into a scrape** wpaść (*perf*) w tarapaty.

►**scrape through** *vt* (*exam etc*) przebrnąć (*perf*) przez +*acc*.

►**scrape together** *vt* uciułać (*perf*).

scraper ['skreɪpə*] *n* skrobaczka *f* do butów.

scrap heap *n* (*fig*): **to throw sb on the scrap heap** odstawić (*perf*) kogoś na bocznicę; **to throw sth on the scrap heap** wyrzucić (*perf*) coś do lamusa.

scrap merchant (*BRIT*) *n* handlarz *m* złomem.

scrap metal *n* złom *m*.

scrap paper *n* papier *m* do pisania na brudno.

scrappy ['skræpɪ] *adj* chaotyczny, nieprzemyślany.

scrap yard *n* skład *m* złomu; (*for cars*) złomowisko *nt*.

scratch [skrætʃ] n (on furniture, record) rysa f; (on body) zadrapanie nt, zadraśnięcie nt ♦ vt (body) drapać (podrapać perf); (paint, car, record) porysować (perf); (with claw, nail) zadrapać (perf), zadrasnąć (perf); (COMPUT) wymazywać (wymazać perf) (z dysku) ♦ vi drapać się (podrapać się perf) ♦ cpd naprędce sklecony; **to scratch one's nose/head** drapać się (podrapać się perf) w nos/głowę; **to start from scratch** zaczynać (zacząć perf) od zera; **to be up to scratch** spełniać (spełnić perf) wymogi; **to scratch the surface** (fig) ślizgać się po powierzchni.

scratch pad (US) n notatnik m.

scrawl [skrɔːl] n gryzmoły pl ♦ vt bazgrać (nabazgrać perf), gryzmolić (nagryzmolić perf).

scrawny ['skrɔːnɪ] adj kościsty.

scream [skriːm] n krzyk m, wrzask m; (of tyres, brakes) pisk m; (of siren) wycie nt, buczenie nt ♦ vi wrzeszczeć (wrzasnąć perf), krzyczeć (krzyknąć perf); **he's a scream** on jest pocieszny or komiczny; **to scream at sb (to do sth)** wrzeszczeć (wrzasnąć perf) na kogoś (, żeby coś zrobił).

scree [skriː] n osypisko nt (kamieni).

screech [skriːtʃ] vi (person, bird) skrzeczeć (zaskrzeczeć perf); (tyres, brakes) piszczeć (zapiszczeć perf) ♦ n pisk m.

screen [skriːn] n (FILM, TV, COMPUT) ekran m; (movable barrier) parawan m; (fig: cover) zasłona f, przykrywka f; (also: **windscreen**) przednia szyba f ♦ vt (protect, conceal) zasłaniać (zasłonić perf); (from wind etc) osłaniać (osłonić perf); (film, programme) wyświetlać (wyświetlić perf), emitować (wyemitować perf) (w TV); (candidates) sprawdzać (sprawdzić perf), badać (zbadać perf); (for illness) poddawać (poddać perf) badaniom przesiewowym.

screen editing (COMPUT) n edycja f ekranowa.

screening ['skriːnɪŋ] n (MED) badania pl przesiewowe; (of film) emisja f (w TV), projekcja f; (for security) badanie nt.

screen memory (COMPUT) n pamięć f obrazu.

screenplay ['skriːnpleɪ] n scenariusz m.

screen test n zdjęcia pl próbne.

screw [skruː] n śruba f, wkręt m ♦ vt (fasten) przykręcać (przykręcić perf); (inf!: have sex with) pieprzyć (inf!); **to screw sth in** wkręcać (wkręcić perf) coś; **to screw sth to the wall** przykręcać (przykręcić perf) coś do ściany; **to have one's head screwed on** (fig) mieć głowę na karku.

screw up vt (paper etc) zmiąć (perf), zgnieść (perf); (inf: ruin) spieprzyć (perf) (inf); **to screw up one's eyes** mrużyć (zmrużyć perf) oczy.

screwdriver ['skruːdraɪvə*] n śrubokręt m.

screwy ['skruːɪ] (inf) adj (person) pokręcony (inf).

scribble ['skrɪbl] n gryzmoły pl ♦ vt (note, letter etc) skrobać (skrobnąć perf) ♦ vi bazgrać (nabazgrać perf); **to scribble sth down** (szybko) coś zapisać (perf).

scribe [skraɪb] n skryba m/f, kopista (-tka) m(f).

script [skrɪpt] n (FILM etc) scenariusz m; (alphabet) pismo nt; (in exam) arkusz m egzaminacyjny.

scripted ['skrɪptɪd] (RADIO, TV) adj (dialogue, interview) wcześniej przygotowany.

scripture(s) n(pl) święte pisma pl or księgi pl; **the Scriptures** Biblia.

scriptwriter ['skrɪptraɪtə*] n autor(ka) m(f) scenariusza.

scroll [skrəul] n zwój m ♦ vt (COMPUT) przeglądać, przewijać (przewinąć perf).

scrotum ['skrəutəm] n moszna f.

scrounge [skraundʒ] (inf) vt: **to scrounge sth off sb** wyłudzać (wyłudzić perf) coś od kogoś, naciągać (naciągnąć perf) kogoś na coś (inf) ♦ vi żyć cudzym kosztem ♦ n: **on the scrounge** po prośbie.

scrounger ['skraundʒə*] (inf) n pasożyt m.

scrub [skrʌb] n obszar porośnięty karłowatą roślinnością ♦ vt (floor, hands, washing) szorować (wyszorować perf); (inf: idea, plan) odrzucić (perf).

scrubbing brush ['skrʌbɪŋ-] n szczotka f ryżowa.

scruff [skrʌf] n: **by the scruff of the neck** za kark.

scruffy ['skrʌfɪ] adj niechlujny.

scrum(mage) ['skrʌm(ɪdʒ)] (RUGBY) n młyn m.

scruple ['skruːpl] n (usu pl) skrupuły pl; **to have no scruples about sth** nie mieć skrupułów odnośnie czegoś.

scrupulous ['skruːpjuləs] adj (painstaking) sumienny, skrupulatny; (fair-minded) uczciwy.

scrupulously ['skruːpjuləslɪ] adv (behave, act) uczciwie; (honest, fair, clean) nienagannie.

scrutinize ['skruːtɪnaɪz] vt (face) przypatrywać się (przypatrzeć się perf) +dat; (data, records) analizować (przeanalizować perf).

scrutiny ['skruːtɪnɪ] n badanie nt, analiza f; **under the scrutiny of sb** pod czyjąś obserwacją.

scuba ['skuːbə] n akwalung m, aparat m tlenowy.

scuba diving n nurkowanie nt z akwalungiem or aparatem tlenowym.

scuff [skʌf] vt (shoes) zdzierać (zedrzeć perf); (floor) rysować (porysować perf).

scuffle ['skʌfl] n starcie nt.

scull [skʌl] n wiosło nt jednopiórowe.

scullery ['skʌlərɪ] n (old) pomieszczenie przylegające do kuchni, w którym odbywało się pranie, zmywanie itp.

sculptor ['skʌlptə*] n rzeźbiarz (-arka) m(f).

sculpture ['skʌlptʃə*] n (art) rzeźba f, rzeźbiarstwo nt; (object) rzeźba f.

scum [skʌm] *n* (*on liquid*) piana *f*; (*pej: people*) szumowiny *pl* (*pej*).

scupper ['skʌpə*] (*BRIT: inf*) *vt* sknocić (*perf*) (*inf*).

scurrilous ['skʌrɪləs] *adj* obelżywy.

scurry ['skʌrɪ] *vi* mknąć (pomknąć *perf*), pędzić (popędzić *perf*).

►**scurry off** *vi* rzucać się (rzucić się *perf*) do ucieczki.

scurvy ['skə:vɪ] *n* szkorbut *m*.

scuttle ['skʌtl] *n* (*also*: **coal scuttle**) wiadro *nt* na węgiel ♦ *vt* dokonywać (dokonać *perf*) samozatopienia +*gen* ♦ *vi*: **to scuttle away** *or* **off** oddalić się (*perf*) małymi kroczkami.

scythe [saɪð] *n* kosa *f*.

SD (*US: POST*) *abbr* (= *South Dakota*).

SDI (*US: MIL*) *n abbr* (= *Strategic Defense Initiative*) Inicjatywa *f* Obrony Strategicznej, SDI *f inv*.

SDLP (*BRIT: POL*) *n abbr* (= *Social Democratic and Labour Party*) *partia północnoirlandzka.*

SDP (*BRIT: POL*) *n abbr* (= *Social Democratic Party*).

sea [si:] *n* morze *nt* ♦ *cpd* (*breeze, bird etc*) morski; **by sea** morzem; **beside** *or* **by the sea** (*holiday*) nad morzem; (*village*) nadmorski; **on the sea** na morzu; **to be all at sea** (*fig*) być zupełnie zdezorientowanym; **at sea** na (pełnym) morzu; **out to sea** na (pełne) morze; **to look out to sea** spoglądać (spojrzeć *perf*) daleko w morze; **heavy** *or* **rough sea(s)** wzburzone morze.

sea anemone *n* ukwiał *m*.

sea bed *n* dno *nt* morskie.

seaboard ['si:bɔ:d] *n* wybrzeże *nt*.

seafarer ['si:fɛərə*] *n* żeglarz *m*.

seafaring ['si:fɛərɪŋ] *adj* żeglarski.

seafood ['si:fu:d] *n* owoce *pl* morza.

seafront ['si:frʌnt] *n* ulica *f* nadbrzeżna.

seagoing ['si:gəʊɪŋ] *adj* (*ship*) dalekomorski.

seagull ['si:gʌl] *n* mewa *f*.

seal [si:l] *n* (*animal*) foka *f*; (*official stamp*) pieczęć *f*; (*in machine etc*) plomba *f*, uszczelnienie *nt* ♦ *vt* (*envelope, opening*) zaklejać (zakleić *perf*); (*with seal*) pieczętować (zapieczętować *perf*); (*sb's fate*) pieczętować (przypieczętować *perf*); (*agreement*) przypieczętowywać (przypieczętować *perf*); **to give sth one's seal of approval** aprobować (zaaprobować *perf*) coś.

►**seal off** *vt* odcinać (odciąć *perf*) dostęp do +*gen*.

sea level *n* poziom *m* morza; **2,000 ft above/below sea level** 610 m nad poziomem morza *or* n.p.m./poniżej poziomu morza.

sealing wax ['si:lɪŋ-] *n* lak *m*.

sea lion *n* lew *m* morski.

sealskin ['si:lskɪn] *n* futro *nt* z fok.

seam [si:m] *n* (*line of stitches*) szew *m*; (*where edges meet*) łączenie *nt*; (*of coal etc*) pokład *m*; **the hall was bursting at the seams** sala pękała w szwach.

seaman ['si:mən] (*irreg like* **man**) *n* marynarz *m*.

seamanship ['si:mənʃɪp] *n* umiejętności *pl* żeglarskie.

seamless ['si:mlɪs] *adj* (*stockings, tights*) bez szwu *post*; (*fig*) jednolity.

seamy ['si:mɪ] *adj* przykry, nieprzyjemny.

séance ['seɪɔns] *n* seans *m* (spirytystyczny).

seaplane ['si:pleɪn] *n* hydroplan *m*.

seaport ['si:pɔ:t] *n* port *m* morski.

search [sə:tʃ] *n* (*for person, thing*) poszukiwania *pl*; (*COMPUT*) szukanie *nt* (*w dokumencie*); (*of sb's home*) rewizja *f* ♦ *vt* (*place*) przeszukiwać (przeszukać *perf*); (*mind, memory*) szukać w +*loc*; (*person, luggage*) przeszukiwać (przeszukać *perf*), rewidować (zrewidować *perf*) ♦ *vi*: **to search for** poszukiwać +*gen*; **"search and replace"** (*COMPUT*) funkcja szukania i zamiany; **in search of** w poszukiwaniu +*gen*.

►**search through** *vt fus* przeszukiwać (przeszukać *perf*), przetrząsać (przetrząsnąć *perf*).

searcher ['sə:tʃə*] *n* poszukiwacz(ka) *m(f)*.

searching ['sə:tʃɪŋ] *adj* (*look*) dociekliwy, badawczy; (*question*) dociekliwy, wnikliwy; (*examination, inquiry*) wnikliwy, drobiazgowy.

searchlight ['sə:tʃlaɪt] *n* reflektor *m*.

search party *n* ekipa *f* poszukiwawcza; **to send out a search party** wysyłać (wysłać *perf*) ekipę poszukiwawczą.

search warrant *n* nakaz *m* rewizji.

searing ['sɪərɪŋ] *adj* (*pain*) piekący; **searing heat** spiekota.

seashore ['si:ʃɔ:*] *n* brzeg *m* morza; **on the seashore** nad brzegiem morza.

seasick ['si:sɪk] *adj*: **to be seasick** dostać (*perf*) choroby morskiej.

seasickness ['si:sɪknɪs] *n* choroba *f* morska.

seaside ['si:saɪd] *n* wybrzeże *nt*; **to go to the seaside** jechać (pojechać *perf*) nad morze; **at the seaside** nad morzem.

seaside resort *n* nadmorski ośrodek *m* wypoczynkowy.

season ['si:zn] *n* (*of year*) pora *f* roku; (*AGR*) sezon *m*, pora *f*; (*SPORT*) sezon *m*; (*of films etc*) przegląd *m*, cykl *m* ♦ *vt* (*food*) doprawiać (doprawić *perf*); **the planting season** pora sadzenia; **oysters are out of season now** sezon na ostrygi już minął/jeszcze się nie rozpoczął; **raspberries are in season now** jest teraz sezon na maliny; **the busy season** (*for shops*) okres wzmożonych zakupów, szczyt; (*for hotels etc*) sezon (turystyczny/letni); **the open season** (otwarty) sezon łowiecki.

seasonal ['si:znl] *adj* (*work*) sezonowy.

seasoned ['si:znd] *adj* (*fig: traveller*)

wytrawny; (*wood*) wysuszony; **a seasoned campaigner** weteran, kombatant.

seasoning ['si:znɪŋ] *n* (*condiment*) przyprawa *f*; (*spices*) przyprawy *pl*.

season ticket *n* (*RAIL*) bilet *m* okresowy; (*SPORT, THEAT*) abonament *m*.

seat [si:t] *n* miejsce *nt*; (*PARL*) miejsce *nt*, mandat *m*; (*buttocks, of trousers*) siedzenie *nt*; (*of government, learning etc*) siedziba *f* ♦ *vt* (*place: guests etc*) sadzać (posadzić *perf*); (*have room for*) móc pomieścić; **the driver's seat** siedzenie kierowcy; **the table seats eight** to stół na osiem osób; **are there any seats left?** czy są jakieś wolne miejsca?; **to take one's seat** zajmować (zająć *perf*) (swoje) miejsce; **please be seated** proszę usiąść *or* spocząć; **to be seated** siedzieć.

seat belt (*AUT*) *n* pas *m* (bezpieczeństwa).

seating arrangements ['si:tɪŋ-] *npl* rozmieszczenie *nt* (przy stole).

seating capacity *n* liczba *f* miejsc siedzących.

SEATO ['si:təu] *n abbr* (= *Southeast Asia Treaty Organization*) SEATO *nt inv*.

sea urchin *n* jeżowiec *m*.

sea water (*n*) woda *f* morska.

seaweed ['si:wi:d] *n* wodorosty *pl*.

seaworthy ['si:wə:ðɪ] *adj* zdatny do żeglugi.

SEC (*US*) *n abbr* (= *Securities and Exchange Commission*) *komisja nadzorująca działalność giełdy papierów wartościowych*.

sec. *abbr* = **second**.

secateurs [sɛkə'tə:z] *npl* sekator *m*.

secede [sɪ'si:d] *vi* (*POL*): **to secede (from)** odłączać się (odłączyć się *perf*) (od +*gen*).

secluded [sɪ'klu:dɪd] *adj* odosobniony, zaciszny.

seclusion [sɪ'klu:ʒən] *n* (*place*) zacisze *nt*, ustronie *nt*; (*state*) odosobnienie *nt*, osamotnienie *nt*.

second[1] [sɪ'kɔnd] (*BRIT*) *vt* (*employee*) przesuwać (przesunąć *perf*), oddelegowywać (oddelegować *perf*).

second[2] ['sɛkənd] *adj* drugi ♦ *adv* (*in race etc*) jako drugi; (*when listing*) po drugie ♦ *n* (*unit of time*) sekunda *f*; (*AUT: also:* **second gear**) drugi bieg *m*, dwójka *f* (*inf*); (*COMM*) towar *m* wybrakowany ♦ *vt* (*motion*) popierać (poprzeć *perf*); **upper/lower second** (*BRIT*) *dyplom ukończenia studiów z wynikiem dobrym/zadowalającym*; **Charles the Second** Karol II; **second floor** (*BRIT*) drugie piętro; (*US*) pierwsze piętro; **to ask for a second opinion** zasięgać (zasięgnąć *perf*) drugiej opinii; **just a second!** chwileczkę!

secondary ['sɛkəndərɪ] *adj* drugorzędny.

secondary education *n* szkolnictwo *nt* średnie *or* ponadpodstawowe.

secondary school *n* szkoła *f* średnia.

second-best [sɛkənd'bɛst] *adj* zastępczy ♦ *n* namiastka *f*; **as a second-best** z braku lepszej możliwości.

second-class ['sɛkənd'klɑ:s] *adj* (*citizen, standard etc*) drugiej kategorii *post*; (*RAIL: ticket, carriage*) drugiej klasy *post*; **a second-class stamp/letter** *znaczek/list drugiej klasy (tańszy i wolniej docierający do adresata)* ♦ *adv*. **to send sth second-class** wysyłać (wysłać *perf*) coś drugą klasą; **to travel second-class** podróżować drugą klasą.

second cousin *n* kuzyn(ka) *m(f)* w drugiej linii.

seconder ['sɛkəndə*] *n* osoba *f* popierająca wniosek.

secondhand ['sɛkənd'hænd] *adj* używany, z drugiej ręki *post* ♦ *adv*. **I bought this car secondhand** to używany samochód; **to hear sth secondhand** słyszeć (usłyszeć *perf*) o czymś z drugiej ręki.

second hand *n* wskazówka *f* sekundowa, sekundnik *m*.

second-in-command ['sɛkəndɪnkə'mɑ:nd] *n* (*MIL*) zastępca *m* głównodowodzącego; (*ADMIN*) zastępca *m* kierownika.

secondly ['sɛkəndlɪ] *adv* po drugie, po wtóre (*fml*).

secondment [sɪ'kɔndmənt] (*BRIT*) *n* oddelegowanie *nt*; **he's on secondment to** został czasowo oddelegowany do +*gen*.

second-rate ['sɛkənd'reɪt] *adj* podrzędny.

second thoughts *npl*: **on second thoughts** *or* (*US*) **thought** po namyśle; **to have second thoughts (about sth)** mieć wątpliwości (co do czegoś).

secrecy ['si:krəsɪ] *n* (*state of being kept secret*) tajemnica *f*; (*act of keeping sth secret*) dyskrecja *f*; **surrounded by secrecy** otoczony tajemnicą; **in secrecy** w tajemnicy.

secret ['si:krɪt] *adj* (*plan*) tajny; (*passage*) tajemny, potajemny; (*admirer*) cichy ♦ *n* sekret *m*, tajemnica *f*; **in secret** potajemnie, w sekrecie; **to keep sth secret from sb** trzymać coś przed kimś w tajemnicy; **can you keep a secret?** czy potrafisz dochować tajemnicy?; **to make no secret of sth** nie robić z czegoś tajemnicy, nie ukrywać czegoś.

secret agent *n* tajny (-na) *m(f)* agent(ka) *m(f)*.

secretarial [sɛkrɪ'tɛərɪəl] *adj*: **secretarial work** praca *f* sekretarki; **secretarial course** kurs dla sekretarek; **secretarial staff** pracownicy sekretariatu.

secretariat [sɛkrɪ'tɛərɪət] *n* sekretariat *m*.

secretary ['sɛkrətərɪ] *n* (*COMM*) sekretarz (-arka) *m(f)*; (*of club*) sekretarz *m*; **Secretary of State (for)** (*BRIT*) ≈ minister (do spraw +*gen*); **Secretary of State** (*US*) Sekretarz Stanu.

secrete [sɪ'kri:t] *vt* (*BIO, MED*) wydzielać (wydzielić *perf*); (*hide*) ukrywać (ukryć *perf*).

secretion [sɪ'kri:ʃən] *n* wydzielina *f*.

secretive ['si:krətɪv] *adj* tajemniczy.

secretly ['si:krɪtlɪ] *adv* potajemnie, po cichu; **to hope secretly** mieć cichą nadzieję.

sect [sɛkt] *n* sekta *f*.

sectarian [sɛk'tɛərɪən] *adj* (*views*) sekciarski; (*violence*) na tle różnic między sektami *post.*

section ['sɛkʃən] *n* (*of society, exam*) część *f*, (*of road etc*) odcinek *m*; (*of company*) dział *m*; (*of orchestra, sports club*) sekcja *f*, (*of document*) paragraf *m*; (*cross-section*) przekrój *m* ♦ *vt* dzielić (podzielić *perf*) (na części); **the business section** (*PRESS*) dział gospodarczy.

sectional ['sɛkʃənl] *adj* (*drawing*) przekrojowy.

sector ['sɛktə*] *n* sektor *m*; (*MIL*) sektor *m*, strefa *f.*

secular ['sɛkjulə*] *adj* świecki.

secure [sɪ'kjuə*] *adj* (*safe*) bezpieczny; (*free from anxiety*) spokojny; (*job, investment*) pewny; (*building, windows*) zabezpieczony; (*rope, shelf*) dobrze umocowany ♦ *vt* (*shelf etc*) mocować (umocować *perf*); (*votes etc*) uzyskiwać (uzyskać *perf*); **to feel financially secure** czuć się zabezpieczonym finansowo; **to make sth secure** zabezpieczać (zabezpieczyć *perf*) coś; **to secure sth for sb** uzyskiwać (uzyskać *perf*) coś dla kogoś; **to secure a loan** dawać (dać *perf*) zabezpieczenie pod pożyczkę.

secured creditor [sɪ'kjuəd-] (*COMM*) *n* wierzyciel *m* zabezpieczony.

securely [sɪ'kjuəlɪ] *adv* (*firmly*) mocno; (*safely*) pewnie.

security [sɪ'kjuərɪtɪ] *n* (*freedom from anxiety*) bezpieczeństwo *nt*, poczucie *nt* bezpieczeństwa; (*security measures*) środki *pl* bezpieczeństwa; (*FIN*) zabezpieczenie *nt*; **securities** *npl* papiery *pl* wartościowe; **to increase** *or* **tighten security** wzmacniać (wzmocnić *perf*) środki bezpieczeństwa; **security of tenure** zagwarantowane miejsce pracy (*na uniwersytecie*).

security forces *npl* siły *pl* bezpieczeństwa.

security guard *n* strażnik *m.*

security risk *n* (*thing*) zagrożenie *nt*; (*person*) osoba *f* niepewna (*pod względem lojalności*).

secy. *abbr* = **secretary** sekr.

sedan [sə'dæn] (*US*) *n* sedan *m.*

sedate [sɪ'deɪt] *adj* (*person, life*) stateczny; (*pace*) powolny ♦ *vt* (*MED*) podawać (podać *perf*) środek uspokajający +*dat.*

sedation [sɪ'deɪʃən] *n* podanie *nt* środka uspokajającego; **to be under sedation** być pod wpływem środka uspokajającego.

sedative ['sɛdɪtɪv] *n* środek *m* uspokajający.

sedentary ['sɛdntrɪ] *adj* (*work*) siedzący; (*population*) osiadły.

sediment ['sɛdɪmənt] *n* osad *m.*

sedimentary [sɛdɪ'mɛntərɪ] *adj* osadowy.

sedition [sɪ'dɪʃən] *n* działalność *f* wywrotowa.

seduce [sɪ'dju:s] *vt* (*entice*) kusić (skusić *perf*), nęcić (znęcić *perf*); (*beguile*) mamić (omamić *perf*), zwodzić (zwieść *perf*); (*sexually*) uwodzić (uwieść *perf*).

seduction [sɪ'dʌkʃən] *n* (*attraction*) pokusa *f*, (*act of seducing*) uwiedzenie *nt.*

şeductive [sɪ'dʌktɪv] *adj* (*look*) uwodzicielski; (*fig: offer*) kuszący.

see [si:] (*pt* **saw**, *pp* **seen**) *vt* (*perceive*) widzieć; (*look at*) zobaczyć (*perf*); (*understand*) rozumieć (zrozumieć *perf*); (*notice*) zauważać (zauważyć *perf*), spostrzegać (spostrzec *perf*); (*doctor etc*) iść (pójść *perf*) do +*gen*; (*film*) oglądać (obejrzeć *perf*), zobaczyć (*perf*) ♦ *vi* (*usu*) widzieć; (*find out: by searching*) sprawdzić (*perf*); (*: by inquiring*) dowiedzieć się (*perf*) ♦ *n* (*REL*) biskupstwo *nt*; **to see that** dopilnować (*perf*), żeby; **I've seen** *or* **I saw this play** widziałem tę sztukę; **to see sb to the door** odprowadzać (odprowadzić *perf*) kogoś do drzwi; **there was nobody to be seen** nie było nikogo widać; **let me see** (*show me*) pokaż; (*let me think*) niech pomyślę; **I see** rozumiem; **you see** widzisz; **to go and see sb** odwiedzać (odwiedzić *perf*) kogoś; **see for yourself** zobacz sam; **I don't know what she sees in him** nie wiem, co ona w nim widzi; **as far as I can see** o ile się orientuję; **see you!** do zobaczenia!, cześć! (*inf*); **see you soon!** do zobaczenia wkrótce!

▶**see about** *vt fus* zajmować się (zająć się *perf*) +*instr*, załatwiać (załatwić *perf*) +*acc.*

▶**see off** *vt* odprowadzać (odprowadzić *perf*).

▶**see through** *vt* wspierać (wesprzeć *perf*) ♦ *vt fus* przejrzeć (*perf*).

▶**see to** *vt fus* zajmować się (zająć się *perf*) +*instr.*

seed [si:d] *n* nasienie *nt*; (*fig: usu pl*) ziarno *nt*; **the number two seed** (*TENNIS*) gracz rozstawiony z numerem dwa; **to go to seed** (*plant*) wydawać (wydać *perf*) nasiona; (*fig: person*) niedołężnieć (zniedołężnieć *perf*).

seedless ['si:dlɪs] *adj* bezpestkowy.

seedling ['si:dlɪŋ] *n* sadzonka *f.*

seedy ['si:dɪ] *adj* zapuszczony (*pej*).

seeing ['si:ɪŋ] *conj*: **seeing as** *or* **that** skoro, jako że.

seek [si:k] (*pt, pp* **sought**) *vt* szukać (poszukać *perf*) +*gen*; **to seek advice/help from sb** szukać rady/pomocy u kogoś.

▶**seek out** *vt* odszukiwać (odszukać *perf*).

seem [si:m] *vi* wydawać się (wydać się *perf*) (być); **there seems to be ...** zdaje się, że jest ...; **it seems (that)** wydaje się, że; **what seems to be the trouble?** w czym kłopot?; (*to child*) co się stało?; (*to patient*) co Panu/Pani dolega?

seemingly ['si:mɪŋlɪ] *adv* pozornie.

seemly ['si:mlɪ] *adj* właściwy, odpowiedni.

seen [si:n] *pp of* **see.**

seep [si:p] *vi* (*liquid*) przeciekać (przeciec *perf*), przesączać się (przesączyć się *perf*); (*gas*) przenikać (przeniknąć *perf*), przedostawać się

(przedostać się *perf*); (*fig: information*)
przeciekać (przeciec *perf*).
seersucker ['sɪəsʌkə*] *n* krepa *f*.
seesaw ['si:sɔ:] *n* huśtawka *f*.
seethe [si:ð] *vi*: **the street seethed with
people/isects** na ulicy roiło się od
ludzi/owadów; **the ship seethed with
activity/noise** na statku wrzało od
krzątaniny/hałasu; **to seethe with anger** wrzeć
(zawrzeć *perf*) gniewem.
see-through ['si:θru:] *adj* przejrzysty,
przezroczysty.
segment ['segmənt] *n* część *f*; (*GEOM*)
odcinek *m*; (*of orange*) cząstka *f*.
segregate ['segrɪgeɪt] *vt* rozdzielać (rozdzielić
perf).
segregation [segrɪ'geɪʃən] *n* segregacja *f*,
rozdział *m*.
Seine [seɪn] *n*: **the Seine** Sekwana *f*.
seismic ['saɪzmɪk] *adj* sejsmiczny.
seize [si:z] *vt* (*person, object*) chwytać
(chwycić *perf*); (*fig: opportunity*) korzystać
(skorzystać *perf*) z +*gen*; (*power*)
przechwytywać (przechwycić *perf*),
przejmować (przejąć *perf*); (*territory*)
zajmować (zająć *perf*), zdobywać (zdobyć
perf); (*criminal*) chwytać (schwytać *perf*);
(*hostage*) brać (wziąć *perf*); (*JUR*) zajmować
(zająć *perf*).
▸**seize up** *vi* (*engine*) zacierać się (zatrzeć się
perf).
▸**seize (up)on** *vt fus* wykorzystywać
(wykorzystać *perf*) +*acc*.
seizure ['si:ʒə*] *n* (*MED*) napad *m*; (*of power*)
przechwycenie *nt*, przejęcie *nt*; (*JUR: of
property*) zajęcie *nt*, konfiskata *f*.
seldom ['seldəm] *adv* rzadko.
select [sɪ'lekt] *adj* (*school, district*)
ekskluzywny; (*group*) doborowy ♦ *vt*
wybierać (wybrać *perf*); (*SPORT*)
selekcjonować (wyselekcjonować *perf*); **a
select few** garstka wybrańców.
selection [sɪ'lekʃən] *n* wybór *m*.
selection committee *n* komisja *f*
kwalifikacyjna.
selective [sɪ'lektɪv] *adj* (*discriminating*)
wybiórczy, selektywny; (*strike etc*)
ograniczony; (*education etc*) elitarny.
selector [sɪ'lektə*] *n* (*person*) selekcjoner(ka)
m(f); (*TECH*) przełącznik *m*.
self [self] (*pl* **selves**) *n* (swoje) ja *nt inv*; **to
have no thought of self** nie myśleć o sobie;
to be/become one's normal self być/stawać
się (stać się *perf*) sobą.
self... [self] *pref* samo... .
self-addressed ['selfə'drest] *adj*: **self-addressed
envelope** zaadresowana koperta *f* zwrotna.
self-adhesive [selfəd'hi:zɪv] *adj* samoprzylepny.
self-appointed [selfə'pɔɪntɪd] *adj* samozwańczy.
self-assertive [selfə'sə:tɪv] *adj* pewny siebie.

self-assurance [selfə'ʃuərəns] *n* pewność *f*
siebie.
self-assured [selfə'ʃuəd] *adj* pewny siebie.
self-catering [self'keɪtərɪŋ] (*BRIT*) *adj* z
wyżywieniem we własnym zakresie *post*.
self-centred [self'sentəd] (*US* **self-centered**)
adj egocentryczny.
self-cleaning [self'kli:nɪŋ] *adj*
samooczyszczający się.
self-confessed [selfkən'fest] *adj*:
self-confessed alcoholic alkoholik *m*
przyznający się do nałogu.
self-confidence [self'kɔnfɪdns] *n* wiara *f* w
siebie.
self-confident [self'kɔnfɪdənt] *adj* ufny we
własne siły, wierzący w siebie.
self-conscious [self'kɔnʃəs] *adj* skrępowany.
self-contained [selfkən'teɪnd] (*BRIT*) *adj* (*flat
etc*) samodzielny; (*society*) samowystarczalny;
(*person*) zamknięty (w sobie).
self-control [selfkən'trəul] *n* opanowanie *nt*.
self-defeating [selfdɪ'fi:tɪŋ] *adj* daremny,
bezskuteczny.
self-defence [selfdɪ'fens] (*US* **self-defense**) *n*
samoobrona *f*; **to act in self-defence** działać
w obronie własnej.
self-discipline [self'dɪsɪplɪn] *n* samodyscyplina *f*.
self-employed [selfɪm'plɔɪd] *adj* niezależny
(*pracujący dla siebie*).
self-esteem [selfɪs'ti:m] *n* poczucie *nt* własnej
wartości.
self-evident [self'evɪdnt] *adj* oczywisty.
self-explanatory [selfɪks'plænətrɪ] *adj*
oczywisty.
self-financing [selffaɪ'nænsɪŋ] *adj*
samofinansujący się.
self-governing [self'gʌvənɪŋ] *adj* samorządny.
self-help ['self'help] *n* samopomoc *f*.
self-importance [selfɪm'pɔ:tns] *n*
zarozumiałość *f*.
self-indulgent [selfɪn'dʌldʒənt] *adj*: ˙**to be
self-idulgent** nie stronić od przyjemności.
self-inflicted [selfɪn'flɪktɪd] *adj*: **self-inflicted
wound** rana *f* zadana samemu sobie.
self-interest [self'ɪntrɪst] *n* korzyść *f* własna.
selfish ['selfɪʃ] *adj* samolubny.
selfishly ['selfɪʃlɪ] *adv* samolubnie.
selfishness ['selfɪʃnɪs] *n* samolubstwo *nt*,
egoizm *m*.
selfless ['selflɪs] *adj* bezinteresowny.
selflessly ['selflɪslɪ] *adv* bezinteresownie.
selflessness ['selflɪsnɪs] *n* bezinteresowność *f*.
self-made ['selfmeɪd] *adj*: **self-made man**
człowiek *m*, który wszystko zawdzięcza sobie.
self-pity [self'pɪtɪ] *n* rozczulanie się *nt* nad sobą.
self-portrait ['self'pɔ:treɪt] *n* autoportret *m*.
self-possessed [selfpə'zest] *adj* opanowany.
self-preservation ['selfprezə'veɪʃən] *n*: **the
instinct of** *or* **for self-preservation** instynkt *m*
samozachowawczy.

self-raising [sɛlf'reɪzɪŋ] (US **self-rising**) adj:
self-raising **flour** mąka zmieszana z proszkiem
do pieczenia.

self-reliant [sɛlfrɪ'laɪənt] adj samodzielny,
niezależny.

self-respect [sɛlfrɪs'pɛkt] n szacunek m dla
samego siebie.

self-respecting [sɛlfrɪs'pɛktɪŋ] adj szanujący
się.

self-righteous [sɛlf'raɪtʃəs] adj zadufany (w
sobie).

self-rising [sɛlf'raɪzɪŋ] (US) adj = self-raising.

self-sacrifice [sɛlf'sækrɪfaɪs] n wyrzeczenie nt,
poświęcenie nt.

self-same ['sɛlfseɪm] adj (dokładnie) ten sam.

self-satisfied [sɛlf'sætɪsfaɪd] adj (person)
zadowolony z siebie; (smile) pełen
samozadowolenia.

self-sealing [sɛlf'siːlɪŋ] adj: self-sealing
envelope koperta f samoklejąca.

self-service [sɛlf'sɜːvɪs] adj samoobsługowy.

self-styled ['sɛlfstaɪld] adj samozwańczy.

self-sufficient [sɛlfsə'fɪʃənt] adj
samowystarczalny; to be self-sufficient in coal
być samowystarczalnym pod względem węgla.

self-supporting [sɛlfsə'pɔːtɪŋ] adj
samofinansujący się.

self-taught [sɛlf'tɔːt] adj: self-taught pianist
pianista m samouk m.

self-test ['sɛlftɛst] (COMPUT) n autotest m.

sell [sɛl] (pt, pp **sold**) vt sprzedawać (sprzedać
perf); (fig): to sell sth to sb przekonywać
(przekonać perf) kogoś do czegoś ♦ vi
sprzedawać się (sprzedać się perf); to sell at
or for 10 pounds kosztować 10 funtów; to
sell sb sth sprzedawać (sprzedać perf) komuś
coś; to sell o.s. prezentować się
(zaprezentować się perf) dobrze.

▶**sell off** vt wyprzedawać (wyprzedać perf).

▶**sell out** vi: to sell out (of sth) wyprzedać
(perf) (coś); that shop is never sold out of
bread w tym sklepie nigdy nie brakuje
chleba; the tickets are sold out bilety zostały
wyprzedane; sorry, we're sold out niestety,
już nie ma.

▶**sell up** vi sprzedać (perf) wszystko.

sell-by date ['sɛlbaɪ-] n data f ważności.

seller ['sɛlə*] n sprzedawca (-czyni) m(f); the
seller and the buyer sprzedający i kupujący;
seller's market rynek sprzedawcy.

selling price ['sɛlɪŋ-] n cena f zbytu.

sellotape ['sɛləuteɪp] ® (BRIT) n ≈ taśma f
klejąca.

sellout ['sɛlaut] n (inf) zaprzedanie się nt; the
match was a sellout wykupiono wszystkie
bilety na ten mecz.

selves [sɛlvz] pl of self.

semantic [sɪ'mæntɪk] adj semantyczny.

semantics [sɪ'mæntɪks] n semantyka f.

semaphore ['sɛməfɔː*] n semafor m (system
sygnalizacji morskiej).

semblance ['sɛmblns] n pozory pl.

semen ['siːmən] n nasienie nt.

semester [sɪ'mɛstə*] (esp US) n semestr m.

semi ['sɛmɪ] n = semidetached (house).

semi... ['sɛmɪ] pref pół... .

semibreve ['sɛmɪbriːv] (BRIT: MUS) n cała
nuta f.

semicircle ['sɛmɪsɜːkl] n półkole nt.

semicircular ['sɛmɪ'sɜːkjulə*] adj półkolisty.

semicolon [sɛmɪ'kəulən] n średnik m.

semiconductor [sɛmɪkən'dʌktə*] n
półprzewodnik m.

semiconscious [sɛmɪ'kɔnʃəs] adj półprzytomny.

semidetached (house) (BRIT) n dom m
bliźniaczy, bliźniak m (inf).

semifinal [sɛmɪ'faɪnl] n półfinał m.

seminar ['sɛmɪnɑː*] n seminarium nt.

seminary ['sɛmɪnərɪ] (REL) n seminarium nt.

semi-precious [sɛmɪ'prɛʃəs] adj półszlachetny.

semiquaver ['sɛmɪkweɪvə*] (BRIT: MUS) n
szesnastka f.

semiskilled [sɛmɪ'skɪld] adj: semiskilled
worker pracownik m nie w pełni
wykwalifikowany; semiskilled work praca nie
wymagająca pełnych kwalifikacji.

semi-skimmed [sɛmɪ'skɪmd] adj (milk)
półtłusty.

semitone ['sɛmɪtəun] (MUS) n półton m.

semolina [sɛmə'liːnə] n kasza f manna f.

SEN (BRIT) n abbr (= State Enrolled Nurse) ≈
pielęgniarka (-arz) f(m) dyplomowana (-ny) f(m).

Sen. abbr (US) = senator sen.; (in names) =
senior sen., sr.

sen. abbr = Sen..

senate ['sɛnɪt] n senat m.

senator ['sɛnɪtə*] n senator m.

send [sɛnd] (pt, pp **sent**) vt (letter etc)
wysyłać (wysłać perf); (signal, picture)
przesyłać (przesłać perf); to send sth by post
or (US) mail wysyłać (wysłać perf) coś
pocztą; to send sb for sth wysyłać (wysłać
perf) kogoś po coś; to send sb for a
check-up wysłać (perf) kogoś na badania
kontrolne; to send word that ... przysłać
(perf) wiadomość, że ...; she sends (you) her
love przesyła (ci) pozdrowienia; to send sb
to Coventry (BRIT) bojkotować (zbojkotować
perf) kogoś; to send sb to sleep usypiać
(uśpić perf) kogoś; to send sth flying ciskać
(cisnąć perf) czymś.

▶**send away** vt (visitor) odprawiać (odprawić
perf).

▶**send away for** vt fus zamawiać (zamówić
perf) pocztą.

▶**send back** vt odsyłać (odesłać perf).

▶**send for** vt fus (by post) zamawiać
(zamówić perf) (pocztą); (doctor, police)
wzywać (wezwać perf).

▸**send in** vt nadsyłać (nadesłać perf).

▸**send off** vt (goods) wysyłać (wysłać perf); (BRIT: SPORT) usuwać (usunąć perf) z boiska.

▸**send on** vt (BRIT: letter) przesyłać (przesłać perf) (na nowy adres); (luggage etc) nadawać (nadać perf).

▸**send out** vt (invitation, signal) wysyłać (wysłać perf); (heat) wydzielać (wydzielić perf).

▸**send round** vt (by post) rozsyłać (rozesłać perf); (at meeting) puszczać (puścić perf) w obieg.

▸**send up** vt (price, blood pressure) podnosić (podnieść perf); (astronaut) wysyłać (wysłać perf); (BRIT) parodiować (sparodiować perf).

sender ['sendə*] n nadawca (-czyni) m(f).

send-off: a good send-off ładne pożegnanie nt.

send-up ['sendʌp] parodia f.

Senegal [senɪ'gɔ:l] n Senegal m.

Senegalese ['senɪgə'li:z] adj senegalski ♦ n inv Senegalczyk (-lka) m(f).

senile ['si:naɪl] adj zniedołężniały (ze starości).

senility [sɪ'nɪlɪtɪ] n zniedołężnienie nt starcze.

senior ['si:nɪə*] adj (staff, officer) starszy or wysoki rangą; (manager) wysoki rangą; (post, position) wysoki ♦ n (SCOL): the seniors (at school) uczniowie vir pl wyższych klas; (at college or university) studenci vir pl wyższych lat; to be senior to sb być od kogoś starszym rangą; she is 15 years his senior jest (od niego) starsza o 15 lat; P. Jones senior P. Jones senior or starszy.

senior citizen n emeryt(ka) m(f).

senior high school (US) n szkoła średnia, zwykle obejmująca dziesiątą, jedenastą i dwunastą klasę.

seniority [si:nɪ'ɔrɪtɪ] n (degree of importance) starszeństwo nt; (length of work) staż m pracy, wysługa f lat.

sensation [sen'seɪʃən] n (feeling) uczucie nt; (ability to feel) czucie nt; (great success) wydarzenie nt, sensacja f; to cause a sensation wzbudzać (wzbudzić perf) sensację.

sensational [sen'seɪʃənl] adj (wonderful) wspaniały, fantastyczny; (surprising, exaggerated) sensacyjny.

sense [sens] n (physical) zmysł m; (of guilt) poczucie nt; (of shame, pleasure) uczucie nt; (good sense) rozsądek m; (of word) sens m, znaczenie nt; (of letter, conversation) sens m ♦ vt wyczuwać (wyczuć perf); it makes sense to ma sens; there is no sense in that/doing that to/robienie tego nie ma (żadnego) sensu; to come to one's senses opamiętać się (perf); to take leave of one's senses postradać (perf) zmysły.

senseless ['senslɪs] adj (pointless) bezsensowny; (unconscious) nieprzytomny.

sense of humour n poczucie nt humoru.

sensibility [sensɪ'bɪlɪtɪ] n wrażliwość f.

sensible ['sensɪbl] adj (person, advice) rozsądny; (shoes, clothes) praktyczny; to be sensible for nadawać się do +gen.

sensitive ['sensɪtɪv] adj (person, skin) wrażliwy; (instrument) czuły; (fig: touchy) drażliwy; sensitive to wrażliwy or czuły na +acc; he is very sensitive about it jest bardzo wrażliwy or czuły na tym punkcie.

sensitivity [sensɪ'tɪvɪtɪ] n (of person, skin) wrażliwość f; (to touch etc) czułość f; (of issue etc) delikatna natura f.

sensual ['sensjuəl] adj (of the senses) zmysłowy; (life) pełen zmysłowych przyjemności post.

sensuous ['sensjuəs] adj (lips) zmysłowy; (material) przyjemny w dotyku.

sent [sent] pt, pp of send.

sentence ['sentns] n (LING) zdanie nt; (JUR: judgement) wyrok m; (: punishment) kara f ♦ vt: to sentence sb to death/to five years in prison skazywać (skazać perf) kogoś na karę śmierci/na karę pięciu lat więzienia; to pass sentence on sb wydawać (wydać perf) wyrok na kogoś.

sentiment ['sentɪmənt] n (tender feelings) tkliwość f, sentyment m; (also pl: opinion) odczucie nt, zapatrywanie nt.

sentimental [sentɪ'mentl] adj sentymentalny; to get sentimental roztkliwiać się (roztkliwić się perf).

sentimentality ['sentɪmen'tælɪtɪ] n sentymentalność f; (exaggerated) sentymentalizm m, czułostkowość f.

sentry ['sentrɪ] n wartownik m.

sentry duty n: to be on sentry duty stać na warcie.

Seoul [səul] n Seul m.

separable ['seprəbl] adj: to be separable from dawać (dać perf) się oddzielić od +gen.

separate [adj 'seprɪt, vb 'sepəreɪt] adj (piles) osobny; (occasions, reasons, ways) różny; (rooms) oddzielny ♦ vt (people, things) rozdzielać (rozdzielić perf); (ideas) oddzielać (oddzielić perf) (od siebie) ♦ vi (part) rozstawać się (rozstać się perf); (move apart) rozchodzić się (rozejść się perf), rozdzielać się (rozdzielić się perf); (split up: couple) rozstawać się (rozstać się perf); (: parents, married couple) brać (wziąć perf) separację; to keep sth separate trzymać coś oddzielnie; she kept or remained separate from us trzymała się oddzielnie; under separate cover (COMM) osobną pocztą; to separate into dzielić (podzielić perf) or rozdzielać (rozdzielić perf) na +acc; see also separates.

separately ['seprɪtlɪ] adv osobno, oddzielnie.

separates ['seprɪts] npl części ubrania, które można nosić w różnych zestawach.

separation [sepə'reɪʃən] n (being apart) oddzielenie nt; (time spent apart) rozłąka f; (JUR) separacja f.

sepia ['si:pjə] *adj* sepiowy, w kolorze sepii *post.*
Sept. *abbr* = **September** wrzes.
September [sɛp'tɛmbə*] *n* wrzesień *m*; *see also* **July**.
septic ['sɛptɪk] *adj* (*MED*) septyczny, zakaźny; (*wound, finger*) zakażony; **the wound is going septic** w ranie rozwija się infekcja.
septicaemia [sɛptɪ'si:mɪə] (*US* **septicemia**) (*MED*) *n* posocznica *f.*
septic tank *n* szambo *nt*, dół *m* gnilny.
sequel ['si:kwl] *n* (*follow-up*) dalszy ciąg *m*; (*consequence*) następstwo *nt.*
sequence ['si:kwəns] *n* (*order*) kolejność *f*, porządek *m*; (*ordered chain*) seria *f*; (*in dance, film*) sekwencja *f*; **sequence of events** łańcuch zdarzeń; **in sequence** w *or* według kolejności.
sequential [sɪ'kwɛnʃəl] *adj*: **sequential link** ogniwo *nt* łączące; **sequential access** (*COMPUT*) dostęp sekwencyjny.
sequestrate [sɪ'kwɛstreɪt] (*JUR, COMM*) *vt* nakładać (nałożyć *perf*) sekwestr na +*acc.*
sequin ['si:kwɪn] *n* cekin *m.*
Serbo-Croat ['sə:bəu'krəuæt] *n* (język *m*) serbsko-chorwacki.
serenade [sɛrə'neɪd] *n* serenada *f* ♦ *vt* śpiewać (zaśpiewać *perf*) serenadę +*dat.*
serene [sɪ'ri:n] *adj* spokojny.
serenity [sə'rɛnɪtɪ] *n* spokój *m.*
sergeant ['sɑ:dʒənt] *n* sierżant *m.*
sergeant-major ['sɑ:dʒənt'meɪdʒə*] *n* starszy sierżant *m.*
serial ['sɪərɪəl] *n* serial *m* ♦ *adj* (*COMPUT*) szeregowy.
serialize ['sɪərɪəlaɪz] *vt* (*on radio, TV*) nadawać (nadać *perf*) w odcinkach; (*in newspaper*) publikować (opublikować *perf*) w odcinkach.
serial number *n* (*of machine*) numer *m* seryjny; (*of banknote*) numer *m* serii.
series *n inv* seria *f*; (*TV: of shows, talks*) cykl *m*, seria *f*; (: *of films*) serial *m.*
serious ['sɪərɪəs] *adj* poważny; **to be serious** nie żartować; **are you serious (about it)?** mówisz (to) poważnie?
seriously ['sɪərɪəslɪ] *adv* poważnie; **to take sb/sth seriously** brać (wziąć *perf*) kogoś/coś (na) poważnie *or* serio.
seriousness ['sɪərɪəsnɪs] *n* (*of person, situation*) powaga *f*; (*of problem*) waga *f.*
sermon ['sə:mən] *n* kazanie *nt.*
serrated [sɪ'reɪtɪd] *adj* ząbkowany.
serum ['sɪərəm] *n* surowica *f.*
servant ['sə:vənt] *n* służący (-ca) *m(f)*; (*fig*) sługa *m.*
serve [sə:v] *vt* (*country, purpose*) służyć +*dat*; (*guest, customer*) obsługiwać (obsłużyć *perf*); (*food*) podawać (podać *perf*); (*apprenticeship, prison term*) odbywać (odbyć *perf*) ♦ *vi* (*at table*) podawać (podać *perf*); (*TENNIS*) serwować (zaserwować *perf*); (*in army*) służyć

♦ *n* (*TENNIS*) serwis *m*, serw *m*; **to serve as** (*minister, governor*) sprawować urząd +*gen*; (*delegate, representative*) pełnić funkcję +*gen*; **the delegates serve for five years** delegaci pełnią swoją funkcję przez pięć lat; **to serve as/for** służyć (posłużyć *perf*) za +*acc*; **are you being served?** czy ktoś Pana/Panią obsługuje?; **to serve on a committee/jury** zasiadać w komisji/jury; **it serves him right** dobrze mu tak.
▶**serve out** *vt* serwować, podawać (podać *perf*).
▶**serve up** *vt* = **serve out**.
service ['sə:vɪs] *n* usługa *f*; (*in hotel, restaurant*) obsługa *f*; (*also:* **train service**) komunikacja *f* kolejowa; (*REL*) nabożeństwo *nt*; (*AUT*) przegląd *m*; (*TENNIS*) serwis *m*, podanie *nt*; (*plates, etc*) serwis *m*; **the Services** *npl* siły *pl* zbrojne ♦ *vt* dokonywać (dokonać *perf*) przeglądu +*gen*; **services (to)** usługi (dla +*gen*); (*extraordinary*) zasługi *pl* (dla +*gen*); **military service** służba wojskowa; **national service** powszechna służba wojskowa; **to be of service to sb** przydawać się (przydać się *perf*) komuś; **to do sb a service** wyświadczyć (*perf*) komuś przysługę; **to put one's car in for a service** oddawać (oddać *perf*) samochód do przeglądu.
serviceable ['sə:vɪsəbl] *adj* (*useful*) użyteczny, przydatny; (*able to be used*) zdatny do użycia, sprawny; (*durable*) mocny.
service area *n* punkt usługowy przy autostradzie.
service charge (*BRIT*) *n* opłata *f* za obsługę.
service industry *n*: **service industries** usługi *pl.*
serviceman ['sə:vɪsmən] *n* (*irreg like* **man**) żołnierz *m.*
service station *n* stacja *f* obsługi.
serviette [sə:vɪ'ɛt] (*BRIT*) *n* serwetka *f.*
servile ['sə:vaɪl] *adj* służalczy.
session ['sɛʃən] *n* (*period of activity*) sesja *f*; (*sitting*) posiedzenie *nt*, sesja *f*; (*US, SCOT: SCOL*) semestr *m*; **to be in session** (*court etc*) obradować.
set [sɛt] (*pt, pp* **set**) *n* (*of problems*) zespół *m*; (*of saucepans, books*) komplet *m*; (*of people*) grupa *f*; (*also:* **radio set**) radio *nt*, odbiornik *m* radiowy; (*also:* **TV set**) telewizor *m*, odbiornik *m* telewizyjny; (*TENNIS*) set *m*; (*MATH*) zbiór *m*; (*FILM*) plan *m*; (*THEAT*) dekoracje *pl*; (*of hair*) ułożenie *nt*, modelowanie *nt* ♦ *adj* (*fixed*) ustalony, stały; (*ready*) gotowy ♦ *vt* (*place, stage*) przygotowywać (przygotować *perf*); (*time, rules*) ustalać (ustalić *perf*); (*record*) ustanawiać (ustanowić *perf*); (*alarm, watch*) nastawiać (nastawić *perf*); (*task, exercise*) zadawać (zadać *perf*); (*exam*) układać (ułożyć *perf*); (*TYP*) składać (złożyć *perf*) ♦ *vi* (*sun*) zachodzić (zajść *perf*); (*jelly, concrete*) tężeć (stężeć *perf*); (*glue*) wysychać (wyschnąć

perf); (*bone*) zrastać się (zrosnąć się *perf*); **a set of false teeth** sztuczna szczęka; **a set of dining-room furniture** komplet mebli stołowych; **a chess set** szachy; **a set phrase** utarty zwrot; **to be set on doing sth** być zdeterminowanym coś zrobić; **to be all set to do sth** być gotowym do (zrobienia) czegoś; **he's set in his ways** on jest mało elastyczny; **the novel is set in Rome** akcja powieści rozgrywa się w Rzymie; **to set the table** nakrywać (nakryć *perf*) do stołu; **to set to music** komponować (skomponować *perf*) muzykę do +*gen*; **to set on fire** podpalać (podpalić *perf*); **to set free** uwalniać (uwolnić *perf*), zwalniać (zwolnić *perf*); **to set sail** podnosić (podnieść *perf*) żagle.

▶**set about** *vt fus* przystępować (przystąpić *perf*) do +*gen*; **to set about doing sth** zabierać się (zabrać się *perf*) do czegoś.

▶**set aside** *vt* (*money etc*) odkładać (odłożyć *perf*); (*time*) rezerwować (zarezerwować *perf*).

▶**set back** *vt*: **to set sb back 5 pounds** kosztować kogoś 5 funtów; **to set sb back (by)** opóźniać (opóźnić *perf*) kogoś (o +*acc*); **a house set back from the road** dom z dala od szosy.

▶**set in** *vi* (*bad weather*) nadchodzić (nadejść *perf*); (*infection*) wdawać się (wdać się *perf*); **the rain has set in for the day** rozpadało się na dobre.

▶**set off** *vi* wyruszać (wyruszyć *perf*) ♦ *vt* (*bomb*) detonować (zdetonować *perf*); (*alarm*) uruchamiać (uruchomić *perf*); (*chain of events*) wywoływać (wywołać *perf*); (*jewels*) uwydatniać (uwydatnić *perf*); (*tan, complexion*) podkreślać (podkreślić *perf*).

▶**set out** *vi* wyruszać (wyruszyć *perf*) ♦ *vt* (*goods etc*) wystawiać (wystawić *perf*); (*arguments*) wykładać (wyłożyć *perf*); **to set out to do sth** przystępować (przystąpić *perf*) do robienia czegoś; **to set out from home** wyruszać (wyruszyć *perf*) z domu.

▶**set up** *vt* (*organization*) zakładać (założyć *perf*); (*monument*) wznosić (wznieść *perf*); **to set up shop** (*fig*) zakładać (założyć *perf*) interes.

setback ['sɛtbæk] *n* (*hitch*) komplikacja *f*; (*in health*) pogorszenie *nt*.

set menu *n* ustalone menu *nt inv*.

set square *n* ekierka *f*.

settee [sɛ'tiː] *n* sofa *f*.

setting ['sɛtɪŋ] *n* (*background*) miejsce *nt*, otoczenie *nt*; (*of controls*) nastawa *f*; (*of jewel*) oprawa *f*.

setting lotion *n* płyn *m* do układania włosów.

settle ['sɛtl] *vt* (*argument*) rozstrzygać (rozstrzygnąć *perf*); (*accounts*) regulować (uregulować *perf*); (*affairs*) porządkować (uporządkować *perf*); (*land*) zasiedlać (zasiedlić *perf*) ♦ *vi* (*also*: **settle down**)

sadowić się (usadowić się *perf*); (*calm down*) uspokajać się (uspokoić się *perf*); (*bird, insect*) siadać (siąść *perf*), usiąść (*perf*); (*dust, sediment*) osiadać (osiąść *perf*), osadzać się (osadzić się *perf*); **to settle down to sth** zasiadać (zasiąść *perf*) do czegoś; **it'll settle your stomach** to ci dobrze zrobi na żołądek; **that's settled then!** no to załatwione!

▶**settle for** *vt fus* zadowalać się (zadowolić się *perf*) +*instr*.

▶**settle in** *vi* przyzwyczajać się (przyzwyczaić się *perf*) (do nowego miejsca).

▶**settle on** *vt fus* decydować się (zdecydować się *perf*) na +*acc*.

▶**settle up** *vi*: **to settle up with sb** rozliczać się (rozliczyć się *perf*) z kimś.

settlement ['sɛtlmənt] *n* (*payment: of debt*) spłata *f*; (: *in compensation*) odszkodowanie *nt*; (*agreement*) rozstrzygnięcie *nt*, porozumienie *nt*; (*village etc*) osada *f*; (*colonization*) zasiedlanie *nt*, osadnictwo *nt*; **in settlement of our account** (*COMM*) na pokrycie należności.

settler ['sɛtlə*] *n* osadnik (-iczka) *m(f)*.

setup ['sɛtʌp] (*also spelled* **set-up**) *n* układ *m*.

seven ['sɛvn] *num* siedem.

seventeen [sɛvn'tiːn] *num* siedemnaście.

seventh ['sɛvnθ] *num* siódmy.

seventy ['sɛvntɪ] *num* siedemdziesiąt.

sever ['sɛvə*] *vt* (*artery, pipe*) przerywać (przerwać *perf*); (*fig: relations*) zrywać (zerwać *perf*).

several ['sɛvərl] *adj* kilka (+*gen*); (*of groups of people including at least one male*) kilku (+*gen*) ♦ *pron* kilka; (*of groups of people including at least one male*) kilku; **several of us** kilkoro z nas; **several times** kilka razy.

severance ['sɛvərəns] *n* (*of relations*) zerwanie *nt*.

severance pay *n* odprawa *f* (pieniężna).

severe [sɪ'vɪə*] *adj* (*pain*) ostry; (*damage, shortage*) poważny; (*winter, person, expression*) surowy.

severely [sɪ'vɪəlɪ] *adv* (*damage*) poważnie; (*punish*) surowo; (*wounded, ill*) ciężko, poważnie.

severity [sɪ'vɛrɪtɪ] *n* surowość *f*, (*of pain, attacks*) ostrość *f*.

sew [səu] (*pt* **sewed**, *pp* **sewn**) *vt* (*dress etc*) szyć (uszyć *perf*); (*edges*) zszywać (zszyć *perf*) ♦ *vi* szyć.

▶**sew up** *vt* (*pieces of cloth*) zszywać (zszyć *perf*); (*tear*) zaszywać (zaszyć *perf*); **the deal was sewn up** (*fig*) sprawa została zapięta na ostatni guzik.

sewage ['suːɪdʒ] *n* ścieki *pl*.

sewer ['suːə*] *n* ściek *m*.

sewing ['səuɪŋ] *n* szycie *nt*.

sewing machine *n* maszyna *f* do szycia.

sewn [səun] *pp of* **sew**.

sex [sɛks] n (gender) płeć f; (lovemaking) seks m; **to have sex with sb** mieć z kimś stosunek.

sex act n stosunek m płciowy.

sexism ['sɛksɪzəm] n seksizm m.

sexist ['sɛksɪst] adj seksistowski.

sextet [sɛks'tɛt] n sekstet m.

sexual ['sɛksjuəl] adj płciowy; **sexual equality** równouprawnienie płci.

sexual assault n napad m na tle seksualnym.

sexual intercourse n stosunek m płciowy.

sexually ['sɛksjuəlɪ] adv (attractive) seksualnie; (segregate) według płci; (reproduce) płciowo.

sexy ['sɛksɪ] adj seksowny.

Seychelles [seɪ'ʃɛl(z)] npl: **the Seychelles** Seszele pl.

SF n abbr = **science fiction** SF.

SG (US) n abbr (= Surgeon General) (MED) ≈ Naczelny Lekarz m Kraju; (MIL) ≈ Naczelny Lekarz m Wojskowy.

Sgt (POLICE, MIL) abbr = **sergeant** sierż.

shabbiness ['ʃæbɪnɪs] n nędzny stan m.

shabby ['ʃæbɪ] adj (person) obdarty; (clothes) wytarty, wyświechtany; (trick, behaviour) podły; (building) odrapany.

shack [ʃæk] n chałupa f.

►**shack up** (inf) vi: **to shack up (with sb)** żyć (z kimś) na kocią łapę (inf).

shackles ['ʃæklz] npl kajdany pl; (fig) pęta pl.

shade [ʃeɪd] n (shelter) cień m; (for lamp) abażur m, klosz m; (of colour) odcień m; (US: also: **window shade**) roleta f ♦ vt (shelter) ocieniać (ocienić perf); (eyes) osłaniać (osłonić perf); **shades** npl (inf) okulary pl słoneczne; **in the shade** w cieniu; **a shade (too large/more)** odrobinę (za duży/więcej).

shadow ['ʃædəu] n cień m ♦ vt śledzić; **without** or **beyond a shadow of a doubt** bez cienia wątpliwości.

shadow cabinet (BRIT) n gabinet m cieni.

shadowy ['ʃædəuɪ] adj (in shadow) cienisty, zacieniony; (dim) niewyraźny.

shady ['ʃeɪdɪ] adj cienisty; (fig) podejrzany.

shaft [ʃɑːft] n (of arrow, spear) drzewce nt; (AUT, TECH) wał(ek) m; (of mine, lift) szyb m; (of light) snop m; **ventilation shaft** szyb wentylacyjny.

shaggy ['ʃægɪ] adj (beard) zmierzwiony; (man) zarośnięty; (dog, sheep) kudłaty.

shake [ʃeɪk] (pt **shook**, pp **shaken**) vt trząść +instr, potrząsać (potrząsnąć perf) +instr; (bottle, person) wstrząsać (wstrząsnąć perf) +instr; (cocktail) mieszać (zmieszać perf); (beliefs, resolve) zachwiać (perf) +instr ♦ vi trząść się (zatrząść się perf), drżeć (zadrżeć perf) ♦ n potrząśnięcie nt; **to shake one's head** kręcić (pokręcić perf) głową; **to shake hands with sb** uścisnąć (perf) czyjąś dłoń, podawać (podać perf) komuś rękę; **to shake**

one's fist (at sb) wygrażać (komuś) pięścią; **give it a good shake** dobrze tym potrząśnij.

►**shake off** vt strząsać (strząsnąć perf), strącać (strącić perf); (fig: pursuer) zgubić (perf).

►**shake up** vt (ingredients) mieszać (zmieszać perf); (fig: person) wstrząsać (wstrząsnąć perf) +instr.

shake-up ['ʃeɪkʌp] n przebudowa f.

shakily ['ʃeɪkɪlɪ] adv (reply) drżącym głosem; (walk, stand) chwiejnie, na drżących nogach.

shaky ['ʃeɪkɪ] adj (hand, voice) trzęsący się, drżący; (memory) mglisty, niewyraźny; (knowledge) słaby; (prospects, future) chwiejny, niepewny; (start) niepewny, nieśmiały.

shale [ʃeɪl] n łupek m.

shall [ʃæl] aux vb: **I shall go** pójdę; **shall I open the door?** czy mam otworzyć drzwi?; **I'll get some, shall I?** przyniosę kilka, dobrze?

shallot [ʃə'lɔt] (BRIT) n szalotka f.

shallow ['ʃæləu] adj (lit, fig) płytki; **the shallows** npl mielizna f, płycizna f.

sham [ʃæm] n pozór m ♦ adj (jewellery) sztuczny; (antique furniture) podrabiany; (fight) udawany, pozorowany ♦ vt udawać (udać perf).

shambles ['ʃæmblz] n bałagan m; **the economy is (in) a complete shambles** gospodarka jest w stanie kompletnego chaosu.

shame [ʃeɪm] n wstyd m ♦ vt zawstydzać (zawstydzić perf); **it is a shame to ...** szkoda +infin; **it is a shame that ...** szkoda, że ...; **what a shame!** co za wstyd!; **to put sb to shame** zawstydzać (zawstydzić perf) kogoś; **to put sth to shame** przyćmiewać (przyćmić perf) coś.

shamefaced ['ʃeɪmfeɪst] adj zawstydzony.

shameful ['ʃeɪmful] adj haniebny.

shameless ['ʃeɪmlɪs] adj bezwstydny.

shampoo [ʃæm'puː] n szampon m ♦ vt myć (umyć perf) (szamponem).

shampoo and set n mycie nt i modelowanie.

shamrock ['ʃæmrɔk] n koniczyna f biała.

shandy ['ʃændɪ] n drink składający się z piwa i lemoniady.

shan't [ʃɑːnt] = **shall not**.

shanty town ['ʃæntɪ-] n dzielnica f slumsów.

SHAPE [ʃeɪp] (MIL) n abbr (= Supreme Headquarters Allied Powers, Europe) naczelne dowództwo sił alianckich w Europie podczas drugiej wojny światowej.

shape [ʃeɪp] n kształt m ♦ vt (with one's hands) formować (uformować perf); (sb's ideas, sb's life) kształtować (ukształtować perf); **to take shape** nabierać (nabrać perf) kształtu; **in the shape of a heart** w kształcie serca; **I can't bear gardening in any shape or form** nie znoszę pracy w ogrodzie w żadnej postaci; **to get (o.s.) into shape** dochodzić (dojść perf) do formy.

►**shape up** vi (events) dobrze się układać (ułożyć perf); (person) radzić sobie.

-shaped [ʃeɪpt] *suff.* **heart-shaped** w kształcie serca.
shapeless ['ʃeɪplɪs] *adj* bezkształtny, nieforemny.
shapely ['ʃeɪplɪ] *adj* (*woman, legs*) zgrabny.
share [ʃeə*] *n* (*part*) część *f*; (*contribution*) udział *m*; (*COMM*) akcja *f*, udział *m* ♦ *vt* (*books, cost*) dzielić (podzielić *perf*); (*room, taxi*) dzielić; **China and Japan share many characteristics** Chiny i Japonia mają wiele cech wspólnych; **to share in** (*joy, sorrow*) dzielić +*acc*; (*profits*) partycypować w +*loc*, mieć (swój) udział w +*loc*; (*work*) uczestniczyć w +*gen*.
►**share out** *vt* rozdzielać (rozdzielić *perf*).
share capital *n* kapitał *m* akcyjny.
share certificate *n* certyfikat *m* akcji.
shareholder ['ʃeəhəuldə*] *n* akcjonariusz(ka) *m(f)*.
share index *n* wskaźnik *m* kursów akcji.
share issue *n* emisja *f* akcji.
shark [ʃɑːk] *n* rekin *m*.
sharp [ʃɑːp] *adj* ostry; (*MUS*) podwyższony o pół tonu; (*person, eye*) bystry ♦ *n* (*MUS*) nuta *f* z krzyżykiem; (: *symbol*) krzyżyk *m* ♦ *adv*. **at 2 o'clock sharp** punktualnie o drugiej; **turn sharp left** skręć ostro w lewo; **to be sharp with sb** postępować (postąpić *perf*) z kimś ostro; **look sharp!** pośpiesz się!; **C sharp** (*MUS*) cis; **sharp practices** (*COMM*) nieuczciwe praktyki.
sharpen ['ʃɑːpn] *vt* ostrzyć (zaostrzyć *perf*).
sharpener ['ʃɑːpnə*] *n* (*also*: **pencil sharpener**) temperówka *f*, (*also*: **knife sharpener**) ostrzarka *f*.
sharp-eyed [ʃɑːp'aɪd] *adj* (*person*) bystrooki.
sharply ['ʃɑːplɪ] *adv* ostro.
sharp-tempered [ʃɑːp'tempəd] *adj* pobudliwy, wybuchowy.
sharp-witted [ʃɑːp'wɪtɪd] *adj* bystry, rozgarnięty.
shatter ['ʃætə*] *vt* roztrzaskiwać (roztrzaskać *perf*); (*fig*) rujnować (zrujnować *perf*) ♦ *vi* roztrzaskiwać się (roztrzaskać się *perf*); **my dreams have been shattered** moje marzenia legły w gruzach.
shattered ['ʃætəd] *adj* (*overwhelmed*) zdruzgotany; (*inf. exhausted*) wykończony (*inf*).
shattering ['ʃætərɪŋ] *adj* (*experience*) wstrząsający; (*effect*) druzgocący; (*exhausting*) wyczerpujący.
shatterproof ['ʃætəpruːf] *adj* (*glass*) nietłukący.
shave [ʃeɪv] *vt* (*person, face, legs*) golić (ogolić *perf*); (*beard*) golić (zgolić *perf*) ♦ *vi* golić się (ogolić się *perf*) ♦ *n*: **to have a shave** golić się (ogolić się *perf*).
shaven ['ʃeɪvn] *adj* (*head*) ogolony, wygolony.
shaver ['ʃeɪvə*] *n* (*also*: **electric shaver**) golarka *f* elektryczna, (elektryczna) maszynka *f* do golenia.
shaving ['ʃeɪvɪŋ] *n* golenie *nt*; **shavings** *npl* strużyny *pl*, wióry *pl*.

shaving brush *n* pędzel *m* do golenia.
shaving cream *n* krem *m* do golenia.
shaving foam *n* pianka *f* do golenia.
shaving point *n* gniazdko *nt* do maszynki do golenia.
shaving soap *n* mydło *nt* do golenia.
shawl [ʃɔːl] *n* szal *m*.
she [ʃiː] *pron* ona *f* ♦ *pref*. **she-cat** kotka *f*, kocica *f*; **there she is** otóż i ona.
sheaf [ʃiːf] (*pl* **sheaves**) *n* (*of corn*) snop *m*; (*of papers*) plik *m*.
shear [ʃɪə*] (*pt* **sheared**, *pp* **shorn**) *vt* (*sheep*) strzyc (ostrzyc *perf*).
►**shear off** *vi* (*bolt etc*) urywać się (urwać się *perf*).
shears ['ʃɪəz] *npl* nożyce *pl* ogrodnicze, sekator *m*.
sheath [ʃiːθ] *n* (*of knife*) pochwa *f*; (*contraceptive*) prezerwatywa *f*.
sheathe [ʃiːð] *vt* powlekać (powlec *perf*); (*sword*) chować (schować *perf*) do pochwy.
sheath knife *n* nóż *m* fiński.
sheaves [ʃiːvz] *npl of* **sheaf**.
shed [ʃed] (*pt, pp* **shed**) *n* (*for bicycles, tools*) szopa *f*, (*RAIL*) zajezdnia *f*, (*AVIAT, NAUT*) hangar *m* ♦ *vt* (*skin*) zrzucać (zrzucić *perf*); (*tears*) wylewać (wylać *perf*); (*blood*) przelewać (przelać *perf*); (*load*) gubić (zgubić *perf*); (*workers*) pozbywać się (pozbyć się *perf*) +*gen*; **to shed light on** rzucać (rzucić *perf*) światło na +*acc*.
she'd [ʃiːd] = **she had; she would**.
sheen [ʃiːn] *n* połysk *m*.
sheep [ʃiːp] *n inv* owca *f*.
sheepdog ['ʃiːpdɔg] *n* owczarek *m*.
sheep farmer *n* hodowca *m* owiec.
sheepish ['ʃiːpɪʃ] *adj* zmieszany.
sheepskin ['ʃiːpskɪn] *n* barania skóra *f*, kożuch *m* ♦ *cpd*: **sheepskin coat/jacket** kożuch *m*/kożuszek *m*.
sheer [ʃɪə*] *adj* (*utter*) czysty, najzwyklejszy; (*steep*) stromy, pionowy; (*almost transparent*) przejrzysty ♦ *adv* stromo, pionowo; **by sheer chance** zupełnie przypadkiem.
sheet [ʃiːt] *n* (*on bed*) prześcieradło *nt*; (*of paper*) kartka *f*; (*of glass*) płyta *f*; (*of metal*) arkusz *m*, płyta *f*; (*of ice*) tafla *f*.
sheet feed *n* (*on printer*) podawanie *nt* pojedynczych arkuszy papieru.
sheet lightning *n* błyskawica *f* rozświetlająca całe niebo.
sheet metal *n* blacha *f* cienka.
sheet music *n* nuty *pl*.
sheik(h) [ʃeɪk] *n* szejk *m*.
shelf [ʃelf] (*pl* **shelves**) *n* półka *f*; **set of shelves** regał *m*.
shelf life *n* okres *m* przechowywania.
shell [ʃel] *n* (*on beach*) muszla *f*; (: *small*) muszelka *f*; (*of egg*) skorupka *f*; (*of nut etc*) łupina *f*; (*of tortoise*) skorupa *f*; (*explosive*) pocisk *m*; (*of building*) szkielet *m* ♦ *vt* (*peas*)

łuskać; (*egg*) obierać (obrać *perf*) ze
skorupki; (*MIL*) ostrzeliwać (ostrzelać *perf*).

▶**shell out** (*inf*) *vt*: **to shell out (for)** bulić
(wybulić *perf*) (za +*acc*) (*inf*).

she'll [ʃiːl] = **she will; she shall.**

shellfish [ˈʃɛlfɪʃ] *n inv* skorupiak *m*; (*as food*)
małż *m*.

shelter [ˈʃɛltə*] *n* (*refuge*) schronienie *nt*;
(*protection*) osłona *f*, ochrona *f*; (*also*: **air-raid
shelter**) schron *m* ♦ *vt* (*protect*) osłaniać
(osłonić *perf*); (*give lodging to*) udzielać
(udzielić *perf*) schronienia +*dat* ♦ *vi* (*from rain
etc*) chronić się (schronić się *perf*); **to take
shelter (from)** znajdować (znaleźć *perf*)
schronienie (przed +*instr*).

sheltered [ˈʃɛltəd] *adj* (*life*) pod kloszem *post*;
(*spot*) osłonięty; **sheltered housing** *dom z
całodobową opieką dla osób starszych lub
niepełnosprawnych.*

shelve [ʃɛlv] *vt* (*fig*: *plan*) odkładać (odłożyć
perf) do szuflady.

shelves [ʃɛlvz] *npl of* **shelf.**

shelving [ˈʃɛlvɪŋ] *n* półki *pl*.

shepherd [ˈʃɛpəd] *n* pasterz *m* ♦ *vt* prowadzić
(poprowadzić *perf*).

shepherdess [ˈʃɛpədɪs] *n* pasterka *f*.

shepherd's pie (*BRIT*) *n* zapiekanka *z
mielonego mięsa i ziemniaków.*

sherbet [ˈʃəːbət] *n* (*BRIT*) oranżada *f* w
proszku; (*US*) sorbet *m*.

sheriff [ˈʃɛrɪf] (*US*) *n* szeryf *m*.

sherry [ˈʃɛrɪ] *n* sherry *f inv*.

she's [ʃiːz] = **she is; she has.**

Shetland [ˈʃɛtlənd] *n* (*also*: **the Shetland
Islands**) Szetlandy *pl*.

shield [ʃiːld] *n* (*MIL*) tarcza *f*, (*SPORT*)
odznaka *f*; (*fig*) osłona *f* ♦ *vt*: **to shield (from)**
osłaniać (osłonić *perf*) (przed +*instr*).

shift [ʃɪft] *n* zmiana *f* ♦ *vt* (*move*) przesuwać
(przesunąć *perf*); (*remove*) usuwać (usunąć
perf) ♦ *vi* przesuwać się (przesunąć się *perf*);
the wind has shifted to the south wiatr
zmienił się na południowy; **a shift in demand**
(*COMM*) zmiana charakteru popytu.

shift key *n* klawisz *m* „shift".

shiftless [ˈʃɪftlɪs] *adj* niemrawy.

shift work *n* praca *f* zmianowa; **to do shift
work** pracować na zmiany.

shifty [ˈʃɪftɪ] *adj* chytry, przebiegły.

shilling [ˈʃɪlɪŋ] (*BRIT*: *old*) *n* szyling *m*.

shilly-shally [ˈʃɪlɪʃælɪ] *vi* wahać się.

shimmer [ˈʃɪmə*] *vi* migotać, skrzyć się.

shimmering [ˈʃɪmərɪŋ] *adj* migotliwy.

shin [ʃɪn] *n* goleń *f* ♦ *vi*: **to shin up a tree**
wdrapywać się (wdrapać się *perf*) na drzewo.

shindig [ˈʃɪndɪg] (*inf*) *n* ubaw *m* (*inf*).

shine [ʃaɪn] (*pt*, *pp* **shone**) *n* połysk *m* ♦ *vi*
(*sun, light*) świecić; (*eyes, hair*) błyszczeć,
lśnić; (*fig*: *person*) błyszczeć ♦ *vt* (*shoes
etc*: *pt*, *pp* **shined**) czyścić (wyczyścić *perf*)

(do połysku), pucować (wypucować *perf*)
(*inf*); **to shine a torch on sth** oświetlać
(oświetlić *perf*) coś latarką.

shingle [ˈʃɪŋgl] *n* (*on beach*) kamyk *m*; (*on
roof*) gont *m*.

shingles [ˈʃɪŋglz] (*MED*) *npl* półpasiec *m*.

shining [ˈʃaɪnɪŋ] *adj* (*surface*) lśniący,
błyszczący; (*example*) godny naśladowania;
(*achievement*) godny podziwu.

shiny [ˈʃaɪnɪ] *adj* (*coin, hair*) błyszczący,
lśniący; (*shoes*) wypolerowany.

ship [ʃɪp] *n* statek *m*, okręt *m* ♦ *vt*
(*transport*: *by ship*) przewozić (przewieźć *perf*)
drogą morską; (: *by rail etc*) przewozić
(przewieźć *perf*); (*water*) nabierać (nabrać
perf) +*gen*; **on board ship** na pokładzie statku.

shipbuilder [ˈʃɪpbɪldə*] *n* (*person*) budowniczy
m okrętów; (*company*) stocznia *f*.

shipbuilding [ˈʃɪpbɪldɪŋ] *n* budownictwo *nt*
okrętowe.

ship canal *n* kanał *m* morski.

ship chandler [-ˈtʃɑːndlə*] *n* dostawca *m*
okrętowy.

shipment [ˈʃɪpmənt] *n* (*of goods*) transport *m*.

shipowner [ˈʃɪpəunə*] *n* armator *m*.

shipper [ˈʃɪpə*] *n* spedytor *m*.

shipping [ˈʃɪpɪŋ] *n* (*of cargo*) transport *m*
morski; (*ships*) flota *f* handlowa.

shipping agent *n* agent *m* okrętowy, spedytor
m portowy.

shipping company *n* towarzystwo *nt*
żeglugowe, linia *f* żeglugowa.

shipping lane *n* morski szlak *m* handlowy.

shipping line *n* = **shipping company**.

shipshape [ˈʃɪpʃeɪp] *adj*: **I got the house all
shipshape** wysprzątałem dom na tip-top.

shipwreck [ˈʃɪprɛk] *n* (*event*) katastrofa *f*
morska; (*ship*) wrak *m* (statku) ♦ *vt*: **to be
shipwrecked** ocaleć (*perf*) z katastrofy morskiej.

shipyard [ˈʃɪpjɑːd] *n* stocznia *f*.

shire [ˈʃaɪə*] (*BRIT*) *n* hrabstwo *nt*.

shirk [ʃəːk] *vt* wymigiwać się od +*gen*.

shirt [ʃəːt] *n* (*man's*) koszula *f*, (*woman's*)
bluzka *f* (koszulowa); **in (one's) shirt sleeves**
w samej koszuli, bez marynarki.

shirty [ˈʃəːtɪ] (*BRIT*: *inf*) *adj* wkurzony (*inf*).

shit [ʃɪt] (*inf!*) *excl* cholera! (*inf*).

shiver [ˈʃɪvə*] *n* drżenie *nt* ♦ *vi* drżeć (zadrżeć
perf).

shoal [ʃəul] *n* (*of fish*) ławica *f*; (*also*:
shoals: *fig*) tłumy *pl*.

shock [ʃɔk] *n* wstrząs *m*, szok *m*; (*also*:
electric shock) porażenie *nt* (prądem) ♦ *vt*
(*upset*) wstrząsać (wstrząsnąć *perf*) +*instr*;
(*offend*) szokować (zaszokować *perf*); **to be
suffering from shock** (*MED*) być w szoku; **it
gave us a shock** to nami wstrząsnęło; **it
came as a shock to hear that ...** zaszokowała
nas wiadomość, że ... .

shock absorber (*AUT*) *n* amortyzator *m*.

shocking ['ʃɔkɪŋ] *adj* (*very bad*) fatalny; (*outrageous*) szokujący.

shockproof ['ʃɔkpru:f] *adj* odporny na wstrząsy.

shock therapy *n* terapia *f* wstrząsowa, leczenie *nt* wstrząsowe.

shock treatment *n* = **shock therapy**.

shod [ʃɔd] *pt, pp of* **shoe**.

shoddy ['ʃɔdɪ] *adj* lichy.

shoe [ʃu:] (*pt, pp* **shod**) *n* (*for person*) but *m*; (*for horse*) podkowa *f*; (*also*: **brake shoe**) klocek *m* hamulcowy, szczęka *f* hamulcowa ♦ *vt* (*horse*) podkuwać (podkuć *perf*).

shoebrush ['ʃu:brʌʃ] *n* szczotka *f* do butów.

shoehorn ['ʃu:hɔ:n] *n* łyżka *f* do butów.

shoelace ['ʃu:leɪs] *n* sznurowadło *nt*.

shoemaker ['ʃu:meɪkə*] *n* szewc *m*.

shoe polish *n* pasta *f* do butów.

shoe shop *n* sklep *m* obuwniczy.

shoestring ['ʃu:strɪŋ] *n* (*fig*): **on a shoestring** małym nakładem (środków).

shoetree ['ʃu:tri:] *n* prawidło *nt*.

shone [ʃɔn] *pt, pp of* **shine**.

shoo [ʃu:] *excl* sio, a kysz ♦ *vt* (*also*: **shoo away, shoo off, etc**: *birds*) płoszyć (wypłoszyć *perf*); (*person*) przeganiać (przegonić *perf*).

shook [ʃuk] *pt of* **shake**.

shoot [ʃu:t] (*pt, pp* **shot**) *n* (*on branch*) pęd *m*; (*on seedling*) kiełek *m*; (*SPORT*) polowanie *nt* ♦ *vt* (*arrow*) wystrzelić (*perf*); (*gun*) (wy)strzelić (*perf*) z; (*kill*) zastrzelić (*perf*); (*wound*) postrzelić (*perf*); (*execute*) rozstrzeliwać (rozstrzelać *perf*); (*BRIT*: *game birds*) polować na +*acc*; (*film*) kręcić (nakręcić *perf*) ♦ *vi*: **to shoot (at)** strzelać (strzelić *perf*) (do +*gen*); **to shoot past/through** przemykać (przemknąć *perf*) obok +*gen*/przez +*acc*; **to shoot into** wpadać (wpaść *perf*) do +*gen*.

▶**shoot down** *vt* zestrzeliwać (zestrzelić *perf*).

▶**shoot in** *vi* wpadać (wpaść *perf*).

▶**shoot out** *vi* wypadać (wypaść *perf*).

▶**shoot up** *vi* (*fig*: *inflation etc*) skakać (skoczyć *perf*), podskakiwać (podskoczyć *perf*).

shooting ['ʃu:tɪŋ] *n* (*shots*) strzelanina *f*; (*murder*) zastrzelenie *nt*; (*wounding*) postrzelenie *nt*; (*FILM*) zdjęcia *pl*, kręcenie *nt* zdjęć; (*HUNTING*) polowanie *nt*.

shooting range *n* strzelnica *f*.

shooting star *n* spadająca gwiazda *f*.

shop [ʃɔp] *n* (*selling goods*) sklep *m*; (*workshop*) warsztat *m* ♦ *vi* (*also*: **go shopping**) robić (zrobić *perf*) zakupy; **repair shop** warsztat naprawczy; **to talk shop** (*fig*) rozmawiać o sprawach zawodowych.

▶**shop around** *vi*: **to shop around (for)** (*lit, fig*) rozglądać się (rozejrzeć się *perf*) (za +*instr*)

shop assistant (*BRIT*) *n* sprzedawca (-czyni) *m(f)*.

shop floor (*BRIT*: *INDUSTRY*) *n* załoga *f*.

shopkeeper ['ʃɔpki:pə*] *n* sklepikarz (-arka) *m(f)*.

shoplifter ['ʃɔplɪftə*] *n* złodziej(ka) *m(f)* sklepowy (-wa) *m(f)*.

shoplifting ['ʃɔplɪftɪŋ] *n* kradzież *f* sklepowa.

shopper ['ʃɔpə*] *n* kupujący (-ca) *m(f)*, klient(ka) *m(f)*.

shopping ['ʃɔpɪŋ] *n* zakupy *pl*.

shopping bag *n* torba *f* na zakupy.

shopping centre (*US* **shopping center**) *n* centrum *nt* handlowe.

shop-soiled ['ʃɔpsɔɪld] *adj* (*goods*) niepełnowartościowy wskutek długiego leżenia na wystawie, wielokrotnego przymierzania itp.

shop steward (*BRIT*: *INDUSTRY*) *n* przedstawiciel *m* załogi (*z ramienia związków zawodowych*).

shop window *n* witryna *f*, wystawa *f* sklepowa.

shore [ʃɔ:*] *n* (*of sea*) brzeg *m*, wybrzeże *nt*; (*of lake*) brzeg *m* ♦ *vt*: **to shore (up)** podpierać (podeprzeć *perf*); **on shore** na lądzie.

shore leave (*NAUT*) *n* przepustka *f* (na ląd).

shorn [ʃɔ:n] *pp of* **shear**; **to be shorn of** zostać (*perf*) pozbawionym +*gen*.

short [ʃɔ:t] *adj* (*not long*) krótki; (*not tall*) niski; (*curt*) szorstki ♦ *n* film *m* krótkometrażowy; **money is short** brakuje pieniędzy; **we are short of staff** brakuje nam personelu; **I'm 3 pounds short** mam o trzy funty za mało, brakuje mi trzech funtów; **in short** jednym słowem; **meat/petrol is in short supply** brakuje mięsa/benzyny; **short of sth/doing sth** bez posuwania się do +*gen*; **it is short for ...** to skrót od +*gen*; **a short time ago** niedawno (temu); **in the short term** na krótką metę; **to cut short** (*speech*) ucinać (uciąć *perf*); (*visit*) skracać (skrócić *perf*); **everything short of ...** wszystko z wyjątkiem +*gen*; **to fall short of expectations** zawodzić (zawieść *perf*) oczekiwania; **we were running short of food** zaczynało nam brakować żywności; **to stop short** (nagle) przestać (*perf*) *or* przerwać (*perf*); **to stop short of** powstrzymywać się (powstrzymać się *perf*) przed +*instr*; *see also* **shorts**.

shortage ['ʃɔ:tɪdʒ] *n*: **a shortage of** niedobór *m* +*gen*.

shortbread ['ʃɔ:tbred] *n* herbatnik *m* maślany.

short-change [ʃɔ:t'tʃeɪndʒ] *vt*: **to short-change sb** wydawać (wydać *perf*) komuś za mało reszty.

short circuit *n* zwarcie *nt*.

shortcoming ['ʃɔ:tkʌmɪŋ] *n* niedostatek *m*, mankament *m*.

shortcrust pastry (*BRIT*) *n* kruche ciasto *nt*.

short cut *n* skrót *m*; (*fig*) ułatwienie *nt*; **to take a short cut** iść (pójść *perf*) na skróty.

shorten ['ʃɔ:tn] *vt* skracać (skrócić *perf*).

shortening ['ʃɔ:tnɪŋ] *n* tłuszcz *m* piekarniczy.

shortfall ['ʃɔ:tfɔ:l] *n* niedobór *m*.

shorthand ['ʃɔːthænd] n (BRIT) stenografia f;
(fig) skrót m; **to take sth down in shorthand**
stenografować coś.

shorthand notebook (BRIT) n notes m
stenograficzny.

shorthand typist (BRIT) n stenotypista (-tka)
m(f).

short list (BRIT) n (ostateczna) lista f
kandydatów.

short-lived ['ʃɔːt'lɪvd] adj krótkotrwały.

shortly ['ʃɔːtlɪ] adv wkrótce.

shorts [ʃɔːts] npl szorty pl.

short-sighted [ʃɔːt'saɪtɪd] adj (lit, fig)
krótkowzroczny.

short-sightedness [ʃɔːt'saɪtɪdnɪs] n
krótkowzroczność f.

short-staffed [ʃɔːt'stɑːft] adj: **to be
short-staffed** mieć niedobory personalne.

short story n opowiadanie nt, nowela f.

short-tempered [ʃɔːt'tɛmpəd] adj zapalczywy,
wybuchowy.

short-term ['ʃɔːttəːm] adj krótkoterminowy.

short time n: **to work short time, to be on
short time** pracować w niepełnym wymiarze
godzin.

short-wave ['ʃɔːtweɪv] (RADIO) adj
krótkofalowy.

shot [ʃɔt] pt, pp of shoot ♦ n (of gun)
wystrzał m, strzał m; (shotgun pellets) śrut m;
(FOOTBALL etc) strzał m; (injection) zastrzyk
m; (PHOT) ujęcie nt; **to fire a shot at sb/sth**
strzelać (strzelić perf) do kogoś/czegoś; **to
have a shot at sth/doing sth** próbować
(spróbować perf) czegoś/zrobić coś; **to get
shot of sb/sth** (inf) pozbywać się (pozbyć się
perf) kogoś/czegoś; **a big shot** (inf) gruba
ryba f (inf), szycha f (inf); **a good/poor shot**
dobry/zły strzelec; **like a shot** migiem.

shotgun ['ʃɔtgʌn] n śrutówka f.

should [ʃud] aux vb: **I should go now**
powinienem już iść; **he should be there now**
powinien tam teraz być; **I should go if I
were you** na twoim miejscu poszłabym; **I
should like to** chciałbym; **should he phone ...**
gdyby (przypadkiem) dzwonił, ...

shoulder ['ʃəuldə*] n (ANAT) bark m ♦ vt
(fig: burden) brać (wziąć perf) na swoje
barki; (responsibility) brać (wziąć perf) na
siebie; **to look over one's shoulder** spoglądać
(spojrzeć perf) przez ramię; **to rub shoulder's
with sb** (fig) ocierać się (otrzeć się perf) o
kogoś; **to give sb the cold shoulder** (fig)
traktować (potraktować perf) kogoś ozięble.

shoulder bag n torba f na ramię.

shoulder blade n (ANAT) łopatka f.

shoulder strap n (on clothing) ramiączko nt;
(on bag) pasek m.

shouldn't ['ʃudnt] = should not.

shout [ʃaut] n okrzyk m ♦ vt krzyczeć
(krzyknąć perf) ♦ vi (also: **shout out**)

krzyczeć (krzyknąć perf), wykrzykiwać
(wykrzyknąć perf); **to give sb a shout** wołać
(zawołać perf) kogoś.

►**shout down** vt zakrzykiwać (zakrzyczeć perf).

shouting ['ʃautɪŋ] n krzyki pl.

shove [ʃʌv] vt pchać (pchnąć perf) ♦ n: **to
give sb/sth a shove** popychać (popchnąć perf)
kogoś/coś; **to shove sth in** (inf) wpychać
(wepchnąć perf) coś; **he shoved me out of
the way** zepchnął mnie z drogi.

►**shove off** (inf) vi spływać (spłynąć perf) (inf).

shovel ['ʃʌvl] n szufla f, łopata f, (mechanical)
koparka f ♦ vt szuflować, przerzucać
(przerzucić perf) łopatą.

show [ʃəu] (pt **showed**, pp **shown**) n (of
emotion) wyraz m, przejaw m; (flower show
etc) wystawa f, (THEAT) spektakl m,
przedstawienie nt; (FILM) seans m; (TV)
program m rozrywkowy, show m ♦ vt
(indicate) pokazywać (pokazać perf),
wykazywać (wykazać perf); (exhibit)
wystawiać (wystawić perf); (illustrate, depict)
pokazywać (pokazać perf), przedstawiać
(przedstawić perf); (courage, ability)
wykazywać (wykazać perf); (programme, film)
pokazywać (pokazać perf) ♦ vi być
widocznym; **to show sb to his seat/to the
door** odprowadzać (odprowadzić perf) kogoś
na miejsce/do drzwi; **to show a profit/loss**
(COMM) wykazywać (wykazać perf)
zyski/straty; **it shows** to widać; **it just goes
to show that ...** to tylko świadczy o tym,
że...; **to ask for a show of hands** prosić
(poprosić perf) o głosowanie przez
podniesienie ręki; **for show** na pokaz; **on
show** wystawiony; **who's running the show
here?** (inf) kto tu jest szefem?

►**show in** vt wprowadzać (wprowadzić perf),
wpuszczać (wpuścić perf).

►**show off** vi (pej) popisywać się ♦ vt
popisywać się +instr.

►**show out** vt odprowadzać (odprowadzić perf)
do wyjścia.

►**show up** vi (stand out) być widocznym;
(inf: turn up) pokazywać się (pokazać się
perf), pojawiać się (pojawić się perf) ♦ vt
uwidaczniać (uwidocznić perf), odsłaniać
(odsłonić perf).

show business n przemysł m rozrywkowy.

showcase ['ʃəukeɪs] n gablota f, (fig)
wizytówka f.

showdown ['ʃəudaun] n ostateczna rozgrywka f.

shower ['ʃauə*] n (rain) przelotny deszcz m;
(of stones etc) grad m; (for bathing) prysznic
m; (US: party) przyjęcie, na którym
obdarowuje się prezentami honorowego
gościa – zwykle kobietę wychodzącą za mąż
lub spodziewającą się dziecka ♦ vi brać
(wziąć perf) prysznic ♦ vt: **to shower sb with**
(gifts, kisses) obsypywać (obsypać perf) kogoś

+*instr*; (*stones, abuse*) obrzucać (obrzucić *perf*) kogoś +*instr*; (*questions*) zasypywać (zasypać *perf*) kogoś +*instr*; **to have** *or* **take a shower** brać (wziąć *perf*) prysznic.

showercap ['ʃauəkæp] *n* czepek *m* kąpielowy.

showerproof ['ʃauəpru:f] *adj* przeciwdeszczowy.

showery ['ʃauərɪ] *adj* deszczowy.

showground ['ʃəugraund] *n* teren *m* wystawowy.

showing ['ʃəuɪŋ] *n* (*of film*) projekcja *f*, pokaz *m*.

show jumping *n* konkurs *m* hipiczny.

showman ['ʃəumən] (*irreg like* **man**) *n* (*at circus*) artysta *m* cyrkowy; (*at fair*) kuglarz *m*; (*fig*) showman *m*.

showmanship ['ʃəumənʃɪp] *n* talent *m* showmana.

shown [ʃəun] *pp of* **show**.

show-off ['ʃəuɔf] (*inf*) *n*: **he's a show-off** lubi się popisywać.

showpiece ['ʃəupi:s] *n* eksponat *m*; **that hospital is a showpiece** to (jest) pokazowy szpital.

showroom ['ʃəurum] *n* salon *m* wystawowy *or* sprzedaży.

showy ['ʃəuɪ] *adj* ostentacyjny, krzykliwy.

shrank [ʃræŋk] *pt of* **shrink**.

shrapnel ['ʃræpnl] *n* szrapnel *m*.

shred [ʃred] *n* (*usu pl*) strzęp *m*; (*fig: of truth*) krzt(yn)a *f*, (: *of evidence*) cień *m* ♦ *vt* (*paper, cloth*) strzępić (postrzępić *perf*); (*CULIN*) szatkować (poszatkować *perf*).

shredder ['ʃredə*] *n* (*vegetable shredder*) szatkownica *f*, (*document shredder*) niszczarka *f* dokumentów.

shrew [ʃru:] *n* (*ZOOL*) sorek *m*, ryjówka *f*; (*fig: pej*) złośnica *f*, jędza *f*.

shrewd [ʃru:d] *adj* przebiegły, sprytny.

shrewdness ['ʃru:dnɪs] *n* przebiegłość *f*, spryt *m*.

shriek [ʃri:k] *n* pisk *m* ♦ *vi* piszczeć (zapiszczeć *perf*).

shrift [ʃrɪft] *n*: **to give sb short shrift** rozprawiać się (rozprawić się *perf*) z kimś krótko.

shrill [ʃrɪl] *adj* piskliwy.

shrimp [ʃrɪmp] *n* krewetka *f*.

shrine [ʃraɪn] *n* (*REL: place*) miejsce *nt* kultu (*np. grób świętego będący celem pielgrzymek*); (: *container*) relikwiarz *m*; (*fig*) kaplica *f*.

shrink [ʃrɪŋk] (*pt* **shrank**, *pp* **shrunk**) *vi* kurczyć się (skurczyć się *perf*); (*also:* **shrink away**) wzdrygać się (wzdrygnąć się *perf*) ♦ *n* (*inf. pej*) psychiatra *m*; **to shrink from (doing) sth** wzbraniać się od (robienia) czegoś *or* przed robieniem czegoś.

shrinkage ['ʃrɪŋkɪdʒ] *n* skurczenie się *nt*, zbiegnięcie się *nt*.

shrink-wrap ['ʃrɪŋkræp] *vt* pakować próżniowo.

shrivel ['ʃrɪvl] (*also:* **shrivel up**) *vt* wysuszać (wysuszyć *perf*) ♦ *vi* wysychać (wyschnąć *perf*).

shroud [ʃraud] *n* całun *m* ♦ *vt*: **shrouded in mystery** okryty tajemnicą.

Shrove Tuesday ['ʃrəuv-] *n* ostatki *pl*.

shrub [ʃrʌb] *n* krzew *m*, krzak *m*.

shrubbery ['ʃrʌbərɪ] *n* krzewy *pl*, krzaki *pl*.

shrug [ʃrʌg] *n* wzruszenie *nt* ramion ♦ *vi* wzruszać (wzruszyć *perf*) ramionami ♦ *vt*: **to shrug one's shoulders** wzruszać (wzruszyć *perf*) ramionami.

►**shrug off** *vt* bagatelizować (zbagatelizować *perf*), nic sobie nie robić z +*gen*.

shrunk [ʃrʌŋk] *pp of* **shrink**.

shrunken ['ʃrʌŋkn] *adj* skurczony.

shudder ['ʃʌdə*] *n* dreszcz *m* ♦ *vi* dygotać (zadygotać *perf*), wzdrygać się (wzdrygnąć się *perf*); **I shudder to think of it** (*fig*) drżę na (samą) myśl o tym.

shuffle ['ʃʌfl] *vt* tasować (potasować *perf*) ♦ *vi* iść powłócząc nogami; **to shuffle (one's feet)** przestępować (przestąpić *perf*) z nogi na nogę.

shun [ʃʌn] *vt* (*publicity*) unikać +*gen*; (*neighbours*) stronić od +*gen*.

shunt [ʃʌnt] *vt* (*train*) przetaczać (przetoczyć *perf*).

shunting yard ['ʃʌntɪŋ-] *n* (*RAIL*) stacja *f* rozrządowa.

shush [ʃuʃ] *excl* sza.

shut [ʃʌt] (*pt, pp* **shut**) *vt* zamykać (zamknąć *perf*) ♦ *vi* zamykać się (zamknąć się *perf*); **the shops shut at six** sklepy zamyka się o szóstej.

►**shut down** *vt* (*factory etc*) zamykać (zamknąć *perf*); (*machine*) wyłączać (wyłączyć *perf*) ♦ *vi* zostać (*perf*) zamkniętym.

►**shut off** *vt* (*supply etc*) odcinać (odciąć *perf*); (*view*) zasłaniać (zasłonić *perf*).

►**shut out** *vt* (*person, cold*) nie wpuszczać (nie wpuścić *perf*) +*gen* (do środka); (*noise*) tłumić (stłumić *perf*); (*thought*) nie dopuszczać (nie dopuścić *perf*) +*gen* (do siebie).

►**shut up** *vi* (*inf*) uciszyć się (*perf*), zamknąć się (*perf*) (*inf*) ♦ *vt* uciszać (uciszyć *perf*).

shutdown ['ʃʌtdaun] *n* (*temporary*) przerwa *f* (w pracy); (*permanent*) zamknięcie *nt*.

shutter ['ʃʌtə*] *n* (*on window*) okiennica *f*; (*PHOT*) migawka *f*.

shuttle ['ʃʌtl] *n* (*plane etc*) środek transportu kursujący tam i z powrotem (*wahadłowo*); (*space shuttle*) prom *m* kosmiczny; (*also:* **shuttle service**) linia *f* lokalna; (*for weaving*) czółenko *nt* ♦ *vi*: **to shuttle to and fro/between** kursować tam i z powrotem/pomiędzy +*instr* ♦ *vt* (*passengers*) transportować (przetransportować *perf*); (*troops*) przerzucać (przerzucić *perf*).

shuttlecock ['ʃʌtlkɔk] *n* lotka *f*.

shy [ʃaɪ] *adj* (*person*) nieśmiały; (*animal*) płochliwy ♦ *vi*: **to shy away from doing sth** (*fig*) wzbraniać się przed robieniem czegoś;

to fight shy of starać się unikać +*gen*; **to be shy of doing sth** wstydzić się coś (z)robić.
shyly ['ʃaɪlɪ] *adv* nieśmiało.
shyness ['ʃaɪnɪs] *n* nieśmiałość *f*.
Siam [saɪ'æm] *n* Syjam *m*.
Siamese [saɪə'miːz] *adj*: **Siamese cat** kot *m* syjamski; **Siamese twins** bliźnięta syjamskie.
Siberia [saɪ'bɪərɪə] *n* Syberia *f*.
sibling ['sɪblɪŋ] *n* rodzeństwo *nt*.
Sicilian [sɪ'sɪlɪən] *adj* sycylijski ♦ *n* Sycylijczyk (-jka) *m(f)*.
Sicily ['sɪsɪlɪ] *n* Sycylia *f*.
sick [sɪk] *adj* chory; (*humour*) niesmaczny; **to be sick** wymiotować (zwymiotować *perf*); **I feel sick** jest mi niedobrze; **to fall sick** zachorować (*perf*); **to be (off) sick** być na zwolnieniu (lekarskim); **a sick person** chory (-ra) *m(f)*; **I am sick of** (*fig*) niedobrze mi się robi od +*gen*.
sickbag ['sɪkbæg] *n* (*on airplane*) torebka *f* higieniczna.
sickbay ['sɪkbeɪ] *n* izba *f* chorych; (*on ship*) szpital *m* pokładowy.
sickbed ['sɪkbɛd] *n* łóżko *nt* (chorego).
sicken ['sɪkn] *vt* napawać obrzydzeniem ♦ *vi*: **to be sickening for a cold/flu** mieć pierwsze objawy przeziębienia/grypy.
sickening ['sɪknɪŋ] *adj* (*fig*) obrzydliwy.
sickle ['sɪkl] *n* sierp *m*.
sick leave *n* zwolnienie *nt* (lekarskie).
sick list *n* lista *f* chorych.
sickly ['sɪklɪ] *adj* chorowity; (*smell*) mdły.
sickness ['sɪknɪs] *n* (*illness*) choroba *f*; (*vomiting*) wymioty *pl*.
sickness benefit *n* zasiłek *m* chorobowy.
sick pay *n* zasiłek *m* chorobowy.
sickroom ['sɪkruːm] *n* pokój *m* chorego.
side [saɪd] *n* strona *f*; (*of body*) bok *m*; (*team*) przeciwnik *m*; (*of hill*) zbocze *nt* ♦ *adj* boczny ♦ *vi*: **to side with sb** stawać (stanąć *perf*) po czyjejś stronie; **by the side of** przy +*instr*; **side by side** (*work*) wspólnie; (*stand*) obok siebie; **the right/wrong side** właściwa/niewłaściwa strona; **they are on our side** są po naszej stronie; **she never left my side** zawsze była przy moim boku; **to put sth to one side** odkładać (odłożyć *perf*) coś na bok; **from side to side** z boku na bok; **I'm not going to take sides** nie stanę po niczyjej stronie; **a side of beef** pół tuszy wołowej.
sideboard ['saɪdbɔːd] *n* (niski) kredens *m*; **sideboards** (*BRIT*) *npl* = **sideburns**.
sideburns ['saɪdbəːnz] *npl* baczki *pl*.
sidecar ['saɪdkɑː*] *n* przyczepa *f* (motocykla).
side dish *n* sałatka *lub* inny dodatek do dania głównego.
side drum *n* werbel *m*.
side effect *n* (*MED*) działanie *nt* uboczne; (*fig*) skutek *m* uboczny.

sidekick ['saɪdkɪk] (*inf*) *n* pomagier *m* (*inf*).
sidelight ['saɪdlaɪt] *n* światło *nt* boczne.
sideline ['saɪdlaɪn] *n* (*SPORT*) linia *f* boczna; (*fig*) dodatkowy etat *m*; **to wait/stand on the sidelines** (*fig*) stać z boku.
sidelong ['saɪdlɔŋ] *adj*: **to give sb a sidelong glance** spoglądać (spojrzeć *perf*) na kogoś ukradkiem; **to exchange sidelong glances** wymieniać (wymienić *perf*) porozumiewawcze spojrzenia.
side plate *n* talerzyk *m* na sałatkę.
side road *n* boczna droga *f*.
side-saddle ['saɪdsædl] *adv* siodło *nt* damskie.
sideshow ['saɪdʃəu] *n* jedna z pomniejszych atrakcji w wesołym miasteczku lub towarzysząca występom cyrku, np. strzelnica lub teatrzyk kukiełkowy.
sidestep ['saɪdstɛp] *vt* (*fig*) omijać (ominąć *perf*) ♦ *vi* robić (zrobić *perf*) unik.
side street *n* boczna uliczka *f*.
sidetrack ['saɪdtræk] *vt* (*fig*) odwracać (odwrócić *perf*) uwagę +*gen*.
sidewalk ['saɪdwɔːk] (*US*) *n* chodnik *m*.
sideways ['saɪdweɪz] *adv* (*lean*) na bok; (*go in, move*) bokiem; (*look*) z ukosa.
siding ['saɪdɪŋ] *n* bocznica *f*.
sidle ['saɪdl] *vi*: **to sidle up (to)** podchodzić (podejść *perf*) ukradkiem *or* chyłkiem (do +*gen*).
SIDS (*MED*) *n* *abbr* (= *sudden infant death syndrome*) zespół *m* nagłej śmierci niemowląt.
siege [siːdʒ] *n* oblężenie *nt*; **to be under siege** być oblężonym; **to lay siege to** oblegać (oblec *perf*) +*acc*.
siege economy *n* antyimportowa polityka *f* gospodarcza.
Sierra Leone [sɪ'ɛrəlɪ'əun] *n* Sierra Leone *nt inv*.
siesta [sɪ'ɛstə] *n* sjesta *f*.
sieve [sɪv] *n* sito *nt*; (*small*) sitko *nt* ♦ *vt* przesiewać (przesiać *perf*).
sift [sɪft] *vt* (*flour etc*) przesiewać (przesiać *perf*); (*also*: **sift through**: *documents etc*) segregować (posegregować *perf*).
sigh [saɪ] *n* westchnienie *nt* ♦ *vi* wzdychać (westchnąć *perf*); **to breathe a sigh of relief** odetchnąć (*perf*) z ulgą.
sight [saɪt] *n* (*faculty*) wzrok *m*; (*spectacle*) widok *m*; (*on gun*) celownik *m* ♦ *vt* widzieć, zobaczyć (*perf*); **in sight** w zasięgu wzroku; **on sight** (*shoot*) bez uprzedzenia; **out of sight** poza zasięgiem wzroku; **payable at sight** płatny za okazaniem *or* awista; **at first sight** na pierwszy rzut oka; **love at first sight** miłość od pierwszego wejrzenia; **I know her by sight** znam ją z widzenia; **to catch sight of sb/sth** dostrzegać (dostrzec *perf*) kogoś/coś; **to lose sight of sth** (*fig*) tracić (stracić *perf*) coś z oczu; **to set one's sights on sth** stawiać (postawić *perf*) sobie coś za cel.

sighted ['saɪtɪd] *adj* widzący; **partially sighted** niedowidzący.

sightseeing ['saɪtsiːɪŋ] *n* zwiedzanie *nt*; **to go sightseeing** udawać się (udać się *perf*) na zwiedzanie.

sightseer ['saɪtsiːə*] *n* zwiedzający (-ca) *m(f)*.

sign [saɪn] *n* (*symbol*) znak *m*; (*notice*) napis *m*; (*with hand*) gest *m*; (*indication, evidence*) oznaka *f* (*usu pl*); (*also*: **road sign**) znak *m* drogowy ♦ *vt* (*document*) podpisywać (podpisać *perf*); (*FOOTBALL etc*: *player*) pozyskiwać (pozyskać *perf*); **a sign of the times** znak czasu; **it's a good/bad sign** to dobry/zły znak; **plus/minus sign** znak dodawania/odejmowania; **there's no sign of her changing her mind** nic nie wskazuje na to, by miała zmienić zdanie; **he was showing signs of improvement** wykazywał oznaki poprawy; **to sign one's name** podpisywać się (podpisać się *perf*); **to sign sth over to sb** przepisywać (przepisać *perf*) coś na kogoś.

►**sign away** *vt* (*independence*) wyrzekać się (wyrzec się *perf*) +*gen*; (*rights, property*) zrzekać się (zrzec się *perf*) +*gen*.

►**sign in** *vi* (*in hotel*) meldować się (zameldować się *perf*); (*in club etc*) wpisywać się (wpisać się *perf*) (*do księgi gości*).

►**sign off** *vi* (*RADIO, TV*) kończyć (zakończyć *perf*) emisję; (*in letter*) kończyć (skończyć *perf*).

►**sign on** *vi* (*MIL*) zaciągać się (zaciągnąć się *perf*); (*for course*) zapisywać się (zapisać się *perf*); (*BRIT*: *as unemployed*) zgłaszać się (zgłosić się *perf*) (*w urzędzie d/s bezrobotnych*) ♦ *vt* (*MIL*) wcielać (wcielić *perf*) do służby wojskowej; (*employee*) przyjmować (przyjąć *perf*).

►**sign out** *vi* (*from hotel etc*) wymeldowywać się (wymeldować się *perf*).

►**sign up** *vi* (*MIL*) wstępować (wstąpić *perf*) do wojska; (*for course*) zapisywać się (zapisać się *perf*) ♦ *vt* werbować (zwerbować *perf*).

signal ['sɪgnl] *n* sygnał *m*; (*RAIL*) semafor *m* ♦ *vi* (*AUT*) włączyć (włączać *perf*) migacz *or* kierunkowskaz ♦ *vt* dawać (dać *perf*) znak +*dat*; **to signal a right/left turn** włączać (włączyć *perf*) prawy/lewy migacz *or* kierunkowskaz.

signal box *n* (*RAIL*) nastawnia *f*.

signalman [sɪgnlmən] (*irreg like* **man**) *n* nastawniczy *m*.

signatory ['sɪgnətərɪ] *n* sygnatariusz *m*.

signature ['sɪgnətʃə*] *n* podpis *m*.

signature tune *n* sygnał *m* programu.

signet ring ['sɪgnət-] *n* sygnet *m*.

significance [sɪg'nɪfɪkəns] *n* znaczenie *nt*; **that is of no significance** to jest bez znaczenia.

significant [sɪg'nɪfɪkənt] *adj* znaczący; **it is significant that ...** znamienne jest, że... .

significantly [sɪg'nɪfɪkəntlɪ] *adv* (*improve, increase*) znacznie; (*smile*) znacząco.

signify ['sɪgnɪfaɪ] *vt* oznaczać; (*person*) dawać (dać *perf*) do zrozumienia.

sign language *n* język *m* migowy.

signpost ['saɪnpəust] *n* drogowskaz *m*; (*fig*) wskazówka *f*.

Sikh [siːk] *n* Sikh(ijka) *m(f)* ♦ *adj* sikhijski.

silage ['saɪlɪdʒ] *n* kiszonka *f*.

silence ['saɪləns] *n* cisza *f*; (*someone's*) milczenie *nt* ♦ *vt* uciszać (uciszyć *perf*); (*fig*) zamykać (zamknąć *perf*) usta +*dat*.

silencer ['saɪlənsə*] *n* tłumik *m*.

silent ['saɪlənt] *adj* (*quiet*) cichy; (*taciturn*) małomówny; (*film*) niemy; **to remain silent** zachowywać (zachować *perf*) milczenie.

silently ['saɪləntlɪ] *adv* (*quietly*) cicho; (*without speaking*) w milczeniu.

silent partner *n* cichy wspólnik *m*.

silhouette [sɪlu:'ɛt] *n* zarys *m*, sylwetka *f* ♦ *vt*: **silhouetted against** rysujący się na tle +*gen*.

silicon ['sɪlɪkən] *n* krzem *m*.

silicon chip *n* (*krzemowy*) obwód *m* scalony.

silicone ['sɪlɪkəun] *n* silikon *m*.

Silicon Valley *n* Dolina *f* Krzemowa.

silk [sɪlk] *n* jedwab *m* ♦ *adj* jedwabny.

silky ['sɪlkɪ] *adj* jedwabisty.

sill [sɪl] *n* (*also*: **window sill**) parapet *m* (*okienny*); (*of door*) próg *m*.

silly ['sɪlɪ] *adj* głupi, niemądry; **to do something silly** robić (zrobić *perf*) coś głupiego.

silo ['saɪləu] *n* (*on farm*) silos *m*; (*for missile*) podziemna wyrzutnia *f* rakietowa.

silt [sɪlt] *n* muł *m*.

►**silt up** *vi* zamulać się (zamulić się *perf*) ♦ *vt* zamulać (zamulić *perf*).

silver ['sɪlvə*] *n* (*metal*) srebro *nt*; (*coins*) bilon *m*; (*items made of silver*) srebra *pl* ♦ *adj* srebrny.

silver foil (*BRIT*) *n* (*kitchen*) folia *f* aluminiowa; (*wrapping*) cynfolia *f*.

silver paper (*BRIT*) *n* cynfolia *f*.

silver-plated [sɪlvə'pleɪtɪd] *adj* posrebrzany.

silversmith ['sɪlvəsmɪθ] *n* złotnik *m*.

silverware ['sɪlvəwɛə*] *n* srebra *pl* stołowe.

silver wedding (anniversary) *n* srebrne wesele *nt*.

silvery ['sɪlvrɪ] *adj* srebrzysty.

similar ['sɪmɪlə*] *adj*: **similar (to)** podobny (do +*gen*).

similarity [sɪmɪ'lærɪtɪ] *n* podobieństwo *nt*.

similarly ['sɪmɪləlɪ] *adv* podobnie.

simile ['sɪmɪlɪ] *n* (*LING*) porównanie *nt*.

simmer ['sɪmə*] (*CULIN*) *vi* gotować się (na wolnym ogniu).

►**simmer down** (*inf*) *vi* (*fig*) ochłonąć (*perf*).

simper ['sɪmpə*] *vi* uśmiechać się niemądrze.

simpering ['sɪmprɪŋ] *adj* (*person*) uśmiechający się niemądrze; (*smile*) niemądry.

simple ['sɪmpl] *adj* (*easy, plain*) prosty; (*foolish*) ograniczony.

simple interest (*COMM*) *n* odsetki *pl* proste *or* zwykłe.

simple-minded ['sɪmpl'maɪndɪd] (*pej*) *adj* naiwny.

simpleton ['sɪmpltən] (*pej*) *n* prostak (-aczka) *m(f)* (*pej*).

simplicity [sɪm'plɪsɪtɪ] prostota *f*.

simplification [sɪmplɪfɪ'keɪʃən] *n* uproszczenie *nt*.

simplify ['sɪmplɪfaɪ] *vt* upraszczać (uprościć *perf*).

simply ['sɪmplɪ] *adv* (*just, merely*) po prostu; (*in a simple way*) prosto.

simulate ['sɪmjuleɪt] *vt* (*enthusiasm, innocence*) udawać; (*illness*) symulować, pozorować.

simulated ['sɪmjuleɪtɪd] *adj* (*pleasure*) udawany; (*nuclear explosion*) symulowany; (*fur, hair*) sztuczny.

simulation [sɪmju'leɪʃən] *n* udawanie *nt*; (*TECH*) symulacja *f*.

simultaneous [sɪməl'teɪnɪəs] *adj* (*broadcast*) równoczesny; (*translation*) symultaniczny, równoległy.

simultaneously [sɪməl'teɪnɪəslɪ] *adv* równocześnie.

sin [sɪn] *n* grzech *m* ♦ *vi* grzeszyć (zgrzeszyć *perf*).

Sinai ['saɪneɪaɪ] *n* Synaj *m*.

since [sɪns] *adv* od tego czasu ♦ *prep* od +*gen* ♦ *conj* (*time*) odkąd; (*because*) ponieważ; **since then, ever since** od tego czasu.

sincere [sɪn'sɪə*] *adj* szczery.

sincerely [sɪn'sɪəlɪ] *adv* szczerze; **Yours sincerely** Z poważaniem.

sincerity [sɪn'sɛrɪtɪ] *n* szczerość *f*.

sine [saɪn] (*MATH*) *n* sinus *m*.

sine qua non [sɪnɪkwɑ:'nɔn] *n* warunek *m* sine qua non *or* konieczny.

sinew ['sɪnju:] *n* ścięgno *nt*.

sinful ['sɪnful] *adj* grzeszny.

sing [sɪŋ] (*pt* **sang**, *pp* **sung**) *vt* śpiewać (zaśpiewać *perf*) ♦ *vi* śpiewać (zaśpiewać *perf*).

Singapore [sɪŋgə'pɔ:*] *n* Singapur *m*.

singe [sɪndʒ] *vt* przypalać (przypalić *perf*).

singer ['sɪŋə*] *n* (*in opera etc*) śpiewak (-aczka) *m(f)*; (*pop, rock etc*) piosenkarz (-arka) *m(f)*.

Singhalese [sɪŋə'li:z] *adj* = **Sinhalese**.

singing ['sɪŋɪŋ] *n* śpiew *m*; **a singing in the ears** dzwonienie w uszach.

single ['sɪŋgl] *adj* (*solitary*) jeden; (*individual, not double*) pojedynczy; (*unmarried: man*) nieżonaty; (: *woman*) niezamężny ♦ *n* (*BRIT: also:* **single ticket**) bilet *m* (w jedną stronę); (*record*) singel *m*; **not a single one was left** nie pozostał ani jeden; **every single day** każdego dnia; **single spacing** (*TYP*) pojedynczy odstęp (*między liniami*).

▸**single out** *vt* wybierać (wybrać *perf*).

single bed *n* łóżko *nt* pojedyncze.

single-breasted ['sɪŋglbrɛstɪd] *adj* (*jacket*) jednorzędowy.

single file *n*: **in single file** gęsiego.

single-handed [sɪŋgl'hændɪd] *adv* bez niczyjej pomocy; (*sail*) samotnie.

single-minded [sɪŋgl'maɪndɪd] *adj*: **to be single-minded** mieć (tylko) jeden cel.

single parent *n* samotny rodzic *m*.

single room *n* pokój *m* pojedynczy.

singles ['sɪŋglz] *npl* (*TENNIS*) singel *m*, gra *f* singlowa *or* pojedyncza.

singles bar *n* bar *m* dla samotnych.

singly ['sɪŋglɪ] *adv* pojedynczo.

singsong ['sɪŋsɔŋ] *adj* (*intonation etc*) jednostajnie wznoszący się i opadający ♦ *n* wspólne śpiewanie *nt*.

singular ['sɪŋgjulə*] *adj* (*outstanding*) wyjątkowy; (*LING*) pojedynczy; (*odd*) szczególny ♦ *n* (*LING*) liczba *f* pojedyncza; **in the feminine singular** w liczbie pojedynczej rodzaju żeńskiego.

singularly ['sɪŋgjuləlɪ] *adv* wyjątkowo.

Sinhalese [sɪnhə'li:z] *adj* syngaleski.

sinister ['sɪnɪstə*] *adj* (*event, implications*) złowróżbny, złowieszczy; (*figure*) złowrogi, groźny.

sink [sɪŋk] (*pt* **sank**, *pp* **sunk**) *n* zlew *m*, zlewozmywak *m* ♦ *vt* (*ship*) zatapiać (zatopić *perf*); (*well, foundations*) wykopywać (wykopać *perf*) ♦ *vi* (*ship*) tonąć (zatonąć *perf*); (*heart*) zamierać (zamrzeć *perf*); (*ground*) zapadać się (zapaść się *perf*); (*also:* **sink down**: *in exhaustion*) osuwać się (osunąć się *perf*); **to sink one's teeth/claws into** zatapiać (zatopić *perf*) zęby/pazury w +*loc*; **he sank (back) into a chair** (*in exhaustion*) opadł na fotel; (*getting comfortable*) zagłębił się w fotelu; **he sank into the mud** wpadł w błoto; **that sinking feeling** to nieprzyjemne uczucie.

▸**sink in** *vi* (*fig*): **it took a moment for her words to sink in** dopiero po chwili dotarło do mnie, co powiedziała.

sinking fund *n* fundusz *m* amortyzacyjny.

sink unit *n* zlewozmywak *m* (*z obudową*).

sinner ['sɪnə*] *n* grzesznik (-ica) *m(f)*.

Sino- ['saɪnəu] *pref* sino-.

sinuous ['sɪnjuəs] *adj* (*snake*) wijący się.

sinus ['saɪnəs] (*ANAT*) *n* zatoka *f*.

sip [sɪp] *n* łyk *m*, łyczek *m* ♦ *vt* popijać (*małymi łykami*).

siphon ['saɪfən] *n* syfon *m*.

▸**siphon off** *vt* (*liquid*) ociągać (odciągnąć *perf*); (*money*) odprowadzać (odprowadzić *perf*) (*niezgodnie z pierwotnym przeznaczeniem*).

sir [sə*] *n* uprzejma forma zwracania się do mężczyzn, zwłaszcza w sytuacjach formalnych; **what would you like, sir?** czego Pan sobie życzy?; **yes, sir** tak, proszę Pana; (*MIL*) tak jest; **Sir John Smith** Sir John Smith (*tytuł szlachecki*); **Dear Sir** Szanowny Panie.

siren ['saɪərn] *n* syrena *f*.

sirloin ['sə:lɔɪn] n (also: **sirloin steak**) befsztyk m z polędwicy.

sirocco [sɪ'rɔkəu] n sirocco m or nt.

sisal ['saɪsəl] n sizal m.

sissy ['sɪsɪ] (inf, pej) n (boy, man) baba f (inf, pej).

sister ['sɪstə*] n (relation, nun) siostra f; (BRIT: nurse) siostra f oddziałowa ♦ cpd (ship, city) bliźniaczy.

sister-in-law ['sɪstərɪnlɔ:] n (husband's sister, wife's sister) szwagierka f; (brother's wife) bratowa f, szwagierka f.

sit [sɪt] (pt, pp **sat**) vi (sit down) siadać (usiąść perf); (be sitting) siedzieć; (for painter) pozować; (assembly) obradować ♦ vt (exam) zdawać, przystępować (przystąpić perf) do +gen; **to sit on** (committee etc) zasiadać (zasiąść perf) w +loc; **to sit tight** nie podejmować żadnych działań.

►**sit about** vi przesiadywać.

►**sit around** vi = sit about.

►**sit back** vi rozsiadać się (rozsiąść się perf), siadać (usiąść perf) wygodnie.

►**sit down** vi siadać (usiąść perf); **to be sitting down** siedzieć.

►**sit in on** vt fus być obecnym na +loc.

►**sit up** vi (after lying) podnosić się (podnieść się perf); (straight) wyprostowywać się (wyprostować się perf); (stay up) nie kłaść się (spać).

sitcom ['sɪtkɔm] (TV) n abbr = **situation comedy**.

sit-down ['sɪtdaun] adj: **a sit-down strike** strajk m okupacyjny; **a sit-down meal** posiłek spożywany przy stole.

site [saɪt] n miejsce nt; (also: **building site**) plac m budowy ♦ vt (factory) lokalizować (zlokalizować perf); (missiles) rozmieszczać (rozmieścić perf).

sit-in ['sɪtɪn] n okupacja f (budynku);

siting ['saɪtɪŋ] n lokalizacja f.

sitter ['sɪtə*] n (for painter) model(ka) m(f); (also: **baby-sitter**) opiekun(ka) m(f) do dziecka.

sitting ['sɪtɪŋ] n (of assembly) posiedzenie nt; (in canteen) zmiana f (osób jedzących posiłek); **at a single sitting** za jednym posiedzeniem.

sitting member (POL) n poseł/posłanka m/f bieżącej kadencji.

sitting room n salon m.

sitting tenant (BRIT) n lokator(ka) m(f) (wynajmujący dom lub mieszkanie na stałe).

situate ['sɪtjueɪt] vt umieszczać (umieścić perf) (w kontekście).

situated ['sɪtjueɪtɪd] adj położony; **to be situated** znajdować się; (town etc) być położonym.

situation [sɪtju'eɪʃən] n (state) sytuacja f; (job) posada f; (location) położenie nt; **"situations vacant"** (BRIT) ≈ „Praca" (rubryka w ogłoszeniach gazetowych).

situation comedy n (TV) komedia f sytuacyjna.

six [sɪks] num sześć.

sixteen [sɪks'ti:n] num szesnaście.

sixth ['sɪksθ] num szósty; **the upper/lower sixth** (BRIT) ostatni/przedostatni rok nauki w szkole średniej.

sixty ['sɪkstɪ] num sześćdziesiąt.

size [saɪz] n wielkość f; (of project etc) rozmiary pl; (of clothing, shoes) rozmiar m, numer m; **I take size 14** (dress etc) ≈ noszę rozmiar 42; **the small/large size** (of soap powder etc) małe/duże opakowanie nt; **it's the size of** jest wielkości +gen; **cut to size** przycięty na miarę.

►**size up** vt (person) mierzyć (zmierzyć perf) wzrokiem; (situation) oceniać (ocenić perf).

sizeable ['saɪzəbl] adj spory.

sizzle ['sɪzl] vi skwierczeć.

SK (CANADA) abbr (= Saskatchewan).

skate [skeɪt] n (ice skate) łyżwa f; (roller skate) wrotka f; (fish) płaszczka f ♦ vi (on ice) jeździć na łyżwach; (roller skate) jeździć na wrotkach.

►**skate around, skate over** vt fus (avoid dealing with) prześlizgiwać się (prześlizgnąć się perf) nad +instr; (deal with superficially) prześlizgiwać się (prześlizgnąć się perf) po +loc.

skateboard ['skeɪtbɔ:d] n deskorolka f.

skater ['skeɪtə*] n (on ice) łyżwiarz (-arka) m(f); (on roller skates) wrotkarz (-arka) m(f).

skating ['skeɪtɪŋ] n jazda f na łyżwach; (SPORT) łyżwiarstwo nt; **figure skating** łyżwiarstwo figurowe, jazda figurowa na lodzie.

skating rink n lodowisko nt.

skeleton ['skelɪtn] n (ANAT, TECH) szkielet m; (outline) zarys m.

skeleton key n klucz m uniwersalny.

skeleton staff n niezbędny personel m.

skeptic etc (US) = **sceptic** etc.

sketch [sketʃ] n (drawing, outline) szkic m; (THEAT, TV) skecz m ♦ vt szkicować (naszkicować perf); (also: **sketch out**) nakreślać (nakreślić perf), zarysowywać (zarysować perf).

sketchbook ['sketʃbuk] n szkicownik m.

sketchpad ['sketʃpæd] n blok m rysunkowy.

sketchy ['sketʃɪ] adj pobieżny.

skew [skju:] adj przekrzywiony.

skewed [skju:d] adj wypaczony.

skewer ['skju:ə*] n (CULIN) szpilka f (do zrazów, szaszłyków itp).

ski [ski:] n narta f ♦ vi jeździć na nartach.

ski boot n but m narciarski.

skid [skɪd] n (AUT) poślizg m ♦ vi: **the car skidded** samochód zarzuciło; **we skidded**

zarzuciło nas; **to go into a skid** wpadać
(wpaść *perf*) w poślizg.

skid marks *npl* ślady *pl* poślizgu.

skier ['skiːə*] *n* narciarz (-arka) *m(f)*.

skiing ['skiːɪŋ] *n* jazda *f* na nartach; (*SPORT*)
narciarstwo *nt*; **to go skiing** wybierać się
(wybrać się *perf*) na narty.

ski instructor *n* instruktor *m* narciarski.

ski jump *n* (*event*) skoki *pl* (narciarskie);
(*ramp*) skocznia *f* (narciarska).

skilful ['skɪlful] (*US* **skillful**) *adj* (*negotiator
etc*) wprawny; (*handling of situation*)
umiejętny, zręczny.

ski lift *n* wyciąg *m* narciarski.

skill [skɪl] *n* (*dexterity*) wprawa *f*, zręczność *f*;
(*expertise*) umiejętności *pl*; (*work or art
requiring training*) umiejętność *f*.

skilled [skɪld] *adj* (*worker*) wykwalifikowany;
skilled and semi-skilled work praca dla osób
w pełni i częściowo wykwalifikowanych.

skillet ['skɪlɪt] *n* patelnia *f*.

skillful ['skɪlful] (*US*) *adj* = **skilful**.

skil(l)fully ['skɪlfəlɪ] *adv* umiejętnie, zręcznie.

skim [skɪm] *vt* (*also*: **skim off**: *cream, fat*)
zbierać (zebrać *perf*); (*glide over*)
prześlizgiwać się (prześlizgnąć się *perf*) po
+*loc*; (*also*: **skim through**) przeglądać
(przejrzeć *perf*) (pobieżnie).

skimmed milk [skɪmd-] *n* ≈ chude mleko *nt*.

skimp [skɪmp] (*also*: **skimp on**) *vt* żałować *or*
skąpić +*gen*.

skimpy ['skɪmpɪ] *adj* (*meal*) skąpy; (*skirt*) kusy.

skin [skɪn] *n* (*of person, animal*) skóra *f*; (*of
fruit*) skórka *f*; (*complexion*) cera *f* ♦ *vt*
(*animal*) zdejmować (zdjąć *perf*) skórę z +*gen*;
wet *or* **soaked to the skin** przemoczony *or*
przemoknięty do suchej nitki.

skin cancer *n* rak *m* skóry.

skin-deep ['skɪn'diːp] *adj* powierzchowny.

skin diver *n* płetwonurek *m*.

skin diving *n* płetwonurkowanie *nt*.

skinflint ['skɪnflɪnt] *n* kutwa *m/f*.

skin graft *n* przeszczep *m* skóry.

skinhead ['skɪnhɛd] *n* skinhead *m*, skin *m*.

skinny ['skɪnɪ] *adj* chudy.

skin test *n* (*MED*) próba *f* skórna.

skintight ['skɪntaɪt] *adj* obcisły.

skip [skɪp] *n* (*movement*) podskok *m*;
(*BRIT*: *for rubbish, debris*) kontener *m* ♦ *vi*
(*jump*) podskakiwać (podskoczyć *perf*); (*with
rope*) skakać przez skakankę ♦ *vt* (*pass over*)
opuszczać (opuścić *perf*), pomijać (pominąć
perf); (*miss*: *lunch etc*) nie jeść +*gen*;
(: *lecture etc*) nie iść (nie pójść *perf*) na
+*acc*; **to skip school** (*esp US*) nie iść (nie
pójść *perf*) do szkoły.

ski pants *npl* spodnie *pl* narciarskie.

ski pole *n* kijek *m* do nart.

skipper ['skɪpə*] *n* (*NAUT*) szyper *m*;
(*inf*. *SPORT*) kapitan *m* ♦ *vt* być kapitanem
+*gen*.

skipping rope ['skɪpɪŋ-] *n* skakanka *f*.

ski resort *n* ośrodek *m* narciarski.

skirmish ['skəːmɪʃ] *n* (*MIL*) potyczka *f*;
(*political etc*) utarczka *f*.

skirt [skəːt] *n* spódnica *f* ♦ *vt* (*fig*: *issue etc*)
unikać podjęcia +*gen*.

skirting board ['skəːtɪŋ-] *n* listwa *f*
przypodłogowa.

ski run *n* trasa *f* narciarska.

ski slope *n* stok *m* narciarski.

ski suit *n* kombinezon *m* narciarski.

skit [skɪt] *n* skecz *m*.

ski tow *n* wyciąg *m* narciarski.

skittle ['skɪtl] *n* kręgiel *m*.

skittles ['skɪtlz] *n* kręgle *pl*.

skive [skaɪv] (*BRIT*: *inf*) *vi* obijać się (*inf*).

skulk [skʌlk] *vi* przyczaić się (*perf*),
przycupnąć (*perf*).

skull [skʌl] *n* czaszka *f*.

skullcap ['skʌlkæp] *n* (*of Catholic priest*)
piuska *f*; (*of Jew*) jarmułka *f*, mycka *f*.

skunk [skʌŋk] *n* skunks *m*.

sky [skaɪ] *n* niebo *nt*; **to praise sb to the
skies** wychwalać kogoś pod niebiosa.

sky-blue [skaɪ'bluː] *adj* błękitny.

skylark ['skaɪlɑːk] *n* skowronek *m*.

skylight ['skaɪlaɪt] *n* świetlik *m* (*okno*).

skyline ['skaɪlaɪn] *n* linia *f* horyzontu; (*of city*)
sylwetka *f*.

skyscraper ['skaɪskreɪpə*] *n* drapacz *m* chmur.

slab [slæb] *n* (*of stone, wood*) płyta *f*; (*of
cake, cheese*) kawał *m*.

slack [slæk] *adj* (*trousers, skin*) obwisły;
(*security, discipline*) rozluźniony; (*period,
season*) martwy ♦ *n* (*in rope etc*) luźny
kawałek *m*; **slacks** *npl* spodnie *pl*; **the
business/market is slack** panuje zastój w
interesach/na rynku.

slacken ['slækn] *vi* (*also*: **slacken off**: *speed,
demand*) maleć (zmaleć *perf*); (: *depression,
effort*) tracić (stracić *perf*) na sile; (: *rain*)
słabnąć (osłabnąć *perf*) ♦ *vt* zwalniać (zwolnić
perf).

slag heap [slæg-] *n* hałda *f*.

slag off (*BRIT*: *inf*) *vt* przygadywać (przygadać
perf) +*dat* (*inf*).

slain [sleɪn] *pp of* **slay**.

slake [sleɪk] *vt*: **to slake one's thirst** gasić
(ugasić *perf*) pragnienie.

slalom ['slɑːləm] *n* slalom *m*.

slam [slæm] *vt* (*door*) trzaskać (trzasnąć *perf*)
+*instr*; (*money, papers*) ciskać (cisnąć *perf*);
(*person, proposal*) zjechać (*perf*) (*inf*) ♦ *vi*
(*door*) trzaskać (trzasnąć *perf*); **I slammed the
phone down** rzuciłem *or* trzasnąłem
słuchawką; **to slam on the brakes** (*AUT*)
gwałtownie nacisnąć (*perf*) na hamulce.

slander ['slɑːndə*] *n* (*JUR*) zniesławienie *nt*;

(*insult*) oszczerstwo *nt*, pomówienie *nt* ♦ *vt* rzucać oszczerstwa na +*acc*.

slanderous ['slɑːndrəs] *adj* oszczerczy.

slang [slæŋ] *n* (*informal language*) slang *m*; (*prison slang etc*) gwara *f*.

slant [slɑːnt] *n* (*position*) nachylenie *nt*; (*fig*) punkt *m* widzenia ♦ *vi* być nachylonym.

slanted ['slɑːntɪd] *adj* skośny.

slanting ['slɑːntɪŋ] = **slanted**.

slap [slæp] *n* klaps *m* ♦ *vt* dawać (dać *perf*) klapsa +*dat* ♦ *adv* (*inf*) prosto; **to slap sb in** *or* **across the face** uderzyć (*perf*) kogoś w twarz; **to slap some paint on the wall** pacnąć (*perf*) trochę farby na ścianę (*inf*); **it fell slap(-bang) in the middle** wylądowało w samym środku.

slapdash ['slæpdæʃ] *adj* (*person*) niedbały; (*work*) byle jaki, na odczepnego *post*.

slapstick ['slæpstɪk] *n* komedia *f* slapstickowa.

slap-up ['slæpʌp] *adj*: **a slap-up meal** (*BRIT*) wystawne żarcie *nt* (*inf*).

slash [slæʃ] *vt* (*upholstery etc*) ciąć (pociąć *perf*); (*fig: prices*) drastycznie obniżać (obniżyć *perf*).

slat [slæt] *n* listewka *f* (*np. w żaluzji*).

slate [sleɪt] *n* (*material*) łupki *pl*; (*for roof*) płytka *f* łupkowa ♦ *vt* (*fig: criticize*) zjechać (*perf*) (*inf*).

slaughter ['slɔːtə*] *n* rzeź *f* ♦ *vt* (*animals*) ubijać (ubić *perf*); (*people*) dokonywać (dokonać *perf*) rzezi na +*loc*.

slaughterhouse ['slɔːtəhaus] *n* rzeźnia *f*.

Slav [slɑːv] *adj* słowiański ♦ *n* Słowianin (-anka) *m(f)*.

slave [sleɪv] *n* niewolnik (-ica) *m(f)* ♦ *vi* (*also*: **slave away**) harować; **to slave (away) at** męczyć się nad +*instr*.

slave labour *n* praca *f* niewolników; **it's just slave labour** (*fig*) to po prostu katorżnicza robota.

slaver ['slævə*] *vi* ślinić się.

slavery ['sleɪvərɪ] *n* (*system*) niewolnictwo *nt*; (*condition*) niewola *f*.

Slavic ['slævɪk] *adj* słowiański.

slavish ['sleɪvɪʃ] *adj* (*obedience*) niewolniczy; (*imitation*) dosłowny.

Slavonic [slə'vɔnɪk] *adj* słowiański; **Slavonic people** Słowianie.

slay [sleɪ] (*pt* **slew**, *pp* **slain**) *vt* (*literary*) zgładzić (*perf*), uśmiercać (uśmiercić *perf*).

sleazy ['sliːzɪ] *adj* obskurny.

sledge [slɛdʒ] *n* (*for travelling*) sanie *pl*; (*child's*) sanki *pl*, saneczki *pl*; (*SPORT*) saneczki *pl*.

sledgehammer ['slɛdʒhæmə*] *n* młot *m* (oburęczny).

sleek [sliːk] *adj* (*hair, fur*) lśniący; (*car, boat*) elegancki.

sleep [sliːp] (*pt, pp* **slept**) *n* sen *m* ♦ *vi* spać ♦ *vt* (*person*): **we can sleep four** możemy

przenocować cztery osoby; (*place*): **the cottage sleeps six** w domku jest sześć miejsc do spania; **to go to sleep** zasypiać (zasnąć *perf*); **to have a good night's sleep** dobrze się wyspać (*perf*); **to put to sleep** (*animal*) usypiać (uśpić *perf*); **to sleep lightly** mieć lekki sen; **to sleep with sb** (*have sex*) spać *or* sypiać z kimś.

►**sleep around** *vi* sypiać z wszystkimi dookoła.

►**sleep in** *vi* (*oversleep*) zaspać (*perf*); (*rise late*) spać (pospać *perf*) dłużej.

sleeper ['sliːpə*] *n* (*train*) pociąg *m* sypialny; (*berth*) miejsce *nt* w wagonie sypialnym; (*BRIT: on track*) podkład *m* kolejowy; **to be a light/heavy sleeper** mieć lekki/mocny *or* twardy sen.

sleepily ['sliːpɪlɪ] *adv* sennie.

sleeping ['sliːpɪŋ] *adj*: **sleeping accommodation** miejsca *pl* do spania.

sleeping bag *n* śpiwór *m*.

sleeping car *n* wagon *m* sypialny.

sleeping partner (*BRIT: COMM*) = **silent partner**.

sleeping pill *n* tabletka *f* nasenna.

sleepless ['sliːplɪs] *adj* (*night*) bezsenny.

sleeplessness ['sliːplɪsnɪs] *n* bezsenność *f*.

sleepwalker ['sliːpwɔːkə*] *n* lunatyk (-yczka) *m(f)*.

sleepy ['sliːpɪ] *adj* (*person*) śpiący, senny; (*fig: town etc*) senny; **I am** *or* **feel sleepy** chce mi się spać, jestem śpiący.

sleet [sliːt] *n* deszcz *m* ze śniegiem.

sleeve [sliːv] *n* (*of jacket etc*) rękaw *m*; (*of record*) okładka *f*; **to have sth up one's sleeve** (*fig*) mieć coś w zanadrzu.

sleeveless ['sliːvlɪs] *adj* bez rękawów *post*.

sleigh [sleɪ] *n* sanie *pl*.

sleight [slaɪt] *n*: **by sleight of hand** zręcznym *or* wprawnym ruchem.

slender ['slɛndə*] *adj* (*figure*) smukły, szczupły; (*means*) skromny; (*majority*) niewielki, nieznaczny; (*prospects*) nikły.

slept [slɛpt] *pt, pp of* **sleep**.

sleuth [sluːθ] *n* detektyw *m*.

slew [sluː] *vi* (*also*: **slew round**) (gwałtownie) skręcić (*perf*) *or* obrócić się (*perf*) (*np. na skutek poślizgu*) ♦ *pt of* **slay**.

slice [slaɪs] *n* (*of ham, lemon*) plasterek *m*; (*of bread*) kromka *f*; (*cake slice, fish slice*) łopatka *f* ♦ *vt* kroić (pokroić *perf*) w plasterki; (*bread*) kroić (pokroić *perf*); **she thinks he's the best thing since sliced bread** jest nim zachwycona.

slick [slɪk] *adj* (*film etc*) sprawnie zrobiony; (*pej: salesman, answer*) sprytny ♦ *n* (*also*: **oil slick**) plama *f* ropy.

slid [slɪd] *pt, pp of* **slide**.

slide [slaɪd] (*pt, pp* **slid**) *n* (*downward movement*) obniżanie się *nt*; (: *moral etc*) staczanie się *nt*; (*in playground*) zjeżdżalnia *f*; (*PHOT*) przeźrocze *nt*, slajd *m*; (*COMM: in prices*) spadek *m* cen; (: *of currency*) spadek *m* kursu; (*also*: **microscope slide**) preparat *m*; (*BRIT: also*: **hair slide**) spinka *f* (do włosów) ♦ *vt*: **to slide sth into sth** wsuwać (wsunąć *perf*) coś do czegoś ♦ *vi* przesuwać się (przesunąć się *perf*), sunąć; **to slide out** wysuwać się (wysunąć się *perf*); **to let things slide** (*fig*) zaniedbywać (zaniedbać *perf*) sprawy.

slide projector *n* rzutnik *m*.

slide rule *n* suwak *m* (logarytmiczny).

sliding door ['slaidiŋ-] *n* drzwi *pl* rozsuwane.

sliding roof *n* (*AUT*) szyberdach *m*.

sliding scale *n* ruchoma skala *f*.

slight [slait] *adj* (*person, error*) drobny; (*accent, pain*) lekki; (*increase, difference*) nieznaczny, niewielki; (*book etc*) mało znaczący ♦ *n* afront *m*; **the slightest noise/problem** najmniejszy hałas/problem; **I haven't the slightest idea** nie mam najmniejszego pojęcia; **not in the slightest** ani trochę, zupełnie nie.

slightly ['slaitli] *adv* odrobinę; **slightly built** drobnej budowy *post*.

slim [slim] *adj* (*figure*) szczupły; (*chance*) znikomy, nikły ♦ *vi* odchudzać się.

slime [slaim] *n* (*in pond*) szlam *m*, muł *m*; (*on tub*) (brudny) osad *m*; (*of snail*) śluz *m*.

slimming ['slimiŋ] *n* odchudzanie *nt*.

slimy ['slaimi] *adj* (*pond*) mulisty, zamulony; (*pej: fig: person*) oślizgły (*inf*).

sling [sliŋ] (*pt, pp* **slung**) *n* (*MED*) temblak *m*; (*for baby*) nosidełko *nt*; (*weapon*) proca *f* ♦ *vt* (*throw*) ciskać (cisnąć *perf*); **to have one's arm in a sling** mieć rękę na temblaku.

slink [sliŋk] (*pt, pp* **slunk**) *vi*: **to slink away** *or* **off** oddalać się (oddalić się *perf*) chyłkiem.

slip [slip] *n* (*fall*) poślizgnięcie (się) *nt*; (*mistake*) pomyłka *f*, (*underskirt*) halka *f*, (*of paper*) kawałek *m* ♦ *vt* wsuwać (wsunąć *perf*) ♦ *vi* (*person*) poślizgnąć się (*perf*); (*production, profits*) spadać (spaść *perf*); **to slip into the room** wślizgiwać się (wślizgnąć się *perf*) do pokoju; **to slip out of the house** wymykać się (wymknąć się *perf*) z domu; **to let a chance slip by** przepuścić (*perf*) okazję; **the cup slipped from her hand** filiżanka wyślizgnęła się jej z ręki; **a slip of the tongue** przejęzyczenie; **to give sb the slip** zwiać (*perf*) komuś (*inf*); **to slip on one's jacket** narzucać (narzucić *perf*) marynarkę; **to slip on one's shoes** wciągać (wciągnąć *perf*) buty.

►**slip away** *vi* wymykać się (wymknąć się *perf*).

►**slip in** *vt* wsuwać (wsunąć *perf*) *or* wrzucać (wrzucić *perf*) do +*gen*.

►**slip out** *vi* (*go out*) wyskakiwać (wyskoczyć *perf*).

►**slip up** *vi* pomylić się (*perf*).

slip-on ['slipɔn] *adj* (*garment*) wciągany (przez głowę); **slip-on shoes** buty wsuwane.

slipped disc [slipt-] *n* przesunięty *or* wypadnięty dysk *m*.

slipper ['slipə*] *n* pantofel *m* (domowy), kapeć *m*.

slippery ['slipəri] *adj* śliski; (*fig*) szczwany.

slip road *n* (*BRIT: onto motorway*) wjazd *m*; (: *off motorway*) zjazd *m*.

slipshod ['slipʃɔd] *adj* byle jaki.

slipstream ['slipstri:m] *n* strumień powietrza powstający za szybko poruszającym się pojazdem.

slip-up ['slipʌp] *n* pomyłka *f*, potknięcie *nt* (*fig*).

slipway ['slipwei] (*NAUT*) *n* pochylnia *f*.

slit [slit] (*pt, pp* **slit**) *n* (*cut*) nacięcie *nt*; (*opening*) szpara *f*, (*tear*) rozdarcie *nt* ♦ *vt* rozcinać (rozciąć *perf*); **to slit sb's throat** poderżnąć (*perf*) komuś gardło.

slither ['sliðə*] *vi* (*person*) ślizgać się; (*snake*) pełzać (zygzakiem).

sliver ['slivə*] *n* (*of wood, glass*) drzazga *f*, (*of cheese etc*) skrawek *m*.

slob [slɔb] (*inf*) *n* niechluj *m* (*inf*).

slog [slɔg] (*BRIT*) *vi* mozolić się ♦ *n*: **it was a hard slog** to była ciężka robota.

slogan ['sləugən] *n* hasło *nt*, slogan *m*.

slop [slɔp] *vi* wylewać się (wylać się *perf*) ♦ *vt* rozlewać (rozlać *perf*).

►**slop out** *vi* (*in prison etc*) opróżniać (opróżnić *perf*) kubeł.

slope [sləup] *n* (*gentle hill*) wzniesienie *nt*; (*side of mountain*) zbocze *nt*, stok *m*; (*ski slope*) stok *m* narciarski; (*slant*) nachylenie *nt* ♦ *vi*: **to slope down** opadać; **to slope up** wznosić się.

sloping ['sləupiŋ] *adj* pochyły.

sloppy ['slɔpi] *adj* (*work*) byle jaki; (*appearance*) niechlujny; (*film, letter*) ckliwy, łzawy.

slops [slɔps] *npl* zlewki *pl*.

slosh [slɔʃ] (*inf*) *vi*: **to slosh around** *or* **about** (*person*) taplać się; (*liquid*) rozchlapywać się (rozchlapać się *perf*).

sloshed [slɔʃt] (*inf*) *adj* zalany (*inf*).

slot [slɔt] *n* otwór *m* (automatu, telefonu itp); (*fig: in timetable, TV*) okienko *nt* ♦ *vt*: **to slot sth in** wrzucać (wrzucić *perf*) coś ♦ *vi*: **to slot into** wchodzić *or* pasować do +*gen*.

sloth [sləuθ] *n* (*laziness*) opieszałość *f*, (*ZOOL*) leniwiec *m*.

slot machine *n* (*BRIT*) automat *m* (ze słodyczami, napojami itp); (*for gambling*) automat *m* do gry.

slot meter (*BRIT*) *n* licznik *m* samoinkasujący.

slouch [slautʃ] *vi* garbić się ♦ *n*: **he's no slouch (when it comes to)** nie leni się (jeśli chodzi o +*acc*); **to slouch about** *or* **around** snuć się; **she was slouched in a chair** siedziała oklapnięta w fotelu (*inf*).

slovenly ['slʌvənli] *adj* niechlujny.

slow [sləu] *adj* wolny, powolny ♦ *adv* wolno,
powoli ♦ *vt* (*also*: **slow down, slow
up**: *speed*) zmniejszać (zmniejszyć *perf*);
(: *business etc*) przyhamowywać
(przyhamować *perf*) ♦ *vi* (*also*: **slow down,
slow up**) zwalniać (zwolnić *perf*); **to slow
down** *or* **up the car** zwalniać (zwolnić *perf*);
"slow" *znak ograniczenia prędkości*; **at a
slow speed** powoli; **to be slow to act/decide**
zbyt wolno działać/podejmować decyzje; **my
watch is 20 minutes slow** mój zegarek
spóźnia się o dwadzieścia minut; **business is
slow** w interesach panuje zastój; **to go slow**
(*driver*) jechać wolno *or* powoli;
(*BRIT*: *workers*) zwalniać (zwolnić *perf*)
tempo pracy (*w ramach akcji protestacyjnej*).

slow-acting [sləu'æktɪŋ] *adj* (*chemical etc*) o
powolnym działaniu *post*.

slowly ['sləulɪ] *adv* (*not quickly*) wolno,
powoli; (*gradually*) powoli; **to drive slowly**
jechać wolno.

slow motion *n*: **in slow motion** w
zwolnionym tempie.

slow-moving [sləu'muːvɪŋ] *adj* poruszający się
wolno.

slowness ['sləunɪs] *n* wolne tempo *nt*,
powolność *f*.

sludge [slʌdʒ] *n* (*mud*) muł *m*; (*sewage*)
ścieki *pl*.

slue [sluː] (*US*) *vi* = **slew**.

slug [slʌg] *n* ślimak *m* nagi; (*US*: *inf*: *bullet*)
kula *f*.

sluggish ['slʌgɪʃ] *adj* (*person*) ociężały,
ospały; (*engine*) powolny; (*COMM*: *business*)
w zastoju *post*.

sluice [sluːs] *n* (*gate*) śluza *f*; (*channel*) kanał
m ♦ *vt*: **to sluice down/out** spłukiwać
(spłukać *perf*)/wypłukiwać (wypłukać *perf*).

slum [slʌm] *n* slumsy *pl*.

slumber ['slʌmbə*] *n* sen *m*.

slump [slʌmp] *n* (*economic*) załamanie *nt*,
kryzys *m* ♦ *vi* (*prices*) (gwałtownie) spadać
(spaść *perf*); **he slumped into his chair** ciężko
opadł na krzesło; **he was slumped over the
wheel** leżał bezwładnie na kierownicy.

slung [slʌŋ] *pt*, *pp of* **sling**.

slunk *pt*, *pp of* **slink**.

slur [sləː*] *n* (*fig*) obelga *f* ♦ *vt*: **to slur one's
words** mówić niewyraźnie; **to cast a slur on**
rzucać (rzucić *perf*) obelgę na +*acc*.

slurred [sləːd] *adj* niewyraźny.

slush [slʌʃ] *n* rozmokły śnieg *m*.

slush fund *n* pieniądze *pl* na łapówki.

slushy ['slʌʃɪ] *adj* (*snow*) rozmokły; (*street*)
pokryty rozmokłym śniegiem; (*BRIT*: *fig*)
ckliwy.

slut [slʌt] (*pej*) *n* dziwka *f* (*pej*).

sly [slaɪ] *adj* przebiegły; **on the sly** po kryjomu.

smack [smæk] *n* klaps *m*; (*on face*) policzek
m ♦ *vt* (*hit*) klepać (klepnąć *perf*); (: *child*)

dawać (dać *perf*) klapsa +*dat*; (: *on face*)
uderzać (uderzyć *perf*) ♦ *vi*: **to smack of**
trącić +*instr* ♦ *adv*: **it fell smack in the
middle** (*inf*) upadło w sam środek; **to smack
one's lips** mlaskać (mlasnąć *perf*).

smacker ['smækə*] (*inf*) *n* całus *m*.

small [smɔːl] *adj* mały ♦ *n*: **the small of the
back** krzyż *m*; **to get** *or* **grow smaller** maleć
(zmaleć *perf*), zmniejszać się (zmniejszyć się
perf); **to make smaller** zmniejszać (zmniejszyć
perf); **a small shopkeeper** drobny sklepikarz.

small ads (*BRIT*) *npl* ogłoszenia *pl* drobne.

small arms (*MIL*) *n* broń *f* małokalibrowa *or*
ręczna.

small change *n* drobne *pl*.

small fry *npl* (*people*) płotki *pl*.

smallholder ['smɔːlhəuldə*] (*BRIT*) *n* chłop *m*
małorolny.

smallholding ['smɔːlhəuldɪŋ] (*BRIT*) *n* małe
gospodarstwo *nt* rolne.

small hours *npl*: **in the small hours**
wczesnym ran(ki)em, we wczesnych
godzinach rannych.

smallish ['smɔːlɪʃ] *adj* przymały (*inf*).

small-minded [smɔːl'maɪndɪd] *adj* małostkowy.

smallpox ['smɔːlpɔks] *n* ospa *f*.

small print *n* (*in contract etc*) adnotacje *pl*
drobnym drukiem.

small-scale ['smɔːlskeɪl] *adj* (*map, model*) w
małej skali *post*; (*business, farming*) na małą
skalę *post*.

small talk *n* rozmowa *f* towarzyska.

small-time ['smɔːltaɪm] *adj* drobny; **a
small-time thief** drobny złodziejaszek.

smarmy ['smɑːmɪ] (*BRIT*: *pej*) *adj*
wazeliniarski (*pej*).

smart [smɑːt] *adj* (*neat, fashionable*) elegancki;
(*clever*. *person*) bystry, rozgarnięty; (: *idea*)
chytry, sprytny; (*pace*) żwawy; (*blow*) silny ♦
vi (*eyes, wound*) piec, szczypać; **she was
smarting from a guilty conscience** dręczyły ją
wyrzuty sumienia; **the smart set** wytworne
towarzystwo; **to look smart** wyglądać
elegancko.

smart card (*BANKING*) *n* karta *f* magnetyczna.

smarten up ['smɑːtn-] *vi* ogarniać się
(ogarnąć się *perf*) ♦ *vt* (*room etc*) odświeżać
(odświeżyć *perf*).

smash [smæʃ] *n* (*also*: **smash-up**) kraksa *f*;
(*sound*) trzask *m*; (*song, play, film*) przebój
m; (*TENNIS*) ścięcie *nt* ♦ *vt* roztrzaskiwać
(roztrzaskać *perf*); (*fig*: *sb's career*) rujnować
(zrujnować *perf*); (: *political system*) obalać
(obalić *perf*); (: *record*) bić (pobić *perf*) ♦ *vi*
(*break*) roztrzaskiwać się (roztrzaskać się
perf); (*against wall/into sth*) walnąć (*perf*).

▶**smash up** *vt* (*car*) rozwalać (rozwalić *perf*),
roztrzaskiwać (roztrzaskać *perf*); (*room*)
rujnować (zrujnować *perf*).

smash hit *n* przebój *m*.

smashing ['smæʃɪŋ] (*inf*) *adj* kapitalny, fantastyczny.

smattering ['smætərɪŋ] *n*: **a smattering of** odrobina +*gen*.

smear [smɪə*] *n* (*trace*) smuga *f*; (*insult*) potwarz *f*, oszczerstwo *nt*; (*MED*) wymaz *m*, rozmaz *m* ♦ *vt* (*spread*) rozmazywać (rozmazać *perf*); (*make dirty*) usmarować (*perf*), umazać (*perf*); **his hands were smeared with oil/ink** ręce miał usmarowane olejem/powalane atramentem.

smear campaign *n* kampania *f* oszczerstw.

smear test *n* badanie *nt* cytologiczne, wymaz *m* z szyjki macicy.

smell [smɛl] (*pt, pp* **smelt** *or* **smelled**) *n* (*odour*) zapach *m*; (*sense*) węch *m*, powonienie *nt* ♦ *vt* wyczuwać (wyczuć *perf*) ♦ *vi* pachnieć; (*pej*) śmierdzieć; **to smell of** pachnieć +*instr*; (*pej*) śmierdzieć +*instr*.

smelly ['smɛlɪ] (*pej*) *adj* śmierdzący.

smelt [smɛlt] *pt, pp of* **smell** ♦ *vt* wytapiać (wytopić *perf*).

smile [smaɪl] *n* uśmiech *m* ♦ *vi* uśmiechać się (uśmiechnąć się *perf*).

smiling ['smaɪlɪŋ] *adj* uśmiechnięty.

smirk [smə:k] (*pej*) *n* uśmiech *m* wyższości, uśmieszek *m*.

smithy ['smɪðɪ] *n* kuźnia *f*.

smitten ['smɪtn] *adj*: **smitten with** oczarowany +*instr*.

smock [smɔk] *n* (*woman's*) bluzka *f* koszulowa (*długa i luźna*); (*artist's, doctor's*) kitel *m*.

smog [smɔg] *n* smog *m*.

smoke [sməuk] *n* dym *m* ♦ *vi* (*person*) palić; (*chimney*) dymić ♦ *vt* palić (wypalić *perf*); **to have a smoke** zapalić (*perf*); **do you smoke?** (czy) palisz?; **to go up in smoke** iść (pójść *perf*) z dymem; (*fig*) spalić (*perf*) na panewce.

smoked ['sməukt] *adj* (*bacon, salmon*) wędzony; (*glass*) zadymiony, przyciemniony.

smokeless fuel ['sməuklıs-] *n* paliwo *nt* bezdymne.

smokeless zone (*BRIT*) *n* strefa *f* bezdymna.

smoker ['sməukə*] *n* (*person*) palacz(ka) *m(f)*; (*RAIL*) wagon *m* dla palących.

smokescreen ['sməukskri:n] *n* (*lit, fig*) zasłona *f* dymna.

smoke shop (*US*) *n* sklep *m* z wyrobami tytoniowymi.

smoking ['sməukɪŋ] palenie *nt*; **"no smoking"** „palenie wzbronione".

smoking compartment (*US* **smoking car**) *n* wagon *m* dla palących.

smoking room *n* palarnia *f*.

smoky ['sməukɪ] *adj* zadymiony; (*whisky*) pachnący dymem.

smolder ['sməuldə*] (*US*) *vi* = **smoulder**.

smooth [smu:ð] *adj* gładki; (*flavour, landing,*

take-off) łagodny; (*movement*) płynny; (*flight*) spokojny; (*pej: person*) ugrzeczniony.

►**smooth out** *vt* (*skirt, piece of paper*) wygładzać (wygładzić *perf*); (*fig: difficulties*) usuwać (usunąć *perf*).

►**smooth over** *vt*: **to smooth things over** (*fig*) łagodzić (załagodzić *perf*) sytuację.

smoothly ['smu:ðlɪ] *adv* gładko; (*peacefully*) spokojnie; **everything went smoothly** wszystko poszło gładko.

smoothness ['smu:ðnɪs] *n* gładkość *f*; (*steadiness*) spokój *m*.

smother ['smʌðə*] *vt* (*fire, emotions*) tłumić (stłumić *perf*), dusić (zdusić *perf*); (*person*) dusić (udusić *perf*).

smoulder ['sməuldə*] (*US* **smolder**) *vi* (*lit, fig*) tlić się.

smudge [smʌdʒ] *n* smuga *f* ♦ *vt* rozmazywać (rozmazać *perf*).

smug [smʌg] (*pej*) *adj* zadowolony z siebie.

smuggle ['smʌgl] *vt* przemycać (przemycić *perf*), szmuglować (przeszmuglować *perf*); **to smuggle in/out** przemycać (przemycić *perf*) do +*gen* /z +*gen*.

smuggler ['smʌglə*] *n* przemytnik (-iczka) *m(f)*, szmugler *m*.

smuggling ['smʌglɪŋ] *n* przemyt *m*.

smut [smʌt] *n* pyłek *m* sadzy; (*fig*) nieprzyzwoitość *f*.

smutty ['smʌtɪ] *adj* (*fig*) nieprzyzwoity, sprośny.

snack [snæk] *n* przekąska *f*; **to have a snack** przekąsić (*perf*) coś.

snack bar *n* bar *m* szybkiej obsługi.

snag [snæg] *n* (*drobny*) problem *m*.

snail [sneɪl] *n* ślimak *m*.

snake [sneɪk] *n* wąż *m*.

snap [snæp] *n* (*sound*) trzask *m*; (*photograph*) zdjęcie *nt*, fotka *f* (*inf*); (*CARDS*) rodzaj gry w karty ♦ *adj* (*decision etc*) nagły ♦ *vt* łamać (złamać *perf*) ♦ *vi* pękać (pęknąć *perf*); (*fig*) tracić (stracić *perf*) panowanie nad sobą; **to snap one's fingers** pstrykać (pstryknąć *perf*) *or* strzelać (strzelić *perf*) palcami; **a cold snap** nagłe ochłodzenie; **to snap open** otwierać się (otworzyć *perf* się) z trzaskiem; **to snap shut** zamykać się (zamknąć *perf* się) z trzaskiem.

►**snap at** *vt fus* (*dog*) kłapać (kłapnąć *perf*) zębami na +*acc*; (*person*) warczeć (warknąć *perf*) na +*acc*.

►**snap off** *vt* odłamywać (odłamać *perf*).

►**snap up** *vt* rzucać się (rzucić się *perf*) na +*acc*.

snap fastener *n* zatrzask *m*, napa *f*.

snappy ['snæpɪ] (*inf*) *adj* zgryźliwy; **make it snappy** pośpiesz się; **a snappy dresser** elegant(ka) *m(f)*.

snapshot ['snæpʃɔt] *n* zdjęcie *nt*, fotka *f* (*inf*).

snare [snɛə*] *n* sidła *pl*, wnyki *pl* ♦ *vt* (*animal*) łapać (złapać *perf*) w sidła; (*fig: person*) chwytać (schwytać *perf*) w pułapkę.

snarl [snɑ:l] *vi* warczeć (warknąć *perf*) ♦ *vt*:
snarled up (*plans*) wstrzymany; (*traffic*)
zablokowany.
snarl-up ['snɑ:lʌp] *n* blokada *f*.
snatch [snætʃ] *n* strzęp *m*, urywek *m* ♦ *vt*
porywać (porwać *perf*); (*fig: opportunity*)
(skwapliwie) korzystać (skorzystać *perf*) z
+*gen*; (: *time*) urywać (urwać *perf*) (*inf*) ♦ *vi*:
don't snatch! nie zabieraj!; **to snatch a**
sandwich szybko coś przegryźć (*perf*); **to**
snatch some sleep przespać się (*perf*) trochę;
to snatch a look at rzucać (rzucić *perf*)
ukradkowe spojrzenie na +*acc*.
►**snatch up** *vt* złapać (*perf*).
sneak [sni:k] (*pt* (*US*) *also* **snuck**) *vi*: **to**
sneak in zakradać się (zakraść się *perf*); **to**
sneak out wymykać się (wymknąć się *perf*) ♦
vt: **to sneak a look at sth** rzucać (rzucić
perf) ukradkowe spojrzenie na coś ♦ *n* (*inf*,
pej) donosiciel(ka) *m(f)* (*inf*, *pej*).
►**sneak up** *vi*: **to sneak up on sb** donosić
(donieść *perf*) na kogoś.
sneakers ['sni:kəz] *npl* tenisówki *pl*.
sneaking ['sni:kɪŋ] *adj*: **I have a sneaking**
feeling *or* **suspicion that** ... dręczy mnie
podejrzenie, że... .
sneaky ['sni:kɪ] *adj* (*pej*) podstępny.
sneer [snɪə*] *vi* uśmiechać się (uśmiechnąć się
perf) szyderczo;: **to sneer at** szydzić z +*gen* ♦
n (*remark*) drwina *f*, szyderstwo *nt*;
(*expression*) szyderczy uśmiech *m*.
sneeze [sni:z] *n* kichnięcie *nt* ♦ *vi* kichać
(kichnąć *perf*).
►**sneeze at** *vt fus*: **not to be sneezed at** nie
do pogardzenia.
snide [snaɪd] (*pej*) *adj* (*remark*) złośliwy.
sniff [snɪf] *n* (*sound*) pociągnięcie *nt* nosem;
(*smell*) obwąchanie *nt* ♦ *vi* pociągać
(pociągnąć *perf*) nosem ♦ *vt* wąchać
(powąchać *perf*); (*glue*) wąchać.
sniffer dog ['snɪfə-] *n* pies *m* policyjny.
snigger ['snɪgə*] *vi* chichotać (zachichotać *perf*).
snip [snɪp] *n* cięcie *nt*, ciachnięcie *nt* (*inf*);
(*BRIT: inf: bargain*) okazja *f* ♦ *vt* przeciąć
(przeciąć *perf*), ciachać (ciachnąć *perf*) (*inf*).
sniper ['snaɪpə*] *n* snajper *m*.
snippet ['snɪpɪt] *n* (*of information, news*) strzęp *m*.
snivelling ['snɪvlɪŋ] (*sniveling: US*) *adj*
pochlipujący.
snob [snɔb] *n* snob(ka) *m(f)*.
snobbery ['snɔbərɪ] *n* snobizm *m*.
snobbish ['snɔbɪʃ] *adj* snobistyczny.
snooker ['snu:kə*] *n* (*SPORT*) snooker *m* ♦ *vt*
(*BRIT: inf*): **to be snookered** mieć związane
ręce.
snoop ['snu:p] *vi*: **to snoop about** węszyć; **to**
snoop on sb wtykać (wetknąć *perf*) nos w
czyjeś sprawy.
snooper ['snu:pə*] *n* osoba *f* wtykająca nos w
cudze sprawy.

snooty ['snu:tɪ] *adj* przemądrzały.
snooze [snu:z] *n* drzemka *f* ♦ *vi* drzemać.
snore [snɔ:*] *n* chrapanie *nt* ♦ *vi* chrapać.
snoring ['snɔ:rɪŋ] *n* chrapanie *nt*.
snorkel ['snɔ:kl] *n* fajka *f* (*do nurkowania*).
snort [snɔ:t] *n* prychnięcie *nt*, parsknięcie *nt* ♦
vi prychać (prychnąć *perf*), parskać (parsknąć
perf) ♦ *vt* (*inf: cocaine*) wdychać.
snotty ['snɔtɪ] (*inf*) *adj* zasmarkany,
osmarkany; (*pej: proud*) zadzierający nosa.
snout [snaʊt] *n* (*of pig*) ryj *m*; (*of dog*) pysk *m*.
snow [snəʊ] *n* śnieg *m* ♦ *vi*: **it snowed/is**
snowing padał/pada śnieg ♦ *vt*: **to be snowed**
under with work być zasypanym pracą.
snowball ['snəʊbɔ:l] *n* śnieżka *f* ♦ *vi*
(*fig: campaign, business*) rozkręcać się
(rozkręcić się *perf*); (: *problem*) narastać
(narosnąć *perf*) (w szybkim tempie).
snowbound ['snəʊbaʊnd] *adj* zasypany
śniegiem.
snow-capped ['snəʊkæpt] *adj* ośnieżony.
snowdrift ['snəʊdrɪft] *n* zaspa *f* (śnieżna).
snowdrop ['snəʊdrɔp] *n* przebiśnieg *m*.
snowfall ['snəʊfɔ:l] *n* opad *m* śniegu.
snowflake ['snəʊfleɪk] *n* płatek *m* śniegu,
śnieżynka *f*.
snowline ['snəʊlaɪn] *n* linia *f* wiecznego śniegu.
snowman ['snəʊmæn] *n* (*irreg like* **man**)
bałwan *m*.
snowplough ['snəʊplaʊ] (*US* **snowplow**) *n*
pług *m* śnieżny.
snowshoe ['snəʊʃu:] *n* rakieta *f* śnieżna.
snowstorm ['snəʊstɔ:m] *n* zamieć *f* śnieżna,
śnieżyca *f*.
snowy ['snəʊɪ] *adj* (*hair*) biały jak śnieg;
(*peak*) ośnieżony.
SNP (*BRIT: POL*) *n abbr* (= *Scottish National*
Party).
snub [snʌb] *vt* robić (zrobić *perf*) afront +*dat*
♦ *n* afront *m*.
snub-nosed [snʌb'nəʊzd] *adj* z zadartym
nosem *post*.
snuff [snʌf] *n* tabaka *f* ♦ *vt* (*also*: **snuff**
out: *candle*) gasić (zgasić *perf*) (*nakrywając*
płomień albo palcami).
snuff movie *n* film *porno zawierający*
autentyczne sceny tortur lub śmierci.
snug [snʌg] *adj* (*place*) przytulny; (*garment*)
(dobrze) dopasowany; **I'm very snug here** jest
mi tu bardzo wygodnie; **the dress is a snug**
fit suknia jest dobrze dopasowana.
snuggle ['snʌgl] *vi*: **to snuggle up to sb**
przytulać się (przytulić się *perf*) do kogoś; **to**
snuggle down (in bed) opatulać się (opatulić
się *perf*) kołdrą.
snugly ['snʌglɪ] *adv*: **snugly wrapped** ciepło
opatulony; **to fit snugly** (*object in pocket etc*)
wygodnie się mieścić (zmieścić *perf*);
(*garment*) być dobrze dopasowanym.
SO (*BANKING*) *n abbr* = **standing order**.

so [səu] *adv* **1** (*thus, likewise*) tak; **if so** jeśli tak; **I didn't do it – you did so!** ja tego nie zrobiłem – a właśnie, że zrobiłeś!; **so do I, so am I** *etc* ja też; **I've got work to do – so has Paul** mam robotę – Paul też; **it's five o'clock – so it is!** jest piąta – rzeczywiście!; **I hope so** mam nadzieję, że tak; **so far** jak dotąd, do tej pory. **2** (*to such a degree: +adjective*) tak *or* taki; (: *+adverb*) tak; **so big (that)** tak(i) duży (, że); **she's not so clever as her brother** nie jest tak bystra jak jej brat; **so quickly (that)** tak szybko (, że). **3**: **so much** *adj* tyle +*gen*, tak dużo *or* wiele +*gen*; **I've got so much work** mam tyle *or* tak dużo pracy ♦ *adv* tak bardzo; **I love you so much** tak bardzo cię kocham; **so many** tyle +*gen*, tak wiele *or* dużo +*gen*; **there are so many things to do** jest tyle *or* tak wiele rzeczy do zrobienia. **4** (*phrases*): **ten or so** z dziesięć; **so long!** (*inf*) tymczasem! (*inf*), na razie! (*inf*) ♦ *conj* **1** (*expressing purpose*): **so as to** żeby +*infin*; **we hurried so as not to be late** popędziliśmy, żeby się nie spóźnić; **so (that)** żeby; **I brought it so (that) you could see it** przyniosłem, żebyś mógł to zobaczyć. **2** (*expressing result*) więc; **he didn't arrive so I left** nie przyjechał, więc wyszedłem; **so I was right after all** (a) więc jednak miałam rację.

soak [səuk] *vt* (*drench*) przemoczyć (*perf*); (*steep in water*) namaczać (namoczyć *perf*) ♦ *vi* moczyć się; **to be soaked through** być (doszczętnie *or* na wskroś) przemoczonym.
►**soak in** *vi* wsiąkać (wsiąknąć *perf*).
►**soak up** *vt* wchłaniać (wchłonąć *perf*).
soaking ['səukɪŋ] *adj* (*also*: **soaking wet**) przemoczony.
so-and-so ['səuənsəu] *n*: (**Mr/Dr**) **so-and-so** (Pan/Dr) taki *m* a taki *m*; **you so-and-so!** (*pej*) ty taki owaki!
soap [səup] *n* mydło *nt*; (*TV: also*: **soap opera**) telenowela *f*, powieść *f* telewizyjna.
soapflakes ['səupfleɪks] *npl* płatki *pl* mydlane.
soap opera *n* telenowela *f*, powieść *f* telewizyjna.
soap powder *n* proszek *m* do prania.
soapsuds ['səupsʌds] *npl* mydliny *pl*.
soapy ['səupɪ] *adj* (*water*) mydlany; (*hands*) namydlony.
soar [sɔː*] *vi* (*bird, plane*) wzbijać się (wzbić się *perf*) (wysoko); (*buildings, trees*) wznosić się (wysoko); (*price, production, temperature*) gwałtownie wzrastać (wzrosnąć *perf*) *or* iść (pójść *perf*) w górę.
soaring ['sɔːrɪŋ] *adj* (*prices etc*) gwałtownie rosnący.

sob [sɔb] *n* szloch *m* ♦ *vi* szlochać.
s.o.b. (*US: inf!*) *n abbr* (= *son of a bitch*) sukinsyn *m* (*inf!*).
sober ['səubə*] *adj* (*not drunk, realistic, practical*) trzeźwy; (*serious*) poważny; (*colour etc*) spokojny, stonowany.
►**sober up** *vt* otrzeźwiać (otrzeźwić *perf*) ♦ *vi* trzeźwieć (wytrzeźwieć *perf*).
sobriety [sə'braɪətɪ] *n* trzeźwość *f*, (*seriousness*) powaga *f*.
Soc. *abbr* = **society**.
so-called ['səu'kɔːld] *adj* tak zwany.
soccer ['sɔkə*] *n* piłka *f* nożna.
soccer pitch *n* boisko *nt* piłkarskie.
soccer player *n* piłkarz *m*.
sociable ['səuʃəbl] *adj* towarzyski.
social ['səuʃl] *adj* (*history, structure, background*) społeczny; (*policy, benefit*) socjalny; (*event, contact*) towarzyski; (*animal*) stadny ♦ *n* spotkanie *nt* towarzyskie; **social life** życie towarzyskie.
social class *n* klasa *f* społeczna.
social climber (*pej*) *n* snob(ka) *m(f)* (*pej*).
social club *n* klub *m* towarzyski.
social democrat *n* socjaldemokrata (-tka) *m(f)*.
social insurance (*US*) *n* ubezpieczenia *pl* społeczne.
socialism ['səuʃəlɪzəm] *n* socjalizm *m*.
socialist ['səuʃəlɪst] *adj* socjalistyczny ♦ *n* socjalista (-tka) *m(f)*.
socialite ['səuʃəlaɪt] *n* osoba *f* z towarzystwa.
socialize ['səuʃəlaɪz] *vi* udzielać się towarzysko; **to socialize with** utrzymywać stosunki (towarzyskie) z +*instr*.
socially ['səuʃəlɪ] *adv* (*visit*) towarzysko, w celach towarzyskich; (*acceptable*) społecznie.
social science nauki *pl* społeczne.
social security (*BRIT*) *n* ubezpieczenia *pl* społeczne; **Department of Social Security** (*BRIT*) Departament Ubezpieczeń Społecznych.
social services *npl* opieka *f* społeczna.
social welfare *n* ubezpieczenia *pl* społeczne.
social work *n* praca *f* w opiece społecznej.
social worker *n* pracownik (-ica) *m(f)* opieki społecznej.
society [sə'saɪətɪ] *n* społeczeństwo *nt*; (*local*) społeczność *f*; (*club*) towarzystwo *nt*; (*also*: **high society**) wytworne towarzystwo *nt* ♦ *cpd*: **society lady** dama *f* z towarzystwa.
socioeconomic ['səusɪəuiːkə'nɔmɪk] *adj* społeczno-ekonomiczny.
sociological [səusɪə'lɔdʒɪkl] *adj* socjologiczny.
sociologist [səusɪ'ɔlədʒɪst] *n* socjolog *m*.
sociology [səusɪ'ɔlədʒɪ] *n* socjologia *f*.
sock [sɔk] *n* skarpeta *f*, skarpetka *f* ♦ *vt* (*inf*) walnąć (*perf*) (pięścią) (*inf*); **to pull one's socks up** (*fig*) brać (wziąć *perf*) się w garść.
socket ['sɔkɪt] *n* (*ANAT: of eye*) oczodół *m*; (: *of tooth*) zębodół *m*; (: *of hip etc*) panewka *f* (stawu); (*BRIT: in wall*) gniazdko

nt; (: *for light bulb*) oprawka *f*; **her eyes popped out of their sockets** oczy wyszły jej z orbit.

sod [sɔd] *n* (*earth*) darń *f*; (*BRIT: inf!: person*) gnojek *m* (*inf!*).

soda ['səudə] *n* (*CHEM*) soda *f*; (*also*: **soda water**) woda *f* sodowa; (*US: also*: **soda pop**) napój *m* gazowany.

sodden ['sɔdn] *adj* (*clothes*) przemoczony; (*ground*) rozmokły.

sodium ['səudɪəm] *n* sód *m*.

sodium chloride *n* chlorek *m* sodu *or* sodowy.

sofa ['səufə] *n* kanapa *f*.

Sofia ['səufɪə] *n* Sofia *f*.

soft [sɔft] *adj* (*lit, fig*) miękki; (*voice, music, light*) łagodny; (*skin*) delikatny; **soft in the head** (*inf*) przygłupi (*inf*).

soft-boiled ['sɔftbɔild] *adj*: **soft-boiled egg** jajko *nt* na miękko.

soft drink *n* napój *m* bezalkoholowy.

soft drugs *npl* narkotyki *pl* miękkie.

soften ['sɔfn] *vt* zmiękczać (zmiękczyć *perf*); (*effect, blow*) łagodzić (złagodzić *perf*) ♦ *vi* mięknąć (zmięknąć *perf*); (*voice, expression*) łagodnieć (złagodnieć *perf*); **the memory of that meeting softened her face** na wspomnienie tego spotkania twarz jej złagodniała.

softener ['sɔfnə*] *n* (*water softener*) środek *m* do zmiękczania wody; (*fabric softener*) środek *m* do zmiękczania tkanin.

soft fruit (*BRIT*) *n* owoce *pl* miękkie.

soft furnishings *npl* zasłony, obicia i inne elementy wystroju wnętrz wykonane z tkaniny.

soft-hearted [sɔft'hɑːtɪd] *adj*: **to be soft-hearted** mieć miękkie serce.

softly ['sɔftlɪ] *adv* miękko, łagodnie.

softness ['sɔftnɪs] *n* miękkość *f*; (*gentleness*) łagodność *f*, delikatność *f*.

soft sell *n* nienachalna reklama *f*.

soft spot *n*: **to have a soft spot for sb** mieć do kogoś słabość.

soft toy *n* pluszowa zabawka *f*.

software ['sɔftwɛə*] *n* oprogramowanie *nt*.

software package (*COMPUT*) *n* pakiet *m* programowy.

soft water *n* miękka woda *f*.

soggy ['sɔgɪ] *adj* rozmokły.

soil [sɔil] *n* (*earth*) gleba *f*, ziemia *f*; (*territory*) ziemia *f* ♦ *vt* brudzić (pobrudzić *perf*); (*fig*) plamić (splamić *perf*).

soiled [sɔild] *adj* (*handkerchief, nappy*) brudny.

sojourn ['sɔdʒəːn] (*fml*) *n* pobyt *m*.

solace ['sɔlɪs] *n* pocieszenie *nt*.

solar ['səulə*] *adj* słoneczny.

solarium [sə'lɛərɪəm] (*pl* **solaria**) *n* solarium *nt*.

solar panel *n* bateria *f* słoneczna.

solar plexus [-'plɛksəs] *n* splot *m* słoneczny.

solar power *n* energia *f* słoneczna.

solar system *n* układ *m* słoneczny.

sold [səuld] *pt, pp of* **sell**.

sold out *adj* (*goods, tickets*) wyprzedany; **the concert was sold out** (wszystkie) bilety na koncert zostały wyprzedane; **we're sold out (of bread)** (chleba) (już) nie ma.

solder ['səuldə*] *vt* lutować (zlutować *perf*) ♦ *n* lut *m*.

soldier ['səuldʒə*] *n* żołnierz *m* ♦ *vi*: **to soldier on** nie poddawać się; **to soldier on doing sth** nadal (wytrwale) coś robić; **toy soldier** żołnierzyk.

sole [səul] *n* (*of foot, shoe*) podeszwa *f*; (*fish: pl inv*) sola *f* ♦ *adj* (*unique*) jedyny; (*exclusive*) wyłączny; **the sole reason** jedyny powód.

solely ['səullɪ] *adv* jedynie, wyłącznie; **I will hold you solely responsible** cała odpowiedzialność spoczywa na tobie.

solemn ['sɔləm] *adj* uroczysty.

sole trader (*COMM*) *n* firma *f* jednoosobowa.

solicit [sə'lɪsɪt] *vt* zabiegać o +*acc* ♦ *vi* (*prostitute*) nagabywać klientów.

solicitor [sə'lɪsɪtə*] (*BRIT*) *n* adwokat *m*.

solid ['sɔlɪd] *adj* (*not hollow*) lity; (*not liquid*) stały; (*reliable, strong*) solidny; (*substantial: advice etc*) konkretny; (*unbroken: hours etc*) bity; (*pure: gold etc*) szczery, czysty ♦ *n* ciało *nt* stałe; **solids** *npl* pokarmy *pl* stałe; **to be on solid ground** (*fig*) mieć solidne podstawy; **I read for two hours solid** czytałem przez bite dwie godziny.

solidarity [sɔlɪ'dærɪtɪ] *n* solidarność *f*.

solidify [sə'lɪdɪfaɪ] *vi* krzepnąć (skrzepnąć *perf*), tężeć (stężeć *perf*); (*fig*) krzepnąć (okrzepnąć *perf*), utrwalać się (utrwalić się *perf*) ♦ *vt* utrwalać (utrwalić *perf*).

solidity [sə'lɪdɪtɪ] *n* solidność *f*.

solidly ['sɔlɪdlɪ] *adv* (*built*) solidnie; (*respectable*) z gruntu; (*in favour*) twardo.

solid-state ['sɔlɪdsteɪt] (*ELEC*) *adj* półprzewodnikowy.

soliloquy [sə'lɪləkwɪ] *n* monolog *m*.

solitaire [sɔlɪ'tɛə*] *n* (*gem*) soliter *m*; (*game*) samotnik *m*; (*card game*) pasjans *m*.

solitary ['sɔlɪtərɪ] *adj* (*lonely, single*) samotny; (*empty*) pusty, opustoszały.

solitary confinement *n* więzienna izolatka *f*; **to be in solitary confinement** przebywać w izolatce.

solitude ['sɔlɪtjuːd] *n* samotność *f*; **to live in solitude** żyć w odosobnieniu.

solo ['səuləu] *n* solo *nt inv* ♦ *adv* w pojedynkę, solo; **solo flight** samotny lot.

soloist ['səuləuɪst] *n* solista (-tka) *m(f)*.

Solomon Islands ['sɔləmən-] *npl*: **the Solomon Islands** Wyspy *pl* Salomona.

solstice ['sɔlstɪs] *n* przesilenie *nt* (*letnie lub zimowe*).

soluble ['sɔljubl] *adj* rozpuszczalny.

solution [sə'lu:ʃən] n (answer) rozwiązanie nt; (liquid) roztwór m, mieszanina f.
solve [sɔlv] vt rozwiązywać (rozwiązać perf).
solvency ['sɔlvənsɪ] n wypłacalność f.
solvent ['sɔlvənt] adj wypłacalny ♦ n (CHEM) rozpuszczalnik m.
solvent abuse n odurzanie się nt chemikaliami.
Som. (BRIT: POST) abbr (= Somerset).
Somali [sə'mɑ:lɪ] adj somalijski ♦ n Somalijczyk (-jka) m(f).
Somalia [sə'mɑ:lɪə] n Somalia f.
sombre ['sɔmbə*] (US **somber**) adj (dark) ciemny, mroczny; (grave) ponury, posępny.

┌─────────── KEYWORD ───────────┐

some [sʌm] adj 1 (a certain amount of) trochę +gen; (a certain number of) parę +gen nvir pl, paru +gen vir pl, kilka +gen nvir pl, kilku +gen vir pl; **some tea/water** trochę herbaty/wody; **some biscuits** parę or kilka herbatników; **some policemen** paru or kilku policjantów. 2 (certain: in contrasts) niektóre +nvir pl, niektórzy +vir pl; **some people say that ...** niektórzy (ludzie) mówią, że ...; **some films were excellent** niektóre filmy były świetne. 3 (unspecified): **some woman was asking for you** jakaś kobieta pytała o ciebie; **some day** pewnego dnia ♦ pron 1 (a certain number) parę nvir pl, paru vir pl, kilka nvir pl, kilku vir pl; **have you got any friends? – yes, I've got some** (czy) masz jakichś przyjaciół? – tak, mam paru or kilku; **have you got any stamps? – yes, I've got some** (czy) masz jakieś znaczki? – tak, mam parę or kilka. 2 (a certain amount) trochę; **have we got any money? – yes, we've got some** (czy) mamy jakieś pieniądze? – tak, mamy trochę; **some was left** trochę zostało ♦ adv: **some ten people** jakieś dziesięć osób.

└───────────────────────────────┘

somebody ['sʌmbədɪ] pron = someone.
someday ['sʌmdeɪ] adv pewnego dnia.
somehow ['sʌmhau] adv jakoś.
someone ['sʌmwʌn] pron ktoś m.
someplace ['sʌmpleɪs] (US) adv = somewhere.
somersault ['sʌməsɔ:lt] n koziołek m, fikołek m; (SPORT) salto nt ♦ vi koziołkować (przekoziołkować perf).
something ['sʌmθɪŋ] pron coś nt; **something nice** coś miłego; **something to do** coś do zrobienia; **there's something wrong** coś tu jest nie tak, coś tu nie gra (inf).
sometime ['sʌmtaɪm] adv kiedyś; **I'll finish it sometime** kiedyś to skończę.
sometimes ['sʌmtaɪmz] adv czasami, czasem.
somewhat ['sʌmwɔt] adv w pewnym stopniu, nieco; **somewhat to my surprise** ku memu niejakiemu zdziwieniu.

somewhere ['sʌmwɛə*] adv gdzieś; **it's somewhere or other in Scotland** to (jest) gdzieś w Szkocji; **somewhere else** gdzie(ś) indziej.
son [sʌn] n syn m.
sonar ['səunɑ:*] (NAUT) n sonar m, hydrolokator m.
sonata [sə'nɑ:tə] n sonata f.
song [sɔŋ] n (MUS) pieśń f; (: popular) piosenka f; (of bird) śpiew m.
songbook ['sɔŋbuk] n śpiewnik m.
songwriter ['sɔŋraɪtə*] n autor(ka) m(f) piosenek.
sonic ['sɔnɪk] adj dźwiękowy; **sonic boom** uderzenie dźwiękowe.
son-in-law ['sʌnɪnlɔ:] n zięć m.
sonnet ['sɔnɪt] n sonet m.
sonny ['sʌnɪ] (inf) n synu (voc) (inf).
soon [su:n] adv (before long) wkrótce, niebawem; (early) wcześnie; **soon afterwards** wkrótce or niedługo potem; **quite soon** już wkrótce; **how soon can you do it?** kiedy (najwcześniej) możesz to zrobić?; **see you soon!** do zobaczenia wkrótce!; see also **as**.
sooner ['su:nə*] adv (time) prędzej; (preference): **I would sooner read than watch TV** wolałbym poczytać, niż oglądać telewizję; **sooner or later** prędzej czy później; **the sooner the better** im prędzej, tym lepiej; **it was no sooner said than done** zostało to zrobione natychmiast; **no sooner had we left than ...** ledwie wyszliśmy, gdy ... .
soot [sut] n sadza f.
soothe [su:ð] vt (person, animal) uspokajać (uspokoić perf); (pain) koić (ukoić perf), łagodzić (złagodzić perf).
soothing ['su:ðɪŋ] adj kojący.
SOP n abbr (= standard operating procedure).
sop [sɔp] n: **that's only a sop** to tylko coś na odczepnego.
sophisticated [sə'fɪstɪkeɪtɪd] adj (person, audience) wyrobiony, bywały; (fashion, dish) wyrafinowany, wyszukany, wymyślny; (machinery, arguments) skomplikowany.
sophistication [səfɪstɪ'keɪʃən] n (of person) wyrobienie nt; (of machine, argument) stopień m złożoności or skomplikowania.
sophomore ['sɔfəmɔ:*] (US: SCOL) n student drugiego roku college'u.
soporific [sɔpə'rɪfɪk] adj (drug) nasenny; (lecture etc) usypiający ♦ n środek m nasenny.
sopping ['sɔpɪŋ] adj: **sopping (wet)** ociekający wodą.
soppy ['sɔpɪ] (pej) adj ckliwy (pej).
soprano [sə'prɑ:nəu] n sopran m, sopranista (-tka) m(f).
sorbet ['sɔ:beɪ] n sorbet m.
sorcerer ['sɔ:sərə*] n czarnoksiężnik m.
sordid ['sɔ:dɪd] adj (dirty) obskurny; (wretched) paskudny, ohydny.
sore [sɔ:*] adj (painful) bolesny, obolały; (esp

US: offended) dotknięty ♦ *n* owrzodzenie *nt*;
I have a sore throat boli mnie gardło; **a sore
point** (*fig*) czułe miejsce.

sorely ['sɔ:lɪ] *adv*: **I am sorely tempted (to)**
mam wielką ochotę (+*infin*).

soreness ['sɔ:nɪs] *n* bolesność *f*.

sorrel ['sɔrəl] *n* szczaw *m*.

sorrow ['sɔrəu] *n* smutek *m*, żal *m*; **sorrows**
npl smutki *pl*, żale *pl*.

sorrowful ['sɔrəuful] *adj* (*day*) przygnębiający;
(*smile*) przygnębiony.

sorry ['sɔrɪ] *adj* (*condition*) opłakany; (*sight*)
pożałowania godny; **to be sorry** żałować;
sorry! przepraszam!; **sorry?** słucham?; **to feel
sorry for sb** współczuć komuś; **I'm sorry to
hear that** przykro mi to słyszeć; **to be sorry
about sth** przepraszać (przeprosić *perf*) za
coś; **what a sorry sight you are!** wyglądasz
jak półtora nieszczęścia!

sort [sɔ:t] *n* (*type*) rodzaj *m*; (*make: of coffee*)
gatunek *m*; (: *of car*) marka *f*; **all sorts of
reasons** najróżniejsze powody ♦ *vt* (*also*: **sort
out**: *papers, belongings*) segregować
(posegregować *perf*); (: *problems*)
rozwiązywać (rozwiązać *perf*); (*COMPUT*)
sortować (posortować *perf*); **what sort do you
want?** jaki rodzaj Pan/Pani sobie życzy?;
what sort of car? samochód jakiej marki?; **I'll
do nothing of the sort!** nic podobnego nie
zrobię!; **it's sort of awkward** (*inf*) to tak
jakoś niezręcznie.

sortie ['sɔ:tɪ] *n* wypad *m*.

sorting office ['sɔ:tɪŋ-] (*POST*) *n* oddział *m*
rozdzielni przesyłek.

SOS *n abbr* (= *save our souls*) SOS *nt inv*.

so-so ['səusəu] *adv* tak sobie ♦ *adj* taki sobie.

soufflé ['su:fleɪ] *n* suflet *m*.

sought [sɔ:t] *pt, pp of* **seek**.

sought-after ['sɔ:tɑ:ftə*] *adj* poszukiwany; **a
much sought-after item** bardzo poszukiwana
pozycja.

soul [səul] *n* dusza *f*; (*MUS*) soul *m*; **the poor
soul had nowhere to sleep** biedactwo nie
miało gdzie spać; **I didn't see a soul** nie
widziałem żywej duszy.

soul-destroying ['səuldɪstrɔɪɪŋ] *adj*
przygnębiający, przytłaczający.

soulful ['səulful] *adj* (*eyes, music*) pełen
wyrazu.

soulless ['səullɪs] *adj* (*place*) bez życia *post*;
(*job*) monotonny.

soul mate *n* przyjaciel (-ciółka) *m(f)* od serca.

soul-searching ['səulsə:tʃɪŋ] *n*: **after much
soul-searching, I decided ...** po głębokim
namyśle zdecydowałam się ... .

sound [saund] *adj* (*healthy*) zdrowy; (*not
damaged*) nietknięty; (*reliable, thorough*)
solidny, dogłębny; (*investment*) pewny,
bezpieczny; (*advice*) rozsądny; (*argument,
policy*) słuszny ♦ *adv*: **to be sound asleep**

spać głęboko ♦ *n* (*noise*) dźwięk *m*, odgłos
m; (*volume: on TV etc*) dźwięk *m*, głośność
f; (*GEOG*) przesmyk *m* ♦ *vt* (*alarm, horn*)
włączać (włączyć *perf*) ♦ *vi* (*alarm, horn*)
dźwięczeć (zadźwięczeć *perf*); (*fig: seem*)
wydawać się; **to sound like sb** mówić *or*
brzmieć jak ktoś; **it sounds like French** to
wygląda na francuski; **that sounds like them
arriving** wygląda na to, że wracają; **to be of
sound mind** być przy zdrowych zmysłach; **I
don't like the sound of it** to mi się nie
podoba; **to sound one's horn** (*AUT*) trąbić
(zatrąbić *perf*); **it sounds as if ...** wygląda na
to, że ... .

►**sound off** (*inf*) *vi*: **to sound off (about)**
wygłaszać opinie (o +*loc*).

►**sound out** *vt* badać (wybadać *perf*),
sondować (wysondować *perf*).

sound barrier *n* bariera *f* dźwięku.

soundbite ['saundbaɪt] *n* sformułowanie *nt*
łatwo wpadające w ucho.

sound effects *npl* efekty *pl* dźwiękowe.

sound engineer (*RADIO, TV etc*) *n*
realizator(ka) *m(f)* dźwięku.

sounding ['saundɪŋ] (*NAUT*) *n* sondowanie *nt*.

sounding board (*MUS*) *n* płyta *f* rezonująca;
(*fig*): **to use sb as a sounding board for
one's ideas** omawiać z kimś swoje pomysły.

soundly ['saundlɪ] *adv* (*sleep*) głęboko,
mocno; (*beat*) dotkliwie.

soundproof ['saundpru:f] *adj* dźwiękoszczelny
♦ *vt* izolować (wyizolować *perf*) akustycznie.

soundtrack ['saundtræk] *n* ścieżka *f*
dźwiękowa.

sound wave *n* fala *f* akustyczna.

soup [su:p] *n* zupa *f*; **in the soup** (*fig*) w
opałach.

soup course *n* zupa *f*.

soup kitchen *n* ≈ garkuchnia *f*.

soup plate *n* głęboki talerz *m*.

soupspoon ['su:pspu:n] *n* łyżka *f* do zupy.

sour ['sauə*] *adj* kwaśny; (*milk*) kwaśny,
skwaśniały; (*fig*) cierpki; **to go** *or* **turn sour**
kwaśnieć (skwaśnieć *perf*); (*fig: relationship*)
psuć się (popsuć się *perf*); **sour grapes** (*fig*)
kwaśne winogrona.

source [sɔ:s] *n* źródło *nt*; **I have it from a
reliable source that ...** wiem z wiarygodnego
źródła, że ... .

south [sauθ] *n* południe *nt* ♦ *adj* południowy
♦ *adv* na południe; **(to the) south of** na
południe od +*gen*; **to travel south** jechać na
południe; **the South of France** południe
Francji.

South Africa *n* Republika *f* Południowej
Afryki.

South African *adj* południowoafrykański ♦ *n*
Południowoafrykańczyk (-anka) *m(f)*.

South America *n* Ameryka *f* Południowa.

South American *adj* południowoamerykański

♦ *n* mieszkaniec (-nka) *m(f)* Ameryki Południowej.

southbound ['sauθbaund] *adj* (*traffic*) zdążający na południe; (*carriageway*) prowadzący na południe.

south-east [sauθ'i:st] *n* południowy wschód *m*.

South-East Asia *n* południowo-wschodnia Azja *f*.

southerly ['sʌðəlɪ] *adj* południowy.

southern ['sʌðən] *adj* południowy; **the southern hemisphere** półkula południowa.

South Korea *n* Korea *f* Południowa.

South Pole *n*: **the South Pole** biegun *m* południowy.

South Sea Islands *npl* Oceania *f*.

South Seas *npl*: **the South Seas** Południowy Pacyfik *m*.

southward(s) ['sauθwəd(z)] *adv* na południe.

south-west [sauθ'wɛst] *n* południowy zachód *m*.

souvenir [su:və'nɪə*] *n* pamiątka *f*, souvenir *m*.

sovereign ['sɔvrɪn] *n* monarcha *m*.

sovereignty ['sɔvrɪntɪ] *n* suwerenność *f*.

Soviet ['səuvɪət] *adj* radziecki ♦ *n* mieszkaniec (-nka) *m(f)* Związku Radzieckiego; **the Soviet Union** Związek Radziecki.

sow[1] [sau] *n* locha *f*, maciora *f*.

sow[2] [səu] (*pt* **sowed**, *pp* **sown**) *vt* siać (posiać *perf*), wysiewać (wysiać *perf*); (*fig: suspicion etc*) siać (zasiać *perf*).

soya ['sɔɪə] (*US* **soy**) *n*: **soya bean** soja *f*; **soya sauce** sos sojowy.

spa [spɑ:] *n* (*town*) uzdrowisko *nt*; (*US: also:* **health spa**) ≈ centrum *m* odnowy biologicznej.

space [speɪs] *n* (*gap*) szpara *f*, (*room*) miejsce *nt*; (*beyond Earth*) przestrzeń *f* kosmiczna, kosmos *m*; (*period*): **(with)in the space of** na przestrzeni +*gen*, w przeciągu +*gen* ♦ *cpd*: **space research** badania *pl* kosmosu ♦ *vt* (*also:* **space out**: *text*) rozmieszczać (rozmieścić *perf*); (: *payments, visits*) rozkładać (rozłożyć *perf*); **to clear a space for sth** przygotowywać (przygotować *perf*) miejsce pod *or* na coś; **in a confined space** w zamkniętej przestrzeni; **in a short space of time** w krótkim czasie.

space bar *n* klawisz *m* odstępów, odstępnik *m*.

spacecraft ['speɪskrɑ:ft] *n* statek *m* kosmiczny.

spaceman ['speɪsmæn] *n* (*irreg like* **man**) kosmonauta *m*.

spaceship ['speɪsʃɪp] = **spacecraft**.

space shuttle *n* prom *m* kosmiczny, wahadłowiec *m*.

spacesuit ['speɪssu:t] *n* skafander *m or* kombinezon *m* kosmiczny.

spacewoman ['speɪswumən] *n* (*irreg like* **woman**) kosmonautka *f*.

spacing ['speɪsɪŋ] *n* odstęp *m*; **single/double spacing** (*TYP etc*) jednopunktowa/dwupunktowa interlinia.

spacious ['speɪʃəs] *adj* przestronny.

spade [speɪd] *n* łopata *f*, (*child's*) łopatka *f*; **spades** *npl* (*CARDS*) piki *pl*.

spadework ['speɪdwə:k] *n* (*fig*) czarna robota *f*.

spaghetti [spə'gɛtɪ] *n* spaghetti *nt inv*.

Spain [speɪn] *n* Hiszpania *f*.

span [spæn] *n* (*of wings, arch*) rozpiętość *f*; (*in time*) okres *m* ♦ *vt* (*river*) łączyć (połączyć *perf*) brzegi +*gen*; (*fig: time*) obejmować (objąć *perf*).

Spaniard ['spænjəd] *n* Hiszpan(ka) *m(f)*.

spaniel ['spænjəl] *n* spaniel *m*.

Spanish ['spænɪʃ] *adj* hiszpański ♦ *n* (*język m*) hiszpański; **the Spanish** *npl* Hiszpanie *vir pl*; **Spanish omelette** omlet po hiszpańsku (*z pomidorami, papryką i zielem angielskim*).

spank [spæŋk] *vt* dawać (dać *perf*) klapsa +*dat*.

spanner ['spænə*] (*BRIT*) *n* klucz *m* (*maszynowy*).

spar [spɑ:*] *n* (*NAUT*) drzewce *nt* ♦ *vi* (*BOXING*) odbywać (odbyć *perf*) sparing.

spare [spɛə*] *adj* (*free*) wolny; (*extra*) zapasowy ♦ *n* = **spare part** ♦ *vt* (*save: trouble etc*) oszczędzać (oszczędzić *perf*) +*gen*; (*make available*) przeznaczać (przeznaczyć *perf*); (*afford to give*) użyczać (użyczyć *perf*) +*gen*; (*refrain from hurting*) oszczędzać (oszczędzić *perf*); **to spare** w zapasie; **these two are going spare** tych dwoje dostaje szału; **to spare no expense** nie szczędzić kosztów; **can you spare the time?** czy możesz poświęcić trochę czasu?; **I've a few minutes to spare** mam kilka wolnych minut; **there is no time to spare** nie ma chwili do stracenia; **spare me the details** oszczędź mi szczegółów.

spare part *n* część *f* zamienna *or* zapasowa.

spare room *n* pokój *m* gościnny.

spare time *n* wolny czas *m*.

spare tyre *n* zapasowa opona *f*.

spare wheel *n* zapasowe koło *nt*.

sparing ['spɛərɪŋ] *adj*: **to be sparing with** oszczędzać na +*loc*.

sparingly ['spɛərɪŋlɪ] *adv* oszczędnie.

spark [spɑ:k] *n* iskra *f*, (*fig: of wit etc*) przebłysk *m*.

spark(ing) plug ['spɑ:k(ɪŋ)-] *n* świeca *f* zapłonowa.

sparkle ['spɑ:kl] *n* połysk *m* ♦ *vi* mienić się, skrzyć się.

sparkling ['spɑ:klɪŋ] *adj* (*water*) gazowany; (*wine*) musujący; (*fig: conversation, performance*) błyskotliwy.

sparrow ['spærəu] *n* wróbel *m*.

sparse [spɑ:s] *adj* (*hair*) rzadki; (*rainfall*) skąpy; (*population*) nieliczny.

spartan ['spɑ:tən] *adj* (*fig*) spartański.

spasm ['spæzəm] *n* (*MED*) skurcz *m*, spazm *m*; (*fig: of anger etc*) paroksyzm *m*.

spasmodic [spæz'mɔdɪk] *adj* (*fig*) nerwowy.

spastic ['spæstɪk] (*old: MED*) *n* osoba *f* z

porażeniem kurczowym ♦ adj (MED) spastyczny, kurczowy.

spat [spæt] pt, pp of **spit** ♦ n (US) sprzeczka f.

spate [speɪt] n (fig): **a spate of** (letters etc) nawał m or powódź f +gen; **a river in spate** wezbrana rzeka.

spatial ['speɪʃl] adj przestrzenny.

spatter ['spætə*] vt (liquid) rozpryskiwać (rozpryskać perf); (surface) opryskiwać (opryskać perf) ♦ vi rozpryskiwać się (rozpryskać się perf).

spatula ['spætjulə] n (CULIN) łopatka f; (MED) szpatułka f.

spawn [spɔːn] vi (fish) składać (złożyć perf) ikrę; (frog) składać (złożyć perf) skrzek ♦ vt (group, problem etc) dawać (dać perf) początek +dat ♦ n (of fish) ikra f, (of frog) skrzek m.

SPCA (US) n abbr (= Society for the Prevention of Cruelty to Animals).

SPCC (US) n abbr (= Society for the Prevention of Cruelty to Children).

speak [spiːk] (pt **spoke**, pp **spoken**) vi (use voice) mówić; (make a speech) przemawiać (przemówić perf); (truth) mówić (powiedzieć perf); **to speak to sb/of** or **about sth** rozmawiać (porozmawiać perf) z kimś/o czymś; **speak up!** mów głośniej!; **to speak English** mówić po angielsku; **to speak at a conference/in a debate** zabierać (zabrać perf) głos na konferencji/w debacie; **to speak one's mind** wyrażać (wyrazić perf) swoje zdanie; **he has no money to speak of** on nie ma praktycznie żadnych pieniędzy; **so to speak** że tak powiem, że się tak wyrażę.

▸**speak for** vt fus: **to speak for sb** mówić za kogoś or w czyimś imieniu; **that picture is already spoken for** ten obraz jest już sprzedany; **speak for yourself!** mów za siebie!

speaker ['spiːkə*] n (person) mówca m; (also: **loudspeaker**) głośnik m;: **the Speaker** (BRIT, US) przewodniczący jednej z izb parlamentu; **are you a Welsh speaker?** czy mówisz po walijsku?

speaking ['spiːkɪŋ] adj mówiący; **a speaking clock** zegarynka; **Italian-speaking people** ludzie mówiący po włosku; **they are not on speaking terms** oni ze sobą nie rozmawiają.

spear [spɪə*] n włócznia f ♦ vt dźgać (dźgnąć perf) włócznią.

spearhead ['spɪəhɛd] vt stać (stanąć perf) na czele +gen.

spearmint ['spɪəmɪnt] n mięta f zielona.

spec [spɛk] (inf) n: **on spec** w ciemno (inf); **to buy/go on spec** kupować/iść w ciemno (inf).

spec. (TECH) n abbr (= specification) specyfikacja f.

special ['spɛʃl] adj (effort, help, occasion) specjalny, szczególny; (adviser, permission, school) specjalny ♦ n pociąg m specjalny or

dodatkowy; **take special care** bądź szczególnie ostrożny; **nothing special** nic szczególnego or specjalnego; **today's special is...** dziś polecamy... .

special agent n agent m specjalny.

special correspondent n specjalny korespondent m or wysłannik m.

special delivery (POST) n: **by special delivery** przesyłką ekspresową.

special effects npl efekty pl specjalne.

specialist ['spɛʃəlɪst] n specjalista (-tka) m(f); **heart specialist** specjalista kardiolog or chorób serca.

speciality [spɛʃɪ'ælɪtɪ] n specjalność f.

specialize ['spɛʃəlaɪz] vi: **to specialize (in)** specjalizować się (w +instr).

specially ['spɛʃlɪ] adv specjalnie.

special offer (COMM) n oferta f specjalna, okazja f.

specialty ['spɛʃəltɪ] (esp US) = **speciality**.

species ['spiːʃiːz] n inv gatunek m.

specific [spə'sɪfɪk] adj (fixed) określony; (exact) ścisły; **specific to** specyficzny dla +gen.

specifically [spə'sɪfɪklɪ] adv (specially) specjalnie; (exactly) ściśle.

specification [spɛsɪfɪ'keɪʃən] n (TECH) opis m techniczny; (requirement) wymóg m; **specifications** npl (TECH) parametry pl.

specify ['spɛsɪfaɪ] vt wyszczególniać (wyszczególnić perf); **unless otherwise specified** przy braku innych wskazań.

specimen ['spɛsɪmən] n (single example) okaz m; (MED) próbka f.

specimen copy n egzemplarz m próbny.

specimen signature n wzór m podpisu.

speck [spɛk] n drobinka f, pyłek m.

speckled ['spɛkld] adj (hen, eggs) nakrapiany.

specs [spɛks] (inf) npl okulary pl.

spectacle ['spɛktəkl] n widowisko nt; **spectacles** npl okulary pl.

spectacle case (BRIT) n etui nt inv do okularów.

spectacular [spɛk'tækjulə*] adj (rise etc) dramatyczny; (success) spektakularny ♦ n (THEAT) gala f.

spectator [spɛk'teɪtə*] n widz m; **a spectator sport** sport widowiskowy.

spectra ['spɛktrə] npl of **spectrum**.

spectre ['spɛktə*] (US **specter**) n widmo nt.

spectrum ['spɛktrəm] (pl **spectra**) n widmo nt; (fig: of opinion etc) spektrum m.

speculate ['spɛkjuleɪt] vi (FIN) spekulować, grać (na giełdzie); **to speculate about** snuć domysły na temat +gen.

speculation [spɛkju'leɪʃən] n (FIN) spekulacja f; (guesswork) domysły pl, spekulacje pl.

speculative ['spɛkjulətɪv] adj oparty na domysłach.

speculator ['spɛkjuleɪtə*] n spekulant(ka) m(f).

sped [spɛd] pt, pp of **speed**.

speech [spi:tʃ] *n* (*faculty, act, part of play*)
mowa *f*; (*manner of speaking, enunciation*)
wymowa *f*; (*formal talk*) przemówienie *nt*,
przemowa *f*.

speech day (*BRIT: SCOL*) *n* dzień, w którym
uczniom rozdaje się nagrody, zaprasza się do
szkoły rodziców i wygłasza przemówienia.

speech impediment *n* zaburzenie *nt* mowy.

speechless ['spi:tʃlɪs] *adj* oniemiały; **he was
speechless** zaniemówił, oniemiał.

speech therapist *n* logopeda *m*.

speech therapy *n* leczenie *nt* logopedyczne.

speed [spi:d] (*pt, pp* **sped**) *n* (*rate*) prędkość
f, szybkość *f*; (*fast travel, promptness, haste*)
szybkość *f* ♦ *vi*: **to speed (along/by)** pędzić
(popędzić *perf*) (wzdłuż +*gen*/obok +*gen*);
(*AUT*) jechać z nadmierną prędkością,
przekraczać (przekroczyć *perf*) dozwoloną
prędkość; **at speed** (*BRIT*) z dużą prędkością;
at full *or* **top speed** z maksymalną
prędkością; **at a speed of 70km/h** z
prędkością siedemdziesięciu kilometrów na
godzinę; **shorthand/typing speed** szybkość
stenografowania/pisania na maszynie; **a
five-speed gearbox** pięciobiegowa skrzynia
biegów.

►**speed up** (*pt, pp* **speeded up**) *vi*
przyspieszać (przyspieszyć *perf*) ♦ *vt*
przyspieszać (przyspieszyć *perf*).

speedboat ['spi:dbəut] *n* ślizgacz *m* (*łódź
motorowa*).

speedily ['spi:dɪlɪ] *adv* szybko, pośpiesznie.

speeding ['spi:dɪŋ] (*AUT*) *n* jazda *f* z
nadmierną prędkością, przekroczenie *nt*
dozwolonej prędkości.

speed limit (*AUT*) *n* ograniczenie *nt* prędkości.

speedometer [spɪ'dɔmɪtə*] (*AUT*) *n*
szybkościomierz *m*.

speed trap (*AUT*) *n* miejsce, w którym
prowadzi się radarową kontrolę prędkości
przejeżdżających pojazdów.

speedway ['spi:dweɪ] *n* (*also*: **speedway
racing**) wyścigi *pl* na żużlu.

speedy ['spi:dɪ] *adj* (*fast*) szybki, prędki;
(*prompt*) szybki, rychły.

speleologist [spɛlɪ'ɔlədʒɪst] *n* speleolog *m*.

spell [spɛl] (*pt, pp* **spelt** (*BRIT*) **or spelled**) *n*
(*also*: **magic spell**) zaklęcie *nt*, urok *m*;
(*period*) okres *m* ♦ *vt* (*in writing*) pisać
(napisać *perf*); (*also*: **spell out**) literować
(przeliterować *perf*); (*signify: danger etc*)
oznaczać; **to cast a spell on sb** rzucać
(rzucić *perf*) na kogoś czar *or* urok; **cold/hot
spell** fala chłodów/upałów; **he can't spell** on
nie umie pisać ortograficznie; **how do you
spell your name?** jak się pisze Pana/Pani
nazwisko?; **can you spell it for me?** czy
może mi Pan/Pani to przeliterować?

spellbound ['spɛlbaund] *adj* oczarowany.

spelling ['spɛlɪŋ] *n* (*word form*) pisownia *f*;

(*ability*) ortografia *f*; **spelling mistake** błąd
ortograficzny.

spelt [spɛlt] *pt, pp of* **spell**.

spend [spɛnd] (*pt, pp* **spent**) *vt* (*money*)
wydawać (wydać *perf*); (*time, life*) spędzać
(spędzić *perf*); (*devote*): **to spend
time/money/effort on sth** poświęcać (poświęcić
perf) czas/pieniądze/wysiłek na coś.

spending ['spɛndɪŋ] *n* wydatki *pl*; **government
spending** wydatki publiczne.

spending money *n* kieszonkowe *nt*.

spending power *n* siła *f or* zdolność *f*
nabywcza.

spendthrift ['spɛndθrɪft] *n* rozrzutnik *m*.

spent [spɛnt] *pt, pp of* **spend** ♦ *adj* (*patience*)
wyczerpany; (*cartridge, matches*) zużyty;
(*bullets*) wystrzelony.

sperm [spəːm] *n* nasienie *nt*, sperma *f*; (*single*)
plemnik *m*.

sperm whale *n* kaszalot *m*.

spew [spju:] *vt* wypluwać (wypluć *perf*),
wyrzucać (wyrzucić *perf*) (z siebie).

sphere [sfɪə*] *n* (*round object*) kula *f*; (*area*)
sfera *f*.

spherical ['sfɛrɪkl] *adj* kulisty, sferyczny.

sphinx [sfɪŋks] *n* sfinks *m*.

spice [spaɪs] *n* przyprawa *f* ♦ *vt* przyprawiać
(przyprawić *perf*).

spick-and-span ['spɪkən'spæn] *adj* (*house etc*)
lśniący czystością, wychuchany (*inf*).

spicy ['spaɪsɪ] *adj* mocno przyprawiony, ostry.

spider ['spaɪdə*] *n* pająk *m*; **spider's web**
pajęczyna.

spidery ['spaɪdərɪ] *adj* przypominający
pajęczynę.

spiel [spi:l] (*inf*) *n* gadka *f* (*inf, pej*).

spike [spaɪk] *n* (*point*) kolec *m*; (*BOT*)
kwiatostan *f* stożkowaty; (*ELEC*) impuls *m*;
spikes *npl* (*SPORT*) kolce *pl*.

spike heel (*US*) *n* szpilka *f* (*obcas lub but*).

spiky ['spaɪkɪ] *adj* kolczasty.

spill [spɪl] (*pt, pp* **spilt** *or* **spilled**) *vt*
rozlewać (rozlać *perf*) ♦ *vi* rozlewać się
(rozlać się *perf*), wylewać się (wylać się
perf); **to spill the beans** (*inf: fig*) wygadać się
(*perf*), puszczać (puścić *perf*) farbę (*inf*).

►**spill out** *vi* (*people*) wysypywać się
(wysypać się *perf*).

►**spill over** *vi* (*liquid*) przelewać się (przelać
się *perf*); (*fig: conflict*) rozszerzać się
(rozszerzyć się *perf*).

spin [spɪn] (*pt* **spun, span**, *pp* **spun**) *n* (*in
car*) przejażdżka *f*; (*revolution of wheel*)
wirowanie *nt*; (: *single*) obrót *m*; (*AVIAT*)
korkociąg *m* ♦ *vt* (*wool etc*) prząść (uprząść
perf); (*wheel*) obracać (obrócić *perf*) +*instr*;
(*BRIT: also*: **spin-dry**) odwirowywać
(odwirować *perf*) ♦ *vi* (*make thread*) prząść;
(*turn round*) okręcać się (okręcić się *perf*),
obracać się (obrócić się *perf*); **to put spin on**

a ball podkręcać (podkręcić *perf*) piłkę; **to spin a yarn** opowiadać niestworzone historie; **to spin a coin** (*BRIT*) rzucać (rzucić *perf*) monetą; **my head is spinning** kręci mi się w głowie.

►**spin out** *vt* (*talk, holiday*) przeciągać (przeciągnąć *perf*); (*money*) gospodarować oszczędnie +*instr*.

spinach ['spɪnɪtʃ] *n* szpinak *m*.

spinal ['spaɪnl] *adj*: **spinal injury** uraz *m* kręgosłupa.

spinal column *n* kręgosłup *m*.

spinal cord *n* rdzeń *m* kręgowy.

spindly ['spɪndlɪ] *adj* wrzecionowaty.

spin-dry ['spɪn'draɪ] *vt* odwirowywać (odwirować *perf*).

spin-dryer [spɪn'draɪə*] (*BRIT*) *n* wirówka *f*.

spine [spaɪn] *n* (*ANAT*) kręgosłup *m*; (*thorn*) kolec *m*.

spine-chilling ['spaɪntʃɪlɪŋ] *adj* mrożący krew w żyłach.

spineless ['spaɪnlɪs] *adj* (*fig: person*) bez kręgosłupa *post*.

spinner ['spɪnə*] *n* przędzarz/prządka *m(f)*.

spinning ['spɪnɪŋ] *n* przędzenie *nt*.

spinning top *n* (*toy*) bąk *m*.

spinning wheel *n* kołowrotek *m*.

spin-off ['spɪnɔf] *n* (*fig*) efekt *m* uboczny.

spinster ['spɪnstə*] *n* stara panna *f*.

spiral ['spaɪərl] *n* spirala *f* ♦ *vi* (*fig: prices etc*) wzrastać (wzrosnąć *perf*) gwałtownie; **the inflationary spiral** spirala inflacyjna.

spiral staircase *n* schody *pl* kręcone.

spire ['spaɪə*] *n* iglica *f*.

spirit ['spɪrɪt] *n* (*soul*) dusza *f*; (*ghost, sense*) duch *m*; (*courage*) odwaga *f*; (*frame of mind*) nastrój *m*; **spirits** *npl* napoje *pl* alkoholowe; **in good spirits** w dobrym humorze *or* nastroju; **community spirit** poczucie jedności.

spirited ['spɪrɪtɪd] *adj* (*resistance*) żarliwy, zagorzały; (*performance*) porywający.

spirit level *n* poziomnica *f*.

spiritual ['spɪrɪtjuəl] *adj* duchowy ♦ *n* (*also*: **Negro spiritual**) *utwór chóralny o charakterze religijnym wywodzący się z kultury Murzynów północnoamerykańskich.*

spiritualism ['spɪrɪtjuəlɪzəm] *n* spirytyzm *m*.

spit [spɪt] (*pt, pp* **spat**) *n* (*for roasting*) rożen *m*; (*saliva*) plwocina *f* ♦ *vi* (*person*) pluć (plunąć *perf*), spluwać (splunąć *perf*); (*cooking*) skwierczeć (zaskwierczeć *perf*); (*fire*) trzaskać (trzasnąć *perf*); (*inf: rain*) siąpić.

spite [spaɪt] *n* złośliwość *f* ♦ *vt* robić (zrobić *perf*) na złość +*dat*; **in spite of** (po)mimo +*gen*.

spiteful ['spaɪtful] *adj* złośliwy, zawzięty.

spitroast ['spɪt'rəust] *n* pieczeń *f* z rożna.

spitting ['spɪtɪŋ] *n*: **"spitting prohibited"** „nie pluć" ♦ *adj*: **to be the spitting image of sb**

być podobnym do kogoś jak dwie krople wody.

spittle ['spɪtl] *n* ślina *f*.

spiv [spɪv] (*BRIT: inf, pej*) *n* kombinator *m* (*inf, pej*).

splash [splæʃ] *n* (*sound*) plusk *m*, pluśnięcie *nt*; (*of colour*) plama *f* ♦ *excl* plusk, chlup ♦ *vt* ochlapywać (ochlapać *perf*) ♦ *vi* (*also*: **splash about**) pluskać się; (*water*) chlapać; **to splash paint on the floor** chlapać (pochlapać *perf*) podłogę farbą.

splashdown ['splæʃdaun] *n* wodowanie *nt* statku kosmicznego.

splayfooted ['spleɪfutɪd] *adj* platfusowaty.

spleen [spli:n] *n* śledziona *f*.

splendid ['splɛndɪd] *adj* (*excellent*) doskonały, świetny; (*impressive*) okazały, wspaniały.

splendour ['splɛndə*] (*US* **splendor**) *n* wspaniałość *f*; **splendours** *npl* wspaniałości *pl*.

splice [splaɪs] *vt* kleić (skleić *perf*).

splint [splɪnt] *n* szyna *f* (usztywniająca), łubek *m*.

splinter ['splɪntə*] *n* (*of wood*) drzazga *f*; (*of glass*) odłamek *m* ♦ *vi* rozszczepiać się (rozszczepić się *perf*), rozłupywać się (rozłupać się *perf*).

splinter group *n* odłam *m*.

split [splɪt] (*pt, pp* **split**) *n* (*crack, tear*) pęknięcie *nt*; (*fig*) podział *m*; (*POL*) rozłam *m* ♦ *vt* (*divide*) dzielić (podzielić *perf*); (*party*) powodować (spowodować *perf*) podział *or* rozłam w +*loc*; (*work, profits*) dzielić (podzielić *perf*) ♦ *vi* (*divide*) dzielić się (podzielić się *perf*); (*crack*) pękać (pęknąć *perf*); (*tear*) rozdzierać się (rozedrzeć się *perf*); **let's split the difference** (*with money*) podzielmy resztę na połowę; (*fig: in argument*) pójdźmy na kompromis; **to do the splits** robić (zrobić *perf*) szpagat.

►**split up** *vi* (*couple*) zrywać (zerwać *perf*) (ze sobą), rozstawać się (rozstać się *perf*); (*group*) rozdzielać się (rozdzielić się *perf*).

split-level ['splɪtlɛvl] *adj* (*house*) wielopoziomowy.

split peas *npl* groch *m* or groszek *m* łuskany.

split personality *n* rozdwojenie *nt* jaźni.

split second *n* ułamek *m* sekundy.

splitting ['splɪtɪŋ] *adj*: **I have a splitting headache** głowa mi pęka.

splutter ['splʌtə*] *vi* prychać (prychnąć *perf*), parskać (parsknąć *perf*).

spoil [spɔɪl] (*pt, pp* **spoilt** *or* **spoiled**) *vt* (*thing*) uszkadzać (uszkodzić *perf*); (*enjoyment*) psuć (zepsuć *perf*); (*child*) rozpieszczać (rozpieścić *perf*), psuć ♦ *vi*: **to be spoiling for a fight** rwać się do walki; **to spoil a vote** oddawać (oddać *perf*) nieważny głos.

spoils [spɔɪlz] *npl* łupy *pl*.

spoilsport ['spɔɪlspɔ:t] (*pej*) *n*: **don't be a spoilsport** nie psuj ludziom zabawy.

spoilt [spɔɪlt] *pt, pp of* **spoil** ♦ *adj* (*child*) rozpieszczony; (*ballot paper*) nieważny.

spoke [spəuk] *pt of* **speak** ♦ *n* szprycha *f.*

spoken ['spəukn] *pp of* **speak**.

spokesman ['spəuksmən] (*irreg like* **man**) *n* rzecznik *m.*

spokesperson ['spəukspə:sn] *n* (*irreg like* **person**) rzecznik (-iczka) *m(f).*

spokeswoman ['spəukswumən] *n* (*irreg like* **woman**) rzeczniczka *f.*

sponge [spʌndʒ] *n* gąbka *f*; (*also:* **sponge cake**) biszkopt *m* ♦ *vt* przecierać (przetrzeć *perf*) gąbką ♦ *vi:* **to sponge off** *or* **on sb** wyciągać od kogoś pieniądze.

sponge bag (*BRIT*) *n* kosmetyczka *f.*

sponger ['spʌndʒə*] *n* (*pej*) pasożyt *m* (*pej*).

spongy ['spʌndʒɪ] *adj* gąbczasty.

sponsor ['spɔnsə*] *n* (*of player, programme, event*) sponsor(ka) *m(f)*; (*for application*) poręczyciel(ka) *m(f)*; (*for bill in parliament*) inicjator(ka) *m(f)* ♦ *vt* (*player, programme, event*) sponsorować; (*proposal*) przedkładać (przedłożyć *perf*); **I sponsored him at 3p a mile** (*in fund-raising race*) sponsorowałem go w kwocie 3 pensów za milę.

sponsorship ['spɔnsəʃɪp] *n* sponsorowanie *nt.*

spontaneity [spɔntə'neɪɪtɪ] *n* spontaniczność *f.*

spontaneous [spɔn'teɪnɪəs] *adj* spontaniczny; **spontaneous combustion** samozapłon.

spooky ['spu:kɪ] (*inf*) *adj* straszny.

spool [spu:l] *n* (*for thread*) szpulka *f*; (*for film, tape*) szpula *f.*

spoon [spu:n] *n* łyżka *f*; (*small*) łyżeczka *f.*

spoon-feed ['spu:nfi:d] *vt* (*baby*) karmić łyżeczką; (*patient*) karmić łyżką; (*fig: students*) podawać (podać *perf*) wszystko na tacy +*dat.*

spoonful ['spu:nful] *n* (pełna) łyżka *f.*

sporadic [spə'rædɪk] *adj* sporadyczny.

sport [spɔ:t] *n* (*game*) sport *m*; (*also:* **good sport**) świetny kumpel *m* ♦ *vt* (*piece of clothing, jewellery*) paradować w +*loc*; (*purse, umbrella*) paradować z +*instr*; **indoor/outdoor sports** sporty halowe/rozgrywane na wolnym powietrzu.

sporting ['spɔ:tɪŋ] *adj* (*event*) sportowy; (*gesture*) szlachetny; **a sporting chance** realna szansa.

sport jacket (*US*) *n* = **sports jacket**.

sports car *n* samochód *m* sportowy.

sports centre *n* ośrodek *m* sportowy. ·

sports ground *n* boisko *nt* (sportowe).

sports jacket (*BRIT*) *n* sportowa marynarka *f.*

sportsman ['spɔ:tsmən] *n* (*irreg like* **man**) sportowiec *m.*

sportsmanship ['spɔ:tsmənʃɪp] *n* sportowe zachowanie *nt.*

sports page (*PRESS*) *n* dział *m* sportowy.

sportswear ['spɔ:tswɛə*] *n* odzież *f* sportowa.

sportswoman ['spɔ:tswumən] *n* (*irreg like* **woman**) sportsmenka *f.*

sporty ['spɔ:tɪ] *adj* wysportowany.

spot [spɔt] *n* (*dot*) kropka *f*; (*mark: dirty, unwanted*) plama *f*, (: *on animal*) cętka *f*; (*on skin*) pryszcz *m*; (*place*) miejsce *nt*; (*also:* **spot advertisement**) reklama *f* (*między programami*); (*RADIO, TV*) część programu zarezerwowana dla konkretnego artysty lub określonego typu rozrywki ♦ *vt* zauważać (zauważyć *perf*); **on the spot** (*in that place*) na miejscu; (*immediately*) z miejsca; **a spot of trouble** mały kłopot; **I'll do a spot of gardening** popracuję trochę w ogrodzie; **in a spot** w kropce; **to put sb on the spot** stawiać (postawić *perf*) kogoś w trudnej sytuacji; **to come out in spots** dostawać (dostać *perf*) wysypki.

spot check *n* wyrywkowa kontrola *f.*

spotless ['spɔtlɪs] *adj* nieskazitelny.

spotlight ['spɔtlaɪt] *n* reflektor *m* (punktowy).

spot-on [spɔt'ɔn] (*BRIT: inf*) *adj:* **to be spot-on** trafiać (trafić *perf*) w dziesiątkę.

spot price (*COMM*) *n* cena *f* loco.

spotted ['spɔtɪd] *adj* (*bird*) nakrapiany; (*animal*) cętkowany; (*garment*) w kropki *post*; **spotted with** poplamiony +*instr.*

spotty ['spɔtɪ] *adj* pryszczaty.

spouse [spaus] *n* małżonek (-nka) *m(f).*

spout [spaut] *n* (*of jug, teapot*) dziobek *m*; (*of pipe*) wylot *m*; (*of liquid*) struga *f* ♦ *vi* chlustać (chlusnąć *perf*), bluzgać (bluznąć *perf*).

sprain [spreɪn] *n* (*MED*) skręcenie *nt* ♦ *vt:* **to sprain one's ankle/wrist** skręcić (*perf*) nogę w kostce/rękę w nadgarstku.

sprang [spræŋ] *pt of* **spring**.

sprawl [sprɔ:l] *vi* rozciągać się (rozciągnąć się *perf*) ♦ *n:* **urban sprawl** rozrastanie się *nt* miasta (*w sposób nadmierny i/lub niekontrolowany*); **to send sb sprawling** zwalać (zwalić *perf*) kogoś z nóg.

spray [spreɪ] *n* (*small drops*) rozpylona ciecz *f*, (: *of water*) pył *m* wodny; (*sea spray*) mgiełka *f* od wody; (*container*) spray *m*, aerozol *m*; (*garden spray*) spryskiwacz *m* ogrodowy; (*of flowers*) gałązka *f* ♦ *vt* (*liquid*) rozpryskiwać (rozpryskać *perf*); (*crops*) opryskiwać (opryskać *perf*) ♦ *cpd:* **spray deodorant** dezodorant *m* w sprayu *or* aerozolu; **spray can** spray, aerozol; **to spray water on sth, to spray sth with water** opryskiwać (opryskać *perf*) coś wodą.

spread [spred] (*pt, pp* **spread**) *n* (*area covered*) zasięg *m*; (*span, variety*) rozpiętość *f*; (*distribution*) rozkład *m*; (*expansion*) rozprzestrzenianie się *nt*; (*CULIN*) pasta *f* (*do smarowania pieczywa*); (*inf: food*) uczta *f*; (*PRESS*) rozkładówka *f* ♦ *vt* (*objects, one's arms, repayments*) rozkładać (rozłożyć *perf*); (*dirt, rumour, disease*) roznosić (roznieść *perf*)

♦ *vi* (*disease*) rozprzestrzeniać się (rozprzestrzenić się *perf*); (*news*) rozchodzić się (rozejść się *perf*); (*stain*) rozlewać się (rozlać się *perf*); **middle-age spread** zaokrąglanie się figury w średnim wieku; **to spread butter on, to spread with butter** smarować (posmarować *perf*) masłem +*acc*.

spread out *vi* (*move apart*) rozchodzić się (rozejść się *perf*), rozdzielać się (rozdzielić się *perf*); (*extend*) rozciągać się.

spread-eagled ['sprɛdiːgld] *adj*: **he was (lying) spread-eagled** leżał z rozrzuconymi kończynami.

spreadsheet ['sprɛdʃiːt] (*COMPUT*) *n* arkusz *m* kalkulacyjny.

spree [spriː] *n*: **let's go on a spree** chodźmy zaszaleć.

sprig [sprɪg] *n* gałązka *f*.

sprightly ['spraɪtlɪ] *adj* dziarski, żwawy.

spring [sprɪŋ] (*pt* **sprang**, *pp* **sprung**) *n* (*coiled metal*) sprężyna *f*; (*season*) wiosna *f*; (*of water*) źródło *nt*; (: *small*) źródełko *nt* ♦ *vi* (*leap*) skakać (skoczyć *perf*) ♦ *vt*: **the pipe/boat had sprung a leak** rura/łódka zaczęła przeciekać; **in spring** wiosną, na wiosnę; **to walk with a spring in one's step** chodzić sprężystym krokiem; **to spring from** wynikać (wyniknąć *perf*) z +*gen*; **to spring into action** zaczynać (zacząć *perf*) działać; **he sprang the news on me** zaskoczył mnie tą wiadomością.

spring up *vi* wyrastać (wyrosnąć *perf*) (jak grzyby po deszczu).

springboard ['sprɪŋbɔːd] *n* (*SPORT*) trampolina *f*; (*fig*): **to be the springboard for** stanowić odskocznię dla +*gen*.

spring-clean(ing) [sprɪŋ'kliːn(ɪŋ)] *n* wiosenne porządki *pl*.

spring onion (*BRIT*) *n* zielona cebulka *f*.

springtime ['sprɪŋtaɪm] *n* wiosenna pora *f*; **in springtime** wiosną, na wiosnę.

springy ['sprɪŋɪ] *adj* sprężysty.

sprinkle ['sprɪŋkl] *vt*: **to sprinkle water on sth, to sprinkle sth with water** skrapiać (skropić *perf*) or zraszać (zrosić *perf*) coś wodą; **to sprinkle salt/sugar on sth, to sprinkle sth with salt/sugar** posypywać (posypać *perf*) coś solą/cukrem.

sprinkler ['sprɪŋklə*] *n* (*for lawn*) spryskiwacz *m*, zraszacz *m*; (*to put out fire*) instalacja *f* tryskaczowa or sprinklerowa.

sprinkling ['sprɪŋklɪŋ] (*of water*) kilka *pl* kropli; (*of salt, sugar*) szczypta *f*; (*fig*) odrobina *f*.

sprint [sprɪnt] *n* sprint *m* ♦ *vi* biec (pobiec *perf*) sprintem; **the 200 metres sprint** bieg na 200 metrów.

sprinter ['sprɪntə*] *n* sprinter(ka) *m(f)*.

sprite [spraɪt] *n* chochlik *m*.

sprocket ['sprɔkɪt] *n* koło *nt* łańcuchowe.

sprout [spraut] *vi* kiełkować (wykiełkować *perf*).

sprouts [sprauts] *npl* (*also*: **Brussels sprouts**) brukselka *f*.

spruce [spruːs] *n inv* świerk *m* ♦ *adj* elegancki.

►**spruce up** *vt* (*room, car*) wyszykować (*perf*); **to spruce o.s. up** stroić się (wystroić się *perf*).

sprung [sprʌŋ] *pp of* **spring**.

spry [spraɪ] *adj* dziarski, żwawy.

SPUC *n abbr* (= Society for the Protection of Unborn Children).

spud [spʌd] (*inf*) *n* kartofel *m*.

spun [spʌn] *pt*, *pp of* **spin**.

spur [spəː*] *n* ostroga *f*; (*fig*) bodziec *m*, zachęta *f* ♦ *vt* (*also*: **spur on**) zachęcać (zachęcić *perf*); **on the spur of the moment** pod wpływem chwilowego impulsu.

spurious ['spjuərɪəs] *adj* (*attraction*) złudny; (*argument*) błędny; (*sympathy*) fałszywy, udawany.

spurn [spəːn] *vt* (*proposal, idea*) odrzucać (odrzucić *perf*); (*person*) odtrącać (odtrącić *perf*).

spurt [spəːt] *n* (*of blood etc*) struga *f*, (*of emotion*) poryw *m* ♦ *vi* (*blood*) tryskać (trysnąć *perf*); (*flame*) strzelać (strzelić *perf*); **to put on a spurt** (*runner*) przyśpieszać (przyśpieszyć *perf*).

sputter ['spʌtə*] *vi* = **splutter**.

spy [spaɪ] *n* szpieg *m* ♦ *vi*: **to spy on** szpiegować +*acc* ♦ *vt* ujrzeć (*perf*), spostrzec (*perf*) ♦ *cpd* szpiegowski.

spying ['spaɪɪŋ] *n* szpiegostwo *nt*.

Sq. *abbr* (*in address*) = **square** pl.

sq. *abbr* = **square** kw.

squabble ['skwɔbl] *vi* sprzeczać się (posprzeczać się *perf*) ♦ *n* sprzeczka *f*.

squad [skwɔd] *n* (*MIL, POLICE*) oddział *m*; (*SPORT*) ekipa *f*; **flying squad** (*POLICE*) lotna brygada.

squad car (*BRIT*) *n* samochód *m* or wóz *m* patrolowy.

squadron ['skwɔdrn] *n* (*MIL*) szwadron *m*; (*AVIAT, NAUT*) eskadra *f*.

squalid ['skwɔlɪd] *adj* (*conditions, house*) nędzny; (*story*) plugawy.

squall [skwɔːl] *n* szkwał *m*.

squalor ['skwɔlə*] *n* nędza *f*.

squander ['skwɔndə*] *vt* (*money*) trwonić (roztrwonić *perf*); (*chances*) trwonić (strwonić *perf*).

square [skwɛə*] *n* (*shape*) kwadrat *m*; (*in town*) plac *m*; (*US: block of houses*) kwartał *m*; (*also*: **set square**) ekierka *f* ♦ *adj* (*in shape*) kwadratowy; (*meal*) solidny; (*inf: ideas, person*) staromodny, staroświecki ♦ *vt* (*arrange*) układać (ułożyć *perf*); (*MATH*) podnosić (podnieść *perf*) do kwadratu; (*reconcile*) godzić (pogodzić *perf*) ♦ *vi*: **to square with** przystawać or pasować do +*gen*; **don't be such a square** (*inf*) nie bądź taki nie na czasie; **all square** remisowy; **two metres square** kwadrat o boku dwóch metrów; **two square metres** dwa metry kwadratowe; **I'll square it with him** (*inf*) załatwię to z nim; **can you square it with your conscience?** czy pozwala ci na to sumienie?; **we're back to square one** wróciliśmy do punktu wyjścia.

▸**square up** (*BRIT*) *vi* wyrównywać (wyrównać *perf*) rachunki; **to square up with sb** rozliczać się (rozliczyć się *perf*) z kimś.

square bracket *n* nawias *m* kwadratowy.

squarely ['skwɛəlɪ] *adv* (*fall etc*) prosto; (*confront, look*) odważnie, wprost.

square root *n* pierwiastek *m* kwadratowy.

squash [skwɔʃ] *n* (*US*) kabaczek *m*; (*SPORT*) squash *m*; (*BRIT*): **lemon/orange squash** sok *m* cytrynowy/pomarańczowy ♦ *vt* zgniatać (zgnieść *perf*).

squat [skwɔt] *adj* przysadzisty ♦ *vi* (*also:* **squat down**) przykucać (przykucnąć *perf*); (*on property*) mieszkać nielegalnie.

squatter ['skwɔtə*] *n* dziki (-ka) *m(f)* lokator(ka) *m(f)*.

squawk [skwɔ:k] *vi* skrzeczeć (zaskrzeczeć *perf*).

squeak [skwi:k] *vi* (*door*) skrzypieć (zaskrzypieć *perf*); (*mouse*) piszczeć (zapiszczeć *perf*) ♦ *n* (*of hinge*) skrzypienie *nt*; (*of mouse*) pisk *m*.

squeal [skwi:l] *vi* piszczeć (zapiszczeć *perf*).

squeamish ['skwi:mɪʃ] *adj* przewrażliwiony, przeczulony.

squeeze [skwi:z] *n* (*of hand etc*) uścisk *m*; (*ECON*) ograniczenie *nt*; (*also:* **credit squeeze**) ograniczenie *nt* kredytu ♦ *vt* ściskać (ścisnąć *perf*) ♦ *vi*: **to squeeze past/under sth** przeciskać się (przecisnąć się *perf*) obok czegoś/pod czymś; **a squeeze of lemon** odrobina soku z cytryny.

▸**squeeze out** *vt* (*juice etc*) wyciskać (wycisnąć *perf*); (*fig: person*) wykluczać (wykluczyć *perf*), wykolegowywać (wykolegować *perf*) (*inf*).

squelch [skwɛltʃ] *vi* chlupać (chlupnąć *perf*), chlupotać (zachlupotać *perf*).

squib [skwɪb] *n* petarda *f*.

squid [skwɪd] *n* kałamarnica *f*, mątwa *f*.

squiggle ['skwɪgl] *n* zakrętas *m*, zawijas *m*.

squint [skwɪnt] *vi*: **to squint (at)** patrzeć (popatrzeć *perf*) przez zmrużone oczy (na +*acc*) ♦ *n* zez *m*; **he has a squint** on ma zeza.

squire ['skwaɪə*] (*BRIT*) *n* ≈ dziedzic *m*; ≈ ziemianin *m*; (*inf*) szefie (*voc*) (*inf*).

squirm [skwə:m] *vi* wiercić się; (*fig: with embarassment*) skręcać się (*inf*).

squirrel ['skwɪrəl] *n* wiewiórka *f*.

squirt [skwə:t] *vi* tryskać (trysnąć *perf*), sikać

(siknąć *perf*) (*inf*) ♦ *vt* strzykać (strzyknąć *perf*) +*instr*.

Sr *abbr* (*in names*) = **senior** sen., sr.; (*REL*) = **sister** s.

SRC (*BRIT*) *n abbr* (= *Students' Representative Council*).

Sri Lanka [srɪ'læŋkə] *n* Sri Lanka *f*.

SRN (*BRIT*) *n abbr* (= *State Registered Nurse*) ≈ pielęgniarka (-arz) *f(m)* dyplomowana (-ny) *f(m)*.

SRO (*US*) *abbr* (= *standing room only*) tylko miejsca stojące.

SS *abbr* = **steamship**.

SSA (*US*) *n abbr* (= *Social Security Administration*) *agencja rządowa sprawująca kontrolę nad systemem ubezpieczeń społecznych*.

SST (*US*) *n abbr* (= *supersonic transport*) transport *m* ponaddźwiękowy.

ST (*US*) *n abbr* (= *Standard Time*).

St *abbr* = **saint** św.; = **street** ul.

stab [stæb] *n* (*with knife etc*) pchnięcie *nt*, dźgnięcie *nt*; (*of pain*) ukłucie *nt*; (*inf*): **to have a stab at sth/doing sth** próbować (spróbować *perf*) czegoś/zrobić coś ♦ *vt* pchnąć (*perf*) *or* dźgnąć (*perf*) nożem; **to stab sb to death** zadźgać (*perf*) kogoś.

stabbing ['stæbɪŋ] *n* napad *m* z nożem ♦ *adj* kłujący.

stability [stə'bɪlɪtɪ] *n* stabilność *f*.

stabilization [steɪbəlaɪ'zeɪʃən] *n* stabilizacja *f*.

stabilize ['steɪbəlaɪz] *vt* stabilizować (ustabilizować *perf*) ♦ *vi* stabilizować się (ustabilizować się *perf*).

stabilizer ['steɪbəlaɪzə*] *n* (*AVIAT, NAUT*) stabilizator *m*; (*food additive*) środek *m* stabilizujący.

stable ['steɪbl] *adj* (*prices, patient's condition*) stabilny; (*marriage*) trwały ♦ *n* (*for horse*) stajnia *f*; (*for cattle*) obora *f*; **riding stables** ujeżdżalnia.

staccato [stə'kɑ:təu] *adv* staccato ♦ *adj* przerywany.

stack [stæk] *n* stos *m* ♦ *vt* (*also:* **stack up**) układać (ułożyć *perf*) w stos, gromadzić (nagromadzić *perf*); **to stack a room/table with** zastawiać (zastawić *perf*) pokój/stół +*instr*; **there's stacks of time** (*BRIT: inf*) jest mnóstwo czasu.

stadia ['steɪdɪə] *npl of* **stadium**.

stadium ['steɪdɪəm] (*pl* **stadia** *or* **stadiums**) *n* stadion *m*.

staff [stɑ:f] *n* (*workforce*) pracownicy *vir pl*, personel *m*; (*BRIT: also:* **teaching staff**) grono *nt* nauczycielskie *or* pedagogiczne; (*servants*) służba *f*; (*MIL*) sztab *m*; (*stick*) laska *f* ♦ *vt* obsadzać (obsadzić *perf*).

staffroom ['stɑ:fru:m] *n* pokój *m* nauczycielski.

Staffs (*BRIT: POST*) *abbr* (= *Staffordshire*).

stag [stæg] *n* jeleń *m*; (*BRIT*) *gracz*

spekulujący nowo emitowanymi akcjami; **stag market** (*BRIT*) *spekulacja nowo emitowanymi akcjami*.

stage [steɪdʒ] *n* (*in theatre etc*) scena *f*; (*platform*) podium *nt*, estrada *f*; (*point, period*) etap *m*, okres *m* ♦ *vt* (*play*) wystawiać (wystawić *perf*); (*demonstration*) organizować (zorganizować *perf*); (*perform for effect*) inscenizować (zainscenizować *perf*); **the stage** (*THEAT*) scena; **in stages** stopniowo; **to go through a difficult stage** przechodzić (przejść *perf*) trudny okres; **in the early stages** we wczesnych stadiach; **in the final stages** w końcowych stadiach.

stagecoach ['steɪdʒkəʊtʃ] *n* dyliżans *m*.

stage door *n* wejście *nt* dla aktorów.

stage fright *n* trema *f*.

stagehand ['steɪdʒhænd] *n* inspicjent(ka) *m(f)*.

stage-manage ['steɪdʒmænɪdʒ] *vt* (*fig*) wyreżyserować (*perf*).

stage manager (*THEAT*) *n* reżyser *m*.

stagger ['stægə*] *vi* zataczać się (zatoczyć się *perf*), iść (pójść *perf*) zataczając się ♦ *vt* wstrząsać (wstrząsnąć *perf*) +*instr*; (*hours, holidays*) układać (ułożyć *perf*) naprzemiennie.

staggering ['stægərɪŋ] *adj* zdumiewający.

stagnant ['stægnənt] *adj* (*water*) stojący; (*economy*) martwy, w zastoju *post*.

stagnate [stæg'neɪt] *vi* trwać w zastoju.

stagnation [stæg'neɪʃən] *n* stagnacja *f*, zastój *m*.

stag party *n* wieczór *m* kawalerski.

staid [steɪd] *adj* stateczny.

stain [steɪn] *n* (*mark*) plama *f*; (*colouring*) bejca *f* ♦ *vt* (*mark*) plamić (poplamić *perf*); (: *fig*) plamić (splamić *perf*); (*wood*) bejcować (zabejcować *perf*).

stained glass window [steɪnd-] *n* witraż *m*.

stainless steel ['steɪnlɪs-] *n* stal *f* nierdzewna.

stain remover *n* odplamiacz *m*, wywabiacz *m* plam.

stair [stɛə*] *n* stopień *m*; **stairs** *npl* schody *pl*; **on the stairs** na schodach.

staircase ['stɛəkeɪs] *n* klatka *f* schodowa.

stairway ['stɛəweɪ] = **staircase**.

stairwell ['stɛəwɛl] *n* klatka *f* schodowa.

stake [steɪk] *n* (*post*) słup *m*; (*COMM*) udział *m*; (*BETTING*: *usu pl*) stawka *f* ♦ *vt* (*money*) stawiać (postawić *perf*), (*life, reputation*) ryzykować (zaryzykować *perf*); (*also*: **stake out**) ogradzać (ogrodzić *perf*); **to stake a claim (to sth)** rościć sobie prawo (do czegoś); **to be at stake** wchodzić w grę; **to have a stake in sth** być zainteresowanym czymś.

stalactite ['stæləktaɪt] *n* stalaktyt *m*.

stalagmite ['stæləgmaɪt] *n* stalagmit *m*.

stale [steɪl] *adj* (*bread*) czerstwy; (*food*) nieświeży; (*smell, air*) stęchły; (*beer*) zwietrzały.

stalemate ['steɪlmeɪt] *n* (*CHESS*) pat *m*; (*fig*) sytuacja *f* patowa.

stalk [stɔ:k] *n* (*of flower*) łodyga *f*; (*of fruit*) szypułka *f* ♦ *vt* śledzić, podchodzić ♦ *vi*: **to stalk out/off** oddalać się (oddalić się *perf*).

stall [stɔ:l] *n* (*BRIT*) stoisko *nt*, stragan *m*; (*in stable*) przegroda *f* ♦ *vt* (*AUT*): **I stalled the car** zgasł mi silnik; (*fig: decision etc*) opóźniać (opóźnić *perf*), przeciągać (przeciągnąć *perf*); (: *person*) zwodzić (zwieść *perf*), zbywać (zbyć *perf*) ♦ *vi* (*engine, car*) gasnąć (zgasnąć *perf*); (*fig: person*) grać na zwłokę *or* czas; **stalls** *npl* (*BRIT*: *in cinema, theatre*) parter *m*; **a seat in the stalls** miejsce na parterze; **a clothes/flower stall** stoisko *or* budka z odzieżą/kwiatami.

stallholder ['stɔ:lhəʊldə*] (*BRIT*) *n* straganiarz (-arka) *m(f)*.

stallion ['stæljən] *n* ogier *m*.

stalwart ['stɔ:lwət] *adj* lojalny, oddany.

stamen ['steɪmɛn] (*BOT*) *n* pręcik *m*.

stamina ['stæmɪnə] *n* wytrzymałość *f*, wytrwałość *f*.

stammer ['stæmə*] *n* jąkanie (się) *nt* ♦ *vi* jąkać się, zajakiwać się (zająknąć się *perf*); **to have a stammer** jąkać się.

stamp [stæmp] *n* (*postage stamp*) znaczek *m* (pocztowy); (*rubber stamp, mark*) pieczątka *f*, stempel *m*; (*fig*) piętno *nt* ♦ *vi* (*also*: **stamp one's foot**) tupać (tupnąć *perf*) ♦ *vt* (*letter*) naklejać (nakleić *perf*) znaczek na +*acc*; (*mark*) znaczyć (oznaczyć *perf*), znakować (oznakować *perf*); (*with rubber stamp*) stemplować (ostemplować *perf*); **stamped addressed envelope** zaadresowana koperta ze znaczkiem.

▸**stamp out** *vt* tłumić (stłumić *perf*); (*fig: crime*) wypleniać (wyplenić *perf*).

stamp album *n* album *m* na znaczki *or* filatelistyczny.

stamp collecting *n* filatelistyka *f*, zbieranie *nt* znaczków.

stamp duty (*BRIT*) *n* opłata *f* stemplowa.

stampede [stæm'pi:d] *n* paniczna ucieczka *f*; (*fig*) panika *f*, popłoch *m*; **a stampede for tickets** pogoń za biletami.

stamp machine *n* automat *m* do sprzedaży znaczków.

stance [stæns] *n* pozycja *f*; (*fig*) postawa *f*, stanowisko *nt*.

stand [stænd] (*pt, pp* **stood**) *n* (*COMM*: *stall*) stoisko *nt*, budka *f*; (: *at exhibition*) stoisko *nt*; (*SPORT*) sektor *m*; (*piece of furniture*) wieszak *m*, stojak *m* ♦ *vi* (*be on foot, be placed*) stać; (*rise*) wstawać (wstać *perf*), powstawać (powstać *perf*); (*remain*) pozostawać (pozostać *perf*) ważnym, zachowywać (zachować *perf*) aktualność; (*in election etc*) kandydować ♦ *vt* (*object*) stawiać (postawić *perf*); (*person, situation*) znosić

(znieść *perf*); **to stand at** (*level, score etc*)
wynosić (wynieść *perf*); **to make a stand
against sth** dawać (dać *perf*) odpór czemuś;
to take a stand on sth zajmować (zająć *perf*)
stanowisko w jakiejś sprawie; **to take the
stand** (*US*) zajmować (zająć *perf*) miejsce dla
świadków; **to stand for parliament** (*BRIT*)
kandydować do parlamentu; **to stand to
gain/lose sth** móc coś zyskać/stracić; **to stand
sb a drink/meal** stawiać (postawić *perf*)
komuś drinka/obiad; **it stands to reason** to
jest logiczne; **as things stand** w obecnym
stanie rzeczy; **I can't stand him** nie mogę go
znieść; **we don't stand a chance** nie mamy
(najmniejszej) szansy; **to stand trial** stawać
(stanąć *perf*) przed sądem.
▸**stand by** *vi* (*be ready*) być gotowym *or*
przygotowanym, stać w pogotowiu; (*fig*) stać
(bezczynnie) ♦ *vt fus* (*opinion*) podtrzymywać
(podtrzymać *perf*); (*person*) stawać (stanąć
perf) po stronie +*gen*.
▸**stand down** *vi* ustępować (ustąpić *perf*),
wycofywać się (wycofać się *perf*).
▸**stand for** *vt fus* (*signify*) znaczyć, oznaczać;
(*represent*) reprezentować (sobą), przedstawiać
(sobą); (*tolerate*) znosić (znieść *perf*).
▸**stand in for** *vt fus* zastępować (zastąpić *perf*).
▸**stand out** *vi* wyróżniać się, rzucać się w
oczy.
▸**stand up** *vi* wstawać (wstać *perf*), powstawać
(powstać *perf*).
▸**stand up for** *vt fus* stawać (stanąć *perf*) w
obronie +*gen*.
▸**stand up to** *vt fus* (*pressure etc*) (dobrze)
wytrzymywać (wytrzymać *perf*) *or* znosić
(znieść *perf*); (*person*) stawiać (stawić *perf*)
czoło +*dat*.
stand-alone ['stændələun] (*COMPUT*) *adj*
autonomiczny.
standard ['stændəd] *n* (*level*) poziom *m*;
(*norm, criterion*) norma *f*, standard *m*; (*flag*)
sztandar *m* ♦ *adj* (*size etc*) typowy; (*textbook*)
klasyczny; (*practice*) znormalizowany,
standardowy; (*model, feature*) standardowy,
podstawowy; **standards** *npl* obyczaje *pl*; **to be**
or **to come up to standard** być na
odpowiednim poziomie; **to apply a double
standard** stosować (zastosować *perf*) podwójną
miarę.
standardization [stændədaɪ'zeɪʃən] *n*
standaryzacja *f*, ujednolicenie *nt*.
standardize ['stændədaɪz] *vt* standaryzować,
ujednolicać (ujednolicić *perf*).
standard lamp (*BRIT*) *n* lampa *f* stojąca.
standard of living *n* stopa *f* życiowa.
standard time *n* czas *m* urzędowy.
stand-by ['stændbaɪ] (*also spelled* **standby**) *n*
rezerwa *f*, środek *m* awaryjny ♦ *adj*
rezerwowy, awaryjny; **on stand-by** w
pogotowiu.

stand-by ticket *n* tani bilet kupowany tuż
*przed rozpoczęciem spektaklu, odlotem
samolotu itp.*
stand-in ['stændɪn] *n* zastępca (-czyni) *m(f)*.
standing ['stændɪŋ] *adj* stały ♦ *n* pozycja *f*
(społeczna); **standing ovation** owacja na
stojąco; **of many years' standing** długoletni,
wielololetni; **he received/was given a standing
ovation** sprawiono mu owację na stojąco; **of
6 months' standing** sześciomiesięczny; **a man
of some standing** człowiek o pewnej pozycji.
standing committee *n* stała komisja *f*.
standing joke *n* pośmiewisko *nt*.
standing order (*BRIT*) *n* (*at bank*) zlecenie *nt*
stałe.
standing room *n* miejsca *pl* stojące.
stand-offish [stænd'ɔfɪʃ] *adj* sztywny.
standpat ['stændpæt] (*US*) *adj* konserwatywny.
standpipe ['stændpaɪp] *n* hydrant *m*.
standpoint ['stændpɔɪnt] *n* punkt *m* widzenia,
stanowisko *nt*.
standstill ['stændstɪl] *n*: **at a standstill**
zablokowany; (*fig*) w martwym punkcie; **to
come to a standstill** (*traffic*) stanąć (*perf*).
stank [stæŋk] *pt of* **stink**.
stanza ['stænzə] *n* zwrotka *f*.
staple ['steɪpl] *n* (*for papers*) zszywka *f*, (*chief
product*) główny artykuł *m* (handlowy) ♦ *adj*
(*food etc*) podstawowy, główny ♦ *vt* zszywać
(zszyć *perf*).
stapler ['steɪplə*] *n* zszywacz *m*.
star [stɑ:*] *n* gwiazda *f* ♦ *vt*: **the movie
starred Lana Turner** główną rolę w filmie
grała Lana Turner ♦ *vi*: **to star in** grać
(zagrać *perf*) (jedną z głównych ról) w +*loc*;
the stars *npl* (*horoscope*) gwiazdy *pl*; **4-star
hotel** hotel czterogwiazdkowy; **2-star petrol**
(*BRIT*) benzyna średniooktanowa; **4-star petrol**
(*BRIT*) benzyna wysokooktanowa.
star attraction *n* główna atrakcja *f*.
starboard ['stɑ:bəd] *adj* (*NAUT, AVIAT*) po
prawej stronie *post*; **to starboard** na sterburtę.
starch [stɑ:tʃ] *n* (*for clothes*) krochmal *m*;
(*CULIN*) skrobia *f*.
starched ['stɑ:tʃt] *adj* wykrochmalony.
starchy ['stɑ:tʃɪ] *adj* bogaty w skrobię;
(*pej: person*) sztywny (*pej*).
stardom ['stɑ:dəm] *n* sława *f*.
stare [stɛə*] *n* spojrzenie *nt* ♦ *vi*: **to stare at**
wpatrywać się w +*acc*, gapić się na +*acc* (*pej*).
starfish ['stɑ:fɪʃ] *n* rozgwiazda *f*.
stark [stɑ:k] *adj* (*landscape, simplicity*) surowy;
(*reality, facts*) nagi; (*poverty*) skrajny ♦ *adv*:
stark naked zupełnie nagi.
starlet ['stɑ:lɪt] *n* gwiazdka *f*.
starlight ['stɑ:laɪt] *n* światło *nt* gwiazd;: **by
starlight** przy świetle gwiazd.
starling ['stɑ:lɪŋ] *n* szpak *m*.
starlit ['stɑ:lɪt] *adj* rozświetlony gwiazdami.
starry ['stɑ:rɪ] *adj* gwiaździsty.

starry-eyed [stɑːrɪ'aɪd] *adj* naiwny; **to be starry-eyed** (*from wonder*) robić wielkie oczy (*inf*).

star-studded ['stɑːstʌdɪd] *adj*: **a star-studded cast** obsada *f* pełna gwiazd.

START (*MIL*) *n abbr* (= *Strategic Arms Reduction Talks*) rokowania *pl* START.

start [stɑːt] *n* (*beginning*) początek *m*; (*SPORT*) start *m*; (*sudden movement*) poderwanie się *nt*; (*advantage*) fory *pl* ♦ *vt* (*begin*) rozpoczynać (rozpocząć *perf*), zaczynać (zacząć *perf*); (*panic etc*) powodować (spowodować *perf*); (*business etc*) zakładać (założyć *perf*); (*engine*) uruchamiać (uruchomić *perf*) ♦ *vi* (*begin*) rozpoczynać się (rozpocząć się *perf*), zaczynać się (zacząć się *perf*); (*with fright*) wzdrygać się (wzdrygnąć się *perf*); (*engine etc*) zaskakiwać (zaskoczyć *perf*); **at the start** na *or* z początku; **for a start** po pierwsze; **to make an early start** wcześnie wyruszać (wyruszyć *perf*); **to start (off) with ...** (*firstly*) po pierwsze ...; (*at the beginning*) na (samym) początku; **to start a fire** rozpalać (rozpalić *perf*) ogień; **to start doing** *or* **to do sth** zaczynać (zacząć *perf*) coś robić.

▸**start off** *vi* (*begin*) zaczynać (zacząć *perf*) działać; (*leave*) wyruszać (wyruszyć *perf*).

▸**start over** (*US*) *vi* zaczynać (zacząć *perf*) od początku.

▸**start up** *vt* (*business etc*) zakładać (założyć *perf*); (*engine, car*) uruchamiać (uruchomić *perf*).

starter ['stɑːtə*] *n* (*AUT*) rozrusznik *m*; (*SPORT: official*) starter *m*; (: *runner, horse*) startujący *m*; (*BRIT: CULIN*) przystawka *f*.

starting point ['stɑːtɪŋ-] *n* punkt *m* wyjścia.

starting price *n* cena *f* wywoławcza *or* wyjściowa.

startle ['stɑːtl] *vt* zaskakiwać (zaskoczyć *perf*), przestraszać (przestraszyć *perf*).

startling ['stɑːtlɪŋ] *adj* (*news etc*) zaskakujący.

star turn (*BRIT*) *n* główna atrakcja *f*.

starvation [stɑː'veɪʃən] *n* głód *m*; **to die of/from starvation** umierać (umrzeć *perf*) z głodu.

starve [stɑːv] *vi* (*be very hungry*) być wygłodzonym; (*to death*) umierać (umrzeć *perf*) *or* ginąć (zginąć *perf*) z głodu ♦ *vt* głodzić (zagłodzić *perf*), morzyć (zamorzyć *perf*) głodem; (*fig*): **to starve sb of sth** pozbawiać (pozbawić *perf*) kogoś czegoś; **I'm starving** umieram z głodu.

state [steɪt] *n* (*condition*) stan *m*; (*government*) państwo *nt* ♦ *vt* oświadczać (oświadczyć *perf*), stwierdzać (stwierdzić *perf*); **the States** *npl* Stany *pl* (Zjednoczone); **to be in a state** być zdenerwowanym; **to get into a state** denerwować się (zdenerwować się *perf*); **in state** uroczyście; **to lie in state** być wystawionym na widok publiczny (*o zwłokach*); **state of emergency** stan wyjątkowy; **state of mind** nastrój.

state control *n* nadzór *m* państwowy.

stated ['steɪtɪd] *adj* (*purpose etc*) podany.

State Department (*US*) *n* Departament *m* Stanu.

state education (*BRIT*) *n* oświata *f* państwowa.

stateless ['steɪtlɪs] *adj* bezpaństwowy, bez obywatelstwa *post*.

stately ['steɪtlɪ] *adj* majestatyczny; **stately home** rezydencja.

statement ['steɪtmənt] *n* oświadczenie *nt*, wypowiedź *f*; (*FIN*) bilans *m*; **official statement** oficjalne oświadczenie; **bank statement** wyciąg (z konta).

state of the art *n*: **the state of the art** współczesny stan *m* wiedzy (*w określonej dziedzinie*) ♦ *adj*: **state-of-the-art** najnowocześniejszy.

state-owned ['steɪtəund] *adj* państwowy.

state secret *n* tajemnica *f* państwowa.

statesman ['steɪtsmən] (*irreg like* **man**) *n* mąż *m* stanu.

statesmanship ['steɪtsmənʃɪp] *n* zalety *pl* właściwe mężowi stanu.

static ['stætɪk] *n* (*RADIO, TV*) zakłócenia *pl* ♦ *adj* statyczny, nieruchomy.

static electricity *n* ładunek *m* elektrostatyczny.

station ['steɪʃən] *n* (*RAIL*) dworzec *m*; (: *small*) stacja *f*; (*also*: **bus station**) dworzec *m* autobusowy; (*also*: **police station**) posterunek *m* (policji); (*RADIO*) stacja *f* ♦ *vt* (*guards etc*) wystawiać (wystawić *perf*); **to be stationed in/at** (*MIL*) stacjonować w +*loc*; **action stations** (*MIL*) posterunki bojowe; **above one's station** ponad stan.

stationary ['steɪʃnərɪ] *adj* nieruchomy, stały.

stationer ['steɪʃənə*] *n* sprzedawca *m* artykułów piśmiennych *or* papierniczych.

stationer's (shop) *n* sklep *m* papierniczy *or* z artykułami piśmiennymi.

stationery ['steɪʃnərɪ] *n* artykuły *pl* piśmienne.

stationmaster ['steɪʃənmɑːstə*] *n* naczelnik *m* stacji.

station wagon (*US*) *n* kombi *nt inv*.

statistic [stə'tɪstɪk] *n* dana *f* statystyczna (*usu pl*).

statistical [stə'tɪstɪkl] *adj* statystyczny.

statistics [stə'tɪstɪks] *n* statystyka *f*.

statue ['stætjuː] *n* posąg *m*, statua *f*.

statuesque [stætju'ɛsk] *adj* posągowy.

statuette [stætju'ɛt] *n* posążek *m*, statuetka *f*.

stature ['stætʃə*] *n* postura *f*; (*fig*) renoma *f*.

status ['steɪtəs] *n* pozycja *f*, status *m*; **the status quo** (istniejący) stan rzeczy, status quo.

status line (*COMPUT*) *n* wiersz *m* stanu *or* statusu.

status symbol *n* symbol *m* statusu (społecznego).

statute ['stætjuːt] *n* ustawa *f*; **statutes** *npl*
statut *m*.
statute book *n*: **on the statute book** w
kodeksie.
statutory ['stætjutrɪ] *adj* ustawowy, statutowy;
statutory meeting zgromadzenie założycielskie.
staunch [stɔːntʃ] *adj* zagorzały ♦ *vt* tamować
(zatamować *perf*).
stave [steɪv] *n* pięciolinia *f*.
►**stave off** *vt* (*attack*) odpierać (odeprzeć *perf*);
(*threat*) powstrzymywać (powstrzymać *perf*).
stay [steɪ] *n* pobyt *m* ♦ *vi* pozostawać
(pozostać *perf*), zostawać (zostać *perf*); **to stay
put** nie ruszać się (z miejsca); **stay of
execution** (*JUR*) zawieszenie wykonania
wyroku; **to stay with friends** mieszkać u
przyjaciół *or* znajomych; **to stay the night**
zostawać (zostać *perf*) na noc.
►**stay behind** *vi* zostawać (zostać *perf*),
zaczekać (*perf*).
►**stay in** *vi* zostawać (zostać *perf*) w domu.
►**stay on** *vi* pozostawać (pozostać *perf*).
►**stay out** *vi* (*of house*) pozostawać (pozostać
perf) *or* być poza domem; (*on strike*)
kontynuować strajk.
►**stay up** *vi* nie kłaść się (spać).
staying power ['steɪŋ-] *n* wytrzymałość *f*.
STD *n abbr* (*BRIT*: *TEL*: = *subscriber trunk
dialling*) automatyczne połączenie *nt*
międzymiastowe; (*MED*: = *sexually
transmitted disease*) choroba *f* przenoszona
drogą płciową.
stead [stɛd] *n*: **in sb's stead** zamiast kogoś; **to
stand sb in good stead** (bardzo) przydawać
się (przydać się *perf*) komuś.
steadfast ['stɛdfɑːst] *adj* (*person*)
niezachwiany; (*refusal, support*) zdecydowany.
steadily ['stɛdɪlɪ] *adv* (*breathe*) równomiernie,
miarowo; (*rise, grow*) stale; (*look*) bacznie.
steady ['stɛdɪ] *adj* (*onstant*) stały; (*regular*)
równomierny, miarowy; (*firm*) pewny;
(*calm: look*) baczny; (*: voice*) opanowany;
(*person, character*) solidny ♦ *vt* (*stabilize*)
podtrzymywać (podtrzymać *perf*); (*nerves*)
uspokajać (uspokoić *perf*); **to steady o.s. on**
or **against sth** oprzeć się (*perf*) o coś.
steak [steɪk] *n* stek *m*.
steakhouse ['steɪkhaus] *n restauracja
specjalizująca się w podawaniu steków*.
steal [stiːl] (*pt* **stole**, *pp* **stolen**) *vt* kraść
(ukraść *perf*) ♦ *vi* kraść; (*move secretly*)
skradać się.
►**steal away** *vi* wykradać się (wykraść się *perf*).
stealth [stɛlθ] *n*: **by stealth** po kryjomu,
ukradkiem.
stealthy ['stɛlθɪ] *adj* ukradkowy.
steam [stiːm] *n* para *f* (wodna) ♦ *vt* gotować
(ugotować *perf*) na parze ♦ *vi* parować; **under
one's own steam** (*fig*) o własnych siłach; **I
ran out of steam** (*fig*) zabrakło mi energii *or*

sił; **to let off steam** (*inf. fig*) odreagowywać
(odreagować *perf*) (*inf*).
►**steam up** *vi* zachodzić (zajść *perf*) parą; **to
get steamed up about sth** (*inf. fig*) podniecać
się (podniecić się *perf*) czymś (*inf*).
steam engine *n* (*RAIL*) parowóz *m*.
steamer ['stiːmə*] *n* (*ship*) parowiec *m*;
(*CULIN*) garnek *m* do gotowania na parze.
steam iron *n* żelazko *nt* z nawilżaczem.
steamroller ['stiːmrəulə*] *n* walec *m* parowy.
steamship ['stiːmʃɪp] *n* = **steamer**.
steamy ['stiːmɪ] *adj* (*window*) zaparowany;
(*book, film*) pikantny.
steed [stiːd] *n* rumak *m*.
steel [stiːl] *n* stal *f* ♦ *adj* stalowy.
steel band *n* zespół muzyków grających na
metalowych bębnach.
steel industry *n* przemysł *m* stalowy.
steel mill *n* walcownia *f* stali.
steelworks ['stiːlwəːks] *n* stalownia *f*.
steely ['stiːlɪ] *adj* (*determination*) żelazny;
(*eyes, gaze*) stalowy.
steep [stiːp] *adj* (*stair, slope*) stromy;
(*increase*) gwałtowny; (*price*) wygórowany ♦
vt zamaczać (zamoczyć *perf*); **to be steeped
in history** (*fig*) być przesiąkniętym historią.
steeple ['stiːpl] *n* (*ARCHIT*) wieża *f* strzelista.
steeplechase ['stiːpltʃeɪs] *n* (*on horse*)
długodystansowy wyścig *m* z przeszkodami;
(*on foot*) bieg *m* z przeszkodami.
steeplejack ['stiːpldʒæk] *n robotnik
wykonujący prace remontowe na dużej
wysokości*.
steeply ['stiːplɪ] *adv* (*rise, fall: mountains*)
stromo; (*: prices*) gwałtownie.
steer [stɪə*] *vt* (*vehicle*) kierować +*instr*; (*boat*)
sterować +*instr*; (*person*) prowadzić
(poprowadzić *perf*) ♦ *vi*: **the ship steered out
of Santiago Bay** statek wypłynął z Santiago
Bay; **to steer clear of sb/sth** (*fig*) trzymać się
z daleka od kogoś/czegoś.
steering ['stɪərɪŋ] (*AUT*) *n* układ *m*
kierowniczy.
steering column (*AUT*) *n* kolumna *f*
kierownicy.
steering committee *n* komisja *f*
koordynacyjna *or* kontroli.
steering wheel *n* kierownica *f*.
stellar ['stɛlə*] *adj* gwiezdny.
stem [stɛm] *n* (*of plant*) łodyga *f*; (*of leaf,
fruit*) szypułka *f*, ogonek *m*; (*of glass*) nóżka
f; (*of pipe*) trzon *m* ♦ *vt* tamować
(zatamować *perf*).
►**stem from** *vt fus* mieć swoje źródło w +*loc*,
brać się z +*gen*.
stench [stɛntʃ] (*pej*) *n* smród *m* (*pej*).
stencil ['stɛnsl] *n* (*lettering, design*) szablon *m*;
(*pattern used*) matryca *f* ♦ *vt* malować
(namalować *perf*) przez szablon.

stenographer [stɛˈnɔgrəfə*] (US) n
stenografista (-tka) m(f).
stenography [stɛˈnɔgrəfɪ] (US) n stenografia f.
step [stɛp] n krok m; (of stairs) stopień m ♦
vi: **to step forward/back** występować
(wystąpić perf) w przód/w tył; **steps** npl
(BRIT) = **stepladder**;
step by step (fig) krok po kroku; **to march
in/out of step (with)** maszerować w takt/nie
w takt (+gen); **to be in/out of step with** (fig)
być/nie być zgodnym z +instr.
►**step down** vi (fig) ustępować (ustąpić perf).
►**step in** vi (fig) wkraczać (wkroczyć perf).
►**step off** vt fus wysiadać (wysiąść perf) (z +gen).
►**step on** vt fus następować (nastąpić perf) na
+acc.
►**step over** vt fus przestępować (przestąpić
perf) +acc.
►**step up** vt (efforts) wzmagać (wzmóc perf);
(pace) przyśpieszać (przyśpieszyć perf).
stepbrother [ˈstɛpbrʌðə*] n brat m przyrodni.
stepchild [ˈstɛptʃaɪld] n pasierb(ica) m(f).
stepdaughter [ˈstɛpdɔ:tə*] n pasierbica f.
stepfather [ˈstɛpfɑ:ðə*] n ojczym m.
stepladder [ˈstɛplædə*] (BRIT) n składane
schodki pl.
stepmother [ˈstɛpmʌðə*] n macocha f.
stepping stone [ˈstɛpɪŋ-] n przejście nt z
kamieni; (fig) odskocznia f.
stepsister [ˈstɛpsɪstə*] n siostra f przyrodnia.
stepson [ˈstɛpsʌn] n pasierb m.
stereo [ˈstɛrɪəu] n zestaw m stereo ♦ adj
stereofoniczny; **in stereo** (w) stereo.
stereotype [ˈstɪərɪətaɪp] n stereotyp m ♦ vt
szufladkować (zaszufladkować perf).
sterile [ˈstɛraɪl] adj (free from germs) sterylny,
wyjałowiony; (barren) bezpłodny; (fig) jałowy.
sterility [stɛˈrɪlɪtɪ] n bezpłodność f.
sterilization [stɛrɪlaɪˈzeɪʃən] n sterylizacja f.
sterilize [ˈstɛrɪlaɪz] vt (thing, place) wyjaławiać
(wyjałowić perf), sterylizować (wysterylizować
perf); (person, animal) sterylizować
(wysterylizować perf).
sterling [ˈstə:lɪŋ] adj (silver) standardowy;
(fig: character, work) najwyższej próby post ♦
n funt m szterling; **one pound sterling** jeden
funt szterling.
sterling area n strefa f szterlingowa.
stern [stə:n] adj surowy ♦ n rufa f.
sternum [ˈstə:nəm] n (ANAT) mostek m.
steroid [ˈstɪərɔɪd] n steroid m.
stethoscope [ˈstɛθəskəup] n słuchawka f
lekarska, stetoskop m.
stevedore [ˈsti:vədɔ:*] n doker m.
stew [stju:] n gulasz m ♦ vt (meat, vegetables)
dusić (udusić perf); (fruit) robić (zrobić perf)
kompot z +gen ♦ vi dusić się (udusić się
perf); **stewed tea** zbyt mocna herbata; **stewed
fruit** kompot.
steward [ˈstju:əd] n (on ship, plane etc)

steward m; (in club etc) gospodarz m; (also:
shop steward) mąż m zaufania (związku
zawodowego).
stewardess [ˈstjuədɛs] n stewardessa f.
stewing steak [ˈstju:ɪŋ-] (US **stew meat**) n
wołowina f na gulasz.
St. Ex. abbr = **stock exchange** GPW f inv, =
Giełda Papierów Wartościowych.
stg abbr = **sterling**.
stick [stɪk] (pt, pp **stuck**) n (of wood) kij m;
(: smaller) patyk m, kijek m; (of dynamite, for
walking) laska f; (of chalk etc) kawałek m ♦
vt (with glue etc) przyklejać (przykleić perf);
(inf: put) wtykać (wetknąć perf); (: tolerate)
wytrzymywać (wytrzymać perf); (thrust): **to
stick sth into** wbijać (wbić perf) coś w +acc
♦ vi (dough etc) kleić się, lepić się;
(thought: in mind) tkwić (utkwić perf);
(drawer etc) zacinać się (zaciąć się perf); **to
get hold of the wrong end of the stick**
(BRIT: fig) zrozumieć (perf) coś opacznie or
na odwrót; **I nicknamed him "Fingers", and
the name stuck** przezwałem go „Fingers" i
przezwisko to przylgnęło do niego.
►**stick around** (inf) vi kręcić się (pokręcić się
perf) (inf).
►**stick out** vi wystawać ♦ vt: **to stick it out**
(inf) wytrzymywać (wytrzymać perf) do końca.
►**stick to** vt fus (one's word) pozostawać
(pozostać perf) wiernym +dat; (agreement)
przestrzegać +gen; (the truth, facts) trzymać
się +gen.
►**stick up** vi sterczeć pionowo.
►**stick up for** vt fus stawać (stanąć perf) w
obronie +gen.
sticker [ˈstɪkə*] n naklejka f.
sticking plaster [ˈstɪkɪŋ-] n przylepiec m,
plaster m.
stickleback [ˈstɪklbæk] (ZOOL) n ciernik m.
stickler [ˈstɪklə*] n: **to be a stickler for** być
pedantem na punkcie +gen.
stick-up [ˈstɪkʌp] (inf) n napad m z bronią w
ręku.
sticky [ˈstɪkɪ] adj (hands) lepki; (tape) klejący;
(day) parny.
stiff [stɪf] adj sztywny; (competition) zacięty;
(penalty) ciężki; (drink) mocny; (breeze) silny
♦ adv: **bored/scared stiff** śmiertelnie
znudzony/przestraszony; **the door was rather
stiff** drzwi chodziły dość opornie; **I am/feel
too stiff to move** jestem/czuję się zbyt
obolały, żeby się ruszyć; **to have a stiff
neck/back** nie móc zgiąć karku/pleców; **to
keep a stiff upper lip** (BRIT: fig) nie
okazywać (nie okazać perf) emocji.
stiffen [ˈstɪfn] vi sztywnieć (zesztywnieć perf).
stiffness [ˈstɪfnɪs] n sztywność f.
stifle [ˈstaɪfl] vt tłumić (stłumić perf); (heat,
scent) dławić, dusić.
stifling [ˈstaɪflɪŋ] adj duszący.

stigma ['stɪgmə] n (of failure etc) piętno nt;
(BOT) znamię nt; **stigmata** npl stygmaty pl.

stile [staɪl] n przełaz m.

stiletto [stɪ'lɛtəu] (BRIT) n (also: **stiletto heel**)
szpilka f (but lub obcas).

still [stɪl] adj (motionless) nieruchomy;
(tranquil) spokojny; (BRIT: drink) niegazowany
♦ adv (up to this time) nadal, ciągle; (even,
yet) jeszcze; (nonetheless) mimo to ♦ n
(FILM) fotos m; **to stand still** stać
nieruchomo or w bezruchu; **keep still!** nie
ruszaj się!; **he still hasn't arrived** ciągle
(jeszcze) go nie ma.

stillborn ['stɪlbɔːn] adj martwo urodzony.

still life n martwa natura f.

stilt [stɪlt] n (pile) pal m; (for walking on)
szczudło nt.

stilted ['stɪltɪd] adj sztywny, wymuszony.

stimulant ['stɪmjulənt] n środek m
pobudzający, stymulant m.

stimulate ['stɪmjuleɪt] vt (demand) pobudzać
(pobudzić perf), stymulować; (person)
pobudzać (pobudzić perf) do działania,
inspirować (zainspirować perf).

stimulating ['stɪmjuleɪtɪŋ] adj inspirujący,
stymulujący.

stimulation [stɪmju'leɪʃən] n stymulacja f.

stimuli ['stɪmjulaɪ] npl of **stimulus**.

stimulus ['stɪmjuləs] (pl **stimuli**) n bodziec m.

sting [stɪŋ] (pt, pp **stung**) n (wound: of
mosquito, snake) ukąszenie nt; (: of bee,
wasp) użądlenie nt; (: of nettle, jellyfish)
oparzenie nt; (organ) żądło nt; (inf) kant m
(inf) ♦ vt kłuć (ukłuć perf); (fig) dotykać
(dotknąć perf), urazić (perf)) ♦ vi (bee, wasp)
żądlić; (mosquito, snake) kąsać; (plant,
hedgehog) kłuć; (nettle, jellyfish) parzyć;
(eyes, ointment) szczypać, piec; **my eyes are
stinging** oczy mnie szczypią or pieką.

stingy ['stɪndʒɪ] (pej) adj skąpy, sknerowaty.

stink [stɪŋk] (pt **stank**, pp **stunk**) n smród m
♦ vi śmierdzieć.

stinker ['stɪŋkə*] (inf) n (person) drań m; **it's
a real stinker** (problem, exam) to naprawdę
cholernie trudne (inf).

stinking ['stɪŋkɪŋ] (inf) adj (fig) parszywy (inf);
a stinking cold paskudne przeziębienie; **he's
stinking rich** jest nadziany (inf).

stint [stɪnt] n: **I've done my stint** wykonałem
swoją część pracy ♦ vi: **to stint on** skąpić
(poskąpić perf) or żałować (pożałować perf)
+gen; **during his stint in Washington/as a
lecturer** w okresie, gdy pracował w
Waszyngtonie/jako wykładowca.

stipend ['staɪpɛnd] n pensja f (zwłaszcza
duchownego).

stipendiary [staɪ'pɛndɪərɪ] adj: **stipendiary
magistrate** sędzia niższej instancji otrzymujący
pensję.

stipulate ['stɪpjuleɪt] vt (conditions, amount)
określać (określić perf), ustalać (ustalić perf).

stipulation [stɪpju'leɪʃən] n warunek m.

stir [stə:*] n (fig) poruszenie nt ♦ vt (tea etc)
mieszać (zamieszać perf); (fig: emotions,
person) poruszać (poruszyć perf) ♦ vi dgać
(drgnąć perf); **to give sth a stir** zamieszać
(perf) coś; **to cause a stir** wywoływać
(wywołać perf) poruszenie.

▶**stir up** vt (trouble) wywoływać (wywołać perf).

stirring ['stə:rɪŋ] adj poruszający.

stirrup ['stɪrəp] n strzemię nt.

stitch [stɪtʃ] n (SEWING) ścieg m; (KNITTING)
oczko nt; (MED) szew m; (pain) kolka f ♦ vt
zszywać (zszyć perf).

stoat [stəut] n gronostaj m.

stock [stɔk] n (supply) zapas m; (COMM)
zapas m towaru; (AGR) (żywy) inwentarz m;
(CULIN) wywar m; (descent, origin) ród m;
(FIN) papiery pl wartościowe; (RAIL: also:
rolling stock) tabor m (kolejowy) ♦ adj (reply,
excuse) szablonowy ♦ vt mieć na składzie;
stocks and shares akcje i obligacje; **in stock**
na składzie; **out of stock** wyprzedany;
well-stocked dobrze zaopatrzony; **to take
stock of** (fig) oceniać (ocenić perf) +acc;
government stock obligacje rządowe.

▶**stock up** vi: **to stock up (with)** robić (zrobić
perf) zapasy (+gen).

stockade [stɔ'keɪd] n częstokół m.

stockbroker ['stɔkbrəukə*] n makler m
giełdowy.

stock control n inwentaryzacja f zapasów.

stock cube (BRIT) n kostka f bulionowa or
rosołowa.

stock exchange n giełda f papierów
wartościowych.

stockholder ['stɔkhəuldə*] (esp US) n
akcjonariusz(ka) m(f).

Stockholm ['stɔkhəum] n Sztokholm m.

stocking ['stɔkɪŋ] n pończocha f.

stock-in-trade ['stɔkɪn'treɪd] n (fig): **it's his
stock-in-trade** (usual job) to dla niego chleb
powszedni; (typical behaviour) to jego
specjalność.

stockist ['stɔkɪst] (BRIT) n sklep m firmowy.

stock market (BRIT) n rynek m papierów
wartościowych.

stock phrase n utarty zwrot m.

stockpile ['stɔkpaɪl] n (of weapons, food)
skład m ♦ vt składować.

stockroom ['stɔkru:m] n skład m, magazyn m.

stocktaking ['stɔkteɪkɪŋ] (BRIT) n
inwentaryzacja f, remanent m.

stocky ['stɔkɪ] adj krępy.

stodgy ['stɔdʒɪ] adj (food) ciężki.

stoic ['stəuɪk] n stoik m.

stoic(al) ['stəuɪk(l)] adj stoicki.

stoke [stəuk] vt (fire, furnace) dorzucać do +gen.

stoker ['stəukə*] n palacz m;

stole [stəul] *pt of* **steal ♦** *n* (*silk*) szal *m*; (*fur*) etola *f*, (*priest's*) stuła *f*.

stolen ['stəuln] *pp of* **steal**.

stolid ['stɔlɪd] *adj* beznamiętny.

stomach ['stʌmək] *n* (*ANAT*) żołądek *m*; (*belly*) brzuch *m ♦ vt* (*fig*) trawić (strawić *perf*).

stomach ache *n* ból *m* żołądka *or* brzucha.

stomach pump *n* odsysacz *m* treści żołądka.

stomach ulcer *n* wrzód *m* żołądka.

stomp [stɔmp] *vi*: **to stomp in/out** wchodzić (wejść *perf*)/wychodzić (wyjść *perf*) ciężkim krokiem.

stone [stəun] *n* (*also MED*) kamień *m*; (*pebble*) kamyk, kamyczek *m*; (*in fruit*) pestka *f*; (*BRIT: weight*) *6,35 kg ♦ adj* kamienny ♦ *vt* (*person*) kamienować (ukamienować *perf*); (*fruit*) drylować (wydrylować *perf*); **within a stone's throw of the station** o dwa kroki od stacji.

Stone Age *n*: **the Stone Age** epoka *f* kamienna.

stone-cold ['stəun'kəuld] *adj* lodowato zimny.

stoned [stəund] (*inf*) *adj* (*on drugs*) naćpany (*inf*); (*drunk*) urżnięty (*inf*).

stone-deaf ['stəun'dɛf] *adj* głuchy jak pień.

stonemason ['stəunmeɪsn] *n* kamieniarz *m*.

stonework ['stəunwəːk] *n* kamieniarka *f*.

stony ['stəunɪ] *adj* (*ground*) kamienisty; (*fig: silence, face*) kamienny; (: *glance*) lodowaty.

stood [stud] *pt, pp of* **stand**.

stool [stuːl] *n* taboret *m*.

stoop [stuːp] *vi* (*also*: **stoop down**) schylać się (schylić się *perf*); (*walk with a stoop*) garbić się; **to stoop to sth/doing sth** (*fig*) zniżać się (zniżyć się *perf*) do czegoś/robienia czegoś.

stop [stɔp] *n* przystanek *m*; (*also*: **full stop**) kropka *f ♦ vt* (*person*) powstrzymywać (powstrzymać *perf*); (*car*) zatrzymywać (zatrzymać *perf*); (*pay*) wstrzymywać (wstrzymać *perf*); (*crime*) zapobiegać (zapobiec *perf*) +*dat ♦ vi* (*person*) zatrzymywać się (zatrzymać się *perf*); (*watch, clock*) stawać (stanąć *perf*); (*rain, noise*) ustawać (ustać *perf*); **to come to a stop** zatrzymywać się (zatrzymać się *perf*); **to stop a cheque** wstrzymywać (wstrzymać *perf*) wypłatę z czeku; **to stop doing sth** przestawać (przestać *perf*) coś robić; **to put a stop to** kłaść (położyć *perf*) kres +*dat*; **to stop sb (from) doing sth** powstrzymywać (powstrzymać *perf*) kogoś od zrobienia czegoś; **stop it!** przestań!

▶**stop by** *vi* zachodzić (zajść *perf*), wpadać (wpaść *perf*).

▶**stop off** *vi* zatrzymywać się (zatrzymać się *perf*) (*podczas podróży*).

▶**stop up** *vt* (*hole*) zatykać (zatkać *perf*).

stopcock ['stɔpkɔk] *n* zawór *m* odcinający.

stopgap ['stɔpgæp] *n* (*person*) (tymczasowe)

zastępstwo *nt*; (*thing*) substytut *m*; **stopgap measure** środek tymczasowy.

stoplights ['stɔplaɪts] (*AUT*) *npl* światła *pl* stopu.

stopover ['stɔpəuvə*] *n* przerwa *f* (w podróży).

stoppage ['stɔpɪdʒ] *n* (*strike*) przestój *m*; (*blockage*) zablokowanie *nt*, blokada *f*; (*of pay*) potrącenie *nt*.

stopper ['stɔpə*] *n* korek *m*, zatyczka *f*.

stop press *n* wiadomości *pl* z ostatniej chwili (*w gazecie*).

stopwatch ['stɔpwɔtʃ] *n* stoper *m*.

storage ['stɔːrɪdʒ] *n* przechowywanie *nt*, składowanie *nt*; (*of nuclear waste etc*) składowanie *nt*; (*COMPUT*) pamięć *f*; (*in house*): **storage space** schowki *pl*.

storage capacity (*COMPUT*) *n* pojemność *f* pamięci.

storage heater (*BRIT*) *n* grzejnik *m* akumulacyjny.

store [stɔː*] *n* (*stock*) zapasy *pl*; (*depot*) schowek *m*; (*shop: US*) sklep *m*; (: *BRIT*) dom *m* towarowy; (*fig: of patience, understanding*) pokłady *pl ♦ vt* (*information, medicines, files*) przechowywać (przechować *perf*); (*goods*) magazynować (zmagazynować *perf*); (*nuclear waste*) składować; **stores** *npl* (*provisions*) zapasy *pl* żywności (*podczas ekspedycji, operacji wojskowej itp*); **in store** na przechowaniu; **who knows what's in store for us?** kto wie, co nas czeka?; **to set great/little store by sth** przywiązywać wielką/małą wagę do czegoś.

▶**store up** *vt* (*food*) trzymać *or* mieć w zapasie; (*fig: memories*) (pieczołowicie) przechowywać (przechować *perf*).

storehouse ['stɔːhaus] *n* (*US*) magazyn *m*; (*fig*) skarbnica *f*.

storekeeper ['stɔːkiːpə*] (*US*) *n* sklepikarz (-arka) *m(f)*.

storeroom ['stɔːruːm] *n* schowek *m*.

storey ['stɔːrɪ] (*US* **story**) *n* piętro *nt*.

stork [stɔːk] *n* bocian *m*.

storm [stɔːm] *n* (*lit, fig*) burza *f*; (*at sea*) sztorm *m ♦ vi* (*fig: speak angrily*) grzmieć (zagrzmieć *perf*) ♦ *vt* szturmować, przypuszczać (przypuścić *perf*) szturm na +*acc*; **to take by storm** brać (wziąć *perf*) szturmem.

storm cloud *n* chmura *f* burzowa.

storm door *n* zewnętrzne drzwi *pl* werandowe.

stormy ['stɔːmɪ] *adj* (*weather*) burzowy; (: *at sea*) sztormowy; (*fig*) burzliwy.

story ['stɔːrɪ] *n* (*history*) historia *f*; (*account*) opowieść *f*; (*tale*) opowiadanie *nt*; (*PRESS*) artykuł *m*; (*lie*) historyjka *f*, bajka *f*; (*US*) = **storey**.

storybook ['stɔːrɪbuk] *n* książeczka *f* z opowiadaniami *or* bajkami.

stout [staut] *adj* (*branch*) gruby; (*person*) tęgi,

korpulentny; (*supporter, resistance*) niezłomny
♦ *n* porter *m*.

stove [stəʊv] *n* (*for cooking*) kuchenka *f*; (*for heating*) piec *m*, piecyk *m*; **gas/electric stove** kuchenka gazowa/elektryczna.

stow [stəʊ] *vt* (*also*: **stow away**) składać (złożyć *perf*).

stowaway ['stəʊəweɪ] *n* pasażer(ka) *m(f)* na gapę.

straddle ['strædl] *vt* (*sit*) siedzieć (usiąść *perf*) okrakiem na +*loc*; (*stand*) stać (stanąć *perf*) okrakiem nad +*instr*; (*fig*) obejmować (objąć *perf*).

strafe [strɑːf] *vt* (*with bullets*) ostrzeliwać (ostrzelać *perf*); (*with bombs*) bombardować (zbombardować *perf*).

straggle ['strægl] *vi* (*person*) odłączać się (odłączyć się *perf*); **the houses straggled down the hillside** domy były rozsiane *or* rozrzucone po zboczu.

straggler ['stræglə*] *n* maruder *m*.

straggly ['strægli] *adj* (*hair*) rozwichrzony.

straight [streɪt] *adj* (*line, back, hair*) prosty; (*answer*) jasny; (*choice, fight*) bezpośredni; (*THEAT: part, play*) dramatyczny; (*whisky etc*) czysty; (*inf: heterosexual*) normalny ♦ *adv* prosto ♦ *n*: **the straight** (*SPORT*) prosta *f*; **to put** *or* **get sth straight** (*make clear*) wyjaśniać (wyjaśnić *perf*) coś; (*make tidy*) doprowadzać (doprowadzić *perf*) coś do porządku; **let's get this straight** ustalmy fakty; **10 straight wins** 10 wygranych z rzędu; **I like my whisky straight** lubię czystą whisky; **to go straight home** iść (pójść *perf*) prosto do domu; **to tell sb straight out** powiedzieć (*perf*) komuś prosto z mostu; **straight away, straight off** od razu.

straighten ['streɪtn] *vt* (*skirt, bed*) poprawiać (poprawić *perf*).

▶**straighten out** *vt* (*fig: problem*) wyjaśniać (wyjaśnić *perf*); (*matters*) porządkować (uporządkować *perf*).

straight-faced [streɪt'feɪst] *adj*: **to be straight-faced** zachowywać (zachować *perf*) poważną minę ♦ *adv* z poważną miną.

straightforward [streɪt'fɔːwəd] *adj* (*simple*) prosty; (*honest*) prostolinijny.

strain [streɪn] *n* (*pressure*) obciążenie *nt*; (*MED: physical*) nadwerężenie *nt*; (*: mental*) stres *m*; (*of virus*) szczep *m*; (*breed*) odmiana *f* ♦ *vt* (*one's back, resources*) nadwerężać (nadwerężyć *perf*); (*potatoes etc*) odcedzać (odcedzić *perf*) ♦ *vi*: **to strain to hear/see** wytężać (wytężyć *perf*) słuch/wzrok; **strains** *npl* (*MUS*) dźwięki *pl*; **he's been under a lot of strain recently** ostatnio żyje w ciągłym napięciu.

strained [streɪnd] *adj* (*back, muscle*) nadwerężony; (*laugh*) wymuszony; (*relations*) napięty.

strainer ['streɪnə*] *n* cedzak *m*, durszlak *m*.

strait [streɪt] *n* cieśnina *f*; **straits** *npl* (*fig*): **to be in dire straits** znajdować się w ciężkich tarapatach.

straitjacket ['streɪtdʒækɪt] *n* kaftan *m* bezpieczeństwa.

strait-laced [streɪt'leɪst] *adj* purytański.

strand [strænd] *n* (*of thread, wool*) włókno *nt*; (*of wire*) żyła *f*; (*of hair*) kosmyk *m*; (*fig*) element *m*.

stranded ['strændɪd] *adj*: **to be stranded** (*ship*) osiąść (*perf*) na mieliźnie; (*sea creature*) zostać (*perf*) wyrzuconym na brzeg; (*traveller, holidaymaker*) znaleźć się (*perf*) w tarapatach (*bez pieniędzy, paszportu itp*).

strange [streɪndʒ] *adj* (*unfamiliar*) obcy; (*odd*) dziwny.

strangely ['streɪndʒlɪ] *adv* dziwnie; *see also* **enough**.

stranger ['streɪndʒə*] *n* (*unknown person*) nieznajomy (-ma) *m(f)*; (*from another area*) obcy (-ca) *m(f)*; **I'm a stranger here** (*in company*) nikogo tu nie znam; (*in town, country*) nie jestem stąd.

strangle ['stræŋgl] *vt* (*victim*) dusić (udusić *perf*); (*fig: creativity etc*) tłamsić (stłamsić *perf*).

stranglehold ['stræŋglhəʊld] *n* (*fig*) ucisk *m*.

strangulation [stræŋgju'leɪʃən] *n* uduszenie *nt*.

strap [stræp] *n* (*of watch, bag*) pasek *m*; (*of slip, dress*) ramiączko *nt* ♦ *vt* (*also*: **strap in, strap on**) przypinać (przypiąć *perf*).

straphanging ['stræphæŋɪŋ] *n* jazda *f* na stojąco (*w autobusie itp*).

strapless ['stræplɪs] *adj* bez ramiączek *post*.

strapping ['stræpɪŋ] *adj* rosły, postawny.

Strasbourg ['stræzbɜːg] *n* Strasburg *m*.

strata ['strɑːtə] *npl of* **stratum**.

stratagem ['strætɪdʒəm] *n* fortel *m*.

strategic [strə'tiːdʒɪk] *adj* strategiczny.

strategist ['strætɪdʒɪst] *n* strateg *m*.

strategy ['strætɪdʒɪ] *n* strategia *f*.

stratosphere ['strætəsfɪə*] *n* stratosfera *f*.

stratum ['strɑːtəm] (*pl* **strata**) *n* warstwa *f*.

straw [strɔː] *n* (*dried stalks*) słoma *f*; (*for drinking*) słomka *f*; **that's the last straw!** tego już za wiele!

strawberry ['strɔːbərɪ] *n* truskawka *f*.

stray [streɪ] *adj* (*animal*) bezpański; (*bullet*) z(a)błąkany; (*pieces of information*) nie powiązany (ze sobą) ♦ *vi* (*animals*) uciekać (uciec *perf*); (*children*) błąkać się (zabłąkać się *perf*); (*thoughts*) błądzić.

streak [striːk] *n* smuga *f*, pasmo *nt*; (*in hair*) pasemko *nt*; (*fig: of madness etc*) pierwiastek *m*, element *m* ♦ *vt* tworzyć smugi na +*loc* ♦ *vi*: **to streak past** przemykać (przemknąć *perf*); **to have streaks in one's hair** mieć pasemka we włosach; **a winning/losing streak** dobra/zła passa.

streaky ['striːkɪ] *adj* (*bacon*) przerośnięty *or* poprzerastany (tłuszczem).

stream [striːm] *n* (*small river*) strumień *m*, potok *m*; (*current*) prąd *m*; (*of people, vehicles, insults*) strumień *m*, potok *m*; (*of smoke*) warkocz *m*; (*of questions*) seria *f*; (*SCOL*) klasa utworzona z uczniów o zbliżonym poziomie ♦ *vt* (*SCOL*) dzielić na klasy według poziomu.

▸**stream down** *vi* spływać (spłynąć *perf*).

▸**stream out** *vi* wypływać (wypłynąć *perf*); **the audience began to stream in/out** publiczność zaczęła tłoczyć się do wejścia/wyjścia; **against the stream** pod prąd; **to come on stream** (*new power plant etc*) zostać (*perf*) uruchomionym.

streamer ['striːmə*] *n* (papierowa) serpentyna *f*.

stream feed *n* (*on photocopier etc*) podawanie *nt* ciągłe (*papieru*).

streamline ['striːmlaɪn] *vt* nadawać (nadać *perf*) opływowy kształt +*dat*; (*fig: text*) okroić (*perf*); (*: organization*) usprawnić (*perf*) działanie +*gen* (*np. przez zmniejszenie zatrudnienia*).

streamlined ['striːmlaɪnd] *adj* opływowy; (*AVIAT*) aerodynamiczny; (*fig: text, account*) okrojony.

street [striːt] *n* ulica *f*; **the back streets** biedniejsze ulice; **to be on the streets** (*homeless*) być na bruku; (*as prostitute*) pracować na ulicy, stać pod latarnią (*inf*).

streetcar ['striːtkaː*] (*US*) *n* tramwaj *m*.

street lamp *n* latarnia *f* uliczna.

street lighting *n* oświetlenie *nt* uliczne.

street map *n* plan *m* miasta.

street market *n* targ *m* uliczny.

street plan *n* plan *m* miasta.

streetwise ['striːtwaɪz] (*inf*) *adj* cwany (*inf*).

strength [strɛŋθ] *n* (*lit, fig*) siła *f*; (*of knot etc*) wytrzymałość *f*; (*of chemical solution, wine*) moc *f*; **on the strength of** pod wpływem +*gen*; **at full strength** w pełnym składzie; **below strength** w niepełnym składzie.

strengthen ['strɛŋθn] *vt* (*lit, fig*) wzmacniać (wzmocnić *perf*), umacniać (umocnić *perf*).

strenuous ['strɛnjuəs] *adj* (*walk, exercise*) forsowny; (*efforts*) wytężony, uparty.

strenuously ['strɛnjuəslɪ] *adv*: **she strenuously denied the rumour** z uporem zaprzeczała plotce.

stress [strɛs] *n* (*applied to object*) nacisk *m*; (*internal to object*) naprężenie *nt*; (*mental strain*) stres *m*; (*LING*) akcent *m*; (*emphasis*) nacisk *m*, akcent *m* ♦ *vt* akcentować (zaakcentować *perf*); **to lay great stress on sth** kłaść (położyć *perf*) wielki nacisk na coś; **to be under stress** przeżywać stres.

stressful ['strɛsful] *adj* (*job*) stresujący; (*situation*) stresowy.

stretch [strɛtʃ] *n* (*of ocean, forest*) obszar *m*; (*of water*) akwen *m*; (*of road, river, beach*) odcinek *m*; (*of time*) okres *m* ♦ *vi* (*person, animal*) przeciągać się (przeciągnąć się *perf*); (*land, area*) rozciągać się, ciągnąć się ♦ *vt* rozciągać (rozciągnąć *perf*); (*fig: job, task*) zmuszać (zmusić *perf*) do wysiłku; **to stretch to/as far as** ciągnąć się do +*gen* /aż po +*acc*; **it stretches as far as the eye can see** ciągnie się tak daleko, jak okiem sięgnąć; **at a stretch** jednym ciągiem, bez przerwy; **to stretch one's legs** rozprostowywać (rozprostować *perf*) nogi; **by no stretch of the imagination** w żaden sposób.

▸**stretch out** *vi* wyciągać się (wyciągnąć się *perf*) ♦ *vt* (*arm etc*) wyciągać (wyciągnąć *perf*).

▸**to stretch to** *vt fus* (*money, food*) wystarczać (wystarczyć *perf*) na +*acc*.

stretcher ['strɛtʃə*] *n* nosze *pl*.

stretcher-bearer ['strɛtʃəbɛərə*] *n* noszowy (-wa) *m(f)*.

stretch marks *npl* rozstępy *pl*.

strewn [struːn] *adj*: **the carpet was strewn with broken glass** na dywanie porozrzucane były kawałki szkła.

stricken ['strɪkən] *adj* (*industry, city*) dotknięty *or* ogarnięty kryzysem; **stricken by** (*fear, doubts*) ogarnięty +*instr*; **stricken with** (*disease*) dotknięty +*instr*.

strict [strɪkt] *adj* (*severe, firm*) surowy; (*precise*) ścisły; **she told me about it in the strictest confidence** powiedziała mi o tym w najgłębszej tajemnicy.

strictly ['strɪktlɪ] *adv* (*severely*) surowo; (*exactly*) ściśle; (*solely*) wyłącznie; **strictly confidential** ściśle poufne; **strictly speaking** ściśle(j) mówiąc; **strictly between ourselves** wyłącznie między nami.

strictness ['strɪktnɪs] *n* surowość *f*.

stridden ['strɪdn] *pp of* **stride**.

stride [straɪd] (*pt* **strode**, *pp* **stridden**) *n* krok *m* ♦ *vi* kroczyć; **to take sth in one's stride** (*fig*) spokojnie podchodzić (podejść *perf*) do czegoś, podchodzić (podejść *perf*) do czegoś z marszu (*inf*).

strident ['straɪdnt] *adj* (*voice, sound*) ostry, przenikliwy; (*demands*) natarczywy.

strife [straɪf] *n* spór *m*.

strike [straɪk] (*pt, pp* **struck**) *n* (*of workers*) strajk *m*; (*attack*) uderzenie *nt* ♦ *vt* (*person, thing*) uderzać (uderzyć *perf*); (*oil etc*) natrafiać (natrafić *perf*) na +*acc*; (*deal*) zawierać (zawrzeć *perf*); (*coin, medal*) wybijać (wybić *perf*); (*fig: occur to*) uderzać (uderzyć *perf*) ♦ *vi* (*workers*) strajkować (zastrajkować *perf*); (*illness, snake*) atakować (zaatakować *perf*); (*clock*) bić, wybijać (wybić *perf*) godzinę; (*killer*) uderzać (uderzyć *perf*); **to be on strike** strajkować; **to strike a balance** zachowywać (zachować *perf*) proporcje; **to strike a bargain with sb** ubijać (ubić *perf*) z

kimś interes; **the tree was struck by lightning**
w drzewo uderzył piorun; **the clock struck**
eleven zegar wybił (godzinę) jedenastą; **when**
personal disaster strikes ... gdy kogoś
dotknie osobiste nieszczęście, ...; **to strike a**
match zapalać (zapalić *perf*) zapałkę.
▸**strike back** *vi* (*MIL*) kontratakować; (*fig*)
odgrywać się (odegrać się *perf*).
▸**strike down** *vt* powalać (powalić *perf*).
▸**strike off** *vt* (*name from list*) skreślać
(skreślić *perf*); (*doctor, lawyer*) pozbawiać
(pozbawić *perf*) prawa wykonywania zawodu.
▸**strike out** *vi*: **to strike out on one's own**
uniezależnić się *(perf)* ♦ *vt* skreślać (skreślić
perf).
▸**strike up** *vt* (*MUS*) zaczynać (zacząć *perf*)
grać; (*conversation*) zagajać (zagaić *perf*);
(*friendship*) zawierać (zawrzeć *perf*).
strikebreaker ['straɪkbreɪkə*] *n* łamistrajk *m*.
strike pay *n* zasiłek *m* z funduszu
strajkowego (*wypłacany stajkującym przez związki*
zawodowe).
striker ['straɪkə*] *n* (*worker*) strajkujący (-ca)
m(f); (*SPORT*) napastnik (-iczka) *m(f)*.
striking ['straɪkɪŋ] *adj* (*remarkable*) uderzający;
(*stunning*) uderzająco piękny, zachwycający.
string [strɪŋ] (*pt, pp* **strung**) *n* (*thin rope*)
sznurek *m*; (*of beads, cars, islands*) sznur *m*;
(*of disasters, excuses*) seria *f*; (*COMPUT*)
ciąg *m* znaków; (*MUS*) struna *f* ♦ *vt*: **to**
string together związywać (związać *perf*) (ze
sobą); **the strings** *npl* (*MUS*) smyczki *pl*; **to**
pull strings (*fig*) pociągać za sznurki; **with no**
strings attached (*fig*) bez dodatkowych
zobowiązań; **villages strung out along dirt**
roads wsie ciągnące się wzdłuż polnych dróg.
string bean *n* fasolka *f* szparagowa.
stringed instrument *n* instrument *m* strunowy.
stringent ['strɪndʒənt] *adj* surowy.
string quartet *n* kwartet *m* smyczkowy.
strip [strɪp] *n* (*of paper, cloth*) pasek *m*; (*of*
land, water) pas *m*; (*SPORT*) stroje *pl*,
kostiumy *pl* ♦ *vt* (*person*) rozbierać (rozebrać
perf); (*paint*) zdrapywać (zdrapać *perf*); (*also*:
strip down: *machine*) rozbierać (rozebrać *perf*)
na części ♦ *vi* rozbierać się (rozebrać się *perf*).
strip cartoon *n* komiks *m*.
stripe [straɪp] *n* pasek *m*; **stripes** *npl* (*MIL*,
POLICE) ≈ belki *pl*.
striped [straɪpt] *adj* w paski *post*.
strip lighting (*BRIT*) *n* oświetlenie *nt*
jarzeniowe.
stripper ['strɪpə*] *n* striptizerka *f*.
striptease ['strɪptiːz] *n* striptiz *m*, striptease *m*.
strive [straɪv] (*pt* **strove**, *pp* **striven**) *vi*: **to**
strive for sth dążyć do czegoś, starać się coś
osiągnąć; **to strive to ...** starać się +*infin*.
striven ['strɪvn] *pp of* strive.
strode [strəud] *pt of* stride.
stroke [strəuk] *n* (*blow*) raz *m*, uderzenie *nt*;

(*SWIMMING*) styl *m*; (*MED*) udar *m*, wylew
m; (*of clock*) uderzenie *nt*; (*of paintbrush*)
pociągnięcie *nt* ♦ *vt* głaskać (pogłaskać *perf*);
at a stroke za jednym zamachem *or*
pociągnięciem; **on the stroke of five**
punktualnie o piątej; **a stroke of luck**
uśmiech losu, łut szczęścia; **a two-stroke**
engine silnik dwusuwowy.
stroll [strəul] *n* spacer *m*, przechadzka *f* ♦ *vi*
spacerować, przechadzać się; **to go for a**
stroll, have *or* **take a stroll** iść (pójść *perf*)
na spacer, przejść się *(perf)* *or*
przespacerować się *(perf)*.
stroller ['strəulə*] (*US*) *n* spacerówka *f* (*wózek*
$ dziecięcy).
strong [strɔŋ] *adj* silny, mocny; (*material,*
drink, point, language) mocny ♦ *adv*: **to be**
going strong świetnie się trzymać; **50 strong**
w sile *or* liczbie 50 ludzi.
strong-arm ['strɔŋɑːm] *adj*: **strong-arm**
method/tactics metoda *f*/taktyka *f* silnej *or*
twardej ręki.
strongbox ['strɔŋbɔks] *n* kasa *f* ogniotrwała.
stronghold ['strɔŋhəuld] *n* forteca *f*; (*fig*)
bastion *m*.
strongly ['strɔŋlɪ] *adv* silnie, mocno; (*defend,*
advise, argue) zdecydowanie; **I feel strongly**
about it (*deeply*) to mi bardzo leży na sercu;
(*negatively*) jestem temu zdecydowanie
przeciwny.
strongman ['strɔŋmæn] (*irreg like* **man**) *n*
siłacz *m*; **the strongman of British politics**
najbardziej wpływowy polityk brytyjski.
strongroom ['strɔŋruːm] *n* skarbiec *m*.
strove [strəuv] *pt of* strive.
struck *pt, pp of* strike.
structural ['strʌktʃrəl] *adj* (*changes, similarities*)
strukturalny; (*defect*) konstrukcyjny.
structurally ['strʌktʃrəlɪ] *adv* strukturalnie.
structure ['strʌktʃə*] *n* struktura *f*; (*building*)
konstrukcja *f*.
struggle ['strʌgl] *n* (*fight*) walka *f*; (*effort*)
zmaganie się *nt*, borykanie się *nt* ♦ *vi*
walczyć; **to struggle to do sth** usiłować coś
zrobić; **to have a struggle to do sth** wkładać
(włożyć *perf*) w coś wiele wysiłku.
strum [strʌm] *vt* (*guitar*) brzdąkać (brzdąknąć
perf) na +*instr*.
strung *pt, pp of* string.
strut [strʌt] *n* rozpórka *f* ♦ *vi* kroczyć dumnie.
strychnine ['strɪkniːn] *n* strychnina *f*.
stub [stʌb] *n* (*of cheque, ticket*) odcinek *m*
(kontrolny); (*of cigarette*) niedopałek *m* ♦ *vt*:
to stub one's toe uderzyć się *(perf)* w palec
u nogi.
▸**stub out** *vt* (*cigarette*) gasić (zgasić *perf*).
stubble ['stʌbl] *n* (*on field*) ściernisko *nt*; (*on*
chin) szczecina *f*.
stubborn ['stʌbən] *adj* (*child*) uparty; (*stain*)
oporny; (*pain, illness*) uporczywy.

stubby ['stʌbɪ] *adj* krótki i gruby.

stucco ['stʌkəu] *n* tynk *m* szlachetny, stiuk *m*.

stuck [stʌk] *pt, pp of* **stick** ♦ *adj* zablokowany; **to be/get stuck** utknąć *(perf)*; *(fig)* napotykać (napotkać *perf)* trudności.

stuck-up [stʌk'ʌp] *(inf)* *adj* zadzierający nosa.

stud [stʌd] *n (on clothing)* ćwiek *m; (collar stud)* spinka *f; (jewellery)* kolczyk *m (tzw. wkrętka); (on sole of boot)* korek *m; (also:* **stud farm)** stadnina *f, (also:* **stud horse)** ogier *m* rozpłodowy ♦ *vt:* **studded with** *(precious stones)* nabijany +*instr; (stars)* usiany +*instr*.

student ['stju:dənt] *n (at university)* student(ka) *m(f)*, słuchacz(ka) *m(f); (at school)* uczeń (-ennica) *m(f)* ♦ *cpd* studencki; **law/medical student** student(ka) *m(f)* prawa/medycyny; **student nurse/teacher** słuchacz(ka) *m(f)* szkoły pielęgniarskiej/pedagogicznej.

student driver *(US)* *n* uczestnik (-iczka) *m(f)* kursu prawa jazdy.

students' union ['stju:dənts-] *(BRIT)* *n (association)* zrzeszenie *nt* studentów; *(building)* klub *m* studencki.

studied ['stʌdɪd] *adj (expression etc)* wystudiowany.

studio ['stju:dɪəu] *n (TV etc)* studio *nt; (sculptor's etc)* pracownia *f*, atelier *nt inv*.

studio flat *(US* **studio apartment)** *n* ≈ kawalerka *f*.

studious ['stju:dɪəs] *adj* pilny, staranny.

studiously ['stju:dɪəslɪ] *adv* pilnie, starannie.

study ['stʌdɪ] *n (activity)* nauka *f; (room)* gabinet *m* ♦ *vt (subject)* studiować, uczyć się +*gen; (face, evidence)* studiować (przestudiować *perf)* ♦ *vi* studiować, uczyć się; **studies** *npl* studia *pl;* **to make a study of sth** studiować (przestudiować *perf)* coś; **to study for an exam** uczyć się do egzaminu.

stuff [stʌf] *n (thing(s))* rzeczy *pl; (substance)* coś *nt* ♦ *vt (soft toy, dead animals)* wypychać (wypchać *perf); (CULIN)* faszerować (nafaszerować *perf),* nadziewać (nadziać *perf); (inf. push)* upychać (upchnąć *perf);* **my nose is stuffed up** mam zapchany nos; **get stuffed!** *(inf!)* wypchaj się! *(inf!)*.

stuffed toy [stʌft-] *n* pluszowa zabawka *f*.

stuffing ['stʌfɪŋ] *n (in sofa, pillow)* wypełnienie *nt; (CULIN)* farsz *m*, nadzienie *nt*.

stuffy ['stʌfɪ] *adj (room)* duszny; *(person, ideas)* staroświecki.

stumble ['stʌmbl] *vi* potykać się (potknąć się *perf);* **to stumble across** *or* **on** *(fig)* natykać się (natknąć się *perf)* na +*acc*.

stumbling block ['stʌmblɪŋ-] *n* przeszkoda *f*, zawada *f*.

stump [stʌmp] *n (of tree)* pniak *m; (of limb)* kikut *m* ♦ *vt:* **stumped** zbity z tropu.

stun [stʌn] *vt (news)* oszałamiać (oszołomić *perf); (blow on head)* ogłuszać (ogłuszyć *perf)*.

stung [stʌŋ] *pt, pp of* **sting**.

stunk [stʌŋk] *pp of* **stink**.

stunning ['stʌnɪŋ] *adj* oszałamiający.

stunt [stʌnt] *n (in film)* wyczyn *m* kaskaderski; *(publicity stunt)* chwyt *m* reklamowy.

stunted ['stʌntɪd] *adj (trees)* skarłowaciały; *(growth)* zahamowany.

stuntman ['stʌntmæn] *(irreg like* **man)** *n* kaskader *m*.

stupefaction [stju:pɪ'fækʃən] *n (daze)* otępienie *nt; (amazement)* oszołomienie *nt*.

stupefy ['stju:pɪfaɪ] *vt* wprawiać (wprawić *perf)* w otępienie; *(fig)* oszałamiać (oszołomić *perf)*.

stupendous [stju:'pendəs] *adj* zdumiewająco wielki.

stupid ['stju:pɪd] *adj* głupi.

stupidity [stju:'pɪdɪtɪ] *n* głupota *f*.

stupidly ['stju:pɪdlɪ] *adv* głupio.

stupor ['stju:pə*] *n* osłupienie *nt*, zamroczenie *nt;* **in a stupor** w stanie zamroczenia.

sturdily ['stə:dɪlɪ] *adv (built)* mocno, solidnie.

sturdy ['stə:dɪ] *adj* mocny.

sturgeon ['stə:dʒən] *n* jesiotr *m*.

stutter ['stʌtə*] *n* jąkanie *nt* (się) ♦ *vi* jąkać się; **to have a stutter** jąkać się.

Stuttgart ['stutgɑ:t] *n* Stuttgart *m*.

sty [staɪ] *n* chlew *m*.

stye [staɪ] *(MED)* *n* jęczmień *m*.

style [staɪl] *n (way, attitude)* styl *m; (elegance)* styl *m*, szyk *m; (design)* fason *m;* **in the latest style** w najnowszym fasonie; **hair style** fryzura.

styli ['staɪlaɪ] *npl of* **stylus**.

stylish ['staɪlɪʃ] *adj* szykowny.

stylist ['staɪlɪst] *n (hair stylist)* fryzjer(ka) *m(f); (writer)* stylista (-tka) *m(f)*.

stylized ['staɪlaɪzd] *adj* stylizowany.

stylus ['staɪləs] *(pl* **styli** *or* **styluses)** *n* igła *f* (gramofonowa).

suave [swɑ:v] *adj* uprzedzająco grzeczny.

sub [sʌb] *n abbr (NAUT)* = **submarine;** *(ADMIN)* = **subscription;** *(PRESS)* = **sub-editor**.

sub... [sʌb] *pref* pod... .

subcommittee ['sʌbkəmɪtɪ] *n* podkomitet *m*, podkomisja *f*.

subconscious [sʌb'kɒnʃəs] *adj* podświadomy.

subcontinent [sʌb'kɒntɪnənt] *n:* **the (Indian) subcontinent** subkontynent *m* indyjski.

subcontract [*vb* sʌbkən'trækt, *n* 'sʌb'kɒntrækt] *vt* zlecać (zlecić *perf)* podwykonawcy ♦ *n* podkontrakt *m*, subkontrakt *m*.

subcontractor ['sʌbkən'træktə*] *n* podwykonawca *m*.

subdivide [sʌbdɪ'vaɪd] *vt* dzielić (podzielić *perf)* (dalej).

subdivision ['sʌbdɪvɪʒən] *n* (dalszy) podział *m*.

subdue [səb'dju:] *vt (rebels etc)* ujarzmiać (ujarzmić *perf); (emotions)* tłumić (stłumić *perf)*.

subdued [səb'dju:d] *adj* (*light*) przyćmiony, przytłumiony; (*person*) przygnębiony.

sub-editor ['sʌb'ɛdɪtə*] (*BRIT*) *n* zastępca *m* redaktora naczelnego (gazety).

subject [*n* 'sʌbdʒɪkt, *vb* səb'dʒɛkt] *n* (*matter*) temat *m*; (*SCOL*) przedmiot *m*; (*of kingdom*) poddany (-na) *m(f)*; (*LING*) podmiot *m* ♦ *vt*: **to subject sb to sth** poddawać (poddać *perf*) kogoś czemuś; **to be subject to** (*law, tax*) podlegać +*dat*; (*heart attacks*) być narażonym na +*acc*; **subject to confirmation in writing** podlegający pisemnemu zatwierdzeniu; **to change the subject** zmieniać (zmienić *perf*) temat.

subjection [səb'dʒɛkʃən] *n* podporządkowanie *nt*.

subjective [səb'dʒɛktɪv] *adj* subiektywny.

subject matter *n* tematyka *f*, temat *m*.

sub judice [sʌb'dju:dɪsɪ] (*JUR*) *adj* w trakcie postępowania sądowego.

subjugate ['sʌbdʒugeɪt] *vt* (*people*) podbijać (podbić *perf*); (*wishes, desires*) podporządkowywać (podporządkować *perf*).

subjunctive [səb'dʒʌŋktɪv] (*LING*) *n* tryb *m* łączący.

sublet [sʌb'lɛt] *vt* podnajmować (podnająć *perf*).

sublime [sə'blaɪm] *adj* wzniosły, wysublimowany; **from the sublime to the ridiculous** od wzniosłości do śmieszności.

subliminal [sʌb'lɪmɪnl] *adj* podświadomy.

submachine gun ['sʌbmə'ʃi:n-] *n* pistolet *m* maszynowy.

submarine [sʌbmə'ri:n] *n* łódź *f* podwodna.

submerge [səb'mə:dʒ] *vt* zanurzać (zanurzyć *perf*) ♦ *vi* zanurzać się (zanurzyć się *perf*).

submersion [səb'mə:ʃən] *n* zanurzenie *nt*.

submission [səb'mɪʃən] *n* (*subjection*) uległość *f*, posłuszeństwo *nt*; (*of plan, proposal*) przedłożenie *nt*; (*of application*) złożenie *nt*; (*proposal*) propozycja *f*.

submissive [səb'mɪsɪv] *adj* uległy, posłuszny.

submit [səb'mɪt] *vt* (*proposal*) przedkładać (przedłożyć *perf*); (*application, resignation*) składać (złożyć *perf*) ♦ *vi*: **to submit to sth** poddawać się (poddać się *perf*) czemuś.

subnormal [sʌb'nɔ:ml] *adj* (*temperatures*) poniżej normy *post*; (*old: child*) opóźniony w rozwoju.

subordinate [sə'bɔ:dɪnət] *n* podwładny (-na) *m(f)* ♦ *adj* (*also LING*) podrzędny; **to be subordinate to sb** podlegać komuś.

subpoena [səb'pi:nə] (*JUR*) *n* wezwanie *nt* do sądu *or* stawienia się przed sądem ♦ *vt* wzywać (wezwać *perf*) do stawienia się przed sądem.

subroutine [sʌbru:'ti:n] (*COMPUT*) *n* podprogram *m*.

subscribe [səb'skraɪb] *vi*: **to subscribe to** (*theory, values*) wyznawać +*acc*; (*opinion*) podpisywać się pod +*instr*; (*fund, charity*) wspierać finansowo +*acc*, łożyć na +*acc*; (*magazine etc*) prenumerować +*acc*.

subscriber [səb'skraɪbə*] *n* (*to magazine*) prenumerator *m*; (*TEL*) abonent *m*.

subscript ['sʌbskrɪpt] (*TYP*) *n* indeks *m* dolny.

subscription [səb'skrɪpʃən] *n* (*to magazine etc*) prenumerata *f*; (*membership dues*) składka *f* (członkowska); **to take out a subscription to** (*organization*) zapisać się (*perf*) do +*gen*; (*magazine*) zaprenumerować (*perf*) +*acc*.

subsequent ['sʌbsɪkwənt] *adj* późniejszy; **subsequent to** w następstwie +*gen*.

subsequently ['sʌbsɪkwəntlɪ] *adv* później.

subservient [səb'sə:vɪənt] *adj* (*person, behaviour*) służalczy; (*policy, goals*) drugorzędny; **to be subservient to** być podporządkowanym +*dat*.

subside [səb'saɪd] *vi* (*feeling, pain*) ustępować (ustąpić *perf*); (*earth*) obsuwać się (obsunąć się *perf*); **the flood subsided** wody powodziowe opadły.

subsidence [səb'saɪdns] *n* obsuwanie się *nt* gruntu.

subsidiarity [səbsɪdɪ'ærɪtɪ] (*POL*) *n* subsydiarność *f*.

subsidiary [səb'sɪdɪərɪ] *adj* (*question, role*) drugorzędny; (*BRIT: SCOL: subject*) dodatkowy ♦ *n* (*also:* **subsidiary company**) przedsiębiorstwo *nt* filialne, filia *f*.

subsidize ['sʌbsɪdaɪz] *vt* dotować, subsydiować.

subsidy ['sʌbsɪdɪ] *n* dotacja *f*.

subsist [səb'sɪst] *vi*: **to subsist on sth** utrzymywać się przy życiu dzięki czemuś.

subsistence [səb'sɪstəns] *n* utrzymanie się *nt* przy życiu, przetrwanie *nt*.

subsistence allowance *n* (*for poor person*) zapomoga *f*; (*for traveller*) dieta *f*.

subsistence level *n* ≈ poziom *m* minimum socjalnego.

substance ['sʌbstəns] *n* substancja *f*; (*fig*) istota *f*; **a man of substance** wpływowy człowiek; **to lack substance** (*argument*) być pozbawionym (solidnych) podstaw; (*book, film*) być pozbawionym treści.

substandard [sʌb'stændəd] *adj* (*goods*) niskiej jakości *post*; (*housing*) o niskim standardzie *post*.

substantial [səb'stænʃl] *adj* (*building, meal*) solidny; (*amount*) pokaźny.

substantially [səb'stænʃəlɪ] *adv* (*by a large amount*) znacznie; (*in essence*) z gruntu, zasadniczo; **substantially bigger** znacznie większy.

substantiate [səb'stænʃɪeɪt] *vt* (*confirm*) potwierdzać (potwierdzić *perf*); (*prove*) udowadniać (udowodnić *perf*).

substitute ['sʌbstɪtju:t] *n* (*thing*) substytut *m*; (*person*): **to be a substitute for** zastępować (zastąpić *perf*) +*acc* ♦ *vt*: **to substitute sth for sth** zastępować (zastąpić *perf*) coś czymś.

substitute teacher (*US*) *n* nauczyciel(ka) *m(f)* na zastępstwie.
substitution [sʌbstɪ'tjuːʃən] zastąpienie *nt*; (*FOOTBALL*) zmiana *f*.
subterfuge ['sʌbtəfjuːdʒ] *n* wybieg *m*, podstęp *m*.
subterranean [sʌbtə'reɪnɪən] *adj* podziemny.
subtitles ['sʌbtaɪtlz] (*FILM*) *npl* napisy *pl*.
subtle ['sʌtl] *adj* subtelny.
subtlety ['sʌtltɪ] *n* subtelność *f*; **subtleties** *npl* subtelności *pl*.
subtly ['sʌtlɪ] *adv* (*change, vary*) nieznacznie; (*criticize, persuade*) w subtelny sposób; (*flavoured etc*) subtelnie; (*different*) nieco.
subtotal [sʌb'təutl] *n* suma *f* częściowa.
subtract [səb'trækt] *vt* odejmować (odjąć *perf*).
subtraction [səb'trækʃən] *n* odejmowanie *nt*.
subtropical [sʌb'trɔpɪkl] *adj* podzwrotnikowy, subtropikalny.
suburb ['sʌbəːb] *n* przedmieście *nt*; **the suburbs** *npl* przedmieścia *pl*, peryferie *pl*.
suburban [sə'bəːbən] *adj* (*train*) podmiejski; (*lifestyle*) zaściankowy (*pej*).
suburbia [sə'bəːbɪə] *n* przedmieścia *pl*, peryferie *pl*.
subvention [səb'venʃən] *n* subwencja *f*.
subversion [səb'vəːʃən] *n* działalność *f* wywrotowa.
subversive [səb'vəːsɪv] *adj* wywrotowy.
subway ['sʌbweɪ] *n* (*US*) metro *nt*; (*BRIT*) przejście *nt* podziemne.
sub-zero [sʌb'zɪərəu] *adj*: **sub-zero temperatures** temperatury *pl* poniżej zera *or* ujemne.
succeed [sək'siːd] *vi* (*plan*) powieść się (*perf*); (*person*) odnieść (*perf*) sukces ♦ *vt* (*in job*) przejmować (przejąć *perf*) obowiązki po +*loc*; (*in order*) następować (nastąpić *perf*) po +*loc*; **did you succeed in finding them?** czy udało ci się ich znaleźć?
succeeding [sək'siːdɪŋ] *adj* następny; **succeeding generations** następne pokolenia.
success [sək'ses] *n* (*achievement*) sukces *m*, powodzenie *nt*; (*hit*) przebój *m*; **to be a success** odnieść (*perf*) sukces; **without success** bez powodzenia.
successful [sək'sesful] *adj* (*venture, attempt*) udany, pomyślny; (*writer*) wzięty; (*business*) dobrze prosperujący; (*POL: candidate*) zwycięski; **to be successful as** odnosić sukcesy jako +*nom*; **I was successful in getting the job** udało mi się zdobyć tę pracę.
successfully [sək'sesfəlɪ] *adv* pomyślnie.
succession [sək'seʃən] *n* (*of things, events*) seria *f*; (*to throne, peerage*) sukcesja *f*; **three years in succession** przez trzy kolejne lata.
successive [sək'sesɪv] *adj* następujący po sobie, kolejny; **on three successive days** przez trzy kolejne dni.
successor [sək'sesə*] *n* następca (-czyni) *m(f)*.
succinct [sək'sɪŋkt] *adj* zwięzły.

succulent ['sʌkjulənt] *adj* soczysty ♦ *n* (*BOT*) sukulent *m*.
succumb [sə'kʌm] *vi* (*to temptation*) ulegać (ulec *perf*) +*dat*; (*to illness*) poddawać się (poddać się *perf*) +*dat*.
such [sʌtʃ] *adj* taki; **such a book** taka książka; **such courage** taka odwaga; **such a lovely day** taki cudowny dzień; **such a lot of** tyle *or* tak dużo +*gen*; **such a long time ago** tak dawno (temu); **in Brighton or some such place** w Brighton, czy w jakimś takim miejscu; **she made such a noise that ...** narobiła tyle hałasu, że ...; **such as** taki jak +*nom*; **such books as I have** takie książki, jakie mam; **I said no such thing** nic takiego *or* podobnego nie powiedziałam; **as such** jako taki.
such-and-such ['sʌtʃənsʌtʃ] *adj* taki a taki.
suchlike ['sʌtʃlaɪk] (*inf*) *pron*: **and suchlike** i temu podobne.
suck [sʌk] *vt* ssać; (*pump etc*) zasysać.
sucker ['sʌkə*] *n* (*ZOOL, TECH*) przyssawka *f*; (*BOT*) odrost *m*; (*inf*) frajer *m* (*inf*).
suckle ['sʌkl] *vt* (*baby*) karmić piersią; (*young animal*) karmić własnym mlekiem.
suction ['sʌkʃən] *n* ssanie *nt*.
suction pump *n* pompa *f* ssąca.
Sudan [su'dɑːn] *n* Sudan *m*.
Sudanese [suːdə'niːz] *adj* sudański ♦ *n* (*person*) Sudańczyk (-anka) *m(f)*.
sudden ['sʌdn] *adj* nagły; **all of a sudden** nagle.
suddenly ['sʌdnlɪ] *adv* nagle.
suds [sʌdz] *npl* mydliny *pl*.
sue [suː] *vt* podawać (podać *perf*) do sądu, zaskarżać (zaskarżyć *perf*) ♦ *vi* procesować się; **to sue for divorce** występować (wystąpić *perf*) o rozwód; **to sue sb for damages** zaskarżać (zaskarżyć *perf*) kogoś o odszkodowanie.
suede [sweɪd] *n* zamsz *m* ♦ *cpd* zamszowy.
suet ['suɪt] (*CULIN*) *n* łój *m*.
Suez ['suːɪz] *n*: **the Suez Canal** Kanał *m* Sueski.
Suff. (*BRIT: POST*) *abbr* = **Suffolk**.
suffer ['sʌfə*] *vt* (*undergo*) doznawać (doznać *perf*) +*gen*, doświadczać (doświadczyć *perf*) +*gen*; (*old: bear, allow*) cierpieć (ścierpieć *perf*) ♦ *vi*: **your studies are suffering** cierpią na tym twoje studia; **he would be the first to suffer** on pierwszy by na tym ucierpiał; **to suffer from** (*illness*) cierpieć na +*acc*; (*shock*) doznawać (doznać *perf*) +*gen*; **to suffer the effects of alcohol/a fall** cierpieć z powodu *or* na skutek wypicia alkoholu/upadku.
sufferance ['sʌfərns] *n*: **he was only there on sufferance** był tam zaledwie tolerowany.
sufferer ['sʌfərə*] *n* (*MED*) cierpiący (-ca) *m(f)*.
suffering ['sʌfərɪŋ] *n* cierpienie *nt*.
suffice [sə'faɪs] *vi* wystarczać (wystarczyć *perf*).

sufficient [sə'fɪʃənt] *adj* wystarczający, dostateczny; **sufficient money** wystarczająco dużo pieniędzy.

sufficiently [sə'fɪʃəntlɪ] *adv* wystarczająco, dostatecznie.

suffix ['sʌfɪks] *n* (*LING*) przyrostek *m*.

suffocate ['sʌfəkeɪt] *vi* (*have difficulty breathing*) dusić się; (*die from lack of air*) udusić się (*perf*).

suffocation [sʌfə'keɪʃən] *n* uduszenie *nt*.

suffrage ['sʌfrɪdʒ] *n* prawo *nt* wyborcze.

suffragette [sʌfrə'dʒet] *n* sufrażystka *f*.

suffused [sə'fju:zd] *adj*: **suffused with** (*light*) skąpany w +*instr*; (*tears*) zalany +*instr*; (*colour*) nasycony +*instr*.

sugar ['ʃugə*] *n* cukier *m* ♦ *vt* słodzić (posłodzić *perf*).

sugar beet *n* burak *m* cukrowy.

sugar bowl *n* cukierniczka *f*.

sugar cane *n* trzcina *f* cukrowa.

sugar-coated ['ʃugə'kəutɪd] *adj*: **sugar-coated pill/sweet** drażetka *f*.

sugar lump *n* kostka *f* cukru.

sugar refinery *n* rafineria *f* cukru.

sugary ['ʃugərɪ] *adj* bogaty w cukier; (*fig*) cukierkowy.

suggest [sə'dʒest] *vt* (*propose*) proponować (zaproponować *perf*); (*indicate*) wskazywać na +*acc*; **what do you suggest I do?** co według ciebie powinienem zrobić?

suggestion [sə'dʒestʃən] *n* (*proposal*) propozycja *f*; (*indication*) oznaka *f*.

suggestive [sə'dʒestɪv] (*pej*) *adj* niedwuznaczny.

suicidal [suɪ'saɪdl] *adj* (*act*) samobójczy; (*person*): **to be** *or* **feel suicidal** być w nastroju samobójczym.

suicide ['suɪsaɪd] *n* (*act*) samobójstwo *nt*; (*person*) samobójca (-czyni) *m(f)*; *see also* **commit**.

suicide attempt *n* próba *f* samobójstwa.

suicide bid *n* = **suicide attempt**.

suit [su:t] *n* (*man's*) garnitur *m*, ubranie *nt*; (*woman's*) kostium *m*; (*JUR*) proces *m*; (*CARDS*) kolor *m* ♦ *vt* odpowiadać +*dat*; **to suit sth to** dostosowywać (dostosować *perf*) coś do +*gen*; **that colour/hat doesn't suit you** w tym kolorze/kapeluszu nie jest ci do twarzy; **to be suited to** nadawać się do +*gen*; **to bring a suit against sb** wytaczać (wytoczyć *perf*) komuś proces; **he bowed his head; I followed suit** skłonił głowę – poszłam za jego przykładem; **suit yourself!** rób, jak chcesz!; **a well suited couple** dobrana para.

suitability [su:tə'bɪlɪtɪ] *n* nadawanie się *nt*.

suitable ['su:təbl] *adj* odpowiedni; **would tomorrow be suitable?** czy jutrzejszy dzień byłby odpowiedni?; **we found somebody suitable** znaleźliśmy kogoś odpowiedniego.

suitably ['su:təblɪ] *adv* odpowiednio.

suitcase ['su:tkeɪs] *n* walizka *f*.

suite [swi:t] *n* (*in hotel*) apartament *m*; (*MUS*) suita *f*; **bedroom/dining room suite** komplet mebli do sypialni/jadalni; **a three-piece suite** zestaw wypoczynkowy.

suitor ['su:tə*] *n* starający się *m* (*o rękę*).

sulfate ['sʌlfeɪt] (*US*) *n* = **sulphate**.

sulfur ['sʌlfə*] (*US*) *n* = **sulphur**.

sulfuric [sʌl'fjuərɪk] (*US*) = **sulphuric**.

sulk [sʌlk] *vi* dąsać się.

sulky ['sʌlkɪ] *adj* (*child, face*) nadąsany; **to be in a sulky mood** być nadąsanym, dąsać się.

sullen ['sʌlən] *adj* ponury.

sulphate ['sʌlfeɪt] (*US* **sulfate**) *n* siarczan *m*; *see also* **copper sulphate**.

sulphur ['sʌlfə*] (*US* **sulfur**) *n* siarka *f*.

sulphuric [sʌl'fjuərɪk] (*US* **sulfuric**) *adj*: **sulphuric acid** kwas *m* siarkowy.

sultan ['sʌltən] *n* sułtan *m*.

sultana [sʌl'tɑ:nə] *n* rodzynka *f* sułtańska, sułtanka *f*.

sultry ['sʌltrɪ] *adj* duszny, parny.

sum [sʌm] *n* (*calculation*) obliczenie *nt*; (*result of addition*) suma *f*; (*amount*) suma *f*, kwota *f*.

▸**sum up** *vt* (*describe*) podsumowywać (podsumować *perf*); (*size up*) oceniać (ocenić *perf*) ♦ *vi* podsumowywać (podsumować *perf*).

Sumatra [su'mɑ:trə] *n* Sumatra *f*.

summarize ['sʌməraɪz] *vt* streszczać (streścić *perf*).

summary ['sʌmərɪ] *n* streszczenie *nt*, skrót *m* ♦ *adj* doraźny, natychmiastowy.

summer ['sʌmə*] *n* lato *nt* ♦ *cpd* (*dress, school*) letni; **in summer** w lecie, latem.

summer camp (*US*) *n* obóz *m* letni, kolonie *pl* letnie.

summer holidays *npl* wakacje *pl* letnie.

summerhouse ['sʌməhaus] *n* altana *f*.

summertime ['sʌmətaɪm] *n* lato *nt*, pora *f* letnia.

summer time *n* czas *m* letni.

summery ['sʌmərɪ] *adj* letni.

summing-up [sʌmɪŋ'ʌp] *n* mowa *f* podsumowująca (*skierowana do przysięgłych*).

summit ['sʌmɪt] *n* (*of mountain*) szczyt *m*, wierzchołek *m*; (*also*: **summit conference/meeting**) szczyt *m*.

summon ['sʌmən] *vt* (*police, witness*) wzywać (wezwać *perf*); (*meeting*) zwoływać (zwołać *perf*).

▸**summon up** *vt* (*strength, energy*) zbierać (zebrać *perf*); (*courage*) zebrać się (*perf*) *or* zdobyć się (*perf*) na +*acc*.

summons ['sʌmənz] *n* (*also JUR*) wezwanie *nt* ♦ *vt* wzywać (wezwać *perf*) do sądu; **to serve a summons on sb** doręczać (doręczyć *perf*) komuś urzędowe wezwanie.

sump [sʌmp] (*BRIT: AUT*) *n* miska *f* olejowa.

sumptuous ['sʌmptjuəs] *adj* wspaniały, okazały.

sun [sʌn] *n* słońce *nt*; **in the sun** w *or* na

słońcu; **to catch the sun** lekko się opalić
(perf); **everything under the sun** wszystko, co
można sobie wyobrazić.

Sun. *abbr* = **Sunday** nd., niedz.

sunbathe ['sʌnbeɪð] *vi* opalać się.

sunbeam ['sʌnbiːm] *n* promień *m* słońca.

sunbed ['sʌnbed] *n* łóżko *nt* z kwarcówką.

sunburn ['sʌnbəːn] *n* oparzenie *nt* słoneczne.

sunburned ['sʌnbəːnd] *adj* = **sunburnt**.

sunburnt ['sʌnbəːnt] *adj* *(tanned)* opalony;
(painfully) spalony (słońcem).

sun-cream ['sʌnkriːm] *n* krem *m* do opalania.

sundae ['sʌndeɪ] *n* deser *m* lodowy.

Sunday ['sʌndɪ] *n* niedziela *f*; *see also* **Tuesday**.

Sunday school *n* szkółka *f* niedzielna.

sundial ['sʌndaɪəl] *n* zegar *m* słoneczny.

sundown ['sʌndaun] *(esp US)* *n* zachód *m*
(słońca).

sundries ['sʌndrɪz] *npl* różności *pl*, inne *pl*
(drobiazgi).

sundry ['sʌndrɪ] *adj* różny, rozmaity; **all and
sundry** wszyscy bez wyjątku.

sunflower ['sʌnflauə*] *n* słonecznik *m*.

sunflower oil *n* olej *m* słonecznikowy.

sung [sʌŋ] *pp of* **sing**.

sunglasses ['sʌnglɑːsɪz] *npl* okulary *pl*
(przeciw)słoneczne.

sunk [sʌŋk] *pp of* **sink**.

sunken ['sʌŋkn] *adj* *(rock)* podwodny; *(ship)*
zatopiony; *(eyes, cheeks)* zapadnięty; *(bath)*
wpuszczony (w podłogę).

sunlamp ['sʌnlæmp] *n* lampa *f* kwarcowa,
kwarcówka *f*.

sunlight ['sʌnlaɪt] *n* światło *nt* słoneczne,
słońce *nt*.

sunlit ['sʌnlɪt] *adj* nasłoneczniony.

sunny ['sʌnɪ] *adj* *(weather, day, place)*
słoneczny; *(fig: disposition, person)* pogodny;
it is sunny jest słonecznie.

sunrise ['sʌnraɪz] *n* wschód *m* (słońca).

sun roof *n* *(AUT)* szyberdach *m*; *(on building)*
taras *m*.

sunset ['sʌnsɛt] *n* zachód *m* (słońca).

sunshade ['sʌnʃeɪd] *n* *(over table)* parasol *m*
(przeciw)słoneczny; *(US: over window)*
markiza *f*, *(lady's)* parasolka *f*
(przeciw)słoneczna.

sunshine ['sʌnʃaɪn] *n* słońce *nt*, (piękna)
pogoda *f*.

sunspot ['sʌnspɔt] *(ASTRON)* *n* plama *f*
słoneczna.

sunstroke ['sʌnstrəuk] *n* porażenie *nt*
słoneczne, udar *m* słoneczny.

suntan ['sʌntæn] *n* opalenizna *f*.

suntan lotion *n* emulsja *f* do opalania.

suntanned ['sʌntænd] *adj* opalony.

suntan oil *n* olejek *m* do opalania.

suntrap ['sʌntræp] *n bardzo nasłonecznione
miejsce.*

super ['suːpə*] *(inf)* *adj* super *(inf)*.

superannuation [suːpərænjuˈeɪʃən] *n* składka *f*
na fundusz emerytalny.

superb [suːˈpəːb] *adj* pierwszorzędny,
znakomity.

supercilious [suːpəˈsɪlɪəs] *adj* wyniosły.

superficial [suːpəˈfɪʃəl] *adj* powierzchowny.

superficially [suːpəˈfɪʃəlɪ] *adv* powierzchownie,
z wierzchu.

superfluous [suːˈpəːfluəs] *adj* zbyteczny.

superhuman [suːpəˈhjuːmən] *adj* nadludzki.

superimpose ['suːpərɪmˈpəuz] *vt* nakładać
(nałożyć *perf*).

superintend [suːpərɪnˈtɛnd] *vt* nadzorować,
kierować (pokierować *perf*) +*instr*.

superintendent [suːpərɪnˈtɛndənt] *n* *(of place,
activity)* kierownik *m*; *(POLICE)* inspektor *m*.

superior [suˈpɪərɪə*] *adj* *(better)* lepszy; *(more
senior)* starszy (rangą); *(smug)* wyniosły ♦ *n*
przełożony (-na) *m(f)*; **Mother Superior** matka
or siostra przełożona.

superiority [supɪərɪˈɔrɪtɪ] *n* wyższość *f*,
przewaga *f*.

superlative [suˈpəːlətɪv] *n* *(LING)* stopień *m*
najwyższy ♦ *adj* doskonały.

superman ['suːpəmæn] *(irreg like* **man**) *n*
superman *m*.

supermarket ['suːpəmɑːkɪt] *n* supermarket *m*,
supersam *m*.

supernatural [suːpəˈnætʃərəl] *adj*
nadprzyrodzony ♦ *n*: **the supernatural** siły *pl*
or zjawiska *pl* nadprzyrodzone.

superpower ['suːpəpauə*] *n* supermocarstwo *nt*.

superscript ['suːpəskrɪpt] *(TYP)* *n* indeks *m*
górny.

supersede [suːpəˈsiːd] *vt* wypierać (wyprzeć
perf).

supersonic ['suːpəˈsɔnɪk] *adj*
(po)naddźwiękowy.

superstar ['suːpəstɑː*] *n* supergwiazda *f*.

superstition [suːpəˈstɪʃən] *n* przesąd *m*,
zabobon *m*.

superstitious [suːpəˈstɪʃəs] *adj* *(person)*
przesądny, zabobonny; *(practices)* zabobonny.

superstore ['suːpəstɔː*] *(BRIT)* *n* megasam *m*.

supertanker ['suːpətæŋkə*] *n* supertankowiec *m*.

supertax ['suːpətæks] *n* domiar *m* podatkowy.

supervise ['suːpəvaɪz] *vt* *(person, activity)*
nadzorować; *(children)* pilnować +*gen*.

supervision [suːpəˈvɪʒən] *n* nadzór *m*; **under
medical supervision** pod kontrolą lekarza.

supervisor ['suːpəvaɪzə*] *n* *(of workers)*
kierownik (-iczka) *m(f)*; *(of students)*
opiekun(ka) *m(f)*, promotor(ka) *m(f)*.

supervisory ['suːpəvaɪzərɪ] *adj* nadzorujący,
nadzorczy.

supine ['suːpaɪn] *adj* leżący na wznak *or* na
plecach ♦ *adv* na wznak, na plecach.

supper ['sʌpə*] *n* kolacja *f*; **to have supper**
jeść (zjeść *perf*) kolację.

supplant [sə'plɑːnt] *vt* wypierać (wyprzeć *perf*), zastępować (zastąpić *perf*).

supple ['sʌpl] *adj* (*person, body*) gibki, giętki; (*leather etc*) miękki, elastyczny.

supplement ['sʌplɪmənt] *n* (*of vitamins etc*) uzupełnienie *nt*, dawka *f* uzupełniająca; (*of book*) suplement *m*; (*of newspaper, magazine*) dodatek *m* ♦ *vt* uzupełniać (uzupełnić *perf*).

supplementary [sʌplɪ'mɛntərɪ] *adj* dodatkowy, uzupełniający.

supplementary benefit (*BRIT: old*) *n* zasiłek *m*.

supplier [sə'plaɪə*] *n* dostawca *m*.

supply [sə'plaɪ] *vt* (*provide, deliver*) dostarczać (dostarczyć *perf*); (*satisfy*) zaspokajać (zaspokoić *perf*) ♦ *n* (*stock*) zapas *m*; (*supplying*) dostawa *f*; **supplies** *npl* dostawy *pl*; **to supply sth to sb** dostarczać (dostarczyć *perf*) coś komuś; **to supply sth with sth** zaopatrywać (zaopatrzyć *perf*) coś w coś; **office supplies** materiały biurowe; **petrol is in short supply** brakuje benzyny; **the electricity/water/gas supply** dostawy prądu/wody/gazu; **supply and demand** podaż i popyt; **it comes supplied with an adaptor** dołączony jest do niego zasilacz.

supply teacher (*BRIT*) *n* nauczyciel zastępujący nieobecnych nauczycieli w kilku szkołach.

support [sə'pɔːt] *n* (*moral*) poparcie *m*, wsparcie *nt*; (*financial*) wsparcie *nt*; (*TECH*) podpora *f* ♦ *vt* (*policy*) popierać (poprzeć *perf*); (*family*) utrzymywać (utrzymać *perf*); (*TECH*) podtrzymywać (podtrzymać *perf*), podpierać (podeprzeć *perf*); (*theory*) potwierdzać (potwierdzić *perf*); (*football team etc*) kibicować +*dat*; **they stopped work in support of ...** przerwali pracę na znak poparcia dla +*gen*; **to support o.s.** utrzymywać się (utrzymać się *perf*), zarabiać (zarobić *perf*) na siebie.

supporter [sə'pɔːtə*] *n* (*POL etc*) stronnik (-iczka) *m(f)*; (*SPORT*) kibic *m*.

supporting [sə'pɔːtɪŋ] *adj* (*role, actor*) drugoplanowy.

suppose [sə'pəuz] *vt* (*think likely*) sądzić; (*imagine*) przypuszczać; **he is supposed to do it** ma *or* powinien to zrobić; **it was worse than she'd supposed** było gorzej, niż przypuszczała; **I don't suppose she'll come** nie sądzę, żeby przyszła; **he's about sixty, I suppose** ma chyba około sześćdziesiątki; **he's supposed to be an expert** on jest podobno specjalistą; **I suppose so/not** sądzę, że tak/nie.

supposedly [sə'pəuzɪdlɪ] *adv* podobno.

supposing [sə'pəuzɪŋ] *conj* (a) jeśli *or* gdyby, przypuśćmy, że.

supposition [sʌpə'zɪʃən] *n* przypuszczenie *nt*.

suppository [sə'pɔzɪtrɪ] (*MED*) *n* czopek *m*.

suppress [sə'prɛs] *vt* (*revolt, feeling, yawn*) tłumić (stłumić *perf*); (*activities*) zakazywać

(zakazać *perf*) +*gen*; (*information*) zatajać (zataić *perf*); (*publication*) zakazywać (zakazać *perf*) rozpowszechniania +*gen*; (*scandal*) tuszować (zatuszować *perf*).

suppression [sə'prɛʃən] *n* (*of rights*) odebranie *nt*; (*of activities*) zakaz *m*; (*of information*) zatajenie *nt*; (*of feelings, yawn, revolt*) (s)tłumienie *nt*.

suppressor [sə'prɛsə*] (*ELEC etc*) *n* tłumik *m*.

supremacy [su'prɛməsɪ] *n* supremacja *f*.

supreme [su'priːm] *adj* (*in titles*) najwyższy, naczelny; (*effort, achievement*) niezwykły, olbrzymi.

Supreme Court (*US*) *n* Sąd *m* Najwyższy.

Supt. (*POLICE*) *abbr* = **superintendent**.

surcharge ['sɜːtʃɑːdʒ] *n* opłata *f* dodatkowa.

sure [ʃuə*] *adj* (*convinced*) pewny; (*reliable*) niezawodny ♦ *adv* (*inf: esp US*): **that sure is pretty/that's sure pretty** to jest faktycznie ładne; **to make sure that** upewniać się (upewnić się *perf*), że *or* czy; **to make sure of sth** upewniać się (upewnić się *perf*) co do czegoś; **sure!** jasne!, pewnie!; **sure enough** rzeczywiście; **I'm sure of it** jestem tego pewna; **I'm not sure how/why/when** nie jestem pewien jak/dlaczego/kiedy; **to be sure of o.s.** być pewnym siebie.

sure-footed [ʃuə'futɪd] *adj* trzymający się pewnie na nogach.

surely ['ʃuəlɪ] *adv* z pewnością, na pewno; **surely you don't mean that!** chyba nie mówisz tego poważnie!

surety ['ʃuərətɪ] *n* (*money*) gwarancja *f*, poręczenie *nt*; (*person*) poręczyciel(ka) *m(f)*; **to go** *or* **stand surety for sb** ręczyć (poręczyć *perf*) za kogoś.

surf [sɜːf] *n* morska piana *f* (*z fal rozbijających się o brzeg lub skały*).

surface ['sɜːfɪs] *n* powierzchnia *f*; (*of lake, pond*) tafla *f* ♦ *vt* (*road*) pokrywać (pokryć *perf*) (nową) nawierzchnią ♦ *vi* wynurzać się (wynurzyć się *perf*), wypływać (wypłynąć *perf*) (na powierzchnię); (*fig: news, feeling*) pojawiać się (pojawić się *perf*); (: *person: inf*) zwlekać (zwlec *perf*) się z łóżka (*inf*); **on the surface** (*fig*) na pozór, na pierwszy rzut oka.

surface area *n* pole *nt* (powierzchni), powierzchnia *f*.

surface mail *n* poczta *f* zwykła (*lądowa lub morska*).

surfboard ['sɜːfbɔːd] *n* deska *f* surfingowa.

surfeit ['sɜːfɪt] *n*: **a surfeit of** nadmiar *m* +*gen*.

surfer ['sɜːfə*] *n* osoba uprawiająca surfing.

surfing ['sɜːfɪŋ] *n* surfing *m*, pływanie *nt* na desce.

surge [sɜːdʒ] *n* (*increase*) skok *m*, nagły wzrost *m*; (*fig: of emotion*) przypływ *m*; (*ELEC*) skok *m* napięcia ♦ *vi* (*water*) przelewać się; (*people*) rzucać się (rzucić się *perf*); (*emotion*) wzbierać (wezbrać *perf*);

(*ELEC: power*) skakać (skoczyć *perf*); **to surge forward** ruszać (ruszyć *perf*) naprzód.

surgeon ['sə:dʒən] *n* chirurg *m*.

Surgeon General (*US*) *n* ≈ minister *m* zdrowia.

surgery ['sə:dʒərɪ] *n* (*practice*) chirurgia *f*; (*operation*) operacja *f*; (: *minor*) zabieg *m* (chirurgiczny); (*BRIT*) gabinet *m* (lekarski); (: *also:* **surgery hours**) godziny *pl* przyjęć; (: *of MP etc*) godziny *pl* przyjęć; **to undergo surgery** przechodzić (przejść *perf*) operację.

surgical ['sə:dʒɪkl] *adj* (*instrument, mask*) chirurgiczny; (*treatment*) chirurgiczny, operacyjny.

surgical spirit (*BRIT*) *n* spirytus *m* skażony.

surly ['sə:lɪ] *adj* opryskliwy.

surmise [sə:'maɪz] *vt*: **to surmise that** domyślać się, że.

surmount [sə:'maunt] *vt* (*fig: obstacle*) przezwyciężać (przezwyciężyć *perf*).

surname ['sə:neɪm] *n* nazwisko *nt*.

surpass [sə:'pɑ:s] *vt* (*fig*) przewyższać (przewyższyć *perf*).

surplus ['sə:pləs] *n* nadwyżka *f* ♦ *adj*: **surplus stock/grain** nadwyżka zapasów/ziarna; **it is surplus to our requirements** to wykracza poza nasze potrzeby.

surprise [sə'praɪz] *n* (*unexpected event*) niespodzianka *f*, zaskoczenie *nt*; (*astonishment*) zdziwienie *nt* ♦ *vt* (*astonish*) dziwić (zdziwić *perf*); (*catch unawares*) zaskakiwać (zaskoczyć *perf*); **to take sb by surprise** zaskakiwać (zaskoczyć *perf*) kogoś.

surprising [sə'praɪzɪŋ] *adj* zaskakujący, niespodziewany; **it is surprising how/that** (to) zaskakujące, jak/że.

surprisingly [sə'praɪzɪŋlɪ] *adv* zaskakująco, niespodziewanie; (**somewhat**) **surprisingly, he agreed** (dość) nieoczekiwanie zgodził się.

surrealism [sə'rɪəlɪzəm] *n* surrealizm *m*.

surrealist [sə'rɪəlɪst] *adj* surrealistyczny.

surrender [sə'rɛndə*] *n* poddanie się *nt* ♦ *vi* poddawać się (poddać się *perf*) ♦ *vt* zrzekać się (zrzec się *perf*) +*gen*.

surrender value *n* suma *f* wykupu (*polisy ubezpieczeniowej*).

surreptitious [sʌrəp'tɪʃəs] *adj* potajemny, ukradkowy.

surrogate ['sʌrəgɪt] *n* namiastka *f*, surogat *m* ♦ *adj* zastępczy.

surrogate mother *n* matka *f* zastępcza;

surround [sə'raund] *vt* otaczać (otoczyć *perf*).

surrounding [sə'raundɪŋ] *adj* otaczający, okoliczny.

surroundings [sə'raundɪŋz] *npl* otoczenie *nt*, okolica *f*.

surtax ['sə:tæks] *n* podatek *m* wyrównawczy.

surveillance [sə:'veɪləns] *n* inwigilacja *f*; **to be under surveillance** być inwigilowanym.

survey [*n* 'sə:veɪ, *vb* sə:'veɪ] *n*

(*examination: of land*) pomiar *m*; (: *of house*) oględziny *pl*, ekspertyza *f*; (*comprehensive view*) przegląd *m* ♦ *vt* (*land*) dokonywać (dokonać *perf*) pomiarów +*gen*; (*house*) poddawać (poddać *perf*) ekspertyzie *or* oględzinom; (*scene, prospects etc*) oceniać (ocenić *perf*), przyglądać się (przyjrzeć się *perf*) +*dat*.

surveying [sə'veɪɪŋ] *n* (*of land*) pomiar *m* (geodezyjny).

surveyor [sə'veɪə*] *n* (*of land*) mierniczy *m*; (*of house*) rzeczoznawca *m* budowlany.

survival [sə'vaɪvl] *n* (*state*) przetrwanie *nt*, przeżycie *nt*; (*object*) relikt *m* ♦ *cpd*: **survival kit** zestaw *m* ratunkowy; **survival course** kurs *or* szkoła przetrwania.

survive [sə'vaɪv] *vi* (*person, animal*) przeżyć (*perf*); (*custom etc*) przetrwać (*perf*) ♦ *vt* przeżyć (*perf*).

survivor [sə'vaɪvə*] *n* ocalały *m*, pozostały *m* przy życiu.

susceptible [sə'sɛptəbl] *adj*: **susceptible (to)** (*injury, pressure*) podatny (na +*acc*); (*heat*) wrażliwy (na +*acc*).

suspect [*adj, n* 'sʌspɛkt, *vb* səs'pɛkt] *adj* podejrzany ♦ *n* podejrzany (-na) *m(f)* ♦ *vt* podejrzewać; (*doubt*) powątpiewać w +*acc*.

suspend [səs'pɛnd] *vt* (*lit, fig*) zawieszać (zawiesić *perf*).

suspended sentence *n* wyrok *m* w zawieszeniu.

suspender belt [səs'pɛndə*-] *n* pas *m* do pończoch.

suspenders [səs'pɛndəz] *npl* (*BRIT*) podwiązki *pl*; (*US*) szelki *pl*.

suspense [səs'pɛns] *n* (*uncertainty*) niepewność *f*; (*in film etc*) napięcie *nt*; **to keep sb in suspense** trzymać kogoś w niepewności.

suspension [səs'pɛnʃən] *n* zawieszenie *nt*; (*liquid*) zawiesina *f*.

suspension bridge *n* most *m* wiszący.

suspicion [səs'pɪʃən] *n* (*distrust*) podejrzenie *nt*; (*idea*) myśl *f*; (*trace*): **a suspicion of danger** cień *m* niebezpieczeństwa; **to be under suspicion** być podejrzanym; **arrested on suspicion of murder** aresztowany pod zarzutem morderstwa.

suspicious [səs'pɪʃəs] *adj* (*suspecting*) podejrzliwy; (*causing suspicion*) podejrzany; **to be suspicious of** *or* **about sb/sth** mieć podejrzenia co do kogoś/czegoś.

suss out [sʌs-] (*BRIT: inf*) *vt* rozpracować (*perf*) (*inf*).

sustain [səs'teɪn] *vt* (*interest etc*) podtrzymywać (podtrzymać *perf*); (*injury*) odnosić (odnieść *perf*); (*give energy*) krzepić (pokrzepić *perf*).

sustained [səs'teɪnd] *adj* ciągły, nieprzerwany.

sustenance ['sʌstɪnəns] *n* pożywienie *nt*.

suture ['suːtʃə*] (*MED*) *n* szew *m*.

SW (*RADIO*) *abbr* = **short wave** f.kr.

swab [swɔb] *n* (*MED*) wacik *m* ♦ *vt* (*NAUT: also*: **swab down**) szorować (wyszorować *perf*).

swagger ['swægə*] *vi* chodzić *or* iść dumnie.

swallow ['swɔləu] *n* (*bird*) jaskółka *f*; (*of food*) kęs *m*; (*of drink*) łyk *m*, haust *m* ♦ *vt* przełykać (przełknąć *perf*), połykać (połknąć *perf*); (*fig: story, insult*) przełykać (przełknąć *perf*); (: *one's words*) odwoływać (odwołać *perf*); (: *one's pride*) przezwyciężać (przezwyciężyć *perf*).

▶**swallow up** *vt* (*savings*) pochłaniać (pochłonąć *perf*); (*business*) wchłaniać (wchłonąć *perf*).

swam [swæm] *pt of* **swim**.

swamp [swɔmp] *n* bagno *nt*, mokradło *nt* ♦ *vt* (*ship etc*) zatapiać (zatopić *perf*); (*fig: with complaints etc*) zalewać (zalać *perf*).

swampy ['swɔmpɪ] *adj* bagnisty, podmokły.

swan [swɔn] *n* łabędź *m*.

swank [swæŋk] (*inf*) *vi* szpanować (*inf*).

swansong ['swɔnsɔŋ] *n* (*fig*) łabędzi śpiew *m*.

swap [swɔp] *n* zamiana *f*, wymiana *f* ♦ *vt*. **to swap (for)** (*exchange*) zamieniać (zamienić *perf*) (na +*acc*); (*replace*) wymieniać (wymienić *perf*) (na +*acc*).

swarm [swɔːm] *n* (*of bees*) rój *m*; (*of people*) mrowie *nt* ♦ *vi* (*bees*) roić się; (*people*) tłoczyć się, iść tłumem; **the garden was swarming with security men** w ogrodzie roiło się od agentów obstawy.

swarthy ['swɔːðɪ] *adj* ogorzały, smagły.

swashbuckling ['swɔʃbʌklɪŋ] *adj* (*look, behaviour*) zawadiacki.

swastika ['swɔstɪkə] *n* swastyka *f*.

swat [swɔt] *vt* (*insect*) pacnąć w (*perf*); ♦ *n* (*BRIT: also*: **fly swat**) packa *f* na muchy.

swathe [sweɪð] *vt*. **to swathe sth in** (*silk etc*) spowijać (spowić *perf*) coś w +*acc*; (*warm blanket etc*) opatulać (opatulić *perf*) coś +*instr*.

swatter ['swɔtə*] *n* (*also*: **fly swatter**) packa *f* na muchy.

sway [sweɪ] *vi* chwiać się (zachwiać się *perf*), kołysać się (zakołysać się *perf*) ♦ *vt* sterować +*instr* ♦ *n*: **to hold sway (over sb)** rządzić (kimś).

Swaziland ['swɑːzɪlænd] *n* Suazi *nt inv*.

swear [sweə*] (*pt* **swore**, *pp* **sworn**) *vi* (*curse*) kląć (zakląć *perf*), przeklinać ♦ *vt* (*promise*) przysięgać (przysiąc *perf*); **to swear an oath** składać (złożyć *perf*) przysięgę.

▶**swear in** *vt* zaprzysięgać (zaprzysiąc *perf*).

swearword ['sweəwəːd] *n* przekleństwo *nt*.

sweat [swɛt] *n* pot *m* ♦ *vi* pocić się (spocić się *perf*); **in a sweat** spocony.

sweatband ['swɛtbænd] (*SPORT*) *n* opaska *f* (na czoło).

sweater ['swɛtə*] *n* sweter *m*.

sweatshirt ['swɛtʃəːt] *n* bluza *f*.

sweatshop ['swɛtʃɔp] (*pej*) *n* fabryka lub warsztat wyzyskujący robotników.

sweaty ['swɛtɪ] *adj* (*clothes*) przepocony; (*hands*) spocony.

Swede [swiːd] *n* Szwed(ka) *m(f)*.

swede [swiːd] (*BRIT*) *n* brukiew *f*.

Sweden ['swiːdn] *n* Szwecja *f*.

Swedish ['swiːdɪʃ] *adj* szwedzki ♦ *n* (*język m*) szwedzki.

sweep [swiːp] (*pt, pp* **swept**) *n* (*act*) zamiecenie *nt*; (*curve*) łuk *m*, krzywizna *f*; (*range*) krąg *m*; (*also*: **chimney sweep**) kominiarz *m* ♦ *vt* (*brush*) zamiatać (zamieść *perf*); (*with hand*) zgarniać (zgarnąć *perf*); (*current*) znosić (znieść *perf*) ♦ *vi* (*wind*) wiać; (*hand, arm*) machnąć.

▶**sweep away** *vt* (*restrictions etc*) znosić (znieść *perf*).

▶**sweep past** *vi* przemykać (przemknąć *perf*) (obok).

▶**sweep up** *vi* zamiatać (pozamiatać *perf*).

sweeping ['swiːpɪŋ] *adj* (*gesture*) zamaszysty; (*changes*) daleko idący *or* posunięty; (*statement*) pochopny.

sweepstake ['swiːpsteɪk] *n* zakłady *pl*, totalizator *m*.

sweet [swiːt] *n* (*candy*) cukierek *m*; (*BRIT: pudding*) deser *m* ♦ *adj* (*lit, fig*) słodki; (*kind*) dobry ♦ *adv*. **to smell sweet** pachnieć słodko; **this tastes sweet** to jest słodkie; **sweet and sour** słodko-kwaśny.

sweetbread ['swiːtbrɛd] *n* potrawa *z* grasicy jagnięcej *lub* cielęcej.

sweetcorn ['swiːtkɔːn] *n* (*słodka*) kukurydza *f*.

sweeten ['swiːtn] *vt* słodzić (posłodzić *perf*); **he bought her lunch to sweeten her before telling her the bad news** postawił jej obiad, żeby osłodzić złą wiadomość, którą miał jej przekazać.

sweetener ['swiːtnə*] *n* (*CULIN*) słodzik *m*; (*fig*) zachęta *f*.

sweetheart ['swiːthɑːt] *n* ukochany (-na) *m(f)*; (*as form of address*) kochanie *nt*.

sweetness ['swiːtnɪs] *n* (*amount of sugar*) słodkość *f*, słodycz *f*; (*kindness*) słodycz *f*, dobroć *f*.

sweet pea (*BOT*) *n* groszek *m* pachnący.

sweet potato (*BOT*) *n* batat *m or* patat *m*, słodki ziemniak *m*.

sweetshop ['swiːtʃɔp] (*BRIT*) *n* kiosk *m or* sklepik *m* ze słodyczami.

sweet tooth *n*: **to have a sweet tooth** przepadać za słodyczami.

swell [swɛl] (*pt* **swelled**, *pp* **swollen** *or* **swelled**) *n* (*of sea*) fala *f* ♦ *adj* (*US: inf*) kapitalny ♦ *vi* (*increase*) wzrastać (wzrosnąć *perf*); (*get stronger*) narastać (narosnąć *perf*), wzmagać się (wzmóc się *perf*); (*also*: **swell up**) puchnąć (spuchnąć *perf or* opuchnąć *perf*).

swelling ['swɛlɪŋ] *n* opuchlizna *f*, obrzęk *m*.

sweltering ['swɛltərɪŋ] *adj* upalny, skwarny.

swept [swɛpt] *pt*, *pp of* sweep.

swerve [swəːv] *vi* (gwałtownie) skręcać (skręcić *perf*).

swift [swɪft] *n* jerzyk *m* ♦ *adj* szybki; (*stream*) wartki, bystry.

swiftly ['swɪftlɪ] *adv* szybko.

swiftness ['swɪftnɪs] *n* szybkość *f*.

swig [swɪg] (*inf*) *n* łyk *m*, haust *m* ♦ *vt* pociągać (pociągnąć *perf*) (*inf*).

swill [swɪl] (*inf*) *vt* (*also*: swill down) trąbić (wytrąbić *perf*) (*inf*); (*also*: swill out) płukać (wypłukać *perf*) ♦ *n* pomyje *pl*.

swim [swɪm] (*pt* **swam**, *pp* **swum**) *vi* płynąć (popłynąć *perf*); (*habitually*) pływać; (*shimmer*) latać przed oczami; **my head is swimming** kręci mi się w głowie ♦ *vt* przepływać (przepłynąć *perf*) ♦ *n*: **to go for a swim, to go swimming** iść (pójść *perf*) popływać.

swimmer ['swɪmə*] *n* pływak (-aczka) *m(f)*.

swimming ['swɪmɪŋ] *n* pływanie *nt*.

swimming baths (*BRIT*) *npl* basen *m* (kryty), pływalnia *f*.

swimming cap *n* czepek *m* (kąpielowy).

swimming costume (*BRIT*) *n* kostium *m or* strój *m* kąpielowy.

swimming pool *n* basen *m*, pływalnia *f*.

swimming trunks *npl* kąpielówki *pl*.

swimsuit ['swɪmsuːt] *n* = swimming costume.

swindle ['swɪndl] *n* szwindel *m* (*inf*), kant *m* (*inf*) ♦ *vt* kantować (okantować *perf*) (*inf*).

swindler ['swɪndlə*] *n* kanciarz *m* (*inf*).

swine [swaɪn] (*inf!*) *n* świnia *f* (*inf*).

swing [swɪŋ] (*pt*, *pp* **swung**) *n* (*in playground*) huśtawka *f*; (*movement*) kołysanie *nt*; (*in opinions etc*) zwrot *m*; (*MUS*) swing *m* ♦ *vt* machać *or* wymachiwać +*instr* ♦ *vi* kołysać się, huśtać się; (*also*: swing round: *person*) obracać się (obrócić się *perf*); (: *vehicle*) zawracać (zawrócić *perf*); **a swing to the left** (*POL*) zwrot w lewo; **to get into the swing of things** wciągać się (wciągnąć się *perf*) (w coś); **the party was in full swing** przyjęcie rozkręciło się na dobre; **to swing the car (round)** zawracać (zawrócić *perf*); **the door swung open** drzwi otworzyły się na oścież.

swing bridge *n* most *m* obrotowy.

swing door (*US* **swinging door**) *n* drzwi *pl* wahadłowe.

swingeing ['swɪndʒɪŋ] (*BRIT*) *adj* druzgocący, miażdżący.

swinging ['swɪŋɪŋ] *adj* wahadłowy; (*old: fig*) tętniący życiem.

swipe [swaɪp] *vt* (*also*: swipe at) zamachnąć się (*perf*) na +*acc*; (*inf. steal*) zakosić (*perf*) (*inf*) ♦ *n*: **to take a swipe (at)** zamachnąć się (*perf*) (na +*acc*).

swirl [swəːl] *vi* wirować (zawirować *perf*) ♦ *n* wirowanie *nt*.

swish [swɪʃ] *vi* (*tail*) świsnąć (*perf*); (*curtains*) szeleścić (zaszeleścić *perf*) ♦ *n* (*of tail*) świst *m*; (*of curtains*) szelest *m* ♦ *adj* (*inf*) szykowny.

Swiss [swɪs] *adj* szwajcarski ♦ *n inv* Szwajcar(ka) *m(f)*.

Swiss French *adj* dotyczący francuskojęzycznej części Szwajcarii.

Swiss German *adj* dotyczący niemieckojęzycznej części Szwajcarii.

Swiss roll *n* rożek *m* (*z dżemem lub kremem*).

switch [swɪtʃ] *n* (*for light, radio etc*) przełącznik *m*, wyłącznik *m*; (*change*) zmiana *f*, zwrot *m* ♦ *vt* (*change*) zmieniać (zmienić *perf*); (*exchange*) wymieniać (wymienić *perf*), zamieniać (zamienić *perf*); **to switch round** *or* **over** zamieniać (zamienić *perf*) miejscami.

►**switch off** *vt* wyłączać (wyłączyć *perf*) ♦ *vi* (*fig*) wyłączać się (wyłączyć się *perf*).

►**switch on** *vt* włączać (włączyć *perf*).

switchback ['swɪtʃbæk] (*BRIT*) *n* serpentyna *f*, kręta droga *f*.

switchblade ['swɪtʃbleɪd] *n* nóż *m* sprężynowy.

switchboard ['swɪtʃbɔːd] *n* centrala *f or* łącznica *f* (telefoniczna).

switchboard operator *n* telefonista (-tka) *m(f)*.

Switzerland ['swɪtsələnd] *n* Szwajcaria *f*.

swivel ['swɪvl] *vi* (*also*: swivel round) obracać się (obrócić się *perf*), okręcać się (okręcić się *perf*).

swollen ['swəʊlən] *pp of* swell ♦ *adj* (*ankle etc*) spuchnięty, opuchnięty; (*lake etc*) wezbrany.

swoon [swuːn] *vi* omdlewać ♦ *n* omdlenie *nt*.

swoop [swuːp] *n* (*by police etc*) nalot *m*; (*of bird*) lot *m* nurkowy ♦ *vi* (*also*: swoop down) nurkować (zanurkować *perf*), pikować.

swop [swɔp] = swap.

sword [sɔːd] *n* miecz *m*.

swordfish ['sɔːdfɪʃ] *n* miecznik *m*.

swore [swɔː*] *pt of* swear.

sworn [swɔːn] *pp of* swear ♦ *adj* (*statement, evidence*) pod przysięgą *post*; (*enemy*) zaprzysięgły.

swot [swɔt] *vi* (*inf*) wkuwać (*inf*), zakuwać (*inf*) ♦ *n* (*pej: inf*) kujon *m* (*pej: inf*).

►**swot up** *vt*: **to swot up (on)** wkuwać (wkuć *perf*) *or* zakuwać (zakuć *perf*) (+*acc*) (*inf*).

swum [swʌm] *pp of* swim.

swung [swʌŋ] *pt*, *pp of* swing.

sycamore ['sɪkəmɔː*] *n* (*US*) platan *m*; (*BRIT*) klon *m* (jesionolistny); (*in the Near East*) sykomora *f*.

sycophant ['sɪkəfænt] *n* pochlebca *m*.

sycophantic [sɪkə'fæntɪk] *adj* służalczy, podlizujący się.

Sydney ['sɪdnɪ] *n* Sydney *nt inv*.

syllable ['sɪləbl] *n* sylaba *f*, zgłoska *f*.

syllabus ['sɪləbəs] *n* program *m or* plan *m*

zajęć; **on the syllabus** w programie *or* planie (zajęć).
symbol ['sɪmbl] *n* symbol *m*.
symbolic(al) [sɪm'bɔlɪk(l)] *adj* symboliczny; **to be symbolic of sth** symbolizować coś.
symbolism ['sɪmbəlɪzəm] *n* symbolizm *m*.
symbolize ['sɪmbəlaɪz] *vt* symbolizować.
symmetrical [sɪ'mɛtrɪkl] *adj* symetryczny.
symmetry ['sɪmɪtrɪ] *n* symetria *f*.
sympathetic [sɪmpə'θɛtɪk] *adj* (*understanding*) współczujący; (*likeable*) sympatyczny; (*supportive*) życzliwy; **to be sympathetic to a cause** sympatyzować ze sprawą.
sympathetically [sɪmpə'θɛtɪklɪ] *adv* (*with understanding*) współczująco; (*with support*) życzliwie.
sympathize ['sɪmpəθaɪz] *vi*: **to sympathize with** (*person*) współczuć +*dat*; (*feelings*) podzielać +*acc*; (*cause*) sympatyzować z +*instr*.
sympathizer ['sɪmpəθaɪzə*] (*POL*) *n* sympatyk (-yczka) *m(f)*.
sympathy ['sɪmpəθɪ] *n* współczucie *nt*; **sympathies** *npl* sympatie *pl*; **with our deepest sympathy** z wyrazami najgłębszego współczucia; **to come out in sympathy** przeprowadzać (przeprowadzić *perf*) strajk solidarnościowy.
symphonic [sɪm'fɔnɪk] *adj* symfoniczny.
symphony ['sɪmfənɪ] *n* symfonia *f*.
symphony orchestra *n* orkiestra *f* symfoniczna.
symposia [sɪm'pəuzɪə] *npl of* **symposium**.
symposium [sɪm'pəuzɪəm] (*pl* **symposiums** *or* **symposia**) *n* sympozjum *nt*.
symptom ['sɪmptəm] *n* objaw *m*, symptom *m*; (*fig*) oznaka *f*.
symptomatic [sɪmptə'mætɪk] *adj*: **symptomatic of** będący przejawem +*gen*.
synagogue ['sɪnəgɔg] *n* synagoga *f*, bożnica *f*.
synchromesh [sɪŋkrəu'mɛʃ] *n* synchronizator *f* (skrzyni biegów).
synchronize ['sɪŋkrənaɪz] *vt* synchronizować (zsynchronizować *perf*) ♦ *vi*: **to synchronize with** być zsynchronizowanym z +*instr*.
syncopated ['sɪŋkəpeɪtɪd] *adj* synkopowany.
syndicate ['sɪndɪkɪt] *n* syndykat *m*.
syndrome ['sɪndrəum] *n* syndrom *m*.
synonym ['sɪnənɪm] *n* synonim *m*.
synonymous [sɪ'nɔnɪməs] *adj* (*fig*): **synonymous (with)** równoznaczny (z +*instr*).
synopses [sɪ'nɔpsiːz] *npl of* **synopsis**.
synopsis [sɪ'nɔpsɪs] (*pl* **synopses**) *n* streszczenie *nt*.
syntactic [sɪn'tæktɪk] *adj* składniowy, syntaktyczny.
syntax ['sɪntæks] *n* składnia *f*, syntaksa *f*.
syntax error *n* błąd *m* składniowy *or* syntaktyczny.
syntheses ['sɪnθəsiːz] *npl of* **synthesis**.

synthesis ['sɪnθəsɪs] (*pl* **syntheses**) *n* synteza *f*.
synthesizer ['sɪnθəsaɪzə*] *n* syntezator *m*.
synthetic [sɪn'θɛtɪk] *adj* syntetyczny; **synthetics** *npl* włókna *pl* syntetyczne *or* sztuczne.
syphilis ['sɪfɪlɪs] *n* kiła *f*, syfilis *m*.
syphon ['saɪfən] = **siphon**.
Syria ['sɪrɪə] *n* Syria *f*.
Syrian ['sɪrɪən] *adj* syryjski ♦ *n* Syryjczyk (-jka) *m(f)*.
syringe [sɪ'rɪndʒ] *n* strzykawka *f*.
syrup ['sɪrəp] *n* syrop *m*; (*also*: **golden syrup**) *przesycony roztwór cukrów używany do celów spożywczych*.
syrupy ['sɪrəpɪ] *adj* lepki; (*pej*: *fig*) ckliwy.
system ['sɪstəm] *n* (*organization, method*) system *m*; (*body*) organizm *m*; (*ANAT*) układ *m*; **it was a shock to his system** był to wstrząs dla jego organizmu.
systematic [sɪstə'mætɪk] *adj* systematyczny.
system disk (*COMPUT*) *n* dysk *m* systemowy.
systems analyst ['sɪstəmz-] (*COMPUT*) *n* analityk *m* systemów.

T,t

T, t [tiː] *n* (*letter*) T *nt*, t *nt*; **T for Tommy** ≈ T jak Tadeusz.
TA (*BRIT*) *n abbr* = **Territorial Army**.
ta [tɑː] (*BRIT*: *inf*) *excl* dzięki (*inf*).
tab [tæb] *n abbr* = **tabulator**;
to keep tabs on sb/sth (*fig*) mieć kogoś/coś na oku.
tabby ['tæbɪ] *n* (*also*: **tabby cat**) pręgowany kot *m*.
tabernacle ['tæbənækl] *n* tabernakulum *nt*.
table ['teɪbl] *n* (*furniture*) stół *m*; (*MATH, CHEM etc*) tabela *f*, tablica *f* ♦ *vt* (*BRIT*: *motion etc*) przedstawiać (przedstawić *perf*); **to lay** *or* **set the table** nakrywać (nakryć *perf*) do stołu; **to clear the table** sprzątać (sprzątnąć *perf*) ze stołu; **league table** (*BRIT*) tabela ligowa.
tablecloth ['teɪblklɔθ] *n* obrus *m*.
table d'hôte [tɑːbl'dəut] *adj* (*menu, meal*) *składający się z ograniczonej liczby dań o ustalonej cenie*.
table lamp *n* lampka *f* na stolik.
tablemat ['teɪblmæt] *n* (*for plate*) serwetka *f*; (*for hot dish*) podkładka *f*.
table of contents *n* spis *m* treści.
table salt *n* sól *f* kuchenna.
tablespoon ['teɪblspuːn] *n* łyżka *f* stołowa.

tablet ['tæblɪt] *n* (*MED*) tabletka *f*; (*HIST:* *for writing*) tabliczka *f*; (*plaque*) tablica *f*; **tablet of soap** (*BRIT: fml*) kostka mydła.
table tennis *n* tenis *m* stołowy.
table wine *n* wino *nt* stołowe.
tabloid ['tæblɔɪd] *n* ≈ brukowiec *m* (*pej*); **the tabloids** ≈ prasa brukowa.
taboo [tə'bu:] *n* tabu *nt* ♦ *adj* zakazany, tabu *post.*
tabulate ['tæbjuleɪt] *vt* układać (ułożyć *perf*) w tabelę.
tabulator ['tæbjuleɪtə*] *n* (*on typewriter*) tabulator *m.*
tachograph ['tækəgrɑ:f] (*AUT*) *n* tachograf *m.*
tachometer [tæ'kɒmɪtə*] (*AUT*) *n* szybkościomierz *m.*
tacit ['tæsɪt] *adj* milczący.
taciturn ['tæsɪtə:n] *adj* małomówny.
tack [tæk] *n* pinezka *f* ♦ *vt* (*nail*) przypinać (przypiąć *perf*) (pinezkami); (*stitch*) fastrygować (sfastrygować *perf*) ♦ *vi* (*NAUT*) halsować; **to change tack** (*fig*) zmieniać (zmienić *perf*) kurs; **to tack sth on to (the end of) sth** dołączać (dołączyć *perf*) coś do czegoś.
tackle ['tækl] *n* (*for fishing*) sprzęt *m* wędkarski; (*for lifting*) wyciąg *m* (wielokrążkowy); (*FOOTBALL, RUGBY*) zablokowanie *nt* ♦ *vt* (*deal with, challenge*) stawiać (stawić *perf*) czoła +*dat*; (*grapple with*) podejmować (podjąć *perf*) walkę z +*instr*; (*FOOTBALL, RUGBY*) blokować (zablokować *perf*).
tacky ['tækɪ] *adj* (*sticky*) lepki; (*pej*) tandetny (*pej*).
tact [tækt] *n* takt *m.*
tactful ['tæktful] *adj* taktowny.
tactfully ['tæktfəlɪ] *adv* taktownie.
tactical ['tæktɪkl] *adj* taktyczny; **tactical error** błąd taktyczny.
tactics ['tæktɪks] *npl* taktyka *f.*
tactless ['tæktlɪs] *adj* nietaktowny.
tactlessly ['tæktlɪslɪ] *adv* nietaktownie.
tadpole ['tædpəul] *n* kijanka *f.*
taffy ['tæfɪ] (*US*) *n* toffi *nt inv.*
tag [tæg] *n* (*price*) metka *f*; (*airline*) przywieszka *f*; **name tag** identyfikator.
►**tag along** *vi* przyczepiać się (przyczepić się *perf*).
Tahiti [tɑ:'hi:tɪ] *n* Tahiti *nt inv.*
tail [teɪl] *n* (*of animal, plane*) ogon *m*; (*of shirt, coat*) poła *f* ♦ *vt* śledzić; **tails** *npl* frak *m*; **to turn tail** dawać (dać *perf*) nogę (*inf*); *see also* **head**.
►**tail off** *vi* stopniowo maleć (zmaleć *perf*); (*voice*) zamierać (zamrzeć *perf*).
tailback ['teɪlbæk] (*BRIT*) *n* korek *m* (*uliczny*).
tail coat *n* = **tails**.
tail end *n* końcówka *f.*
tailgate ['teɪlgeɪt] *n* (*AUT*) tylna klapa *f.*
tail light (*AUT*) *n* tylne światło *nt.*

tailor ['teɪlə*] *n* krawiec *m* męski ♦ *vt*: **to tailor sth (to)** dopasowywać (dopasować *perf*) coś (do +*gen*); **tailor's shop** zakład krawiecki.
tailoring ['teɪlərɪŋ] *n* (*craft*) krawiectwo *nt*; (*cut*) krój *m.*
tailor-made ['teɪlə'meɪd] *adj* (*suit*) (szyty) na miarę; (*fig: part in play, person for job*) wymarzony.
tailwind ['teɪlwɪnd] *n* wiatr *m* w plecy.
taint [teɪnt] *vt* (*food, water*) zanieczyszczać (zanieczyścić *perf*); (*fig: reputation*) brukać (zbrukać *perf*), nadszarpywać (nadszarpnąć *perf*).
tainted ['teɪntɪd] *adj* (*food, air*) skażony, zanieczyszczony; (*fig: reputation*) zbrukany, nadszarpnięty.
Taiwan ['taɪ'wɑ:n] *n* Tajwan *m.*
take [teɪk] (*pt* **took**, *pp* **taken**) *vt* (*shower, holiday*) brać (wziąć *perf*); (*photo*) robić (zrobić *perf*); (*decision*) podejmować (podjąć *perf*); (*steal*) zabierać (zabrać *perf*); (*courage, time*) wymagać +*gen*; (*pain etc*) znosić (znieść *perf*); (*passengers, spectators etc*) mieścić (pomieścić *perf*); (*accompany: person*) zabierać (zabrać *perf*); (*carry, bring: object*) brać (wziąć *perf*), zabierać (zabrać *perf*); (*exam, test*) zdawać, podchodzić (podejść *perf*) do +*gen*; (*drug, pill etc*) brać (wziąć *perf*), zażywać (zażyć *perf*) ♦ *vi* (*drug*) działać (zadziałać *perf*); (*dye*) przyjmować się (przyjąć się *perf*), chwytać (chwycić *perf*) (*inf*) ♦ *n* (*FILM*) ujęcie *nt*; **to take sth from** wyjmować (wyjąć *perf*) coś z +*gen*; **I take it (that)** zakładam (, że); **I took him for a doctor** wziąłem go za lekarza; **she took them for geography** uczyła ich geografii; **to take sb's hand** brać (wziąć *perf*) kogoś za rękę; **to take sb for a walk** brać (zabrać *perf*) kogoś na spacer; **to be taken ill** zachorować (*perf*); **to take it upon o.s. to do sth** brać (wziąć *perf*) na siebie zrobienie czegoś; **take the first (street) on the left** skręcać (skręcić *perf*) w pierwszą (ulicę) w lewo; **to take Russian at university** mieć na uniwersytecie zajęcia z języka rosyjskiego; **it won't take long** to nie potrwa długo; **I was quite taken with her** bardzo mi się spodobała.
►**take after** *vt fus* przypominać +*acc*, być podobnym do +*gen*.
►**take apart** *vt* rozbierać (rozebrać *perf*) (na części).
►**take away** *vt* (*remove*) odbierać (odebrać *perf*); (*carry off*) wynosić (wynieść *perf*); (*MATH*) odejmować (odjąć *perf*) ♦ *vi*: **to take away from** umniejszać (umniejszyć *perf*) +*acc*.
►**take back** *vt* (*goods*) zwracać (zwrócić *perf*); (*one's words*) cofać (cofnąć *perf*), odwoływać (odwołać *perf*).
►**take down** *vt* (*write down*) notować (zanotować *perf*), zapisywać (zapisać *perf*); (*dismantle*) rozbierać (rozebrać *perf*).

▸**take in** vt (deceive) oszukiwać (oszukać perf); (understand) przyjmować (przyjąć perf) do wiadomości; (include) wchłaniać (wchłonąć perf); (lodger) brać (wziąć perf); (orphan) przygarniać (przygarnąć perf); (dress) zwężać (zwęzić perf).

▸**take off** vi (AVIAT) startować (wystartować perf); (go away) wybrać się (perf) ♦ vt (clothes) zdejmować (zdjąć perf); (make-up) usuwać (usunąć perf); (person) naśladować.

▸**take on** vt (work, responsibility, employee) przyjmować (przyjąć perf); (competitor) stawać (stanąć perf) do współzawodnictwa z +instr.

▸**take out** vt (person) zapraszać (zaprosić perf) (do lokalu); (tooth) usuwać (usunąć perf); (licence) uzyskiwać (uzyskać perf); **to take sth out of sth** wyjmować (wyjąć perf) coś z czegoś; **don't take it out on me!** nie odgrywaj się na mnie!

▸**take over** vt (business) przejmować (przejąć perf); (country) zajmować (zająć perf) ♦ vi: **to take over from sb** przejmować (przejąć perf) od kogoś obowiązki, zastępować (zastąpić perf) kogoś.

▸**take to** vt fus polubić (perf); **to take to doing sth** zacząć (perf) coś robić.

▸**take up** vt (hobby, sport) zainteresować się (perf) +instr, zająć się (perf) +instr; (post) obejmować (objąć perf); (idea, suggestion) podejmować (podjąć perf), podchwytywać (podchwycić perf); (time, space) zajmować (zająć perf), zabierać (zabrać perf); (task, story) podejmować (podjąć perf); (garment) skracać (skrócić perf) ♦ vi: **to take up with sb** zaprzyjaźnić się (perf) z kimś; **to take sb up on an offer/invitation** skorzystać (perf) z czyjejś propozycji/czyjegoś zaproszenia.

takeaway ['teɪkəweɪ] (BRIT) n (food) dania pl na wynos; (shop, restaurant) restauracja specjalizująca się w daniach na wynos.

take-home pay ['teɪkhəum-] n płaca f na rękę.

taken ['teɪkən] pp of **take**.

takeoff ['teɪkɔf] (AVIAT) n start m.

takeout ['teɪkaut] (US) n = **takeaway**.

takeover ['teɪkəuvə*] n (COMM) przejęcie nt; (of country) zajęcie nt.

takeover bid (COMM) n oferta f przejęcia.

takings ['teɪkɪŋz] (COMM) npl wpływy pl.

talc [tælk] n talk m.

tale [teɪl] n (story) baśń f, opowieść f; (account) historia f; **to tell tales** skarżyć.

talent ['tælnt] n talent m.

talented ['tæləntɪd] adj utalentowany, uzdolniony.

talent scout n łowca m talentów.

talk [tɔːk] n (prepared speech) wykład m; (: non-academic) pogadanka f; (conversation) rozmowa f; (gossip) plotki pl ♦ vi (speak) mówić; (gossip) gadać (inf); (chat) rozmawiać; **talks** npl (POL etc) rozmowy pl;

to give a talk wygłaszać (wygłosić perf) wykład or pogadankę; **to talk about** mówić or rozmawiać o +loc; **talking of films, have you seen ...?** à propos filmów, czy widziałaś +acc?; **to talk sb into doing sth** namówić (perf) kogoś do zrobienia czegoś; **to talk sb out of doing sth** wyperswadować (perf) komuś zrobienie czegoś; **to talk shop** mówić or rozmawiać o sprawach służbowych.

▸**talk over** vt omawiać (omówić perf).

talkative ['tɔːkətɪv] adj rozmowny.

talker ['tɔːkə*] n: **a good/entertaining/fast etc talker** dobry/zajmujący/biegły etc mówca m.

talking point ['tɔːkɪŋ-] n przedmiot m rozmów.

talking-to ['tɔːkɪŋtu] n: **to give sb a (good) talking-to** (ostro) kogoś zbesztać (perf).

talk show n talkshow m inv.

tall [tɔːl] adj wysoki; **to be 6 feet tall** mieć 6 stóp (wzrostu); **how tall are you?** ile masz wzrostu?

tallboy ['tɔːlbɔɪ] (BRIT) n (wysoka) komoda f.

tallness ['tɔːlnɪs] n (of person) wzrost m; (of object) wysokość f.

tall story n nieprawdopodobna historia f.

tally ['tælɪ] n (of marks, amounts of money etc) zgadzać się (zgodzić się perf) ♦ vi: **to tally (with)** (figures, stories etc) zgadzać się (zgodzić się perf) (z +instr); **to keep a tally of sth** prowadzić rejestr czegoś.

talon ['tælən] n pazur m, szpon m.

tambourine [tæmbə'riːn] n tamburyn m.

tame [teɪm] adj (animal) oswojony; (fig: story, performance) ugłaskany.

tamper ['tæmpə*] vi: **to tamper with sth** majstrować przy czymś.

tampon ['tæmpɔn] n tampon m.

tan [tæn] n (also: **suntan**) opalenizna f ♦ vi opalać się (opalić się perf) ♦ vt garbować (wygarbować perf) ♦ adj jasnobrązowy; **to get a tan** opalić się (perf).

tandem ['tændəm] n (cycle) tandem m; **in tandem (with)** w parze (z +inst).

tang [tæŋ] n (flavour) posmak m; (smell) intensywny zapach m.

tangent ['tændʒənt] n tangens m; **to go off at a tangent** (fig) (nagle) odchodzić (odejść perf) od tematu.

tangerine [tændʒə'riːn] n (fruit) mandarynka f; (colour) pomarańczowy.

tangible ['tændʒəbl] adj namacalny; **tangible assets** majątek rzeczowy.

Tangier [tæn'dʒɪə*] n Tanger m.

tangle ['tæŋgl] n plątanina f; (fig) mętlik m; **to be/get in a tangle** plątać się/zaplątać się (perf).

tango ['tæŋgəu] n tango nt.

tank [tæŋk] n (for water, petrol) zbiornik m; (for photographic processing) kuweta f; (also: **fish tank**) akwarium nt; (MIL) czołg m.

tankard ['tæŋkəd] n kufel m.

tanker ['tæŋkə*] n (ship) tankowiec m; (truck)

samochód *m* cysterna *f*; (*RAIL*) wagon *m* cysterna *f*.

tanned [tænd] *adj* opalony.

tannin ['tænɪn] *n* tanina *f*.

tanning ['tænɪŋ] *n* garbowanie *nt*.

tannoy ['tænɔɪ] (*also spelled* **Tannoy**) ® (*BRIT*) *n* system *m* nagłaśniający; **over the tannoy** przez megafony.

tantalizing ['tæntəlaɪzɪŋ] *adj* zwodniczy.

tantamount ['tæntəmaunt] *adj*: **tantamount to** równoznaczny z +*instr*.

tantrum ['tæntrəm] *n* napad *m* złości; **to throw a tantrum** wpadać (wpaść *perf*) w złość.

Tanzania [tænzə'nɪə] *n* Tanzania *f*.

Tanzanian [tænzə'nɪən] *adj* tanzański ♦ *n* Tanzańczyk (-anka) *m(f)*.

tap [tæp] *n* (*on sink*) kran *m*; (*gas tap*) zawór *m*, kurek *m*; (*gentle blow*) klepnięcie *nt* ♦ *vt* (*hit gently*) klepać (klepnąć *perf*); (*exploit: resources etc*) wykorzystywać (wykorzystać *perf*); **on tap** (*fig: resources, information*) dostępny; (*beer*) z beczki; **to tap sb's telephone** zakładać (założyć *perf*) u kogoś podsłuch.

tap-dancing ['tæpdɑːnsɪŋ] *n* stepowanie *nt*.

tape [teɪp] *n* (*also*: **magnetic tape**) taśma *f* (magnetyczna); (*cassette*) kaseta *f*, (*also*: **sticky tape**) taśma *f* klejąca; (*for tying*) tasiemka *f* ♦ *vt* (*record, conversation*) nagrywać (nagrać *perf*); (*stick*) przyklejać (przykleić *perf*) (*taśmą*); **on tape** nagrany (na taśmie).

tape deck *n* magnetofon *m* (*bez wzmacniacza*).

tape measure *n* centymetr *m* (*miara*).

taper ['teɪpə*] *n* długa cienka świeca *f* ♦ *vi* zwężać się (ku dołowi).

tape recorder *n* magnetofon *m*.

tape recording *n* nagranie *nt*.

tapered ['teɪpəd] *adj* (*skirt etc*) zwężany.

tapering ['teɪpərɪŋ] *adj* (*fingers*) cienki.

tapestry ['tæpɪstrɪ] *n* gobelin *m*; (*fig*) (wielowątkowy) obraz *m*.

tapeworm ['teɪpwəːm] *n* tasiemiec *m*.

tapioca [tæpɪ'əukə] *n* tapioka *f*.

tappet ['tæpɪt] (*AUT*) *n* popychacz *m*.

tar [tɑː] *n* smoła *f*; **low/middle tar cigarettes** papierosy o niskiej/średniej zawartości substancji smolistych.

tarantula [tə'ræntjulə] *n* tarantula *f*.

tardy ['tɑːdɪ] *adj* (*reply, letter*) spóźniony; (*progress*) powolny.

target ['tɑːgɪt] *n* cel *m*; (*fig*) obiekt *m*; **on target** (*work, sales*) zgodny z planem.

target practice *n* ćwiczenia *pl* na strzelnicy.

tariff ['tærɪf] *n* (*on goods*) taryfa *f* celna; (*BRIT: in hotel etc*) cennik *m*.

tariff barrier *n* bariera *f* celna.

tarmac ['tɑːmæk] *n* ® (*BRIT*) ≈ asfalt *m*; (*AVIAT*): **on the tarmac** w kolejce do startu ♦ *vt* (*BRIT*) pokrywać (pokryć *perf*) asfaltem.

tarn [tɑːn] *n* staw *m* (górski).

tarnish ['tɑːnɪʃ] *vt* (*silver etc*) powodować matowienie +*gen*; (*fig: reputation*) brukać (zbrukać *perf*), szargać (zszargać *perf*).

tarpaulin [tɑː'pɔːlɪn] *n* brezent *m*.

tarragon ['tærəgən] *n* estragon *m*.

tart [tɑːt] *n* tarta *f* (*z owocami, dżemem itp*); (*small*) ciastko *nt* z owocami; (*BRIT: inf*) dziwka *f* (*inf, pej*) ♦ *adj* cierpki.

►**tart up** (*BRIT: inf*) *vt* (*place, room*) odstawiać (odstawić *perf*) (*inf*); **to tart o.s. up** stroić się (wystroić się *perf*); (*pej*) odstawiać się (odstawić się *perf*) (*inf*).

tartan ['tɑːtn] *n* tartan *m* ♦ *adj* w szkocką kratę *post*.

tartar ['tɑːtə*] *n* kamień *m* (nazębny); (*pej*) herod-baba *f* (*inf, pej*).

tartar(e) sauce ['tɑːtə-] *n* sos *m* tatarski.

task [tɑːsk] *n* zadanie *nt*; **to take sb to task** udzielać (udzielić *perf*) komuś nagany.

task force *n* oddział *m* specjalny.

taskmaster ['tɑːskmɑːstə*] *n*: **a hard taskmaster** wymagający (-ca) *m(f)* przełożony (-na) *m(f)*.

Tasmania [tæz'meɪnɪə] *n* Tasmania *f*.

tassel ['tæsl] *n* frędzel *m*.

taste [teɪst] *n* (*lit, fig: flavour*) smak *m*; (*sense*) smak *m*, zmysł *m* smaku; (*sample*) odrobina *f* na spróbowanie ♦ *vt* (*get flavour of*) czuć (poczuć *perf*) smak +*gen*; (*test*) próbować (spróbować *perf*) +*gen*, kosztować (skosztować *perf*) +*gen* ♦ *vi*: **to taste of** *or* **like sth** smakować jak coś; **what does it taste like?** jak to smakuje?; **you can taste the garlic (in it)** czuć w tym czosnek; **to have a taste of sth** próbować (spróbować *perf*) czegoś; (*fig*) zakosztować (*perf*) czegoś; **to acquire a taste for sth** zasmakować (*perf*) w czymś; **to be in good/bad taste** być w dobrym/złym guście.

taste buds *npl* kubki *pl* smakowe.

tasteful ['teɪstful] *adj* gustowny.

tastefully ['teɪstfəlɪ] *adv* gustownie.

tasteless ['teɪstlɪs] *adj* (*food*) bez smaku *post*; (*remark, joke*) niesmaczny; (*furnishings*) niegustowny.

tasty ['teɪstɪ] *adj* smaczny.

tattered ['tætəd] *adj* (*clothes*) podarty, wystrzępiony; (*paper*) porwany, porozrywany; (*fig: hopes*) zrujnowany.

tatters ['tætəz] *npl*: **in tatters** w strzępach.

tattoo [tə'tuː] *n* (*on skin*) tatuaż *m*; (*spectacle*) capstrzyk *m* ♦ *vt*: **to tattoo sth on sth** tatuować (wytatuować *perf*) coś na czymś.

tatty ['tætɪ] (*BRIT: inf*) *adj* (*clothes*) niechlujny; (*furniture, room*) zapuszczony.

taught [tɔːt] *pt, pp of* **teach**.

taunt [tɔːnt] *n* drwina *f* ♦ *vt* szydzić *or* drwić z +*gen*; **to taunt sb with cowardice** zarzucać (zarzucić *perf*) komuś tchórzostwo.

Taurus ['tɔːrəs] *n* Byk *m*; **to be Taurus** być spod znaku Byka.

taut [tɔːt] *adj* napięty, naprężony.

tavern ['tævən] *n* tawerna *f.*

tawdry ['tɔːdrɪ] *adj* tandetny.

tawny ['tɔːnɪ] *adj* śniady, ogorzały.

tawny owl *n* puszczyk *m.*

tax [tæks] *n* podatek *m* ♦ *vt* opodatkowywać (opodatkować *perf*); (*fig*) wystawiać (wystawić *perf*) na próbę; **before tax** przed opodatkowaniem; **after tax** po opodatkowaniu; **free of tax** wolny od opodatkowania.

taxable ['tæksəbl] *adj* podlegający opodatkowaniu.

tax allowance *n* ulga *f* podatkowa.

taxation [tæk'seɪʃən] *n* (*system*) opodatkowanie *nt*; (*money paid*) podatki *pl.*

tax avoidance *n* obchodzenie *nt* przepisów podatkowych.

tax collector *n* poborca *m* podatkowy.

tax disc (*BRIT: AUT*) *n* nalepka na szybę samochodu świadcząca o opłaceniu podatku.

tax evasion *n* uchylanie się *nt* od podatków.

tax exemption *n* zwolnienie *nt* od podatku.

tax exile *n* wychodźca *m* podatkowy.

tax-free ['tæksfriː] *adj* wolny od podatku.

tax haven *n* raj *m* fiskalny.

taxi ['tæksɪ] *n* taksówka *f*, taxi *nt inv* ♦ *vi* (*AVIAT*) kołować.

taxidermist ['tæksɪdəːmɪst] *n* wypychacz *m* zwierząt.

taxi driver *n* taksówkarz *m.*

tax inspector (*BRIT*) *n* inspektor *m* podatkowy.

taxi rank (*BRIT*) *n* postój *m* taksówek.

taxi stand *n* = taxi rank.

taxpayer ['tækspeɪə*] *n* podatnik (-iczka) *m(f).*

tax rebate *n* zwrot *m* nadpłaconego podatku.

tax relief *n* ulga *f* podatkowa.

tax return *n* zeznanie *nt* podatkowe, deklaracja *f* podatkowa.

tax shelter (*COMM*) *n* możliwość uzyskania ulgi podatkowej dzięki inwestycjom itp.

tax year *n* rok *m* podatkowy.

TB *n abbr* = tuberculosis.

TD (*US*) *n abbr* = Treasury Department; (*FOOTBALL*) = touchdown.

tea [tiː] *n* (*drink, plant*) herbata *f*; (*BRIT: also:* **high tea**) (późny) obiad *m*, obiadokolacja *f*; (: *also:* **afternoon tea**) podwieczorek *m.*

tea bag *n* torebka *f* herbaty ekspresowej.

tea break (*BRIT*) *n* przerwa *f* na herbatę.

teacake ['tiːkeɪk] (*BRIT*) *n* słodka bułka z rodzynkami, jedzona najczęściej w postaci grzanek z masłem.

teach [tiːtʃ] (*pt* **taught**) *vt* (*pupils*) uczyć; (*subject*) uczyć *or* nauczać +*gen*; (*instruct*): **to teach sb sth, teach sth to sb** uczyć (nauczyć *perf*) kogoś czegoś ♦ *vi* uczyć; **it taught him a lesson** (*fig*) była to dla niego nauczka.

teacher ['tiːtʃə*] *n* nauczyciel(ka) *m(f)*; **French teacher** nauczyciel(ka) *m(f)* francuskiego.

teacher training college *n* kolegium *nt* nauczycielskie.

teaching ['tiːtʃɪŋ] *n* nauczanie *nt*, uczenie *nt.*

teaching aids *npl* pomoce *pl* naukowe.

teaching hospital (*BRIT*) *n* ≈ klinika *f* (Akademii Medycznej).

teaching staff (*BRIT*) *n* personel *m* dydaktyczny.

tea cosy *n* okrycie na dzbanek zapobiegające stygnięciu herbaty.

teacup ['tiːkʌp] *n* filiżanka *f* do herbaty.

teak [tiːk] *n* tik *m*, tek *m.*

tea leaves *npl* fusy *pl* (herbaciane).

team [tiːm] *n* (*of people, experts*) zespół *m*; (*SPORT*) drużyna *f*; (*of horses, oxen*) zaprzęg *m.*

▶**team up** *vi*: **to team up (with)** łączyć (połączyć *perf*) siły (z +*instr*).

team games *npl* gry *pl* zespołowe.

team spirit *n* duch *m* zespołowy.

teamwork ['tiːmwəːk] *n* praca *f* zespołowa.

tea party *n* herbatka *f* (towarzyska).

teapot ['tiːpɔt] *n* dzbanek *m* do herbaty.

tear[1] [tɛə*] (*pt* **tore**, *pp* **torn**) *n* rozdarcie *nt*, dziura *f* ♦ *vt* drzeć (podrzeć *perf*) ♦ *vi* drzeć się (podrzeć się *perf*); **to tear to pieces** *or* **to bits** *or* **to shreds** (*paper, letter, clothes*) drzeć (podrzeć *perf*) na kawałki *or* na strzępy; (*fig: person, work*) nie zostawić (*perf*) suchej nitki na +*loc*; **to tear each other to pieces** niszczyć się (zniszczyć się *perf*) nawzajem.

▶**tear along** *vi* pędzić (popędzić *perf*).

▶**tear apart** *vt* (*book, clothes*) rozrywać (rozerwać *perf*), rozdzierać (rozedrzeć *perf*); (*people*) rozdzielać (rozdzielić *perf*); **to be torn apart (by)** (*fig*) być rozdartym wewnętrznie (przez +*acc*).

▶**tear away** *vt*: **to tear o.s. away from sth** (*fig*) odrywać się (oderwać się *perf*) od czegoś.

▶**tear out** *vt* wyrywać (wyrwać *perf*).

▶**tear up** *vt* (*sheet of paper, cheque*) drzeć (podrzeć *perf*).

tear[2] [tɪə*] *n* łza *f*; **in tears** we łzach; **to burst into tears** wybuchać (wybuchnąć *perf*) płaczem.

tearaway ['tɛərəweɪ] (*BRIT: inf*) *n* narwaniec *m* (*inf*).

teardrop ['tɪədrɔp] *n* łza *f.*

tearful ['tɪəful] *adj* zapłakany.

tear gas *n* gaz *m* łzawiący.

tearing ['tɛərɪŋ] *adj*: **to be in a tearing hurry** strasznie się spieszyć.

tearoom ['tiːruːm] *n* = teashop.

tease [tiːz] *vt* dokuczać +*dat* ♦ *n* kpiarz *m.*

tea set *n* serwis *m* do herbaty.

teashop ['tiːʃɔp] (*BRIT*) *n* herbaciarnia *f.*

teaspoon ['tiːspuːn] *n* łyżeczka *f* (do herbaty).

tea strainer *n* sitko *nt* do herbaty.

teat [ti:t] *n* (*on bottle*) smoczek *m*.

teatime ['ti:taɪm] *n* pora *f* podwieczorku.

tea towel (*BRIT*) *n* ścierka *f or* ściereczka *f* do naczyń.

tea urn *n* termos *m* bufetowy.

tech [tɛk] (*inf*) *n abbr* = **technology; technical college**.

technical ['tɛknɪkl] *adj* (*advances*) techniczny; (*terms, language*) techniczny, fachowy.

technical college (*BRIT*) *n* ≈ technikum *nt*.

technicality [tɛknɪ'kælɪtɪ] *n* (*detail*) szczegół *m* techniczny; (*point of law*) szczegół *m* (prawny); **on a technicality, the judge dismissed the case** z powodu uchybienia formalnego sędzia oddalił sprawę.

technically ['tɛknɪklɪ] *adv* (*strictly speaking*) formalnie rzecz biorąc; (*regarding technique: of dancer, musician*) technicznie, z technicznego punktu widzenia; (: *of painter, actor*) warsztatowo, pod względem warsztatu.

technician [tɛk'nɪʃən] *n* technik *m*.

technique [tɛk'ni:k] *n* technika *f*.

technocrat ['tɛknəkræt] *n* technokrata (-tka) *m(f)*.

technological [tɛknə'lɔdʒɪkl] *adj* techniczny.

technologist [tɛk'nɔlədʒɪst] *n* technolog *m*.

technology [tɛk'nɔlədʒɪ] *n* technika *f*.

teddy (bear) ['tɛdɪ(-)] *n* (pluszowy) miś *m*.

tedious ['ti:dɪəs] *adj* nużący.

tedium ['ti:dɪəm] *n* nuda *f*.

tee [ti:] (*GOLF*) *n* (*peg*) podstawka *f*; (*area*) rzutnia *f*.

▶**tee off** *vi* (*GOLF*) rozpoczynać (rozpocząć *perf*) grę.

teem [ti:m] *vi*: **the museum was teeming with tourists/visitors** w muzeum roiło się od turystów/zwiedzających; **it is teeming down** leje jak z cebra.

teenage ['ti:neɪdʒ] *adj* (*fashions*) młodzieżowy; (*children*) nastoletni.

teenager ['ti:neɪdʒə*] *n* nastolatek (-tka) *m(f)*.

teens [ti:nz] *npl*: **to be in one's teens** być nastolatkiem (-ką) *m(f)*.

tee-shirt ['ti:ʃə:t] *n* = **T-shirt**.

teeter ['ti:tə*] *vi* chwiać się (zachwiać się *perf*); (*fig*): **to teeter on the edge/brink of** stać na krawędzi +*gen*.

teeth [ti:θ] *npl of* **tooth**.

teethe [ti:ð] *vi*: **she's teething** ząbkuje, wyrzynają jej się ząbki.

teething ring ['ti:ðɪŋ-] *n* gryzak *m*.

teething troubles *npl* (*fig*) początkowe trudności *pl*.

teetotal ['ti:'təutl] *adj* niepijący.

teetotaller ['ti:'təutlə*] (*US* **teetotaler**) *n* abstynent(ka) *m(f)*, niepijący (-ca) *m(f)*.

TEFL ['tɛfl] *n abbr* (= *Teaching of English as a Foreign Language*).

Teheran [tɛə'rɑːn] *n* Teheran *m*.

tel. *abbr* = **telephone** tel.

Tel Aviv ['tɛlə'viːv] *n* Tel-Awiw *m*.

telecast ['tɛlɪkɑːst] *n* transmisja *f* telewizyjna.

telecommunications ['tɛlɪkəmjuːnɪ'keɪʃənz] *n* telekomunikacja *f*.

telegram ['tɛlɪɡræm] *n* telegram *m*.

telegraph ['tɛlɪɡrɑːf] *n* telegraf *m*.

telegraphic [tɛlɪ'ɡræfɪk] *adj* telegraficzny.

telegraph pole *n* słup *m* telegraficzny.

telegraph wire *n* drut *m* telegraficzny.

telepathic [tɛlɪ'pæθɪk] *adj* (*power, communication*) telepatyczny; (*person*): **to be telephatic** mieć zdolności telepatyczne.

telepathy [tə'lɛpəθɪ] *n* telepatia *f*.

telephone ['tɛlɪfəun] *n* telefon *m* ♦ *vt* (*person*) telefonować (zatelefonować *perf*) do +*gen*, dzwonić (zadzwonić *perf*) do +*gen* ♦ *vi* telefonować (zatelefonować *perf*), dzwonić (zadzwonić *perf*); **to be on the telephone** (*talking*) rozmawiać przez telefon; (*possess phone*) mieć telefon.

telephone booth (*BRIT* **telephone box**) *n* budka *f* telefoniczna.

telephone call *n* rozmowa *f* telefoniczna; **there was a telephone call for you** był do ciebie telefon; **can I make a telephone call?** czy mogę zatelefonować ?

telephone directory *n* książka *f* telefoniczna.

telephone exchange *n* centrala *f* telefoniczna.

telephone number *n* numer *m* telefonu.

telephone operator *n* telefonista (-tka) *m(f)*.

telephone tapping *n* podsłuch *m* telefoniczny.

telephonist [tə'lɛfənɪst] (*BRIT*) *n* telefonista (-tka) *m(f)*.

telephoto ['tɛlɪ'fəutəu] *adj*: **telephoto lens** teleobiektyw *m*.

teleprinter ['tɛlɪprɪntə*] *n* dalekopis *m*.

Teleprompter ['tɛlɪprɔmptə*] ® (*US*) *n* czytnik *m* telewizyjny.

telescope ['tɛlɪskəup] *n* teleskop *m* ♦ *vi* (*fig: bus, lorry*) składać się (złożyć się *perf*) w harmonijkę ♦ *vt* (*instrument etc*) składać (złożyć *perf*) (*teleskopowo*).

telescopic [tɛlɪ'skɔpɪk] *adj* (*aerial*) teleskopowy; (*legs*) składany; **a 400 mm telescopic lense** teleobiektyw o ogniskowej 400 mm.

Teletext ['tɛlɪtɛkst] ® *n* teletekst *m*, telegazeta *f*.

televise ['tɛlɪvaɪz] *vt* transmitować w telewizji.

television ['tɛlɪvɪʒən] *n* (*set*) telewizor *m*; (*system, business*) telewizja *f*; **to be on television** (*person*) występować (wystąpić *perf*) w telewizji; **what's on television tonight?** co jest dziś wieczorem w telewizji?

television licence (*BRIT*) *n* abonament *m* telewizyjny.

television programme *n* program *m* telewizyjny.

television set *n* telewizor *m*.

telex ['tɛlɛks] *n* teleks *m* ♦ *vt* (*message*) przesyłać (przesłać *perf*) teleksem; (*company*)

teleksować (zateleksować *perf*) do +*gen* ♦ *vi*
teleksować (zateleksować *perf*).

tell [tɛl] (*pt* **told**) *vt* (*say*) mówić (powiedzieć
perf); (*relate*) opowiadać (opowiedzieć *perf*);
(*distinguish*): **to tell sth from sth** odróżniać
(odróżnić *perf*) coś od czegoś ♦ *vi*: **to tell on**
(*affect*) odbijać się (odbić się *perf*) na +*loc*;
to tell sb to do sth kazać (kazać *perf*) komuś
coś zrobić; **to tell sb of** or **about sth** (*inform*)
mówić (powiedzieć *perf*) komuś o czymś; (*at
length*) opowiadać (opowiedzieć *perf*) komuś
o czymś; **I couldn't tell what they were
thinking** nie miałem pojęcia, co myślą; **to be
able to tell the time** znać się na zegarze; **can
you tell me the time?** czy może mi Pan/Pani
powiedzieć, która (jest) godzina?; **(I) tell you
what ...** posłuchaj, ...; **I can't tell them apart**
nie rozróżniam ich.
►**tell off** *vt* besztać (zbesztać *perf*).
►**tell on** *vt fus* skarżyć (naskarżyć *perf*) na +*acc*.
teller ['tɛlə*] *n* (*in bank*) kasjer(ka) *m(f)*.
telling ['tɛlɪŋ] *adj* (*revealing*) wymowny, wiele
mówiący; (*significant*) znaczący.
telltale ['tɛlteɪl] *adj* (*sign*) charakterystyczny ♦
n (*pej*) skarżypyta *f* (*pej*).
telly ['tɛlɪ] (*BRIT*: *inf*) *n abbr* = **television**.
temerity [tə'mɛrɪtɪ] *n*: **to have the temerity to
...** mieć czelność +*infin*.
temp [tɛmp] (*BRIT*: *inf*) *n abbr* (= *temporary
office worker*) tymczasowa pomoc *f* biurowa ♦
vi pracować jako tymczasowa pomoc biurowa.
temper ['tɛmpə*] *n* (*nature*) usposobienie *nt*;
(*mood*) nastrój *m*, humor *m*; (*fit of anger*)
gniew *m* ♦ *vt* (*moderate*) łagodzić (złagodzić
perf); **to be in a temper** być rozgniewanym;
to lose one's temper tracić (stracić *perf*)
panowanie nad sobą.
temperament ['tɛmprəmənt] *n* temperament *m*,
usposobienie *nt*.
temperamental [tɛmprə'mɛntl] *adj* (*person*)
zmienny, (łatwo) ulegający nastrojom;
(*fig*: *car*, *machine*) kapryśny.
temperate ['tɛmprət] *adj* umiarkowany.
temperature ['tɛmprətʃə*] *n* temperatura *f*; **to
have** or **run a temperature** mieć gorączkę; **to
take sb's temperature** mierzyć (zmierzyć *perf*)
komuś temperaturę.
temperature chart (*MED*) *n* karta *f*
gorączkowa.
tempered ['tɛmpəd] *adj* (*steel*) hartowany.
tempest ['tɛmpɪst] *n* burza *f*.
tempestuous [tɛm'pɛstjuəs] *adj* (*time*,
relationship) burzliwy; (*person*) gwałtowny,
porywczy.
tempi ['tɛmpi:] *npl of* **tempo**.
template ['tɛmplɪt] *n* szablon *m*.
temple ['tɛmpl] *n* (*building*) świątynia *f*;
(*ANAT*) skroń *f*.
tempo ['tɛmpəu] (*pl* **tempos** or **tempi**) *n*
tempo *nt*.

temporal ['tɛmpərl] *adj* (*secular*) świecki;
(*earthly*) doczesny; (*relating to time*) czasowy.
temporarily ['tɛmpərərɪlɪ] *adv* (*stay*,
accommodate) tymczasowo, chwilowo;
(*closed*, *unavailable*, *alone*) chwilowo.
temporary ['tɛmpərərɪ] *adj* tymczasowy.
temporize ['tɛmpəraɪz] *vi* grać na zwłokę or
na czas.
tempt [tɛmpt] *vt* (*attract*) kusić (skusić *perf*);
(: *client*, *customer*) przyciągać (przyciągnąć
perf); (*persuade*): **to tempt sb to do sth/into
doing sth** nakłaniać (nakłonić *perf*) kogoś do
zrobienia czegoś; **to be tempted to do sth**
mieć (wielką) ochotę coś (z)robić.
temptation [tɛmp'teɪʃən] *n* pokusa *f*.
tempting ['tɛmptɪŋ] *adj* kuszący.
ten [tɛn] *num* dziesięć ♦ *n*: **tens of thousands**
dziesiątki *pl* tysięcy.
tenable ['tɛnəbl] *adj* (*argument*) dający się
obronić; **the position of Chairman is tenable
for a maximum of 3 years** kadencja
przewodniczącego trwa maksimum 3 lata.
tenacious [tə'neɪʃəs] *adj* (*person*) uparty,
nieustępliwy; (*idea*) (głęboko) zakorzeniony.
tenacity [tə'næsɪtɪ] *n* upór *m*, nieustępliwość *f*.
tenancy ['tɛnənsɪ] *n* dzierżawa *f*, najem *m*.
tenant ['tɛnənt] *n* (*of land*, *property*) dzierżawca
m, najemca *m*; (*of flat*) najemca *m*, lokator(ka)
m(f); (*of room*) sublokator(ka) *m(f)*.
tend [tɛnd] *vt* (*crops*) uprawiać; (*sick person*)
doglądać +*gen* ♦ *vt*: **I tend to wake up early**
mam zwyczaj budzić się or zwykle budzę się
wcześnie.
tendency ['tɛndənsɪ] *n* (*inclination*) skłonność *f*;
(*habit*) zwyczaj *m*; (*trend*) tendencja *f*.
tender ['tɛndə*] *adj* (*affectionate*) czuły; (*sore*)
obolały; (*meat*) miękki, kruchy; (*age*): **he's
at a tender age, he's of tender years** jest
(jeszcze) bardzo młody ♦ *n* (*COMM*) oferta *f*;
(*money*): **legal tender** środek *m* płatniczy ♦ *vt*
(*offer*, *resignation*) składać (złożyć *perf*); **to
put in a tender (for)** składać (złożyć *perf*)
ofertę (na +*acc*); **to put work out to tender**
(*BRIT*) ogłaszać (ogłosić *perf*) przetarg na
wykonanie prac.
tenderize ['tɛndəraɪz] (*CULIN*) *vt* (*meat*)
zmiękczać (zmiękczyć *perf*).
tenderly ['tɛndəlɪ] *adv* czule.
tenderness ['tɛndənɪs] *n* (*affection*) czułość *f*;
(*of meat*) miękkość *f*, kruchość *f*.
tendon ['tɛndən] *n* ścięgno *nt*.
tendril ['tɛndrɪl] *n* (*BOT*) wąs *m* (*pnącza*); (*of
hair*) kosmyk *m*.
tenement ['tɛnəmənt] *n* blok *m* mieszkalny (*z
tanimi mieszkaniami do wynajęcia*).
Tenerife [tɛnə'ri:f] *n* Teneryfa *f*.
tenet ['tɛnət] *n* zasada *f*.
tenner ['tɛnə*] *n* (*BRIT*: *inf*: *ten pounds*)
dycha *f* (*inf*).
tennis ['tɛnɪs] *n* tenis *m*.

tennis ball n piłka f tenisowa.
tennis club n klub m tenisowy.
tennis court n kort m tenisowy.
tennis elbow (MED) n łokieć m tenisisty.
tennis match n mecz m tenisowy.
tennis player n tenisista (-tka) m(f).
tennis racket n rakieta f tenisowa.
tennis shoes npl tenisówki pl.
tenor ['tɛnə*] n (MUS) tenor m; (of speech, reply) wydźwięk m.
tenpin bowling ['tɛnpɪn-] (BRIT: SPORT) n kręgle pl.
tense [tɛns] adj (person) spięty; (situation, atmosphere) napięty; (muscle) napięty, naprężony; (smile) nerwowy ♦ n (LING) czas m ♦ vt napinać (napiąć perf), naprężać (naprężyć perf).
tenseness ['tɛnsnɪs] n napięcie nt.
tension ['tɛnʃən] n (nervousness) napięcie nt; (between ropes etc) naprężenie nt, napięcie nt.
tent [tɛnt] n namiot m.
tentacle ['tɛntəkl] n (ZOOL: of octopus) macka f, (: of snail) czułek m; (fig: of organization) macka f, (: of idea, class background) okowa f (usu pl).
tentative ['tɛntətɪv] adj (conclusion, plans) wstępny; (person, step, smile) niepewny.
tentatively ['tɛntətɪvlɪ] adv (suggest) wstępnie; (wave, smile) niepewnie.
tenterhooks ['tɛntəhuks] npl: **on tenterhooks** jak na szpilkach.
tenth [tɛnθ] num dziesiąty.
tent peg n kołek m namiotowy or do namiotu, śledź m.
tent pole n maszt m namiotowy.
tenuous ['tɛnjuəs] adj (hold, links etc) słaby.
tenure ['tɛnjuə*] n (of land, buildings) tytuł m własności; (holding of office) urzędowanie nt; (period in office) kadencja f; (UNIV): **to have tenure** mieć dożywotnią posadę.
tepid ['tɛpɪd] adj letni; (fig: reaction) chłodny; (: applause) wstrzemięźliwy.
term [tə:m] n (word) termin m; (expression) określenie nt; (period in power) kadencja f; (SCOL) ≈ semestr m ♦ vt nazywać (nazwać perf); **terms** npl warunki pl; **in economic/political terms** w kategoriach ekonomicznych/politycznych; **in terms of** (as regards) pod względem +gen; **term of imprisonment** okres pozbawienia wolności; **easy terms** (COMM) dogodne warunki; **in the short/long term** na krótką/dłuższą metę; **to be on good terms with sb** być z kimś w dobrych stosunkach; **to come to terms with** godzić się (pogodzić się perf) z +instr.
terminal ['tə:mɪnl] adj (disease) nieuleczalny; (patient) nieuleczalnie chory ♦ n (ELEC) końcówka f, przyłącze nt; (COMPUT) terminal m; (also: **air terminal**) terminal m lotniczy; (BRIT: also: **bus terminal**) pętla f autobusowa.

terminate ['tə:mɪneɪt] vt (discussion) zakańczać (zakończyć perf); (pregnancy) przerywać (przerwać perf); (contract) rozwiązywać (rozwiązać perf) ♦ vi: **to terminate in** kończyć się (skończyć się perf) +instr.
termination [tə:mɪ'neɪʃən] n (of discussion) zakończenie nt; (of links, contacts) zerwanie nt; (of contract) wygaśnięcie nt; (: before time) rozwiązanie nt; (MED) przerwanie nt ciąży.
termini ['tə:mɪnaɪ] npl of **terminus**.
terminology [tə:mɪ'nɔlədʒɪ] n terminologia f.
terminus ['tə:mɪnəs] (pl **termini**) n (for buses) przystanek m końcowy; (for trains) stacja f końcowa.
termite ['tə:maɪt] n termit m.
Ter(r). abbr (in street names) = **terrace**.
terrace ['tɛrəs] n (on roof, of garden) taras m; (next to house) patio nt; (BRIT: houses) szereg przylegających do siebie domków jednorodzinnych; **the terraces** (BRIT: SPORT) npl trybuny pl stojące.
terraced ['tɛrəst] adj (house) szeregowy; (garden) tarasowy.
terracotta ['tɛrə'kɔtə] n terakota f ♦ adj z terakoty post.
terrain [tɛ'reɪn] n teren m.
terrible ['tɛrɪbl] adj straszny, okropny; (inf: awful) okropny.
terribly ['tɛrɪblɪ] adv strasznie, okropnie.
terrier ['tɛrɪə*] n terier m.
terrific [tə'rɪfɪk] adj (very great: thunderstorm) straszny, okropny; (: speed etc) zawrotny; (wonderful) wspaniały.
terrify ['tɛrɪfaɪ] vt przerażać (przerazić perf); **to be terrified** być przerażonym.
terrifying ['tɛrɪfaɪɪŋ] adj przerażający.
territorial [tɛrɪ'tɔ:rɪəl] adj terytorialny; (BRIT) n członek ochotniczej rezerwy Królewskich Sił Zbrojnych;
Territorial Army (BRIT) n: **the Territorial Army** ochotnicza rezerwa Królewskich Sił Zbrojnych.
territorial waters npl wody pl terytorialne.
territory ['tɛrɪtərɪ] n terytorium nt; (fig) teren m.
terror ['tɛrə*] n przerażenie nt, paniczny strach m.
terrorism ['tɛrərɪzəm] n terroryzm m.
terrorist ['tɛrərɪst] n terrorysta (-tka) m(f).
terrorize ['tɛrəraɪz] vt terroryzować (sterroryzować perf).
terse [tə:s] adj (statement) zwięzły, lakoniczny; (style) lapidarny.
tertiary ['tə:ʃərɪ] adj trzeciorzędny; **tertiary education** (BRIT) szkolnictwo wyższe.
Terylene ['tɛrɪli:n] ® n torlen m ♦ adj torlenowy.
TESL ['tɛsl] n abbr (= Teaching of English as a Second Language).
test [tɛst] n (trial, check) próba f; (MED) badanie nt, analiza f; (SCOL) sprawdzian m, test m; (PSYCH) test m; (also: **driving test**) egzamin m

na prawo jazdy ♦ *vt* (*try out*) testować
(przetestować *perf*); (*examine*) badać (zbadać
perf); (*SCOL: pupil*) testować (przetestować
perf); (: *knowledge*) sprawdzać (sprawdzić *perf*);
to put sth to the test poddawać (poddać *perf*)
coś próbie; **to test sth for sth** badać (zbadać
perf) coś na zawartość czegoś.

testament ['tɛstəmənt] *n* (*testimony*)
świadectwo *nt*; (*last will and testament*)
testament *m*; **the Old/New Testament**
Stary/Nowy Testament.

test ban *n* (*also*: **nuclear test ban**) zakaz *m*
prób jądrowych.

test card (*TV*) *n* plansza *f* kontrolna.

test case *n* (*JUR*) precedens *m* sądowy; **to be
a test case for** (*fig*) mieć precedensowe
znaczenie dla +*gen*.

test flight *n* lot *m* próbny.

testicle ['tɛstɪkl] (*MED*) *n* jądro *nt*.

testify ['tɛstɪfaɪ] *vi* zeznawać (zeznać *perf*); **to
testify to sth** (*JUR*) poświadczać
(poświadczyć *perf*) coś; (*be sign of*)
świadczyć o +*loc*.

testimonial [tɛstɪ'məunɪəl] *n* (*BRIT*) referencje *pl*.

testimony ['tɛstɪmənɪ] *n* zeznanie *nt*;: **to be (a)
testimony to** być świadectwem +*gen*.

testing ['tɛstɪŋ] *adj* (*situation, period*) trudny.

test match (*CRICKET, RUGBY*) *n* mecz *m*
reprezentacji narodowych.

test paper *n* (pisemna) praca *f* klasowa.

test pilot *n* oblatywacz *m*.

test tube *n* probówka *f*.

test-tube baby ['tɛsttjuːb-] *n* dziecko *nt* z
probówki.

testy ['tɛstɪ] *adj* (*person*) drażliwy; (*comment*)
złośliwy.

tetanus ['tɛtənəs] *n* tężec *m*.

tetchy ['tɛtʃɪ] *adj* popędliwy.

tether ['tɛðə*] *n*: **at the end of one's tether** u
kresu wytrzymałości ♦ *vt* pętać (spętać *perf*).

text [tɛkst] *n* tekst *m*.

textbook ['tɛkstbuk] *n* podręcznik *m*.

textiles ['tɛkstaɪlz] *npl* (*fabrics*) tekstylia *pl*,
wyroby *pl* włókiennicze; (*industry*)
włókiennictwo *nt*, przemysł *m* włókienniczy.

texture ['tɛkstʃə*] *n* (*of cloth, paper*) faktura *f*;
(*of rock*) tekstura *f*; (*of soil*) struktura *f*.

TGWU (*BRIT*) *n abbr* (= *Transport and
General Workers' Union*).

Thai [taɪ] *adj* tajski, tajlandzki ♦ *n* (*person*)
Tajlandczyk (-dka) *m(f)*; (*LING*) (język *m*)
syjamski.

Thailand ['taɪlænd] *n* Tajlandia *f*.

thalidomide [θə'lɪdəmaɪd] ® (*MED*) *n*
thalidomid *m*.

Thames [tɛmz] *n*: **the Thames** Tamiza *f*.

than [ðæn, ðən] *conj* niż; **I have more than
you** mam więcej niż ty; **we have more wine
than beer** mamy więcej wina niż piwa; **she
is older than you think** jest starsza, niż

przypuszczasz; **it's more than likely** to więcej
niż prawdopodobne; **more than once** nie raz.

thank [θæŋk] *vt* dziękować (podziękować *perf*)
+*dat*; **thank you (very much)** dziękuję
(bardzo); **thank God!** dzięki Bogu!

thankful ['θæŋkful] *adj*: **thankful (for)**
wdzięczny (za +*acc*); **we were thankful that it
was all over** ... byliśmy wdzięczni (za to), że
było już po wszystkim... .

thankfully ['θæŋkfəlɪ] *adv* z wdzięcznością;
thankfully there were few victims na szczęście
było niewiele ofiar.

thankless ['θæŋklɪs] *adj* niewdzięczny.

thanks [θæŋks] *npl* podziękowanie *nt*,
podziękowania *pl* ♦ *excl* (*also*: **many thanks,
thanks a lot**) stokrotne dzięki; **thanks to**
dzięki +*dat*.

Thanksgiving (Day) ['θæŋksgɪvɪŋ(-)] (*US*) *n*
Święto *nt* Dziękczynienia.

┌──────────── *KEYWORD* ────────────┐

that [ðæt, ðət] (*demonstrative adj, pron: pl* **those**)
adj (*demonstrative*) ten; (: *in contrast to 'this' or
to indicate (greater) distance*) tamten; **that
man/woman/chair** ten mężczyzna/ta kobieta/to
krzesło; **that one** (tam)ten; **that one over there**
tamten, ten tam (*inf*) ♦ *pron* **1** (*demonstrative*) to
nt; (: *in contrast to 'this' or referring to
something (more) distant*) tamto *nt*; **who's/what's
that?** kto/co to (jest)?; **is that you?** czy to ty?; **I
prefer this to that** wolę to od tamtego; **that's
what he said** to właśnie powiedział; **what
happened after that?** co się stało potem?; **that is
(to say)** to jest *or* znaczy. **2** (*relative*) który;
(: *after 'all', 'anything' etc*) co; **the man (that) I
saw** człowiek, którego widziałem; **the people
(that) I spoke to** ludzie, z którymi
rozmawiałem; **all (that) I have** wszystko, co
mam. **3** (*relative: of time*) kiedy, gdy; **the day
(that) he came** tego dnia, kiedy *or* gdy
przyszedł ♦ *conj* że, iż (*fml*); **he thought that I
was ill** myślał, że jestem chory; **she suggested
that I phone you** poradziła mi, żebym do ciebie
zadzwonił ♦ *adv* (+*adjective*) (aż) tak *or* taki;
(+*adverb*) (aż) tak; **I can't work that much** nie
mogę (aż) tyle pracować; **I didn't realize it was
that bad** nie zdawałam sobie sprawy, że jest
(aż) tak źle.

└────────────────────────────────┘

thatched [θætʃt] *adj* kryty strzechą.

thaw [θɔː] *n* odwilż *f* ♦ *vi* (*ice*) topić się
(stopić się *perf*), tajać (stajać *perf*); (*food*)
rozmrażać się (rozmrozić się *perf*) ♦ *vt* (*also*:
thaw out) rozmrażać (rozmrozić *perf*); **it's
thawing** jest odwilż.

┌──────────── *KEYWORD* ────────────┐

the [ðə, ðiː] *def art* **1** (*usu*): **the history of
Poland** historia Polski; **the books/children are**

in the library książki/dzieci są w bibliotece; the rich and the poor bogaci i biedni; to attempt the impossible próbować (spróbować *perf*) niemożliwego. 2 (*in titles*): Elizabeth the First Elżbieta I; Peter the Great Piotr Wielki. 3 (*in comparisons*): the more he works the more he earns im więcej pracuje, tym więcej zarabia.

theatre ['θɪətə*] (*US* theater) n teatr *m*; (*also*: lecture theatre) sala *f* wykładowa; (*also*: operating theatre) sala *f* operacyjna.
theatre-goer ['θɪətəgəuə*] n teatroman(ka) *m(f)*.
theatrical [θɪ'ætrɪkl] *adj* teatralny.
theft [θɛft] n kradzież *f*.
their [ðɛə*] *adj* ich, swój; companies and their workers przedsiębiorstwa i ich pracownicy; they never left their village nigdy nie wyjeżdżali ze swojej wioski.
theirs [ðɛəz] *pron* ich; it is theirs to (jest) ich; a friend of theirs (pewien) ich znajomy; *see also* my, mine[1].
them [ðɛm, ðəm] *pron* (*direct*) ich *vir*, je *nvir*; (*indirect*) im; (*stressed, after prep*) nich; I see them widzę ich/je; give them the book daj im książkę; give me a few of them daj mi kilka z nich; *see also* me.
theme [θiːm] n temat *m*.
theme park n *park rozrywki, w którym atrakcje pogrupowane są wg tematu i dotyczą konkretnej dziedziny lub epoki.*
theme song n melodia *f* przewodnia, motyw *f* przewodni.
theme tune n = theme song.
themselves [ðəm'sɛlvz] *pl pron* (*reflexive*) się; (*after prep*) siebie (*gen, acc*), sobie (*dat, loc*), sobą (*instr*); (*emphatic*) sami *vir*, same *nvir*; between themselves między sobą.
then [ðɛn] *adv* (*at that time*) wtedy, wówczas; (*next*) następnie, potem; but then z drugiej strony (jednak) ♦ *conj* tak więc ♦ *adj*: the then president ówczesny prezydent; by then (*past*) do tego czasu; (*future*) do tej pory, do tego czasu; from then on od tego czasu, od tamtej chwili *or* pory; before then przedtem; until then do tego czasu; and then what? i co wtedy?; what do you want me to do then? (*afterwards*) co chcesz, żebym zrobił potem?; (*in that case*) co w takim razie chcesz, żebym zrobił?; the importance of education, then, ... tak więc, znaczenie wykształcenia ... .
theologian [θɪə'ləudʒən] n teolog *m*.
theological [θɪə'lɔdʒɪkl] *adj* teologiczny; theological college akademia teologiczna.
theology [θɪ'ɔlədʒɪ] n teologia *f*.
theorem ['θɪərəm] n twierdzenie *nt*.
theoretical [θɪə'rɛtɪkl] *adj* teoretyczny.
theorize ['θɪəraɪz] *vi* teoretyzować.

theory ['θɪərɪ] n teoria *f*; in theory teoretycznie.
therapeutic [θɛrə'pjuːtɪk] *adj* terapeutyczny, leczniczy.
therapist ['θɛrəpɪst] n terapeuta (-tka) *m(f)*.
therapy ['θɛrəpɪ] n terapia *f*, leczenie *nt*.

─── KEYWORD ───

there [ðɛə*] *adv*: there is/there are jest/są; there are 3 of them jest ich 3; there has been an accident wydarzył się wypadek; there will be a meeting tomorrow jutro będzie zebranie. 2 (*referring to place*) tam; up/down there tam na górze/na dole; there he is! oto i on! 3: there, there (no) już dobrze.

thereabouts ['ðɛərə'bauts] *adv* (*place*) gdzieś tam (w pobliżu), w okolicy; (*amount*) coś koło tego.
thereafter [ðɛər'ɑːftə*] *adv* od tego czasu.
thereby ['ðɛəbaɪ] *adv* przez to, tym samym.
therefore ['ðɛəfɔː*] *adv* dlatego (też), zatem.
there's ['ðɛəz] = there is; there has.
thereupon [ðɛərə'pɔn] *adv* następnie.
thermal ['θəːml] *adj* (*energy*) cieplny; (*underwear*) ocieplany; (*paper, printer*) termiczny; thermal springs cieplice.
thermodynamics ['θəːmədaɪ'næmɪks] n termodynamika *f*.
thermometer [θə'mɔmɪtə*] n termometr *m*.
thermonuclear ['θəːməu'njuːklɪə*] *adj* termojądrowy.
Thermos ['θəːməs] ® n (*also*: Thermos flask) termos *m*.
thermostat ['θəːməustæt] n termostat *m*.
thesaurus [θɪ'sɔːrəs] n tezaurus *m*, ≈ słownik *m* wyrazów bliskoznacznych.
these [ðiːz] *pl adj* ci (+*vir pl*), te (+*nvir pl*) ♦ *pl pron* ci *vir*, te *nvir*.
theses ['θiːsiːz] *npl of* thesis.
thesis ['θiːsɪs] (*pl* theses) n (*for doctorate etc*) rozprawa *f*, praca *f*.
they [ðeɪ] *pl pron* oni; they say that ... mówią *or* mówi się, że... .
they'd = they had; they would.
they'll = they shall; they will.
they're = they are.
they've [ðeɪv] = they have.
thick [θɪk] *adj* (*slice, line, socks*) gruby; (*sauce, forest, hair*) gęsty; (*inf: person*) tępy ♦ n: in the thick of the battle w wirze walki; it's 20 cm thick ma 20 cm grubości.
thicken ['θɪkn] *vi* gęstnieć (zgęstnieć *perf*) ♦ *vt* zagęszczać (zagęścić *perf*); the plot thickens akcja się komplikuje.
thicket ['θɪkɪt] n gąszcz *m*, zarośla *pl*.
thickly ['θɪklɪ] *adv* (*spread, cut*) grubo; (*populated*) gęsto.

thickness ['θɪknɪs] *n* grubość *f*; (*layer*) warstwa *f*.
thickset [θɪk'sɛt] *adj* przysadzisty.
thick-skinned [θɪk'skɪnd] *adj* (*fig*) gruboskórny.
thief [θi:f] (*pl* **thieves**) *n* złodziej *m*.
thieves [θi:vz] *npl of* **thief**.
thieving ['θi:vɪŋ] *n* złodziejstwo *nt*.
thigh [θaɪ] *n* udo *nt*.
thighbone ['θaɪbəun] *n* kość *f* udowa.
thimble ['θɪmbl] *n* naparstek *m*.
thin [θɪn] *adj* (*slice, line, book*) cienki; (*person, animal*) chudy; (*soup, fog, hair*) rzadki ♦ *vt*: **to thin (down)** rozrzedzać (rozrzedzić *perf*), rozcieńczać (rozcieńczyć *perf*) ♦ *vi* przerzedzać się (przerzedzić się *perf*); **his hair is thinning** włosy mu rzedną.
thing [θɪŋ] *n* rzecz *f*; **things** *npl* rzeczy *pl*; **do you know how to drive this thing?** czy wiesz, jak się tym kieruje?; **he has a thing about blondes** (*inf*) ma słabość do blondynek; **first thing in the morning** z samego rana; **last thing at night** przed (samym) pójściem spać; **the thing is ...** rzecz w tym, że ...; **for one thing** przede wszystkim; **don't worry about a thing** (o) nic się nie martw; **you'll do no such thing!** nic takiego nie zrobisz!; **poor thing** biedactwo; **the best thing would be to ...** najlepiej byłoby +*infin*; **how are things?** co słychać?
think [θɪŋk] (*pt* **thought**) *vi* (*reflect*) myśleć (pomyśleć *perf*); (*reason*) myśleć ♦ *vt* myśleć (pomyśleć *perf*); **to think of** (*reflect upon, show consideration for*) myśleć (pomyśleć *perf*) o +*loc*; (*recall*) przypominać (przypomnieć *perf*) sobie +*acc*; (*conceive*) pomyśleć (*perf*) o +*loc*; **what did you think of them?** jakie zrobili na tobie wrażenie?; **to think about sth/sb** myśleć (pomyśleć *perf*) o czymś/kimś; **I'll think about it** zastanowię się nad tym; **she thinks of going away to Italy** myśli o wyjeździe do Włoch; **I think so/not** myślę, że tak/nie; **to think highly of sb** być wysokiego mniemania o kimś; **to think aloud** myśleć głośno *or* na głos; **think again!** zastanów się!
▸**think over** *vt* przemyśliwać (przemyśleć *perf*), rozważać (rozważyć *perf*); **I'd like to think things over** chciałabym (to) wszystko przemyśleć.
▸**think through** *vt* przemyśliwać (przemyśleć *perf*).
▸**think up** *vt* (*excuse*) wymyślać (wymyślić *perf*); (*plan*) obmyślać (obmyślić *perf*).
thinking ['θɪŋkɪŋ] *n* myślenie *nt*; **to my (way of) thinking** w moim pojęciu.
think tank *n* sztab *m* ekspertów.
thinly ['θɪnlɪ] *adv* (*spread, cut*) cienko; (*disguised*) ledwie.
thinness ['θɪnnɪs] *n* cienkość *f*.
third [θə:d] *num* trzeci ♦ *n* (*fraction*) jedna

trzecia *f*; (*AUT*) trzeci bieg *m*, trójka *f* (*inf*); (*BRIT: SCOL*) *dyplom uniwersytecki z najniższą oceną*; **a third of** trzecia część +*gen*.
third-degree burns ['θə:ddɪgri:-] *npl* poparzenia *pl* trzeciego stopnia.
thirdly ['θə:dlɪ] *adv* po trzecie.
third party insurance (*BRIT*) *n* ubezpieczenie *nt* od odpowiedzialności cywilnej.
third-rate ['θə:d'reɪt] (*pej*) *adj* trzeciorzędny.
Third World *n*: **the Third World** Trzeci Świat *m* ♦ *adj*: **Third World countries** kraje *pl* Trzeciego Świata.
thirst [θə:st] *n* pragnienie *nt*.
thirsty ['θə:stɪ] *adj* spragniony; **I am thirsty** chce mi się pić; **gardening is thirsty work** przy pracy w ogrodzie chce się pić.
thirteen [θə:'ti:n] *num* trzynaście.
thirteenth [θə:'ti:nθ] *num* trzynasty.
thirtieth ['θə:tɪɪθ] *num* trzydziesty.
thirty ['θə:tɪ] *num* trzydzieści.

┌─────────── *KEYWORD* ───────────┐

this [ðɪs] (*pl* **these**) *adj* (*demonstrative*) ten; **this man/woman/child** ten mężczyzna/ta kobieta/to dziecko; **these people** ci ludzie; **these children** te dzieci; **this one** ten ♦ *pron* to; **who/what is this?** co/kto to jest?; **this is where I live** tutaj (właśnie) mieszkam; **this is Mr Brown** (*in introductions*) (to) pan Brown; (*in photo*) to (jest) pan Brown; (*on telephone*) mówi Brown, tu Brown ♦ *adv* (+*adjective*) tak *or* taki; (+*adverb*) tak; **it was about this big** to było mniej więcej takie duże; **now we've gone this far** teraz, gdy zaszliśmy (już) tak daleko.

└─────────────────────────────────┘

thistle ['θɪsl] *n* oset *m*.
thong [θɔŋ] *n* pasek *m*, rzemień *m*.
thorn [θɔ:n] *n* cierń *m*, kolec *m*.
thorny ['θɔ:nɪ] *adj* ciernisty; (*fig*) najeżony trudnościami.
thorough ['θʌrə] *adj* gruntowny; (*person*) sumienny, skrupulatny.
thoroughbred ['θʌrəbrɛd] *n* koń *m* czystej krwi.
thoroughfare ['θʌrəfɛə*] *n* główna arteria *f* komunikacyjna; **"no thoroughfare"** (*BRIT*) „przejazd wzbroniony".
thoroughly ['θʌrəlɪ] *adv* gruntownie; **I was thoroughly ashamed** było mi bardzo wstyd; **I thoroughly agree** całkowicie się zgadzam.
thoroughness ['θʌrənɪs] *n* gruntowność *f*.
those [ðəuz] *pl adj* (tam)ci (+*vir pl*), (tamt)e (+*nvir pl*) ♦ *pl pron* (tam)ci *vir*, (tam)te *nvir*.
though [ðəu] *conj* chociaż, mimo że ♦ *adv* jednak; **even though** mimo że; **it's not easy, though** nie jest to jednak łatwe.
thought [θɔ:t] *pt, pp of* **think** ♦ *n* (*idea*,

intention) myśl *f*; (*reflection*) namysł *m*;
thoughts *npl* zdanie *nt*, opinia *f*; **after much**
thought po długim namyśle; **I've just had a**
thought właśnie przyszedł mi do głowy
pewien pomysł; **I'll give it some thought**
pomyślę o tym, zastanowię się nad tym.
thoughtful ['θɔːtful] *adj* (*pensive*) zamyślony;
(*considerate*) troskliwy.
thoughtfully ['θɔːtfəlɪ] *adv* (*pensively*) w
zamyśleniu; (*considerately*) troskliwie.
thoughtless ['θɔːtlɪs] *adj* bezmyślny.
thoughtlessly ['θɔːtlɪslɪ] *adv* bezmyślnie.
thoughtlessness ['θɔːtlɪsnɪs] *n* bezmyślność *f*.
thousand ['θauzənd] *num* tysiąc; **two**
thousand dwa tysiące; **thousands of** tysiące
+*gen pl*.
thousandth ['θauzəntθ] *num* tysięczny.
thrash [θræʃ] *vt* (*beat*) bić (zbić *perf*), lać
(zlać *perf*) (*inf*); (*defeat*) pobić (*perf*) na głowę.
▸**thrash about** *vi* rzucać się.
▸**thrash around** *vi* = thrash about.
▸**thrash out** *vt* (*problem*) rozpracowywać
(rozpracować *perf*).
thrashing ['θræʃɪŋ] *n*: **to give sb a thrashing**
sprawić (*perf*) komuś lanie.
thread [θrɛd] *n* (*yarn*) nić *f*, nitka *f*; (*of*
screw) gwint *m* ♦ *vt* (*needle*) nawlekać
(nawlec *perf*); **to thread one's way between**
przemykać (przemknąć *perf*) pomiędzy +*instr*.
threadbare ['θrɛdbɛə*] *adj* wytarty, przetarty.
threat [θrɛt] *n* groźba *f*, pogróżka *f*; (*fig*)
zagrożenie *nt*; **we are under threat of** grozi
nam +*acc*.
threaten ['θrɛtn] *vi* grozić, zagrażać ♦ *vt*: **to**
threaten sb with sth grozić (zagrozić *perf*)
komuś czymś; **the riots threatened to get out**
of hand istniało niebezpieczeństwo, że
rozruchy wymkną się spod kontroli.
threatening ['θrɛtnɪŋ] *adj* groźny.
three [θriː] *num* trzy.
three-dimensional [θriːdɪ'mɛnʃənl] *adj*
trójwymiarowy.
threefold ['θriːfəuld] *adv*: **to increase threefold**
wzrastać (wzrosnąć *perf*) trzykrotnie.
three-piece suit ['θriːpiːs-] *n* garnitur *m*
trzyczęściowy.
three-piece suite *n* trzyczęściowy komplet *m*
mebli (*łóżko, komoda i toaletka*).
three-ply [θriː'plaɪ] *adj* (*wool*) potrójny; (*wood*)
trójwarstwowy.
three-quarters [θriː'kwɔːtəz] *npl* trzy czwarte
pl; **three-quarters full** napełniony w trzech
czwartych.
three-wheeler [θriː'wiːlə*] *n* samochód *m* na
trzech kołach.
thresh [θrɛʃ] *vt* młócić (wymłócić *perf*).
threshing machine ['θrɛʃɪŋ-] *n* młocarnia *f*.
threshold ['θrɛʃhəuld] *n* próg *m*; **to be on the**
threshold of (*fig*) być u progu +*gen*.

threshold agreement (*ECON*) *n*
porozumienie *nt* progowe.
threw [θruː] *pt of* **throw**.
thrift [θrɪft] *n* oszczędność *f*, zapobiegliwość *f*.
thrifty ['θrɪftɪ] *adj* oszczędny, zapobiegliwy.
thrill [θrɪl] *n* (*excitement*) dreszcz(yk) *m*
emocji, emocje *pl*; (*shudder*) dreszcz *m* ♦ *vi*:
to thrill to sth ekscytować się czymś ♦ *vt*
ekscytować; **to be thrilled** być
podekscytowanym.
thriller ['θrɪlə*] *n* dreszczowiec *m*.
thrilling ['θrɪlɪŋ] *adj* podniecający, ekscytujący.
thrive [θraɪv] (*pt* **thrived** *or* **throve**, *pp*
thrived) *vi* dobrze się rozwijać; **he thrives**
on hard work ciężka praca mu służy.
thriving ['θraɪvɪŋ] *adj* kwitnący, (dobrze)
prosperujący.
throat [θrəut] *n* gardło *nt*; **I have a sore**
throat boli mnie gardło.
throb [θrɔb] *n* (*of heart*) (silne) bicie *nt*; (*of*
pain) rwanie *nt*, pulsowanie *nt*; (*of engine*)
warkot *m* ♦ *vi* (*heart*) walić; (*arm etc*) rwać;
(*machine*) warczeć; **my head is throbbing**
głowa mi pęka.
throes [θrəuz] *npl*: **in the throes of** w wirze
or ferworze +*gen*; **death throes** drgawki
przedśmiertne; (*fig*) ostatnie podrygi.
thrombosis [θrɔm'bəusɪs] (*MED*) *n* zakrzepica
f.
throne [θrəun] *n* tron *m*.
throng ['θrɔŋ] *n* tłum *m* ♦ *vt* (*streets etc*)
wypełniać (wypełnić *perf*) ♦ *vi*: **to throng to**
ciągnąć do +*gen*, walić do +*gen* (*inf*).
throttle ['θrɔtl] *n* przepustnica *f*, zawór *m*
dławiący ♦ *vt* dusić (udusić *perf*).
through [θruː] *prep* przez +*acc* ♦ *adj* (*train*
etc) bezpośredni ♦ *adv* bezpośrednio, prosto;
(from) Monday through Friday (*US*) od
poniedziałku do piątku; **to let sb through**
przepuszczać (przepuścić *perf*) kogoś; **to put**
sb through to sb (*TEL*) łączyć (połączyć
perf) kogoś z kimś; **to be through** (*TEL*)
mieć połączenie; **to be through with sb/sth**
skończyć (*perf*) z kimś/czymś; **"no through**
road" (*BRIT*) ślepa uliczka; **"no through**
traffic" (*US*) ślepa uliczka.
throughout [θruː'aut] *prep* (*place*) w całym
+*loc*; (*time*) przez cały +*acc* ♦ *adv*
(*everywhere*) wszędzie; (*the whole time*) od
początku do końca, przez cały czas; **the**
pictures can be transmitted by satellite
throughout the world można te zdjęcia
transmitować przez satelitę na cały świat.
throughput ['θruːput] *n* (*of materials*) przerób
m; (*of information*) przepustowość *f*.
throve [θrəuv] *pt of* **thrive**.
throw [θrəu] (*pt* **threw**, *pp* **thrown**) *n* rzut *m*
♦ *vt* (*object*) rzucać (rzucić *perf*); (*rider*)
zrzucać (zrzucić *perf*); (*pottery*) toczyć; (*fig*)
zbić (*perf*) z tropu; **to throw a party** urządzać

(urządzić *perf*) przyjęcie; **to throw open**
(*doors*) otwierać (otworzyć *perf*) na oścież;
(*debate*) zapraszać (zaprosić *perf*) wszystkich
do udziału w +*instr*.

►**throw about** *vt* trwonić (roztrwonić *perf*).

►**throw around** *vt* = **throw about**.

►**throw away** *vt* (*rubbish*) wyrzucać (wyrzucić
perf); (*money*) trwonić (roztrwonić *perf*),
przepuszczać (przepuścić *perf*) (*inf*).

►**throw off** *vt* zrzucać (zrzucić *perf*).

►**throw out** *vt* (*rubbish, person*) wyrzucać
(wyrzucić *perf*); (*idea*) odrzucać (odrzucić *perf*).

►**throw together** *vt* (*meal*) pichcić (upichcić
perf) (*inf*), pitrasić (upitrasić *perf*) (*inf*);
(*costume, essay*) klecić (sklecić *perf*).

►**throw up** *vi* wymiotować (zwymiotować
perf), rzygać (rzygnąć *perf*) (*inf*).

throwaway ['θrəuəweɪ] *adj* (*toothbrush etc*)
jednorazowy; (*remark*) rzucony od niechcenia.

throwback ['θrəubæk] *n*: **it's a throwback to**
to przejaw powrotu do +*gen*.

throw-in ['θrəuɪn] (*FOOTBALL*) *n* wrzut *m* z
autu.

thrown [θrəun] *pp of* **throw**.

thru [θruː] (*US*) = **through**.

thrush [θrʌʃ] *n* (*bird*) drozd *m*; (*MED: esp in
children*) pleśniawka *f*, (: *BRIT: in women*)
grzybica *f* pochwy.

thrust [θrʌst] (*pt* **thrust**) *n* (*TECH*) ciąg *m*,
siła *f* ciągu; (*push*) pchnięcie *nt*; (*fig*)
kierunek *m* ♦ *vt* pchać (pchnąć *perf*); **to
thrust sth into sth** wpychać (wepchnąć *perf*)
coś do czegoś.

thud [θʌd] *n* łomot *m*.

thug [θʌg] *n* opryszek *m*, zbir *m*.

thumb [θʌm] *n* kciuk *m* ♦ *vt*: **to thumb a lift**
zatrzymywać (zatrzymać *perf*) autostop; **to
give sb/sth the thumbs up** zapalać (zapalić
perf) dla kogoś/czegoś zielone światło.

►**thumb through** *vt fus* kartkować
(przekartkować *perf*), przerzucać (przerzucić
perf) strony +*gen*.

thumb index *n* zaokrąglone wcięcia z brzegu
*książki, z których każde oznacza początek
sekcji (np. danej litery w słowniku)*.

thumbnail ['θʌmneɪl] *n* paznokieć *m* kciuka.

thumbnail sketch *n* zarys *m*.

thumbtack ['θʌmtæk] (*US*) *n* pluskiewka *f*,
pinezka *f*.

thump [θʌmp] *n* grzmotnięcie *nt* ♦ *vt*
grzmocić (grzmotnąć *perf*) (*inf*), walić (walnąć
perf) (*inf*) ♦ *vi* (*heart etc*) walić.

thumping ['θʌmpɪŋ] *adj* (*majority, victory*)
miażdżący; (*headache*) potężny.

thunder ['θʌndə*] *n* grzmot *m* ♦ *vi* grzmieć
(zagrzmieć *perf*); **thunder and lightning**
piorun; **to thunder past** (*train etc*)
przelatywać (przelecieć *perf*) z hukiem.

thunderbolt ['θʌndəbəult] *n* piorun *m*.

thunderclap ['θʌndəklæp] *n* trzask *m* pioruna.

thunderous ['θʌndrəs] *adj* (*crash*) ogłuszający;
(*applause*) gromki.

thunderstorm ['θʌndəstɔːm] *n* burza *f* z
piorunami.

thunderstruck ['θʌndəstrʌk] *adj* jak rażony
piorunem *or* gromem.

thundery ['θʌndəri] *adj* burzowy.

Thur(s). *abbr* = **Thursday** cz., czw.

Thursday ['θəːzdɪ] *n* czwartek *m*; *see also*
Tuesday.

thus [ðʌs] *adv* (*in this way*) tak, w ten
sposób; (*consequently*) tak więc, a zatem.

thwart [θwɔːt] *vt* (*plans*) krzyżować
(pokrzyżować *perf*); (*person*) psuć (popsuć
perf) szyki +*dat*.

thyme [taɪm] *n* tymianek *m*.

thyroid ['θaɪrɔɪd] *n* (*also:* **thyroid gland**)
tarczyca *f*.

tiara [tɪ'ɑːrə] *n* (*woman's jewellery*) diadem *m*;
(*papal crown*) tiara *f*.

Tiber ['taɪbə*] *n*: **the Tiber** Tyber *m*.

Tibet [tɪ'bɛt] *n* Tybet *m*.

Tibetan [tɪ'bɛtən] *adj* tybetański ♦ *n* (*person*)
Tybetańczyk (-anka) *m(f)*; (*LING*) (język *m*)
tybetański.

tibia ['tɪbɪə] *n* piszczel *f*.

tic [tɪk] *n* tik *m*.

tick [tɪk] *n* (*sound*) tykanie *nt*; (*mark*) fajka *f*
(*inf*), ptaszek *m* (*inf*); (*ZOOL*) kleszcz *m*;
(*BRIT: inf*) momencik *m*, chwileczka *f* ♦ *vi*
tykać ♦ *vt* (*item on list*) odfajkowywać
(odfajkować *perf*) (*inf*), odhaczać (odhaczyć
perf) (*inf*); **what makes him tick?** co jest
motorem jego działania?; **to put a tick
against sth** stawiać (postawić *perf*) przy
czymś ptaszek; **to buy sth on tick** (*BRIT: inf*)
kupować (kupić *perf*) coś na kredyt.

►**tick off** *vt* (*item on list*) odfajkowywać
(odfajkować *perf*) (*inf*), odhaczać (odhaczyć
perf) (*inf*); (*person*) besztać (zbesztać *perf*).

►**tick over** *vi* (*engine*) chodzić na jałowym
biegu; (*fig: business etc*) funkcjonować na
zwolnionych obrotach.

ticker tape ['tɪkəteɪp] *n* taśma *f* perforowana;
(*US: in celebrations*) serpentyna *f*.

ticket ['tɪkɪt] *n* bilet *m*; (*in shop: on goods*)
metka *f*, etykieta *f*; (: *from cash register*)
paragon *m*; (*for library*) karta *f*; (*also:* **parking
ticket**) mandat *m* (za złe parkowanie);
(*US: POL*) mandat *m*.

ticket agency (*THEAT*) *n* biuro *nt* sprzedaży
biletów.

ticket collector (*RAIL*) *n* *pracownik odbierający
od wysiadających wykorzystane bilety*.

ticket holder *n* posiadacz(ka) *m(f)* biletu.

ticket inspector *n* (*on bus*) kontroler(ka) *m(f)*
biletów.

ticket office *n* (*RAIL*) kasa *f* biletowa;
(*THEAT*) kasa *f*.

tickle ['tɪkl] *vt* łaskotać (połaskotać *perf*); (*fig*) bawić (ubawić *perf*) ♦ *vi* łaskotać (połaskotać *perf*); **it tickles!** to łaskocze!

ticklish ['tıklıʃ] *adj* (*problem etc*) delikatny, drażliwy; (*person*): **to be ticklish** mieć łaskotki.

tidal ['taıdl] *adj* pływowy.

tidal wave *n* fala *f* pływowa.

tidbit ['tıdbıt] (*US*) *n* = **titbit**.

tiddlywinks ['tıdlıwıŋks] *n* pchełki *pl* (*gra*).

tide [taıd] *n* (*in sea*) pływ *m*; (*fig: of events, opinion*) fala *f*; **high tide** przypływ; **low tide** odpływ; **the tide was coming in** nadchodził przypływ.

►**tide over** *vt* pomagać (pomóc *perf*) przetrwać +*dat*.

tidily ['taıdılı] *adv* starannie, schludnie.

tidiness ['taıdınıs] *n* staranność *f*, schludność *f*.

tidy ['taıdı] *adj* (*room*) czysty, schludny; (*person*) staranny, schludny; (*sum*) spory, pokaźny ♦ *vt* (*also*: **tidy up**) uporządkowywać (uporządkować *perf*), sprzątać (posprzątać *perf*).

tie [taı] *n* (*BRIT: also*: **necktie**) krawat *m*; (*string etc*) wiązanie *nt*, wiązadło *nt*; (*fig*) więź *f*, (*match*) spotkanie *nt*, mecz *m*; (*draw*) remis *m* ♦ *vt* (*parcel*) związywać (związać *perf*); (*shoelaces*) zawiązywać (zawiązać *perf*) ♦ *vi* remisować (zremisować *perf*); "**black/white tie**" *uwaga na zaproszeniu, oznaczająca, że wymaganym na przyjęciu strojem jest smoking/frak*; **family ties** więzi *or* więzy rodzinne; **to tie sth in a bow** zawiązywać (zawiązać *perf*) coś na kokardkę; **to tie a knot in sth** zawiązywać (zawiązać *perf*) na czymś węzeł.

►**tie down** *vt* (*fig: person*) krępować (skrępować *perf*); **to tie sb down (to a date *etc*)** wiązać (związać *perf*) kogoś (terminem *etc*).

►**tie in** *vi*: **to tie in with** pozostawać (pozostać *perf*) w związku z +*instr*.

►**tie on** *vt* (*BRIT: label etc*) przywiązywać (przywiązać *perf*), przyczepiać (przyczepić *perf*).

►**tie up** *vt* (*parcel*) związywać (związać *perf*); (*dog, boat*) uwiązywać (uwiązać *perf*); (*person*) związywać (związać *perf*), krępować (skrępować *perf*); (*arrangements*) finalizować (sfinalizować *perf*); **to be tied up** być zajętym.

tie-break(er) ['taıbreık(ə*)] *n* (*TENNIS*) tie-break *m*; (*in quiz*) dogrywka mająca wyłonić zwycięzcę konkursu w przypadku remisu.

tie-on ['taıɔn] (*BRIT*) *adj* (*label*) przywiązywany.

tie-pin ['taıpın] (*BRIT*) *n* spinka *f* do krawata.

tier [tıə*] *n* (*of stadium etc*) rząd *m*, kondygnacja *f*; (*of cake*) warstwa *f*.

Tierra del Fuego [tı'erədel'fweıgəu] *n* Ziemia *f* Ognista.

tie tack (*US*) *n* = **tie-pin**.

tiff [tıf] *n* sprzeczka *f*.

tiger ['taıgə*] *n* tygrys *m*.

tight [taıt] *adj* (*screw*) dokręcony; (*knot*) zaciśnięty; (*grip*) mocny; (*clothes*) obcisły; (*shoes*) ciasny; (*budget, schedule*) napięty;

(*bend, security*) ostry; (*inf: drunk*) wstawiony (*inf*); (: *stingy*) skąpy ♦ *adv* (*hold, squeeze*) mocno; (*shut: window*) szczelnie; (: *eyes*) mocno; **money is tight** brakuje pieniędzy; **the suitcase was packed tight** walizka była mocno wypakowana; **people were packed tight** ludzie byli stłoczeni; **hold tight!** trzymaj się mocno!

tighten ['taıtn] *vt* (*rope*) napinać (napiąć *perf*), naprężać (naprężyć *perf*); (*screw*) dokręcać (dokręcić *perf*); (*grip*) zacieśniać (zacieśnić *perf*); (*security*) zaostrzać (zaostrzyć *perf*) ♦ *vi* (*fingers*) zaciskać się (zacisnąć się *perf*); (*rope, chain*) napinać się (napiąć się *perf*), naprężać się (naprężyć się *perf*).

tightfisted [taıt'fıstıd] *adj* skąpy.

tightly ['taıtlı] *adv* (*grasp, cling*) mocno; (*pack*) ciasno.

tightrope ['taıtrəup] *n* lina *f* (*do akrobacji*); **to be on** *or* **walking a tightrope** (*fig*) balansować na linie.

tightrope walker *n* linoskoczek *m*.

tights [taıts] (*BRIT*) *npl* rajstopy *pl*.

tigress ['taıgrıs] *n* tygrysica *f*.

tilde ['tıldə] *n* tylda *f*.

tile [taıl] *n* (*on roof*) dachówka *f*; (*on floor, wall*) kafelek *m* ♦ *vt* (*wall, bathroom etc*) wykładać (wyłożyć *perf*) kafelkami, kafelkować (wykafelkować *perf*) (*inf*).

tiled [taıld] *adj* (*wall, bathroom*) wyłożony kafelkami.

till [tıl] *n* kasa *f* (*sklepowa*) ♦ *vt* (*land*) uprawiać ♦ *prep, conj* = **until**.

tiller ['tılə*] (*NAUT*) *n* rumpel *m*.

tilt [tılt] *vt* przechylać (przechylić *perf*) ♦ *vi* przechylać się (przechylić się *perf*) ♦ *n*: **with a tilt of her head** przechylając głowę; **to wear one's hat at a tilt** nosić czapkę na bakier; **she was running at full tilt** pędziła co sił.

timber ['tımbə*] *n* (*material*) drewno *nt*; (*trees*) drzewa *pl* na budulec.

time [taım] *n* czas *m*; (*often pl: epoch*) czasy *pl*; (*moment*) chwila *f*; (*occasion*) raz *m*; (*MUS*): **in 3/4 time** w rytmie na 3/4 ♦ *vt* (*measure time of*) mierzyć (zmierzyć *perf*) czas +*gen*; (*fix moment for*) ustalać (ustalić *perf*) czas +*gen*; **to time sth well/badly** wybierać (wybrać *perf*) dobry/zły czas na coś; **I will see you at the same time next week** do zobaczenia w przyszłym tygodniu o tej samej porze; **for a long time** przez długi czas; **for the time being** na razie; **four at a time** (po) cztery na raz; **from time to time** od czasu do czasu; **time after time, time and again** wielokrotnie, wiele razy; **at times** czasami; **in time** (*soon enough*) na czas, w porę; (*eventually*) z czasem; (*MUS*) w takt, do taktu; **in a week's time** za tydzień; **in no time** w mgnieniu oka, w mig; **any time** obojętnie kiedy; **any time you want** kiedy tylko zechcesz; **on time** na czas; **to be 30 mins behind/ahead of time** być 30 minut po czasie/przed czasem; **by the time he arrived** zanim przyjechał; **5 times 5** 5 razy 5; **what time is it?** która (jest) godzina?; **to have a good time** dobrze się bawić; **we had a hard time** było nam ciężko; **time's up!** czas minął!; **I've no time for it** (*fig*) szkoda mi na to czasu; **he'll do it in his own (good) time** (*without being hurried*) zrobi to w swoim czasie; **he'll do it in** *or* *(US)* **on his own time** (*after hours*) zrobi to po godzinach; **to be behind the times** być nie na czasie; **the bomb was timed to go off five minutes later** bombę nastawiono na wybuch po pięciu minutach.

time-and-motion study ['taɪmənd'məuʃən-] *n* badanie *nt* efektywności pracy.

time bomb *n* bomba *f* zegarowa; (*fig*) bomba *f* z opóźnionym zapłonem.

time card *n* karta *f* kontrolna (*pracownika*).

time clock *n* zegar *m* kontrolny.

time-consuming ['taɪmkənsju:mɪŋ] *adj* czasochłonny.

time difference *n* różnica *f* czasu.

time-honoured ['taɪmɔnəd] (*US* **time-honored**) *adj* uświęcony tradycją *or* zwyczajem.

timekeeper ['taɪmki:pə*] *n*: **she's a good/poor timekeeper** punktualnie przychodzi/spóźnia się do pracy.

time lag *n* zwłoka *f*, opóźnienie *nt*.

timeless ['taɪmlɪs] *adj* ponadczasowy.

time limit *n* termin *m*.

timely ['taɪmlɪ] *adj* w (samą) porę *post*.

time off *n* wolne *nt*.

timer ['taɪmə*] *n* regulator *m* czasowy.

time-saving ['taɪmseɪvɪŋ] *adj* czasooszczędny.

timescale ['taɪmskeɪl] (*BRIT*) *n* okres *m*.

time-share ['taɪmʃeə*] *n* *prawo użytkowania wspólnego domku letniskowego przez określony okres każdego roku.*

time-sharing ['taɪmʃeərɪŋ] *n* (*COMPUT*) *system umożliwiający wielu osobom jednoczesne korzystanie z tego samego komputera.*

time sheet = **time card**.

time signal (*RADIO*) *n* sygnał *m* czasu.

time switch *n* wyłącznik *m* zegarowy.

timetable ['taɪmteɪbl] *n* (*RAIL*) rozkład *m* jazdy; (*SCOL*) plan *m* zajęć; (*of events*) program *m*.

time zone *n* strefa *f* czasu.

timid ['tɪmɪd] *adj* (*person*) nieśmiały; (*animal*) bojaźliwy.

timidity [tɪ'mɪdɪtɪ] *n* (*of person*) nieśmiałość *f*, (*of animal*) bojaźliwość *f*.

timing ['taɪmɪŋ] *n* (*SPORT*) wyczucie *nt* czasu; **the timing of his resignation was completely wrong** wybrał fatalny moment na złożenie rezygnacji.

timing device *n* (*on bomb*) urządzenie *nt* zegarowe.

timpani ['tɪmpənɪ] *npl* (*MUS*) kotły *pl*.

tin [tɪn] *n* (*metal*) cyna *f*; (*for biscuits etc*) (blaszane) pudełko *nt*; (*for baking*) forma *f* do pieczenia *or* ciasta; (*BRIT: can*) puszka *f*; **we'll need 2 tins of paint** będziemy potrzebować 2 puszki farby.

tinfoil ['tɪnfɔɪl] *n* folia *f* aluminiowa.

tinge [tɪndʒ] *n* (*of colour*) odcień *m*; (*fig: of emotion*) domieszka *f* ♦ *vt*: **tinged with** (*fig: emotion etc*) zabarwiony +*instr*; **her eyes were tinged with red** miała zaczerwienione oczy.

tingle ['tɪŋgl] *vi*: **my leg was tingling** czułem mrowienie w nodze; **he was tingling with excitement** drżał z podniecenia.

tinker ['tɪŋkə*] *n* druciarz *m*.

▶**tinker with** *vt fus* majstrować przy +*loc*.

tinkle ['tɪŋkl] *vi* dzwonić (zadzwonić *perf*), brzęczeć (zabrzęczeć *perf*) ♦ *n* (*inf*): **to give sb a tinkle** (*TEL*) zadzwonić (*perf*) do kogoś.

tin mine *n* kopalnia *f* cyny.

tinned [tɪnd] (*BRIT*) *adj* (*food*) puszkowany; (*salmon, peas*) konserwowy.

tinny ['tɪnɪ] (*pej*) *adj* (*sound*) metaliczny; (*car etc*) lichy, byle jaki.

tin opener [-əupnə*] (*BRIT*) *n* otwieracz *m* do puszek *or* konserw.

tinsel ['tɪnsl] *n* lameta *f*.

tint [tɪnt] *n* (*colour*) odcień *m*, zabarwienie *nt*; (*for hair*) płukanka *f* koloryzująca ♦ *vt* (*hair*) farbować (ufarbować *perf*).

tinted ['tɪntɪd] *adj* (*glass*) barwiony; (*hair*) farbowany.

tiny ['taɪnɪ] *adj* malutki, maleńki.

tip [tɪp] *n* (*of paintbrush, tree*) czubek *m*; (*of tongue*) koniec *m*; (*gratuity*) napiwek *m*; (*BRIT: for rubbish*) wysypisko *nt*; (*: for coal*) hałda *f*; (*advice*) rada *f*, wskazówka *f* ♦ *vt* (*waiter*) dawać (dać *perf*) napiwek +*dat*; (*bowl, bottle*) przechylać (przechylić *perf*); (*also*: **tip over**) przewracać (przewrócić *perf*); (*also*: **tip out**) wysypywać (wysypać *perf*); (*predict*) typować (wytypować *perf*).

▶**tip off** *vt* udzielać (udzielić *perf*) poufnych informacji +*dat*, dawać (dać *perf*) cynk +*dat* (*inf*).

tip-off ['tɪpɔf] *n* poufna informacja *f*, cynk *m* (*inf*).

tipped ['tɪpt] *adj* (*BRIT*): **tipped cigarette** papieros *m* z filtrem; **steel-tipped** ze stalowym czubkiem.

Tipp-Ex ['tɪpɛks] ® *n* korektor *m*.

tipple ['tɪpl] (*BRIT*) *vi* popijać (*alkohol*) ♦ *n*: **what's your tipple?** co pijesz? (*inf*).

tipsy ['tɪpsɪ] (*inf*) *adj* wstawiony (*inf*).

tiptoe ['tɪptəu] *n*: **on tiptoe** na palcach *or* paluszkach.

tip-top ['tɪptɔp] *adj*: **in tip-top condition** w pierwszorzędnym stanie.

tire ['taɪə*] *n* (*US*) = **tyre** ♦ *vt* męczyć (zmęczyć *perf)* ♦ *vi* męczyć się (zmęczyć się *perf)*; **to tire of** męczyć się (zmęczyć się *perf)* +*instr*.

►**tire out** *vt* wyczerpywać (wyczerpać *perf)*.

tired ['taɪəd] *adj* zmęczony; **to be/feel tired** być/czuć się zmęczonym; **to look tired** wyglądać na zmęczonego; **to be tired of sth/of doing sth** mieć dosyć czegoś/robienia czegoś.

tiredness ['taɪədnɪs] *n* zmęczenie *nt*.

tireless ['taɪəlɪs] *adj* niestrudzony.

tiresome ['taɪsəm] *adj* dokuczliwy.

tiring ['taɪərɪŋ] *adj* męczący.

tissue ['tɪʃuː] *n* (*ANAT, BIO*) tkanka *f*; (*paper handkerchief*) chusteczka *f* higieniczna.

tissue paper *n* bibułka *f*.

tit [tɪt] *n* (*ZOOL*) sikora *f*; (*inf*) cycek *m* (*inf*); **tit for tat** wet za wet.

titanium [tɪˈteɪnɪəm] *n* tytan *m* (*metal*).

titbit ['tɪtbɪt] (*US* **tidbit**) *n* smaczny kąsek *m*; (*fig*) łakomy *or* pikantny kąsek *m*.

titillate ['tɪtɪleɪt] *vt* podniecać (podniecić *perf)*.

titivate ['tɪtɪveɪt] *vt* upiększać (upiększyć *perf)*.

title ['taɪtl] *n* tytuł *m*; (*JUR*): **title to** tytuł *m or* prawo *nt* do +*gen*.

title deed *n* tytuł *m* własności.

title page *n* strona *f* tytułowa.

title role *n* rola *f* tytułowa.

titter ['tɪtə*] *vi* chichotać (zachichotać *perf)*.

tittle-tattle ['tɪtltætl] (*inf*) *n* gadanina *f*.

tizzy ['tɪzɪ] *n*: **to be/get in a tizzy** denerwować się (zdenerwować się *perf)* (bez powodu).

T-junction ['tiːˈdʒʌŋkʃən] *n* skrzyżowanie *nt* w kształcie litery T.

TM *abbr* = **trademark**; **transcendental meditation**.

TN (*US: POST*) *abbr* (= *Tennessee*).

TNT *n abbr* (= *trinitrotoluene*) trotyl *m*.

┌────── KEYWORD ──────┐

to [tuː, tə] *prep* **1** (*usu*) do +*gen*; **to go to Germany** jechać (pojechać *perf)* do Niemiec; **to count to ten** liczyć (policzyć *perf)* do dziesięciu; **the key to the front door** klucz do drzwi frontowych; **A is to B as C is to D** A ma się do B tak jak C do D; **three goals to two** trzy do dwóch; **to the left/right** na lewo/prawo; **she is secretary to the director** jest sekretarką dyrektora; **30 miles to the gallon** 1 galon na 30 mil. **2** (*with expressions of time*) za +*acc*; **a quarter to five** za kwadrans *or* za piętnaście piąta. **3** (*introducing indirect object*): **to give sth to sb** dawać (dać *perf)* coś komuś; **to talk to sb** rozmawiać (porozmawiać *perf)* z kimś; **to cause damage to sth** uszkadzać (uszkodzić *perf)* coś; **to be a danger to sb/sth** stanowić zagrożenie dla kogoś/czegoś; **to carry out repairs to sth** wykonywać naprawy czegoś. **4** (*purpose, result*): **to come to sb's aid** przychodzić (przyjść *perf)* komuś z pomocą; **to sentence sb to death** skazywać (skazać

perf) kogoś na śmierć; **to my surprise** ku m(oj)emu zdziwieniu ♦ *with verb* **1** (*simple infinitive*): **to eat** jeść (zjeść *perf)*; **to want to sleep** chcieć spać. **2** (*with verb omitted*): **I don't want to** nie chcę; **you ought to** powinieneś. **3** (*purpose, result*) żeby, (a)by; **I did it to help you** zrobiłem to, żeby *or* aby ci pomóc; **he came to see you** przyszedł (, żeby) się z tobą zobaczyć. **4** (*equivalent to relative clause*): **he has a lot to lose** ma wiele do stracenia; **I have things to do** jestem zajęta; **the main thing is to try** najważniejsza rzecz to spróbować. **5** (*after adjective etc*) żeby, (a)by; **too old/young to ...** za stary/młody, żeby +*infin*; **ready to go** gotowy do drogi ♦ *adv*: **to push/pull the door to** przymykać (przymknąć *perf)* drzwi.

└────────────────────┘

toad [təud] *n* ropucha *f*.

toadstool ['təudstuːl] *n* muchomor *m*.

toady ['təudɪ] (*pej*) *vi*: **to toady to sb** podlizywać się komuś.

toast [təust] *n* (*CULIN*) grzanka *f*, tost *m*; (*drink*) toast *m* ♦ *vt* (*CULIN*) opiekać (opiec *perf)*; (*drink to*) wznosić (wznieść *perf)* toast za +*acc*; **a piece** *or* **slice of toast** grzanka, tost.

toaster ['təustə*] *n* opiekacz *m*, toster *m*.

toastmaster ['təustmɑːstə*] *n osoba kierująca porządkiem wznoszonych toastów*.

toast rack *n* stojak *m* na grzanki.

tobacco [təˈbækəu] *n* tytoń *m*; **pipe tobacco** tytoń fajkowy.

tobacconist [təˈbækənɪst] *n* właściciel *m* sklepu z wyrobami tytoniowymi.

tobacconist's (shop) [təˈbækənɪsts-] *n* sklep *m* z wyrobami tytoniowymi.

Tobago [təˈbeɪgəu] *n see* **Trinidad**.

toboggan [təˈbɔgən] *n* tobogan *m*; (*child's*) sanki *pl*.

today [təˈdeɪ] *adv* dzisiaj, dziś ♦ *n* dzisiaj *nt inv*, dziś *nt inv*; **the writers of today** dzisiejsi pisarze; **what day is it today?** jaki jest dzisiaj dzień?; **what date is it today?** którego dzisiaj mamy?; **today is the 4th of March** dzisiaj jest 4 marca; **a week ago today** (dokładnie) tydzień temu; **today's paper** dzisiejsza gazeta.

toddle ['tɔdl] (*inf*) *vi*: **to toddle along** dreptać (podreptać *perf)*.

toddler ['tɔdlə*] *n* maluch *m*, szkrab *m*.

to-do [təˈduː] *n* zamieszanie *nt*.

toe [təu] *n* (*of foot*) palec *m* (u nogi); (*of shoe, sock*) palce *pl*; **to toe the line** (*fig*) podporządkowywać się (podporządkować się *perf)*; **big/little toe** duży/mały palec u nogi.

toehold ['təuhəuld] *n* (*in climbing*) oparcie *nt* dla stopy; (*fig*): **to get/gain a toehold (in)** zaczepić się (*perf)* (w +*loc*).

toenail ['təuneɪl] *n* paznokieć *m* u nogi.
toffee ['tɔfɪ] *n* toffi *nt inv.*
toffee apple (*BRIT*) *n* jabłko na patyku w polewie z toffi.
toga ['təugə] *n* toga *f.*
together [tə'gɛðə*] *adv* razem; **together with** razem *or* wraz z *+instr.*
togetherness [tə'gɛðənɪs] *n* poczucie *nt* wspólnoty.
toggle switch ['tɔgl-] (*COMPUT*) *n* przełącznik *m* dwustabilny.
Togo ['təugəu] *n* Togo *nt inv.*
togs [tɔgz] (*inf*) *npl* ciuchy *pl* (*inf*).
toil [tɔɪl] *n* trud *m* ♦ *vi* trudzić się.
toilet ['tɔɪlət] *n* toaleta *f* ♦ *cpd* toaletowy; **to go to the toilet** iść (pójść (*perf*)) do toalety.
toilet bag (*BRIT*) *n* kosmetyczka *f.*
toilet bowl *n* muszla *f* klozetowa.
toilet paper *n* papier *m* toaletowy.
toiletries ['tɔɪlətrɪz] *npl* przybory *pl* toaletowe.
toilet roll *n* rolka *f* papieru toaletowego.
toilet soap *n* mydło *nt* toaletowe.
toilet water *n* woda *f* toaletowa.
to-ing and fro-ing ['tu:ɪŋən'frəuɪŋ] (*BRIT*) *n* kursowanie *nt* w tę i z powrotem.
token ['təukən] *n* (*sign*) znak *m*; (*souvenir*) pamiątka *f*, (*substitute coin*) żeton *m* ♦ *adj* symboliczny; **by the same token** (*for the same reasons*) z tych samych powodów; (*in the same way*) tak samo; (*thereby*) tym samym; **token strike** strajk manifestacyjny; **gift token** (*BRIT*) talon (*dawany w prezencie, do zrealizowania w określonym sklepie*).
Tokyo ['təukjəu] *n* Tokio *nt inv.*
told [təuld] *pt, pp of* **tell.**
tolerable ['tɔlərəbl] *adj* znośny.
tolerably ['tɔlərəblɪ] *adv*. **tolerably good** dość dobry.
tolerance ['tɔlərns] *n* tolerancja *f.*
tolerant ['tɔlərnt] *adj* tolerancyjny; **to be tolerant of** być wytrzymałym na *+acc.*
tolerate ['tɔləreɪt] *vt* znosić (znieść *perf*).
toleration [tɔlə'reɪʃən] *n* tolerancja *f*; **toleration of** (*person*) tolerancja w stosunku do *+gen*; (*pain, noise*) wytrzymałość na *+acc.*
toll [təul] *n* (*casualties*) liczba *f* ofiar; (*charge*) opłata *f* (za przejazd) ♦ *vi* (*bell*) bić; **death toll** liczba ofiar śmiertelnych; **the work took its toll on us** praca dała nam się we znaki.
tollbridge ['təulbrɪdʒ] *n* most *m* z płatnym przejazdem.
toll road *n* droga *f* z płatnym przejazdem.
tomato [tə'mɑ:təu] (*pl* **tomatoes**) *n* pomidor *m.*
tomato purée *n* przecier *m* pomidorowy.
tomb [tu:m] *n* grobowiec *m.*
tombola [tɔm'bəulə] *n* loteria *f.*
tomboy ['tɔmbɔɪ] *n* chłopczyca *f.*
tombstone ['tu:mstəun] *n* nagrobek *m.*
tomcat ['tɔmkæt] *n* kocur *m.*
tome [təum] (*fml*) *n* tom *m.*

tomorrow [tə'mɔrəu] *adv* jutro ♦ *n* jutro *nt*; **a week tomorrow** od jutra za tydzień; **tomorrow morning** jutro rano; **the day after tomorrow** pojutrze; **tomorrow's performance** jutrzejsze przedstawienie.
ton [tʌn] *n* (*metric ton*) tona *f*, (*BRIT*) 1016 *kg*; (*US: also:* **short ton**) 907,18 *kg*; **I've got tons of books** (*inf*) mam masę książek (*inf*).
tonal ['təunl] *adj* tonalny.
tone [təun] *n* ton *m*; (*TEL*) sygnał *m* ♦ *vi*: **to tone in with** pasować do *+gen*, harmonizować z *+instr.*
▶**tone down** *vt* tonować (stonować *perf*).
▶**tone up** *vt* (*muscles*) wyrabiać (wyrobić *perf*).
tone-deaf [təun'dɛf] *adj* pozbawiony słuchu.
toner ['təunə*] *n* (*for photocopier*) toner *m.*
Tonga ['tɔŋə] *n* Tonga *nt inv.*
tongs [tɔŋz] *npl* szczypce *pl*; (*also:* **curling tongs**) lokówka *f* (nożycowa).
tongue [tʌŋ] *n* język *m*; (*CULIN*) ozór *m*; **tongue in cheek** (*speak, say*) żartem.
tongue-tied ['tʌŋtaɪd] *adj* (*fig*): **he was tongue-tied** język stanął mu kołkiem.
tongue-twister ['tʌŋtwɪstə*] *n* łamaniec *m* językowy.
tonic ['tɔnɪk] *n* (*MED*) lek *m* tonizujący; (*also:* **tonic water**) tonik *m*; (*MUS*) tonika *f*; (*fig*) pokrzepienie *nt.*
tonight [tə'naɪt] *adv* (*this evening*) dzisiaj *or* dziś wieczorem; (*this night*) dzisiejszej nocy ♦ *n* (*this evening*) dzisiejszy wieczór *m*; (*this night*) dzisiejsza noc *f*, (**I'll**) **see you tonight!** do zobaczenia wieczorem!; **in tonight's programme** w dzisiejszym programie.
tonnage ['tʌnɪdʒ] *n* tonaż *m.*
tonne [tʌn] (*BRIT*) *n* tona *f* (metryczna).
tonsil ['tɔnsl] *n* migdałek *m*; **he had to have his tonsils out** trzeba mu było wyciąć migdałki.
tonsillitis [tɔnsɪ'laɪtɪs] *n* zapalenie *nt* migdałków, angina *f.*
too [tu:] *adv* (*excessively*) zbyt, za; (*also*) też, także ♦ *adj*: **there's too much water** jest za dużo wody; **there are too many people** jest za dużo ludzi; **it's too sweet** to zbyt słodkie; **I went there too** ja też tam poszedłem; **she loves him too much to ...** zbyt *or* zanadto go kocha, żeby *+infin*; **too bad!** (wielka) szkoda!
took [tuk] *pt of* **take.**
tool [tu:l] *n* narzędzie *nt.*
tool box *n* skrzynka *f* narzędziowa.
tool kit *n* zestaw *m* narzędzi.
toot [tu:t] *n* (*of horn*) trąbienie *nt*; (*of whistle*) gwizd *m* ♦ *vi* (*with car-horn*) trąbić (zatrąbić *perf*).
tooth [tu:θ] (*pl* **teeth**) *n* ząb *m*; **to have a tooth out** *or* (*US*) **pulled** mieć wyrwany ząb; **to brush one's teeth** myć (umyć *perf*) zęby; **by the skin of one's teeth** (*fig*) o mały włos.
toothache ['tu:θeɪk] *n* ból *m* zęba; **she has toothache** boli ją ząb.

toothbrush ['tu:θbrʌʃ] *n* szczoteczka *f* do zębów.

toothpaste ['tu:θpeɪst] *n* pasta *f* do zębów.

toothpick ['tu:θpɪk] *n* wykałaczka *f*.

toothpowder ['tu:θpaʊdə*] *n* proszek *m* do czyszczenia zębów.

top [tɔp] *n* (*of mountain, ladder*) szczyt *m*; (*of tree*) wierzchołek *m*; (*of cupboard, table*) blat *m*; (*of page, pyjamas*) góra *f*; (*of bottle*) zakrętka *f*; (*of jar, box*) wieczko *nt*; (*also*: **top gear**) najwyższy bieg *m*; (*also*: **spinning top**) bąk *m*; (*blouse etc*) góra *f* ♦ *adj* najwyższy ♦ *vt* (*be first in*) znajdować się (znaleźć się *perf*) na czele +*gen*; (*exceed*) przewyższać (przewyższyć *perf*); **at the top of the stairs** u szczytu schodów; **at the top of the street** na (drugim) końcu ulicy; **on top of** (*on*) na +*loc*; (*in addition to*) w dodatku do +*gen*; **on top of that** na dodatek; **from top to bottom** od góry do dołu; **from top to toe** (*BRIT*) od stóp do głów; **at the top of the list** na początku listy; **at the top of one's voice** na cały głos; **a top player** jeden z najlepszych graczy; **at top speed** z maksymalną prędkością; **to go over the top** (*inf*) przeholowywać (przeholować *perf*) (*inf*).

▸**top up** (*US* **top off**) *vt* (*salary*) podnosić (podnieść *perf*); **to top up sb's drink** *or* **glass** dolewać (dolać *perf*) komuś.

topaz ['təʊpæz] *n* topaz *m*.

topcoat ['tɔpkəʊt] *n* (*of paint*) warstwa *f* zewnętrzna.

top floor *n* najwyższe piętro *nt*.

top hat *n* cylinder *m*.

top-heavy [tɔp'hɛvɪ] *adj* (*object*) przeciążony u góry; (*fig: organization*) z przerostem kierownictwa *post*.

topic ['tɔpɪk] *n* temat *m*.

topical ['tɔpɪkl] *adj* aktualny.

topless ['tɔplɪs] *adj* (*bather*) rozebrany do pasa; (*waitress*) w toplesie *post* (*inf*).

top-level ['tɔplɛvl] *adj* na najwyższym szczeblu *post*.

topmost ['tɔpməʊst] *adj* najwyższy.

topography [tə'pɔɡrəfɪ] *n* topografia *f*.

topping ['tɔpɪŋ] *n* (*on dessert*) przybranie *nt*; (*on pizza*) dodatek *m*.

topple ['tɔpl] *vt* (*government, leader*) obalać (obalić *perf*) ♦ *vi* przewracać się (przewrócić się *perf*).

top-ranking ['tɔpræŋkɪŋ] *adj* wysoko postawiony.

top-secret ['tɔp'si:krɪt] *adj* ściśle tajny.

top-security ['tɔpsə'kjʊərɪtɪ] (*BRIT*) *adj*: **top-security prison** więzienie *nt* o zaostrzonych środkach bezpieczeństwa.

topsy-turvy ['tɔpsɪ'tə:vɪ] *adj* postawiony na głowie, przewrócony do góry nogami ♦ *adv* do góry nogami.

top-up ['tɔpʌp] *n*: **would you like a top-up?** dolać Panu/Pani?

torch [tɔ:tʃ] *n* (*with flame*) pochodnia *f*; (*BRIT: electric*) latarka *f*.

tore [tɔ:*] *pt of* tear.

torment [*n* 'tɔ:mɛnt, *vb* tɔ:'mɛnt] *n* męczarnie *pl* ♦ *vt* dręczyć.

torn [tɔ:n] *pp of* tear[1] ♦ *adj*: **torn between** (*fig*) rozdarty pomiędzy +*instr*.

tornado [tɔ:'neɪdəʊ] (*pl* **tornadoes**) *n* tornado *nt*.

torpedo [tɔ:'pi:dəʊ] (*pl* **torpedoes**) *n* torpeda *f*.

torpedo boat *n* kuter *m* torpedowy.

torpor ['tɔ:pə*] *n* odrętwienie *nt*.

torrent ['tɔrnt] *n* (*lit, fig*) potok *m*.

torrential [tə'rɛnʃl] *adj* ulewny.

torrid ['tɔrɪd] *adj* (*weather*) skwarny; (*love affair*) gorący.

torso ['tɔ:səʊ] *n* tułów *m*.

tortoise ['tɔ:təs] *n* żółw *m* (*lądowy lub słodkowodny*).

tortoiseshell ['tɔ:təʃɛl] *adj* (*jewellery, ornaments*) szylkretowy; (*cat*) brązowo-czarno-żółty.

tortuous ['tɔ:tjʊəs] *adj* (*path*) kręty; (*argument, essay*) zawiły.

torture ['tɔ:tʃə*] *n* tortury *pl*; (*fig*) tortura *f*, męczarnia *f* ♦ *vt* torturować; (*fig*) zadręczać (zadręczyć *perf*).

torturer ['tɔ:tʃərə*] *n* oprawca *m*, kat *m*.

Tory ['tɔ:rɪ] (*BRIT*) *adj* torysowski ♦ *n* torys *m*.

toss [tɔs] *vt* (*object*) rzucać (rzucić *perf*); (*salad*) mieszać (wymieszać *perf*); (*pancake*) przewracać (przewrócić *perf*) (w locie); (*one's head*) odrzucać (odrzucić *perf*) do tyłu ♦ *n*: **with a toss of her head** (gwałtownie) odrzucając głowę do tyłu; **to toss a coin** rzucać (rzucić *perf*) monetę; **to toss up for sth** grać (zagrać *perf*) o coś w orła i reszkę; **to toss and turn** (*in bed*) przewracać się (z boku na bok), rzucać się; **to win/lose the toss** wygrywać (wygrać *perf*)/przegrywać (przegrać *perf*) losowanie.

tot [tɔt] *n* (*BRIT: drink*) kropelka *f*, kapka *f*; (*child*) szkrab *m*, brzdąc *m*.

▸**tot up** (*BRIT*) *vt* sumować (zsumować *perf*).

total ['təʊtl] *adj* (*number, cost*) całkowity; (*failure, wreck, stranger*) zupełny ♦ *n* (*of figures*) suma *f*; (*of things, people*) ogólna liczba *f* ♦ *vt* (*add up*) sumować (zsumować *perf*), dodawać (dodać *perf*); (*add up to*) wynosić (wynieść *perf*); **in total** w sumie.

totalitarian [təʊtælɪ'tɛərɪən] *adj* totalitarny.

totality [təʊ'tælɪtɪ] *n* całość *f*.

totally ['təʊtəlɪ] *adv* całkowicie, zupełnie.

totem pole ['təʊtəm-] *n* słup *m* totemiczny.

totter ['tɔtə*] *vi* (*person*) zataczać się (zatoczyć się *perf*), chwiać się (zachwiać się *perf*) (na nogach); (*fig: government*) chwiać się.

touch [tʌtʃ] *n* (*sense*) dotyk *m*; (*contact*) dotknięcie *nt*; (*skill*) ręka *f* ♦ *vt* dotykać

(dotknąć *perf*) +*gen*; (*tamper with*) tykać
(tknąć *perf*); (*emotionally: move*) wzruszać
(wzruszyć *perf*); (: *stir*) poruszać (poruszyć
perf) ♦ *vi* dotykać się (dotknąć się *perf*),
stykać się (zetknąć się *perf*); **the personal
touch** indywidualne podejście; **to put the
finishing touches to sth** wykańczać
(wykończyć *perf*) coś; **a touch of** (*fig*)
odrobina +*gen*; **in touch with** w kontakcie z
+*instr*; **to put sb in touch with** kontaktować
(skontaktować *perf*) kogoś z +*instr*; **to get in
touch with sb** kontaktować się (skontaktować
się *perf*) z kimś; **I'll be in touch** odezwę się;
we've lost touch straciliśmy (ze sobą)
kontakt; **to be out of touch with events** nie
nadążać za biegiem wypadków, nie być na
bieżąco; **touch wood!** odpukać (w
niemalowane drewno)!

►**touch on** *vt fus* (*topic*) poruszać (poruszyć
perf) +*acc*.

►**touch up** *vt* podretuszowywać
(podretuszować *perf*).

touch-and-go ['tʌtʃən'gəu] *adj* niepewny; **it
was touch-and-go whether we'd succeed** nie
było pewne, czy nam się uda.

touchdown ['tʌtʃdaun] *n* (*of rocket, plane*)
lądowanie *nt*; (*US: FOOTBALL*) przyłożenie *nt*.

touched [tʌtʃt] *adj* (*moved*) wzruszony;
(*inf. mad*) szurnięty (*inf*).

touching ['tʌtʃɪŋ] *adj* wzruszający.

touchline ['tʌtʃlaɪn] (*SPORT*) *n* linia *f* autowa
or boczna.

touch-type ['tʌtʃtaɪp] *vi* pisać (na maszynie)
bez patrzenia na klawiaturę.

touchy ['tʌtʃɪ] *adj* (*person*) przewrażliwiony;
(*subject*) drażliwy.

tough [tʌf] *adj* (*material, meat, policy*) twardy;
(*shoes, rope*) mocny; (*person, animal*)
wytrzymały; (*choice, task*) trudny, ciężki;
(*neighbourhood*) niebezpieczny; **tough luck!**
trudno!; **they're having a tough time** jest im
ciężko.

toughen ['tʌfn] *vt* (*sb's character*) hartować
(zahartować *perf*); (*glass etc*) utwardzać
(utwardzić *perf*), hartować.

toughness ['tʌfnɪs] *n* (*of person*)
wytrzymałość *f*, hart *m* (ducha); (*of glass etc*)
twardość *f*.

toupee ['tu:peɪ] *n* tupecik *m*, peruczka *f*.

tour ['tuə*] *n*: **a tour (of)** (*country, region*)
podróż *f* (po +*loc*); (*town, museum*) wycieczka
f (po +*loc*); (*by pop group etc*) tournée *nt inv*
(po +*loc*) ♦ *vt* (*in vehicle*) objeżdżać
(objechać *perf*); (*on foot*) obchodzić (obejść
perf), zwiedzać (zwiedzić *perf*); **to go on a
tour of** wybierać się (wybrać się *perf*) na
wycieczkę po +*loc*; **to be on tour** być w
trasie; **to go on tour** wyjeżdżać (wyjechać
perf) w trasę.

touring ['tuərɪŋ] *n* zwiedzanie *nt*; (*of pop
group etc*) tournée *nt inv*.

tourism ['tuərɪzm] *n* turystyka *f*.

tourist ['tuərɪst] *n* turysta (-tka) *m(f)* ♦ *cpd*
turystyczny; **the tourist trade** przemysł
turystyczny.

tourist class (*NAUT, AVIAT*) *n* klasa *f*
turystyczna.

tourist information centre (*BRIT*) *n* biuro *nt*
informacji turystycznej.

tourist office *n* biuro *nt* turystyczne.

tournament ['tuənəmənt] *n* turniej *m*.

tourniquet ['tuənɪkeɪ] *n* opaska *f* uciskowa.

tour operator (*BRIT*) *n* organizator *m*
wycieczki.

tousled ['tauzld] *adj* potargany, rozczochrany.

tout [taut] *vi*: **to tout for business/custom**
nagabywać (potencjalnych) klientów ♦ *n* (*also*:
ticket tout) konik *m*.

tow [təu] *vt* holować ♦ *n*: **to give sb a tow**
(*AUT*) brać (wziąć *perf*) kogoś na hol; "**on** *or*
(*US*) **in tow**" (*AUT*) „pojazd na holu".

tow away *vt* odholowywać (odholować *perf*).

toward(s) [tə'wɔ:d(z)] *prep* (*to*) do +*gen*, ku
+*dat* (*fml*); (*in direction of*) w kierunku *or*
stronę +*gen*; (*in relation to*) do +*gen*, wobec
+*gen*; (*as conribution to*) na +*acc*, na rzecz
+*gen*; **towards noon** około południa; **towards
the end (of the year)** pod koniec (roku); **to
feel friendly toward(s) sb** czuć do kogoś
sympatię.

towel ['tauəl] *n*: (**hand/bath**) **towel** ręcznik *m*
(do rąk/kąpielowy); **to throw in the towel**
(*fig*) poddawać się (poddać się *perf*).

towelling ['tauəlɪŋ] *n* tkanina *f* frotté.

towel rail (*US* **towel rack**) *n* wieszak *m* na
ręczniki.

tower ['tauə*] *n* wieża *f* ♦ *vi*: **to tower (above**
or **over sb/sth)** wznosić się (nad kimś/czymś).

tower block (*BRIT*) *n* wieżowiec *m*.

towering ['tauərɪŋ] *adj* gigantyczny.

towline ['təulaɪn] *n* (*NAUT*) lina *f* holownicza.

town [taun] *n* miasto *nt*; **to go to town** iść
(pójść *perf*) do miasta; (*fig*) zaszaleć (*perf*)
(*inf*); **I had lunch in town** zjadłem obiad na
mieście; **I'll be out of town** nie będzie mnie
w mieście.

town centre *n* centrum *nt* (miasta).

town clerk *n* urzędnik *m* miejski.

town council *n* rada *f* miejska.

town hall *n* ratusz *m*.

town plan *n* plan *m* miasta.

town planner *n* urbanista (-tka) *m(f)*.

town planning *n* urbanistyka *f*.

townspeople ['taunzpi:pl] *npl* mieszkańcy *pl*
miasta.

towpath ['təupɑ:θ] *n* ścieżka wzdłuż kanału
lub rzeki, *którą chodziły konie holujące barki*.

towrope ['təurəup] *n* (*AUT*) linka *f*
holownicza, hol *m*.

tow truck (*US*) *n* holownik *m* (*pojazd serwisowy*).

toxic ['tɔksɪk] *adj* toksyczny, trujący.

toxin ['tɔksɪn] *n* toksyna *f*, substancja *f* trująca.

toy [tɔɪ] *n* zabawka *f*.

▸**toy with** *vt fus* (*object, food*) bawić się +*instr*; (*idea*) rozważać.

toyshop ['tɔɪʃɔp] *n* sklep *m* z zabawkami.

trace [treɪs] *n* (*sign, small amount*) ślad *m*; (*of emotion*) cień *m* ♦ *vt* (*draw*) odrysowywać (odrysować *perf*) przez kalkę, kalkować (przekalkować *perf*); (*locate*) odszukiwać (odszukać *perf*); (: *cause*) odkrywać (odkryć *perf*); **without trace** bez śladu; **there was no trace of him** zniknął bez śladu; **empiricism can be traced back to Hume and Locke** empiryzm wywodzi się od Hume'a i Locke'a.

trace element *n* pierwiastek *m* śladowy.

trachea [trə'kɪə] *n* tchawica *f*.

tracing paper ['treɪsɪŋ-] *n* kalka *f* techniczna.

track [træk] *n* (*road*) droga *f* (*gruntowa*); (*path*) ścieżka *f*; (*of bullet, planet, for train*) tor *m*; (*of suspect, animal*) ślad *m*; (*on tape, record*) utwór *m*; (*SPORT*) bieżnia *f* ♦ *vt* tropić (wytropić *perf*); **to keep track of** (*fig*) śledzić +*acc*; **to be on the right track** (*fig*) zmierzać we właściwym kierunku.

▸**track down** *vt* tropić (wytropić *perf*).

tracker dog ['trækə-] (*BRIT*) *n* pies *m* gończy.

track events *npl* biegi *pl* lekkoatletyczne.

tracking station ['trækɪŋ-] *n* stacja *f* śledzenia (*lotu obiektów kosmicznych*).

track record *n*: **to have a good track record** mieć na swoim koncie osiągnięcia.

tracksuit ['træksuːt] *n* dres *m*.

tract [trækt] *n* (*of land*) przestrzeń *f*; (*pamphlet*) traktat *m*; **respiratory tract** drogi oddechowe.

traction ['trækʃən] *n* (*power*) trakcja *f*; (*AUT*) przyczepność *f*; (*MED*): **in traction** na wyciągu.

traction engine *n* lokomobila *f*.

tractor ['træktə*] *n* traktor *m*, ciągnik *m*.

trade [treɪd] *n* (*exchanging goods*) handel *m*; (*business*) branża *f*; (*skill, job*) zawód *m* (*wyuczony*) ♦ *vi* handlować ♦ *vt*: **to trade sth (for sth)** wymieniać (wymienić *perf*) coś (na coś); **to trade in/with** prowadzić handel +*instr/z* +*instr*; **foreign trade** handel zagraniczny; **Department of Trade and Industry** (*BRIT*) Ministerstwo Handlu i Przemysłu.

▸**trade in** *vt* wymieniać (wymienić *perf*) na nowy za dopłatą.

trade barrier *n* bariera *f* handlowa.

trade deficit *n* deficyt *m* handlowy.

Trade Descriptions Act (*BRIT*) *n* ustawa regulująca zasady opisu i reklamy produktów.

trade discount *n* rabat *m* hurtowy.

trade fair *n* targi *pl* handlowe.

trade-in ['treɪdɪn] *n*: **to take sth as a trade-in** przyjąć coś, najczęściej używanego, w rozliczeniu za nowy artykuł.

trade-in value *n* wartość *f* wymienna.

trademark ['treɪdmɑːk] *n* znak *m* fabryczny *or* towarowy.

trade mission *n* przedstawicielstwo *nt* handlowe.

trade name *n* nazwa *f* handlowa *or* firmowa.

trader ['treɪdə*] *n* handlowiec *m*.

trade secret *n* tajemnica *f* handlowa; (*fig*) tajemnica *f*.

tradesman ['treɪdzmən] *n* (*irreg like* **man**) (*shopkeeper*) handlowiec *m*.

trade union *n* związek *m* zawodowy.

trade unionist [-'juːnjənɪst] *n* działacz(ka) *m(f)* związkowy(wa) *m(f)*.

trade wind *n* pasat *m*.

trading ['treɪdɪŋ] *n* handel *m*.

trading estate (*BRIT*) *n* teren *m* przemysłowy.

trading stamp *n* kupon *m* premiowy (*w handlu detalicznym*).

tradition [trə'dɪʃən] *n* tradycja *f*.

traditional [trə'dɪʃənl] *adj* tradycyjny.

traditionally [trə'dɪʃnəlɪ] *adv* tradycyjnie.

traffic ['træfɪk] *n* (*AUT, AVIAT etc*) ruch *m*; (*in drugs, stolen goods*) handel *m* ♦ *vi*: **to traffic in** handlować +*instr*.

traffic circle (*US*) *n* rondo *nt*.

traffic island (*AUT*) *n* wysepka *f*.

traffic jam *n* korek *m* (*uliczny*).

trafficker ['træfɪkə*] *n* handlarz (-arka) *m(f)* (*nielegalnym towarem*).

traffic lights *npl* sygnalizacja *f* świetlna, światła *pl*.

traffic offence (*BRIT*) *n* wykroczenie *nt* drogowe.

traffic sign *n* znak *m* drogowy.

traffic violation (*US*) *n* = **traffic offence**.

traffic warden *n funkcjonariusz kontrolujący prawidłowość parkowania pojazdów*.

tragedy ['trædʒədɪ] *n* tragedia *f*.

tragic ['trædʒɪk] *adj* tragiczny.

tragically ['trædʒɪkəlɪ] *adv* tragicznie.

trail [treɪl] *n* (*path*) szlak *m*; (*of smoke*) smuga *f* ♦ *vt* (*drag*) ciągnąć; (*follow*) tropić ♦ *vi* (*hang loosely*) ciągnąć się; (*in game, contest*) przegrywać; **a trail of footprints** ślady; **to be on sb's trail** podążać czyimś tropem *or* śladem.

▸**trail away** *vi* (*sound, voice*) zamierać (zamrzeć *perf*).

▸**trail behind** *vi* ciągnąć się (z tyłu).

▸**trail off** *vi* = **trail away**.

trailer ['treɪlə*] *n* (*AUT*) przyczepa *f*; (*US*: *caravan*) przyczepa *f* kempingowa; (*FILM, TV*) zwiastun *m*.

trailer truck *n* (*US*) ciężarówka *f* z naczepą.

train [treɪn] *n* (*RAIL*) pociąg *m*; (*underground train*) kolejka *f* (podziemna); (*of dress*) tren *m* ♦ *vt* (*apprentice, doctor*) szkolić (wyszkolić *perf*); (*dog*) tresować (wytresować *perf*);

(*athlete*) trenować (wytrenować *perf*); (*mind*) ćwiczyć (wyćwiczyć *perf*); (*plant*): **to train along** puszczać (puścić *perf*) wzdłuż +*gen*; (*camera, gun*): **to train on** celować (wycelować *perf*) w +*acc* ♦ *vi* (*learn a skill*) szkolić się; (*SPORT*) trenować; **my train of thought** tok moich myśli; **train of events** bieg wydarzeń; **to go by train** jechać (pojechać *perf*) pociągiem; **to train sb to do sth** szkolić (wyszkolić *perf*) kogoś w robieniu czegoś.

train attendant (*US*) *n* ≈ konduktor *m*.

trained [treɪnd] *adj* (*worker, manpower*) wykwalifikowany; (*animal*) tresowany; (*eye*) wprawny.

trainee [treɪ'ni:] *n* praktykant(ka) *m(f)*, stażysta (-tka) *m(f)*.

trainer ['treɪnə*] *n* (*coach*) trener(ka) *m(f)*; (*shoe*) but *m* sportowy; (*of animals*) treser(ka) *m(f)*.

training ['treɪnɪŋ] *n* (*for occupation*) szkolenie *nt*; (*SPORT*) trening *m*; **to be in training for** (*SPORT*) trenować do +*gen*.

training college *n* (*for teachers*) kolegium *nt* nauczycielskie.

training course *n* kurs *m* szkoleniowy.

traipse [treɪps] *vi*: **to traipse (a)round** włóczyć się po +*loc*.

trait [treɪt] *n* cecha *f*.

traitor ['treɪtə*] *n* zdrajca (-jczyni) *m(f)*.

trajectory [trə'dʒɛktəri] *n* tor *m*.

tram [træm] (*BRIT*) *n* (*also*: **tramcar**) tramwaj *m*.

tramline ['træmlaɪn] *n* szyny *pl* or tory *pl* tramwajowe.

tramp [træmp] *n* włóczęga *m*, tramp *m*; (*inf, pej*) dziwka *f* (*inf, pej*) ♦ *vi* brnąć ♦ *vt* (*town, streets*) przemierzać.

trample ['træmpl] *vt*: **to trample (underfoot)** deptać (podeptać *perf*) ♦ *vi*: **to trample on** (*sb's feelings, rights*) deptać (podeptać *perf*).

trampoline ['træmpəli:n] *n* trampolina *f*.

trance [trɑ:ns] *n* trans *m*; **to go into a trance** wpadać (wpaść *perf*) w trans.

tranquil ['træŋkwɪl] *adj* spokojny.

tranquillity [træŋ'kwɪlɪti] (*US* **tranquility**) *n* spokój *m*.

tranquillizer ['træŋkwɪlaɪzə*] (*US* **tranquilizer**) *n* środek *m* uspokajający.

transact [træn'zækt] *vt* (*business*) załatwiać (załatwić *perf*); (*deal*) zawierać (zawrzeć *perf*).

transaction [træn'zækʃən] *n* transakcja *f*; **cash transaction** transakcja gotówkowa.

transatlantic ['trænzət'læntɪk] *adj* transatlantycki.

transcend [træn'sɛnd] *vt* wykraczać poza +*acc*.

transcendental [trænsɛn'dɛntl] *adj* transcendentalny.

transcribe [træn'skraɪb] *vt* transkrybować (przetranskrybować *perf*).

transcript ['trænskrɪpt] *n* zapis *m*, transkrypt *m*.

transcription [træn'skrɪpʃən] *n* transkrypcja *f*.

transept ['trænsɛpt] *n* transept *m*, nawa *f* poprzeczna.

transfer [*n* 'trænsfə*, *vb* træns'fə:*] *n* (*of employee*) przeniesienie *nt*; (*of money*) przelew *m*; (*of power*) przekazanie *nt*; (*SPORT*) transfer *m*; (*picture etc*) kalkomania *f* ♦ *vt* (*employee*) przenosić (przenieść *perf*); (*money*) przelewać (przelać *perf*); (*power, ownership*) przekazywać (przekazać *perf*); **to transfer the charges** (*BRIT*) telefonować (zatelefonować *perf*) na koszt przyjmującego rozmowę; **by bank transfer** przelewem bankowym.

transferable [træns'fə:rəbl] *adj* (*JUR*) zbywalny; **"not transferable"** (*on ticket*) ≈ „bilet nie może być odstępowany".

transfix [træns'fɪks] *vt* przebijać (przebić *perf*), przeszywać (przeszyć *perf*); **transfixed with fear** skamieniały ze strachu.

transform [træns'fɔ:m] *vt* odmieniać (odmienić *perf*); **to transform into** przekształcać (przekształcić *perf*) w +*acc*.

transformation [trænsfə'meɪʃən] *n* przemiana *f*, transformacja *f*.

transformer [træns'fɔ:mə*] (*ELEC*) *n* transformator *m*.

transfusion [træns'fju:ʒən] *n* (*also*: **blood transfusion**) transfuzja *f* (krwi).

transgress [træns'grɛs] *vt* przekraczać (przekroczyć *perf*).

transient ['trænzɪənt] *adj* przelotny.

transistor [træn'zɪstə*] *n* tranzystor *m*.

transit ['trænzɪt] *n*: **in transit** (*things*) podczas transportu; (*people*) w podróży.

transit camp *n* obóz *m* przejściowy.

transition [træn'zɪʃən] *n* przejście *nt*.

transitional [træn'zɪʃənl] *adj* przejściowy.

transitive ['trænzɪtɪv] *adj* (*LING*) przechodni.

transit lounge *n* (*at airport etc*) hala *f* tranzytowa.

transitory ['trænzɪtəri] *adj* (*emotion*) przemijający, krótkotrwały; (*arrangement, character*) przejściowy.

transit visa *n* wiza *f* tranzytowa.

translate [trænz'leɪt] *vt*: **to translate (from/into)** tłumaczyć (przetłumaczyć *perf*) or przekładać (przełożyć *perf*) (z +*gen*/na +*acc*).

translation [trænz'leɪʃən] *n* tłumaczenie *nt*, przekład *m*; **in translation** w tłumaczeniu or przekładzie.

translator [trænz'leɪtə*] *n* tłumacz(ka) *m(f)*.

translucent [trænz'lu:snt] *adj* półprzezroczysty.

transmission [trænz'mɪʃən] *n* (*of information, energy, data*) przesyłanie *nt*; (*of disease*) przenoszenie *nt*; (*TV*) transmisja *f*; (*AUT*) przekładnia *f*.

transmit [trænz'mɪt] *vt* (*message, signal*) przesyłać (przesłać *perf*), transmitować; (*disease*) przenosić (przenieść *perf*); (*RADIO*,

TV) nadawać (nadać *perf*), transmitować; (*knowledge, ideas*) przekazywać (przekazać *perf*).

transmitter [trænz'mɪtə*] *n* przekaźnik *m*.

transparency [træns'pɛərnsɪ] *n* (*quality*) przezroczystość *f*; (*BRIT: PHOT*) przezrocze *nt*.

transparent [træns'pærnt] *adj* przezroczysty; (*fig*) jawny, oczywisty.

transpire [træns'paɪə*] *vi* (*become known*): **it finally transpired that ...** w końcu okazało się *or* wyszło na jaw, że ...; (*happen*): **nobody knows what transpired at the meeting** nikt nie wie, co się wydarzyło na zebraniu.

transplant [*vb* træns'plɑ:nt, *n* 'trænsplɑ:nt] *vt* (*MED*) przeszczepiać (przeszczepić *perf*); (*seedlings*) przesadzać (przesadzić *perf*) ♦ *n* (*MED*) przeszczep *m*; **to have a heart transplant** mieć przeszczepione serce.

transport [*n* 'trænspɔ:t, *vb* træns'pɔ:t] *n* transport *m* ♦ *vt* przewozić (przewieźć *perf*); **public transport** ≈ komunikacja miejska; **Department of Transport** (*BRIT*) ≈ Ministerstwo Transportu.

transportation ['trænspɔ:'teɪʃən] *n* (*moving*) przewóz *m*, transport *m*; (*means of transport*) środek *m* transportu; **Department of Transportation** (*US*) ≈ Ministerstwo Transportu.

transport café (*BRIT*) *n* bar *m* przydrożny.

transpose [træns'pəuz] *vt* transponować (przetransponować *perf*).

transverse ['trænzvə:s] *adj* (*beam etc*) poprzeczny.

transvestite [trænz'vɛstaɪt] *n* transwestyta (-tka) *m(f)*.

trap [træp] *n* (*for mice, rats*) pułapka *f*; (*for larger animals*) sidła *pl*, wnyki *pl*; (*carriage*) dwukółka *f*; (*fig*) pułapka *f*, zasadzka *f* ♦ *vt* (*mouse*) łapać (złapać *perf*) w pułapkę; (*hare etc*) łapać (złapać *perf*) w sidła *or* we wnyki; (*energy*) pozyskiwać; (*fig: trick*) łapać (złapać *perf*) w pułapkę; **to set** *or* **lay a trap (for sb)** zastawiać (zastawić *perf*) (na kogoś) pułapkę; **to be trapped** (*in bad marriage, under rubble etc*) być uwięzionym; **he trapped his finger in the door** przytrzasnął sobie palec drzwiami; **shut your trap!** (*inf!*) stul gębę! (*inf!*).

trap door (*also spelled* **trapdoor**) *n* drzwi *pl* spustowe; (*in stage*) zapadnia *f*; (*in mine*) drzwi *pl* zapadowe.

trapeze [trə'pi:z] *n* trapez *m* (*przyrząd*).

trapper ['træpə*] *n* traper *m*.

trappings ['træpɪŋz] *npl* przywileje *pl*.

trash [træʃ] *n* (*rubbish*) śmieci *pl*; (*pej: books etc*) chłam *m* (*pej*).

trash can (*US*) *n* kosz *m* na śmieci.

trauma ['trɔ:mə] *n* bolesne przeżycie *nt*; (*MED, PSYCH*) uraz *m*, trauma *f*.

traumatic [trɔ:'mætɪk] *adj* traumatyczny.

travel ['trævl] *n* podróż *f* ♦ *vi* (*person*) podróżować; (*car, aeroplane*) poruszać się; (*news, sound*) rozchodzić się (rozejść się

perf) ♦ *vt* (*distance*) przejeżdżać (przejechać *perf*); **travels** *npl* podróże *pl*; **I travel to work by train** jeżdżę do pracy pociągiem; **this wine doesn't travel well** to wino psuje się podczas transportu.

travel agency *n* biuro *nt* podróży.

travel agent *n* pracownik (-ica) *m(f)* biura podróży.

travel brochure *n* prospekt *m* turystyczny.

traveller ['trævlə*] (*US* **traveler**) *n* podróżnik (-iczka) *m(f)*; (*COMM*) komiwojażer(ka) *m(f)*.

traveller's cheque (*US* **traveler's check**) *n* czek *m* podróżny.

travelling ['trævlɪŋ] (*US* **traveling**) *n* podróżowanie *nt* ♦ *cpd* (*circus*) wędrowny; (*exhibition*) objazdowy; (*bag, clock*) podróżny; **travelling expenses** koszty podróży.

travel(l)ing salesman *n* komiwojażer *m*.

travelogue ['trævəlɒg] *n* (*book*) książka *f* podróżnicza; (*talk*) odczyt *m* o podróżach; (*film*) film *m* podróżniczy.

travel sickness *n* choroba *f* lokomocyjna.

traverse ['trævəs] *vt* przemierzać (przemierzyć *perf*).

travesty ['trævəstɪ] *n* parodia *f*.

trawler ['trɔ:lə*] *n* trawler *m*.

tray [treɪ] *n* taca *f*; (*also*: **in-tray/out-tray**) tacka *f* (na korespondencję).

treacherous ['trɛtʃərəs] *adj* (*person, look*) zdradziecki; (*ground, tide*) zdradliwy; **road conditions are treacherous** warunki drogowe są niebezpieczne.

treachery ['trɛtʃərɪ] *n* zdrada *f*.

treacle ['tri:kl] *n* (*black treacle*) melasa *f*.

tread [trɛd] (*pt* **trod**, *pp* **trodden**) *n* (*of tyre*) bieżnik *m*; (*step*) chód *m*; (*of stair*) stopień *m* ♦ *vi* stąpać.

►**tread on** *vt fus* nadeptywać (nadepnąć *perf*) na +*acc*.

treadle ['trɛdl] *n* (*on sewing machine etc*) pedał *m*.

treas. *abbr* = **treasurer**.

treason ['tri:zn] *n* zdrada *f* stanu.

treasure ['trɛʒə*] *n* (*lit, fig*) skarb *m* ♦ *vt* (*object*) być bardzo przywiązanym do +*gen*; (*memory, thought*) (pieczołowicie) przechowywać w pamięci; (*friendship*) troskliwie pielęgnować; **treasures** *npl* skarby *pl*.

treasure hunt *n* poszukiwanie *nt* skarbów.

treasurer ['trɛʒərə*] *n* skarbnik (-iczka) *m(f)*.

treasury ['trɛʒərɪ] *n*: **the Treasury**, (*US*) **the Treasury Department** ≈ Ministerstwo *nt* Finansów.

treasury bill *n* bilet *m* skarbowy.

treat [tri:t] *n* uczta *f* (*fig*) ♦ *vt* (*handle, regard*) traktować (potraktować *perf*); (*MED*) leczyć (wyleczyć *perf*); (*TECH*) impregnować (zaimpregnować *perf*); **it came as a real treat** to była prawdziwa przyjemność; **this is my treat** ja stawiam; **to treat sth as a joke**

traktować (potraktować *perf*) coś jako żart;
she treated us to dinner poczęstowała nas
obiadem.
treatment ['tri:tmənt] *n* (*attention, handling*)
traktowanie *nt*; (*MED*) leczenie *nt*; **to have
treatment for sth** poddawać się (poddać się
perf) leczeniu na coś.
treaty ['tri:tɪ] *n* traktat *m*.
treble ['trɛbl] *adj* (*triple*) potrójny; (*MUS: part,
instrument*) sopranowy; (*voice*) dyszkantowy,
sopranowy ♦ *n* (*singer*) sopranista (-tka) *m(f)*;
(*on radio etc*) wysokie tony *pl* ♦ *vt* potrajać
(potroić *perf*) ♦ *vi* potrajać się (potroić się
perf); **to be treble the amount/size of** być
trzykrotnie większym od +*gen*.
treble clef *n* klucz *m* wiolinowy.
tree [tri:] *n* drzewo *nt*.
tree-lined ['tri:laɪnd] *adj* wysadzany drzewami.
treetop ['tri:tɔp] *n* wierzchołek *m or* korona *f*
drzewa.
tree trunk *n* pień *m* drzewa.
trek [trɛk] *n* (*long difficult journey*) wyprawa *f*;
(*tiring walk*) wędrówka *f* ♦ *vi* wędrować.
trellis ['trɛlɪs] *n* trejaż *m*, treliaż *m*.
tremble ['trɛmbl] *vi* drżeć (zadrżeć *perf*).
trembling ['trɛmblɪŋ] *n* drżenie *nt* ♦ *adj* drżący.
tremendous [trɪ'mɛndəs] *adj* (*enormous*)
olbrzymi, ogromny; (*excellent*) wspaniały.
tremendously [trɪ'mɛndəslɪ] *adv* ogromnie; **he
enjoyed it tremendously** sprawiło mu to
ogromną przyjemność.
tremor ['trɛmə*] *n* (*of excitement, fear*)
dreszcz *m*; (*in voice*) drżenie *nt*; (*also*: **earth
tremor**) wstrząs *m* (podziemny).
trench [trɛntʃ] *n* rów *m*; (*MIL*) okop *m*.
trench coat *n* trencz *m*.
trench warfare *n* wojna *f* okopowa.
trend [trɛnd] *n* (*in attitudes, fashion*) trend *m*;
(*of events*) kierunek *m*; **trend towards**
tendencja w kierunku +*gen*; **trend away from**
odejście od +*gen*; **to set a/the trend** nadawać
(nadać *perf*) kierunek *or* ton.
trendy ['trɛndɪ] *adj* modny.
trepidation [trɛpɪ'deɪʃən] *n* trwoga *f*; **in
trepidation** zatrwożony.
trespass ['trɛspəs] *vi*: **to trespass on** (*private
property*) wkraczać (wkroczyć *perf*) na +*acc*;
"**no trespassing**" „teren prywatny – wstęp
wzbroniony".
trespasser ['trɛspəsə*] *n osoba wkraczająca
na teren prywatny bez zgody właściciela*;
"**trespassers will be prosecuted**" „wstęp pod
karą wzbroniony".
tress [trɛs] *n* pukiel *m*.
trestle ['trɛsl] *n* kozioł *m* (*podpora*).
trestle table *n* stół *m* na kozłach.
trial ['traɪəl] *n* (*JUR*) proces *m*; (*of machine,
drug etc*) próba *f*; (*worry*) utrapienie *nt*; **trials**
npl (*unpleasant*) przykre przejścia *pl*; (*difficult*)
perypetie *pl*; **horse trials** gonitwa próbna *or*

przygotowawcza; **trial by jury** rozprawa przed
ławą przysięgłych; **the case was sent for trial**
sprawa została skierowana do sądu; **he went
on trial for larceny** był sądzony za kradzież;
by trial and error metodą prób i błędów.
trial balance *n* (*COMM*) bilans *m* próbny.
trial basis *n*: **on a trial basis** tytułem próby.
trial period *n* okres *m* próbny.
trial run *n* próba *f*.
triangle ['traɪæŋgl] *n* trójkąt *m*.
triangular [traɪ'æŋgjulə*] *adj* trójkątny.
tribal ['traɪbl] *adj* plemienny.
tribe [traɪb] *n* plemię *nt*.
tribesman ['traɪbzmən] *n* (*irreg like* **man**)
członek *m* plemienia.
tribulations [trɪbju'leɪʃənz] *npl* troski *pl*.
tribunal [traɪ'bju:nl] *n* trybunał *m*; **industrial
(relations) tribunal** sąd pracy.
tributary ['trɪbjutərɪ] *n* dopływ *m*.
tribute ['trɪbju:t] *n* (*compliment*) wyrazy *pl*
uznania; **to pay tribute to** wyrażać (wyrazić
perf) uznanie dla +*gen*.
trice [traɪs] *n*: **in a trice** w okamgnieniu.
trick [trɪk] *n* sztuczka *f*; (*CARDS*) lewa *f* ♦ *vt*
oszukiwać (oszukać *perf*); **the trick is to ...**
(cała) sztuka polega na tym, żeby +*infin*; **to
play a trick on sb** spłatać (*perf*) komuś figla;
to trick sb into doing sth podstępem zmusić
(*perf*) kogoś do zrobienia czegoś; **to trick sb
out of sth** podstępem pozbawić (*perf*) kogoś
czegoś; **it's a trick of the light** to złudzenie
optyczne; **that should do the trick** to
powinno załatwić sprawę.
trickery ['trɪkərɪ] *n* oszustwo *nt*.
trickle ['trɪkl] *n* strużka *f* ♦ *vi* (*water*) sączyć
się, kapać; (*rain, tears*) kapać; (*people*) iść
małymi grupkami.
trick photography *n* fotografia *f* trikowa.
trick question *n* podchwytliwe pytanie *nt*.
trickster ['trɪkstə*] *n* oszust(ka) *m(f)*,
naciągacz(ka) *m(f)* (*inf*).
tricky ['trɪkɪ] *adj* (*problem etc*) skomplikowany.
tricycle ['traɪsɪkl] *n* rower *m* trójkołowy.
trifle ['traɪfl] *n* błahostka *f*, drobnostka *f*;
(*CULIN*) ciasto biszkoptowe przekładane
owocami, galaretką lub kremem ♦ *adv*: **a
trifle long** (nieco) przydługi ♦ *vi*: **to trifle with
sb/sth** stroić sobie żarty z kogoś/czegoś.
trifling ['traɪflɪŋ] *adj* błahy.
trigger ['trɪgə*] *n* spust *m*, cyngiel *m*.
▶**trigger off** *vt fus* wywoływać (wywołać *perf*).
trigonometry [trɪgə'nɔmətrɪ] *n* trygonometria *f*.
trilby ['trɪlbɪ] *n* (*BRIT*) (*also*: **trilby hat**)
kapelusz *m* filcowy.
trill [trɪl] *n* (*MUS*) tryl *m*; (*of birds*) trele *pl*.
trilogy ['trɪlədʒɪ] *n* trylogia *f*.
trim [trɪm] *adj* (*house, garden*) starannie
utrzymany; (*figure, person*) szczupły ♦ *n*
(*haircut*) podstrzyżenie *nt*, podcięcie *nt*; (*on
clothes*) lamówka *f*, wykończenie *nt*; (*on car*)

elementy *pl* ozdobne karoserii ♦ *vt* (*cut*)
przycinać (przyciąć *perf*), przystrzygać
(przystrzyc *perf*); (*decorate*): **to trim (with)**
ozdabiać (ozdobić *perf*) (+*instr*); (*NAUT: sail*)
ustawiać (ustawić *perf*); **to keep in (good)**
trim utrzymywać (dobrą) formę, dobrze się
trzymać (*inf*).

trimmings ['trɪmɪŋz] *npl* (*CULIN*) garnirunek
m; (*cuttings*) skrawki *pl*.

Trinidad and Tobago ['trɪnɪdæd-] *n* Trynidad
m i Tobago *nt inv*.

trinket ['trɪŋkɪt] *n* (*ornament*) ozdóbka *f*; (*piece
of jewellery*) błyskotka *f*, świecidełko *nt*.

trio ['triːəu] *n* trójka *f*; (*MUS: musicians*) trio
nt, tercet *m*; (: *composition*) trio *nt*.

trip [trɪp] *n* (*journey*) podróż *f*; (*outing*)
wycieczka *f* ♦ *vi* (*stumble*) potykać się
(potknąć się *perf*); (*go lightly*) iść lekkim
krokiem; **to go on a (business) trip**
wyjeżdżać (wyjechać *perf*) w podróż
(służbową).

►**trip over** *vt fus* potykać się (potknąć się
perf) o +*acc*.

►**trip up** *vi* potykać się (potknąć się *perf*) ♦ *vt*
podstawiać (podstawić *perf*) nogę +*dat*.

tripartite [traɪ'pɑːtaɪt] *adj* trójstronny.

tripe [traɪp] *n* (*CULIN*) flaczki *pl*, flaki *pl*;
(*pej*) bzdury *pl*.

triple ['trɪpl] *adj* potrójny ♦ *adv*. **triple the
distance/speed** trzy razy dalej/szybciej.

triplets ['trɪplɪts] *npl* trojaczki *pl*.

triplicate ['trɪplɪkət] *n*: **in triplicate** w trzech
egzemplarzach.

tripod ['traɪpɔd] *n* trójnóg *m*.

Tripoli ['trɪpəlɪ] *n* Trypolis *m*.

tripper ['trɪpə*] (*BRIT*) *n* wycieczkowicz(ka) *m(f)*.

tripwire ['trɪpwaɪə*] *n* linka *f* turbulencyjna,
turbilizator *m*.

trite [traɪt] (*pej*) *adj* wyświechtany, oklepany.

triumph ['traɪʌmf] *n* tryumf *m or* triumf *m* ♦
vi tryumfować (zatryumfować *perf*); **to
triumph over** (*opponent*) odnosić (odnieść
perf) zwycięstwo nad +*instr*; (*disabilities,
adversities*) przezwyciężać (przezwyciężyć
perf) +*acc*.

triumphal [traɪ'ʌmfl] *adj* tryumfalny *or*
triumfalny.

triumphant [traɪ'ʌmfənt] *adj* (*team*) zwycięski,
tryumfujący *or* triumfujący; (*return*)
tryumfalny *or* triumfalny; (*smile, expression*)
tryumfalny *or* triumfalny, tryumfujący *or*
triumfujący.

triumphantly [traɪ'ʌmfəntlɪ] *adv* tryumfalnie *or*
triumfalnie, tryumfująco *or* triumfująco.

trivia ['trɪvɪə] (*pej*) *npl* błahostki *pl*.

trivial ['trɪvɪəl] *adj* (*unimportant*) błahy;
(*commonplace*) trywialny, banalny.

triviality [trɪvɪ'ælɪtɪ] *n* (*state of being trivial*)
błahość *f*; (*sth trivial*) rzecz *f* błaha.

trivialize ['trɪvɪəlaɪz] *vt* bagatelizować
(zbagatelizować *perf*).

trod [trɔd] *pt of* tread.

trodden [trɔdn] *pp of* tread.

trolley ['trɔlɪ] *n* (*for luggage, shopping*) wózek
m; (*table*) stolik *m* na kółkach; (*also*: **trolley
bus**) trolejbus *m*.

trollop ['trɔləp] (*pej*) *n* flądra *f* (*pej, inf*).

trombone [trɔm'bəun] *n* puzon *m*.

troop [truːp] *n* (*of people*) gromada *f*; (*of
monkeys*) stado *nt* ♦ *vi*: **to troop in/out**
wchodzić (wejść *perf*)/wychodzić (wyjść *perf*)
gromadnie; **troops** *npl* wojsko *nt*, żołnierze *pl*.

troop carrier *n* transportowiec *m* (*samolot lub
okręt*).

trooper ['truːpə*] *n* (*MIL*) żołnierz *m* (*niższej
rangi, w kawalerii i w wojskach pancernych*);
(*US*) policjant(ka) *m(f)*.

trooping the colour ['truːpɪŋ-] (*BRIT*) *n*
parada *f* wojskowa.

troopship ['truːpʃɪp] *n* transportowiec *m*.

trophy ['trəufɪ] *n* trofeum *m*.

tropic ['trɔpɪk] *n* zwrotnik *m*; **the tropics** *npl*
tropik *m*, tropiki *pl*; **Tropic of
Cancer/Capricorn** zwrotnik Raka/Koziorożca.

tropical ['trɔpɪkl] *adj* tropikalny, zwrotnikowy.

trot [trɔt] *n* (*fast pace*) trucht *m*; (*of horse*)
kłus *m* ♦ *vi* (*horse*) kłusować (pokłusować
perf); (*person*) biec (pobiec *perf*) truchtem; **on
the trot** (*BRIT: one after another*) z rzędu.

►**trot out** *vt* (*excuse, reason*) recytować
(wyrecytować *perf*); (*names, facts*) wyciągać
(wyciągnąć *perf*) z lamusa.

trouble ['trʌbl] *n* (*difficulty, bother*) kłopot *m*;
(*unrest*) zamieszki *pl* ♦ *vt* (*worry*) martwić
(zmartwić *perf*); (*disturb*) niepokoić ♦ *vi*: **to
trouble to do sth** zadawać (zadać *perf*) sobie
trud zrobienia czegoś; **troubles** *npl* kłopoty
pl; **to be in trouble** mieć kłopoty; (*ship,
climber etc*) być w tarapatach *or* opałach; **to
go to the trouble of doing sth** zadawać
(zadać *perf*) sobie trud, żeby coś zrobić; **it's
no trouble!** to żaden kłopot!; **please don't
trouble yourself** proszę się nie fatygować; **the
trouble is ...** kłopot w tym, że ...; **did you
have any trouble finding your way here?** czy
miałaś jakieś kłopoty z trafieniem tutaj?;
what's the trouble? co się stało?; (*to patient*)
co Panu/Pani dolega?; **stomach trouble**
dolegliwości żołądkowe.

troubled [trʌbld] *adj* (*person*) zmartwiony;
(*era, life*) burzliwy; (*water*) wzburzony;
(*country*) targany konfliktami.

trouble-free ['trʌblfriː] *adj* bezproblemowy.

troublemaker ['trʌblmeɪkə*] *n* wichrzyciel *m*.

troubleshooter ['trʌblʃuːtə*] *n* mediator *m*,
rozjemca *m*.

troublesome ['trʌblsəm] *adj* (*child*) nieznośny;
(*cough, stammer*) dokuczliwy.

trouble spot *n* punkt *m* zapalny.

trough [trɔf] n (also: drinking/feeding trough) koryto nt; (channel) rów m; (low point) spadek m; **a trough of low pressure** klin niskiego ciśnienia.

trounce [trauns] vt sprawić (perf) sążniste lanie +dat (np. drużynie przeciwnika).

troupe [tru:p] n trupa f.

trouser press ['trauzə-] n prasownica f do spodni.

trousers ['trauzəz] npl spodnie pl; **short trousers** krótkie spodenki; **a pair of trousers** para spodni.

trouser suit (BRIT) n kostium m ze spodniami.

trousseau ['tru:səu] (pl **trousseaux** or **trousseaus**) n wyprawa f (panny młodej).

trout [traut] n inv pstrąg m.

trowel ['trauəl] n (garden tool) rydel m; (builder's tool) kielnia f.

truant ['truənt] (BRIT) n: **to play truant** iść (pójść perf) na wagary; (frequently) chodzić na wagary, wagarować.

truce [tru:s] n rozejm m, zawieszenie nt broni.

truck [trʌk] n (lorry) ciężarówka f, samochód m ciężarowy; (RAIL) platforma f; (for luggage) wózek m; **I will have no truck with them** nie chcę mieć z nimi nic do czynienia.

truck driver n kierowca m ciężarówki.

trucker ['trʌkə*] (US) n = **truck driver**.

truck farm (US) n gospodarstwo nt warzywnicze.

trucking ['trʌkɪŋ] (US) n transport m samochodowy, przewóz m samochodami ciężarowymi.

trucking company (US) n przedsiębiorstwo nt przewozowe.

truculent ['trʌkjulənt] adj zaczepny, zadziorny.

trudge [trʌdʒ] vi (also: **trudge along**) iść powłócząc nogami, wlec się.

true [tru:] adj (not false, real, genuine) prawdziwy; (accurate, faithful) wierny; (wall etc) dobrze wypionowany; **it's true** to prawda; **to come true** (dreams) spełniać się (spełnić się perf); (predictions) sprawdzać się (sprawdzić się perf); **to be true to life** wiernie oddawać rzeczywistość.

truffle ['trʌfl] n trufla f.

truly ['tru:lɪ] adv (genuinely, truthfully) naprawdę; (really) doprawdy; **yours truly** (in letter) z poważaniem.

trump [trʌmp] n (lit, fig) karta f atutowa; **to turn up trumps** (fig: help) poratować (perf) kogoś w potrzebie.

trumped up adj: **a trumped-up charge** sfabrykowane oskarżenie nt.

trumpet ['trʌmpɪt] n trąbka f.

truncated [trʌŋ'keɪtɪd] adj (object) skrócony, przycięty; (message) okrojony.

truncheon ['trʌntʃən] (BRIT: POLICE) n pałka f.

trundle ['trʌndl] vt (trolley etc) pchać or popychać (powoli) ♦ vi: **to trundle along**

(vehicle) toczyć się (potoczyć się perf); (person) iść (pójść perf) powoli.

trunk [trʌŋk] n (of tree) pień m; (of person) tułów m; (of elephant) trąba f; (case) kufer m; (US: AUT) bagażnik m; **trunks** npl (also: **swimming trunks**) kąpielówki pl.

trunk call (BRIT) n rozmowa f międzymiastowa.

trunk road (BRIT) n magistrala f.

truss [trʌs] n (MED) pas m przepuklinowy.

▶**truss (up)** vt (CULIN) związywać (związać perf) nogi i skrzydła +dat; (person) związywać (związać perf) mocno.

trust [trʌst] n zaufanie nt; (in bright future, human goodness etc) ufność f; (COMM) trust m ♦ vt ufać (zaufać perf) +dat; **to take sth on trust** przyjmować (przyjąć perf) coś na słowo; **to have trust in** pokładać ufność w +loc; **to trust sth to sb** powierzać (powierzyć perf) coś komuś; **in trust** (JUR) pod zarządem powierniczym; **to trust (that)** mieć nadzieję(, że).

trust company n spółka f powiernicza.

trusted ['trʌstɪd] adj zaufany.

trustee [trʌs'ti:] n (JUR) powiernik (-iczka) m; (of school etc) członek m zarządu.

trustful ['trʌstful] adj ufny.

trust fund n fundusz m powierniczy.

trusting ['trʌstɪŋ] adj ufny.

trustworthy ['trʌstwə:ðɪ] adj godny zaufania.

trusty ['trʌstɪ] adj (horse) wierny; (pen etc) sprawdzony.

truth [tru:θ] (pl **truths**) n prawda f.

truthful ['tru:θful] adj (person) prawdomówny; (answer, account) zgodny z prawdą post.

truthfully ['tru:θfəlɪ] adv zgodnie z prawdą.

truthfulness ['tru:θfəlnɪs] n (of person) prawdomówność f; (of account) prawdziwość f.

try [traɪ] n próba f; (RUGBY) przyłożenie nt ♦ vt (attempt, experience) próbować (spróbować perf) +gen; (JUR) sądzić; (patience) wystawiać (wystawić perf) na próbę ♦ vi (make attempt) próbować (spróbować perf); (make effort) starać się (postarać się perf); **to have a try** próbować (spróbować perf); **to try to do sth** próbować (spróbować perf) coś zrobić; **to try one's (very) best** or **one's (very) hardest** starać się ze wszystkich sił.

▶**try on** vt przymierzać (przymierzyć perf); **to try it on (with sb)** (fig) próbować (spróbować perf) (na kimś) swoich sztuczek.

▶**try out** vt wypróbowywać (wypróbować perf).

trying ['traɪɪŋ] adj męczący.

tsar [zɑ:*] n car m.

T-shirt ['ti:ʃə:t] n koszulka f (z krótkim rękawem).

T-square ['ti:skwɛə*] n przykładnica f.

TT (inf) adj abbr (BRIT: inf) = **teetotal** ♦ abbr (US: POST: = Trust Territory).

tub [tʌb] n (container) kadź f; (bath) wanna f.

tuba ['tjuːbə] *n* tuba *f*.

tubby ['tʌbɪ] *adj* pulchny.

tube [tjuːb] *n* (*pipe*) rurka *f*; (: *wide*) rura *f*; (*container*) tubka *f*; (*BRIT: underground*) metro *nt*; (*US: inf*): **the tube** telewizja *f*.

tubeless ['tjuːblɪs] *adj* (*tyre*) bezdętkowy.

tuber ['tjuːbə*] (*BOT*) *n* bulwa *f*.

tuberculosis [tjubəːkjuˈləusɪs] *n* gruźlica *f*.

tube station (*BRIT*) *n* stacja *f* metra.

tubing ['tjuːbɪŋ] *n* rurka *f*; (*wide*) rura *f*.

tubular ['tjuːbjulə*] *adj* (*scaffolding, furniture*) rurowy; (*container*) cylindryczny; **tubular steel** rury stalowe.

TUC (*BRIT*) *n abbr* (= *Trades Union Congress*) *federacja brytyjskich związków zawodowych*.

tuck [tʌk] *vt* wsuwać (wsunąć *perf*) ♦ *n* (*SEWING*) zakładka *f*.

▸**tuck away** *vt* (*money*) odkładać (odłożyć *perf*); **tucked away** ukryty (głęboko).

▸**tuck in** *vt* (*shirt etc*) wkładać (włożyć *perf*) w spodnie/spódnicę; (*child*) otulać (otulić *perf*) (*do snu*) ♦ *vi* zajadać, wcinać (*inf*).

▸**tuck up** *vt* otulać (otulić *perf*);

tuck shop *n* sklepik *m* ze słodyczami.

Tue(s). *abbr* = **Tuesday** wt.

Tuesday ['tjuːzdɪ] *n* wtorek *m*; **it is Tuesday 23rd March** (dziś) jest wtorek, 23 marca; **on Tuesday** we wtorek; **on Tuesdays** we wtorki; **every Tuesday** w każdy wtorek; **every other Tuesday** w co drugi wtorek; **last/next Tuesday** w zeszły/przyszły wtorek; **the following Tuesday** w następny wtorek; **Tuesday's newspaper** wtorkowa gazeta; **a week/fortnight on Tuesday** od wtorku za tydzień/dwa tygodnie; **the Tuesday before last** we wtorek dwa tygodnie temu; **the Tuesday after next** we wtorek za dwa tygodnie; **Tuesday morning/afternoon/evening** we wtorek rano/po południu/wieczorem; **we spent Tuesday night in Leeds** wtorkową noc spędziliśmy w Leeds.

tuft [tʌft] *n* kępka *f*.

tug [tʌg] *n* holownik *m* ♦ *vt* pociągać (pociągnąć *perf*) (mocno).

tug-of-war [tʌgəvˈwɔː*] *n* zawody *pl* w przeciąganiu liny; (*fig*) rywalizacja *f*.

tuition [tjuːˈɪʃən] *n* (*BRIT: instruction*) nauka *f*, lekcje *pl*; (*US: school fees*) czesne *nt*; **to have private tuition** mieć prywatne lekcje.

tulip ['tjuːlɪp] *n* tulipan *m*.

tumble ['tʌmbl] *n* upadek *m* ♦ *vi* spadać (spaść *perf*), staczać się (stoczyć się *perf*).

▸**tumble to** (*inf*) *vt fus* (nagle) zrozumieć (*perf*) +*acc*.

tumbledown ['tʌmbldaun] *adj* walący się.

tumble dryer (*BRIT*) *n* suszarka *f* (bębnowa).

tumbler ['tʌmblə*] *n* (*glass*) szklaneczka *f*; (: *tall*) szklanka *f*.

tummy ['tʌmɪ] (*inf*) *n* brzuch *m*.

tumour ['tjuːmə*] (*US* **tumor**) (*MED*) *n* guz *m*.

tumult ['tjuːmʌlt] *n* (*uproar*) zgiełk *m*, tumult *m*.

tumultuous [tjuːˈmʌltjuəs] *adj* burzliwy.

tuna ['tjuːnə] *n inv* (*also*: **tuna fish**) tuńczyk *m*.

tune [tjuːn] *n* melodia *f* ♦ *vt* (*MUS*) stroić (nastroić *perf*); (*RADIO, TV*) nastawiać (nastawić *perf*); (*AUT*) regulować (wyregulować *perf*); **to be in tune** (*instrument*) być nastrojonym; (*singer*) śpiewać czysto; **to be out of tune** (*instrument*) być nie nastrojonym; (*singer*) fałszować; **to be in/out of tune with** (*fig*) harmonizować/nie harmonizować z +*instr*; **she was robbed to the tune of 10,000 pounds** obrabowano ją na kwotę 10.000 funtów.

▸**tune in** *vi* (*RADIO, TV*): **to tune in (to)** nastawiać (nastawić *perf*) odbiornik (na +*acc*).

▸**tune up** *vi* stroić (nastroić *perf*) instrumenty.

tuneful ['tjuːnful] *adj* melodyjny.

tuner ['tjuːnə*] *n*: **piano tuner** stroiciel *m* fortepianów; (*radio set*) tuner *m*.

tuner amplifier *n* tuner *m* ze wzmacniaczem.

tungsten ['tʌŋstn] *n* wolfram *m*.

tunic ['tjuːnɪk] *n* tunika *f*.

tuning fork ['tjuːnɪŋ-] *n* kamerton *m*.

Tunis ['tjuːnɪs] *n* Tunis *m*.

Tunisia [tjuːˈnɪzɪə] *n* Tunezja *f*.

Tunisian [tjuːˈnɪzɪən] *adj* tunezyjski ♦ *n* Tunezyjczyk (-jka) *m(f)*.

tunnel ['tʌnl] *n* (*passage*) tunel *m*; (*in mine*) sztolnia *f* ♦ *vi* przekopywać (przekopać *perf*) tunel.

tunny ['tʌnɪ] *n* tuńczyk *m*.

turban ['təːbən] *n* turban *m*.

turbid ['təːbɪd] *adj* (*water*) mętny; (*air*) zapylony.

turbine ['təːbaɪn] *n* turbina *f*.

turbojet [təːbəuˈdʒɛt] *n* (*engine*) silnik *m* turboodrzutowy; (*plane*) samolot *m* turboodrzutowy.

turboprop [təːbəuˈprɔp] *n* (*engine*) silnik *m* turbośmigłowy; (*plane*) samolot *m* turbośmigłowy.

turbot ['təːbət] *n inv* (*ZOOL*) turbot *m*.

turbulence ['təːbjuləns] *n* turbulencja *f*.

turbulent ['təːbjulənt] *adj* (*lit, fig*) burzliwy.

tureen [təˈriːn] *n* waza *f*.

turf [təːf] *n* (*grass*) darń *f*; (*clod*) bryła *f* darni ♦ *vt* pokrywać (pokryć *perf*) darnią; **the Turf** (*horse-racing*) wyścigi konne.

▸**turf out** (*inf*) *vt* wyrzucać (wyrzucić *perf*).

turf accountant (*BRIT*) *n* bukmacher *m*.

turgid ['təːdʒɪd] *adj* (*speech, style*) napuszony; (*verse, film*) ciężki.

Turin ['tjuəˈrɪn] *n* Turyn *m*.

Turk [təːk] *n* Turek/Turczynka *m/f*.

Turkey ['təːkɪ] *n* Turcja *f*.

turkey ['təːkɪ] *n* indyk *m*.

Turkish ['təːkɪʃ] *adj* turecki ♦ *n* (*język m*) turecki.

Turkish bath *n* łaźnia *f* turecka.

Turkish delight *n* rachatłukum *nt inv*.

turmeric ['tə:mərɪk] *n* (*CULIN*) kurkuma *f*.

turmoil ['tə:mɔɪl] *n* zgiełk *m*, wrzawa *f*; **in turmoil** wzburzony.

turn [tə:n] *n* (*rotation*) obrót *m*; (*in road*) zakręt *m*; (*change*) zmiana *f*; (*chance*) kolej *f*; (*performance*) występ *m*; (*inf: of illness*) napad *m* ♦ *vt* (*handle*) przekręcać (przekręcić *perf*); (*key*) przekręcać (przekręcić *perf*), obracać (obrócić *perf*); (*steak, page*) przewracać (przewrócić *perf*); (*wood, metal*) toczyć ♦ *vi* (*rotate*) obracać się (obrócić się *perf*); (*change direction*) skręcać (skręcić *perf*); (*face in different direction*) odwracać się (odwrócić się *perf*); (*milk*) kwaśnieć (skwaśnieć *perf*); **her hair is turning grey** włosy jej siwieją; **he has turned forty** skończył czterdzieści lat; **I did him a good turn** wyświadczyłam mu przysługę; **a turn of events** obrót spraw; **it gave me quite a turn** (*inf*) to mnie nieźle zaszokowało (*inf*); **"no left turn"** „zakaz skrętu w lewo"; **it's your turn** twoja kolej; **in turn** (*in succession*) po kolei; (*indicating consequence, cause etc*) z kolei; **to take turns (at)** zmieniać się (zmienić się *perf*) (przy +*loc*); **at the turn of the century** u schyłku wieku, na przełomie wieków; **at the turn of the year** pod koniec roku; **to take a turn for the worse** przybierać (przybrać *perf*) zły obrót; **his health** *or* **he has taken a turn for the worse** jego stan pogorszył się, pogorszyło mu się (*inf*).

►**turn around** *vi* odwracać się (odwrócić się *perf*).

►**turn against** *vt fus* zwracać się (zwrócić się *perf*) przeciw(ko) +*dat*.

►**turn away** *vi* odwracać się (odwrócić się *perf*) ♦ *vt* (*applicants*) odprawiać (odprawić *perf*) (z niczym *or* z kwitkiem); **one should never turn away business** nigdy nie należy gardzić możliwością zrobienia interesu.

►**turn back** *vi* zawracać (zawrócić *perf*) ♦ *vt* zawracać (zawrócić *perf*).

►**turn down** *vt* (*offer*) odrzucać (odrzucić *perf*); (*person, request*) odmawiać (odmówić *perf*) +*dat*; (*heater*) przykręcać (przykręcić *perf*); (*radio*) przyciszać (przyciszyć *perf*), ściszać (ściszyć *perf*); (*bedclothes*) odwijać (odwinąć *perf*).

►**turn in** *vi* (*inf*) iść (pójść *perf*) spać ♦ *vt* (*to police*) wydawać (wydać *perf*).

►**turn into** *vt fus* zamieniać się (zamienić się *perf*) w +*acc*.

►**turn off** *vi* (*from road*) skręcać (skręcić *perf*) ♦ *vt* (*light, engine, radio*) wyłączać (wyłączyć *perf*); (*tap*) zakręcać (zakręcić *perf*).

►**turn on** *vt* (*light, engine, radio*) włączać (włączyć *perf*); (*tap*) odkręcać (odkręcić *perf*).

►**turn out** *vt* (*light, gas*) wyłączać (wyłączyć *perf*) ♦ *vi* (*people*) przybywać (przybyć *perf*); **the house turned out to be a ruin** dom

okazał się (być) ruiną; **how did the cake turn out?** jak się udało ciasto?

►**turn over** *vi* (*person*) przewracać się (przewrócić się *perf*) na drugi bok ♦ *vt* (*object*) odwracać (odwrócić *perf*); (*page*) przewracać (przewrócić *perf*); **to turn sth over to** (*different function*) przestawiać (przestawić *perf*) coś na +*acc*; (*rightful owner*) zwracać (zwrócić *perf*) coś +*dat*.

►**turn round** *vi* (*person*) odwracać się (odwrócić się *perf*); (*vehicle*) zawracać (zawrócić *perf*); (*rotate*) obracać się (obrócic się *perf*).

►**turn up** *vi* (*person*) pojawiać się (pojawić się *perf*); (*lost object*) znajdować się (znaleźć się *perf*) ♦ *vt* (*collar*) stawiać (postawić *perf*); (*radio*) podgłaśniać (podgłośnić *perf*); (*heater*) podkręcać (podkręcić *perf*).

turnabout ['tə:nəbaut] *n* (*fig*) zwrot *m* o 180 stopni.

turnaround ['tə:nəraund] *n* (*fig*) = **turnabout**.

turncoat ['tə:nkəut] *n* renegat *m*.

turned-up ['tə:ndʌp] *adj* (*nose*) zadarty.

turning ['tə:nɪŋ] *n* (*in road*) zakręt *m*; **the first turning on the right** pierwszy zakręt w prawo.

turning circle (*BRIT: AUT*) *n* promień *m* skrętu.

turning point *n* (*fig*) punkt *m* zwrotny.

turning radius (*US*) *n* = **turning circle**.

turnip ['tə:nɪp] *n* rzepa *f*.

turnout ['tə:naut] *n* (*of voters etc*) frekwencja *f*.

turnover ['tə:nəuvə*] *n* (*COMM*) obrót *m*, obroty *pl*; (*CULIN*) *zawijane ciastko z owocami lub dżemem*; **turnover of staff** fluktuacja kadr.

turnpike ['tə:npaɪk] (*US*) *n* autostrada *f* (*zwykle płatna*).

turnstile ['tə:nstaɪl] *n* kołowrót *m* (*przy wejściu na stadion itp*).

turntable ['tə:nteɪbl] *n* (*on record player*) talerz *m* obrotowy.

turn-up ['tə:nʌp] (*BRIT*) *n* (*on trousers*) mankiet *m*; **that's a turn-up for the books!** (*inf*) a to ci dopiero! (*inf*).

turpentine ['tə:pəntaɪn] *n* (*also:* **turps**) terpentyna *f*.

turquoise ['tə:kwɔɪz] *n* turkus *m* ♦ *adj* turkusowy.

turret ['tʌrɪt] *n* wieżyczka *f*.

turtle ['tə:tl] *n* żółw *m*.

turtleneck (sweater) ['tə:tlnɛk(-)] *n* golf *m*.

Tuscan ['tʌskən] *adj* toskański ♦ *n* Toskańczyk (-anka) *m(f)*.

Tuscany ['tʌskənɪ] *n* Toskania *f*.

tusk [tʌsk] *n* kieł *m*.

tussle ['tʌsl] *n* bójka *f*.

tutor ['tju:tə*] *n* (*BRIT*) *wykładowca prowadzący zajęcia z małą grupą studentów lub opiekujący się indywidualnymi studentami;*

(*private tutor*) prywatny(na) *m(f)* nauczyciel (-ka) *m(f)*.

tutorial [tjuːˈtɔːrɪəl] *n* zajęcia *pl* (*dla małej grupy studentów*).

tuxedo [tʌkˈsiːdəu] (*US*) *n* smoking *m*.

TV [tiːˈviː] *n abbr* = **television**.

twaddle [ˈtwɔdl] (*inf*) *n* bzdury *pl*.

twang [twæŋ] *n* (*of tight wire*) brzdęk *m*; (*of voice*) nosowe brzmienie *nt* ♦ *vi* (*springs etc*) brzęczeć (brzęknąć *perf*) ♦ *vt* (*guitar*) brzdąkać na +*loc*.

tweak [twiːk] *vt* (*ear*) wykręcać (wykręcić *perf*); (*nose*) szczypać (uszczypnąć *perf*) w +*acc*; (*tail*) ciągnąć (pociągnąć *perf*) za +*acc*.

tweed [twiːd] *n* tweed *m* ♦ *adj* tweedowy.

tweezers [ˈtwiːzəz] *npl* pinceta *f*.

twelfth [twɛlfθ] *num* dwunasty.

Twelfth Night *n* wigilia *f* Trzech Króli.

twelve [twɛlv] *num* dwanaście; **at twelve (o'clock)** o (godzinie) dwunastej.

twentieth [ˈtwɛntɪɪθ] *num* dwudziesty.

twenty [ˈtwɛntɪ] *num* dwadzieścia.

twerp [twəːp] (*inf*) *n* przygłup *m* (*inf*).

twice [twaɪs] *adv* dwa razy, dwukrotnie; **twice as much** dwa razy tyle; **twice a week** dwa razy w tygodniu; **she is twice your age** jest od ciebie dwa razy starsza.

twiddle [ˈtwɪdl] *vt* kręcić +*instr* ♦ *vi*: **to twiddle with sth** kręcić czymś; **to twiddle one's thumbs** (*fig*) zbijać bąki.

twig [twɪg] *n* gałązka *f* ♦ *vi* (*BRIT: inf*) skapować (się) (*perf*) (*inf*).

twilight [ˈtwaɪlaɪt] *n* (*evening*) zmierzch *m*; (*morning*) brzask *m*; **in the twilight of his career** u schyłku (swej) kariery.

twill [twɪl] *n* diagonal *m*.

twin [twɪn] *n* bliźniak (-aczka) *m(f)*; (*in hotel*) pokój *m* z dwoma łóżkami ♦ *adj* (*towers, pregnancy*) bliźniaczy ♦ *vt*: **Nottingham is twinned with Poznań** Nottingham i Poznań to miasta bliźniacze; **twin brother** (brat) bliźniak; **twin sister** (siostra) bliźniaczka; **twins** bliźniaki, bliźnięta.

twin-bedded room [ˈtwɪnˈbɛdɪd-] *n* pokój *m* z dwoma łóżkami.

twin beds *npl* dwa pojedyncze łóżka *pl* (*w jednym pokoju*).

twin-carburettor [ˈtwɪnkɑːbjuˈrɛtə*] *adj* dwugaźnikowy.

twine [twaɪn] *n* szpagat *m* (*sznurek*) ♦ *vi* (*plant*) wić się.

twin-engined [twɪnˈɛndʒɪnd] *adj* dwusilnikowy.

twinge [twɪndʒ] *n* (*of pain, regret*) ukłucie *nt*; (*of conscience*) wyrzut *m*.

twinkle [ˈtwɪŋkl] *vi* (*star, light*) migotać (zamigotać *perf*); (*eyes*) skrzyć się ♦ *n* (*in eye*) błysk *m*, iskra *f*.

twin town *n* miasto *nt* siostrzane.

twirl [twəːl] *vt* (*umbrella etc*) kręcić +*instr* ♦ *vi* kręcić się, wirować ♦ *n* obrót *m*.

twist [twɪst] *n* (*of body*) skręt *m*; (*of coil*) zwój *m*; (*in road*) (ostry) zakręt *m*; (*in attitudes, story*) zwrot *m* ♦ *vt* (*head*) odwracać (odwrócić *perf*); (*ankle etc*) skręcać (skręcić *perf*); (*scarf etc*) owijać (owinąć *perf*); (*fig: words*) przekręcać (przekręcić *perf*); (: *meaning*) wypaczać (wypaczyć *perf*) ♦ *vi* (*road, river*) wić się; **to twist sb's arm** (*fig*) przyciskać (przycisnąć *perf*) kogoś.

twisted [ˈtwɪstɪd] *adj* (*rope*) poskręcany; (*ankle, wrist*) skręcony; (*fig: logic*) pokrętny; (: *personality*) skrzywiony.

twit [twɪt] (*inf*) *n* przygłup *m* (*inf*).

twitch [twɪtʃ] *n* (*nervous*) drgnięcie *nt*; (*at sleeve*) szarpnięcie *nt* ♦ *vi* drgać.

two [tuː] *num* dwa; **two by two, in twos** dwójkami; **to put two and two together** (*fig*) kojarzyć (skojarzyć *perf*) fakty.

two-door [tuːˈdɔː*] *adj* dwudrzwiowy.

two-faced [tuːˈfeɪst] *adj* (*pej*) dwulicowy.

twofold [ˈtuːfəuld] *adv* (*increase*) dwukrotnie ♦ *adj* (*increase*) dwukrotny; (*aim, value*) dwojaki.

two-piece (suit) [ˈtuːpiːs-] *n* kostium *m*.

two-piece (swimsuit) *n* kostium *m* (kąpielowy) dwuczęściowy.

two-ply [ˈtuːplaɪ] *adj* (*tissues*) dwuwarstwowy; (*wool*) dwuniciowy.

two-seater [tuːˈsiːtə*] *n* samochód *m* dwumiejscowy.

twosome [ˈtuːsəm] *n* dwójka *f*.

two-stroke [ˈtuːstrəuk] *n* (*also*: **two-stroke engine**) silnik *m* dwusuwowy ♦ *adj* dwusuwowy.

two-tone [tuːˈtəun] *adj* (*shoes etc*) w dwóch odcieniach *post*.

two-way [ˈtuːweɪ] *adj* (*traffic, street*) dwukierunkowy; **two-way radio** urządzenie nadawczo-odbiorcze, krótkofalówka.

TX (*US: POST*) *abbr* (= *Texas*).

tycoon [taɪˈkuːn] *n* magnat *m*.

type [taɪp] *n* typ *m*; (*TYP*) czcionka *f* ♦ *vt* pisać (napisać *perf*) na maszynie; **what type do you want?** jaki rodzaj Pan/Pani sobie życzy?; **in bold type** tłustym drukiem; **in italic type** kursywą.

typecast [ˈtaɪpkɑːst] (*irreg like*: **cast**) *vt* (*actor*) zaszufladkowywać (zaszufladkować *perf*).

typeface [ˈtaɪpfeɪs] *n* krój *m* pisma.

typescript [ˈtaɪpskrɪpt] *n* maszynopis *m*.

typeset [ˈtaɪpsɛt] *vt* (*TYP*) składać (złożyć *perf*).

typesetter [ˈtaɪpsɛtə*] *n* składacz *m*, zecer *m*.

typewriter [ˈtaɪpraɪtə*] *n* maszyna *f* do pisania.

typewritten [ˈtaɪprɪtn] *adj* napisany na maszynie.

typhoid [ˈtaɪfɔɪd] *n* tyfus *m or* dur *m* brzuszny.

typhoon [taɪˈfuːn] *n* tajfun *m*.

typhus [ˈtaɪfəs] *n* tyfus *m or* dur *m* plamisty.

typical [ˈtɪpɪkl] *adj*: **typical (of)** typowy (dla +*gen*).

typify [ˈtɪpɪfaɪ] *vt* (*person*) być uosobieniem +*gen*.

typing [ˈtaɪpɪŋ] *n* pisanie *nt* na maszynie.

typing error n błąd m maszynowy.
typing pool n hala f maszyn.
typist ['taɪpɪst] n maszynistka f.
typo ['taɪpəu] (inf) n abbr (= typographical error) (in typing) błąd m maszynowy; (in typesetting) błąd m drukarski.
typography [tɪ'pɔgrəfɪ] n typografia f.
tyranny ['tɪrənɪ] n tyrania f.
tyrant ['taɪərnt] n tyran m.
tyre ['taɪə*] (US **tire**) n opona f.
tyre pressure n ciśnienie nt w ogumieniu.
Tyrol [tɪ'rəul] n Tyrol m.
Tyrolean [tɪrə'liːən] adj tyrolski ♦ n Tyrolczyk (-lka) m(f).
Tyrolese [tɪrə'liːz] = **Tyrolean.**
Tyrrhenian Sea [tɪ'riːnɪən-] n: the Tyrrhenian Sea Morze nt Tyrreńskie.
tzar [zɑː*] n = **tsar.**

U,u

U¹, u [juː] n (letter) U nt, u nt; **U for Uncle** ≈ U jak Urszula.
U² (BRIT: FILM) n abbr (= universal) b.o.
UAW (US) n abbr (= United Automobile Workers) związek zawodowy pracowników przemysłu motoryzacyjnego.
UB40 (BRIT) n abbr (= unemployment benefit form 40) karta rejestracyjna bezrobotnego.
U-bend ['juːbɛnd] n (in pipe) syfon m.
ubiquitous [juː'bɪkwɪtəs] adj wszechobecny.
UCCA ['ʌkə] (BRIT) n abbr (= Universities Central Council on Admissions) rada koordynująca przyjęcia na uniwersyteckie studia wyższe.
UDA (BRIT) n abbr (= Ulster Defence Association) protestancka organizacja paramilitarna w Irlandii Północnej.
UDC (BRIT) n abbr (= Urban District Council).
udder ['ʌdə*] n wymię nt.
UDI (BRIT: POL) n abbr (= unilateral declaration of independence).
UDR (BRIT) n abbr (= Ulster Defence Regiment) część armii brytyjskiej w Irlandii Północnej składająca się z mieszkańców Ulsteru.
UEFA [juː'eɪfə] n abbr (= Union of European Football Associations) UEFA f inv.
UFO ['juːfəu] n abbr (= unidentified flying object) UFO nt inv, NOL m, = Niezidentyfikowany Obiekt Latający.
Uganda [juː'gændə] n Uganda f.
Ugandan [juː'gændən] adj ugandyjski ♦ n Ugandyjczyk (-jka) m(f).
UGC (BRIT) n abbr (= University Grants Committee) komisja koordynująca finansowanie uniwersytetów.
ugh [əːh] excl fu(j).
ugliness ['ʌglɪnɪs] n brzydota f.
ugly ['ʌglɪ] adj brzydki; (situation, incident) paskudny.
UHF abbr (= ultra-high frequency) UHF nt inv.
UHT abbr (= ultra-heat treated) UHT; **UHT milk** mleko UHT.
UK n abbr = **United Kingdom.**
ulcer ['ʌlsə*] n (also: **stomach** etc **ulcer**) wrzód m; (also: **mouth ulcer**) afta f.
Ulster ['ʌlstə*] n Ulster m.
ulterior [ʌl'tɪərɪə*] adj: **ulterior motive** ukryty motyw m.
ultimata [ʌltɪ'meɪtə] npl of **ultimatum.**
ultimate ['ʌltɪmət] adj (final) ostateczny; (greatest: insult, deterrent) największy; (: authority) najwyższy ♦ n: **the ultimate in luxury** szczyt m luksusu.
ultimately ['ʌltɪmətlɪ] adv ostatecznie.
ultimatum [ʌltɪ'meɪtəm] (pl **ultimatums** or **ultimata**) n ultimatum nt.
ultrasonic [ʌltrə'sɔnɪk] adj ultradźwiękowy, (po)naddźwiękowy.
ultrasound ['ʌltrəsaund] n ultradźwięk m.
ultraviolet ['ʌltrə'vaɪəlɪt] adj ultrafioletowy, nadfioletowy.
umbilical cord [ʌm'bɪlɪkl-] n pępowina f.
umbrage ['ʌmbrɪdʒ] n: **to take umbrage** czuć się (poczuć się perf) urażonym.
umbrella [ʌm'brɛlə] n parasol m; (lady's) parasolka f; (fig): **under the umbrella of** pod egidą or patronatem +gen.
umpire ['ʌmpaɪə*] n arbiter m, sędzia m ♦ vt, vi sędziować.
umpteen [ʌmp'tiːn] adj ileś tam +gen, en +gen.
umpteenth [ʌmp'tiːnθ] adj: **for the umpteenth time** po raz któryś or enty (z rzędu).
UMW n abbr (= United Mineworkers of America).
UN n abbr = **United Nations.**
unabashed [ʌnə'bæʃt] adj: **to be/seem unabashed** nie być/nie wydawać się zbitym z tropu.
unabated [ʌnə'beɪtɪd] adv: **to continue unabated** nie słabnąć ♦ adj niesłabnący.
unable [ʌn'eɪbl] adj: **to be unable to do sth** nie być w stanie czegoś (z)robić.
unabridged [ʌnə'brɪdʒd] adj (novel, article) nie skrócony.
unacceptable [ʌnək'sɛptəbl] adj (behaviour) niedopuszczalny; (price, proposal) nie do przyjęcia post.
unaccompanied [ʌnə'kʌmpənɪd] adj (child, luggage) bez opieki post; (song) bez akompaniamentu post.
unaccountably [ʌnə'kauntəblɪ] adv z niewyjaśnionych przyczyn.
unaccounted [ʌnə'kauntɪd] adj: **thirty per cent**

were **unaccounted for** brakowało trzydziestu procent.

unaccustomed [ʌnəˈkʌstəmd] *adj:* **to be unaccustomed to** nie być przyzwyczajonym do *+gen.*

unacquainted [ʌnəˈkweɪntɪd] *adj:* **to be unacquainted with** nie być zaznajomionym z *+instr.*

unadulterated [ʌnəˈdʌltəreɪtɪd] *adj* (*nonsense, misery*) czysty; (*food, water*) nie skażony.

unaffected [ʌnəˈfektɪd] *adj* bezpretensjonalny; **he was unaffected by it** nie wpłynęło to na niego.

unafraid [ʌnəˈfreɪd] *adj:* **to be unafraid (of)** nie obawiać się (*+gen*).

unaided [ʌnˈeɪdɪd] *adv* bez (niczyjej) pomocy.

unanimity [juːnəˈnɪmɪtɪ] *n* jednomyślność *f.*

unanimous [juːˈnænɪməs] *adj* jednomyślny, jednogłośny.

unanimously [juːˈnænɪməslɪ] *adv* jednomyślnie, jednogłośnie.

unanswered [ʌnˈɑːnsəd] *adj* bez odpowiedzi *post.*

unappetizing [ʌnˈæpɪtaɪzɪŋ] *adj* nieapetyczny.

unappreciative [ʌnəˈpriːʃɪətɪv] *adj* niewdzięczny.

unarmed [ʌnˈɑːmd] *adj* nie uzbrojony; **unarmed combat** walka wręcz.

unashamed [ʌnəˈʃeɪmd] *adj* bezwstydny.

unassisted [ʌnəˈsɪstɪd] *adv* bez (niczyjej) pomocy.

unassuming [ʌnəˈsjuːmɪŋ] *adj* (*person*) skromny; (*manner*) nie narzucający się.

unattached [ʌnəˈtætʃt] *adj* (*single*) samotny; (*unconnected*): **unattached to** nie związany z *+instr.*

unattended [ʌnəˈtendɪd] *adj* pozostawiony bez opieki.

unattractive [ʌnəˈtræktɪv] *adj* (*person, appearance*) nieatrakcyjny; (*character, idea*) nieciekawy.

unauthorized [ʌnˈɔːθəraɪzd] *adj* (*visit, use*) bezprawny, bez pozwolenia *post*; (*version*) nie autoryzowany.

unavailable [ʌnəˈveɪləbl] *adj* nieosiągalny.

unavoidable [ʌnəˈvɔɪdəbl] *adj* nieunikniony.

unavoidably [ʌnəˈvɔɪdəblɪ] *adv* (*delayed etc*) z przyczyn obiektywnych *post.*

unaware [ʌnəˈwɛə*] *adj:* **to be unaware of** być nieświadomym *+gen.*

unawares [ʌnəˈwɛəz] *adv* znienacka.

unbalanced [ʌnˈbælənst] *adj* (*report etc*) nie wyważony; (*person, mind*) niezrównoważony.

unbearable [ʌnˈbɛərəbl] *adj* nieznośny, nie do zniesienia *or* wytrzymania *post.*

unbeatable [ʌnˈbiːtəbl] *adj* bezkonkurencyjny.

unbeaten [ʌnˈbiːtn] *adj* (*record*) nie pobity; (*team, army*) nie pokonany, nie zwyciężony.

unbecoming [ʌnbɪˈkʌmɪŋ] *adj* (*language,*

behaviour) niestosowny; (*garment, colour*) nietwarzowy; **unbecoming to** niegodny *+gen.*

unbeknown(st) [ʌnbɪˈnəun(st)] *adv:* **unbeknown(st) to me** bez mojej wiedzy.

unbelief [ʌnbɪˈliːf] *n* niewiara *f.*

unbelievable [ʌnbɪˈliːvəbl] *adj* niewiarygodny.

unbelievably [ʌnbɪˈliːvəblɪ] *adv* niewiarygodnie.

unbend [ʌnˈbend] (*irreg like:* **bend**) *vi* (*become less tense*) rozluźniać się (rozluźnić się *perf*); (*become less strict*) mięknąć (zmięknąć *perf*) (*inf*) ♦ *vt* odginać (odgiąć *perf*), prostować (wyprostować *perf*).

unbending [ʌnˈbendɪŋ] *adj* nieugięty.

unbiased [ʌnˈbaɪəst] *adj* bezstronny.

unblemished [ʌnˈblemɪʃt] *adj* nieskalany; (*fig: reputation*) nieposzlakowany.

unblock [ʌnˈblɔk] *vt* (*pipe*) przetykać (przetkać *perf*).

unborn [ʌnˈbɔːn] *adj* nie narodzony.

unbounded [ʌnˈbaundɪd] *adj* bezgraniczny.

unbreakable [ʌnˈbreɪkəbl] *adj* (*glass, china*) nietłukący; (*plastic*) niełamliwy.

unbridled [ʌnˈbraɪdld] *adj* (*emotion, behaviour*) nieokiełznany; (*gluttony*) niepohamowany.

unbroken [ʌnˈbrəukən] *adj* (*seal*) nie uszkodzony; (*silence*) niezmącony; (*record*) nie pobity; (*series*) nieprzerwany.

unbuckle [ʌnˈbʌkl] *vt* rozpinać (rozpiąć *perf*) (*z klamry*).

unburden [ʌnˈbəːdn] *vt:* **to unburden o.s. (to sb)** wywnętrzać się (wywnętrzyć się *perf*) (przed *+instr*).

unbusinesslike [ʌnˈbɪznɪslaɪk] *adj* nieprofesjonalny.

unbutton [ʌnˈbʌtn] *vt* rozpinać (rozpiąć *perf*).

uncalled-for [ʌnˈkɔːldfɔː*] *adj* (*remark*) nie na miejscu *post*; (*rudeness*) (niczym) nie usprawiedliwiony.

uncanny [ʌnˈkænɪ] *adj* (*resemblance, silence*) niesamowity; (*knack*) osobliwy.

unceasing [ʌnˈsiːsɪŋ] *adj* nieustający.

unceremonious [ʌnserɪˈməunɪəs] *adj* bezceremonialny, obcesowy.

uncertain [ʌnˈsəːtn] *adj* niepewny; **to be uncertain about** nie być pewnym *+gen*; **in no uncertain terms** dosadnie, bez ogródek.

uncertainty [ʌnˈsəːtntɪ] *n* niepewność *f*; **uncertainties** *npl* niewiadome *pl.*

unchallenged [ʌnˈtʃælɪndʒd] *adj* nie kwestionowany ♦ *adv:* **he walked, unchallenged, past a stewardess** nie zatrzymywany (przez nikogo) przeszedł koło stewardesy; **her decisions always went unchallenged** nigdy nie kwestionowano jej decyzji.

unchanged [ʌnˈtʃeɪndʒd] *adj* nie zmieniony.

uncharitable [ʌnˈtʃærɪtəbl] *adj* nieżyczliwy.

uncharted [ʌnˈtʃɑːtɪd] *adj* nieznany.

unchecked [ʌnˈtʃekt] *adv* w niekontrolowany sposób.

uncivil [ʌn'sɪvɪl] *adj* nieuprzejmy, niegrzeczny.
uncivilized [ʌn'sɪvɪlaɪzd] *adj* niecywilizowany; *(fig: behaviour, hour)* barbarzyński.
uncle ['ʌŋkl] *n* wujek *m*, wuj *m*.
unclear [ʌn'klɪə*] *adj* niejasny; **I'm still unclear about what I'm supposed to do** wciąż nie jestem pewna, czego się ode mnie wymaga.
uncoil [ʌn'kɔɪl] *vt* rozwijać (rozwinąć *perf*) ♦ *vi (snake)* rozwijać się (rozwinąć się *perf*).
uncomfortable [ʌn'kʌmfətəbl] *adj (chair, situation, fact)* niewygodny; *(person: nervous)* nieswój; **I am uncomfortable here** jest mi tu niewygodnie; **to feel uncomfortable** czuć się (poczuć się *perf*) niezręcznie *or* nieswojo.
uncomfortably [ʌn'kʌmfətəblɪ] *adv (sit)* niewygodnie; *(smile)* niewyraźnie.
uncommitted [ʌnkə'mɪtɪd] *adj* niezaangażowany.
uncommon [ʌn'kɔmən] *adj* niezwykły.
uncommunicative [ʌnkə'mju:nɪkətɪv] *adj* niekomunikatywny.
uncomplicated [ʌn'kɔmplɪkeɪtɪd] *adj* nieskomplikowany.
uncompromising [ʌn'kɔmprəmaɪzɪŋ] *adj* bezkompromisowy.
unconcerned [ʌnkən'sə:nd] *adj* nie zainteresowany; **to be unconcerned about sth** nie przejmować się czymś.
unconditional [ʌnkən'dɪʃənl] *adj* bezwarunkowy.
uncongenial [ʌnkən'dʒi:nɪəl] *adj* nieprzyjazny.
unconnected [ʌnkə'nɛktɪd] *adj* nie związany, nie powiązany; **to be unconnected with sth** nie mieć związku z czymś.
unconscious [ʌn'kɔnʃəs] *adj* nieprzytomny; **unconscious of** nieświadomy +*gen* ♦ *n*: **the unconscious** podświadomość *f*; **to knock sb unconscious** pozbawić *(perf)* kogoś przytomności.
unconsciously [ʌn'kɔnʃəslɪ] *adv* nieświadomie, bezwiednie.
unconsciousness [ʌn'kɔnʃəsnɪs] *n* nieprzytomność *f*.
unconstitutional ['ʌnkɔnstɪ'tju:ʃənl] *adj* niezgodny z konstytucją, niekonstytucyjny.
uncontested [ʌnkən'tɛstɪd] *adj (victory)* bezsporny; *(divorce)* za zgodą obu stron *post*; *(POL: seat, election)* bez kontrkandydatur *post*.
uncontrollable [ʌnkən'trəʊləbl] *adj (person, animal)* nieokiełznany, nieposkromiony; *(temper, laughter)* niepohamowany.
uncontrolled [ʌnkən'trəʊld] *adj* niekontrolowany.
unconventional [ʌnkən'vɛnʃənl] *adj* niekonwencjonalny.
unconvinced [ʌnkən'vɪnst] *adj*: **to be** *or* **remain unconvinced** nie być *or* nie zostać *(perf)* przekonanym.

unconvincing [ʌnkən'vɪnsɪŋ] *adj* nieprzekonujący.
uncork [ʌn'kɔ:k] *vt* odkorkowywać (odkorkować *perf*).
uncorroborated [ʌnkə'rɔbəreɪtɪd] *adj* nie potwierdzony.
uncouth [ʌn'ku:θ] *adj* nieokrzesany.
uncover [ʌn'kʌvə*] *vt* odkrywać (odkryć *perf*).
unctuous ['ʌŋktjuəs] *(fml) adj* obłudny.
undamaged [ʌn'dæmɪdʒd] *adj* nie uszkodzony.
undaunted [ʌn'dɔ:ntɪd] *adj* nie zrażony; **undaunted, she struggled on** nie zrażona walczyła dalej.
undecided [ʌndɪ'saɪdɪd] *adj (person)* niezdecydowany; *(question)* nie rozstrzygnięty.
undelivered [ʌndɪ'lɪvəd] *adj* nie dostarczony; **if undelivered return to sender** w przypadku niedostarczenia odesłać na adres zwrotny.
undeniable [ʌndɪ'naɪəbl] *adj* niezaprzeczalny.
undeniably [ʌndɪ'naɪəblɪ] *adv* niezaprzeczalnie.
under ['ʌndə*] *prep (in space)* pod +*instr*; *(in age, price)* poniżej +*gen*; *(law, agreement etc)* w myśl +*gen*, zgodnie z +*instr*; *(sb's leadership)* pod rządami +*gen* ♦ *adv* pod spodem; **from under sth** spod czegoś; **under there** tam (na dole); **in under 2 hours** w niecałe dwie godziny; **under anaesthetic** pod narkozą; **under repair** w naprawie; **under the circumstances** w tej sytuacji; **the project under discussion** omawiany projekt.
under... ['ʌndə*] *pref przedrostek, któremu w języku polskim odpowiadają najczęściej przedrostki: pod..., nie... lub niedo... .*
under-age [ʌndər'eɪdʒ] *adj* niepełnoletni, nieletni; **under-age drinking** picie alkoholu przez nieletnich.
underarm ['ʌndərɑ:m] *adv* spod ramienia ♦ *adj (throw etc)* spod *post*; **underarm deodorant** ≈ dezodorant do ciała.
undercapitalized ['ʌndə'kæpɪtəlaɪzd] *adj* niedoinwestowany.
undercarriage ['ʌndəkærɪdʒ] *(AVIAT) n* podwozie *nt*.
undercharge [ʌndə'tʃɑ:dʒ] *vt* liczyć (policzyć *perf*) za mało +*dat*.
underclothes ['ʌndəkləʊðz] *npl* bielizna *f*.
undercoat ['ʌndəkəʊt] *n* podkład *m (farby)*.
undercover [ʌndə'kʌvə*] *adj* tajny ♦ *adv* w przebraniu.
undercurrent ['ʌndəkʌrnt] *n (fig: of feeling)* ukryta nuta *f*.
undercut [ʌndə'kʌt] *(irreg like: cut) vt* konkurować cenami z +*instr*.
underdeveloped ['ʌndədɪ'vɛləpt] *adj* nierozwinięty, zacofany.
underdog ['ʌndədɔg] *n*: **the underdog** *(in society)* słabsi *vir pl*; *(in team competition)* słabsza drużyna *f*.
underdone [ʌndə'dʌn] *adj* nie dogotowany.

under-employment [ˈʌndərɪmˈplɔɪmənt] n
częściowe bezrobocie nt.

underestimate [ˈʌndərˈɛstɪmeɪt] vt nie
doceniać (nie docenić perf) +gen.

underexposed [ˈʌndərɪksˈpəuzd] (PHOT) adj
niedoświetlony.

underfed [ʌndəˈfɛd] adj niedożywiony.

underfoot [ʌndəˈfut] adv pod stopami.

undergo [ʌndəˈgəu] (irreg like: go) vt (change)
ulegać (ulec perf) +dat; (test, operation)
zostawać (zostać perf) poddanym +dat,
przechodzić (przejść perf); **the car is
undergoing repairs** samochód jest w naprawie.

undergraduate [ʌndəˈgrædjuɪt] n student,
który nie zdobył jeszcze stopnia BA ♦ cpd:
undergraduate courses kursy akademickie
prowadzące do stopnia BA.

underground [ˈʌndəgraund] n: **the
underground** (BRIT) metro nt; (POL)
podziemie nt ♦ adj podziemny ♦ adv pod
ziemią; **to go underground** (POL) schodzić
(zejść perf) do podziemia.

undergrowth [ˈʌndəgrəuθ] n podszycie nt
(leśne).

underhand(ed) [ʌndəˈhænd(ɪd)] adj (fig)
podstępny.

underinsured [ʌndərɪnˈʃuəd] adj
niedostatecznie ubezpieczony.

underlay [ʌndəˈleɪ] n warstwa f izolująca
(między dywanem a podłogą).

underlie [ʌndəˈlaɪ] (irreg like: lie) vt (fig) leżeć
or tkwić u podstaw +gen; **the underlying
cause** właściwa przyczyna.

underline [ʌndəˈlaɪn] vt podkreślać (podkreślić
perf).

underling [ˈʌndəlɪŋ] (pej) n podwładny (-na)
m(f).

undermanning [ʌndəˈmænɪŋ] n niedobory pl
personelu or kadrowe.

undermentioned [ʌndəˈmɛnʃənd] adj
wymieniony (po)niżej.

undermine [ʌndəˈmaɪn] vt podkopywać
(podkopać perf).

underneath [ʌndəˈniːθ] adv pod spodem ♦
prep pod +instr.

undernourished [ʌndəˈnʌrɪʃt] adj
niedożywiony.

underpaid [ʌndəˈpeɪd] adj źle opłacany.

underpants [ˈʌndəpænts] npl slipy pl.

underpass [ˈʌndəpɑːs] (BRIT) n przejście nt
podziemne; (on motorway) przejazd m
podziemny.

underpin [ʌndəˈpɪn] vt podtrzymywać
(podtrzymać perf).

underplay [ʌndəˈpleɪ] (BRIT) vt pomniejszać
(pomniejszyć perf) znaczenie +gen.

underpopulated [ʌndəˈpɔpjuleɪtɪd] adj słabo
zaludniony.

underprice [ʌndəˈpraɪs] vt zaniżać (zaniżyć
perf) ceny +gen.

underprivileged [ʌndəˈprɪvɪlɪdʒd] adj
społecznie upośledzony.

underrate [ʌndəˈreɪt] vt nie doceniać (nie
docenić perf) +gen.

underscore [ʌndəˈskɔː*] vt podkreślać
(podkreślić perf).

underseal [ʌndəˈsiːl] (BRIT) vt zabezpieczać
(zabezpieczyć perf) przed korozją ♦ n
powłoka f antykorozyjna.

undersecretary [ˈʌndəˈsɛkrətərɪ] n
podsekretarz m.

undersell [ʌndəˈsɛl] (irreg like: sell) vt
konkurować cenami z +instr.

undershirt [ˈʌndəʃəːt] (US) n podkoszulek m.

undershorts [ˈʌndəʃɔːts] (US) npl kalesonki pl.

underside [ˈʌndəsaɪd] n (of object) spód m;
(of animal) podbrzusze nt.

undersigned [ˈʌndəˈsaɪnd] adj niżej podpisany
♦ n: **the undersigned** niżej podpisany (-na)
m(f); **we the undersigned agree that ...** my,
niżej podpisani, uzgadniamy, że ... .

underskirt [ˈʌndəskəːt] (BRIT) n (pół)halka f.

understaffed [ʌndəˈstɑːft] adj cierpiący na
niedobory kadrowe.

understand [ʌndəˈstænd] (irreg like: stand) vt
rozumieć (zrozumieć perf); **I understand (that)
...** rozumiem, że ...; **to make o.s. understood**
porozumieć się (perf) (nie znając języka),
dogadać się (perf) (inf).

understandable [ʌndəˈstændəbl] adj
zrozumiały.

understanding [ʌndəˈstændɪŋ] adj
wyrozumiały ♦ n (of subject, language)
znajomość f; (sympathy) wyrozumiałość f,
zrozumienie nt; (co-operation) porozumienie
nt; **to come to an understanding with sb**
dochodzić (dojść perf) z kimś do
porozumienia; **on the understanding that ...**
przy założeniu, że ... .

understate [ʌndəˈsteɪt] vt (seriousness)
pomniejszać (pomniejszyć perf); (amount)
zaniżać (zaniżyć perf).

understatement [ˈʌndəsteɪtmənt] n
niedopowiedzenie nt, niedomówienie nt; **that's
an understatement!** to mało powiedziane!

understood [ʌndəˈstud] pt, pp of understand ♦
adj (agreed) ustalony; (implied) zrozumiały
sam przez się.

understudy [ˈʌndəstʌdɪ] n dubler(ka) m(f) (w
teatrze).

undertake [ʌndəˈteɪk] (irreg like: take) vt
podejmować się (podjąć się perf) +gen ♦ vi:
to undertake to do sth podejmować się
(podjąć się perf) zrobienia czegoś.

undertaker [ˈʌndəteɪkə*] n przedsiębiorca m
pogrzebowy.

undertaking [ˈʌndəteɪkɪŋ] n (job)
przedsięwzięcie nt; (promise) zobowiązanie nt.

undertone [ˈʌndətəun] n (of criticism etc)
zabarwienie nt; **in an undertone** półgłosem.

undervalue [ʌndə'vælju:] vt nie doceniac (nie docenić perf) +gen.

underwater [ʌndə'wɔ:tə*] adv pod wodą ♦ adj podwodny.

underwear ['ʌndəwɛə*] n bielizna f.

underweight [ʌndə'weɪt] adj: **to be underweight** mieć niedowagę.

underworld ['ʌndəwə:ld] n półświatek m.

underwrite [ʌndə'raɪt] vt (FIN) poręczać (poręczyć perf); (INSURANCE) przyjmować (przyjąć perf) do ubezpieczenia.

underwriter ['ʌndəraɪtə*] (INSURANCE) n agent(ka) m(f) ubezpieczeniowy (-wa) m(f).

undeserved [ʌndɪ'zə:vd] adj niezasłużony.

undesirable [ʌndɪ'zaɪərəbl] adj (objectionable) nieodpowiedni; (unwanted) niepożądany.

undeveloped [ʌndɪ'vɛləpt] adj (land, resources) nie zagospodarowany; (countries) nie rozwinięty.

undies ['ʌndɪz] (inf) npl bielizna f (zwłaszcza damska).

undiluted ['ʌndaɪ'lu:tɪd] adj (substance, liquid) nie rozcieńczony; (emotion) silny.

undiplomatic ['ʌndɪplə'mætɪk] adj niedyplomatyczny.

undischarged ['ʌndɪs'tʃɑ:dʒd] adj: **undischarged bankrupt** dłużnik, w stosunku do którego nie uchylono upadłości.

undisciplined [ʌn'dɪsɪplɪnd] adj niezdyscyplinowany.

undiscovered ['ʌndɪs'kʌvəd] adj nie odkryty.

undisguised ['ʌndɪs'gaɪzd] adj nie skrywany.

undisputed ['ʌndɪs'pju:tɪd] adj bezdyskusyjny, bezsporny.

undistinguished ['ʌndɪs'tɪŋgwɪʃt] adj nie wyróżniający się (niczym).

undisturbed [ʌndɪs'tə:bd] adj niezakłócony; **to leave sth undisturbed** pozostawiać (pozostawić perf) coś w nienaruszonym stanie.

undivided [ʌndɪ'vaɪdɪd] adj: **you have my undivided attention** słucham cię z całą uwagą.

undo [ʌn'du:] (irreg like: do) vt (shoelaces, string) rozwiązywać (rozwiązać perf); (buttons) rozpinać (rozpiąć perf); (fig: work, hopes) niweczyć (zniweczyć perf); (: person) gubić (zgubić perf).

undoing [ʌn'du:ɪŋ] n (downfall) zguba f.

undone [ʌn'dʌn] pp of undo; **to come undone** (shoelaces, string) rozwiązywać się (rozwiązać się perf); (button) rozpinać się (rozpiąć się perf).

undoubted [ʌn'dautɪd] adj niewątpliwy.

undoubtedly [ʌn'dautɪdlɪ] adv niewątpliwie, bez wątpienia.

undress [ʌn'drɛs] vi rozbierać się (rozebrać się perf) ♦ vt rozbierać (rozebrać perf).

undrinkable [ʌn'drɪŋkəbl] adj: **to be undrinkable** nie nadawać się do picia.

undue [ʌn'dju:] adj nadmierny, zbytni.

undulating ['ʌndjuleɪtɪŋ] adj (landscape) pofalowany, falisty; (movement) falujący.

unduly [ʌn'dju:lɪ] adv nadmiernie, zbytnio.

undying [ʌn'daɪɪŋ] adj (love, loyalty) dozgonny; (fame) nieśmiertelny.

unearned [ʌn'ə:nd] adj niezasłużony; **unearned income** dochód nie pochodzący z pracy.

unearth [ʌn'ə:θ] vt (skeleton etc) wykopywać (wykopać perf); (ruins) odkopywać (odkopać perf); (fig: secrets etc) wydobywać (wydobyć perf) na światło dzienne.

unearthly [ʌn'ə:θlɪ] adj niesamowity, nie z tej ziemi post; **at some unearthly hour** o nieprzyzwoitej porze.

unease [ʌn'i:z] n niepokój m.

uneasy [ʌn'i:zɪ] adj (person) zaniepokojony; (feeling) nieprzyjemny, nie dający spokoju; (peace) niepewny; **I am** or **I feel uneasy about taking his money** niechętnie biorę od niego pieniądze.

uneconomic ['ʌni:kə'nɔmɪk] adj nierentowny.

uneconomical ['ʌni:kə'nɔmɪkl] adj nieekonomiczny.

uneducated [ʌn'ɛdjukeɪtɪd] adj niewykształcony, bez wykształcenia post.

unemployed [ʌnɪm'plɔɪd] adj bezrobotny ♦ npl: **the unemployed** bezrobotni vir pl.

unemployment [ʌnɪm'plɔɪmənt] n bezrobocie nt.

unemployment benefit (BRIT) n zasiłek m dla bezrobotnych.

unemployment compensation (US) n = unemployment benefit.

unending [ʌn'ɛndɪŋ] adj nie kończący się.

unenviable [ʌn'ɛnvɪəbl] adj nie do pozazdroszczenia post.

unequal [ʌn'i:kwəl] adj nierówny; **to feel/be unequal to** nie być w stanie sprostać +dat; **unequal pay** zróżnicowanie płac.

unequalled [ʌn'i:kwəld] (US **unequaled**) adj niezrównany.

unequivocal [ʌnɪ'kwɪvəkl] adj niedwuznaczny, jednoznaczny; **he was unequivocal about it** powiedział wprost, co o tym myśli.

unerring [ʌn'ə:rɪŋ] adj nieomylny, niezawodny.

UNESCO [ju:'nɛskəu] n abbr (= United Nations Educational, Scientific and Cultural Organization) UNESCO nt inv.

unethical [ʌn'ɛθɪkl] adj (methods) nieetyczny; (doctor's behaviour) niezgodny z etyką zawodową post.

uneven [ʌn'i:vn] adj nierówny.

uneventful [ʌnɪ'vɛntful] adj spokojny.

unexceptional [ʌnɪk'sɛpʃənl] adj zwyczajny, przeciętny.

unexciting [ʌnɪk'saɪtɪŋ] adj nieciekawy.

unexpected [ʌnɪks'pɛktɪd] adj nieoczekiwany, niespodziewany.

unexpectedly [ʌnɪks'pɛktɪdlɪ] adv nieoczekiwanie, niespodziewanie.

unexplained [ʌnɪks'pleɪnd] adj nie wyjaśniony.

unexploded [ˌʌnɪksˈpləʊdɪd] *adj*: **unexploded bomb/shell** niewybuch *m*.
unfailing [ʌnˈfeɪlɪŋ] *adj* (*support*) niezawodny; (*energy*) niewyczerpany.
unfair [ʌnˈfɛə*] *adj* (*system*) niesprawiedliwy; (*advantage*) nieuczciwy; **unfair to** niesprawiedliwy w stosunku do +*gen*; **it's unfair that ...** to niesprawiedliwe, że ... .
unfair dismissal *n* nieuzasadnione zwolnienie *nt* (z pracy).
unfairly [ʌnˈfɛəlɪ] *adv* (*treat*) niesprawiedliwie; (*dismiss*) niesłusznie.
unfaithful [ʌnˈfeɪθful] *adj* niewierny.
unfamiliar [ʌnfəˈmɪlɪə*] *adj* nieznany; **to be unfamiliar with** nie znać +*gen*.
unfashionable [ʌnˈfæʃnəbl] *adj* niemodny.
unfasten [ʌnˈfɑːsn] *vt* rozpinać (rozpiąć *perf*).
unfathomable [ʌnˈfæðəməbl] *adj* niezgłębiony.
unfavourable [ʌnˈfeɪvrəbl] (*US* **unfavorable**) *adj* (*circumstances, weather*) niesprzyjający; (*opinion*) nieprzychylny.
unfavo(u)rably [ʌnˈfeɪvrəblɪ] *adv* (*review*) niekorzystnie; **to compare unfavourably with** wypadać (wypaść *perf*) niekorzystnie w porównaniu z +*instr*; **to look unfavourably on** ustosunkowywać się (ustosunkować się *perf*) nieprzychylnie do +*gen*.
unfeeling [ʌnˈfiːlɪŋ] *adj* bezduszny.
unfinished [ʌnˈfɪnɪʃt] *adj* nie dokończony.
unfit [ʌnˈfɪt] *adj* (*physically*) mało sprawny, w słabej kondycji *post*; (*incompetent*) niezdolny; **unfit for work** niezdolny do pracy; **unfit for human consumption** nie nadający się do spożycia.
unflagging [ʌnˈflægɪŋ] *adj* nie słabnący.
unflappable [ʌnˈflæpəbl] *adj*: **he's unflappable** nie można go wyprowadzić z równowagi.
unflattering [ʌnˈflætərɪŋ] *adj* (*dress, hairstyle*) nietwarzowy; (*remark*) niepochlebny.
unflinching [ʌnˈflɪntʃɪŋ] *adj* niezachwiany.
unfold [ʌnˈfəʊld] *vt* rozkładać (rozłożyć *perf*) ♦ *vi* rozwijać się (rozwinąć się *perf*).
unforeseeable [ʌnfɔːˈsiːəbl] *adj* nieprzewidywalny, nie do przewidzenia *post*.
unforeseen [ˈʌnfɔːˈsiːn] *adj* nieprzewidziany.
unforgettable [ʌnfəˈɡetəbl] *adj* niezapomniany.
unforgivable [ʌnfəˈɡɪvəbl] *adj* niewybaczalny.
unformatted [ʌnˈfɔːmætɪd] (*COMPUT*) *adj* nie sformatowany.
unfortunate [ʌnˈfɔːtʃənət] *adj* (*person*) pechowy; (*accident*) nieszczęśliwy; (*event, remark*) niefortunny; **it is unfortunate that ...** szkoda, że ... .
unfortunately [ʌnˈfɔːtʃənətlɪ] *adv* niestety.
unfounded [ʌnˈfaundɪd] *adj* bezpodstawny, nieuzasadniony.
unfriendly [ʌnˈfrendlɪ] *adj* (*person*) nieprzyjazny; (*behaviour, remark*) nieprzyjemny.
unfulfilled [ʌnfulˈfɪld] *adj* (*ambition, prophecy*) nie spełniony; (*person*) niespełniony.

unfurl [ʌnˈfɜːl] *vt* (*flag*) rozpościerać (rozpostrzeć *perf*); (*umbrella*) rozkładać (rozłożyć *perf*).
unfurnished [ʌnˈfɜːnɪʃt] *adj* nie umeblowany.
ungainly [ʌnˈɡeɪnlɪ] *adj* niezgrabny.
ungodly [ʌnˈɡɒdlɪ] *adj* piekielny; **at some ungodly hour** o nieprzyzwoitej porze.
ungrateful [ʌnˈɡreɪtful] *adj* niewdzięczny.
unguarded [ʌnˈɡɑːdɪd] *adj*: **in an unguarded moment** w chwili nieuwagi.
unhappily [ʌnˈhæpɪlɪ] *adv* (*sadly*) nieszczęśliwie; (*unfortunately*) niestety.
unhappiness [ʌnˈhæpɪnɪs] *n* nieszczęście *nt*, zgryzota *f*.
unhappy [ʌnˈhæpɪ] *adj* nieszczęśliwy; **unhappy about/with** niezadowolony z +*gen*.
unharmed [ʌnˈhɑːmd] *adj* bez szwanku *post*.
UNHCR *n abbr* (= *United Nations High Commission for Refugees*) Wysoka Komisja *f* ONZ do spraw Uchodźców.
unhealthy [ʌnˈhelθɪ] *adj* (*person*) chory; (*place*) niezdrowy; (*fig: interest*) chorobliwy, niezdrowy.
unheard-of [ʌnˈhɜːdɒv] *adj* niespotykany, nieznany.
unhelpful [ʌnˈhelpful] *adj* (*person*) niezbyt pomocny; (*advice*) nieprzydatny.
unhesitating [ʌnˈhezɪteɪtɪŋ] *adj* (*loyalty*) niezachwiany; (*reply*) zdecydowany, stanowczy.
unhook [ʌnˈhuk] *vt* rozpinać (rozpiąć *perf*).
unhurt [ʌnˈhɜːt] *adj* bez szwanku *post*; **to be unhurt** nie doznać (*perf*) (żadnych) obrażeń.
unhygienic [ˈʌnhaɪˈdʒiːnɪk] *adj* (*room*) urągający higienie; (*conditions*) niehigieniczny.
UNICEF [ˈjuːnɪsɛf] *n abbr* (= *United Nations International Children's Emergency Fund*) UNICEF *m*.
unicorn [ˈjuːnɪkɔːn] *n* jednorożec *m*.
unidentified [ʌnaɪˈdentɪfaɪd] *adj* (*unfamiliar*) niezidentyfikowany; (*unnamed*) (bliżej) nieokreślony; *see also* **UFO**.
unification [juːnɪfɪˈkeɪʃən] *n* zjednoczenie *nt*.
uniform [ˈjuːnɪfɔːm] *n* mundur *m* ♦ *adj* jednolity.
uniformity [juːnɪˈfɔːmɪtɪ] *n* jednolitość *f*.
unify [ˈjuːnɪfaɪ] *vt* jednoczyć się (zjednoczyć się *perf*).
unilateral [juːnɪˈlætərəl] *adj* jednostronny.
unimaginable [ʌnɪˈmædʒɪnəbl] *adj* niewyobrażalny.
unimaginative [ʌnɪˈmædʒɪnətɪv] *adj* (*person*) pozbawiony wyobraźni, bez wyobraźni *post*; (*design*) niewyszukany.
unimpaired [ʌnɪmˈpɛəd] *adj* nienaruszony, nie osłabiony.
unimportant [ʌnɪmˈpɔːtənt] *adj* nieważny, nieistotny.
unimpressed [ʌnɪmˈprɛst] *adj* niewzruszony.
uninhabited [ʌnɪnˈhæbɪtɪd] *adj* (*house*) niezamieszkały; (*island*) bezludny.

uninhibited [ʌnɪn'hɪbɪtɪd] *adj* (*person*) bez zahamowań *post*; (*behaviour*) swobodny.

uninjured [ʌn'ɪndʒəd] *adj* bez szwanku *or* szkody *post.*

unintelligent [ʌnɪn'tɛlɪdʒənt] *adj* nieinteligentny.

unintentional [ʌnɪn'tɛnʃənəl] *adj* nie zamierzony.

unintentionally [ʌnɪn'tɛnʃnəlɪ] *adv* niechcący.

uninvited [ʌnɪn'vaɪtɪd] *adj* nieproszony.

uninviting [ʌnɪn'vaɪtɪŋ] *adj* (*food*) nieapetyczny; (*place*) niezbyt zachęcający.

union ['ju:njən] *n* (*unification*) zjednoczenie *nt*, unia *f*; (*also*: **trade union**) związek *m* zawodowy ♦ *cpd* (*activities, leader*) związkowy; **union president** przewodniczący związku; **the Union** (*US*) Unia (*Stany Zjednoczone*).

unionize ['ju:njənaɪz] *vt* organizować (zorganizować *perf*) w związek zawodowy.

Union Jack *n flaga brytyjska.*

Union of Soviet Socialist Republics *n* Związek *m* Socjalistycznych Republik Radzieckich.

union shop *n zakład pracy zatrudniający wyłącznie członków związku zawodowego.*

unique [ju:'ni:k] *adj* (*object, performance*) jedyny w swoim rodzaju, niepowtarzalny; (*number*) nie powtarzający się; (*ability, skill*) wyjątkowy; **to be unique to** być wyłączną cechą +*gen*.

unisex ['ju:nɪsɛks] *adj* (*hairdresser*) damsko-męski; **unisex clothes** odzież uniseks.

unison ['ju:nɪsn] *n*: **in unison** (*say, act*) zgodnie; (*sing*) unisono.

UNISON *n federacja wolnych związków zawodowych w Wielkiej Brytanii.*

unit ['ju:nɪt] *n* jednostka *f*; **production unit** jednostka produkcyjna; **kitchen unit** szafka kuchenna.

unit cost (*COMM*) *n* koszt *m* jednostkowy.

unite [ju:'naɪt] *vt* jednoczyć (zjednoczyć *perf*) ♦ *vi* jednoczyć się (zjednoczyć się *perf*).

united [ju:'naɪtɪd] *adj* (*agreed*) zgodny; (*country, party*) zjednoczony.

United Arab Emirates *npl*: **the United Arab Emirates** Zjednoczone Emiraty *pl* Arabskie.

United Kingdom *n*: **the United Kingdom** Zjednoczone Królestwo *nt* (Wielkiej Brytanii).

United Nations *n*: **the United Nations** Narody *pl* Zjednoczone, Organizacja *f* Narodów Zjednoczonych.

United States (of America) *n*: **the United States** Stany *pl* Zjednoczone (Ameryki Północnej).

unit price (*COMM*) *n* cena *f* jednostkowa.

unit trust (*BRIT: COMM*) *n* fundusz *m* powierniczy.

unity ['ju:nɪtɪ] *n* jedność *f*.

Univ. *abbr* = **university** uniw.

universal [ju:nɪ'və:sl] *adj* powszechny, uniwersalny.

universe ['ju:nɪvə:s] *n* wszechświat *m*.

university [ju:nɪ'və:sɪtɪ] *n* uniwersytet *m* ♦ *cpd* (*year*) akademicki; (*education*) uniwersytecki; **university student/professor** student/profesor uniwersytetu.

university degree *n* stopień *m* naukowy.

unjust [ʌn'dʒʌst] *adj* niesprawiedliwy.

unjustifiable ['ʌndʒʌstɪ'faɪəbl] *adj* nieuzasadniony, nie dający się usprawiedliwić.

unjustified [ʌn'dʒʌstɪfaɪd] *adj* (*belief, action*) bezpodstawny, nieuzasadniony; (*text*) niejustowany.

unkempt [ʌn'kɛmpt] *adj* (*appearance*) zaniedbany; (*hair, beard*) rozczochrany.

unkind [ʌn'kaɪnd] *adj* niegrzeczny, nieżyczliwy.

unkindly [ʌn'kaɪndlɪ] *adv* niegrzecznie, nieżyczliwie.

unknown [ʌn'nəun] *adj* (*fact*) nieznany, niewiadomy; (*person*) nieznajomy, nieznany; **unknown to me** bez mojej wiedzy; **unknown quantity** (*MATH*) niewiadoma.

unladen [ʌn'leɪdn] *adj* (*ship*) bez ładunku *post*; (*weight*) wyładowany, rozładowany.

unlawful [ʌn'lɔ:ful] *adj* bezprawny, nielegalny.

unleaded ['ʌn'lɛdɪd] *adj* bezołowiowy.

unleash [ʌn'li:ʃ] *vt* (*fig: feeling, forces etc*) uwalniać (uwolnić *perf*).

unleavened [ʌn'lɛvnd] *adj* przaśny, bezdrożdżowy.

unless [ʌn'lɛs] *conj* jeżeli nie, o ile nie, chyba że; **...unless he comes** ...jeżeli nie przyjdzie, ...chyba że przyjdzie; **Unless he comes, ...** Jeżeli nie przyjdzie,...; **unless otherwise stated** o ile nie określono inaczej; **unless I am mistaken** o ile się nie mylę.

unlicensed [ʌn'laɪsnst] (*BRIT*) *adj* (*restaurant*) *nie mający zezwolenia na sprzedaż alkoholu.*

unlike [ʌn'laɪk] *adj* niepodobny ♦ *prep* (*not like*) w odróżnieniu od +*gen*; (*different from*) niepodobny do +*gen*.

unlikelihood [ʌn'laɪklɪhud] *n* małe prawdopodobieństwo *nt*, nieprawdopodobieństwo *nt*.

unlikely [ʌn'laɪklɪ] *adj* (*not likely*) nieprawdopodobny, mało prawdopodobny; (*unexpected*) nieoczekiwany; **in the unlikely event of any trouble, ...** gdyby były jakieś kłopoty, co (jest) mało prawdopodobne, ...; **in the unlikely event that they give you any trouble, ...** gdyby sprawiali wam jakieś kłopoty, co (jest) mało prawdopodobne, ...

unlimited [ʌn'lɪmɪtɪd] *adj* nieograniczony, bez ograniczeń *post.*

unlisted ['ʌn'lɪstɪd] *adj* (*US: telephone number*) zastrzeżony; (*company*) nie notowany na giełdzie.

unlit [ʌn'lɪt] *adj* nie oświetlony.

unload [ʌn'ləud] *vt* wyładowywać (wyładować *perf*), rozładowywać (rozładować *perf*).

unlock [ʌn'lɔk] *vt* otwierać (otworzyć *perf*) (*kluczem*).

unlucky [ʌn'lʌkɪ] *adj* (*person*) nieszczęśliwy, pechowy; (*object, number*) pechowy; **to be unlucky** mieć pecha.

unmanageable [ʌn'mænɪdʒəbl] *adj* (*tool, book*) nieporęczny; (*situation*) wymykający się spod kontroli, nie do opanowania *post*.

unmanned [ʌn'mænd] *adj* bezzałogowy.

unmarked [ʌn'mɑːkt] *adj* bez skazy *post*; **unmarked police car** samochód policyjny bez oznakowań.

unmarried [ʌn'mærɪd] *adj* (*man*) nieżonaty; (*woman*) niezamężna.

unmarried mother *n* samotna matka *f*.

unmask [ʌn'mɑːsk] *vt* demaskować (zdemaskować *perf*).

unmatched [ʌn'mætʃt] *adj* niezrównany.

unmentionable [ʌn'menʃnəbl] *adj* (*topic*) zakazany, tabu *post*; (*word*) niecenzuralny.

unmerciful [ʌn'məːsɪful] *adj* bezlitosny.

unmistak(e)able [ʌnmɪs'teɪkəbl] *adj* wyraźny, niewątpliwy.

unmistak(e)ably [ʌnmɪs'teɪkəblɪ] *adv* wyraźnie, niewątpliwie.

unmitigated [ʌn'mɪtɪgeɪtɪd] *adj* totalny, absolutny.

unnamed [ʌn'neɪmd] *adj* (*nameless*) nie nazwany; (*anonymous*) nie wymieniony z nazwiska.

unnatural [ʌn'nætʃrəl] *adj* nienaturalny.

unnecessarily [ʌn'nesəsərɪlɪ] *adv* (*worry etc*) niepotrzebnie, zbytecznie; (*severe etc*) nadmiernie.

unnecessary [ʌn'nesəsərɪ] *adj* niepotrzebny, zbyteczny.

unnerve [ʌn'nəːv] *vt* wytrącać (wytrącić *perf*) z równowagi.

unnoticed [ʌn'nəutɪst] *adj*: **to go** *or* **pass unnoticed** pozostawać (pozostać *perf*) nie zauważonym.

UNO ['juːnəu] *n abbr* (= United Nations Organization) ONZ *m*.

unobservant [ʌnəb'zəːvnt] *adj* mało spostrzegawczy.

unobtainable [ʌnəb'teɪnəbl] *adj* (*item*) niedostępny; (*TEL*) nieosiągalny.

unobtrusive [ʌnəb'truːsɪv] *adj* nie rzucający się w oczy, dyskretny.

unoccupied [ʌn'ɔkjupaɪd] *adj* (*seat*) nie zajęty; (*house*) niezamieszkały.

unofficial [ʌnə'fɪʃl] *adj* (*news*) nie potwierdzony; (*strike*) nieoficjalny.

unopened [ʌn'əupənd] *adj* nie otwarty.

unopposed [ʌnə'pəuzd] *adj* nie napotykający oporu *or* sprzeciwu.

unorthodox [ʌn'ɔːθədɔks] *adj* (*treatment*) niekonwencjonalny; (*REL*) nieortodoksyjny.

unpack [ʌn'pæk] *vi* rozpakowywać się (rozpakować się *perf*) ♦ *vt* rozpakowywać (rozpakować *perf*).

unpaid [ʌn'peɪd] *adj* (*bill*) nie zapłacony; (*holiday, leave*) bezpłatny; (*work*) niepłatny; (*worker*) nie opłacany.

unpalatable [ʌn'pælətəbl] *adj* (*meal*) niesmaczny; (*truth*) trudny do przełknięcia.

unparalleled [ʌn'pærəlɛld] *adj* niezrównany.

unpatriotic ['ʌnpætrɪ'ɔtɪk] *adj* niepatriotyczny.

unplanned [ʌn'plænd] *adj* nie zaplanowany.

unpleasant [ʌn'plɛznt] *adj* nieprzyjemny, niemiły.

unplug [ʌn'plʌg] *vt* wyłączać (wyłączyć *perf*) z sieci.

unpolluted [ʌnpə'luːtɪd] *adj* nie zanieczyszczony, nie skażony.

unpopular [ʌn'pɔpjulə*] *adj* niepopularny; **to make o.s. unpopular (with)** narażać się (narazić się *perf*) (+*dat*), podpadać (podpaść *perf*) (+*dat*) (*inf*).

unprecedented [ʌn'prɛsɪdəntɪd] *adj* (*decision, event*) bezprecedensowy; (*wealth, scale*) niespotykany.

unpredictable [ʌnprɪ'dɪktəbl] *adj* (*reaction, weather*) nieprzewidywalny; (*person*) nieobliczalny.

unprejudiced [ʌn'prɛdʒudɪst] *adj* nieuprzedzony.

unprepared [ʌnprɪ'pɛəd] *adj* (*person*) nie przygotowany; (*speech*) (za)improwizowany.

unprepossessing ['ʌnpriːpə'zɛsɪŋ] *adj* nieatrakcyjny, nieciekawy.

unpretentious [ʌnprɪ'tɛnʃəs] *adj* bezpretensjonalny.

unprincipled [ʌn'prɪnsɪpld] *adj* bez zasad *post*.

unproductive [ʌnprə'dʌktɪv] *adj* (*land*) jałowy; (*discussion*) jałowy, bezproduktywny.

unprofessional [ʌnprə'fɛʃənl] *adj* (*attitude*) nieprofesjonalny; (*conduct*) sprzeczny z etyką zawodową.

unprofitable [ʌn'prɔfɪtəbl] *adj* nieopłacalny, nierentowny.

unprovoked [ʌnprə'vəukt] *adj* nieuzasadniony, bezpodstawny.

unpunished [ʌn'pʌnɪʃt] *adj*: **to go unpunished** nie zostać (*perf*) ukaranym.

unqualified [ʌn'kwɔlɪfaɪd] *adj* (*nurse etc*) niewykwalifikowany; (*disaster*) kompletny; (*success*) pełen.

unquestionably [ʌn'kwɛstʃənəblɪ] *adv* niewątpliwie, bezsprzecznie.

unquestioning [ʌn'kwɛstʃənɪŋ] *adj* (*obedience etc*) ślepy, bezwarunkowy.

unravel [ʌn'rævl] *vt* rozwijać (rozwinąć *perf*), rozplątywać (rozplątać *perf*); (*fig*) rozwiązywać (rozwiązać *perf*), rozwikływać (rozwikłać *perf*).

unreal [ʌn'rɪəl] *adj* (*artificial*) sztuczny; (*peculiar*) nierzeczywisty, nierealny.

unrealistic ['ʌnrɪə'lɪstɪk] *adj* nierealistyczny.

unreasonable [ʌn'riːznəbl] *adj* (*person*)

nierozsądny; (idea) niedorzeczny; (demand) wygórowany; (length of time) nadmierny.

unrecognizable [ʌnˈrɛkəgnaɪzəbl] adj nie do poznania post.

unrecognized [ʌnˈrɛkəgnaɪzd] adj (talent, genius) nie rozpoznany; (POL: regime) nie uznawany.

unrecorded [ʌnrəˈkɔːdɪd] adj (piece of music etc) nie nagrany; (incident, statement) nie odnotowany.

unrefined [ʌnrəˈfaɪnd] adj nie rafinowany, nie oczyszczony.

unrehearsed [ʌnrɪˈhəːst] adj (THEAT etc) bez prób(y) post; (spontaneous) (za)improwizowany, spontaniczny.

unrelated [ʌnrɪˈleɪtɪd] adj (incident) nie powiązany, nie związany; (family) nie spokrewniony.

unrelenting [ʌnrɪˈlɛntɪŋ] adj (person) bezlitosny, nieubłagany; (activity) nie słabnący, uporczywy.

unreliable [ʌnrɪˈlaɪəbl] adj (person, firm) niesolidny; (machine, method) zawodny.

unrelieved [ʌnrɪˈliːvd] adj (monotony, misery) beznadziejny.

unremitting [ʌnrɪˈmɪtɪŋ] adj nieustający, nieustanny.

unrepeatable [ʌnrɪˈpiːtəbl] adj nie nadający się do powtórzenia.

unrepentant [ʌnrɪˈpɛntənt] adj nie skruszony.

unrepresentative [ˈʌnrɛprɪˈzɛntətɪv] adj: unrepresentative (of) niereprezentatywny (dla +gen).

unreserved [ʌnrɪˈzəːvd] adj (seat) nie zarezerwowany; (approval) całkowity; (admiration) szczery.

unreservedly [ʌnrɪˈzəːvɪdlɪ] adv (approve) całkowicie, w pełni; (admire) szczerze.

unresponsive [ʌnrɪsˈpɒnsɪv] adj obojętny; to be unresponsive to nie reagować na +acc.

unrest [ʌnˈrɛst] n niepokój m.

unrestricted [ʌnrɪˈstrɪktɪd] adj nieograniczony; to have unrestricted access to mieć nieograniczony dostęp do +gen.

unrewarded [ʌnrɪˈwɔːdɪd] adj: his efforts went unrewarded jego wysiłki nie zostały nagrodzone.

unripe [ʌnˈraɪp] adj niedojrzały.

unrivalled [ʌnˈraɪvəld] (US unrivaled) adj niezrównany.

unroll [ʌnˈrəʊl] vt rozwijać (rozwinąć perf).

unruffled [ʌnˈrʌfld] adj (person) nie poruszony; (hair, surface) gładki.

unruly [ʌnˈruːlɪ] adj niesforny.

unsafe [ʌnˈseɪf] adj (in danger) zagrożony; (dangerous) niebezpieczny; unsafe to eat/drink niezdatny do spożycia/picia.

unsaid [ʌnˈsɛd] adj: to leave sth unsaid przemilczeć (perf) coś.

unsaleable [ʌnˈseɪləbl] (US unsalable) adj

niechodliwy; it's practically unsaleable tego praktycznie nie da się sprzedać.

unsatisfactory [ˈʌnsætɪsˈfæktərɪ] adj niezadowalający.

unsatisfied [ʌnˈsætɪsfaɪd] adj nie usatysfakcjonowany, niezadowolony.

unsavoury [ʌnˈseɪvərɪ] (US unsavory) adj (fig) podejrzany.

unscathed [ʌnˈskeɪðd] adj nietknięty.

unscientific [ˈʌnsaɪənˈtɪfɪk] adj nienaukowy.

unscrew [ʌnˈskruː] vt odkręcać (odkręcić perf).

unscrupulous [ʌnˈskruːpjuləs] adj pozbawiony skrupułów.

unsecured [ˈʌnsɪˈkjuəd] adj (creditor) bez zabezpieczenia post; (loan) nie zabezpieczony.

unseemly [ʌnˈsiːmlɪ] adj niewłaściwy, niestosowny.

unseen [ʌnˈsiːn] adj (hidden object) niewidoczny; (forces, hand) niewidzialny; (danger) ukryty.

unselfish [ʌnˈsɛlfɪʃ] adj bezinteresowny.

unsettled [ʌnˈsɛtld] adj (person) niespokojny; (future, weather) niepewny; (question) nie rozstrzygnięty.

unsettling [ʌnˈsɛtlɪŋ] adj niepokojący.

unshak(e)able [ʌnˈʃeɪkəbl] adj niewzruszony, niezachwiany.

unshaven [ʌnˈʃeɪvn] adj nie ogolony.

unsightly [ʌnˈsaɪtlɪ] adj szpetny.

unskilled [ʌnˈskɪld] adj niewykwalifikowany.

unsociable [ʌnˈsəʊʃəbl] adj nietowarzyski.

unsocial [ʌnˈsəʊʃl] adj: to work unsocial hours pracować w nietypowych godzinach.

unsold [ʌnˈsəʊld] adj nie sprzedany.

unsolicited [ʌnsəˈlɪsɪtɪd] adj (goods, manuscripts) nie zamówiony; she was given much unsolicited advice dostała dużo rad, o które nie prosiła.

unsophisticated [ʌnsəˈfɪstɪkeɪtɪd] adj (person) prosty; (method, device) nieskomplikowany.

unsound [ʌnˈsaund] adj (floor, foundations) słaby; (policy, advice) oparty na błędnych przesłankach; of unsound mind nie w pełni władz umysłowych.

unspeakable [ʌnˈspiːkəbl] adj (indescribable) niewymowny, niewypowiedziany; (awful) okropny.

unspoken [ʌnˈspəʊkn] adj (word) nie wypowiedziany; (agreement) milczący.

unstable [ʌnˈsteɪbl] adj (piece of furniture) chwiejny; (government) niestabilny; (person: mentally) niezrównoważony.

unsteady [ʌnˈstɛdɪ] adj niepewny.

unstinting [ʌnˈstɪntɪŋ] adj hojny, szczodry.

unstuck [ʌnˈstʌk] adj: to come unstuck (label etc) odklejać się (odkleić się perf); (fig: plan, system) zawodzić (zawieść perf).

unsubstantiated [ˈʌnsəbˈstænʃɪeɪtɪd] adj (rumour) nie potwierdzony; (accusation) bezpodstawny.

unsuccessful [ʌnsək'sɛsful] *adj* (*attempt, marriage*) nieudany; **her application was unsuccessful** jej podanie zostało odrzucone; **he was unsuccessful** (*in attempting sth*) nie udało mu się; (*in examination*) nie powiodło mu się; (*as writer etc*) nie miał powodzenia.

unsuccessfully [ʌnsək'sɛsfəlɪ] *adv* bez powodzenia.

unsuitable [ʌn'su:təbl] *adj* nieodpowiedni.

unsuited [ʌn'su:tɪd] *adj*: **to be unsuited for** *or* **to sth** nie nadawać się do czegoś; **he is unsuited to be leader of a party** nie nadaje się na lidera partii.

unsure [ʌn'ʃuə*] *adj* niepewny; **to be unsure of o.s.** nie być pewnym siebie.

unsuspecting [ʌnsəs'pɛktɪŋ] *adj* niczego nie podejrzewający.

unsweetened [ʌn'swi:tnd] *adj* nie słodzony.

unswerving [ʌn'swə:vɪŋ] *adj* niezachwiany.

unsympathetic ['ʌnsɪmpə'θɛtɪk] *adj* (*showing no understanding*) obojętny; (*unlikeable*) niesympatyczny, antypatyczny; **unsympathetic to(wards)** nieprzychylny +*dat*.

untangle [ʌn'tæŋgl] *vt* (*string*) rozplątywać (rozplątać *perf*); (*mystery*) rozwikływać (rozwikłać *perf*).

untapped [ʌn'tæpt] *adj* (*resources*) nie wykorzystany.

untaxed [ʌn'tækst] *adj* nie opodatkowany.

unthinkable [ʌn'θɪŋkəbl] *adj* nie do pomyślenia *post*.

untidy [ʌn'taɪdɪ] *adj* (*room*) nie posprzątany; (*person*) nieporządny.

untie [ʌn'taɪ] *vt* (*knot, parcel, prisoner*) rozwiązywać (rozwiązać *perf*); (*dog, horse*) odwiązywać (odwiązać *perf*).

until [ən'tɪl] *prep* (aż) do +*gen* ♦ *conj* aż; (*after negative*) dopóki nie; **they didn't find her until the next day** znaleźli ją dopiero następnego dnia; **she waited until he had gone** poczekała, aż wyszedł; **until he comes** dopóki nie przyjdzie; **until now** dotychczas; **until then** do tego czasu; **from morning until night** od rana do wieczora *or* nocy.

untimely [ʌn'taɪmlɪ] *adj* (*arrival*) nie w porę *post*; (*moment*) niedogodny; (*death*) przedwczesny.

untold [ʌn'təuld] *adj* (*suffering, wealth*) nieopisany; **the untold story** kulisy, tło.

untouched [ʌn'tʌtʃt] *adj* nietknięty; **untouched by** (*unaffected*) obojętny *or* nieczuły na +*acc*.

untoward [ʌntə'wɔ:d] *adj* (*unforeseen*) nieprzewidziany; (*adverse*) niefortunny.

untrammelled [ʌn'træmld] *adj* nieskrępowany.

untranslatable [ʌntrænz'leɪtəbl] *adj* nieprzetłumaczalny.

untried [ʌn'traɪd] *adj* (*policy, remedy*) nie wypróbowany; (*prisoner*) nie sądzony.

untrue [ʌn'tru:] *adj* nieprawdziwy.

untrustworthy [ʌn'trʌstwə:ðɪ] *adj* niegodny zaufania.

unusable [ʌn'ju:zəbl] *adj* nie nadający się do użytku.

unused[1] [ʌn'ju:zd] *adj* (*clothes*) nie używany; (*land*) nie wykorzystany.

unused[2] [ʌn'ju:st] *adj*: **to be unused to sth/to doing sth** nie być przyzwyczajonym do czegoś/do robienia czegoś.

unusual [ʌn'ju:ʒuəl] *adj* niezwykły, niecodzienny; **it was not unusual to come home at three in the morning** powroty do domu o trzeciej nad ranem nie należały do rzadkości.

unusually [ʌn'ju:ʒuəlɪ] *adv* niezwykle.

unveil [ʌn'veɪl] *vt* odsłaniać (odsłonić *perf*).

unwanted [ʌn'wɔntɪd] *adj* (*clothing*) niepotrzebny; (*child, pregnancy*) niechciany.

unwarranted [ʌn'wɔrəntɪd] *adj* nieuzasadniony.

unwary [ʌn'wɛərɪ] *adj* nieświadomy.

unwavering [ʌn'weɪvərɪŋ] *adj* (*faith, support*) niezachwiany; (*gaze*) uporczywy.

unwelcome [ʌn'wɛlkəm] *adj* (*guest*) niepożądany; (*facts, situation*) niewygodny; **I felt unwelcome** czułem się jak intruz.

unwell [ʌn'wɛl] *adj*: **I feel unwell** źle się czuję; **she's unwell** jest chora.

unwieldy [ʌn'wi:ldɪ] *adj* (*object*) nieporęczny; (*system*) niesprawny.

unwilling [ʌn'wɪlɪŋ] *adj*: **to be unwilling to do sth** nie chcieć czegoś (z)robić.

unwillingly [ʌn'wɪlɪŋlɪ] *adv* niechętnie.

unwind [ʌn'waɪnd] (*irreg like*: **wind**) *vt* (*bandage*) odwijać (odwinąć *perf*); (*ball of string*) rozwijać (rozwinąć *perf*) ♦ *vi* odprężać się (odprężyć się *perf*), relaksować się (zrelaksować się *perf*).

unwise [ʌn'waɪz] *adj* niemądry.

unwitting [ʌn'wɪtɪŋ] *adj* bezwiedny.

unworkable [ʌn'wə:kəbl] *adj* niewykonalny.

unworthy [ʌn'wə:ðɪ] *adj*: **unworthy of** niegodny *or* niewart +*gen*; **to be unworthy of sth/to do sth** nie zasługiwać na coś, by coś (z)robić; **that kind of behaviour is unworthy of you** takie zachowanie ci nie przystoi.

unwrap [ʌn'ræp] *vt* rozwijać (rozwinąć *perf*), rozpakowywać (rozpakować *perf*).

unwritten [ʌn'rɪtn] *adj* niepisany.

unzip [ʌn'zɪp] *vt* rozpinać (rozpiąć *perf*).

--- KEYWORD ---

up [ʌp] *prep*: **to go up the stairs** wchodzić (wejść *perf*) po schodach; **he went up the hill** wszedł na wzgórze; **the cat was up a tree** kot był na drzewie; **they live further up the street** mieszkają dalej na tej ulicy ♦ *adv* **1** (*upwards, higher*): **up in the sky/the mountains** wysoko na niebie/w górach; **put it a bit higher up** połóż to troszkę wyżej; **up there** tam w *or* na górze; **up above** wysoko.

2: **to be up** (*out of bed*) być na nogach; (*prices, level*) wzrosnąć (*perf*); (*building, tent*) stać. **3**: **up to** do +*gen*; **I've read up to page 60** przeczytałem do strony 60.; **the water came up to his knees** woda podeszła mu do kolan; **up to now** do tej pory. **4**: **to be up to** (*depend on*) zależeć od +*gen*; **it's up to you** to zależy od ciebie; **it's not up to me to decide** decyzja nie należy do mnie. **5**: **to be up to** (*equal to: person*) podołać (*perf*) *or* sprostać (*perf*) +*dat*; (: *work etc*) spełniać (spełnić *perf*) +*acc*, odpowiadać +*dat*; **he's not up to it** nie podoła temu; **their work is not up to the required standard** ich praca nie spełnia wymaganych norm. **6**: **to be up to** (*inf: be doing*) porabiać; **what is he up to?** co on porabia?; (*showing disapproval, suspicion*) co on kombinuje? (*inf*) ♦ *n*: **ups and downs** wzloty *pl* i upadki *pl*.

up-and-coming [ʌpənd'kʌmɪŋ] *adj* dobrze się zapowiadający.

upbeat ['ʌpbiːt] *n* (*MUS*) nieakcentowana miara *f* taktu; (*in economy, prosperity*) boom *m*, wzrost *m* ♦ *adj* (*person*) w dobrym nastroju *post*; (*mood, ending*) optymistyczny.

upbraid [ʌp'breɪd] *vt* karcić (skarcić *perf*).

upbringing ['ʌpbrɪŋɪŋ] *n* wychowanie *nt*.

update [ʌp'deɪt] *vt* uaktualniać (uaktualnić *perf*).

upend [ʌp'ɛnd] *vt* stawiać (postawić *perf*) pionowo.

upgrade [ʌp'greɪd] *vt* (*house*) podnosić (podnieść *perf*) standard +*gen*; (*pay, status*) podnosić (podnieść *perf*); (*employee*) awansować (awansować *perf*); (*COMPUT*) zastępować (zastąpić *perf*) nowszą wersją.

upheaval [ʌp'hiːvl] *n* (*emotional*) wstrząs *m*; (*POL*) wstrząsy *pl*, wrzenie *nt*.

uphill [ʌp'hɪl] *adj* (*climb*) pod górę *post*; (*fig: task*) żmudny ♦ *adv* pod górę; **to go uphill** wspinać się (w górę).

uphold [ʌp'həuld] (*irreg like*: **hold**) *vt* (*law, principle*) przestrzegać +*gen*; (*decision, conviction*) podtrzymywać (podtrzymać *perf*).

upholstery [ʌp'həulstərɪ] *n* tapicerka *f*, obicie *nt*.

upkeep ['ʌpkiːp] *n* utrzymanie *nt*, koszty *pl* utrzymania.

up-market [ʌp'mɑːkɪt] *adj* ekskluzywny.

upon [ə'pɔn] *prep* na +*loc*.

upper ['ʌpə*] *adj* górny, wyższy ♦ *n* (*of shoe*) wierzch *m*, cholewka *f*.

upper class *n*: **the upper class** warstwa *f or* klasa *f* wyższa.

upper-class ['ʌpə'klɑːs] *adj* (*families, accent*) arystokratyczny; (*district*) ekskluzywny.

upper hand *n*: **to have the upper hand** mieć przewagę.

uppermost ['ʌpəməust] *adj* najwyższy,

znajdujący się na (samej) górze; **there were two thoughts uppermost in my mind** myślałam przede wszystkim o dwóch rzeczach.

Upper Volta [-'vɔltə] *n* Górna Wolta *f*.

upright ['ʌpraɪt] *adj* (*vertical*) pionowy; (*erect*) wyprostowany; (*fig: honest*) prawy ♦ *adv* prosto ♦ *n* wspornik *m* pionowy, belka *f* pionowa.

uprising ['ʌpraɪzɪŋ] *n* powstanie *nt*.

uproar ['ʌprɔ:*] *n* (*shouts*) hałas *m*; (*protest*) poruszenie *nt*, wrzawa *f*.

uproot [ʌp'ru:t] *vt* (*tree*) wyrywać (wyrwać *perf*) z korzeniami; (*fig: family*) wysiedlać (wysiedlić *perf*).

upset [*vb, adj* ʌp'sɛt, *n* 'ʌpsɛt] (*irreg like*: **set**) *vt* (*knock over*) przewracać (przewrócić *perf*); (*make sad*) martwić (zmartwić *perf*); (*make angry or nervous*) denerwować (zdenerwować *perf*); (*routine, plan*) dezorganizować (zdezorganizować *perf*) ♦ *adj* (*person: worried*) zmartwiony; (: *angry*) zdenerwowany; (*stomach*) rozstrojony ♦ *n*: **to have a stomach upset** (*BRIT*) mieć rozstrój żołądka; **I get upset when...** (*sad*) jest mi przykro, gdy...; (*angry*) denerwuję się, gdy... .

upset price ['ʌpsɛt-] (*US, SCOTTISH*) *n* cena *f* wywoławcza.

upsetting [ʌp'sɛtɪŋ] *adj* przykry.

upshot ['ʌpʃɔt] *n* wynik *m*, rezultat *m*; **the upshot of it all was that ...** skończyło się na tym, że ... .

upside down ['ʌpsaɪd-] *adv* do góry nogami; **to turn a place upside down** (*fig*) przetrząsać (przetrząsnąć *perf*) wszystkie kąty.

upstairs [ʌp'stɛəz] *adv* (*be*) na piętrze, na górze; (*go*) na piętro, na górę ♦ *adj* na piętrze *post* ♦ *n* piętro *nt*, góra *f*; **there's no upstairs** jest tylko parter *or* jedno piętro.

upstart ['ʌpstɑ:t] (*pej*) *n* ważniak (-aczka) *m(f)* (*pej*).

upstream [ʌp'stri:m] *adv* pod prąd ♦ *adj*: **to be upstream** znajdować się (dalej) w górę rzeki.

upsurge ['ʌpsə:dʒ] *n* (*of enthusiasm etc*) przypływ *m*.

uptake ['ʌpteɪk] *n*: **to be quick/slow on the uptake** szybko/wolno się orientować.

uptight [ʌp'taɪt] (*inf*) *adj* spięty.

up-to-date ['ʌptə'deɪt] *adj* (*modern*) nowoczesny; (*having latest information: map etc*) aktualny; (: *person*) dobrze poinformowany.

upturn ['ʌptə:n] *n* zmiana *f* na lepsze.

upturned ['ʌptə:nd] *adj* (*nose*) zadarty.

upward ['ʌpwəd] *adj* (*movement*) w górę *post*.

upwards ['ʌpwədz] *adv* w górę; **upward(s) of 200,000 people** z górą 200 tysięcy osób.

URA (*US*) *n abbr* (= *Urban Renewal Administration*).

Ural Mountains *n*: the Ural Mountains (*also*: the Urals) Ural *m*.
uranium [juə'reɪnɪəm] *n* uran *m*.
Uranus [juə'reɪnəs] *n* Uran *m*.
urban ['ə:bən] *adj* (wielko)miejski.
urbane [ə:'beɪn] *adj* grzeczny, dobrze wychowany.
urbanization ['ə:bənaɪ'zeɪʃən] *n* urbanizacja *f*.
urchin ['ə:tʃɪn] *n* urwis *m*.
urge [ə:dʒ] *n* pragnienie *nt*, chęć *f* ♦ *vt*: to urge sb to do sth namawiać (namówić *perf*) kogoś, żeby coś zrobił *or* do zrobienia czegoś; to urge caution zalecać (zalecić *perf*) ostrożność.
►urge on *vt* zachęcać.
urgency ['ə:dʒənsɪ] *n* (*need to act quickly*) pośpiech *m*; (*of tone*) zaniepokojenie *nt*; a matter of urgency (bardzo) pilna sprawa.
urgent ['ə:dʒənt] *adj* (*need*) naglący; (*message*) pilny; (*voice*) natarczywy.
urgently ['ə:dʒəntlɪ] *adv* pilnie.
urinal ['juərɪnl] *n* (*building*) toaleta *f* męska; (*vessel*) pisuar *m*.
urinate ['juərɪneɪt] *vi* oddawać (oddać *perf*) mocz.
urine ['juərɪn] *n* mocz *m*.
urn [ə:n] *n* (*container*) urna *f*, (*also*: tea urn) termos *m* bufetowy.
Uruguay ['juərəgwaɪ] *n* Urugwaj *m*.
Uruguayan [juərə'gwaɪən] *adj* urugwajski ♦ *n* Urugwajczyk (-jka) *m(f)*.
US *n abbr* = United States.
us [ʌs] *pron* nas (*gen, acc, loc*), nam (*dat*), nami (*instr*); *see also* me.
USA *n abbr* = United States of America; (*MIL*: = United States Army).
usable ['ju:zəbl] *adj* (*information*) użyteczny, przydatny; (*tool etc*) nadający się do użytku.
USAF *n abbr* (= United States Air Force).
usage ['ju:zɪdʒ] (*LING*) *n* użycie *nt*.
USCG *n abbr* (= United States Coast Guard).
USDA *n abbr* (= United States Department of Agriculture) Ministerstwo *nt* Rolnictwa.
USDAW ['ʌzdɔ:] (*BRIT*) *n abbr* (= Union of Shop, Distributive and Allied Workers).
USDI *n abbr* (= United States Department of the Interior) Ministerstwo *nt* Ochrony Środowiska, Zasobów Naturalnych i Leśnictwa.
use [*n* ju:s, *vb* ju:z] *n* (*using*) użycie *nt*, stosowanie *nt*; (*usefulness*) użytek *m*, zastosowanie *nt* ♦ *vt* używać (użyć *perf*) +*gen*, posługiwać się (posłużyć się *perf*) +*instr*; in use w użyciu; to go out of use wychodzić (wyjść *perf*) z użycia; to be of use przydawać się (przydać się *perf*); to make use of sth stosować (zastosować *perf*) *or* wykorzystywać (wykorzystać *perf*) coś; it's no use! nic z tego!; it's no use arguing with you dyskusja z tobą nie ma sensu; she used to live in this street mieszkała kiedyś na tej

ulicy; to have the use of móc korzystać z +*gen*; what's this used for? do czego to służy?; to be used to być przyzwyczajonym do +*gen*; to get used to przyzwyczajać się (przyzwyczaić się *perf*) *or* przywykać (przywyknąć *perf*) do +*gen*.
►use up *vt* (*food, leftovers*) zużywać (zużyć *perf*); (*money*) wydawać (wydać *perf*).
used [ju:zd] *adj* używany.
useful ['ju:sful] *adj* użyteczny, przydatny; to come in useful przydawać się (przydać się *perf*).
usefulness ['ju:sfəlnɪs] *n* użyteczność *f*, przydatność *f*.
useless ['ju:slɪs] *adj* (*unusable*) bezużyteczny, nieprzydatny; (*pointless*) bezcelowy; (*bad, hopeless*) beznadziejny.
user ['ju:zə*] *n* użytkownik (-iczka) *m(f)*; (*of gas etc*) odbiorca *m*.
user-friendly ['ju:zə'frɛndlɪ] *adj* łatwy w użyciu *or* zastosowaniu.
USES *n abbr* (= United States Employment Service).
usher ['ʌʃə*] *n* osoba usadzająca gości na weselu, widzów w teatrze itp ♦ *vt*: to usher sb in wprowadzać (wprowadzić *perf*) kogoś.
usherette [ʌʃə'rɛt] *n* (*in cinema*) bileterka *f*.
USIA *n abbr* (= United States Information Agency) Ministerstwo Informacji USA.
USM *n abbr* (= United States Mint) mennica państwowa; (= United States Mail).
USN *n abbr* (= United States Navy).
USPHS *n abbr* (= United States Public Health Service).
USPO *n abbr* (= United States Post Office).
USS *abbr* (= United States Ship) skrót stanowiący część nazwy amerykańskich okrętów wojennych.
USSR *n abbr* (*formerly*: = Union of Soviet Socialist Republics) ZSRR *nt inv*.
usu. *abbr* = usually.
usual ['ju:ʒuəl] *adj* zwykły; as usual jak zwykle.
usually ['ju:ʒuəlɪ] *adv* zwykle, zazwyczaj.
usurer ['ju:ʒərə*] *n* lichwiarz (-arka) *m(f)*.
usurp [ju:'zə:p] *vt* uzurpować (uzurpować *perf*) sobie.
usury ['ju:ʒurɪ] *n* lichwa *f*.
UT (*US*: *POST*) *abbr* (= Utah).
utensil [ju:'tɛnsl] *n*: kitchen utensils przybory *pl* kuchenne.
uterus ['ju:tərəs] (*ANAT*) *n* macica *f*.
utilitarian [ju:tɪlɪ'tɛərɪən] *adj* (*object*) funkcjonalny; (*PHILOSOPHY*) utylitarystyczny.
utility [ju:'tɪlɪtɪ] *n* użyteczność *f*, przydatność *f*; public utilities usługi komunalne.
utility room *n* pomieszczenie *nt* gospodarcze.
utilization [ju:tɪlaɪ'zeɪʃən] *n* wykorzystanie *nt*.
utilize ['ju:tɪlaɪz] *vt* wykorzystywać

(wykorzystać *perf*), zużytkowywać
(zużytkować *perf*).

utmost ['ʌtməust] *adj* najwyższy ∮ *n*: **we will
do our utmost to ...** zrobimy wszystko, co w
naszej mocy, by +*infin*; **to be of the utmost
importance** być sprawą najwyższej wagi.

utter ['ʌtə*] *adj* (*conviction*) pełny, całkowity;
(*amasement*) kompletny; (*rubbish, fool*)
zupełny, skończony ∮ *vt* (*sounds*) wydawać
(wydać *perf*) (z siebie); (*words*) wypowiadać
(wypowiedzieć *perf*).

utterance ['ʌtrns] *n* wypowiedź *f*.

utterly ['ʌtəlɪ] *adv* zupełnie.

U-turn ['juːˈtəːn] *n* (*AUT*) zawracanie *nt*; (*fig*)
zwrot *m* o 180 stopni.

V, v

V¹, v [viː] *n* (*letter*) V *nt*, v *nt*; **V for Victor** ≈
V jak Violetta.

V² *abbr* = **volt** v.

v. *abbr* = **verse** w.; = **versus**; (= *vide*) zob.

VA (*US: POST*) *abbr* (= *Virginia*).

vac [væk] (*BRIT: inf*) *n abbr* = **vacation**.

vacancy ['veɪkənsɪ] *n* (*BRIT: job*) wakat *m*,
wolny etat *m*; (*in hotel*) wolny pokój *m*; **"no
vacancies"** „wolnych miejsc brak"; **have you
any vacancies?** (*hotel*) czy mają Państwo
(jakieś) wolne pokoje?; (*office*) czy mają
Państwo (jakieś) wolne etaty?

vacant ['veɪkənt] *adj* (*room, post*) wolny;
(*look, expression*) nieobecny.

vacant lot (*US*) *n* wolna działka *f*.

vacate [vəˈkeɪt] *vt* (*house*) wyprowadzać się
(wyprowadzić się *perf*) z +*gen*; (*post, seat*)
zwalniać (zwolnić *perf*).

vacation [vəˈkeɪʃən] *n* (*esp US*) urlop *m*;
(*SCOL*) wakacje *pl*; **to take a vacation** brać
(wziąć *perf*) urlop; **on vacation** na urlopie.

vacation course *n* kurs *m* wakacyjny.

vaccinate ['væksɪneɪt] *vt*: **to vaccinate sb
(against sth)** szczepić (zaszczepić *perf*) kogoś
(przeciwko czemuś).

vaccination [væksɪˈneɪʃən] *n* (*no pl: act of
vaccinating*) szczepienia *pl*; (*instance*)
szczepienie *nt*.

vaccine ['væksiːn] *n* szczepionka *f*.

vacuum ['vækjum] *n* próżnia *f*.

vacuum cleaner *n* odkurzacz *m*.

vacuum flask (*BRIT*) *n* termos *m*.

vacuum-packed ['vækjumˈpækt] *adj* pakowany
próżniowo.

vagabond ['vægəbɔnd] *n* włóczęga *m*,
wagabunda *m*.

vagary ['veɪgərɪ] *n*: **the vagaries of** kaprysy
+*gen*.

vagina [vəˈdʒaɪnə] (*ANAT*) *n* pochwa *f*.

vagrancy ['veɪgrənsɪ] *n* włóczęgostwo *nt*.

vagrant ['veɪgrənt] *n* włóczęga *m*.

vague [veɪg] *adj* (*blurred*) niewyraźny;
(*unclear*) niejasny; (*not precise*) ogólnikowy;
(*evasive*) wymijający; **he was vague** wyrażał
się mało konkretnie; **I haven't the vaguest
idea** nie mam najmniejszego pojęcia.

vaguely ['veɪglɪ] *adv* (*not precisely*) ogólnikowo;
(*evasively*) wymijająco; (*slightly*) trochę.

vagueness ['veɪgnɪs] *n* ogólnikowość *f*.

vain [veɪn] *adj* (*person*) próżny; (*attempt*)
daremny; **in vain** na próżno, (na)daremnie.

vainly ['veɪnlɪ] *adv* na próżno, (na)daremnie.

valance ['væləns] *n* ozdobna falbanka
zwisająca z ramy łóżka.

valedictory [vælɪˈdɪktərɪ] *adj* pożegnalny.

valentine ['væləntaɪn] *n* (*also*: **valentine card**)
walentynka *f*, (*person*) osoba, której wysyła
się walentynkę.

valet ['vælɪt] *n* służący *m*.

valet parking *n* parkowanie samochodów
gości przez obsługę hotelu, restauracji itp.

valet service *n* usługi *pl* (*hotelowe itp*).

valiant ['vælɪənt] *adj* mężny.

valid ['vælɪd] *adj* (*ticket, document*) ważny;
(*argument*) przekonujący; (*reason, criticism*)
uzasadniony.

validate ['vælɪdeɪt] *vt* (*contract*) zatwierdzać
(zatwierdzić *perf*); (*document*) nadawać (nadać
perf) ważność +*dat*; (*argument, claim*)
uzasadniać (uzasadnić *perf*).

validity [vəˈlɪdɪtɪ] *n* (*of argument, reason*)
zasadność *f*, (*of figures, data*) wiarygodność *f*,
prawdziwość *f*.

valise [vəˈliːz] *n* (mała) walizka *f*.

valley ['vælɪ] *n* dolina *f*.

valour ['vælə*] (*US* **valor**) *n* męstwo *nt*.

valuable ['væljuəbl] *adj* (*jewel etc*)
wartościowy, cenny; (*advice, time*) cenny.

valuables ['væljuəblz] *npl* kosztowności *pl*.

valuation [væljuˈeɪʃən] *n* (*of house etc*)
wycena *f*, (*judgement of quality*) ocena *f*.

value ['væljuː] *n* (*financial worth*) wartość *f*,
(*importance*) znaczenie *nt* ∮ *vt* (*fix price of*)
wyceniać (wycenić *perf*); (*appreciate*)
doceniać (docenić *perf*); **values** *npl* wartości
pl; **it's good value for money** to jest warte
swej ceny; **you get good value for money in
that shop** opłaca się robić zakupy w tym
sklepie; **to lose/gain (in) value** tracić (stracić
perf)/zyskiwać (zyskać *perf*) na wartości; **to
be of great value (to sb)** (*fig*) mieć (dla
kogoś) wielką wartość.

value added tax (*BRIT*) *n* podatek *m* od
wartości dodanej.

valued ['væljuːd] *adj* (*advice*) cenny;
(*specialist, customer*) ceniony.

valuer ['væljuə*] n rzeczoznawca m, taksator m.

valve [vælv] n (TECH) zawór m; (MED) zastawka f.

vampire ['væmpaɪə*] n (lit) wampir (-irzyca) m(f).

van [væn] n (AUT) furgonetka f, półciężarówka f; (BRIT: RAIL) ≈ wagon m kryty.

V and A (BRIT) n abbr (= Victoria and Albert Museum).

vandal ['vændl] n wandal m.

vandalism ['vændəlɪzəm] n wandalizm m.

vandalize ['vændəlaɪz] vt dewastować (zdewastować perf).

vanguard ['vænɡɑːd] n (fig): **in the vanguard of** na czele +gen, w awangardzie +gen (literary).

vanilla [və'nɪlə] n wanilia f.

vanilla ice cream n lody pl waniliowe.

vanish ['vænɪʃ] vi znikać (zniknąć perf).

vanity ['vænɪtɪ] n próżność f.

vanity case n walizeczka na kosmetyki.

vantage point ['vɑːntɪdʒ-] n dogodny punkt m (obserwacyjny); (fig) punkt m widzenia.

vaporize ['veɪpəraɪz] vt odparowywać (odparować perf) ♦ vi parować.

vapour ['veɪpə*] (US **vapor**) n (gas) para f; (mist, steam) opary pl.

vapo(u)r trail (AVIAT) n smuga f kondensacyjna.

variable ['vɛərɪəbl] adj (likely to change) zmienny; (able to be changed) regulowany ♦ n czynnik m; (MATH) zmienna f.

variance ['vɛərɪəns] n: **to be at variance (with)** różnić się (od +gen); **to be at variance with** (facts etc) być sprzecznym z +instr.

variant ['vɛərɪənt] n odmiana f, wariant m.

variation [vɛərɪ'eɪʃən] n (fluctuation) zmiany pl; (different form) odmiana f; (MUS) wariacja f.

varicose ['værɪkəus] adj: **varicose veins** żylaki pl.

varied ['vɛərɪd] adj (diverse) różnorodny; (full of changes) urozmaicony.

variety [və'raɪətɪ] n (degree of choice) wybór m; (diversity) zróżnicowanie nt, urozmaicenie nt; (type) rodzaj m; **a variety of people** rozmaici ludzie; **a variety of noises** rozmaite odgłosy; **the library had a wide variety of books** biblioteka miała duży wybór książek; **for a variety of reasons** z wielu różnych powodów.

variety show n variétés nt inv.

various ['vɛərɪəs] adj (different, diverse) różny; (several) kilku (+gen vir pl), kilka (+gen nvir pl); **at various times** (at different times) o różnych porach; (several times) kilka razy.

varnish ['vɑːnɪʃ] n lakier m ♦ vt (wood etc) lakierować (polakierować perf); (nails) malować (pomalować perf).

vary ['vɛərɪ] vt urozmaicać (urozmaicić perf) ♦ vi różnić się; **to vary with** zmieniać się (zmienić się perf) wraz z +instr.

varying ['vɛərɪɪŋ] adj różny.

vase [vɑːz] n wazon m.

vasectomy [væ'sɛktəmɪ] (MED) n wycięcie nt nasieniowodu, wazektomia f.

Vaseline ['væsɪliːn] ® n wazelina f.

vast [vɑːst] adj (knowledge) rozległy; (expense, area) olbrzymi, ogromny.

vastly ['vɑːstlɪ] adv znacznie.

vastness ['vɑːstnɪs] n ogrom m.

VAT [væt] (BRIT) n abbr = **value added tax** VAT m.

vat [væt] n kadź f.

Vatican ['vætɪkən] n: **the Vatican** Watykan m.

vaudeville ['vəudəvɪl] n wodewil m.

vault [vɔːlt] n (of roof) sklepienie nt; (in church) krypta f; (in cemetery) grobowiec m; (in bank) skarbiec m; (jump) skok m ♦ vt (also: **vault over**) przeskakiwać (przeskoczyć perf) (przez).

vaunted ['vɔːntɪd] adj: **much-vaunted** wychwalany.

VC n abbr = **vice-chairman**; (BRIT: = Victoria Cross) brytyjski order za odwagę.

VCR n abbr = **video cassette recorder**.

VD n abbr = **venereal disease**.

VDU (COMPUT) n abbr = **visual display unit**.

veal [viːl] n cielęcina f.

veer [vɪə*] vi skręcać (skręcić perf) gwałtownie.

veg. [vɛdʒ] (BRIT: inf) n abbr = **vegetable(s)**.

vegetable ['vɛdʒtəbl] n warzywo nt ♦ cpd (oil, matter) roślinny; (garden, plot) warzywny; **the vegetable kingdom** królestwo roślin.

vegetarian [vɛdʒɪ'tɛərɪən] n wegetarianin (-anka) m(f), jarosz m ♦ adj (diet, dish) wegetariański, jarski; (restaurant) wegetariański.

vegetate ['vɛdʒɪteɪt] vi wegetować.

vegetation [vɛdʒɪ'teɪʃən] n roślinność f.

vehemence ['viːɪməns] n pasja f.

vehement ['viːɪmənt] adj gwałtowny.

vehicle ['viːɪkl] n pojazd m; (fig: means) narzędzie nt.

vehicular [vɪ'hɪkjulə*] (AUT) adj: **"no vehicular traffic"** „zakaz m ruchu wszelkich pojazdów".

veil [veɪl] n woalka f; (long) welon m ♦ vt (fig) ukrywać (ukryć perf); **under a veil of secrecy** (fig) w sekrecie or tajemnicy.

veiled [veɪld] adj (fig) zawoalowany.

vein [veɪn] n (blood vessel, mineral deposit) żyła f; (of leaf) żyłka f; (fig) ton m.

vellum ['vɛləm] n welin m, papier m welinowy.

velocity [vɪ'lɔsɪtɪ] n prędkość f, szybkość f.

velvet ['vɛlvɪt] n aksamit m ♦ adj aksamitny.

vendetta [vɛn'dɛtə] n wendeta f.

vending machine ['vɛndɪŋ-] n automat m (do sprzedaży papierosów, kawy itp).

vendor ['vɛndə*] n (of house, land) sprzedający m; **street vendor** handlarz uliczny.

veneer [və'nɪə*] n okleina f, fornir m; (fig) pozory pl, fasada f.

venerable ['vɛnərəbl] adj (person) czcigodny,

szacowny; (*building etc*) szacowny;
(*REL: Anglican*) tytuł przysługujący
archidiakonowi; (: *Roman Catholic*) sługa *m*
Boży (*określenie osoby, w stosunku do której
rozpoczęto proces beatyfikacyjny*).

venereal [vɪ'nɪərɪəl] *adj*: **venereal disease**
choroba *f* weneryczna.

Venetian [vɪ'niːʃən] *adj* wenecki ♦ *n*
Wenecjanin (-anka) *m(f)*.

Venetian blind *n* żaluzja *f*.

Venezuela [vɛnɛ'zweɪlə] *n* Wenezuela *f*.

Venezuelan [vɛnɛ'zweɪlən] *adj* wenezuelski ♦
n Wenezuelczyk (-lka) *m(f)*.

vengeance ['vɛndʒəns] *n* zemsta *f*; **with a
vengeance** (*fig*) zapamiętale, zawzięcie.

vengeful ['vɛndʒful] *adj* mściwy.

Venice ['vɛnɪs] *n* Wenecja *f*.

venison ['vɛnɪsn] *n* dziczyzna *f*.

venom ['vɛnəm] *n* (*of snake, insect*) jad *m*;
(*of person, remark*) jadowitość *f*.

venomous ['vɛnəməs] *adj* (*lit, fig*) jadowity.

vent [vɛnt] *n* (*also*: **air vent**) otwór *m*
wentylacyjny; (*in jacket*) rozcięcie *nt* ♦ *vt*
(*fig*) dawać (dać *perf*) upust +*dat*; **to vent
one's anger on sb/sth** wyładowywać
(wyładować *perf*) (swoją) złość na kimś/czymś.

ventilate ['vɛntɪleɪt] *vt* wietrzyć (wywietrzyć *perf*).

ventilation [vɛntɪ'leɪʃən] *n* wentylacja *f*.

ventilation shaft *n* szyb *m* wentylacyjny.

ventilator ['vɛntɪleɪtə*] *n* (*TECH*) wentylator
m; (*MED*) respirator *m*.

ventriloquist [vɛn'trɪləkwɪst] *n* brzuchomówca *m*.

venture ['vɛntʃə*] *n* przedsięwzięcie *nt* ♦ *vt*: **to
venture an opinion** nieśmiało wyrażać
(wyrazić *perf*) swoje zdanie ♦ *vi* odważyć się
(*perf*) *or* ośmielić się (*perf*) pójść; **business
venture** przedsięwzięcie handlowe, interes; **to
venture to do sth** odważyć się (*perf*) *or*
ośmielić się (*perf*) coś zrobić.

venture capital *n* kapitał *m* zainwestowany (*z
ryzykiem*).

venue ['vɛnjuː] *n* miejsce *nt* (*konferencji,
występu itp*).

Venus ['viːnəs] *n* Wenus *f*.

veracity [və'ræsɪtɪ] *n* (*of person*)
prawdomówność *f*; (*of documents*)
prawdziwość *f*.

veranda(h) [və'rændə] *n* weranda *f*.

verb [vəːb] *n* czasownik *m*.

verbal ['vəːbl] *adj* (*skills*) werbalny;
(*translation*) ustny; (*attack*) słowny; (*of a
verb*) czasownikowy, werbalny.

verbally ['vəːbəlɪ] *adv* słownie.

verbatim [vəː'beɪtɪm] *adj* dosłowny ♦ *adv*
słowo w słowo, dosłownie.

verbose [vəː'bəus] *adj* (*style*) rozwlekły; (*piece
of writing*) przegadany; (*person*) gadatliwy.

verdict ['vəːdɪkt] *n* (*JUR*) orzeczenie *nt*,
werdykt *m*; (*fig*) opinia *f*, zdanie *nt*; **verdict**

of guilty/not guilty wyrok
skazujący/uniewinniający.

verge [vəːdʒ] *n* (*BRIT: of road*) pobocze *nt*;
he was on the verge of giving up już miał
zrezygnować; **"soft verges"** (*BRIT*) napis
informujący o niebezpiecznym miękkim
poboczu.

►**verge on** *vt fus* graniczyć z +*instr*.

verger ['vəːdʒə*] *n* kościelny *m* (*w kościele
anglikańskim*).

verification [vɛrɪfɪ'keɪʃən] *n* weryfikacja *f*.

verify ['vɛrɪfaɪ] *vt* weryfikować (zweryfikować
perf).

veritable ['vɛrɪtəbl] *adj* prawdziwy, istny.

vermin ['vəːmɪn] *npl* (*mice, rats etc*) szkodniki
pl; (*fleas, lice etc*) robactwo *nt*.

vermouth ['vəːməθ] *n* wermut *m*.

vernacular [və'nækjulə*] *n* (*of country*)
miejscowy język *m*; (*of region*) miejscowy
dialekt *m*.

versatile ['vəːsətaɪl] *adj* (*person*)
wszechstronny; (*substance, tool*) mający wiele
zastosowań.

versatility [vəːsə'tɪlɪtɪ] *n* (*of person*)
wszechstronność *f*.

verse [vəːs] *n* (*poetry*) poezja *f*, wiersze *pl*;
(*part of poem or song*) strofa *f*, zwrotka *f*;
(*in Bible*) werset *m*; **in verse** wierszem.

versed [vəːst] *adj*: **to be (well-)versed in**
(dobrze) znać się na +*loc*.

version ['vəːʃən] *n* wersja *f*.

versus ['vəːsəs] *prep* (*in contrast to*) a +*nom*;
(*against*) kontra +*nom*, przeciw +*dat*.

vertebra ['vəːtɪbrə] (*pl* **vertebrae**) *n* kręg *m*.

vertebrae ['vəːtɪbriː] *npl of* **vertebra**.

vertebrate ['vəːtɪbrɪt] *n* kręgowiec *m*.

vertical ['vəːtɪkl] *adj* pionowy ♦ *n* linia *f* pionu.

vertically ['vəːtɪklɪ] *adv* pionowo.

vertigo ['vəːtɪgəu] *n* zawroty *pl* głowy; **to
suffer from vertigo** cierpieć na zawroty głowy.

verve [vəːv] *n* werwa *f*.

very ['vɛrɪ] *adv* bardzo ♦ *adj*: **the very book
which...** właśnie ta książka, która...; **the very
thought (of it) alarms me** sama myśl (o tym)
mnie przeraża; **at the very end** na samym
końcu; **the very last** (zupełnie) ostatni; **at the
very least** przynajmniej; **very much** bardzo.

vespers ['vɛspəz] *npl* nieszpory *pl*.

vessel ['vɛsl] *n* (*military*) okręt *m*; (*fishing*) statek
m; (*container, vein*) naczynie *nt*; *see* **blood**.

vest [vɛst] *n* (*BRIT*) podkoszulek *m*; (*US*)
kamizelka *f* ♦ *vt*: **to vest sb with sth, to vest sth
in sb** powierzać (powierzyć *perf*) coś komuś.

vested interest ['vɛstɪd-] *n* (*COMM*)
ulokowany *or* włożony kapitał *m*; **to have a
vested interest in** być żywotnie *or* osobiście
zainteresowanym +*instr*.

vestibule ['vɛstɪbjuːl] *n* przedsionek *m*,
westybul *m*.

vestige ['vɛstɪdʒ] *n* pozostałość *f*, ślad *m*.

vestment ['vɛstmənt] *n* ornat *m*.

vestry ['vɛstrɪ] *n* zakrystia *f*.

Vesuvius [vɪ'suːvɪəs] *n* Wezuwiusz *m*.

vet [vɛt] (*BRIT*) *n abbr* = **veterinary surgeon**.

veteran ['vɛtərn] *n* kombatant(ka) *m(f)*, weteran(ka) *m(f)* ♦ *adj*: **she's a veteran campaigner for** ... jest zasłużoną orędowniczką +*gen*.

veteran car *n* samochód wyprodukowany przed rokiem 1919.

veterinarian [vɛtrɪ'nɛərɪən] (*US*) *n* weterynarz *m*.

veterinary ['vɛtrɪnərɪ] *adj* weterynaryjny.

veterinary surgeon (*BRIT*) *n* weterynarz *m*.

veto ['viːtəu] (*pl* **vetoes**) *n* (*right*) prawo *nt* weta; (*act*) weto *nt* ♦ *vt* wetować (zawetować *perf*); **to put a veto on** zakładać (założyć *perf*) *or* stawiać (postawić *perf*) weto wobec +*gen*.

vetting ['vɛtɪŋ] *n* (*of person*) weryfikacja *f*.

vex [vɛks] *vt* drażnić, irytować.

vexed [vɛkst] *adj* (*question*) stale powracający.

VFD (*US*) *n abbr* (= *voluntary fire department*) OSP *f inv*, = Ochotnicza Straż Pożarna.

VG (*BRIT*: *SCOL etc*) *n abbr* (= *very good*) bdb.

VHF (*RADIO*) *abbr* = **very high frequency**.

VI (*US*: *POST*) *abbr* (= *Virgin Islands*).

via ['vaɪə] *prep* przez +*acc*.

viability [vaɪə'bɪlɪtɪ] *n* (*of project*) wykonalność *f*, (*of product*) możliwość *f* utrzymania się na rynku; (*of organism*) zdolność *f* utrzymania się przy życiu.

viable ['vaɪəbl] *adj* (*project*) wykonalny; (*alternative*) realny; (*company*) rentowny.

viaduct ['vaɪədʌkt] *n* wiadukt *m*.

vibrant ['vaɪbrnt] *adj* (*lively*) żywy; (*colour, light*) jaskrawy; (*voice*) dźwięczny.

vibrate [vaɪ'breɪt] *vi* (*house, machine*) drżeć (zadrżeć *perf*); (*sound*) rozbrzmiewać (rozbrzmieć *perf*).

vibration [vaɪ'breɪʃən] *n* wibracja *f*, drganie *nt*; (*single*) drgnięcie *nt*, drgnienie *nt*.

vicar ['vɪkə*] *n* pastor *m* (*kościoła anglikańskiego*).

vicarage ['vɪkərɪdʒ] *n* plebania *f* (*w kościele anglikańskim*).

vicarious [vɪ'kɛərɪəs] *adj* pośrednio doznawany.

vice [vaɪs] *n* (*moral fault*) wada *f*, przywara *f*; (*TECH*) imadło *nt*.

vice- [vaɪs] *pref* wice... .

vice-chairman [vaɪs'tʃɛəmən] *n* wiceprzewodniczący *m*, wiceprezes *m*.

vice chancellor (*BRIT*) *n* rektor *m* (uniwersytetu).

vice president *n* wiceprezydent *m*.

vice squad *n* (*POLICE*) ≈ obyczajówka *f* (*inf*).

vice versa ['vaɪsɪ'vəːsə] *adv* na odwrót, vice versa.

vicinity [vɪ'sɪnɪtɪ] *n*: **in the vicinity (of)** w pobliżu *or* sąsiedztwie (+*gen*).

vicious ['vɪʃəs] *adj* (*attack, blow*) wściekły; (*words*) zjadliwy; (*look*) nienawistny; (*horse*) narowisty; (*dog*) zły.

vicious circle *n* błędne koło *nt*.

viciousness ['vɪʃəsnɪs] *n* nienawiść *f*.

vicissitudes [vɪ'sɪsɪtjuːdz] *npl* (zmienne) koleje *pl*.

victim ['vɪktɪm] *n* ofiara *f*; **to be the victim of** padać (paść *perf*) ofiarą +*gen*.

victimization ['vɪktɪmaɪ'zeɪʃən] *n* represjonowanie *nt*.

victimize ['vɪktɪmaɪz] *vt* represjonować, stosować represje wobec +*gen*.

victor ['vɪktə*] *n* zwycięzca *m*.

Victorian [vɪk'tɔːrɪən] *adj* wiktoriański.

victorious [vɪk'tɔːrɪəs] *adj* zwycięski.

victory ['vɪktərɪ] *n* zwycięstwo *nt*; **to win a victory over sb** odnosić (odnieść *perf*) zwycięstwo nad kimś.

video ['vɪdɪəu] *n* (*film*) film *m* wideo, wideo *nt*; (*also*: **video cassette**) kaseta *f* wideo; (*also*: **video cassette recorder**) magnetowid *m*, wideo *nt*.

video game *n* gra *f* wideo.

video recording *n* nagranie *nt* wideo.

video tape *n* taśma *f* wideo.

vie [vaɪ] *vi*: **to vie (with sb) (for sth)** rywalizować (z kimś) (o coś).

Vienna [vɪ'ɛnə] *n* Wiedeń *m*.

Viennese [vɪə'niːz] *adj* wiedeński.

Vietnam ['vjɛt'næm] *n* Wietnam *m*.

Viet Nam ['vjɛt'næm] *n* = **Vietnam**.

Vietnamese [vjɛtnə'miːz] *adj* wietnamski ♦ *n inv* (*person*) Wietnamczyk (-mka) *m(f)*; (*LING*) (język *m*) wietnamski.

view [vjuː] *n* (*sight*) widok *m*; (*outlook*) spojrzenie *nt*; (*opinion*) pogląd *m* ♦ *vt* (*look at*) oglądać (obejrzeć *perf*), przyglądać się (przyjrzeć się *perf*) +*dat*; (*fig*) ustosunkowywać się (ustosunkować się *perf*) do +*gen*; (*situation*) widzieć, zapatrywać się na +*acc*; **to view (sth) as** uważać (coś) za +*acc*; **the exhibition on view** wystawiona ekspozycja; **in full view of** na oczach +*gen*; **he takes the view that** ... stoi na stanowisku, że ...; **in view of** ... zważywszy na +*acc*; **in my view** w moim mniemaniu; **an overall view of the situation** ogólne spojrzenie na sytuację; **with a view to doing sth** z myślą o tym, żeby coś zrobić.

viewer ['vjuː ə*] (*person*) (tele)widz *m*; (*viewfinder*) wizjer *m*, celownik *m*; (*for slides*) przeglądarka *f*.

viewfinder ['vjuːfaɪndə*] *n* wizjer *m*, celownik *m*.

viewpoint ['vjuːpɔɪnt] *n* (*attitude*) punkt *m* widzenia; (*place*) punkt *m* widokowy.

vigil ['vɪdʒɪl] *n* czuwanie *nt*; **to keep vigil** czuwać.

vigilance ['vɪdʒɪləns] *n* czujność *f*.

vigilant ['vɪdʒɪlənt] *adj* czujny.

vigorous ['vɪgərəs] *adj* (*action*) energiczny; (*plant*) żywotny.

vigour ['vɪgə*] (*US* **vigor**) *n* (*of person*) wigor *m*, energia *f*; (*of campaign, democracy*) prężność *f*.

vile [vaɪl] *adj* (*evil*) nikczemny, podły; (*unpleasant*) obrzydliwy, wstrętny.

vilify ['vɪlɪfaɪ] *vt* szkalować (oszkalować *perf*).

villa ['vɪlə] *n* willa *f*.

village ['vɪlɪdʒ] *n* wieś *f*, wioska *f*.

villager ['vɪlɪdʒə*] *n* mieszkaniec (-nka) *m(f)* wsi.

villain ['vɪlən] *n* (*scoundrel*) łajdak *m*, łotr *m*; (*in novel, film*) czarny charakter *m*; (*BRIT: criminal*) złoczyńca *f*.

VIN (*US*) *n abbr* (= *vehicle identification number*).

vindicate ['vɪndɪkeɪt] *vt* (*person*) rehabilitować (zrehabilitować *perf*); (*action*) potwierdzać (potwierdzić *perf*) słuszność +*gen*.

vindication [vɪndɪ'keɪʃən] *n* (*of person*) rehabilitacja *f*; (*of action*) potwierdzenie *nt* słuszności.

vindictive [vɪn'dɪktɪv] *adj* mściwy.

vine [vaɪn] *n* winorośl *f*.

vinegar ['vɪnɪgə*] *n* ocet *m*.

vine grower *n* hodowca *m* winorośli.

vine-growing ['vaɪngrəuɪŋ] *adj*: **vine-growing region** region *m* uprawy winorośli ♦ *n* uprawa *f* winorośli.

vineyard ['vɪnjɑːd] *n* winnica *f*.

vintage ['vɪntɪdʒ] *n* (*of wine*) dobry rocznik *m* ♦ *cpd* (*comedy performance etc*) klasyczny; **the 1970 vintage** (*of wine*) rocznik 1970.

vintage car *n samochód wyprodukowany między rokiem 1919 a 1930.*

vintage wine *n* wino *nt* z dobrego rocznika.

vinyl ['vaɪnl] *n* (*material*) winyl *m*; (*records*) płyty *pl* winylowe.

viola [vɪ'əulə] *n* altówka *f*.

violate ['vaɪəleɪt] *vt* (*agreement*) naruszać (naruszyć *perf*); (*peace*) zakłócać (zakłócić *perf*); (*graveyard*) bezcześcić (zbezcześcić *perf*).

violation [vaɪə'leɪʃən] *n* (*of agreement etc*) naruszenie *nt*; **in violation of** z naruszeniem +*gen*.

violence ['vaɪələns] *n* przemoc *f*; (*strength*) gwałtowność *f*.

violent ['vaɪələnt] *adj* gwałtowny; **a violent dislike of sb/sth** silna niechęć do kogoś/czegoś.

violently ['vaɪələntlɪ] *adv* gwałtownie; (*ill, angry*) bardzo.

violet ['vaɪələt] *adj* fioletowy ♦ *n* (*colour*) (kolor *m*) fioletowy, fiolet *m*; (*plant*) fiołek *m*.

violin [vaɪə'lɪn] *n* skrzypce *pl*.

violinist [vaɪə'lɪnɪst] *n* skrzypek (-paczka) *m(f)*.

VIP *n abbr* (= *very important person*) VIP *m*.

viper ['vaɪpə*] (*ZOOL*) *n* żmija *f*.

virgin ['vəːdʒɪn] *n* (*woman*) dziewica *f*; (*man*) prawiczek *m* ♦ *adj* dziewiczy; **the Blessed Virgin** Najświętsza Panna.

virginity [vəː'dʒɪnɪtɪ] *n* dziewictwo *nt*.

Virgo ['vəːgəu] *n* Panna *f*; **to be Virgo** być spod znaku Panny.

virile ['vɪraɪl] *adj* męski.

virility [vɪ'rɪlɪtɪ] *n* męskość *f*.

virtual ['vəːtjuəl] *adj* (*COMPUT, PHYS*) wirtualny; **it's a virtual impossibility** to praktycznie niemożliwe; **the virtual leader** rzeczywisty *or* faktyczny przywódca.

virtual reality *n* rzeczywistość *f* wirtualna.

virtually ['vəːtjuəlɪ] *adv* praktycznie.

virtue ['vəːtjuː] *n* (*moral correctness*) moralność *f*; (*good quality*) cnota *f*; (*advantage*) zaleta *f*; **by virtue of** z racji +*gen*.

virtuosi [vəːtju'əuzɪ] *npl of* **virtuoso**.

virtuoso [vəːtju'əuzəu] (*pl* **virtuosos** *or* **virtuosi**) *n* wirtuoz(ka) *m(f)*.

virtuous ['vəːtjuəs] *adj* cnotliwy.

virulence ['vɪruləns] *n* (*of disease*) złośliwość *f*; (*hatred*) zjadliwość *f*.

virulent ['vɪrulənt] *adj* (*disease*) złośliwy; (*attack, loathing*) zajadły; (*speech*) jadowity.

virus ['vaɪərəs] *n* wirus *m*.

visa ['viːzə] *n* wiza *f*.

vis-à-vis [viːzə'viː] *prep* w porównaniu z +*instr*, względem +*gen*.

viscose ['vɪskəus] *n* wiskoza *f*.

viscount ['vaɪkaunt] *n* wicehrabia *m*.

viscous ['vɪskəs] *adj* lepki.

vise [vaɪs] (*US: TECH*) *n* = **vice**.

visibility [vɪzɪ'bɪlɪtɪ] *n* widoczność *f*, widzialność *f*.

visible ['vɪzəbl] *adj* widoczny; (*fig*) wyraźny, dostrzegalny; **visible exports/imports** eksport/import widzialny.

visibly ['vɪzəblɪ] *adv* (*nervous etc*) wyraźnie.

vision ['vɪʒən] *n* (*sight*) wzrok *m*; (*foresight*) zdolność *f* or dar *m* przewidywania; (*in dream etc*) wizja *f*, widzenie *nt*.

visionary ['vɪʒənrɪ] *adj* wizjonerski.

visit ['vɪzɪt] *n* (*to person*) wizyta *f*, odwiedziny *pl*; (*to place*) pobyt *m*, wizyta *f* ♦ *vt* odwiedzać (odwiedzić *perf*); **on a private/an official visit** z wizytą prywatną/oficjalną.

visiting ['vɪzɪtɪŋ] *adj*: **visiting speaker** gościnny mówca *m*; **visiting team** drużyna gości.

visiting card *n* bilet *m* wizytowy, wizytówka *f*.

visiting hours *npl* godziny *pl* odwiedzin.

visiting professor *n* profesor *m* na gościnnych wykładach.

visitor ['vɪzɪtə*] *n* gość *m*.

visitors' book ['vɪzɪtəz-] *n* księga *f* gości.

visor ['vaɪzə*] *n* (*of helmet*) osłona *f*; (*of cap*) daszek *m*.

VISTA ['vɪstə] *n abbr* (= *Volunteers in Service to America*) *ochotnicza organizacja udzielająca pomocy najuboższym mieszkańcom USA.*

vista ['vɪstə] *n* perspektywa *f*.

visual ['vɪzjuəl] *adj* (*image*) wizualny;

(*memory*) wzrokowy; **visual arts** sztuki plastyczne.

visual aid (*SCOL*) *n* wizualna pomoc *f* naukowa.

visual display unit (*COMPUT*) *n* monitor *m* ekranowy.

visualize ['vɪzjuəlaɪz] *vt* wyobrażać (wyobrazić *perf*) sobie.

visually ['vɪzjuəlɪ] *adv* wizualnie; **visually appealing** atrakcyjny z wyglądu; **visually handicapped** (*with impaired vision*) niedowidzący; (*blind*) niewidomy.

vital ['vaɪtl] *adj* (*essential*) zasadniczy, istotny; (*full of life*) pełen życia; (*necessary for life*) żywotny; **of vital importance (to sb/sth)** najwyższej wagi (dla kogoś/czegoś).

vitality [vaɪ'tælɪtɪ] *n* witalność *f*.

vitally ['vaɪtəlɪ] *adv*: **vitally important** niezwykle ważny.

vital statistics *npl* (*fig*: *of woman*) wymiary *pl*; (*of population*) dane *pl* demograficzne.

vitamin ['vɪtəmɪn] *n* witamina *f* ♦ *cpd*: **vitamin deficiencies** niedobory *pl* witamin.

vitiate ['vɪʃɪeɪt] *vt* (*spoil*) psuć (zepsuć *perf*).

vitreous ['vɪtrɪəs] *adj* (*china*) nieporowaty; (*enamel*) szklisty.

vitriolic [vɪtrɪ'ɔlɪk] *adj* (*criticism*) zjadliwy, jadowity; (*behaviour*) złośliwy.

viva ['vaɪvə] *n* (*also*: **viva voce**) egzamin *m* ustny.

vivacious [vɪ'veɪʃəs] *adj* żywotny.

vivacity [vɪ'væsɪtɪ] *n* żywotność *f*.

vivid ['vɪvɪd] *adj* (*imagination, memory, colour*) żywy; (*light*) jaskrawy.

vividly ['vɪvɪdlɪ] *adv* żywo.

vivisection [vɪvɪ'sɛkʃən] *n* wiwisekcja *f*.

vixen ['vɪksn] *n* lisica *f*; (*pej*: *woman*) jędza *f* (*pej*).

viz [vɪz] *abbr* (= *videlicet*) mianowicie.

VLF (*RADIO*) *abbr* (= *very low frequency*).

V-neck ['vi:nɛk] *n* (*also*: **V-neck jumper** *or* **pullover**) sweter *m* z dekoltem w szpic.

VOA *n abbr* (= *Voice of America*) Głos *m* Ameryki.

vocabulary [vəu'kæbjulərɪ] *n* słownictwo *nt*.

vocal ['vəukl] *adj* (*of the voice*) głosowy; (: *in singing*) wokalny; (*articulate*): **to be vocal (on)** zabierać głos *or* wypowiadać się (w sprawie +*gen*).

vocal cords *npl* wiązadła *pl* głosowe.

vocalist ['vəukəlɪst] *n* wokalista (-tka) *m(f)*.

vocals ['vəuklz] *npl* śpiew *m*, partie *pl* wokalne.

vocation [vəu'keɪʃən] *n* powołanie *nt*.

vocational [vəu'keɪʃənl] *adj* zawodowy.

vociferous [və'sɪfərəs] *adj* głośny, hałaśliwy.

vodka ['vɔdkə] *n* wódka *f*.

vogue [vəug] *n* (*fashion*) moda *f*; (*popularity*) powodzenie *nt*; **in vogue** w modzie.

voice [vɔɪs] *n* głos *m* ♦ *vt* wyrażać (wyrazić *perf*); **in a loud/soft voice** głośno/cicho; **to give voice to** dawać (dać *perf*) wyraz +*dat*.

void [vɔɪd] *n* (*hole*) przepaść *f*; (*fig*: *emptiness*) próżnia *f*, pustka *f* ♦ *adj* nieważny; **void of** pozbawiony +*gen*.

voile [vɔɪl] *n* woal *m* (*tkanina*).

vol. *abbr* = **volume** t.

volatile ['vɔlətaɪl] *adj* (*situation*) niestabilny; (*person*) zmienny; (*substance*) lotny.

volcanic [vɔl'kænɪk] *adj* wulkaniczny.

volcano [vɔl'keɪnəu] (*pl* **volcanoes**) *n* wulkan *m*.

volition [və'lɪʃən] *n*: **of one's own volition** z własnej woli.

volley ['vɔlɪ] *n* (*of gunfire*) salwa *f*; (*of stones*) grad *m*; (*of questions*) potok *m*; (*TENNIS etc*) wolej *m*; **a volley of abuse** stek przekleństw.

volleyball ['vɔlɪbɔ:l] *n* siatkówka *f*.

volt [vəult] *n* wolt *m*.

voltage ['vəultɪdʒ] *n* napięcie *nt*; **high/low voltage** wysokie/niskie napięcie.

volte-face ['vɔlt'fɑ:s] *n* (*całkowita*) zmiana *f* frontu, zwrot *m* o 180 stopni.

voluble ['vɔljubl] *adj* (*person*) gadatliwy; (*speech*) potoczysty.

volume ['vɔlju:m] *n* (*space*) objętość *f*; (*amount*: *of exports, trade*) wolumen *m*, rozmiary *pl*; (: *of traffic*) natężenie *nt*; (*of book*) tom *m*; (*sound level*) głośność *f*; **volume one/two** tom pierwszy/drugi; **his expression spoke volumes** z jego wyrazu twarzy wiele można było wyczytać.

volume control (*RADIO, TV*) *n* regulacja *f* głośności.

volume discount (*COMM*) *n* rabat *m* przy dużym zamówieniu.

voluminous [və'lu:mɪnəs] *adj* (*clothes, notes*) obszerny; (*correspondence*) obfity.

voluntarily ['vɔləntrɪlɪ] *adv* dobrowolnie.

voluntary ['vɔləntərɪ] *adj* (*done willingly*) dobrowolny; (*unpaid*) ochotniczy.

voluntary liquidation (*COMM*) *n* likwidacja *f* dobrowolna.

voluntary redundancy (*BRIT*) *n* dobrowolne zwolnienie się *nt* z pracy (*w sytuacji nadmiaru zatrudnienia*).

volunteer [vɔlən'tɪə*] *n* ochotnik (-iczka) *m(f)* ♦ *vt* (*information*) (dobrowolnie) udzielać (udzielić *perf*) +*gen* ♦ *vi* zgłaszać się (zgłosić się *perf*) na ochotnika; **to volunteer to do sth** ofiarować się (zaofiarować się *perf*) coś zrobić.

voluptuous [və'lʌptjuəs] *adj* zmysłowy.

vomit ['vɔmɪt] *n* wymiociny *pl* ♦ *vt*, *vi* wymiotować (zwymiotować *perf*).

vote [vəut] *n* (*indication of choice*) głos *m*; (*votes cast*) głosy *pl*; (*right to vote*) prawo *nt* do głosowania, czynne prawo *nt* wyborcze ♦ *vt* (*elect*): **he was voted chairman** wybrano go na przewodniczącego; (*propose*): **to vote that** proponować (zaproponować *perf*), żeby ♦ *vi* głosować (zagłosować *perf*); **to vote to do sth** głosować *or* opowiadać się za zrobieniem czegoś; **to put sth to the vote, take a vote on sth** poddawać (poddać *perf*) coś pod głosowanie; **to vote for** *or* **in favour of/against** głosować za +*instr*/przeciw(ko) +*dat*; **to vote on sth** poddawać (poddać *perf*) coś pod głosowanie; **to vote yes to** przyjmować (przyjąć *perf*) +*acc*; **to vote no to** odrzucać (odrzucić *perf*) +*acc*; **she voted Labour** głosowała na Partię Pracy; **to pass a vote of confidence/no confidence** uchwalać (uchwalić *perf*) wotum zaufania/nieufności; **they passed a vote of censure on** przyjęli wniosek potępiający +*acc*.

vote of thanks *n* oficjalne podziękowanie *nt* (*w formie przemówienia*).

voter ['vəutə*] *n* głosujący *m*, wyborca *m*.

voting ['vəutɪŋ] *n* głosowanie *nt*.

voting paper (*BRIT*) *n* karta *f* wyborcza *or* do głosowania.

voting right *n* prawo *nt* wyborcze.

vouch [vautʃ]: **vouch for** *vt fus* ręczyć *or* zaręczać (zaręczyć *perf*) za +*acc*.

voucher ['vautʃə*] *n* (*with petrol etc*) kupon *m*, talon *m*; (*receipt*) kwit *m*; **luncheon voucher** bon obiadowy; **travel voucher** bon na (darmowy) przejazd; **gift voucher** talon *or* bon na zakupy (*opiewający na określoną kwotę i dawany w prezencie*).

vow [vau] *n* przyrzeczenie *nt* ♦ *vt*: **to vow that/to do sth** przyrzekać (przyrzec *perf*) (uroczyście), że/, że się coś zrobi; **she took** *or* **made a vow to give up smoking** postanowiła uroczyście, że rzuci palenie.

vowel ['vauəl] *n* samogłoska *f*.

voyage ['vɔɪɪdʒ] *n* podróż *m*.

VP *n abbr* = **vice-president**.

vs *abbr* = **versus**.

V-sign ['viːsaɪn] *n* znak *m* zwycięstwa; (*BRIT*) *wulgarny gest, w którym palce ułożone są jak do znaku zwycięstwa, a dłoń zwrócona do wewnątrz*.

VSO (*BRIT*) *n abbr* (= *Voluntary Service Overseas*) *organizacja kierująca ochotników do pracy w krajach słabo rozwiniętych*.

VT (*US: POST*) *abbr* (= *Vermont*).

vulgar ['vʌlgə*] *adj* (*rude*) wulgarny, ordynarny; (*in bad taste*) ordynarny.

vulgarity [vʌlˈgærɪtɪ] *n* (*rudeness*) wulgarność *f*; (*ostentation*) ordynarność *f*.

vulnerability [vʌlnərəˈbɪlɪtɪ] *n* (*to illness, bad influence etc*) podatność *f*; (*being easily hurt*) wrażliwość *f*; (*weakness*) słabość *f*.

vulnerable ['vʌlnərəbl] *adj* (*position*) trudny do obrony; (*point*) czuły; (*person*): **vulnerable (to)** (*influences, depression, infection*) podatny (na +*acc*); (*danger*) narażony (na +*acc*); **she's very vulnerable** (*sensitive*) bardzo łatwo ją zranić.

vulture ['vʌltʃə*] *n* sęp *m*; (*fig: pej: person*) szakal *m*.

vulva ['vʌlvə] (*ANAT*) *n* srom *m*.

W,w

W[1], **w** ['dʌbljuː] *n* (*letter*) W *nt*, w *nt*; **W for William** ≈ W jak Wacław.

W[2] *abbr* = **west** zach.; (*ELEC*) = **watt** W.

WA (*US: POST*) *abbr* (= *Washington*).

wad [wɔd] *n* (*of cotton wool*) tampon *m*; (*of paper, banknotes*) zwitek *m*.

wadding ['wɔdɪŋ] *n* watowanie *nt*, watolina *f*.

waddle ['wɔdl] *vi* człapać.

wade [weɪd] *vi* brodzić; **to wade across** (*river etc*) przechodzić (przejść *perf*) (w bród) przez +*acc*; **to wade through** (*fig: a book*) brnąć (przebrnąć *perf*) przez +*acc*.

wafer ['weɪfə*] *n* (*biscuit*) wafelek *m*; (*REL*) opłatek *m*.

wafer-thin ['weɪfəˈθɪn] *adj* cieniutki.

waffle ['wɔfl] *n* (*CULIN*) gofr *m*; (*empty talk*) klędzenie *nt* ♦ *vi* klędzić.

waffle iron *n* gofrownica *f*.

waft [wɔft] *vt* (*sound, scent*) nieść, unosić (unieść *perf*) ♦ *vi* (*sound, scent*) nieść się, unosić się (unieść się *perf*).

wag [wæg] *vt* (*tail*) merdać (zamerdać *perf*) +*instr*; (*finger*) kiwać (pokiwać *perf*) +*instr* ♦ *vi* kiwać się; **the dog wagged its tail** pies zamerdał ogonem.

wage [weɪdʒ] *n* (*also*: **wages**) zarobki *pl*, płaca *f* ♦ *vt*: **to wage war** toczyć *or* prowadzić wojnę; **a day's wages** dniówka.

wage claim *n* roszczenia *pl* płacowe.

wage differential *n* rozpiętość *f* płac.

wage earner [-əːnə*] *n* zarabiający (-ca) *m(f)*.

wage freeze *n* zamrożenie *nt* płac.

wage packet *n* wypłata *f*.

wager ['weɪdʒə*] *n* zakład *m* ♦ *vt* stawiać (postawić *perf*), zakładać się (założyć się *perf*) o +*acc*.

waggle ['wægl] *vt* (*ears etc*) ruszać +*instr* ♦ *vi* ruszać się.

wag(g)on ['wægən] *n* (*horse-drawn*) wóz *m* (zaprzęgowy); (*BRIT: RAIL*) wagon *m*.

wail [weɪl] *n* (*of person*) płacz *m*, zawodzenie *nt*; (*of siren*) wycie *nt* ♦ *vi* (*person*) zawodzić, płakać (zapłakać *perf*); (*siren*) wyć (zawyć *perf*).

waist [weɪst] *n* (*ANAT*) talia *f*, pas *m*; (*of clothing*) talia *f*, pas(ek) *m*.

waistcoat ['weɪskəut] (*BRIT*) *n* kamizelka *f*.

waistline ['weɪstlaɪn] *n* talia *f*.

wait [weɪt] *n* (*interval*) przerwa *f*; (*act of waiting*) oczekiwanie *nt* ♦ *vi* czekać (poczekać *perf* or zaczekać *perf*); **to keep sb waiting** kazać (kazać *perf*) komuś czekać; **I can't wait to tell her** nie mogę się doczekać, kiedy jej powiem; **to wait for sb/sth** czekać (poczekać *perf*) na kogoś/coś; **wait a minute!** zaraz, zaraz!, chwileczkę!; **"repairs while you wait"** „naprawy na poczekaniu"; **to lie in wait for sb** czaić się (zaczaić się *perf*) na kogoś.

►**wait behind** *vi* zostawać (zostać *perf*), zaczekać *(perf)*.

►**wait on** *vt fus* obsługiwać (obsłużyć *perf*) +*acc*.

►**wait up** *vi*: **don't wait up for me** nie czekaj na mnie, idź spać.

waiter ['weɪtə*] *n* kelner *m*.

waiting ['weɪtɪŋ] *n*: "**no waiting**" (*BRIT*) „zakaz *m* postoju".

waiting list *n* lista *f* oczekujących.

waiting room *n* poczekalnia *f*.

waitress ['weɪtrɪs] *n* kelnerka *f*.

waive [weɪv] *vt* odstępować (odstąpić *perf*) od +*gen*.

waiver ['weɪvə*] *n* zrzeczenie się *nt*.

wake [weɪk] (*pt* **woke, waked**, *pp* **woken, waked**) *vt* (*also*: **wake up**) budzić (obudzić *perf*) ♦ *vi* (*also*: **wake up**) budzić się (obudzić się *perf*) ♦ *n* (*for dead*) stypa *f*; (*NAUT*) kilwater *m*; **to wake up to sth** (*fig*) uświadamiać (uświadomić *perf*) sobie coś; **in the wake of** (*fig*) w ślad za +*instr*; **to follow in sb's wake** (*fig*) podążać (podążyć *perf*) za kimś *or* czyimś śladem.

waken ['weɪkn] *vt*, *vi* = **wake**.

Wales [weɪlz] *n* Walia *f*; **the Prince of Wales** książę Walii.

walk [wɔ:k] *n* (*hike*) wycieczka *f*; (*shorter*) spacer *m*; (*gait*) chód *m*; (*path*) alej(k)a *f*, ścieżka *f*; (*along coast etc*) promenada *f* ♦ *vi* (*go on foot*) chodzić, iść (pójść *perf*); (*for pleasure, exercise*) chodzić piechotą *or* pieszo *or* na piechotę, iść (pójść *perf*) piechotą, przechadzać się (przejść się *perf*) ♦ *vt* (*distance*) przechodzić (przejść *perf*); (*dog*) wyprowadzać (wyprowadzić *perf*) (na spacer); **it's ten minutes' walk from here** to jest piechotą dziesięć minut stąd; **to go for a walk** iść (pójść *perf*) na spacer; **to slow to a walk** zwalniać (zwolnić *perf*) do marszu; **people from all walks of life** ludzie (ze) wszystkich sfer; **to walk in one's sleep** chodzić we śnie; **I'll walk you home** odprowadzę cię do domu.

►**walk out** *vi* (*audience*) wychodzić (wyjść *perf*) przed końcem (przedstawienia); (*workers*) strajkować (zastrajkować *perf*).

►**walk out on** (*inf*) *vt fus* (*boyfriend etc*) odchodzić (odejść *perf*) od +*gen*.

walker ['wɔ:kə*] *n* piechur *m*.

walkie-talkie ['wɔ:kɪ'tɔ:kɪ] *n* walkie-talkie *nt inv*, krótkofalówka *f* (przenośna).

walking ['wɔ:kɪŋ] *n* chodzenie *nt*, wycieczki *pl* piesze; **it's within walking distance** można tam dojść piechotą.

walking holiday *n* wczasy *pl* wędrowne.

walking shoes *npl* buty *pl* turystyczne.

walking stick *n* laska *f*.

Walkman ['wɔ:kmən] ® *n* walkman *m*.

walk-on ['wɔ:kɔn] (*THEAT*) *adj* (*part*) epizodyczny.

walkout ['wɔ:kaut] *n* strajk *m*.

walkover ['wɔ:kəuvə*] (*inf*) *n* łatwe zwycięstwo *nt*.

walkway ['wɔ:kweɪ] *n* pasaż *m*, przejście *nt*.

wall [wɔ:l] *n* (*interior*) ściana *f*; (*exterior*) mur *m*, ściana *f*; (*of tunnel, cave*) ściana *f*, ścianka *f*; (*city wall etc*) mur *m*; **to go to the wall** (*fig*) podupadać (podupaść *perf*).

►**wall in** *vt* otaczać (otoczyć *perf*) murem.

wall cupboard *n* szafka *f* ścienna.

walled [wɔ:ld] *adj* otoczony murem.

wallet ['wɔlɪt] *n* portfel *m*.

wallflower ['wɔ:lflauə*] *n* (*BOT*) lak *m* wonny; **to be a wallflower** (*fig*) podpierać ściany.

wall hanging *n* draperia *f*.

wallop ['wɔləp] (*BRIT: inf*) *vt* tłuc (stłuc *perf*), przywalić *(perf)* +*dat* (*inf*).

wallow ['wɔləu] *vi* (*in mud*) tarzać się; (*in water*) pławić się; (*in grief etc*) pogrążać się (pogrążyć się *perf*).

wallpaper ['wɔ:lpeɪpə*] *n* tapeta *f* ♦ *vt* tapetować (wytapetować *perf*).

wall-to-wall ['wɔ:ltə'wɔ:l] *adj* na całą podłogę *post*.

wally ['wɔlɪ] (*inf*) *n* tuman *m* (*inf*).

walnut ['wɔ:lnʌt] *n* (*nut, tree*) orzech *m* włoski; (*wood*) orzech *m*.

walrus ['wɔ:lrəs] (*pl* **walrus** *or* **walruses**) *n* mors *m*.

waltz [wɔ:lts] *n* walc *m* ♦ *vi* tańczyć (zatańczyć *perf*) walca.

wan [wɔn] *adj* blady, mizerny.

wand [wɔnd] *n* (*also*: **magic wand**) (czarodziejska) różdżka *f*.

wander ['wɔndə*] *vi* (*person*) wędrować, włóczyć się; (*mind*) błądzić ♦ *vt* przemierzać, przechadzać się po +*loc*; **my thoughts kept wondering back to that night** myślami wracałam ciągle do tamtej nocy.

wanderer ['wɔndərə*] *n* wędrowiec *m*.

wandering ['wɔndrɪŋ] *adj* wędrowny.

wane [weɪn] *vi* zmniejszać się (zmniejszyć się *perf*), maleć (zmaleć *perf*); **the moon is waning** ubywa księżyca.

wangle ['wæŋgl] (*BRIT: inf*) *vt* załatwiać (załatwić *perf*) sobie.

want [wɔnt] *vt* (*wish for*) chcieć +*gen or* +*acc*; (*need, require*) wymagać +*gen* ♦ *n*: **for want of** z braku +*gen*; **wants** *pl* potrzeby *pl*; **to want to do sth** chcieć coś (z)robić; **to want sb to do sth** chcieć, żeby ktoś coś (z)robił; **to want in/out** (*US, SCOT*) chcieć wejść/wyjść; (*fig*) chcieć się przyłączyć/wycofać; **you're wanted on the phone** jest do ciebie telefon; **he is wanted by the police** poszukuje go policja; **a want of foresight** brak umiejętności przewidywania.

want ads (*US*) *npl* ogłoszenia *pl* drobne.

wanted ['wɒntɪd] *adj* poszukiwany; **"cook wanted"** „zatrudnię kucharza".

wanting ['wɒntɪŋ] *adj* niedoskonały, nie spełniający wymogów.

wanton ['wɒntn] *adj* (*violence*) nieusprawiedliwiony, niepotrzebny; (*woman*) rozwiązły.

war [wɔː*] *n* wojna *f*; **to go to war** wszczynać (wszcząć *perf*) wojnę; **to be at war (with)** prowadzić *or* toczyć wojnę *or* wojny (z +*instr*); **to make war (on)** prowadzić *or* toczyć wojnę *or* wojny (z +*instr*); **a war on drugs/crime** walka z narkotykami/przestępczością.

warble ['wɔːbl] *n* świergot *m*, ćwierkanie *nt* ♦ *vi* ćwierkać.

war cry *n* okrzyk *m* bojowy; (*fig*) hasło *nt*.

ward [wɔːd] *n* (*in hospital*) oddział *m*; (*POL*) okręg *m*, dzielnica *f*; (*also*: **ward of court**) *osoba niepełnoletnia pod kuratelą sądu*.

▶**ward off** *vt* (*attack*) odpierać (odeprzeć *perf*); (*danger, illness*) zapobiegać (zapobiec *perf*) +*dat*; (*evil spirits*) odpędzać (odpędzić *perf*).

warden ['wɔːdn] *n* (*of game reserve etc*) ≈ gajowy *m*; (*of jail*) naczelnik *m*; (*BRIT: of youth hostel, in university*) ≈ dyrektor *m* (administracyjny); (: *also*: **traffic warden**) *funkcjonariusz nadzorujący poprawność parkowania pojazdów*.

warder ['wɔːdə*] (*BRIT*) *n* strażnik *m* (więzienny).

wardrobe ['wɔːdrəub] *n* (*for clothes*) szafa *f*; (*collection of clothes*) garderoba *f*, odzież *f*; (*FILM, THEAT*) garderoba *f*.

warehouse ['wɛəhaus] *n* magazyn *m*, hurtownia *f*.

wares [wɛəz] *npl* towary *pl*.

warfare ['wɔːfɛə*] *n* działania *pl* wojenne, wojna *f*.

war game *n* gra *f* wojenna.

warhead ['wɔːhɛd] *n* głowica *f* bojowa.

warily ['wɛərɪlɪ] *adv* ostrożnie, z rezerwą.

Warks (*BRIT: POST*) *abbr* (= *Warwickshire*).

warlike ['wɔːlaɪk] *adj* (*nation*) wojowniczy; (*appearance*) zawadiacki.

warm [wɔːm] *adj* ciepły; (*thanks, applause*) gorący, serdeczny; (*person, heart*) czuły; **it's warm** jest ciepło; **I'm warm** ciepło mi; **to keep a room** *etc* **warm** utrzymywać (utrzymać *perf*) ciepło w pokoju *etc*; **with my warmest thanks/congratulations** załączam najserdeczniejsze podziękowania/gratulacje.

▶**warm up** *vi* (*weather*) ocieplać się (ocieplić się *perf*); (*water*) zagrzewać się (zagrzać się *perf*); (*athlete*) rozgrzewać się (rozgrzać się *perf*); (*engine*) nagrzewać się (nagrzać się *perf*) ♦ *vt* (*food*) podgrzewać (podgrzać *perf*), odgrzewać (odgrzać *perf*); (*person*) rozgrzewać (rozgrzać *perf*), ogrzewać (ogrzać *perf*).

warm-blooded ['wɔːm'blʌdɪd] *adj* stałocieplny.

war memorial *n* pomnik *m* poległych (na wojnie).

warm-hearted [wɔːm'hɑːtɪd] *adj* serdeczny.

warmly ['wɔːmlɪ] *adv* ciepło.

warmonger ['wɔːmʌŋgə*] (*pej*) *n* podżegacz *m* wojenny (*pej*).

warmongering ['wɔːmʌŋgrɪŋ] (*pej*) *n* podżeganie *nt* do wojny (*pej*).

warmth [wɔːmθ] *n* (*heat*) ciepło *nt*; (*friendliness*) serdeczność *f*.

warm-up ['wɔːmʌp] *n* (*also*: **warm-up exercise**) rozgrzewka *f*.

warn [wɔːn] *vt*: **to warn sb that** przestrzegać (przestrzec *perf*) *or* ostrzegać (ostrzec *perf*) kogoś, że; **to warn sb of/against sth** przestrzegać (przestrzec *perf*) *or* ostrzegać (ostrzec *perf*) kogoś przed czymś; **to warn sb not to do sth** *or* **against doing sth** ostrzegać (ostrzec *perf*) kogoś, żeby czegoś nie robił.

warning ['wɔːnɪŋ] *n* ostrzeżenie *nt*; (*signal*) uprzedzenie *nt*; **without (any) warning** (*suddenly*) bez (najmniejszego) ostrzeżenia; (*without notifying*) bez (żadnego) uprzedzenia; **gale warning** ostrzeżenie przed sztormem.

warning light *n* światło *nt* ostrzegawcze.

warning triangle *n* (*AUT*) trójkąt *m* odblaskowy *or* ostrzegawczy.

warp [wɔːp] *vi* wypaczać się (wypaczyć się *perf*) ♦ *vt* (*fig*) wypaczać (wypaczyć *perf*) ♦ *n* osnowa *f*.

warpath ['wɔːpɑːθ] *n*: **to be on the warpath** (*fig*) być na wojennej ścieżce.

warped [wɔːpt] *adj* wypaczony.

warrant ['wɒrnt] *n* (*for arrest*) nakaz *m*; (*also*: **search warrant**) nakaz *m* rewizji ♦ *vt* dawać (dać *perf*) podstawy do +*gen*.

warrant officer *n* (*MIL*) chorąży *m*; (*NAUT*) ≈ bosman *m*.

warranty ['wɒrəntɪ] *n* gwarancja *f*; **under warranty** (*COMM*) na gwarancji.

warren ['wɒrən] *n* (*of rabbits*) kolonia *f*; (*fig: of streets etc*) labirynt *m*; **the warrens of** (*city*) zaułki +*gen*.

warring ['wɔːrɪŋ] *adj* (*nations, factions*) walczący, wojujący; (*interests*) sprzeczny.

warrior ['wɒrɪə*] *n* wojownik *m*.

Warsaw ['wɔːsɔː] *n* Warszawa *f*.

warship ['wɔːʃɪp] *n* okręt *m* wojenny.

wart [wɔːt] *n* brodawka *f*.

wartime ['wɔːtaɪm] *n*: **in wartime** w czasie wojny.

wary ['wɛərɪ] *adj* nieufny; **to be wary about** *or* **of doing sth** nieufnie podchodzić (podejść *perf*) do (robienia) czegoś.

was [wɒz] *pt of* **be**.

wash [wɒʃ] *vt* (*clothes*) prać (wyprać *perf*); (*objects, face, hair*) myć (umyć *perf*); (*dishes, grease, paint*) zmywać (zmyć *perf*) ♦ *vi* myć się (umyć się *perf*) ♦ *n* pranie *nt*; (*of ship*) kilwater *m*; **to wash over/against sth** (*sea etc*) obmywać (obmyć *perf*) coś; **he was washed overboard** zmyło go z pokładu; **to have a wash** myć się (umyć się *perf*); **to give sth a wash** myć (umyć *perf*) coś.

▶**wash away** *vt* (*flood etc*) zmywać (zmyć *perf*).

▶**wash down** *vt* (*wall*) zmywać (zmyć *perf*); (*path, car*) spłukiwać (spłukać *perf*); (*food*) popijać (popić *perf*).

▶**wash off** *vi* zmywać się (zmyć się *perf*); (*in the wash*) spierać się (sprać się *perf*) ♦ *vt* zmywać (zmyć *perf*).

▶**wash out** *vt* spierać (sprać *perf*).

▶**wash up** *vi* (*BRIT*) zmywać (zmyć *perf*) naczynia; (*US*) myć się (umyć się *perf*).

washable ['wɔʃəbl] *adj* (*fabric*) nadający się do prania; (*wallpaper*) zmywalny.

washbasin ['wɔʃbeɪsn] *n* umywalka *f*.

washbowl ['wɔʃbəʊl] (*US*) *n* umywalka *f*.

washcloth ['wɔʃklɔθ] (*US*) *n* myjka *f*.

washer ['wɔʃə*] *n* (*on tap etc*) podkładka *f*.

washing ['wɔʃɪŋ] *n* pranie *nt*.

washing line (*BRIT*) *n* sznur *m* do prania *or* bielizny.

washing machine *n* pralka *f* (automatyczna).

washing powder (*BRIT*) *n* proszek *m* do prania.

Washington ['wɔʃɪŋtən] *n* Waszyngton *m*.

washing-up [wɔʃɪŋ'ʌp] *n* mycie *nt* naczyń, zmywanie *nt*; **to do the washing-up** zmywać (pozmywać *perf*) (naczynia).

washing-up liquid (*BRIT*) *n* płyn *m* do (mycia) naczyń.

wash-out ['wɔʃaut] (*inf*) *n* klapa *f* (*inf*).

washroom ['wɔʃrum] (*US*) *n* toaleta *f*.

wasn't ['wɔznt] = **was not**.

WASP [wɔsp] (*US: inf*) *n abbr* (= *White Anglo-Saxon Protestant*) określenie, mające często negatywne zabarwienie, oznaczające białego Amerykanina o anglosaskim rodowodzie.

Wasp [wɔsp] *n abbr* = **WASP**.

wasp [wɔsp] *n* osa *f*.

waspish ['wɔspɪʃ] *adj* (*remark*) cięty; (*person*) zły jak osa.

wastage ['weɪstɪdʒ] *n* (*amount wasted*) straty *pl*; (*loss: in manufacturing etc*) marnotrawstwo *nt*, marnowanie *nt*; **natural wastage** ubytek naturalny.

waste [weɪst] *n* (*of life, energy*) marnowanie *nt*; (*of money, time*) strata *f*; (*act of wasting*) marnotrawstwo *nt*; (*rubbish*) odpady *pl* ♦ *adj* (*by-product*) odpadowy; (*left over*) nie wykorzystany ♦ *vt* (*time, money*) tracić (stracić *perf*); (*opportunity, life, energy*) marnować (zmarnować *perf*); **wastes** *npl* pustkowie *nt*; **it's a waste of money** to strata pieniędzy; **to go to waste** marnować się (zmarnować się *perf*); **to lay waste** obracać (obrócić *perf*) w perzynę.

▶**waste away** *vi* marnieć (zmarnieć *perf*).

wastebasket ['weɪstbɑːskɪt] (*US*) *n* = **wastepaper basket**.

waste disposal unit (*BRIT*) *n* młynek *m* zlewozmywakowy, kuchenny rozdrabniacz *m* odpadków.

wasteful ['weɪstful] *adj* (*person*) rozrzutny; (*process*) nieekonomiczny.

waste ground (*BRIT*) *n* nieużytki *pl*.

wasteland ['weɪstlənd] *n* nieużytki *pl*; (*in town*) teren *m* nie zagospodarowany; (*fig*) pustynia *f*.

wastepaper basket ['weɪstpeɪpə-] (*BRIT*) *n* kosz *m* na śmieci.

waste pipe *n* rura *f* ściekowa.

waste products *npl* odpady *pl* produkcyjne.

watch [wɔtʃ] *n* (*also*: **wristwatch**) zegarek *m*; (*surveillance*) obserwacja *f*; (*group of guards*) warta *f*; (*NAUT: spell of duty*) wachta *f* ♦ *vt* (*people, objects*) przyglądać się +*dat*, patrzeć *or* patrzyć na +*acc*; (*match, TV*) oglądać (obejrzeć *perf*); (*spy on, guard*) obserwować (*be careful of*) uważać na +*acc* ♦ *vi* patrzyć, przyglądać się; **on watch** na warcie; **to keep a close watch on sb/sth** bacznie kogoś/coś obserwować; **watch what you're doing/how you drive** uważaj, co robisz/jak jedziesz.

▶**watch out** *vi* uważać; **watch out!** uważaj!

watchband ['wɔtʃbænd] (*US*) *n* pasek *m* do zegarka.

watchdog ['wɔtʃdɔg] *n* pies *m* podwórzowy; (*fig*) jednostka *f* nadzorująca.

watchful ['wɔtʃful] *adj* czujny.

watchmaker ['wɔtʃmeɪkə*] *n* zegarmistrz *m*.

watchman ['wɔtʃmən] (*irreg like* **man**) *see* **night watchman**.

watch stem (*US*) *n* pokrętło *nt* (zegarka).

watchstrap ['wɔtʃstræp] *n* pasek *m* do zegarka.

watchword ['wɔtʃwə:d] *n* hasło *nt* (wywoławcze).

water ['wɔ:tə*] *n* woda *f* ♦ *vt* podlewać (podlać *perf*) ♦ *vi* łzawić; **my mouth's watering** cieknie mi ślinka; **a drink of water** szklanka wody; **in British waters** na brytyjskich wodach (terytorialnych); **to pass water** oddawać (oddać *perf*) mocz; **to make sb's mouth water** robić komuś apetyt (narobić *perf* komuś apetytu).

▶**water down** *vt* rozwadniać (rozwodnić *perf*); (*fig*) tonować (stonować *perf*).

water biscuit *n* krakers *m*.

water cannon *n* armatka *f* wodna.

water closet (*BRIT*) *n* ustęp *m*, WC *nt inv*.

watercolour ['wɔ:təkʌlə*] (*US* **watercolor**) *n* akwarela *f*; **watercolours** *npl* akwarele *pl*, farby *pl* wodne.

water-cooled ['wɔ:təku:ld] *adj* chłodzony wodą.

watercress ['wɔ:təkrɛs] *n* rzeżucha *f*.

waterfall ['wɔ:təfɔ:l] *n* wodospad *m*.

waterfront ['wɔ:təfrʌnt] *n* (*at seaside*) wybrzeże *nt*; (*at docks*) nabrzeże *nt*.

water heater *n* podgrzewacz *m* wody.
water hole *n* źródełko *nt*.
water ice *n* sorbet *m*.
watering can ['wɔːtərɪŋ-] *n* konewka *f*.
water level *n* poziom *m* wody.
water lily *n* lilia *f* wodna, nenufar *m*.
waterline ['wɔːtəlaɪn] *n* linia *f* wodna.
waterlogged ['wɔːtəlɔgd] *adj* (*ground*) zalany (wodą); (*wood*) przesiąknięty wodą.
water main *n* magistrala *f* wodna.
watermark ['wɔːtəmɑːk] *n* znak *m* wodny.
watermelon ['wɔːtəmɛlən] *n* arbuz *m*.
waterproof ['wɔːtəpruːf] *adj* (*clothes*) nieprzemakalny; (*watch*) wodoodporny.
water-repellent ['wɔːtərɪˈpɛlnt] *adj* impregnowany.
watershed ['wɔːtəʃɛd] *n* (*GEOG*) dział *m* wodny; (*fig*) punkt *m* zwrotny.
water-skiing ['wɔːtəskiːɪŋ] *n* narciarstwo *nt* wodne.
water softener *n* preparat *m* zmiękczający wodę.
water tank *n* zbiornik *m* wody.
watertight ['wɔːtətaɪt] *adj* (*seal, door*) wodoszczelny; (*fig: excuse etc*) niepodważalny.
water vapour *n* para *f* wodna.
waterway ['wɔːtəweɪ] *n* (*canal, river*) droga *f* wodna; (*sea channel*) kanał *m*.
waterworks ['wɔːtəwəːks] *n* zakład *m* wodociągowy; (*inf. fig*) pęcherz *m*.
watery ['wɔːtərɪ] *adj* (*soup etc*) wodnisty; (*eyes*) załzawiony.
watt [wɔt] *n* wat *m*.
wattage ['wɔtɪdʒ] *n* moc *f* (znamionowa).
wattle ['wɔtl] *n* wiklina *f*.
wattle and daub *n*: **a house of wattle-and-daub** lepianka *f*.
wave [weɪv] *n* fala *f*; (*of hand*) machnięcie *nt* ♦ *vi* (*move in the air*) falować (zafalować *perf*); (*signal*) machać (pomachać *perf*) ♦ *vt* (*hand, handkerchief*) machać (pomachać *perf*) +*instr*; (*flag*) powiewać +*instr*; (*gun, stick*) wymachiwać +*instr*; (*hair*) kręcić (zakręcić *perf*); **short/medium/long wave** fale krótkie/średnie/długie; **the new wave** nowa fala; **he waved us over to his table** skinieniem dłoni przywołał nas do swojego stolika; **to wave goodbye to sb** machać (pomachać *perf*) komuś na pożegnanie.
▸**wave aside** *vt* (*fig*) przechodzić (przejść *perf*) do porządku (dziennego) nad +*instr*.
waveband ['weɪvbænd] *n* zakres *m or* pasmo *nt* częstotliwości.
wavelength ['weɪvlɛŋθ] *n* (*size*) długość *f* fali; (*frequency*) częstotliwość *f*, **to be on the same wavelength** (*fig*) świetnie się rozumieć.
waver ['weɪvə*] *vi* (*voice*) drżeć (zadrżeć *perf*); (*eyes*) mrugać (mrugnąć *perf*); (*love*) chwiać się (zachwiać się *perf*); (*person*) wahać się (zawahać się *perf*).

wavy ['weɪvɪ] *adj* (*line*) falisty; (*hair*) falujący.
wax [wæks] *n* wosk *m*; (*for skis*) parafina *f*; (*in ear*) woskowina *f* ♦ *vt* (*floor, car*) woskować (nawoskować *perf*); (*skis*) smarować (nasmarować *perf*); **the moon is waxing** przybywa księżyca.
waxed [wækst] *adj* woskowany.
waxen [wæksn] *adj* woskowo blady.
waxworks ['wækswəːks] *npl* figury *pl* woskowe ♦ *n* gabinet *m* figur woskowych.
way [weɪ] *n* (*route*) droga *f*; (*access*) przejście *nt*; (*distance*) kawał(ek) *m* (drogi); (*direction*) strona *f*; (*manner, method*) sposób *m*; (*habit*) zwyczaj *m*, przyzwyczajenie *nt*; **a way of life** styl życia; **which way? – this way** którędy? – tędy; **on the way** po drodze; **to be on one's way** być w drodze; **to fight one's way through a crowd** torować (utorować *perf*) sobie drogę przez tłum; **to lie one's way out of sth** wyłgać się (*perf*) od czegoś; **to keep out of sb's way** trzymać się z dala od kogoś, nie wchodzić komuś w drogę; **it's a long way away** to daleko stąd; **the village is rather out of the way** wieś położona jest raczej na uboczu; **to go out of one's way to do sth** zadawać (zadać *perf*) sobie wiele trudu, żeby coś zrobić; **to be in the way** zawadzać; **to lose one's way** błądzić (zabłądzić *perf*), gubić (zgubić *perf*) drogę; **under way** w toku; **the way back** droga powrotna; **to make way (for sb/sth)** robić (zrobić *perf*) miejsce (dla kogoś/czegoś); **to get one's own way** stawiać (postawić *perf*) na swoim; **put it the right way up** (*BRIT*) postaw to właściwą stroną ku górze; **the wrong way round** odwrotnie, na odwrót; **he's in a bad way** kiepsko z nim; **in a way** w pewnym sensie; **in some ways** pod pewnymi względami; **no way!** (*inf*) ani mi się śni! (*inf*); **by the way** à propos; **"way in"** (*BRIT*) „wejście"; **"way out"** (*BRIT*) „wyjście"; **"give way"** (*BRIT: AUT*) „ustąp pierwszeństwa przejazdu".
waybill ['weɪbɪl] *n* list *m* przewozowy.
waylay [weɪˈleɪ] (*irreg like*: lay) *vt* zasadzać się (zasadzić się *perf*) na +*acc*; **to get waylaid** (*fig*) zostać (*perf*) zatrzymanym.
wayside ['weɪsaɪd] *n*: **wayside inn** zajazd *m*, przydrożna gospoda *f*; **to fall by the wayside** (*fig*) nie dawać (nie dać *perf*) (sobie) rady.
way station (*US*) *n* (*RAIL*) przystanek *m*; (*fig*) etap *m* pośredni.
wayward ['weɪwəd] *adj* krnąbrny.
WC (*BRIT*) *n abbr* = **water closet**.
WCC *n abbr* (= *World Council of Churches*).
we [wiː] *pl pron* my; **here we are** (*arriving*) jesteśmy na miejscu; (*finding*) (już) jest, (już) mam.
weak [wiːk] *adj* słaby; **to grow weak(er)** słabnąć (osłabnąć *perf*).

weaken ['wi:kn] *vi* słabnąć (osłabnąć *perf*) ♦ *vt* osłabiać (osłabić *perf*).

weak-kneed ['wi:k'ni:d] *adj* (*fig*) bez charakteru *post*.

weakling ['wi:klɪŋ] *n* słabeusz *m*.

weakly ['wi:klɪ] *adv* (*stand*) niepewnie; (*say*) nieśmiało; (*protest*) słabo.

weakness ['wi:knɪs] *n* (*frailty*) osłabienie *nt*; (*of system etc*) słabość *f*; (*of signal etc*) niski poziom *m*; **to have a weakness for** mieć słabość do +*gen*.

wealth [wɛlθ] *n* bogactwo *nt*; (*of knowledge*) (duży) zasób *m*.

wealth tax *n* podatek *m* majątkowy.

wealthy ['wɛlθɪ] *adj* bogaty, zamożny (*fml*).

wean [wi:n] *vt* odstawiać (odstawić *perf*) od piersi; (*fig*) odzwyczajać (odzwyczaić *perf*).

weapon ['wɛpən] *n* broń *f*.

wear [wɛə*] (*pt* **wore**, *pp* **worn**) *n* (*use*) noszenie *nt* (*odzieży, butów itp*); (*damage through use*) zużycie *nt* ♦ *vt* (*clothes, shoes*) mieć na sobie, być ubranym w +*acc*; (: *habitually*) nosić, ubierać się w +*acc*; (*spectacles, beard*) nosić; (*put on*) ubierać się (ubrać się *perf*) w +*acc* ♦ *vi* (*last*) być trwałym; (*become old*) zużywać się (zużyć się *perf*); (: *clothes, shoes etc*) wycierać się (wytrzeć się *perf*), zdzierać się (zedrzeć się *perf*); **sports/babywear** odzież sportowa/niemowlęca; **town/evening wear** strój wyjściowy/wieczorowy; **to wear a hole in sth** przetrzeć (*perf*) coś na wylot.

►**wear away** *vt* wycierać (wytrzeć *perf*) ♦ *vi* zacierać się (zatrzeć się *perf*).

►**wear down** *vt* (*heels*) ścierać (zetrzeć *perf*); (*person, strength*) wyczerpywać (wyczerpać *perf*); (*resistance*) łamać (złamać *perf*).

►**wear off** *vi* (*pain etc*) mijać (minąć *perf*), przechodzić (przejść *perf*).

►**wear on** *vi* ciągnąć się, wlec się.

►**wear out** *vt* (*shoes, clothing*) zdzierać (zedrzeć *perf*); (*person, strength*) wyczerpywać (wyczerpać *perf*).

wearable ['wɛərəbl] *adj* nadający się do noszenia.

wear and tear [-tɛə*] *n* zużycie *nt* (eksploatacyjne).

wearer ['wɛərə*] *n* posiadacz(ka) *m(f)*.

wearily ['wɪərɪlɪ] *adv* ze znużeniem.

weariness ['wɪərɪnɪs] *n* znużenie *nt*.

wearisome ['wɪərɪsəm] *adj* nużący.

weary ['wɪərɪ] *adj* (*tired*) znużony; (*dispirited*) bezbarwny ♦ *vi*: **I'm beginning to weary of it** zaczyna mnie to nużyć.

weasel ['wi:zl] *n* łasica *f*.

weather ['wɛðə*] *n* pogoda *f* ♦ *vt* (*crisis etc*) przetrwać (*perf*); (*wood etc*) powodować (spowodować *perf*) niszczenie *or* rozkład +*gen* ♦ *vi* (*rock etc*) wietrzeć (zwietrzeć *perf*);

what's the weather like? jaka jest pogoda?; **under the weather** (*fig*) chory.

weather-beaten ['wɛðəbi:tn] *adj* (*face*) ogorzały; (*building*) sponiewierany przez burze.

weathercock ['wɛðəkɔk] *n* wiatrowskaz *m* (*na dachu*).

weather forecast *n* prognoza *f* pogody.

weatherman ['wɛðəmæn] (*irreg like* **man**) *n* synoptyk *m*.

weatherproof ['wɛðəpru:f] *adj* (*garment*) nieprzemakalny; (*building*) odporny na działanie czynników atmosferycznych.

weather report *n* komunikat *m* o pogodzie.

weather vane [-veɪn] *n* = **weathercock**.

weave [wi:v] (*pt* **wove**, *pp* **woven**) *vt* (*cloth*) tkać (utkać *perf*); (*basket*) pleść (upleść *perf*) ♦ *vi* (*fig: pt, pp* **weaved**) przemykać się (przemknąć się *perf*).

weaver ['wi:və*] *n* tkacz(ka) *m(f)*.

weaving ['wi:vɪŋ] *n* tkactwo *nt*.

web [wɛb] *n* (*of spider*) pajęczyna *f*; (*on duck's foot*) błona *f* pławna; (*network*) sieć *f*; (*fig: of reasons etc*) splot *m*.

webbed [wɛbd] *adj* płetwiasty.

webbing ['wɛbɪŋ] *n*: **a belt of webbing** pas *m* parciany.

wed [wɛd] (*pt* **wedded**) *vt* poślubiać (poślubić *perf*) ♦ *vi* pobierać się (pobrać się *perf*), brać (wziąć *perf*) ślub ♦ *n*: **the newly-weds** nowożeńcy *vir pl*, młoda para *f*.

Wed. *abbr* = **Wednesday** śr.

we'd [wi:d] = **we had**; **we would**.

wedded ['wɛdɪd] *pt, pp of* **wed** ♦ *adj*: **to be wedded to** (*fig*) być oddanym +*dat*.

wedding ['wɛdɪŋ] *n* (*ceremony*) ślub *m*; (*party*) wesele *nt*; **silver/golden wedding** srebrne/złote gody *or* wesele.

wedding day *n* dzień *m* ślubu.

wedding dress *n* suknia *f* ślubna.

wedding present *n* prezent *m* ślubny.

wedding ring *n* obrączka *f*.

wedge [wɛdʒ] *n* klin *m*; (*of cake*) kawałek *m* ♦ *vt* (*fasten*) klinować (zaklinować *perf*); (*pack tightly*) wciskać (wcisnąć *perf*).

wedge-heeled shoes ['wɛdʒhi:ld-] *npl* buty *pl* na koturnie.

wedlock ['wɛdlɔk] *n* związek *m* małżeński.

Wednesday ['wɛdnzdɪ] *n* środa *f*; *see also* **Tuesday**.

wee [wi:] (*SCOTTISH*) *adj* mały.

weed [wi:d] *n* (*BOT*) chwast *m*; (*pej*) wymoczek *m* (*pej*), cherlak *m* (*pej*) ♦ *vt* odchwaszczać (odchwaścić *perf*).

weedkiller ['wi:dkɪlə*] *n* środek *m* chwastobójczy.

weedy ['wi:dɪ] *adj* (*pej*) cherlawy (*pej*).

week [wi:k] *n* tydzień *m*; **once/twice a week** raz/dwa razy w tygodniu; **in two weeks' time** za dwa tygodnie; **a week today/on Friday** od dziś/od piątku za tydzień.

weekday ['wi:kdeɪ] n (Monday to Friday)
dzień m roboczy; (Monday to Saturday) dzień
m powszedni.

weekend [wi:k'ɛnd] n weekend m;
this/next/last weekend w ten/zeszły/przyszły
weekend; **what are you doing at the
weekend?** co robisz w ten weekend?; **open
at weekends** otwarte w soboty i niedziele.

weekly ['wi:klɪ] adv (once a week) raz w
tygodniu; (every week) co tydzień ♦ adj
(co)tygodniowy ♦ n tygodnik m.

weep [wi:p] (pt **wept**) vi płakać (zapłakać
perf), łkać (załkać perf) (literary); **the wound
is weeping** sączy się z rany.

weeping willow ['wi:pɪŋ-] n wierzba f
płacząca.

weft [wɛft] n wątek m (układ nici).

weigh [weɪ] vt ważyć (zważyć perf);
(fig: evidence, risks) rozważać (rozważyć perf)
♦ vi ważyć; **to weigh anchor** podnosić
(podnieść perf) kotwicę.

►**weigh down** vt obciążać (obciążyć perf);
(fig): **to be weighed down by** or **with** być
przytłoczonym +instr.

►**weigh out** vt odważać (odważyć perf).

►**weigh up** vt (person) oceniać (ocenić perf);
(offer, pros and cons) rozważać (rozważyć perf).

weighbridge ['weɪbrɪdʒ] n waga f pomostowa.

weighing machine ['weɪɪŋ-] n waga f
automatyczna.

weight [weɪt] n (metal object) odważnik m;
(heaviness) waga f ♦ vt (fig): **to be weighted
in favour of** działać na korzyść +gen; **sold by
weight** sprzedawany na wagę; **to lose/put on
weight** tracić (stracić perf)/przybierać
(przybrać perf) na wadze; **weights and
measures** miary i wagi.

weighting ['weɪtɪŋ] n dodatek m specjalny
(rekompensujący wyższe koszty utrzymania).

weightlessness ['weɪtlɪsnɪs] n nieważkość f.

weightlifter ['weɪtlɪftə*] n ciężarowiec m.

weight limit n limit m wagowy.

weighty ['weɪtɪ] adj (heavy) ciężki; (important)
ważki.

weir [wɪə*] n jaz m.

weird [wɪəd] adj (strange) dziwny, dziwaczny;
(eerie) przedziwny, niesamowity.

welcome ['wɛlkəm] adj mile widziany ♦ n
powitanie nt ♦ vt (bid welcome to) witać
(powitać perf); (be glad of) witać (powitać
perf) z zadowoleniem; **welcome to Szczecin**
witamy w Szczecinie; **to make sb welcome**
życzliwie kogoś przyjmować (przyjąć perf);
you're welcome to try możesz spróbować;
thank you − you're welcome! dziękuję −
proszę bardzo!

welcoming ['wɛlkəmɪŋ] adj (person, smile)
serdeczny; (room) przyjemny; (speech)
powitalny.

weld [wɛld] n spaw m ♦ vt spawać (zespawać
perf).

welder ['wɛldə*] n spawacz m.

welding ['wɛldɪŋ] n spawanie nt.

welfare ['wɛlfeə*] n (well-being) dobro nt;
(US: social aid) opieka f społeczna;
(: supplementary benefit) zasiłek m (z opieki
społecznej).

welfare state n państwo nt opiekuńcze.

welfare work n praca f w opiece społecznej.

well [wɛl] n (for water) studnia f; (oil well)
szyb m naftowy ♦ adv dobrze ♦ adj: **she's
well** (healthy) jest zdrowa ♦ excl (no) cóż; **I
don't feel well** nie czuję się dobrze; **I woke
well before dawn** obudziłam się (na) długo
przed świtem; **the film is well worth seeing**
film jest zdecydowanie wart obejrzenia; **as
well** również; **you might as well tell me**
lepiej mi powiedz; **he played as well as he
could** grał najlepiej jak potrafił; **X as well as
Y** zarówno X, jak i Y; **well, as I was saying**
... a więc, jak mówiłem, ...; **well done!**
brawo!, bardzo dobrze!; **get well soon!**
wracaj szybko do zdrowia!; **to do well**
dobrze sobie radzić (poradzić perf).

►**well up** vi wzbierać (wezbrać perf).

we'll = **we will; we shall**.

well-behaved ['wɛlbɪ'heɪvd] adj dobrze
wychowany.

well-being ['wɛl'bi:ɪŋ] n dobro nt, pomyślność f.

well-bred ['wɛl'brɛd] adj dobrze wychowany.

well-built ['wɛl'bɪlt] adj dobrze zbudowany.

well-chosen ['wɛl'tʃəuzn] adj (remark) trafny.

well-deserved ['wɛldɪ'zə:vd] adj zasłużony.

well-developed ['wɛldɪ'vɛləpt] adj dobrze
rozwinięty.

well-disposed ['wɛl'dɪspəuzd] adj:
well-disposed to(wards) życzliwie usposobiony
do +gen.

well-dressed ['wɛl'drɛst] adj dobrze ubrany.

well-earned ['wɛl'ə:nd] adj zasłużony.

well-groomed ['wɛl'gru:md] adj zadbany.

well-heeled ['wɛl'hi:ld] (inf) adj nadziany (inf).

well-informed ['wɛlɪn'fɔ:md] adj (having
knowledge of sth) dobrze poinformowany;
(having general knowledge) wykształcony.

Wellington ['wɛlɪŋtən] (GEOG) n Wellington
nt inv.

wellingtons ['wɛlɪŋtənz] npl gumowce pl.

well-kept ['wɛl'kɛpt] adj (house) dobrze
utrzymany; (secret) pilnie strzeżony.

well-known ['wɛl'nəun] adj dobrze znany.

well-mannered ['wɛl'mænəd] adj dobrze
wychowany.

well-meaning ['wɛl'mi:nɪŋ] adj (person)
mający dobre intencje; (offer, effort) w dobrej
wierze post.

well-nigh ['wɛl'naɪ] adv: **it's well-nigh
impossible** to prawie niemożliwie.

well-off ['wɛl'ɔf] *adj* dobrze sytuowany, zamożny.

well-read ['wɛl'rɛd] *adj* oczytany.

well-spoken ['wɛl'spəukn] *adj*: **to be well-spoken** mówić poprawnie *or* poprawnym językiem.

well-stocked ['wɛl'stɔkt] *adj* dobrze zaopatrzony.

well-timed ['wɛl'taɪmd] *adj* na czasie *post*.

well-to-do ['wɛltə'du:] *adj* dobrze sytuowany, zamożny.

well-wisher ['wɛlwɪʃə*] *n* sympatyk (-yczka) *m(f)*.

Welsh [wɛlʃ] *adj* walijski ♦ *n* (język *m*) walijski; **the Welsh** *npl* Walijczycy *vir pl*.

Welshman ['wɛlʃmən] (*irreg like* **man**) *n* Walijczyk *m*.

Welsh rarebit *n* grzanka *f* z serem.

Welshwoman ['wɛlʃwumən] (*irreg like* **woman**) *n* Walijka *f*.

welter ['wɛltə*] *n* zamęt *m*.

went [wɛnt] *pt of* go.

wept [wɛpt] *pt, pp of* weep.

were [wə:*] *pt of* be.

we're [wɪə*] = we are.

weren't [wə:nt] = were not.

werewolf ['wɪəwulf] (*pl* **werewolves**) *n* wilkołak *m*.

werewolves ['wɪəwulvz] *npl of* werewolf.

west [wɛst] *n* zachód *m* ♦ *adj* zachodni ♦ *adv* na zachód; **west of** na zachód od +*gen*.

West [wɛst]: **the West** *n* Zachód *m*.

westbound ['wɛstbaund] *adj* (*traffic*) zdążający na zachód; (*carriageway*) prowadzący na zachód.

West Country (*BRIT*): **the West Country** *n* południowo-zachodnia Anglia.

westerly ['wɛstəlɪ] *adj* zachodni.

western ['wɛstən] zachodni ♦ *n* (*FILM*) western *m*.

westernized ['wɛstənaɪzd] *adj* zeuropeizowany (*przyjmujący wartości i styl życia charakterystyczny dla Europy Zachodniej*).

West German *adj* zachodnioniemiecki ♦ *n* Niemiec (-mka) z RFN;

West Germany *n* Niemcy *pl* Zachodnie.

West Indian *adj* z Indii Zachodnich *post* ♦ *n* mieszkaniec (-nka) *m(f)* Indii Zachodnich.

West Indies [-'ɪndɪz] *npl*: **the West Indies** Indie *pl* Zachodnie.

westward(s) ['wɛstwəd(z)] *adv* na zachód.

wet [wɛt] *adj* mokry; (*weather, day*) deszczowy; (*climate*) wilgotny ♦ *n* (*BRIT: POL*): **Tory Wets** umiarkowani torysi *vir pl*; **to wet o.s.** moczyć się (zmoczyć się *perf*); **to wet one's pants** siusiać (zsiusiać się *perf*) w majtki; **to get wet** moknąć (zmoknąć *perf*); **"wet paint"** „świeżo malowane"; **to be a wet blanket** (*pej*) odbierać innym ochotę do zabawy.

wetness ['wɛtnɪs] *n* wilgotność *f*.

wetsuit ['wɛtsu:t] *n* strój *m* piankowy.

we've [wi:v] = we have.

whack [wæk] *vt* walić (walnąć *perf*).

whacked [wækt] (*BRIT: inf*) *adj* wykończony (*inf*), skonany (*inf*).

whale [weɪl] *n* wieloryb *m*.

whaler ['weɪlə*] *n* (*ship*) statek *m* wielorybniczy.

wharf [wɔ:f] (*pl* **wharves**) *n* nabrzeże *nt*.

wharves [wɔ:vz] *npl of* wharf.

KEYWORD
---

what [wɔt] *adj* **1** (*in questions*) jaki; **what colour/shape is it?** jakiego to jest koloru/kształtu? **2** (*in exclamations*) co za, ale(ż); **what a mess!** co za bałagan!; **what a fool I am!** ale głupiec ze mnie! ♦ *pron* **1** (*interrogative*) co; **what are you doing?** co robisz?; **what about me?** (a) co ze mną?; **what is it called?** jak to się nazywa?; **what about having something to eat?** (a) może byśmy coś zjedli? **2** (*relative*) (to,) co; **I saw what you did** widziałam, co zrobiłeś ♦ *excl* (*disbelieving*) co?!

---

whatever [wɔt'ɛvə*] *adj* jakikolwiek ♦ *pron*: **do whatever is necessary/you want** rób, co konieczne/co chcesz; **whatever happens** cokolwiek się stanie; **for no reason whatever** *or* **whatsoever** zupełnie *or* absolutnie bez powodu; **nothing whatever** *or* **whatsoever** zupełnie *or* absolutnie nic.

whatsoever [wɔtsəu'ɛvə*] *adj* = whatever.

wheat [wi:t] *n* pszenica *f*.

wheatgerm ['wi:tdʒə:m] *n* kiełki *pl* pszenicy.

wheatmeal ['wi:tmi:l] *n* rodzaj mąki pszennej.

wheedle ['wi:dl] *vt*: **to wheedle sth out of sb** wyłudzać (wyłudzić *perf*) coś od kogoś; **to wheedle sb into doing sth** nakłaniać (nakłonić *perf*) kogoś do zrobienia czegoś (*komplementami, przymilnością itp*).

wheel [wi:l] *n* koło *nt*; (*also*: **steering wheel**) kierownica *f*; (*NAUT*) koło *nt* sterowe, ster *m* ♦ *vt* (*pram, cart*) pchać; (*bicycle*) prowadzić ♦ *vi* (*birds*) krążyć; (*also*: **wheel round**: *person*) odwracać się (odwrócić się *perf*).

wheelbarrow ['wi:lbærəu] *n* taczki *pl*.

wheelbase ['wi:lbeɪs] *n* rozstaw *m* osi.

wheelchair ['wi:ltʃɛə*] *n* wózek *m* (inwalidzki).

wheel clamp *n* blokada *f* kół.

wheeler-dealer ['wi:lə'di:lə*] (*pej*) *n* kombinator(ka) *m(f)*.

wheelie-bin ['wi:lɪbɪn] *n* kubeł *m* na śmieci na kółkach.

wheeling ['wi:lɪŋ] *n*: **wheeling and dealing** (*pej*) machinacje *pl* (*pej*).

wheeze [wi:z] *vi* rzęzić ♦ *n* (*idea*) (świetny) pomysł *m*.

KEYWORD
---

when [wɛn] *adv* kiedy; **when will you be back?** kiedy wrócisz? ♦ *conj* **1** kiedy, gdy;

she was reading when I came in czytała,
gdy *or* kiedy wszedłem; **on the day when I
met him** w dniu, kiedy go poznałam; **that
was when I needed you** wtedy właśnie cię
potrzebowałem. **2** (*whereas*): **why did you
buy that when you can't afford it?** dlaczego
to kupiłaś, kiedy cię na to nie stać?; **you
said I was wrong when in fact I was right**
powiedziałeś, że nie mam racji, podczas gdy
w rzeczywistości miałem.

whenever [wɛnˈɛvə*] *adv* kiedykolwiek,
obojętnie kiedy ♦ *conj* (*any time that*) kiedy
or gdy tylko; (*every time that*) ilekroć,
zawsze kiedy *or* gdy; **I go there whenever I
can** chodzę tam, kiedy tylko mogę.
where [wɛə*] *adv* gdzie ♦ *conj* gdzie; **this is
where ...** to właśnie tutaj...; **where possible**
tam, gdzie to możliwe; **where are you from?**
skąd jesteś?
whereabouts [*adv* wɛərəˈbauts, *n* ˈwɛərəbauts]
adv gdzie, w którym miejscu ♦ *n*: **nobody
knows his whereabouts** nikt nie zna miejsca
jego pobytu.
whereas [wɛərˈæz] *conj* podczas gdy.
whereby [wɛəˈbaɪ] (*fml*) *adv* (*by means of
which*: *system, solution*) dzięki któremu, za
pomocą którego; (*according to
which*: *decision, law*) na mocy którego,
zgodnie z którym; (*in consequence of which*)
przez co.
whereupon *conj* po czym.
wherever [wɛərˈɛvə*] *conj* gdziekolwiek,
obojętnie gdzie ♦ *adv*: **wherever have you
been?** gdzieś ty był?; **sit wherever you like**
usiądź, gdzie chcesz.
wherewithal [ˈwɛəwɪðɔːl] *n*: **the wherewithal
(to do sth)** środki *pl* (na zrobienie czegoś).
whet [wɛt] *vt* (*appetite*) zaostrzać (zaostrzyć
perf); (*tool*) ostrzyć (naostrzyć *perf*).
whether [ˈwɛðə*] *conj* czy; **I don't know whether
to accept the proposal or not** nie wiem, czy
(mam) przyjąć tę propozycję, czy nie.
whey [ˈweɪ] *n* serwatka *f*.

┌──────── KEYWORD ────────┐

which [wɪtʃ] *adj* **1** który; **which picture do you
want?** który obraz chcesz?; **which one?** który?
2: **the train may be late, in which case don't
wait up** pociąg może się spóźnić. W takim
wypadku nie czekaj na mnie; **we got there at 8
pm, by which time the cinema was full**
dotarliśmy tam o ósmej. Do tego czasu kino
było już pełne ♦ *pron* **1** (*interrogative*) który;
which (of these) are yours? które (z tych) są
twoje? **2** (*relative: referring to preceding noun*)
który; (*: referring to preceding clause*) co; **the
chair on which you are sitting** krzesło, na
którym siedzisz; **she said I was late, which was**

true powiedziała, że się spóźniłem, co było
prawdą; **after which** po czym.

└─────────────────────────┘

whichever [wɪtʃˈɛvə*] *adj*: **take whichever
book you prefer** weź tę książkę, którą
wolisz; **whichever book you take, ...**
którąkolwiek *or* obojętnie którą książkę
weźmiesz, ...
whiff [wɪf] *n* zapach *m*; **to catch a whiff of
sth** czuć (poczuć *perf*) powiew czegoś.
while [waɪl] *n* jakiś *or* pewien czas *m*; (*very
short*) chwila *f* ♦ *conj* (*at the same moment
as*) w chwili *or* momencie, gdy; (*during the
time that*) (podczas) gdy *or* kiedy; (*although*)
chociaż, choć; **for/in a while** przez/za jakiś
czas; **all the while** (przez) cały czas; **we'll
make it worth your while** postaramy się, żeby
Pan/Pani na tym nie stracił/a.
►**while away** *vt* (*time*) skracać (skrócić *perf*)
(sobie).
whilst [waɪlst] *conj* = **while**.
whim [wɪm] *n* zachcianka *f*.
whimper [ˈwɪmpə*] *n* (*of baby*) kwilenie *nt*;
(*of dog*) skomlenie *nt* ♦ *vi* (*baby*) kwilić
(zakwilić *perf*); (*dog*) skomleć (zaskomleć *perf*).
whimsical [ˈwɪmzɪkl] *adj* (*person*) kapryśny;
(*smile, look*) żartobliwy; (*story*) dziwaczny,
wymyślny.
whine [waɪn] *n* (*of person*) jęk *m*; (*of dog*)
skomlenie *nt*; (*of siren*) wycie *nt* ♦ *vi*
(*person*) jęczeć (zajęczeć *perf*); (*dog*) skomleć
(zaskomleć *perf*); (*siren*) wyć (zawyć *perf*);
(*fig: complain*) jęczeć, marudzić.
whip [wɪp] *n* (*lash*) bat *m*, bicz *m*; (*riding
whip*) pejcz *m*; (*POL*) poseł odpowiedzialny
*za obecność członków swej partii na
głosowaniach* ♦ *vt* (*person, animal: hit*)
smagać (smagnąć *perf*) batem; (*: beat*)
smagać (wysmagać *perf*) batem; (*cream,
eggs*) ubijać (ubić *perf*); **to whip sth off**
zerwać (*perf*) *or* zedrzeć (*perf*) coś; **to whip
sth away** wyrwać (*perf*) *or* wydrzeć (*perf*) coś.
►**whip up** *vt* (*cream*) ubijać (ubić *perf*);
(*inf: meal*) pitrasić (upitrasić *perf*) (*inf*);
(*hatred, interest*) wzbudzać (wzbudzić *perf*);
(*people*): **to whip up sb into excitement**
wywoływać (wywołać *perf*) u kogoś emocje.
whiplash [ˈwɪplæʃ] *n* (*also*: **whiplash injury**)
uraz *m* kręgosłupa szyjnego.
whipped cream [wɪpt-] *n* bita śmietana *f*.
whipping boy [ˈwɪpɪŋ-] *n* (*fig*) chłopiec *m* do
bicia.
whip-round [ˈwɪpraund] (*BRIT: inf*) *n* zrzutka *f*
(*inf*).
whirl [wɜːl] *vt* kręcić (zakręcić *perf*) +*instr* ♦ *vi*
wirować ♦ *n* wir *m*; **I am** *or* **my mind is in
a whirl** kręci mi się w głowie.
whirlpool [ˈwɜːlpuːl] *n* wir *m* (wodny).
whirlwind [ˈwɜːlwɪnd] *n* trąba *f* powietrzna.

whirr [wə:*] *vi* (*motor*) warkotać, warczeć; (*wings*) furkotać.

whisk [wɪsk] *n* trzepaczka *f* (do ubijania piany), ubijacz *m* ♦ *vt* ubijać (ubić *perf*); **to whisk sb away** *or* **off** błyskawicznie kogoś zabierać (zabrać *perf*).

whiskers ['wɪskəz] *npl* (*of cat*) wąsy *pl*; (*of man*: *also*: **side whiskers**) baczki *pl*, bokobrody *pl*.

whisky ['wɪskɪ] (*US*, *Ireland* **whiskey**) *n* whisky *f inv*.

whisper ['wɪspə*] *n* szept *m* ♦ *vi* szeptać (szepnąć *perf*) ♦ *vt* szeptać (szepnąć *perf*), wyszeptać (*perf*); **to whisper sth to sb** mówić (powiedzieć *perf*) coś komuś szeptem.

whispering ['wɪspərɪŋ] *n* szepty *pl*.

whist [wɪst] (*BRIT*) *n* wist *m*.

whistle ['wɪsl] *n* (*sound*) gwizd *m*; (*object*) gwizdek *m* ♦ *vi* (*person*) gwizdać (gwizdnąć *perf or* zagwizdać *perf*), pogwizdywać; (*bird, kettle*) gwizdać (zagwizdać *perf*); (*bullet*) świstać (świsnąć *perf*) ♦ *vt* **to whistle a tune** gwizdać (zagwizdać *perf*) (jakąś) melodię.

whistle-stop ['wɪslstɔp] *adj*: **to make a whistle-stop tour of** (*POL*) odbywać (odbyć *perf*) serię spotkań przedwyborczych w +*loc*.

Whit [wɪt] *n* = **Whitsun**.

white [waɪt] *adj* biały ♦ *n* (*colour*) (kolor *m*) biały, biel *f*; (*person*) biały (-ła) *m(f)*; (*of egg*) białko *nt*; **to turn** *or* **go white** (*pale*) blednąć (zblednąć *perf or* poblednąć *perf*); (*grey*) siwieć (osiwieć *perf*); **the whites** (*washing*) białe rzeczy; **tennis/cricket whites** strój do gry w tenisa/krykieta.

whitebait ['waɪtbeɪt] *n* smażone szprotki *pl*.

white coffee (*BRIT*) *n* biała kawa *f*, kawa *f* ze śmietanką.

white-collar worker ['waɪtkɔlə-] *n* pracownik *m* umysłowy, urzędnik *m*.

white elephant *n* (*fig*) chybiona inwestycja *f*.

white goods *npl* (*appliances*) sprzęt *m* gospodarstwa domowego; (*linen*) bielizna *f* (*pościelowa i stołowa*).

white-hot [waɪt'hɔt] *adj* rozgrzany do białości.

white lie *n* niewinne kłamstwo *nt*.

whiteness ['waɪtnɪs] *n* biel *f*.

white noise *n* biały szum *m*.

whiteout ['waɪtaut] *n* śnieżyca *f*.

white paper *n* (*POL*) raport *m* rządowy.

whitewash ['waɪtwɔʃ] *n* wapno *nt* (do bielenia); (*inf*. *SPORT*) przegrana *f* do zera ♦ *vt* bielić (pobielić *perf*); (*fig*) wybielać (wybielić *perf*).

white water *n*: **white-water rafting** spływ *m* górski (tratwami).

whiting *n inv* (*fish*) witlinek *m*.

Whit Monday *n* drugi dzień *m* Zielonych Świątek.

Whitsun ['wɪtsn] *n* Zielone Świątki *pl*.

whittle ['wɪtl] *vt*: **to whittle away** *or* **down** (*costs*) redukować (zredukować *perf*).

whizz [wɪz] *vi*: **to whizz past** *or* **by** śmigać (śmignąć *perf*) obok.

whizz kid (*inf*) *n* geniusz *m*, cudowne dziecko *nt*.

WHO *n abbr* (= *World Health Organization*) WHO *nt inv*, Światowa Organizacja *f* Zdrowia.

┌─────────── *KEYWORD* ───────────┐

who [hu:] *pron* **1** (*interrogative*) kto *m*; **who is it?**, **who's there?** kto to?, kto tam?; **who are you looking for?** kogo szukasz? **2** (*relative*) który; **the woman who spoke to me** kobieta, która ze mną rozmawiała; **those who can swim** ci, którzy umieją pływać.

└─────────────────────────────────┘

whodunit [hu:'dʌnɪt] (*also spelled* **whodunnit**) (*inf*) *n* kryminał *m* (*książka, film itp*).

whoever [hu:'ɛvə*] *pron*: **whoever finds him** ten, kto go znajdzie; **ask whoever you like** spytaj, kogo (tylko) chcesz; **whoever he marries** z kimkolwiek się ożeni; **whoever told you that?** któż ci to powiedział?

whole [həul] *adj* cały ♦ *n* całość *f*; **the whole of July** cały lipiec; **the whole of the town** całe miasto; **the whole lot (of it)** wszystko (to); **the whole lot (of them)** wszyscy *vir pl*, wszystkie *nvir pl*; **the whole of the) time** cały czas; **whole villages were destroyed** zniszczeniu uległy całe wsie; **on the whole** ogólnie (rzecz) biorąc.

wholefood(s) ['həulfu:d(z)] *n(pl)* żywność *f* naturalna.

wholefood shop *n* sklep *m* z żywnością naturalną.

wholehearted [həul'hɑ:tɪd] *adj* (*agreement*) całkowity; (*support*) gorący.

wholeheartedly [həul'hɑ:tɪdlɪ] *adv* (*agree*) całkowicie; (*support*) z całego serca, gorąco.

wholemeal ['həulmi:l] (*BRIT*) *adj* (*bread, flour*) razowy.

whole note *n* cała nuta *f*.

wholesale ['həulseɪl] *n* hurt *m* ♦ *adj* (*price*) hurtowy; (*destruction*) masowy ♦ *adv* hurtowo, hurtem.

wholesaler ['həulseɪlə*] *n* hurtownik *m*.

wholesome ['həulsəm] *adj* zdrowy.

wholewheat ['həulwi:t] = **wholemeal**.

wholly ['həulɪ] *adv* całkowicie.

┌─────────── *KEYWORD* ───────────┐

whom [hu:m] *pron* **1** (*interrogative*): **whom did you see?** kogo widziałaś?; **to whom did you give it?** komu to dałeś? **2** (*relative*): **the man whom I saw** człowiek, którego widziałem; **the lady with whom I was talking** pani, z którą rozmawiałem; **some people whom we didn't know** jacyś ludzie, których nie znaliśmy.

└─────────────────────────────────┘

whooping cough ['hu:pɪŋ-] *n* koklusz *m*.

whoosh [wuʃ] *vi* śmigać (śmignąć *perf*) ♦ *n* świst *m*; **the skiers whooshed past, skiers came by with a whoosh** narciarze przemknęli obok ze świstem.

whopper ['wɔpə*] (*inf*) *n* (*lie*) wierutne kłamstwo *nt*; (*large thing*) kolos *m*.

whopping ['wɔpɪŋ] (*inf*) *adj* ogromniasty (*inf*), wielgachny (*inf*).

whore [hɔ:*] (*inf, pej*) *n* dziwka *f* (*inf, pej*), kurwa *f* (*inf!, pej*).

┌─────────── KEYWORD ───────────┐

whose [hu:z] *adj* **1** (*interrogative*) czyj; **whose book is this?, whose is this book?** czyja to książka?, czyja jest ta książka? **2** (*relative*): **the girl whose sister you were speaking to** dziewczyna, z której siostrą rozmawiałeś; **the gardener whose name was Dave** ogrodnik, który miał na imię Dave ♦ *pron* czyj *m*, czyja *f*, czyje *nt*; **I know whose it is** wiem, czyje to jest.

└───────────────────────────────┘

Who's Who ['hu:z'hu:] *n* „Kto jest kim" *nt inv*.

┌─────────── KEYWORD ───────────┐

why [waɪ] *adv* dlaczego, czemu (*inf*); **why is he always late?** dlaczego on zawsze się spóźnia?; **fancy a drink? – why not?** może drinka? – czemu nie? ♦ *conj* dlaczego; **I wonder why he said that** zastanawiam się, dlaczego to powiedział; **that's not why I'm here** nie dlatego tu jestem; **the reason why I'm here** powód, dla którego tu jestem ♦ *excl* (*expressing surprise, annoyance etc*) och; (*explaining*) ależ, przecież; **why, it's you!** och, to ty!; **why, that's impossible!** ależ to niemożliwe!; **I don't understand – why, it's obvious!** nie rozumiem – przecież to oczywiste!

└───────────────────────────────┘

WI (*BRIT*) *n abbr* (= *Women's Institute*) *stowarzyszenie kobiece* ♦ *abbr* (= *West Indies*); (*US: POST.* = *Wisconsin*).

wick [wɪk] *n* knot *m*; **he gets on my wick** (*BRIT: inf*) on działa mi na nerwy.

wicked ['wɪkɪd] *adj* (*crime*) haniebny; (*man*) podły, niegodziwy; (*witch*) zły; (*smile, wit*) szelmowski; (*inf. weather etc*) paskudny.

wicker ['wɪkə*] *adj* wiklinowy.

wickerwork ['wɪkə*wə:k] *adj* wiklinowy ♦ *n* wyroby *pl* wikliniarskie *or* z wikliny.

wicket ['wɪkɪt] (*CRICKET*) *n* (*stumps*) bramka *f*, (*grass area*) *obszar boiska do krykieta pomiędzy dwiema bramkami*.

wicket-keeper ['wɪkɪtki:pə*] (*CRICKET*) *n gracz broniący bramki*.

wide [waɪd] *adj* szeroki ♦ *adv*. **to open wide**

otwierać (otworzyć *perf*) szeroko; **to go wide** (*shot etc*) przechodzić (przejść *perf*) obok; **the bridge is 3 metres wide** most ma 3 metry szerokości.

wide-angle lens ['waɪdæŋgl-] *n* obiektyw *m* szerokokątny.

wide-awake [waɪdə'weɪk] *adj* (całkiem) rozbudzony.

wide-eyed [waɪd'aɪd] *adj* (*fig*) naiwny; **she sat there wide-eyed** siedziała z szeroko otwartymi oczami.

widely ['waɪdlɪ] *adv* (*differ, vary*) znacznie; (*travel*) dużo; (*spaced, known*) szeroko; **he's widely read** (*reader*) jest bardzo oczytany; (*writer*) ma wielu czytelników.

widen ['waɪdn] *vt* (*road, river*) poszerzać (poszerzyć *perf*); (*one's experience*) rozszerzać (rozszerzyć *perf*) ♦ *vi* (*road, river*) rozszerzać się; (*gap*) powiększać się (powiększyć się *perf*).

wideness ['waɪdnɪs] *n* (*of road, river*) szerokość *f*, (*of gap*) wielkość *f*.

wide open *adj* szeroko otwarty.

wide-ranging [waɪd'reɪndʒɪŋ] (*implications*) daleko idący; (*survey*) wszechstronny.

widespread ['waɪdsprɛd] *adj* powszechny, rozpowszechniony.

widow ['wɪdəu] *n* wdowa *f*.

widowed ['wɪdəud] *adj* owdowiały.

widower ['wɪdəuə*] *n* wdowiec *m*.

width [wɪdθ] *n* szerokość *f*, **the street is 7 metres in width** ulica ma 7 metrów szerokości.

widthways ['wɪdθweɪz] *adv* wszerz.

wield [wi:ld] *vt* dzierżyć.

wife [waɪf] (*pl* **wives**) *n* żona *f*.

wig [wɪg] *n* peruka *f*.

wigging ['wɪgɪŋ] (*BRIT: inf*) *n* ochrzan *m* (*inf*).

wiggle ['wɪgl] *vt* (*hips*) kręcić +*instr*; (*ears*) ruszać +*instr*.

wiggly ['wɪglɪ] *adj* falisty.

wigwam ['wɪgwæm] *n* wigwam *m*.

wild [waɪld] *adj* (*animal, plant, land*) dziki; (*weather, night, applause*) burzliwy; (*sea*) wzburzony; (*idea*) szalony; (*person*): **wild with anger** *etc* oszalały z gniewu *etc* ♦ *n*: **animals in the wild** zwierzęta w swym naturalnym środowisku; **the wilds** *npl* pustkowie *nt*; **I'm not wild about him** nie przepadam za nim; **he took a wild guess** próbował zgadnąć na chybił trafił; **to go wild** (*excited*) oszaleć (*perf*); (*inf. furious*) wściec się (*perf*) (*inf*).

wild card (*COMPUT*) *n* (globalny) znak *m* zastępczy.

wildcat ['waɪldkæt] *n* żbik *m*.

wildcat strike *n* dziki strajk *m*.

wilderness ['wɪldənɪs] *n* dzicz *f*, pustynia *f*.

wildfire ['waɪldfaɪə*] *n*: **to spread like wildfire** rozchodzić się (rozejść się *perf*) lotem błyskawicy.

wild-goose chase [waɪld'guːs-] n (fig)
szukanie nt wiatru w polu.
wildlife ['waɪldlaɪf] n (dzika) przyroda f.
wildly ['waɪldlɪ] adv dziko; (applaud)
burzliwie; (shake etc) gwałtownie, wściekle;
(romantic) niesamowicie; (erratic, inefficient)
wysoce.
wiles [waɪlz] npl sztuczki pl.
wilful ['wɪlful] (US **willful**) adj (child,
character) uparty; (action, disregard) umyślny.

┌─────────── KEYWORD ───────────┐

will [wɪl] (vt: pt, pp **willed**) aux vb 1 (forming
future tense): **I will finish it tomorrow**
skończę to jutro; **I will have finished it by
tomorrow** skończę to do jutra. 2 (in
conjectures, predictions): **he will** or **he'll be
there by now** (pewnie) już tam jest; **that will
be the postman** to pewnie listonosz. 3 (in
commands, requests, offers): **will you be
quiet!** bądźże cicho!; **will you help me?** (czy)
możesz mi pomóc?, pomożesz mi?; **will you
have a cup of tea?** (czy) napije się Pan/Pani
herbaty? ♦ vt: **to will sb to do sth** zmuszać
(zmusić perf) kogoś, by coś (z)robił; **he
willed himself to go on** zmusił się, by iść
dalej ♦ n (volition) wola f; (also: **last will**)
testament m; **he did it against his will** zrobił
to wbrew swojej woli.

└────────────────────────────────┘

willful ['wɪlful] (US) adj = **wilful**.
willing ['wɪlɪŋ] adj (having no objection)
chętny; (enthusiastic) ochoczy; **he's willing to
do it** on chętnie to zrobi; **to show willing**
wykazywać (wykazać perf) dobre chęci.
willingly ['wɪlɪŋlɪ] adv chętnie.
willingness ['wɪlɪŋnɪs] n (readiness) chęć f,
gotowość f; (enthusiasm) ochota f.
will-o'-the wisp ['wɪlədə'wɪsp] n błędny ognik
m; (fig) złudzenie nt.
willow ['wɪləu] n wierzba f.
willpower ['wɪl'pauə*] n siła f woli.
willy-nilly ['wɪlɪ'nɪlɪ] adv chcąc nie chcąc.
wilt [wɪlt] vi więdnąć (zwiędnąć perf).
Wilts [wɪlts] (BRIT: POST) abbr (= Wiltshire).
wily ['waɪlɪ] adj przebiegły, chytry.
wimp [wɪmp] (inf, pej) n ofiara f (inf, pej).
win [wɪn] (pt **won**) n zwycięstwo nt, wygrana
f ♦ vt (game, competition, election) wygrywać
(wygrać perf), zwyciężać (zwyciężyć perf) w
+loc; (prize, support, popularity) zdobywać
(zdobyć perf) ♦ vi wygrywać (wygrać perf),
zwyciężać (zwyciężyć perf).
▸**win over** vt pozyskiwać (pozyskać perf).
▸**win round** (BRIT) vt = **win over**.
wince [wɪns] vi krzywić się (skrzywić się perf).
winch [wɪntʃ] n kołowrót m.
Winchester disk ['wɪntʃɪstə-] (COMPUT) n
dysk m stały typu Winchester.

wind¹ [n, vt wɪnd, npl waɪnd] n (air) wiatr m;
(MED) wzdęcie nt; (breath) dech m ♦ vt
pozbawiać (pozbawić perf) tchu; **the winds
npl** (MUS) instrumenty pl dęte; **into** or
against the wind pod wiatr; **to get wind of
sth** (fig) zwietrzyć (perf) coś; **to break wind**
puszczać wiatry.
wind² [waɪnd] (pt **wound**) vt (thread, rope)
nawijać (nawinąć perf); (bandage) zawijać
(zawinąć perf); (clock, toy) nakręcać (nakręcić
perf) ♦ vi wić się.
▸**wind down** vt (car window) opuszczać
(opuścić perf); (fig: business etc) (stopniowo)
likwidować (zlikwidować perf), zwijać
(zwinąć perf) (inf).
▸**wind up** vt (clock, toy) nakręcać (nakręcić
perf); (debate) kończyć (zakończyć perf).
windbreak ['wɪndbreɪk] n zasłona f od wiatru
(mur, drzewa itp).
windbreaker ['wɪndbreɪkə*] (US) n =
windcheater.
windcheater ['wɪndtʃiːtə*] n wiatrówka f
(kurtka).
winder ['waɪndə*] (BRIT) n pokrętło nt
(zegarka).
windfall ['wɪndfɔːl] n (money) nieoczekiwany
przypływ m gotówki; (apple) spad m.
winding ['waɪndɪŋ] adj kręty, wijący się.
wind instrument ['wɪnd-] n instrument m dęty.
windmill ['wɪndmɪl] n wiatrak m.
window ['wɪndəu] n (of house, vehicle, on
computer screen) okno nt; (of shop) witryna
f; (in bank, post office) okienko nt.
window box n skrzynka f na kwiaty.
window cleaner n osoba f do mycia okien.
window dresser n dekorator(ka) m(f) witryn
sklepowych.
window envelope n koperta f z okienkiem.
window frame n framuga f or rama f okienna.
window ledge n parapet m.
window pane n szyba f (okienna).
window-shopping ['wɪndəuʃɔpɪŋ] n oglądanie
nt wystaw sklepowych.
windowsill ['wɪndəusɪl] n parapet m.
windpipe ['wɪndpaɪp] n tchawica f.
wind power ['wɪnd-] n siła f wiatru.
windscreen ['wɪndskriːn] n (AUT) przednia
szyba f.
windscreen washer n spryskiwacz m
przedniej szyby.
windscreen wiper [-waɪpə*] n wycieraczka f
(przedniej szyby).
windshield ['wɪndʃiːld] (US) n = **windscreen**.
windsurfing ['wɪndsəːfɪŋ] n windsurfing m.
windswept ['wɪndswept] adj (place) nie
osłonięty, odsłonięty; (hair) potargany (przez
wiatr).
wind tunnel ['wɪnd-] n tunel m
aerodynamiczny.

windy ['wɪndɪ] *adj* wietrzny; **it's windy** wieje
silny wiatr.
wine [waɪn] *n* wino *nt* ♦ *vt*: **to wine and dine
sb** podejmować (podjąć *perf*) kogoś wystawną
kolacją (*zwykle w drogiej restauracji*).
wine bar *n* winiarnia *f*.
wine cellar *n* piwnica *f* win.
wine glass *n* kieliszek *m* do wina.
wine list *n* karta *f* win.
wine merchant *n* handlarz *m* winem.
wine tasting [-teɪstɪŋ] *n* degustacja *f* win.
wine waiter *n* kelner *m* podający wino.
wing [wɪŋ] *n* skrzydło *nt*; (*AUT*) błotnik *m*;
the wings *npl* (*THEAT*) kulisy *pl*; **in the
wings** za kulisami; **from the wings** zza kulis.
winger ['wɪŋə*] (*SPORT*) *n* skrzydłowy (-wa)
m(f).
wing mirror (*BRIT*) *n* lusterko *nt* boczne.
wing nut *n* nakrętka *f* motylkowa.
wingspan ['wɪŋspæn] *n* rozpiętość *f* skrzydeł.
wingspread ['wɪŋsprɛd] *n* = **wingspan**.
wink [wɪŋk] *n* mrugnięcie *nt* ♦ *vi* mrugać
(mrugnąć *perf*).
winkle [wɪŋkl] *n* pobrzeżek *m* (*małż jadalny*).
winner ['wɪnə*] *n* (*of race, competition*)
zwycięzca/zwyciężczyni *m/f*, (*of prize*)
zdobywca (-czyni) *m(f)*.
winning ['wɪnɪŋ] *adj* (*team, competitor, goal*)
zwycięski; (*smile*) ujmujący; *see also* **winnings**.
winning post *n* meta *f*.
winnings ['wɪnɪŋz] *npl* wygrana *f*.
winsome ['wɪnsəm] *adj* pociągający.
winter ['wɪntə*] *n* zima *f* ♦ *vi* (*birds*)
zimować; **in winter** zimą, w zimie.
winter sports *npl* sporty *pl* zimowe.
wintry ['wɪntrɪ] *adj* (*weather, day*) zimowy;
(*smile*) lodowaty.
wipe [waɪp] *vt* (*dry, clean*) wycierać (wytrzeć
perf); (*erase*) zmazywać (zmazać *perf*); **to
wipe one's nose** wycierać (wytrzeć *perf*) nos
♦ *n*: **to give sth a wipe** przecierać (przetrzeć
perf) coś.
►**wipe off** *vt* ścierać (zetrzeć *perf*).
►**wipe out** *vt* (*city etc*) zmiatać (zmieść *perf*) z
powierzchni ziemi.
►**wipe up** *vt* (*spilt liquid etc*) ścierać (zetrzeć
perf), zbierać (zebrać *perf*) szmatką.
wire ['waɪə*] *n* drut *m*; (*ELEC*) przewód *m*;
(*telegram*) telegram *m*, depesza *f* (*old*) ♦ *vt*
(*US: person*) wysyłać (wysłać *perf*) telegram
do +*gen*; (*also*: **wire up**: *electrical fitting*)
podłączać (podłączyć *perf*).
wire brush *n* szczotka *f* druciana.
wire cutters *npl* szczypce *pl* do cięcia drutu.
wireless ['waɪəlɪs] (*BRIT*: *old*) *n* radio *nt*.
wire netting *n* siatka *f* druciana.
wire-tapping ['waɪə'tæpɪŋ] *n* podsłuch *m*
(telefoniczny).
wiring ['waɪərɪŋ] (*ELEC*) *n* instalacja *f*
elektryczna.

wiry ['waɪərɪ] *adj* (*person*) żylasty; (*hair, grass*)
szorstki.
wisdom ['wɪzdəm] *n* (*of person*) mądrość *f*,
(*of action, remark*) sens *m*.
wisdom tooth *n* ząb *m* mądrości.
wise [waɪz] *adj* mądry; **I'm none the wiser**
nadal nic nie rozumiem.
►**wise up** (*inf*) *vi*: **he wised up to the fact
she wasn't coming back** (wreszcie) dotarło
do niego, że ona nie wróci.
...wise [waɪz] *suff* (*with regard to*): **timewise**
etc jeśli chodzi o czas *etc*; (*in the manner
of*): **crabwise** *etc* jak rak *etc*.
wisecrack ['waɪzkræk] *n* dowcipna uwaga *f*.
wisely ['waɪzlɪ] *adv* mądrze.
wish [wɪʃ] *n* pragnienie *nt*; (*specific*) życzenie
nt ♦ *vt*: **I wish I were/I had been ...** żałuję,
że nie jestem/nie byłem ...; **best wishes** (*for
birthday etc*) najlepsze życzenia; **with best
wishes** (*in letter*) łączę pozdrowienia; **to make
a wish** pomyśleć (*perf*) sobie (jakieś)
życzenie; **give her my best wishes** pozdrów
ją ode mnie; **we have no wish to repeat
their mistakes** nie mamy zamiaru powtarzać
ich błędów; **to wish sb well** dobrze komuś
życzyć; **to wish to do sth** pragnąć coś
(z)robić; **to wish for** życzyć (zażyczyć *perf*)
sobie (w myślach) +*gen*; **she wished him
good luck** życzyła mu powodzenia; **I wouldn't
wish it on my worst enemy** nie życzyłbym
tego największemu wrogowi.
wishful ['wɪʃful] *adj*: **it's wishful thinking** to
pobożne życzenia.
wishy-washy ['wɪʃɪ'wɔʃɪ] (*inf*) *adj* (*colour*)
rozmyty; (*ideas, person*) nijaki, mało
konkretny.
wisp [wɪsp] *n* (*of grass, hay*) wiązka *f*, (*of
hair*) kosmyk *m*; (*of smoke*) smuga *f*.
wistful ['wɪstful] *adj* tęskny.
wit [wɪt] *n* (*wittiness*) dowcip *m*; (*also*: **wits**)
inteligencja *f*, (*person*) humorysta *m*;
(*presence of mind*) rozum *m*; **to be at one's
wits' end (about)** nie wiedzieć, co począć (z
+*instr*); **to have one's wits about one** mieć
się na baczności; **to wit** (a) mianowicie.
witch [wɪtʃ] *n* czarownica *f*.
witchcraft ['wɪtʃkraːft] *n* czary *pl*.
witch doctor *n* szaman *m*.
witch-hunt ['wɪtʃhʌnt] *n* (*fig*) polowanie *nt* na
czarownice.

┌─────────── KEYWORD ───────────┐

with [wɪð, wɪθ] *prep* **1** (*accompanying, in the
company of*) z +*instr*; **I was with him** byłem
z nim; **we stayed with friends** zatrzymaliśmy
się u przyjaciół; **I'll be with you in a minute**
zaraz się Panem/Panią zajmę; **I'm with you**
rozumiem; **to be with it** (*inf*: *up-to-date*) być
na bieżąco; (: *alert*) kontaktować (*inf*); **I'm
not quite with it this morning** nie bardzo dziś

kontaktuję. **2** (*descriptive*): **a room with a view** pokój z widokiem; **the man with the grey hat** (ten) mężczyzna w szarym kapeluszu. **3** (*indicating manner, means, cause*): **with tears in her eyes** ze łzami w oczach; **to walk with a stick** chodzić o lasce; **red with anger** czerwony ze złości; **to fill sth with water** napełniać (napełnić *perf*) coś wodą.

withdraw [wıθ'drɔː] (*irreg like*: **draw**) *vt* (*object*) wyjmować (wyjąć *perf*); (*offer, troops*) wycofywać (wycofać *perf*); (*statement*) cofać (cofnąć *perf*), odwoływać (odwołać *perf*); (*money: from bank*) podejmować (podjąć *perf*) ♦ *vi* wycofywać się (wycofać się *perf*); **to withdraw into o.s.** zamykać się (zamknąć się *perf*) w sobie.

withdrawal [wıθ'drɔːəl] *n* (*of offer, troops, services*) wycofanie *nt*; (*of statement*) cofnięcie *nt*, odwołanie *nt*; (*of participation*) wycofanie się *nt*; (*of money*) podjęcie *nt*.

withdrawal symptoms *npl* zespół *m* abstynencji.

withdrawn [wıθ'drɔːn] *pp of* **withdraw** ♦ *adj* zamknięty w sobie.

wither ['wıðə*] *vi* usychać (uschnąć *perf*), więdnąć (zwiędnąć *perf*).

withered ['wıðəd] *adj* (*plant*) uschnięty, zwiędnięty; (*limb*) bezwładny.

withhold [wıθ'həuld] (*irreg like*: **hold**) *vt* (*rent etc*) odmawiać (odmówić *perf*) płacenia +*gen*; (*permission*) odmawiać (odmówić *perf*) +*gen*; (*information*) zatajać (zataić *perf*).

within [wıð'ın] *prep* (*object*) wewnątrz *or* w środku +*gen*; (*building, area*) na terenie +*gen*; (*time*) w (prze)ciągu *or* na przestrzeni +*gen*; (*distance*) w odległości +*gen* ♦ *adv* wewnątrz, w środku; **from within** ze środka; **within reach of** w miejscu dostępnym dla +*gen*; **they came within sight of the gate** dotarli do miejsca, z którego widać było bramę; **the end is within sight** widać już koniec; **within the week** w ciągu tygodnia; **within a mile of** o milę od +*gen*; **within an hour of** w niecałą godzinę od +*gen or* po +*loc*; **within the law** w granicach prawa.

without [wıð'aut] *prep* bez +*gen*; **without a coat** bez płaszcza; **without speaking** nic nie mówiąc; **it goes without saying** to się rozumie samo przez się; **without anyone knowing** bez niczyjej wiedzy.

withstand [wıθ'stænd] (*irreg like*: **stand**) *vt* (*wind*) stawiać (stawić *perf*) opór +*dat*; (*attack*) wytrzymywać (wytrzymać *perf*).

witness ['wıtnıs] *n* świadek *m* ♦ *vt* (*lit, fig*) być świadkiem +*gen*; **to bear witness to** (*behaviour*) świadczyć o +*loc*; (*person*) dawać (dać *perf*) świadectwo +*dat*; **witness for the prosecution/defence** świadek

oskarżenia/obrony; **to witness to sth/having seen sth** zaświadczać (zaświadczyć *perf*) o czymś/, że się coś widziało.

witness box *n* miejsce *nt* dla świadka.

witness stand (*US*) = **witness box**.

witticism ['wıtısızəm] *n* dowcipne powiedzenie *nt*.

witty ['wıtı] *adj* dowcipny.

wives [waıvz] *npl of* **wife**.

wizard ['wızəd] *n* czarodziej *m*.

wizened ['wıznd] *adj* pomarszczony.

wk *abbr* = **week** tydz.

Wm. *abbr* (= *William*).

WO (*MIL*) *n abbr* (= *warrant officer*) chorąży *m*.

wobble ['wɔbl] *vi* (*legs, jelly*) trząść się; (*chair*) chwiać się.

wobbly ['wɔblı] *adj* (*hand, voice*) trzęsący się; (*table, chair*) chwiejący się; **to feel wobbly** (*person, legs*) trząść się, dygotać.

woe [wəu] *n* (*sorrow*) żałość *f*; (*misfortune*) nieszczęście *nt*.

woke [wəuk] *pt of* **wake**.

woken ['wəukn] *pp of* **wake**.

wolf [wulf] (*pl* **wolves**) *n* wilk *m*.

wolves [wulvz] *npl of* **wolf**.

woman ['wumən] (*pl* **women**) *n* kobieta *f*; **woman friend** przyjaciółka; **woman teacher** nauczycielka; **women's page** (*PRESS*) strona z poradami dla kobiet.

woman doctor *n* lekarka *f*.

womanize ['wumənaız] (*pej*) *vi* uganiać się za spódniczkami (*pej*).

womanly ['wumənlı] *adj* kobiecy.

womb [wuːm] *n* (*ANAT*) macica *f*; (*fig*) łono *nt*; **a baby in its mother's womb** dziecko w łonie matki.

women ['wımın] *npl of* **woman**.

women's lib ['wımınz-] (*inf*) *n* = **Women's (Liberation) Movement**.

Women's (Liberation) Movement *n* ruch *m* wyzwolenia kobiet.

won [wʌn] *pt, pp of* **win**.

wonder ['wʌndə*] *n* (*miracle*) cud *m*; (*awe*) zdumienie *nt* ♦ *vi*: **to wonder whether/why** zastanawiać się, czy/dlaczego; **to wonder at** dziwić się +*dat*; **to wonder about** zastanawiać się nad +*instr*; **it's no wonder (that)** nic dziwnego (, że); **I wonder if you could help me** czy byłbyś uprzejmy mi pomóc?; **I wonder why he's late** ciekawe, czemu się spóźnia.

wonderful ['wʌndəful] *adj* (*excellent*) wspaniały; (*miraculous*) cudowny.

wonderfully ['wʌndəfəlı] *adv* (*kind, funny etc*) niezwykle.

wonky ['wɔŋkı] (*BRIT: inf*) *adj* (*table etc*) rozklekotany (*inf*).

won't [wəunt] = **will not**.

woo [wuː] *vt* (*woman*) zalecać się do +*gen*; (*audience, voters*) zabiegać o względy +*gen*.

wood [wud] *n* (*timber*) drewno *nt*; (*forest*) las
m ♦ *cpd* drewniany.
wood-carving ['wudkɑ:vɪŋ] *n* (*act*) rzeźbienie
nt w drewnie; (*object*) drewniana rzeźba *f*.
wooded ['wudɪd] *adj* zalesiony, lesisty.
wooden ['wudn] *adj* drewniany;
(*fig: performance etc*) bez wyrazu *post*.
woodland ['wudlənd] *n* teren *m* leśny.
woodpecker ['wudpɛkə*] *n* dzięcioł *m*.
wood pigeon *n* dziki gołąb *m*.
woodwind ['wudwɪnd] *n* drewniany instrument
m dęty; **the woodwind** sekcja drewnianych
instrumentów dętych.
woodwork ['wudwə:k] *n* stolarka *f*.
woodworm ['wudwə:m] *n* czerw *m* drzewny.
woof [wuf] *n* szczeknięcie *nt* ♦ *vi* szczekać
(zaszczekać *perf*); **woof, woof!** hau, hau!
wool [wul] *n* wełna *f*; **to pull the wool over
sb's eyes** (*fig*) mydlić komuś oczy.
woollen ['wulən] (*US* **woolen**) *adj* wełniany.
woollens ['wulənz] *npl* odzież *f* wełniana.
woolly ['wulɪ] (*US* **wooly**) *adj* wełniany;
(*fig: ideas*) mętny ♦ *n* sweter *m*.
Worcs (*BRIT: POST*) *abbr* (= *Worcestershire*).
word [wə:d] *n* (*unit of language, promise*)
słowo *nt*; (*news*) wiadomość *f* ♦ *vt*
formułować (sformułować *perf*); **word for
word** (*repeat*) słowo w słowo; (*translate*)
dosłownie; **what's the word for "pen" in
French?** jak jest „długopis" po francusku?; **to
put sth into words** wyrażać (wyrazić *perf*)
coś słowami; **in other words** innymi słowy;
to break one's word łamać (złamać *perf*)
(dane) słowo; **to keep one's word**
dotrzymywać (dotrzymać *perf*) słowa; **to have
words with sb** rozmówić (*perf*) się z kimś;
they have been having words again znów
doszło między nimi do ostrej wymiany zdań;
to have a word with sb zamienić (*perf*) z
kimś parę słów; **I'll take your word for it**
wierzę ci na słowo; **to send word of**
zawiadamiać (zawiadomić *perf*) o +*instr*; **to
leave word (with sb/for sb) that ...** zostawiać
(zostawić *perf*) (u kogoś/dla kogoś)
wiadomość, że ... .
wording ['wə:dɪŋ] *n* sposób *m* sformułowania.
word-perfect ['wə:d'pə:fɪkt] *adj*: **she was
word-perfect** ani razu się nie pomyliła.
word processing *n* komputerowe
redagowanie *nt* tekstu.
word processor [-prəusɛsə*] *n* edytor *m*
tekstów.
wordwrap ['wə:dræp] (*COMPUT*) *n*
automatyczne zawijanie *nt* tekstu (*po dojściu
do prawego marginesu*).
wordy ['wə:dɪ] *adj* (*book*) rozwlekły,
przegadany (*inf*); (*person*) mówiący rozwlekle.
wore [wɔ:*] *pt* of **wear**.
work [wə:k] *n* praca *f*, (*ART, LITERATURE*)
dzieło *nt*; (*MUS*) utwór *m* ♦ *vi* (*person*)

pracować; (*mechanism*) działać; (*medicine*)
działać (zadziałać *perf*) ♦ *vt* (*wood, stone*)
obrabiać; (*land*) uprawiać; (*machine*)
obsługiwać; **to go to work** chodzić do pracy; **to
go** *or* **get** *or* **set to work** zabierać się (zabrać się
perf) do pracy; **to be at work (on sth)** pracować
(nad czymś); **to be in work** mieć pracę; **to be
out of work** nie mieć pracy; **to work a mine/an
oil well** pracować przy wydobyciu węgla/ropy;
to work hard ciężko pracować; **to work loose**
(*screw etc*) obluzowywać się (obluzować się
perf); (*knot*) rozluźniać się (rozluźnić się *perf*);
to work on the principle that ... działać przy
założeniu, że ...; **to work miracles** *or* **wonders**
czynić cuda.
►**work on** *vt fus* (*task, person*) pracować nad
+*instr*; **he's working on his car** pracuje przy
(swoim) samochodzie.
►**work out** *vi* (*job, relationship*) układać się
(ułożyć się *perf*); (*plan*) powieść się (*perf*);
(*person*) ćwiczyć, trenować ♦ *vt* (*problem*)
rozpracowywać (rozpracować *perf*); (*plan*)
opracowywać (opracować *perf*); **he couldn't
work out why ...** nie mógł dojść, dlaczego ...; **it
works out at 100 pounds** to wynosi 100 funtów.
►**work up** *vt*: **to get worked up** denerwować
się (zdenerwować się *perf*).
workable ['wə:kəbl] *adj* (*solution, idea*)
wykonalny; (*system, proposal*) nadający się
do zastosowania *or* wykorzystania.
workaholic [wə:kə'hɒlɪk] *n* pracoholik *m*.
workbench ['wə:kbɛntʃ] *n* stół *m* warsztatowy.
worker ['wə:kə*] *n* (*physical*) robotnik (-ica)
m(f); (*employee*) pracownik (-ica) *m(f)*; **office
worker** urzędnik (-iczka) *m(f)*.
workforce ['wə:kfɔ:s] *n* siła *f* robocza; (*in
particular company, area*) liczba *f*
zatrudnionych.
work-in ['wə:kɪn] (*BRIT*) *n strajk okupacyjny,
podczas którego nie przerywa się pracy.*
working ['wə:kɪŋ] *adj* (*day*) roboczy;
(*population, mother*) pracujący; **working
conditions/hours** warunki/godziny pracy; **a
working knowledge of English** praktyczna
znajomość (języka) angielskiego.
working capital *n* kapitał *m* obrotowy.
working class *n* klasa *f* robotnicza.
working-class ['wə:kɪŋ'klɑ:s] *adj* robotniczy.
working man *n*: **the working man** ludzie *pl*
pracy.
working order *n*: **in working order** sprawny,
na chodzie (*inf*).
working party (*BRIT*) *n* grupa *f* robocza.
working week *n* tydzień *m* roboczy.
workload ['wə:kləud] *n* obciążenie *nt*.
workman ['wə:kmən] (*irreg like* **man**) *n*
robotnik *m*.
workmanship ['wə:kmənʃɪp] *n* (*of person*)
fachowość *f*; (*of object*) jakość *f* wykonania.
workmate ['wə:kmeɪt] *n* kolega *m* z pracy.

workout ['wə:kaut] *n* trening *m*.

work permit *n* pozwolenie *nt* na pracę.

works [wə:ks] (*BRIT*) *n* (*factory*) zakład *m* ♦ *npl* (*of clock, machine*) mechanizm *m*.

worksheet ['wə:kʃi:t] *n* przygotowana przez nauczyciela kartka z ćwiczeniami, nad którymi uczeń pracuje na lekcji.

workshop ['wə:kʃɔp] *n* (*building*) warsztat *m*; (*practical session*) warsztaty *pl*.

work station *n* stanowisko *nt* pracy.

work study *n* racjonalizacja *f* pracy.

work-to-rule ['wə:ktə'ru:l] (*BRIT*) *n* strajk *m* włoski.

world [wə:ld] *n* świat *m* ♦ *cpd* światowy; **all over the world** na całym świecie; **to think the world of sb** (*think highly*) bardzo kogoś cenić; (*like, love*) świata poza kimś nie widzieć; **what in the world is he doing?** co on u licha robi?; **it will do you a/the world of good** to ci doskonale zrobi.; **world champion** mistrz(yni) *m(f)* świata; **World War One/Two** pierwsza/druga wojna światowa; **out of this world** nieziemski.

World Cup *n*: **the World Cup** Puchar *m* Świata.

world-famous [wə:ld'feɪməs] *adj*: **to be world-famous** być znanym na całym świecie; **a world famous singer/physicist** światowej sławy śpiewak/fizyk.

worldly ['wə:ldlɪ] *adj* (*not spiritual*) ziemski, doczesny; (*knowledgeable*) światowy.

worldwide ['wə:ld'waɪd] *adj* (ogólno)światowy ♦ *adv* na całym świecie.

worm [wə:m] *n* robak *m*.

▸**worm out** *vt*: **to worm sth out of sb** wyciągać (wyciągnąć *perf*) coś z kogoś.

worn [wɔ:n] *pp of* **wear** ♦ *adj* (*carpet*) wytarty; (*shoe*) znoszony.

worn-out ['wɔ:naut] (*object*) zużyty; (*person*) wyczerpany, wykończony (*inf*).

worried ['wʌrɪd] *adj* (*anxious*) zaniepokojony; (*distressed*) zmartwiony; **I'm worried about you** niepokoję się *or* martwię się o ciebie.

worrier ['wʌrɪə*] *n*: **she's a worrier** ona lubi się zamartwiać.

worrisome ['wʌrɪsəm] *adj* niepokojący.

worry ['wʌrɪ] *n* (*anxiety*) troski *pl*, zmartwienia *pl*; (*problem*) zmartwienie *nt* ♦ *vt* (*upset*) martwić (zmartwić *perf*), trapić; (*alarm*) niepokoić (zaniepokoić *perf*) ♦ *vi* martwić się, niepokoić się; **to worry about** *or* **over sth/sb** niepokoić się czymś/o kogoś, martwić się o coś/kogoś.

worrying ['wʌrɪɪŋ] *adj* niepokojący.

worse [wə:s] *adj* gorszy ♦ *adv* gorzej ♦ *n* gorsze *nt*; **to get worse** pogarszać się (pogorszyć się *perf*); **a change for the worse** zmiana na gorsze; **he's none the worse for it** ani trochę na tym nie ucierpiał; **so much the worse for you!** tym gorzej dla ciebie!

worsen ['wə:sn] *vt* pogarszać (pogorszyć *perf*) ♦ *vi* pogarszać się (pogorszyć się *perf*).

worse off *adj* (*financially*) biedniejszy; (*fig*) w gorszej sytuacji *post*; **he is now worse off than before** powodzi mu się teraz gorzej niż przedtem.

worship ['wə:ʃɪp] *n* uwielbienie *nt*, kult *m* ♦ *vt* (*god*) oddawać (oddać *perf*) cześć +*dat*, wielbić (*fml*); (*person*) uwielbiać; **freedom of worship** wolność wyznania; **object/place of worship** obiekt/miejsce kultu; **Your Worship** (*BRIT*) *forma zwracania się do burmistrza lub sędziego*.

worshipper ['wə:ʃɪpə*] *n* (*in church*) wierny (-na) *m(f)*; (*fig*) czciciel(ka) *m(f)*.

worst [wə:st] *adj* najgorszy ♦ *adv* (*dressed*) najgorzej; (*affected*) najbardziej, najsilniej ♦ *n* najgorsze *nt*; **at worst** w najgorszym razie; **if the worst comes to the worst** w najgorszym wypadku.

worsted ['wustɪd] *n* wełna *f* czesankowa.

worth [wə:θ] *n* wartość *f* ♦ *adj* warty; **how much is it worth?** ile to jest warte?; **I'd like 50 pence worth of apples** poproszę jabłek za 50 pensów; **fifty thousand dollars' worth of equipment** sprzęt (o) wartości pięćdziesięciu tysięcy dolarów; **it's worth it** to (jest) warte zachodu; **the film is worth seeing** ten film warto zobaczyć; **it will be worth your while to do it** opłaci ci się to zrobić.

worthless ['wə:θlɪs] *adj* (*thing*) bezwartościowy; (*person*) nic nie wart *post*.

worthwhile ['wə:θ'waɪl] wart zachodu *post*.

worthy ['wə:ðɪ] *adj* (*person*) szanowny, czcigodny; (*motive*) szlachetny, zacny; **to be worthy of** być wartym +*gen*.

─────────── *KEYWORD* ───────────

would [wud] *aux vb* **1** (*conditional*): **if you asked him he would do it** gdybyś go poprosił, zrobiłby to; **if you had asked him he would have done it** gdybyś go (wtedy) poprosił, zrobiłby to. **2** (*in offers, invitations, requests*): **would you like a biscuit?** może herbatnika?; **would you ask him to come in?** (czy) mógłbyś go poprosić (, żeby wszedł)? **3** (*in indirect speech*): **I said I would do it** powiedziałam, że to zrobię. **4** (*emphatic*): **it WOULD have to snow today!** musiało akurat dzisiaj padać!; **you WOULD say that, wouldn't you!** musiałeś to powiedzieć, prawda? **5** (*insistence*): **she wouldn't give in** nie chciała się poddać, nie dawała za wygraną. **6** (*conjecture*): **it would have been midnight** pewnie było już koło północy; **it would seem so** na to by wyglądało. **7** (*indicating habit*): **he would go there on Mondays** chadzał tam w poniedziałki.

would-be ['wudbi:] *adj* niedoszły.
wouldn't ['wudnt] = **would not**.
wound¹ [waund] *pt, pp of* **wind²**.
wound² [wu:nd] *n* rana *f* ♦ *vt* ranić (zranić *perf*); **he was wounded (in the leg)** został ranny (w nogę).
wove [wəuv] *pt of* **weave**.
woven ['wəuvn] *pp of* **weave**.
WP *n abbr* = **word processing**; **word processor** ♦ *abbr* (BRIT: inf. = weather permitting) jeśli pogoda dopisze.
WPC (BRIT) *n abbr* (= woman police constable) policjantka *f*.
wpm *abbr* (= words per minute).
WRAC (BRIT) *n abbr* (= Women's Royal Army Corps) Żeńska Służba *f* Pomocnicza w Królewskich Siłach Lądowych.
WRAF (BRIT) *n abbr* (= Women's Royal Air Force) Żeńska Służba *f* Pomocnicza w Lotnictwie Królewskim.
wrangle ['ræŋgl] *n* sprzeczka *f* ♦ *vi*: **to wrangle with sb over sth** sprzeczać się z kimś o coś.
wrap [ræp] *n* (shawl) szal *m*; (cape) pelerynka *f*, narzutka *f* ♦ *vt* (cover) pakować (opakować *perf*); (also: **wrap up**) pakować (zapakować *perf*); (wind) owijać (owinąć *perf*); **to keep sth under wraps** (fig) trzymać coś w tajemnicy.
wrapper ['ræpə*] *n* (on chocolate) opakowanie *nt*; (BRIT: of book) obwoluta *f*.
wrapping paper ['ræpɪŋ-] *n* (brown) papier *m* pakowy; (fancy) papier *m* do pakowania (prezentów).
wrath [rɔθ] *n* gniew *m*.
wreak [ri:k] *vt*: **to wreak havoc (on)** siać spustoszenie (wśród +gen); **to wreak vengeance** *or* **revenge on sb** brać (wziąć *perf*) odwet na kimś.
wreath [ri:θ] (pl **wreaths**) *n* wieniec *m*.
wreck [rɛk] *n* (vehicle, ship) wrak *m*; (pej: person) wrak *m* (człowieka) ♦ *vt* (car) rozbijać (rozbić *perf*); (device) niszczyć (zniszczyć *perf*) (doszczętnie); (chances) niweczyć (zniweczyć *perf*).
wreckage ['rɛkɪdʒ] *n* szczątki *pl*.
wrecker ['rɛkə*] (US) *n* ≈ pomoc *f* drogowa.
WREN (BRIT) *n abbr* kobieta służąca w WRNS; see also **WRNS**.
wren [rɛn] *n* strzyżyk *m*.
wrench [rɛntʃ] *n* (TECH) klucz *m* (francuski); (tug) szarpnięcie *nt*; (fig) bolesne przeżycie *nt* ♦ *vt* (arm, joint) skręcić (perf); **to wrench sth off** *or* **away** oderwać (perf) coś; **to wrench sth from sb** wyrwać (perf) coś komuś; **he wrenched the door open** szarpnięciem otworzył drzwi.
wrest [rɛst] *vt*: **to wrest sth from sb** wydzierać (wydrzeć *perf*) coś komuś.
wrestle ['rɛsl] *vi*: **to wrestle (with sb)** mocować się (z kimś); **to wrestle with a problem** borykać się z problemem.
wrestler ['rɛslə*] *n* zapaśnik (-iczka) *m(f)*.
wrestling ['rɛslɪŋ] *n* zapasy *pl*; (also: **all-in wrestling**) wolna amerykanka *f*.
wrestling match *n* walka *f* zapaśnicza.
wretch [rɛtʃ] *n* (wicked) nędznik *m*; (unfortunate) nieszczęśnik *m*; **little wretch!** biedaczek!
wretched ['rɛtʃɪd] *adj* (poor) nędzny; (unhappy) nieszczęsny; (inf) głupi; **to be** *or* **feel wretched** czuć się okropnie.
wriggle ['rɪgl] *vi* (also: **wriggle about**: person) wiercić się; (: fish) trzepotać (się); (: snake) wić się ♦ *n*: **with a wriggle** wiercąc się.
wring [rɪŋ] (pt **wrung**) *vt* (wet clothes) wykręcać (wykręcić *perf*); (hands) załamywać (załamać *perf*); (bird's neck) ukręcać (ukręcić *perf*); **to wring sth out of sb/sth** (fig) wyciskać (wycisnąć *perf*) coś z kogoś/czegoś (inf).
wringer ['rɪŋə*] *n* wyżymaczka *f*.
wringing ['rɪŋɪŋ] *adj* (also: **wringing wet**) ociekający wodą.
wrinkle ['rɪŋkl] *n* (on skin) zmarszczka *f*; (on paper etc) zagniecenie *nt* ♦ *vt* marszczyć (zmarszczyć *perf*) ♦ *vi* marszczyć się (zmarszczyć się *perf*).
wrinkled ['rɪŋkld] *adj* pomarszczony.
wrinkly ['rɪŋklɪ] *adj* = **wrinkled**.
wrist [rɪst] *n* nadgarstek *m*, przegub *m* (dłoni).
wristband ['rɪstbænd] *n* (BRIT: of shirt) mankiet *m*; (of watch: leather) pasek *m* (do zegarka); (: metal) bransoletka *f* (do zegarka).
wristwatch ['rɪstwɔtʃ] *n* zegarek *m* (na rękę).
writ [rɪt] (JUR) *n* nakaz *m* urzędowy; **to issue a writ against sb**, **serve a writ on sb** pozywać (pozwać *perf*) kogoś do sądu.
write [raɪt] (pt **wrote**, pp **written**) *vt* (letter, novel) pisać (napisać *perf*); (cheque, receipt, prescription) wypisywać (wypisać *perf*) ♦ *vi* pisać (napisać *perf*); **to write to sb** pisać (napisać *perf*) do kogoś.
►**write away** *vi*: **to write away for** (information) prosić (poprosić *perf*) listownie o +acc; (goods) zamawiać (zamówić *perf*) listownie +acc.
►**write down** *vt* zapisywać (zapisać *perf*).
►**write off** *vt* (debt) umarzać (umorzyć *perf*); (plan, person) spisywać (spisać *perf*) na straty; (car) kasować (skasować *perf*) ♦ *vi* = **write away**.
►**write out** *vt* (report, list) spisywać (spisać *perf*); (cheque, receipt) wypisywać (wypisać *perf*).
►**write up** *vt* przepisywać (przepisać *perf*) (na czysto).
write-off ['raɪtɔf] *n*: **the car was a write-off** samochód nadawał się do kasacji *or* na złom.
write-protect ['raɪtprə'tɛkt] (COMPUT) *vt* zabezpieczać (zabezpieczyć *perf*) przed zapisem.

writer ['raɪtə*] *n* (*job*) pisarz (-arka) *m(f)*; (*of report, document*) autor(ka) *m(f)*.

write-up ['raɪtʌp] *n* recenzja *f* (*w gazecie*).

writhe [raɪð] *vi* skręcać się, wić się.

writing ['raɪtɪŋ] *n* (*words written*) napis *m*; (*also*: **handwriting**) pismo *nt*, charakter *m* pisma; (*of author*) pisarstwo *nt*; (*activity*) pisanie *nt*; **in writing** na piśmie; **in my own writing** moim własnym pismem.

writing case *n* teczka *f* (*zawierająca materiały piśmiennicze*).

writing desk *n* biurko *nt*, sekretarzyk *m* (*old*).

writing paper *n* papier *m* listowy.

written ['rɪtn] *pp of* **write**.

WRNS (*BRIT*) *n abbr* (= *Women's Royal Naval Service*) Żeńska Służba *f* Pomocnicza w Królewskiej Marynarce Wojennej.

wrong [rɒŋ] *adj* (*inappropriate, morally bad*) niewłaściwy; (*incorrect*) zły, błędny; (*unfair*) niesprawiedliwy ♦ *adv* źle, błędnie ♦ *n* (*injustice*) krzywda *f*; (*evil*) zło *nt* ♦ *vt* wyrządzać (wyrządzić *perf*) krzywdę +*dat*, krzywdzić (skrzywdzić *perf*); **the answer was wrong** odpowiedź była błędna *or* zła; **he was wrong (in saying ...)** nie miał racji *or* mylił się (, mówiąc ...); **you were wrong to speak to the newspapers** źle zrobiłeś, rozmawiając z dziennikarzami; **it's wrong to steal, stealing is wrong** kradzież jest złem; **you are wrong about that, you've got it wrong** mylisz się co do tego; **who's in the wrong?** kto zawinił?; **what's wrong?** co się stało?; **there's nothing wrong** wszystko (jest) w porządku; **to go wrong** (*person*) mylić się (pomylić się *perf*); (*machine, relationship*) psuć się (popsuć się *perf*).

wrongful ['rɒŋful] *adj* bezprawny.

wrongly ['rɒŋlɪ] *adv* (*answer, translate, spell*) źle, błędnie; (*accuse*) bezpodstawnie; (*imprison*) bezprawnie; (*dressed, arranged*) nieodpowiednio, niewłaściwie.

wrong number (*TEL*) *n*: **you've got the wrong number** (to) pomyłka.

wrong side *n*: **the wrong side** (*of material*) lewa strona *f*.

wrote [rəut] *pt of* **write**.

wrought [rɔːt] *adj*: **wrought iron** kute żelazo *nt*.

wrung [rʌŋ] *pt, pp of* **wring**.

WRVS (*BRIT*) *n abbr* (= *Women's Royal Voluntary Service*) żeńska organizacja ochotnicza niosąca pomoc potrzebującym.

wry [raɪ] *adj* lekko drwiący.

wt. *abbr* = **weight**.

WV (*US*: *POST*) *abbr* (= *West Virginia*).

WY (*US*: *POST*) *abbr* (= *Wyoming*).

WYSIWYG ['wɪzɪwɪg] (*COMPUT*) *abbr* (= *what you see is what you get*) *sposób komputerowego opracowywania tekstu, w którym postać wydruku odpowiada dokładnie postaci na ekranie*.

X, x

X, x [ɛks] *n* (*letter*) X *nt*, x *nt*; (*BRIT*: *FILM*: *formerly*) ≈ od lat 18-tu; **X for Xmas** ≈ X jak Xantypa.

Xerox ['zɪərɔks] ® *n* (*also*: **Xerox machine**) kserokopiarka *f*, ksero *nt* (*inf*); (*photocopy*) kserokopia *f*, ksero *nt* (*inf*) ♦ *vt* kserować (skserować *perf*).

XL *abbr* (= *extra large*) XL.

Xmas ['ɛksməs] *n abbr* = **Christmas**.

X-rated ['ɛks'reɪtɪd] (*US*) *adj* ≈ od lat 18-tu *post*.

X-ray [ɛks'reɪ] *n* (*ray*) promień *m* Rentgena *or* X; (*photo*) zdjęcie *nt* rentgenowskie, prześwietlenie *nt* ♦ *vt* prześwietlać (prześwietlić *perf*); **to have an X-ray** robić (zrobić *perf*) sobie prześwietlenie.

xylophone ['zaɪləfəun] *n* ksylofon *m*.

Y, y

Y, y [waɪ] *n* (*letter*) Y *nt*, y *nt*; **Y for Yellow**, (*US*) **Y for Yoke** ≈ Y jak Ypsylon.

yacht [jɔt] *n* jacht *m*.

yachting ['jɔtɪŋ] *n* żeglarstwo *nt*.

yachtsman ['jɔtsmən] (*irreg like* **man**) *n* żeglarz (-arka) *m(f)*.

yam [jæm] *n* słodki ziemniak *m*.

Yank [jæŋk] (*pej*) *n* Jankes(ka) *m(f)*.

yank [jæŋk] *vt* szarpać (szarpnąć *perf*) ♦ *n* szarpnięcie *nt*; **to give sth a yank** szarpać (szarpnąć *perf*) (za) coś.

Yankee ['jæŋkɪ] (*pej*) *n* = **Yank**.

yap [jæp] *vi* ujadać.

yard [jɑːd] *n* (*of house*) podwórko *nt*; (*US*: *garden*) ogródek *m*; (*measure*) jard *m* (*91,4 cm*); **builder's yard** plac budowy.

yardstick ['jɑːdstɪk] *n* (*fig*) miara *f*.

yarn [jɑːn] *n* (*thread*) przędza *f*; (*tale*) opowieść *f*.

yawn [jɔːn] *n* ziewnięcie *nt* ♦ *vi* ziewać (ziewnąć *perf*).

yawning ['jɔːnɪŋ] *adj* (*gap*) ziejący.

yd *abbr* = **yard**.

yeah [jɛə] (*inf*) *adv* tak, no (*inf*).

year [jɪə*] *n* rok *m*; **she wanted to go there every year** chciała tam jeździć co roku; **let's do it this year** zróbmy to w tym roku; **a** *or* **per year** na rok, rocznie; **year in, year out** z roku na rok; **to be 8 years old** mieć 8 lat; **an eight-year-old child** ośmioletnie dziecko.

yearbook ['jɪəbuk] *n* rocznik *m*.

yearling ['jɪəlɪŋ] *n* roczniak *m*.

yearly ['jɪəlɪ] *adj* (*once a year*) doroczny; (*every year*) coroczny; (*per year*) roczny ♦ *adv* (*once a year*) raz do *or* w roku; (*every year*) corocznie; (*per year*) rocznie; **twice yearly** dwa razy w *or* do roku.

yearn [jəːn] *vi*: **to yearn for sth** tęsknić do czegoś; **to yearn to do sth** (bardzo) pragnąć coś (z)robić.

yearning ['jəːnɪŋ] *n*: **to have a yearning for sth/to do sth** (bardzo) pragnąć czegoś/(z)robić coś.

yeast [jiːst] *n* drożdże *pl*.

yell [jɛl] *n* wrzask *m* ♦ *vi* wrzeszczeć (wrzasnąć *perf*).

yellow ['jɛləu] *adj* żółty ♦ *n* (kolor *m*) żółty.

yellow fever *n* żółta febra *f*.

yellowish ['jɛləuɪʃ] *adj* żółtawy.

Yellow Sea *n*: **the Yellow Sea** Morze *nt* Żółte.

yelp [jɛlp] *n* (*person's*) okrzyk *m*; (*animal's*) skowyt *m* ♦ *vi* (*person*) krzyczeć (krzyknąć *perf*); (*animal*) skowyczeć (zaskowyczeć *perf*).

Yemen ['jɛmən]`*n* Jemen *m*.

Yemeni ['jɛmənɪ] *adj* jemeński ♦ *n* Jemeńczyk/Jemenka *m/f*.

yen [jɛn] *n* jen *m*;: **to have a yen for/to do sth** mieć ochotę na coś/(z)robienie czegoś.

yeoman ['jəumən] (*irreg like* **man**) *n* (*BRIT*): **yeoman of the guard** żołnierz *m* królewskiej straży przybocznej.

yes [jɛs] *adv* tak ♦ *n* (*consent*) tak *nt*; (*in voting*) głos *m* za; **to say yes** zgadzać się (zgodzić się *perf*).

yes-man ['jɛsmæn] (*irreg like* **man**) (*pej*) *n* potakiwacz *m* (*pej*).

yesterday ['jɛstədɪ] *adv* wczoraj ♦ *n* wczoraj *nt*, dzień *m* wczorajszy; **yesterday morning/evening** wczoraj rano/wieczorem; **the day before yesterday** przedwczoraj; **all day yesterday** (przez) cały wczorajszy dzień.

yet [jɛt] *adv* jeszcze ♦ *conj* ale, (a) mimo to; **must you go just yet?** czy musisz już iść?; **not yet** jeszcze nie; **the best yet** najlepszy do tej pory *or* jak dotąd; **as yet** jak dotąd, na razie; **a few days yet** jeszcze kilka dni; **yet again** znowu, jeszcze raz.

yew [juː] *n* cis *m*.

YHA (*BRIT*) *n abbr* (= *Youth Hostels Association*) ≈ PTSM *m*.

Yiddish ['jɪdɪʃ] *n* (*LING*) jidysz *m inv*.

yield [jiːld] *n* (*AGR*) plon *m*; (*COMM*) zysk *m* ♦ *vt* (*control*) oddawać (oddać *perf*); (*results, profit*) dawać (dać *perf*), przynosić (przynieść *perf*) ♦ *vi* (*surrender*) ulegać (ulec *perf*), ustępować (ustąpić *perf*); (*US: AUT*) ustępować (ustąpić *perf*) pierwszeństwa przejazdu; (*break, move position*) ustępować (ustąpić *perf*), nie wytrzymywać (nie wytrzymać *perf*); **a yield of 5%** pięcioprocentowy zysk.

YMCA *n abbr* (= *Young Men's Christian Association*) (*organization*) YMCA *f*, (*hostel*) schronisko *nt* YMCA.

yob(bo) ['jɔb(əu)] (*BRIT: inf*) *n* chuligan *m*.

yodel ['jəudl] *vi* jodłować.

yoga ['jəugə] *n* joga *f*.

yog(h)ourt ['jəugət] *n* jogurt *m*.

yog(h)urt ['jəugət] *n* = **yog(h)ourt**.

yoke [jəuk] *n* jarzmo *nt* ♦ *vt* zaprzęgać (zaprząc *perf*).

yolk [jəuk] *n* żółtko *nt*.

Yorks [jɔːks] (*BRIT: POST*) *abbr* (= *Yorkshire*).

┌─────────── *KEYWORD* ───────────┐

you [juː] *pron* **1** (*subject sg*) ty; (*subject pl*) wy; **you and I** ty i ja; **you French** wy Francuzi; **you are very kind** jesteś bardzo miła. **2** (*direct object sg*) cię; (: *stressed*) ciebie; (*direct object pl*) was; **I know you** znam cię/was; **I saw you, not her** widziałam ciebie, nie ją. **3** (*indirect object sg*) ci; (: *stressed*) tobie; (*indirect object pl*) wam; **I told you** mówiłam ci; **I told YOU to do it** kazałem to zrobić tobie/wam. **3** (*after prep, in comparisons*): **it's for you** to dla ciebie/was; **can I come with you?** (czy) mogę pójść z tobą/wami?; **she's younger than you** jest młodsza od ciebie. **4** (*polite sg*) Pan(i) *m(f)*; (*polite pl*) Państwo *vir pl*; **can I help you?** czym mogę Panu/Pani/Państwu służyć? **5** (*impersonal*): **you never know** nigdy nie wiadomo; **you can't do that!** tak nie można!

└────────────────────────────────┘

you'd = **you had**; **you would**.

you'll [juːl] = **you will**; **you shall**.

young [jʌŋ] *adj* młody; **the young** *npl* (*of animal*) młode *pl*; (*people*) młodzież *f*; **a young man** młody człowiek; **a young lady** młoda dama.

younger [jʌŋgə*] *adj* młodszy; **the younger generation** młodsze pokolenie; **in one's younger days** za młodu.

youngish ['jʌŋɪʃ] *adj* dość młody.

youngster ['jʌŋstə*] *n* (*child*) dziecko *nt*; (*young man*) chłopak *m*; (*young woman*) dziewczyna *f*.

your [jɔː*] *adj* twój; (*one's*) swój (własny); *see also* **my**.

you're [juə*] = **you are**.

yours [jɔːz] *pron* twój; **a friend of yours** (jakiś) twój kolega *m*/(jakaś) twoja koleżanka *f*; **is it yours?** czy to jest twoje?; **yours sincerely/faithfully** z poważaniem; *see also* **mine**[1].

yourself [jɔːˈsɛlf] *pron* (*reflexive*) się; (*after prep*) siebie (*gen, acc*), sobie (*dat, loc*), sobą (*instr*); (*after conj*) ty; (*emphatic*) sam; **you yourself told me** ty sam mi powiedziałeś.

yourselves [jɔːˈsɛlvz] *pl pron* (*reflexive*) się; (*after prep*) siebie (*gen, acc*), sobie (*dat, loc*), sobą (*instr*); (*after conj*) wy; (*emphatic*) sami;

people like yourselves ludzie tacy jak wy; *see also* **oneself**.

youth [juːθ] *n* (*young days*) młodość *f*; (*young man*) młodzieniec *m*.

youth club *n* klub *m* młodzieżowy.

youthful ['juːθful] *adj* (*person*) młody; (*enthusiasm*) młodzieńczy.

youthfulness ['juːθfəlnɪs] *n* młodzieńczość *f*.

youth hostel *n* schronisko *nt* młodzieżowe.

youth movement *n* ruch *m* młodzieżowy.

you've [juːv] = **you have**.

yowl [jaul] *n* wycie *nt*.

yr *abbr* = **year** r.

Yugoslav ['juːgəuslɑːv] *adj* jugosłowiański ♦ *n* Jugosłowianin (-anka) *m(f)*.

Yugoslavia ['juːgəu'slɑːvɪə] *n* Jugosławia *f*.

Yugoslavian ['juːgəu'slɑːvɪən] *adj* jugosłowiański.

Yule log *n* polano spalane w kominku w Wigilię Bożego Narodzenia.

yuppie ['jʌpɪ] (*inf*) *n* yuppie *m* ♦ *adj* typowy dla yuppies.

YWCA *n abbr* (= *Young Women's Christian Association*) (*organization*) YWCA *f*; (*hostel*) schronisko *nt* YWCA.

Z, z

Z, z [zɛd] *n* (*letter*) Z *nt*, z *nt*; **Z for Zebra** ≈ Z jak Zygmunt.

Zaire [zɑːˈiːə*] *n* Zair *m*.

Zambia ['zæmbɪə] *n* Zambia *f*.

Zambian ['zæmbɪən] *adj* zambijski ♦ *n* Zambijczyk (-jka) *m(f)*.

zany ['zeɪnɪ] *adj* dziwaczny.

zap [zæp] (*COMPUT*) *vt* usuwać (usunąć *perf*).

zeal [ziːl] *n* zapał *m*.

zealot ['zɛlət] *n* fanatyk (-yczka) *m(f)*; **to be a zealot for/against sth** być zagorzałym zwolennikiem/przeciwnikiem czegoś.

zealous ['zɛləs] *adj* zagorzały.

zebra ['ziːbrə] *n* zebra *f*.

zebra crossing (*BRIT*) *n* przejście *nt* dla pieszych, pasy *pl*.

zenith ['zɛnɪθ] *n* zenit *m*; (*fig*) szczyt *m*.

zero ['zɪərəu] *n* zero *nt* ♦ *vi*: **to zero in on** (*target*) kierować się (nakierować się *perf*) na +*acc*; (*problem*) koncentrować się (skoncentrować się *perf*) na +*loc*; **5 degrees below zero** 5 stopni poniżej zera.

zero hour *n* godzina *f* zero.

zero-rated ['ziːrəureɪtɪd] (*BRIT*) *adj* zwolniony od VAT-u.

zest [zɛst] *n* zapał *m*, entuzjazm *m*; **zest for life** radość życia; **orange/lemon zest** skórka pomarańczowa/cytrynowa.

zigzag ['zɪgzæg] *n* zygzak *m* ♦ *vi* (*on foot*) iść (pójść *perf*) zygzakiem; (*car*) jechać (pojechać *perf*) zygzakiem.

Zimbabwe [zɪm'bɑːbwɪ] *n* Zimbabwe *nt inv*.

Zimbabwean [zɪm'bɑːbwɪən] *adj*: **the Zimbabwean government/people** rząd *m*/naród *m* Zimbabwe.

zinc [zɪŋk] *n* cynk *m*.

Zionism ['zaɪənɪzəm] *n* syjonizm *m*.

Zionist ['zaɪənɪst] *adj* syjonistyczny ♦ *n* syjonista (-tka) *m(f)*.

zip [zɪp] *n* zamek *m* błyskawiczny ♦ *vt*: **to zip up sth** zapinać (zapiąć *perf*) coś (na zamek).

zip code (*US*) *n* kod *m* pocztowy.

zipper ['zɪpə*] (*US*) = **zip**.

zither ['zɪðə*] *n* cytra *f*.

zodiac ['zəudɪæk] *n* zodiak *m*.

zombie ['zɔmbɪ] *n* (*fig*) żywy trup *m*.

zone [zəun] *n* strefa *f*.

zoo [zuː] *n* zoo *nt inv*.

zoological [zuə'lɔdʒɪkl] *adj* zoologiczny.

zoologist [zu'ɔlədʒɪst] *n* zoolog *m*.

zoology [zu'ɔlədʒɪ] *n* zoologia *f*.

zoom [zuːm] *vi*: **to zoom past (sth)** przemykać (przemknąć *perf*) obok (+*gen*); **to zoom in (on sth/sb)** (*PHOT, FILM*) robić (zrobić *perf*) najazd (na coś/kogoś).

zoom lens *n* teleobiektyw *m*.

zucchini [zuː'kiːnɪ] (*US*) *n(pl)* cukinia *f*.

Zulu ['zuːluː] *adj* zuluski ♦ *n* (*person*) Zulus(ka) *m(f)*; (*LING*) (język *m*) zulu.

Zürich ['zjuərɪk] *n* Zurych *m*.